# Podręczna encyklopedia zdrowia

Verena Corazza, Renate Daimler,
Andrea Ernst, Krista Federspiel,
Vera Herbst, Kurt Langbein,
Hans-Peter Martin, Hans Weiss

# Podręczna encyklopedia zdrowia

Dolegliwości i objawy
Choroby
Badania i leczenie
Jak sobie pomóc

Z języka niemieckiego
przełożył zespół
pod kierunkiem
prof. dr. hab. Gerarda Jonderki

Zysk i S-ka Wydawnictwo

Tytuł oryginału *Kursbuch Gesundheit*
Konsultanci naukowi: dr Michael Adam, dr Rieke Alten, dr Klaus Baum, prof. dr Heinz Carl Bettelheim, dr Wolfgang Bigenzahn, dr Hans Peter Bilek, doc. dr Christian Dittrich, dr Ulrike Fennesz, dr Bernhard Frischhut, dr Gerd Glaeske, dr Karl-Johann Hartig, Helmut Hirsch, dr Judith Hutterer, dr Jochen Jordan, doc. dr Gert Judmeier, dr Wolfgang Kirchhoff, Frank Kuebarth, dr Ingeborg Lackinger, prof. dr Claus Leitzmann, prof. dr D. Heinz Ludwig, dr Klaus Malek, dr Thomas Meisl, dr Ingrid Mühlhauser, prof. dr J.R. Möse, dr Christine Remien, prof. dr Jörg Remien, dr Georg Röggla, dr Wolfgang Scheibelhofer, Marietta Schirpf, dr Paul Schramek, dr Ilse Sokal, dr Susanna Stadler, dr Kirsten Stollhoff, dr Ines Stuchly, prof. dr Reinhard Ziegler. Współpraca: Katja Austerlitz, Erica Fischer, Martin Margulies oraz Erika Stegmann.
Nowe wydanie konsultowali ponadto: dr Petra Ball, prof. dr Michael Berger, Bettina Flörchinger, prof. dr Stefan Görres, prof. dr Peter Kröling, dr Bernd Laufs, Christa Merfert-Diete, dr Godske Nielsen, dr Klaus Rhomberg, dr Beatrix Tappeser, dr Karin Weigang-Köhler. Współpraca: dr Peter Felch, Heiner Friesacher, Sabine Keller, Elfriede Rometsch, Friedhelm Scheffel, Rosa Scheuringer, Charlotte Uzarewicz, Sina Vogt, Joachim Voß oraz Nikolaus Wolters.
Przekładu z niemieckiego dokonał zespół pod kierunkiem prof. dr. hab. Gerarda Jonderki (G.J.) w składzie: prof. dr hab. Jan Dulawa (J.D.), prof. dr hab. Jan Grzesik (J.G.), dr hab. Krzysztof Jonderko (K.J.), prof. dr hab. Roman Knapek (R.K.), † dr n. med. Marian Macura (M.M.), dr n. med. Ludwik Straszecki (L.S.), przy współpracy: red. Tadeusza Kurlusa, dr. Alfreda Puzio, prof. dr. hab. Henryka Trzeciaka (konsultacja farmakologiczna), red. Aliny Wodnieckiej.
Mapę na s. 686 opracowała prof. dr hab. Teresa Kozłowska-Szczęsna

Opracowanie graficzne Rudolf Linn

Ilustracje Eitel Schwarzer

Copyright © 1990, 1992, 1997 by Verlag Kiepenheuer & Witsch, Köln
For the Polish edition
Copyright © by Zysk i S-ka Wydawnictwo s.j., Poznań 2002

Wydanie poprawione, poszerzone, zaktualizowane

ISBN 978-83-7506-075-1

Zysk i S-ka Wydawnictwo
ul. Wielka 10, 61-774 Poznań
tel. (0-61) 853 27 51, 853 27 67, fax 852 63 26
Dział handlowy, tel./fax (0-61) 855 06 90
sklep@zysk.com.pl
www.zysk.com.pl

# Przedmowa do nowego wydania polskiego

*Podręczna encyklopedia zdrowia*, napisana przez grono niemieckich i austriackich autorów, cieszy się od lat uznaniem czytelników niemieckojęzycznych. Duże zainteresowanie *Podręczną encyklopedią zdrowia* od jej I wydania polskiego świadczy, że dzieło to spełnia oczekiwania Czytelników w zakresie podnoszenia oświaty i świadomości zdrowotnej. Postęp wiedzy medycznej, jaki się w tym czasie dokonał, skłonił autorów do aktualizacji treści książki, czego wyrazem jest również nowe wydanie niemieckie. W Polsce modyfikowaliśmy i uzupełnialiśmy jej treść stopniowo, w miarę ukazywania się dodruków, niemniej opublikowanie II wydania niemieckiego zobligowało nas do całościowej aktualizacji dzieła.

Różnice — występujące pomiędzy obowiązującymi w Polsce regulacjami prawnymi i organizacyjnymi życia społeczno-ekonomicznego a ochroną zdrowia ludności w Niemczech i Austrii — skłoniły nas do przeredagowania niektórych rozdziałów wydania niemieckiego. W porównaniu do I wydania nowe wydanie polskie jest wzbogacone o rozdziały dotyczące układu odpornościowego człowieka, lecznictwa uzdrowiskowego z uwzględnieniem charakterystyki polskich uzdrowisk, pielęgnowania chorych, opieki nad chorym w terminalnym okresie życia, niepełnosprawności, techniki genowej w medycynie i agronomii oraz jej skutków zdrowotnych dla ludzi, możliwości przenoszenia drobnoustrojów chorobotwórczych przez środki spożywcze, m.in. zakażenia wywołującego podostrą encefalopatię u bydła, czyli tzw. chorobę szalonych krów, a z kolei prawdopodobnie chorobę Creutzfeldta-Jacoba u ludzi. W niniejszym wydaniu zaktualizowaliśmy metody leczenia niepłodności i impotencji oraz sposoby antykoncepcji, a ponadto zasady i terminarz szczepień ochronnych w Polsce, wykazy literatury uzupełniającej, dotyczącej całości problematyki zdrowotnej, a także adresy instytucji samopomocowych, do których można się zwracać o poradę w różnych sprawach trapiących Czytelników w Polsce.

Dla ułatwienia zrozumienia treści Czytelnikowi niezwiązanemu z medycyną w polskim przekładzie staraliśmy się używać określeń ogólnie znanych bądź formy opisowej.

Książka uczy, jak stawić czoło współczesnym środowiskowym zagrożeniom zdrowotnym, i udziela niezbędnych porad w odniesieniu do każdego problemu zdrowotnego od urodzenia po wiek podeszły. Spodziewamy się, że również obecne wydanie polskie spotka się z pełnym uznaniem Czytelników.

Opracowując niniejszą encyklopedię, zapewne nie uniknęliśmy potknięć, za co przepraszamy, a równocześnie prosimy o informację, by usterki te usunąć w następnej edycji.

*Gerard Jonderko*

## ODCZUCIA

Masz dolegliwości — boli cię brzuch — masz bóle brzucha

W części zatytułowanej *Dolegliwości i objawy* znajdziesz rozdział *Brzuch — bóle*. W tej części opisane zostały w kolejności alfabetycznej najczęściej występujące dolegliwości. W lewej kolumnie znajdziesz opis występujących dolegliwości. Jeżeli towarzyszą im inne objawy lub zdarzenia, zostało to również zaznaczone. W środkowej kolumnie zawarte są przypuszczenia, na jaką chorobę mogą wskazywać konkretne dolegliwości.

W prawej kolumnie odnajdziesz informację, co należy zrobić: czy i jak możesz sobie ewentualnie sam pomóc, czy musisz udać się do lekarza i jak szybko. Dodatkowo dowiesz się, w którym miejscu tej książki znajdują się dokładne dane na ten temat.

## WIEDZA (STAN WIEDZY)

Słyszysz lub czytasz opis sugerujący, że chorujesz na „zapalenie żołądka"

W spisie treści znajdziesz informację, na której stronie rozdziału *Choroby* jest opisane zapalenie żołądka. Możesz również odszukać hasło „zapalenie żołądka" w alfabetycznie uporządkowanym skorowidzu rzeczowym na końcu książki. Z rozdziału *Choroby* dowiesz się, jakie są przyczyny, jak często konkretne choroby występują i jak można im ewentualnie zapobiegać.

Możesz również przeczytać, co sam mógłbyś zrobić dla złagodzenia dolegliwości, kiedy powinieneś pójść do lekarza. Będą przedstawione pozytywy i negatywy istotnych sposobów leczenia stosowanych przy konkretnej chorobie.

## PYTANIA

Lekarz kieruje cię na gastroskopię, by ustalić, czy twoje dolegliwości żołądkowe mają widoczne podłoże organiczne. W spisie treści odnajdziesz, na której stronie rozdziału *Badania i leczenie* jest opisana gastroskopia. Możesz również, kierując się hasłem „gastrosko-

pia", znaleźć ten rozdział, szukając w alfabetycznie ułożonym skorowidzu rzeczowym na końcu książki. W rozdziale *Badania i leczenie* możesz przeczytać, przy jakich chorobach celowa jest gastroskopia i jakie ryzyko się z nią łączy. Dowiesz się również o twoich prawach

u lekarza i w szpitalu. Znajdziesz pożyteczne rady i dane o często stosowanych sposobach leczenia, takich jak psychoterapia, akupunktura i fizykoterapia.

## POSZUKIWANIA

Chcesz żyć zdrowo — być może schudnąć, zaprzestać palenia tytoniu lub wyrugować szkodliwe substancje ze swego mieszkania. Kierując się spisem treści, zorientujesz się, na której stronie rozdziału *Jak sobie samemu pomóc* mieszczą się dane o żywieniu, paleniu tytoniu lub środkach szkodliwych. Mo-

żesz także poszukać szczegółowych informacji pod hasłami „masa ciała", „nikotyna", „formaldehyd" w alfabetycznie ułożonym skorowidzu rzeczowym na końcu książki.
W rozdziale *Jak sobie samemu pomóc* uzyskasz informacje o zagrożeniach zdrowia, wynikających z niektórych ro-

dzajów zachowań w określonych sytuacjach życiowych. Znajdziesz wskazówki o możliwościach takiego pokierowania swoim życiem, by uniknąć zagrożeń.

## DOLEGLIWOŚCI I OBJAWY

### Dolegliwości i objawy
W lewej kolumnie są wyszczególnione dolegliwości odpowiadające zamieszczonym obok prawdopodobnym przyczynom. Jeżeli wymienione objawy nie są wyraźnie uzupełnione uwagą „ewentual-

nie" lub innym ograniczeniem, opisane związki przyczynowe i zalecenia są odpowiednie jedynie wówczas, gdy występują równocześnie wszystkie wyszczególnione objawy.

### Możliwe przyczyny
W środkowej kolumnie wymienione są czynniki obciążające i choroby, które mogą prowadzić do opisanych dolegliwości. Jeżeli tego inaczej nie zasygnalizowano, dane tej kolumny oznaczają, że

tylko jedna z wymienionych przyczyn może być uwzględniona.

**Co należy zrobić**

W prawej kolumnie zamieszczono zalecenia dotyczące pomocy we własnym zakresie. Jeżeli żadnego zalecenia szczególnie nie uwydatniono, a jedynie skierowano do jakiegoś rozdziału w części drugiej lub trzeciej, oznacza to, że pomoc fachowa nie jest potrzebna.

Wówczas w odpowiednich rozdziałach odnajdziesz informacje o możliwości pomocy we własnym zakresie.

Zalecenia: *Wizyta u lekarza celowa*, *Wizyta u lekarza potrzebna*, *Wizyta u lekarza pilnie potrzebna* i *Natychmiast wezwać pogotowie ratunkowe* oznaczają, że zgodnie z tym stopniowaniem, twoim problemem zdrowotnym powinien zająć się lekarz.

# CHOROBY

W tym rozdziale są opisane poszczególne choroby według tej samej zasady:

**Dolegliwości**

Wyszczególnione są objawy typowe dla omawianej choroby.

**Przyczyny**

Tu są podane najważniejsze i najczęstsze przyczyny.

**Ryzyko zachorowania**

W tym ustępie uwzględniono — o ile to było możliwe — dane dotyczące częstości występowania choroby. Ponadto są wymienione sytuacje życiowe, sposoby postępowania lub inne choroby, w których ryzyko zachorowania jest ponadprzeciętne.

**Zapobieganie**

Tutaj podano, jakie działania należy podjąć, by zmniejszyć ryzyko zachorowania na określoną chorobę.

**Możliwe następstwa i powikłania**

W tej rubryce opisano, jakie dalsze problemy mogą się pojawić na skutek występującej choroby — zwłaszcza gdy jej leczenia zaniechano lub wdrożono zbyt późno.

**Kiedy do lekarza?**

Rubryka ta zawiera oznaki alarmowe określające, kiedy w każdym wypadku powinien wkroczyć lekarz.

**Jak sobie pomóc**

Tu przytoczono odpowiednie dla danej choroby skuteczne działania polegające na pomocy we własnym zakresie.

**Leczenie**

Tu przeczytasz krótki, krytycznie oceniony przegląd stosowanych sposobów leczenia, zapoznasz się z celowością ich zastosowania bądź uzasadnieniem odmowy. Ocena i zalecenia następują po rozważeniu oczekiwanych korzyści i możliwego ryzyka.

# BADANIA I LECZENIE

Tu są opisane szczególnie często stosowane metody badania i leczenia.

Ocena i zalecenia następują po rozważeniu oczekiwanych korzyści i wielkości ryzyka związanego z poszczególnymi zabiegami — zgodnie ze stanowiskiem konsultantów i danych z literatury specjalistycznej.

# POMOC WE WŁASNYM ZAKRESIE

Najważniejszym kryterium wyboru opisanych zabiegów jest ich przydatność w jak największej liczbie przypadków. Ocena i zalecenia następują po rozważeniu oczekiwanych korzyści i wielkości ryzyka poszczególnych zabiegów.

**Opisy i zalecenia tej książki opierają się na międzynarodowej specjalistycznej literaturze medycznej (stan z lat 1996/1997) i na danych uzyskanych od konsultantów merytorycznych książki.**

# Spis treści

# BARK — BÓLE

Gdy bierzesz zbyt wiele na swe ramiona, nie można się dziwić, że trudy pochylają cię ku ziemi. Na ogół bóle barków są rezultatem nadwerężenia, ale w ten sposób dają także o sobie znać fizyczne zużycie kośćca oraz rozmaite choroby.

| Dolegliwości i objawy | Możliwe przyczyny | Co należy zrobić |
|---|---|---|
| Bóle barków, gdy cały dzień siedzisz lub stoisz w niewygodnej pozycji (np. w biurze, kasa w domu towarowym, praca taśmowa) | Przykurcz mięśni | Jeżeli to jest możliwe, co jakiś czas rób pięciominutowe przerwy i staraj się odprężyć. Ważna jest właściwa odległość od stołu, przy którym pracujesz, i właściwa wysokość fotela.<br>→ Relaks, s. 664<br>→ Reumatyzm pozastawowy, s. 429 |
| Bóle barków po wysiłku, do którego nie jesteś przyzwyczajony (np. sport, praca w ogrodzie, majsterkowanie w domu) | Uruchomienie mięśni, które nie są do tego zaadaptowane | Zrób sobie ciepłą kąpiel. Pomocny może być masaż.<br>→ Bóle mięśni, s. 406<br>→ Masaż, s. 658 |
| Barki bolą przez dłuższy czas, często występują bóle głowy promieniujące do ramion lub<br>— promieniują z karku do pleców i<br>— stres i/lub<br>— lęk i/lub<br>— inne problemy psychiczne | Nieświadomie uniesione barki lub napięte mięśnie barków przez zbyt duże napięcie i presję psychiczną | Spróbuj zmniejszyć obciążenie uciskające twoje barki.<br>Jeżeli potrzebujesz przy tym pomocy, *wizyta u lekarza potrzebna*<br>→ Zaburzenia samopoczucia, s. 175<br>→ Relaks, s. 664<br>→ Reumatyzm pozastawowy, s. 429<br>→ Bóle pleców i krzyża, s. 431 |
| Bóle barków przy ruchach ramienia, nasilające się z roku na rok<br>— sztywny bark | Zużycie stawów | *Wizyta u lekarza potrzebna*<br>→ Reumatyzm pozastawowy, s. 429<br>→ Choroba zwyrodnieniowa stawów, s. 421 |
| Bóle barku, a równocześnie bóle i obrzęk innych stawów | Reumatyzm | *Wizyta u lekarza potrzebna*<br>→ Reumatyzm, s. 419 |
| Bóle barku po upadku lub urazie | Stłuczenie mięśnia<br>Naderwanie mięśnia<br>Naderwanie więzadła | *Wizyta u lekarza potrzebna*<br>→ Stłuczenie, s. 407<br>→ Naderwanie mięśnia, s. 407<br>→ Naderwanie więzadeł, s. 411 |
| Bóle barku po upadku lub wypadku lub krańcowym ruchu i<br>— niemożność poruszania ramieniem<br>— niewłaściwa pozycja ramienia | Skręcenie<br>Zwichnięcie<br>Złamanie kości | *Wizyta u lekarza potrzebna*<br>→ Skręcenie, s. 417<br>→ Zwichnięcie, s. 418<br>→ Złamania kości, s. 400 |
| Bóle barku najsilniejsze rano i<br>— bóle karku, bioder i<br>— szybko postępujące upośledzenie ostrości wzroku | Schorzenie tkanki łącznej naczyń krwionośnych zaopatrujących mięśnie | *Wizyta u lekarza pilnie potrzebna*<br>→ Reumatyczne bóle wielomięśniowe, s. 429 |
| Silne bóle lewego barku i<br>— duszność, niepokój i uczucie ściskania w klatce piersiowej | Zawał serca | *Natychmiast wezwać pogotowie ratunkowe*<br>→ Zawał serca, s. 316 |

# BEZPŁODNOŚĆ

Jeśli chciałabyś mieć dziecko, a w ciągu roku lub dwóch lat pożycia nie zachodzisz w ciążę, mimo że odbywasz stosunki kilka razy w tygodniu, jesteście oboje z partnerem bezpłodną parą. Przyczyna bezpłodności może leżeć po obu stronach, dlatego powinniście się oboje zbadać, i to w tym samym czasie. Zanim jednak podejmiesz działania mające sprawić, abyś została matką, zastanów się, czy naprawdę tęsknisz za dzieckiem, czy też masz je mieć tylko dlatego, że inni tego od ciebie oczekują. W wielu przypadkach zapłodnienie nie dochodzi do skutku tylko z tej przyczyny, że wytwarza się świadoma lub nieświadoma bariera oporu, powstająca również wtedy, kiedy wywiera się na ciebie naciski, bo przecież powinnaś...

| Dolegliwości i objawy | Możliwe przyczyny | Co należy zrobić |
|---|---|---|
| Bezpłodność w przypadku, gdy<br>— nie wiesz dokładnie, kiedy może dojść do zapłodnienia | Niedostateczna wiedza o funkcjonowaniu organizmu | Jest tylko kilka dni w miesięcznym cyklu płciowym kobiety, w których jajo może być zapłodnione. |
| — stosujesz praktyki seksualne niesprzyjające zapłodnieniu | | Jeżeli chcesz mieć dziecko, należy w tych dniach mieć stosunki płciowe i stosować praktyki umożliwiające nasieniu dotarcie do jaja.<br>→ Bezpłodność, s. 523<br>→ Zapobieganie ciąży, s. 515 |
| Bezpłodność przy równoczesnym braku zaburzeń organicznych, gdy<br>— więź uczuciowa z partnerem nie jest właściwa, a dziecko ma stanowić pewnego rodzaju „test" lub | Czasami podświadome odrzucanie ciąży | Prawdopodobnie pragnienie posiadania dziecka jest tylko rodzajem zachcianki, a nie wynika z głębokiego przekonania. Zastanów się, czy rzeczywiście celowe jest za każdą cenę pragnąć dziecka. |
| — gdy dziecko ma jedynie zastąpić miłość między partnerami<br>— gdy tylko jeden z partnerów dąży do posiadania dziecka, a drugi „ustępuje" | | Jeżeli potrzebujesz przy tym pomocy, *wizyta u lekarza potrzebna*<br>→ Bezpłodność, s. 523<br>→ Poradnictwo i psychoterapia, s. 670 |
| Bezpłodność, gdy<br>— żyjesz w stałym stresie i/lub<br>— jesteś przeciążona i/lub<br>— pijesz dużo alkoholu i/lub<br>— palisz dużo tytoniu i/lub<br>— stosujesz narkotyki | Skutek przeciążenia i stresu<br>Skutek nadużywania alkoholu i palenia tytoniu<br>Skutek używania narkotyków | Starajcie się jako para znaleźć więcej czasu dla siebie.<br>Szukaj odprężenia nie w alkoholu i innych truciznach uzależniających.<br>Jeżeli potrzebujesz przy tym pomocy, *wizyta u lekarza potrzebna*<br>→ Bezpłodność, s. 523<br>→ Używki i środki odurzające, s. 740<br>→ Uzależnienia, s. 198<br>→ Zaburzenia samopoczucia, s. 175 |
| Bezpłodność, gdy<br>— masz dużą nadwagę lub<br>— jesteś wyjątkowo szczupła lub<br>— stale stosujesz dietę niedoborową | Zaburzenia gospodarki hormonalnej ustroju | Unikaj wszelkich krańcowych diet lub stałego głodzenia się, by być szczupłą.<br>Jeżeli potrzebujesz przy tym pomocy, *wizyta u lekarza potrzebna*<br>→ Bezpłodność, s. 523<br>→ Masa ciała, s. 709<br>→ Zaburzenia łaknienia, s. 196 |

| Dolegliwości i objawy | Możliwe przyczyny | Co należy zrobić |
|---|---|---|
| Bezpłodność, gdy jeden z partnerów cierpi na przewlekłą chorobę i<br>— przez dłuższy okres był chory | Skutek choroby | Uważa się za normalne, że po dłuższej chorobie płodność jest zaburzona.<br>Miej cierpliwość. Przewlekłe choroby mogą upośledzać płodność.<br>Jeżeli masz z tym problemy,<br>***wizyta u lekarza potrzebna***<br>→ Bezpłodność, s. 523 |
| Bezpłodność, gdy przy pracy stykasz się z truciznami środowiskowymi, np.<br>— przy produkcji wyrobów włókienniczych i skórzanych lub<br>— w laboratorium lub w przemyśle chemicznym lub<br>— pracując w winnicy<br>— będąc anestezjologiem (lekarką lub pielęgniarką)<br>— pracując w gabinecie stomatologicznym | Szkody spowodowane truciznami środowiskowymi | ***Wizyta u lekarza potrzebna***<br>→ Bezpłodność, s. 523 |
| Bezpłodność u mężczyzn, gdy<br>— stale nosisz obcisłe spodnie lub<br>— zażywasz leki lub<br>— cierpisz na nieusunięte wnętrostwo (niezstąpienie jądra) lub<br>— przebyłeś zapalenie jądra, gruczołu krokowego, cewki moczowej lub pęcherzyków nasiennych lub<br>— miałeś przepuklinę pachwinową, krwiak jądra, żylaki powrózka nasiennego lub<br>— przebyłeś chorobę weneryczną | Zaburzenie wytwarzania plemników<br>Zaburzenie ejakulacji (wytrysk) | Nie noś spodni ani zbyt obcisłych, ani z tworzywa sztucznego.<br>Muszą minąć mniej więcej trzy miesiące od ponownego wytworzenia czynnościowo wydolnych plemników.<br>Jeżeli przyczyną bezpłodności jest któraś z wymienionych przyczyn,<br>***wizyta u lekarza potrzebna***<br>→ Bezpłodność u mężczyzn, s. 525 |
| Bezpłodność u kobiet po<br>— stosowaniu leków lub<br>— przewlekłym zapaleniu jajowodów lub<br>— ciąży jajowodowej lub<br>— przerwaniu ciąży lub<br>— chorobach wenerycznych | Szkody wywołane lekami<br>Skutek choroby<br>Skutek zabiegu | ***Wizyta u lekarza potrzebna***<br>→ Bezpłodność u kobiet, s. 527 |

# BIEGUNKA

Biegunka jest zazwyczaj reakcją jelita na infekcję, ale mogą ją także wywoływać rozmaite choroby ogólnoustrojowe, leki, nerwica i lęk. Zastanów się, czego nie trawisz, co powoduje, że pojawia się rozwolnienie.

| Dolegliwości i objawy | Możliwe przyczyny | Co należy zrobić |
|---|---|---|
| Biegunka związana ze<br>— stresem, lękiem lub<br>— innymi obciążeniami psychicznymi lub<br>— nadmiernym spożyciem alkoholu | Stres, problemy psychiczne, nadużywanie alkoholu | Pij dużo (woda mineralna, herbata).<br>Zastanów się, co cię tak bardzo obciąża.<br>Jeżeli biegunka nie ustępuje po trzech dniach,<br>**wizyta u lekarza potrzebna**<br>→ Zaburzenia samopoczucia, s. 175<br>→ Relaks, s. 664<br>→ Używki i środki odurzające, s. 740 |
| Powtarzająca się biegunka i<br>— uczucie pełności i<br>— wzdęcia | Jelito drażliwe | Gdy wystąpią dolegliwości, spróbuj natychmiast się odprężyć.<br>Jeżeli dolegliwości nawracają,<br>**wizyta u lekarza potrzebna**<br>→ Zaburzenia samopoczucia, s. 175<br>→ Jelito drażliwe, s. 377<br>→ Relaks, s. 664 |
| Biegunka z bólami żołądka i<br>— ewentualnie wymioty i<br>— ewentualnie podwyższona ciepłota i<br>— ewentualnie bóle głowy i<br>— ewentualnie bóle mięśni | Najczęściej zakażenia wirusowe | Pij dużo (woda mineralna, herbata) i jedz mało (sucharki, zupy) lub zaprzestań spożywania pokarmów.<br>Jeżeli biegunka nie ustąpi po trzech dniach,<br>**wizyta u lekarza potrzebna**<br>→ Zakażenia jelitowe, s. 378 |
| Biegunka z silnymi wymiotami i bólami żołądka w kilka godzin po spożyciu pokarmu<br>— często jest dotkniętych więcej osób | Zatrucia pokarmowe, najczęściej przez spożycie nieświeżych potraw<br>Zatrucia grzybami | Pij dużo (herbata lub woda mineralna) i jedz mało (sucharki i zupy).<br>Jeżeli biegunka nie ustąpi po trzech dniach,<br>**wizyta u lekarza potrzebna**<br>Jeżeli spożywałeś grzyby,<br>**wizyta u lekarza pilnie potrzebna**<br>→ Zapalenie żołądka ostre, s. 364 |
| Biegunka występująca zawsze po spożyciu określonych potraw i<br>— ewentualnie dolegliwości żołądkowe i<br>— ewentualnie wysypka skórna | Reakcja alergiczna na niektóre składniki pokarmowe | Spróbuj ustalić, na które pokarmy jesteś uczulony i unikaj ich.<br>Jeżeli biegunki się powtarzają,<br>**wizyta u lekarza potrzebna**<br>→ Alergia, s. 338 |

| Dolegliwości i objawy | Możliwe przyczyny | Co należy zrobić |
|---|---|---|
| Biegunka po zażyciu lekarstw | Objawy po dużej liczbie leków, zwłaszcza po<br>— antybiotykach<br>— wielu lekach wykrztuśnych i przeciwastmatycznych<br>— wielu środkach przeciwreumatycznych i przeciw dnie moczanowej<br>— lekach zawierających żelazo<br>— wielu lekach nasercowych i krążeniowych<br>— wielu lekach przeciw chorobom żołądka i jelit | Jeżeli zakupiłeś lek bez recepty, a w załączonej instrukcji biegunka nie była wymieniona jako nieszkodliwy, przemijający objaw uboczny, zaprzestań jego stosowania.<br>Jeżeli lek był zaordynowany przez lekarza, a ten nie poinformował o możliwych działaniach ubocznych,<br>***wizyta u lekarza potrzebna***<br>→ Leki i ich stosowanie, s. 617 |
| Biegunka i<br>— ewentualnie krew i/lub<br>— śluz w stolcu i<br>— ewentualnie gorączka | Zapalenie jelita grubego | ***Wizyta u lekarza potrzebna***<br>→ Wrzodziejące zapalenie jelita grubego, s. 384<br>→ Choroba Leśniowskiego-Crohna, s. 385 |
| Biegunka, przykro pachnąca i<br>— spadek wagi i<br>— bladość | Jelito nie potrafi przyswoić pokarmu (zaburzenia wchłaniania) | ***Wizyta u lekarza potrzebna***<br>→ Zaburzenia wchłaniania, s. 383<br>→ Choroba glutenowa, s. 383 |
| Biegunka związana z podróżami do krajów egzotycznych | Biegunka w podróży<br>Tyfus<br>Czerwonka<br>Cholera | ***Wizyta u lekarza potrzebna***<br>→ Zakażenia jelitowe, s. 378<br>→ Podróżowanie, s. 699 |
| Biegunka trwająca od dłuższego czasu, naprzemiennie z zaparciem i<br>— ewentualnie utrata ciężaru ciała<br>— ewentualnie stolec z wiatrami i<br>— ewentualnie krew w stolcu | Rak jelita | ***Wizyta u lekarza potrzebna***<br>→ Rak jelita grubego i odbytnicy, s. 387 |

# BRZUCH — BÓLE

Bóle brzucha są często nieszkodliwe i same przechodzą. Ale nieraz należy je uznać za przejaw choroby. Całkiem inna sprawa, jeśli pojawiają się, kiedy masz podjąć jakąś ważniejszą decyzję — to związana z tym rozterka duchowa „wwierca" ci je w brzuch. W takich okolicznościach powinieneś sam pójść po rozum do głowy i zdecydować, jak pozbyć się dokuczających ci dolegliwości.

| Dolegliwości i objawy | Możliwe przyczyny | Co należy zrobić |
|---|---|---|
| Bóle brzucha, które znasz jako „bóle żołądka" | | → Żołądek — dolegliwości, s. 169 |
| Bóle brzucha po pewnym czasie od spożycia ciężkostrawnego lub zbyt obfitego posiłku | Przeciążony żołądek | Rozepnij krępujące części garderoby, połóż się na chwilę.<br>Może pomóc łagodny masaż brzucha. |

| Dolegliwości i objawy | Możliwe przyczyny | Co należy zrobić |
|---|---|---|
| Bóle brzucha w związku ze stresem lub obciążeniami psychicznymi, np. egzaminy, poważne decyzje oraz<br>— ewentualnie biegunka | Stres<br>Nerwica<br>Obciążenia psychiczne | Spróbuj unikać sytuacji stresorodnych i naucz się relaksować.<br>Jeżeli często miewasz bóle brzucha,<br>*wizyta u lekarza potrzebna*<br>→ Zaburzenia samopoczucia, s. 175<br>→ Relaks, s. 664<br>→ Żołądek drażliwy, s. 362<br>→ Jelito drażliwe, s. 377 |
| Kurczowe bóle brzucha podczas miesiączki | Objaw towarzyszący miesiączce | Jeżeli masz silne bóle miesiączkowe,<br>*wizyta u lekarza potrzebna*<br>→ Bolesne miesiączkowanie, s. 473 |
| Piekące, kurczowe bóle brzucha oraz<br>— ewentualnie uczucie pełności i<br>— ewentualnie wzdęcia i<br>— ewentualnie zgaga, odbijania i<br>— ewentualnie nudności i wymioty i<br>— ewentualnie dreszcze oraz dolegliwości sercowe | Problemy psychiczne<br>Zapalenie błony śluzowej żołądka | Jeżeli dolegliwości stale nawracają mimo prowadzonych ćwiczeń relaksacyjnych,<br>*wizyta u lekarza potrzebna*<br>→ Zaburzenia samopoczucia, s. 175<br>→ Żołądek drażliwy, s. 362<br>→ Zapalenie żołądka ostre, s. 364<br>→ Relaks, s. 664 |
| Bóle brzucha i biegunka | Zakażenie żołądkowo-jelitowe<br>Nietolerancja pokarmów | Pij dużo płynów, zastosuj głodówkę lub ogranicz się do sucharków.<br>Jeżeli dolegliwości nie ustąpią po dwóch dniach,<br>*wizyta u lekarza potrzebna*<br>→ Zakażenia jelitowe, s. 378<br>→ Zapalenie żołądka ostre, s. 364 |
| Bóle brzucha i niewytłumaczalny ubytek wagi<br>— ewentualnie pasożyty w stolcu | Zakażenie pasożytami | *Wizyta u lekarza potrzebna*<br>→ Robaki, s. 388 |
| Bóle brzucha i wzdęty brzuch i<br>— uczucie pełności i<br>— wzdęcia i<br>— naprzemienna biegunka oraz zaparcie lub częste oddawanie stolca | Drażliwe jelito | Jeżeli dolegliwości stale nawracają,<br>*wizyta u lekarza potrzebna*<br>→ Jelito drażliwe, s. 377 |
| Bóle brzucha po zastosowaniu leków i/lub<br>— kurcze brzucha i/lub<br>— kurcze jelita | Działanie uboczne niektórych leków, zwłaszcza<br>— soli mineralnych zawierających potas<br>— środków przeczyszczających, zawierających aloes, bisakodyl, korę kruszyny, pikosulfonian sodowy, fenoloftaleinę, rzewień, czyli rabarbar, olej rycynowy i senes<br>— leków przeciw zaburzeniom przemiany materii, zawierających beta-sitosterynę, klofibrat, cholestyraminę | Sprawdź w instrukcji załączonej do leku, czy zawiera któryś z wymienionych składników.<br>Jeżeli kupiłeś ten lek bez recepty, zaprzestań jego stosowania.<br>Jeżeli lek został zaordynowany przez lekarza,<br>*wizyta u lekarza potrzebna*<br>→ Leki i ich stosowanie, s. 617 |

| Dolegliwości i objawy | Możliwe przyczyny | Co należy zrobić |
|---|---|---|
| Kurczowe bóle brzucha po zażyciu leków i/lub<br>— krew w moczu | Objawy kamicy nerkowej jako skutek uboczny po<br>— przedawkowaniu witaminy C (przy długotrwałym stosowaniu) | Sprawdź w instrukcji załączonej do leku, czy zawiera któryś z wymienionych składników.<br>Jeżeli pojawią się dolegliwości,<br>**wizyta u lekarza potrzebna**<br>→ Leki i ich stosowanie, s. 617 |
| Bóle brzucha i<br>— ewentualnie zmiana zaparcia na biegunkę<br>— ewentualnie krew w stolcu | Zapalenie uchyłków jelitowych<br>Rak jelita | **Wizyta u lekarza potrzebna**<br>→ Zapalenie uchyłka, s. 382<br>→ Rak jelita grubego i odbytnicy, s. 387 |
| Bóle brzucha, które pojawiają się napadowo i<br>— krwiste, śluzowate biegunki i<br>— ewentualnie gorączka i<br>— ewentualnie spadek ciężaru ciała | Zapalna choroba jelit | **Wizyta u lekarza potrzebna**<br>→ Wrzodziejące zapalenie jelita grubego, s. 384<br>→ Choroba Leśniowskiego-Crohna, s. 385 |
| U kobiet bóle w podbrzuszu i<br>— ewentualnie nieprzyjemnie pachnące upławy,<br>— ewentualnie gorączka | Zapalenie jajników<br>Zapalenie jajowodów<br>Zapalenie macicy<br>Endometrioza | **Wizyta u lekarza potrzebna**<br>→ Zapalenie jajowodu, zapalenie jajnika, s. 489<br>→ Zapalenie macicy, s. 484<br>→ Endometrioza, s. 485 |
| Bóle brzucha ciągnące się od okolicy lędźwiowej do pachwiny i<br>— ewentualnie bóle podczas oddawania moczu i<br>— ewentualnie częstomocz i<br>— ewentualnie gorączka | Zapalenie dróg moczowych | **Wizyta u lekarza potrzebna**<br>→ Zapalenie pęcherza moczowego, s. 391<br>→ Ostre zapalenie miedniczek nerkowych, s. 393 |
| Bóle brzucha w okolicy prawego podżebrza i<br>— ewentualnie wzdęcia i<br>— ewentualnie biegunka i<br>— ewentualnie żółte zabarwienie oczu i skóry i<br>— ewentualnie świąd skóry i<br>— ewentualnie stan podgorączkowy | Zapalenie wątroby | **Wizyta u lekarza potrzebna**<br>→ Zapalenie wątroby, s. 370 |
| Bóle brzucha, najczęściej w prawym podbrzuszu, nasilające się podczas chodzenia, kaszlu lub kichania i<br>— napięcie powłok brzusznych,<br>— ewentualnie nudności i<br>— ewentualnie wymioty i<br>— ewentualnie gorączka | Zapalenie wyrostka robaczkowego | **Wizyta u lekarza potrzebna**<br>→ Zapalenie wyrostka robaczkowego, s. 381 |
| Kolkowe bóle w prawym podżebrzu i<br>— ewentualnie wymioty treścią żółciową i<br>— ewentualnie żółte oczy i<br>— ewentualnie odbarwiony stolec i<br>— ewentualnie gorączka | Kamienie żółciowe<br>Zapalenie pęcherzyka żółciowego | **Wizyta u lekarza potrzebna**<br>→ Kamica żółciowa, s. 373<br>→ Zapalenie pęcherzyka żółciowego, s. 374 |

| Dolegliwości i objawy | Możliwe przyczyny | Co należy zrobić |
|---|---|---|
| Bóle nadbrzusza, nasilające się po jedzeniu, piciu alkoholu i w pozycji leżącej na plecach i<br>— obfite, tłuste stolce | Przewlekłe zapalenie trzustki | **_Wizyta u lekarza potrzebna_**<br>→ Zapalenie trzustki, s. 375 |
| Silne bóle brzucha i twarde, napięte powłoki brzuszne i<br>— wymioty i<br>— zaburzenia oddechowe i<br>— szybkie tętno i<br>— zimne czoło i ręce | Zapalenie otrzewnej | **_Natychmiast wezwać pogotowie ratunkowe_**<br>→ Zapalenie otrzewnej, s. 382 |
| Bóle brzucha i uczucie lęku oraz ucisku w klatce piersiowej | Zawał serca | **_Natychmiast wezwać pogotowie ratunkowe_**<br>→ Zawał serca, s. 316 |
| Nagłe, silne bóle kurczowe brzucha oraz<br>— wzdęty brzuch i<br>— wymioty treścią żółciową lub kałową i<br>— zaparcie | Niedrożność jelit | **_Natychmiast wezwać pogotowie ratunkowe_**<br>→ Zwężenie, niedrożność jelit, s. 380 |
| Bóle brzucha i krwawienie z dróg rodnych poza cyklem płciowym | Ciąża jajowodowa<br>Poronienie | **_Natychmiast wezwać pogotowie ratunkowe_**<br>→ Ciąża jajowodowa, s. 489<br>→ Poronienie, s. 539 |

# BRZUCH — BÓLE U DZIECI

U małych dzieci wszystko jest „bólem brzucha", obojętnie, czy boli szyja czy żołądek, jego górna część czy podbrzusze. Po prostu na ogół dziecko nie potrafi dokładnie określić, gdzie naprawdę boli. Wypytując szczegółowo i delikatnie je obmacując, zapewne sam stwierdzisz, co mu dolega. Częstsze bóle brzucha, pojawiające się bez przyczyny, dowodzą przeważnie, że twojemu dziecku „leżą na żołądku" sprawy, o których nie chce lub nie potrafi mówić.

| Dolegliwości i objawy | Możliwe przyczyny | Co należy zrobić |
|---|---|---|
| Bóle brzucha dziecka po<br>— spożyciu zbyt obfitego posiłku i/lub<br>— trudno strawnych potraw | Normalna reakcja żołądka na przeciążenie | Daj dziecku do picia herbatę z rumianku i ogranicz ilość pokarmu (sucharki lub zupy).<br>Niedomoga żołądka ustępuje sama.<br>→ Żywienie, s. 704 |
| Bóle brzucha po spożyciu przez dziecko potraw wzdymających (np. surówka z kapusty, zbyt świeży chleb) i<br>— ewentualnie wzdęty brzuch | Wzdęcia | Podaj dziecku herbatę z rumianku i unikaj stosowania potraw wzdymających.<br>→ Jelito drażliwe, s. 377 |
| Bóle brzucha bez jakichkolwiek oznak choroby, mimo że ostatnio dziecku dobrze się powodziło,<br>— ewentualnie pojawiające się w określonych sytuacjach | Problemy psychiczne | Połóż dziecku ciepły termofor na brzuch lub zrób okład.<br>Spróbuj ustalić, co je gnębi.<br>Jeżeli bóle brzucha nie ustąpią po trzech godzinach,<br>**_wizyta u lekarza potrzebna_**<br>→ Środki domowe, s. 640<br>→ Jelito drażliwe, s. 377<br>→ Zaburzenia samopoczucia, s. 175 |

| Dolegliwości i objawy | Możliwe przyczyny | Co należy zrobić |
|---|---|---|
| Bóle brzucha i biegunka i/lub<br>— wymioty | Zakażenia żołądkowo-jelitowe<br>Skażone pokarmy | Jeżeli wymioty nie ustąpią po jednym dniu,<br>*wizyta u lekarza potrzebna*<br>→ Zakażenia jelitowe, s. 378<br>→ Zapalenie żołądka ostre, s. 364<br>Przy podejrzeniu zatrucia,<br>*wizyta u lekarza pilnie potrzebna* |
| Bóle brzucha, gdy dziecko jest przeziębione | Objaw towarzyszący temu schorzeniu | Jeżeli dolegliwości nie ustąpią po jednym dniu,<br>*wizyta u lekarza potrzebna*<br>→ Przeziębienie, „grypa", s. 283<br>→ Katar, s. 284 |
| Bóle brzucha oraz bóle przy oddawaniu moczu i/lub<br>— częste oddawanie moczu i<br>— ewentualnie gorączka | Zakażenie pęcherza i dróg moczowych | *Wizyta u lekarza potrzebna*<br>→ Zapalenie pęcherza, s. 391 |
| Bóle brzucha i okolicy nerek i<br>— gorączka i<br>— ewentualnie bóle przy oddawaniu moczu | Zapalenie miedniczek nerkowych | *Wizyta u lekarza potrzebna*<br>→ Ostre zapalenie miedniczek nerkowych, s. 393 |
| Bóle brzucha i bolesne uwypuklenie moszny lub w pachwinie | Przepuklina pachwinowa<br>Wodniak jądra | *Wizyta u lekarza potrzebna*<br>→ Przepuklina, s. 409<br>→ Wodniak jądra, s. 495 |
| Kurczowe bóle brzucha, przy których dziecko często podciąga nogi oraz<br>— ewentualnie silniejszy ból w prawym podbrzuszu i<br>— ewentualnie wymioty i<br>— ewentualnie gorączka | Zapalenie wyrostka robaczkowego | *Wizyta u lekarza pilnie potrzebna*<br>→ Zapalenie wyrostka robaczkowego, s. 381 |
| Silne bóle brzucha i twardy, napięty brzuch i<br>— ewentualnie szczególnie nasilony ból w prawym podbrzuszu i<br>— ewentualnie przyspieszone tętno i<br>— ewentualnie zimny pot i<br>— ewentualnie wymioty | Pęknięcie wyrostka robaczkowego | *Natychmiast wezwać pogotowie ratunkowe*<br>→ Zapalenie wyrostka robaczkowego, s. 381 |

# BRZUCH — WZDĘCIA

Wzdęcia na ogół są nieszkodliwe i związane z twoimi przyzwyczajeniami żywieniowymi. Jeśli jednak zbyt często zdarza ci się mieć wzdęty brzuch, powinieneś wybadać, co cię gniecie. W niektórych przypadkach wzdęcia są wywołane jakimiś chorobami.

| Dolegliwości i objawy | Możliwe przyczyny | Co należy zrobić |
|---|---|---|
| Wzdęcia i wzdęty brzuch i<br>— bóle żołądka | | → Żołądek — dolegliwości, s. 169 |

| Dolegliwości i objawy | Możliwe przyczyny | Co należy zrobić |
|---|---|---|
| Wzdęcia i wzdęty brzuch i<br>— bóle brzucha | | → Brzuch — bóle, s. 22 |
| Wzdęcia po pewnym czasie po jedzeniu | Potrawy wzdymające (świeży chleb, fasola, soczewica, kapusta, cebula, czosnek itp.) | Unikaj potraw wzdymających<br>→ Żywienie, s. 704 |
| Wzdęcia po zmianie sposobu odżywiania lub po spożyciu potraw, do których nie jesteś przyzwyczajony (np. żywność pełnowartościowa) | Normalny okres przestrojenia | Brak podstaw do niepokoju.<br>Układ pokarmowy wymaga czasu, by się dostosować do nowej sytuacji.<br>→ Zwyczaje żywieniowe, s. 705 |
| Wzdęty brzuch i uczucie pełności, gdy zjadasz duże porcje i/lub<br>— często między tym spożywasz łakocie | Przeciążenie żołądka | Spożywaj tylko trzy posiłki dziennie.<br>Żuj każdy kęs możliwie długo.<br>Tak będziesz prędzej syty, a żołądek może odpocząć. |
| Wzdęcia, które ustępują po oddaniu wiatrów i<br>— ewentualnie bóle brzucha | Zatrzymane wiatry | Nie ma powodu do niepokoju.<br>→ Zaburzenia samopoczucia, s. 175 |
| Wzdęty brzuch i zaparcie | Produkty zawierające błonnik | Jeżeli stale cierpisz na zaparcie stolca i wzdęty brzuch lub dolegliwości nie ustąpią po tygodniu,<br>*wizyta u lekarza potrzebna*<br>→ Zaparcie stolca, s. 379<br>→ Jelito drażliwe, s. 377 |
| Wzdęcia i wzdęty brzuch, gdy cierpisz z powodu dużego obciążenia psychicznego | Problemy psychiczne | Spróbuj uporać się ze swymi kłopotami.<br>Jeżeli wzdęcia nie ustąpią mimo zastosowania ćwiczeń relaksowych,<br>*wizyta u lekarza potrzebna*<br>→ Zaburzenia samopoczucia, s. 175<br>→ Jelito drażliwe, s. 377<br>→ Relaks, s. 664 |
| U kobiet wzdęty brzuch przed lub podczas miesiączki i<br>— ewentualnie bóle brzucha | Objaw towarzyszący miesiączce | Brak powodu do niepokoju.<br>Jeżeli wzdęcie brzucha nie ustąpi po miesiączce,<br>*wizyta u lekarza potrzebna*<br>→ Miesiączkowanie, s. 472 |
| Wzdęcia po zażyciu leków | Działanie uboczne<br>— leków zmniejszających stężenie lipidów we krwi zawierających probukol<br>— środków przeczyszczających, zawierających laktulozę<br>— środków odchudzających, zawierających metylocelulozę<br>— środków stosowanych w leczeniu cukrzycy, zawierających akarbozę | Sprawdź w instrukcji załączonej do stosowanych leków, czy zawierają wymienione substancje.<br>Jeżeli kupiłeś lek bez recepty, zaprzestań jego stosowania.<br>Jeżeli lek był zaordynowany przez lekarza,<br>*wizyta u lekarza potrzebna*<br>→ Leki i ich stosowanie, s. 617 |

| Dolegliwości i objawy | Możliwe przyczyny | Co należy zrobić |
| --- | --- | --- |
| Wzdęty brzuch i<br>— biegunka i<br>— brak apetytu i<br>— ewentualnie gorączka i<br>— ewentualnie kurcze jelit | Zapalne choroby jelit<br>Zakaźne choroby jelit | ***Wizyta u lekarza potrzebna***<br>→ Zakażenia jelitowe, s. 378<br>→ Choroba Leśniowskiego-Crohna, s. 385<br>→ Wrzodziejące zapalenie jelita grubego, s. 384 |
| Wzdęty brzuch i<br>— obrzęk stóp lub podudzi i<br>— ewentualnie duszność i<br>— częste nocne oddawanie moczu | Choroba serca | ***Wizyta u lekarza potrzebna***<br>→ Niewydolność serca, s. 318 |
| Wzdęty brzuch i<br>— obrzęknięte stopy lub podudzia i<br>— obrzęknięte powieki i<br>— rzadsze niż normalnie oddawanie moczu i<br>— ewentualnie męczliwość<br>— ewentualnie wysokie ciśnienie | Choroba nerek | ***Wizyta u lekarza potrzebna***<br>→ Ostre lub przewlekłe zapalenie kłębuszków nerkowych, s. 395 |
| Wzdęty brzuch i objętościowe stolce i<br>— ewentualnie dolegliwości nadbrzusza i<br>— ewentualnie brak apetytu | Niewydolność trzustki<br>Zapalenie trzustki | ***Wizyta u lekarza potrzebna***<br>→ Niewydolność trzustki, s. 376<br>→ Zapalenie trzustki, s. 375 |
| Wzdęty brzuch i żółtawe zabarwienie skóry i/lub<br>— oczu | Choroby wątroby | ***Wizyta u lekarza potrzebna***<br>→ Żółtaczka, s. 369<br>→ Zapalenie wątroby, s. 370<br>→ Stłuszczenie wątroby, s. 370 |
| Wzdęty brzuch przez dłuższy czas i<br>— wstręt do potraw mięsnych i<br>— brak apetytu i<br>— spadek ciężaru ciała | Rak żołądka | ***Wizyta u lekarza potrzebna***<br>→ Rak żołądka, s. 368 |
| Wzdęty brzuch i zatrzymanie oddawania stolca dłużej niż trzy dni, mimo że dotąd miałeś regularne wypróżnienia<br>— bóle brzucha i<br>— ewentualnie wymioty | Niedrożność jelita | ***Natychmiast wezwać pogotowie ratunkowe***<br>→ Niedrożność jelit, s. 380 |

# CHROMANIE

Utykanie może być zachowaniem naturalnym, mającym na celu oszczędzanie kończyny, na przykład wówczas gdy chodzenie sprawia ból. Ale może kuśtykasz, bo zawsze wolisz iść za innymi? Jeśli natomiast utyka małe dziecko, trzeba natychmiast udać się do lekarza.

| Dolegliwości i objawy | Możliwe przyczyny | Co należy zrobić |
|---|---|---|
| Chromanie<br>— jeżeli nosisz ciasne obuwie lub przez długi okres nosiłeś za ciasne buty,<br>— masz wadę stóp lub<br>— masz brodawki bądź nagniotki<br>— wbiłeś sobie ciało obce do stopy | Za ciasne obuwie<br>Wada stóp<br>Płaskostopie, stopa końska, szpotawa, stopa koślawa<br>Nagniotek<br>Brodawki<br>Rana na podeszwie stopy | Noś tylko wygodne, szerokie obuwie.<br>Jeżeli masz wadę stóp lub inne dolegliwości, których nie potrafisz opanować sposobami domowymi,<br>*wizyta u lekarza potrzebna*<br>→ Stopy, s. 413<br>→ Nagniotek, s. 257<br>→ Brodawki, s. 257 |
| Chromanie i bóle nogi po upadku lub wypadku i<br>— ewentualnie zaczerwienienie i<br>— ewentualnie obrzęk | Naderwanie mięśnia<br>Naderwanie ścięgien lub więzadeł | Zrób okłady ochładzające,<br>*wizyta u lekarza potrzebna*<br>→ Naderwanie mięśnia, s. 407<br>→ Naderwanie ścięgien lub więzadeł, s. 411<br>→ Leczenie zimnem, s. 652<br>→ Pierwsza pomoc, s. 687 |
| Chromanie pojawiające się po dłuższym chodzeniu i<br>— bóle łydek ustępujące po zatrzymaniu się | Zaburzenia ukrwienia (choroba „okien wystawowych", noga palaczy tytoniu) | *Wizyta u lekarza potrzebna*<br>→ Zaburzenia ukrwienia, s. 310 |
| Nagle pojawiające się chromanie spowodowane osłabieniem nogi (bez bólu) i<br>— ewentualnie mrowienie lub brak czucia w jednej połowie ciała i<br>— ewentualnie zaburzenia mowy i<br>— ewentualnie asymetria ust | Objawy poprzedzające udar mózgu | *Wizyta u lekarza pilnie potrzebna*<br>→ Przejściowe zaburzenie ukrwienia, s. 207<br>→ Udar mózgu, s. 208 |
| Chromanie u dzieci | Zaburzenie rozwojowe stawu biodrowego<br>Zapalenie stawu biodrowego | *Wizyta u lekarza potrzebna*<br>→ Wada rozwojowa stawu biodrowego, s. 556 |

# CHRYPKA — BEZGŁOS

Chrypka powstaje wówczas, gdy struny głosowe nie mogą się swobodnie napinać. Przyczyną są przeważnie infekcje gardła lub krtani. Ale chrypkę może także wywołać przeciążenie strun przez nadmierne krzyczenie, głośne mówienie lub śpiewanie. Kiedy więc coś „odejmie ci mowę", czas rozważyć, co ci odebrało głos...

| Dolegliwości i objawy | Możliwe przyczyny | Co należy zrobić |
|---|---|---|
| Chrypka, zaczerwienienie i ból gardła i<br>— ewentualnie kaszel | Suche, przegrzane powietrze<br>Nadmierne palenie tytoniu<br>Podrażnienie przez środki chemiczne | Zaniechaj palenia tytoniu,<br>→ Palenie tytoniu, s. 740<br>→ Trucizny w mieszkaniu, s. 758<br>→ Substancje toksyczne w środowisku pracy, s. 787<br>→ Zanieczyszczenie powietrza, s. 779 |

| Dolegliwości i objawy | Możliwe przyczyny | Co należy zrobić |
|---|---|---|
| Chrypka w łączności z<br>— nerwowością i<br>— napięciem i/lub<br>— lękiem i/lub<br>— skrywanym gniewem | Problemy psychiczne | → Zaburzenia samopoczucia, s. 175<br>→ Poradnictwo i psychoterapia, s. 670 |
| Chrypka po długim, głośnym mówieniu, śpiewie lub krzyku | Przeciążenie strun głosowych | Oszczędzaj swoje struny głosowe.<br>Płucz gardło rumiankiem lub szałwią.<br>Jeżeli dolegliwości nie ustąpią po dwóch tygodniach,<br>*wizyta u lekarza potrzebna* |
| Chrypka z bólami gardła i<br>— ewentualnie trudności związane z połykaniem<br>— ewentualnie kaszel i<br>— ewentualnie gorączka | Przeziębienie, „grypa"<br>Zapalenie krtani | Płucz gardło herbatą z szałwii lub rumianku. Inhaluj. Jeżeli dolegliwości nie ustąpią po tygodniu,<br>*wizyta u lekarza potrzebna*<br>→ Przeziębienie, „grypa", s. 283<br>→ Naturalne metody leczenia, s. 640<br>→ Inhalacje, s. 642<br>→ Zapalenie krtani, s. 289 |
| Zmiana głosu po zażyciu leków | Działanie uboczne<br>— inhalowanych leków przeciw astmie, zawierających pochodne kortyzonu<br>— leków moczopędnych, zawierających kanrenon potasowy, spironolakton | Sprawdź w instrukcji załączonej do stosowanego leku, czy zawiera którąś z wymienionych substancji. Jeśli tak,<br>*wizyta u lekarza potrzebna*<br>→ Leki i ich stosowanie, s. 617 |
| U kobiet obniżenie głosu po stosowaniu leków | Działanie uboczne męskich hormonów płciowych | Jeżeli stosujesz takie leki i zaobserwujesz takie działanie uboczne,<br>*wizyta u lekarza potrzebna*<br>→ Leki i ich stosowanie, s. 617 |
| Chrypka i<br>— bóle szyi i<br>— dolegliwości przy połykaniu i<br>— bóle podczas mówienia i<br>— ewentualnie zmiana głosu | Zapalenie strun głosowych<br>Zapalenie krtani<br>Guz krtani i strun głosowych | *Wizyta u lekarza potrzebna*<br>→ Zapalenie krtani, zapalenie strun głosowych, s. 289<br>→ Guz krtani i strun głosowych, s. 290 |
| Chrypka po operacji wola | Porażenie strun głosowych | *Wizyta u lekarza potrzebna* |
| U dzieci chrypka i<br>— ewentualnie szczekający kaszel i<br>— ewentualnie duszność i<br>— ewentualnie kluskowaty głos | Dławiec rzekomy<br>Zapalenie nagłośni | Przy silnej duszności lub gdy u dziecka wystąpi kluskowaty głos,<br>*natychmiast wezwać pogotowie ratunkowe*<br>→ Dławiec (krup) rzekomy, s. 560<br>→ Zapalenie nagłośni, s. 561 |
| Chrypka i<br>— sucha skóra oraz suche włosy<br>— wzrost ciężaru ciała bez znanej przyczyny<br>— zmęczenie i<br>— niezwykłe uczucie chłodu | Niedoczynność tarczycy | *Wizyta u lekarza potrzebna*<br>→ Niedoczynność tarczycy, s. 462 |

# CHUDNIĘCIE

Utrata wagi jest najczęściej następstwem braku apetytu. Jeśli nie masz już ochoty do jedzenia lub też twój organizm nie przyswaja właściwie pokarmów, przyczyną tego objawu mogą być rozmaite choroby. Ale niewykluczone, że „leży ci coś na sercu", co ci odbiera apetyt.

| Dolegliwości i objawy | Możliwe przyczyny | Co należy zrobić |
|---|---|---|
| Ubytek wagi ciała związany ze stresem i przeciążeniem psychicznym i<br>— ewentualnie brak apetytu i<br>— ewentualnie przygnębienie i<br>— ewentualnie zaburzenia snu i<br>— ewentualnie zaburzenie koncentracji | Problemy psychiczne<br>Drażliwy żołądek<br>Trucizny w środowisku życia | Jeżeli twoja waga nie wróci do normy po sześciu tygodniach,<br>*wizyta u lekarza potrzebna*<br>→ Zaburzenia samopoczucia, s. 175<br>→ Żołądek drażliwy, s. 362<br>→ Substancje toksyczne w środowisku pracy, s. 787 |
| Ubytek wagi ciała, spowodowany piciem zbyt dużej ilości alkoholu i<br>— brak apetytu | Reakcja na nadużywanie alkoholu | Jeżeli nie jesteś dotąd pod opieką lekarza,<br>*wizyta u lekarza potrzebna*<br>→ Alkoholizm, s. 198 |
| Spadek wagi ciała po zażywaniu leków | Jest pożądany po stosowaniu środków moczopędnych (diuretyki)<br>Działanie uboczne<br>— leków stosowanych przy zaburzeniach przemiany tłuszczów<br>— leków przeciwpadaczkowych<br>— hormonów tarczycy (przy przedawkowaniu) | Jeżeli stosujesz leki przeciw tym chorobom, a lekarz nie zwrócił ci uwagi na możliwe działanie uboczne,<br>*wizyta u lekarza potrzebna*<br>→ Leki i ich stosowanie, s. 617 |
| Spadek wagi ciała na skutek biegunki i<br>— bóle żołądka i<br>— ewentualnie wymioty | Zakażenia jelitowe | Pij dużo (woda mineralna, herbata) i jedz mało (sucharki, zupy).<br>Jeżeli dolegliwości nie ustąpią po trzech dniach,<br>*wizyta u lekarza potrzebna*<br>→ Zakażenia jelitowe, s. 378 |
| Chudnięcie i sztucznie wywołane wymioty i<br>— ewentualnie napady wilczego głodu<br>— ewentualnie brak miesiączek | Brak apetytu<br>Jadłowstręt psychiczny | *Wizyta u lekarza potrzebna*<br>→ Zaburzenia łaknienia, s. 196 |
| Spadek wagi ciała z biegunką, pojawiającą się okresowo i<br>— tłuste, objętościowe stolce | Przewlekłe zapalenie trzustki | *Wizyta u lekarza potrzebna*<br>→ Niewydolność trzustki, s. 376<br>→ Zapalenie trzustki, s. 375 |
| Spadek wagi ciała ze zlewnymi potami i<br>— drżenie i<br>— ewentualnie błyszczące gałki oczne i<br>— ewentualnie wytrzeszcz gałek ocznych<br>— ewentualnie biegunka<br>— ewentualnie wole | Nadczynność tarczycy | *Wizyta u lekarza potrzebna*<br>→ Nadczynność tarczycy, s. 463 |

| Dolegliwości i objawy | Możliwe przyczyny | Co należy zrobić |
|---|---|---|
| Spadek wagi ciała z częstym oddawaniem moczu i<br>— silne pragnienie i<br>— męczliwość i<br>— ewentualnie świąd krocza | Cukrzyca | **Wizyta u lekarza potrzebna**<br>→ Cukrzyca, s. 449 |
| Spadek wagi ciała z krwisto-śluzowymi wypróżnieniami i<br>— brak apetytu i<br>— kurcze i<br>— ewentualnie gorączka | Zapalne choroby jelit<br>Ciężkie zakażenie jelit | **Wizyta u lekarza potrzebna**<br>→ Choroba Leśniowskiego-Crohna, s. 385<br>→ Wrzodziejące zapalenie jelita grubego, s. 384<br>→ Zakażenia jelitowe, s. 378 |
| Spadek wagi ciała z kurczowymi, ściskającymi lub kłującymi bólami w nadbrzuszu i<br>— ewentualnie nudności i wymioty i<br>— ewentualnie zgaga i<br>— ewentualnie przykry zapach z ust | Wrzód żołądka<br>Wrzód dwunastnicy<br>Rak przełyku | **Wizyta u lekarza potrzebna**<br>→ Wrzód żołądka lub dwunastnicy, s. 366<br>→ Rak przełyku, s. 362 |
| Spadek wagi ciała z kaszlem<br>— ewentualnie poty nocne i<br>— ewentualnie podwyższona temperatura i<br>— ewentualnie krwista plwocina | Gruźlica<br>Rak płuca | **Wizyta u lekarza potrzebna**<br>→ Gruźlica, s. 297<br>→ Rak płuc, s. 300 |
| Silne, niewytłumaczalne chudnięcie | Objaw ostrzegawczy prawie przy wszystkich chorobach nowotworowych, bardzo rzadko przy AIDS | **Wizyta u lekarza potrzebna**<br>→ Nowotwory złośliwe, s. 437<br>→ AIDS, s. 335 |

# DRĘTWIENIE LUB MROWIENIE

Jeśli przez jakąś część twego ciała przechodzi mrowie lub też czujesz drętwienie, prawdopodobnie sam zawiniłeś, bo siedząc lub stojąc w złej pozycji, ograniczyłeś dopływ krwi. Jeśli jednak częściej narzekasz na takie dolegliwości, a do nich dołączą jeszcze inne objawy, może się okazać, że chodzi o ciężkie schorzenie.

| Dolegliwości i objawy | Możliwe przyczyny | Co należy zrobić |
|---|---|---|
| Mrowienie lub drętwienie po przebudzeniu się lub po dłuższym siedzeniu w niewygodnej pozycji | Ograniczenie dopływu krwi<br>Ucisk na jakiś nerw | Dolegliwości ustąpią same po zmianie pozycji |
| Mrowienie w rękach i nogach i<br>— ewentualnie bóle stóp | Oznaki uszkodzenia nerwów jako działanie uboczne<br>— leków przeciwreumatycznych zawierających chlorochinę<br>— leków przeciwgruźliczych zawierających izoniazyd, metaniazyd<br>— witaminy $B_6$, po dłuższym stosowaniu | Sprawdź w instrukcji załączonej do stosowanego leku, czy zawiera jedną z wymienionych substancji lub należy do jednej z wyszczególnionych grup leków.<br>Jeżeli kupiłeś lek bez recepty, zaniechaj jego stosowania.<br>Jeżeli lekarz zaordynował lek,<br>*wizyta u lekarza potrzebna*<br>→ Leki i ich stosowanie, s. 617 |

| Dolegliwości i objawy | Możliwe przyczyny | Co należy zrobić |
|---|---|---|
| Mrowienie i uczucie zdrętwienia w palcach rąk i/lub stóp i<br><br>— ewentualnie sine ręce i stopy przy chłodzie | Krótkotrwałe zaburzenie ukrwienia<br>Niskie ciśnienie krwi<br>Skurcz naczyń krwionośnych | ***Wizyta u lekarza potrzebna***<br>→ Niskie ciśnienie krwi, s. 309<br>→ Choroba Raynauda, s. 314 |
| Mrowienie i drętwienie w obu rękach i<br><br>— bóle promieniujące z barku do ramienia i<br><br>— ewentualnie bóle głowy | Choroby kręgosłupa szyjnego | ***Wizyta u lekarza potrzebna***<br>→ Bóle pleców i krzyża, s. 431<br>→ Dyskopatia, s. 433 |
| Mrowienie lub drętwienie w ręce (zwłaszcza w obrębie kciuka, palca wskazującego i środkowego) i<br><br>— bóle (zwłaszcza nocą) promieniujące ze stawu nadgarstkowego do ramienia i<br><br>— obrzęk poranny | Uszkodzenie pewnego nerwu<br>(zespół cieśni nadgarstka) | ***Wizyta u lekarza potrzebna***<br>→ Reumatyzm pozastawowy, s. 429 |
| Mrowienie lub drętwienie w kończynach górnych lub nogach i<br><br>— bóle | Cukrzyca<br>Alkoholizm<br>Działanie substancji szkodliwych i trucizn (np. ołów, rtęć, środki owadobójcze)<br>Choroba układu nerwowego (stwardnienie rozsiane) | ***Wizyta u lekarza potrzebna***<br>→ Choroby nerwów obwodowych, s. 215<br>→ Cukrzyca, s. 449<br>→ Alkoholizm, s. 198<br>→ Substancje szkodliwe, od s. 759<br>→ Stwardnienie rozsiane, s. 212 |
| Uczucie drętwienia i mrowienia w ramionach i nogach i<br><br>— bardzo szybki oddech i<br><br>— uczucie lęku i<br><br>— ewentualnie kurcze mięśni (palce rąk ustawione jak „ręka położnika") | Psychicznie uwarunkowana duszność (nadmierna wentylacja płuc) | *Działanie natychmiastowe*: uspokoić się, oddychać wolno i możliwie płytko.<br><br>Przystaw sobie torebkę przed usta, by ponownie wdychać zużyte powietrze, zawierające więcej dwutlenku węgla.<br><br>Jeżeli odczuwasz lęk przed powtórzeniem się napadu,<br><br>***wizyta u lekarza potrzebna***<br>→ Zaburzenia samopoczucia, s. 175<br>→ Poradnictwo i psychoterapia, s. 670 |
| Uczucie zdrętwienia w ramionach i nogach<br><br>— ewentualnie częściowo z objawami niedowładu i<br><br>— bóle krzyża i pleców, które mogą promieniować do nogi | Uszkodzenie tarczki międzykręgowej | ***Wizyta u lekarza pilnie potrzebna***<br>→ Dyskopatia, s. 433 |
| Uczucie zdrętwienia jednej połowy ciała i<br><br>— ewentualnie częściowe porażenie kończyny górnej i/lub dolnej<br><br>— ewentualnie zaburzenia wzroku i<br><br>— ewentualnie dezorientacja i<br><br>— ewentualnie zaburzenia mowy i<br><br>— ewentualnie asymetria ust | Napad podobny do udaru mózgu<br>Udar mózgu<br>Guz mózgu | ***Natychmiast wezwać pogotowie ratunkowe***<br>→ Przejściowe zaburzenie ukrwienia, s. 207<br>→ Udar mózgu, s. 208<br>→ Guzy mózgu, s. 213 |

| Dolegliwości i objawy | Możliwe przyczyny | Co należy zrobić |
|---|---|---|
| Bóle kręgosłupa po wypadku lub upadku i<br>— ewentualnie zaburzenie poruszania się | Uczucie zdrętwienia kończyn górnych i/lub dolnych<br>Porażenie poprzeczne | *Natychmiast wezwać pogotowie ratunkowe*<br>→ Urazy rdzenia kręgowego, s. 213<br>→ Pierwsza pomoc, s. 687 |

# DRŻENIE LUB DRGAWKI

Jeśli drżysz jak liście osiki i nie potrafisz utrzymać kontroli nad mięśniami, może to być przejawem silnego psychicznego wyczerpania. Z tym można się szybko uporać, ale bywa, że takie skurcze czy drgawki są oznaką poważnych chorób.

| Dolegliwości i objawy | Możliwe przyczyny | Co należy zrobić |
|---|---|---|
| Drżenie przy dużym chłodzie i/lub zbyt lekkim ubiorze | Utrata ciepła przez organizm | Ubierz się cieplej i wypij coś gorącego |
| Drżenie po nadmiernym spożyciu<br>— kawy lub herbaty bądź coli | Pobudzenie układu nerwowego przez kofeinę | Ogranicz konsumpcję tych napojów<br>→ Kofeina, s. 744 |
| Drganie pojedynczych części ciała przy zasypianiu | Mimowolny skurcz mięśnia | Normalna reakcja organizmu przy odprężeniu |
| Drżenie lub drgawki przy silnych przeżyciach, np. lęk, gniew, wzburzenie | Wyraz zewnętrzny napięcia psychicznego | Normalna reakcja organizmu na napięcie psychiczne |
| Drżenie po nadmiernym spożyciu alkoholu lub zastosowaniu narkotyków lub<br>— po zaniechaniu picia alkoholu lub zażywania narkotyków | Reakcja układu nerwowego<br>Objaw abstynencji | Jeżeli często dużo pijesz albo zażywasz narkotyki lub masz silne objawy abstynencji,<br>*wizyta u lekarza potrzebna*<br>→ Używki i środki odurzające, s. 740<br>→ Alkoholizm, s. 198<br>→ Narkomania, s. 202 |
| Drżenie i drgawki po dłuższym stosowaniu leków i<br>— ewentualnie kołatanie serca<br>— ewentualnie zaburzenia snu<br>— ewentualnie stany lękowe | Objawy abstynencji po odstawieniu<br>— leków nasennych i uspokajających<br>— leków z dodatkiem barbituranów lub kodeiny<br>— leków zmniejszających łaknienie | *Wizyta u lekarza potrzebna*<br>→ Lekozależność, s. 200 |
| Drżenie rąk, nasilające się przy ruchach zamierzonych i<br>— później także drżenie głowy | Choroba układu nerwowego<br>Stwardnienie rozsiane | *Wizyta u lekarza potrzebna*<br>→ Choroba Parkinsona, s. 210<br>→ Stwardnienie rozsiane, s. 212 |
| Drżenie i<br>— ewentualnie ogólne rozbicie i<br>— ewentualnie zaburzenie koncentracji i<br>— ewentualnie zaburzenia snu | Duże obciążenie hałasem<br>Substancje szkodliwe, które obciążają układ nerwowy | Sprawdź środowisko domowe, pracy oraz odżywianie.<br>*Wizyta u lekarza potrzebna*<br>→ Trucizny w mieszkaniu, s. 758<br>→ Substancje toksyczne w środowisku pracy, s. 787<br>→ Substancje szkodliwe w pokarmach, s. 713 |

| Dolegliwości i objawy | Możliwe przyczyny | Co należy zrobić |
|---|---|---|
| Drżenie i drgawki po zażyciu leków | Działanie uboczne licznych leków, zwłaszcza<br><br>— dużej liczby środków nasennych i uspokajających<br><br>— wielu leków przeciw astmie i zapaleniu oskrzeli<br><br>— niektórych leków przeciw nadciśnieniu i dusznicy bolesnej<br><br>— dużej liczby leków przeciwpsychotycznych (neuroleptyki) | Jeżeli wystąpią takie dolegliwości, a lek kupiłeś bez recepty, zaniechaj jego stosowania.<br><br>Jeżeli lek był zaordynowany przez lekarza,<br><br>***wizyta u lekarza potrzebna***<br><br>→ Leki i ich stosowanie, s. 617 |
| Okresowe drżenie lub drgawki pojedynczego mięśnia (np. powieka, usta, broda) | Zmęczenie<br>Stres<br>Tik | Jeżeli dolegliwości stale nawracają lub utrzymują się dłużej niż dwa tygodnie,<br><br>***wizyta u lekarza potrzebna***<br><br>→ Zaburzenia samopoczucia, s. 175<br><br>→ Nerwice, s. 188 |
| Drżenie u chorych na cukrzycę | Niedocukrzenie | Jeżeli to możliwe, zmierzyć poziom cukru we krwi.<br><br>*Działanie natychmiastowe*: spożyj dwie pastylki cukru gronowego, następnie kromkę chleba lub jedno jabłko.<br><br>Jeżeli niedocukrzenie się powtarza,<br><br>***wizyta u lekarza potrzebna***<br><br>→ Cukrzyca, s. 449 |
| Drżenie ze zlewnym potem i<br><br>— ewentualnie spadek wagi ciała przy dobrym apetycie i<br><br>— ewentualnie oczy błyszczące i lekki wytrzeszcz i<br><br>— ewentualnie wole | Nadczynność tarczycy | ***Wizyta u lekarza potrzebna***<br><br>→ Nadczynność tarczycy, s. 463 |
| Nagłe drgawki, dotknięty nimi pada na ziemię i<br><br>— kurcze mięśni i<br><br>— piana na ustach i<br><br>— utrata przytomności | Napad padaczki | Jeżeli napad trwa dłużej niż trzy minuty lub szybko się ponawia,<br><br>***natychmiast wezwać pogotowie ratunkowe***<br><br>*Działanie natychmiastowe*: chroń chorego przed urazem przez usunięcie wszystkiego, czym mógłby się skaleczyć.<br><br>Nie trzymaj go mocno, nie wsuwaj mu niczego między zęby. Pozwól choremu się wyspać.<br><br>→ Padaczka, s. 209 |

# DUSZNOŚĆ I INNE DOLEGLIWOŚCI ODDECHOWE

Brakuje ci tchu? Może to skutek niewinnego zatkania nosa? Ale nie wolno też wykluczyć zapalenia płuc. Jeśli jednak „zatyka" cię częściej lub z trudem nabierasz powietrza, trzeba rozważyć, co ci „zasznurowuje gardło". Ciężka duszność zawsze wymaga natychmiastowej interwencji lekarza.

| Dolegliwości i objawy | Możliwe przyczyny | Co należy zrobić |
|---|---|---|
| Dolegliwości oddechowe przy obciążeniu fizycznym bez dodatkowych oznak jakiejś choroby | Ograniczenie wydolności spowodowane niedoborem ruchu<br><br>Normalna reakcja organizmu na niezwykły wysiłek fizyczny | Jeżeli sport nie sprawia ci żadnej przyjemności, spróbuj wprowadzić więcej ruchu do życia codziennego.<br><br>Jeźdź na rowerze zamiast samochodem, korzystaj ze schodów zamiast z windy.<br><br>→ Ruch i sport, s. 748 |
| Dolegliwości oddechowe z zatkanym nosem i<br><br>— ewentualnie kaszel i<br><br>— ewentualnie bóle szyi | Choroba przeziębieniowa<br><br>Polipy nosa | Katar nosa nie jest szkodliwy i ustępuje po kilku dniach.<br><br>Jeżeli „przeziębienie" utrzymuje się dłużej niż tydzień, a takie dolegliwości, jak kaszel, ból szyi itp., nie ustępują,<br><br>*wizyta u lekarza potrzebna*<br><br>→ Katar nosa, s. 284<br><br>→ Przeziębienie, „grypa", s. 283<br><br>→ Polipy nosa, s. 287 |
| Dolegliwości oddechowe charakteryzujące się uczuciem duszności i<br><br>— ewentualnie suchy kaszel bez odkrztuszania plwociny | Podrażnienie dróg oddechowych przez<br><br>— dym tytoniowy<br><br>— substancje toksyczne w pomieszczeniach (np. formaldehyd w płytach paździerzowych i w wyrobach tekstylnych, kurz, rozpuszczalniki, substancje toksyczne na stanowisku pracy)<br><br>— zanieczyszczenia środowiska naturalnego, np. dwutlenek siarki<br><br>Problemy psychiczne | Zaniechaj palenia tytoniu.<br><br>Postaraj się unikać substancji szkodliwych.<br><br>Jeżeli dolegliwości stale nawracają,<br><br>*wizyta u lekarza potrzebna*<br><br>→ Palenie tytoniu, s. 740<br><br>→ Trucizny w mieszkaniu, s. 758<br><br>→ Substancje toksyczne w środowisku pracy, s. 787<br><br>→ Zanieczyszczenie powietrza, s. 779<br><br>→ Zaburzenia samopoczucia, s. 175 |
| Nadmiernie szybkie oddychanie z uczuciem duszności i<br><br>— kurczowe bóle w klatce piersiowej i<br><br>— mrowienie w palcach rąk i<br><br>— sztywne palce, ułożone jak „ręka położnika" (palce zgięte zwłaszcza czwarty i piąty i przyciśnięte do siebie, kciuk silnie przywiedziony do strony dłoniowej ręki)<br><br>— uczucie lęku | Nadmierne przewietrzanie płuc, najczęściej pochodzenia psychicznego | *Działanie natychmiastowe*: uspokoić się, wolno i możliwie powierzchownie oddychać. Przystaw sobie jakąś torebkę przed usta, by ponownie wdychać „zużyte" powietrze z zawartością dwutlenku węgla. Jeżeli jesteś niespokojny, że napad może się powtórzyć,<br><br>*wizyta u lekarza potrzebna*<br><br>→ Zaburzenia samopoczucia, s. 175<br><br>→ Poradnictwo i psychoterapia, s. 670 |

| Dolegliwości i objawy | Możliwe przyczyny | Co należy zrobić |
|---|---|---|
| Zaburzenia oddechowe lub dolegliwości oddechowe po zażyciu leków | Objawy uboczne po<br>— środkach nasennych i uspokajających, zawierających barbiturany (stosowanych w dużych dawkach)<br>— lekach wykrztuśnych, zawierających wodzian terpinu<br>— beta-adrenolitykach (środkach przeciw niektórym chorobom serca i naczyń)<br>— lekach przeciw zakażeniom dróg moczowych, zawierających nitrofurantoinę — przy stosowaniu przez dłuższy czas<br>— silnych środkach przeciwbólowych (opiaty), zaliczonych do narkotyków<br>— środkach przeciwmigrenowych, zawierających metysergid — przy stosowaniu przez dłuższy okres<br>— hamujących łaknienie — przy stosowaniu przez dłuższy okres | Sprawdź w instrukcji załączonej do lekarstwa, czy zawarty jest w nim któryś z wymienionych składników.<br>Jeżeli zakupiłeś lek bez recepty, zaniechaj jego stosowania.<br>Jeżeli lek był zaordynowany przez lekarza,<br>*wizyta u lekarza potrzebna*<br>→ Leki i ich stosowanie, s. 617<br>Jeżeli wystąpi porażenie oddychania,<br>*natychmiast wezwać pogotowie ratunkowe*<br>→ Alergia, s. 338 |
| Dolegliwości oddechowe (duszność) u osesków i małych dzieci po zastosowaniu leków | Działanie uboczne<br>— większości kropel do nosa i aerozoli przeciw katarowi<br>— nacierań i środków do inhalacji, zawierających eukaliptus, kamforę, mentol | Sprawdź w instrukcji załączonej do lekarstwa, czy zawarty jest w nim jeden z wymienionych składników.<br>Zaprzestań jego stosowania. Jeżeli lek był zaordynowany przez lekarza,<br>*wizyta u lekarza potrzebna*<br>→ Leki i ich stosowanie, s. 617 |
| Dolegliwości oddechowe z kaszlem i odkrztuszaniem śluzowej treści, która może być bezbarwna lub żółtozielona i<br>— ewentualnie gorączka | Ostre zakażenie dróg oddechowych<br>Przewlekłe zakażenie dróg oddechowych | *Wizyta u lekarza potrzebna*<br>→ Ostre zapalenie oskrzeli, s. 291<br>→ Przewlekłe zapalenie oskrzeli, s. 292<br>→ Zapalenie płuc, s. 297 |
| Napadowe dolegliwości oddechowe, zwłaszcza przy wydechu z<br>— silną dusznością i kaszlem i<br>— lęk przed uduszeniem i niepokój | Astma<br>Reakcja alergiczna<br>Dolegliwości psychiczne | *Wizyta u lekarza potrzebna*<br>→ Astma, s. 293<br>→ Alergia, s. 338<br>→ Zaburzenia samopoczucia, s. 175 |
| Dolegliwości oddechowe przy głębokim wdechu z bolesnym kaszlem i<br>— duszność i<br>— później śluzowa żółtozielona plwocina<br>— szybko narastająca gorączka i<br>— ewentualnie dreszcze | Zapalenie płuc | *Wizyta u lekarza potrzebna*<br>→ Zapalenie płuc, s. 297 |

| Dolegliwości i objawy | Możliwe przyczyny | Co należy zrobić |
|---|---|---|
| Przewlekła duszność pojawiająca się początkowo tylko przy wysiłku fizycznym, z czasem występująca coraz częściej i<br>— duszność w nocy (problemy związane z leżeniem w pozycji poziomej),<br>— częste oddawanie moczu w nocy,<br>— ewentualnie obrzęk nóg | Niedostateczna wydolność serca | ***Wizyta u lekarza potrzebna***<br>→ Niewydolność serca, s. 318 |
| Nagłe dolegliwości oddechowe z silnym bólem w klatce piersiowej, nasilające się przy głębokim wdechu i<br>— ewentualnie kilka dni wcześniej uczucie rozpierania w łydkach i<br>— ewentualnie kaszel z domieszką krwi | Zakrzep w tętnicy płucnej | ***Natychmiast wezwać pogotowie ratunkowe***<br>→ Zator tętnicy płucnej, zawał płuca, s. 298 |
| Nagła duszność z odpluwaniem treści krwisto-pienistej | Obrzęk płuc | ***Natychmiast wezwać pogotowie ratunkowe***<br>→ Obrzęk płuc, s. 299 |
| Nagła duszność z silnym bólem w klatce piersiowej | Odma opłucnowa | ***Natychmiast wezwać pogotowie ratunkowe***<br>→ Odma opłucnowa, s. 299 |
| Nagła duszność z silnymi bólami w okolicy serca, promieniującymi do karku, ramion oraz barków i<br>— zimny pot i<br>— lęk i<br>— ewentualnie nudności i<br>— wymioty | Zawał serca | ***Natychmiast wezwać pogotowie ratunkowe***<br>→ Zawał serca, s. 316 |
| Nagle występująca silna duszność podczas jedzenia | Ciało obce w drogach oddechowych | ***Natychmiast wezwać pogotowie ratunkowe***<br>→ Zachłyśnięcie, s. 687 |

# GARDŁO — BÓLE

Bóle gardła pojawiają się najczęściej na skutek podrażnienia lub zapalenia dróg oddechowych. Jeśli ci więc „coś stoi w gardle", pora, abyś sprawdził, dlaczego czujesz się tak, jakby ci w nim utkwiła kość.

| Dolegliwości i objawy | Możliwe przyczyny | Co należy zrobić |
|---|---|---|
| Bóle gardła z chrypką po<br>— nadużyciu papierosów i/lub<br>— nadużyciu alkoholu | Podrażnienie błon śluzowych | Oszczędzaj głos. Pij mniej alkoholu.<br>Płucz gardło rumiankiem lub naparem z szałwii.<br>→ Używki i środki odurzające, s. 740<br>→ Leki ziołowe, s. 642 |
| Bóle gardła z chrypką<br>— po głośnym krzyku lub<br>— długiej mowie lub śpiewie | Przeciążenie strun głosowych | Oszczędzaj głos.<br>Płucz gardło rumiankiem lub szałwią.<br>→ Leki ziołowe, s. 642 |

| Dolegliwości i objawy | Możliwe przyczyny | Co należy zrobić |
|---|---|---|
| Bóle gardła, pieczenie oraz drapanie i<br>— ewentualnie trudności w połykaniu i<br>— ewentualnie odkrztuszanie i<br>— ewentualnie uczucie suchości w gardle | Podrażnienie gardła spowodowane przebywaniem w<br>— suchym, przegrzanym powietrzu i/lub<br>— powietrzu zanieczyszczonym pyłem i/lub<br>— wdychaniem substancji chemicznych znajdujących się w powietrzu | Płucz gardło rumiankiem lub szałwią.<br>Jeżeli zetknięcie się z substancjami chemicznymi wystąpiło nagle (np. ulotnienie się gazów drażniących),<br>*wizyta u lekarza potrzebna*<br>→ Zapalenie gardła, s. 288<br>→ Substancje szkodliwe, od s. 759 |
| Bóle gardła, wyciek z nosa i<br>— kichanie i<br>— ewentualnie trudności w połykaniu i<br>— ewentualnie kaszel i<br>— ewentualnie bóle głowy i<br>— ewentualnie bóle mięśni i<br>— ewentualnie gorączka | Przeziębienie<br>„Grypa" | Płucz gardło rumiankiem lub szałwią.<br>Pij dużo herbaty lub innych płynów.<br>Jeżeli dolegliwości nie ustąpią po tygodniu,<br>*wizyta u lekarza potrzebna*<br>→ Przeziębienie, „grypa", s. 283<br>→ Zapalenie gardła, s. 288<br>→ Leki ziołowe, s. 642 |
| Bóle gardła po zażywaniu leków i<br>— skłonność do zakażeń<br>— bladość, zmęczenie i zawroty głowy | Objawy uszkodzenia układu krwiotwórczego jako działanie uboczne licznych leków | Jeżeli wystąpią takie dolegliwości,<br>*wizyta u lekarza potrzebna*<br>→ Leki i ich stosowanie, s. 617 |
| Bóle gardła i<br>— trudności w połykaniu i<br>— zaczerwienione, powiększone i ropne migdałki i<br>— gorączka i<br>— powiększone węzły chłonne szyi | Zapalenie migdałków<br>Mononukleoza zakaźna | *Wizyta u lekarza potrzebna*<br>→ Zapalenie migdałków, s. 288<br>→ Mononukleoza zakaźna, s. 333 |
| Bóle gardła z obrzmieniem pomiędzy uchem i szczęką i<br>— gorączka | Świnka | *Wizyta u lekarza potrzebna*<br>→ Świnka, s. 567 |
| Bóle gardła i<br>— trudności w połykaniu i<br>— silna chrypka i<br>— bóle podczas mówienia i<br>— ewentualnie powolna zmiana głosu | Zapalenie strun głosowych<br>Zapalenie krtani<br>Guz krtani i strun głosowych | *Wizyta u lekarza potrzebna*<br>→ Zapalenie krtani, zapalenie strun głosowych, s. 289<br>→ Guz krtani i strun głosowych, s. 290 |
| Bóle szyi w rzucie tarczycy (przy obecności wola) | Zapalenie tarczycy | *Wizyta u lekarza potrzebna*<br>→ Zapalenie tarczycy, s. 465 |
| Silne bóle gardła i napady kaszlu po zakrztuszeniu się | Ciało obce lub kawałek spożywanego pokarmu w tchawicy | Pochylić głowę do przodu i próbować wykaszlać ciało obce (poszkodowanego należy uderzyć w plecy).<br>Małe dzieci unieść nogami do góry i uderzać w plecy.<br>Jeżeli to działanie nie pomoże i pojawią się ataki dławienia,<br>*natychmiast wezwać pogotowie ratunkowe*<br>→ Pierwsza pomoc, s. 687 |

| Dolegliwości i objawy | Możliwe przyczyny | Co należy zrobić |
|---|---|---|
| U dzieci bóle gardła i<br>— ewentualnie szczekający kaszel<br>— ewentualnie chrypka i<br>— ewentualnie duszność i<br>— ewentualnie „kluskowaty" głos | Dławiec rzekomy<br>Zapalenie nagłośni | Przy duszności lub jeżeli zauważymy u dziecka „kluskowaty" głos,<br>**natychmiast wezwać pogotowie ratunkowe**<br>→ Dławiec (krup) rzekomy, s. 560<br>→ Zapalenie nagłośni, s. 561 |
| Bóle gardła i gorączka u dzieci<br>— i drobnoplamista, wielkości główki szpilki czerwona wysypka | Szkarlatyna | *Wizyta u lekarza pilnie potrzebna*<br>→ Szkarlatyna, s. 566 |

# GŁOWA — BÓLE

Bóle głowy występują zazwyczaj niezależnie od innych chorób i bardzo rzadko na tle organicznym. Jeśli jednak trapią cię zbyt często, jeśli wciąż z tego powodu „łamiesz sobie głowę", mogą one być sygnałem alarmowym wskazującym na psychiczne lub fizyczne przeciążenie. W niektórych przypadkach o „ciężką głowę" mogą cię też przyprawić lekarstwa, choroby lub szkodliwe substancje.

| Dolegliwości i objawy | Możliwe przyczyny | Co należy zrobić |
|---|---|---|
| Bóle głowy i<br>— ewentualnie zaburzenia snu i<br>— ewentualnie nerwowość | Przepracowanie i/lub<br>Stres i/lub<br>Nadmierne wymagania i/lub<br>Problemy psychiczne | Zorganizuj sobie odpoczynek.<br>Spróbuj rozwiązać problemy, przez które „łamiesz sobie głowę".<br>→ Zaburzenia samopoczucia, s. 175<br>→ Bóle głowy, s. 186<br>→ Relaks, s. 664 |
| Bóle głowy i bóle karku i/lub bóle barku | Napięta, wymuszona postawa ciała przez<br>— niewłaściwe lub zbyt długie siedzenie lub<br>— problemy psychiczne | Rób przerwy i często zmieniaj postawę ciała.<br>Spróbuj ustalić, co obciąża i uciska kark i barki<br>→ Zaburzenia samopoczucia, s. 175<br>→ Zaburzenia psychiczne, s. 188<br>→ Relaks, s. 664 |
| Bóle głowy po wypiciu dużych ilości płynów zawierających kofeinę (np. kawa, herbata, cola) lub<br>— po zaprzestaniu picia takich płynów | Ból głowy spowodowany kofeiną<br>Objaw abstynencji po odstawieniu kofeiny | Zmniejsz konsumpcję płynów zawierających kofeinę<br>→ Kofeina, s. 744 |
| Bóle głowy po<br>— intensywnym paleniu tytoniu i/lub<br>— piciu alkoholu i/lub<br>— zażyciu narkotyków | Działanie uboczne nikotyny<br>Skutek zażywania środków odurzających | Jeżeli często masz dolegliwości z tym związane,<br>*wizyta u lekarza potrzebna*<br>→ Używki i środki odurzające, s. 740<br>→ Alkoholizm, s. 198<br>→ Narkomania, s. 202 |

| Dolegliwości i objawy | Możliwe przyczyny | Co należy zrobić |
|---|---|---|
| Bóle głowy i<br>— ewentualnie lekkie zawroty głowy | Uciążliwe warunki atmosferyczne (np. wiatr halny, niskie ciśnienie atmosferyczne)<br>Zbyt długie nasłonecznienie | Staraj się odpocząć.<br>Jeżeli przebywałeś na słońcu, przejdź natychmiast do cienia.<br>Jeśli dolegliwości nie ustąpią po jednym dniu,<br>*wizyta u lekarza potrzebna*<br>→ Wrażliwość na zmiany pogody, s. 183<br>→ Udar słoneczny, s. 694 |
| Silne, najczęściej jednostronne, pulsujące bóle głowy, często poprzedzone wymiotami, nadwrażliwością na światło i zaburzeniem wzroku | Migrena | Oszczędzaj się.<br>Jeżeli miewasz często migrenę i bardzo z tego powodu cierpisz,<br>*wizyta u lekarza potrzebna*<br>→ Migrena, s. 216<br>→ Zaburzenia samopoczucia, s. 175 |
| Napadowe, zazwyczaj jednostronne bóle twarzy, wywołane zwłaszcza żuciem, kichaniem, ziewaniem lub mówieniem | Uszkodzenie nerwu (nerw trójdzielny) | *Wizyta u lekarza potrzebna*<br>→ Nerwobóle, s. 215 |
| Bóle głowy oraz wyciek bądź zatkany nos i<br>— ewentualnie łzawienie oczu i<br>— ewentualnie kaszel i<br>— ewentualnie gorączka | Choroba przeziębieniowa | Jeżeli dolegliwości nie ustąpią po tygodniu,<br>*wizyta u lekarza potrzebna*<br>→ Przeziębienie, „grypa", s. 283 |
| Bóle głowy po silnym przeciążeniu wzroku, najczęściej migotaniem przed oczyma, przy<br>— czynnościach precyzyjnych (np. wyszywanie, szycie) lub<br>— zatrudnienie przy telewizorach lub<br>— długotrwałe czytanie | Przeciążenie wzroku<br>Zaburzenia wzroku | Rób częściej przerwy.<br>Nalegaj w swoim zakładzie pracy na przestrzeganie prawnie zagwarantowanych przerw w pracy.<br>Jeżeli często cierpisz na bóle głowy albo osłabia się twój wzrok,<br>*wizyta u lekarza potrzebna*<br>→ Obciążenia oczu, s. 218<br>→ Wady wzroku, s. 221 |
| Bóle głowy, najczęściej połączone z nieokreślonym uczuciem jakby „ucisk w głowie" lub kłującym bólem, gdy<br>— w pracy stykasz się ze szkodliwymi substancjami chemicznymi lub<br>— żyjesz w środowisku skażonym | Zanieczyszczenie powietrza szkodliwymi substancjami | Jeżeli często cierpisz na bóle głowy,<br>*wizyta u lekarza potrzebna*<br>→ Trucizny w mieszkaniu, s. 758<br>→ Zanieczyszczenie powietrza, s. 799<br>→ Substancje toksyczne w środowisku pracy, s. 780 |
| Bóle głowy i nerwowość związana z silnym hałasem w domu lub na stanowisku pracy | Obciążenie hałasem | Jeżeli często cierpisz na bóle głowy lub źle słyszysz,<br>*wizyta u lekarza potrzebna*<br>→ Przytępienie słuchu, s. 242 |

| Dolegliwości i objawy | Możliwe przyczyny | Co należy zrobić |
|---|---|---|
| Bóle głowy po zażyciu leków | Działanie uboczne dużej liczby leków, zwłaszcza<br>— leków przeciwbólowych<br>— pigułki antykoncepcyjnej<br>— wielu środków przeciwreumatycznych<br>— wielu środków przeciw chorobom żołądka i jelit<br>— wielu leków przeciw chorobom serca i naczyń (zwłaszcza po lekach obniżających ciśnienie krwi) | Jeżeli kupiłeś lek bez recepty, a w załączonej instrukcji ból głowy nie jest wymieniony jako przemijający, nieszkodliwy skutek uboczny, zaniechaj dalszego jego stosowania.<br>Jeżeli środek był zaordynowany przez lekarza, a ten nie zwrócił ci uwagi na możliwe niepożądane działanie,<br>*wizyta u lekarza potrzebna*<br>→ Leki i ich stosowanie, s. 617 |
| Bóle głowy przy niskim ciśnieniu krwi lub wysokim ciśnieniu krwi<br>— ewentualnie zawroty głowy | Niskie ciśnienie krwi<br>Wysokie ciśnienie krwi | Jeżeli cierpisz na niskie ciśnienie krwi, staraj się je podnieść. Uprawiaj gimnastykę lub biegi po wstaniu z łóżka.<br>Przy wysokim ciśnieniu krwi,<br>*wizyta u lekarza potrzebna*<br>→ Niskie ciśnienie krwi, s. 309<br>→ Wysokie ciśnienie krwi, s. 304<br>→ Ruch i sport, s. 748 |
| Bóle głowy u chorych na cukrzycę i<br>— ewentualnie niepokój i<br>— ewentualnie drżenie i<br>— ewentualnie poty | Niedocukrzenie | Jeżeli to jest możliwe, oznacz stężenie cukru we krwi.<br>*Działanie natychmiastowe*: spożyj dwie pastylki cukru gronowego, następnie kromkę chleba lub jedno jabłko.<br>Jeżeli raz po raz wpadasz w niedocukrzenie,<br>*wizyta u lekarza potrzebna*<br>→ Cukrzyca, s. 449 |
| Bóle głowy wokół oczu i kości policzkowej (szczęka górna), nasilające się przy skłonie głowy i<br>— ewentualnie podwyższona temperatura ciała i<br>— ewentualnie zielonożółta wydzielina z nosa | Zapalenie zatok czołowych lub przynosowych | *Wizyta u lekarza potrzebna*<br>→ Zapalenie zatok przynosowych, s. 287 |
| Bóle głowy podczas ciąży i<br>— obrzęki nóg i<br>— obrzęk powiek | Zatrucie ciążowe | *Wizyta u lekarza potrzebna*<br>→ Zatrucie ciążowe, s. 539 |
| Bóle głowy po uderzeniu w głowę (najczęściej po upadku) i<br>— zawroty głowy lub nudności i<br>— luki pamięciowe i<br>— ewentualnie śpiączka | Wstrząs mózgu | *Wizyta u lekarza pilnie potrzebna lub wezwać pogotowie ratunkowe*<br>→ Wstrząs mózgu, s. 204<br>→ Pierwsza pomoc, s. 687 |

| Dolegliwości i objawy | Możliwe przyczyny | Co należy zrobić |
| --- | --- | --- |
| Bóle głowy, nasilające się przy skłonie głowy i<br><br>— gorączka i<br><br>— sztywność karku i<br><br>— nadmierna wrażliwość na światło | Zapalenie opon mózgowych | ***Wizyta u lekarza pilnie potrzebna lub wezwać pogotowie ratunkowe***<br><br>→ Zapalenie opon mózgowych, s. 205 |
| Silne bóle głowy (jeżeli nie cierpisz na znaną ci migrenę) i<br><br>— ewentualnie wymioty i<br><br>— ewentualnie zawroty głowy i<br><br>— ewentualnie zaburzenia wzroku i<br><br>— ewentualnie dezorientacja | Wylew krwi do mózgu<br><br>Guz mózgu | ***Wizyta u lekarza pilnie potrzebna lub wezwać pogotowie ratunkowe***<br><br>→ Guzy mózgu, s. 213<br><br>→ Krwotok mózgowy, s. 207 |
| Bóle głowy po użyciu leków i<br><br>— ewentualnie zaburzenia wzroku<br><br>— ewentualnie krwawienie z nosa | Oznaka wzrostu ciśnienia krwi jako objaw uboczny po<br><br>— środkach przeciw katarowi nosa zmniejszających obrzęk<br><br>— lekach podwyższających ciśnienie krwi<br><br>— lekach przeciw „grypie" i przeciwbólowych zawierających kofeinę, etylefrynę, foledrynę, fenylefrynę<br><br>— lekach przeciw zaburzeniom cyklu płciowego lub zaburzeniom okresu przekwitania, zawierających estrogeny lub kombinację estrogenu z gestagenem | Sprawdź w instrukcji załączonej do leku, czy zawiera jedną z wymienionych substancji lub należy do jednej z wyszczególnionych grup leków.<br><br>Jeżeli kupiłeś lek bez recepty, zaniechaj jego stosowania.<br><br>Jeżeli lek był zaordynowany przez lekarza,<br><br>***wizyta u lekarza pilnie potrzebna***<br><br>→ Leki i ich stosowanie, s. 617 |

# GŁOWA — ZAWROTY, ZABURZENIA RÓWNOWAGI

Zdarza się, że grunt usuwa ci się spod nóg i z wielkim trudem utrzymujesz równowagę. Skąd te zawroty głowy? Najczęściej są one objawem schorzenia narządu odpowiedzialnego za zachowanie równowagi i chwilowego niedotlenienia mózgu.

| Dolegliwości i objawy | Możliwe przyczyny | Co należy zrobić |
| --- | --- | --- |
| Zawroty głowy i/lub zaburzenia równowagi, kiedy jesteś w podróży (autobus, statek)<br><br>— jesteś na dużej wysokości i/lub<br><br>— odczuwasz lęk i/lub<br><br>— jesteś pod wpływem ciągłego stresu i/lub<br><br>— przeżywasz inne obciążenia psychiczne i/lub<br><br>— spożywasz alkohol i/lub zażywasz środki odurzające | Problemy psychiczne<br><br>Lęk wysokości<br><br>Objaw towarzyszący alkoholizmowi<br><br>Objaw towarzyszący zażywaniu narkotyków | Spróbuj rozwiązać kłopoty, które cię przyprawiają o zawroty głowy.<br><br>Jeżeli ci się to nie udaje,<br><br>***wizyta u lekarza potrzebna***<br><br>→ Zaburzenia samopoczucia, s. 175<br><br>→ Poradnictwo i psychoterapia, s. 670<br><br>→ Podróżowanie, s. 699<br><br>→ Uzależnienia, s. 198 |

| Dolegliwości i objawy | Możliwe przyczyny | Co należy zrobić |
|---|---|---|
| Zawroty głowy i znużenie i<br>— ewentualnie bóle głowy i<br>— ewentualnie czerwona lub blada twarz | Wysokie ciśnienie krwi<br>Niskie ciśnienie krwi<br>Niedokrwistość | Jeżeli cierpisz na niskie ciśnienie krwi, pobudź krążenie przez ruch.<br>Stosuj natryski o zmiennej temperaturze (ciepło, zimno).<br>Wysokie ciśnienie jest często długo nierozpoznawane. Jeżeli zawroty głowy nie ustępują,<br>*wizyta u lekarza potrzebna*<br>→ Niskie ciśnienie krwi, s. 309<br>→ Wysokie ciśnienie krwi, s. 304<br>→ Niedokrwistość, s. 324 |
| Zawroty głowy po zażyciu leków i<br>— ewentualnie zmęczenie<br>— ewentualnie bóle głowy | Działanie uboczne licznych leków, także objaw spadku ciśnienia krwi zwłaszcza po<br>— licznych środkach przeciwreumatycznych<br>— licznych lekach przeciw chorobom układu krążenia<br>— licznych środkach do znieczulenia miejscowego<br>— lekach przeciwbólowych i przeciw migrenie, zawierających kwas mefenamowy, metysergid, tilidynę<br>— lekach wykrztuśnych przeciwastmatycznych, zawierających terpinhydrat, teofilinę | Jeżeli kupiłeś lek bez recepty, a w załączonej instrukcji lekkie zawroty głowy nie są opisane jako nieszkodliwy i przemijający objaw towarzyszący, zaniechaj jego stosowania.<br>Jeżeli lek był zaordynowany przez lekarza, a ten nie uprzedził cię o możliwym działaniu ubocznym,<br>*wizyta u lekarza potrzebna*<br>→ Leki i ich stosowanie, s. 617 |
| Zawroty głowy, gdy<br>— pracujesz w styczności z substancjami chemicznymi<br>— żyjesz w środowisku skażonym substancjami szkodliwymi (tlenek węgla) lub<br>— jesteś narażony na silny hałas | Działanie substancji szkodliwych<br>Zaburzenia równowagi spowodowane hałasem | *Wizyta u lekarza potrzebna*<br>→ Zanieczyszczenie powietrza, s. 779<br>→ Przytępienie słuchu, s. 242 |
| Zawroty głowy i upośledzenie wzroku | Źle dobrane okulary<br>Ostra jaskra | *Wizyta u lekarza potrzebna*<br>→ Wady wzroku, s. 221<br>→ Jaskra, s. 236 |
| Zawroty głowy i upośledzenie słuchu i<br>— ewentualnie szum i/lub<br>— buczenie w jednym uchu lub w obu uszach | Choroba Meunievre'a | *Wizyta u lekarza potrzebna*<br>→ Choroba Ménièvre'a, s. 250 |
| Zawroty głowy przy szybkim odwracaniu głowy lub odginaniu do tyłu i<br>— masz więcej niż 50 lat | Zużycie szyjnego odcinka kręgosłupa<br>Zaburzenia ukrwienia mózgu | *Wizyta u lekarza potrzebna*<br>→ Przejściowe zaburzenie ukrwienia, s. 207 |

| Dolegliwości i objawy | Możliwe przyczyny | Co należy zrobić |
|---|---|---|
| Zawroty głowy i zaburzenia równowagi i mrowienia lub drętwienie i<br><br>— ewentualnie zaburzenia ruchowe (np. niedowład kończyny górnej) i<br><br>— ewentualnie krótkie zaburzenie przytomności i<br><br>— ewentualnie lekkie zaburzenia mowy | Zaburzenie ukrwienia mózgu<br><br>Stan poprzedzający udar mózgu<br><br>Guz mózgu<br><br>Stwardnienie rozsiane | ***Wizyta u lekarza pilnie potrzebna***<br><br>→ Przejściowe zaburzenie ukrwienia, s. 207<br><br>→ Udar mózgu, s. 208<br><br>→ Guzy mózgu, s. 213<br><br>→ Stwardnienie rozsiane, s. 212 |
| Częste zawroty głowy oraz silne bóle głowy i<br><br>— ewentualnie nudności i wymioty | Guz mózgu | ***Wizyta u lekarza pilnie potrzebna***<br><br>→ Guzy mózgu, s. 213 |
| Nagłe silne zawroty głowy oraz bóle głowy i<br><br>— ewentualnie nudności i wymioty<br><br>— ewentualnie zaburzenia przytomności | Krwotok mózgowy | ***Natychmiast wezwać pogotowie ratunkowe***<br><br>→ Krwotok mózgowy, s. 207 |

# GORĄCZKA

Gorączka jest celowym mechanizmem broniącym twój organizm przed wieloma czynnikami chorobotwórczymi. Na ogół nie trzeba zażywać środków obniżających podwyższoną ciepłotę ciała, zazwyczaj wystarczą zimne wilgotne kompresy. Jeśli jednak gorączka lub stan podgorączkowy utrzymują się dłuższy czas, wówczas mogą być oznaką poważnej choroby.

| Dolegliwości i objawy | Możliwe przyczyny | Co należy zrobić |
|---|---|---|
| Gorączka u dzieci | | → Gorączka u dzieci, s. 48 |
| Gorączka z wysypką skórną | | → Skóra — wykwity skórne z gorączką, s. 135 |
| Gorączka z uczuciem ogólnego rozbicia oraz katarem i<br><br>— ewentualnie ból głowy i<br><br>— ewentualnie bóle kończyn i<br><br>— ewentualnie kaszel i<br><br>— ewentualnie chrypka i<br><br>— ewentualnie drapanie w gardle | Zakażenie grypopodobne | Jeżeli temperatura wzrasta powyżej 39°C albo dolegliwości nie ustąpią po tygodniu,<br><br>***wizyta u lekarza potrzebna***<br><br>→ Przeziębienie, „grypa", s. 283<br><br>→ Środki domowe, s. 640 |
| Gorączka z ogólnym rozbiciem i kaszlem i<br><br>— ewentualnie śluzowa i/lub ciągnąca się szklista lub ropna plwocina i<br><br>— ewentualnie bóle w klatce piersiowej | Ostre zapalenie oskrzeli<br><br>Przewlekłe zapalenie oskrzeli | Jeżeli temperatura wzrasta powyżej 39°C lub plwocina jest ropna, lub gdy dolegliwości te stale nawracają,<br><br>***wizyta u lekarza potrzebna***<br><br>→ Ostre zapalenie oskrzeli, s. 291<br><br>→ Przewlekłe zapalenie oskrzeli, s. 292 |
| Gorączka z bólem szyi i<br><br>— ewentualnie dolegliwości związane z połykaniem i<br><br>— ewentualnie ból głowy i<br><br>— ewentualnie powiększenie węzłów chłonnych szyi | Zapalenie migdałków<br><br>Zapalenie gardła | Jeżeli temperatura wzrasta powyżej 39°C lub dolegliwości nie ustąpią po dwóch dniach,<br><br>***wizyta u lekarza potrzebna***<br><br>→ Zapalenie migdałków, s. 288<br><br>→ Zapalenie gardła, s. 288 |

| Dolegliwości i objawy | Możliwe przyczyny | Co należy zrobić |
|---|---|---|
| Gorączka z bólem szyi i<br>— dolegliwości związane z połykaniem i<br>— silna chrypka i<br>— bóle przy mówieniu | Zapalenie krtani<br>Zapalenie strun głosowych | Jeżeli temperatura wzrasta powyżej 39°C lub dolegliwości nie ustępują po trzech dniach,<br>*wizyta u lekarza potrzebna*<br>→ Zapalenie krtani, zapalenie strun głosowych, s. 289 |
| Gorączka po zażyciu leków i ewentualnie bóle gardła i<br>— ewentualnie białawy nalot w gardle | Działanie uboczne różnych leków lub<br>Uszkodzenie układu krwiotwórczego i szpiku kostnego | Gdy gorączka wystąpi podczas stosowania leków,<br>*wizyta u lekarza potrzebna*<br>→ Leki i ich stosowanie, s. 617 |
| Gorączka wraz z biegunką i<br>— ewentualnie wymioty | Zakażenie żołądkowo-jelitowe | Jeżeli temperatura wzrasta powyżej 39°C lub dolegliwości nie ustąpią po trzech dniach,<br>*wizyta u lekarza potrzebna*<br>→ Zapalenie żołądka ostre, s. 364<br>→ Zakażenia jelitowe, s. 378 |
| Stan podgorączkowy ze śluzową biegunką, która może być także krwista i<br>— bóle brzucha i<br>— brak apetytu i<br>— ewentualnie spadek ciężaru ciała | Ostre zapalenie jelita | *Wizyta u lekarza potrzebna*<br>→ Choroba Leśniowskiego-Crohna, s. 385<br>→ Wrzodziejące zapalenie jelita grubego, s. 384 |
| Gorączka oraz bóle ucha i<br>— ewentualnie bóle głowy i<br>— ewentualnie wodnisty bądź ropny wyciek z ucha | Zapalenie ucha środkowego | *Wizyta u lekarza potrzebna*<br>→ Ostre zapalenie ucha środkowego, s. 248 |
| Gorączka z bólem czoła i/lub szczęki górnej i<br>— bóle między okiem a policzkiem (przy zapaleniu zatok bocznych) | Zapalenie zatok przynosowych | *Wizyta u lekarza potrzebna*<br>→ Zapalenie zatok przynosowych, s. 287 |
| Gorączka i bóle przy oddawaniu moczu i/lub<br>— częste parcie na mocz | Zakażenie pęcherza lub dróg moczowych | *Wizyta u lekarza potrzebna*<br>→ Zapalenie pęcherza moczowego, s. 391 |
| Gorączka i bóle lędźwi, promieniujące do pęcherza moczowego i<br>— ewentualnie bóle przy oddawaniu moczu | Zapalenie miedniczek nerkowych | *Wizyta u lekarza potrzebna*<br>→ Ostre zapalenie miedniczek nerkowych, s. 393 |
| Gorączka i ból zęba | Ognisko ropne przy korzeniu zęba | *Wizyta u lekarza potrzebna*<br>→ Zapalenie wierzchołka korzenia zęba, s. 347 |
| Gorączka lub bóle w prawym podżebrzu, występujące napadowo | Zapalenie pęcherzyka żółciowego | *Wizyta u lekarza potrzebna*<br>→ Zapalenie pęcherzyka żółciowego s. 374 |
| U kobiet gorączka krótko po urodzeniu dziecka i ból sutka | Zapalenie sutka | *Wizyta u lekarza potrzebna*<br>→ Zapalenie sutka, s. 478 |

| Dolegliwości i objawy | Możliwe przyczyny | Co należy zrobić |
|---|---|---|
| Gorączka z obrzmieniem w<br>— bocznej okolicy szyi i/lub<br>— w pachach i/lub<br>— w pachwinach | Powiększenie węzłów chłonnych spowodowane przez chorobę wirusową | **Wizyta u lekarza potrzebna**<br>→ Mononukleoza zakaźna, s. 333 |
| Gorączka<br>— po dużych krwawieniach lub z powodu ran, które nagle zaczęły sączyć (po operacjach) | Gorączka resorpcyjna<br>Zakażenie rany | **Wizyta u lekarza potrzebna** |
| Gorączka z utrzymującymi się bólami stawów | Choroba reumatyczna<br>Kolagenozy | **Wizyta u lekarza potrzebna**<br>→ Zapalenia stawów w chorobach zakaźnych, s. 426<br>→ Toczeń trzewny, s. 428 |
| Gorączka z kaszlem oraz odkrztuszaniem plwociny i<br>— silne poty i<br>— duszność i<br>— dreszcze | Zapalenie płuc | **Wizyta u lekarza potrzebna**<br>→ Zapalenie płuc, s. 297 |
| Stan podgorączkowy i kaszel utrzymujący się przez dłuższy czas (dłużej niż trzy tygodnie) i<br>— spadek wagi ciała i<br>— poty nocne | Gruźlica<br>Rak płuca | **Wizyta u lekarza potrzebna**<br>→ Gruźlica, s. 297<br>→ Rak płuc, s. 300 |
| Stan podgorączkowy utrzymujący się przez dłuższy czas, bez którejkolwiek z wyżej wymienionych przyczyn<br>— ewentualnie spadek wagi ciała | Niedokrwistość<br>Rak<br>AIDS | **Wizyta u lekarza potrzebna**<br>→ Niedokrwistość, s. 324<br>→ Nowotwory złośliwe, s. 437<br>→ AIDS, s. 335 |
| Gorączka w krajach tropikalnych albo po powrocie z kraju tropikalnego | Choroby tropikalne | **Wizyta u lekarza potrzebna**<br>→ Zakażenia jelitowe, s. 378<br>→ Podróżowanie, s. 699 |
| Gorączka oraz bóle w prawym podbrzuszu i<br>— ewentualnie napięty, twardy brzuch<br>— ewentualnie nudności i wymioty | Zapalenie wyrostka robaczkowego | Jeżeli brzuch jest twardy i napięty, **wizyta u lekarza pilnie potrzebna**<br>→ Zapalenie wyrostka robaczkowego, s. 381 |
| Gorączka i ból jednego lub obu oczu z nagłym pogorszeniem wzroku i<br>— zaczerwienienie oczu i<br>— ewentualnie zawroty głowy i<br>— ewentualnie bóle głowy i<br>— ewentualnie nudności i wymioty | Zwiększone ciśnienie w oku (jaskra) | **Wizyta u lekarza pilnie potrzebna**<br>→ Jaskra, s. 236 |
| Gorączka z mocnymi bólami głowy, nasilającymi się przy skłonie i<br>— sztywność karku i<br>— światłowstręt i<br>— ewentualnie nudności i wymioty i<br>— ewentualnie zawroty głowy | Zapalenie opon mózgowych | **Natychmiast wezwać pogotowie ratunkowe**<br>→ Zapalenie opon mózgowych, s. 205 |

| Dolegliwości i objawy | Możliwe przyczyny | Co należy zrobić |
|---|---|---|
| Wysoka gorączka, gorąca, sucha skóra. Zawroty głowy i nudności po zbyt długim przebywaniu na słońcu i<br>— ewentualnie utrata przytomności | Udar cieplny | *Działanie natychmiastowe*: chorego umieścić w cieniu, rozpiąć odzież, skropić zimną wodą, nałożyć woreczek z lodem na głowę i kark.<br>Jeżeli jest przytomny, do picia podawać łykami zimne napoje.<br>*Wizyta u lekarza pilnie potrzebna*<br>→ Udar cieplny, s. 693 |
| Wysoka gorączka z dużymi wahaniami temperatury w ciągu dnia | Zakażenie krwi (posocznica) | *Wizyta u lekarza pilnie potrzebna* |
| Gorączka po stosowaniu leków i<br>— ewentualnie bóle szyi<br>— ewentualnie biały nalot w gardle i na migdałkach | Oznaki rzadkiego, ale niebezpiecznego zmniejszenia liczby krwinek białych jako uboczne działanie różnych leków | *Wizyta u lekarza pilnie potrzebna*<br>→ Leki i ich stosowanie, s. 617 |
| Wysypka, gorączka i bóle szyi w rzucie tarczycy i<br>— chrypka | Zapalenie tarczycy | *Wizyta u lekarza potrzebna*<br>→ Zapalenie tarczycy, s. 465 |

# GORĄCZKA U DZIECI

Gorączka jest celowym mechanizmem chroniącym organizm przed czynnikami chorobotwórczymi. Dopóki jednak ciepłota ciała dziecka nie przekracza 39°C i nie ma ono drgawek gorączkowych, dopóty stosowanie środków obniżających ją jest na ogół niepotrzebne. Taki sam skutek dają okłady z wody z octem i zawijanie łydek, a szkodzą mniej niż lekarstwa. Jeśli jednak dziecko nie ma jeszcze trzech miesięcy, to przy pojawieniu się gorączki powinieneś wezwać lekarza.

| Dolegliwości i objawy | Możliwe przyczyny | Co należy zrobić |
|---|---|---|
| Gorączka z wykwitami skórnymi | | → Skóra — wykwity skórne u dzieci, s. 132 |
| Gorączka z bólem brzucha | | → Brzuch — bóle u dzieci, s. 25 |
| Gorączka z ogólnym rozbiciem i katar i<br>— ewentualnie kaszel i<br>— ewentualnie ból głowy i<br>— ewentualnie brak apetytu | Choroba przeziębieniowa | Zrób okłady z kwasu octowego lub zawijanie podudzi. Podawaj dziecku dużo płynów do picia.<br>Jeżeli dziecko nie ma trzech lat lub gdy gorączka wzrasta powyżej 39°C, lub gdy dolegliwości nie ustąpią do tygodnia,<br>*wizyta u lekarza potrzebna*<br>→ Przeziębienie, „grypa", s. 283<br>→ Środki domowe, s. 640 |
| Nagle pojawiająca się wysoka gorączka bez widocznej przyczyny, która ustępuje po trzech, czterech dniach i<br>— ewentualnie osutka skórna z dużymi plamami | Zakażenie wirusami | Zrób dziecku okłady z kwasu octowego lub zawijanie podudzi. Podawaj dziecku dużo płynów do picia. Tak zwana gorączka trzydniowa jest często bez większego znaczenia. Jeżeli gorączka utrzymuje się dłużej niż cztery dni lub gdy temperatura przekracza 39°C,<br>*wizyta u lekarza potrzebna*<br>→ Gorączka trzydniowa, s. 569<br>→ Środki domowe, s. 640 |

| Dolegliwości i objawy | Możliwe przyczyny | Co należy zrobić |
|---|---|---|
| Gorączka i biegunka i<br>— ewentualnie wymioty | Zakażenie żołądkowo-jelitowe | Zrób dziecku okłady z kwasu octowego lub zawijanie łydek. Podawaj dziecku sucharki, herbatę lub zupy.<br>Jeżeli dziecko nie ma trzech lat lub gdy gorączka przekracza 39°C,<br>***wizyta u lekarza potrzebna***<br>→ Zakażenia jelitowe, s. 378<br>→ Środki domowe, s. 640 |
| Gorączka i bóle szyi<br>Gdy dziecko jeszcze nie mówi<br>— krzyczy przy karmieniu i/lub<br>— odmawia jedzenia | Zapalenie migdałków<br>Zapalenie gardła<br>Zapalenie krtani<br>Zapalenie strun głosowych | Jeżeli dziecko ma mniej niż trzy lata, a gorączka wzrasta do ponad 39°C,<br>***wizyta u lekarza potrzebna***<br>→ Zapalenie migdałków, s. 288<br>→ Zapalenie gardła, s. 288<br>→ Zapalenie krtani, zapalenie strun głosowych, s. 289 |
| Gorączka i bóle zębów i/lub bóle dziąseł | Wyrzynanie zębów mlecznych<br>Ognisko ropne przy korzeniu zęba | Dzieci, które ząbkują, są wrażliwsze na czynniki chorobotwórcze.<br>Jeżeli gorączka wzrośnie ponad 39°C,<br>***wizyta u lekarza potrzebna***<br>→ Zęby mleczne, s. 353<br>→ Zapalenie wierzchołka korzenia zęba, s. 347 |
| Gorączka i bóle przy oddawaniu moczu i<br>— częstsze oddawanie moczu niż zwykle | Zakażenie pęcherza lub dróg moczowych | ***Wizyta u lekarza potrzebna***<br>→ Zapalenie pęcherza moczowego, s. 391 |
| Gorączka i bóle w okolicy nerek, promieniujące do pęcherza i<br>— ewentualnie bóle podczas oddawania moczu | Zapalenie miedniczek nerkowych | ***Wizyta u lekarza potrzebna***<br>→ Ostre zapalenie miedniczek nerkowych, s. 393 |
| Gorączka i bóle ucha<br>Jeżeli dziecko jeszcze nie mówi<br>— krzyczy i trzyma rękę na uchu i/lub<br>— pociąga za płatek małżowiny usznej | Zapalenie ucha środkowego | ***Wizyta u lekarza potrzebna***<br>→ Ostre zapalenie ucha środkowego, s. 248 |
| Gorączka z bólami czoła i/lub szczęki górnej i<br>— bóle między okiem a policzkiem (zatoki boczne) | Zapalenie zatok przynosowych | ***Wizyta u lekarza potrzebna***<br>→ Zapalenie zatok przynosowych, s. 287 |
| Gorączka i obrzmienie<br>— bocznej części szyi i/lub<br>— pod pachami i/lub<br>— w pachwinach | Świnka<br>Obrzmiałe węzły chłonne na skutek choroby wirusowej | ***Wizyta u lekarza potrzebna***<br>→ Świnka, s. 567<br>→ Mononukleoza zakaźna, s. 333<br>→ Układ chłonny, s. 333 |
| Gorączka po<br>— dużych krwawieniach lub<br>— z powodu ran, które nagle sączą (po operacjach) | Gorączka resorpcyjna<br>Zakażenie rany | ***Wizyta u lekarza potrzebna*** |

| Dolegliwości i objawy | Możliwe przyczyny | Co należy zrobić |
|---|---|---|
| Gorączka z osłabieniem ogólnym i kaszlem i<br>— ewentualnie śluzowata, lepka, ciągnąca się szklista lub ropna plwocina i<br>— ewentualnie bóle w klatce piersiowej | Ostre zapalenie oskrzeli<br>Skurczowy nieżyt oskrzeli<br>Zapalenie płuc | ***Wizyta u lekarza potrzebna***<br>→ Ostre zapalenie oskrzeli, s. 291<br>→ Zapalenie obturacyjne oskrzeli, s. 562<br>→ Zapalenie płuc, s. 297 |
| Gorączka z długo utrzymującymi się napadami kaszlu oraz głębokim gwiżdżącym wdechem i<br>— ewentualnie odkrztuszanie lepkiego śluzu | Krztusiec | ***Wizyta u lekarza potrzebna***<br>→ Krztusiec, s. 566 |
| Gorączka ze szczekającym kaszlem i<br>— ewentualnie duszność i<br>— ewentualnie chrypka i<br>— ewentualnie napady duszności w nocy | Dławiec rzekomy<br>Obrzęk nagłośni spowodowany zapaleniem | Spróbuj dziecko uspokoić.<br>***Wizyta u lekarza potrzebna***<br>→ Dławiec (krup) rzekomy, s. 560<br>→ Zapalenie nagłośni, s. 561 |
| Gorączka z silnymi bólami głowy, które nasilają się przy skłonie głowy i<br>— sztywność karku i<br>— wrażliwość oczu na światło i<br>— ewentualnie nudności i wymioty i<br>— ewentualnie drgawki | Zapalenie opon mózgowych | ***Wezwać pogotowie ratunkowe***<br>→ Zapalenie opon mózgowych, s. 205 |
| Wysoka gorączka z dużymi wahaniami temperatury w ciągu dnia | Zakażenie krwi (posocznica) | ***Wizyta u lekarza pilnie potrzebna*** |
| Wysoka gorączka, gorąca, sucha skóra. Zawroty głowy i nudności po zbyt długim przebywaniu na słońcu i<br>— ewentualnie utrata przytomności | Udar mózgu | ***Wizyta u lekarza pilnie potrzebna***<br>→ Udar mózgu, s. 208 |
| Gorączka oraz drgawki i<br>— ewentualnie zaburzenia świadomości | Drgawki gorączkowe | Drgawki gorączkowe u dzieci nie są niebezpieczne. Spróbuj obniżyć temperaturę zimnymi zawijaniami.<br>Jeżeli dziecko ma mniej niż 18 miesięcy albo drgawki gorączkowe trwają dłużej niż pięć minut,<br>***natychmiast wezwać pogotowie ratunkowe*** |
| Gorączka po połknięciu przez dziecko substancji trujących (pasta do zębów, trujące rośliny, środki piorące itp.) | Zatrucie | ***Natychmiast wezwać pogotowie ratunkowe***<br>→ Zatrucia, s. 695 |
| Gorączka po skaleczeniu i<br>— bóle głowy i<br>— zawroty głowy i<br>— kurcze mięśniowe | Tężec | ***Natychmiast wezwać pogotowie ratunkowe***<br>→ Tężec, s. 632 |

# GUZY I/LUB OBRZMIENIA POD SKÓRĄ

Guzy i obrzmienia, które są widoczne lub wyczuwalne pod palcami, powstają przeważnie na skutek powiększenia się węzłów chłonnych, uczestniczących w tworzeniu bariery ochronnej ustroju przed infekcjami. Obrzęki niewiadomego pochodzenia powinien zawsze ocenić lekarz.

| Dolegliwości i objawy | Możliwe przyczyny | Co należy zrobić |
|---|---|---|
| Guzy skórne, brodawki, obrzmienia | | → Skóra — guzy, wybujałość, brodawki, s. 124 |
| U kobiet bóle sutków lub guzy | | → Sutki u kobiet — bóle lub guzy, s. 142 |
| Obrzmienia pomiędzy uchem a szczęką dolną (gruby policzek) i<br>— gorączka | Obrzęk ślinianki przyusznej (świnka) | **Wizyta u lekarza potrzebna**<br>→ Świnka, s. 567 |
| Bolesne, miękkie uwypuklenie w pachwinie, ustępujące przy ucisku | Przepuklina pachwinowa | **Wizyta u lekarza potrzebna**<br>→ Przepuklina pachwinowa, s. 409 |
| Obrzmienia lub węzły<br>— na szyi i/lub<br>— w dołach pachowych i/lub<br>— w pachwinach | Różne zakażenia | **Wizyta u lekarza potrzebna**<br>→ Układ chłonny, s. 333 |
| Obrzmienia w dole pachowym po operacji sutka lub napromieniowaniu | Zastój w odpływie chłonki | **Wizyta u lekarza potrzebna**<br>→ Rak sutka, s. 480 |
| Obrzmienia na szyi i/lub w dołach pachowych i/lub w pachwinach i<br>— znużenie i<br>— poty nocne i<br>— ewentualnie gorączka i<br>— ewentualnie brak apetytu i<br>— ewentualnie spadek ciężaru ciała | Nowotwór węzłów chłonnych (chłoniak)<br>AIDS | **Wizyta u lekarza potrzebna**<br>→ Chłoniak, s. 334<br>→ AIDS, s. 335 |

# JAMA USTNA I/LUB JĘZYK — BÓLE

Przyczyną bólów w ustach lub wokół nich są na ogół stany zapalne, a w wyjątkowych przypadkach alergia lub schorzenia ogólnoustrojowe. Czasem taka dolegliwość ma także pozytywną stronę: mimo że „masz coś na języku", „trzymasz to za zębami", co nieraz ustrzeże cię od nieprzyjemnych następstw.

| Dolegliwości i objawy | Możliwe przyczyny | Co należy zrobić |
|---|---|---|
| Stan zapalny pękniętych kącików ust | Niedobór witamin<br>Niedobór żelaza | Jeżeli kąciki ust nie ulegną po tygodniu wyleczeniu,<br>**wizyta u lekarza potrzebna,**<br>→ Witaminy, s. 727<br>→ Niedokrwistość, s. 324 |

| Dolegliwości i objawy | Możliwe przyczyny | Co należy zrobić |
|---|---|---|
| Bóle w jamie ustnej i obrzęknięte, czerwone dziąsło, zwłaszcza w przestrzeniach międzyzębowych i <br>— ewentualnie krwawienie z dziąseł | Zapalenie dziąsła <br> Zapalenie przyzębia | Płucz usta naparem z szałwii i korzystaj z miękkiej szczoteczki do zębów. Jeżeli bóle nie ustąpią po dwóch tygodniach, <br> *wizyta u lekarza potrzebna* <br> → Zapalenie dziąseł, s. 347 <br> → Choroby przyzębia: zapalenie, przyzębica, s. 348 |
| Pieczenie języka, mimo że nie jadłeś gorących potraw | Niedobór żelaza <br> Niedobór witamin <br> Alergia <br> Problemy psychiczne | Jeżeli pieczenie języka nie ustąpi po tygodniu, <br> *wizyta u lekarza potrzebna* <br> → Niedokrwistość, s. 324 <br> → Witaminy, s. 727 <br> → Alergia, s. 338 <br> → Zaburzenia samopoczucia, s. 175 |
| Biały nalot na języku i <br> — ewentualnie bóle żołądka | Gorączka <br> Zaparcie stolca <br> Drażliwy żołądek <br> Wrzód żołądka lub dwunastnicy <br> Choroby jelit | Jeżeli białawe obłożenie języka nie ustąpi po tygodniu, <br> *wizyta u lekarza potrzebna* <br> → Żołądek drażliwy, s. 362 <br> → Wrzód żołądka lub dwunastnicy, s. 366 <br> → Zaparcie stolca, s. 379 |
| Zaczerwienienie, obrzęk błony śluzowej jamy ustnej | Alergia <br> Trucizny środowiskowe <br> Podrażnienie przez protezę | Jeżeli dolegliwości nie ustąpią po tygodniu, <br> *wizyta u lekarza potrzebna* <br> → Alergia, s. 338 <br> → Zanieczyszczenie powietrza, s. 799 <br> → Częściowe protezy zębowe, s. 351 <br> → Całkowite protezy zębowe, s. 352 |
| Bóle i obrzmienie pod językiem, wyczuwalne pod żuchwą | Zapalenie ślinianki | Żuj cytrynę lub gumę do żucia, aby zwiększyć wypływ śliny. <br> Jeżeli dolegliwości nie ustąpią po trzech dniach, <br> *wizyta u lekarza potrzebna* <br> → Zapalenie ślinianek, s. 358 |
| Suchość w jamie ustnej po zażyciu leków | Działanie uboczne dużej liczby leków, zwłaszcza <br> — większości leków przeciwalergicznych (przeciwhistaminowych) <br> — większości leków przeciwdrgawkowych <br> — dużej liczby środków przeciw chorobom żołądkowo-jelitowym <br> — wielu leków antydepresyjnych <br> — leków przeciwgrypowych i przeciw katarowi nosa, wykrztuśnych, uspokajających i nasennych, których składnikiem są preparaty przeciwhistaminowe | Jeżeli kupiłeś lek bez recepty, a w załączonej do niego instrukcji nie podaje się suchości w jamie ustnej jako nieszkodliwego i przemijającego działania ubocznego, zaniechaj dalszego jego stosowania. <br> Jeżeli lek był zaordynowany przez lekarza, a ten nie uprzedził cię o możliwym działaniu ubocznym, <br> *wizyta u lekarza potrzebna* <br> → Leki i ich stosowanie, s. 617 |

| Dolegliwości i objawy | Możliwe przyczyny | Co należy zrobić |
|---|---|---|
| Dolegliwości w jamie ustnej i języka po zastosowaniu leków i/lub<br>— wykwity w jamie ustnej i/lub<br>— świąd w obrębie jamy ustnej i/lub<br>— przebarwienia śluzówki jamy ustnej lub języka | Działanie uboczne po<br>— dużej liczbie leków stosowanych w chorobach jamy ustnej i gardła<br>— środkach dermatologicznych zawierających etretynat | Jeżeli kupiłeś lek bez recepty, zaniechaj jego stosowania.<br>Jeżeli lek był zaordynowany przez lekarza, a ten nie poinformował cię o możliwym ubocznym działaniu,<br>***wizyta u lekarza potrzebna***<br>→ Leki i ich stosowanie, s. 617 |
| Zapalenie śluzówki jamy ustnej z białym nalotem na niektórych miejscach | Grzybica | ***Wizyta u lekarza potrzebna***<br>→ Pleśniawki, s. 357 |
| Bolesna, obrzęknięta błona śluzowa jamy ustnej z pęcherzykami i<br>— silnym zapachem z ust i<br>— obłożonym językiem i<br>— ewentualnie trudności przy połykaniu i<br>— ewentualnie gorączka | Zapalenie śluzówki jamy ustnej | ***Wizyta u lekarza potrzebna***<br>→ Zapalenie błony śluzowej jamy ustnej, s. 357 |
| Białawe, z czerwoną obwódką, bolesne miejsca na śluzówce jamy ustnej | Choroba wirusowa | Jeżeli dolegliwości nie ustąpią po kilku dniach odpoczynku,<br>***wizyta u lekarza potrzebna***<br>→ Afty, s. 358 |
| Swędzące pęcherzyki na błonie śluzowej jamy ustnej i/lub na języku i<br>— na twarzy i na tułowiu i<br>— na owłosionej skórze głowy i<br>— ewentualnie gorączka | Wiatrówka | ***Wizyta u lekarza potrzebna***<br>→ Ospa wietrzna, s. 568 |
| Sinawobiałe plamy na błonie śluzowej jamy ustnej i/lub na języku | Przewlekłe podrażnienie błony śluzowej jamy ustnej i/lub języka np. przez<br>— palenie papierosów lub fajki lub<br>— zęby o ostrych krawędziach lub<br>— plomby z metalu i korony lub<br>— zatrucie metalami ciężkimi | ***Wizyta u lekarza potrzebna***<br>→ Palenie tytoniu, s. 740<br>→ Zapalenie błony śluzowej jamy ustnej, s. 357<br>→ Zapalenie języka, s. 358<br>→ Zęby, s. 342<br>→ Substancje toksyczne w środowisku pracy, s. 787 |
| Bolesny, gładki, ciemnoczerwony język i<br>— ewentualnie zaczerwieniona, obrzęknięta błona śluzowa jamy ustnej | Zapalenie języka<br>Niedobór witaminy $B_{12}$<br>Choroby jelit<br>Choroby wątroby | ***Wizyta u lekarza potrzebna***<br>→ Zapalenie języka, s. 358<br>→ Witaminy, s. 727<br>→ Wrzodziejące zapalenie jelita grubego, s. 384<br>→ Zatrucie wątroby, s. 369 |
| Twarde miejsca, guzki lub małe owrzodzenia na języku i/lub na błonie śluzowej jamy ustnej | Prawdopodobnie rak języka | ***Wizyta u lekarza potrzebna***<br>→ Rak w obrębie jamy ustnej, s. 359 |
| Malinowoczerwony język i<br>— drobnoplamista, szkarłatnoczerwona osutka na skórze | Szkarlatyna | ***Wizyta u lekarza pilnie potrzebna***<br>→ Szkarlatyna, s. 566 |

# JAMA USTNA — ZAPACH

Co sprawia, że z naszych ust wydobywa się nieprzyjemny zapach? Może się tak dziać na skutek niestarannego mycia zębów, ale nie tylko, bo medycyna uznaje go także za wskazówkę, że w naszym organizmie rozwija się jakiś proces chorobowy, na przykład w płucach lub w żołądku. W wielu sytuacjach przyczyną tego, że nasi rozmówcy odsuwają się od nas, mogą być stresy i napięcia psychiczne.

| Dolegliwości i objawy | Możliwe przyczyny | Co należy zrobić |
|---|---|---|
| Zapach z ust po spożyciu czosnku, cebuli, alkoholu itp. | Normalne zjawisko | Zapach z ust ustąpi po jednym dniu. |
| Zapach z ust na skutek zaniedbania mycia zębów | Resztki pokarmowe w przestrzeniach międzyzębowych | Mycie zębów należy stosować po każdym posiłku. Jeżeli to jest niemożliwe, to przynajmniej przed snem i po śniadaniu → Właściwa pielęgnacja, s. 342 |
| Zapach z ust połączony ze — stresem i/lub — obciążeniami psychicznymi | Problemy psychiczne | Zapach z ust ustąpi sam, z chwilą gdy przeminą kłopoty → Zaburzenia samopoczucia, s. 175 |
| Zapach z ust połączony z jakąś chorobą i — ewentualnie gorączką | Częste zjawisko towarzyszące gorączce i stanom chorobowym | Jeżeli zapach z ust nie ustąpi po zakończeniu choroby, *wizyta u lekarza potrzebna* |
| Zapach z ust z krwawiącym dziąsłem i — ewentualnie bolesnym dziąsłem | Zapalenie dziąsła | *Wizyta u lekarza potrzebna* → Zapalenie dziąseł, s. 347 |
| Zapach z ust z żółtym kamieniem nazębnym i/lub — ból zęba | Kamień nazębny Ubytki w zębach | *Wizyta u lekarza potrzebna* → Właściwa pielęgnacja, s. 342 → Próchnica, s. 344 |
| Zapach z ust przy noszeniu protezy lub mostu | Resztki pokarmowe między protezą zębową | *Wizyta u lekarza potrzebna* → Protezy, s. 351 |
| Zapach z ust z — bólem gardła i — trudności w połykaniu i — ewentualnie gorączka | Zapalenie migdałków | *Wizyta u lekarza potrzebna* → Zapalenie migdałków, s. 288 |
| Zapach z ust z zaburzeniem połykania i — chrypka i — nudności i — bóle za mostkiem | Rak przełyku | *Wizyta u lekarza potrzebna* → Rak przełyku, s. 362 |
| Zapach z ust z bólami i pęcherzykami w jamie ustnej lub białawym nalotem na błonie śluzowej i — ewentualnie dolegliwości przy połykaniu i — ewentualnie gorączka | Zapalenie błony śluzowej jamy ustnej | *Wizyta u lekarza potrzebna* → Zapalenie błony śluzowej jamy ustnej, s. 357 |
| Zapach z ust i bóle żołądka | Drażliwy żołądek Zapalenie błony śluzowej żołądka Wrzód żołądka i/lub dwunastnicy | *Wizyta u lekarza potrzebna* → Żołądek drażliwy, s. 362 → Zapalenie żołądka ostre, s. 364 → Wrzód żołądka lub dwunastnicy, s. 366 |

| Dolegliwości i objawy | Możliwe przyczyny | Co należy zrobić |
|---|---|---|
| Zapach z ust z uporczywym kaszlem i<br>— odpluwanie śluzowo-ropnej treści | Zapalenie oskrzeli<br>Zapalenie płuc | *Wizyta u lekarza potrzebna*<br>→ Ostre zapalenie oskrzeli, s. 291<br>→ Zapalenie płuc, s. 297 |
| Zapach z ust przez dłuższy okres bez jakiegokolwiek z wyżej wymienionych objawów i<br>— ewentualnie uczucie obecności ciała obcego w jamie ustnej | Guz w obrębie jamy ustnej i gardła | *Wizyta u lekarza potrzebna*<br>→ Rak w obrębie jamy ustnej, s. 359 |
| Zapach amoniaku w powietrzu wydechowym | Uszkodzenie wątroby | *Wizyta u lekarza potrzebna*<br>→ Marskość wątroby, s. 371<br>→ Zatrucie wątroby, s. 369 |
| Zapach mocznika w powietrzu wydechowym | Niewydolność nerek | *Wizyta u lekarza potrzebna*<br>→ Niewydolność nerek, s. 397 |
| Zapach acetonu w powietrzu wydechowym | Cukrzyca niewyrównana | *Wizyta u lekarza potrzebna*<br>→ Cukrzyca, s. 449 |

# JĄDRA — ZMIANY

Jądro wytwarza komórki rozrodcze i męskie hormony płciowe. Jeśli boli, zmienia kształt lub jest obrzęknięte, są to zawsze sygnały alarmowe.

| Dolegliwości i objawy | Możliwe przyczyny | Co należy zrobić |
|---|---|---|
| Bolesna, powiększona moszna i<br>— obrzmienie odgraniczone od jądra lub<br>— powrózkowato zmienione żyły | Wodniak jądra<br>Żylaki powrózka nasiennego<br>Krwiak jądra | *Wizyta u lekarza potrzebna*<br>→ Wodniak jądra, krwiak jądra, żylaki powrózka nasiennego, s. 495 |
| Bóle jądra i obrzmienie i<br>— zaczerwieniona moszna i<br>— ewentualnie gorączka | Zapalenie jądra | *Wizyta u lekarza potrzebna*<br>→ Zapalenie jądra, s. 494 |
| Bolesne, jednostronne obrzmienie jądra i<br>— twarde i bolesne najądrze | Zapalenie najądrza | *Wizyta u lekarza potrzebna*<br>→ Zapalenie najądrza, s. 494 |
| Owrzodzenie na mosznie | Choroby weneryczne | *Wizyta u lekarza potrzebna*<br>→ Choroby weneryczne, s. 510 |
| Obrzęknięte jądro zazwyczaj niebolesne i<br>— ewentualnie guz i<br>— ewentualnie stwardnienie | Rak jądra | *Wizyta u lekarza potrzebna*<br>→ Rak jądra, s. 495 |
| Najczęściej u dzieci kłujący, nagły ból w okolicy jądra, najczęściej po nagłym ruchu i<br>— szybki obrzęk jądra | Skręt pnia naczyniowego jądra | *Wizyta u lekarza pilnie potrzebna*<br>→ Urazy narządów płciowych, s. 492 |
| Ból jądra po kontuzji lub zranieniu i<br>— ewentualnie obrzęk jądra i/lub<br>— ewentualnie otwarte uszkodzenie jądra | Rana lub kontuzja | Jeżeli ból nie zmniejszy się po godzinie, a obrzęk nie ustąpi,<br>*wizyta u lekarza pilnie potrzebna*<br>→ Urazy narządów płciowych, s. 492 |

# KARK — BÓLE

Bóle karku są prawie zawsze skutkiem zbyt wielkich napięć. Jeśli często strach „siedzi ci na karku", lub też musisz go „nadstawiać", naginać, albo też z zapałem usiłujesz coś z niego zrzucić, to nieraz dochodzi do skurczu mięśni szyi, a następnie bólów. Mogą one być również — podobnie jak sztywność karku — zapowiedzią poważnej choroby. To zdarza się jednak rzadko.

| Dolegliwości i objawy | Możliwe przyczyny | Co należy zrobić |
|---|---|---|
| Bóle karku po dłuższym siedzeniu lub leżeniu w niewygodnej pozycji (np. przy biurku lub w łóżku) | Wzmożone napięcie mięśni | Masuj kark. Rób małe przerwy w pracy i wyprostuj się. Sprawdź pozycję podczas siedzenia. <br> → Relaks, s. 664 <br> → Zaburzenia samopoczucia, s. 175 |
| Bóle karku <br> — po przebywaniu w przeciągu lub <br> — w związku z jakąś chorobą | Przeciąg <br> Objaw towarzyszący chorobie (np. choroba z przeziębienia) | Najczęściej pomagają: nagrzewanie, masaże i ćwiczenia odprężające. <br> Jeżeli bóle nie ustąpią po trzech dniach, **wizyta u lekarza potrzebna** <br> → Relaks, s. 664 <br> → Masaż, s. 658 |
| Bóle karku i <br> — stres lub <br> — przeciążenie lub <br> — lęk lub <br> — napięcie psychiczne | Fizyczne lub psychiczne przeciążenia | Spróbuj rozwikłać problemy, które cię gnębią. <br> Jeżeli potrzebujesz przy tym pomocy, **wizyta u lekarza potrzebna** <br> → Zaburzenia samopoczucia, s. 175 <br> → Poradnictwo i psychoterapia, s. 670 <br> → Relaks, s. 664 |
| Nagły silny ból karku i <br> — ewentualnie „krzywy", sztywny kark | Wzmożone napięcie mięśni <br> Naderwanie mięśni | Połóż się do łóżka i zrób sobie jakiś zabieg cieplny. Jeżeli bóle nie ustąpią po kilku dniach, **wizyta u lekarza potrzebna** <br> → Naderwanie mięśnia, s. 407 <br> → Leczenie ciepłem, s. 651 |
| Bóle karku najsilniejsze rano i <br> — bóle barków oraz miednicy i <br> — zmniejszająca się ostrość wzroku i <br> — bóle w skroniach | Choroby tkanki łącznej naczyń krwionośnych, zaopatrujących głównie mięśnie w krew | **Wizyta u lekarza potrzebna** <br> → Reumatyczne bóle wielomięśniowe, s. 429 |
| Bóle barku nasilające się wraz z upływem czasu i <br> — ewentualnie sztywny kark i <br> — ewentualnie zaburzenie czucia bólu, siły mięśni lub czucia dotyku w ramionach | Uszkodzenie tarcz międzykręgowych w szyjnym odcinku kręgosłupa | **Wizyta u lekarza potrzebna** <br> → Dyskopatia, s. 433 |
| Bóle karku po silnym uderzeniu, pchnięciu lub upadku | Naderwanie mięśni szyi więzadeł | **Wizyta u lekarza pilnie potrzebna** <br> → Naderwanie mięśnia, s. 407 |

| Dolegliwości i objawy | Możliwe przyczyny | Co należy zrobić |
|---|---|---|
| Bóle karku, nasilające się przy skłonie głowy i<br>— silne bóle głowy i<br>— zmęczenie i<br>— ewentualnie dezorientacja i<br>— ewentualnie nudności i/lub wymioty i<br>— ewentualnie nadwrażliwość oczu na światło i<br>— ewentualnie gorączka | Zapalenie opon mózgowych | ***Natychmiast wezwać pogotowie ratunkowe*** |
| Bóle karku po silnym uderzeniu, pchnięciu lub upadku i<br>— częściowe lub całkowite porażenie kończyn górnych i dolnych | Złamanie kręgu | Należy leżeć spokojnie i nie ruszać głową. Każde niewygodne ułożenie lub usiłowanie wyprostowania głowy może spowodować ciężkie uszkodzenie.<br>***Natychmiast wezwać pogotowie ratunkowe***<br>→ Pierwsza pomoc, s. 687 |

# KASZEL

Kaszel jest normalną reakcją dróg oddechowych na podrażnienie wywołane przez ciała obce, chemikalia, wirusy itp. Jeśli jednak kaszlesz bez żadnego z wymienionych powodów, może to być wyrazem zwykłego zakłopotania.

| Dolegliwości i objawy | Możliwe przyczyny | Co należy zrobić |
|---|---|---|
| Kaszel z odpluwaniem krwistej plwociny | | → Krwioplucie, s. 66 |
| Nerwowe pokaszliwanie lub kaszel wywołany kłopotami lub agresją (często niezauważalną) | Tłumione uczucia | → Zaburzenia samopoczucia, s. 175 |
| Nagle pojawiający się suchy kaszel, nasilający się wraz z upływem czasu | Podrażnienie dróg oddechowych przez<br>— dym papierosowy lub<br>— trucizny w mieszkaniu lub<br>— trucizny na stanowisku pracy<br>— skażenie środowiska naturalnego | Zaniechaj palenia tytoniu i unikaj pomieszczeń zadymionych.<br>Spróbuj zmniejszyć stężenie substancji szkodliwych w otoczeniu.<br>Jeżeli kaszel mimo takiego postępowania nie zmniejsza się,<br>***wizyta u lekarza potrzebna***<br>→ Używki i środki odurzające, s. 740<br>→ Trucizny w mieszkaniu, s. 758<br>→ Zanieczyszczenie powietrza, s. 779<br>→ Substancje toksyczne w środowisku pracy, s. 787<br>→ Przewlekłe zapalenie oskrzeli, s. 292 |
| Krótko trwający kaszel z odpluwaniem plwociny śluzowej i<br>— ewentualnie wyciek z nosa i<br>— ewentualnie gorączka | Przeziębienie<br>„Grypa"<br>Ostre zapalenie oskrzeli | Jeżeli dolegliwości nie ustąpią po tygodniu,<br>***wizyta u lekarza potrzebna***<br>→ Ostre zapalenie oskrzeli, s. 291<br>→ Przeziębienie, „grypa", s. 283 |

| Dolegliwości i objawy | Możliwe przyczyny | Co należy zrobić |
|---|---|---|
| Krótko trwający suchy kaszel i<br>— chrypka i<br>— ewentualnie zanik głosu i<br>— ewentualnie gorączka | Zapalenie krtani | Jeżeli dolegliwości nie ustąpią po trzech dniach,<br>***wizyta u lekarza potrzebna***<br>→ Zapalenie krtani, s. 289 |
| Kaszel (także napady astmy) po zastosowaniu leków | Działanie uboczne<br>— leków przeciwbólowych i „przeciwgrypowych", zawierających kwas acetylosalicylowy, kwas mefenamowy, związki salicylamidu<br>— niesteroidowych środków przeciwzapalnych<br>— wielu leków wykrztuśnych i przeciwastmatycznych<br>— leków przeciw nadciśnieniu krwi, zawierających inhibitor enzymu przekształcającego angiotensynę (kaptopryl, enalapryl)<br>— leków stosowanych w schorzeniach jelit i pęcherza moczowego, zawierających distygminę, mesalazynę, neostygminę, pirydostygminę | Jeżeli zakupiłeś lek bez recepty, zaniechaj jego stosowania.<br>Jeżeli lek był zaordynowany przez lekarza,<br>***wizyta u lekarza potrzebna***<br>→ Leki i ich stosowanie, s. 617 |
| Stale nawracający kaszel z odpluwaniem zielonożółtej plwociny śluzowej | Przewlekłe zapalenie oskrzeli | ***Wizyta u lekarza potrzebna***<br>→ Przewlekłe zapalenie oskrzeli, s. 292 |
| Napady kaszlu z dusznością | Astma<br>Przewlekłe skurczowe zapalenie oskrzeli | ***Wizyta u lekarza potrzebna***<br>→ Astma, s. 293<br>→ Przewlekłe zapalenie oskrzeli, s. 292 |
| Kaszel z odpluwaniem treści śluzowej, poczucie choroby i<br>— gorączka i<br>— poty i<br>— ewentualnie duszność i<br>— ewentualnie dreszcze | Ostre zapalenie oskrzeli<br>Zapalenie płuc | ***Wizyta u lekarza potrzebna***<br>→ Ostre zapalenie oskrzeli, s. 291<br>→ Zapalenie płuc, s. 297 |
| Kaszel z podwyższoną temperaturą ciała przez dłuższy czas i<br>— zmniejszenie ciężaru ciała i<br>— poty nocne | Gruźlica<br>Rak płuca | ***Wizyta u lekarza potrzebna***<br>→ Gruźlica, s. 297<br>→ Rak płuc, s. 300 |
| Nagle pojawiający się silny kaszel po zachłyśnięciu się | Ciało obce w drogach oddechowych | Pochyl głowę i spróbuj wykaszleć ciało obce. Jeżeli to się nie udaje,<br>***natychmiast wezwać pogotowie ratunkowe***<br>→ Pierwsza pomoc, s. 687 |

# KASZEL U DZIECI

Kaszel jest normalną reakcją dróg oddechowych na podrażnienie wywołane przez ciała obce, chemikalia, wirusy itd. U dzieci poniżej sześciu miesięcy jest jednak objawem niezwyczajnym i może być oznaką poważnej choroby. U starszych dzieci pojawia się (jeśli nie występują trudności w oddychaniu) na skutek zwykłego przeziębienia. Jeśli jednak twe dziecko często kaszle, wówczas na pewno powinieneś ustalić, co jest tego przyczyną.

| Dolegliwości i objawy | Możliwe przyczyny | Co należy zrobić |
|---|---|---|
| Nerwowe pokaszliwanie lub kaszel nawracający w określonych sytuacjach | Tłumione uczucia (gniew, agresja)<br>Chęć zwrócenia uwagi i pozyskania względów | Obserwuj, w jakich okolicznościach pojawia się kaszel.<br>Spróbuj porozmawiać z dzieckiem o jego odczuciach i potrzebach.<br>→ Zaburzenia samopoczucia, s. 175<br>→ Terapia małżeńska i rodzinna, s. 671 |
| Nagle pojawiający się suchy kaszel u dzieci przebywających w pomieszczeniach zadymionych lub w środowisku skażonym szkodliwymi substancjami | Podrażnienie dróg oddechowych przez<br>— dym tytoniowy lub<br>— trucizny mieszkaniowe lub<br>— zanieczyszczenie środowiska naturalnego | Nie pal w obecności dzieci.<br>Chroń swoje dziecko, jak tylko to jest możliwe, przed wszelkimi szkodliwymi substancjami.<br>Jeżeli kaszel nie ustępuje,<br>*wizyta u lekarza potrzebna*<br>→ Trucizny w mieszkaniu, s. 758<br>→ Przewlekłe zapalenie oskrzeli, s. 292 |
| Kaszel połączony z katarem, zwłaszcza nocą | Śluz spływa do gardła | Ułóż dziecko wyżej, przez podłożenie pod głowę poduszki lub innej podpórki.<br>Jeżeli dziecko często cierpi z powodu kataru nosa,<br>*wizyta u lekarza potrzebna*<br>→ Katar, s. 284 |
| Krótko utrzymujący się kaszel z plwociną śluzową i<br>— ewentualnie wyciek z nosa i<br>— ewentualnie chrypka i<br>— ewentualnie gorączka | Przeziębienie<br>Ostre zapalenie oskrzeli | Jeżeli dolegliwości nie ustąpią po tygodniu,<br>*wizyta u lekarza potrzebna*<br>→ Przeziębienie, „grypa", s. 283<br>→ Ostre zapalenie oskrzeli, s. 291 |
| Kaszel (także napady astmy) po zastosowaniu leków | Działanie uboczne<br>— leków przeciwbólowych „przeciwgrypowych", zawierających kwas acetylosalicylowy, kwas mefenamowy, związki salicylamidu<br>— niesteroidowych leków przeciwzapalnych<br>— wielu leków wykrztuśnych i przeciwastmatycznych<br>— leków stosowanych w schorzeniach jelitowych i pęcherza moczowego zawierających distygminę, mesalazynę, neostygminę, pirydostygminę | Sprawdź w instrukcji załączonej do stosowanego leku, czy zawiera którąś z wymienionych substancji lub leki z wyszczególnionej grupy.<br>Jeżeli zakupiłeś lek bez recepty, zaniechaj jego stosowania.<br>Jeżeli lek był zaordynowany przez lekarza,<br>*wizyta u lekarza potrzebna*<br>→ Leki i ich stosowanie, s. 617 |
| Stale nawracający kaszel z odkrztuszaniem zielonawożółtego śluzu | Przewlekłe zapalenie oskrzeli | *Wizyta u lekarza potrzebna*<br>→ Przewlekłe zapalenie oskrzeli, s. 292 |

| Dolegliwości i objawy | Możliwe przyczyny | Co należy zrobić |
|---|---|---|
| Napadowy kaszel z dusznością | Astma | **Wizyta u lekarza potrzebna**<br>→ Astma, s. 293<br>→ Krztusiec, s. 566 |
| Napady kaszlu z krótkimi, intensywnymi salwami kaszlu, najczęściej po dłużej trwającym przeziębieniu i<br>— przedłużony wdech | Krztusiec | → Krztusiec, s. 566 |
| Nagle pojawiający się silny kaszel po zachłyśnięciu się | Ciało obce w drogach oddechowych | Skłoń dziecku głowę do przodu i uderzaj po plecach, by mogło wykaszleć ciało obce.<br>Małe dzieci należy unieść nóżkami do góry i uderzać po plecach.<br>Jeżeli nie ma pożądanego skutku,<br>**natychmiast wezwać pogotowie ratunkowe**<br>→ Zachłyśnięcie u dzieci, s. 687 |
| Szczekający kaszel i chrypka u dzieci | Zapalenie krtani | **Wizyta u lekarza potrzebna**<br>→ Zapalenie krtani, s. 289 |
| Kaszel i trudności w oddychaniu u dzieci i<br>— ewentualnie gorączka | Zapalenie obturacyjne oskrzeli | **Wizyta u lekarza potrzebna**<br>→ Zapalenie obturacyjne oskrzeli, s. 562 |
| Kaszel, który się niedawno pojawił, z odpluwaniem śluzu i<br>— silnym poczuciem choroby i<br>— gorączka i<br>— poty i<br>— ewentualnie duszność i<br>— ewentualnie dreszcze | Ostre zapalenie oskrzeli<br>Zapalenie płuc | **Wizyta u lekarza pilnie potrzebna**<br>→ Ostre zapalenie oskrzeli, s. 291<br>→ Zapalenie płuc, s. 297 |
| Napadowy, szczekający kaszel i<br>— duszność i<br>— chrypka | Krup rzekomy | **Wizyta u lekarza pilnie potrzebna**<br>→ Dławiec (krup) rzekomy, s. 560 |

# KLATKA PIERSIOWA — BÓLE
# I/LUB UCZUCIE ŚCISKANIA, DUSZNOŚCI I LĘKU

Ucisk lub bóle w piersiach mogą być przede wszystkim następstwem schorzenia układu oddechowego, serca i naczyń, jak również urazów mięśni. Jeśli nazbyt często odczuwasz ucisk w okolicach piersi, byłoby wskazane ustalić, co właściwie kładzie się na nich ciężarem.

| Dolegliwości i objawy | Możliwe przyczyny | Co należy zrobić |
|---|---|---|
| Ucisk w klatce piersiowej i bicie serca, częstoskurcz napadowy itp. | | → Częstoskurcz serca, s. 320 |
| Bóle w klatce piersiowej, ustępujące raczej po wysiłku fizycznym<br>— ewentualnie bicie serca lub częstoskurcz napadowy | Stres i/lub problemy psychiczne<br>Zaburzenia rytmu serca | Zastanów się, „co ci leży na sercu".<br>Jeżeli dolegliwości znowu wystąpią,<br>***wizyta u lekarza potrzebna***<br>→ Zaburzenia samopoczucia, s. 175<br>→ Poradnictwo i psychoterapia, s. 670<br>→ Zaburzenia rytmu serca, s. 319 |
| Ucisk lub tępy ból serca, gdy<br>— odczuwasz lęk przed jakąś sytuacją<br>— utraciłeś kochanego człowieka<br>— masz trudności w kontaktach międzyludzkich<br>— jesteś nieszczęśliwie zakochany | „Emocjonalny ból serca" | Jeżeli bóle serca nie ustąpią, mimo że sytuacja się zmieniła, lub jeżeli nie potrafisz uporać się ze swoimi problemami,<br>***wizyta u lekarza potrzebna***<br>→ Zaburzenia samopoczucia, s. 175<br>→ Poradnictwo i psychoterapia, s. 670 |
| Ból jednej strony klatki piersiowej, wychodzący z mięśni grzbietu | Kurcz mięśnia<br>Naderwanie mięśnia | Jeżeli ból nie ustąpi mimo odpoczynku i odprężenia,<br>***wizyta u lekarza potrzebna***<br>→ Kurcz mięśnia, s. 406<br>→ Naderwanie mięśnia, s. 407<br>→ Bóle pleców i krzyża, s. 431 |
| Kurczowe bóle w klatce piersiowej połączone z nadmiernie głębokim oddychaniem, uczuciem duszności i<br>— mrowienie w palcach rąk i<br>— kurcze mięśni rąk („ręka położnika")<br>— uczucie lęku | Najczęściej duszność spowodowana napięciem psychicznym | *Działanie natychmiastowe*: staraj się uspokoić, powoli oddychaj, możliwie powierzchownie. Trzymaj jakąś torebkę przed ustami, by ponownie wdychać wydychane powietrze, obfitujące w dwutlenek węgla.<br>Nie ma niebezpieczeństwa dla zdrowia.<br>Jeżeli masz obawy, że napad się powtórzy,<br>***wizyta u lekarza potrzebna***<br>→ Zaburzenia samopoczucia, s. 175 |
| Dławienie w piersiach, zwłaszcza przy wysiłku fizycznym | Wysokie stężenie ozonu przy pięknej pogodzie | Unikaj wysiłku na otwartej przestrzeni, zwłaszcza wczesnym popołudniem. |
| Bóle w klatce piersiowej po wypadku lub uderzeniu, stłuczeniu | Stłuczenie żebra<br>Złamanie żebra | ***Wizyta u lekarza potrzebna***<br>→ Pierwsza pomoc, s. 687<br>→ Złamania kości, s. 400 |

| Dolegliwości i objawy | Możliwe przyczyny | Co należy zrobić |
|---|---|---|
| Bóle w klatce piersiowej i uporczywy kaszel ze śluzową plwociną i<br>— ewentualnie podwyższona ciepłota i<br>— ewentualnie duszność | Ostre zapalenie oskrzeli<br>Przewlekłe zapalenie oskrzeli | **Wizyta u lekarza potrzebna**<br>→ Ostre zapalenie oskrzeli, s. 291<br>→ Przewlekłe zapalenie oskrzeli, s. 292 |
| Bóle w klatce piersiowej | Działanie uboczne<br>— wielu leków przeciwgrypowych<br>— wielu leków przeciwastmatycznych, zawierających etylefrynę i synefrynę<br>— leków przeciw dławicy piersiowej zawierających izosorbid przy dużych dawkach<br>— hormonów tarczycy — przy przedawkowaniu | Sprawdź w instrukcji załączonej do zażywanych leków, czy zawierają którąś z wymienionych substancji lub środek z wyszczególnionych grup.<br>Jeżeli zakupiłeś ten lek bez recepty, zaniechaj jego stosowania.<br>Jeżeli lek był zaordynowany przez lekarza,<br>**wizyta u lekarza potrzebna**<br>→ Leki i ich stosowanie, s. 617 |
| Piekące bóle w klatce piersiowej nasilające się przy skłonie lub<br>— ewentualnie częsta zgaga | Przepuklina przeponowa | **Wizyta u lekarza potrzebna**<br>→ Przepuklina, s. 409 |
| Przeszywające, błyskawiczne bóle w klatce piersiowej wychodzące z grzbietu | Podrażnienie nerwu międzyżebrowego | **Wizyta u lekarza potrzebna**<br>→ Nerwobóle, s. 215 |
| Bóle jednej strony klatki piersiowej z obecnością na skórze pęcherzyków w bolesnym miejscu | Półpasiec | **Wizyta u lekarza potrzebna**<br>→ Półpasiec, s. 273 |
| Bóle w klatce piersiowej i kaszel i<br>— żółta, żółtawozielona lub rdzawa plwocina i<br>— szybko narastająca gorączka i<br>— dreszcze | Zapalenie płuc | **Wizyta u lekarza potrzebna**<br>→ Zapalenie płuc, s. 297 |
| Długotrwałe bóle w klatce piersiowej oraz kaszel odruchowy i niewytłumaczalne chudnięcie | Gruźlica<br>Rak płuca | **Wizyta u lekarza potrzebna**<br>→ Gruźlica, s. 297<br>→ Rak płuc, s. 300 |
| Ucisk i bóle w klatce piersiowej, opasujące jakby żelazną obręczą, pojawiające się przede wszystkim przy obciążeniu i<br>— dolegliwości oddechowe i<br>— ewentualnie częstoskurcz napadowy i<br>— kołatanie serca | Niedobór tlenu w sercu, spowodowany zwężeniem tętnic wieńcowych serca | **Wizyta u lekarza potrzebna**<br>→ Dusznica bolesna, s. 315 |
| Szarpiące lub kłujące bóle w klatce piersiowej z silną dusznością i odruchowy kaszel | Odma opłucnowa | ***Natychmiast wezwać pogotowie ratunkowe***<br>→ Odma opłucnowa, s. 299 |
| Ucisk i silne bóle w klatce piersiowej promieniujące do karku i/lub barków oraz do lewego ramienia i<br>— duszność i<br>— zimny pot i<br>— uczucie lęku i<br>— uczucie unicestwienia i<br>— ewentualnie nudności i wymioty | Zawał serca | *Działanie natychmiastowe*: połknąć jedną tabletkę aspiryny, rozgryźć kapsułkę nitrogliceryny.<br>***Natychmiast wezwać pogotowie ratunkowe***<br>→ Zawał serca, s. 316 |

| Dolegliwości i objawy | Możliwe przyczyny | Co należy zrobić |
|---|---|---|
| Nagłe, silne bóle w klatce piersiowej oraz dolegliwości oddechowe i<br><br>— ewentualnie kilka dni wcześniej uczucie rozpierania w łydce i<br><br>— ewentualnie kaszel i krwioplucie i<br><br>— ewentualnie częstoskurcz serca | Zator tętnicy płucnej | **Natychmiast wezwać pogotowie ratunkowe**<br><br>→ Zator tętnicy płucnej, s. 298 |

# KOLANA — BÓLE I/LUB OBRZĘK

Bóle w kolanach powstają najczęściej na skutek urazów lub zapalenia stawów kolanowych, a także ich fizjologicznego zużycia. Jeśli zbyt często drżą ci kolana, rzecz może polegać również na tym, że po prostu uginają się z powodu zbyt wielkich obciążeń.

| Dolegliwości i objawy | Możliwe przyczyny | Co należy zrobić |
|---|---|---|
| Bolesne kolana po dużym obciążeniu, np. przy wspinaczce górskiej, jeździe na łyżwach, grze w piłkę nożną | Przeciążenie stawów kolanowych | Należy dać odpocząć kolanom, zastosować chłodne okłady.<br><br>Jeżeli bóle nie ustąpią po jednym dniu, **wizyta u lekarza potrzebna**<br><br>→ Leczenie zimnem, s. 652 |
| Ból, obrzęk kolan po urazach | Uszkodzenie więzadeł, uszkodzenie ścięgien<br><br>Wysięk do stawu kolanowego<br><br>Uszkodzenie łąkotki | **Wizyta u lekarza potrzebna**<br><br>→ Naderwanie, rozdarcie ścięgien, naderwanie, rozdarcie więzadeł, s. 411<br><br>→ Uszkodzenie łąkotki, s. 418 |
| Częste bóle kolan, nasilające się w miarę upływu lat i<br><br>— ograniczenie zakresu ruchów stawu kolanowego | Objawy zużycia | **Wizyta u lekarza potrzebna**<br><br>→ Choroba zwyrodnieniowa stawów, s. 421 |
| Zaczerwienienie, obrzęk i silna bolesność kolana i<br><br>— ograniczona ruchomość | Zapalenie maziówki | **Wizyta u lekarza potrzebna**<br><br>→ Zapalenie kaletki maziowej, s. 412 |
| Zaczerwienienie, obrzęk, silna bolesność kolana, które jest nadmiernie ucieplone, i<br><br>— ewentualnie obrzęk innych stawów (np. palców) i<br><br>— ewentualnie gorączka | Zapalenie stawu | **Wizyta u lekarza potrzebna**<br><br>→ Reumatyzm, s. 419<br><br>→ Dna moczanowa, s. 422 |
| Bolesne, obrzęknięte kolano po upadku lub wypadku i<br><br>— niemożność stąpania i<br><br>— ewentualnie nieprawidłowe ustawienie kolana | Naderwanie więzadła<br><br>Rozdarcie więzadeł<br><br>Złamanie kości | **Wizyta u lekarza potrzebna**<br><br>→ Reumatyzm, s. 419<br><br>→ Dna moczanowa, s. 422 |

# KOSZMARY SENNE

Nie ulega kwestii, że powinieneś brać poważnie swe marzenia senne, zwłaszcza wówczas, gdy wywołują strach i przerażenie, gdy są koszmarem. Ich treści przeważnie wypełniają informacje płynące z podświadomości, które wprawiają cię w stan napięcia w czasie dnia. Także lekarstwa i rozmaite choroby mogą wywoływać męczące sny.

| Dolegliwości i objawy | Możliwe przyczyny | Co należy zrobić |
|---|---|---|
| Koszmary senne przed lub po ważnym przeżyciu, takim jak: <br>— egzaminy <br>— utrata pracy <br>— nowe, trudne zadania <br>— wypadek samochodowy <br>— rozstanie się z ukochanym człowiekiem | Normalna reakcja organizmu <br><br>Sen może się wielokrotnie powtórzyć, dopóki nie nastąpi uspokojenie psychiczne | Nie ma powodu do niepokoju. <br><br>Jeżeli koszmary senne trwają miesiącami, <br><br>*wizyta u lekarza potrzebna* <br><br>→ Zaburzenia samopoczucia, s. 175 |
| Koszmary senne w związku z chorobą, najczęściej połączone z gorączką | Objawy towarzyszące chorobie | Brak podstaw do niepokoju. Koszmary senne ustępują wraz ze zdrowieniem. <br><br>Jeżeli utrzymują się dłużej, <br><br>*wizyta u lekarza potrzebna* <br><br>→ Zaburzenia samopoczucia, s. 175 |
| Koszmary senne, gdy <br>— wieczorem spożyłeś zbyt obfity posiłek <br>— zbyt dużo piłeś <br>— rzuciłeś picie alkoholu <br>— zaprzestałeś stosowania środków nasennych czy narkotyków | Pełny żołądek, nadużycie alkoholu, objawy towarzyszące zaniechaniu picia alkoholu (objawy abstynencji) <br><br>Reakcja na odstawienie środków nasennych lub narkotyków | Jeżeli koszmary senne nie ustąpią po kilku tygodniach, <br><br>*wizyta u lekarza potrzebna* <br><br>→ Używki i środki odurzające, s. 740 <br>→ Uzależnienia, s. 198 <br>→ Zaburzenia samopoczucia, s. 175 <br>→ Zaburzenia snu, s. 183 |
| Koszmary senne po zastosowaniu leków | Działanie uboczne <br>— kropli donosowych u małych dzieci <br>— środków przeciw świądowi lub nudnościom, chorobie lokomocyjnej, zawrotom głowy, zawierających takie składniki, jak cyklizyna, dimenhydrynat, hydroksyzyna, meklozyna | Sprawdź instrukcję załączoną do lekarstwa, może jest w nim zawarty któryś z wymienionych składników. <br><br>Jeżeli kupiłeś lek bez recepty, zaniechaj jego stosowania. <br><br>Jeżeli środek był zaordynowany przez lekarza, <br><br>*wizyta u lekarza potrzebna* <br><br>→ Leki i ich stosowanie, s. 617 |

# KRWAWIENIA NIEZWIĄZANE Z MIESIĄCZKĄ

Jeśli krwawienia z dróg rodnych pojawią się poza okresem menstruacji, przyczyną mogą być rozmaite wpływy zewnętrzne oraz nieszkodliwe zmiany hormonalne. Ale nie sposób wykluczyć jakiegoś schorzenia.

| Dolegliwości i objawy | Możliwe przyczyny | Co należy zrobić |
|---|---|---|
| Krwawienie po stosunku płciowym | Nieszkodliwe zmiany szyjki macicy<br>Uszkodzenie przez stosunek płciowy<br>Polipy szyjki macicy<br>Rak | Jeżeli krwawienia po stosunku płciowym powtarzają się,<br>*wizyta u lekarza potrzebna*<br>→ Polipy, s. 484<br>→ Mięśniaki, s. 485<br>→ Rak trzonu macicy, s. 488<br>→ Rak szyjki macicy, s. 487 |
| Krwawienia po założeniu spirali | Początkowo podrażnienie przez ciało obce<br>Nietolerancja spirali | Zwykle spiralę zakłada się podczas miesiączki. Jeżeli na skutek tego krwawisz nieco silniej lub dłużej, to nie ma powodu do niepokoju.<br>Jeżeli krwawisz dłużej niż dziesięć dni albo silnie krwawisz (zużywając więcej niż sześć podpasek w ciągu dwóch godzin),<br>*wizyta u lekarza potrzebna*<br>→ Wkładka wewnątrzmaciczna, s. 519 |
| Niezwykłe krwawienia po zastosowaniu leków | Działanie uboczne zbyt dużych dawek<br>— leków przeciw zaburzeniom hormonalnym okresu przekwitania, zawierających estrogeny<br>— stosowanie pigułek antykoncepcyjnych<br>— leków hamujących krzepnięcie krwi | Jeżeli używasz tych środków i występują takie dolegliwości,<br>*wizyta u lekarza potrzebna*<br>→ Leki i ich stosowanie, s. 617 |
| Krwawienie i<br>— wyciek o przykrym zapachu<br>— bardzo wodnisty wyciek | Zapalenie macicy<br>Zapalenie jajnika<br>Rak szyjki macicy | *Wizyta u lekarza potrzebna*<br>→ Zapalenie macicy, s. 484<br>→ Zapalenie jajnika, s. 489<br>→ Rak szyjki macicy, s. 487 |
| Krwawienia w okresie przekwitania, gdy nie było miesiączki kilka miesięcy | Jeszcze jedna miesiączka<br>Zaburzenia hormonalne<br>Polipy<br>Mięśniaki<br>W rzadkich przypadkach rak szyjki lub trzonu macicy | *Wizyta u lekarza potrzebna*<br>→ Okres przekwitania, s. 476<br>→ Rak szyjki macicy, s. 487<br>→ Rak trzonu macicy, s. 488 |
| Słabe krwawienia w pierwszych trzech miesiącach ciąży | Niski poziom hormonów<br>Pierwsze objawy poronienia | *Wizyta u lekarza potrzebna*<br>→ Pierwszy trymestr ciąży, s. 531<br>→ Poronienie, s. 539<br>Małe krwawienia są prawie zawsze nieszkodliwe, jednakże należy się upewnić, czy nie zagraża poronienie. |

| Dolegliwości i objawy | Możliwe przyczyny | Co należy zrobić |
|---|---|---|
| Krwawienia w drugim i trzecim trymestrze ciąży (czwarty do dziewiątego miesiąca) | Zagrażające poronienie <br> Zagrażający poród przedwczesny | ***Natychmiast wezwać pogotowie ratunkowe*** <br> → Poronienie, s. 539 <br> → Poród przedwczesny, s. 539 |
| Krwawienie w ostatnim trymestrze ciąży | Poród przedwczesny <br> Niewłaściwe umiejscowienie łożyska <br> Odklejenie łożyska | ***Natychmiast wezwać pogotowie ratunkowe*** <br> → Poród przedwczesny, s. 539 <br> → Cesarskie cięcie, s. 546 |
| Odejście śluzowego, krwistego czopu w wyliczonym dniu porodu | Pierwsze oznaki rozpoczynającego się porodu | ***Natychmiast wezwać pogotowie ratunkowe*** <br> → Poród, s. 540 |
| Krwawienia i silne bóle brzucha dwa tygodnie po terminie planowanej miesiączki | Ciąża jajowodowa | ***Natychmiast wezwać pogotowie ratunkowe*** <br> → Ciąża jajowodowa, s. 489 <br> → Wkładka wewnątrzmaciczna, s. 519 |

# KRWIOPLUCIE

Kasłanie z krwiopluciem jest zawsze sygnałem alarmowym. Jeśli krew nie pojawiła się na skutek drobnego skaleczenia w ustach, należy koniecznie udać się do lekarza.

| Dolegliwości i objawy | Możliwe przyczyny | Co należy zrobić |
|---|---|---|
| Małe krwioplucie i bóle w jamie ustnej lub języka | Uszkodzenie śluzówki jamy ustnej, uszkodzenie języka | Brak powodu do niepokoju. <br> Jeżeli krwawienie nie ustępuje szybko, <br> ***wizyta u lekarza potrzebna*** <br> → Jama ustna, s. 356 |
| Krwioplucie po myciu zębów szczoteczką lub po wizycie u stomatologa | Choroby dziąseł <br> Uszkodzenie dziąseł | Jeżeli krwawienie utrzymuje się dłużej albo nawraca, <br> ***wizyta u lekarza potrzebna*** <br> → Zapalenie dziąseł, s. 347 <br> → Choroby przyzębia, s. 348 |
| Krwioplucie z równoczesnym krwawieniem z nosa | Krew ścieka z nosa do gardła | Nie ma powodu do niepokoju. <br> Z ustaniem krwawienia z nosa ustąpi krwioplucie. Jeżeli po godzinie nadal krwawisz, <br> ***wizyta u lekarza potrzebna*** <br> → Skaleczenia nosa, s. 282 |
| Kaszel z krwiopluciem i <br> — ewentualnie duszność i <br> — ewentualnie gorączka | Ostre zapalenie oskrzeli <br> Przewlekłe zapalenie oskrzeli <br> Zapalenie płuc <br> Gruźlica | ***Wizyta u lekarza potrzebna*** <br> → Ostre zapalenie oskrzeli, s. 291 <br> → Przewlekłe zapalenie oskrzeli, s. 292 <br> → Zapalenie płuc, s. 297 <br> → Gruźlica, s. 297 |
| Krwioplucie po napadzie padaczki | Przygryzienie języka | ***Wizyta u lekarza potrzebna*** <br> → Padaczka, s. 209 |

| Dolegliwości i objawy | Możliwe przyczyny | Co należy zrobić |
|---|---|---|
| Krwioplucie, jeżeli pracujesz<br>— w przemyśle ceramicznym lub<br>— w kamieniołomie lub<br>— w styczności z azbestem | Pylica płuc | **Wizyta u lekarza potrzebna**<br>→ Substancje szkodliwe, od s. 759 |
| Krwioplucie i przewlekła chrypka | Rak krtani | **Wizyta u lekarza potrzebna**<br>→ Guz krtani, s. 290 |
| Kaszel z krwiopluciem oraz poty nocne i<br>— ewentualnie bóle w klatce piersiowej i<br>— ewentualnie chudnięcie | Gruźlica płuc<br>Rak płuca | **Wizyta u lekarza potrzebna**<br>→ Gruźlica, s. 297<br>→ Rak płuc, s. 300 |
| Kaszel z krwiopluciem oraz wymioty i<br>— ewentualnie bóle żołądka | Wrzód żołądka lub dwunastnicy<br>Krwawienie z żylaków przełyku | **Natychmiast wezwać pogotowie ratunkowe**<br>→ Wrzód żołądka lub dwunastnicy, s. 366<br>→ Marskość wątroby, s. 371 |
| Kaszel z krwiopluciem i<br>— bóle w klatce piersiowej i<br>— ewentualnie obrzęk jednej nogi | Zawał płuca | **Natychmiast wezwać pogotowie ratunkowe**<br>→ Zawał płuca, s. 298 |
| Kaszel z krwistą, pieniącą się plwociną i częstoskurcz serca i<br>— duszność i rzężenia<br>— zimny pot i<br>— ewentualnie sinica twarzy | Obrzęk płuc | **Natychmiast wezwać pogotowie ratunkowe**<br>→ Obrzęk płuc, s. 299 |
| Krwioplucie po wypadkach i urazach | Wewnętrzne obrażenia | **Natychmiast wezwać pogotowie ratunkowe**<br>→ Pierwsza pomoc, s. 687 |

# KURCZE, DRGAWKI

Utrata kontroli nad organizmem lub niektórymi jego częściami jest zawsze nieprzyjemna, a w niektórych sytuacjach zagrażająca życiu. Jeżeli twój tryb życia jest „ciągła walką", może się także okazać, że podświadomie wołasz o pomoc.

| Dolegliwości i objawy | Możliwe przyczyny | Co należy zrobić |
|---|---|---|
| Kurcze mięśni | | Objaw: bóle mięśniowe, s. 75 |
| Kurcze w rękach (ustawienie łapkowate) i krańcowo szybki oddech i<br>— uczucie lęku i<br>— uczucie głuchoty i<br>— mrowienie w rękach i nogach | Psychogenna duszność (hiperwentylacja) | *Działanie natychmiastowe*: uspokoić się, wolno i powierzchownie oddychać.<br>Trzymaj torebkę przed ustami, by ponownie wdychać powietrze obfitujące w dwutlenek węgla. Jeżeli obawiasz się, że napad mógłby się powtórzyć,<br>*wizyta u lekarza potrzebna*<br>→ Zdrowie i dobre samopoczucie, s. 173<br>→ Poradnictwo i psychoterapia, s. 670 |

| Dolegliwości i objawy | Możliwe przyczyny | Co należy zrobić |
|---|---|---|
| Kurcze mięśniowe ograniczające się tylko do określonej części ciała (np. kąciki ust, ręka, noga), które następnie rozszerzają się na jedną całą stronę ciała lub na wszystkie mięśnie | Guz mózgu<br>Padaczka | ***Wizyta u lekarza pilnie potrzebna***<br>→ Guzy mózgu, s. 213<br>→ Padaczka, s. 209 |
| Kurcze mięśni i wysoka gorączka u dzieci i ewentualnie krótkotrwała utrata przytomności | Kurcze gorączkowe | Kurcze gorączkowe u dzieci nie zagrażają życiu. Spróbuj obniżyć gorączkę przez zastosowanie zimnych okładów. Jeżeli dziecko ma mniej niż 18 miesięcy, a kurcz mięśni trwa dłużej niż pięć minut,<br>***natychmiast wezwać pogotowie ratunkowe*** |
| Kurcze wszystkich mięśni z pianą na ustach i<br>— ewentualnie duszność i<br>— ewentualnie przygryzienie języka i<br>— ewentualnie bezwiedne oddanie moczu i<br>— ewentualnie utrata przytomności | Napad padaczki | Jeżeli napad trwa dłużej niż pięć minut lub szybko nawraca,<br>***natychmiast wezwać pogotowie ratunkowe***<br>Ochroń dziecko przed skaleczeniem, usuwając wszystko, czym mogłoby się skaleczyć. Nie trzymaj go mocno, nie wsuwaj mu niczego na siłę między zęby. Pozwól dziecku wyspać się po napadzie.<br>→ Padaczka, s. 209 |
| Kurcze mięśni po skaleczeniu z<br>— bólami i zawrotami głowy i<br>— ewentualnie dreszcze | Tężec | ***Natychmiast wezwać pogotowie ratunkowe***<br>→ Tężec, s. 632 |

# LĘKI — STANY LĘKOWE

Lęk może nieraz być celowy i chronić nas przed niebezpieczeństwami. W większości przypadków jest jednak sygnałem alarmowym wskazującym istnienie sytuacji, z którymi nie potrafimy sobie poradzić, oraz silnych obciążeń psychicznych. Tajony strach, którego sami nawet nie dostrzegamy, często wpływa na postawę ciała, mówimy przecież, że ktoś „skurczył się ze strachu". Kiedy zatem zbyt często „strach siedzi ci na karku", powinieneś wyjaśnić, co ci go nań wsadza. Nieraz jego źródłem mogą także być choroby.

| Dolegliwości i objawy | Możliwe przyczyny | Co należy zrobić |
|---|---|---|
| Lęk u dzieci, zwłaszcza nocą | Marzenia senne<br>Lęk przed ciemnością<br>Brak poczucia bezpieczeństwa | Należy poważnie traktować lęki u dziecka. To, co nam wydaje się śmieszne, dla dziecka może być dramatyczne. Jeżeli lęki u dziecka nie ustępują,<br>***wizyta u lekarza potrzebna***<br>→ Zaburzenia samopoczucia, s. 175<br>→ Zaburzenia psychiczne, s. 188 |
| Lęk, który stale wraca i wydaje się nie mieć żadnego realnego powodu | Problemy psychiczne | Jeżeli lęki odbierają ci radość życia lub trwają dłużej niż cztery tygodnie,<br>***wizyta u lekarza potrzebna***<br>→ Zaburzenia samopoczucia, s. 175<br>→ Nerwice, s. 188 |

| Dolegliwości i objawy | Możliwe przyczyny | Co należy zrobić |
|---|---|---|
| Stany lękowe po nadużyciu alkoholu albo podczas odzwyczajania się od picia alkoholu | Nadużycie alkoholu<br><br>Objawy towarzyszące zaniechaniu picia alkoholu (objawy abstynencji)<br><br>Problemy psychiczne | Jeżeli pijesz często, obojętnie, czy chcesz „utopić swój lęk", czy też występuje on w następstwie picia,<br><br>*wizyta u lekarza potrzebna*<br>→ Alkohol, s. 742<br>→ Alkoholizm, s. 198 |
| Stany lękowe przed lub po dużych obciążeniach psychicznych lub somatycznych, takich jak:<br>— egzaminy<br>— utrata pracy<br>— nowe, trudne zadania<br>— urodzenie dziecka<br>— ciężkie choroby<br>— utrata kochanego człowieka | Normalna reakcja na obciążenie | Nie tłum lęku. Mów o swoich odczuciach. Jeżeli nie potrafisz sam uporać się ze swoimi lękami, szukaj pomocy w poradni zdrowia psychicznego,<br><br>*wizyta u lekarza potrzebna*<br>→ Zaburzenia samopoczucia, s. 175<br>→ Ciąża i poród, s. 531<br>→ Poradnictwo i psychoterapia, s. 670 |
| Stany lękowe tylko w określonych sytuacjach, np. w zamkniętych pomieszczeniach, w windzie, w samolocie, w tunelach drogowych, na górnych piętrach wysokościowców | Fobie<br>Nerwica lękowa | Jeżeli lęki stale wracają,<br><br>*wizyta u lekarza potrzebna*<br>→ Nerwice, s. 188 |
| Stany lękowe po ciężkiej chorobie | Objawy towarzyszące chorobie | Ciężkie choroby zawsze są obciążającymi przeżyciami. Jeżeli stany lękowe nie ustąpią po trzech tygodniach,<br><br>*wizyta u lekarza potrzebna*<br>→ Zaburzenia samopoczucia, s. 175<br>→ Poradnictwo i psychoterapia, s. 670 |
| Stany lękowe po zażyciu leków | Objawy uboczne po<br>— środkach nasennych i uspokajających, zawierających pochodne benzodiazepiny (przy dłuższym stosowaniu)<br>— środkach zawierających piracetam, zwiększających ukrwienie mózgowia<br>— neuroleptykach | Sprawdź w instrukcji załączonej do lekarstwa, czy zawiera ono którąś z wymienionych substancji. Jeżeli tak,<br><br>*wizyta u lekarza potrzebna*<br>→ Leki i ich stosowanie, s. 617 |
| Stany lękowe po odstawieniu długo stosowanych leków i<br>— ewentualnie zaburzenia snu i<br>— ewentualnie niepokój oraz drżenie i<br>— ewentualnie bicie serca | Objawy abstynencji po odstawieniu<br>— środków nasennych i uspokajających<br>— leków np. przeciwbólowych i przeciwastmatycznych, które zawierają barbiturany lub benzodiazepinę<br>— leków zmniejszających apetyt | *Wizyta u lekarza potrzebna*<br>→ Lekozależność, s. 200 |
| Stany lękowe i drżenie przy równoczesnym silnym chudnięciu i<br>— silnych potach i<br>— błyszczących i wytrzeszczonych gałkach ocznych | Nadczynność tarczycy,<br>Choroba Gravesa-Basedowa | *Wizyta u lekarza potrzebna*<br>→ Nadczynność tarczycy, s. 463 |

| Dolegliwości i objawy | Możliwe przyczyny | Co należy zrobić |
|---|---|---|
| Stany lękowe oraz<br>— częste przygnębienie i<br>— brak zapału i energii i<br>— ewentualne zaburzenia snu i<br>— ewentualnie brak apetytu i<br>— ewentualnie myśli samobójcze | Depresja | **Wizyta u lekarza potrzebna**<br>→ Depresja, s. 191 |

# ŁAKNIENIE — BRAK

Jeśli jedzenie przestało ci smakować lub każdy jego kęs „staje w gardle", to przyczyną tego, że nie masz apetytu, mogą być rozmaite choroby. Ale nie można także wykluczyć, że wszystko jest następstwem nadmiernego psychicznego obciążenia.

| Dolegliwości i objawy | Możliwe przyczyny | Co należy zrobić |
|---|---|---|
| Brak apetytu, gdy<br>— potrawy podawane są nieatrakcyjnie i/lub<br>— jeżeli odżywiasz się jednostronnie lub<br>— jeżeli masz wygórowane wymagania lub<br>— jeżeli spożywasz posiłki z reguły bez towarzystwa i czujesz się przez to osamotniony | Uczucie niezadowolenia podczas jedzenia<br>Niedobór witamin<br>Problemy psychiczne | Jedz umiarkowanie i zdrowo.<br>Jednostronne odżywianie może prowadzić do niedoboru witamin.<br>Spróbuj zmienić nawyki, które upośledzają apetyt.<br>Jeżeli brak łaknienia utrzymuje się dłużej niż trzy tygodnie,<br>*wizyta u lekarza potrzebna*<br>→ Żywienie, s. 704<br>→ Zaburzenia samopoczucia, s. 175 |
| Brak apetytu, gdy<br>— pijesz dużo alkoholu i/lub<br>— palisz i/lub<br>— zażywasz narkotyki | Objawy towarzyszące nadużywaniu alkoholu i/lub paleniu tytoniu<br>Objawy towarzyszące zażywaniu narkotyków | Zaniechaj palenia. Jeżeli często pijesz ponad miarę lub zażywasz lekarstwa,<br>*wizyta u lekarza potrzebna*<br>→ Używki i środki odurzające, s. 740<br>→ Uzależnienia, s. 198 |
| Brak apetytu, gdy masz jakieś problemy lub jesteś smutny i<br>— ewentualnie silny ubytek wagi ciała i<br>— ewentualnie sztucznie wywołane wymioty | Problemy psychiczne<br>Chudnięcie | Spróbuj rozwiązać swoje problemy.<br>Jeżeli cierpisz przez dłuższy czas na brak apetytu lub jesteś zrezygnowany,<br>*wizyta u lekarza potrzebna*<br>→ Zaburzenia samopoczucia, s. 175<br>→ Zaburzenia łaknienia, s. 196<br>→ Zaburzenia psychiczne, s. 188 |
| Brak apetytu i<br>— bóle żołądka i<br>— ewentualnie nudności i<br>— ewentualnie uczucie gniecenia i pełności | Problemy psychiczne<br>Nerwica żołądka<br>Zapalenie błony śluzowej żołądka<br>Wrzód żołądka lub dwunastnicy<br>Rak żołądka | Jeżeli brak apetytu utrzymuje się dłużej niż dwa tygodnie,<br>*wizyta u lekarza potrzebna*<br>→ Zaburzenia samopoczucia, s. 175<br>→ Żołądek drażliwy, s. 362<br>→ Zapalenie żołądka ostre, s. 364<br>→ Wrzód żołądka lub dwunastnicy, s. 366<br>→ Rak żołądka, s. 368 |

| Dolegliwości i objawy | Możliwe przyczyny | Co należy zrobić |
|---|---|---|
| Brak apetytu i przewlekłe zaparcie stolca | Skutek zaparcia | Odżywiaj się umiarkowanie z dostateczną ilością błonnika. Pij dostatecznie dużo. Jeżeli zaparcie stolca utrzymuje się dłużej niż pięć dni, ***wizyta u lekarza potrzebna*** → Zaparcie stolca, s. 379 → Zwężenie, niedrożność jelit, s. 380 → Żywienie, s. 704 |
| Zmniejszenie apetytu po zażyciu leków | Działanie uboczne — przedawkowania witaminy A, witaminy D — antybiotyków oraz metronidazolu — leków przeciwgruźliczych, zawierających pirazynamid — środków przeciw zaburzeniom rytmu serca, zawierających propafenon — środków obniżających syntezę tłuszczowców, zawierających beta-sitosterynę, przy wysokich dawkach — leków przeciwpadaczkowych, zawierających barbeksaklon, fenobarbital, primidon | Sprawdź w instrukcji, czy zażywane lekarstwa zawierają którąś z wymienionych substancji. Jeżeli lek kupiłeś bez recepty, zaniechaj jego stosowania. Jeżeli lek był zaordynowany przez lekarza, ***wizyta u lekarza potrzebna*** → Leki i ich stosowanie, s. 617 |
| Brak apetytu i bóle w ustach lub w obrębie gardła | Małe rany Miejsce, które uwiera proteza Zapalenie błony śluzowej jamy ustnej Różne choroby w obrębie ust i gardła | Płucz naparem z rumianku lub szałwii. Jeżeli po jednym dniu nie nastąpi żadna poprawa, ***wizyta u lekarza potrzebna*** → Zapalenie błony śluzowej jamy ustnej, s. 357 → Zapalenie dziąseł, s. 347 → Choroby przyzębia, s. 348 → Zapalenie języka, s. 358 |
| Brak apetytu i — żółta skóra i/lub — żółte oczy | Żółtaczka | ***Wizyta u lekarza potrzebna*** → Żółtaczka, s. 369 |
| Brak apetytu i — bóle w nadbrzuszu i — ewentualnie bardzo objętościowe stolce i — wzdęcia brzucha | Zapalenie trzustki Choroby pęcherzyka żółciowego | ***Wizyta u lekarza potrzebna*** → Niewydolność trzustki, s. 376 → Zapalenie trzustki, s. 375 → Zapalenie pęcherzyka żółciowego, s. 374 |

# ŁAKNIENIE NADMIERNE

Jeśli jesteś wciąż bardzo głodny i masz ochotę na zjedzenie jeszcze czegokolwiek, może to być naturalna reakcja twego organizmu potrzebującego więcej pokarmu. W wielu przypadkach jednakże utrzymujący się przez dłuższy czas wilczy apetyt jest przejawem jakiegoś zaburzenia. Zastanów się, dlaczego musisz być taki żarłoczny, pomyśl, dlaczego w żaden sposób nie potrafisz zaspokoić apetytu.

| Dolegliwości i objawy | Możliwe przyczyny | Co należy zrobić |
|---|---|---|
| Nadmierne łaknienie i nadwaga | | → Tycie, s. 146 |
| Nadmierne łaknienie, gdy masz kłopoty (niechęć, nuda, zmartwienia) | Działanie zastępcze | Szukaj innych możliwości „odżywiania się". Jeżeli przez dłuższy czas jesz za dużo, *wizyta u lekarza potrzebna* → Zaburzenia samopoczucia, s. 175 → Zaburzenia łaknienia, s. 196 |
| U kobiet nadmierny apetyt w okresie ciąży i — ewentualnie łakomstwo w odniesieniu do niektórych potraw | Objaw towarzyszący ciąży | Zachcianki lub wzmożony głód są podczas ciąży zjawiskami normalnymi. Mimo to nie powinnaś jeść „za dwóch". Jeżeli się zorientujesz, że jesz niezwykle dużo, *wizyta u lekarza potrzebna* → Odżywianie w ciąży, s. 534 → Zatrucie ciążowe, s. 539 |
| Nadmierne łaknienie i — nadmierne pragnienie i — częste oddawanie moczu i — zmniejszenie ciężaru ciała | Cukrzyca | *Wizyta u lekarza potrzebna* → Cukrzyca, s. 449 |
| Nadmierne łaknienie i — drżenie i — zmniejszenie ciężaru ciała — ewentualnie wytrzeszcz gałek ocznych | Nadczynność tarczycy | *Wizyta u lekarza potrzebna* → Nadczynność tarczycy, s. 463 |
| Nadmierne łaknienie i wilczy głód i — następnie sztucznie prowokowane wymioty | Psychiczne zaburzenie łaknienia | *Wizyta u lekarza potrzebna* → Zaburzenia łaknienia, s. 196 |

# MIESIĄCZKA — BÓLE

Bóle miesiączkowe są przeważnie wywoływane zmęczeniem psychicznym. Ale także stosunek do menstruacji odgrywa znaczącą rolę. Jeśli już w wieku dziewczęcym nauczyłaś się, że w czasie miesiączki jesteś chora, to owa chwilowa przecież niedyspozycja może potem być nawykowym źródłem dolegliwości. Postaraj się traktować ból jako wyzwanie, aby spokojniej i rozważniej zaspokoić potrzeby twego organizmu.

| Dolegliwości i objawy | Możliwe przyczyny | Co należy zrobić |
|---|---|---|
| Kurczowe, promieniujące, rwące lub tępe bóle w podbrzuszu, które pojawiają się z reguły podczas każdej miesiączki i<br>— ewentualnie bóle pleców i<br>— ewentualnie bóle głowy i<br>— ewentualnie wymioty i<br>— ewentualnie zaburzenia krążenia krwi | Problemy psychiczne i/lub przyczyny organiczne | Oszczędzaj się.<br>Czasami pomaga przyłożenie termoforu na brzuch. Jeżeli bóle są bardzo uciążliwe,<br>*wizyta u lekarza potrzebna*<br>→ Bolesne miesiączkowanie, s. 473<br>→ Zaburzenia samopoczucia, s. 175 |
| Kurczowe, promieniujące, rwące lub tępe bóle w podbrzuszu, występujące nagle podczas na ogół niebolesnej menstruacji | Chwilowe przeciążenie<br>Problemy psychiczne<br>Polipy lub mięśniaki<br>Przestawienie hormonalne (przekwitanie, poronienie)<br>Endometrioza (gruczolistość) | Jeżeli dolegliwości się utrzymują lub pojawiają przy następnej miesiączce,<br>*wizyta u lekarza potrzebna*<br>→ Zaburzenia samopoczucia, s. 175<br>→ Bolesne miesiączkowanie, s. 473<br>→ Polipy, s. 484<br>→ Mięśniaki, s. 485<br>→ Okres przekwitania, s. 476<br>→ Poronienie, s. 539<br>→ Endometrioza, s. 485 |
| Kurczowe bóle podbrzusza po założeniu spirali | Wczesne dolegliwości po założeniu spirali<br>Nietolerowanie spirali | Jeżeli bóle nie ustąpią po dwóch dniach lub krwawisz silniej i długo (zużywasz więcej niż sześć wkładek w ciągu dwóch godzin),<br>*wizyta u lekarza potrzebna*<br>→ Bolesne miesiączkowanie, s. 473<br>→ Wkładka wewnątrzmaciczna, s. 519 |
| Bóle podczas miesiączki po zaprzestaniu stosowania pigułki antykoncepcyjnej | Zmiany hormonalne<br>Problemy psychiczne | Tabletka antykoncepcyjna łagodzi bóle miesiączkowe. Po jej odstawieniu wracają znowu „dawne" bóle menstruacyjne. Jeżeli nie potrafisz się z tym uporać,<br>*wizyta u lekarza potrzebna*<br>→ Pigułka antykoncepcyjna, s. 520<br>→ Zaburzenia samopoczucia, s. 175 |

# MIESIĄCZKA — ZABURZENIA

„Krytyczne dni" — jak nazywa się menstruację, są okresem wzmożonej wrażliwości. Wszystko może wówczas wpłynąć rozregulowująco na cykl miesiączkowy: problemy psychiczne, choroby, lekarstwa, każdy dodatkowy kłopot.

| Dolegliwości i objawy | Możliwe przyczyny | Co należy zrobić |
|---|---|---|
| Nieregularne krwawienia w wieku pomiędzy 13. a 20. rokiem życia | Nieregularny cykl spowodowany nieustabilizowaniem hormonalnym organizmu<br><br>Zmiany organizmu w okresie dojrzewania<br><br>Problemy psychiczne<br><br>Zapalenia | Wahania w granicach około sześciu tygodni są u młodych dziewcząt normalne. Jeżeli menstruacja następuje jeszcze później,<br><br>*wizyta u lekarza potrzebna*<br><br>→ Nieprawidłowe krwawienia, s. 474<br><br>→ Zaburzenia samopoczucia, s. 175 |
| Nieregularne krwawienia i<br>— ewentualnie bóle podczas miesiączki | Stres i/lub nadmierne wymagania i/lub wyczerpanie i/lub problemy psychiczne<br><br>Zmiany miejsca zamieszkania lub klimatyczne<br><br>Objaw towarzyszący chorobom<br><br>Zaburzenia hormonalne wywołane substancjami szkodliwymi | Jeżeli bóle nie ustąpią lub miesiączki w ciągu kilku miesięcy się nie unormują,<br><br>*wizyta u lekarza potrzebna*<br><br>→ Nieprawidłowe krwawienia, s. 474<br><br>→ Zaburzenia samopoczucia, s. 175<br><br>→ Substancje szkodliwe, s. 759 |
| Nieregularne krwawienia w wieku 45 do 55 lat | Nieregularne lub zmniejszone wytwarzanie hormonów na skutek przekwitania | Jeżeli menstruacje są nieregularne lub krwawienie pojawi się znowu rok i później po rozpoczęciu okresu przejściowego,<br><br>*wizyta u lekarza potrzebna*<br><br>→ Okres przekwitania, s. 476 |
| Zaburzenia miesiączkowania po zastosowaniu leków | Działanie uboczne<br><br>— środków moczopędnych zawierających kanrenon potasowy, spironolakton<br><br>— leków stosowanych w chorobach tarczycy, zawierających L-tyroksynę, trójjodotyroninę (przy przedawkowaniu)<br><br>— pigułek antykoncepcyjnych<br><br>— żeńskich i męskich hormonów płciowych<br><br>— leków przeciwpsychotycznych zawierających sulpiryd | Sprawdź w instrukcji załączonej do stosowanego leku, czy zawiera którąś z wymienionych substancji. Jeżeli tak,<br><br>*wizyta u lekarza potrzebna*<br><br>→ Leki i ich stosowanie, s. 617 |
| Silne krwawienia, najczęściej długo się utrzymujące | Objaw towarzyszący spirali<br><br>Zaburzenia krzepnięcia krwi<br><br>Zapalenie macicy<br><br>Polipy i mięśniaki | Jeżeli przy kolejnej miesiączce krwawienie jest podobnie silne,<br><br>*wizyta u lekarza potrzebna*<br><br>→ Nieprawidłowe krwawienia, s. 474<br><br>→ Wkładka wewnątrzmaciczna, s. 519<br><br>→ Zapalenie macicy, s. 484<br><br>→ Zapalenie jajowodu, zapalenie jajnika, s. 489<br><br>→ Polipy, s. 484<br><br>→ Mięśniaki, s. 485 |

| Dolegliwości i objawy | Możliwe przyczyny | Co należy zrobić |
|---|---|---|
| Silne krwawienie po tygodniu lub później od oczekiwanej miesiączki | Silniejsze krwawienie na skutek opóźnienia | Jeżeli masz dolegliwości lub gdy krwawienie jest bardzo intensywne, |
| | Zmiany hormonalne | *wizyta u lekarza potrzebna* |
| | W rzadkich przypadkach wczesne stadium poronienia | → Nieprawidłowe krwawienia, s. 474 |
| | | → Poronienie, s. 539 |
| | Problemy psychiczne | → Zaburzenia samopoczucia, s. 175 |
| Krwawienia lub plamienia między miesiączkami | Podrażnienie wywołane spiralą | Jeżeli masz bóle lub gdy plamienia nie ustępują lub się powtarzają, |
| | Działanie uboczne pigułki antykoncepcyjnej | *wizyta u lekarza potrzebna* |
| | Zapalenie pochwy | → Nieprawidłowe krwawienia, s. 474 |
| | Zapalenie szyjki macicy | → Wkładka wewnątrzmaciczna, s. 519 |
| | Rak lub stadium przedrakowe | → Pigułka antykoncepcyjna, s. 520 |
| | Problemy psychiczne | → Zapalenie pochwy, s. 482 |
| | | → Zapalenie macicy, s. 484 |
| | | → Zapalenie jajowodu lub jajnika, s. 489 |
| | | → Zaburzenia samopoczucia, s. 175 |
| Ustąpienie krwawień miesięcznych | Problemy psychiczne | *Wizyta u lekarza potrzebna* |
| | Odstawienie pigułki antykoncepcyjnej | → Zaburzenia samopoczucia, s. 175 |
| | Schudnięcie, głodówka | → Nieprawidłowe krwawienia, s. 474 |
| | Sportowy trening wytrzymałościowy | → Pigułka antykoncepcyjna, s. 520 |
| | Ciąża | → Masa ciała, s. 709 |
| | Zaburzenia hormonalne | → Ciąża, s. 531 |
| | Okres przejściowy | → Okres przekwitania, s. 476 |
| | Ciężkie choroby | |
| Silne krwawienia lub plamienia w tydzień lub później po oczekiwanej miesiączce | Ciąża jajowodowa | *Natychmiast wezwać pogotowie ratunkowe* |
| | | → Ciąża jajowodowa, s. 489 |
| — silne, jednostronne bóle podbrzusza | | |
| — poty | | |
| — słabo wyczuwalne, „nitkowate" tętno | | |

# MIĘŚNIE — BÓLE I/LUB KURCZE

Bóle mięśni lub kurcze najczęściej można zbagatelizować. Dokuczają nam zazwyczaj wówczas, gdy przez dłuższy czas zachowujemy nieprawidłową postawę, czy to stojąc, czy siedząc. Czasem są także skutkiem zbytniego przeciążenia któregoś mięśnia, a bardzo rzadko objawem towarzyszącym jakiejś choroby.

| Dolegliwości i objawy | Możliwe przyczyny | Co należy zrobić |
|---|---|---|
| Kurcze mięśni po dłuższym leżeniu lub siedzeniu | Przykurcz spowodowany niewygodną pozycją ciała | Normalna reakcja organizmu. Skurcz mięśnia ustąpi, gdy zmienisz pozycję ciała. |

| Dolegliwości i objawy | Możliwe przyczyny | Co należy zrobić |
|---|---|---|
| Bóle mięśni po obciążeniu, do którego nie jesteś przyzwyczajony (np. przez sport) | Ból mięśniowy | Normalna reakcja organizmu. Ciepło (sauna) lub łagodne masaże mogą łagodzić bóle.<br>→ Kurcze mięśni, s. 406<br>→ Masaż, s. 658 |
| Kurcze mięśni po długim przebywaniu na słońcu lub<br>— ewentualnie silne poty (sauna) lub<br>— po zastosowaniu leków moczopędnych lub<br>— przebycie kuracji odchudzającej | Zaburzenie gospodarki wodno-elektrolitowej | Pij dużo (herbata lub woda mineralna). Zjedz solone potrawy. Jeżeli dolegliwości nie ustąpią po jednym dniu,<br>*wizyta u lekarza potrzebna*<br>→ Udar słoneczny, s. 694<br>→ Kurcze mięśni, s. 406 |
| Kurcze mięśni w rękach (ułożenie w kształcie „ręki położnika") oraz nadmiernie szybkie oddychanie z uczuciem duszności i<br>— ewentualnie kurczowe bóle w klatce piersiowej | Najczęściej psychicznie uwarunkowana duszność (hiperwentylacja) | *Działanie natychmiastowe*: uspokoić się, powoli i możliwie płytko oddychać.<br>Przystaw do ust jakąś torebkę, by oddychać powietrzem wydechowym, zawierającym więcej dwutlenku węgla. Brak niebezpieczeństwa dla zdrowia. Jeżeli jesteś zaniepokojony możliwością powtórzenia się napadu,<br>*wizyta u lekarza potrzebna*<br>→ Zaburzenia samopoczucia, s. 175<br>→ Poradnictwo i psychoterapia, s. 670 |
| Kurcze mięśni u<br>— chorych na cukrzycę lub<br>— alkoholików | Uszkodzenie nerwu | Jeżeli dotąd nie jesteś pod opieką lekarza,<br>*wizyta u lekarza potrzebna*<br>→ Cukrzyca, s. 449<br>→ Alkoholizm, s. 198 |
| Kurcze mięśni po zastosowaniu lekarstw | Działanie uboczne<br>— leków przeciw chorobom dróg moczowych, zawierających norfloksacynę, ofloksacynę, kwas pipemidynowy<br>— leków przeciw zaburzeniom ukrwienia, zawierających bencyklan<br>— leków przeciw świerzbowi i wszawicy, zawierających karbaryl, lindan (po przedawkowaniu)<br>— leków przeciw migrenie, zawierających metysergid<br>— leków przeciw astmie i nieżytowi skurczowemu oskrzeli, zawierających teofilinę, aminofilinę<br>— leków przeciwpsychotycznych (neuroleptyki) | Sprawdź w instrukcji załączonej do zażywanego leku, czy zawiera którąś z wymienionych substancji lub czy stosujesz preparaty z wyszczególnionych grup.<br>Jeżeli kupiłeś lek bez recepty, zaniechaj jego stosowania.<br>Jeżeli lek był zaordynowany przez lekarza,<br>*wizyta u lekarza potrzebna*<br>→ Leki i ich stosowanie, s. 617 |

| Dolegliwości i objawy | Możliwe przyczyny | Co należy zrobić |
|---|---|---|
| Kurcze mięśni, osłabienie mięśni po zażyciu leków | Oznaki zaburzeń gospodarki mineralnej jako objaw uboczny po<br><br>— lekach przeciw biegunce, zawierających mąkę z chleba świętojańskiego, kaolinę, pektynę<br><br>— wielu lekach przeczyszczających<br><br>— lekach moczopędnych i przeciwnadciśnieniowych, zawierających rezerpinę | Sprawdź w instrukcji załączonej do zażywanego leku, czy zawiera którąś z wymienionych substancji lub czy stosujesz preparaty z wyszczególnionych grup.<br><br>Jeżeli kupiłeś lek bez recepty, zaniechaj jego stosowania.<br><br>Jeżeli lek był zaordynowany przez lekarza,<br><br>***wizyta u lekarza potrzebna***<br><br>→ Leki i ich stosowanie, s. 617 |
| Kurcze mięśni u małych dzieci i osesków po zastosowaniu leków | Działanie uboczne<br><br>— środków służących do nacierania oraz inhalacji, zawierających olejek eukaliptusowy, kamforę, mentol<br><br>— leków przeciw nudnościom, wymiotom i chorobie lokomocyjnej zawierających cyklizynę, chlorfenoksaminę, dimenhydrynat, hydroksyzynę, meklozynę (przy przedawkowaniu) | Sprawdź w instrukcji załączonej do stosowanego leku, czy zawiera wymienione substancje.<br><br>Jeżeli kupiłeś lek bez recepty, zaniechaj jego stosowania.<br><br>Jeżeli lek był zaordynowany przez lekarza,<br><br>***wizyta u lekarza potrzebna***<br><br>→ Leki i ich stosowanie, s. 617 |
| Nocne kurcze mięśni przy obecności żylaków | Żylaki | ***Wizyta u lekarza potrzebna***<br><br>→ Żylaki, s. 311 |
| Bóle mięśni w czasie chodzenia, ustępujące po odpoczynku | Zaburzenia ukrwienia | ***Wizyta u lekarza potrzebna***<br><br>→ Zaburzenia ukrwienia, s. 310 |
| Kurcze mięśni i drżenie i<br><br>— zlewne poty i<br><br>— ewentualnie utrata wagi ciała<br><br>— ewentualnie połyskujące oczy, lekko wystające gałki oczne i<br><br>— ewentualnie wole | Nadczynność tarczycy | ***Wizyta u lekarza potrzebna***<br><br>→ Nadczynność tarczycy, s. 463 |
| Kurcze mięśni, ograniczające się najpierw tylko do określonej partii ciała (np. kąciki ust, ręka, noga), później obejmujące całą połowę ciała lub wszystkie mięśnie | Guz mózgu<br><br>Padaczka | ***Wizyta u lekarza pilnie potrzebna***<br><br>→ Guzy mózgu, s. 213<br><br>→ Padaczka, s. 209 |
| Kurcze mięśni o charakterze drgawek, obejmujące wszystkie mięśnie oraz piana na ustach i<br><br>— ewentualnie duszność i<br><br>— ewentualnie przygryzienie języka i<br><br>— ewentualnie bezwiedne oddanie moczu<br><br>— ewentualnie utrata przytomności | Napad padaczkowy | Jeżeli napad utrzymuje się dłużej niż trzy minuty lub szybko się powtarza,<br><br>***natychmiast wezwać pogotowie ratunkowe***<br><br>*Działanie natychmiastowe*: ochroń chorego przed urazami, usuwając wokół wszystkie przedmioty, którymi mógłby się skaleczyć. Nie trzymaj go silnie, nie wkładaj mu niczego między zęby. Pozwól choremu wyspać się po napadzie.<br><br>→ Padaczka, s. 209 |

| Dolegliwości i objawy | Możliwe przyczyny | Co należy zrobić |
|---|---|---|
| Kurcze mięśniowe o charakterze drgawek i wysoka gorączka u dzieci i<br><br>— ewentualnie krótkotrwała utrata przytomności | Dreszcze gorączkowe | Dreszcze gorączkowe u dzieci nie zagrażają życiu. Spróbuj obniżyć temperaturę, stosując zimne zawijania. Jeżeli dziecko nie ma 18 miesięcy lub gdy dreszcze gorączkowe trwają dłużej niż pięć minut,<br><br>*natychmiast wezwać pogotowie ratunkowe* |
| Kurcze mięśni po zranieniu z<br><br>— bólami i zawrotami głowy i<br><br>— wyszczerzone zęby przez skurcz mięśni twarzy i bóle pleców i<br><br>— ewentualnie drgawki | Napad tężcowy | *Natychmiast wezwać pogotowie ratunkowe* |

# MOCZ — INNY NIŻ ZAZWYCZAJ WYGLĄD LUB ZAPACH

Inaczej niż zwykle zabarwiony mocz może być skutkiem całkiem banalnych przyczyn, na przykład zjedzenia potraw barwiących, zażycia lekarstw zawierających barwniki. Ale nieraz odmienna barwa i zapach mogą też świadczyć o przyczynie chorobowej.

| Dolegliwości i objawy | Możliwe przyczyny | Co należy zrobić |
|---|---|---|
| Zabarwienie moczu tylko przez kilka dni, po spożyciu potraw zawierających naturalne lub sztuczne barwniki (np. boćwina, buraki) | Barwniki środków spożywczych | Brak powodu do niepokoju.<br><br>Zabarwienie wróci do normy po kilku dniach. |
| Przebarwienie moczu po zażyciu leków | Czerwone zabarwienie po zastosowaniu<br><br>— środków przeczyszczających zawierających wyciągi senesu<br><br>— leków przeciwbólowych zawierających metamizol | Sprawdź w instrukcji załączonej do stosowanego leku, czy zawiera wymienione substancje. Przebarwienie moczu jest nieszkodliwym i przemijającym objawem towarzyszącym. |
| Ciemnożółty mocz, gdy<br><br>— się bardzo pociłeś lub<br><br>— długo nie przyjmowałeś płynów do picia lub w związku z<br><br>— biegunką i z<br><br>— gorączką lub z<br><br>— wymiotami | Bardzo zagęszczony mocz spowodowany niedoborem wody | Pij dużo, mocz odzyska wówczas swój normalny kolor.<br><br>Jeżeli zabarwienie moczu nie normalizuje się mimo dostatecznej podaży płynów,<br><br>*wizyta u lekarza potrzebna* |
| Czerwono lub brązowo zabarwiony mocz i<br><br>— ewentualnie mlecznomętny i<br><br>— ewentualnie przykro pachnący i<br><br>— ewentualnie związany z bólami | Zapalenie pęcherza<br>Zapalenie miedniczek nerkowych<br>Kamienie nerkowe<br>Uraz nerki<br>Rak nerki<br>Rak pęcherza<br>Założony na stałe cewnik | *Wizyta u lekarza potrzebna*<br><br>→ Zapalenie pęcherza moczowego, s. 391<br><br>→ Ostre zapalenie miedniczek nerkowych, s. 393<br><br>→ Ostre lub przewlekłe zapalenie kłębuszków nerkowych, s. 395<br><br>→ Kamienie nerkowe, s. 396<br><br>→ Urazy nerek, s. 396<br><br>→ Guzy nerek i/lub pęcherza, s. 399 |

| Dolegliwości i objawy | Możliwe przyczyny | Co należy zrobić |
|---|---|---|
| Mocz przezroczysty, ciemnobrązowy (podobny do piwa) <br> — jasny stolec i <br> — ewentualnie żółte oczy i/lub skóra | Żółtaczka | **Wizyta u lekarza potrzebna** <br> → Żółtaczka, s. 369 |

# MOCZ — ZABURZENIA ODDAWANIA

Jeśli musisz zbyt często chodzić do toalety albo czasem nie potrafisz utrzymać moczu, wcale nie musi to świadczyć, że jesteś chory. Co nie znaczy, abyś te objawy miał lekceważyć — trzeba ustalić, co może być przyczyną twych kłopotów. Natomiast ból przy oddawaniu moczu to już poważny sygnał, nakazujący rychłą wizytę u lekarza.

| Dolegliwości i objawy | Możliwe przyczyny | Co należy zrobić |
|---|---|---|
| Częste oddawanie moczu po wypiciu dużej ilości herbaty, kawy lub alkoholu, lub <br> — podczas stresu i <br> — lęk | Moczopędne działanie napojów <br> Napięcie psychiczne | Jeżeli masz nawroty częstomoczu i odczuwasz to jako dolegliwość, <br> **wizyta u lekarza potrzebna** <br> → Zaburzenia samopoczucia, s. 175 |
| U kobiet częstomocz podczas ciąży | Normalny objaw ciąży | → Dolegliwości w czasie ciąży, s. 536 |
| Częstomocz po zażyciu leków | Pożądane działanie środków moczopędnych <br> Działanie uboczne <br> — niektórych leków zwiększających siłę skurczową serca <br> — środków przeciw chorobom dróg moczowych, zawierających hipuran metenaminowy <br> — środków przeciw niskiemu ciśnieniu krwi, zawierających midodrynę | Sprawdź w instrukcji załączonej do stosowanego leku, czy zawiera którąś z wymienionych substancji. <br> **Wizyta u lekarza potrzebna** <br> → Leki i ich stosowanie, s. 617 |
| Niekontrolowane oddawanie moczu u dzieci, które dotąd nie moczyły się w łóżku i są powyżej czwartego roku życia | Problemy psychiczne <br> Skutek zakażenia dróg moczowych <br> Wrodzona nieprawidłowość dróg moczowych | Postaraj się dociec przyczyny moczenia się w łóżku. Jeżeli potrzebujesz przy tym pomocy lub jeżeli podejrzewasz u dziecka chorobę organiczną, <br> **wizyta u lekarza potrzebna** <br> → Zaburzenia samopoczucia, s. 175 <br> → Zapalenie pęcherza moczowego, s. 391 |
| Niekontrolowany odpływ moczu podczas kaszlu, parcia, kichania, dźwigania i innych wysiłków fizycznych | Osłabienie zwieracza pęcherza <br> U kobiet opadnięcie macicy | Jeżeli często „gubisz mocz", <br> **wizyta u lekarza potrzebna** <br> → Nietrzymanie moczu, nerwica pęcherza moczowego, s. 392 <br> → Opadnięcie macicy, s. 487 |
| Dolegliwości przy oddawaniu moczu u mężczyzn | Stulejka | **Wizyta u lekarza potrzebna** <br> → Stulejka, s. 558 |

| Dolegliwości i objawy | Możliwe przyczyny | Co należy zrobić |
|---|---|---|
| Stałe parcie na mocz przy oddawaniu każdorazowo tylko małej ilości moczu i<br>— pieczenie i kłucie podczas mikcji i<br>— ewentualnie krwisty, silnie pachnący mocz | Zapalenie pęcherza moczowego<br>Zapalenie gruczołu krokowego | *Wizyta u lekarza potrzebna*<br>→ Zapalenie pęcherza moczowego, s. 391 |
| Bóle podczas mikcji i<br>— częstomocz i<br>— ewentualnie bóle pleców w okolicy nerek i<br>— ewentualnie gorączka | Zapalenie miedniczek nerkowych | *Wizyta u lekarza potrzebna*<br>→ Ostre zapalenie miedniczek nerkowych, s. 393 |
| U kobiet bóle podczas oddawania moczu i<br>— wyciek z pochwy i<br>— ewentualnie świąd pochwy | Zapalenie pochwy<br>Choroba weneryczna | *Wizyta u lekarza potrzebna*<br>→ Zapalenie pochwy, s. 482<br>→ Choroby weneryczne, s. 510 |
| U mężczyzn bóle podczas oddawania moczu i wyciek z cewki moczowej | Zapalenie cewki moczowej<br>Choroba weneryczna | *Wizyta u lekarza potrzebna*<br>→ Zapalenie cewki moczowej, s. 493<br>→ Choroby weneryczne, s. 510 |
| Częste oddawanie moczu i<br>— silne pragnienie i<br>— ewentualnie utrata wagi ciała | Cukrzyca | *Wizyta u lekarza potrzebna*<br>→ Cukrzyca, s. 449 |
| Częste oddawanie moczu nocą i<br>— duszność w nocy (trudności z leżeniem na płaskim) i<br>— zadyszka wysiłkowa i<br>— ewentualnie obrzęk nóg | Niedostateczna siła skurczowa mięśnia sercowego | *Wizyta u lekarza potrzebna*<br>→ Niewydolność serca, s. 318 |
| U mężczyzn częste parcie na mocz przy stale zmniejszającej się ilości moczu i<br>— cienki strumień i<br>— pokropywanie | Powiększenie gruczołu krokowego<br>Rak gruczołu krokowego | *Wizyta u lekarza potrzebna*<br>→ Gruczolak gruczołu krokowego, s. 496<br>→ Rak gruczołu krokowego, s. 497 |
| U kobiet niekontrolowane „oddawanie moczu" pod koniec ciąży (płyn wypływa kroplami lub strumieniem) | Pęknięcie pęcherza płodowego | *Natychmiast wezwać pogotowie ratunkowe*<br>*Transportować tylko w pozycji leżącej*<br>→ Poród, s. 540 |

# MOWA — ZABURZENIA

Jeśli dzieci lub dorośli mają kłopoty z mówieniem, to ich niemota może być wyrazem psychicznego dołka. Czasem za trudnościami w posługiwaniu się mową mogą się jednak kryć rozmaite choroby.

| Dolegliwości i objawy | Możliwe przyczyny | Co należy zrobić |
|---|---|---|
| Niewyraźne mówienie u dzieci do trzeciego roku życia | Normalne zjawisko | U niektórych dzieci musi upłynąć więcej czasu, by mówiły poprawnie. Jeżeli jednak odnosisz wrażenie, że dziecko źle słyszy, *wizyta u lekarza potrzebna* → Przytępienie słuchu, s. 242 |
| Błąd wymowy u dzieci spowodowany — trudnością wypowiadania sz (seplenienie) lub — niemożliwością wypowiadania liter g, k oraz l | Błąd wymowy mający podłoże organiczne lub psychiczne | Jeżeli błąd wymowy nie ustąpi do czwartego roku życia, *wizyta u lekarza potrzebna* → Zaburzenia samopoczucia, s. 175 → Poradnictwo i psychoterapia, s. 670 |
| Opóźniony rozwój mowy lub niezwykle mały zasób słów u dzieci | Niedostateczna zachęta słowna Upośledzenie słuchu | Jeżeli mimo zachęty dziecko mało mówi, *wizyta u lekarza potrzebna* → Przytępienie słuchu, s. 242 |
| Mówienie „przez nos" | Naśladownictwo rodzinne Przyczyny organiczne | Jeżeli mówienie „nosowe" nie jest spowodowane naśladowaniem sposobu mówienia dorosłych, *wizyta u lekarza potrzebna* → Polipy nosa, s. 287 |
| Jąkanie się u dzieci i dorosłych | Problemy psychiczne | Jeżeli jąkanie się występuje nie tylko w wyjątkowych sytuacjach, *wizyta u lekarza potrzebna* → Zaburzenia samopoczucia, s. 175 → Poradnictwo i psychoterapia, s. 670 |
| Zaburzenia mowy przy rozstępach szczęki, warg i podniebienia | Następstwo zaburzenia rozwojowego | Jeżeli nie jesteś dotąd pod opieką lekarza, *wizyta u lekarza potrzebna* |
| Zaburzenia mowy po wypiciu dużej ilości alkoholu lub — zażyciu narkotyków | Nadużycie alkoholu Nadużycie narkotyków | Jeżeli często zbyt dużo pijesz lub stosujesz narkotyki, *wizyta u lekarza potrzebna* → Używki i środki odurzające, s. 740 → Alkoholizm, s. 198 → Narkomania, s. 202 |
| Opóźniony rozwój mowy bądź niemota u dzieci i — brak zainteresowania otoczeniem i — ograniczona mimika twarzy i — obojętność | Autyzm | *Wizyta u lekarza potrzebna* → Autyzm, s. 555 |
| Zaburzenia mowy i niedowład jednej połowy twarzy i — krzywe usta i — niemożność zamykania powiek | Porażenie nerwu twarzowego | *Wizyta u lekarza potrzebna* → Porażenie nerwu twarzowego, s. 217 |

| Dolegliwości i objawy | Możliwe przyczyny | Co należy zrobić |
|---|---|---|
| Zaburzenie mowy (mowa rozmyta) i<br>— uczucie osłabienia bądź znieczulenia w kończynach górnych oraz dolnych i<br>— ewentualnie drżenie | Stwardnienie rozsiane | **Wizyta u lekarza potrzebna**<br>→ Stwardnienie rozsiane, s. 212 |
| Zaburzenia mowy ze sztywnym wyrazem twarzy i monotonnym głosem i<br>— drżenie rąk | Choroba Parkinsona | **Wizyta u lekarza potrzebna**<br>→ Choroba Parkinsona, s. 210 |
| Zaburzenia mowy u starych ludzi i<br>— brak orientacji i<br>— upośledzona koncentracja uwagi i<br>— luki pamięciowe | Izolacja i samotność<br>Zaburzenia ukrwienia mózgu | **Wizyta u lekarza potrzebna**<br>→ Być w podeszłym wieku, s. 570<br>→ Choroba Alzheimera, s. 211 |
| Zaburzenia mowy i objawy porażenia w kończynach górnych lub dolnych i<br>— ewentualnie dezorientacja i<br>— ewentualnie zawroty głowy i<br>— ewentualnie zaburzenia wzroku | Przejściowe zaburzenia ukrwienia mózgu<br>Udar mózgowy<br>Guz mózgu | **Natychmiast wezwać pogotowie ratunkowe**<br>→ Przejściowe zaburzenie ukrwienia, s. 207<br>→ Udar mózgu, s. 208<br>→ Guzy mózgu, s. 213 |

# NERWOWOŚĆ, POBUDLIWOŚĆ, DRAŻLIWOŚĆ

Jeśli wszystko działa ci na nerwy, najwyższy czas pomyśleć o tym, jak zmienić tryb i styl życia. Zdarza się jednak wiele sytuacji, które nam — choć sobie z tego nie zdajemy sprawy — „napinają nerwy", co wcale nie sprzyja dobremu samopoczuciu.

| Dolegliwości i objawy | Możliwe przyczyny | Co należy zrobić |
|---|---|---|
| Nerwowość i/lub pobudliwość, gdy sypiasz za mało lub źle | Wyczerpanie | Potrzeba snu u każdego człowieka jest różna.<br>Kieruj się własnymi potrzebami.<br>→ Zaburzenia snu, s. 183<br>→ Zaburzenia samopoczucia, s. 175 |
| Nerwowość po intensywnym paleniu tytoniu i/lub piciu kawy | Objawy nadużycia | Zaniechaj palenia tytoniu.<br>Pij mniej kawy.<br>→ Używki i środki odurzające, s. 740 |
| Nerwowość i/lub drażliwość przy niektórych warunkach pogodowych (wiatr halny) lub przy zmianie pogody | Wrażliwość na zmianę pogody | Nie planuj zbyt wielu zajęć w takie dni.<br>Spróbuj sobie sprawić przyjemność.<br>→ Wrażliwość na zmiany pogody, s. 183<br>→ Zaburzenia samopoczucia, s. 175 |
| Nerwowość i/lub pobudliwość, gdy dłużej przebywasz w hałasie (np. miejsce zamieszkania w pobliżu lotniska, hałas maszyn podczas pracy) | Przeciążenie układu nerwowego przez hałas | Postaraj się unikać obciążenia hałasem.<br>Jeżeli twój słuch ulega pogorszeniu,<br>**wizyta u lekarza potrzebna**<br>→ Zaburzenia samopoczucia, s. 175<br>→ Przytępienie słuchu, s. 242 |

| Dolegliwości i objawy | Możliwe przyczyny | Co należy zrobić |
|---|---|---|
| Nerwowość i/lub pobudliwość, gdy mieszkasz lub pracujesz w środowisku skażonym substancjami toksycznymi | Objaw zatrucia | Spróbuj ustalić obciążającą przyczynę i staraj się chronić przed jej wpływem.<br>Jeżeli dolegliwości nie ustąpią,<br>***wizyta u lekarza potrzebna***<br>→ Substancje szkodliwe, od s. 759 |
| Nerwowość i/lub pobudliwość, gdy podjąłeś pracę po przebytej chorobie | Niedostateczny czas wypoczynku | Oszczędzaj się jeszcze jakiś czas.<br>Jeżeli nerwowość nie ustąpi, a potrzebujesz pomocy,<br>***wizyta u lekarza potrzebna***<br>→ Zaburzenia samopoczucia, s. 175 |
| Nerwowość i/lub drażliwość, gdy prawie nie masz czasu dla siebie i jesteś stale pod presją | Nadmierne wymagania | Przemyśl swoją sytuację. Czy musisz rzeczywiście wykonać wszystko, co sobie zaplanowałeś? Spróbuj wywalczyć sobie niezbędny relaks.<br>Jeżeli nie potrafisz się uporać ze swoimi problemami,<br>***wizyta u lekarza potrzebna***<br>→ Zaburzenia samopoczucia, s. 175<br>→ Poradnictwo i psychoterapia, s. 670 |
| Nerwowość i/lub drażliwość, gdy<br>— zbyt dużo palisz albo zaniechałeś palenia tytoniu<br>— pijesz alkohol lub przerwałeś picie alkoholu<br>— stosujesz środki odurzające lub przestałeś ich używać | Objawy towarzyszące stosowaniu używek i środków odurzających<br>Objawy abstynencji | Jeżeli masz problemy ze swoim uzależnieniem,<br>***wizyta u lekarza potrzebna***<br>→ Używki i środki odurzające, s. 740<br>→ Alkoholizm, s. 198<br>→ Narkomania, s. 202 |
| Nerwowość i/lub pobudliwość podczas prowadzenia kuracji odchudzającej | Objaw towarzyszący diecie | Jeżeli jesteś bardzo zdenerwowany, jedz od czasu do czasu małe ilości.<br>Jeżeli masz bardzo złe samopoczucie, a dietę zalecił lekarz,<br>***wizyta u lekarza potrzebna***<br>→ Masa ciała, s. 709<br>→ Zaburzenia łaknienia, s. 196 |
| Nerwowość i/lub niepokój po zastosowaniu leków | Działanie uboczne wielu leków<br>— wykrztuśnych i przeciw astmie<br>— zwiększających ukrwienie<br>— „przeciwgrypowych" i przeciwbólowych<br>— odchudzających<br>— do znieczulenia miejscowego<br>— neuroleptyków (leki przeciwpsychotyczne)<br>— przeciw chorobom układu krążenia | Jeżeli kupiłeś lek bez recepty, a w załączonej instrukcji niepokój lub nerwowość nie są opisane jako nieszkodliwy i przemijający objaw towarzyszący, zaniechaj dalszego jego stosowania.<br>Jeżeli lek był zaordynowany przez lekarza, a ten nie uprzedził cię o możliwych ubocznych działaniach,<br>***wizyta u lekarza potrzebna***<br>→ Leki i ich stosowanie, s. 617 |
| Nerwowość u starszych osób po stosowaniu leków | Działanie uboczne<br>— leków nasennych i uspokajających, zawierających pochodne benzodiazepiny | Jeżeli stosujesz takie leki,<br>***wizyta u lekarza potrzebna***<br>→ Leki i ich stosowanie, s. 617 |

| Dolegliwości i objawy | Możliwe przyczyny | Co należy zrobić |
|---|---|---|
| Nerwowość u dzieci po stosowaniu leków | Działanie uboczne<br><br>— leków przeciw świądowi i nudnościom, wymiotom i chorobie lokomocyjnej lub wzrostowi masy ciała, zawierających chlorfenoksaminę, cyklizynę, cyproheptadynę, dimenhydrynat, difenhydraminę, hydroksyzynę, meklozynę (przy przedawkowaniu) | Sprawdź w instrukcji załączonej do leków, czy zawarta jest jedna z wymienionych substancji.<br><br>Jeżeli kupiłeś lek bez recepty, zaniechaj jego dalszego stosowania.<br><br>Jeżeli lek był zaordynowany przez lekarza,<br><br>*wizyta u lekarza potrzebna*<br><br>→ Leki i ich stosowanie, s. 617 |
| Nerwowość u osesków po zastosowaniu leków | Działanie uboczne leków zmniejszających obrzęk śluzówki nosa przy katarze | Jeżeli kupiłeś lek bez recepty, zaniechaj jego stosowania.<br><br>Jeżeli lek był zaordynowany przez lekarza,<br><br>*wizyta u lekarza potrzebna*<br><br>→ Leki i ich stosowanie, s. 617 |
| Nerwowość oraz spadek wagi ciała mimo dobrego apetytu i<br><br>— drżenie i<br><br>— ewentualnie wytrzeszcz oczu | Nadczynność tarczycy | *Wizyta u lekarza potrzebna*<br><br>→ Nadczynność tarczycy, s. 463 |

# NOGI — BÓLE I/LUB OBRZĘKI

Przyczyną bólów w nodze może być jej przeciążenie lub skaleczenie, ale także zapalenie. Jeśli jednak „nogi już cię nie chcą nosić" lub też raz po raz łamiesz sobie kończynę, postaw sobie pytanie, dlaczego dochodzi do takiego ograniczenia twej ruchliwości. Może jest ci potrzebny odpoczynek, może z pewnych powodów nie masz ochoty „twardo stać" na nogach?

| Dolegliwości i objawy | Możliwe przyczyny | Co należy zrobić |
|---|---|---|
| Bóle nóg z mrowieniem po dłuższym siedzeniu lub leżeniu albo<br><br>— zdrętwiałe nogi | Kurcz mięśni, spowodowany niewygodną pozycją<br><br>Upośledzenie ukrwienia | Normalna reakcja organizmu.<br><br>Ból ustępuje zwykle po zmianie pozycji.<br><br>→ Masaż, s. 658<br><br>→ Ruch i sport, s. 748 |
| Bóle nóg z kurczem mięśni po dużym wysiłku bez przystosowania (np. w sporcie bez treningu) | Kurcz mięśnia na skutek przeciążenia<br><br>Ból mięśnia na skutek przeciążenia<br><br>Naderwanie mięśnia | Ciepło (sauna) lub łagodne masaże mogą łagodzić ból.<br><br>Naderwanie mięśnia leczy się najczęściej samo.<br><br>→ Bóle i kurcze mięśni, s. 406<br><br>→ Naderwanie mięśnia, s. 407<br><br>→ Masaż, s. 658 |
| Bóle mięśni, zwłaszcza po długotrwałym staniu lub siedzeniu i<br><br>— wystające żyły na nogach i<br><br>— ewentualnie „ciężkie" obrzęknięcie nogi i<br><br>— ewentualnie nocne kurcze łydek | Żylaki | Uprawiaj gimnastykę nóg i poruszaj się możliwie dużo (jazda rowerem, biegi itp.). Noś pończochy elastyczne.<br><br>Jeżeli stan żylaków ulegnie pogorszeniu,<br><br>*wizyta u lekarza potrzebna*<br><br>→ Żylaki, s. 311<br><br>→ Ruch i sport, s. 748 |

| Dolegliwości i objawy | Możliwe przyczyny | Co należy zrobić |
| --- | --- | --- |
| Bóle nogi, promieniujące z okolicy lędźwiowej do uda | Postrzał<br>Rwa kulszowa | Jeżeli bóle nie ustąpią,<br>*wizyta u lekarza potrzebna.*<br>Jeżeli wystąpią objawy niedowładu, natychmiast do lekarza!<br>→ Masaż, s. 658<br>→ Postrzał, rwa kulszowa, s. 433 |
| Bóle łydek u alkoholików lub chorych na cukrzycę | Uszkodzenie nerwów | Jeżeli nie jesteś jeszcze pod opieką lekarską,<br>*wizyta u lekarza potrzebna*<br>→ Cukrzyca, s. 449<br>→ Alkoholizm, s. 198 |
| Bóle nogi u kobiet po zażyciu lub iniekcji leków i<br>— obrzęknięta i ucieplona łydka | Objaw tworzenia się zakrzepu<br>Działanie uboczne i przedawkowanie przede wszystkim<br>— pigułki antykoncepcyjnej<br>— leków hormonalnych, stosowanych w zaburzeniach okresu przekwitania | Jeżeli stosujesz te środki, a wystąpią wymienione dolegliwości,<br>*wizyta u lekarza potrzebna*<br>→ Leki i ich stosowanie, s. 617 |
| Bóle nogi przy zginaniu i prostowaniu<br>— ewentualnie po upadku, nastąpieniu, pchnięciu lub uderzeniu | Naderwanie ścięgna<br>Rozdarcie ścięgna<br>Naderwanie więzadła<br>Rozdarcie więzadła | Pozostaw nogę w spokoju i ochłódź bolące miejsce.<br>*Wizyta u lekarza potrzebna*<br>→ Naderwanie, rozdarcie ścięgien, s. 411<br>→ Naderwanie, rozdarcie więzadeł, s. 411<br>→ Leczenie zimnem, s. 652 |
| Bóle łydek przy wadzie stóp | Stopa płaska, koślawa, końska, płasko-koślawa, szpotawa | *Wizyta u lekarza potrzebna*<br>→ Stopy, s. 413 |
| Bóle nogi podczas chodzenia, ustępujące po odpoczynku i<br>— zimne stopy | Zaburzenia ukrwienia nóg | *Wizyta u lekarza potrzebna*<br>→ Zaburzenia ukrwienia, s. 310 |
| Bóle nogi wychodzące ze stawu biodrowego | Zużycie stawu biodrowego | *Wizyta u lekarza potrzebna*<br>→ Choroba zwyrodnieniowa stawów, s. 421 |
| Bóle stawów nóg i najczęściej<br>— bóle innych stawów, zwłaszcza palców rąk i<br>— obrzęk stawów i<br>— rano bóle po wstaniu i<br>— ewentualnie znużenie i<br>— ewentualnie gorączka | Zapalna choroba stawów | *Wizyta u lekarza potrzebna*<br>→ Reumatoidalne zapalenie stawów, s. 423 |
| Stałe bóle nogi, które ograniczają się do określonego miejsca i<br>— ewentualnie gorączka | Zapalenie kości<br>Rak kości | *Wizyta u lekarza potrzebna* |
| Bóle nogi z miejscem zaczerwienionym i obrzękniętym wokół twardej i zapalnie zmienionej żyły | Zapalenie żyły z tworzeniem się zakrzepu | *Wizyta u lekarza potrzebna*<br>→ Zapalenie żył powierzchownych, s. 312 |

| Dolegliwości i objawy | Możliwe przyczyny | Co należy zrobić |
|---|---|---|
| Obrzęknięta, bolesna łydka, nieco ucieplona w porównaniu z drugą łydką i<br>— ewentualnie bóle podeszwy | Niedrożność żyły | **Wizyta u lekarza pilnie potrzebna**<br>→ Zapalenie żył głębokich, s. 313<br>Jeżeli boli także udo,<br>**natychmiast wezwać pogotowie ratunkowe** |
| Bóle ciągnące się od okolicy lędźwiowej do uda, najczęściej aż do stopy i<br>— trudności przy chodzeniu (chromanie jako sposób oszczędzania kończyny) i<br>— ewentualnie zniesienie czucia | Ucisk tarczki międzykręgowej na nerw<br>Wypadnięcie jądra galaretowatego | **Wizyta u lekarza pilnie potrzebna** |
| Bóle nogi po upadku lub wypadku, które są tak silne, że nie możesz nastąpić i/lub<br>— nie możesz już poruszać nogą i<br>— obrzęknięta noga i<br>— ewentualnie niewłaściwe ustawienie nogi | Zwichnięcie<br>Rozdarcie ścięgna<br>Złamanie kości | **Wizyta u lekarza pilnie potrzebna**<br>→ Zwichnięcie, s. 418<br>→ Rozdarcie ścięgien, s. 411<br>→ Złamania kości, s. 400 |
| Nagłe, silne bóle nogi, skóra nogi jest niezwykle blada i zimna | Zator tętnicy | **Natychmiast wezwać pogotowie ratunkowe** |
| Kurcze łydek po:<br>— silnych potach<br>— lekach odwadniających<br>— kuracjach odchudzających | Zaburzenie gospodarki wodno-elektrolitowej | Jeżeli kurcze stale nawracają,<br>**wizyta u lekarza potrzebna**<br>→ Kurcze mięśni, s. 406 |

# NOS — DOLEGLIWOŚCI

Cieknie ci z nosa? Przyczyn może być sporo. Choćby przeziębienie, ale sprawcą tej przykrości może także być pył, dym, opary chemiczne, alergia lub też napięcia psychiczne. Jeśli twój nos jest zbyt często zatkany, to powinieneś wiedzieć, dlaczego jest niedrożny i nie może spełniać swej właściwej funkcji.

| Dolegliwości i objawy | Możliwe przyczyny | Co należy zrobić |
|---|---|---|
| Wyciek z nosa i<br>— ewentualnie drapanie w gardle<br>— ewentualnie ból szyi | Katar<br>Podrażnienie błony śluzowej nosa (przez kurz, dym, lotne substancje chemiczne itp.)<br>Stres<br>Skrzywienie przegrody nosowej<br>Polipy nosa<br>Alergia<br>Działanie uboczne np. kropli do nosa, dozowników aerozolowych (po dłuższym stosowaniu) | Jeżeli często cierpisz na sączący nos, do ustalenia rozpoznania<br>**wizyta u lekarza potrzebna**<br>→ Katar, nieżyt nosa, s. 284<br>→ Substancje szkodliwe, od s. 759<br>→ Alergia, s. 338<br>→ Polipy nosa, s. 287<br>→ Zaburzenia samopoczucia, s. 175 |
| Wydzielina z nosa oraz kichanie i<br>— ewentualnie łzawiące oczy<br>— ewentualnie swędzące oczy | Katar sienny | **Wizyta u lekarza potrzebna**<br>→ Katar alergiczny, s. 285<br>→ Alergia, s. 338 |

| Dolegliwości i objawy | Możliwe przyczyny | Co należy zrobić |
|---|---|---|
| Wyciek z nosa i<br>— bóle głowy i<br>— ewentualnie kaszel<br>— ewentualnie bóle kończyn<br>— ewentualnie gorączka | Przeziębienie, „grypa"<br>Zapalenie zatok przynosowych | Jeżeli przeziębienie nie ustąpi po tygodniu,<br>***wizyta u lekarza potrzebna***<br>→ Przeziębienie, „grypa", s. 283<br>→ Zapalenie zatok przynosowych, s. 287 |
| Krwawienie z nosa | Pęknięte naczynie krwionośne w śluzówce nosa przez<br>— dłubanie w nosie<br>— wypadek<br>— wysokie ciśnienie krwi<br>— zakażenia<br>— leki | *Działanie natychmiastowe*: pochyl głowę do przodu i silnie uciśnij nos przez kilka minut.<br>Jeżeli krwawienie z nosa nie ustąpi po 20 minutach,<br>***wizyta u lekarza potrzebna***<br>→ Skaleczenia nosa, s. 282 |
| Krwawienie z nosa po upadku lub uderzeniu w głowę bez uszkodzenia nosa | Pęknięcie czaszki | ***Natychmiast wezwać pogotowie ratunkowe***<br>→ Pęknięcie czaszki, s. 205 |

# NUDNOŚCI

Mdłości mogą mieć różne przyczyny. Na przykład pojawiają się wówczas, kiedy jesz za mało, ale także gdy za dużo palisz lub pijesz, lub gdy masz zbyt niskie ciśnienie. We wszystkich tych przypadkach twój organizm właśnie tak reaguje — odczuwasz nudności. Czasami jednak takie objawy mogą być również symptomem ciężkiej choroby. A więc nie lekceważ ich; jeśli nie ustalisz sam, co sprawia, że tak często jest ci niedobrze, udaj się do lekarza.

| Dolegliwości i objawy | Możliwe przyczyny | Co należy zrobić |
|---|---|---|
| Nudności, gdy dłuższy czas<br>— nic nie jadłeś i/lub<br>— za mało spałeś lub<br>— długo przebywałeś w gorących, dusznych pomieszczeniach | Głód<br>Niedobór snu<br>Duszne powietrze<br>Niskie ciśnienie krwi | Organizm zwraca uwagę na niedobór.<br>Jeżeli znowu zjesz lub się wyśpisz, nudności ustąpią same.<br>→ Zaburzenia samopoczucia, s. 175<br>→ Trucizny w mieszkaniu, s. 758<br>→ Niskie ciśnienie krwi, s. 309 |
| Nudności po jedzeniu lub na widok pokarmu i<br>— ewentualnie wymioty i<br>— ewentualnie bóle żołądka | Zbyt tłusty lub zbyt obfity posiłek<br>Zepsute potrawy<br>Ciężkie zaburzenia łaknienia | Jeżeli za dużo zjadłeś, zastosuj jednodniową głodówkę.<br>Jeżeli wymiotujesz każdorazowo na widok jedzenia lub jeżeli sam prowokujesz wymioty,<br>***wizyta u lekarza potrzebna***<br>→ Zapalenie żołądka ostre, s. 364<br>→ Zaburzenia łaknienia, s. 196 |
| Nudności i<br>— piekące, kurczowe bóle w nadbrzuszu i<br>— ewentualnie zgaga i odbijania i<br>— ewentualnie wymioty i<br>— ewentualnie uczucie rozpierania | Drażliwy żołądek<br>Zapalenie błony śluzowej żołądka | Jeżeli dolegliwości się powtarzają,<br>***wizyta u lekarza potrzebna***<br>→ Żołądek drażliwy, s. 362<br>→ Zapalenie żołądka ostre, s. 364<br>→ Zaburzenia samopoczucia, s. 175 |

| Dolegliwości i objawy | Możliwe przyczyny | Co należy zrobić |
|---|---|---|
| Nudności połączone z lękiem, stresem i innymi obciążeniami psychicznymi | Problemy psychiczne | Jeżeli nudności utrzymują się przez dłuższy czas, *wizyta u lekarza potrzebna* → Zaburzenia samopoczucia, s. 175 → Poradnictwo i psychoterapia, s. 670 |
| Nudności po spożyciu alkoholu, paleniu tytoniu lub zażyciu narkotyków | Objaw towarzyszący nadużyciu alkoholu, narkotyków bądź palenia tytoniu | Zaniechaj palenia tytoniu. Jeżeli często pijesz za dużo alkoholu lub zażywasz narkotyki i nie potrafisz sobie sam z tym poradzić, *wizyta u lekarza potrzebna* → Używki i środki odurzające, s. 740 → Uzależnienia, s. 198 |
| Nudności po wdychaniu trujących oparów (mogą być także „ukryte" w domu w płytach paździerzowych lub piecach gazowych) i — ewentualnie bóle głowy | Zatrucie | Jeżeli nudności nie ustąpią po trzech dniach lub gdy jesteś stale narażony na trujące opary na stanowisku pracy, *wizyta u lekarza potrzebna* → Substancje szkodliwe, od s. 759 → Pierwsza pomoc, s. 687 |
| U kobiet nudności rano po wstaniu i — ewentualnie wymioty | Ciąża | Nudności w pierwszych miesiącach ciąży są normalne. Jeżeli cierpisz na ciężkie nudności, *wizyta u lekarza potrzebna,* → Dolegliwości w czasie ciąży, s. 536 |
| Nudności po zażyciu leków | Działanie uboczne licznych leków, zwłaszcza — dużej liczby leków wykrztuśnych — wielu leków przeciw chorobom układu sercowo-naczyniowego — pigułki antykoncepcyjnej i wielu innych preparatów hormonalnych — środków przeciwgrzybiczych — leków przeciw zakażeniom dróg moczowych — środków do znieczulenia miejscowego — silnych środków nasennych zaliczonych do opiatów | Jeżeli kupiłeś środek bez recepty, a w załączonej instrukcji nie uwzględniono nudności jako nieszkodliwego, przejściowego objawu towarzyszącego, zaniechaj jego stosowania. Jeżeli środek był zaordynowany przez lekarza, a ten nie zwrócił uwagi na możliwe działanie uboczne, *wizyta u lekarza potrzebna* → Leki i ich stosowanie, s. 617 |
| Nudności w czasie choroby | Często objaw towarzyszący chorobie | Jeżeli dotąd nie jesteś pod opieką lekarską, a nudności utrzymują się dłużej niż trzy dni, *wizyta u lekarza potrzebna* |
| Nudności i — zimny pot i — słabo wyczuwalne „nitkowate" tętno | Różne choroby niebezpieczne dla życia | *Natychmiast wezwać pogotowie ratunkowe* |

# OCZY — BÓLE

Jeśli bolą cię oczy, a także samo patrzenie sprawia ci ból, powinieneś to przyjąć jako sygnał alarmowy. Przyczyną tych objawćw może być poważna choroba oczu, choć nieraz także jakieś mniej dramatyczne ogólne schorzenie.

| Dolegliwości i objawy | Możliwe przyczyny | Co należy zrobić |
|---|---|---|
| Bóle oczu i<br>— ewentualnie bóle głowy | Wahania atmosferyczne<br>Wrażliwość na zmianę pogody (wiatr halny) | Jeżeli dolegliwości stale nawracają,<br>*wizyta u lekarza potrzebna*<br>→ Zaburzenia samopoczucia, s. 175<br>→ Wrażliwość na zmiany pogody, s. 183<br>→ Niskie ciśnienie krwi, s. 309 |
| Bóle oczu i<br>— ewentualnie świąd i<br>— ewentualnie pieczenie | Niedostateczne wytwarzanie łez<br>Katar sienny | Unikaj pomieszczeń klimatyzowanych, spalin samochodowych, wiatru, dymu tytoniowego, perfum.<br>Jeżeli dolegliwości stale nawracają,<br>*wizyta u lekarza potrzebna*<br>→ Obciążenia oczu, s. 218<br>→ Zapalenie zatok przynosowych, s. 287<br>→ Katar alergiczny, s. 285 |
| Bóle oczu po zastosowaniu leków | Działanie uboczne<br>— wielu leków przeciwzapalnych (kortyzon i jego pochodne), w reumatyzmie, astmie i alergiach — po dłuższym stosowaniu<br>— leków przeciw migrenie zawierających pizotifen<br>— kropli do oczu przy braku ich tolerancji | Sprawdź w instrukcji załączonej do stosowanego leku, czy zawarta jest w nim któraś z tych substancji.<br>Jeżeli kupiłeś lek bez recepty, to zaprzestań jego stosowania.<br>Jeżeli lek był zaordynowany przez lekarza,<br>*wizyta u lekarza potrzebna*<br>→ Leki i ich stosowanie, s. 617 |
| Bóle oczu, nasilające się przy skłonie głowy i promieniujące do czoła i policzków<br>— ewentualnie uczucie rozpierania | Zapalenie zatok czołowych i szczękowych | *Wizyta u lekarza potrzebna*<br>→ Zapalenie zatok przynosowych, s. 287 |
| Bóle oczu i<br>— ewentualnie bóle w obrębie szczęki górnej | Neuralgia nerwu trójdzielnego | *Wizyta u lekarza potrzebna*<br>→ Nerwobóle, s. 215 |
| Bóle oczu przy ruchach gałek ocznych | Rozpoczynające się stwardnienie rozsiane | *Wizyta u lekarza potrzebna*<br>→ Stwardnienie rozsiane, s. 212 |
| Bóle oczu z silnym zaczerwienieniem i osłabieniem ostrości wzroku i<br>— ból głowy i<br>— nudności aż do wymiotów | Ostra jaskra | *Wizyta u lekarza pilnie potrzebna*<br>→ Jaskra, s. 236 |
| Bóle oczu z silnym zaczerwienieniem i<br>— ewentualnie osłabienie ostrości wzroku i<br>— ewentualnie kurcz powieki i<br>— ewentualnie łzawienie oczu | Zapalenie spojówki<br>Krwawienie spojówki<br>Zapalenie rogówki<br>Zapalenie tęczówki<br>Ciało obce w oku | *Wizyta u lekarza pilnie potrzebna*<br>→ Zapalenie spojówki, s. 233<br>→ Zapalenie rogówki, s. 234<br>→ Zapalenie tęczówki, s. 234 |

# OCZY — INNE DOLEGLIWOŚCI

Bardzo wiele przyczyn może sprawić, że zaboli cię oko lub że pogorszy ci się wzrok: skaleczenie narządu, jego zapalenie, stłuczenie, nieużywanie okularów lub posługiwanie się złymi szkłami, lekarstwa, chemikalia w powietrzu, choroby, stresy, napięcia psychiczne lub wywołane pracą. Jeśli masz kłopoty z oglądaniem świata, jeśli zauważysz, że jego obraz jest nieklarowny, to jest już najwyższy czas na interwencję lekarza.

| Dolegliwości i objawy | Możliwe przyczyny | Co należy zrobić |
|---|---|---|
| Upośledzenie wzroku i bóle oczu | | → Oczy, upośledzenie wzroku, s. 91 |
| | | → Oczy — bóle, s. 89 |
| Zmęczone oczy i<br>— ewentualnie wysiłek przy patrzeniu | Wyczerpanie<br>Nierozpoznana wada wzroku<br>Niewłaściwe okulary lub soczewki kontaktowe<br>Stres, obciążenia psychiczne<br>Leki<br>Niezauważony zez | Oszczędzaj wzrok i odpręż się z zamkniętymi oczyma.<br>Jeżeli dolegliwości utrzymują się lub stale nawracają,<br>*wizyta u lekarza potrzebna*<br>→ Wady wzroku, s. 221<br>→ Obciążenia oczu, s. 218 |
| Suche oczy i<br>— ewentualnie pieczenie i<br>— ewentualnie uczucie obecności ciała obcego | Przegrzane pomieszczenia<br>Podrażnienia przez urządzenie klimatyzacyjne, wiatr, dym, perfumy, pył<br>Lekarstwa (np. pigułka antykoncepcyjna) | Okulary mogą chronić oczy przed wiatrem.<br>Jeżeli dolegliwości utrzymują się lub stale nawracają,<br>*wizyta u lekarza potrzebna*<br>→ Obciążenia oczu, s. 218 |
| Łzawienie oczu i<br>— ewentualnie zaczerwienienie | Nadmierny wysiłek<br>Mechaniczne podrażnienie, np. przez drobinkę kurzu<br>Podrażnienie przez substancje chemiczne<br>Uszkodzenie dróg odprowadzających łzy<br>Soczewki kontaktowe<br>Reakcja alergiczna | Jeżeli dolegliwości nie ustąpią same po kilku dniach,<br>*wizyta u lekarza potrzebna*<br>→ Obciążenia oczu, s. 218<br>→ Niedrożność dróg łzowych, s. 233 |
| Swędzenie oczu i<br>— ewentualnie zaczerwienienie | Niewłaściwa ostrość okularów<br>Nietolerancja soczewek kontaktowych<br>Podrażnienie przez kosmetyki<br>Reakcje alergiczne<br>Lekarstwa | Jeżeli dolegliwości nie ustąpią same po kilku dniach,<br>*wizyta u lekarza potrzebna*<br>→ Wady wzroku, s. 221<br>→ Soczewki kontaktowe, s. 229<br>→ Alergia, s. 338<br>→ Zapalenie brzegu powieki, s. 232 |
| Obrzęk powiek | Jęczmyk<br>Gradówka<br>Zapalenie wokół oka lub samego oka<br>Tępy uraz (np. pięścią)<br>Skutek chorób nerek | Jeżeli dolegliwości nie ustąpią same po kilku dniach,<br>*wizyta u lekarza potrzebna*<br>→ Jęczmyk, s. 231<br>→ Gradówka, s. 231<br>→ Niedrożność dróg łzowych, s. 233<br>→ Ostre zapalenie kłębuszków nerkowych, s. 395 |

| Dolegliwości i objawy | Możliwe przyczyny | Co należy zrobić |
|---|---|---|
| Zaczerwienienie oczu i<br>— ewentualnie nasilające się pogorszenie wzroku<br>— ewentualnie świąd<br>— ewentualnie lekkie bóle | Zmęczenie długotrwałą pracą precyzyjną<br>Upośledzenie wzroku<br>Niewłaściwe okulary lub soczewki kontaktowe<br>Podrażnienie spojówki, np. przez wiatr, pył, światło<br>Zapalenie spojówki<br>Krwawienie spojówki<br>Zapalenie rogówki<br>Zapalenie dróg łzowych<br>Alergia | Jeżeli zaczerwienienie nie ustąpi po kilku dniach lub dodatkowo wystąpią inne dolegliwości,<br>***wizyta u lekarza potrzebna***<br>→ Obciążenia oczu, s. 218<br>→ Wady wzroku, s. 221<br>→ Wypadki i skaleczenia, s. 221<br>→ Zapalenie spojówki, s. 233<br>→ Zapalenie rogówki, s. 234<br>→ Niedrożność dróg łzowych, s. 233<br>→ Alergia, s. 338 |
| „Zaklejenie" powiek i<br>— ewentualnie świąd i<br>— ewentualnie zaczerwienienie i<br>— ewentualnie bóle | Zapalenie brzegu powieki<br>Choroby spojówki | Łagodzą zimne, wilgotne okłady na zamknięte oko.<br>Jeżeli dolegliwości nie ustąpią po trzech dniach,<br>***wizyta u lekarza potrzebna***<br>→ Zapalenie brzegu powieki, s. 232<br>→ Zapalenie spojówki, s. 233<br>→ Zapalenie rogówki, s. 234 |
| Wytrzeszcz gałki ocznej | Zapalenia<br>Krwawienia<br>Choroby tarczycy<br>Rak | ***Wizyta u lekarza potrzebna***<br>→ Choroba Gravesa-Basedowa, s. 463<br>→ Nowotwory złośliwe, s. 437 |

# OCZY — UPOŚLEDZENIE WZROKU

Kiedy masz zakłócone widzenie, kiedy odbierasz obraz zniekształcony, zamazany, podwójny itd., może to być przejaw najzwyklejszego zmęczenia oka, ale w niektórych przypadkach może także oznaczać jego ciężkie schorzenie. Kiedy coś ci „przesłania wzrok", kiedy często czegoś lub kogoś nie dostrzegasz lub też jesteś porażony chwilową ślepotą, wówczas ograniczenie wizji jest prawdopodobnie następstwem jakiegoś procesu chorobowego.

| Dolegliwości i objawy | Możliwe przyczyny | Co należy zrobić |
|---|---|---|
| Widzenie świecących punkcików, muszek i migotania | Normalny objaw<br>Ucisk gałek ocznych<br>Rozpoczynające się odwarstwienie siatkówki | Najczęściej są to nieszkodliwe objawy.<br>Jeżeli jednak nie ustępują w ciągu jednego dnia,<br>***wizyta u lekarza potrzebna***<br>→ Odwarstwienie siatkówki, s. 239 |
| Widzenie błysków i świecących zygzakowanych wzorów i<br>— ewentualnie bóle głowy | Migrena | Objawy ustąpią po pewnym czasie same.<br>Jeżeli częściej cierpisz na migrenę,<br>***wizyta u lekarza potrzebna***<br>→ Migrena, s. 216 |

| Dolegliwości i objawy | Możliwe przyczyny | Co należy zrobić |
|---|---|---|
| Zaburzenia wzroku po zastosowaniu leków | Objawy uboczne dużej liczby leków, zwłaszcza<br><br>— większości kropel do oczu<br><br>— wielu leków przeciwzapalnych (kortyzon — glikokortykoidy) po dłuższym stosowaniu<br><br>— wielu leków przeciwreumatycznych<br><br>— wielu leków zwiotczających mięśnie<br><br>— wielu leków przeciw depresjom<br><br>— pigułki antykoncepcyjnej<br><br>— leków przeciw trądzikowi<br><br>— leków przeciw katarowi lub „grypie" | Jeżeli kupiłeś lek bez recepty, a w załączonej instrukcji zaburzenia wzroku nie zostały określone jako nieszkodliwe, przemijające objawy towarzyszące, zaprzestań jego stosowania.<br><br>Jeżeli lek był zaordynowany przez lekarza,<br><br>*wizyta u lekarza potrzebna*<br><br>→ Leki i ich stosowanie, s. 617 |
| Nieostry wzrok | Upośledzona ostrość wzroku<br><br>Niewłaściwe okulary lub soczewki kontaktowe<br><br>Cukrzyca<br><br>Zmętnienie soczewki<br><br>Choroby rogówki<br><br>Choroby siatkówki<br><br>Choroby nerwu wzrokowego | *Wizyta u lekarza potrzebna*<br><br>→ Wady wzroku, s. 221<br><br>→ Cukrzyca, s. 449<br><br>→ Zaćma (katarakta), s. 235<br><br>→ Zapalenie rogówki, s. 234<br><br>→ Zanik plamisty siatkówki, s. 238<br><br>→ Zaburzenia ukrwienia siatkówki, s. 238<br><br>→ Odwarstwienie siatkówki, s. 239<br><br>→ Stwardnienie rozsiane, s. 212 |
| Widzenie kolorowych pierścieni lub punktów świetlnych | Jaskra | *Wizyta u lekarza potrzebna*<br><br>→ Jaskra, s. 236 |
| Nagłe, silne pogorszenie wzroku lub oślepnięcie na jedno oko | Niedrożność tętnicy siatkówki<br><br>Choroba lub uszkodzenie nerwu wzrokowego (np. na skutek pęknięcia czaszki)<br><br>Ostra jaskra<br><br>Krwawienie do siatkówki<br><br>Zapalenie naczyń krwionośnych | *Wizyta u lekarza potrzebna*<br><br>→ Zaburzenia ukrwienia siatkówki, s. 238<br><br>→ Jaskra, s. 236<br><br>→ Reumatyczne bóle wielomięśniowe, s. 429 |
| Nagłe, silne pogorszenie wzroku lub oślepnięcie obustronne | Choroby naczyń lub krwawienia w zakresie drogi wzrokowej<br><br>Porażenie mięśnia soczewki | *Wizyta u lekarza potrzebna*<br><br>→ Zaburzenia ukrwienia, s. 310 |
| Nieostre widzenie i<br><br>— ewentualnie bóle i<br><br>— ewentualnie łzawiące oczy i<br><br>— ewentualnie zaczerwienione oczy | Zapalenie tęczówki | *Wizyta u lekarza potrzebna*<br><br>→ Zapalenie tęczówki, s. 234<br><br>→ Reumatoidalne zapalenie stawów, s. 423<br><br>→ Zapalenia stawów w chorobach zakaźnych, s. 426<br><br>→ Zesztywniające zapalenie stawów kręgosłupa, s. 427 |

| Dolegliwości i objawy | Możliwe przyczyny | Co należy zrobić |
|---|---|---|
| Upośledzenie widzenia, brak części obrazu (ubytek pola widzenia) | Choroby siatkówki<br>Przewlekła jaskra<br>Choroby nerwu wzrokowego<br>Cukrzyca<br>Udar mózgu<br>Alkoholizm | **Wizyta u lekarza pilnie potrzebna**<br>→ Zanik plamisty siatkówki, s. 238<br>→ Zaburzenia ukrwienia siatkówki, s. 238<br>→ Odwarstwienie siatkówki, s. 239<br>→ Wrodzone anomalie siatkówki, s. 239<br>→ Jaskra, s. 236<br>→ Cukrzyca, s. 449<br>→ Udar mózgu, s. 208 |
| Zaburzenie widzenia i światłowstręt i<br>— ewentualnie wysypka i<br>— ewentualnie sztywność karku | Odra<br>Zapalenie opon mózgowych | **Wizyta u lekarza pilnie potrzebna**<br>→ Odra, s. 564<br>→ Zapalenie opon mózgowych, s. 205 |

# ODBIJANIA

Luter uważał odbijanie się za oznakę dobrego samopoczucia. Rzeczywiście — w większości przypadków jest ono normalnym objawem towarzyszącym procesowi trawienia. Jeśli jednak „odbija" ci się zbyt często, może to być także wyrażony dźwiękiem akcent niezadowolenia z czegoś lub „echo" niewłaściwego odżywiania się. W rzadszych przypadkach to także sygnał, że w organizmie rozwija się choroba.

| Dolegliwości i objawy | Możliwe przyczyny | Co należy zrobić |
|---|---|---|
| Odbijania po posiłku | Potrawy wzdymające<br>Zbyt obfity posiłek<br>Zbyt szybkie jedzenie<br>Nieświadome połykanie powietrza | Jeżeli zawsze odbija ci się po jedzeniu, mimo że nie jadłeś zbyt dużo, to znaczy, że jesteś prawdopodobnie „połykaczem" powietrza. Żuj powoli i połykaj tylko małe kęsy. Nie hamuj odbijania, ono ułatwia trawienie. |
| Odbijania po wypiciu płynów zawierających kwas węglowy | Wzdęcie żołądka | Staraj się unikać płynów obfitujących w kwas węglowy.<br>Przy zakupie wody mineralnej zwróć uwagę na zawartość kwasu węglowego. |
| Odbijania po zażyciu leków | Nieprawidłowe zażycie leków | Popij lek zawsze połową szklanki wody lub przełknij z kilkoma kęsami banana<br>→ Leki i ich stosowanie, s. 617 |
| Odbijania papką pokarmową i/lub sokiem żołądkowym (odbijania kwaśne, zgaga) i<br>— ewentualnie piekące, ściskające bóle za mostkiem | Nadkwaśność żołądkowa<br>Porażenie mięśni zwieracza przełyku<br>Nadwaga<br>Ciąża<br>Przepuklina przeponowa | Jeżeli po odbiciu masz przez dłuższy czas zgagę,<br>**wizyta u lekarza potrzebna**<br>→ Odbijania kwaśne, s. 360<br>→ Dolegliwości w czasie ciąży, s. 536<br>→ Przepuklina, s. 409 |

| Dolegliwości i objawy | Możliwe przyczyny | Co należy zrobić |
|---|---|---|
| Odbijania oraz<br>— bóle w nadbrzuszu i<br>— ewentualnie nudności oraz wymioty i<br>— ewentualnie uczucie pełności i<br>— ewentualnie wzdęcia i<br>— ewentualnie brak apetytu | Drażliwy żołądek<br>Zapalenie błony śluzowej żołądka | Jeżeli zaburzenia te utrzymują się kilka tygodni, mimo że uprawiasz ćwiczenia relaksacyjne,<br>***wizyta u lekarza potrzebna***<br>→ Zaburzenia samopoczucia, s. 175<br>→ Żołądek drażliwy, s. 362<br>→ Zapalenie żołądka ostre, s. 364<br>→ Relaks, s. 664 |
| Odbijania oraz<br>— naprzemiennie biegunka i zaparcie i<br>— ewentualnie uczucie pełności i<br>— ewentualnie wzdęcia | Jelito drażliwe | Zastanów się, co drażniącego zjadłeś.<br>Jeżeli nie potrafisz swoich problemów sam rozwiązać, a dolegliwości uporczywie się utrzymują,<br>***wizyta u lekarza potrzebna***<br>→ Jelito drażliwe, s. 377<br>→ Zaburzenia samopoczucia, s. 175 |
| Odbijania pokarmami i kwasem żołądkowym oraz palący, ściskający ból (zgaga), który może się ciągnąć aż do szyi i<br>— dolegliwości przy połykaniu | Zapalenie przełyku | Jeżeli bóle i zaburzenia połykania powtarzają się,<br>***wizyta u lekarza potrzebna***<br>→ Zapalenie przełyku, s. 361 |
| Odbijania oraz<br>— ewentualnie bóle w nadbrzuszu (które po tłustych potrawach mogą mieć charakter kolki) i<br>— ewentualnie bóle promieniujące do prawego barku,<br>— ewentualnie nudności i wymioty | Kamienie żółciowe | ***Wizyta u lekarza potrzebna***<br>→ Kamica żółciowa, s. 373 |
| Odbijania oraz<br>— bóle w lewym podżebrzu i<br>— tłuste, objętościowe stolce | Niewydolność lub zapalenie trzustki | ***Wizyta u lekarza potrzebna***<br>→ Niewydolność trzustki, s. 376<br>→ Zapalenie trzustki, s. 375 |

# ODBYT — DOLEGLIWOŚCI

Przyczyną bólów lub swędzenia w odbycie są najczęściej podrażnienia, drobne pęknięcia, guzki krwawnicze, czyli hemoroidy, grzyby, pasożyty oraz — rzadziej — przetoki lub ropnie. Ale dolegliwości odbytu mogą być także powiązane z napięciami psychicznymi.

| Dolegliwości i objawy | Możliwe przyczyny | Co należy zrobić |
|---|---|---|
| Świąd odbytu przy noszeniu ciasnej lub zbyt ciepłej odzieży | Podrażnienie przez tarcie, podrażnienie przez ciepło | Noś luźniejszą, nie za ciepłą odzież i bieliznę z włókien naturalnych.<br>Jeżeli te działania nie pomagają,<br>***wizyta u lekarza konieczna*** |

| Dolegliwości i objawy | Możliwe przyczyny | Co należy zrobić |
|---|---|---|
| Świąd odbytu, jeżeli<br><br>— myjesz się zbyt rzadko lub<br><br>— myjesz się zbyt często i/lub<br><br>— stosujesz chustki higieniczne | Niedostateczna higiena<br><br>Przesadna higiena (zbyt dużo mydła, silne tarcie)<br><br>Podrażnienie papierem toaletowym lub chustką higieniczną | Oczyść odbyt po oddaniu stolca (jeżeli sytuacja na to pozwala) wilgotnym ręcznikiem bawełnianym i pod strumieniem wody.<br><br>Jeżeli to nie pomoże,<br><br>***wizyta u lekarza potrzebna*** |
| Świąd odbytu | Nietolerancja potraw (np. przypraw, cytrusów, tabletek, witaminy C, piwa, coca-coli)<br><br>Przewlekłe choroby (np. cukrzyca, choroby wątroby, jelit)<br><br>Problemy psychiczne | Spróbuj ustalić, czy określone potrawy wywołują uczucie świądu. Nie zmywaj okolicy odbytu ostrymi mydłami lub chustkami higienicznymi.<br><br>Jeżeli te działania nie pomogą,<br><br>***wizyta u lekarza potrzebna***<br><br>→ Alergia, s. 338<br><br>→ Zaburzenia samopoczucia, s. 175 |
| Bolesne, krwawiące szczeliny w okolicy odbytu | Zbyt twardy stolec<br><br>Odbytnicze akty seksualne | Staraj się spożywać pokarmy obfitujące w błonnik (sałaty, jarzyny, owoce), produkty z pełnego ziarna (chleb razowy), pij więcej dla zmiękczenia stolca. Przy stosunkach analnych stosuj środki ślizgowe. Jeżeli szczeliny wokół odbytu nie ustąpią po tygodniu,<br><br>***wizyta u lekarza potrzebna***<br><br>→ Szczeliny odbytu, s. 389<br><br>→ Żywienie, s. 704 |
| Zmiany skóry w okolicy odbytu lub świąd odbytu po zastosowaniu leków | Uszkodzenie skóry jako działanie uboczne prawie wszystkich leków przeciw guzkom krwawniczym. Świąd odbytu spowodowany antybiotykami i środkami miejscowo znieczulającymi | Jeżeli taki środek zakupiłeś bez recepty, zaprzestań jego stosowania.<br><br>Jeżeli lek był zaordynowany przez lekarza,<br><br>***wizyta u lekarza potrzebna***<br><br>→ Leki i ich stosowanie, s. 617 |
| Bolesny i swędzący odbyt i<br><br>— ewentualnie wyniosłe miejsca, na których tworzą się pęcherzyki i<br><br>— ewentualnie brodawkowata wybujałość | Podrażnienie błony śluzowej<br><br>Opryszczka<br><br>Kłykciny kończyste | Jeżeli dolegliwości nie ustąpią w ciągu tygodnia albo jeżeli cierpisz na nawroty opryszczki, lub masz kłykciny kończyste w okolicy odbytu,<br><br>***wizyta u lekarza potrzebna***<br><br>→ Opryszczka narządów płciowych, s. 512<br><br>→ Kłykciny kończyste, s. 512 |
| Świąd odbytu i<br><br>— ewentualnie białe, poruszające się robaki w stolcu, wyglądające jak nitki makaronu | Owsiki | ***Wizyta u lekarza potrzebna***<br><br>→ Robaki, s. 388 |
| Bóle odbytu i<br><br>— jasnoczerwona krew w stolcu i/lub<br><br>— guzkowata wyniosłość w okolicy odbytu | Guzki krwawnicze (hemoroidy)<br><br>Rak | ***Wizyta u lekarza potrzebna***<br><br>→ Guzki krwawnicze, s. 389 |

| Dolegliwości i objawy | Możliwe przyczyny | Co należy zrobić |
|---|---|---|
| Zaczerwieniony, napięty odbyt i<br>— ewentualnie wyniosłość w okolicy odbytu | Ropień | *Wizyta u lekarza potrzebna* |
| Bóle odbytu przy oddawaniu stolca, a obok odbytu mała, sącząca rana | Przetoka | *Wizyta u lekarza potrzebna*<br>→ Choroba Leśniowskiego-Crohna, s. 385 |
| Śluzowo-ropna wydzielina z odbytu i<br>— ewentualnie bóle podczas oddawania stolca<br>— ewentualnie krwisto-śluzowa biegunka | Zapalenie jelit | *Wizyta u lekarza potrzebna*<br>→ Wrzodziejące zapalenie jelita grubego, s. 384 |

# OMAMY

Kiedy widzisz rozmaite rzeczy, kiedy słyszysz głosy lub odczuwasz coś, czego inni ludzie nie widzą, nie słyszą lub nie czują, nie zawsze musi to być powód do niepokoju. Jednak w niektórych sytuacjach halucynacje mogą okazać się objawem towarzyszącym ciężkim chorobom fizycznym lub psychicznym albo też skutkiem ubocznym zażywania niektórych leków.

| Dolegliwości i objawy | Możliwe przyczyny | Co należy zrobić |
|---|---|---|
| Niezwykłe doznania<br>— krótko przed zaśnięciem lub przebudzeniem lub<br>— w związku z medytacją | Wkraczanie w strefy brzeżne świadomości<br>Postrzeganie innych płaszczyzn świadomości | Brak powodu do niepokoju.<br>Jeżeli chcesz o tym zjawisku dowiedzieć się więcej, informacje znajdziesz w literaturze ezoterycznej (wiedza przeznaczona dla wtajemniczonych). |
| Słyszenie lub widzenie bliskiego człowieka, niedawno zmarłego | Normalne zjawisko związane z tragicznym przeżyciem<br>Postrzeganie innych płaszczyzn świadomości | Brak powodu do niepokoju.<br>Jeżeli nie chcesz lub nie możesz sam się uporać ze swoją rozpaczą,<br>*wizyta u lekarza potrzebna*<br>→ Poradnictwo i psychoterapia, s. 670 |
| Omamy, gdy<br>— wypiłeś dużo alkoholu lub<br>— zażywałeś lekarstwa<br>— stosowałeś środki odurzające | Nadużycie alkoholu<br>Nadużycie narkotyków<br>Działanie uboczne różnych leków | *Wizyta u lekarza potrzebna*<br>→ Używki i środki odurzające, s. 740<br>→ Uzależnienia, s. 198 |
| Omamy i wysoka gorączka | Marzenia gorączkowe | Jeżeli temperatura powyżej 40°C utrzymuje się dłużej niż jeden dzień,<br>*wizyta u lekarza potrzebna* |
| Omamy i słyszenie głosów<br>— słyszenie prześladujących głosów | Depresje<br>Schizofrenia<br>Urojenia | *Wizyta u lekarza potrzebna*<br>→ Depresja, s. 191<br>→ Schizofrenia, s. 194 |
| Omamy i co najmniej jeden z następujących objawów:<br>— ogólny zamęt<br>— krańcowy niepokój<br>— drżenie<br>— zlewne poty | Stan majaczeniowy | *Wizyta u lekarza pilnie potrzebna*<br>→ Alkoholizm, s. 198 |

# OMDLENIE — NIEPRZYTOMNOŚĆ

Zdarza się, że człowiek traci kontrolę nad swą świadomością. Jej utratę może wywołać między innymi lęk, chwilowe osłabienie ogólne lub upał. W niektórych przypadkach do utraty przytomności prowadzą ciężkie choroby lub stany zagrażające życiu.

| Dolegliwości i objawy | Możliwe przyczyny | Co należy zrobić |
|---|---|---|
| Omdlenie po dłuższym leżeniu i nagłym wstaniu | Zaburzenie krążenia | Brak powodu do niepokoju. Poruszaj nogami przed wstaniem z łóżka i wstawaj powoli. Jeżeli omdlenia się powtarzają,<br><br>*wizyta u lekarza potrzebna*<br><br>→ Omdlenie, nieprzytomność, s. 695 |
| Omdlenia stale nawracające bez ustalonej przyczyny i/lub<br>— bladość i<br>— zmęczenie | Problemy psychiczne<br>Niedokrwistość | *Wizyta u lekarza potrzebna*<br><br>→ Zaburzenia samopoczucia, s. 175<br><br>→ Niedokrwistość, s. 324 |
| Omdlenia po wystraszeniu się lub<br>— przy silnych uczuciach lęku<br>— w dusznych, gorących pomieszczeniach | Zaburzenie krążenia krwi | Jeżeli omdlenie nie ustąpi po minucie,<br><br>*wizyta u lekarza pilnie potrzebna*<br><br>→ Omdlenie, nieprzytomność, s. 695 |
| Omdlenie po nadmiernym oddychaniu i<br>— kurcze mięśni („ręka położnika") | Najczęściej psychicznie uwarunkowana duszność (hiperwentylacja) | Należy umożliwić nieprzytomnemu oddychanie do torebki, żeby wdychał powietrze zawierające więcej dwutlenku węgla.<br><br>Jeżeli omdlenie nie ustąpi po minucie,<br><br>*wizyta u lekarza pilnie potrzebna*<br><br>→ Omdlenie, nieprzytomność, s. 695<br><br>→ Zaburzenia samopoczucia, s. 175<br><br>→ Poradnictwo i psychoterapia, s. 670 |
| Omdlenie po długim przebywaniu w wysokiej temperaturze lub w bezpośrednim nasłonecznieniu i<br>— nudności i<br>— ewentualnie wymioty i<br>— ewentualnie wysoka gorączka | Udar cieplny<br>Udar słoneczny | *Działanie natychmiastowe*: ułóż daną osobę w cieniu, rozepnij uciskające części ubioru i ochłódź głowę.<br><br>*Wizyta u lekarza pilnie potrzebna*<br><br>→ Udar cieplny, s. 693<br><br>→ Udar słoneczny, s. 694 |
| Utrata przytomności po nadużyciu alkoholu lub<br>— po zażyciu lub wdychaniu substancji trujących | Objawy zatrucia | Jeżeli pacjenta nie można obudzić,<br><br>*natychmiast wezwać pogotowie ratunkowe*<br><br>→ Omdlenie, nieprzytomność, s. 695<br><br>→ Alkoholizm, s. 198<br><br>→ Zatrucia, s. 695 |
| Utrata przytomności po wypadkach lub na skutek ran lub po<br>— porażeniu prądem elektrycznym | Wstrząs mózgu<br>Uszkodzenie mózgu<br>Zaburzenie rytmu serca | *Natychmiast wezwać pogotowie ratunkowe*<br><br>→ Omdlenie, nieprzytomność, s. 695<br><br>→ Wstrząs mózgu, s. 204, 693<br><br>→ Stłuczenie mózgu, s. 205<br><br>→ Porażenie prądem, s. 694 |

| Dolegliwości i objawy | Możliwe przyczyny | Co należy zrobić |
|---|---|---|
| Omdlenie po napadzie kaszlu lub — po szczególnie dużym bólu | Zaburzenie krążenia Wstrząs | Jeżeli omdlenie nie ustąpi po minucie, ***natychmiast wezwać pogotowie ratunkowe*** → Omdlenie, nieprzytomność, s. 695 |
| Utrata przytomności z napadem drgawek i — piana na ustach | Padaczka | Jeżeli napad trwa dłużej niż trzy minuty lub szybko się powtarza, ***wezwać pogotowie ratunkowe*** *Działanie natychmiastowe*: ochroń chorego przed skaleczeniem przez usunięcie wszystkiego, czym mógłby się skaleczyć. Nie trzymaj go mocno. Nie wsuwaj mu na siłę niczego między zęby. Pozwól mu się wyspać po napadzie. → Padaczka, s. 209 |
| U dzieci nieprzytomność i drgawki przy wysokiej temperaturze | Dreszcze gorączkowe | Dreszcze gorączkowe u dzieci nie są niebezpieczne dla życia. Spróbuj obniżyć gorączkę zimnymi zawijaniami. Jeżeli dziecko ma mniej niż 18 miesięcy lub gdy dreszcze gorączkowe trwają dłużej niż pięć minut, lub nawracają, ***wezwać pogotowie ratunkowe*** |
| Omdlenie po wykonaniu niektórych ruchów głowy (obrót lub patrzenie w górę, w dół) | Zaburzenie ukrwienia mózgu | Jeżeli nieprzytomność utrzymuje się dłużej niż minutę, ***natychmiast wezwać pogotowie ratunkowe*** → Omdlenie, nieprzytomność, s. 695 |
| Nieprzytomność u chorych na cukrzycę, którzy stosują insulinę | Ciężkie niedocukrzenie | Jeżeli to możliwe, oznaczyć poziom cukru we krwi. *Działanie natychmiastowe*: zastosować glukagon. Jeżeli to nie jest możliwe, włóż nieprzytomnemu pastylkę cukru gronowego między policzek a zęby i przyciśnij, aż się rozpuści. Po przebudzeniu się należy zjeść kromkę chleba lub wypić szklankę soku (dwie jednostki chlebowe). Jeżeli nieprzytomny nie obudzi się po dziesięciu minutach od zastrzyku glukagonu, ***wezwać pogotowie ratunkowe*** → Cukrzyca, s. 449 |

| Dolegliwości i objawy | Możliwe przyczyny | Co należy zrobić |
|---|---|---|
| Nieprzytomność po zastosowaniu leków i<br>— ewentualnie osutka skórna<br>— ewentualnie poty<br>— ewentualnie bladość<br>— ewentualnie duszność<br>— ewentualnie gorączka | Wstrząs jako działanie uboczne przede wszystkim<br>— leków przeciwbólowych, przeciw migrenie i przeciwdrgawkowych<br>— leków przeciwgrypowych zawierających amidopirynę, metamizol (nowaminsulfon), fenazon, propyfenazon<br>— wstrzykniętych środków do znieczulenia, zawierających benzokainę, lidokainę, prokainę | ***Natychmiast wezwać pogotowie ratunkowe***<br>→ Leki i ich stosowanie, s. 617 |
| Nieprzytomność i przedtem wyjątkowo szybkie lub wolne bądź niemiarowe tętno | Zaburzenie czynności bodźcotwórczej i bodźcoprzewodzącej serca | ***Natychmiast wezwać pogotowie ratunkowe***<br>→ Omdlenie, nieprzytomność, s. 695<br>→ Zaburzenia rytmu serca, s. 319 |
| Nieprzytomność i<br>— bardzo szybkie tętno i<br>— zimny pot | Wstrząs spowodowany różnymi chorobami | ***Natychmiast wezwać pogotowie ratunkowe***<br>→ Omdlenie, nieprzytomność, s. 695 |
| Nieprzytomność i<br>— niedowład połowy ciała a przedtem<br>— zaburzenia mowy i/lub<br>— dezorientacja | Udar mózgu | ***Natychmiast wezwać pogotowie ratunkowe***<br>→ Udar mózgu, s. 208<br>→ Pierwsza pomoc, s. 687 |

# ORIENTACJA — ZABURZENIA I/LUB SPLĄTANIE

Jeśli nie potrafisz zebrać myśli, nagle pojawiają się luki w twej pamięci lub też mylisz miejsca i czas wydarzeń, to takie zagmatwanie myślowe może być oznaką ciężkiego schorzenia. Ale są też jeszcze inne przyczyny trudności w zbieraniu myśli i utraty orientacji: alkohol, narkotyki i niektóre lekarstwa.

| Dolegliwości i objawy | Możliwe przyczyny | Co należy zrobić |
|---|---|---|
| Splątanie myślowe i/lub dezorientacja przy wysokiej gorączce | | → Gorączka, s. 45 |
| Splątanie i/lub dezorientacja<br>— kiedy wypiłeś za dużo alkoholu lub zażyłeś narkotyki lub<br>— zaprzestałeś picia alkoholu i stosowania narkotyków | Nadużycie alkoholu<br>Nadużycie środków odurzających<br>Objawy abstynencji | Jeżeli często jesteś zdezorientowany po użyciu alkoholu lub narkotyków,<br>***wizyta u lekarza potrzebna***<br>→ Uzależnienia, s. 198 |
| Splątanie i/lub dezorientacja u osób w podeszłym wieku i<br>— ewentualnie zaburzenia mowy i<br>— ewentualnie zaburzenia koncentracji uwagi<br>— ewentualnie luki pamięciowe | Zaburzenia ukrwienia mózgu<br>Choroba Alzheimera | ***Wizyta u lekarza potrzebna***<br>→ Przejściowe zaburzenia ukrwienia, s. 207<br>→ Choroba Alzheimera, s. 211 |

| Dolegliwości i objawy | Możliwe przyczyny | Co należy zrobić |
|---|---|---|
| Stany splątania po zażyciu leków | Działanie uboczne licznych leków, zwłaszcza<br><br>— wielu leków psychotropowych, jak również leków z dodatkiem substancji psychotropowych, np. niektóre środki „przeciwgrypowe"<br><br>— niektórych leków przeciw zaburzeniom żołądkowo-jelitowym<br><br>— leków zwiększających ukrwienie<br><br>— niektórych leków przeciw chorobom dróg moczowych | Jeżeli występują takie dolegliwości, a stosujesz lek z wymienionych grup,<br><br>*wizyta u lekarza potrzebna*<br><br>→ Leki i ich stosowanie, s. 617 |
| Splątanie i/lub dezorientacja przy niedoborze płynów (zwłaszcza u osób w podeszłym wieku) | Niedobór płynów | *Wizyta u lekarza potrzebna*<br><br>→ Picie, s. 722 |
| Splątanie i/lub dezorientacja przy przewlekłych chorobach nerek | Zaburzenie gospodarki wodno-elektrolitowej | *Wizyta u lekarza potrzebna*<br><br>→ Niewydolność nerek, s. 397 |
| Splątanie i/lub dezorientacja i<br><br>— ewentualnie zapach z ust o charakterze amoniakalnym | Choroba wątroby | *Wizyta u lekarza potrzebna*<br><br>→ Marskość wątroby, s. 371 |
| Splątanie i/lub dezorientacja u chorych na cukrzycę | Ciężkie niedocukrzenie | Jeżeli to możliwe, zmierzyć poziom cukru we krwi.<br><br>*Działanie natychmiastowe*: spożyj dwie pastylki cukru gronowego, następnie kromkę chleba lub jedno jabłko. Jeżeli podobne stany nawracają,<br><br>*wizyta u lekarza pilnie potrzebna*<br><br>→ Cukrzyca, s. 449 |
| Splątanie i/lub dezorientacja u starszych osób po dłuższym przebywaniu w zimnym pomieszczeniu lub na wolnej przestrzeni | Wychłodzenie | *Wizyta u lekarza pilnie potrzebna*<br><br>→ Przechłodzenie, s. 694 |
| Splątanie i luki pamięciowe po wypadku lub upadku na głowę | Wstrząs mózgu | *Natychmiast wezwać pogotowie ratunkowe*<br><br>→ Wstrząs mózgu, s. 204 |
| Splątanie i/lub dezorientacja po urazie głowy (lub parę dni później) | Krwotok mózgowy | *Natychmiast wezwać pogotowie ratunkowe*<br><br>→ Krwotok mózgowy, s. 207 |
| Splątanie i/lub dezorientacja i objawy porażenia kończyn górnych lub dolnych i<br><br>— ewentualnie zaburzenia mowy i<br><br>— ewentualnie zawroty głowy i<br><br>— ewentualnie zaburzenia wzroku | Udar mózgu | *Natychmiast wezwać pogotowie ratunkowe*<br><br>→ Udar mózgu, s. 208 |
| Oszołomienie i/lub dezorientacja i<br><br>— ewentualnie zaburzenie oddychania i<br><br>— ewentualnie niepokój i senność i<br><br>— ewentualnie poty i dreszcze | Ostre zatrucie substancjami szkodliwymi obciążającymi układ nerwowy | *Natychmiast wezwać pogotowie ratunkowe*<br><br>→ Substancje toksyczne w środowisku pracy, s. 787<br><br>→ Trucizny w mieszkaniu, s. 758<br><br>→ Substancje szkodliwe w pokarmach, s. 713 |

# PAMIĘĆ — UPOŚLEDZENIE I/LUB ZABURZENIA KONCENTRACJI

Jesteś zapominalski? To, że cię zawodzi pamięć, wcale nie musi być oznaką starzenia się. Może po prostu masz zbyt wiele spraw na głowie i pewne, mniej ważne, odsyłasz do najdalszych zakamarków pamięci? Ale zakłócenia w jej funkcjonowaniu mogą być w niektórych sytuacjach objawami towarzyszącymi rozmaitym chorobom.

| Dolegliwości i objawy | Możliwe przyczyny | Co należy zrobić |
|---|---|---|
| Zapominanie i/lub zaburzenia koncentracji uwagi, gdy często zbyt mało sypiasz | Wyczerpanie | Niedobór snu prowadzi do zaburzeń koncentracji uwagi. Wypocznij!<br>→ Zaburzenia samopoczucia, s. 175 |
| Zapominanie i/lub zaburzenia koncentracji uwagi, gdy masz zbyt wiele obowiązków lub trosk | Normalna reakcja | Sporządź wykaz dziennych zobowiązań i rozważ, co z tego możesz skreślić.<br>Prawdopodobnie stawiasz sobie zbyt duże wymagania.<br>→ Zaburzenia samopoczucia, s. 175 |
| Zapominanie i/lub zaburzenia koncentracji uwagi dotyczące spraw, których nie chciałbyś rozważać lub wykonywać | Naturalny mechanizm obronny | Jeżeli stale zapominasz o pewnych sprawach, to istnieje podejrzenie, że najchętniej nie chciałbyś mieć z nimi nic wspólnego.<br>→ Zaburzenia samopoczucia, s. 175 |
| Zapominanie i/lub zaburzenia koncentracji uwagi przy<br>— silnej emocji, np. zakochanie się lub żałoba lub<br>— zajęcie się jakąś określoną sprawą | Normalna reakcja | Jesteś tak intensywnie zajęty uczuciowo lub określoną sprawą, że wszystko inne schodzi na dalszy plan.<br>→ Zaburzenia samopoczucia, s. 175 |
| Zapominanie, nasilające się wraz z wiekiem | Zapominanie starcze | Zmniejszenie pojemności umysłowej występuje często w starszym wieku. Możesz jednakże ćwiczyć pamięć. Bierz udział w dyskusjach lub ucz się czegoś nowego (np. obcego języka).<br>→ Być w podeszłym wieku, s. 570 |
| Zapominanie i/lub zaburzenia koncentracji uwagi, gdy<br>— wypiłeś zbyt dużo alkoholu i/lub<br>— zażywałeś narkotyki | Nadużywanie alkoholu<br>Używanie narkotyków | Jeżeli zbyt dużo pijesz,<br>*wizyta u lekarza potrzebna*<br>→ Używki i środki odurzające, s. 740<br>→ Alkoholizm, s. 198<br>→ Narkomania, s. 202 |
| Luki pamięciowe lub zaburzenia koncentracji uwagi po ciężkich chorobach lub operacjach | Normalna reakcja | Jeżeli zapominanie nie ustąpi po trzech miesiącach,<br>*wizyta u lekarza potrzebna* |
| Osłabienie reakcji i/lub koncentracji uwagi po zastosowaniu leków | Działanie uboczne większości<br>— środków uspokajających i nasennych<br>— środków zwiotczających mięśnie, zawierających memantynę, orfenadrynę<br>— leków przeciwpadaczkowych zawierających karbamazepinę, klonazepam<br>— leków przeciwpsychotycznych (neuroleptyki) | Sprawdź w instrukcji załączonej do zażywanego leku, czy zawiera jakąkolwiek z wymienionych substancji. Jeżeli tak,<br>*wizyta u lekarza potrzebna*<br>→ Leki i ich stosowanie, s. 617 |

| Dolegliwości i objawy | Możliwe przyczyny | Co należy zrobić |
|---|---|---|
| Zapominanie i/lub zaburzenia koncentracji uwagi i<br>— ewentualnie luki pamięciowe i<br>— ewentualnie dezorientacja i<br>— ewentualnie zaburzenia mowy | Zaburzenia ukrwienia mózgu<br>Choroba Alzheimera | **Wizyta u lekarza potrzebna**<br>→ Przejściowe zaburzenie ukrwienia, s. 207<br>→ Choroba Alzheimera, s. 211 |
| Zapominanie i/lub zaburzenia koncentracji uwagi z lukami pamięci po urazie głowy | Ubytki neurologiczne po urazie głowy | **Wizyta u lekarza potrzebna**<br>→ Wstrząs mózgu, s. 204<br>→ Stłuczenie mózgu, s. 205 |
| Utrata pamięci np. przez niezwykłe zdarzenia (wypadek, wstrząs itp.) | Problemy psychiczne | **Wizyta u lekarza potrzebna**<br>→ Poradnictwo i psychoterapia, s. 670 |
| Zaburzenia koncentracji i<br>— ewentualnie ogólne rozbicie i<br>— ewentualnie znużenie i<br>— bóle głowy i<br>— potliwość, drżenie, nudności | Szkodliwe substancje obciążające układ nerwowy | Sprawdź środowisko pracy, domowe oraz pokarmy.<br>**Wizyta u lekarza potrzebna**<br>→ Trucizny w mieszkaniu, s. 758<br>→ Substancje toksyczne w środowisku pracy, s. 787<br>→ Substancje szkodliwe w pokarmach, s. 713 |

# PAZNOKCIE

Paznokcie to martwa tkanka. Bywają jednak zwierciadłem naszego zdrowia, a więc warto czasem im się przyjrzeć. Kruche, łamliwe, inaczej zabarwione lub zniekształcone mogą wskazywać, że nasze zdrowie nie jest idealne. Jeśli natomiast masz zwyczaj gryzienia paznokci, to można ci tylko poradzić, abyś jak najszybciej przemyślał, co cię naprawdę gryzie.

| Dolegliwości i objawy | Możliwe przyczyny | Co należy zrobić |
|---|---|---|
| Paznokcie matowe, pozbawione połysku | Długotrwałe używanie lakieru do paznokci i zmywacza | Lakieruj paznokcie rzadziej. |
| Wrastanie paznokci i<br>— ewentualnie zapalenie łożyska paznokcia | Zbyt krótko w narożach obcięte paznokcie<br>Zbyt wąskie buty | Noś wygodne obuwie.<br>→ Stopy, s. 413<br>→ Wrastające paznokcie, s. 281 |
| Łamliwość paznokci | Uwarunkowane dziedzicznie<br>Kontakt przy pracy z rozpuszczalnikami organicznymi<br>Niedobór żelaza i witamin oraz pierwiastków śladowych<br>Niedoczynność tarczycy | Noś rękawice przy pracy.<br>Jeżeli przez wiele lat cierpisz na łamliwość paznokci,<br>**wizyta u lekarza potrzebna**<br>→ Substancje szkodliwe, s. 787<br>→ Niedokrwistość, s. 324<br>→ Niedoczynność tarczycy, s. 462<br>→ Paznokcie, s. 280<br>→ Witaminy, sole mineralne, pierwiastki śladowe, s. 727 |

| Dolegliwości i objawy | Możliwe przyczyny | Co należy zrobić |
|---|---|---|
| Zniekształcenie, przebarwienie paznokci, np.<br>— przezroczyste paznokcie lub<br>— białe plamy w paznokciach lub<br>— paznokcie zniekształcone łyżeczkowato<br>— bruzdy poprzeczne | Nieszkodliwe przyczyny<br>Różne choroby | Jeżeli paznokcie stale rosną przebarwione,<br>***wizyta u lekarza potrzebna*** |
| Pogrubienie paznokci<br>— ewentualnie zniekształcone i/lub<br>— ewentualnie przebarwione | Uszkodzenie korzenia paznokcia przez stały ucisk (np. wąskie obuwie)<br>Grzybica paznokcia<br>Objaw starzenia się | Unikaj ucisku na paznokieć.<br>Jeżeli paznokcie mimo to odrastają zgrubiałe,<br>***wizyta u lekarza potrzebna***<br>→ Zapalenie łożyska paznokcia, s. 280 |
| Obrzęk, zaczerwienienie łożyska paznokcia i<br>— ewentualnie bóle i<br>— ewentualnie tworzenie się ropy | Zranienie i następnie zapalenie łożyska paznokcia | ***Wizyta u lekarza potrzebna***<br>→ Zapalenie łożyska paznokcia, s. 280 |
| Odwarstwianie paznokcia | Łuszczyca<br>Zapalenie łożyska paznokcia<br>Urazy | ***Wizyta u lekarza potrzebna***<br>→ Łuszczyca, s. 267<br>→ Zapalenie łożyska paznokcia, s. 280 |

# PLECY — BÓLE

Jeśli zbyt często musisz się pilnować, aby zachować wyprostowaną postawę, utrzymać plecy w możliwie pionowej pozycji, lub też odwrotnie — musisz się pochylać, żeby nie odczuwać dolegliwości, to nietrudno przewidzieć, że któregoś dnia „złamie ci krzyż". Ale bóle w plecach mogą być również następstwem fizjologicznego zużycia kręgosłupa, nadmiernej wagi ciała, mogą mieć przyczyny neurologiczne i inne.

| Dolegliwości i objawy | Możliwe przyczyny | Co należy zrobić |
|---|---|---|
| Bóle pleców po długim siedzeniu lub staniu lub<br>— po dźwiganiu ciężarów lub<br>— po zajęciach sportowych bez treningu | Kurcz mięśni pleców spowodowany nieprawidłową postawą<br>Przeciążenie mięśni pleców<br>Naderwanie lub ból mięśnia | Pomagają najczęściej masaże i ćwiczenia rozluźniające.<br>Jeżeli bóle po tym nie ustępują,<br>***wizyta u lekarza potrzebna***<br>→ Bóle pleców i krzyża, s. 431<br>→ Relaks, s. 664<br>→ Masaż, s. 658<br>→ Ruch i sport, s. 748 |
| Bóle pleców związane ze stresem i/lub obciążeniem psychicznym | Obciążenie kręgosłupa przez napiętą postawę ciała (np. podświadome unoszenie barków) | Obserwuj swoją postawę ciała, obciążenie psychiczne wyraża się prawie zawsze w zmianie postawy ciała.<br>Jeżeli bóle pleców nie ustąpią po tygodniu,<br>***wizyta u lekarza potrzebna***<br>→ Bóle pleców i krzyża, s. 431<br>→ Reumatyzm pozastawowy, s. 429<br>→ Zaburzenia samopoczucia, s. 175 |

| Dolegliwości i objawy | Możliwe przyczyny | Co należy zrobić |
|---|---|---|
| Bóle pleców i nadwaga | Długotrwałe obciążenie kręgosłupa przez nadwagę | Postaraj się schudnąć. Jeżeli ci się to samemu nie udaje, ***wizyta u lekarza potrzebna*** → Masa ciała, s. 709 → Ruch i sport, s. 748 |
| U kobiet bóle pleców podczas ciąży lub — przed i/lub podczas menstruacji lub — po wielu porodach lub — po okresie przejściowym ewentualnie w łączności z problemami nietrzymania moczu | Obciążenie kręgosłupa zwiększonym ciężarem ciała Objaw towarzyszący miesiączce Opadnięcie macicy | Pomagają najczęściej zabiegi cieplne, masaże i ćwiczenia rozluźniające. Jeżeli bóle się nasilają, ***wizyta u lekarza potrzebna*** → Dolegliwości w czasie ciąży, s. 536 → Bolesne miesiączkowanie, s. 473 → Relaks, s. 664 → Masaż, s. 658 → Opadnięcie macicy, s. 487 |
| Bóle pleców w związku z przeziębieniem | Objaw towarzyszący chorobie | Jeżeli dolegliwości po trzech dniach nie ustąpią, ***wizyta u lekarza potrzebna*** → Przeziębienie, „grypa", s. 283 |
| Bóle pleców po stosowaniu leków | Działanie uboczne — środków przeciw zaburzeniom cyklu płciowego, zawierających gestagen — leków przeciw poronieniu, zawierających allylesterenol, dydrogesteron, medrogeston, hydroksyprogesteron | Sprawdź w instrukcji załączonej do stosowanego leku, czy zawiera którąś z wymienionych substancji. Jeżeli lekarz nie zwrócił uwagi na możliwe działanie uboczne, ***wizyta u lekarza potrzebna*** → Leki i ich stosowanie, s. 617 |
| Bóle pleców po długotrwałym stosowaniu leków | Objaw rozrzedzenia kości jako działanie uboczne — glikokortykoidów, stosowanych np. w chorobach reumatycznych, astmie i alergii | Jeżeli wystąpią bóle, ***wizyta u lekarza potrzebna*** → Kortyzon (glikokortykoidy), s. 624 → Leki i ich stosowanie, s. 617 |
| Bóle pleców w dolnym odcinku kręgosłupa piersiowego i lędźwiowego po niezręcznym ruchu lub dźwignięciu dużego ciężaru | Naderwanie lub przykurcz mięśni pleców Lędźwioból Uszkodzenie tarczki międzykręgowej | Pomocne mogą być najczęściej zabiegi cieplne, masaże i ćwiczenia rozluźniające. Jeżeli bóle nie ustąpią po jednym dniu lub pojawiają się nawroty lędźwiobólu, ***wizyta u lekarza potrzebna*** → Postrzał, rwa kulszowa, dyskopatia, s. 433 |
| Bóle pleców w obrębie kręgosłupa lędźwiowego, promieniujące poprzez pośladek do uda lub nawet do stopy | Napięte mięśnie pleców Podrażnienie nerwu kulszowego Kręgozmyk | ***Wizyta u lekarza potrzebna*** → Postrzał, rwa kulszowa, dyskopatia, s. 433 |
| Bóle pleców z krzywą postawą ciała (jeden bark wyżej, kości biodrowe na różnych wysokościach) i — ewentualnie garb | Skrzywiony kręgosłup | ***Wizyta u lekarza potrzebna*** → Skrzywienie boczne kręgosłupa, s. 435 |

| Dolegliwości i objawy | Możliwe przyczyny | Co należy zrobić |
|---|---|---|
| Bóle pleców na przestrzeni całego kręgosłupa, stale nawracające,<br>— ewentualnie bóle kolana i<br>— ewentualnie ból pięt | Przewlekłe zesztywniające zapalenie stawów kręgosłupa | **Wizyta u lekarza potrzebna**<br>→ Zesztywniające zapalenie stawów kręgosłupa, s. 427 |
| U młodocianych bóle pleców już po niedużym obciążeniu i<br>— ewentualnie lekkie zgarbienie | Zmiany kręgów | **Wizyta u lekarza potrzebna**<br>→ Choroba Scheuermanna, s. 434 |
| Bóle pleców zwłaszcza w okolicy lędźwiowej i<br>— bóle przy oddawaniu moczu<br>— gorączka | Zapalenie miedniczek nerkowych | **Wizyta u lekarza potrzebna**<br>→ Ostre zapalenie miedniczek nerkowych, s. 393 |
| Bóle pleców oraz bóle podbrzusza i<br>— ewentualnie upławy i<br>— ewentualnie gorączka | Zapalenie macicy<br>Zapalenie jajnika | **Wizyta u lekarza potrzebna**<br>→ Zapalenie macicy, s. 484<br>→ Zapalenie jajnika, s. 489 |
| Bóle pleców po 50. roku życia, zwłaszcza u kobiet i<br>— ewentualnie często złamanie kości i<br>— ewentualnie zmniejszenie się wysokości ciała | Osteoporoza | **Wizyta u lekarza potrzebna**<br>→ Osteoporoza, s. 402 |
| Bóle pleców przez dłuższy czas przy rozpoznanej chorobie nowotworowej | Przerzuty do kręgosłupa | **Wizyta u lekarza potrzebna**<br>→ Nowotwory złośliwe, s. 437 |
| Silne bóle pleców z objawami niedowładu w nogach i<br>— zaburzenia czucia | Wypadnięcie jądra galaretowatego | **Wizyta lekarza pilnie potrzebna**<br>→ Dyskopatia, s. 433 |
| Nagłe bóle pleców po upadku lub zranieniu pleców i<br>— zanik czucia bólu i/lub dotyku<br>— porażenie kończyn dolnych | Złamanie kręgu | **Natychmiast wezwać pogotowie ratunkowe**<br>Leż spokojnie, nie ruszaj się. Każda zmiana pozycji może spowodować poważne skutki.<br>→ Pierwsza pomoc, s. 687 |

# POCHWA — WYCIEK, UPŁAWY

Niewielki wyciek z pochwy, niemający przykrego zapachu, jest całkiem prawidłowy i naturalny. Jeśli jednak jest on nadmierny, przyczyną tego objawu mogą być przeciążenia psychiczne, stresy, obawa przed kontaktem seksualnym, jak również grzyby i bakterie. Przykra woń jest zawsze oznaką infekcji narządu płciowego.

| Dolegliwości i objawy | Możliwe przyczyny | Co należy zrobić |
|---|---|---|
| Swędzący, piekący wyciek | | → Pochwa — świąd lub pieczenie, s. 107 |
| Mały wyciek | Pochwa jest wysłana błoną śluzową i wydzielanie płynu stanowi zjawisko całkowicie normalne | Mały wyciek z pochwy jest prawidłowy.<br>Noś bieliznę bawełnianą i nie używaj żadnych ostrych mydeł ani intymnych dezodorantów. |
| Mały, wodnisto-śluzowy wyciek, niemający przykrego zapachu i pojawiający się lub nasilający w połowie cyklu (między dwiema miesiączkami) | Jajeczkowanie | Normalna reakcja organizmu.<br>W okresie jajeczkowania może pojawić się wyciek lub się nasilić.<br>→ Zapobieganie ciąży, s. 515 |

| Dolegliwości i objawy | Możliwe przyczyny | Co należy zrobić |
|---|---|---|
| Wyciek niepachnący nieprzyjemnie, niepiekący i nieswędzący i<br>— stres<br>— przeciążenia<br>— problemy psychiczne | Reakcja organizmu na przeciążenia<br>Problemy życiowe | Wyciek cofa się sam po ustąpieniu przeciążenia fizycznego lub psychicznego.<br>→ Zapobieganie ciąży, s. 515<br>→ Zaburzenia samopoczucia, s. 175 |
| Wyciek, który nie pachnie nieprzyjemnie<br>— przy stosowaniu spirali<br>— przy zażywaniu pigułek antykoncepcyjnych | Podrażnienie przez spiralę<br>Zmiany hormonalne, spowodowane pigułką antykoncepcyjną<br>Nieszkodliwe zmiany szyjki macicy | Jeżeli wyciek przeszkadza lub jeśli równocześnie masz bóle w podbrzuszu,<br>*wizyta u lekarza potrzebna*<br>→ Zapobieganie ciąży, s. 515 |
| Wyciek podczas ciąży | Przestrojenie hormonalne | Zwiększony wyciek podczas ciąży jest prawidłowy.<br>Jeżeli masz także inne dolegliwości lub wyciek nieprzyjemnie pachnie,<br>*wizyta u lekarza potrzebna*<br>→ Dolegliwości w czasie ciąży, s. 536 |
| Białawy wyciek i<br>— ewentualnie świąd pochwy i/lub pieczenie i<br>— ewentualnie zaczerwienienie oraz zapalenie warg sromowych | Zakażenie bakteryjne pochwy<br>Zakażenie grzybami | *Wizyta u lekarza potrzebna*<br>→ Zapalenie pochwy, s. 482<br>→ Grzybice narządów płciowych, s. 510 |
| Żółtozielony, nieprzyjemnie pachnący wyciek i<br>— ewentualnie świąd pochwy i/lub pieczenie | Zakażenie bakteryjne pochwy i macicy<br>Rzęsistek pochwowy<br>Rzeżączka<br>Zapomniany tampon lub krążek dopochwowy | *Wizyta u lekarza potrzebna*<br>→ Zapalenie pochwy, s. 482<br>→ Zapalenie macicy, s. 484<br>→ Zakażenie rzęsistkiem pochwowym, s. 510<br>→ Rzeżączka, s. 514 |
| Słaby wyciek oraz<br>— bóle w podbrzuszu i<br>— bóle podczas stosunku płciowego i<br>— ewentualnie częste parcie na mocz i<br>— ewentualnie bóle przy oddawaniu moczu | Zakażenie chlamydiami lub mykoplazmą | *Wizyta u lekarza potrzebna*<br>→ Zakażenie chlamydią lub ureaplazmą, s. 511 |
| Wyciek z silnym bólem podbrzusza<br>— ewentualnie gorączka | Zapalenie jajowodu<br>Zapalenie jajnika | *Wizyta u lekarza potrzebna*<br>→ Zapalenie jajowodu, zapalenie jajnika, s. 489 |
| Wyciek krwisty | Krwawienie międzymiesiączkowe<br>Łagodne guzy macicy<br>Rak macicy lub szyjki macicy | *Wizyta u lekarza potrzebna*<br>→ Nieprawidłowe krwawienia, s. 474<br>→ Polipy, s. 484<br>→ Mięśniaki, s. 485<br>→ Zapalenie macicy, s. 484<br>→ Rak szyjki macicy, s. 487<br>→ Rak trzonu macicy, s. 488 |
| Podkrwawianie i silne bóle w podbrzuszu | Ciąża jajowodowa | *Wizyta u lekarza potrzebna*<br>→ Ciąża jajowodowa, s. 489 |

# POCHWA — ŚWIĄD LUB PIECZENIE

Swędzenie lub uczucie pieczenia w pochwie jest zawsze oznaką, że doszło w niej do stanu zapalnego. Co może być przyczyną tego objawu, odbierającego dobre samopoczucie? Między innymi infekcja, substancje chemiczne, ale także nadmierna nerwowość, problemy wynikające z kontaktów seksualnych i rozmaite schorzenia ogólnoustrojowe.

| Dolegliwości i objawy | Możliwe przyczyny | Co należy zrobić |
|---|---|---|
| Świąd i/lub pieczenie pochwy, gdy<br>— nosisz obcisłą syntetyczną bieliznę i/lub<br>— myjesz się mydłem wielokrotnie w ciągu dnia i/lub<br>— stosujesz dezodoranty intymne i/lub<br>— stosujesz irygacje pochwy i/lub<br>— stosujesz chemiczne środki antykoncepcyjne | Podrażnienie warg sromowych przez pocieranie<br>Podrażnienie pochwy mydłem<br>Podrażnienie pochwy środkami chemicznymi | Unikaj bielizny z materiału syntetycznego.<br>Myj się bez mydła lub preparatami niezawierającymi alkaliów.<br>Unikaj środków chemicznych.<br>→ Srom i pochwa, s. 482<br>→ Zapobieganie ciąży, s. 515 |
| Świąd pochwy po 45. roku życia bez ustalenia przyczyny i<br>— ewentualnie sucha pochwa | Niedobór hormonów | Jeżeli dolegliwości nie ustąpią po pewnym czasie,<br>*wizyta u lekarza potrzebna*<br>→ Okres przekwitania, s. 476 |
| Świąd i/lub pieczenie i<br>— bóle przy oddawaniu moczu i<br>— częstomocz | Zakażenie dróg moczowych | *Wizyta u lekarza potrzebna*<br>→ Zapalenie pęcherza moczowego, s. 391<br>→ Ostre zapalenie miedniczek nerkowych, s. 393 |
| Świąd pochwy i/lub pieczenie z niezwykłym wyciekiem | Zakażenie pochwy<br>Choroba weneryczna | *Wizyta u lekarza potrzebna*<br>→ Zapalenie pochwy, s. 482<br>→ Choroby weneryczne, s. 510 |
| Świąd i/lub pieczenie pochwy z<br>— brodawkami wielkości ziarna ryżu na wargach sromowych lub<br>— małymi pęcherzami na wargach sromowych lub<br>— bardzo bolesnymi guzowatościami | Kłykciny<br>Opryszczka narządu płciowego<br>Zapalenie gruczołów Bartholina | *Wizyta u lekarza potrzebna*<br>→ Choroby weneryczne, s. 510<br>→ Zapalenie gruczołów Bartholina, s. 483 |
| Świąd pochwy z silnym pragnieniem i<br>— ewentualnie spadek masy ciała | Cukrzyca | *Wizyta u lekarza potrzebna*<br>→ Cukrzyca, s. 449 |
| Świąd pochwy z małym sączącym miejscem, które się nie goi i<br>— ewentualnie obrzęk | Rak sromu i pochwy | *Wizyta u lekarza potrzebna*<br>→ Rak sromu i pochwy, s. 483 |

# PODBRZUSZE — BÓLE U KOBIET

Wszystkie narządy wewnętrzne, dzięki którym jesteś kobietą, a więc macica, jajniki i jajowód mogą być przyczyną bólów obejmujących podbrzusze. Taka już jest dola płci żeńskiej…

| Dolegliwości i objawy | Możliwe przyczyny | Co należy zrobić |
|---|---|---|
| Lekkie, ciągnące bóle w podbrzuszu w rzucie jajników, które<br>— występują przed jajeczkowaniem lub<br>— przed lub podczas miesiączki | Normalna reakcja | Lekkie, ciągnące pobolewanie nie jest powodem do niepokoju, u niektórych kobiet w ten sposób zapowiada się jajeczkowanie lub miesiączka.<br>→ Zapobieganie ciąży, s. 515<br>→ Bolesne miesiączkowanie, s. 473 |
| Bóle podbrzusza spowodowane niechęcią do stosunku z partnerem i<br>— ewentualnie kurcze pochwy i<br>— ewentualnie bóle przy wprowadzaniu prącia | Mechanizm obronny ustroju przy zahamowaniach psychicznych | Spróbuj dociec przyczyny braku pożądania seksualnego.<br>Jeżeli bóle mimo to nie ustąpią,<br>*wizyta u lekarza potrzebna*<br>→ Zaburzenia seksualne u kobiet, s. 501<br>→ Zaburzenia samopoczucia, s. 175<br>→ Poradnictwo i psychoterapia, s. 670 |
| Bóle podbrzusza i bóle podczas oddawania moczu i/lub częstomocz | Zakażenie pęcherza i dróg moczowych<br>Choroby weneryczne | *Wizyta u lekarza potrzebna*<br>→ Zapalenie pęcherza moczowego, s. 391<br>→ Choroby weneryczne, s. 510 |
| Bóle podbrzusza w okolicy jajników i jajowodów i<br>— ewentualnie nietypowy wyciek i<br>— ewentualnie bóle podczas stosunku i<br>— ewentualnie gorączka | Zapalenie jajnika<br>Zapalenie jajowodu<br>Zapalenie macicy<br>Choroby weneryczne<br>Endometrioza | *Wizyta u lekarza potrzebna*<br>→ Zapalenie jajowodu lub jajnika, s. 489<br>→ Zapalenie macicy, s. 484<br>→ Choroby weneryczne, s. 510<br>→ Endometrioza, s. 485 |
| Silne bóle podbrzusza i krwawienia podczas ciąży | Poronienie | *Natychmiast wezwać pogotowie ratunkowe*<br>→ Poronienie, s. 539 |
| Silne bóle podbrzusza po jednej stronie i ewentualnie krwawienie z dróg rodnych tydzień lub więcej po oczekiwanej miesiączce i<br>— pocenie się i<br>— „nitkowate" tętno | Ciąża jajowodowa | *Natychmiast wezwać pogotowie ratunkowe*<br>→ Ciąża jajowodowa, s. 489 |

# POŁYKANIE — ZABURZENIA

Trudności w przełykaniu są często objawem towarzyszącym rozmaitym chorobom gardła. Czasem jednak, choć jesteśmy przekonani, że coś nam utknęło w gardle, wcale tak nie jest, to tylko złudzenie…

| Dolegliwości i objawy | Możliwe przyczyny | Co należy zrobić |
| --- | --- | --- |
| Dolegliwości przy połykaniu, uczucie obecności kluski w gardle i<br><br>— ewentualnie zgaga i<br><br>— ewentualnie odbijania | Problemy psychiczne<br><br>Drażliwy żołądek | Spróbuj ustalić, czego nie chcesz połykać. Jeżeli ci się to nie udaje, ***wizyta u lekarza potrzebna***<br><br>→ Żołądek drażliwy, s. 362<br><br>→ Zaburzenia samopoczucia, s. 175<br><br>→ Poradnictwo i psychoterapia, s. 670 |
| Dolegliwości przy połykaniu z pieczeniem w przełyku (zgaga) i<br><br>— ewentualnie kwaśne odbijania i<br><br>— ewentualnie bóle w klatce piersiowej | Sok żołądkowy przedostaje się do przełyku | Jeżeli stale cierpisz na takie dolegliwości, ***wizyta u lekarza potrzebna***<br><br>→ Odbijania kwaśne, s. 360<br><br>→ Zapalenie przełyku, s. 361 |
| Dolegliwości przy połykaniu z uczuciem ucisku lub obecności ciała obcego w przełyku i<br><br>— ewentualnie drapanie w szyi | Prawdopodobnie cząsteczka pokarmu utkwiła w przełyku, jednakże najczęściej to tylko uczucie, że coś drażni | Pij dużo.<br>Jeżeli dolegliwości nie ustąpią po godzinie lub powtarzają się, ***wizyta u lekarza potrzebna***<br><br>→ Przełyk, s. 360<br><br>→ Uchyłki przełyku, s. 361 |
| Dolegliwości przy połykaniu z zaczerwienionym, bolesnym gardłem i<br><br>— ewentualnie chrypka i<br><br>— ewentualnie kaszel i<br><br>— ewentualnie gorączka | Przeziębienie<br>Zapalenie gardła<br>Zapalenie migdałków<br>Zapalenie krtani<br>Zapalenie strun głosowych | Jeżeli dolegliwości nie ustąpią po trzech dniach, ***wizyta u lekarza potrzebna***<br><br>→ Przeziębienie, „grypa", s. 283<br><br>→ Zapalenie gardła, s. 288<br><br>→ Zapalenie migdałków, s. 288<br><br>→ Zapalenie krtani, zapalenie strun głosowych, s. 289 |
| Dolegliwości przy połykaniu z pęcherzykami w jamie ustnej i<br><br>— ewentualnie gnilny zapach i<br><br>— ewentualnie gorączka | Zapalenie jamy ustnej opryszczkowe | ***Wizyta u lekarza potrzebna***<br><br>→ Zapalenie błony śluzowej jamy ustnej, s. 357 |
| Dolegliwości przy połykaniu spowodowane wolem | Zwężenie przełyku przez ucisk wola | ***Wizyta u lekarza potrzebna***<br><br>→ Wole, s. 461 |
| Dolegliwości przy połykaniu i niedokrwistość | Niedobór żelaza | ***Wizyta u lekarza potrzebna***<br><br>→ Niedokrwistość, s. 324 |
| Kurczowe dolegliwości przy połykaniu z uczuciem dławienia i<br><br>— ewentualnie zanik mimiki twarzy (twarz bez wyrazu) | Zwężenie przełyku<br>Twardzina | ***Wizyta u lekarza potrzebna***<br><br>→ Zwężenie przełyku, s. 361<br><br>→ Twardzina układowa, (sklerodermia), s. 429 |

| Dolegliwości i objawy | Możliwe przyczyny | Co należy zrobić |
|---|---|---|
| Dolegliwości przy połykaniu utrzymujące się przez dłuższy czas i<br>— ewentualnie zapach z ust i<br>— ewentualnie wymioty i<br>— ewentualnie chrypka i<br>— ewentualnie niewytłumaczalny spadek wagi ciała | Rak przełyku<br>Guz krtani | *Wizyta u lekarza potrzebna*<br>→ Rak przełyku, s. 362<br>→ Guzy krtani, s. 290 |
| Dolegliwości przy połykaniu i<br>— nudności i<br>— zimny pot i<br>— widzenie podwójnych obrazów i<br>— opadające powieki i<br>— niedrożność porażenna jelit | Najcięższe zatrucie pokarmowe (jad kiełbasiany) | *Natychmiast wezwać pogotowie ratunkowe*<br>→ Zapalenie żołądka ostre, s. 364 |
| Dolegliwości przy połykaniu z silnym kaszlem i dusznością | Cząsteczka pokarmu w tchawicy | Wykonaj skłon głowy i spróbuj wykaszleć ciało obce (ktoś powinien uderzać w plecy). Dzieci unieść nogami do góry i uderzać w plecy.<br><br>Jeżeli te zabiegi zawodzą, a dławienie utrzymuje się nadal,<br><br>*natychmiast wezwać pogotowie ratunkowe*<br>→ Pierwsza pomoc, s. 687 |

# PORAŻENIA

Gdy wystąpi porażenie, należy natychmiast udać się do lekarza lub wezwać pogotowie ratunkowe. Jeżeli uważasz, że twój organizm przekazuje ci informacje, to należy się zastanowić, dlaczego i czym zostałeś „porażony".

| Dolegliwości i objawy | Możliwe przyczyny | Co należy zrobić |
|---|---|---|
| Objawy porażenia ze znieczulicą kończyn dolnych (rzadko górnych) i<br>— bóle krzyża i lędźwi mogące promieniować do nogi | Uszkodzenie krążków międzykręgowych | *Wizyta u lekarza pilnie potrzebna*<br>→ Uszkodzenie krążków międzykręgowych, s. 431 |
| Objawy porażenne z brakiem czucia w kończynach górnych lub dolnych i<br>— ewentualnie gorączka i<br>— ewentualnie bóle głowy i<br>— ewentualnie zaburzenia mowy i<br>— ewentualnie oszołomienie | Zapalenie mózgu<br>Ropień mózgu | *Wizyta lekarza pilnie potrzebna*<br>→ Zapalenie mózgu, s. 206<br>→ Ropień mózgu, s. 207 |
| Porażenie połowy twarzy lub innych mięśni twarzy | Uszkodzenie nerwu<br>Ukłucie przez kleszcza | *Wizyta u lekarza pilnie potrzebna*<br>→ Porażenie nerwu twarzowego, s. 217<br>→ Choroba Lyme (borelioza), s. 214 |
| Objawy porażenia połowiczego i nieprzytomność po urazie głowy | Uszkodzenie naczyń krwionośnych mózgu | *Wizyta lekarza pilnie potrzebna*<br>→ Wstrząs mózgu, s. 204 |

| Dolegliwości i objawy | Możliwe przyczyny | Co należy zrobić |
|---|---|---|
| Objawy porażenne po wypadku | Uszkodzenie rdzenia kręgowego przez obrzęk, wylew krwi lub przerwanie rdzenia | ***Natychmiast wezwać pogotowie ratunkowe***<br>→ Urazy rdzenia kręgowego, s. 213 |
| Porażenie jednej kończyny górnej lub dolnej lub całej połowy ciała i<br>— ewentualnie zaburzenie widzenia i<br>— ewentualnie zaburzenie mowy i<br>— ewentualnie oszołomienie i<br>— ewentualnie nieprzytomność | Przejściowe zaburzenie ukrwienia<br>Udar mózgu<br>Wylew krwi do mózgu | ***Natychmiast wezwać pogotowie ratunkowe***<br>→ Przejściowe zaburzenie ukrwienia, s. 207<br>→ Krwotok mózgowy, s. 207<br>→ Udar mózgu, s. 208 |

# POTLIWOŚĆ NADMIERNA

Jeżeli pot „wychodzi ci wszystkimi dziurkami", jest to reakcja organizmu na stres, lęk, i zdenerwowanie. Jednak do pocenia się mogą prowadzić także: nadwaga, wysiłek fizyczny, niewłaściwy ubiór, przestrojenie hormonalne i różne choroby.

| Dolegliwości i objawy | Możliwe przyczyny | Co należy zrobić |
|---|---|---|
| Silne pocenie się połączone z<br>— lękiem i/lub<br>— stresem i/lub<br>— zdenerwowaniem (wówczas potliwość ogranicza się czasami wyłącznie do rąk lub stóp) | Normalna reakcja organizmu | Pojawienie się potu jest mową organizmu. Weź to pod uwagę.<br>→ Zaburzenia samopoczucia, s. 175 |
| Regularnie silne pocenie się i nadwaga | Objaw towarzyszący nadwadze | Postaraj się schudnąć. Nie noś obcisłej garderoby z włókien sztucznych.<br>→ Masa ciała, s. 709 |
| Silne pocenie się spowodowane ubraniem | Włókna sztuczne, pod którymi skóra nie może oddychać<br>Zbyt obcisły ubiór | Noś ubranie z włókien naturalnych.<br>Unikaj obcisłej odzieży. |
| Silne pocenie się u kobiet<br>— podczas miesiączki lub<br>— po 45. roku życia | Objaw towarzyszący miesiączce<br>Przestawienie hormonalne w okresie przekwitania | → Miesiączkowanie, s. 472<br>→ Okres przekwitania, s. 476 |
| Silne pocenie się po zażyciu leków | Działanie uboczne<br>— leków przeciwbólowych, zwłaszcza zawierających kwas acetylosalicylowy (aspiryna) i metamizol<br>— leków obniżających poziom cukru we krwi u chorych na cukrzycę<br>— leków przeciw chorobom jelit i pęcherza moczowego, zawierających distygminę, pirydostygminę, neostygminę<br>— hormonów tarczycy<br>— leków stosowanych w chorobach dróg żółciowych, które zawierają papawerynę, ksenytropium<br>— leków pobudzających ukrwienie zawierających piracetam | Sprawdź w instrukcji załączonej do zażywanego leku, czy zawiera którąś z wymienionych substancji.<br>Jeżeli kupiłeś lek bez recepty, zaniechaj jego stosowania.<br>Jeżeli lek był zaordynowany przez lekarza,<br>***wizyta u lekarza potrzebna***<br>→ Leki i ich stosowanie, s. 617 |

| Dolegliwości i objawy | Możliwe przyczyny | Co należy zrobić |
|---|---|---|
| Silne pocenie się po operacji żołądka i<br>— ewentualnie drżenie | Zbyt szybkie przemieszczenie się pokarmu do jelita | Jedz mniejsze porcje, za to częściej.<br>Jeżeli pocenie się mimo to nie ustąpi,<br>***wizyta u lekarza potrzebna*** |
| Silne poty u niemowląt (np. podczas picia) | Zaburzenie przemiany materii | ***Wizyta u lekarza potrzebna***<br>→ Mukowiscydoza, s. 562 |
| Silne pocenie się u chorych na cukrzycę | Niedocukrzenie | Jeśli to możliwe, należy ustalić poziom cukru we krwi.<br>*Działanie natychmiastowe*: spożyj dwie pastylki cukru gronowego, następrie kromkę chleba lub jedno jabłko.<br>Jeżeli niedocukrzenia się powtarzają,<br>***wizyta u lekarza potrzebna***<br>→ Cukrzyca, s. 449 |
| Silne pocenie się u alkoholików po zaprzestaniu picia alkoholu i<br>— ewentualnie drżenie i<br>— ewentualnie niepokój i<br>— ewentualnie dezorientacja | Objaw towarzyszący abstynencji | Jeżeli dotąd nie jesteś pod opieką lekarską,<br>***wizyta u lekarza potrzebna***<br>→ Alkoholizm, s. 198 |
| Silne pocenie się z<br>— nerwowością i<br>— spadkiem wagi ciała i<br>— drżenie i<br>— ewentualnie wytrzeszcz gałek ocznych | Nadczynność tarczycy | ***Wizyta u lekarza potrzebna***<br>→ Nadczynność tarczycy, s. 463 |
| Pocenie się, świąd i<br>— złe samopoczucie i<br>— ewentualnie chudnięcie | Nowotwór układu chłonnego (chłoniak) | ***Wizyta u lekarza potrzebna***<br>→ Ziarnica złośliwa (choroba Hodgkina), s. 333 |
| Zlewne poty z uporczywym kaszlem zwłaszcza nocą i<br>— spadek wagi ciała | Gruźlica<br>Rak płuca | ***Wizyta u lekarza potrzebna***<br>→ Gruźlica, s. 297<br>→ Rak płuc, s. 300 |
| Zlewne poty z zimnym potem i<br>— silne bóle brzucha i<br>— twardy brzuch i<br>— wymioty i<br>— „nitkowate tętno" | Pękniecie jakiegoś narządu jamy brzusznej (np. żołądka, wyrostka robaczkowego, pęcherzyka żółciowego) | ***Natychmiast wezwać pogotowie ratunkowe*** |
| Silne pocenie się z silnymi bólami promieniującymi z okolicy przedsercowej i<br>— zimny pot i<br>— nudności i<br>— duszność | Zawał serca | *Działanie natychmiastowe*: rozgryź kapsułkę nitrogliceryny i zażyj tabletkę aspiryny.<br>***Natychmiast wezwać pogotowie ratunkowe***<br>→ Zawał serca, s. 316 |

# PRAGNIENIE

Jeśli odczuwasz większe niż zazwyczaj pragnienie, to na ogół jest to całkiem zdrowy sygnał twego organizmu, że potrzebuje więcej wody. Ale bywa — lecz dość rzadko — że wzmożone pragnienie może wskazywać na istnienie ciężkiego schorzenia.

| Dolegliwości i objawy | Możliwe przyczyny | Co należy zrobić |
|---|---|---|
| Silne pragnienie przy wysokich temperaturach (sauna) i/lub<br>— poty podczas dużych wysiłków fizycznych (sport itp.) | Fizjologiczny mechanizm regulacyjny | Pij herbatę lub wodę mineralną. |
| Silne pragnienie po spożyciu mocno nasolonych potraw | Słone potrawy | Pij herbatę lub wodę mineralną. |
| Silne pragnienie nazajutrz po wypiciu dużej ilości alkoholu | Objaw towarzyszący alkoholizmowi | Jeżeli często dużo pijesz i chciałbyś się od tego uwolnić,<br>*wizyta u lekarza potrzebna*<br>→ Alkohol, s. 742<br>→ Alkoholizm, s. 198 |
| Silne pragnienie przy dłużej utrzymującej się biegunce | Normalny mechanizm regulacyjny | Pij tyle herbaty lub wody mineralnej, ile tylko możesz.<br>Jeżeli nie jesteś jeszcze pod opieką lekarską,<br>*wizyta u lekarza potrzebna*<br>→ Zakażenia jelitowe, s. 378 |
| Silne pragnienie przy chorobach gorączkowych | Normalny mechanizm regulacyjny | Pij dużo herbaty lub wody mineralnej.<br>Jeżeli gorączka utrzymuje się dłużej niż trzy dni,<br>*wizyta u lekarza potrzebna* |
| Silne pragnienie i<br>— częste oddawanie moczu i<br>— znużenie i<br>— spadek wagi ciała | Cukrzyca | *Wizyta u lekarza potrzebna*<br>→ Cukrzyca, s. 449 |
| Silne pragnienie i<br>— częste oddawanie moczu i<br>— zmęczenie i<br>— ewentualnie bóle żołądka i<br>— ewentualnie napadowe bóle nerek (kolka nerkowa) | Nadczynność przytarczyc | *Wizyta u lekarza potrzebna*<br>→ Nadczynność przytarczyc, s. 466 |
| Silne pragnienie przy przewlekłych chorobach nerek | Następstwo choroby | *Wizyta u lekarza potrzebna* |
| Silne pragnienie i<br>— duża ilość moczu | Zaburzenia hormonalne (moczówka prosta) | *Wizyta u lekarza potrzebna* |

# PRĄCIE — CHOROBY

Kiedy odczuwasz ból prącia lub też z cewki moczowej wydobywa się jakaś wydzielina, są to zazwyczaj objawy zapalenia. Powtarzające się takie symptomy mogą jednak wskazywać, że boisz się — świadomie lub nieświadomie — kontaktów seksualnych i w ten sposób rozbrajasz narząd...

| Dolegliwości i objawy | Możliwe przyczyny | Co należy zrobić |
| --- | --- | --- |
| Zaburzenia erekcji | | → Zaburzenia seksualne u mężczyzn, s. 504 |
| Bóle prącia podczas stosunku płciowego | | → Stosunek płciowy bolesny u mężczyzn, s. 141 |
| Bóle prącia podczas oddawania moczu | | → Mocz — zaburzenia oddawania, s. 79 |
| Wyciek z cewki i<br>— ewentualne bóle przy oddawaniu moczu | Różne choroby weneryczne | *Wizyta u lekarza potrzebna*<br>→ Choroby weneryczne, s. 510 |
| Stan zapalny prącia i<br>— ewentualne białe naloty na żołędzi i napletku | Niedostateczna higiena<br>Grzybica | *Wizyta u lekarza potrzebna*<br>→ Zapalenie żołędzi i napletka, s. 493 |
| Stan zapalny prącia i pęcherzyki na żołędzi i/lub napletku i<br>— w późniejszym okresie małe owrzodzenie ze strupami | Opryszczka narządu płciowego | *Wizyta u lekarza potrzebna*<br>→ Opryszczka narządów płciowych, s. 512<br>→ Zapalenie żołędzi i napletka, s. 493 |
| Owrzodzenie i grudki na prąciu, które<br>— ewentualnie sączą lub krwawią | Kłykciny kończyste<br>Kiła<br>Wczesne stadium raka | *Wizyta u lekarza potrzebna*<br>→ Kłykciny kończyste, s. 512<br>→ Kiła, s. 513<br>→ Rak prącia, s. 494 |
| Świąd prącia i<br>— nadmierne pragnienie i<br>— częste oddawanie moczu | Cukrzyca | *Wizyta u lekarza potrzebna*<br>→ Cukrzyca, s. 449 |
| Bóle prącia i zwężony napletek | Zwężenie napletka | *Wizyta u lekarza potrzebna*<br>→ Stulejka, s. 558 |

# RAMIONA I RĘCE — BÓLE

Bóle w ramionach lub w rękach mogą powstać na skutek nadmiernego przeciążenia lub naderwania mięśni, ścięgien i więzadeł. W niektórych wypadkach są jednak także wskazówką rozwoju poważnych schorzeń. Jeśli czujesz się często „połamany", zbyt rzadko natomiast „zdolny do wszystkiego", lub też raz po raz łamiesz sobie ręce, zastanów się, czy nie dźwigasz ciężarów przekraczających twoje możliwości, lub też dlaczego przy takiej czynności musisz przystawać, aby odpocząć?

| Dolegliwości i objawy | Możliwe przyczyny | Co należy zrobić |
| --- | --- | --- |
| Bóle ramion po nadmiernym obciążeniu, np. w sporcie | Ból mięśniowy | Oszczędzaj się. Ból mięśniowy przemija samoistnie. Zabiegi cieplne i masaż najczęściej pomagają.<br>→ Bóle mięśni, s. 406<br>→ Masaż, s. 658<br>→ Stretching (rozciąganie), s. 749 |

| Dolegliwości i objawy | Możliwe przyczyny | Co należy zrobić |
|---|---|---|
| Bóle stawów nadgarstkowych po czynnościach, do których nie jesteś przyzwyczajony, lub monotonnych, np. pisanie na maszynie | Zapalenie pochewki ścięgna | Pozostaw stawy nadgarstkowe i kciuka w spokoju, ochłódź bolesne miejsce. Jeżeli sam nie potrafisz łagodzić dolegliwości albo bóle nawracają, *wizyta u lekarza potrzebna* → Zapalenie pochewki ścięgna, s. 412 → Leczenie zimnem, s. 652 |
| Bóle ramion i barków, zwłaszcza po stronie ręki „używanej" (przewodzącej) | Wzmożone napięcie mięśni<br>Objawy zużycia<br>„Ramię tenisisty" | Jeżeli często masz takie bóle, *wizyta u lekarza potrzebna* → Reumatyzm pozastawowy, s. 429 → Choroba zwyrodnieniowa stawów, s. 421 |
| Zaczerwienienie, obrzęk oraz bolesność łokcia i<br>— ewentualnie ograniczenie ruchów | Zapalenie kaletki maziowej | Pozostaw łokieć w spokoju i ochłódź bolesne miejsce. Jeżeli sam nie potrafisz złagodzić dolegliwości albo bóle stale nawracają, *wizyta u lekarza potrzebna* → Zapalenie kaletki maziowej, s. 412 → Leczenie zimnem, s. 652 |
| Bóle przy zginaniu lub prostowaniu nadgarstka po nienormalnym obciążeniu | Naderwanie ścięgna i więzadeł | Unieść i ochłodzić kończynę. *Wizyta u lekarza potrzebna* → Naderwanie ścięgien, naderwanie więzadeł, s. 411 |
| Bolesność, białawe zabarwienie palców<br>— ewentualnie po przebywaniu w chłodzie | Reakcja na zimno<br>Odmrożenia<br>Kurcz naczyń krwionośnych<br>Różne choroby | Jeżeli palce często zabarwiają się na biało lub przebywałeś tak długo w chłodzie, że możesz mieć odmrożenia, *wizyta u lekarza potrzebna* → Pierwsza pomoc, s. 687 → Odmrożenie, s. 256 → Choroba Raynauda, s. 314 → Twardzina układowa (sklerodermia), s. 429 |
| Bóle stawów międzypaliczkowych rąk i<br>— zaczerwienienie oraz obrzęk stawów i<br>— rano bóle i sztywność po wstaniu z łóżka i<br>— ewentualnie gorączka | Zapalne choroby stawów | *Wizyta u lekarza potrzebna* → Reumatoidalne zapalenie stawów, s. 423 |
| Bóle obwodowych stawów międzypaliczkowych rąk | Objaw zużycia (zwyrodnienia) | *Wizyta u lekarza potrzebna* → Choroba zwyrodnieniowa stawów, s. 421 |
| Bóle ramion promieniujące z karku i<br>— ewentualnie bóle potylicy<br>— ewentualnie zaburzenia czucia w ramionach | Dyskopatia | *Wizyta u lekarza potrzebna* → Dyskopatia, s. 433 |

| Dolegliwości i objawy | Możliwe przyczyny | Co należy zrobić |
|---|---|---|
| Bóle w ramieniu promieniujące do ręki i pojawiające się zwłaszcza nocą i<br>— mrowienie lub brak czucia w palcach | Ucisk na nerw w stawie nadgarstkowym (zespół cieśni nadgarstka) | *Wizyta u lekarza potrzebna*<br>→ Reumatyzm pozastawowy, s. 429 |
| Bóle w ramionach z bolesnym zesztywnieniem i zniekształceniem kręgosłupa i<br>— ewentualnie bóle pięt | Przewlekłe zesztywniające zapalenie kręgosłupa | *Wizyta u lekarza potrzebna*<br>→ Zesztywniające zapalenie stawów kręgosłupa, s. 427 |
| Bóle i obrzęk ramienia po operacji sutka lub<br>— po napromienieniu i/lub<br>— po napromienieniu dołu pachowego | Obrzęk limfatyczny | *Wizyta u lekarza potrzebna*<br>→ Rak sutka, s. 480 |
| Ból ramienia lub stawów nadgarstkowych po upadku, wypadku lub krańcowych ruchach oraz<br>— ewentualnie krwiak i<br>— ewentualnie obrzęk ramienia lub ręki i<br>— ewentualnie ramię lub ręka prawie nieruchome lub<br>— ruchome w nietypowym miejscu | Skręcenie lub zwichnięcie stawu<br>Naderwanie lub rozdarcie ścięgna<br>Naderwanie lub rozdarcie więzadeł<br>Złamanie kości | *Działanie natychmiastowe*: pozostaw ramię lub rękę w spokoju.<br>*Wizyta u lekarza potrzebna*<br>→ Skręcenie, s. 417<br>→ Zwichnięcie, s. 418<br>→ Naderwanie, rozdarcie ścięgien, naderwanie, rozdarcie więzadeł, s. 411<br>→ Złamania kości, s. 400 |
| Bóle głównie w lewym ramieniu, promieniujące z okolicy przedsercowej, z uczuciem, jakby żelazny pierścień opasał klatkę piersiową, i<br>— zaburzenia oddechu i<br>— ewentualnie częstoskurcz i kołatanie serca | Niedobór tlenu w sercu na skutek zwężenia tętnic wieńcowych serca<br>Problemy psychiczne | *Wizyta u lekarza potrzebna*<br>→ Dusznica bolesna, s. 315<br>→ Częstoskurcz serca, s. 320 |
| Bóle zwłaszcza w lewym ramieniu oraz silne bóle w klatce piersiowej i<br>— ściskanie i<br>— duszność i<br>— zimny pot i<br>— lęk i<br>— ewentualne nudności i<br>— wymioty | Zawał serca | *Natychmiast wezwać pogotowie ratunkowe*<br>→ Zawał serca, s. 316 |
| Bóle w ramieniu oraz duszność i<br>— kaszel i<br>— bóle w klatce piersiowej i<br>— częstoskurcz serca i<br>— ewentualnie krwisty kaszel i<br>— kilka dni wcześniej uczucie naprężenia w łydkach | Zawał płuca | *Natychmiast wezwać pogotowie ratunkowe*<br>→ Zawał płuca, s. 298 |

# SEKSUALNE ZABURZENIA U KOBIET

Idziesz do łóżka bez entuzjazmu, nie przeżywasz orgazmu? Często przyczyną są fałszywe wyobrażenia, zły dobór partnera, wychowanie w przekonaniu, że kontakty seksualne są czymś niedobrym. W wielu wypadkach należy jednak również rozważyć, czy przeszkodą nie są problemy psychiczne lub schorzenia fizyczne, utrudniające normalne pożycie, tłumiące radość, jaką daje seks.

| Dolegliwości i objawy | Możliwe przyczyny | Co należy zrobić |
|---|---|---|
| Bóle podczas stosunku płciowego | | → Stosunek płciowy bolesny, s. 140 |
| | | → Pochwa — świąd lub pieczenie, s. 107 |
| Brak pożądania seksualnego | Podświadome odrzucenie partnera | Jeżeli cierpisz z powodu swej oziębłości seksualnej, szukaj pomocy w poradni zdrowia dla kobiet lub uwzględnij poradnictwo lecznicze. |
| | Wychowanie we wrogości do seksu | |
| | Problemy psychiczne | |
| | Nieujawniona skłonność do miłości lesbijskiej | → Zaburzenia seksualne u kobiet, s. 501 |
| | | → Poradnictwo i psychoterapia, s. 670 |
| Brak pożądania seksualnego przez dłuższy czas, mimo że w przeszłości seks dawał ci zadowolenie | „Faza braku chęci" | Spróbuj ustalić przyczyny swojej oziębłości płciowej. |
| | Znużenie przez nadmierne wymagania | Jeżeli to nie pomoże, a cierpisz z tego powodu, szukaj pomocy w poradni zdrowia dla kobiet lub uwzględnij poradnictwo lecznicze. |
| | Problemy z partnerem | |
| | Znudzenie stosunkiem płciowym | |
| | Problemy psychiczne | → Zaburzenia seksualne u kobiet, s. 501 |
| | | → Poradnictwo i psychoterapia, s. 670 |
| Brak pożądania seksualnego po ciężkiej chorobie lub podczas przewlekłych chorób | Normalna reakcja osłabionego organizmu | Jeżeli niechęć seksualna nie ustąpi dwa miesiące po chorobie, a cierpisz z tego powodu, |
| | Objaw towarzyszący chorobom przewlekłym | **wizyta u lekarza potrzebna** |
| | | → Zaburzenia seksualne u kobiet, s. 501 |
| Małe potrzeby seksualne lub seksualna oziębłość i | Normalna reakcja na przemęczenie lub przeciążenie | Jeżeli cierpisz z powodu oziębłości, spróbuj znaleźć dla siebie więcej czasu, by pójść śladem marzeń. |
| — ewentualnie apatia | Duże zmiany życiowe powodujące zajęcie się innymi sprawami | → Relaks, s. 664 |
| | | → Zdrowie i dobre samopoczucie, s. 173 |
| Brak pożądania seksualnego lub zaburzenia orgazmu po urodzeniu dziecka | Normalna reakcja | Zajęcia przy dziecku wymagają w początkowym okresie po porodzie wiele czasu i energii. |
| | Nadmierne wymagania ze strony dziecka | |
| | Bolesny szew krocza | To normalne, że swojej roli jako kochanki w tym czasie nie uważasz za najważniejszą. Ponadto szew krocza może jeszcze przez jakiś czas sprawiać ból. |
| | | Jeżeli pożądanie seksualne nie obudzi się znowu po trzech miesiącach, a cierpisz z tego powodu, |
| | | **wizyta u lekarza potrzebna** |
| | | → Stan po porodzie, s. 548 |
| | | → Zaburzenia seksualne u kobiet, s. 501 |

| Dolegliwości i objawy | Możliwe przyczyny | Co należy zrobić |
|---|---|---|
| Zaburzenia orgazmu podczas pierwszych stosunków z mężczyzną | Normalna reakcja | Zapomnij o jakimkolwiek przymusie. „Oddawanie się" wymaga wiele zaufania do siebie i do partnera, a także dostosowania się partnerów. Miej cierpliwość i powiedz partnerowi bez wstydu, co ci najbardziej odpowiada.<br><br>Jeżeli nigdy nie przeżywasz orgazmu lub rzadko, a cierpisz z tego powodu,<br><br>***wizyta u lekarza potrzebna***<br><br>→ Zaburzenia seksualne u kobiet, s. 501<br><br>→ Poradnictwo i psychoterapia, s. 670 |
| Problemy podczas stosunku płciowego ze względu na brak orgazmu lub<br><br>— tylko rzadko osiągasz szczytowanie | Obiegowe wyobrażenia o tym, jak kobiety dochodzą do szczytowania<br><br>Mało wczuwający się partner<br><br>Podświadome odrzucanie partnera<br><br>Lęki przed zagubieniem się<br><br>Nieujawnione skłonności seksualne<br><br>Wychowanie w duchu wrogości do seksu<br><br>Problemy psychiczne | Powiedz partnerowi, co cię pobudza i obstawaj przy swoich skłonnościach.<br><br>Wszystko, co dwoje ludzi dobrowolnie czyni razem, jest normalne.<br><br>Jeżeli mimo przyjemnego pożycia seksualnego nie masz orgazmu i odczuwasz to jako brak,<br><br>***wizyta u lekarza potrzebna***<br><br>→ Zaburzenia seksualne u kobiet, s. 501<br><br>→ Poradnictwo i psychoterapia, s. 670 |
| Problemy seksualne po zastosowaniu leków | Działanie uboczne<br><br>— leków uspokajających i przeciw alergii, zawierających prometazynę<br><br>— leków przeciwpsychotycznych (neuroleptyki) | Sprawdź w instrukcji załączonej do zażywanego leku, czy zawiera którąś z wymienionych substancji. Jeśli tak,<br><br>***wizyta u lekarza potrzebna***<br><br>→ Leki i ich stosowanie, s. 617 |
| Kurcze pochwy i<br><br>— bóle przy wprowadzaniu prącia do pochwy lub<br><br>— wprowadzenie jest niemożliwe | Problemy psychiczne, lęki, odrzucany partner, mało czuły partner, wychowanie we wrogości seksualnej | Żeby wyjść ze spirali lęków, bólów i odrzucania,<br><br>***wizyta u lekarza potrzebna***<br><br>→ Zaburzenia seksualne u kobiet, s. 501<br><br>→ Zdrowie i dobre samopoczucie, s. 173<br><br>→ Poradnictwo i psychoterapia, s. 670 |

# SEKSUALNE ZABURZENIA U MĘŻCZYZN

Lepiej nie mówić, co to znaczy, kiedy mężczyzna nie ma dość potencji, by wykazać, że jest nim naprawdę. Lęk, że nie sprosta zadaniu, że członek nie usztywni się wystarczająco, aby spełnić swą funkcję, działa paraliżująco. Przyczyną czasem może być także stres, powodem niesprawdzenia bywają również niektóre choroby ograniczające chęć do współżycia i doznawania radości.

| Dolegliwości i objawy | Możliwe przyczyny | Co należy zrobić |
|---|---|---|
| Zaburzenia erekcji przy chorobach prącia, bolesne stosunki płciowe | | → Choroby układu płciowego u mężczyzn, s. 492<br><br>→ Stosunek płciowy bolesny, s. 141 |

| Dolegliwości i objawy | Możliwe przyczyny | Co należy zrobić |
|---|---|---|
| Zaburzenia wzwodu prącia przy braku popędu seksualnego po<br>— przeciążeniu, przemęczeniu lub<br>— chorobach gorączkowych | Normalna reakcja organizmu | Zaburzenie ustąpi samo.<br>→ Zaburzenia samopoczucia, s. 175<br>→ Zaburzenia seksualne u mężczyzn, s. 504 |
| Zaburzenia potencji spowodowane zwolnionym pobudzeniem i wzwodem prącia | Normalny objaw starzenia się<br>U młodych mężczyzn często zdenerwowanie<br>Problemy psychiczne<br>Wyczerpanie spowodowane przeciążeniem | Zapomnij o „przymusie zadaniowym", opóźniony wzwód prącia nie należy do zaburzeń.<br>→ Zaburzenia seksualne u mężczyzn, s. 504<br>→ Zaburzenia samopoczucia, s. 175<br>→ Poradnictwo i psychoterapia, s. 670 |
| Zaburzenia potencji, gdy<br>— pijesz dużo alkoholu i /lub<br>— palisz dużo tytoniu i /lub<br>— zażywasz narkotyki | Nadużywanie alkoholu<br>Palenie tytoniu<br>Nadużywanie narkotyków | Pij mniej alkoholu.<br>Zaniechaj palenia tytoniu.<br>Spróbuj odstawić narkotyki.<br>Jeżeli ci się to nie udaje, a cierpisz z powodu zaburzeń potencji,<br>***wizyta u lekarza potrzebna***<br>→ Zaburzenia seksualne u mężczyzn, s. 504<br>→ Uzależnienia, s. 198<br>→ Zaburzenia samopoczucia, s. 175 |
| Utrzymujące się zaburzenia potencji lub popędu seksualnego przy obciążeniach psychicznych (np. stres, konflikty międzyludzkie, presja zadaniowa, lęk) | Problemy psychiczne | Spróbuj rozwiązać swoje problemy.<br>Szczere rozmowy z partnerką mogą pomóc. Jeżeli ci się to nie udaje,<br>***wizyta u lekarza potrzebna***<br>→ Zaburzenia seksualne u mężczyzn, s. 504<br>→ Poradnictwo i psychoterapia, s. 670 |
| Problemy seksualne z powodu chęci do praktyk, do których nie chcesz się przyznać | Przesądy towarzyskie | Jeżeli masz partnerkę, pomów z nią o tym.<br>Obstawaj przy swoich skłonnościach.<br>Wszystko, co dwoje ludzi dobrowolnie czyni razem, jest normalne.<br>Jeżeli masz skłonności, które wydają ci się podejrzane lub mogłyby szkodzić innym ludziom,<br>***wizyta u lekarza potrzebna***<br>→ Życie seksualne, s. 499<br>→ Poradnictwo i psychoterapia, s. 670 |
| Utrzymujące się problemy związane z potencją podczas chorób | Objaw towarzyszący chorobie (np. zaburzenia przewodnictwa nerwowego przez zranienie lub operację, zaburzenia ukrwienia narządu płciowego) | Jeżeli nie jesteś dotąd pod opieką lekarską,<br>***wizyta u lekarza potrzebna*** |

| Dolegliwości i objawy | Możliwe przyczyny | Co należy zrobić |
|---|---|---|
| Problemy seksualne i /lub związane z potencją po zastosowaniu leków | Objawy uboczne po<br><br>— betaadrenolitykach<br><br>— lekach obniżających ciśnienie krwi<br><br>— lekach uspokajających i przeciw alergii, zawierających prometazynę<br><br>— lekach przeciw dolegliwościom żołądkowo-jelitowym, zawierających cimetydynę, metoklopramid<br><br>— środkach moczopędnych, zawierających kanrenon potasowy, spironolakton, tiazyd<br><br>— lekach przeciwpsychotycznych (neuroleptyki)<br><br>— lekach przeciwpadaczkowych zawierających karbamazepinę<br><br>— lekach pobudzających syntezę białek zawierających syntetyczne odpowiedniki męskich hormonów płciowych | Sprawdź w instrukcji załączonej do zażywanego leku, czy zawiera którąś z wymienionych substancji.<br><br>Jeżeli tak,<br><br>*wizyta u lekarza potrzebna*<br><br>→ Leki i ich stosowanie, s. 617 |
| Problemy związane z potencją i trudności z oddawaniem moczu | Choroby gruczołu krokowego | *Wizyta u lekarza potrzebna*<br><br>→ Gruczolak gruczołu krokowego, s. 496<br><br>→ Zapalenie gruczołu krokowego, s. 496 |

# SEN — ZABURZENIA

Zazwyczaj sam możesz ustalić, co spędza ci sen z oczu, co utrudnia zasypianie i przespanie w spokoju całej nocy. Na ogół są to problemy, z którymi borykasz się za dnia, a które niepokoją cię także wtedy, kiedy powinieneś wypoczywać. Ale winowajcą bezsennych nocy mogą być również inne przyczyny, na przykład: nadmierny hałas, nieodpowiednia temperatura w pomieszczeniu, zły materac, zażyte wcześniej lekarstwa i wreszcie rozmaite choroby. Nie jest ważne, jak długo śpisz, o niewyspaniu można mówić dopiero wówczas, kiedy następnego dnia czujesz się rozbity i zmęczony.

| Dolegliwości i objawy | Możliwe przyczyny | Co należy zrobić |
|---|---|---|
| Zaburzenia snu po<br><br>— obfitym posiłku i/lub<br><br>— konsumpcji alkoholu i/lub<br><br>— wypiciu napojów zawierających kofeinę (kawa, herbata, cola) | Obciążony żołądek<br><br>Skutek konsumpcji używek | Jedz wcześniej i mniej.<br><br>Spożywaj mniej alkoholu i napojów zawierających kofeinę.<br><br>→ Żywienie, s. 704<br><br>→ Używki i środki odurzające, s. 740<br><br>→ Zaburzenia snu, s. 183 |
| Zaburzenia snu, gdy jadłeś bardzo mało lub nic nie jadłeś | Głód | Zjedz odrobinę czegoś, co nie obciąży żołądka, np. lekką zupę lub sucharek.<br><br>→ Masa ciała, s. 709<br><br>→ Zaburzenia snu, s. 183 |
| Zaburzenia snu po wyjątkowej aktywności fizycznej lub umysłowej | Nadmierne pobudzenie | Często pomaga kąpiel uspokajająca lub herbata z ziół.<br><br>→ Zaburzenia snu, s. 183 |

| Dolegliwości i objawy | Możliwe przyczyny | Co należy zrobić |
|---|---|---|
| Zaburzenia snu z powodu myśli krążących „po głowie" | Nierozwiązane problemy | Często pomaga kąpiel uspokajająca lub herbata z ziół. Możesz spróbować także notować sobie swoje myśli lub wypowiadać je. → Zaburzenia snu, s. 183 |
| Zaburzenia snu utrzymujące się dłużej bez ustalonej przyczyny lub pojawiające się w nowym otoczeniu | Niewłaściwy materac Niewłaściwa temperatura pomieszczenia lub źle wietrzone pomieszczenie Hałas Substancje szkodliwe we wdychanym powietrzu | Kup sobie twardy materac i ułóż na deskach. Spróbuj wyłączyć wszystkie czynniki zakłócające sen. → Zaburzenia snu, s. 183 → Trucizny w mieszkaniu, s. 758 → Zanieczyszczenie powietrza, s. 779 |
| Zaburzenia snu po zaprzestaniu używania alkoholu lub — środków odurzających | Objawy abstynencji | Jeżeli nie możesz się z tym uporać lub zaburzenia snu po pewnym czasie nie ustąpią, *wizyta u lekarza potrzebna* → Używki i środki odurzające, s. 740 → Alkoholizm, s. 198 → Narkomania, s. 202 |
| Zaburzenia snu i — nerwowość i — znużenie i — uczucie zniechęcenia i — ewentualnie lęk i — ewentualnie brak apetytu | Depresja | Jeżeli mimo różnych zabiegów stosowanych domowymi metodami nadal źle sypiasz, *wizyta u lekarza potrzebna* → Depresja, s. 191 → Poradnictwo i psychoterapia, s. 670 |
| Zaburzenia snu przy różnych chorobach ogólnoustrojowych | Bóle, kaszel, duszność, częstomocz itp. | Jeżeli dotąd nie jesteś pod opieką lekarza, a bezsenność się utrzymuje, *wizyta u lekarza potrzebna* |
| Zaburzenia snu po zażyciu leków | Działanie uboczne dużej liczby leków, zwłaszcza — leków nasennych i uspokajających, jeżeli były dłużej stosowane — wielu środków przeciw astmie i wykrztuśnych — wielu leków przeciw chorobom serca i naczyń | Jeżeli kupiłeś lek bez recepty, a w załączonej instrukcji zaburzenia snu nie są opisane jako przejściowy i nieszkodliwy objaw towarzyszący, zaniechaj dalszego stosowania leku. Jeżeli środek był zaordynowany przez lekarza, a ten nie poinformował cię o możliwym ubocznym działaniu, *wizyta u lekarza potrzebna* → Leki i ich stosowanie, s. 617 |
| Zaburzenia snu spowodowane chrapaniem | Często w pozycji leżącej na plecach Spożycie alkoholu Utrudnione oddychanie nosem np. przez polipy | Jeżeli ty lub twój partner przez to cierpicie, *wizyta u lekarza potrzebna* → Polipy nosa, s. 287 |
| U kobiet zaburzenia snu w okresie klimakterium i — ewentualnie nocne napady potów | Przestrojenie hormonalne | Jeżeli cierpisz z tego powodu, *wizyta u lekarza potrzebna* → Okres przekwitania, s. 476 |

| Dolegliwości i objawy | Możliwe przyczyny | Co należy zrobić |
|---|---|---|
| Zaburzenia snu po odstawieniu dłużej stosowanych leków i | Objawy abstynencji po odstawieniu | ***Wizyta u lekarza potrzebna*** |
| — ewentualnie bicie serca | — środków uspokajających i nasennych | → Lekozależność, s. 200 |
| — ewentualnie niepokój i drżenie | — leków zawierających barbiturany benzodiazepinę lub kodeinę | |
| — ewentualnie stany lękowe | — środków odchudzających zawierających amfetaminę D-norpseudoefedrynę, fenfluraminę, norefedrynę, fenterminę | |

# SERCE — BICIE I KOŁATANIE, CZĘSTOSKURCZ NAPADOWY

Serce to motor naszej egzystencji. „Żal w sercu", „sprawa sercowa", „zimne serce"... Ach, ile spraw możemy sobie „wziąć do serca", a ilu z nas ma „złamane serce". Kiedy jednak serce bije zbyt mocno, jak szalone lub niemiarowo, wtedy może to być objaw ciężkiego schorzenia.

| Dolegliwości i objawy | Możliwe przyczyny | Co należy zrobić |
|---|---|---|
| Bóle serca | | → Klatka piersiowa — bóle, s. 61 |
| Bicie lub częstoskurcz serca po dużym wysiłku fizycznym | Normalny objaw zwiększonego wysiłku | Brak powodu do niepokoju. Odpocznij. |
| Przyspieszone bicie serca lub częstoskurcz po | Reakcje na: | Ogranicz spożycie kawy, herbaty lub coli. Zaniechaj palenia tytoniu. Zmniejsz |
| — wypiciu dużej ilości kawy lub herbaty i/lub | Kofeinę i/lub Nikotynę i/lub | spożycie alkoholu. Nie zażywaj żadnych innych leków. |
| — intensywnym paleniu tytoniu i/lub | Alkohol i/lub | Jeżeli nie możesz się z tym uporać, |
| — wypiciu dużej ilości alkoholu i/lub | Nadużycie leków i/lub | ***wizyta u lekarza potrzebna*** |
| — zażyciu leków bądź środków odurzających | Użycie narkotyków | → Używki i środki odurzające, s. 740 |
| | | → Uzależnienia, s. 198 |
| Przyspieszone bicie serca, częstoskurcz serca w związku ze stresem lub kłopotami i | Stres i/lub | Zaobserwuj, w jakich okolicznościach występują dolegliwości sercowe. |
| | Problemy psychiczne (nerwica serca) | Unikaj tych sytuacji lub postaraj się |
| — ewentualnie lęk i | Zaburzenia rytmu serca | rozwiązać problemy. |
| — ewentualnie uczucie ucisku w okolicy serca | | Jeśli ci się to nie udaje lub zaburzenie rytmu serca stale nawraca, |
| | | ***wizyta u lekarza potrzebna*** |
| | | → Zaburzenia samopoczucia, s. 175 |
| | | → Poradnictwo i psychoterapia, s. 670 |
| | | → Częstoskurcz serca, s. 320 |
| Szybkie bicie serca z gorączką | Objaw towarzyszący gorączce | Jeżeli dotąd nie jesteś pod opieką lekarską, |
| | | ***wizyta u lekarza potrzebna*** |
| Częstoskurcz serca oraz bladość i | Niedokrwistość | Jeżeli nie jesteś pod opieką lekarską, |
| — bóle głowy i | | ***wizyta u lekarza potrzebna*** |
| — osłabienie i | | → Niedokrwistość, s. 324 |
| — zmniejszona koncentracja uwagi | | |

| Dolegliwości i objawy | Możliwe przyczyny | Co należy zrobić |
|---|---|---|
| Przyspieszone bicie serca po odstawieniu długo stosowanych leków i<br>— ewentualnie zaburzenia snu<br>— ewentualnie niepokój i drżenie<br>— ewentualnie stany lękowe | Objawy abstynencji po odstawieniu<br>— środków nasennych i uspokajających<br>— leków zawierających np. alobarbital amobarbital, kwas barbiturowy, kodeinę, diazepam, kwas dipropylobarbiturowy, meprobamat, oksazepam, fenobarbital, tetrazepam<br>— leków zmniejszających łaknienie | *Wizyta u lekarza potrzebna*<br>→ Lekozależność, s. 200 |
| Nierówne tętno (nierówne bicie serca, kołatanie serca) po zażyciu leków | Objaw uboczny przy stosowaniu wielu leków, zwłaszcza po:<br>— wielu środkach przeciw nadciśnieniu krwi i dławicy pierścieniowej<br>— wielu lekach przeciw niskiemu ciśnieniu krwi<br>— większości leków przeciw zaburzeniom rytmu serca<br>— wielu lekach wzmacniających siłę skurczową serca (glikozydy), przy ich przedawkowaniu<br>— wielu lekach wykrztuśnych i przeciw astmie<br>— środkach „przeciwgrypowych", zawierających etylefrynę, efedrynę, metylofedrynę, norefedrynę<br>— środkach przeciw katarowi, zawierających efedrynę, norefedrynę, fenylefrynę, fenylpropanoloaminę, pseudoefedrynę<br>— wielu lekach przeciwdrgawkowych<br>— lekach zmniejszających łaknienie<br>— hormonach tarczycy (przy przedawkowaniu) | Jeżeli kupiłeś lek bez recepty, a niemiarowe tętno lub bicie serca nie jest opisane w załączonej instrukcji jako nieszkodliwy i przemijający objaw towarzyszący, zaniechaj jego dalszego stosowania.<br>Jeżeli lek był zaordynowany przez lekarza, a ten nie uprzedził cię o możliwych ubocznych skutkach,<br>*wizyta u lekarza potrzebna*<br>→ Leki i ich stosowanie, s. 617 |
| Częstoskurcz serca i zlewny pot u chorych na cukrzycę | Niedocukrzenie | Jeżeli to możliwe, należy zmierzyć poziom cukru we krwi.<br>*Działanie natychmiastowe*: ssanie dwóch pastylek cukru gronowego.<br>Następnie zjedz kromkę chleba lub jedno jabłko (dwie jednostki chlebowe).<br>Jeżeli niedocukrzenie się powtarza,<br>*wizyta u lekarza potrzebna*<br>→ Cukrzyca, s. 449 |
| Uczucie bicia serca przy wysokim ciśnieniu krwi | Wzrost ciśnienia krwi | Jeżeli nie nauczyłeś się mierzenia ciśnienia krwi,<br>*wizyta u lekarza potrzebna*<br>→ Wysokie ciśnienie krwi, s. 304 |

| Dolegliwości i objawy | Możliwe przyczyny | Co należy zrobić |
|---|---|---|
| Nawroty częstoskurczu serca powiązane z niewytłumaczalną utratą ciężaru ciała przy równoczesnym dobrym apetycie i<br>— drżenie i<br>— ewentualne błyszczące oczy i wytrzeszcz gałek | Nadczynność tarczycy | ***Wizyta u lekarza potrzebna***<br>→ Nadczynność tarczycy, s. 463 |
| Powtarzający się częstoskurcz serca lub kołatanie serca nasilające się po wysiłku i<br>— ewentualnie duszność i<br>— ewentualnie obrzęk nóg | Niewydolność serca<br>Zapalenie mięśnia sercowego<br>Wada zastawek serca | ***Wizyta u lekarza potrzebna***<br>→ Niewydolność serca, s. 318<br>→ Zapalenia serca, s. 321<br>→ Nabyte wady zastawkowe, s. 323 |
| Częstoskurcz serca i zawroty głowy i/lub<br>— zaburzenia świadomości (ciemność przed oczami) | Zaburzenia rytmu serca | ***Wizyta u lekarza pilnie potrzebna***<br>→ Zaburzenia rytmu serca, s. 319 |
| Ponowny częstoskurcz serca lub kołatanie serca połączone z dusznością i bóle za mostkiem, jakby żelazny pierścień ściskał klatkę piersiową | Niedobór tlenu w sercu spowodowany zwężeniem tętnic wieńcowych serca | *Działanie natychmiastowe*: rozgryźć kapsułkę nitrogliceryny.<br>Jeżeli nie nastąpi żadna poprawa, ***natychmiast wezwać pogotowie ratunkowe***<br>→ Dusznica bolesna, s. 315 |

# SKÓRA — GUZY, WYBUJAŁOŚĆ, BRODAWKI

Guzy skórne, narośle i brodawki są na ogół nieszkodliwe i często znikają bez leczenia. Bardzo rzadko są one zwiastunami ciężkiej choroby.

| Dolegliwości i objawy | Możliwe przyczyny | Co należy zrobić |
|---|---|---|
| Małe, niezmieniające się, bezbolesne, średnio twarde, dobrze przesuwalne guzy pod skórą | Włókniak | Celem potwierdzenia przypuszczenia, ***wizyta u lekarza potrzebna***<br>→ Znamię, s. 274 |
| Guzki w skórze, często przeszyte przez jeden włos i<br>— ewentualnie zapalnie zmienione | Powierzchowne zapalenie mieszków włosowych | Jeżeli guzki przeszkadzają lub bolą, ***wizyta u lekarza potrzebna***<br>→ Zapalenie mieszków włosowych, s. 279<br>→ Czyrak (czyrak gromadny), s. 272 |
| Guzki<br>— na szyi i/lub<br>— w dole pachowym i/lub<br>— w pachwinach i/lub<br>— wokół dużych naczyń krwionośnych | Powiększone węzły chłonne | Jeżeli wystąpią także inne dolegliwości, ***wizyta u lekarza potrzebna***<br>→ Układ chłonny, s. 333 |
| Brodawki (bruzdowate, zrogowaciałe wyniosłości skóry) | Choroba wirusowa | Brodawki są najczęściej nieszkodliwe.<br>Jeżeli masz powyżej 45 lat, powinieneś udać się do lekarza celem zbadania, ***wizyta u lekarza potrzebna***<br>→ Brodawki, s. 257 |

| Dolegliwości i objawy | Możliwe przyczyny | Co należy zrobić |
|---|---|---|
| Podobne do ostud miękkie, tłuste wyniosłości | Brodawka<br>Znamię barwnikowe | Celem potwierdzenia rozpoznania, *wizyta u lekarza potrzebna*<br>→ Brodawki, s. 257<br>→ Znamię, s. 274 |
| Brązowe, zbliżone do ostudy zmiany (jak znamię barwnikowe), które<br>— ewentualnie krwawią po zadrapaniu i<br>— ewentualnie swędzą | Czerniak | *Wizyta u lekarza potrzebna*<br>Rak skóry, s. 274 |
| Głęboko osadzony, z cechami zapalenia, ropiejący, bolesny guzek | Czyrak | *Wizyta u lekarza potrzebna*<br>→ Czyrak (czyrak gromadny), s. 272 |
| Guzki podskórne w okolicy łokci, nadgarstków oraz stawów międzypaliczkowych i najczęściej<br>— bolesne, zaczerwienione i/lub obrzęknięte stawy i<br>— rano bóle po wstaniu z łóżka i<br>— znużenie i<br>— ewentualnie gorączka | Choroba zapalna stawów | *Wizyta u lekarza potrzebna*<br>→ Reumatyzm, s. 419<br>→ Reumatoidalne zapalenie stawów, s. 423 |
| Czerwonosina gąbczasta wybujałość | Naczyniak | *Wizyta u lekarza potrzebna* |
| Małe, wystające ponad skórę, podobne do brodawek, zrogowaciałe twory w<br>— okolicy narządów płciowych i/lub<br>— odbytu | Kłykciny kończyste | *Wizyta u lekarza potrzebna* |
| Guzki na prąciu, na wargach sromowych lub w okolicy odbytu | Kiła | *Wizyta u lekarza potrzebna*<br>→ Kiła, s. 513 |
| Czerwonawy, woskowaty, mały guzek, najczęściej na twarzy | Rak skóry | *Wizyta u lekarza potrzebna*<br>→ Rak skóry, s. 274 |
| Małe, niezmieniające się bolesne guzki pod skórą, które są miękkie lub<br>— ewentualnie średnio twarde | Obrzęk tkanki tłuszczowej<br>Obrzmienie tkanki łącznej | W celu ustalenia rozpoznania, *wizyta u lekarza potrzebna*<br>→ Znamię, s. 274 |
| Zaczerwienienie i obrzęk z małymi pęcherzykami na wargach lub narządach płciowych, które później pękają, pozostawiając bolesne obrzmienie | Opryszczka pospolita<br>Opryszczka narządu płciowego | *Wizyta u lekarza potrzebna*<br>→ Opryszczka pospolita, s. 274<br>→ Opryszczka narządów płciowych, s. 512 |

# SKÓRA — PLAMY I PRZEBARWIENIA

Jeśli złość sprawia, że stajesz się blady, wściekłość z kolei powoduje, że twoja twarz oblewa się czerwienią, z powodu zimna zaś siniejesz, to takie zmiany barwy twej skóry można łatwo wytłumaczyć. Jednakże pojawiające się na niej ni stąd, ni zowąd plamy i zmiany mogą być także zapowiedzią rozmaitych chorób.

| Dolegliwości i objawy | Możliwe przyczyny | Co należy zrobić |
|---|---|---|
| Stała bladość i<br>— ewentualnie zmęczenie | Skłonności dziedziczne<br>Niedokrwistość<br>Niskie ciśnienie krwi<br>Zaburzenia krążenia krwi | Bladość może być normalnym zabarwieniem twojej skóry.<br>Jeżeli jednak zauważyłeś bladość skóry jako długotrwale utrzymującą się zmianę,<br>*wizyta u lekarza potrzebna*<br>→ Niedokrwistość, s. 324<br>→ Niskie ciśnienie krwi, s. 309 |
| Czerwone plamy na skórze, pojawiające się w różnych okolicznościach i<br>— ewentualnie po pewnym czasie znowu ustępujące | Zdenerwowanie<br>Alergia | Obserwuj, w jakich sytuacjach pojawiają się te wykwity. Może w ten sposób reagujesz na niektóre okoliczności życiowe lub substancje w środkach spożywczych, kosmetykach itp.,<br>*wizyta u lekarza potrzebna*<br>→ Zaburzenia samopoczucia, s. 175<br>→ Alergia, s. 338 |
| Czerwona skóra, w późniejszym przebiegu białe plamy, zwłaszcza na czubkach palców, rąk i stóp, nosa itp. przy silnym chłodzie | Odmrożenia | *Ostrzeżenie*: miejsc odmrożonych nie należy w żadnym wypadku nacierać lub masować śniegiem.<br>Także bezpośrednie działanie wysokiej temperatury jest szkodliwe (poduszki elektryczne, suszarka itp.).<br>Pij ciepłe napoje (żadnego alkoholu) i stopniowo ogrzewaj odmrożone miejsca.<br>Jeżeli te zabiegi wykonane we własnym zakresie nie pomogą,<br>*wizyta u lekarza potrzebna*<br>→ Odmrożenie, s. 256<br>→ Pierwsza pomoc, s. 687 |
| Sinoczerwone przeświecające plamy pod skórą po urazach | Nagromadzenie krwi w tkankach | Jeżeli po siedmiu dniach sine plamy nie znikną albo jeżeli wystąpiły bez urazu,<br>*wizyta u lekarza potrzebna*<br>→ Stłuczenie, zmiażdżenie, wylew krwi, s. 407 |
| Czerwone punkcikowate lub drobnoplamiste krwawienia podskórne | Zmiany naczyń skóry<br>Zaburzenia krzepnięcia<br>Niedobór płytek krwi | Gdy plamy nie wystąpiły po urazie,<br>*wizyta u lekarza potrzebna*<br>→ Niedobór płytek krwi, s. 327<br>→ Krwawiączka (hemofilia), s. 326 |
| Sine, dobrze widoczne, często kręte żyły pod skórą | Żylaki | Gdy żylaki bolą lub przeszkadzają,<br>*wizyta u lekarza potrzebna*<br>→ Żylaki, s. 311 |

| Dolegliwości i objawy | Możliwe przyczyny | Co należy zrobić |
|---|---|---|
| Czerwonawe do niebieskosinych linijne zmiany na skórze, które później bledną albo utrzymują zabarwienie | Rozciągnięcie skóry przez<br>— duże różnice masy ciała i/lub<br>— chorobowo zmienione wytwarzanie hormonów lub<br>— działanie uboczne stosowania glikokortykoidów<br>— zaburzenie czynności przysadki mózgowej | Jeżeli nie jesteś pewny co do przyczyny powstania rozstępów skórnych,<br>***wizyta u lekarza potrzebna***<br>→ Rozstępy, s. 269<br>→ Kortyzon (glikokortykoidy), s. 624<br>→ Choroba Cushinga, s. 469 |
| Żółtobrązowe plamy na skórze, najczęściej na twarzy | Zaburzenia pigmentacji skóry, u kobiet występujące często w ciąży lub po stosowaniu pigułek antykoncepcyjnych | Brązowe plamy na skórze są najczęściej nieszkodliwe i znikają po pewnym czasie same.<br>Jeżeli jesteś zaniepokojona lub zauważysz zmiany,<br>***wizyta u lekarza potrzebna***<br>→ Ostuda, s. 269 |
| Linie w skórze i/lub plamy po stosowaniu leków i<br>— ewentualnie trudne gojenie ran<br>— ewentualnie skóra pergaminowa<br>— ewentualnie sine plamy | Działanie uboczne wszystkich preparatów dermatologicznych, zawierających kortyzon lub jego pochodne związki | Sprawdź, czy stosujesz taki lek.<br>Jeżeli wystąpią dolegliwości,<br>***wizyta u lekarza potrzebna***<br>→ Leki i ich stosowanie, s. 617 |
| Przebarwienia skóry po stosowaniu leków, np.<br>— żółte<br>— czerwone | Działanie uboczne dużej liczby leków | Jeżeli lek był zaordynowany przez lekarza,<br>***wizyta u lekarza potrzebna***<br>→ Leki i ich stosowanie, s. 617 |
| Brązowe plamy na skórze często od urodzenia<br>— które ewentualnie są owłosione | Znamię<br>Piegi | Znamiona najczęściej nie są niebezpieczne.<br>Jeżeli ulegną powiększeniu lub krwawią i swędzą,<br>***wizyta u lekarza potrzebna***<br>→ Znamię, s. 274 |
| Brązowe plamy na skórze, które<br>— ewentualnie krwawią i/lub<br>— ewentualnie swędzą i/lub<br>— ewentualnie z czasem ulegają powiększeniu | Czerniak | ***Wizyta u lekarza potrzebna***<br>→ Rak skóry, s. 274 |
| Ostro odgraniczone białe plamy na skórze z obrzeżem, które często jest ciemniej zabarwione niż otoczenie | Przyczyna nie jest znana, prawdopodobnie zaburzenie mechanizmów obronnych (immunologicznych) | ***Wizyta u lekarza potrzebna***<br>→ Bielactwo, s. 269 |
| Bolesne sinoczerwone plamy na rękach, nogach, nosie lub uszach po dużym chłodzie | Pęcherz z odmrożenia | ***Wizyta u lekarza potrzebna***<br>→ Odmrożenie, s. 256<br>→ Pierwsza pomoc, s. 687 |
| Żółtobrązowe przebarwienie ręki bez nasłonecznienia | Przewlekłe choroby<br>Różne leki | Jeżeli nie jesteś dotąd pod opieką lekarską,<br>***wizyta u lekarza potrzebna***<br>→ Marskość wątroby, s. 371<br>→ Niewydolność nerek (mocznica), s. 397 |

| Dolegliwości i objawy | Możliwe przyczyny | Co należy zrobić |
|---|---|---|
| Pajączki na skórze<br>— ewentualnie żółte zabarwienie oczu i<br>— ewentualnie brak łaknienia i<br>— ewentualnie chudnięcie i<br>— ewentualnie u mężczyzn powiększenie sutków | Marskość wątroby | **Wizyta u lekarza potrzebna**<br>→ Marskość wątroby, s. 371 |

# SKÓRA — PROBLEMY OGÓLNE

Jeśli twoja skóra jest tłusta, sucha lub też złuszczona, nie zawsze taki jej wygląd dowodzi dolegliwości, której nie można się pozbyć. Możesz bardzo wiele zrobić dla poprawienia jej wyglądu i całkowicie uwolnić się od kłopotu. Ale czy to nie twoja sytuacja życiowa sprawia, że czasem „chcesz wyjść ze skóry"?

| Dolegliwości i objawy | Możliwe przyczyny | Co należy zrobić |
|---|---|---|
| Sucha skóra, która<br>— ewentualnie łuszczy się i<br>— ewentualnie jest szorstka w niektórych miejscach | Predyspozycja<br>Silnie odtłuszczające zabiegi pielęgnacyjne<br>Suche powietrze spowodowane przez centralne ogrzewanie i klimatyzację<br>Niedostateczna czynność gruczołów łojowych (np. na starość) | Unikaj suchego powietrza (centralne ogrzewanie, instalacja klimatyzacyjna) lub dbaj o nawilżanie powietrza.<br>Unikaj pieniących dodatków kąpielowych.<br>Nakremuj się po myciu.<br>→ Pielęgnacja skóry, s. 253<br>→ Ogrzewanie, s. 774 |
| Tłusta skóra, często tylko w niektórych miejscach i<br>— ewentualnie tłuste, żółtawe łuski | Predyspozycja<br>Wyprysk łojotokowy | Kąp się często pod prysznicem i nie stosuj żadnych kremów natłuszczających.<br>Jeżeli masz w niektórych miejscach tłustą skórę, która wygląda żółtawo i łuszczy się,<br>**wizyta u lekarza potrzebna**<br>→ Pielęgnacja skóry, s. 253<br>→ Wyprysk łojotokowy, s. 266 |
| Nierówna skóra, np. zaskórniki z czarnymi główkami, łojowate uniesienia i<br>— ewentualnie krosty | Tłusta skóra<br>Trądzik | Nie stosuj żadnych kremów natłuszczających.<br>Jeżeli cierpisz na ciężki trądzik,<br>**wizyta u lekarza potrzebna**<br>→ Pielęgnacja skóry, s. 253<br>→ Trądzik, s. 264 |
| Zgrubiałe miejsca skóry (modzel) lub bolesny modzel (nagniotek) | Tarcie lub ucisk w dotkniętym miejscu (np. przez ciasne obuwie) | Modzel można rozmiękczyć ciepłą wodą i usunąć pumeksem.<br>Przy nagniotkach pomocny może być plaster nagniotkowy.<br>Jeżeli te zabiegi samopomocowe nie pomagają,<br>**wizyta u lekarza potrzebna**<br>→ Modzele, s. 257<br>→ Nagniotek, s. 257<br>→ Stopy, s. 413 |

| Dolegliwości i objawy | Możliwe przyczyny | Co należy zrobić |
|---|---|---|
| Wykwity na twarzy (trądzik) po zażyciu leków | Działanie uboczne<br>— leków zawierających jod lub związki bromu<br>— środków nasennych i uspokajających zawierających barbiturany<br>— niektórych leków przeciwpadaczkowych<br>— leków psychotropowych zawierających lit<br>— preparatów hormonalnych zawierających metylotestosteron, mesterolon, testosteron | Sprawdź w instrukcji załączonej do zażywanych leków, czy zawierają jedną z wymienionych substancji i czy stosujesz leki z tej grupy.<br>Jeżeli lek był zaordynowany przez lekarza,<br>*wizyta u lekarza potrzebna*<br>→ Leki i ich stosowanie, s. 617<br>→ Trądzik różowaty, s. 270 |
| Sucha, szorstka skóra z białymi lub szarymi łuskami (skóra rybia) | Dziedziczne zaburzenie rogowacenia | *Wizyta u lekarza potrzebna*<br>→ Łuszczyca, s. 267 |
| Plamiste zaczerwienienie gruboporowatej skóry, zwłaszcza na nosie, czole i policzkach i<br>— ewentualnie grudki i krosty | Trądzik różowaty | *Wizyta u lekarza potrzebna*<br>→ Trądzik różowaty, s. 270 |
| Silnie zgrubiałe żyły pod skórą, które<br>— ewentualnie bolą | Żylaki | *Wizyta u lekarza potrzebna*<br>→ Żylaki, s. 311 |
| Ubytki w skórze na podudziach | Owrzodzenia pożylakowe<br>Niedostateczne ukrwienie | *Wizyta u lekarza potrzebna*<br>→ Wrzód podudzia, s. 275<br>→ Żylaki, s. 311<br>→ Cukrzyca, s. 449 |
| Zaczerwienienie, obrzęk, a następnie „ubytek" w skórze u obłożnie chorych | Długotrwały ucisk zawsze na te same miejsca skóry (odleżyny) | *Wizyta u lekarza potrzebna*<br>→ Odleżyny, s. 276 |
| Cienka skóra, na której tworzą się linijne, sinoczerwone rozstępy i<br>— ewentualnie trądzik i<br>— u kobiet ewentualne silniejsze owłosienie ciała i zaburzenia miesiączkowania | Zaburzenie czynności hormonalnej przysadki mózgowej | *Wizyta u lekarza potrzebna*<br>→ Choroba Cushinga, s. 469 |
| Zbita, twarda skóra, która prawie nie jest przesuwalna i<br>— suche usta, suche oczy i<br>— u kobiet sucha pochwa i<br>— zaburzenia połykania i<br>— ewentualne ubytki skóry na opuszkach palców | Choroba tkanki łącznej | *Wizyta u lekarza potrzebna*<br>→ Twardzina układowa (sklerodermia), s. 429 |

| Dolegliwości i objawy | Możliwe przyczyny | Co należy zrobić |
|---|---|---|
| Zaczerwieniona skóra po oparzeniu i<br>— ewentualnie pęcherzyki i<br>— ewentualnie sączenie | Oparzenie | Oparzone miejsce skóry natychmiast ochłodzić zimną wodą, aż ustąpi ból.<br><br>*Ostrzeżenie*: nie nakładać na oparzone miejsce żadnych maści, pudrów lub oleju. Przy silniejszych oparzeniach miejsce oparzone należy pokryć sterylnym opatrunkiem.<br><br>Jeżeli oparzenie obejmuje więcej niż 20% (u dzieci 5%) powierzchni ciała,<br><br>**natychmiast wezwać pogotowie ratunkowe**<br><br>→ Oparzenie, s. 255<br>→ Pierwsza pomoc, s. 687 |

# SKÓRA — WYKWITY SKÓRNE

Skóra mówi całkiem bezpośrednio o stanie naszych emocji. Czerwienimy się, bledniemy, dostajemy gęsiej skórki, no i nieraz „możemy wyjść ze skóry". Cokolwiek jednak „zajdzie nam za skórę", gdy nas swędzi, lub też „ozdobią" ją rozmaite wykwity, przyczyną tego mogą być infekcje, wirusy, grzyby, alergia itd. Może więc warto „podrapać się w skórę głowy", aby to dokładniej ustalić?

| Dolegliwości i objawy | Możliwe przyczyny | Co należy zrobić |
|---|---|---|
| Wykwity skórne z gorączką<br>Plamy na skórze, zmiana barwy skóry<br>Guzki skórne, wybujałości i brodawki<br>Ogólne problemy skórne | | → Skóra — wykwity skórne z gorączką, s. 135<br>→ Skóra — plamy i przebarwienia, s. 126<br>→ Skóra — guzy, wybujałość, brodawki, s. 124<br>→ Skóra — problemy ogólne, s. 128 |
| Nagle występujące wykwity po jedzeniu | Reakcja alergiczna na określone pokarmy i dodatki do środków spożywczych | Obserwuj, kiedy pojawiają się wykwity, i unikaj wywołujących je potraw. Jeżeli masz z ustaleniem przyczyn problem,<br><br>*wizyta u lekarza potrzebna*<br>→ Alergia, s. 338 |
| Jasnoczerwone wykwity i<br>— najczęściej świąd i<br>— pęcherzyki i<br>— później pogrubiała, zapalnie zmieniona, sucha łuszcząca się skóra | Wyprysk kontaktowy | Obserwuj, z czym się stykałeś, nim pojawiły się wykwity (np. zegarek, biżuteria, kosmetyki, środki do mycia).<br><br>*Wizyta u lekarza potrzebna*<br>→ Wyprysk kontaktowy, s. 260 |
| Czerwona lub biała, zmienna, swędząca, powierzchowna wyniosłość skóry | Pokrzywka | Jeżeli dolegliwości są przykre lub się powtarzają,<br><br>*wizyta u lekarza potrzebna*<br>→ Pokrzywka, s. 271 |
| Zaczerwienione, silnie swędzące bąble z czerwonymi punktami (miejsca ukłucia) na skórze, często liczne obok siebie | Pchły | *Wizyta u lekarza potrzebna*<br>→ Pchły, s. 260 |

| Dolegliwości i objawy | Możliwe przyczyny | Co należy zrobić |
|---|---|---|
| Swędząca, zapalnie zmieniona zaczerwieniona skóra, zwłaszcza w okolicy karku, łokci, kolan, grzbietów rąk, twarzy i<br><br>— ewentualnie małe guzki | Świerzbiączka ogniskowa | *Wizyta u lekarza potrzebna*<br>→ Świerzbiączka, s. 262 |
| Wykwit skórny i/lub pęcherzyki po zastosowaniu leków | W wielu przypadkach objaw reakcji alergicznej lub nadwrażliwości na światło<br><br>Uboczne działanie licznych leków, zwłaszcza<br><br>— antybiotyków i leków z dodatkiem antybiotyków<br><br>— większości środków do nacierania przy bólach mięśni i stawów<br><br>— większości leków stosowanych w chorobach skóry<br><br>— wielu leków przeciw żylakom<br><br>— niektórych leków przeciwreumatycznych i przeciw dnie<br><br>— niektórych leków wykrztuśnych i przeciw astmie<br><br>— niektórych leków przeciw katarowi<br><br>— niektórych leków przeciwbólowych<br><br>— niektórych leków na przeczyszczenie<br><br>— niektórych leków przeciw chorobom serca i naczyń<br><br>— niektórych leków przeciw chorobom żołądka i jelit | Jeżeli kupiłeś lek bez recepty, a w załączonej instrukcji dolegliwości skórne nie były opisane jako nieszkodliwe i przemijające objawy towarzyszące, zaniechaj dalszego jego stosowania.<br><br>Jeżeli lek był zaordynowany przez lekarza, a ten nie poinformował o możliwym ubocznym działaniu,<br><br>*wizyta u lekarza potrzebna*<br>→ Leki i ich stosowanie, s. 617 |
| Tłusta, żółtawa, łuszcząca się, lekko zaczerwieniona skóra, najczęściej na owłosionej głowie, występująca także w obrębie brwi, powiek, nosa i ust (u mężczyzn na brodzie i na owłosionej partii klatki piersiowej) i<br><br>— lekki świąd | Wyprysk łojotokowy | *Wizyta u lekarza potrzebna*<br>→ Wyprysk łojotokowy, s. 266 |
| Jasnoczerwone do bladoróżowych łuszczących się plam na skórze, które występują najczęściej na tułowiu i stąd się rozprzestrzeniają | Łupież różowy | *Wizyta u lekarza potrzebna*<br>→ Łupież różowy, s. 267 |
| Ceglastoczerwone, wyniosłe, najczęściej nieswędzące plamy skórne ze srebrzystobiałymi łuskami, zwłaszcza na skórze głowy, łokciach i nad kością krzyżową | Łuszczyca | *Wizyta u lekarza potrzebna*<br>→ Łuszczyca, s. 267 |
| Bardzo bolesne wykwity, z zaczerwienieniem i pęcherzykami, występujące grupowo, po jednej stronie ciała, najczęściej na tułowiu lub na twarzy | Półpasiec | *Wizyta u lekarza potrzebna*<br>→ Półpasiec, s. 273 |

| Dolegliwości i objawy | Możliwe przyczyny | Co należy zrobić |
|---|---|---|
| Małe pęcherzyki na skórze, najczęściej w pobliżu ust i nosa, które szybko pękają i tworzą żółte strupy | Bakteryjne zakażenie skóry | **Wizyta u lekarza potrzebna**<br>→ Liszajec, s. 271 |
| Małe, zaczerwienione, linijne, silnie swędzące guzki i pęcherzyki na bocznych powierzchniach i od strony zgięcia stawów nadgarstkowych i<br>— w okolicy kostek nóg i<br>— na pośladkach i<br>— w okolicy narządów płciowych | Świerzb | **Wizyta u lekarza potrzebna**<br>→ Świerzb, s. 260 |
| Zaczerwieniona, popękana, później sącząca i swędząca skóra, zwłaszcza między palcami stóp, która się złuszcza i nieprzyjemnie pachnie | Grzybica stóp | Kąp stopy w roztworze nadmanganianu potasu.<br>Jeżeli zapalenie nie ustępuje,<br>**wizyta u lekarza potrzebna**<br>→ Grzybica stóp, s. 256 |
| Zaczerwieniona, zapalona, swędząca skóra, zwłaszcza za uszami i<br>— ewentualnie widoczne białe punkty we włosach (gnidy) | Wszy | **Wizyta u lekarza potrzebna**<br>→ Wszy, s. 259 |
| Niebieskawe, swędzące punkty w okolicach wzgórka łonowego | Wesz łonowa | **Wizyta u lekarza potrzebna**<br>→ Wszy, s. 259 |
| Zaczerwienienie skóry po ukłuciu przez owada i<br>— świąd i<br>— ewentualnie duszność i<br>— wstrząs | Reakcja alergiczna | **Natychmiast wezwać pogotowie ratunkowe**<br>→ Alergia, s. 338 |

# SKÓRA — WYKWITY SKÓRNE U DZIECI

Skóra dziecka jest bardzo wrażliwa na rozmaite wpływy. Nagle staje się czerwona i plamista, a już za chwilę nienaturalnie blada. Wysypka może być także następstwem podrażnienia wywołanego pożywieniem oraz rozmaitych chorób dziecięcych. Trzeba to ustalić, żeby wiedzieć, jak chronić „cienką skórę" dziecka przed takimi niepożądanymi objawami.

| Dolegliwości i objawy | Możliwe przyczyny | Co należy zrobić |
|---|---|---|
| Wykwity o charakterze czerwonych plam, nagle pojawiające się i po pewnym czasie znikające | Silne ucieplenie<br>Zdenerwowanie | Zdejmij dziecku zbędne części odzieży i idź z nim do cienia.<br>Pomóc mogą zimne napoje i spokój. |
| Wysypka pojawiająca się w związku z obciążeniem psychicznym lub w niektórych sytuacjach | Reakcja skórna z braku opanowania | Pomóż dziecku unikać uciążliwych sytuacji lub jeśli nie można nic zmienić, przynajmniej porozmawiaj i wytłumacz.<br>Jeżeli wysypka utrzymuje się przez dłuższy czas,<br>**wizyta u lekarza potrzebna**<br>→ Zdrowie i dobre samopoczucie, s. 173<br>→ Poradnictwo i psychoterapia, s. 670 |

| Dolegliwości i objawy | Możliwe przyczyny | Co należy zrobić |
|---|---|---|
| Swędzące, bolesne, czerwone miejsce na skórze | Ukłucie przez owady | Z wyjątkiem osób reagujących alergicznie, ukłucia owadów nie są niebezpieczne. Zaczerwienienie i ból ustępują same.<br>→ Ukłucie owada, s. 258<br>→ Rany drapane i kąsane, s. 691 |
| Plamiste wykwity po spożyciu nietolerowanych środków spożywczych (poziomki, pomidory, czekolada itp.) i<br>— ewentualnie świąd | Nietolerancja niektórych środków spożywczych | Obserwuj, kiedy pojawiają się wykwity, i unikaj jedzenia tych potraw.<br>Jeżeli wykwity ponownie wystąpią,<br>***wizyta u lekarza potrzebna***<br>→ Alergia, s. 338 |
| Utrzymujące się czerwone plamy na twarzy (najczęściej jest to duża plama na ciele lub u nasady nosa), które dziecko ma już od urodzenia | Znamię | Znamiona nie są niebezpieczne. Blednąz czasem lub nawet ustępują. Jeżeli martwisz się lub jesteś niepewny, czy jest to znamię nieszkodliwe od urodzenia,<br>***wizyta u lekarza potrzebna*** |
| Żółte zabarwienie skóry u osesków w pierwszych dniach życia | Żółtaczka noworodków | Lekka żółtaczka nie jest niebezpieczna i występuje prawie u wszystkich osesków po urodzeniu.<br>Przy silnej żółtaczce dziecko musi być poddane leczeniu,<br>***wizyta u lekarza potrzebna***<br>→ Żółtaczka noworodków, s. 559 |
| Wykwity skórne z małymi, czerwonymi pryszczykami u osesków, zwłaszcza w okolicy narządów płciowych i na pośladku i<br>— równocześnie białe naloty na śluzówce jamy ustnej | Pleśniawki i pieluszkowe zapalenie skóry, spowodowane pleśniami | Wygotuj smoczek i butelki.<br>Pozwól dziecku możliwie często bez pieluszek machać nóżkami.<br>Czasami pomaga także zmiana rodzaju pieluszek.<br>Jeżeli wykwity skórne nie ustąpią po tygodniu,<br>***wizyta u lekarza potrzebna***<br>→ Pleśniawki w ustach, pieluszkowe zapalenie skóry, s. 560 |
| Zaczerwieniona, łuszcząca się skóra i<br>— świąd i<br>— ewentualnie zgrubiałe miejsca skóry | Wyprysk dziecięcy<br>Świerzbiączka ogniskowa | Należy zapobiegać drapaniu się dziecka.<br>Świąd mogą zmniejszyć wilgotne i chłodne okłady, dodatki do kąpieli zawierające tłuszcz oraz ubiór z bawełny.<br>Jeżeli wykwity się sączą lub nawracają,<br>***wizyta u lekarza potrzebna***<br>→ Wyprysk dziecięcy, s. 560<br>→ Świerzbiączka, s. 262 |
| Wykwity z rozległymi plamami i najczęściej wysoka gorączka trwająca trzy do czterech dni | Zakażenie wirusem | Wykwity skórne są nieszkodliwym objawem towarzyszącym zakażeniu wirusowemu.<br>Jeżeli gorączka wzrośnie powyżej 39°C,<br>***wizyta u lekarza potrzebna***<br>→ Przeziębienie, „grypa", s. 283 |

| Dolegliwości i objawy | Możliwe przyczyny | Co należy zrobić |
|---|---|---|
| Wykwity skórne po zastosowaniu leków | W wielu przypadkach oznaka reakcji alergicznej | ***Wizyta u lekarza potrzebna***<br>→ Leki i ich stosowanie, s. 617 |
| Skóra zapalnie zmieniona, zaczerwieniona; tłuste żółte łuszczące się miejsca na skórze (zwłaszcza na owłosionej głowie, na twarzy, karku i w pachwinach) | Wyprysk łojotokowy | ***Wizyta u lekarza potrzebna***<br>→ Wyprysk łojotokowy, s. 266 |
| Swędzące wykwity skórne z delikatnymi, lekko uniesionymi liniami na zajętych miejscach ciała (np. między palcami) | Świerzb | ***Wizyta u lekarza potrzebna***<br>→ Świerzb, s. 260 |
| Małe, swędzące, wypełnione ropą pęcherzyki na skórze, najczęściej wokół ust i nosa | Bakteryjne zakażenie skóry | ***Wizyta u lekarza potrzebna***<br>→ Liszajec, s. 271 |
| Wykwity skórne, charakterystyczne jasnoczerwone punkty wielkości ziarna soczewicy, wyraźnie od siebie odgraniczone, pojawiające się najpierw na twarzy i rozprzestrzeniające się na całe ciało i<br>— stan podgorączkowy i<br>— powiększone węzły chłonne karku | Różyczka | ***Wizyta u lekarza potrzebna***<br>→ Różyczka, s. 565 |
| Swędzące wykwity i jasnoczerwone grudki, najczęściej na twarzy i na tułowiu, z których powstają pęcherzyki wypełnione płynem, po wyschnięciu tworzące strupy i<br>— bóle głowy, krzyża i kończyn<br>— ewentualnie gorączka | Wiatrówka | ***Wizyta u lekarza potrzebna***<br>→ Ospa wietrzna, s. 568 |
| Wykwity skórne, jasnoczerwone, nieregularne plamy, pojawiające się za uszami, na twarzy, skąd rozprzestrzeniają się na całe ciało i<br>— światłowstręt oczu i<br>— zaczerwienione śluzówki i<br>— gorączka i<br>— suchy kaszel i<br>— ewentualnie bóle głowy | Odra | ***Wizyta u lekarza potrzebna***<br>→ Odra, s. 564 |
| Drobnoplamista, wielkości główki szpilki, czerwona osutka, rozprzestrzeniająca się na całe ciało, począwszy od klatki piersiowej oraz pachwin, i<br>— bóle szyi i<br>— gorączka i<br>— ewentualnie dreszcze i<br>— ewentualnie malinowoczerwony język | Szkarlatyna | ***Wizyta u lekarza potrzebna***<br>→ Szkarlatyna, s. 566 |

| Dolegliwości i objawy | Możliwe przyczyny | Co należy zrobić |
|---|---|---|
| Zaczerwienienie i obrzęk skóry całego ciała po ukłuciu owada i<br>— świąd i<br>— ewentualnie duszność i<br>— spadek ciśnienia krwi | Reakcja alergiczna | **Natychmiast wezwać pogotowie ratunkowe**<br>→ Alergia, s. 338 |
| Swędzące, bolesne miejsce na szyi po ukłuciu lub ukąszeniu przez owada | Ukłucie owada | Jeżeli dziecko zostało ukłute wewnątrz ust bądź w gardle, daj mu kawałek lodu do ssania.<br>**Natychmiast wezwać pogotowie ratunkowe**<br>→ Ukłucie owada, s. 258<br>→ Rany drapane i kąsane, s. 691 |

# SKÓRA — WYKWITY SKÓRNE Z GORĄCZKĄ

Jeśli na twej skórze pojawią się wykwity, a towarzyszy temu gorączka, to najprawdopodobniej dopadła cię jakaś choroba dziecięca. W rzadkich sytuacjach mogą to jednak być również inne choroby.

| Dolegliwości i objawy | Możliwe przyczyny | Co należy zrobić |
|---|---|---|
| Wykwity skórne przy gorączkowych chorobach ogólnoustrojowych | Choroby wirusowe | Jeżeli wykwity i/lub gorączka utrzymują się dłużej niż trzy dni,<br>**wizyta u lekarza potrzebna** |
| Wykwity skórne z gorączką i czerwone plamy, punkty lub pęcherzyki na skórze | Objaw choroby dziecięcej (odra, różyczka, wiatrówka) | **Wizyta u lekarza potrzebna**<br>→ Odra, s. 564<br>→ Różyczka, s. 565<br>→ Ospa wietrzna, s. 568 |
| Ostro odgraniczone, bolesne, zaczerwienione obrzmienie skóry z płomieniowatymi wypustkami, zwłaszcza na podudziu, i wysoka gorączka | Zakażone uszkodzenie skóry | **Wizyta u lekarza potrzebna**<br>→ Róża, s. 272 |
| Wykwity skórne z gorączką i powiększone węzły chłonne szyi i w pachwinach i w dołach pachowych i<br>— bóle szyi i<br>— ewentualnie powiększone migdałki | Mononukleoza zakaźna | **Wizyta u lekarza potrzebna**<br>→ Mononukleoza zakaźna, s. 333 |
| Drobnoplamista, wielkości główki szpilki, czerwona osutka skórna z gorączką i<br>— ból szyi i<br>— ewentualnie dreszcze i<br>— ewentualnie malinowoczerwony język | Szkarlatyna | **Wizyta u lekarza potrzebna**<br>→ Szkarlatyna, s. 566 |

| Dolegliwości i objawy | Możliwe przyczyny | Co należy zrobić |
|---|---|---|
| Punkcikowate, czerwone wykwity skórne z wysoką gorączką i<br>— światłowstręt i<br>— bóle głowy i<br>— sztywność karku i<br>— oszołomienie | Zapalenie opon mózgowych | ***Natychmiast wezwać pogotowie ratunkowe***<br>→ Zapalenie opon mózgowych, s. 205 |

# STOLEC — ODMIENNY NIŻ ZWYKLE WYGLĄD LUB ZAPACH

Stolec jest ważną ilustracją tego, co zachodzi w twoim organizmie. Jednak jego inna barwa lub konsystencja, albo też odmienny zapach niż zwykle, to jeszcze nie powód do alarmu. Przyczyną tego może być spożycie jakiejś potrawy lub też — co tu ukrywać — nierozważne przejedzenie się. Czasem łatwo samemu dojść do tego, co nie służy naszemu żołądkowi, z czym nie daje sobie rady. Ale kiedy takie sytuacje się powtarzają, trzeba zareagować, bo może chodzić o chorobę, którą należy potraktować z całą powagą.

| Dolegliwości i objawy | Możliwe przyczyny | Co należy zrobić |
|---|---|---|
| Niezwykle zabarwiony stolec (np. prawie czarny lub czerwonawy) po spożyciu czegoś, co może zabarwić stolec (ciemne jarzyny liściaste, czerwona boćwina, buraki itp.) | Normalne trawienie tych potraw | Brak powodu do niepokoju, kolor normalizuje się sam. |
| Stolec papkowaty i/lub gnilny | Problemy trawienne na skutek niewłaściwego odżywiania się | Postaraj się odżywiać bardziej racjonalnie.<br>→ Żywienie, s. 704 |
| Zbyt płynny lub zbyt twardy stolec | Odżywianie z niedoborem substancji resztkowych<br>Odżywianie z nadmiarem substancji resztkowych<br>Przestawienie dietetyczne<br>Objaw towarzyszący różnym chorobom | Jeżeli stolec nie normalizuje się po trzech dniach,<br>***wizyta u lekarza potrzebna***<br>→ Żywienie, s. 704<br>→ Zakażenia jelitowe, s. 378<br>→ Zaparcie stolca, s. 379 |
| Przebarwienie stolca po zażyciu leków i<br>— ewentualnie świąd rąk<br>— ewentualnie żółte zabarwienie skóry | Objaw uszkodzenia wątroby jako działanie uboczne licznych leków | Jeżeli wystąpią takie dolegliwości,<br>***wizyta u lekarza potrzebna***<br>→ Leki i ich stosowanie, s. 617 |
| Robaki w stolcu | Zakażenie robakami | ***Wizyta u lekarza potrzebna***<br>→ Robaki, s. 388 |
| Szarożółty, tłusty stolec i<br>— ewentualnie objętościowy i gnilny | Zaburzenie trawienia spowodowane zapaleniem trzustki | ***Wizyta u lekarza potrzebna***<br>→ Zapalenie trzustki, s. 375 |
| Szarożółty stolec i<br>— żółta skóra i<br>— zażółcenie gałek ocznych<br>— ciemny mocz | Żółtaczka | ***Wizyta u lekarza potrzebna***<br>→ Zapalenie wątroby, s. 370<br>→ Żółtaczka, s. 369 |

| Dolegliwości i objawy | Możliwe przyczyny | Co należy zrobić |
|---|---|---|
| Jasnoczerwona krew w stolcu i<br>— ewentualnie bóle przy oddawaniu stolca i<br>— ewentualnie świąd odbytu | Guzki krwawnicze (hemoroidy)<br>Szczeliny odbytu | ***Wizyta u lekarza potrzebna***<br>→ Guzki krwawnicze, s. 389<br>→ Szczeliny odbytu, s. 389 |
| Krew i śluz w stolcu i<br>— biegunka i<br>— ewentualnie kurczowe bóle brzucha<br>— ewentualnie gorączka | Ciężkie zakażenie jelitowe (np. czerwonka)<br>Wrzodziejące zapalenie jelita grubego<br>Choroba Leśniowskiego-Crohna | ***Wizyta u lekarza potrzebna***<br>→ Zakażenia jelitowe, s. 378<br>→ Wrzodziejące zapalenie jelita grubego, s. 384<br>→ Choroba Leśniowskiego-Crohna, s. 385 |
| Krew w stolcu i<br>— ewentualnie zmiana pomiędzy biegunką a zaparciem i<br>— ewentualnie guzki przy odbycie | Rak jelita | ***Wizyta u lekarza potrzebna***<br>→ Rak jelita grubego i odbytnicy, s. 387 |
| Czarny stolec po zażyciu leków | Działanie uboczne<br>— węgla medycznego<br>— wszystkich leków zawierających żelazo<br>W rzadkich przypadkach objaw krwotoku z żołądka lub dwunastnicy jako skutek uboczny stosowania różnych leków | Sprawdź w instrukcji załączonej do zażywanego leku, czy zawiera informację o przebarwieniu stolca jako nieszkodliwym i przejściowym objawie towarzyszącym.<br>Jeżeli nie,<br>***wizyta u lekarza pilnie potrzebna***<br>→ Leki i ich stosowanie, s. 617 |
| Czarny, smolisty stolec, mimo niespożywania żadnych potraw, które mogłyby go zabarwić, i<br>— ewentualnie wymioty i<br>— ewentualnie wymioty fusowate | Wrzód żołądka<br>Wrzód dwunastnicy | ***Natychmiast wezwać pogotowie ratunkowe***<br>→ Wrzód żołądka lub dwunastnicy, s. 366 |
| Czarny stolec lub krew w stolcu po stłuczeniu brzucha (np. zderzenie z kierownicą podczas wypadku samochodowego) | Uszkodzenie jelita<br>Uszkodzenie żołądka | ***Natychmiast wezwać pogotowie ratunkowe*** |

# STOPY — BÓLE

Jeśli nogi już cię nie chcą „nosić", to być może zbyt wiele od nich wymagasz? Ale przyczyną tego, że są obolałe, może być także wbite obce ciało albo fizjologiczne zużycie się stawów lub wreszcie kilka chorób.

| Dolegliwości i objawy | Możliwe przyczyny | Co należy zrobić |
|---|---|---|
| Bolesne stopy po dłuższym staniu lub chodzeniu i<br>— ewentualnie niewygodne buty i<br>— ewentualnie nadwaga | Objaw zmęczenia<br>Niewłaściwe obuwie<br>Nadwaga | Noś tylko wygodne buty, w których stopy mają dość miejsca.<br>Ułóż nogi wysoko.<br>Zastosuj kąpiel stóp.<br>→ Stopy, s. 413<br>→ Leczenie wodą, s. 653<br>→ Masa ciała, s. 709 |

| Dolegliwości i objawy | Możliwe przyczyny | Co należy zrobić |
|---|---|---|
| Bolesne stopy na skutek wady postawy i<br><br>— ewentualne rogowaciejące uwypuklenia | Stopa szpotawa<br>Płaskostopie<br>Stopa końska<br>Stopa koślawa<br>Paluch szpotawy | ***Wizyta u lekarza potrzebna***<br>→ Stopy, s. 413 |
| Bolesne stopy z małym modzelem lub obrzękniętym miejscem | Brodawki kolczaste<br>Modzele<br>Ciało obce (np. odłamek szkła) | Jeżeli dolegliwości nie ustąpią po tygodniu albo jeżeli nie potrafisz usunąć ciała obcego,<br>***wizyta u lekarza potrzebna***<br>→ Brodawki, s. 257<br>→ Modzele, s. 257<br>→ Nagniotek, s. 257 |
| Swędzące stopy, zwłaszcza między palcami i<br><br>— ewentualnie popękana, zaczerwieniona, złuszczająca się skóra | Grzybica stóp | Stosuj kąpiel stóp w roztworze nadmanganianu potasu.<br>Jeżeli zapalenie nie ustąpi,<br>***wizyta u lekarza potrzebna***<br>→ Grzybica stóp, s. 256 |
| Bolesne palce stóp i<br><br>— zaczerwienione, zapalone łożysko paznokcia | Zapalenie łożyska paznokcia | Zastosuj ciepłą kąpiel stóp z dodatkiem rumianku.<br>Jeżeli zapalenie nie ustąpi,<br>***wizyta u lekarza potrzebna***<br>→ Zapalenie łożyska paznokcia, s. 280 |
| Bóle pięt i kręgosłupa, zwłaszcza u młodych mężczyzn | Zesztywniające zapalenie stawów kręgosłupa | ***Wizyta u lekarza potrzebna***<br>→ Zesztywniające zapalenie stawów kręgosłupa, s. 427 |
| Bóle stóp i<br><br>— ewentualnie mrowienie w rękach i nogach po zażyciu leków | Oznaki uszkodzenia nerwów jako działanie uboczne<br><br>— środków nasennych zawierających metakwalon (po dłuższym stosowaniu)<br><br>— środków przeciwreumatycznych zawierających chlorochinę<br><br>— środków przeciwgruźliczych zawierających isoniazyd, sól wapniową metaniazydu, witaminę $B_6$ (po dłuższym stosowaniu) | Sprawdź w instrukcji załączonej do leków, czy nie zawierają którejś z wymienionych substancji.<br>Jeżeli wystąpią takie dolegliwości,<br>***wizyta u lekarza potrzebna***<br>→ Leki i ich stosowanie, s. 617 |
| Bolesne stawy skokowe wraz z upływem lat i<br><br>— ewentualnie równocześnie bóle w stawach kolanowych i biodrowych | Objawy zużycia | ***Wizyta u lekarza potrzebna***<br>→ Choroba zwyrodnieniowa stawów, s. 421 |
| Bolesność, obrzęk i zaczerwienienie stawów stóp i<br><br>— ewentualnie także bolesność innych stawów i<br><br>— ewentualnie gorączka | Reumatyzm<br>Dna moczanowa (najczęściej jest zajęty paluch) | ***Wizyta u lekarza potrzebna***<br>→ Reumatyzm, s. 419<br>→ Łuszczycowe zapalenie stawów, s. 426<br>→ Reumatoidalne zapalenie stawów, s. 423<br>→ Dna moczanowa, s. 422<br>→ Toczeń trzewny, s. 428 |

| Dolegliwości i objawy | Możliwe przyczyny | Co należy zrobić |
|---|---|---|
| Bóle stóp i<br>— ewentualnie mrowienie i pieczenie w nogach | Uszkodzenie nerwów u chorych na cukrzycę albo u alkoholików | **Wizyta u lekarza potrzebna**<br>→ Choroby nerwów obwodowych, s. 215<br>→ Cukrzyca, s. 449<br>→ Alkoholizm, s. 198 |
| Bolesna stopa po upadku lub urazie i<br>— niemożność nastąpnięcia i<br>— ewentualnie niewłaściwe ustawienie stopy | Zwichnięcie<br>Złamanie kości | **Wizyta u lekarza pilnie potrzebna**<br>→ Pierwsza pomoc, s. 687<br>→ Zwichnięcie, s. 418<br>→ Złamanie kości, s. 400 |
| Bóle w stawie skokowym o różnym nasileniu i długo się utrzymujące i<br>— ewentualnie obrzęk | Skręcenie stawu | Unieruchomić staw, stosować zimne okłady. Jeżeli staw po trzech dniach będzie nadal obrzękły i tkliwy na dotyk,<br>**wizyta u lekarza potrzebna**<br>→ Skręcenie, s. 417 |

# STOPY — OBRZĘK

Obrzęk stóp nie tylko może wskazywać na istnienie stanu zapalnego lub urazów w obrębie kończyn, lecz jest czasem także sygnałem anonsującym inne choroby.

| Dolegliwości i objawy | Możliwe przyczyny | Co należy zrobić |
|---|---|---|
| Obrzęk i bolesność stóp | | → Stopy — bóle, s. 137 |
| Obrzęk stóp po dłuższym staniu lub chodzeniu | Objaw zmęczenia | Unieś nogi wysoko, zastosuj kąpiel nóg.<br>→ Leczenie wodą, s. 653 |
| Obrzęk stóp przy dużym cieple | Obrzęk na skutek ciepła | Zastosuj ochładzającą kąpiel stóp.<br>→ Leczenie wodą, s. 653 |
| Obrzęk stóp przy żylakach i<br>— ewentualnie bóle | Objaw towarzyszący żylakom | Jeżeli masz często obrzęknięte stopy,<br>**wizyta u lekarza potrzebna**<br>→ Żylaki, s. 311 |
| U kobiet obrzęk nóg<br>— przed i podczas miesiączki lub<br>— podczas stosowania pigułki antykoncepcyjnej lub<br>— podczas ciąży | Zatrzymanie wody w organizmie<br>Normalna reakcja organizmu | Normalna reakcja organizmu. Jeżeli pojawią się także inne dolegliwości,<br>**wizyta u lekarza potrzebna**<br>→ Miesiączkowanie, s. 472<br>→ Pigułka antykoncepcyjna, s. 520<br>→ Dolegliwości w czasie ciąży, s. 536 |
| Obrzęk nóg podczas ciąży i nagły wzrost wagi ciała, mimo że nie jesz dużo więcej, i<br>— ewentualnie bóle głowy i<br>— ewentualnie zawroty głowy | Zatrucie ciążowe | **Wizyta u lekarza potrzebna**<br>→ Zatrucie ciążowe, s. 539 |
| Obrzęknięte kostki po urazie, który w niektórych przypadkach mógł wystąpić nawet kilka miesięcy wcześniej | Rozciągnięcie więzadła<br>Naderwanie więzadła | **Wizyta u lekarza potrzebna**<br>→ Naderwanie, rozdarcie więzadeł, s. 411 |

| Dolegliwości i objawy | Możliwe przyczyny | Co należy zrobić |
|---|---|---|
| Obrzęknięte kostki obu nóg bez poznanej przyczyny (uraz, nadmierne obciążenie itp.)<br>— ewentualnie duszność | Niewydolność serca | **Wizyta u lekarza potrzebna**<br>→ Niewydolność serca, s. 318 |
| Obrzęk kostek i powiek i<br>— ogólne rozbicie i<br>— mętny mocz i<br>— ewentualnie bóle głowy i<br>— ewentualnie gorączka | Zapalenie nerek | **Wizyta u lekarza potrzebna**<br>→ Ostre zapalenie kłębuszków nerkowych, s. 395 |

# STOSUNEK PŁCIOWY BOLESNY U KOBIET

Jeśli miłość fizyczna już ci nie sprawia radości, bo kontakt cielesny wywołuje ból, to może to być następstwem zarówno lęku i uprzedzeń, jak i brutalnego zachowania partnera. Stosunkowo rzadko należy się doszukiwać przyczyny w schorzeniach ginekologicznych.

| Dolegliwości i objawy | Możliwe przyczyny | Co należy zrobić |
|---|---|---|
| Bóle podczas stosunku płciowego z powodu niedostatecznie wilgotnej pochwy | Niedostateczne pobudzenie<br>Problemy z partnerem<br>Zahamowania psychiczne<br>Okres przekwitania<br>Różne choroby, w przebiegu których błony śluzowe są suche | Jeżeli partner nie wie, jak cię pobudzić, powiedz mu, co ci sprawia przyjemność. Jeżeli razem nie możecie się uporać ze swoimi problemami,<br><br>*wizyta u lekarza potrzebna*<br>→ Zaburzenia seksualne u kobiet, s. 501<br>→ Okres przekwitania, s. 476<br>→ Zaburzenia samopoczucia, s. 175 |
| Bóle podczas stosunku płciowego po urodzeniu dziecka | Bolesny szew krocza<br>Problemy z partnerem<br>Zahamowania psychiczne | Jeżeli bóle nie ustąpią po dwóch miesiącach,<br><br>*wizyta u lekarza potrzebna*<br>→ Nacięcie krocza, s. 546<br>→ Stan po porodzie, s. 548<br>→ Zaburzenia seksualne u kobiet, s. 501<br>→ Zaburzenia samopoczucia, s. 175 |
| Bóle podczas stosunku płciowego przy głębokim wprowadzeniu członka | Problemy z partnerem<br>Problemy psychiczne<br>Wybujałość błony śluzowej macicy<br>Skrócona lub zwężona pochwa na skutek operacji | Jeżeli bóle stale nawracają,<br><br>*wizyta u lekarza potrzebna*<br>→ Zaburzenia seksualne u kobiet, s. 501 |
| Bóle podczas stosunku płciowego i<br>— bóle przy oddawaniu moczu i/lub<br>— inny niż zwykle wyciek z pochwy<br>— ewentualnie świąd i/lub<br>— pieczenie pochwy | Zapalenie pęcherza moczowego<br>Zakażenie pochwy<br>Choroba weneryczna | **Wizyta u lekarza potrzebna**<br>→ Zapalenie pęcherza moczowego, s. 391<br>→ Zapalenie pochwy, s. 482<br>→ Choroby weneryczne, s. 510 |

| Dolegliwości i objawy | Możliwe przyczyny | Co należy zrobić |
|---|---|---|
| Bóle podczas stosunku płciowego i równocześnie bóle w podbrzuszu | Zapalenie jajowodu<br>Zapalenie macicy | **Wizyta u lekarza potrzebna**<br>→ Zapalenie jajowodu lub jajnika, s. 489<br>→ Zapalenie macicy, s. 484 |
| Ból przy wprowadzaniu prącia i<br>— kurcze pochwy i/lub<br>— wzmożone napięcie nerwowe | Problemy psychiczne, jak lęk, odrzucanie partnera, konflikty wewnętrzne, mało czuły partner | Jeżeli organizm się broni, jeżeli nie potrafisz odgadnąć jego sygnałów, **wizyta u lekarza potrzebna**<br>→ Zaburzenia seksualne u kobiet, s. 501<br>→ Zdrowie i dobre samopoczucie, s. 173 |

# STOSUNEK PŁCIOWY BOLESNY U MĘŻCZYZN

Stosunki miłosne przynoszące ból nie mogą dobrze usposabiać do ich utrzymywania. Gdzie szukać przyczyn? Ból może być spowodowany rozmaitymi chorobami lub wywołany różnymi substancjami chemicznymi, ale nierzadko sprawcą jest obawa przed kontaktem z drugą płcią lub poczucie winy, że seks jest czymś grzesznym albo zakazanym...

| Dolegliwości i objawy | Możliwe przyczyny | Co należy zrobić |
|---|---|---|
| Bóle podczas stosunku płciowego z powodu trudności suwania się prącia w pochwie (ruchy frykcyjne) | Niedostateczne pobudzenie<br>Problemy z partnerką<br>Sucha pochwa<br>Spółkowanie odbytnicze | Jeżeli brak ci doświadczenia, jak pobudzić partnerkę, zapytaj, co jej sprawia przyjemność.<br>Podczas spółkowania odbytniczego używaj środków śliskowych.<br>**Wizyta u lekarza potrzebna**<br>→ Zaburzenia seksualne u mężczyzn, s. 504<br>→ Zaburzenia seksualne u kobiet, s. 501<br>→ Zdrowie i dobre samopoczucie, s. 173 |
| Bóle po stosunku płciowym spowodowane raną żołędzi lub napletka | Alergia na chemiczne środki antykoncepcyjne<br>Alergia na tworzywo prezerwatywy<br>Niezwykłe praktyki seksualne | Zmień środek antykoncepcyjny.<br>Wypróbuj inny rodzaj prezerwatyw.<br>Jeżeli bóle nie ustąpią po jednym dniu, **wizyta u lekarza potrzebna**<br>→ Zapalenie żołędzi i napletka, s. 493 |
| Bóle podczas stosunku płciowego i zaczerwienienie lub obrzęk żołędzi i napletka i<br>— ewentualnie białawe naloty na prąciu | Zapalenie żołędzi lub napletka<br>Grzybica narządu płciowego | **Wizyta u lekarza potrzebna**<br>→ Zapalenie żołędzi i napletka, s. 493<br>→ Grzybice narządów płciowych, s. 510 |
| Bóle podczas stosunku płciowego i małe pęcherzyki na żołędzi i/lub na napletku | Opryszczka narządu płciowego | **Wizyta u lekarza potrzebna**<br>→ Opryszczka narządów płciowych, s. 512 |
| Bóle podczas wytrysku (ejakulacji) i<br>— nietypowy wyciek z cewki moczowej i/lub<br>— pieczenie i ból podczas oddawania moczu | Zakażenie cewki moczowej<br>Zapalenie gruczołu krokowego<br>Choroba weneryczna | **Wizyta u lekarza potrzebna**<br>→ Zapalenie cewki moczowej, s. 493<br>→ Zapalenie gruczołu krokowego, s. 496<br>→ Choroby weneryczne, s. 510 |

| Dolegliwości i objawy | Możliwe przyczyny | Co należy zrobić |
|---|---|---|
| Bóle podczas wzwodu prącia | Stwardnienie ciał jamistych, krzywe prącie, stulejka | *Wizyta u lekarza potrzebna* |

# SUTKI U KOBIET — BÓLE LUB GUZY

Jeśli odczuwasz ból w piersiach (jak potocznie określa się sutek, czyli gruczoł piersiowy) lub wyczuwasz w nich dotykiem guzki, zazwyczaj przyczyna tych objawów jest mało istotna. Ale w niektórych przypadkach mogą one być również wskazówką obecności nowotworu lub sygnałem, że się może rozwinąć.

| Dolegliwości i objawy | Możliwe przyczyny | Co należy zrobić |
|---|---|---|
| Bolesne i wrażliwe na ucisk sutki krótko przed miesiączką | Objaw towarzyszący miesiączce | → Bolesne miesiączkowanie, s. 473 |
| Bolesne, wrażliwe na ucisk sutki podczas ciąży | Normalna reakcja spowodowana przestrojeniem hormonalnym | Sutki przygotowują się do wytwarzania mleka i stają się większe. Uczucie napięcia jest wtedy prawidłowe. Noś biustonosz podtrzymujący sutki. |
| Bolesne, obrzmiałe sutki po urodzeniu dziecka aż do wypływu mleka | Przygotowanie do wypływu mleka | Może upłynąć kilka dni do wypełnienia przewodów mlecznych sutków. Pozwól dziecku ssać, mimo że mleko jeszcze nie wypływa. Może to przyspieszyć wytwarzanie pokarmu. → Karmienie piersią, s. 549 |
| Bolesne brodawki sutkowe przy karmieniu piersią i — ewentualnie zaczerwienienie | Normalna reakcja Naddarta brodawka sutkowa | Musi upłynąć trochę czasu do momentu zahartowania sutka podczas karmienia. Jeżeli dojdą inne dolegliwości i bóle nie ustąpią po dwóch tygodniach, *wizyta u lekarza potrzebna* → Karmienie piersią, s. 549 |
| Bolesne sutki podczas karmienia i — obrzmiały sutek i — ewentualnie zaczerwieniony sutek i — ewentualnie gorączka | Brak wypływu mleka Niedrożny przewód mlekowy Zapalenie sutka | Zrób przed karmieniem ciepły, wilgotny okład. Jeżeli sutek nadal boli, *wizyta u lekarza potrzebna* → Karmienie piersią, s. 549 → Zapalenie sutka, s. 478 |
| Bóle i/lub uczucie rozpierania sutków po zastosowaniu leków | Działanie uboczne — pigułki antykoncepcyjnej — leków zawierających estrogeny, stosowane przy zaburzeniach okresu przekwitania | Jeżeli zażywasz tego rodzaju leki, a lekarz ordynujący je nie zwrócił uwagi na możliwe działanie uboczne, *wizyta u lekarza potrzebna* → Leki i ich stosowanie, s. 617 |
| Bolesne i wrażliwe na ucisk sutki i — ewentualnie obrzmienie i — ewentualnie zaczerwienienie i — ewentualnie gorączka | Powiększona i pogrubiała tkanka gruczołowa Zapalenie sutka | *Wizyta u lekarza potrzebna* → Obrzmienie i guzki sutka, s. 479 → Zapalenie sutka, s. 478 |

| Dolegliwości i objawy | Możliwe przyczyny | Co należy zrobić |
|---|---|---|
| Jeden lub więcej guzków w sutku, który najczęściej nie jest bolesny | Zgrubiała tkanka sutka<br>Łagodne torbiele<br>Różne łagodne guzki<br>Rak sutka | *Wizyta u lekarza potrzebna*<br>→ Obrzmienie i guzki, s. 479<br>→ Rak sutka, s. 480 |
| Bolesna brodawka sutkowa, która<br>— jest wciągnięta lub<br>— swędzi lub<br>— ewentualnie wyciek z piersi | Rak sutka | *Wizyta u lekarza potrzebna*<br>→ Rak sutka, s. 480 |

# SUTKI U MĘŻCZYZN — POWIĘKSZENIE

Jeśli rosną ci piersi, to na ogół przyczyną są zakłócenia hormonalne. Należy wziąć również pod uwagę jakąś chorobę wewnętrzną, stosowanie niektórych lekarstw lub alkoholizm.

| Dolegliwości i objawy | Możliwe przyczyny | Co należy zrobić |
|---|---|---|
| Rozrost sutków u chłopców w okresie pokwitania | Normalne przestrojenie hormonalne | Sutki zanikają samoistnie |
| Rozrost sutków przy uprawianiu kulturystyki | Rozrost sutków | → Ruch i sport, s. 748 |
| Rozrost sutków przy krańcowej otyłości | Nadwaga | Gdy chcesz schudnąć i potrzebujesz przy tym pomocy,<br>*wizyta u lekarza potrzebna*<br>→ Masa ciała, s. 709 |
| Rozrost sutków po zażywaniu leków | Objawy towarzyszące stosowaniu leków zawierających<br>— żeńskie hormony płciowe<br>— leki pobudzające syntezę białek i zwiększające masę mięśni, np. nandrolon, metanolon, stanozolol, clostebol, oxabolon,<br>— leki moczopędne (z grupy antagonistów aldosteronu) | Jeżeli zażywasz jakikolwiek lek z wymienionych grup, a lekarz, ordynując go, nie poinformował o możliwych ubocznych działaniach,<br>*wizyta u lekarza potrzebna*<br>→ Leki i ich stosowanie, s. 617 |
| Rozrost sutków w przewlekłym alkoholizmie | Skutek alkoholizmu | *Wizyta u lekarza potrzebna*<br>→ Alkoholizm, s. 198 |
| Rozrost sutków i zanik drugorzędnych cech płciowych (np. osłabienie zarostu) | Zaburzenia hormonalne<br>Marskość wątroby | *Wizyta u lekarza potrzebna*<br>→ Marskość wątroby, s. 371 |
| Rozrost sutków i guzek<br>— w jednym jądrze lub<br>— twardy guzek w sutku | Guz jądra<br>Rak sutka (rzadko, lecz możliwy także u mężczyzn) | *Wizyta u lekarza potrzebna*<br>→ Rak jądra, s. 495 |

# ŚWIĄD

Jeśli swędzi cię skóra, może to być sprawka stykających się z nią tekstyliów, substancji chemicznych, zapaleń, pasożytów i grzybów, ale także jakiejś choroby wewnętrznej. Częstego swędzenia z pewnością nie należy bagatelizować.

| Dolegliwości i objawy | Możliwe przyczyny | Co należy zrobić |
|---|---|---|
| Świąd z wykwitami skórnymi | | → Skóra — wykwity skórne, s. 130 |
| Świąd pochwy | | → Pochwa — świąd lub pieczenie, s. 107 |
| Świąd prącia | | → Prącie — choroby, s. 114 |
| Świąd i<br>— nerwica i/lub<br>— stres i/lub<br>— obciążenie psychiczne | Krańcowa reakcja na sytuację | Spróbuj rozwiązać problem, jeżeli potrzebujesz przy tym pomocy, *wizyta u lekarza potrzebna*<br>→ Zdrowie i dobre samopoczucie, s. 173 |
| Świąd i sucha skóra | Silne odtłuszczenie<br>Zabiegi pielęgnacyjne<br>Suche powietrze wywołane centralnym ogrzewaniem i wadliwą klimatyzacją<br>Podeszły wiek | Unikaj suchego powietrza, centralnego ogrzewania i urządzeń klimatyzacyjnych. Kąp się rzadziej i nie stosuj żadnych dodatków pieniących. Nakremuj się po umyciu.<br>Noś bieliznę z włókien naturalnych.<br>→ Pielęgnacja skóry, s. 253<br>→ Ogrzewanie, s. 774 |
| Świąd skóry głowy | Łupież skóry głowy<br>Wszy | Jeżeli świąd się utrzymuje lub stwierdzisz obecność wszy lub gnid, *wizyta u lekarza potrzebna*<br>→ Łupież różowy, s. 267<br>→ Wszy, s. 259 |
| Świąd w okolicy odbytu | Niedostateczna czystość<br>Alergia spowodowana m.in. papierem toaletowym, składnikami pokarmowymi (np. przyprawy, owoce cytrusowe, tabletki witaminy C, piwo, cola)<br>Guzki krwawnicze<br>Grzyby, bakterie, owsiki<br>Zaburzenia psychiczne<br>Przewlekłe choroby (np. cukrzyca, choroby wątroby, jelit) | Zmywaj starannie okolicę odbytu łagodnym mydłem.<br>Unikaj środków higienicznych, zawierających substancje chemiczne.<br>Jeżeli świąd nie ustąpi po trzech dniach, *wizyta u lekarza potrzebna*<br>→ Guzki krwawnicze, s. 389<br>→ Grzybice narządów płciowych, s. 510<br>→ Alergia, s. 338<br>→ Robaki, s. 388<br>→ Zaburzenia samopoczucia, s. 175 |
| Świąd tylko jednej strony ciała i ograniczony do pewnego odcinka (np. na tułowiu) | Okres wstępny półpaśca (jeszcze bez wykwitów skórnych) | *Wizyta u lekarza potrzebna*<br>→ Półpasiec, s. 273 |

| Dolegliwości i objawy | Możliwe przyczyny | Co należy zrobić |
|---|---|---|
| Świąd skóry po stosowaniu leków | W wielu przypadkach jest oznaką odczynu alergicznego, działania ubocznego wielu leków stosowanych do nacierań lub zażywanych doustnie, zwłaszcza | Jeżeli zakupiłeś lek bez recepty, a w załączonej instrukcji świąd nie jest wymieniony jako przemijający skutek uboczny, zaprzestań dalszego jego stosowania. |
| | — leków przeciw chorobom skóry | Jeżeli lek był zaordynowany przez lekarza, a ten nie zwrócił ci uwagi na możliwe działanie uboczne, |
| | — większości leków do nacierania przy chorobach mięśni i stawów | *wizyta u lekarza potrzebna* |
| | — wielu leków przeciw trądzikowi | → Leki i ich stosowanie, s. 617 |
| | — wielu leków przeciw grzybicy | |
| | — leków stosowanych przy leczeniu ran skóry, zawierających balsam peruwiański i związki rtęci | |
| Świąd po zastosowaniu leków i<br>— ewentualnie zażółcenie skóry<br>— ewentualnie zmiana zabarwienia stolca i moczu | Oznaka uszkodzenia wątroby jako działanie uboczne dużej liczby leków, zwłaszcza | Sprawdź w załączonej instrukcji, czy stosowany lek zawiera którąś z wymienionych substancji lub należy do wyszczególnionej grupy leków. |
| | — licznych leków przeciwbólowych, przeciwreumatycznych, przeciw migrenie i zwiotczających mięśnie | Jeżeli tak, |
| | — antybiotyków (zwłaszcza tetracykliny) | *wizyta u lekarza potrzebna* |
| | — wielu leków przeciw zaburzeniom przemiany tłuszczowej | → Leki i ich stosowanie, s. 617 |
| | — wielu leków przeciw biegunce | |
| | — witaminy A, po długim stosowaniu | |
| | — większości leków przeciwpsychotycznych (neuroleptyki) | |
| | — preparatów estrogenowo-gestagenowych | |
| Świąd i żółta skóra i/lub<br>— żółtawe oczy | Żółtaczka | *Wizyta u lekarza potrzebna*<br>→ Żółtaczka, s. 369 |
| Świąd i<br>— ewentualnie silne pragnienie i<br>— ewentualnie częste oddawanie moczu i<br>— ewentualnie spadek wagi ciała i<br>— ewentualnie nadmierne łaknienie | Cukrzyca | *Wizyta u lekarza potrzebna*<br>→ Cukrzyca, s. 449 |
| Świąd całego ciała i poczucie choroby i<br>— ewentualnie spadek wagi ciała i<br>— ewentualnie powiększone węzły chłonne | Nowotwór układu chłonnego | *Wizyta u lekarza potrzebna*<br>→ Ziarnica złośliwa (choroba Hodgkina), s. 333 |
| Świąd całego ciała i<br>— przebarwienia skóry (koloru brzoskwini) i<br>— nużliwość i<br>— nudności i brak apetytu i<br>— częste oddawanie lub brak moczu | Niewydolność nerek | *Wizyta u lekarza pilnie potrzebna*<br>→ Niewydolność nerek, s. 397 |

# TYCIE

Jeśli bardzo przybierasz na wadze, raczej rzadko należy szukać przyczyny w zakłóceniach hormonalnych lub innych schorzeniach. Zazwyczaj wzrost masy ciała jest następstwem zbyt tłustego jedzenia oraz nadużywania alkoholu. Może powinieneś postawić sobie pytania: „Czym zastąpić jedzenie?", „Jak bronić się przed odkładaniem się na ciele tłuszczowego pancerza?", „Czym zapychać żołądek?".

| Dolegliwości i objawy | Możliwe przyczyny | Co należy zrobić |
|---|---|---|
| Przyrost wagi ciała po częstym obfitym jedzeniu i/lub<br><br>— używaniu alkoholu | Normalna reakcja organizmu | Jedz przez kilka dni mniej.<br>Staraj się o umiarkowany zestaw potraw, zażywaj więcej ruchu.<br>Ogranicz spożycie alkoholu.<br>→ Masa ciała, s. 709<br>→ Alkohol, s. 742 |
| Przyrost wagi ciała u osób, których rodzice mają nadwagę | Niewłaściwe odżywianie i/lub za mało ruchu i/lub<br>Problemy psychiczne i/lub<br>Usposobienie | Rozważ swoje nawyki żywieniowe.<br>→ Zwyczaje żywieniowe, s. 705<br>→ Masa ciała, s. 709<br>→ Zaburzenia samopoczucia, s. 175<br>→ Ruch i sport, s. 748 |
| Przyrost wagi ciała po zaprzestaniu palenia tytoniu | Objaw towarzyszący zaprzestaniu palenia tytoniu | Prawdopodobnie jesz więcej.<br>Obserwuj siebie także między posiłkami.<br>Prawdopodobnie przerzuciłeś się z palenia na łakocie.<br>Spróbuj wprowadzić więcej ruchu w swoje życie. W większości przypadków waga wraca po kilku miesiącach do wyjściowej.<br>→ Palenie tytoniu, s. 740<br>→ Ruch i sport, s. 748 |
| Przyrost wagi ciała po zmianie okoliczności życiowych (spokojne życie, zmniejszenie aktywności fizycznej itp.) | Zmniejszenie zapotrzebowania kalorycznego | Prawdopodobnie jesz tyle samo, mimo że zużywasz mniej kalorii.<br>Jedz mniej lub uprawiaj więcej sportu.<br>→ Masa ciała, s. 709<br>→ Ruch i sport, s. 748 |
| U kobiet przyrost wagi ciała tydzień przed i podczas miesiączki | Hormonalnie uzależnione wahania | Brak powodu do niepokoju.<br>Organizm gromadzi czasami więcej wody.<br>→ Miesiączkowanie, s. 472 |
| Przyrost wagi ciała i<br>— uczucie zniechęcenia i/lub<br>— stres i/lub<br>— pogorszenie nastroju i/lub<br>— uczucie znużenia i/lub<br>— lęk | Nadmierne spożywanie pokarmów jako działanie zastępcze<br>Problemy psychiczne | Zastanów się, czy ostatnio zmieniłeś przyzwyczajenia żywieniowe.<br>Jeżeli jesz więcej z powodu frustracji, spróbuj rozwikłać swoje problemy.<br>Jeżeli pomoc lekarza może być przydatna,<br>***wizyta u lekarza potrzebna***<br>→ Masa ciała, s. 709<br>→ Zaburzenia samopoczucia, s. 175<br>→ Poradnictwo i psychoterapia, s. 670 |

| Dolegliwości i objawy | Możliwe przyczyny | Co należy zrobić |
|---|---|---|
| Przyrost wagi ciała i/lub niezwykły wzrost apetytu po zażywaniu leków | Działanie uboczne<br>— leków przeciwreumatycznych, zawierających kortyzon i jego pochodne (po dłuższym ich stosowaniu)<br>— leków uspokajających i przeciwalergicznych zawierających prometazynę<br>— leków przeciwmigrenowych zawierających metysergid, pizotifen<br>— leków przeciwalergicznych zawierających astemizol<br>— leków zawierających danazol, wpływających na równowagę hormonalną u kobiet<br>— leków przeciwpadaczkowych, zawierających walpromid | Sprawdź w instrukcji załączonej do zażywanego leku, czy zawiera którąś z wymienionych substancji.<br>Jeżeli lek kupiłeś bez recepty, zaprzestań jego stosowania.<br>Jeżeli lek był zaordynowany przez lekarza, a ten nie poinformował cię o możliwych działaniach ubocznych,<br>***wizyta u lekarza potrzebna***<br>→ Leki i ich stosowanie, s. 617 |
| Przyrost wagi ciała w związku z<br>— chorobami serca lub<br>— chorobami nerek lub<br>— chorobami wątroby | Nagromadzenie wody w tkankach | ***Wizyta u lekarza potrzebna***<br>→ Niewydolność serca, s. 318<br>→ Marskość wątroby, s. 371<br>→ Niewydolność nerek, s. 397 |
| Przyrost wagi ciała i<br>— sucha skóra i<br>— znużenie i<br>— niezwykłe uczucie chłodu i<br>— ewentualnie chrypka | Niedoczynność tarczycy | ***Wizyta u lekarza potrzebna***<br>→ Niedoczynność tarczycy, s. 462 |
| U kobiet w ciąży nagły przyrost wagi ciała bez istotnego zwiększenia ilości przyjmowanych pokarmów i<br>— obrzęk nóg oraz rąk i<br>— ewentualnie obrzęk twarzy | Zatrucie ciążowe | ***Wizyta u lekarza potrzebna***<br>→ Zatrucie ciążowe, s. 539 |

# USZY — BÓLE

Bóle ucha zdarzają się dość często. Co je wywołuje? Zmiana ciśnienia, infekcje, zapalenia i skaleczenia. Ale kto wie: kiedy zbyt często masz okazję, aby z tego powodu narzekać, to może rzecz w tym, że masz „za dużo za uszami"?

| Dolegliwości i objawy | Możliwe przyczyny | Co należy zrobić |
|---|---|---|
| Bóle uszu z uczuciem zatkania lub głuchoty w uchu, które pojawiają się po zmianie ciśnienia (np. w samolocie, przy nurkowaniu), i<br>— ewentualnie szum w uchu i<br>— ewentualnie zawroty głowy | Ucho nie potrafi wyrównać różnicy ciśnienia | Często wystarczy intensywne łykanie, żucie gumy do żucia lub ssanie cukierka.<br>Jeżeli dolegliwości nie ustąpią w ciągu trzech do pięciu godzin po zdarzeniu,<br>***wizyta u lekarza potrzebna***<br>→ Ból wywołany zmianami ciśnienia, s. 250 |
| Bóle uszu z uczuciem zatkania ucha, nieustępujące pomimo połykania i<br>— ewentualnie upośledzenie słuchu<br>— ewentualnie bóle w uchu | Niedrożność przewodu słuchowego spowodowana woskowiną lub ciałem obcym | Jeżeli czop woskowinowy sam nie ustąpi,<br>***wizyta u lekarza potrzebna***<br>→ Czop woskowinowy, s. 246<br>→ Ciało obce w uchu, s. 246 |
| Świąd w uszach po zastosowaniu leków | Reakcja alergiczna jako działanie uboczne wielu leków laryngologicznych | Jeżeli kupiłeś lek bez recepty, zaniechaj jego stosowania.<br>Jeżeli lek był zaordynowany przez lekarza,<br>***wizyta u lekarza potrzebna***<br>→ Leki i ich stosowanie, s. 617 |
| Lekkie bóle ucha lub kłucie z równoczesnym uczuciem zatkania nosa<br>— ewentualnie ciśnienie w uchu | Choroba przeziębieniowa | Jeżeli bóle nie ustąpią same po trzech dniach,<br>***wizyta u lekarza potrzebna***<br>→ Przeziębienie, „grypa", s. 283 |
| Silne bóle ucha z gorączką i<br>— osłabienie słuchu<br>— ewentualnie po kilku dniach wyciek z ucha | Zapalenie ucha środkowego | ***Wizyta u lekarza potrzebna***<br>→ Ostre zapalenie ucha środkowego, s. 248 |
| Bóle ucha spowodowane zapaleniem ucha środkowego, które<br>— promieniują za ucho i<br>— upośledzenie słuchu i<br>— gorączka | Zapalenie wyrostka sutkowatego (kość za uchem) | ***Wizyta u lekarza potrzebna***<br>→ Zapalenie wyrostka sutkowatego, s. 249 |
| Bóle ucha nasilające się przy pociąganiu za płatek uszny i<br>— świąd w uchu zewnętrznym<br>— ewentualnie wyciek ropny z ucha | Zapalenie zewnętrznego przewodu słuchowego | ***Wizyta u lekarza potrzebna***<br>→ Zapalenie zewnętrznego przewodu słuchowego, s. 247 |
| Bóle ucha i obrzęk policzka | Zapalenie ślinianki przyusznej | ***Wizyta u lekarza potrzebna***<br>→ Świnka, s. 567 |

| Dolegliwości i objawy | Możliwe przyczyny | Co należy zrobić |
|---|---|---|
| Bóle ucha i<br>— bóle zębów lub żuchwy | Stany zapalne zębów<br>Wada zgryzu<br>Dolegliwości stawu żuchwowego | **_Wizyta u lekarza potrzebna_**<br>→ Zapalenie miazgi zęba, s. 345<br>→ Zapalenie wierzchołka korzenia zęba, s. 347<br>→ Leczenie wad zgryzu u dorosłych, s. 349<br>→ Zęby mleczne, s. 353<br>→ Choroby stawu żuchwowego, s. 349 |
| Nagły ból w uchu i pojawienie się krwi lub<br>— wyciek z ucha i<br>— ewentualnie zanik słuchu i<br>— ewentualnie dzwonienie w uchu i<br>— ewentualnie zawroty głowy | Uszkodzenie błony bębenkowej (np. przez dłubanie pałeczką z waty lub wypadek) | **_Wizyta u lekarza pilnie potrzebna_**<br>→ Uszkodzenie błony bębenkowej, s. 249 |

# USZY — OSŁABIENIE SŁUCHU

Przytępienie słuchu to nie tylko objaw zaawansowanego wieku, może ono być także symptomem rozmaitych schorzeń ucha, obciążania go nadmiernym hałasem, skutkiem działania różnych chemikaliów. Co innego jednak, kiedy świadomie zatykasz sobie ucho, bo nie chcesz mieć kontaktu z otoczeniem. Lepiej takiej głuchoty unikać…

| Dolegliwości i objawy | Możliwe przyczyny | Co należy zrobić |
|---|---|---|
| Osłabienie słuchu z uczuciem zatkania ucha, pojawiające się przy zmianach ciśnienia (np. w kolejce linowej, samolocie, przy nurkowaniu) i<br>— ewentualnie szum w uchu i/lub<br>— ewentualnie świst w uchu | Ucho nie potrafi wyrównać różnic ciśnienia | Najczęściej wystarczy intensywne łykanie lub żucie gumy do żucia.<br>Jeżeli trzy do czterech godzin od zdarzenia ciągle źle słyszysz,<br>**_wizyta u lekarza potrzebna_**<br>→ Ból wywołany zmianami ciśnienia, s. 250 |
| Osłabienie słuchu z uczuciem zatkania ucha, które nie ustępuje pomimo połykania, i<br>— ewentualnie bóle uszu i<br>— ewentualnie świsty w uchu | Niedrożność przewodu słuchowego spowodowana woskowiną lub ciałem obcym | Jeżeli ucho nie odetka się samo lub jeżeli masz ciało obce w uchu,<br>**_wizyta u lekarza potrzebna_**<br>→ Czop woskowinowy, s. 246<br>→ Ciało obce w uchu, s. 246 |
| Osłabienie słuchu po zapaleniu nosa lub gardła (np. przeziębienie) i<br>— ciśnienie i uczucie zatkania ucha | Niedrożność trąbki Eustachiusza | Jeżeli ostrość słuchu nie poprawi się po trzech dniach,<br>**_wizyta u lekarza potrzebna_**<br>→ Zapalenie trąbki słuchowej, s. 247 |

| Dolegliwości i objawy | Możliwe przyczyny | Co należy zrobić |
|---|---|---|
| Zaburzenia słuchu po użyciu leków | Działanie uboczne<br><br>— aminoglikozydów (grupy antybiotyków), zawartych także w lekach laryngologicznych i dermatologicznych<br><br>— leków przeciw dolegliwościom żołądkowo-jelitowym zawierających neomycynę, paromomycynę<br><br>— środków moczopędnych, zawierających kwas etakrynowy, furosemid<br><br>— leków zwiotczających mięśnie, zawierających chininę | Sprawdź w instrukcji załączonej do stosowanego leku, czy zawiera on jedną z wymienionych substancji lub czy stosujesz lek należący do wyszczególnionych grup.<br><br>***Wizyta u lekarza potrzebna***<br><br>→ Leki i ich stosowanie, s. 617 |
| Osłabienie słuchu i<br><br>— ewentualnie stały lub<br><br>— wciąż nawracający ropny wyciek z ucha | Przewlekłe zapalenie ucha środkowego | ***Wizyta u lekarza potrzebna***<br><br>→ Przewlekłe zapalenie ucha środkowego, s. 248<br><br>→ Perlak, s. 250 |
| Osłabienie słuchu w wieku powyżej 60 lat | Normalny objaw związany z wiekiem | ***Wizyta u lekarza potrzebna***<br><br>Twoja przygłuchawość na ogół może być wyrównana aparatem słuchowym.<br><br>→ Przytępienie słuchu, s. 242 |
| Upośledzenie słuchu przy narażeniu na silny hałas (np. podczas pracy zawodowej lub gdy mieszkasz w pobliżu lotniska) | Uszkodzenie ucha przez hałas | ***Wizyta u lekarza potrzebna***<br><br>→ Przytępienie słuchu, s. 242 |
| Upośledzenie słuchu i świsty lub buczenie w jednym uchu, lub w obu uszach i<br><br>— ewentualnie zawroty głowy i<br><br>— ewentualnie wymioty i<br><br>— ewentualnie nudności | Choroba Ménière'a<br>Otoskleroza | ***Wizyta u lekarza potrzebna***<br><br>→ Choroba Ménière'a, s. 250<br><br>→ Otoskleroza, s. 251 |
| Upośledzenie słuchu ze świstami w jednym uchu bądź w obu uszach i<br><br>— ewentualnie syk lub gwizd | Uraz akustyczny przez głośny huk lub uraz czaszki, zaburzenia ukrwienia ucha wewnętrznego<br><br>Uszkodzenie przez choroby zakaźne (np. świnka, zapalenie opon mózgowych) | Jeżeli upośledzenie słuchu pojawi się po urazie,<br><br>***wizyta u lekarza pilnie potrzebna***<br><br>→ Szumy w uszach, s. 245 |
| Nagła utrata słuchu na jedno ucho i<br><br>— ewentualnie świsty w uchu i/lub<br><br>— ewentualnie ciśnienie w uchu | Nagła utrata słuchu | ***Wizyta u lekarza pilnie potrzebna***<br><br>→ Nagła utrata słuchu, s. 251 |

# WARGI — DOLEGLIWOŚCI

Masz spierzchnięte lub bolące wargi? Przyczyną może być podrażnienie lub zapalenie. Rzadko sine wargi lub ich owrzodzenie mogą być symptomami poważniejszej choroby.

| Dolegliwości i objawy | Możliwe przyczyny | Co należy zrobić |
|---|---|---|
| Popękane wargi | Wpływ pogody | Zastosuj maść natłuszczającą. |
| | Suche powietrze (urządzenia klimatyzacyjne) | Dostępne w handlu tłuste kredki do ust często wysuszają wargi jeszcze bardziej. |
| | Substancje szkodliwe | → Ogrzewanie, s. 774 |
| Lekko podrażnione wargi po zastosowaniu kredki do ust bądź kremu | Brak tolerancji jakiejś substancji zawartej w tych kosmetykach | Zmień markę kosmetyku. |
| | | Prawdopodobnie nie tolerujesz któregoś ze składników kremu bądź kredki do ust. |
| | | → Alergia, s. 338 |
| Zaczerwienienie, obrzęk warg | Niedobór żelaza | Jeśli dolegliwości nie ustąpią po dwóch tygodniach, |
| | Niedobór witamin | **wizyta u lekarza potrzebna** |
| | Ukłucie przez owada | → Niedokrwistość, s. 324 |
| | Brak tolerancji niektórych potraw | → Witaminy, s. 727 |
| | Trucizny środowiskowe | → Alergia, s. 338 |
| | | → Substancje szkodliwe, od s. 759 |
| Bolesne, wyniosłe miejsca na wargach, na których tworzą się pęcherzyki, czasem zlewające się | Opryszczka pospolita (*herpes simplex*) | Jeżeli często cierpisz na opryszczkę, |
| | | **wizyta u lekarza potrzebna** |
| | | → Opryszczka pospolita, s. 273 |
| Stan zapalny pękniętych kącików ust | Niedobór witamin | Jeżeli kąciki ust nie ulegną wyleczeniu po dwóch tygodniach, |
| | Niedobór żelaza | **wizyta u lekarza potrzebna** |
| | | → Witaminy, s. 727 |
| | | → Niedokrwistość, s. 324 |
| Sine wargi, mimo że nie przebywałeś w chłodzie | Choroba serca lub płuc | **Wizyta u lekarza pilnie potrzebna** |
| | | → Choroba wieńcowa serca, s. 302 |
| | | → Obrzęk płuc, s. 299 |

# WŁOSY — NADMIERNY POROST U KOBIET

Silne owłosienie u kobiet raczej rzadko jest symptomem jakiejś choroby. Kiedy jednak pojawia się ono w niektórych nietypowych miejscach kobiecego ciała, to coś jest nie w porządku.

| Dolegliwości i objawy | Możliwe przyczyny | Co należy zrobić |
|---|---|---|
| Silne owłosienie, które powstało już w latach młodzieńczych i<br>— ewentualnie silne owłosienie u kobiet spokrewnionych | Dziedziczna skłonność | Brak powodu do niepokoju. Jeżeli martwisz się z tego powodu, możesz włosy odbarwić lub usunąć (depilacja). |

| Dolegliwości i objawy | Możliwe przyczyny | Co należy zrobić |
|---|---|---|
| Owłosienie pojawiające się po 45. roku życia, zwłaszcza pod nosem i na brodzie | Zmiany hormonalne | Brak powodu do niepokoju. Jeżeli silne owłosienie pojawiło się na całym ciele lub jesteś zaniepokojona zarostem, *wizyta u lekarza potrzebna* → Okres przekwitania, s. 476 |
| Nadmierne owłosienie | Działanie uboczne — męskich hormonów płciowych, jak klostebol, metenolon, mesterolon, methyltestosteron, testosteron, nandrolon — leków przeciw zaburzeniom cyklu płciowego zawierających linestrenol, medrogeston, noretysteron — leków przeciw bezpłodności, zawierających danazol — leków przeciwpadaczkowych zawierających mefenytoinę, fenytoinę | Sprawdź w instrukcji załączonej do stosowanych leków, czy zawierają którąś z wymienionych substancji. Jeżeli lekarz, ordynując je, nie uprzedził o takim działaniu ubocznym, *wizyta u lekarza potrzebna* → Leki i ich stosowanie, s. 617 |
| Silne owłosienie i — niski głos i — brak miesiączki i — „maskulinizacja" | Zaburzenia funkcji przysadki mózgowej, nadnerczy lub jajników | *Wizyta u lekarza potrzebna* → Nadczynność przysadki u dorosłych (akromegalia), s. 468 → Choroba Cushinga, s. 469 → Jajowody i jajniki, s. 488 |
| Zwiększone owłosienie przy niedożywieniu | Niedożywienie Chudnięcie | *Wizyta u lekarza potrzebna* → Zaburzenia łaknienia, s. 196 |

# WŁOSY — WYPADANIE

Kilka włosów w grzebieniu to jeszcze nie powód do zaniepokojenia. Dopiero kiedy czupryna wyraźnie się przerzedzi lub też na głowie pojawia się łysina, można mówić o wypadaniu włosów. Cóż, jeśli zbyt często zdarzają ci się sytuacje „stawiające włosy dęba", najwyższy czas ustalić, dlaczego aż tyle stale ich tracisz...

| Dolegliwości i objawy | Możliwe przyczyny | Co należy zrobić |
|---|---|---|
| Wolno postępujące przerzedzenie włosów nasilające się wraz z wiekiem, które u mężczyzn rozpoczyna się jako łysina tyłu głowy | Dziedziczność Normalny proces starzenia | Brak „cudownych" środków → Wypadanie włosów, łysienie, s. 278 |
| Wypadanie włosów spowodowane stosowaniem środków i zabiegów upiększających, które uszkadzają włosy — szampony i/lub — zbyt gorące suszenie i/lub — farbowanie i/lub — trwała ondulacja | Uszkodzenie włosów przez niewłaściwą kosmetykę | Unikaj stosowania niekoniecznych metod kosmetycznych, wówczas wypadanie włosów ustanie samo. → Włosy, s. 277 |

| Dolegliwości i objawy | Możliwe przyczyny | Co należy zrobić |
|---|---|---|
| U kobiet wypadanie włosów po urodzeniu dziecka | Przestrojenie hormonalne | Brak powodu do niepokoju. Wypadanie włosów ustąpi samo po kilku miesiącach. |
| Wypadanie włosów po przebyciu ciężkiej choroby zakaźnej | Objaw towarzyszący chorobie | Brak powodu do niepokoju. Wypadanie włosów ustąpi samo po kilku miesiącach. |
| Wypadanie włosów w alkoholizmie i chorobach wątroby | Objaw towarzyszący chorobie | Jeżeli dotąd nie jesteś pod opieką lekarską, *wizyta u lekarza potrzebna* → Alkoholizm, s. 198 → Marskość wątroby, s. 371 |
| Wypadanie włosów po zastosowaniu leków | Działanie uboczne — środków dermatologicznych zawierających etretynat — środków przeciw łupieżowi i łojotokowi zawierających siarczek kadmu i siarczek selenu — środków przeciwzakrzepowych zawierających acenokumarol, heparynę, fenprokumon (rzadko) — leków stosowanych w chorobach tarczycy zawierających karbimazol, tiamazol — leków przeciwpadaczkowych zawierających walpromid — leków przeciwnowotworowych | Sprawdź w instrukcji załączonej do zażywanego leku, czy zawiera jedną z wymienionych substancji. Gdy kupiłeś lek bez recepty, zaprzestań jego stosowania. Jeżeli lek był zaordynowany przez lekarza, *wizyta u lekarza potrzebna* → Leki i ich stosowanie, s. 617 |
| Nagle rozpoczynające się silne wypadanie włosów | Zaburzenia hormonalne | *Wizyta u lekarza potrzebna* → Wypadanie włosów, łysienie, s. 278 → Okres przekwitania, s. 476 |
| Nagle rozpoczynające się plackowate łysienie | Często niewytłumaczalne plackowate łysienie | *Wizyta u lekarza potrzebna* → Łysienie plackowate głowy lub brody, s. 279 |
| Wypadanie oraz łamliwość włosów i — łamliwe paznokcie i — ewentualnie znużenie i — ewentualnie bladość | Niedokrwistość z niedoboru żelaza | *Wizyta u lekarza potrzebna* → Niedokrwistość z niedoboru żelaza, s. 324 |
| Wypadanie włosów i — zaczerwienione, lekko łuszczące się wykwity plamiste, zwłaszcza na nosie i policzkach (w kształcie motyla) i — bóle stawów, zwłaszcza palców rąk i — gorączka | Choroba tkanki łącznej | *Wizyta u lekarza potrzebna* → Toczeń trzewny, s. 428 |
| Wypadanie włosów i miejscami łysienie i — ewentualnie zaczerwieniona skóra głowy i — ewentualnie skóra głowy łuszcząca się i — ewentualnie pęcherzyki ropne | Zapalenie skóry głowy Zakażenie grzybami | *Wizyta u lekarza potrzebna* |

# WYMIOTY

Wymioty są często reakcją obronną przed substancjami, których organizm nie toleruje. Mogą jednak być również zjawiskiem towarzyszącym wielu chorobom. Jeśli uważasz, że wszystko, co jest na talerzu, przyprawia cię o mdłości, że to, co zjesz, i tak zwrócisz, byłby czas rozpoznać, co ci tak ciężko zalega w żołądku, iż musisz go opróżnić.

| Dolegliwości i objawy | Możliwe przyczyny | Co należy zrobić |
|---|---|---|
| Wymioty po przejedzeniu i/lub spożyciu alkoholu | Normalna reakcja organizmu na przeciążenie | Dolegliwości ustępują najczęściej same. Pij dużo (herbata i woda mineralna) i nie jedz nic lub mało (zupy, sucharki). Spróbuj rozwiązywać swoje problemy inaczej niż przez jedzenie i picie. Jeżeli potrzebujesz przy tym pomocy, *wizyta u lekarza potrzebna* → Zaburzenia samopoczucia, s. 175 → Poradnictwo i psychoterapia, s. 670 → Alkoholizm, s. 198 |
| Wymioty najczęściej rano i — bóle żołądka i — odbijania i — zgaga i — utrata apetytu i — ewentualnie wzdęcia | Nerwice Problemy psychiczne Zapalenie błony śluzowej żołądka | Jeżeli dolegliwości nie ustąpią po tygodniu, *wizyta u lekarza potrzebna* → Żołądek drażliwy, s. 362 → Zapalenie żołądka ostre, s. 364 → Zaburzenia samopoczucia, s. 175 → Poradnictwo i psychoterapia, s. 670 |
| U kobiet wymioty i nudności najczęściej rano | Ciąża | Jeżeli dolegliwości nie ustąpią po najbliższych tygodniach lub jeżeli chudniesz, *wizyta u lekarza potrzebna* → Dolegliwości w czasie ciąży, s. 536 |
| Wymioty i biegunka oraz bóle żołądka i — ewentualnie podwyższona temperatura ciała | Zakażenie wirusowe | Pij dużo (herbata lub woda mineralna). Jedz mało (zupy, sucharki) lub nic. Jeżeli dolegliwości utrzymują się dłużej niż trzy dni, *wizyta u lekarza potrzebna* → Zakażenia jelitowe, s. 378 |
| Wymioty po dłuższym przebywaniu na słońcu i — ewentualnie zawroty głowy i — ewentualnie bóle głowy | Udar słoneczny | Idź natychmiast do cienia, nałóż sobie mokry okład na czoło, pij dużo (herbata lub woda mineralna). Spożyj coś słonego. Jeżeli dolegliwości nie ustąpią po kilku godzinach, *wizyta u lekarza potrzebna* → Udar słoneczny, s. 694 |

| Dolegliwości i objawy | Możliwe przyczyny | Co należy zrobić |
|---|---|---|
| Silne wymioty z kurczami żołądka i biegunką i<br><br>— często dotkniętych jest wiele osób | Zatrucie pokarmowe | Pij dużo (herbata lub woda mineralna).<br>Jedz mało (zupy lub sucharki) lub nic.<br>Jeżeli dolegliwości nie ustąpią po trzech dniach,<br>***wizyta u lekarza potrzebna***<br>Jeżeli spożywałeś grzyby,<br>***wizyta u lekarza pilnie potrzebna***<br>→ Zapalenie żołądka ostre, s. 364 |
| Nudności lub wymioty po zażyciu leków | Działanie uboczne dużej liczby leków, zwłaszcza<br>— wielu leków wykrztuśnych i przeciwastmatycznych<br>— niektórych leków przeciw migrenie<br>— antybiotyków<br>— wielu leków nasercowych i krążeniowych<br>— wielu leków przeciw dolegliwościom żołądkowym bądź jelitowym<br>— soli mineralnych zawierających potas<br>— przedawkowanie witaminy A i D<br>— leków do znieczulenia miejscowego<br>— wielu leków przeciw chorobom dróg moczowych | Jeżeli zakupiłeś lek bez recepty, a z załączonej instrukcji wynika, że wymioty nie są uwzględnione jako łagodny, przemijający objaw, zaniechaj dalszego stosowania.<br>Jeżeli lek był zaordynowany przez lekarza, a on nie zwrócił uwagi na możliwe uboczne działanie,<br>***wizyta u lekarza potrzebna***<br>→ Leki i ich stosowanie, s. 617 |
| Wymioty z silnymi bólami brzucha i<br>— gorączka i<br>— biegunka | Ciężkie zakażenie jelitowe | ***Wizyta u lekarza potrzebna***<br>→ Zakażenia jelitowe, s. 378 |
| Wymioty i nudności po spożyciu tłustych potraw i<br>— nagle pojawiające się kurczowe bóle w okolicy prawego podżebrza i promieniujące do prawego barku bądź boku | Kolka żółciowa | ***Wizyta u lekarza potrzebna***<br>→ Kamica żółciowa, s. 373 |
| Wymioty z bólami w okolicy nerek, czasami promieniujące do pęcherza i<br>— ewentualnie gorączka | Kolka nerkowa | ***Wizyta u lekarza potrzebna***<br>→ Ostre zapalenie miedniczek nerkowych, s. 393<br>→ Kamienie nerkowe, s. 396 |
| Wymioty z brakiem apetytu i nudnościami i<br>— zmęczenie i<br>— bóle głowy i kończyn i<br>— ewentualnie gorączka i<br>— ewentualnie świąd skóry całego ciała i<br>— później żółte zabarwienie oczu i skóry | Żółtaczka | ***Wizyta u lekarza potrzebna***<br>→ Żółtaczka, s. 369<br>→ Zapalenie wątroby, s. 370 |

| Dolegliwości i objawy | Możliwe przyczyny | Co należy zrobić |
|---|---|---|
| Wymioty z zawrotami głowy i<br>— zaburzenia równowagi i<br>— ewentualnie nudności i<br>— ewentualnie upośledzenie słuchu | Zakażenie lub zaburzenie ucha wewnętrznego | *Wizyta u lekarza potrzebna*<br>→ Choroba Ménière'a, s. 250 |
| Częste, świadomie wywołane wymioty i<br>— chudnięcie | Ciężkie zaburzenie psychiczne | *Wizyta u lekarza potrzebna*<br>→ Zaburzenia łaknienia, s. 196 |
| Wymioty z bólami jednego oka<br>i osłabienie ostrości wzroku | Zwiększone ciśnienie w oku (jaskra) | *Wizyta u lekarza pilnie potrzebna*<br>→ Jaskra, s. 236 |
| Wymioty najczęściej pojawiające się nagle, często po nadużyciu alkoholu i<br>— silne bóle brzucha i<br>— gorączka | Zapalenie trzustki | *Wizyta u lekarza pilnie potrzebna*<br>→ Zapalenie trzustki, s. 375 |
| Wymioty i bóle głowy po urazie głowy | Wstrząs mózgu | *Natychmiast wezwać pogotowie ratunkowe*<br>→ Wstrząs mózgu, s. 204 |
| Wymioty i bóle głowy i<br>— senność lub zamroczenie i<br>— bóle karku przy skłonie głowy i<br>— ewentualnie zawroty głowy i<br>— ewentualnie nadwrażliwość oczu na światło | Zapalenie opon mózgowych<br>Krwotok wewnątrzczaszkowy<br>Wysokie ciśnienie krwi | *Natychmiast wezwać pogotowie ratunkowe*<br>→ Zapalenie opon mózgowych, s. 205<br>→ Krwotok mózgowy, s. 207<br>→ Guzy mózgu, s. 213 |
| Wymioty krwiste lub treścią fusowatą | Krwawienie z żołądka<br>Krwawienie z żylaków przełyku | *Natychmiast wezwać pogotowie ratunkowe*<br>→ Wrzód żołądka lub dwunastnicy, s. 366<br>→ Marskość wątroby, s. 371 |
| Wymioty oraz twardy brzuch<br>— silne bóle brzucha i<br>— zimny pot i<br>— szybkie tętno | Przebicie jakiegoś narządu | *Natychmiast wezwać pogotowie ratunkowe*<br>→ Wrzód żołądka lub dwunastnicy, s. 366<br>→ Zapalenie pęcherzyka żółciowego, s. 374<br>→ Zapalenie wyrostka robaczkowego, s. 381 |
| Wymioty z silnymi bólami brzucha<br>— brak wypróżnień i<br>— ewentualnie brunatnawe wymioty kałowe | Niedrożność jelita | *Natychmiast wezwać pogotowie ratunkowe*<br>→ Niedrożność jelit, s. 380 |
| Wymioty z silnymi bólami okolicy serca, ewentualnie promieniującymi do karku lub ramion i<br>— nudności i<br>— duszność i<br>— zimny pot | Zawał serca | *Natychmiast wezwać pogotowie ratunkowe*<br>→ Zawał serca, s. 316 |

# WYMIOTY U DZIECI

Jeśli twoje dziecko czasem zwymiotuje, nie jest to zaraz powód do niepokoju. Często jednakże wymioty, powiązane z innymi dolegliwościami (gorączka, bóle brzucha itd.), są już poważnym sygnałem alarmowym.

| Dolegliwości i objawy | Możliwe przyczyny | Co należy zrobić |
|---|---|---|
| Wymioty małych ilości pokarmu bezpośrednio po posiłku | Nieszkodliwe zwracanie pokarmu | Brak powodu do niepokoju. |
| Wymioty przy karmieniu oseska butelką | Zbyt duży otwór w smoczku<br><br>Pokarm nietolerowany przez oseska | Spróbuj karmić niemowlę smoczkiem z mniejszym otworem.<br><br>Zmień odżywkę, gdy odnosisz wrażenie, że niemowlę źle znosi stosowany pokarm.<br><br>Gdy nie jesteś pewny lub dziecko nadal wymiotuje,<br><br>*wizyta u lekarza potrzebna*<br><br>→ Żywienie dzieci, s. 724 |
| Częste, gwałtowne wymioty po karmieniu u niemowlęcia niemającego jeszcze trzech miesięcy | Zwężenie odźwiernika żołądka | Jeżeli niemowlę regularnie wymiotuje po karmieniu,<br><br>*wizyta u lekarza potrzebna* |
| Wymioty i<br>— kaszel i/lub<br>— katar | Przeziębienie | Gdy wymioty utrzymują się dłużej niż dwa dni,<br><br>*wizyta u lekarza potrzebna*<br><br>→ Przeziębienie, „grypa", s. 283 |
| Nudności bądź wymioty po zażyciu leków | Działanie uboczne dużej liczby leków, zwłaszcza<br>— wielu leków wykrztuśnych i przeciwastmatycznych<br>— wielu leków przeciw bólom żołądka i jelit<br>— soli mineralnych, zawierających potas<br>— witamin A i D (przy przedawkowaniu)<br>— leków używanych do znieczulenia miejscowego<br>— wielu leków przeciw chorobom dróg moczowych | Podaj dziecku leki, jeśli to możliwe w roztworze, lub pozwól mu popić dużą ilością płynu. Sprawdź w instrukcji załączonej do leku, czy zawarta jest któraś z wymienionych substancji. Jeżeli kupiłeś lek bez recepty, zaniechaj jego stosowania.<br><br>Jeżeli lek był zaordynowany przez lekarza,<br><br>*wizyta u lekarza potrzebna*<br><br>→ Leki i ich stosowanie, s. 617 |
| Wymioty oraz wodniste stolce i<br>— bóle brzucha i<br>— ewentualnie gorączka | Zakażenie żołądkowo-jelitowe | *Wizyta u lekarza potrzebna*<br><br>→ Zakażenia jelitowe, s. 378 |
| Wymioty i bóle brzucha | Zatrucie pokarmowe<br>Zapalenie wyrostka robaczkowego | *Wizyta u lekarza potrzebna*<br><br>→ Zapalenie żołądka ostre, s. 364<br><br>→ Zapalenie wyrostka robaczkowego, s. 381 |

| Dolegliwości i objawy | Możliwe przyczyny | Co należy zrobić |
|---|---|---|
| Wymioty i biegunka i<br>— suche usta i<br>— wpadnięte oczy i<br>— brak moczu (suche pieluszki) i<br>— sucha skóra i<br>— ewentualnie senność | Odwodnienie | **Wizyta u lekarza pilnie potrzebna**<br>→ Zakażenia jelitowe, s. 378 |
| Wymioty po upadku dziecka | Wstrząs mózgu<br>Uszkodzenie mózgu | **Natychmiast wezwać pogotowie ratunkowe**<br>→ Wstrząs mózgu, s. 204<br>→ Stłuczenie mózgu, s. 205 |
| Wymioty z silnymi bólami głowy i<br>— senność lub zamroczenie i<br>— światłowstręt i<br>— ewentualnie wysoka gorączka | Zapalenie opon mózgowych | **Natychmiast wezwać pogotowie ratunkowe**<br>→ Zapalenie opon mózgowych, s. 205 |

# ZACHOWANIE SIĘ ODMIENNE

Jeśli zauważyłeś zmiany w swym zachowaniu lub też dostrzegasz, że osoby, z którymi się stykasz, jakoś dziwnie zmieniły sposób bycia, wcale nie musi to oznaczać, iż jest to skutek zaburzeń umysłowych czy innych. Niektóre maniery są po prostu inne od tych, które ty uważasz za normalne. Lecz zdarza się, oczywiście, że niektóre takie „odchylenia od normy" istotnie są powiązane z jakimiś psychicznymi czy fizycznymi schorzeniami.

| Dolegliwości i objawy | Możliwe przyczyny | Co należy zrobić |
|---|---|---|
| Zaburzenia percepcji (postrzegania) i zanik orientacji po nadużyciu<br>— alkoholu i/lub<br>— środków odurzających | Nadużycie alkoholu<br>Nadużycie leków<br>Stosowanie środków odurzających | Jeżeli takie zaburzenia występują często, **wizyta u lekarza potrzebna**<br>→ Używki i środki odurzające, s. 740<br>→ Alkoholizm, s. 198<br>→ Lekozależność, s. 200<br>→ Narkomania, s. 202 |
| Seksualne pożądania i wyobrażenia i/lub praktyki, które wydają ci się niezwykłe | Wyobrażenia seksualne<br>Praktyki seksualne<br>Homoseksualne stosunki i pożądania | Dla wyobrażeń i praktyk seksualnych nie ustalono żadnych granic, jak długo uczestnicy je akceptują.<br>Jeżeli odczuwasz pociąg do partnerów lub partnerek tej samej płci, masz prawdopodobnie nieujawnione skłonności homoseksualne.<br>Jeżeli to stanowi dla ciebie problem, **wizyta u lekarza potrzebna**<br>→ Życie seksualne, s. 499<br>→ Poradnictwo i psychoterapia, s. 670 |
| Zwracające uwagę zachowanie w postaci nieopanowanych reakcji organizmu, np. mruganie, potrząsanie głową, robienie grymasów | Tiki | Jeżeli cierpisz z powodu tiku, **wizyta u lekarza potrzebna**<br>→ Nerwice, s. 188 |

| Dolegliwości i objawy | Możliwe przyczyny | Co należy zrobić |
|---|---|---|
| Przymusowe zachowanie w niektórych sytuacjach życiowych, np. przymusowe spóźnianie się, skąpstwo, przymus czystości, przymus mycia się, gromadzenia rzeczy (kleptomania) | Charakteropatie<br>Natręctwa | Jeżeli cierpisz z powodu swoich niezwykłości,<br>**wizyta u lekarza potrzebna**<br>→ Nerwice, s. 188<br>→ Poradnictwo i psychoterapia, s. 670 |
| Uczucia lęku dotyczące określonych rzeczy, miejsc lub sytuacji, np. pająków, wszy, dużych otwartych przestrzeni, ciasnych pomieszczeń | Różne fobie, jak lęk przestrzeni, lęk wysokości itp.<br>Nerwica lękowa | Jeżeli cierpisz z powodu swoich lęków,<br>**wizyta u lekarza potrzebna**<br>→ Nerwice, s. 188<br>→ Poradnictwo i psychoterapia, s. 670 |
| Silne pożądanie „określonej substancji" i<br>— usilne dążenie do jej uzyskania i<br>— ewentualnie wstyd po spożyciu takich „substancji" | Uzależnienie<br>Natręctwa | By uniknąć natręctw,<br>**wizyta u lekarza potrzebna**<br>→ Uzależnienia, s. 198 |
| Uczucia<br>— smutku oraz przygnębienia i<br>— pustki oraz bezsensowności i<br>— zwątpienia oraz samooskarżania i<br>— zamknięcie się w sobie i<br>— ewentualnie bezsenność i<br>— ewentualnie brak apetytu i<br>— ewentualnie zaburzenia koncentracji i<br>— ewentualnie uczucie rozbicia i<br>— ewentualnie bóle głowy | Depresja<br>Substancje szkodliwe obciążające układ nerwowy | Jeżeli sam nie potrafisz się wydostać z „dołka",<br>**wizyta u lekarza potrzebna**<br>→ Depresja, s. 191<br>→ Nerwice, s. 188<br>→ Poradnictwo i psychoterapia, s. 670<br>→ Zdrowie i dobre samopoczucie, s. 173<br>→ Trucizny w mieszkaniu, s. 758<br>→ Substancje szkodliwe w pokarmach, s. 713<br>→ Substancje toksyczne w środowisku pracy, s. 787 |
| Depresja po zażyciu leków | Działanie uboczne<br>— wielu leków psychotropowych<br>— różnych leków przeciw nadciśnieniu krwi<br>— różnych leków przeciw zaburzeniom żołądkowo-jelitowym<br>— leków stosowanych w chorobie Parkinsona, zawierających amantadynę, lewodopę<br>— środków zwiotczających mięśnie zawierających baklofen | Sprawdź w instrukcji załączonej do stosowanego leku, czy zawiera jakąkolwiek z wymienionych substancji.<br>Jeżeli tak,<br>**wizyta u lekarza potrzebna**<br>→ Leki i ich stosowanie, s. 617 |
| Gdy zostałeś wytrącony z równowagi i<br>— bez opamiętania płaczesz i/lub<br>— krzyczysz i/lub<br>— drżysz i trzęsiesz się i/lub<br>— reagujesz agresywnie i niszcząco | Załamanie nerwowe | **Wizyta u lekarza potrzebna**<br>→ Załamanie nerwowe, s. 188<br>→ Psychozy, s. 194<br>→ Poradnictwo i psychoterapia, s. 670 |

| Dolegliwości i objawy | Możliwe przyczyny | Co należy zrobić |
|---|---|---|
| Zaburzenia postrzegania, jak np. <br> — słyszenie obcych głosów i/lub <br> — widzenie rzeczy, których inni nie widzą i/lub <br> — urojenia prześladowcze | Schizofrenia | ***Wizyta u lekarza potrzebna*** <br> → Schizofrenia, s. 194 <br> → Psychozy, s. 194 |
| Ponury nastrój, przechodzący w depresję i chaotyczne działanie np. najbardziej krańcowe postępowanie i <br> — wiele prac jest zaczętych, a żadna nie jest doprowadzona do końca | Stan maniakalno-depresyjny | ***Wizyta u lekarza potrzebna*** <br> → Psychozy, s. 194 |

# ZACHOWANIE SIĘ ODMIENNE U DZIECI

To, co nam lub osobom zajmującym się edukacją naszych pociech wydaje się w ich zachowaniu zaburzeniem, jest być może tylko „normalnym" sprawowaniem się dziecka, które po prostu jest „trudne", gdyż nie chce się dostosować do zwyczajowych reguł. Czasem jednak, zachowując się „inaczej", dzieci dają nam znać, że są przeciążone: może nauką, może pracą. Karanie dziecka w takim wypadku nie usunie przyczyny „inności", a przeciwnie — jeszcze pogorszy sytuację.

| Dolegliwości i objawy | Możliwe przyczyny | Co należy zrobić |
|---|---|---|
| Bardzo żywe dziecko, będące stale w ruchu, niemogące usiedzieć na miejscu i <br> — ewentualnie „jest nadmiernie aktywne" i <br> — ewentualnie wymaga mało snu | Normalne zachowanie <br><br> Nerwowość <br><br> Nadmiar oddziałujących bodźców | Dzieci są różne. <br><br> Prawdopodobnie żywotność twojego dziecka jest normalna i tylko przez wychowawców i opiekunów odczuwana jako niezwykła i niewygodna. <br><br> Jednakże gdy odnosisz wrażenie, że twoje dziecko nigdy nie jest spokojne i reaguje nieadekwatnie do sytuacji, <br><br> ***wizyta u lekarza potrzebna*** <br> → Nadpobudliwość, s. 554 <br> → Zaburzenia samopoczucia, s. 175 |
| Upór dziecka, buntującego się przeciw rodzicom i wychowawcom | Zwykły wiek uporu <br><br> Dojrzewanie <br><br> Zbyt kategoryczne i autorytarne zachowanie rodziców | U dziecka młodszego niż czteroletnie upór wyraża odkrywanie własnego „ja". Dojrzewanie służy rozgraniczaniu. Dlatego w obu przypadkach właściwy jest daleko idący umiar w postępowaniu wychowawczym. <br><br> Jeżeli jesteś przyzwyczajony do wydawania poleceń, a dzieci mają je spełniać, wówczas upór dziecka jest normalną reakcją na twoje wymagania. <br><br> Jeżeli masz stałe problemy z dzieckiem i potrzebujesz pomocy, <br><br> ***wizyta u lekarza potrzebna*** <br> → Terapia małżeńska i rodzinna, s. 671 |

| Dolegliwości i objawy | Możliwe przyczyny | Co należy zrobić |
|---|---|---|
| Agresywne dziecko | Zazdrość<br><br>Brak zaufania<br><br>Odpowiedź na podprogową agresję dorosłych<br><br>Brak umiaru lub niestosowne ograniczenie | Najczęściej za agresją kryje się zwątpienie lub chęć zwrócenia na siebie uwagi.<br><br>Jeżeli dziecko przez dłuższy czas wykazuje skłonność do silnej agresji,<br><br>***wizyta u lekarza potrzebna***<br><br>→ Terapia małżeńska i rodzinna, s. 671 |
| Nagłe odseparowanie się, niedostępność dziecka | Problemy, których dziecko nie może lub nie chce omawiać (np. złe oceny w szkole)<br><br>Wstrząs (np. przez nadużycie)<br><br>Smutek<br><br>Problemy z narkotykami | Spróbuj rozmawiać ze swoim dzieckiem lub znajdź kogoś, komu mogłoby ono zaufać.<br><br>Jeżeli zachowanie dziecka nie zmieni się po tygodniu,<br><br>***wizyta u lekarza potrzebna***<br><br>→ Zaburzenia samopoczucia, s. 175<br><br>→ Poradnictwo i psychoterapia, s. 670<br><br>→ Narkomania, s. 202 |
| Dziecko starsze niż cztero-, pięcioletnie<br><br>— często ssie kciuk i/lub<br><br>— często moczy się w łóżku (mimo że nie choruje na chorobę dróg moczowych) | Brak zaufania<br><br>Niezwykła nowa sytuacja<br><br>Stres<br><br>Lęk | Jeżeli dziecko przez dłuższy czas ssie paluch lub moczy się w łóżku, powinieneś ustalić przyczynę.<br><br>W żadnym wypadku zakaz nie jest rozwiązaniem.<br><br>Jeżeli ci się to nie udaje,<br><br>***wizyta u lekarza potrzebna***<br><br>→ Zaburzenia samopoczucia, s. 175<br><br>→ Terapia małżeńska i rodzinna, s. 671<br><br>→ Zęby mleczne, s. 353<br><br>→ Moczenie nocne, s. 553 |
| Dziecko, które często ssie kosmyk włosów lub stale bawi się włosami i/lub<br><br>— ogryza paznokcie | Nerwowość<br><br>Brak zaufania<br><br>Lęk<br><br>Stres (zwłaszcza stres w szkole) | Jeżeli od dłuższego czasu obserwujesz takie przyzwyczajenie u dziecka, spróbuj ustalić, co mu dolega. Jeżeli ci się to nie uda, a dziecko rzadko jest wesołe,<br><br>***wizyta u lekarza potrzebna***<br><br>→ Zaburzenia samopoczucia, s. 175<br><br>→ Terapia małżeńska i rodzinna, s. 671 |
| Dziecko, które<br><br>— nadmiernie reaguje smutkiem i/lub<br><br>— zamyka się przed otoczeniem i/lub<br><br>— ma małe zainteresowanie zabawą i<br><br>— ewentualnie brak apetytu i<br><br>— ewentualnie zaburzenia snu | Depresja | ***Wizyta u lekarza potrzebna***<br><br>→ Terapia małżeńska i rodzinna, s. 671 |
| Małe dziecko, które nie uświadamia sobie otoczenia i nie uczestniczy w nim i<br><br>— twarz bez wyrazu i<br><br>— nie mówi | Ciężkie zaburzenie (autyzm) | ***Wizyta u lekarza potrzebna***<br><br>→ Autyzm, s. 555 |

# ZAPARCIE

O zaparciu można mówić dopiero wówczas, kiedy nie możesz opróżnić swego jelita przez trzy lub cztery dni. Zazwyczaj za to, że się ono rozleniwiło, należy winić złe odżywianie się, zbyt ubogie w błonnik. Kiedy jednak obstrukcja trwa dłużej, może być sygnałem alarmowym lub objawem towarzyszącym poważnej chorobie.

| Dolegliwości i objawy | Możliwe przyczyny | Co należy zrobić |
|---|---|---|
| Częste zaparcia, gdy spożywasz zbyt mało substancji zawierających błonnik lub zażywasz za mało ruchu | Jelito leniwe (atonia jelita) | Zmień nawyki żywieniowe. Pij dużo płynów. Poruszaj się więcej. → Zaparcie stolca, s. 379 → Żywienie, s. 704 → Ruch i sport, s. 748 |
| Częste zaparcie związane z przyzwyczajeniem polegającym na hamowaniu opróżnienia jelita z przyczyn czasowych i przesuwaniu go na później | Zaburzenia fizjologicznych odruchów | Nie tłum parcia na stolec. → Zaparcie stolca, s. 379 |
| Zaparcie podczas podróży, przy zmianie pogody lub innych zmianach | Objaw towarzyszący przestrojeniu | Spożywaj posiłki lekkie, obfitujące w substancje zawierające błonnik, i pij dużo płynów. Podczas podróży nie zastępuj głównych posiłków smakołykami. → Zaparcie stolca, s. 379 → Żywienie, s. 704 |
| Częste zaparcie i nerwowość — ewentualnie bóle głowy i — ewentualnie zaburzenia snu i — ewentualnie znużenie | Problemy psychiczne | Jeżeli zaparcie utrzymuje się dłużej niż cztery dni, *wizyta u lekarza potrzebna* → Zaburzenia samopoczucia, s. 175 → Zaparcie stolca, s. 379 |
| Zaparcie podczas ciąży | Zaparcie podczas ciąży | Jeżeli nie potrafisz pobudzić perystaltyki jelitowej pokarmami obfitującymi w substancje zawierające błonnik, *wizyta u lekarza potrzebna* → Zaparcie stolca, s. 379 → Dolegliwości w czasie ciąży, s. 536 |
| Zaparcie przy równoczesnym zażywaniu leków | Działanie uboczne dużej liczby leków, zwłaszcza — wielu leków przeciwbólowych i przeciwdrgawkowych — wielu leków przeciwdepresyjnych — leków „żołądkowych" zawierających glin — leków zawierających żelazo — wielu leków przeczyszczających — niektórych leków stosowanych w chorobie Parkinsona | Jeżeli kupiłeś lek bez recepty, a w załączonej instrukcji zaparcie nie jest wymienione jako nieszkodliwy i przemijający objaw towarzyszący, zaniechaj jego stosowania. Jeżeli lek był zaordynowany przez lekarza, a ten nie zwrócił uwagi na możliwe uboczne działanie, *wizyta u lekarza potrzebna* → Leki i ich stosowanie, s. 617 |

| Dolegliwości i objawy | Możliwe przyczyny | Co należy zrobić |
|---|---|---|
| Zaparcie, mimo że stosujesz środki przeczyszczające i stale zwiększasz ich dawkę | Leniwe jelito, wywołane stosowaniem środków przeczyszczających | Zaniechaj stosowania środków przeczyszczających. Przestaw odżywianie na obfitujące w substancje zawierające błonnik. Jeżeli to działanie nie pomoże, ***wizyta u lekarza potrzebna*** → Zaparcie stolca, s. 379 → Żywienie, s. 704 |
| Zaparcie i — ewentualnie naprzemiennie biegunka — ewentualnie wzdęcia i — ewentualnie kurczowe bóle brzucha | Drażliwe jelito Zapalenie uchyłków jelita | ***Wizyta u lekarza potrzebna*** → Jelito drażliwe, s. 377 → Zapalenie uchyłka, s. 382 → Zaburzenia samopoczucia, s. 175 |
| Zaparcie z bólami podczas oddawania stolca i — ewentualnie krew w stolcu | Guzki krwawnicze (hemoroidy) Małe rany odbytu | ***Wizyta u lekarza potrzebna*** → Guzki krwawnicze, s. 389 → Szczeliny odbytu, s. 389 |
| Długo utrzymujące się zaparcie bez którejkolwiek wyżej wymienionej przyczyny i — ewentualnie bezwiedne oddanie stolca | Rak odbytu | ***Wizyta u lekarza potrzebna*** → Rak jelita grubego i odbytnicy, s. 387 |
| Nagłe zaparcie z silnymi bólami brzucha i — ewentualnie wzdęty brzuch i — ewentualnie wymioty | Niedrożność jelit | ***Natychmiast wezwać pogotowie ratunkowe*** → Zwężenie, niedrożność jelit, s. 380 |

# ZĘBY — BÓLE ORAZ INNE DOLEGLIWOŚCI

Bóle zęba są zawsze gongiem, który należy traktować poważnie. Nawet jeśli same miną, choroba — przeważnie jest to proces próchniczy — czyni postępy. Nie ma rady — wizyta w gabinecie stomatologa jest zawsze niezbędna.

| Dolegliwości i objawy | Możliwe przyczyny | Co należy zrobić |
|---|---|---|
| Zęby pokryte brązowymi plamami | Palenie tytoniu Kamień nazębny Przebarwienie lekami | Zaniechaj palenia tytoniu. Jeżeli przeszkadzają ci przebarwienia, stomatolog może je usunąć. → Palenie tytoniu, s. 740 → Próchnica, s. 344 |
| Lekkie bóle zębów — tylko w niektóre dni i/lub — wrażliwość na zimne napoje lub potrawy i/lub — słodkie lub kwaśne potrawy i napoje | Nadmierna wrażliwość miazgi zębowej spowodowana przez — zmiany klimatyczne — stres, problemy psychiczne — rozpoczynającą się próchnicę | Jeżeli bóle nie ustąpią lub często nawracają, ***wizyta u lekarza potrzebna*** → Zaburzenia samopoczucia, s. 175 → Próchnica, s. 344 |
| Nadmiernie wrażliwe, bolesne zęby po usunięciu kamienia nazębnego | Normalna reakcja na leczenie | Jeżeli dolegliwości nie ustąpią po kilku dniach, ***wizyta u lekarza potrzebna*** → Choroby przyzębia: zapalenie, s. 348 |

| Dolegliwości i objawy | Możliwe przyczyny | Co należy zrobić |
|---|---|---|
| Lekkie bóle zębów z nocnym zgrzytaniem i<br>— ewentualnie bóle szczęki i<br>— ewentualnie napięte żwacze żujące | Problemy psychiczne<br>Wystające wypełnienia zębów<br>Nieprawidłowy zgryz | Jeżeli dolegliwości nie ustąpią po kilku dniach,<br>*wizyta u lekarza potrzebna*<br>→ Zaburzenia samopoczucia, s. 175<br>→ Próchnica, s. 344<br>→ Leczenie wad zgryzu, s. 349 |
| Napięte, swędzące, zaczerwienione i obrzęknięte dziąsło u dziecka | Zapalenie dziąseł z powodu wyrzynania się zęba<br>Zapalenie dziąsła spowodowane tworzeniem zachyłków zębowych | Gdy dziecko ząbkuje, możesz mu dać „gryzaczek" — jakiś twardy pierścień gumowy do gryzienia.<br>Jeżeli zauważysz wadę zgryzu,<br>*wizyta u lekarza potrzebna*<br>→ Zęby mleczne, s. 353 |
| Uszkodzenie dziąseł po zażywaniu leków | Działanie uboczne<br>— leków przeciwpadaczkowych zawierających mefenytoinę, fenytoinę, prymidon<br>— cyklosporyny | Sprawdź w instrukcji załączonej do leku, czy zawiera którąkolwiek z wymienionych substancji.<br>Jeżeli tak,<br>*wizyta u lekarza potrzebna*<br>→ Leki i ich stosowanie, s. 617 |
| Ostre, kłujące, świdrujące lub tępe bóle zębów i<br>— ewentualnie obrzęk policzka i<br>— ewentualnie widoczne gromadzenie ropy w dziąśle | Próchnica w stadium zaawansowanym<br>Zapalenie miazgi zęba<br>Zapalenie korzenia zęba<br>Zapalenie szczęki | *Wizyta u lekarza potrzebna*<br>Jeżeli bóle są bardzo silne, powinieneś otrzymać pomoc lekarską w tym samym dniu.<br>→ Próchnica, s. 344<br>→ Zapalenie miazgi zęba, s. 345<br>→ Zapalenie wierzchołka korzenia zęba, s. 347 |
| Bolące dziąsło, które krwawi po odgryzaniu lub myciu zębów i<br>— ewentualnie brzęknie pomiędzy zębami | Zapalenie dziąsła spowodowane<br>— stresem lub<br>— kamieniem nazębnym lub<br>— wystającymi wypełnieniami zębów lub brzegami koron<br>— cukrzycą lub<br>— niedoborem witamin lub<br>— alergią lub<br>— lekami przeciwpadaczkowymi | *Wizyta u lekarza potrzebna*<br>→ Zaburzenia samopoczucia, s. 175<br>→ Zapalenie dziąseł, s. 347<br>→ Próchnica, s. 344<br>→ Założenie korony, s. 350 |
| Bolesne ciągnienie w szczęce z rozchwianiem zębów i<br>— stan zapalny dziąsła | Zapalenie tkanek przyzębia | *Wizyta u lekarza potrzebna*<br>→ Choroby przyzębia: zapalenie, przyzębica, s. 348 |
| Bóle w szczęce, które najczęściej promieniują i<br>— ewentualnie trzaski w szczęce | Zaburzenia funkcji spowodowane nieprawidłowym zgryzem<br>Nieprawidłowe ustawienie szczęki<br>Zaciskanie zębów lub zgrzytanie zębami | *Wizyta u lekarza potrzebna*<br>→ Leczenie wad zgryzu, s. 349<br>→ Choroby stawu żuchwowego, s. 349 |
| Bóle pod protezą | Źle dopasowana proteza<br>Podrażnienie przez tworzywo protezy<br>Niedostateczna higiena jamy ustnej<br>Zmiany szczęki<br>Rak jamy ustnej | *Wizyta u lekarza potrzebna*<br>→ Gdy zęba nie da się uratować, s. 350<br>→ Rak w obrębie jamy ustnej, s. 359 |

# ZIĘBNIĘCIE, NIEZWYKŁE UCZUCIE CHŁODU

Jeżeli często odczuwasz, że jest ci zimno, to przyczyną takiego wrażenia mogą być: stałe przemęczenie, zaburzenia zarówno w krążeniu krwi, jak i hormonalne. Może jednak powinieneś się także zastanowić, dlaczego w twoim życiu brakuje ciepła, co sprawia, że na twym ciele pojawia się gęsia skórka?

| Dolegliwości i objawy | Możliwe przyczyny | Co należy zrobić |
|---|---|---|
| Ziębnięcie z powodu niewyspania | Wyczerpanie | Wyśpij się. |
| | | Uczucie ziębnięcia ustąpi samo. |
| Ziębnięcie w czasie lub po zakończonej kuracji odchudzającej | Głód | Liczne kuracje odchudzające nie są zdrowe. |
| | | Jeżeli nie czujesz się dobrze, należy przerwać kurację, |
| | | → Masa ciała, s. 709 |
| Ziębnięcie z powodu niedowagi | Mała ochrona przed chłodem | Spróbuj celowo przybrać kilka kilogramów. |
| | | Jeżeli jesteś wychudzony, |
| | | *wizyta u lekarza potrzebna* |
| | | → Masa ciała, s. 709 |
| | | → Zaburzenia łaknienia, s. 196 |
| Ziębnięcie, gdy<br>— czujesz się samotny i/lub<br>— czujesz się za mało kochany | Problemy psychiczne | Spróbuj wprowadzić więcej uczucia do swego życia. |
| | | Jeżeli potrzebujesz przy tym pomocy, |
| | | *wizyta u lekarza potrzebna* |
| | | → Zaburzenia samopoczucia, s. 175 |
| | | → Poradnictwo i psychoterapia, s. 670 |
| Ziębnięcie i<br>— znużenie poranne i<br>— ewentualnie bóle głowy i<br>— ewentualnie nudności | Niskie ciśnienie krwi | Zażywaj więcej ruchu w ciągu dnia. |
| | | Uprawiaj sport, jeżeli masz na to ochotę, lub chodź częściej pieszo. |
| | | Jeżeli to nie pomoże, |
| | | *wizyta u lekarza potrzebna* |
| | | → Niskie ciśnienie krwi, s. 309 |
| | | → Ruch i sport, s. 748 |
| Ziębnięcie po zażyciu leków i<br>— ewentualnie bladość | Objawy zaburzeń ukrwienia po<br>— lekach przeciw migrenie, zawierających dihydroergotaminę, ergotaminę<br>— lekach przeciw zaburzeniom krążeniowym, zawierających dihydroergokrystynę dihydroergokorninę dihydroergokryptynę dihydroergotaminę midodrynę<br>— beta-adrenolitykach (leki stosowane przy nadciśnieniu krwi)<br>— lekach przeciw zaburzeniom cyklu płciowego oraz w celu zatrzymania wytwarzania mleka i zawierających bromkryptynę | Sprawdź w ulotce załączonej do zażywanego leku, czy zawiera którąś z wymienionych substancji. Jeżeli tak jest, |
| | | *wizyta u lekarza potrzebna* |
| | | → Leki i ich stosowanie, s. 617 |

| Dolegliwości i objawy | Możliwe przyczyny | Co należy zrobić |
|---|---|---|
| Ziębnięcie i gorączka i<br>— ewentualnie drżenie z zimna | Zjawisko towarzyszące gorączce<br>Ostra lub przewlekła choroba z zimna | Jeżeli gorączka trwa dłużej niż 3 dni lub przekracza 40°C,<br>*wizyta u lekarza potrzebna* |
| Ziębnięcie przy niskich temperaturach i<br>— bladosine palce, wargi i uszy i<br>— ciemny mocz | Niedokrwistość | *Wizyta u lekarza potrzebna*<br>→ Niedokrwistość, s. 324 |
| Zimne palce, które stają się nagle sine lub białe | Kurcz naczyń krwionośnych | *Wizyta u lekarza potrzebna*<br>→ Choroba Raynauda, s. 314 |

# ZMĘCZENIE I ROZBICIE

Jeśli często czujesz się zmęczony, nie masz na nic ochoty, łatwo opadasz z sił, to niekoniecznie przyczyną takiego samopoczucia musi być choroba. Może chodzi o niedostatek ruchu, może to wpływ złego odżywiania się, nadwagi lub wrażliwość na zmiany pogody? Jeśli jednak takie niekorzystne objawy pojawiają się regularnie, to należy się zastanowić, kto lub co tak źle wpływa na twoje życie, że nie korzystasz z niego w pełni.

| Dolegliwości i objawy | Możliwe przyczyny | Co należy zrobić |
|---|---|---|
| Rozbicie i/lub znużenie po przepracowaniu lub niedoborze snu | Prawidłowa reakcja ustroju | Wyspać się.<br>Nie żałuj sobie odprężenia.<br>→ Zaburzenia samopoczucia, s. 175<br>→ Relaks, s. 664 |
| Rozbicie i/lub zmęczenie, jeżeli<br>— masz mało ruchu i/lub<br>— odżywiasz się tłusto bądź jednostronnie i/lub<br>— masz nadwagę | Niedobór ruchu<br>Niewłaściwe odżywianie<br>Obciążenie przez nadwagę | Postaraj się prowadzić bardziej ruchliwy tryb życia.<br>Zmień nawyki żywieniowe.<br>Staraj się zredukować nadwagę.<br>→ Ruch i sport, s. 748<br>→ Żywienie, s. 704<br>→ Masa ciała, s. 709 |
| Rozbicie i/lub znużenie przy zmianie pogody lub wietrze halnym i<br>— ewentualnie pobudliwość i<br>— ewentualnie bóle głowy | Wrażliwość na zmianę pogody | Należy uwzględnić swoje potrzeby i więcej wypoczywać. Skreślić wszystkie terminy spotkań i przedsięwzięć, które nie są bezwzględnie konieczne.<br>→ Zaburzenia samopoczucia, s. 175<br>→ Relaks, s. 664 |
| Rozbicie i/lub znużenie przy kuracji odchudzającej | Zjawisko wywołane dietą<br>Przeciążenie przemiany materii<br>Uruchomienie substancji toksycznych przez redukcję tłuszczu | Niektóre kuracje odchudzające są jednostronne i dlatego niezdrowe.<br>*Należy zasięgnąć rady u lekarza*<br>→ Masa ciała, s. 709 |

| Dolegliwości i objawy | Możliwe przyczyny | Co należy zrobić |
|---|---|---|
| Rozbicie i/lub znużenie po<br>— wypiciu większej ilości alkoholu i/lub<br>— wypaleniu większej ilości tytoniu i/lub<br>— zażyciu środków odurzających | Zjawisko towarzyszące nadużyciu | Należy zmniejszyć ilość spożywanego alkoholu. Przestań palić.<br>Zaniechaj stosowania jakichkolwiek leków.<br>Jeżeli nie uda ci się pozbyć tych nałogów bez pomocy,<br>*wizyta u lekarza potrzebna*<br>→ Używki i środki odurzające, s. 740<br>→ Uzależnienia, s. 198 |
| Rozbicie i/lub znużenie pojawiające się zawsze wtedy, kiedy spotykasz konkretną osobę lub znajdujesz się w określonej sytuacji, lub<br>— ewentualne uczucie niezadowolenia i<br>— ewentualnie brak energii<br>— ewentualnie przygnębienie | Reakcja obronna organizmu przed niemiłym przeżyciem<br>Przeciążenie spowodowane wymaganiami bądź pretensjami innych osób<br>Nieuzewnętrzniane konflikty wewnętrzne | Należy zaobserwować, kiedy występuje zmęczenie. Zwróć uwagę na to, czego sam chcesz. Jeżeli nie możesz się uporać ze swoimi problemami,<br>*wizyta u lekarza potrzebna*<br>→ Zaburzenia samopoczucia, s. 175<br>→ Zaburzenia psychiczne, s. 188<br>→ Poradnictwo i psychoterapia, s. 670 |
| Rozbicie i/lub senność i/lub znużenie po zażyciu leków | Działanie uboczne wielu leków, zwłaszcza preparatów zawierających leki antyhistaminowe, barbiturany i pochodne benzodiazepiny<br>Należą do nich<br>— większość środków nasennych i uspokajających<br>— wiele środków przeciwgrypowych<br>— wiele środków wykrztuśnych<br>— wiele środków przeciwprzeziębieniowych<br>— większość środków przeciwalergicznych i przeciw migrenie | Jeżeli zakupiłeś dany lek bez recepty, a z załączonej instrukcji nie wynika, że osłabienie jest nieznacznym, przemijającym skutkiem ubocznym, to zaprzestań jego stosowania.<br>Jeżeli lek był zaordynowany przez lekarza i nie zostałeś uprzedzony o możliwych działaniach ubocznych,<br>*wizyta u lekarza potrzebna*<br>→ Leki i ich stosowanie, s. 617 |
| Zmęczenie po zażyciu leków i oszołomienie<br>— ewentualnie zawroty głowy<br>— ewentualnie bóle głowy | Oznaki spadku ciśnienia krwi jako działanie uboczne licznych leków, zwłaszcza<br>— wielu środków nasennych i uspokajających<br>— wielu leków przeciw nadciśnieniu krwi<br>— wielu środków wykrztuśnych i przeciwprzeziębieniowych<br>— niektórych środków przeciw chorobie lokomocyjnej i przeciw nudnościom | Jeżeli kupiłeś lek bez recepty, a z załączonej instrukcji nie wynika, że spadek ciśnienia jest nieszkodliwym i przemijającym skutkiem ubocznym, to zaprzestań jego stosowania.<br>Jeżeli lek był zaordynowany przez lekarza, a ten nie uprzedził cię o możliwym działaniu ubocznym,<br>*wizyta u lekarza potrzebna*<br>→ Leki i ich stosowanie, s. 617 |

| Dolegliwości i objawy | Możliwe przyczyny | Co należy zrobić |
|---|---|---|
| Rozbicie i/lub zmęczenie po przebudzeniu i<br>— ewentualnie zawroty głowy po zbyt szybkim wstaniu i<br>— ewentualnie bóle głowy | Niskie ciśnienie krwi | Pobudź swoje krążenie przez regularnie uprawiane ćwiczenia.<br>Zastosuj natrysk o zmiennej temperaturze. Wypijaj dostateczną ilość płynów. Jeżeli niskie ciśnienie jest dokuczliwe,<br>*wizyta u lekarza potrzebna*<br>→ Niskie ciśnienie krwi, s. 309 |
| Rozbicie i/lub znużenie z ogólnym złym samopoczuciem i<br>— ewentualnie podwyższona ciepłota ciała lub gorączka | Początek choroby<br>Różne zakażenia | Jeżeli dolegliwości nie ustąpią do trzech dni,<br>*wizyta u lekarza potrzebna* |
| Rozbicie i/lub znużenie po ostatnio przebytej chorobie lub<br>— przy przewlekłej chorobie | Objawy towarzyszące chorobie | Oszczędzaj siły, aż będziesz sprawny.<br>Jeżeli chorujesz na jakąkolwiek chorobę przewlekłą, a osłabienie jest niezwykle silne, to<br>*wizyta u lekarza potrzebna* |
| Rozbicie i/lub znużenie, i chudnięcie, mimo że nie stosujesz jakiejkolwiek diety | Problemy psychiczne<br>Różne powszechnie występujące choroby (np. wrzód żołądka, choroby jelit, gruźlica, rak) | Jeżeli osłabienie i spadek ciężaru ciała nie ustąpią po dwóch tygodniach,<br>*wizyta u lekarza potrzebna*<br>→ Zaburzenia samopoczucia, s. 175<br>→ Zaburzenia psychiczne, s. 188 |
| Rozbicie i/lub znużenie występujące przez dłuższy czas i<br>— zaburzenia snu i<br>— upośledzona koncentracja uwagi i<br>— ewentualnie zniechęcenie i<br>— ewentualnie bóle głowy i inne dolegliwości organizmu<br>— ewentualnie zamknięcie się w sobie i<br>— ewentualnie uczucie pustki i bezsensu | Depresja | Jeżeli z powodu depresji nie jesteś pod kontrolą lekarską,<br>*wizyta u lekarza potrzebna*<br>→ Depresja, s. 191<br>→ Zaburzenia samopoczucia, s. 175<br>→ Poradnictwo i psychoterapia, s. 670 |
| Rozbicie i/lub znużenie i<br>— bladość i<br>— ewentualnie uczucie osłabienia i<br>— ewentualnie skłonność do omdleń | Niedokrwistość | *Wizyta u lekarza potrzebna*<br>→ Niedokrwistość, s. 324 |
| Rozbicie i/lub znużenie i<br>— uczucie chłodu i<br>— ewentualnie wzrost wagi ciała | Niedoczynność tarczycy | *Wizyta u lekarza potrzebna*<br>→ Niedoczynność tarczycy, s. 462 |

# ŻOŁĄDEK — DOLEGLIWOŚCI

Jeśli jesteś w kwaśnym humorze, spowodowanym tym, że musisz to i owo przełknąć, a potem nie potrafisz tego „strawić", wówczas, owszem, złe samopoczucie może wynikać z tego, że coś ci „leży na żołądku". Na ogół jednak nie są to prawdziwe bóle żołądka. Mniej więcej u połowy pacjentów lekarze nie znajdują żadnych zmian organicznych. Ale kiedy żołądek się buntuje, mogą też wchodzić w grę rozmaite schorzenia, poza tym winą można obarczyć niejedno lekarstwo...

| Dolegliwości i objawy | Możliwe przyczyny | Co należy zrobić |
|---|---|---|
| Dolegliwości żołądkowe i bóle brzucha | | → Brzuch — bóle, s. 22 |
| Bóle żołądka po zbyt szybkim i obfitym jedzeniu i/lub spożyciu alkoholu i | Normalna reakcja żołądka na przeciążenie | Zrób jednodniową głodówkę lub jedz mało (wodnista zupa, sucharki). |
| — ewentualnie wymioty | Niewłaściwe odżywianie | → Żywienie, s. 704 |
| Bóle żołądka po intensywnym paleniu tytoniu i/lub wypiciu alkoholu | Podrażnienie błony śluzowej żołądka | Zaniechaj palenia tytoniu. |
| | | Ogranicz konsumpcję alkoholu. |
| | | Jeżeli dolegliwości nie ustąpią po tygodniu, |
| | | *wizyta u lekarza potrzebna* |
| | | → Używki i środki odurzające, s. 740 |
| | | → Zapalenie żołądka ostre, s. 364 |
| Bóle żołądka oraz | Drażliwy żołądek | Gdy pojawią się dolegliwości, spróbuj natychmiast się odprężyć. |
| — uczucie pełności i | Zapalenie błony śluzowej żołądka | Najczęściej dolegliwości ustępują same. |
| — zgaga i | Problemy psychiczne | Jeżeli często cierpisz na dolegliwości żołądkowe, |
| — ewentualnie wzdęcia i | | *wizyta u lekarza potrzebna* |
| — ewentualnie odbijanie i | | → Żołądek drażliwy, s. 362 |
| — ewentualnie nudności lub wymioty i | | → Zapalenie żołądka ostre, s. 364 |
| — ewentualnie obłożony język i przykry zapach z ust i | | → Zaburzenia samopoczucia, s. 175 |
| — ewentualnie brak apetytu | | → Relaks, s. 664 |
| Bóle żołądka i | Zapalenie żołądka na skutek | Jeżeli zjadłeś grzyby, musisz natychmiast udać się do lekarza. |
| — nudności lub wymioty i | — zakażenia wirusami | W innych przypadkach możesz odczekać dwa dni, jeśli dolegliwości nie ustąpią, |
| — ogólne osłabienie i | — spożycia zepsutych pokarmów | *wizyta u lekarza potrzebna* |
| — ewentualnie biegunka i | — obciążenia przez promienie rentgenowskie | → Zapalenie żołądka ostre, s. 364 |
| — ewentualnie gorączka | — nadużycie alkoholu | → Rak żołądka, s. 368 |
| | — trujące grzyby | → Zatrucia, s. 695 |
| Bóle żołądka z uczuciem ucisku lub pełności | Przewlekłe zapalenie żołądka | *Wizyta u lekarza potrzebna* |
| | | → Zapalenie żołądka przewlekłe, s. 365 |
| Bóle żołądka, gdy stykasz się z substancjami chemicznymi | Obciążenie chemikaliami na stanowisku pracy | Jeżeli często cierpisz na bóle żołądka, |
| | | *wizyta u lekarza potrzebna* |
| | | → Substancje toksyczne w środowisku pracy, s. 787 |

| Dolegliwości i objawy | Możliwe przyczyny | Co należy zrobić |
|---|---|---|
| Bóle żołądka po zażyciu leków i/lub<br>— nudności i/lub<br>— wymioty i/lub<br>— biegunka i/lub<br>— zaparcie | Działanie uboczne licznych leków, zwłaszcza<br>— różnych leków przeciwbólowych<br>— dużej liczby preparatów przeciwreumatycznych<br>— środków przeciwzapalnych (np. glikokortykoidów)<br>— dużej liczby leków wykrztuśnych i przeciw astmie<br>— antybiotyków<br>— dużej liczby leków wpływających na układ krążenia<br>— dużej liczby leków stosowanych w chorobach żołądkowo-jelitowych<br>— różnych leków przeciw chorobom dróg moczowych | Jeżeli zakupiłeś lek bez recepty, a w załączonej instrukcji dolegliwości żołądkowe nie są opisane jako nieszkodliwy i przemijający objaw uboczny, zaniechaj jego dalszego stosowania.<br><br>Jeżeli lek był zaordynowany przez lekarza, a ten nie zwrócił ci uwagi na możliwe uboczne działanie,<br><br>*wizyta u lekarza potrzebna*<br><br>→ Leki i ich stosowanie, s. 617 |
| Bóle żołądka ze zgagą, nasilające się, gdy kładziesz się po jedzeniu | Nadwaga<br>Zapalenie przełyku<br>Przepuklina przeponowa | *Wizyta u lekarza potrzebna*<br>→ Masa ciała, s. 709<br>→ Zapalenie przełyku, s. 361<br>→ Przepuklina, s. 409 |
| Palące, kurczowe bóle żołądka z uczuciem pełności bezpośrednio po jedzeniu i<br>— ewentualnie zgaga i<br>— ewentualnie nudności lub wymioty i<br>— ewentualnie spadek wagi ciała<br>— ewentualnie obłożony język | Zapalenie błony śluzowej żołądka<br>Wrzód żołądka | *Wizyta u lekarza potrzebna*<br>→ Zapalenie żołądka ostre, s. 364<br>→ Wrzód żołądka lub dwunastnicy, s. 366 |
| Bóle nadbrzusza, najczęściej między pępkiem i środkiem prawego łuku żebrowego, pojawiające się zwykle na czczo lub dwie godziny po jedzeniu i<br>— ewentualnie zgaga i<br>— ewentualnie nudności i wymioty i<br>— ewentualnie brak apetytu i<br>— ewentualnie spadek wagi ciała i<br>— ewentualnie obłożony język | Wrzód dwunastnicy | *Wizyta u lekarza potrzebna*<br>→ Wrzód żołądka lub dwunastnicy, s. 366 |
| Bóle żołądka oraz wstręt do mięsa<br>— brak apetytu i<br>— ewentualnie spadek wagi ciała | Rak żołądka | *Wizyta u lekarza potrzebna*<br>→ Rak żołądka, s. 368 |

| Dolegliwości i objawy | Możliwe przyczyny | Co należy zrobić |
|---|---|---|
| Bóle żołądka po zażyciu leków i<br>— ewentualnie czarny stolec<br>— ewentualnie wymioty | Objaw krwawienia z wrzodu żołądka lub dwunastnicy spowodowanego działaniem ubocznym<br>— leków zawierających kwas acetylosalicylowy, karbocysteinę lub diflunizal<br>— wielu leków przeciwreumatycznych, po dłuższym stosowaniu<br>— wielu leków przeciwzapalnych (glikokortykoidów), po dłuższym stosowaniu<br>— soli mineralnych zawierających potas<br>— preparatów żelazowych | Sprawdź w instrukcji załączonej do zażywanego leku, czy zawiera jedną z wymienionych substancji lub czy należy do wyszczególnionych grup leków.<br>Przy stosowaniu preparatów żelaza czarne zabarwienie stolca jest zjawiskiem normalnym.<br>We wszystkich innych przypadkach *wizyta u lekarza potrzebna*<br>→ Leki i ich stosowanie, s. 617 |
| Bóle żołądka z wymiotami o charakterze fusów kawowych lub wymioty krwiste i<br>— czarny, smolisty stolec | Krwotok z żołądka | *Natychmiast wezwać pogotowie ratunkowe*<br>→ Wrzód żołądka lub dwunastnicy, s. 366 |
| Bóle żołądka z deskowato twardym brzuchem i<br>— „nitkowate tętno" i<br>— ewentualnie zlewne poty | Pęknięcie wrzodu żołądka | *Natychmiast wezwać pogotowie ratunkowe*<br>→ Wrzód żołądka lub dwunastnicy, s. 366 |
| Bóle nadbrzusza z silnym uciskiem klatki piersiowej | Zawał mięśnia sercowego | *Natychmiast wezwać pogotowie ratunkowe*<br>→ Zawał serca, s. 316 |

# ZDROWIE I DOBRE SAMOPOCZUCIE

Ludzie, którym się dobrze powodzi, na ogół przez dłuższy czas są zadowoleni z życia, odczuwają satysfakcję z pracy, warunków mieszkaniowych, otoczenia, czują się bezpiecznie. Nie musi to oznaczać, że są całkiem zdrowi. Wiele osób ma względnie dobre samopoczucie, mimo że całe życie korzysta z pomocy lekarskiej, stale zażywa leki, musi walczyć z ułomnościami, a nawet korzystać z wózka inwalidzkiego. Inni z kolei są organicznie zdrowi, lecz tak niezadoweleni z życia, że ich samopoczucie jest poważnie zaburzone. Przyczyna cierpień leży w nich samych, czasem w osobach z ich otoczenia i środowiska oraz w warunkach życia. Ze swoim cierpieniem wędrują od lekarza do lekarza. Podobnie odwrotne wydają się skutki tego, co uważa się za zdrowy lub niezdrowy tryb życia. Znamy ludzi, którzy przez całe życie się przejadali, palili tytoń, pili alkohol, lekceważyli sport i wysiłek fizyczny, a pomimo to osiągnęli podeszły wiek. Dobrze znamy również osoby dbające o zdrowie, racjonalnie odżywiające się, zażywające ruchu, a jednak stale chorujące. Unikanie czynników ryzyka nie prowadzi automatycznie do dobrego samopoczucia i długiego życia, gdyż do zniwelowania pozytywnego efektu przyczyniają się współdziałające okoliczności. Wielu ludziom wieczorny kufelek piwa przynosi odprężenie i pozwala zmniejszyć wyrzuty sumienia. Dopiero skomplikowane wzajemne oddziaływanie nastawienia oraz potrzeb cielesnych i duchowych oraz dobrego samopoczucia społecznego i wpływów zewnętrznych rodzi to, co w skrócie określa się powiedzeniem: „powodzi mi się dobrze i czuję się zdrowo".

## Poczucie zdrowia

Większość ludzi zna zarówno mocne, jak i słabe strony swego organizmu, np. niektórzy mogą objadać się bezkarnie, natomiast już niewielkie oziębienie jest powodem wystąpienia dolegliwości ze strony pęcherza moczowego. Inni reagują przeciwnie. Większość ludzi wie, które okoliczności są dla nich niekorzystne. Każdy wypracowuje sobie indywidualnie sposoby złagodzenia lub zapobiegania rozwojowi choroby. Istnieją trzy zasadnicze modele zachowań. Jedni bardzo szybko zauważają najmniejsze sygnały ze strony swego organizmu i natychmiast im przeciwdziałają, doprowadzając do w pełni dobrego samopoczucia. Drudzy usiłują sobie pomóc poprzez wypoczynek, pielęgnację, korzystając z pomocy osób najbliższych. W ten sposób zapobiegają rozwojowi poważniejszych zaburzeń. Osoby należące do trzeciej grupy bagatelizują sygnały będące ostrzeżeniem, że granica obciążeń została osiągnięta — w efekcie dochodzi do ujawnienia się choroby.

### Świadomość ryzyka

To, czy jakiś czynnik stanowi zagrożenie dla zdrowia, zależy od częstotliwości jego występowania i czasu działania. Jedna butelka wina wypita codziennie bardziej szkodzi wątrobie niż pełne upojenie alkoholowe od czasu do czasu. Jednoczesne występowanie kilku szkodliwych czynników znacznie pogłębia ostateczny negatywny skutek. Ludzie dbający o zdrowie mają świadomość, czego należy unikać i jakiego rzędu ryzyko jest dopuszczalne.

## Jak wpływać na dobre samopoczucie fizyczne

— Zacznij od małych kroczków. Duże przedsięwzięcia, zmieniające cały sposób życia, szybciej mogą spełznąć na niczym.

— Gdy chcesz zmienić przyzwyczajenia, zaplanuj to na dłuższy okres. Zmiany podstawowe wymagają najczęściej ponad roku, nim zostaną wprowadzone w pełni do codzienności.

— Rozpoczynaj od zmian, które wydają ci się łatwiejsze, a za sukces obmyśl jakąś nagrodę.

— Podziel się swoim sukcesem z innymi.

— Droga do dobrego fizycznego samopoczucia nie powinna wiązać się z umartwianiem, dręczeniem się i niedostatkiem: bez seksu, rozkoszy i radości cielesnej nie ma zdrowia.

### Biorytmy

Wszyscy podlegamy powtarzającym się w pewnych odstępach czasu rytmom. Wegetatywny układ nerwowy wymaga na zmianę wzmożonego napięcia i odprężenia. Regulacja hormonalna zależna jest od pory dnia i nocy, światła i ciepła latem, ciemności i chłodu zimą. W zasadzie człowiek jest istotą nastawioną na gotowość do czynu w ciągu dnia, a na wypoczynek nocą. W związku z tym rano uwalnia się większa ilość hormonu stresu — kortyzolu, warunkującego wzrost energii w ciągu dnia. Temperatura ciała jest najwyższa w godzinach popołudniowych, a najniższa w nocy. Różnica wynosi około 0,8°C. Okołodobowo obserwuje się rytm zmienności aktywności. Najbardziej sprawnym jest się we wczesnych godzinach przedpołudniowych. W południe wydolność wyraźnie spada, we wczesnych godzinach wieczornych zaś ponownie wzrasta. Wydzielanie hormonu „rytmu", melatoniny, zależne jest od uwarunkowań świetlnych. W ciemności szyszynka wydziela sporą jej ilość, ułatwiając sen. W warunkach jasności wydzielanie melatoniny jest mniejsze; wiąże się z tym skłonność do melancholii w okresie ponurych i zimnych dni oraz impulsywna przedsiębiorczość wiosną i latem. Organizm ludzki potrzebuje czasu, aby dopasować się do występujących zmian, dlatego na pracę wielozmianową lub w nocy reaguje bólami głowy, nerwowością i zaburzeniami snu. To samo dotyczy podróży lotniczych do różnych stref czasowych, co objawia się zespołem „jet-lag".

---

### Podążaj za rytmem jasno—ciemno

— Trudne projekty należy realizować w jasnych porach roku.
— Urlop zimowy w domu ułatwia wypoczynek, podróż zaś na słoneczne południe — wyrównanie zimowego spadku wydolności.
— Zaleca się jak najczęstsze spacery, ponieważ nawet przy pochmurnym niebie na zewnątrz jest więcej światła niż w mieszkaniu.
— Przysuń stoły i fotele do okien, odsłoń firanki, dbaj o dobre oświetlenie pomieszczeń!
— Tylko wyjątkowo zmieniaj dzień na noc!

---

### Wychowanie w zdrowiu

Podniesionego palca wskazującego wychowawców nie można już prawie uniknąć. Wyobrażenie, że zdrowie można osiągnąć przez system kar i zakazów, prowadzi do powstania ścisłych reguł i nakazów. Jednakże wyniki takich belferskich metod są znikome.

Przy nadwadze zależność ta jest szczególnie widoczna. Otyli cierpią nie tylko z powodu krzywych spojrzeń kierowanych przez otoczenie, lecz także przepowiedni lekarskich, że skończą wskutek zawału. Rzeczywiście ryzyko zawału przy nadwadze jest większe, lecz może też wzrastać, gdy się ze swoją nadwagą musi walczyć przy dużym napięciu psychicznym. Ryzyko to rośnie na skutek stresu towarzyszącego nowym próbom schudnięcia, szkodliwym dla zdrowia dietom i powstrzymywaniu apetytu. Grubi stają się chorzy, kiedy obciążeni poczuciem winy zwalczać muszą swoje własne pragnienia. Dla wielu jest już zwycięstwem utrzymanie aktualnej tuszy.

### Wychowanie w zdrowiu dzieci

To, co dotyczy dorosłych, odnosi się również do dzieci. Za pomocą „nie wolno ci, nie powinieneś" niewiele się osiągnie. Przykład rodziców, rodziny lub przyjaciół działa bardziej niż reguły życiowe.

### Świadomość zdrowotna

Gdy za najważniejsze uważa się własne samopoczucie i radość życia, wówczas nieistotne stają się wszelkie znane nakazy i zakazy. Świadomość zdrowotna wiąże się również z decyzją, czy chce się podjąć jakieś ryzyko, czy też woli je ominąć. Zależy to od ilości (jak często robię „niewłaściwy krok"?) i jakości ryzyka (jak bardzo lubię mój wieczorny kufel piwa?), a także, czy ryzykowne działanie trwa długo i czy się sumuje. Ważna jest świadomość ryzyka i wiedza o jego konsekwencjach i znaczeniu. Trzeba również zdawać sobie sprawę, że są obszary, na które nie mamy prawie żadnego indywidualnego wpływu: czasami można, lecz nie zawsze, uniknąć obciążenia pożywienia substancjami szkodliwymi (→ s. 713). Można wpływać na zmniejszenie ilości substancji szkodliwych w mieszkaniu (→ s. 759), lecz na ogólną jakość powietrza miejskiego może wpłynąć jedynie wspólny wysiłek.

### Poprawa stanu zdrowia

Na poprawę stanu zdrowia wpływa zarówno indywidualne zachowanie się, jak i oddziaływanie otoczenia. Tak więc jednostka i społeczność, w której żyje, winny znaczący obszar utrzymania zdrowia wziąć w swoje ręce. Dotyczy to nie tylko zmiany własnych nawyków i stylu bycia, lecz również zmian w „dalszym" otoczeniu, jak na przykład w miejscu pracy, zamieszkania, w komunalnym zaopatrzeniu w wodę i energię lub w kontaktach społecznych. Tylko współgranie osobistych i kolektywnych wysiłków może sprzyjać zdrowiu.

---

### Na psychiczne dobre samopoczucie wpływają

— Psychiczne dobre samopoczucie nie jest wielkością statyczną. Jest ono stale w ruchu i dlatego może się ciągle zmieniać.
— Wsparcie i uznanie nie muszą pochodzić zawsze od tej samej osoby. Im bardziej wszechstronne związki społeczne, tym lepiej. Samotność jest przyczyną choroby.
— Zwracaj uwagę na to, by emocjonalne wsparcie udzielane innym było równe z tym, co ty otrzymujesz. Poświęcanie się jest na dłuższą metę szkodliwe.
— Swoje życzenia i potrzeby ocenisz najlepiej, gdy znajdziesz regularnie czas, by się nad sobą zastanawiać i porozmawiać na swój temat.
— Psychiczne dobre samopoczucie nie jest związane tylko z dążeniem do harmonii. Do zdrowia należy również gotowość układania się, spierania się, do przebaczania, przezwyciężania urazów, pokonywania konfliktów i zajmowania własnego stanowiska.

---

### Dobre samopoczucie psychiczne

Zdrowie psychiczne wspomagają:

— wsparcie przez innych w formie uznania, grzeczności, pomocy, pochwały;
— miłość, zażyłość, delikatność i kontakty seksualne;
— zrozumienie potrzeb drugiego człowieka w przyjaźni, w kontaktach rodzinnych, w miejscu pracy i zamieszkania;
— regularna zmiana pomiędzy napięciem (praca) a odprężeniem (sen, wypoczynek, urlop);
— umiejętność przekazywania własnych poglądów i odczuć. Składa się na to wyrażenie smutku, złości, rozczarowania lub zniewagi, lecz również umiejętność dzielenia się radością, zadowoleniem, uczuciem szczęścia lub zaspokojenia;
— możliwość uczestniczenia w życiu kulturalnym i w kształceniu.

O podstawowe warunki dobrego samopoczucia psychicznego można zadbać samemu. Lecz i tu nie istnieją ogólne wskazówki ani reguły, które by ustalały, ile wsparcia, intymności lub kontaktów towarzyskich potrzeba, by czuć się zdrowo. Czego i ile potrzebujemy w zakresie psychicznego dobrego samopoczucia, musimy na ogół ustalić sami. Indywidualne różnice wynikają z osobistej sytuacji życiowej i własnej biografii (wychowanie, rodzina i uspołecznienie).

## Dobre samopoczucie społeczne

W dyskusji nad kształtowaniem świadomości zdrowotnej często zapomina się o zdrowiu społecznym. W tym zakresie odzwierciedla się najwyraźniej wpływ zdrowia fizycznego na psychikę. Ludzie, którzy muszą żyć bez pracy, bez podstawowego zabezpieczenia materialnego i w oderwaniu od podłoża kulturowego, oczekują mniej od życia i częściej chorują.

Do społecznego dobrego samopoczucia należą:
— środowisko zamieszkania i pracy, w którym istnieją szlaki komunikacyjne, sieć usług socjalnych, tereny rekreacyjne;
— mieszkania, w tym ich jakość, wielkość, wyposażenie i spokój umożliwiające wspólne życie;
— ustawodawstwo zapewniające podstawowe bezpieczeństwo materialne i zaopatrzenie zdrowotne wszystkim ludziom (szczególnie osobom starym, chorym, upośledzonym i zagrożonym);
— ustawodawstwo regulujące formy i czas pracy ku zadowoleniu wszystkich. Wchodzą w to odpowiednie ustalenia w zakresie ochrony pracy i rozdziału pracy wśród tych, którzy chcą pracować;
— system społeczny umożliwiający indywidualne i zbiorowe uczestnictwo we wszystkich ważnych decyzjach.

Nie można sądzić, że indywidualne wysiłki wystarczą, by stworzyć podstawowe warunki dla zdrowia społecznego. Stworzenie ich jest wspólnym zadaniem i częścią polityki socjalnej. Dzięki niej zdrowie społeczne może być ograniczane lub wspomagane. Jak bardzo dobrostan fizyczny, psychiczny oraz społeczny są powiązane, ukazuje na przykład zjawisko bezrobocia. Żeby posłużyć się przykładem tylko Niemiec i Austrii, zdrowotne skutki bezrobocia wpływają na zdrowie ponad dwóch milionów ludzi. Wskutek skromnych środków finansowych prawie zawsze obniża się jakość odżywiania i mieszkania. I tak na przykład zachorowalność na gruźlicę wzrastała w dzielnicach Berlina Zachodniego, gdzie mieszkało wielu bezrobotnych i pobierających zasiłek z pomocy społecznej. Jakość zdrowia psychicznego spada, gdy się pozostaje bez uznania i towarzyskich kontaktów w życiu zawodowym. Z tego powodu rośnie spożycie alkoholu u 20 do 30% bezrobotnych w Niemczech. Z powodu izolacji, beznadziejności i braku wsparcia emocjonalnego zaczyna cierpieć ciało i dusza. U ponad 25% bezrobotnych w Niemczech wzrasta liczba wizyt u lekarza i konsumpcja leków. Osłabieniu ulega system odpornościowy. Bezrobotni są bardziej podatni na infekcje niż pracujący. Około jednej trzeciej bezrobotnych nosi się z zamiarem samobójstwa. Międzynarodowy wzrost bezrobocia jest prawie zawsze związany ze wzrostem liczby samobójstw.

### Czynniki wpływające na zdrowie społeczne

— Zdrowie wymaga myślenia i działania całościowego; do tego należą świadomość zdrowotna, środowiskowa i społeczna.
— Zdrowie nie jest stanem, który można przekazać; jest ono związane z indywidualnymi i kolektywnymi wysiłkami.
— Aktywne zmaganie się z własnym dniem powszednim i z trudnościami życia innych ludzi za wspólny cel stawia zdrowie.

## ZABURZENIA SAMOPOCZUCIA
### (dolegliwości emocjonalne i czynnościowe)

Wiele zaburzeń zdrowotnych rozgrywa się w sferze emocjonalnej, nie mając bezpośredniego wpływu na ciało. Do nich zalicza się przykładowo lęk i niepokój wewnętrzny, nerwowość i rozdrażnienie, niechęć lub apatię. Ściśle związane z nimi mogą być zaburzenia czynnościowe, między innymi biegunka, bóle głowy lub osłabienie krążenia. Przy tym ważną rolę odgrywa autonomiczny układ nerwowy, który z jednej strony osłabieniem i wyczerpaniem może sygnalizować, że ciało i dusza potrzebują odprężenia i wypoczynku. Lękiem, nerwowością i niepokojem daje znaki, że potrzebne są odciążenie i wsparcie. Z drugiej strony może wpływać na działanie wszystkich ważniejszych narządów wewnętrznych i przebieg procesów zachodzących w organizmie: autonomiczny układ nerwowy reguluje bez naszego udziału oddychanie, krążenie, trawienie, przemianę materii, temperaturę ciała, a także procesy rozmnażania się oraz zdrowienia. Oddziałuje na mięśnie gładkie i gruczoły. Dlatego dolegliwości emocjonalne idą w parze z zaburzeniami „czynnościowymi" narządów. Tę złożoną zależność pomiędzy odczuciami a reakcjami organizmu można uwidocznić na prostym przykładzie reakcji stresowej: leżymy w łóżku i słyszymy nieznane odgłosy w piwnicy. Rodzi się lęk. W ułamku sekundy „lęk" przemienia się w określone zachowanie się, np. w „obronę". Wieść „obrona" odsyła mózg do autonomicznego układu nerwowego. Tam wszystko przestawia się na „obronę": serce zostaje silnie przekrwione, wzrasta ciśnienie krwi, następuje przyspieszenie oddechu, mięśnie napinają się. W tej sytuacji podnosi się wskutek błyskawicznej aktywacji całkowita wydolność systemu nerwowego. Teraz niemożliwe staje się spokojne pozostanie w łóżku, gdyż cały organizm już się obudził, nastawiając się na „obronę" i „działanie". Od indywidualnej decyzji zależy obecnie, co zrobimy, czy zamkniemy okna i drzwi, sięgniemy po telefon, czy pójdziemy do piwnicy. Gdy już się upewnimy, że odgłos nie oznacza niczego groźnego, nastąpi powolna normalizacja funkcji naszego organizmu. Oddech i tętno będą stawały się wolniejsze, ciśnienie krwi spadnie, mięśnie rozprężą się. Ta prosta zależność pomiędzy emocjami a zmienionymi funkcjami organizmu jest znana prawie każdemu. Podobnie jest z uczuciem wstydu i rumienienia się lub jąkaniem się ze zdenerwowania. Zależności są bardziej złożone, gdy funkcje organizmu zmieniają się nie tylko w „momencie krytycznym", lecz w procesie długotrwałego obciążenia. Nie można wówczas tak łatwo stwierdzić, co konkretnie jest przyczyną podwyższonego ciśnienia krwi, częstoskurczu lub napiętych mięśni karku i pleców. Reakcja organizmu „wyprzęgła się" z powstałej sytuacji. Jest to istotą chorób psychosomatycznych; na ogół nie znamy ich przyczyn i nie możemy ich prawie lub w ogóle stwierdzić za pomocą przyrodniczych metod pomiarowych. A przecież stanowią one w dzisiejszych czasach główną część wszystkich dolegliwości. Około dwóch trzecich pacjentów zgłaszających się do lekarza cierpi na ogólnie złe samopoczucie, a z kolei połowa z nich na dolegliwości psychosomatyczne.

## Dolegliwości

Zasadniczo każdą chorobę należy rozumieć jako „zdarzenie" psychosomatyczne, gdyż żaden stan organizmu, żadne skaleczenie lub choroba nie pozostają bez wpływu na stan duchowy i odwrotnie, każde psychiczne wzruszenie związane jest najściślej z procesami zachodzącymi w organizmie. Dlatego można sobie wyobrazić krańcowo odmienne zaburzenia, które mogą powstawać w różnych sytuacjach życiowych. Każdy musi stwierdzić indywidualnie, które sytuacje lub doświadczenia mogą być w jego przypadku decydujące.

Dzisiaj wyróżnia się cztery różne rodzaje chorób lub zaburzeń psychosomatycznych — wszystkie powodowane są podobnymi przyczynami i łagodzone lub leczone podobnymi zabiegami.

### Zaburzenia samopoczucia

Są to nieprzyjemne, przeważnie psychicznie odczuwane, nastroje i doznania cielesne, które nie są związane ze zmianami w organizmie w sensie choroby.

Do typowych zaburzeń samopoczucia należą:
— nieokreślone odczucia lęku,
— wewnętrzny niepokój,
— przygnębienie i smutek,
— nerwowość i rozdrażnienie,
— słabość i znużenie,
— senność i trudność koncentracji,
— niechęć i apatia,
— spadek popędu seksualnego i społeczna powściągliwość,
— zmiany w zdolności i dokładności postrzegania oraz zdolności wydawania samodzielnego sądu.

### Zaburzenia czynnościowe

Występują zaburzenia czynności narządów lub ich współdziałania bez zmian chorobowych tych narządów.

Do najbardziej znanych dolegliwości czynnościowych należą:
— zaburzenia łaknienia, połykania i trawienia, np. biegunka, zaparcie, wymioty lub nudności i ogólne zmiany masy ciała;
— trudności w oddychaniu, przewlekła chrypka lub utrata głosu;
— kołatanie serca, częstoskurcz napadowy, kłucie w okolicy serca, spadek ciśnienia krwi lub omdlenie;
— bolesne miesiączkowanie lub brak jajeczkowania;
— kurcze pochwy, brak orgazmu, impotencja lub przedwczesny wytrysk nasienia.

### Objawy konwersji

Do nich zalicza się między innymi ślepotę, głuchotę, niemotę, zakłócenia chodu lub zjawiska porażenia, które nie są spowodowane zmianami organicznymi. „Choroby" te istnieją wyłącznie w odczuciu dotkniętych; badania lekarskie nie wykazują żadnych upośledzeń funkcji organizmu. Jednak pacjenci nie potrafią „uruchomić" tych funkcji i robią wrażenie chorych.

### Choroby psychosomatyczne

Należą do nich tak zwane klasyczne choroby psychosomatyczne, a wśród nich choroba wrzodowa żołądka i dwunastnicy

(→ s. 366), pierwotne nadciśnienie tętnicze (→ s. 304), astma oskrzelowa (→ s. 293), zapalne choroby jelit (wrzodziejące zapalenie jelita grubego → s. 384), choroba Leśniowskiego-Crohna (→ s. 385), zapalne i alergiczne choroby skóry (świerzbiączka ogniskowa → s. 262), zaburzenia łaknienia (→ s. 196), różne choroby kobiece i choroby układu ruchu.

W chorobach tych narządy i tkanki są wyraźnie zmienione, a w patomechanizmie współudział mają procesy psychiczne.

### Choroby z autoagresji (na tle immunologicznym)

Przypuszcza się, nie ma na to jednak pewnego dowodu, że procesy psychiczne mają udział w powstawaniu tak zwanych chorób z autoagresji. W takim przypadku układ odpornościowy człowieka atakuje własny organizm: organizm wytwarza substancje, które nie rozpoznają „własnych" tkanek. Układ odpornościowy tworzy przeciwciała przeciw rzekomo „obcym" intruzom i próbuje w ten sposób zniszczyć składniki należące do organizmu. Bardzo trudno jest przerwać ten powstały cykl wytwarzania i niszczenia. Na ogół procesy te usamodzielniają się, a następstwem są choroby zagrażające życiu.

Do chorób, u których podstaw leżą samoniszczące procesy, należą:
— reumatoidalne zapalenie stawów (→ s. 423),
— cukrzyca typu I (→ s. 450),
— choroba Gravesa-Basedowa (→ s. 463),
— toczeń trzewny (→ s. 428),
— reumatyczne bóle wielomięśniowe (→ s. 429).

## Przyczyny

### Praca

Żyjemy w rytmie, na przemian w napięciu i odprężeniu. Intensywna praca angażuje cały układ wegetatywny. Przy tym mobilizuje się rezerwy siły i zużywa energię. W fazie wypoczynku zużyte siły fizyczne i psychiczne regenerują się. Osłabienie, wyczerpanie i obniżenie zdolności koncentracji mogą być wyraźnymi „zdrowymi" sygnałami organizmu, wskazującymi, że osiągnięto granicę wydolności i że rezerwy sił wyczerpały się. Potrzebne będą odprężenie, spokój i wypoczynek.

### Przepracowanie

Przepracowanie następuje wówczas, gdy wyczerpią się rezerwy fizyczno-duchowe i nie nastąpi odpoczynek. Następstwem tego może być „nadpobudliwość", w której prawie niemożliwe jest odprężenie. Cały czas jest się na „wysokich obrotach" powodujących, że mimo zmęczenia nie można zasnąć i mimo wyczerpania odprężyć się. Nie jest specjalnie szkodliwe, gdy indywidualny rytm zużycia siły lub ładowania energii jednorazowo zostanie zakłócony. Tydzień z licznymi nadgodzinami lub bardzo pracowity weekend można wyrównać. Jednakże gdy przepracowanie trwa tygodniami, miesiącami lub latami, może powstać „załamanie wydolności", obejmujące całe psychiczne dobre samopoczucie. Uczucie, że się już więcej nie może i nie chce, że się nie ma ochoty na żadne rozmowy, jest wyraźnym znakiem przepracowania. Niechęć do uczestniczenia w czymkolwiek i brak zainteresowania mogą sygnalizować

„psychiczny odwrót", który „wymusza" fizyczny i psychiczny wypoczynek.

## Przeciążenie

Powstaje ono, gdy sam lub pod wpływem innych zbliżasz się do granicy swoich możliwości. Ciało i dusza zaczynają strajkować, gdy zachodzi nieporozumienie pomiędzy własnym móc i chcieć (lub obowiązkiem). Szczególnie wyraźnie widać to u dzieci (szkolnych), które na wezwanie przez rodziców (nauczycieli) do wysiłku reagują apatią, znużeniem, niechęcią i osłabieniem koncentracji.

## Niedowartościowanie

Podkreślając konieczność zachowania rytmu pomiędzy napięciem a odprężeniem, zapomina się zazwyczaj, że ciążyć może nie tylko brak wypoczynku, lecz również brak napięcia. Niedowartościowani czują się ludzie wtedy, gdy brak bodźców zewnętrznych, indywidualnych wymagań, wewnętrznych lub zewnętrznych możliwości aktywnego działania. Występuje to nie tylko w codzienności zawodowej, lecz może się również uwidaczniać w całokształcie życia. Izolacja i monotonność sprzyjają zaburzeniom samopoczucia.

## Stres

Sam stres nie jest chorobą, lecz może ją wywołać. Wskazuje on, że organizm został zaalarmowany i nastawia się na wzmożoną sprawność. Takimi bodźcami mogą być ciepło, zimno lub hałas, zranienie, zakażenie lub narkoza. Stresem „pozytywnym" jest przykładowo napięcie przed nowymi zadaniami, przed uroczystościami, wyróżnieniami, sukcesami lub zmaganiami sportowymi. By móc przeżyć stres pozytywnie, musi być jednak utrzymana wymiana między wzmożoną gotowością do działania i odprężeniem.

Na „sytuacje alarmowe" autonomiczny układ nerwowy reaguje:
— wydzielaniem większej ilości hormonów, takich jak adrenalina i kortyzon;
— uwolnieniem większej ilości cukru i tłuszczu do krwi;
— zwiększonym ciśnieniem krwi i częstszym biciem serca;
— zmianą przekrwienia i wydzielaniem potu;
— wyłączeniem się funkcji trawiennych i seksualnych.

Gdy jednak napięcie trwa dłużej, organizm przyzwyczaja się.

### Jesteś zagrożony stresem, gdy

— czujesz się wyraźnie rozdrażniony i reagujesz nadmiernie z błahego powodu;
— czujesz się wewnętrznie spięty;
— bardzo trudno się uspokajasz, a w czasie wolnym czujesz się ciągle zobowiązany do aktywności;
— czujesz, że nie sprawia ci już radości i zadowolenia to, co cię do tej pory bawiło;
— nie możesz już nawiązywać rozmów, a wysłuchanie innych sprawia ci trudności;
— twój niepokój bierze górę nad zainteresowaniami towarzyskimi;
— zaczynasz się zamykać w sobie.

„Reakcja alarmowa" staje się normą. Stan taki ma tę zaletę, że już nie każdy bodziec obciąża nadmiernie organizm, wadą jednak jest to, że przewlekły stres może wywołać zmiany chorobowe w nerkach, naczyniach krwionośnych i tkance łącznej. Produkowany przez korę nadnerczy kortyzon wpływa na układ obronny. Przez to może ulec zmniejszeniu gotowość obronna przed chorobami. Również komórki nowotworowe mają ułatwiony byt. „Negatywny" stres objawia się przede wszystkim w obszarze psychosocjalnym. Brak czasu i permanentnie prowadzony wyścig z zegarem należą dzisiaj do „znaków czasu". Jak dalece poddajemy się temu naciskowi, czy szukamy wyjścia z tej sytuacji, zależy od warunków zewnętrznych, a także od własnych decyzji.

Najniebezpieczniejszy rodzaj stresu powstaje wówczas, gdy przez lata stawiamy wysoko poprzeczkę własnym wysiłkom i ambicjom, a w końcu zawsze cierpimy wskutek uczucia braku sukcesu. Przy braku uznania, gdy mimo zaangażowania dużej energii odczuwamy lęk przed zawodem lub krytyką, ryzyko zachorowania jest szczególnie duże. Na ogół sytuację taką znosi się latami bez załamywania się. Skutki ujawniają się znacznie później, np. zawał serca.

## Czas pracy

Siła, wytrwałość i wydajność nie mają ustalonej miary i zależą od biorytmów. U każdego człowieka są inne. Różnią się one nie tylko indywidualnie, lecz zależą także od ogólnego stanu fizycznego, od wieku, a także od każdorazowej sytuacji życiowej. Dlatego stara zasada osiem godzin snu, osiem godzin pracy i osiem godzin wypoczynku nie jest właściwa. Przeciwnie, dokładny rozdział tych okresów wielu osobom ciąży, gdyż zależy od jakości naszego napięcia i umiejętności odprężenia. Zarówno w trakcie pracy potrzebne są fazy spokoju oraz przerwy, jak i w czasie wolnym powinny występować na zmianę napięcie i wypoczynek. Długość każdego z tych okresów jest więc mało miarodajna.

## Praca na zmiany

Niekorzystne zmiany zdrowotne obserwuje się u osób, u których zaburzony został rytm jasno–ciemno. Praca na zmiany zakłóca wypoczynek organizmu do tego stopnia, że 64 % wszystkich pracowników zmianowych cierpi na zaburzenia nerwowe. Dolegliwości te pogłębiają się, gdy w ciągu dnia nie ma warunków do spokojnego snu i wskutek zmiany rytmu życia nie można utrzymywać pełnego kontaktu z rodziną. Według opinii lekarzy medycyny pracy, praca na zmiany, o ile jest to konieczne, powinna być tylko „wplatana", a nie odbywać się regularnie. Po każdej zmianie nocnej powinny przypadać co najmniej 24 godziny czasu wolnego.

## Praca przy taśmie

Tak samo jak praca na zmiany wyraźne zaburzenia wywołują zajęcia monotonne. W pracy akordowej i przy taśmie wymagane są takie zdolności, jak wytrwałość, cierpliwość i przystosowanie. Cała organizacja pracy wymaga wysokiego stopnia zręczności i dokładności, by przez wiele godzin wykonywać tę samą czynność, z taką samą precyzją, pod dużym naciskiem czasu. Ta monotonność powiązana zawsze z koncentracją obciąża mocno psychikę. Hałas, krótkie przerwy, jednostronne przeciążenie i odwrotnie, brak obciążenia prowadzą do „nerwowego" wysiłku, który przejawia się w takich dolegliwościach, jak: znużenie, senność, rozdrażnienie, brak koncentracji i niechęć.

> ### Paniczny lęk
>
> 28-letnia sekretarka od roku jest bezrobotna. Od dwóch miesięcy ma na widoku nową posadę, lecz od prawie ośmiu tygodni choruje na biegunkę niewiadomego pochodzenia. Lekarz określa to jako zaburzenie czynnościowe. Pani ta jest bezradna.
>
> Już jako uczennica cierpiała czasami na biegunkę, gdy groziło jej odpytywanie. Odczuwała lęk przed nauczycielami i czuła się opuszczona przez rodziców. Mimo to ukończyła szkołę z dobrym świadectwem i okazała się samodzielna i silna. Swojego strachu prawie nie odczuwała i nie chciała dopuścić do jego powrotu.
>
> Gdy była już osobą dorosłą, uczucie strachu zniknęło całkowicie. W pierwszych latach pracy zawodowej odnosiła sukcesy, lecz później zreorganizowano jej firmę. Pani ta utraciła pracę. W okresie bezrobocia przekwalifikowała się na kursie nowych systemów przetwarzania tekstów. Dzięki zdobytym nowym umiejętnościom otrzymała propozycję nowej posady w charakterze sekretarki. Zaczynają budzić się w niej sprzeczne uczucia. Cieszy się, rozkwita, odzyskuje pewność siebie, lecz czuje równocześnie niepewność i nadmierne obciążenie. Czekają nowi koledzy w pracy, nowi przełożeni, nowe obszary działania. Swoim przyjaciółkom nie mówi nic o sprzecznych odczuciach. Sama prawie nie spostrzega tego konfliktu uczuć. Właściwie tylko biegunka przypomina jej dzień w dzień, że „coś" nie jest w porządku. Pani ta rozpoczyna pracę i po dwóch miesiącach biegunka „znika". Zżyła się z nowym miejscem pracy, nowi koledzy jej w tym dopomogli. Zyskuje uznanie w pracy. O sprzecznych uczuciach już nie pamięta. Czasami tylko przypominają się jej trwające miesiącami biegunki. Są one dla niej niezrozumiałe.

### Problemy emocjonalne

Psychiczne obciążenia w układzie partnerskim, w rodzinie lub w miejscu pracy działają najsilniej na ogólny stan zdrowia. Przy tym sytuacja społeczna, osobiste doświadczenia z dzieciństwa i młodości, specjalny stosunek do jakiegoś narządu i dotychczasowe doświadczenia z chorobą i zdrowiem decydują o tym, czy i jak wyrażą się odczucia somatycznych dolegliwości. Tak jak „niespożyty lęk" może doprowadzić do zaburzeń czynnościowych w zakresie trawienia, tak wieloletnia emocjonalna sytuacja konfliktowa może się objawić w postaci:

— duszności sercowej: „lęk ściska serce",
— duszności: „strach zapiera dech",
— zmian w przemianie materii: „pocić się ze strachu",
— zmian skóry i włosów: „zblednąć ze strachu, ze strachu włosy stają dęba".

Każdy człowiek może inaczej reagować na psychosocjalną sytuację konfliktową. Lęk jest również tylko jednym z przykładów tego uczucia. Tłumiony gniew, przełknięta wściekłość lub agresja mogą objawić się na przykład:

— w ogólnej chorobie: „każde zmartwienie prowadzi do choroby",
— w przewlekłym bólu głowy: „głowa mi pęka ze zmartwienia",
— w stanach wyczerpania: „chory ze złości",
— w dolegliwościach trawiennych: „to leży mi na żołądku, żółć mi się wylewa, gniewam się",
— w nudnościach: „jest mi niedobrze z wściekłości".

### Ciążące wydarzenia z dzieciństwa i młodości

Ciążące wydarzenia z dzieciństwa prawie zawsze mają znaczący wpływ na samopoczucie, na emocjonalną zdolność przeżywania i zadowolenia w wieku dojrzałym. Szczególnie ciążąco działają, obok okresu pobytu w domu rodzinnym, rozłąki, rozstania lub śmierć najbliższych — długotrwałe odrzucenie przez rodziców, uczucie, że nie jest się kochanym lub długotrwałe napięcie w rodzinie. Zaliczyć do nich należy również przemoc fizyczną najbliższych pod postacią brutalności lub nadużyć seksualnych. Takie lub podobne przeżycia z dzieciństwa mogą do tego stopnia zakłócić zdolność przeżywania, zaufanie do innych ludzi i wiarę we własne siły, że odbudowa prawidłowych i stałych związków z innymi ludźmi staje się już niemożliwa.

### Praca w rodzinie

Praca domowa jest zawsze uciążliwa, gdyż różne czynności powtarza się w stałym, monotonnym cyklu. Są to zajęcia wykonywane na ogół w izolacji, przy braku kontaktów społecznych i uznania. Osiągnięcia tej pracy bywają zauważane dopiero wtedy, gdy codziennych zadań się już nie wykonuje. Do tego dochodzi narzucony czas pracy, gdyż rytm prac domowych dyktowany jest życiem poza domem. Ta zależność i monotonność, brak uznania społecznego powoduje występowanie, u kobiet szczególnie często, zaburzeń w samopoczuciu i innych chorób psychosomatycznych. Do tego dochodzi jeszcze tak zwana praca nad dobrymi stosunkami.

Praca w rodzinie to nie tylko utrzymanie domu, lecz również intensywna emocjonalna troska o współmałżonka i dzieci, wszystkie te czynności, które tradycyjnie określa się jako typowo kobiece, jak np.: troszczenie się, pielęgnowanie, pomaganie, wspieranie, wysłuchiwanie, udzielanie pomocy, dodawanie odwagi, rozładowywanie napięć, wytwarzanie pozytywnej atmosfery i harmonii.

Do przeciążenia psychicznego dochodzi dlatego, że tradycyjnie za te zadania w rodzinie odpowiedzialnością obciąża się tylko kobiety. One na ogół nie znajdują nikogo, kto byłby dla nich podobnym oparciem i poświęcił im więcej uwagi. Emocjonalne siły w takim układzie prawie się nie regenerują. Dlatego kobiety cierpią na zaburzenia samopoczucia dwukrotnie częściej niż mężczyźni.

### Przezwyciężanie konfliktów wewnętrznych

Przeciążenie i choroba pojawiają się nie tylko wówczas, gdy się zsumuje wiele obciążających czynników. Powstają szczególnie wtedy, gdy napięcie wewnętrzne, sprzeczne pragnienia lub głęboko tkwiący lęk prowadzą do pozornie nierozwiązywalnych sytuacji życiowych. Czasami zdajemy sobie sprawę z tych sprzeczności, zazwyczaj działają one jednak podświadomie. Nie-uświadomione uczucia i konflikty często występują przede wszystkim w sferze „zachowań seksualnych". Na nasze działania wpływ mają impulsy, które rzadko sobie uświadamiamy. Często pochodzą one z najwcześniejszego dzieciństwa i prawie nie możemy sobie przypomnieć, skąd się wzięły. „Zakazane" wewnętrzne pragnienia lub głębokie rozczarowania odgrywają również ważną rolę przy odczuwaniu dolegliwości. Wyraźnie jest to widoczne przy bólu głowy lub migrenie (→ s. 216).

### Wpływ substancji trujących

Na ogólny stan samopoczucia wpływają nie tylko nikotyna i alkohol (→ s. 740 i s. 742), lecz również wszechobecne w naturalnym środowisku szkodliwe substancje, takie jak: ołów, rozpuszczalniki, benzol lub środki ochrony roślin (→ Trucizny w mieszkaniu, s. 758; → Zanieczyszczenie powietrza, s. 779; → Substancje toksyczne w środowisku pracy, s. 787). Zatrucia o różnym nasileniu mogą oddziaływać na system nerwowy:
— na centralny system nerwowy w formie zaburzeń pamięci i nerwowości;
— na obwodowy system nerwowy w formie zaburzeń wzroku i apatii — braku czucia;
— na autonomiczny system nerwowy w formie zaburzeń równowagi i stanów wyczerpania.

### Leki

Przy licznych lekach podaje się informację na temat ich działań ubocznych, takich jak: ogólne znużenie, osłabienie, wyczerpanie. Po zaprzestaniu przyjmowania leków aplikowanych przeciw lękom, niepokojom i nerwowości (trankwilizatory — leki uspokajające) mogą wystąpić te same objawy, przeciw którym pierwotnie leki zażywano (→ Leki i ich stosowanie, s. 617).

### Choroby

Zaburzenia samopoczucia, takie jak osłabienie, niechęć lub apatia występują często w następstwie chorób. Sa one ważne dla regeneracji organizmu. Chorzy znajdują się w „emocjonalnym odwrocie", który mobilizuje nowe siły. Z drugiej strony dolegliwości wegetatywne i emocjonalne mogą być również oznakami niedomagania organizmu lub rozwijającej się choroby. Zmęczenie, wyczerpanie i osłabienie mogą wystąpić:
— przy niewłaściwym odżywianiu z niedostatkiem witamin, żelaza i magnezu,
— przy niedostatecznym ruchu i braku tlenu,
— przy zaburzeniach przemiany materii,
— przy chorobach (zakaźnych).

### Ryzyko zachorowania

Dolegliwości psychosomatyczne, jak np. zaburzenia samopoczucia należą w ogóle do najczęściej występujących cierpień. Średnio człowiek przechodzi w swoim życiu około sześciuset różnych „zaburzeń zdrowia", z których większość przemija samoistnie, bez ingerencji lekarza. Sto czterdzieści z nich prowadzi nas do lekarza, a tylko dwadzieścia do specjalisty lub szpitala.

Stosunek tych liczb wskazuje, że z wieloma dolegliwościami radzą sobie nasze własne siły ozdrowieńcze. Jednak ryzyko za-

---

### Bardziej znaczące zdarzenia życiowe — skala dostosowania się

| Zdarzenie | Średnia wartość |
|---|---|
| Śmierć współmałżonka | 100 |
| Rozwód | 73 |
| Rozstanie lub separacja od partnera | 65 |
| Kara więzienia | 63 |
| Śmierć bliskiego członka rodziny | 63 |
| Ciężkie zranienie lub choroba | 53 |
| Wesele | 50 |
| Zwolnienie, utrata miejsca pracy | 47 |
| Nowe pojednanie z partnerem | 45 |
| Przejście na emeryturę | 45 |
| Poważniejsza choroba krewnego | 44 |
| Ciąża | 40 |
| Trudności i problemy seksualne | 39 |
| Powiększenie się rodziny | 39 |
| Zmiany w pracy, zmiana miejsca pracy | 39 |
| Zmiany finansowe | 38 |
| Śmierć przyjaciela, przyjaciółki | 37 |
| Kłótnia z partnerem, współmałżonkiem | 35 |
| Zaciągnięcie wysokiej pożyczki, hipoteki | 31 |
| Przepadek hipoteki, pożyczki | 30 |
| Dziecko opuszcza rodzinę | 29 |
| Konflikty z krewnymi współmałżonka | 29 |
| Nadzwyczajne osobiste osiągnięcia | 28 |
| Współmałżonek rozpoczyna nową pracę lub odchodzi z pracy | 26 |
| Przyjęcie do szkoły, rozpoczęcie lub ukończenie szkoły | 26 |
| Rezygnacja z osobistych przyzwyczajeń | 24 |
| Nieporozumienie z przełożonymi | 23 |
| Zmiana warunków pracy | 20 |
| Przeprowadzka, zmiana mieszkania, zmiana szkoły | 20 |
| Zmiany w zakresie wolnego czasu | 19 |
| Zmiany w aktywności społecznej lub politycznej | 18 |
| Zaciągnięcie mniejszej pożyczki | 17 |
| Zmiany w przyzwyczajeniach snu | 16 |
| Zmiany przyzwyczajeń w odżywianiu | 15 |
| Urlop | 13 |
| Święta Bożego Narodzenia | 12 |
| Małe wykroczenie prawne | 11 |

Trudności w przystosowaniu się i każdorazowe znaczenie nowej sytuacji różnią się indywidualnie. Jako orientacyjną wielkość dla ustalenia zwiększonego ryzyka zaburzeń możesz przyjąć, że 300 punktów i więcej przedstawia duże zagrożenie, pomiędzy 200 i 299 punktami zagrożenie jest średnie, a pomiędzy 150 i 199 punktami nieznaczne.

---

chorowań wzrasta w ściśle określonych sytuacjach życiowych: najwyraźniej, gdy ważne zmiany wymagają szybkiego dostosowania się do nowych warunków życiowych. Im bardziej znacząca jest zmiana sytuacji życiowej, tym więcej potrzebujemy czasu i wysiłku, by się do niej dostosować, i tym większe jest ryzyko zachorowania. Zaburzenie nie pojawia się na ogół od razu w zaistniałej sytuacji, lecz po sześciu do osiemnastu miesiącach od wydarzenia życiowego. Najbardziej znane są skutki tak zwanego szoku emerytalnego. Przy przejściu z aktywnego życia zawodowego w stan spoczynku może dojść — nawet z rocznym „opóźnieniem" — do zaburzeń czynnościowych, dolegliwości ze strony serca, a nawet do zawału.

## Następstwa i powikłania

Zaburzenia samopoczucia mogą mieć także pozytywne znaczenie. Jesienne przeziębienie jest tu dobrym przykładem. Na ludzi, którzy co roku „nabawiają się" grypy, patrzy się na ogół krzywym okiem. Niestety, „prawo do choroby" w miejscu pracy nie jest chętnie akceptowane. Nagłe załamanie się po długoletnim pozornym zdrowiu sygnalizuje, że ekstremalne wyczerpanie było ukrywane, a wrażliwość organizmu przez lata tłumiona.

Choroby i dolegliwości czynnościowe spełniają również funkcję „pielęgnacji psychicznej". Niezależnie od tego, czy choroba jest ostra czy przewlekła, infekcyjna czy nie, możemy sobie dzięki niej zapewnić spokój i dystans. Możliwy jest odwrót i bierność. Takie okresowe „zafundowanie" sobie bierności daje ochronę i może dopomóc organizmowi w regeneracji. Niektóre dolegliwości umożliwiają nam zwłokę w podjęciu decyzji, co do których nie jesteśmy pewni. Zaburzenia i dolegliwości czynnościowe mogą jednak stać się przede wszystkim bodźcem do świadomego rozprawienia się z własnymi problemami i do poszukiwania nowych orientacji.

### Wygrana na chorobie

Poprzez dolegliwości psychosomatyczne lub zaburzenia czynnościowe możemy się nie tylko odciążyć czy stworzyć przestrzeń ochronną lub spowodować przedłużenie terminu, lecz zyskujemy również na reakcji naszego otoczenia. „Bycie chorym" uwalnia przede wszystkim od wszelkich zobowiązań zawodowych i od odpowiedzialności za zorganizowanie dnia codziennego rodziny. Otoczenie staje się wyrozumiałe, unika się zdenerwowania, można się oszczędzać, pozwalać na pielęgnowanie i rozpieszczanie.

Często te małe sprawy powodują właściwą wygraną. Dla chorych na żołądek gotuje się określone dania, bólem głowy można się wymówić od nieprzyjemnych zaproszeń, wskutek chrypki i utraty głosu można się wycofać z nieciekawych rozmów, przy osłabieniu układu krążenia można skorzystać ze wsparcia i pomocy innych. Dolegliwości czynnościowe mogą więc spełniać ważne zadania, gdy się nauczymy odbierać sygnały organizmu i je „rozumieć".

### Lekceważenie jest ryzykowne

Gdy stale się nie docenia psychosocjalnych zależności, „zakłócający" wpływ wegetatywnego układu nerwowego może się rozszerzyć na cały organizm. Wskutek tego może się zmienić działanie układu krążenia, trawiennego, oddechowego i przemiana materii. Należy się spodziewać nie tylko komplikacji poprzez przewlekanie dolegliwości, lecz może dojść również do uszkodzenia narządów.

Stosowanie leków może skutecznie wyłączyć nasz system ostrzegawczy i łagodzić dolegliwości. Przez to jednak nie usunie się podstawowych przyczyn cierpienia, a najczęstszym następstwem długotrwałego używania leków jest ogólne zaburzenie samopoczucia.

## Zapobieganie

Zaburzenia samopoczucia są najważniejszym systemem alarmowym, sygnalizującym, że zachwiana została równowaga pomiędzy samopoczuciem fizycznym i psychicznym. Odbieraj te sygnały poważnie i naucz się interpretować ich znaczenie. Zasadnicze zapobieganie polega na odstępowaniu od możliwości przetrzymania. Presja dotycząca wydajności, dyscypliny i porządku dociera dzisiaj do każdej dziedziny życia. Radami zalecającymi twardą i nieustępliwą postawę wobec siebie samego karmi się nawet dzieci. O tym, że nasza kultura nie pozwala na to, by nie żądano od nas za wiele, świadczą następujące powiedzenia:

— „Weź się w kupę!" i „Zaciśnij zęby!"
— „Zmobilizuj się, musisz to przetrwać!"
— „Nie stawiaj się tak, to może zrobić każdy!"
— „To przetrzymasz, już niejeden to przetrzymał!"
— „Ten krzyż musisz unieść, to należy do życia".
— „O swoich problemach nie wypada mówić".

Takie dostosowywanie się do zewnętrznych form i norm może być niebezpieczne. Gdy nie można poświęcić odpowiedniej uwagi trudnościom psychosocjalnym, dolegliwości fizyczne mogą być intensywniejsze. Często dopiero wtedy nasze problemy traktuje się poważnie, gdy możemy niezbicie wykazać zaburzenia. Występują one jednak dopiero wtedy, gdy jakiś narząd jest rzeczywiście uszkodzony. Do tego nie można dopuścić:

— Broń się natychmiast i zdecydowanie, gdy czujesz się przeciążony lub niesprawiedliwie traktowany!
— „Wybuchnij", gdy ci to pomoże; niemiłe sprawy muszą być natychmiast wyjaśnione.
— Unikaj biernego trwania w żałowaniu samego siebie.

## Jak sobie pomóc

W krótkotrwałych zaburzeniach samopoczucia pomagają:
— sen (→ s. 183),
— ćwiczenia odprężające (→ s. 665),
— ruch i sport (→ s. 748),
— naturalne środki lecznicze — herbaty ziołowe (→ s. 643).

Pozwól sobie na odrobinę egoizmu, poświęć czas na troskę o samego siebie, spraw sobie jakąś przyjemność:
— Woda i ciepło działają odprężająco i powodują nowe odczucia cielesne. Kąpiel, kąpiel parowa lub sauna mogą uczynić cuda.
— Rozmowy wpływają odciążająco. Spotykaj się regularnie z przyjaciółmi lub przyjaciółkami i nie unikaj rozmów na temat osobistych nastrojów, lęku lub niepokoju.
— Nie powstrzymuj emocji. Smutki lub niepokój, agresje lub urazy będą łatwiejsze do zniesienia, gdy się nimi podzielisz z innymi, gdy o nich porozmawiasz.
— Domagaj się pomocy i wsparcia od innych, poczynając od

wysłuchania ciebie, kończąc na przejęciu większych obowiązków (np. opieka nad dziećmi!).
— Pozwól się zaprosić, dogodzić sobie i zatroszczyć się o siebie. Wychodź z domu, idź potańczyć, utrzymuj regularne kontakty towarzyskie i kulturalne, ciesz się seksem i wszelkimi objawami czułości.

## Spróbuj

— zdobyć wolny czas i spokój, by lepiej rozeznać własne życzenia i potrzeby;
— zapisać, kiedy dokładnie występują lęk i niepokój, nerwowość i rozdrażnienie;
— na podstawie tych zapisów ustalić, czy nastroje związane są z określonymi zdarzeniami lub też z określoną sytuacją w miejscu pracy lub w rodzinie;
— pomyśleć o wymaganiach stawianych ci przez innych i przez własne sumienie; jak dalece żądania te odpowiadają twoim pragnieniom?
— przemyśleć własny styl życia: jak wyglądają stosunki w pracy i w rodzinie, jaki jest twój stosunek do pracy, jak się odżywiasz, ile pijesz alkoholu, ile palisz, jakie masz zapotrzebowanie na ruch?
— pomyśleć o wymaganiach, jakie stawiasz sobie codziennie: jak ważne są zadania i cele, do których dążysz?
— znaleźć „czas dla siebie", bez wypełniania go zajęciami domowymi, najmilszą rozrywką, sportem lub telewizją. Po prostu raz nie rób „nic" i „przepuść" czas.

## Mowa narządów

Najczęściej nieprzypadkowo odczuwamy dolegliwości konkretnego narządu, lecz wybór ten można uznać za sygnał. Ciało i psychika mogą zarówno siebie wzajemnie uznawać, jak i przeciwstawiać się sobie. Zależność ta może się u każdego człowieka objawiać inaczej. Musisz zapytać samego siebie:
— Dlaczego chory jest ten narząd, a nie inny?
— Dlaczego dolegliwość występuje w tym momencie, nie wcześniej i nie później?
— Czy występuje jakaś zależność pomiędzy zaburzeniem a znaczącą zmianą życiową?
— Jakie znaczenie ma dla mnie prawidłowe funkcjonowanie danego narządu?
Na prostym przykładzie nosa lub przeziębienia widoczne stają się możliwe interpretacje:
— Wyrażeniem „mam to w nosie" stwierdzamy nadmierne wymagania i wskazujemy, że osiągnięta została pewna granica obciążenia.
— Wyrażeniem „mam katar" możemy sygnalizować, że jesteśmy osobiście dotknięci i skrzywdzeni i że na te urazy reagujemy „alergicznie".
— Wyrażeniem „tego nie mogę wąchać" bronimy się, stwarzając granicę dla osoby, która za bardzo chce się zbliżyć.
— Wyrażeniem „jestem zakażony" dajemy do zrozumienia, by się nikt do nas zanadto nie zbliżał.
Najwyraźniejsza jest wzajemna zależność poszczególnych narządów i psychiki na przykładzie serca.

W potocznym rozumieniu serce jest właściwą „siedzibą" uczuć. Wyrażenia „umrzeć ze złamanym sercem", „serce mi pęka", „mieć ciasne serce" lub „moje serce się kurczy" wskazują na ścisłe powiązanie ciała z psychiką. Spróbuj, opisując słownie własne dolegliwości, naprowadzić na ślad tych znaczeń. Za pomocą mowy narządów można rozszyfrować nie tylko sens zaburzenia, lecz także uświadomić sobie te odczucia, które do tej pory były obce i niedostępne i wyrażały się tylko „organicznie".

## Kiedy do lekarza?

Gdy zauważymy zaburzenia czynnościowe, niezależnie od tego, w jakiej części narządu lub organizmu wystąpią, należy możliwie szybko skonsultować się z lekarzem.

Inaczej rzecz się ma z dolegliwościami emocjonalnymi, takimi jak: niepokój, nerwowość i apatia. O ile zwyczajowo stosowane zabiegi nie poskutkują, należy skorzystać z fachowej pomocy lekarza lub psychoterapeuty (→ s. 670).

## Leczenie emocjonalnych zaburzeń samopoczucia

W rzadkich przypadkach zaburzenia samopoczucia spowodowane są zmianami organicznymi. Mimo to w klasycznym lecznictwie dolegliwości emocjonalne, takie jak: niepokoje, nerwowość, wyczerpanie otrzymują nazwy diagnostyczne sugerujące choroby, które wymagają leczenia lekami:
— dolegliwości neurodystoniczne,
— dystonia neurowegetatywna,
— rozstrój neurowegetatywny,
— zaburzenie równowagi nerwowej.

Krytycy nazywają te diagnozy lirycznymi wskazówkami leczniczymi, które skłaniają lekarzy do przepisywania leków psychotropowych. Źródło lęku, senności lub apatii pozostaje przy tym nierozpoznane.

W większości przypadków stosuje się terapię farmakologiczną, która cierpienie maskuje lub przez krótki czas łagodzi, lecz nie leczy. Na dłuższą metę taka terapia może przynieść więcej szkody niż korzyści z powodu występowania uzależnienia lekowego.

### Leki uspokajające (trankwilizatory)

Najczęściej przepisywanymi lekami uspokajającymi są trankwilizatory typu benzodiazepiny, np. bromazepam, clorazepate dipotassium, diazepam, relanium, lorazepam, lorafen, oxazepam, temazepam, signopam.

Działają one jak większość podobnych preparatów z tej samej grupy, zmniejszając świadomość i odczucia oraz:
— tłumiąc lęk, agresję i napięcie,
— odprężając mięśnie i rozluźniając kurcze.

Trankwilizatory mogą być pomocne w ostrych załamaniach psychicznych i sytuacjach ekstremalnych, przed operacjami i po zawałach. Lecz przyjmowanie tych środków dopuszczalne jest tylko przez krótki okres. Już po dwóch czy trzech tygodniach przyjmowania, gdy je odstawimy, mogą z większym

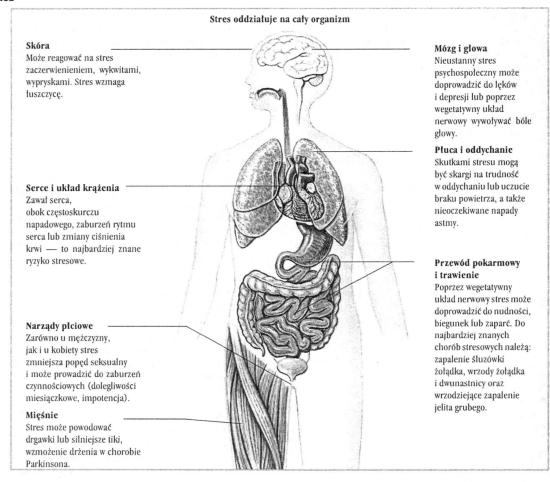

**Stres oddziałuje na cały organizm**

**Skóra**
Może reagować na stres zaczerwienieniem, wykwitami, wypryskami. Stres wzmaga łuszczycę.

**Serce i układ krążenia**
Zawał serca, obok częstoskurczu napadowego, zaburzeń rytmu serca lub zmiany ciśnienia krwi — to najbardziej znane ryzyko stresowe.

**Narządy płciowe**
Zarówno u mężczyzny, jak i u kobiety stres zmniejsza popęd seksualny i może prowadzić do zaburzeń czynnościowych (dolegliwości miesiączkowe, impotencja).

**Mięśnie**
Stres może powodować drgawki lub silniejsze tiki, wzmożenie drżenia w chorobie Parkinsona.

**Mózg i głowa**
Nieustanny stres psychospołeczny może doprowadzić do lęków i depresji lub poprzez wegetatywny układ nerwowy wywoływać bóle głowy.

**Płuca i oddychanie**
Skutkami stresu mogą być skargi na trudność w oddychaniu lub uczucie braku powietrza, a także nieoczekiwane napady astmy.

**Przewód pokarmowy i trawienie**
Poprzez wegetatywny układ nerwowy stres może doprowadzić do nudności, biegunek lub zaparć. Do najbardziej znanych chorób stresowych należą: zapalenie śluzówki żołądka, wrzody żołądka i dwunastnicy oraz wrzodziejące zapalenie jelita grubego.

natężeniem wystąpić objawy, przeciw którym podawano te środki, a więc: stany lękowe, niepokój, uczucie paniki, zaburzenia snu. Konsekwencją tego są prośby o dalsze recepty. W ten sposób uruchamia się spiralę zależności od leku. Dawka leku nie musi być zwiększana dla osiągnięcia dobrego samopoczucia, jednak nie udaje się jej zredukować (→ Leki i ich stosowanie, s. 617).

**Leczenie alternatywne**

W poszukiwaniu przyczyn długotrwałych, ogólnych zaburzeń samopoczucia mogą pomóc (→ Poradnictwo i psychoterapia, s. 670):

— lekarze specjaliści psychoterapii i psycholodzy,
— poradnie opieki społecznej,
— terenowe poradnie zdrowia psychicznego.

## Leczenie psychosomatycznych zaburzeń samopoczucia

Czynnościowe, psychosomatyczne dolegliwości i objawy konwersji niepokoją większość pacjentów. Z jednej strony badania lekarskie potwierdzają, że właściwie „nic organicznego" się nie dzieje, a zatem pozornie jest się zdrowym. W języku fachowym określa się taki stan „bez zmian narządowych". Z drugiej strony odczuwa się nie najlepsze samopoczucie i chorobę. Dla wielu zaczyna się kręcić niekończąca się karuzela diagnostyczna. Gdy zaburzenia takie, jak np. częstoskurcz lub zawroty głowy traktowane są jako choroby narządowe, zaczyna się błądzenie po placówkach medycznych. Przy zaburzeniach czynnościowych błędne leczenie należy do codziennej praktyki lekarskiej. Droga krzyżowa poprzez tradycyjne leczenie i diagnozowanie, poprzez bolesne badania i bezsensowne leczenie pochłania nie tylko pieniądze. W końcu pacjenci stają się naprawdę chorzy. Zanim trafią do skutecznego psychosomatycznego leczenia, mija na ogół pięć do ośmiu lat. Wyniki czysto narządowego leczenia są nader nikłe:

— W czynnościowych dolegliwościach żołądkowych poprawę zanotowano tylko u 32% pacjentów.
— W dolegliwościach naczyń wieńcowych, trudnościach w oddychaniu na tle nerwicowym i innych nie dających się umiejscowić zaburzeniach czynnościowych odsetek wyleczeń spadł do 23-25%.

## Wrażliwość na zmiany pogody

Niektórzy ludzie są witalni, pełni energii lub też odczuwają przygnębienie i skarżą się na złe samopoczucie w zależności od tego, czy jest wyż czy niż, czy jest jasno lub ciemno. Reagują na światło słoneczne i temperaturę.

Wszystkie zakłócenia samopoczucia, takie jak: bóle głowy, zaburzenia snu, depresyjne nastroje, niepokoje, zaburzenia w krążeniu i dolegliwości układu oddechowego mogą być silniejsze w czasie wiatru halnego lub niskiego ciśnienia, w zimnej lub ciemnej porze roku.

Do tej pory nie wyjaśniono naukowo, jak dalece te zakłócenia samopoczucia związane są przyczynowo z pogodą, czy też powstają dopiero w złożonym oddziaływaniu pomiędzy psychicznym i społecznym samopoczuciem z jednej strony, a zmianami pogody z drugiej strony. Przykładem mogą tu być badania depresji. Kto jesienią i w zimie czuje się często przygnębiony, otępiały i smutny, może to tłumaczyć krótkim okresem oddziaływania słońca i światła.

Może jednak ten smutny nastrój ma swoją przyczynę w zmienionych warunkach społecznych: w ciemniejszych porach roku mniej się poruszamy w terenie, spotykamy mniej przyjaciół i znajomych, raczej uciekamy do prywatnego życia.

Takie zachowanie może smutne nastroje przerodzić w depresje (→ s. 191).

Wpływ zmiany pogody obserwuje się często przy schorzeniach reumatycznych, astmie i po złamaniach kości — wyraźnego wytłumaczenia tych zjawisk również nie ma. Dlatego trudno jest sformułować ogólną teorię na temat wpływu zmian pogody.

Decydować mogą:

— Indywidualna, fizyczna skłonność reagowania na zmiany ciśnienia.

— Podniesiona psychiczna gotowość do wcześniejszego „dopuszczenia" określonych zaburzeń samopoczucia, gdy jest kiepska pogoda lub pogoda szybko się zmienia. Pogoda może dotkniętego zwolnić ze zbadania głębszych przyczyn swoich dolegliwości.

— Niż, powodujący gromadzenie się przede wszystkim w miejskich terenach wyziewów (alarm smogowy), wywiera wskutek koncentracji trucizn środowiskowych (→ s. 787) szczególnie negatywny wpływ na samopoczucie.

— Przy długotrwałych bólach głowy, przy tradycyjnym leczeniu nie można się było spodziewać w ogóle poprawy.

Do tego należy dodać, że niektóre „zaburzenia początkowe" zmniejszają się, lecz w następstwie należy się liczyć z ich „wędrówką", gdyż bardzo często zdarza się, że dolegliwości objawiają się w innym narządzie.

### Leczenie alternatywne

W Niemczech lekarze zajmujący się leczeniem schorzeń psychosomatycznych posiadają dodatkowy tytuł „psychoanalityk" lub „psychoterapeuta". Poza tym istnieją oddziały szpitalne i sanatoria wyspecjalizowane w tej dziedzinie. Leczenie szpitalne lub sanatoryjne powinno trwać minimum 6 tygodni lub dłużej. Kompetencje psychoterapeuty i psychoanalityka powinny być zatwierdzone przez właściwą izbę lekarską. Odnośnie do możliwości psychoterapeutycznych w Polsce → Poradnictwo i psychoterapia, s. 670.

## Zaburzenia snu

Gdy zasypiamy, wszystkie procesy organizmu przestawiają się na „pół gwizdka". Obniża się temperatura organizmu o parę dziesiątych stopnia, oddech i tętno stają się powolniejsze, spada ciśnienie krwi. Nasze zmysły odbierają bodźce z otoczenia w zmniejszonym wymiarze, w czasie snu cały system nerwowy jest mniej pobudliwy.

To przełączenie się organizmu na „oszczędne funkcjonowanie" umożliwia życiowo konieczny wypoczynek i chroni ograniczone rezerwy energii naszego organizmu.

Na sposobie spania wyciska piętno kultura, w której żyjemy. Miliony ludzi, szczególnie w krajach południowych, mają różny od naszego rytm snu i czuwania. Na przykład wypoczywają i śpią w południe, a dłużej są aktywni w nocy. Różnice występują także między poszczególnymi osobami i zależą również od wieku. Nie istnieje zatem w tym zakresie żadna norma.

### Ranne ptaszki — wieczorne sowy

Zasada przestrzegania ośmiogodzinnego snu wypływa z utrwalonego obyczaju historycznego. Według tej zasady zorganizowane jest życie publiczne, zgodnie z nią funkcjonuje życie szkolne i zawodowe, jak również ustalane są pory posiłków i wypoczynku. Na indywidualne odchylenia niewiele jest miejsca. Dla jednostki może to być męczące. I tak „sowom" zegar wewnętrzny dyktuje o około półtorej godziny późniejsze pójście do łóżka i dwugodzinne późniejsze wstawanie w porównaniu ze „skowronkami". Oba typy wymagają rytmu dostosowanego do ich organizmu. Ludowe powiedzenie „Kto rano wstaje, temu Pan Bóg daje" oraz dyskryminująca przygana „śpioch" są w tym przypadku nie na miejscu. Jeszcze w ciągu dnia można na stwierdzić różnice pomiędzy tymi dwoma typami na podstawie przebiegu temperatury ich ciała.

### Długość snu

Długość snu jest zależna również od wieku. Niemowlęta przesypiają prawie dwie trzecie dnia, małe dzieci potrzebują na sen dziesięć do dwunastu godzin, większe dzieci od ośmiu do dziesięciu godzin. Dorosłym w średnim wieku wystarcza osiem godzin snu. Z zaawansowaniem wieku czas snu spada dalej. Jest coraz krótszy. Do wieku sześćdziesięciu lat może się skrócić do pięciu, sześciu godzin na dobę.

### Struktura snu

W czasie snu wyróżnia się od czterech do sześciu około 90-minutowych cykli naprzemiennie głębokiego i płytkiego snu. W fazie snu płytkiego gałki oczne poruszają się szybko pod zamkniętymi powiekami, w związku z czym nazwano ten okres fazą REM (rapid eye movement). Fazy snu głębokiego warunkują wypoczynek, podczas gdy w fazach REM rozładowują się oraz są przetwarzane przeżycia psychiczne.

### Dolegliwości

— Zaburzenia w zasypianiu. Leży się długo, męczliwie, w niektórych przypadkach godzinami.

— Zaburzenia w czasie snu. Często budzimy się, a sen jest powierzchowny i „urywany".

— Przedwczesne przebudzenie. Budzimy się „dużo za wcześnie" i nie możemy już zasnąć.

Noc może sprawiać wrażenie zwolnionego filmu. Lekki sen lub okres bezsenności łatwo ocenia się jako dłuższy niż jest w rzeczywistości. Jedyną miarą jakości snu jest uczucie wypoczęcia następnego ranka. Kto w ciągu dnia jest sprawny i czuje się żwawo, nie ma zaburzeń snu, mimo że w nocy budził się kilka razy.

### Przyczyny

#### Alkohol

Mały kieliszek wina lub kufelek piwa mogą wyjątkowo spełnić funkcję „jednego na drzemkę". Jednak już większa od tej niewielkiej ilość alkoholu może spowodować zakłócenia snu. Po alkoholu na ogół szybko się zasypia. Obciąża on jednak w czasie snu zarówno układ nerwowy, jak i cały organizm, który musi się zająć metabolizmem alkoholu. „Narkotyzowany" budzi się względnie szybko i od tego momentu występują już zakłócenia snu. Najważniejsza faza snu, faza szybkich ruchów gałek ocznych, jest obciążona, zmienia się profil snu. Alkohol jest zatem jednym z czynników najczęściej zaburzających sen.

#### Praca na zmiany

Zakłócenie rytmu snu występuje u wszystkich zatrudnionych na zmiany. Fakt „jasno—ciemno" wypada z równowagi wraz z „zegarem wewnętrznym". W ciągu dnia sen jest raczej „powierzchowny" lub skrócony i nie może na ogół wyrównać straconych godzin nocnych. Na przykład w Niemczech statystyki podają, że prawie 80% pracowników zatrudnionych na zmiany cierpi na zakłócenia snu.

#### Problemy psychosocjalne

Równowaga psychiczna ma decydujące znaczenie dla jakości snu. Obciążające sytuacje życiowe, których nie można wiązać z określonym wydarzeniem, niszczą na ogół sen „pełzająco".

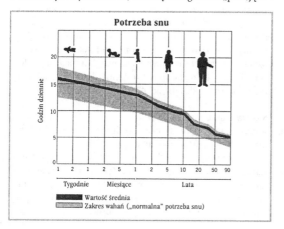

**Potrzeba snu**

Godzin dziennie

20

15

10

5

0

1  2  | 1  2  5  | 1  2  5  10  20  50  90

Tygodnie | Miesiące | Lata

■ Wartość średnia
▨ Zakres wahań („normalna" potrzeba snu)

Długotrwały kryzys małżeński, przeciągające się konflikty w rodzinie, wzrastające wymagania w pracy, chłodne stosunki, niezaspokojone potrzeby seksualne lub brak uznania społecznego wpływają ujemnie na jakość snu.

Na problemy psychiczne wskazują jednoznacznie następujące objawy: męczysz się przed zaśnięciem, ba, boisz się tego, nachodzą cię bezsensowne myśli, wstajesz często i zasypiasz dopiero nad ranem. Odtąd śpisz już na ogół dobrze (→ Zaburzenia samopoczucia, s. 175).

Inaczej zazwyczaj wyrażają się smutny nastrój lub depresja. Zasypiasz dobrze, lecz budzisz się po kilku godzinach. Potem przychodzą męczarnie i niespokojnie leżysz, nie śpiąc. Zaburzenia snu bywają często jedynymi objawami depresji (→ s. 191).

#### Hałas

Również w czasie snu zmysł słuchu pozostaje w stanie „czuwania". Reakcjami na hałas są: wahania ciśnienia, drżenia, poty, a z psychicznych zaburzenia koncentracji i snu, stany wyczerpania, uczucie braku zadowolenia i wzmożona agresywność. Zaburzeń snu można się spodziewać i wówczas, gdy się pozornie „przyzwyczaiło" do hałasu i nie rejestruje się go już świadomie. W spokojnej dzielnicy mieszkaniowej poziom hałasu wynosi nocą 30 do 35 decybeli, w ruchu ulicznym 70 do 80 decybeli, a hałas na budowie około 90 decybeli (→ Przytępienie słuchu, s. 242). Głębokość snu maleje jednak już przy 50 decybelach.

#### Sytuacja mieszkaniowa i warunki spania

Zużyte lub suche powietrze może wpływać na sen tak samo jak nadmierne ciepło (ponad 18°C). Miękki materac, który przeszkadza w optymalnym ułożeniu kręgosłupa lub ukrwieniu, ma również negatywny wpływ na jakość snu.

#### Trucizny

Szkody wyrządzone człowiekowi przez trucizny występujące w mieszkaniu i środowisku ujawniają się najpierw poprzez zaburzenia snu (→ s. 758 i s. 779). Również pola elektromagnetyczne mogą wpływać na jakość snu (→ s. 764).

#### Leki

Środki przeciwbólowe i przeciwgrypowe zawierające kofeinę działają pobudzająco i mogą przez to powodować kłopoty ze snem. Podobnie jest z preparatami zawierającymi efedrynę, teofilinę lub pokrewne substancje. Znajdują się one przede wszystkim w środkach przeciwgrypowych, wykrztuśnych, przeciw katarowi, przeciw zapaleniu oskrzeli i astmie oraz (raczej rzadko) w środkach wspomagających ukrwienie. Preparaty zmniejszające łaknienie wywołują prawie zawsze zakłócenia snu. Przy wystąpieniu zaburzeń we śnie zapytaj aptekarza lub lekarza, czy w zażywanych lekach znajdują się środki pobudzające. Leki nasenne mogą sprowadzić sen, lecz następnie również go zakłócić. Kto spróbuje odstawić lek, po pewnym czasie przyzwyczajenia, musi walczyć z tymi samymi dolegliwościami co przed przyjmowaniem środka, a może nawet z cięższymi zaburzeniami (→ Leki i ich stosowanie, s. 617).

*Choroby*
Niepokój o zdrowie może zaburzać sen tak samo jak objawy wielu chorób.

### Ryzyko zachorowania
Przeciętnie co trzeci dorosły człowiek skarży się na zaburzenia snu. Wraz z wiekiem dolegliwość ta się nasila. Kobiety odczuwają je dwa razy częściej niż mężczyźni (→ Zaburzenia samopoczucia, s. 175).

### Skutki i komplikacje
Bezpośrednie skutki zaburzeń snu są każdemu znane: człowiek czuje się rozbity, wyczerpany, oszołomiony, walczy z trudnościami w koncentracji i potrzebuje wielu godzin, by znowu poczuć się lepiej. Przedłużający się niedobór snu oddziałuje na cały system nerwowy, zakłóca zdolność spostrzegania i staje się torturą. Pozbawienie i zaburzenia snu należą po dziś dzień do stosowanych metod przesłuchań. Najczęstsze skutki zaburzeń snu to ciągłe używanie środków nasennych prowadzące do uzależnienia lekowego i długotrwałej zmiany jakości snu.

### Zapobieganie
— Wieczorem jeść tylko łatwo strawne posiłki.
— Unikać wieczorem alkoholu, kawy, zielonej lub czarnej herbaty oraz napojów typu coca-cola.
— Godziny wieczorne przeznaczyć na odprężenie: lekturę, pogawędkę, grę, kąpiel lub po prostu „słodkie nieróbstwo".
— Ruch i sport, spacer wieczorny.
— Wietrzenie i wymianę powietrza w sypialni można regulować odpowiednim uchyleniem okna. Zachodzenie okien parą w zimne dni sygnalizuje za wysoką wilgotność powietrza i za silne uszczelnienie okien.
— Przy oknach dźwiękoszczelnych należy zadbać wewnątrz mieszkania o wystarczającą wymianę powietrza. Przy nowoczesnych oknach izolujących poziom substancji szkodliwych w mieszkaniu pochodzących z tekstyliów, dywanów, podłóg i płyt wiórowych może osiągać szkodliwe stężenia (→ Trucizny w mieszkaniu, s. 758). Należy otworzyć drzwi do pomieszczeń nie mających okien izolujących.
— W sypialni zmniejszyć ogrzewanie i utrzymywać raczej niższą temperaturę, odpowiednią do indywidualnych potrzeb.
— Dla kręgosłupa optymalne jest płaskie łóżko z kratą drewnianą. Osoby, które nie mogą leżeć poziomo, winny odciążyć górną część ciała za pomocą podnoszonej części łóżka.
— Materace i kołdry winny być z naturalnych materiałów, wystarczająco pochłaniających wilgoć. W ciągu nocy człowiek wydziela bowiem około pół litra potu.
— Najczęściej zapominamy o tym, że seks i pieszczoty, czuły dotyk i wymiana ciepła uspokajają, odprężając i powodując zdrowy sen.

### Kiedy do lekarza?
Gdy mimo stosowanych zabiegów po dwóch, trzech tygodniach zaburzenia snu nie ustąpią, przedstaw lekarzowi dzienniczek snu. Wspólne czytanie może wiele wyjaśnić. Gdy trudnościom we śnie (przede wszystkim przedwczesne budzenie się i przerywany sen) towarzyszą inne dolegliwości, takie jak apatia i brak

---

## Herbaty ziołowe przeciw zaburzeniom snu, pobudliwości i niepokojom (Nervosan, herbata na dobranoc)

#### Korzeń kozłka lekarskiego
*Przyrządzanie*:
— łyżeczkę kozłka lekarskiego zalać średniej wielkości filiżanką gorącej wody;
— pozostawić na 10 do 15 minut, potem przecedzić.
*Zastosowanie*: Dla uspokojenia wypić w ciągu dnia dwa, trzy razy świeżo przyrządzony napar herbaty. Jako napój nasenny wypić krótko przed pójściem do łóżka filiżankę świeżo przyrządzonej herbaty.

#### Szyszki chmielu
*Przyrządzanie i zastosowanie*: jak kozłek lekarski.

#### Liście melisy
*Przyrządzanie*:
— jedną do trzech łyżeczek liści melisy zalać filiżanką gorącej wody;
— pozostawić na 10 minut, potem odcedzić.
*Zastosowanie*: Kilka razy dziennie wypić filiżankę świeżo przyrządzonej herbaty.

#### Kwiat lawendy
*Przyrządzanie i zastosowanie*: jak herbata z melisy.

#### Mieszanka herbaty uspokajającej
*Przepis*: 40 g korzeni kozłka lekarskiego, 20 g szyszek chmielu, 15 g liści melisy, 15 g liści mięty, 10 g skórki pomarańczowej.
*Przyrządzanie i zastosowanie*: jak herbata z melisy.

---

łaknienia, poczucie winy i niechęć, utrata wagi, trudności w koncentracji i zaburzenia wydajności, może to być oznaką poważnego depresyjnego rozstroju. W takim przypadku również należy udać się do lekarza.

### Jak sobie pomóc
— Stosowanie odprężających rytuałów, jak udział w grze towarzyskiej, słuchanie muzyki, czytanie książki, picie mleka z miodem.
— Ćwiczenia rozluźniające (→ s. 665).
— Masaż (→ s. 658).
— Ruch i sport (→ s. 748).
— Herbaty uspokajające.
Korzystnie działa wszystko, co przyczynia się do psychicznego odprężenia. Trzeba umieć rozluźnić się, by uspokoić się wewnętrznie i zewnętrznie. Wiele osób lubi przytulanie się, indywidualne ułożenie nóg i ramion, własne poduszki lub kołdry do otulania. Należy poddać się tym potrzebom. Również dorośli nie mają powodów, by się tego wstydzić.
W wykryciu przyczyny długotrwałych zaburzeń snu pomaga często dzienniczek snu. Ocena po jednym do dwóch tygodni pomoże ci rozpoznać przyczyny zaburzeń.

## Treść dziennika snu

— Kiedy poszedłeś spać, kiedy wstałeś (obudziłeś się)?
— Jakie posiłki spożyłeś, jakie napoje wypiłeś po godzinie 17.00?
— Jakie leki zażyłeś w ciągu dnia?
— Co robiłeś w ciągu dnia? Jakie prace wykonałeś?
— Jaki miałeś nastrój w ciągu dnia? Czy zaszły wydarzenia lub przeżycia szczególnie obciążające?
— Czy uciąłeś sobie drzemkę w ciągu dnia?
— Jakie były zakłócenia snu: trudności w zasypianiu lub zakłócenia snu, lub wcześniejsze przebudzenie?
— Jakie było ogólne samopoczucie fizyczne na drugi dzień?
— Jakie myśli nie dawały ci spać?

### Zaburzenia snu jako szansa

Na dobry sen najważniejszy wpływ ma spokój psychiczny, a noc może stać się pomocna w rozwiązaniu niepokojących problemów. Jest cicho, współmałżonek i dzieci śpią, nic nie przeszkadza, żeby zastanowić się nad sobą. Pod osłoną nocy możesz przemyśleć na nowo nierozwiązane konflikty, troski, zmartwienia, stojące przed tobą decyzje, kryzysy w stosunkach międzyludzkich lub problemy w pracy. W tym celu należy jednak wstać i zmienić pokój. Spróbuj sporządzić bilans lub sformułować rozstrzygnięcia. Rozważ rozwiązania metodą małych kroków. Spisz swoje myśli lub skieruj „list" do siebie. Obciążające sytuacje lub wydarzenia rozwiązuje się łatwiej, gdy można się nimi podzielić.

*Pracownia diagnostyczna zaburzeń snu*

W pracowni zaburzeń snu można prześledzić występowanie poszczególnych faz snu, długość ich trwania, przebieg i intensywność. Mierzy się charakterystyczny przebieg prądów elektrycznych, ocenia się okresy marzeń sennych i głębokiego snu. Można także uchwycić ruchy gałek ocznych, szczęk i kończyn oraz szybkość uderzeń serca, częstotliwość oddechu. Lekarze zatrudnieni w takiej poradni udzielają chorym fachowych porad.

### Leczenie

Gdy dolegliwości snu
— związane są z chorobą somatyczną, należy leczyć „chorobę podstawową";
— związane są z uciążliwą organizacją pracy lub z trującymi substancjami na stanowisku pracy, spróbuj uzyskać pomoc u kolegów, w agendach związków zawodowych i w dziale socjalnym lub zdobądź dokładniejsze informacje u lekarza zakładowego (→ s. 796);
— poszukaj porady i psychoterapii, gdy dolegliwości snu powiązane są z problemami psychospołecznymi (→ s. 175).

*Leczenie lekami*

Wielu lekarzy reaguje na zaburzenia snu zdecydowanie. Przepisują środki nasenne, chociaż większość przyjmowanych preparatów już po krótkim czasie może jaskrawo pogorszyć sen.
— Pogorszenie się snu powoduje zwiększenie dawki. Większe ilości zmieniają sen w „narkozę".

— Środki nasenne wywierają wpływ na poszczególne fazy snu. Trankwilizatory nocne (benzodiazepiny) zmieniają sen głęboki na sen przebiegający z marzeniami.
— Przy próbie odstawienia trankwilizatorów nocnych lub barbituranów po dłuższym czasie ich stosowania mogą wystąpić objawy odstawienia (zespół abstynencji). Już po trzech tygodniach zażywania, po odstawieniu dolegliwości te mogą się pojawić pod postacią głębokich zaburzeń snu, zawrotów głowy, bólów głowy, drżeń, biegunki, nudności, utraty wagi lub lęku i koszmarów sennych.
— Objawy odstawienia (zespół abstynencji) prowadzą do tego, że środki te przyjmuje się dalej. Spirala uzależnienia i nałogu została wprawiona w ruch bez naszej wiedzy.
— Dłużej działające środki nasenne podlegają w organizmie wolnemu metabolizmowi, mogą działać aż do następnego przedpołudnia. Oszołomienie i odurzenie wpływają w ciągu dnia na zdolność ruchową i wydajność.
— Niektóre środki (np. niektóre nocne trankwilizatory) mogą kumulować się w organizmie. Dlatego substancje te pozostają jeszcze aktywne wiele godzin po ich ostatnim przyjęciu. Zapytaj lekarza lub aptekarza o możliwe działanie uboczne i następcze (→ Leki i ich stosowanie, s. 617).

*Środki nasenne mają sens tylko w wyjątkowych przypadkach*

— Krótko i okresowo w niektórych sytuacjach, przy konieczności przestawienia się; na ogół wystarczy jednorazowe przyjęcie, np. przy przesunięciu rytmu jasno—ciemno po dłuższych lotach.
— Przy krótkotrwałych zaburzeniach snu wskutek fizycznego lub psychicznego obciążenia, np. podczas ciężkiej bolesnej choroby, przed operacją lub w nieznanym i obcym otoczeniu. Przyjmowanie środków nie powinno w żadnym przypadku trwać dłużej niż trzy tygodnie (niebezpieczeństwo przyzwyczajenia się!).

## Bóle głowy

### Dolegliwości

Bóle głowy prześladują od czasu do czasu większość ludzi, jedni cierpią mocno, inni nawet regularnie. Ból głowy nie jest jednak chorobą, lecz sygnałem ostrzegawczym.

Bóle głowy mogą wystąpić o każdej porze dnia z różnym nasileniem, od lekkiego „ucisku w głowie" do nieznośnego kłującego bólu. Mogą wystąpić również zaburzenia wzroku i inne dolegliwości.

### Przyczyny

Obok licznych przyczyn somatycznych (→ Głowa — bóle, s. 40), bóle głowy mogą być powodowane przede wszystkim

### Lektura uzupełniająca

PRUSIŃSKI A.: *Bezsenność i inne zaburzenia snu*. PZWL, Warszawa 1991.
VOLK S.: *Zaburzenia snu i jak z nimi walczyć*. Springer PWN, Warszawa 1996.

## Ból jako choroba

Po bardzo długim okresie bóle głowy niepodatne na różne metody leczenia mogą się usamodzielnić i przyjąć postać przewlekłą. Ponadto po dłuższym zażywaniu preparatów przeciwbólowych może rozwinąć się ból głowy zależny od leków. Staje się on wtedy samodzielną chorobą wymagającą swoistego leczenia. W specjalistycznych ośrodkach, zazwyczaj przy klinikach uniwersyteckich, zatrudnieni są lekarze różnych specjalności, którzy opracowali różne koncepcje postępowania leczniczego w przewlekłych bólach. Są to metody z różnych dziedzin medycyny oraz metody alternatywne, psychoterapeutyczne. Skuteczność tych metod należy tak długo testować, aż uzyska się indywidualnie najwłaściwsze.

napięciami psychicznymi. Rozterki uczuciowe, które muszą być utrzymywane „kurczowo" pod kontrolą, konflikt wewnętrzny pomiędzy pragnieniami a niezadowalającą sytuacją życiową mogą spowodować „pękanie głowy" — np. agresja wobec bliskich lub przełożonych, na których nie mamy odwagi się wyżyć. Te „zakazane" impulsy furii i gniewu zostają w końcu skierowane do wewnątrz, przeciw własnej osobie. Napięcie to uwidacznia się ciągłym bólem głowy.

Szczególnie panie nie mogą podołać swemu wizerunkowi. Kobieta ma być spokojna, przyjacielska, zrównoważona i harmonijna. Z tego powodu bóle głowy dręczą przede wszystkim kobiety. Im to przypisuje się zażywanie o jedną trzecią tabletek więcej aniżeli mężczyznom.

Spiętrzone emocje są często przyczyną rozwijającego się bólu głowy. Dodatkowo czynnikami wywołującymi mogą być: przeciążenie, nadużywanie używek (→ s. 740), wpływ szkodliwych substancji (→ s. 759), nadwrażliwość na pewne środki spożywcze (→ s. 713), wrażliwość na wpływy atmosferyczne (→ s. 183), niedostatek snu (→ s. 183), złe powietrze, przykurcze mięśni karku i kręgosłupa (→ s. 606), ogólne choroby.

### Możliwe następstwa i powikłania

(→ Migrena, s. 216)

Bóle, których przyczyn nie możemy usunąć i które przez dłuższy czas nie ustępują, mogą przybierać postać chroniczną. Kto przy bólach głowy często sięga po tabletki, działa ryzykownie. Z jednej strony tłumi sygnał ostrzegawczy, jakim jest ból, traci też szansę na wczesne leczenie być może poważnej choroby, z drugiej strony leki przeciwbólowe, począwszy od pierwszej dawki, mogą same stać się przyczyną bólów. Ponadto istnieje niebezpieczeństwo lekozależności oraz trwałych uszkodzeń wątroby i nerek (→ Leki przeciwbólowe, s. 620).

### Zapobieganie

Bólom głowy zapobiega wszystko, czego celem jest życie w równowadze z sobą i otoczeniem (→ Zaburzenia samopoczucia, s. 175).

### Kiedy do lekarza?

Gdy bóle głowy powracają regularnie lub trwają długo. Lekarz winien wyjaśnić, czy bóle głowy powodowane są przez organiczne schorzenia. Gdy mimo „negatywnego" stwierdzenia bóle nie ustępują, sensownych porad mogą udzielić instytucje specjalistyczne.

### Jak sobie pomóc?

— Spacer na świeżym powietrzu, ciepła kąpiel mogą odprężyć.
— Położyć się, usunąć wszystkie zewnętrzne źródła hałasu, wyłączyć się wewnętrznie.
— Pomocne może być nauczenie się i stosowanie techniki odprężenia (→ Relaks, s. 664).
— Masaż (→ s. 658).
— Stosować zimne i gorące okłady na czoło i kark, miejsca bolesne masować kostkami lodu.
— Pocierać oba płatki małżowiny usznej. Kciukiem i palcem wskazującym uciskać grzbiet nosa w kierunku kąta ocznego.
— Zimne kąpiele rąk i nóg (→ s. 653).
— Szczotkować włosy we wszystkich kierunkach.
— Dla tych, których żołądek to znosi: czarna kawa ewentualnie z cytryną.

### Leczenie

Aby skutecznie się leczyć, należy ustalić najpierw przyczyny bólów głowy — również wtedy, gdy nie znajdzie się żadnych fizycznych przyczyn dolegliwości. W tym celu musisz się rozprawić najpierw z samym sobą, wewnętrznymi napięciami, konfliktami z otoczeniem i problemami w miejscu pracy. Może potrzebujesz również przejściowo pomocy profesjonalnej (→ Poradnictwo i psychoterapia, s. 670).

Leczenie bólu głowy lekami przeciwbólowymi (→ Leki przeciwbólowe, s. 620).

Część osób ze stale nawracającymi lub długotrwałymi bólami uzyskuje skuteczną pomoc przez zastosowanie metod medycyny alternatywnej: akupresury, akupunktury i terapii neuralnej.

### Lektura uzupełniająca

SHONE NEVILLE: *Jak skutecznie walczyć z bólem.* „Książka i Wiedza", Warszawa 1996.

# ZABURZENIA PSYCHICZNE

Osoby, które zapadły na choroby organiczne, mogą być prawie pewne współczucia, poświęcania im uwagi, opieki ze strony krewnych i przyjaciół. Bez porównania trudniej o to chorym psychicznie. W społeczeństwie choroby psychiczne mierzy się zupełnie odrębną miarą niż choroby somatyczne. O dolegliwościach psychicznych mówi się jedynie szeptem. Chorych zaś się unika, izoluje, wyklucza ze społeczności, a nawet o nich zapomina. W żadnej innej dziedzinie rozdarcie i jedność, zwątpienie i szczęście, banał i niezwykłość, zagubienie i odnajdywanie się jednostki nie leżą tak blisko siebie jak w psychiatrii. Ta bliskość stanu z pozoru „normalnego" wzbudza obawy, ponieważ niemalże każdy człowiek potrafi znaleźć w swym najgłębszym wnętrzu uczucia i myśli, które przypominają zaburzenia psychiczne. Przeżycia osób cierpiących na zaburzenia psychiczne oraz chorych psychicznie stanowią niejako skrajny biegun niezliczonej różnorodności ludzkich zachowań, odczuć i myślenia. Dopiero po uświadomieniu sobie tego w pełni nabiera znaczenia sentencja „Mylić się jest rzeczą ludzką".

# NERWICE

Człowiek zmienia się przez całe życie. Do najważniejszych etapów rozwoju zalicza się dzieciństwo i młodość, kiedy to jednostka uczy się określonych wzorców rozwiązywania sytuacji życiowych i konfliktowych. Zbiór wyuczonych zachowań, który wywodzi się z doświadczeń z wczesnego dzieciństwa, jak również z okresów późniejszych, podsuwa nam określony sposób zachowania się, spostrzegania, myślenia i odczuwania. W sytuacjach konfliktowych często sięgamy po te wzorce z przeszłości, które podkładamy niby matryce pod sytuację zaistniałą aktualnie i używamy ich jako modelu do rozwiązania problemu.

Nerwice także są wzorcami zachowań wyniesionymi z przeszłości, za pomocą których jednostka próbuje rozwiązywać sytuacje konfliktowe, jednakże nie bardzo skutecznie. U przeważającej większości ludzi zaburzenia nerwicowe nie są na ogół źródłem istotnych problemów. Niemalże u każdego z nas występują sporadycznie w sposób mniej lub bardziej nasilony działania przymusowe, lęki lub tiki. Poszukujemy wówczas partnerów, przyjaciół lub przyjaciółek, których własne „nerwice" odpowiadają naszym, jak również wybieramy zawody, w których elementy nerwicowe naszego „ja" są najmniej widoczne. Także dzień powszedni kształtujemy wtedy tak, by móc żyć w równowadze ze swoimi zaburzeniami nerwicowymi.

## Dolegliwości
Nerwice stają się źródłem dolegliwości wówczas, gdy wzorce z przeszłości nakładają się na bieżącą sytuację, a dana osoba nie jest dłużej w stanie dawać sobie rady z wymogami dnia codzien-

nego. Energia duchowa nie jest wówczas spożytkowana na rozwiązanie problemu, lecz na obronę przed związanymi z nim sytuacjami konfliktowymi.

Do typowych zaburzeń nerwicowych zalicza się:

## Psychastenia
Przez pojęcie to rozumie się zachowania przymusowe, które utrwaliwszy się, stały się cechami charakteru, a jednocześnie nie przystają do aktualnej sytuacji i są stale powtarzane. Na przykład:
— zachowania hipochondryczne mimo dobrego stanu zdrowia;
— przesadne pilnowanie porządku, mimo że wszystko jest dokładnie uprzątnięte;
— przymus skąpstwa wobec siebie i innych, mimo że sytuacja materialna jest bez zarzutu;
— przymusowe spóźnianie się — bez najmniejszego ku temu powodu;
— permanentne zwątpienie w siebie, choć osiągnięcia życiowe powinny raczej być powodem do dumy;
— przymusowe zachowania typu Casanovy, mimo że mnogość kontaktów seksualnych i tak nie przynosi zadowolenia;
— depresyjny nastrój i osłabienie napędu psychoruchowego;
— przesadne zachowania lękowe, brak samodzielności.

Psychastenia ma — odpowiednio do cech indywidualnych — nieskończenie wiele odmian. Źródłem dolegliwości staje się zaś dlatego, że dotknięte nią osoby spostrzegają, że dzieje się z nimi „coś", czego by sobie nie życzyły.

## Natręctwa
Natręctwa różnią się od psychastenii tym, że odnoszą się do jednego, ściśle określonego obszaru działalności życiowej lub konkretnej sytuacji. Natręctwo stanowi powtarzający się schemat działania, od którego dana osoba — mimo świadomości jego bezsensowności — nie może się uwolnić. Na przykład:
— natręctwo mycia się; dotknięte nim osoby myją się wielokrotnie, mimo że są czyste;
— natręctwo sprzątania; osoby cierpiące na nie bez przerwy sprzątają mieszkanie, chociaż wszystko lśni w nim czystością;
— przymus porządkowania, gromadzenia itp.

W przypadku umiarkowanie nasilonych natręctw prawie zawsze możliwe jest ich włączenie w obręb codziennego życia chorego. Natręctwa stają się problemem dopiero wtedy, gdy uniemożliwiają danej osobie prowadzenie normalnego trybu życia. Na przykład przymus sprawdzania skuteczności zamknięcia drzwi wejściowych bywa tak nasilony, że może całkowicie uniemożliwiać spokojne oddalenie się z domu.

## Fobie

Są to stany bardzo silnego lęku, występujące w sytuacjach, w których paniczna obawa nie ma uzasadnienia. Na przykład:
— lęk przed pająkami (*arachnophobia*). W naszej szerokości geograficznej paniczny lęk przed pająkami pozbawiony jest jakiegokolwiek rzeczywistego uzasadnienia. Uwaga ta odnosi się również do lęku przed myszami (*musophobia*), szczurami lub wężami (*ophidiophobia*);
— lęk przed otwartą przestrzenią (*agoraphobia*) powoduje niemożność poruszania się po rozległych terenach płaskich. Lęk przed pomieszczeniami zamkniętymi (*claustrophobia*) i związana z nim obawa przed uwięzieniem w windzie lub metrze nie ma uzasadnienia, jeśli wziąć pod uwagę rzeczywiste prawdopodobieństwo wystąpienia takiej sytuacji i związane z nią zagrożenia;
— lęk przed podróżą samolotem nie jest związany z rzeczywistym prawdopodobieństwem zaistnienia katastrofy lotniczej.

Osoby cierpiące na fobie zdają sobie doskonale sprawę z tego, że ich przemożne lęki nie mają uzasadnienia w konfrontacji z rzeczywistym stopniem zagrożenia, nie potrafią jednak nad nimi zapanować. Na ogół osoby dotknięte fobiami są w stanie prowadzić normalny tryb życia, pod warunkiem unikania sytuacji wywołujących lęk. Dopiero gdy unikanie ich jest niemożliwe, fobie stają się źródłem udręki.

### Nerwica lękowa

Osoby cierpiące na nią przepełnia obezwładniający lęk, nad którym nie są w stanie zapanować i który występuje bez uchwytnej przyczyny wywołującej. Lęk może być tak silny i przemożny, że zamienia się w uczucie silnej paniki. Nerwica lękowa często zwraca się w kierunku ciała cierpiącej na nią osoby, co wyraża się silną obawą na przykład przed zatrzymaniem krążenia lub przed zachorowaniem na raka lub AIDS.

Większość osób dotkniętych nerwicą lękową zdolna jest do prowadzenia normalnego trybu życia. W chwili gdy odczuwają one zagrożenie napadem lęku, separują się. Próbują uchronić się przed nim, stosując techniki relaksacyjne lub środki uspokajające, i przeczekują aż do jego ustąpienia. Długotrwałe i bardzo nasilone nerwice lękowe mogą jednak skrajnie negatywnie odbijać się na jakości życia.

### Tiki

Nazwą tą określa się nie dające się opanować i nieumotywowane oraz nie mające przyczyny organicznej czynności, takie jak na przykład mrużenie oka, potrząsanie głową, robienie min, mlaskanie językiem. Mimo że sytuacja wywołująca je od dawna nie istnieje, opisane zachowania występują mimowolnie, w sposób automatyczny. Bezskuteczne jest zatem mówienie dotkniętej nimi osobie, by przestała je wykonywać.

Znany jest zespół Tourette'a, który cechuje się nienormalnym automatyzmem ruchowym i mowy. Choroba ta przejawia się w wieku dziecięcym wzmożoną nerwowością, upośledzoną koncentracją uwagi i typowym przymusowym zachowaniem.

Istnieją też łagodne tiki (zwłaszcza u dzieci), które mają związek z wywołującą je sytuacją, na przykład gdy dana osoba re-

## Załamanie nerwowe — ostre zaburzenie z przeciążenia

W czasie załamania nerwowego, przez specjalistów określanego jako ostre zaburzenie z przeciążenia, „przepalają się ważne psychiczne bezpieczniki". Człowiek „wychodzi z siebie", często zachowując się agresywnie lub niszczycielsko, wybucha mimowolnym płaczem, napadowym krzykiem, nie może opanować drżenia całego ciała. Czasem dodatkowo występują omamy. U niektórych osób załamanie obejmuje cały organizm jak jakieś „trzęsienie".

Reakcje psychiczne są skutkiem krańcowego przeciążenia psychicznego, podczas lub po nagłych zdarzeniach, jak operacja, uprowadzenie (samolotu), wzięcie jako zakładnika, zgwałcenie lub nagły zgon członka rodziny. Ogromnego napływu bodźców nie można już opanować. W celu uspokojenia stosuje się — w zależności od manifestowanych objawów — krótko działające środki uspokajające, na przykład trankwilizatory (→ Leki uspokajające, s. 181) lub leki przeciwpsychotyczne (→ Neuroleptyki, s. 195). Po uzyskaniu pewnej stabilizacji emocjonalnej celowa i konieczna jest psychoterapia (→ Zabiegi ukierunkowane na sytuacje konfliktowe, s. 672).

aguje na zdenerwowanie silnym mruganiem lub gdy w sytuacji stresowej zaczyna potrząsać głową.

### Osobowość „z pogranicza"

Pojęcie angielskie „borderline" oznacza granicę i określa zaburzenie osobowości, którego objawy przypominają stany psychotyczne. Według szacunków tym zaburzeniem dotkniętych jest około pięciu do dziesięciu procent ludności:
— Ludzie z osobowością „z pogranicza" są najczęściej bardzo wrażliwi, często przewrażliwieni, bywają nieufni.
— Cierpią na dręczącą niepewność, mają odczucia małej wartości i często kierują agresję przeciw samym sobie i/lub innym, takie osoby cechuje mała zdolność znoszenia obciążeń.
— Wielu ma skłonności do zachowań popędliwych, drażliwości z nieufnością i niekiedy do urojeniowych przekonań.

Ludzie o osobowości „z pogranicza" często zawierają nowe znajomości, i równocześnie lękają się kolejnych w obawie przed doświadczeniem gwałtów i upokorzeń. Osoby te szkodzą sobie samym, niektóre okaleczają się, na przykład nożem, rozżarzonym papierosem lub drapiąc się do krwi. Ból pomaga im uświadomić sobie siebie samych. W zależności od ciężkości zaburzenia wskazane bywa leczenie szpitalne. Pobyt w szpitalu może chronić przed napadem złości, która rozładowuje się przez działanie autoagresywne. Ponieważ zaburzenie to często jest głęboko zakorzenione w charakterze dotkniętej nim osoby, może się okazać konieczna wieloletnia długotrwała psychoterapia ambulatoryjna (→ s. 674).

### Przyczyny

Nerwice są zwykle spowodowane sytuacjami, w których dana osoba:

— otrzymuje za mało lub za dużo w stosunku do swoich oczekiwań; nerwicę może w takim samym stopniu wywoływać nadmierna, związana z chęcią posiadania, troskliwość, jak i brak zainteresowania i uczucia oraz uznania i poświęcania danej osobie uwagi;

— stoi w obliczu dwojakich rozstrzygnięć; dawanie sobie rady ze sprzecznością i dwuwartościowością uczuć należy do najtrudniejszych zadań w życiu człowieka; tylko niektóre jednostki są w stanie znosić jednocześnie miłość i nienawiść, prawie wszyscy ludzie oddzielają zaś i negują część swojego życia uczuciowego, by móc zrównoważyć wspomnianą dwuwartościowość uczuć;

— musi uporać się z wydarzeniami będącymi źródłem urazu; należą do nich przeżycia związane z rozstaniem się lub śmiercią bliskiej osoby, z przemocą, wojną lub zniszczeniem, z pobytem w więzieniu lub obozie koncentracyjnym, z poniżeniem, gwałtem lub torturami.

Trudno jest dotrzeć do pierwotnych źródeł sytuacji urazowej, ponieważ nieuświadamianie jej sobie jest cechą immanentną nerwicy, występuje natomiast stale powtarzający się przymus jej „odtwarzania".

### Ryzyko zachorowania

Prawdopodobieństwo nerwicowego sposobu rozwiązania sytuacji konfliktowej występuje u wszystkich osób znajdujących się w trudnym położeniu życiowym. Czynnikami wywołującymi mogą być wszelkie etapy życia, w których zachodzi potrzeba przeorientowania się lub znalezienia się w nowej sytuacji, na przykład: okres dojrzewania płciowego, opuszczenie domu rodzinnego, zgony, bezrobocie, rozwód lub choroba.

### Możliwe następstwa i powikłania

Ujawniają się dopiero wtedy, gdy zaburzenie nerwicowe osiąga tak duży stopień nasilenia, że uniemożliwia życie w ramach „normalności", wykonywanie pracy i utrzymywanie kontaktów towarzyskich.

### Zapobieganie

Zapobiegawczo działa każda forma otwartości. Z im większą swobodą możliwe jest wyrażanie własnych uczuć, życzeń, obaw i nadziei, tym lepsza jest ochrona przed nerwicowym odreagowywaniem sytuacji konfliktowych.

→ Zaburzenia samopoczucia, s. 175.

→ Życie seksualne, s. 499.

### Kiedy do lekarza?

Gdy nerwica staje się obciążeniem w życiu codziennym.

Rozstrzygająca jest presja dolegliwości występujących u osoby cierpiącej na nerwicę, a ponadto dyskomfort odczuwany w następstwie tego przez jej krewnych oraz osoby z dalszego otoczenia. Wspomniana zależność jest szczególnie wyrazista w przypadku dotkniętych nerwicą rodziców, z powodu których na cierpienia narażone są ich dzieci.

Lekarze ogólni niewiele mogą pomóc w opisanej sytuacji. Powinieneś szukać oparcia w poradniach specjalistycznych lub u lekarzy wykształconych w dziedzinie psychoterapii (→ Poradnictwo i psychoterapia, s. 670).

### Jak sobie pomóc

Jest to nie bardzo możliwe, gdy chodzi o rozstrzyganie sytuacji konfliktowych, ponieważ przyczyny różnorodnych natręctw, fobii, lęków lub depresji tkwią w podświadomości. Niekiedy w trakcie rozmów w kręgu osób zaufanych możliwe jest dotarcie do głębiej leżących nawarstwień zaburzenia nerwicowego. Im będziesz wówczas bardziej szczery i otwarty, tym skuteczniej będziesz mógł sobie pomóc.

### Leczenie

Prawdopodobieństwo samoistnego wyleczenia jest bardzo duże. Czynniki powodujące wyleczenie samoistne mają różnorodną naturę. Mogą one mieć związek z nawiązywaniem nowych kontaktów, zmianami w sytuacji życiowej lub przeorientowaniem się. Nerwice bardzo dobrze poddają się leczeniu psychoterapią, umożliwia ona — za pomocą terapii zachowania — nauczenie się panowania nad klasycznymi fobiami lub tikami, jak również zerwanie z utrwalonymi natręctwami. Często już po odbyciu trzydziestu seansów możliwe jest prowadzenie normalnego trybu życia. Ogólnie rzecz biorąc, należy się spodziewać tym dłuższego trwania leczenia, im głębiej położony i bardziej rozległy jest wewnętrzny konflikt (→ Poradnictwo i psychoterapia, s. 670).

W ostrych przełomach stosuje się środki antydepresyjne o działaniu przeciwlękowym. Łagodzą one ostre, niszczące lęki i depresyjne nastroje oraz umożliwiają w określonych warunkach zastosowanie zabiegów psychoterapeutycznych. Tak zwanych trankwilizatorów należy unikać ze względu na możliwość uzależnienia (→ Leki uspokajające, s. 181; → Leki i ich stosowanie, s. 617).

## CHOROBY AFEKTYWNE (zaburzenia nastroju)

Wahania nastroju ze szczytami i dołami, między euforią, radością, równowagą, zwątpieniem, zmartwieniem i skłonnością do rozmyślań zna każdy człowiek. Cierpiący na zaburzenia afektu odczuwa jednak gwałtownie wahania nastroju (afektu, emocji) i nie umie kierować tym, co się dzieje w jego wnętrzu. Nastrój „wykoleja się", uniezależnia się i ostatecznie nie przystaje do sytuacji: smutek przekształca się w depresję, euforia nasila się do manii. Zwracająca uwagę w obu postaciach krańcowych jest zmiana napędu wewnętrznego: chorzy na depresję stają się coraz spokojniejsi, zamknięci w sobie, niekiedy całkowicie niewzruszalni, natomiast chorzy na manię wpadają w wir działania.

Przy obu zmianach nastroju do krańcowych biegunów — depresja i mania — czynniki wywoławcze nie są w pełni do zidentyfikowania. Dlatego często „przyczyna" choroby pozostaje nierozpoznana. Można przypuszczać, że zaburzenia przemiany materii odgrywają ważną rolę, gdy nastrój się usamodzielnia i zmierza ku krańcowym biegunom.

## Depresje zamaskowana i przewlekła

*Depresja zamaskowana (nietypowa depresja)*
Niektóre depresje są prawie niezauważalne, gdyż charakteryzują się tylko niewielkimi zmianami usposobienia. Dotknięci nimi nie są emocjonalnie depresyjni, jednakże chorowici, często ogólnie wyczerpani, cierpią na zaburzenia snu nawet pod wpływem małych obciążeń. Wielu badaczy uważa, że za tak zwanym zespołem przewlekłego zmęczenia tkwi depresja, która ukazuje się pod postacią stałego nastroju i ogólnego zmęczenia (→ Zdrowie i dobre samopoczucie, s. 173).
Niekiedy depresja pojawia się bezpośrednio pod postacią choroby somatycznej, na przykład utrzymującymi się dolegliwościami żołądkowymi. Obrazowo mówiąc, psychika usiłuje przenieść swój ból na organizm (→ Zaburzenia czynnościowe, s. 176; → Choroby psychosomatyczne, s. 176).

*Dystymia (depresja nerwicowa)*
Lekarze mówią o depresji nerwicowej, gdy człowiek ma nastrój smutny, jest zrezygnowany, marzycielski, nie objawia radości i chęci. Taki nastrój, którego nie można skorygować nawet lekami, towarzyszy często życiu uciekinierów, wypędzonych lub wychodźców, którzy zagubili swoje korzenie, brakuje im kulturowego zakotwiczenia. Większość ma satysfakcjonujące życie zawodowe i rodzinne, jednak nie potrafi w pełni cieszyć się życiem. Może się to także zdarzyć w wyniku dramatycznych sytuacji i wypadków, na przykład po zgonie dziecka, gdy rozmyślania, smutek i uczucia straty w życiu i w głębi psyche stale się utrzymują.

## Depresja

Lekarze ujmują pojęcie depresji względnie ściśle. Dotknięci nią są nie tylko smutni i ponurzy, lecz także kierują przeciw sobie ciężkie zarzuty i oskarżenia. Cierpią na krańcowe poczucie małowartościowości i poniżają swoją osobę. Na początku często można znaleźć reakcję na konkretny urazowy czynnik wywoławczy, określone zdarzenie, na doświadczenie życiowe (→ Nerwice, s. 188). Depresja może być lekka, średnia bądź ciężka. Przy lekkich postaciach czynnik wywoławczy jest łatwo dostrzegalny, na przykład duży smutek po śmierci członka rodziny. Przy ciężkich postaciach depresyjny nastrój jest usamodzielniony. Dotknięci najczęściej sami już nie wiedzą, dlaczego ma miejsce to, co się z nimi dzieje.
Ciężkim depresjom, zwanym także melancholią, mogą towarzyszyć objawy urojeniowe, może dojść do wyraźnych omamów winy, ubóstwa i/lub myśli samobójczych. Ciężka depresja może się przekształcić w całkowity bezruch (osłupienie depresyjne). Dotknięci nią są silnie zagrożeni samobójstwem, nawet gdy nękające ich myśli nie są uzewnętrzniane.

### Dolegliwości
— Przygnębienie i odwrót w głąb samego siebie.
— Zamknięcie się na świat zewnętrzny połączone z samooskarżaniem się, niepewnością własnego „ja" i zwątpieniem w samego siebie.
— Uczucie pustki i bezsensu, często połączone z lękiem, stanem rozbicia, zaburzeniami snu (niekiedy także ze zbyt długim snem), brak apetytu, spadek wagi, niekiedy także zwiększona ochota do jedzenia i przybór masy ciała.
— Utrata zdolności koncentracji uwagi, brak zainteresowania i bezruch.
— Mniej lub bardziej nasilone myśli samobójcze lub marzenia o śmierci.

### Przyczyny
Osoby skłonne do depresji dręczą się wewnętrznie uczuciami agresji, które nie są skierowane przeciw żadnemu uświadomionemu obiektowi. Smutek, wściekłość, zwątpienie, rozczarowanie lub gniew nie znajdują rozładowania. Z tego powodu oskarżenia i ból kierują się do wewnątrz, przeciw własnej osobie. Osoby wykazujące skłonność do depresji nie potrafią na ogół prawidłowo ukierunkować swych negatywnych odczuć. Nie pozwalają sobie na odreagowanie agresji. Depresja może mieć jednak także przyczyny endogenne. Nie ulega na przykład kwestii, że choroby wątroby, przewodu pokarmowego lub tarczycy oraz niedokrwistość mogą przyczyniać się do powstania depresji. Podobnie depresja może towarzyszyć niemalże wszystkim chorobom przewlekłym, a wśród nich schorzeniom reumatycznym i nowotworom.
Nastroje depresyjne, którym towarzyszą ogólne osłabienie, brak apetytu i bóle głowy, mogą być także skutkiem wpływów środowiskowych, uszkadzających centralny układ nerwowy; znane są zwłaszcza zaburzenia będące skutkiem narażenia na metale ciężkie (ołów, rtęć, tal), na składniki tworzyw sztucznych (akrylamid), na rozpuszczalniki zawierające benzen i na węglowodory aromatyczne oraz związki fosforoorganiczne (środki ochrony roślin).

### Ryzyko zachorowania
Światowa Organizacja Zdrowia (WHO) ocenia odsetek osób chorujących na depresję na trzy do pięciu procent w skali świata. W badaniach amerykańskich mówi się natomiast o pięciu do dziesięciu procent.
W zależności od autorów opracowań ocenia się, że na jednego mężczyznę cierpiącego na depresję reaktywną przypada od dwu do sześciu kobiet dotkniętych tą chorobą. Szacunkowo przyjmuje się, że osiemdziesiąt procent osób cierpiących na depresję reaktywną to kobiety.
U kobiet ryzyko zachorowania jest tak wysokie przede wszystkim dlatego, że w przeciwieństwie do mężczyzn nie odreagowują one sytuacji konfliktowych, wyżywając się w uprawianiu sportu, działalności zawodowej lub społecznej, natomiast przenoszą je do wewnątrz.
Głównym czynnikiem ryzyka jest ukształtowany idealny obraz kobiety — oczekuje się od niej łagodności i emanacji równowagi oraz harmonii. Kobietom nie wolno przeżywać ani okazywać uczuć agresji, gdyż nie przystają one do „kobiecej" skali odczuć.
Pewne jest, że sytuacja życiowa, w jakiej znajduje się kobieta, może sprzyjać rozwinięciu się depresji: samotność i izolacja, ubóstwo i zagrożenie socjalne, posiadanie małych dzieci, kontakty seksualne podejmowane bez miłości, nie mający zro-

zumienia partnerzy oraz uzależnienia — wszystkie te czynniki zwiększają ryzyko jej wystąpienia. Ujawnienie depresji obserwuje się najczęściej między 30 a 40 oraz 50 a 60 rokiem życia. Potwierdza się zatem jeszcze raz dobitnie, że wszelkie etapy życia związane z sytuacjami przełomowymi, zmianami, zaczynaniem „od początku" lub rozstaniami obciążone są ryzykiem wystąpienia zaburzeń psychicznych (na przykład: depresja w przebiegu ciąży, kryzys wieku średniego, szok wywołany przejściem na emeryturę).

## Możliwe następstwa i powikłania
*Następstwa somatyczne (cielesne)*: Dotknięte chorobą osoby zaniedbują się całkowicie i odżywiają się niewystarczająco, często również niewłaściwie. Następstwem tego mogą być objawy niedoborowe i niedokrwistość. Ponadto niedostateczna jest aktywność fizyczna chorych.

*Następstwa społeczne*: Może dojść do całkowitego odwrotu na pozycję pełnej bezczynności ruchowej. Osoby dotknięte depresją odizolowują się często całkowicie od rodziny, przyjaciół i partnerów. Szczególnie w przypadku depresji endogennej (psychotycznej) niemożliwe jest dla osoby stojącej z boku nawiązanie jakiegokolwiek kontaktu z chorym, który całkowicie zamyka się w sobie.

## Zapobieganie
Każdy człowiek wykazuje skłonność do depresji. Im bardziej zdamy sobie z tego sprawę, tym lepiej poradzimy sobie w sytuacjach kryzysowych:
— Spróbuj odkryć podłoże swojego dążenia do przesadnie poprawnego, porządnego, dokładnego i obowiązkowego zachowania — wiele spraw, które społeczeństwo podniosło do rangi normy, i uważa je za taką i których się od nas oczekuje, nie ma w istocie znaczenia.
— Nie pomniejszaj swojej rzeczywistej wartości. Lęk przed niesprostaniem oczekiwaniom dotyka każdego człowieka. Najważniejsze, by umieć o tym problemie rozmawiać. Im zaś głębszy odwrót do sfery wewnętrznej, tym większe ryzyko zachorowania.
— Smutek, ból, rozstanie, agresję trzeba „przeżyć". W im większym stopniu dzielisz się tymi odczuciami z innymi osobami, tym skuteczniej zapobiegasz depresji. Staraj się porozmawiać o swoim smutku z jakąś życzliwą osobą i w ten sposób podzielić się z nią swymi odczuciami.

## Kiedy do lekarza?
Z chwilą gdy przyznasz przed samym sobą, że znajdujesz się w odwrocie i izolacji, powinieneś oddać się pod fachową opiekę. Ideałem byłoby zaś skorzystanie z pomocy lekarza wyspecjalizowanego w dziedzinie psychiatrii.

W ciężkich postaciach depresji należy koniecznie udać się do poradni psychiatrycznej lub do szpitala psychiatrycznego. Niebezpieczeństwo popełnienia samobójstwa występuje w depresji tym częściej, im jest bardziej nasilona. Zadaniem członków rodziny jest nakłonić chorego do jak najwcześniejszego leczenia, a w krytycznych sytuacjach także bez jego zgody sprowadzić psychiatrę.

---

## Samobójstwo — śmierć z wyboru
Ocenia się, że równo dwadzieścia procent chorych na ciężką depresję odbiera sobie życie w pewnym momencie krytycznej fazy choroby. W Niemczech wskutek śmierci zadanej własnoręcznie ginie rocznie 10 000-12 000 osób. W Polsce w roku 1990 zarejestrowano ponad 3700 czynów samobójczych. Statystyki te są przy tym o tyle niedokładne, że wiele ofiar wypadków drogowych względnie nadmiernego spożycia alkoholu lub przedawkowania narkotyków popełnia samobójstwo pod zasłoną wymienionych „nieszczęśliwych wypadków". Również osoby, które odmawiają zgody na podjęcie zabiegów ratujących życie, nie są uwzględniane w powyższym zestawieniu. Prawie każdy człowiek sygnalizuje zamiar popełnienia samobójstwa, zanim odbierze sobie życie.
— Bierz pod uwagę te sygnały, nawet jeśli twoim zdaniem miałyby być czczymi pogróżkami. Każdą zapowiedź śmierci wbrew woli, dążenia do śmierci lub zamiaru samobójstwa należy traktować poważnie.
— Jedynie poważna rozmowa i propozycja pomocy może zdobyć zaufanie jednostki zagrożonej popełnieniem samobójstwa i odbudować jej kontakt ze światem zewnętrznym. Natomiast każde zachowanie bagatelizujące, pomniejszanie lub niedocenianie cierpienia umacnia leżące u podłoża zamiaru samobójczego głębokie uczucie beznadziejności.
— Należy wiedzieć, że w szczególności samobójstwa na tle depresji są często od dawna i dokładnie przygotowywane. Mogą być też zaplanowane w taki sposób, by uniemożliwić zapobieżenie im ze strony kogokolwiek.
— Osoby, które konsekwentnie zaplanowały samobójstwo, bardzo trudno jest odwieść od tego zamiaru. Prawie co dziesiąte samobójstwo popełniane jest na terenie szpitala psychiatrycznego lub w trakcie leczenia ambulatoryjnego.

## Jak sobie pomóc
Pomoc wyłącznie we własnym zakresie należy odrzucić. Przede wszystkim należy pożegnać się z zamysłem rozwiązania samemu wszystkich problemów. Najlepszą pomoc dla siebie uzyskasz, zwracając się do innych ludzi. Im wcześniej otworzysz się na zewnątrz, tym prawdopodobniejsze jest, że spotkasz osoby, z którymi będziesz mógł porozmawiać. Depresja, jako choroba, bazuje przede wszystkim na wyobrażeniu, że dana osoba musi „wycofać się" do swego wnętrza.

## Leczenie
W lekkich postaciach depresji mogą wystarczyć porady i rozmowy psychoterapeutyczne (→ Poradnictwo i psychoterapia, s. 670), natomiast w ciężkich niezbędne jest leczenie psychiatryczne, najlepiej kombinacja leczenia psychoterapeutycznego, socjoterapeutycznego i farmakologicznego. W zależności od przypadku należy uwzględnić także metody rehabilitacyjne leczenie światłem, snem i inne metody wpływające na biorytm. W razie ostrego niebezpieczeństwa samobójstwa niezbędne staje się leczenie szpitalne. W takim przypadku należy

## Leki przeciwdepresyjne

Leki przeciwdepresyjne są wysoko skutecznymi środkami, z jednej strony działają silnie poprawiająco nastrój, z drugiej wzmagają lub tłumią napęd psychomotoryczny. Mogą zmniejszać presję cierpienia i często umożliwiają włączenie się do rozmów psychoterapeutycznych. Leki te jednakże nie „leczą" przyczyny depresji, dlatego błędem sztuki lekarskiej jest podawanie leków bez równoczesnej opieki psychoterapeutycznej.

Środki wzmagające napęd życiowy kryją w sobie często zbyt mało uświadamiane niebezpieczeństwo. U osób przygnębionych mogą wprawdzie bardzo szybko usunąć apatię, lecz depresja mija dopiero po jednym do trzech tygodni. W tym czasie na skutek podniesienia na wyższy poziom napędu wzmaga się ryzyko popełnienia samobójstwa.

## Najczęściej zalecane środki przeciwdepresyjne

| | | |
|---|---|---|
| Aponal | Equilibrium | Saroten |
| Aurorix | Fluctin | Sinequan |
| Anafranil | Insidon | Stangyl |
| Dogmatil | Neogama | |

*Najczęstsze objawy uboczne*: suchość w jamie ustnej, zatrzymanie moczu, zaburzenia akomodacji wzroku, zaburzenia przewodnictwa w układzie nerwowym, zwłaszcza w sercu.

*Uwaga: preparaty łączone*
Należy odradzać stosowanie preparatów zawierających dodatkowo składniki przeciwpsychotyczne lub uspokajające. Kryją one w sobie zwiększone ryzyko wystąpienia objawów ubocznych (→ Neuroleptyki, s. 195). Jeżeli zawierają trankwilizatory (→ Leki uspokajające, s. 181), mogą prowadzić do uzależnienia lekowego. Najbardziej znanym preparatem z tej grupy jest limbatril (lub limbitrol). Ze względu na często niezbędne długotrwałe leczenie ryzyko uzależnienia jest bardzo wysokie (→ Leki i ich stosowanie, s. 617).

zwrócić się do lekarza psychiatry lub bezpośrednio do oddziału szpitala psychiatrycznego (→ Psychiatria środowiskowa i oddziały dziennego pobytu, s. 194).

## Mania

Mania jest odwrotnością depresji. Dominują nie wątpliwości i minorowe odczucia, lecz wzmożone samopoczucie oraz przekonanie o możliwości załatwienia wszystkiego i pokonania wszelkich trudności. Chorzy czują się najczęściej dobrze, są nastawieni euforycznie i ekspansywnie; przeżywają wysokie stany emocjonalne.

### Dolegliwości

Osoby dotknięte manią odczuwają własne zaburzenia jako stan normalny, dlatego nieznane są dolegliwości we właściwym tego słowa znaczeniu.

Chorzy na manię przekraczają swoim zachowaniem wszel-

kie dozwolone ramy i normy towarzyskie, w miejscach publicznych zachowują się prowokująco i bezwzględnie.
— Mają nastrój swawolny, euforyczny, dowcipny, są ekspansywni, sprytni lub napastliwi i drażliwi.
— W błyskawicznym tempie podejmują najróżniejsze formy aktywności, co powoduje chaos w działaniu.
— Są całkowicie bezbronni wobec czynników środowiskowych, tracą wątek. Podejmują wiele czynności, których nie kończą. Nie potrafią kontrolować swoich czynów.
— Wykazują wysoką samoocenę: wszystko wydaje się możliwe do wykonania i proste. Zaciągają olbrzymie kredyty, angażują się w hazard, robią długi, sprzedają domy, nierozważnie organizują firmy, zawierają przypadkowe znajomości i zrywają je.
— Charakteryzują się sprawnością fizyczną i energią. Prawie wcale nie potrzebują snu, zapominają o jedzeniu i nie odczuwają bólu.
— Po ustąpieniu fazy maniakalnej prawie zawsze następuje faza depresyjnego nastroju (→ s. 191). W tym okresie osoby cierpiące na manię w wysokim stopniu są zagrożone popełnieniem samobójstwa.

### Przyczyny

Prawdopodobnie choroba jest wywołana zmianami procesów biochemicznych w mózgu. Także obciążające sytuacje psychiczne mogą przyczynić się do jej powstania. Najczęściej jednak bezpośredniego czynnika przyczynowego nie można (już) ustalić. Fazy manii włączają się stopniowo i początkowo są rozpoznawalne tylko na podstawie wyjątkowo wysokiej aktywności chorego. W bardzo rzadkich przypadkach chorobę mogą wywołać zakażenia, udar lub uraz mózgu.

### Ryzyko zachorowania

U osób o skłonnościach maniakalno-depresyjnych ryzyko wzrasta w okresie pokwitania i klimakterium (→ Depresja, s. 191).

### Możliwe następstwa i powikłania

*Skutki cielesne (somatyczne)*: Chroniczny brak snu, niedostrzeganie sygnałów ostrzegawczych ze strony organizmu i niezwykła aktywność mogą prowadzić do całkowitego zaniedbania i krańcowego wyczerpania chorego.

*Skutki społeczne*: Chorzy w okresie manii żądają od krewnych niezwykłych dowodów sympatii. Mogą być nie tylko tryskający dowcipem i błyskotliwi, lecz także nietaktowni i bezwstydni. Swym bezkrytycznym wywyższaniem się rozsadzają wszelkie konwencje towarzyskie, bez zastanowienia poświęcają więzi międzyludzkie, rozwodzą się, opuszczają dzieci. Niewiarygodna energia przyczynia się do zniszczenia prawie wszystkich więzów społecznych, a w sprawach finansowych może skończyć się zadłużeniem.

### Zapobieganie

Nie istnieją możliwości zapobieżenia ujawnieniu się manii. Jeżeli jednak manię rozpoznano jako chorobę, skuteczne jest zapobiegawcze stosowanie preparatów litu, karbamazepiny i kwasu walproinowego.

## Preparaty litu

Mogą one umożliwić choremu powrót do w miarę normalnego życia zawodowego i rodzinnego. Warunkiem tego jest jednak stała opieka lekarska i regularne przyjmowanie leków przez wiele lat lub nawet do końca życia. Preparaty litu pozwalają „wyrównać" repertuar uczuciowy.

Preparaty: Hypnorex, Neurolepsin, Quilonum.

### Kiedy do lekarza?

Natychmiast, kiedy pojawią się symptomy niezwykle wysokiej aktywności, którym bez zastanawiania się i w pełni poczucia własnej wyższości towarzyszy przesadny, chaotyczny przymus działania. Ponieważ chorzy na manię nie mają poczucia choroby, zadaniem członków rodziny i przyjaciół jest nakłonić ich do leczenia psychiatrycznego. Jeżeli chorzy sami nie akceptują pomocy, z konieczności (przy zagrożeniu) należy powiadomić poradnię psychiatryczną.

### Jak sobie pomóc?

Samemu nie można.

### Leczenie

Na plan pierwszy wysuwa się stosowanie leków. Po ostrym rzucie choroby pomocna staje się psychoterapia, umożliwiająca oswojenie się z chorobą, ułatwiająca jej zrozumienie i nauczenie się życia z nią.

# PSYCHOZY

Do niedawna zaburzenia urojeniowe i zmiany procesu postrzegania — które przede wszystkim są łączone ze schizofrenią — uważano za losowe i nie poddające się leczeniu. Dzisiaj wiadomo, że chorym tym można pomóc przez łączenie indywidualnie dokładnie ustalonej terapii lekowej i zabiegów psychoterapeutycznych. Dzięki dobrze zorganizowanej pomocy ambulatoryjnej (oddziały dziennego pobytu, wspólnoty mieszkaniowe, ośrodki pomocy w rozwiązywaniu sytuacji kryzysowych i opieki socjalnej) cierpiący na tę chorobę mogą prowadzić w dużym stopniu normalne życie.

Kluczową rolę w powstawaniu psychoz odgrywają urazy doznane we wczesnym okresie życia. Tak na przykład uszkodzenia organiczne, niekorzystne warunki bytowe lub psychotyczni rodzice mogą być przyczyną zaburzonej oceny i stosunku do świata zewnętrznego. W konsekwencji dana osoba staje się coraz mniej pewna, oceniając zachodzące w jej otoczeniu zdarzenia.

Wkrótce staje się niemożliwe udzielenie odpowiedzi na pytania typu: „Czego oni chcą ode mnie?" lub „Jaki jest mój stosunek do innych osób?".

Nie ma człowieka, który byłby chroniony przed występowaniem podobnych stanów zwątpienia. Nawet u zdrowego człowieka bardzo łatwo można wywołać napady psychotyczne lub omamy. Dobitnym tego przykładem jest pobyt w więziennej celi. Wskutek całkowitego odcięcia od bodźców ze świata zewnętrznego już po niewielu godzinach występują zaburzenia postrzegania.

Objawy psychotyczne może wywołać także pozbawienie snu przez kilka dni. Stan psychotyczny najłatwiej określić jako stan, w którym występuje brak ochrony przed bodźcami. Psychika zdrowego człowieka jest chroniona dzięki temu, że świadomie odbieramy tylko około dziesięciu procent spośród niezliczonych wrażeń i odczuć, które nas bez przerwy bombardują.

Dotarcie do świadomości dwudziestu procent bodźców prowadziłoby w krótkim czasie do załamania nerwowego, świadome odbieranie trzydziestu procent bodźców powoduje zaś wystąpienie choroby psychicznej (→ Załamanie nerwowe, s. 189).

## Schizofrenia

W mowie potocznej stawia się schizofrenię na równi z rozszczepieniem osobowości. Tak jednoznacznie zdefiniowany obraz choroby występuje jednak bardzo rzadko.

Ogólnie przez pojęcie schizofrenii rozumie się stan rozdarcia myśli i uczuć. Zatarciu ulegają granice między własnym „ja" a otoczeniem. Niemożliwe staje się rozróżnienie rzeczy ważnych i nieistotnych, jak również spójne traktowanie rzeczy powiązanych ze sobą. Następuje rozmycie się granic własnego „ja" i utrata poczucia rzeczywistości.

## Psychiatria środowiskowa i oddziały dziennego pobytu

Struktura i charakter służb psychiatrycznych w Niemczech powoli się zmieniają. Liczba dużych i izolowanych regionalnych szpitali psychiatrycznych z więcej niż tysiącem łóżek, z zakratowanymi oknami i zaryglowanymi drzwiami stopniowo się zmniejsza.

Coraz częściej tworzy się małe, środowiskowe psychiatryczne jednostki organizacyjne. Należą do nich oddziały psychiatryczne liczące 60 do 120 łóżek, przy szpitalach ogólnych danego miasta. Chorzy psychicznie i ich rodziny nie muszą już podejmować dalekich podróży do „getta", mogą oni, podobnie jak inni chorzy, udać się do najbliższego szpitala.

Poza właściwą opieką szpitalną, która w niektórych oddziałach jest już prowadzona bez „zamkniętych drzwi", są najczęściej czynne oddziały dziennego pobytu, poradnie psychiatryczne, kluby pacjentów, działają służby socjalno-psychiatryczne i poradnie dla uzależnionych, grupy samopomocowe dla chorych dotkniętych psychozą i grupy samopomocowe dla członków rodzin tych chorych. Większość oddziałów psychiatrycznych jest poza tym dobrze zintegrowana z siecią psychologicznych i społecznych służb terenowej jednostki administracyjnej. W oddziałach psychiatrycznych dziennego pobytu chorzy psychicznie, nerwicowi i uzależnieni — po ostrej fazie — uczestniczą w ciągu dnia przez osiem godzin w wielorakich programach terapeutycznych, wspieranych psychoterapią mającą na celu życie kreatywne, do udziału w tańcach i terapii ruchowej włącznie. Wieczorem pacjenci wracają do domu i mają przez to możliwość prowadzenia normalnego życia. Koszt pobytu w oddziale dziennego pobytu w Niemczech przejmują ubezpieczalnie. Taka organizacja może inspirować do analogicznych rozwiązań w Polsce.

Chorzy na schizofrenię prawie zawsze są bardzo wrażliwi, uczuciowi i niezwykle twórczy. Z powodu ich nadmiernie przenikliwego postrzegania stają się niezdatni do normalnego życia. Nie potrafią połączyć porozrywanych lub rozdzielających się elementów swojego życia uczuciowego.

Dzięki niezwykłej subtelności większość schizofreników potrafi w sposób wyjątkowo przejrzysty rozpoznać obłudne lub zakłamane zachowanie innych ludzi, nie potrafi go jednak poprawnie zakwalifikować.

Na tle ponadprzeciętnej zdolności postrzegania mogą rozwijać się u chorych złudzenia lub omamy.

## Dolegliwości

Zależnie od postaci schizofrenii rozróżnia się trzy rodzaje zachowań:

*Schizofrenia hebefreniczna*: zachowanie jest młodzieńcze, zbyt swobodne, niedostosowane do sytuacji, dziwaczne; jest nieprzewidywalne: śmiech, płacz i chichot mogą następować po sobie pozornie bez związku.

*Schizofrenia katatoniczna*: chorzy sprawiają wrażenie nadzwyczaj napiętych, „zastygłych" w sobie i podnieconych wewnętrznie. Mogą zamierać w bezruchu na wzór posągu lub nagle miotać się, wykonywać dziwne, niepohamowane ruchy.

*Schizofrenia paranoidalna*: jest najczęstszą formą; chorym towarzyszą omamy:

— Na pierwszy plan wysuwają się zaburzenia postrzegania. Następuje ich wzajemne mieszanie się, czemu towarzyszy duże pobudzenie i roztargnienie. Na skutek tego chorzy nie są w stanie odróżnić rzeczywistości od złudzeń, rzeczy wymyślonych i faktycznie istniejących.

— Występuje łączenie niepowiązanych ze sobą zdarzeń w nowe ciągi przyczynowo-skutkowe. Rozwijają się urojenia: chorzy czują się manipulowani, poddani działaniu obcych wpływów i mocy oraz zagrożeni spiskami.

— Omamy mogą dotyczyć wszystkich zmysłów. Chorzy widzą niezwykłe rzeczy, czują zapach i smak niezwykłych potraw lub słyszą głosy.

Zachowują się tak, jak gdyby zwidy te istniały naprawdę. Jednocześnie przyczyny wszystkich urojeń mają związek z rzeczywistością. Na przykład urojenie bycia prześladowanym przez sąsiada może być fałszywe, jednak przeświadczenie, że sąsiad ten dokucza ludziom poprzez drobne złośliwości, może być realne.

## Przyczyny

— Rzuty schizofrenii może prowokować spożycie alkoholu, zażywanie środków odurzających lub leków.

— U schizofreników prawie zawsze stwierdza się wypaczenie pewnych procesów w obrębie mózgu; jak dotąd trudno je jednak sklasyfikować.

— W schizofrenii bierze się także pod uwagę możliwość występowania zaburzeń w zakresie przemiany materii lub defektów enzymatycznych.

— Pewną rolę może odgrywać wrodzona predyspozycja.

— Podczas gdy prawdopodobieństwo zachorowania na schizofrenię wynosi przeciętnie 0,8%, u dzieci chorego — 5 do 10%, a u rodzeństwa 8 do 14%.

— Również możliwe jest, że w rodzinie przekazywany jest wzorzec dziedziczny schizofrenii. Jednakże do faktycznego rozwoju schizofrenii musi dołączyć oddziaływanie czynników natury psychicznej i społecznej.

## Ryzyko zachorowania

Około jednego procenta ludności w okresie swego życia przeżywa jeden epizod schizofreniczny, skłaniający do kontaktu z psychiatrą. Osiemdziesiąt procent dotkniętych zachorowuje przed czterdziestym rokiem życia. Tak zwana schizofrenia starcza może się ujawnić także po sześćdziesiątym roku życia. Kobiety zapadają najczęściej po trzeciej dekadzie życia, mężczyźni wcześniej.

Postać paranoidalna prawie zawsze jest wyzwalana przez obciążającą sytuację psychospołeczną chorych.

## Możliwe następstwa i powikłania

W schizofrenii paranoidalnej występuje prawie zawsze ryzyko popełnienia przez chorego samobójstwa — zazwyczaj na początku lub pod koniec ostrego rzutu choroby.

Wskutek odsunięcia się innych ludzi chorzy zostają na ogół zepchnięci na margines życia społecznego. Tracą pracę, przyjaciół i kontakty towarzyskie aż do znalezienia się w całkowitej izolacji.

## Zapobieganie

Dzieci chorego na schizofrenię jednego z rodziców wymagają szczególnej opieki ze strony zdrowej matki czy ojca, w przeciw-

---

## Neuroleptyki (leki przeciwpsychotyczne)

Schizofrenię najczęściej leczy się lekami neuroleptycznymi. Powodują one ustąpienie urojeń. Cofa się uporczywe uczucie bycia zagrożonym i/lub prześladowanym. Znikają omamy i lęk, jednak ich działanie uspokajające związane jest z występowaniem licznych objawów niepożądanych — obserwuje się:

— Zobojętnienie na bodźce zewnętrzne i spowolnienie reakcji aż do stanu pełnego osłupienia.

— Zmniejszenie napędu aż do stanu całkowitej apatii.

— Dokuczliwe skurcze mięśni ocznych, kurcze języka, drżenia, niepokój ruchowy, suchość w jamie ustnej i przytłumienie wydolności intelektualnej.

— Późne zaburzenia ruchowe (dyskinezie), na przykład robienie grymasów, które mogą się stać stałym objawem.

### Najczęściej zalecane neuroleptyki

| | | |
|---|---|---|
| Atosil | Haldol | Neurocil |
| Dipiperon | Imap | Prometazin |
| Eunerpan | Lyogen | Prothazin |
| Fluanxol | Melleril | Taxilan |

### Nowe neuroleptyki

— Należy do nich substancja clozapin (Leponex): lek ten cofa urojenia i omamy bez wywoływania apatii i przytępienia. Jednakże Leponex może być stosowany wyłącznie pod kontrolą lekarską z cotygodniowym badaniem krwi. Preparat ten stwarza duże ryzyko wystąpienia reakcji alergicznych.

nym razie ryzyko przyswojenia (indukowanego) urojenia jest bardzo wysokie.

### Kiedy do lekarza?
Natychmiast z chwilą pojawienia się omamów lub urojeń.

### Jak sobie pomóc
Pomoc we własnym zakresie jest możliwa tylko pod warunkiem, że chory na schizofrenię uzna swoje dolegliwości za chorobę. Pomoc mogą zaoferować także inne osoby: przyjaciele, znajomi lub członkowie rodziny. Nie zostawiaj chorego samego sobie, lecz przekonaj go, że leczenie psychoterapeutyczne w warunkach ambulatoryjnych może uwolnić go od piętrzących się udręk.

W niektórych miastach Niemiec istnieją grupy samopomocy dla krewnych chorych psychicznie. Członkowie rodzin uczą się w nich pokonywania niepewności i lęków związanych z obcowaniem z chorymi. W Polsce informacji dotyczących nawiązania kontaktu z tymi grupami możesz zasięgnąć w kompetentnym szpitalu psychiatrycznym lub wydziale zdrowia.

### Leczenie
Na pierwszy plan wysuwa się doradztwo społeczne i psychoterapia (→ s. 670). Jedynie te formy leczenia gwarantują przywrócenie chorym ich własnych zdolności, odczuć, wzorców myślenia i zachowania.

Leki przynoszą uspokojenie, nie powodują jednak wyleczenia. Mają dlatego znaczenie jako środki wspierające inne formy terapii. Leki mogą być pomocne w zapobieganiu lub skracaniu czasu trwania ostrych rzutów choroby. Dawniej duża liczba chorych skazana była na dożywotni pobyt w zakładach psychiatrycznych. Obecnie zaś leczenie psychoterapeutyczne i farmakologiczne prowadzone w warunkach ambulatoryjnych umożliwia chorym na schizofrenię prowadzenie w daleko idącym stopniu normalnego trybu życia. Choroba nie oznacza dożywotniego wyroku, może bowiem ulegać całkowitej remisji. Niezbędne jest przy tym zrozumienie i życzliwe wsparcie ze strony innych osób.

---

**Lektura uzupełniająca**

BARBARA B., OSTOJA-ZAWADZKA K.: *Możesz pomóc. Poradnik dla rodzin pacjentów chorych na schizofrenię i zespoły schizofrenopodobne*. PZWL, Warszawa 1992.

---

# ZABURZENIA ŁAKNIENIA

Osoby z zaburzeniem łaknienia mogą mieć normalną wagę ciała, nawet gdy ich stosunek do jedzenia przybiera popędliwy, niepowściągliwy charakter. Rodzaj przyjmowanego pożywienia staje się osią, wokół której krążą wszystkie myśli i wyrażają się głębokie konflikty psychiczne. Zaburzenia łaknienia są zaliczane do chorób psychosomatycznych (→ s. 176).

## Jadłowstręt psychiczny
## Wilczy głód (bulimia)

Obie choroby są ze sobą spokrewnione i stanowią przeciwne bieguny zaburzeń łaknienia, które uwarunkowane są tymi samymi przyczynami. Chorzy niejednokrotnie balansują pomiędzy tymi skrajnościami — jadłowstręt psychiczny może przechodzić w wilczy głód i odwrotnie. Objawy obu chorób różnią się jednak w sposób zasadniczy.

### Dolegliwości

*Jadłowstręt psychiczny*
Opisanych poniżej objawów chorzy nie traktują jako dolegliwości. Dla spostrzegawczych rodziców mogą one jednak stanowić wskazówkę, że usiłowania ich dziecka zmierzające do osiągnięcia szczupłej sylwetki mają naturę chorobliwą:

— Przymusowe i maniakalne poświęcanie uwagi jedzeniu — nadmierna ilość energii psychicznej trwoniona jest na obliczanie kalorii, trwające godzinami zakupy, porównywanie wielkości opakowań i danych o zawartości tłuszczu i cukru w produktach spożywczych.

— Psychika jest całkowicie zawładnięta sprawami związanymi z jedzeniem. Myśli krążą bezustannie wokół problemu, jak ograniczyć ilość spożywanych pokarmów.

— Niekiedy choroba kojarzy się dodatkowo z nadmierną aktywnością sportową (uprawianie maratonu, bieganie godzinami po schodach w górę i w dół) lub z zażywaniem środków przeczyszczających i/lub hamujących apetyt.

— U wielu osób cierpiących na przymus odchudzania się występują dodatkowo także tak zwane „przełomy" popędu, w czasie których pochłaniają one żarłocznie olbrzymie ilości jedzenia, całkowicie nie panując nad sobą. Chorzy odczuwają napady wilczego głodu jako osobistą klęskę. Próbują wówczas pozbyć się spożytego jedzenia poprzez prowokowane wymioty. Opisany punkt zwrotny oznacza dla wielu chorych na jadłowstręt psychiczny przejście choroby w wilczy głód. Występowanie wspomnianych przełomów popędu staje się widoczne dla członków rodziny po odkryciu opróżnionej nagle i w sposób niewyjaśniony lodówki lub spiżarni.

— Postrzeganie własnej osoby jest zaburzone, mimo że osoby chore są już chude, czują i zachowują się, jakby były nadal grube. Często wytrzymują całymi dniami, spożywając nie więcej niż 200 kcal. Schudnięcia do postury szkieletu nie odczuwają jako choroby.

*Wilczy głód*
— W sposób napadowy i niepohamowany spożywane są ogromne ilości jedzenia, sięgające 30 000 kcal dziennie.

— Chwile poświęcane jedzeniu odczuwane są jako jedyne spokojne momenty w życiu. Poza nimi — podobnie jak w przypadku jadłowstrętu psychicznego — myśli chorych krążą wyłącznie wokół jedzenia — na przykład wokół problemu, co i kiedy będą kupować.

— Przesadnie dużą część pieniędzy chory przeznacza na jedzenie.

— Spożyte pokarmy są natychmiast zwymiotowane. Przejście od jedzenia do wymiotów wiąże się z silnym uczuciem wstydu. Żądza jedzenia i występujące później wymioty są utrzymywane przez chorych w tajemnicy.

— Chorzy mają na ogół prawidłową masę ciała i są świadomi swojej choroby. Rozpoznanie choroby nie jest łatwe dla osób postronnych.

## Przyczyny

Zaburzenia łaknienia mają swe korzenie we wczesnych doświadczeniach chorego nabytych w rodzinie (→ Nerwice, s. 188) i prawie zawsze ujawniają się w okresie dojrzewania płciowego. Okres ten jest szczególnie trudny dla dziewcząt, którym w procesie wychowania pozostawia się zbyt mało samodzielności. Dążeniem ich jest uwolnienie się od rodziny i odnalezienie się w roli kobiecej. Często uwaga ich koncentruje się wówczas na lansowanym współcześnie wyidealizowanym wzorcu szczupłej sylwetki.

Kobiety cierpiące na jadłowstręt psychiczny podświadomie usiłują poprzez swą chudość odseparować się od matki, a pośrednio — od swej kobiecości. Atrybuty kobiecego wyglądu: biust, biodra, pośladki, uda są ofiarą poświęcaną żądzy odchudzania się. Występujący wtórnie brak miesiączki jest traktowany jako dodatkowe zwycięstwo w walce o niestanie się kobietą. Także panowanie nad głodem odbierane jest jako wywalczenie sobie dodatkowej sfery niezależności. U chłopców cierpiących na jadłowstręt psychiczny na pierwszym planie znajduje się nie tyle problem identyfikacji płciowej, ile dążenie do niezależności i wyobcowania.

Kobiety opanowane wilczym głodem także toczą walkę o samoidentyfikację w roli kobiecej. Cierpią jednak z powodu nieopanowanego apetytu i napadowych wymiotów. Nie otrzymują nic „w zamian" za swoją chorobę — przeciwnie, widzą siebie w roli nieustannie ponoszących klęski.

## Ryzyko zachorowania

Ocenia się, że dwie spośród stu dziewcząt w wieku między 15 a 18 rokiem życia dotkniętych jest jadłowstrętem psychicznym. Niedawno zaobserwowano, że coraz więcej kobiet zapada na jadłowstręt psychiczny dopiero w wieku około trzydziestu lat. Jeśli chodzi o wilczy głód, można podejrzewać istnienie dużej liczby nie ujawnionych przypadków, szacunkowo zaś ocenia się, że choroba ta występuje dwa do trzech razy częściej niż jadłowstręt psychiczny. Odpowiadałoby to czterem do sześciu przypadkom zachorowań na sto dziewcząt w młodym wieku. U chłopców częstość występowania wilczego głodu jest znacznie mniejsza niż wśród dziewcząt.

## Możliwe następstwa i powikłania

### Jadłowstręt psychiczny

— Zaburzenia procesów przemiany materii i regulacji hormonalnej: zahamowanie owulacji i brak miesiączki (→ Nieprawidłowe krwawienia, s. 474).
— Skrajne wychudnięcie i wyniszczenie, któremu towarzyszy osłabienie organizmu, zaburzenia czynności serca i nerek oraz tworzenie się obrzęków.
— Głodzenie powoduje całkowite rozkojarzenie procesów przemiany materii i gospodarki wodno-elektrolitowej. Najdłużej i najwydajniej w składniki odżywcze zaopatrywany jest mózg. W przypadku załamania się również tego mechanizmu dochodzi do rozwoju stanów psychotycznych.

— Śmiertelność w jadłowstręcie psychicznym wynosi aż dziesięć procent.
— Dwadzieścia procent chorych pozostaje zagrożonych śmiercią i latami przebywa okresowo w szpitalach (ze względu na konieczność sztucznego odżywiania) bądź prowadzi względnie normalne życie.
— U trzydziestu procent chorych zaburzenia łaknienia utrzymują się przez całe życie. Mogą się one jednak ustabilizować na takim poziomie, że pobyty w szpitalu stają się niepotrzebne.
— W końcu około trzydziestu procent chorych „wyrasta" z jadłowstrętu psychicznego, który po prostu mija po osiągnięciu dojrzałości płciowej.

### Wilczy głód

— Częste wymioty mogą powodować zaburzenia gospodarki wodno-elektrolitowej.
— Mogą one doprowadzać także do przewlekłego zapalenia błony śluzowej przełyku, jak również żołądka.
— Sama choroba nie zagraża życiu.

### Następstwa społeczne

Dramatycznie wyrażają się w przypadku obu chorób:
— Osoby cierpiące na jadłowstręt psychiczny zrywają kontakty towarzyskie, nie nawiązują żadnych związków partnerskich, nie mają stosunków seksualnych i żyją w całkowitej izolacji.
— Kobiety chorujące na wilczy głód pielęgnują zwykle kontakty towarzyskie, uczestniczą w życiu zawodowym i żyją na ogół w związkach partnerskich. Zagrożenie stanowią dla nich ogromne wydatki finansowe przeznaczane na jedzenie. Brak pieniędzy może skłaniać chore do zaciągania długów lub popełniania kradzieży.

## Zapobieganie

Im więcej okazji do wyżycia się, swobody i niezależności zapewnia się dzieciom, tym skuteczniej chroni się je przed możliwością wystąpienia zaburzeń łaknienia. Rodzice, a także dziadkowie powinni pamiętać, że jedzenie nigdy nie powinno stanowić przedmiotu potyczek rodzinnych. Im mniejszy jest nacisk na spożywanie pewnych potraw lub ściśle określonych ilości jedzenia, tym mniejsze jest prawdopodobieństwo całkowitej odmowy przyjmowania pokarmów lub nałogowego stosowania diet przez dziecko.

## Kiedy do lekarza?

W przypadku jadłowstrętu psychicznego jak najszybciej. Wizyty lekarskie należy odbywać w miarę możliwości systematycznie, aby mieć stały nadzór nad stanem organizmu osoby chorej (→ Poradnictwo i psychoterapia, s. 670). Chorzy cierpiący na wilczy głód na ogół nie wymagają pomocy lekarza ogólnego, ponieważ stan ogólny ich organizmu rzadko bywa nadwerę-

---

**Lektura uzupełniająca**

ABRAHAM S., LLEWELLYN-JONES D.: *Anoreksja, bulimia, otyłość*. PWN, Warszawa 1995.

żony. Lepiej w takich przypadkach niezwłocznie szukać pomocy z zakresu → Poradnictwa i psychoterapii, s. 670.

### Jak sobie pomóc

Duże znaczenie mają rozmowy z osobami mającymi podobne problemy. Istnieją grupy samopomocowe dla kobiet z zaburzeniami łaknienia. W spotkaniach tych grup często uczestniczą dietetyczki.

### Leczenie

Osoby chore na jadłowstręt, będące w ciężkim stanie, prawie zawsze kierowane są na oddziały wewnętrzne szpitali. Próbuje się u nich w pierwszej kolejności uzyskać stabilizację masy ciała za pomocą odżywiania prowadzonego sztucznie. Równolegle powinno zostać rozpoczęte w szpitalu leczenie psychoterapeutyczne. Na ogół potrzebny jest pobyt chorego w klinice zajmującej się leczeniem chorób psychosomatycznych. Natomiast po wyjściu ze szpitala niezbędne jest ambulatoryjne kontynuowanie rozpoczętej psychoterapii (→ s. 674), która powinna trwać od roku do dwóch lat. W Polsce pacjenci cierpiący na to schorzenie na ogół leczeni są na oddziałach psychiatrycznych.

### Niepohamowane obżarstwo

Jest najrzadziej występującą postacią zaburzenia łaknienia i objawia się powtarzającym się napadowym, popędliwym i niepowściągliwym pochłanianiem pokarmów. Również w przypadku obżarstwa myśli chorego stale krążą wokół spraw jedzenia. Jednak w przeciwieństwie do osób cierpiących na wilczy głód chorzy na obżarstwo nie zwracają spożywanych pokarmów. Są więc otyli i muszą liczyć się z możliwością wystąpienia u nich somatycznych następstw nadwagi: chorób serca i krążenia, nadciśnienia tętniczego, cukrzycy, chorób metabolicznych, schorzeń i zwyrodnienia stawów. Czas przeżycia jest w tej grupie osób wybitnie skrócony.

Przyczyny opisanego zaburzenia łaknienia nie zostały dotychczas dostatecznie zbadane. Z tego powodu utrudnione jest też leczenie. Dotknięte osoby zatracają uczucie głodu i sytości, gdyż niepohamowane spożywanie pokarmów pobudza mózgowe ośrodki łaknienia i sytości. Wzmaga to zaburzenia czucia organizmu; dochodzi do tego, że prawie nie mają kontaktu ze swoim organizmem i odczuciami (→ Poradnictwo i psychoterapia, s. 670). Zabiegi chirurgiczne należy traktować jako rozwiązanie absolutnie ostateczne:

— Możliwe jest przeprowadzenie operacji mającej na celu zmniejszenie żołądka.
— Inny rodzaj operacji polega na wytworzeniu zespolenia powodującego omijanie przez pokarmy większej części jelita cienkiego, wskutek czego zmniejsza się ilość przyswajanych kalorii.
— Balon wprowadzony do żołądka powoduje jego wypełnienie i wtórnie zmniejsza łaknienie.

# UZALEŻNIENIA

Uzależnienia objawiają się przede wszystkim zależnością typu psychicznego (na przykład namiętne uprawianie gier hazardowych, zawieranie zakładów, zapamiętywanie się w pracy).

Do zależności psychicznej może dołączać się także fizyczna, co zdarza się w przypadku choroby alkoholowej, uzależnień lekowych i narkomanii. Wówczas objawy odstawienia substancji uzależniającej dotyczą zarówno sfery psychicznej, jak i fizycznej. Z obu tych sfer sygnalizowany jest ostry niedobór substancji uzależniającej i domaganie się dostarczenia kolejnej dawki. Chorzy odczuwają dolegliwości somatyczne, ponieważ organizmowi brakuje jego „działki".

Zależność fizyczna z reguły wiąże się z rozwojem tolerancji (to oznacza, że organizm może „znieść" coraz więcej) i zwiększeniem dawki.

## Alkoholizm

(→ Alkohol, s. 742)

### Dolegliwości

Objawami choroby alkoholowej są:
— Musisz wypijać określoną jego ilość, by czuć się odprężonym i zadowolonym.
— Uważasz, że tylko za pomocą alkoholu jesteś w stanie uporać się z sytuacjami obciążającymi.
— Sądzisz, że jesteś w stanie tolerować coraz większe ilości alkoholu.
— Coraz wcześniej w ciągu dnia sięgasz po kieliszek.
— Stajesz się niespokojny, nerwowy i rozedrgany, jeśli nie dysponujesz żadnym alkoholem.
— Pochłaniają cię myśli o najbliższej okazji do napicia się.
— Gdy tylko zabraknie alkoholu, opanowuje cię silne jego psychiczne pożądanie.
— Okłamujesz samego siebie co do ilości wypijanego alkoholu i systematyczności picia w towarzystwie przyjaciół i znajomych.
— Cierpisz na bezsenność i zaburzenia libido.

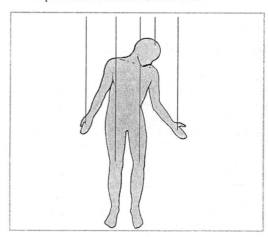

Skryty alkoholizm daje się raczej rozpoznać poprzez znalezienie:
— ukrytych pełnych lub już pustych butelek,
— butelek potajemnie opróżnionych z alkoholu i dopełnionych innymi płynami.

## Przyczyny

Na rozwinięcie się alkoholizmu ma wpływ splot szeregu uwarunkowań: indywidualnych, psychicznych i społecznych (→ Alkohol, s. 742).
— Picia alkoholu uczymy się od innych, na przykład to, ile i jak piją rodzice, ma wpływ na dzieci. W przypadku grupy młodzieżowej picie alkoholu może być potwierdzeniem przynależności do niej, dokumentować dorosłość i stawanie się podobnym do swych idoli. Naśladowanie innych może prowadzić — poprzez eskalację spirali uzależnienia — do alkoholizmu przewlekłego.
— Alkohol przynosi odprężenie i zmniejsza lęk. Tego rodzaju początkowo pozytywne doświadczenia mogą skłaniać do permanentnego sięgania po kieliszek w sytuacjach obciążających.

## Ryzyko zachorowania

We współczesnym społeczeństwie jest bardzo wysokie. Ocenia się że 1,5 miliona osób w Polsce systematycznie nadużywa alkoholu, a 500 tysięcy to nałogowi alkoholicy. Na podstawie długofalowych badań prowadzonych przez Infratest ocenia się, że w grupie wiekowej 30 do 59 lat, piętnaście procent mężczyzn i cztery procent kobiet można zakwalifikować jako „zagrożonych" alkoholizmem. Wśród przyczyn tego stanu rzeczy wymienia się między innymi:
— Niebywałą łatwość dostępu do alkoholu i jego przystępne ceny. Ponadto picie alkoholu zajmuje poczesne miejsce we współczesnym sposobie bycia.
— Złudne przekonanie, że za pomocą alkoholu można „utopić" napięcia występujące w życiu prywatnym lub zawodowym. To zwodnicze rozwiązanie preferują przede wszystkim mężczyźni oraz jednostki z grup żyjących na marginesie życia społecznego.

## Możliwe następstwa i powikłania

Alkoholizm niesie ze sobą poważne i dalekosiężne skutki dla samych pijących i ich rodzin oraz dla całego społeczeństwa.

*Następstwa psychiczne*
— Następujące zaburzenia występują prawie u wszystkich alkoholików: upośledzenie trwałej pamięci i podzielności uwagi, obniżona zdolność koncentracji, zwiększone znużenie, obniżenie zdolności osądu, euforia przeplatająca się z nastrojami depresyjnymi i podwyższona nieufność wobec otoczenia.
— *Majaczenie alkoholowe (delirium tremens)* — dotknięte nim osoby są zdezorientowane co do miejsca, czasu i okoliczności, w jakich się znalazły. Występują u nich omamy, stany lękowe, jak również pobudliwość, euforia i mówienie od rzeczy. Nie leczone majaczenie alkoholowe trwa na ogół cztery do dziesięciu dni i jest obarczone piętnasto- do trzydziestoprocentowym odsetkiem zgonów.

— *Psychoza Korsakowa i encefalopatia Wernickego* — wymienione zaburzenia dotyczące układu nerwowego stwierdza się u około dwóch do pięciu procent alkoholików: wskutek uszkodzenia mięśni ocznych występuje niemożność dowolnego poruszania gałkami ocznymi; chód i postawa stojąca są niepewne, chorzy cierpią na luki pamięciowe, jak również są niezdolni do zapamiętywania. Występuje niemożność koncentracji uwagi, orientacja jest zaburzona; myślenie i wypowiadanie się przychodzi chorym z trudnością.

*Skutki somatyczne*
— Niedożywienie i niedobór witamin, gdyż głównym dostarczycielem energii staje się alkohol.
— Nasilone biegunki i sporadycznie krwawienia z górnego odcinka przewodu pokarmowego.
— Marskość wątroby (→ s. 371).
— Zapalenie trzustki (→ s. 375).
— Częste wymioty mogą przyczynić się do powstania pęknięć błony śluzowej w okolicy nadwpustowej przełyku, co staje się źródłem krwawienia.
— Uczucie znieczulenia rąk i stóp, mrowienia w poduszkach, osłabienie mięśni, bóle łydek i niepewność chodu (objawy zapalenia wielonerwowego, czyli polineuropatii).
— Uszkodzenie mięśnia sercowego i w konsekwencji niewydolność lewokomorowa z zastojem krwi w płucach.
— Duża podatność na zakażenia, na przykład zapalenia płuc (→ s. 297) i gruźlicę płuc (→ s. 297).

*Skutki społeczne*
Alkoholicy często tracą partnerów i przyjaciół, popadają w długi, schodzą na drogę przestępczą, dopuszczają się przemocy.
Trudne do policzenia są ekonomiczne straty spowodowane alkoholizmem — koszty pobytów w szpitalach i zasiłków socjalnych, wypadków przy pracy i nieobecności, obniżenia produkcji, wypadków drogowych itp.

## Zapobieganie

Unikanie alkoholu jako środka ułatwiającego rozwiązywanie sytuacji trudnych i obciążonych lękiem (→ Alkohol, s. 742).

## Kiedy do lekarza?

Gdy stwierdzisz na podstawie oznak wymienionych w punkcie Dolegliwości, że uzależniłeś się od alkoholu.

## Jak sobie pomóc

Utworzone zostały przez chorych na chorobę alkoholową duże organizacje samopomocy, których zadaniem jest wzajemne wspieranie się członków w dążeniu do zerwania z nałogiem (→ Poradnictwo i psychoterapia, s. 670).

## Leczenie

— *Odtrucie (leczenie odwykowe)*: Stacjonarny pobyt na oddziale specjalistycznym bez dostępu do alkoholu. Celem jest opanowanie objawów odstawienia i w razie potrzeby także podjęcie leczenia chorób będących następstwem alkoholizmu.
— *Faza odwykowa*: Właściwe leczenie rozpoczyna się po od-

## Współzależność

Współzależni wchodzą w związek z alkoholizmem swego partnera lub partnerki. Próbują sterować powstrzymywaniem się od picia ukochanego człowieka. To, co na początku jest sprawowaniem opieki, może prowadzić do postępującej izolacji i zaniedbania własnej osoby. Najczęściej ich starania nie dają pożądanego skutku, bo partner czy partnerka piją nadal. W większości przypadków dotyczy to kobiet, których wszystkie myśli, odczucia i działania obracają się wokół chorego. Jak mogę mu pomóc? Co muszę zrobić, żeby nie pił dalej? Jak zapobiec, by środowisko o tym nie wiedziało? Co zrobić, by nie utracił pracy? Porównywalne stosunki zależnościowe występują przy wszystkich uzależnieniach. Współzależni często podświadomie przyczyniają się do podtrzymania uzależnienia, stwarzając pozory nieistnienia problemu. Grupy samopomocowe dla członków rodziny mogą pomóc dotkniętym przełamać barierę izolacji (→ Rada i pomoc, s. 202).

truciu. Przy udziale chorego podejmowana jest decyzja, czy mająca nastąpić psychoterapia będzie prowadzona w warunkach ambulatoryjnych (na przykład przez lekarza domowego), w zakładzie typu półotwartego (na przykład na oddziałach ukierunkowanych na kontynuowanie leczenia alkoholików po zakończeniu fazy odtruwania lub w tak zwanych terapeutycznych wspólnotach mieszkaniowych) czy w oddziale zamkniętym (na przykład w tak zwanych domach przejściowych lub zakładach leczenia odwykowego). Po czym następuje trwający często wiele miesięcy okres intensywnego leczenia stacjonarnego i/lub ambulatoryjnego, które obejmuje psychoterapię i poradnictwo społeczne (prawie zawsze prowadzi się → Terapię grupową, s. 670).

— *Opieka po zakończeniu leczenia odwykowego i rehabilitacja* zapewniana jest przez poradnie typu otwartego, organizacje samopomocy chorych oraz nie mające fachowego przygotowania osoby zaangażowane społecznie.

### Lektura uzupełniająca

KRAWCZYK K.: *Choroba alkoholowa*. Alagor, Radom 1996.
SZTANDER W.: *Dzieci w rodzinie z problemem alkoholowym*. Wyd. 3, Państw. Agencja Rozwiązywania Problemów Alkoholowych, Warszawa 1995.

## Lekozależność

W krajach uprzemysłowionych leki są drugą po alkoholu przyczyną uzależnień.

Do leków nadużywanych i mogących wywoływać przyzwyczajenie i uzależnienie należą:
— *Środki przeciwbólowe o silnym działaniu*: Zalicza się do nich morfinę i jej pochodne, leki z grupy petydyny oraz pochodne metadonu. Obrót silnie działającymi lekami przeciwbólowymi podlega specjalnym przepisom. Środki te już po krótkim czasie stosowania wywołują uzależnienie, a w za-

leżności od czasu zażywania mogą powodować zmiany osobowości.
— *Leki przeciwkaszlowe o silnym działaniu*: Zawierają zwykle kodeinę lub substancje pokrewne. Niektóre leki z tej grupy także zalicza się do środków odurzających. Nadużywane są przede wszystkim dostępne tylko na receptę leki przeciwkaszlowe zawierające kodeinę. Skutkiem nadużywania może być występowanie zaburzeń postrzegania, splątanie i zaburzenia pamięci.
— *Proste środki przeciwbólowe i przeciwmigrenowe*: Często nadużywane są dostępne bez recepty preparaty złożone, zawierające środki przeciwbólowe i kofeinę (→ Leki i ich stosowanie, s. 617).
— *Leki nasenne i uspokajające*: Prawie wszystkie mogą powodować uzależnienie, w szczególności jednak preparaty zawierające klometiazol oraz pochodne benzodiazepiny. Przewlekłe ich zażywanie może wywoływać stany splątania, zaburzenia koncentracji uwagi oraz zaburzenia postrzegania.
— *Trankwilizatory*: Do grupy tej należą środki najczęściej nadużywane — pochodne benzodiazepiny (→ Leki uspokajające, s. 181). Systematyczne ich stosowanie przez dłuższy czas może, nawet przy zwykłych dawkach, prowadzić do uzależnienia i występowania zaburzeń postrzegania, jak również dotyczących sfery emocjonalnej, zakłóceń snu oraz zmącenia świadomości.
— *Alkohol*: W składzie wielu syropów przeciwkaszlowych i w tak zwanych preparatach wzmacniających (tonizujących) znajduje się alkohol w stężeniu do dwudziestu procent; w niektórych specyfikach stężenie alkoholu może sięgać siedemdziesięciu ośmiu procent. W Niemczech na przykład podaje się informacje o zawartości alkoholu w danym preparacie.
— *Leki psychotoniczne*: Należy do nich przede wszystkim amfetamina i jej pochodne. Substancje zbliżone do amfetaminy „ukryte" są także w niektórych preparatach wielowitaminowych, takich jak na przykład Katovit lub Reaktivan lub w złożonych preparatach przeciwbólowych (na przykład Rosimon-neu). Długotrwałe nadużywanie leków z tej grupy może prowadzić do występowania objawów psychotycznych. W Polsce preparaty te nie figurują w urzędowym spisie leków.
— *Leki hamujące łaknienie*: Należą do grupy amfetaminy lub są z nią blisko spokrewnione, jak na przykład efedryna. Dłuższe nadużywanie może wywoływać zaburzenia postrzegania.
— *Leki przeczyszczające*: W każdej postaci mogą powodować przyzwyczajenie i uzależnienie (→ Zaparcie stolca, s. 379).

### Dolegliwości

Przez pojęcie zależności psychicznej rozumie się silne dążenie do uzyskania powtórzenia działania leku. „Działanie" leku może zaś oznaczać zmniejszenie lęku, oddalenie nurtujących problemów, złagodzenie bólu, doznanie uczucia zadowolenia.

Istnieje także zależność fizyczna od małych dawek, wówczas dana osoba nie może co prawda obyć się bez leku, nie występuje jednak zjawisko zwiększania dawki. Znamiennym sygnałem każdej postaci uzależnienia od leku jest odkrycie, że bez danego preparatu nie można się już obejść. Próba odstawienia leku powoduje nawrót objawów, z powodu których lek był stosowany. Podane poniżej oznaki wskazują, że uzależniłeś się od leku:

— wychodząc z domu, zabierasz ze sobą „rezerwowe" opakowanie leku,
— na myśl o konieczności obycia się bez leku choć przez jeden dzień stajesz się niepewny i niespokojny,
— po odstawieniu leku odczuwasz dolegliwości psychiczne i somatyczne,
— nachodzisz lekarzy i apteki, by uzyskać przepisanie leku lub dostać go do ręki,
— przemilczasz przed samym sobą, lekarzem, przyjaciółmi i znajomymi rzeczywiste ilości połykanych tabletek.

### Przyczyny

— *Lekozależność spowodowana przez lekarza*: Około trzech czwartych wszystkich przypadków lekozależności rozpoczyna się od przepisania leku w gabinecie lekarskim. W ciągu roku wydaje się miliony recept na leki z grupy pochodnych benzodiazepiny o działaniu nasennym lub uspokajającym. W dwóch trzecich przypadków leki te zażywane są dłużej niż przez trzy tygodnie. Już tak krótki okres wystarcza, by wpaść w błędne koło uzależnienia, o czym nie wiedzą osoby zażywające lek (→ Leki uspokajające, s. 181).
— *Samodzielne zażywanie leków*: Osoby cierpiące z powodu przewlekłych bólów są mocno zagrożone możliwością wystąpienia lekozależności. Stosowanie leków stanowi dla nich często jedyny, choć zwodniczy sposób na przetrwanie dnia bez bólu. Inny problem występuje w przypadku leków hamujących łaknienie lub środków przeczyszczających. Przyczyną ich zażywania jest często oddziaływanie (chorobliwego) ideału szczupłości.
— *Sytuacje konfliktowe dotyczące jednostki i społeczeństwa*: (→ Zaburzenia samopoczucia, s. 175; → Nerwice, s. 188).
— *Zażywanie kombinacji leków*: Środki przeciwbólowe i uspokajające, leki psychotoniczne oraz hamujące łaknienie używane są także do wzmocnienia działania alkoholu i innych środków odurzających.

### Ryzyko zachorowania

W Polsce brak dokładnych danych dotyczących lekozależności. Wycinkowe badania ankietowe wskazują jednak, że w środowisku wielkomiejskim do używania środków psychotropowych lub przeciwbólowych przyznawało się ponad 18% dorosłych. Około dwóch trzecich leków przeciwbólowych i psychotropowych trafia do rąk kobiet. Wyjaśnia to znacznie wyższe ryzyko zachorowania występujące u kobiet w porównaniu z mężczyznami.

### Możliwe następstwa i powikłania

Psychiczne i fizyczne następstwa długotrwałego nadużywania leków różnią się w zależności od grupy farmakologicznej, której ono dotyczyło. Przykładem uszkodzenia somatycznego jest niewydolność nerek spowodowana wieloletnim zażywaniem

złożonych preparatów przeciwbólowych (→ Niewydolność nerek, s. 397).

Przykładem szkody natury psychicznej są zaburzenia percepcji oraz dotyczące sfery emocjonalnej, jak również zaburzenia toku myślenia i zmiany osobowości wywołane przewlekłym stosowaniem trankwilizatorów. Lekozależności prawie zawsze towarzyszą objawy ogólne, na przykład pod postacią niedożywienia, cech niedoboru witamin lub niedobiałczenia.

Z powodu zniesionej, zaburzonej lub zmienionej zdolności reagowania wzrasta ryzyko występowania wypadków w miejscu pracy, w ruchu drogowym lub przy pracach domowych. Rozbiciu ulegają więzi międzyludzkie: dochodzi też do utraty pracy.

Lekozależność może być czynnikiem kryminogennym — gdy podejmowane są próby nielegalnego wchodzenia w posiadanie leków (poprzez fałszowanie recept, włamania do aptek).

### Zapobieganie

Zapobieganie w wymiarze indywidualnym rozpoczyna się wcześnie — zanim zażyjesz lek, powinieneś zastanowić się, czego od niego oczekujesz i czy istnieją może inne sposoby uporania się ze złym samopoczuciem lub zaradzenia chorobie (→ Leki i ich stosowanie, s. 617).

Zadaniem lekarzy i systemu opieki zdrowotnej jest przestrzeganie zasady, że:

— Zaordynowanie leków psychotropowych wymaga w każdym przypadku postawienia dokładnego rozpoznania choroby, troskliwego rozważenia wszystkich „za" i „przeciw" oraz udzielenia choremu wyczerpujących informacji i objaśnień (→ U lekarza, s. 589).

### Kiedy do lekarza?

Gdy spostrzeżesz u siebie występowanie opisanych objawów lekozależności.

### Jak sobie pomóc

Wymiana doświadczeń z innymi osobami może być źródłem rad i pomocy. Informacje dotyczące grup samopomocy i poradni znajdziesz, zwracając się pod adresy podane na s. 202.

Przeprowadzenie leczenia odwykowego na własną rękę na ogół nie jest możliwe, a ponadto rzadko przynosi długotrwały skutek.

### Leczenie

Przeprowadza się je zwykle razem z osobami uzależnionymi od alkoholu lub środków odurzających. Nie ma, jak dotąd, osobnych placówek odwykowych, które zajmowałyby się leczeniem lekozależności. Leczenie przebiega według schematu przewidzianego dla postępowania odwykowego w alkoholizmie, ambulatoryjnie lub w zakładzie zamkniętym — o czym decyduje stopień nasilenia uzależnienia.

W zależności od grupy leków, do której należał środek wywołujący uzależnienie, w fazie odtruwania odstawia się go radykalnie lub powoli („pełzająco"), zmniejszając dawki. Często dokonuje się tego w sposób utajony, tak że osoba uzależniona nie wie, jaką dawkę leku w rzeczywistości jeszcze otrzymuje. Dalekosiężny cel leczenia stanowi u wszystkich osób uzależnionych umożliwienie im odnalezienia się w swojej roli życiowej i nawiązanie na powrót więzi międzyludzkich (→ Terapia indywidualna i grupowa, s. 670).

Ponieważ częstymi czynnikami przyczynowymi uzależnień lekowych są problemy partnerskie i rodzinne, zaleca się odpowiednie rodzaje terapii (→ Poradnictwo i psychoterapia, s. 670).

## Narkomania

Przy rozważaniach na temat uzależnień od tak zwanych nielegalnych środków odurzających należy ściśle rozgraniczać rodzaj stosowanych substancji. Silną i szybko rozwijającą się zależność fizyczną wywołuje heroina, jej postać nieoczyszczona („crack") i inne środki z grupy opiatów. W przypadku haszyszu, ekstazy i kokainy na pierwszy plan wysuwa się natomiast zależność psychiczna (→ Narkotyki, s. 744).

Następstwa społeczne (degradacja do poziomu kryminalnego) i fizyczne (utrata apetytu, wyniszczenie, podatność na choroby zakaźne) towarzyszą jednak każdej odmianie narkomanii.

### Przyczyny
U młodocianych zjawiskiem decydującym o wpadnięciu w nałóg jest zrobienie pierwszego kroku, „spróbowanie", co następuje prawie zawsze pod presją konieczności naśladowania i udowodnienia przynależności do grupy. Jeśli przyjaciele lub przyjaciółki „palą trawkę", „wąchają" lub w inny sposób wprawiają się „w trans", wiele osób nie potrafi sprostać wyzwaniu i także chce spróbować „jak to jest". Ponieważ uzależnienie występuje często już po pierwszej próbie, szybko rozpoczyna się droga upadku — wielu „próbujących" bierze drugą dawkę jeszcze tego samego dnia.

Wbrew wielu powszechnym sądom o rozwoju narkomanii nie decyduje żadnego rodzaju określona „podatna na uzależnienie" osobowość ani środowisko pochodzenia społecznego.

Znaczenie rozstrzygające ma raczej:
— grupa, do jakiej dana osoba należy,
— dostępność narkotyków (próbuje się tego, co zostaje zaoferowane),
— ciekawość (rzeczy nieznane i zabronione prowokują chęć spróbowania ich),
— oczekiwanie przyjemnych doznań,
— przykład idoli (przyjaciół, wielkich „gwiazd").

Dodatkowo mogą nakładać się trudne i konfliktowe sytuacje, występowanie ich nie jest jednak charakterystyczne dla zawarcia pierwszej znajomości z narkotykami. Okres dojrzewania płciowego zawsze wiąże się z przeorientowywaniem się i procesami alienacji i dlatego nieuchronnie niesie ze sobą sytuacje konfliktowe.

### Ryzyko zachorowania
Wzrasta w zależności od stopnia osobistego poczucia niepewności (okres dojrzewania płciowego), nacisku grupy i dostępności narkotyków na czarnym rynku.

### Możliwe następstwa i powikłania
Obciążające następstwa społeczne i zdrowotne nie są wyłącznym skutkiem działania narkotyków, lecz także konsekwencjami życia w grupie subkulturowej:
— Zubożenie, popadanie w długi, schodzenie na drogę przestępczą powodowane jest monstrualnie wysokimi czarnorynkowymi cenami narkotyków, które zmuszona jest płacić osoba uzależniona.

## Rada i pomoc

W każdym większym mieście znajdują się poradnie dla osób uzależnionych od alkoholu, leków lub narkotyków. Adresy tych placówek oraz dalsze wskazówki możesz otrzymać w następujących instytucjach:

Polska Liga Trzeźwości i Społeczny Komitet Przeciwalkoholowy
00-924 Warszawa, ul. Kopernika 36/40,
tel. (0-22) 826-02-31
Ośrodek Informacji: 00-682 Warszawa, ul. Hoża 54,
tel. (0-22) 628-75-25
Ruch Anonimowych Alkoholików
Punkt kontaktowy: 00-682 Warszawa, ul. Hoża 54,
tel. (0-22) 628-75-26

Telefony zaufania AA:
Bytom 81-50-72
Katowice 59-62-93
Leszno 520-50-46
Piła 212-32-08
Poznań 853-16-16
Warszawa 628-75-26
Wrocław 21-84-03; 22-86-83
Żary 38-05

Krajowy Ośrodek Zwalczania Palenia Tytoniu
90-368 Łódź, ul. Piotrkowska 194, tel. (0-42) 36-56-95

Młodzieżowy Ruch na Rzecz Przeciwdziałania Narkomanii
„Monar"
Centralny Punkt Konsultacyjny:
00-508 Warszawa, Al. Jerozolimskie 27

Towarzystwo Rodzin i Przyjaciół Dzieci Uzależnionych
„Powrót z U"
Warszawa, ul. Dziennikarska 11, tel. (0-22) 39-03-83

„Przytulisko" Monarowski Ośrodek Wczesnej Rehabilitacji
Warszawa, ul. Wenedów 2, tel. (0-22) 635-00-01

Stowarzyszenie „Monar"
Warszawa, ul. Hoża 57, tel. (0-22) 628-41-46

Towarzystwo Zapobiegania Narkomanii
Warszawa, ul. Chmielna 10a, tel. (0-22) 827-22-43

**Lektura uzupełniająca**

CEKIERA C.: *Toksykomania, narkomania, lekomania, alkoholizm, nikotynizm*. PWN, Warszawa 1986.

*Gdzie szukać pomocy. Informator*. Wyd. Towarzystwo Zapobiegania Narkomanii, Warszawa 1990.

MALEWSKA M.: *Narkotyk w szkole i w domu; zagrożenia*. Tow. Wydaw. i Literackie, Warszawa 1995.

MAXWELL R.: *Dzieci, alkohol, narkotyki. Przewodnik dla rodziców*. Gdańskie Wydaw. Psychologiczne, Gdańsk 1994.

*Problemy narkomanii. Zarys metod resocjalizacji i profilaktyki „Monaru"*. Praca zbiorowa. PZWL, Warszawa 1984.

ROBSON P.: *Narkotyki*. Wydaw. Medycyna Praktyczna, Kraków 1997.

— Z egzystencją na marginesie życia społecznego wiąże się ogólnie zły stan zdrowia organizmu, co sprzyja łatwej zapadalności na różne choroby: przyczynia się do tego niedożywienie, niedostatek snu, brak higieny.

— Codziennością osób uzależnionych są zakażenia bakteryjne i wirusowe (AIDS) wskutek używania niesterylnego sprzętu do wstrzyknięć i zanieczyszczonych narkotyków (rozwijać się może zapalenie wsierdzia, wątroby, płuc, nerek, zakażenie krwi).

— Przedawkowanie („złota strzała") może być spowodowane zanieczyszczeniem lub złą jakością narkotyku. Inną przyczyną bywa próba „przetrwania" okresów, w których narkotyk jest niedostępny, za pomocą leków i/lub alkoholu, a także powrót po okresie dłuższej abstynencji do dawki stosowanej uprzednio, a która przez ten czas stała się dawką zbyt wysoką.

## Zapobieganie

Nielegalność powoduje większość zdrowotnych i społecznych skutków, a na niektórych młodocianych wpływa jako bodziec „zakazanego owocu". Zmniejszenie dostępności narkotyków, a także złagodzenie prawodawstwa karnego mogłoby zapobiec popełnieniu czynów kryminalnych wraz ze wszystkimi ich następstwami społecznymi i zdrowotnymi.

Inny problem stanowi zapobieganie w wymiarze jednostki, które dotyczy otoczenia zagrożonych osób i powinno rozpoczynać się na terenie szkoły i rodziny. Im pewniej będzie mógł czuć się młody człowiek w procesie swojego przeobrażania się w osobę dorosłą, w tym mniejszym stopniu będzie zagrożony popadnięciem w narkomanię.

## Kiedy do lekarza?

Natychmiast (→ Poradnictwo i psychoterapia, s. 670).

## Jak sobie pomóc

Można tylko w pojedynczych przypadkach. Lepiej więc zwrócić się do najbliższej poradni zajmującej się problemami narkomanii, a informacje o nich można uzyskać w kompetentnych wydziałach zdrowia.

## Leczenie

Obejmuje te same etapy, jakie zostały opisane w rozdziale o alkoholizmie (→ s. 198). Różnicę zasadniczą stanowi to, czy leczenie odwykowe prowadzone jest z użyciem leków, czy też bez nich.

„Zimny" odwyk polega na gwałtownym przerwaniu podawania narkotyku. Lęk przed objawami odstawienia skutecznie odstrasza wiele osób uzależnionych od tej metody.

Metadon: związek o działaniu podobnym do morfiny jest lekiem najczęściej stosowanym w leczeniu odwykowym. Może on jednak także powodować uzależnienie.

Na przykład w Niemczech korzysta się z metadonu w następujących okolicznościach:

— W trakcie krótkotrwałego leczenia ambulatoryjnego, kiedy osoba uzależniona oczekuje na miejsce w zakładzie odwykowym, w przeciwnym razie wola wielu narkomanów, aby poddać się leczeniu odwykowemu, nie sprostałaby próbie czasu, jaki jest potrzebny do załatwienia formalności związanych z przyjęciem do wybranego zakładu. Już na tym etapie dokonuje się powolnego zmniejszania dawek metadonu.

— W czasie średniej długości cykli leczenia, których celem jest doprowadzenie osób uzależnionych w programie długofalowym do stanu abstynencji. Również w trakcie tego rodzaju leczenia następuje stopniowe zmniejszanie dawki. Niezbędnym warunkiem podtrzymania rzeczywistej abstynencji jest wdrożenie osoby leczonej na powrót w życie codzienne, co osiąga się poprzez prowadzenie intensywnej psychoterapii w warunkach ambulatoryjnych. Prowadzenie życia wolnego od zażywania narkotyku jest możliwe dopiero po stworzeniu osobie uzależnionej odpowiednich ram społecznych i gdy nie odczuwa ona więcej chęci powrotu do poprzedniego patologicznego otoczenia.

— W kuracjach długoterminowych, które stosuje się przede wszystkim u osób z wieloletnim stażem nałogu, wtopionych całkowicie w życie subkulturowe i nie mogących w żaden sposób znaleźć motywacji do leczenia odwykowego. W opisanej sytuacji metadon podaje się w stałej dawce przez długi okres. Postępowanie to ma na celu odwiedzenie osoby uzależnionej od popełniania czynów kryminalnych oraz zapewnienie możliwości życia w warunkach mniej zagrażających zdrowiu i w ramach prawa.

## Program metadonowy

Kontrolowane przez wydziały zdrowia i lekarzy podawanie metadonu (Polamidon) czyni zbędną prewencję kryminalistyczną i zapobiega szerzeniu się zakażenia wirusem HIV, gdyż uzależnieni zaprzestają stosowania zakażonych igieł i strzykawek. Program metadonowy, obecnie realizowany w Niemczech, zakłada opiekę psychoterapeutyczną i długotrwałe stosowanie wysokich dawek w warunkach ambulatoryjnych. Wskaźnik nawrotów jest znacznie niższy niż przy krótkotrwałym odtruwaniu wynoszącym trzy do sześciu tygodni, jak praktykuje się w niektórych krajach.

W Niemczech nie stosuje się naskórnej substytucji, jak to ma miejsce w USA, Australii, Holandii, Austrii i Szwajcarii. Jedynie w pojedynczych landach w Niemczech prowadzi się programy lub doświadczenia modelowe. Lekarze pierwszego kontaktu mogą wprawdzie zapewnić leki, jednakże bez niezbędnej opieki psychosocjalnej.

# MÓZG I NERWY

Układ nerwowy jest najwszechstronniejszą i zarazem najbardziej skomplikowaną częścią ciała ludzkiego. W zależności od miejsca, w którym znajdują się szlaki nerwowe, rozróżniamy układ nerwowy ośrodkowy, do którego należą mózg i rdzeń kręgowy, oraz układ nerwowy obwodowy — wszystkie pozostałe szlaki nerwowe.

## Mózg

W mózgu zachodzi całość procesu nazywanego myśleniem, czuciem, doznawaniem i działaniem. W nim bierze początek dwanaście par nerwów mózgowych, które z jednej strony przekazują impulsy do różnych okolic ciała, z drugiej — przejmują bodźce, dalej je przewodzą i przetwarzają.

Mózg otoczony jest trzema oponami. Dwie miękkie warstwy przylegają bezpośrednio do powierzchni mózgu. Łączą się one z warstwą twardą, stanowiącą ochronną torebkę łączącą mózg z kośćmi czaszki. Przy zapaleniu opon mózgowych proces chorobowy dotyczy wszystkich trzech warstw. Przestrzenie wewnątrz mózgu wypełnione są płynem mózgowo-rdzeniowym, który znajduje się również między obiema miękkimi oponami. Miękka masa mózgu musi „pływać" w płynie mózgowo-rdzeniowym, aby nie ulec odkształceniu.

Płyn odgrywa jednocześnie rolę buforu i ochrony przed wstrząsami. Otacza on cały układ nerwowy ośrodkowy, znajduje się więc również w kanale rdzeniowym. Wiele procesów chorobowych w obrębie mózgu i opon zmienia skład płynu mózgowo-rdzeniowego. Lekarz pobierający płyn mózgowo-rdzeniowy przez nakłucie na wysokości kręgów lędźwiowych może poddać go badaniu, umożliwiającemu stwierdzenie lub wykluczenie pewnych chorób. Ponieważ mózg steruje wieloma ważnymi dla życia funkcjami, jest on szczególnie dobrze chroniony, leży we względnie mocnej osłonie kostnej. U noworodka poszczególne płytki kości czaszki nie są w pełni zrośnięte z sobą, co ułatwia przebieg porodu.

## Rdzeń kręgowy

Za przedłużenie mózgu można uznać rdzeń kręgowy, który przebiega wewnątrz kręgosłupa aż do wysokości lędźwi. Jest on zbudowany tak samo jak mózg i podobnie jak mózg otoczony płynem mózgowo-rdzeniowym. Rdzeń kończy się na wysokości trzeciego kręgu lędźwiowego, a więc nie wypełnia kanału kręgowego na całej jego długości. Poprzez otwory w kręgach przechodzą nerwy do całego ciała.

## Obwodowe drogi nerwowe

Obwodowe drogi nerwowe spełniają dwa zadania: przewodzą do ośrodkowego układu nerwowego odczucia i doznania, które docierają do ustroju z zewnątrz i przekazują zlecenia ośrodkowego układu nerwowego do mięśni i narządów. „Przekaz" informacji odbywa się za pośrednictwem bardzo słabych prądów elektrycz-

nych lub reakcji chemicznych, lub przez ustrojowe przekaźniki. W ośrodkowym układzie nerwowym wszystkie „informacje" ulegają syntezie i rozpracowaniu.

## Autonomiczny układ nerwowy

Inny podział układu nerwowego opiera się na jego funkcjach: autonomiczny układ nerwowy pracuje samodzielnie, niezależnie od woli; bez świadomości z naszej strony kieruje każdą pojedynczą funkcją — od napięcia poszczególnych mięśni w celu na przykład poruszania się lub mówienia — po oddychanie, bicie serca lub trawienie. W obrębie autonomicznego układu nerwowego istnieją dwa duże układy o przeciwstawnie skierowanych i uzupełniających się funkcjach: układ adrenergiczny (współczulny) decyduje o aktywności, wysiłku, zużyciu energii; układ cholinergiczny (przywspółczulny) warunkuje wypoczynek i magazynowanie energii.

W przeciwieństwie do układu autonomicznego można układowi podległemu woli, czyli ośrodkowemu, przekazywać świadomie określone zlecenia. Decyzję „teraz idę" układ nerwowy zależny od woli przekształca w ruchy chodzenia. Jednak w przypadku osób dorosłych nawet i to, i owo dzieje się „automatycznie". To, że przy dotknięciu gorącego pieca cofamy rękę, jak również to, że chodzimy w pozycji pionowej, dzieje się w wyniku wyuczonych odruchów.

## Wstrząs mózgu

### Dolegliwości

W momencie nieszczęśliwego wypadku dochodzi do utraty przytomności. Stan ten może trwać kilka sekund lub minut.

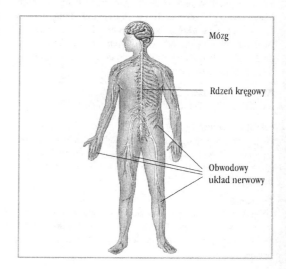

Mózg

Rdzeń kręgowy

Obwodowy
układ nerwowy

Potem utrzymuje się zwykle przez pewien czas przytępienie świadomości. Fazie tej często towarzyszą wymioty, bóle i/lub zawroty głowy. Moment poprzedzający bezpośrednio wypadek objęty jest zwykle luką pamięciową, trwającą niekiedy zaledwie ułamki sekund. Jeśli utrata przytomności trwa dłużej niż piętnaście minut lub gdy następujące potem przyćmienie świadomości wydłuża się ponad godzinę, nasuwa się poważne podejrzenie, że uszkodzenie przekracza ramy prostego wstrząsu mózgu (→ Stłuczenie mózgu, s. 205, → Krwotok mózgowy, s. 207).

## Przyczyna
Gwałtowne działanie dotyczące głowy. Do wstrząsu mózgu dochodzi najczęściej w ten sposób, że szybki ruch głowy zostaje nagle zahamowany, na przykład przy upadku lub w wypadku drogowym. Wstrząs mózgu jest wprawdzie oznaką przejściowego zakłócenia czynności komórek nerwowych, jednakże nie doszło jeszcze do trwałego uszkodzenia tkanki.

## Możliwe następstwa i powikłania
Bóle i zawroty głowy oraz trudności w koncentracji uwagi mogą występować jeszcze przez kilka miesięcy po wypadku. Rzadko — zwłaszcza u osób starszych — w dwa do czterech tygodni po wypadku dochodzi do wylewu krwi w przestrzeń między mózgiem a oponą twardą (→ Krwotok mózgowy, s. 207). Wzmagają się wtedy bóle głowy, mogą wystąpić porażenia.

## Zapobieganie
Hełmy ochronne mają zadanie przedłużenia czasu hamowania w razie wypadku. Wszystko, co zwalnia szybkie hamowanie głowy przy wypadku, zapobiega wstrząsowi mózgu.

## Kiedy do lekarza?
Jeżeli po urazie głowy doszło do utraty przytomności lub wymiotów, należy natychmiast odwieźć chorego do szpitala. W zależności od nasilenia dolegliwości odczuwanych przez chorego należy wykonać zdjęcia rentgenowskie czaszki lub tomografię komputerową (→ s. 610).

## Jak sobie pomóc
Jeżeli istnieje pewność, że poza wstrząsem mózgu nie doszło do innych obrażeń, wystarczy od dwunastu do czterdziestu ośmiu godzin leżenia.

## Leczenie
W przypadku dłużej trwającej utraty przytomności lub przytępienia świadomości względnie przy nawracających wymiotach pacjent powinien przez kilka dni pozostać pod obserwacją lekarza w szpitalu.

## Stłuczenie mózgu

### Dolegliwości
Utrata przytomności często trwa ponad piętnaście minut. Natomiast rzadko występują takie objawy, jak: silne bóle głowy, sztywność karku, wymioty, porażenie połowicze, zaburzenia mowy, wzroku i oddechu. Dolegliwości pojawiają się na ogół bezpośrednio po doznanym urazie, rzadko jeden do czterech dni po wypadku.

## Przyczyny
Przy gwałtownym wstrząśnieniu głowy może dojść do uszkodzenia naczyń w jej wnętrzu. Gdyby do takiego uszkodzenia doszło na przykład w nodze, zamanifestowałoby się ono „niebieskim sińcem". Natomiast uszkodzenie w obrębie mózgu prowadzi do krwawienia często z bardzo ciężkimi następstwami. Ucisk wynaczynionej krwi i płynu tkankowego może spowodować uszkodzenie mózgu.

Następstwa stłuczenia mózgu zależą od rozległości i lokalizacji urazu, poczynając od częstych bólów głowy, napadów drgawek i zaburzeń pamięci, a kończąc na ciężkich porażeniach, zaburzeniach zachowania lub trwałej nieprzytomności.

## Kiedy do lekarza?
Jeżeli pojawią się wyżej opisane dolegliwości, *niezwłocznie* przewieźć chorego do szpitala.

## Jak sobie pomóc
Samemu nie można.

## Leczenie
Pacjenci przebywający w szpitalu pozostają w łóżku do chwili ustąpienia dolegliwości. Jeżeli krwawienie było obfite, trzeba usunąć skrzeplinę poprzez odessanie lub operację. W celu złagodzenia zaburzeń stosuje się — w zależności od rodzaju uszkodzenia — gimnastykę leczniczą, ćwiczenia mowy itp.

## Pęknięcie czaszki

### Dolegliwości
→ Wstrząs mózgu, s. 204. Dalsze dolegliwości: siny obrzęk wokół jednego lub obu oczu. Możliwy wyciek czystego płynu z nosa.

### Możliwe następstwa i powikłania
Powstają one w wyniku krwawień lub nagromadzenia płynu w mózgu (→ s. 207).

### Kiedy do lekarza?
Przy podejrzeniu pęknięcia czaszki chorego należy odwieźć niezwłocznie do szpitala. Zdjęcie rentgenowskie czaszki lub tomografia komputerowa wykażą rodzaj i rozmiar uszkodzeń.

### Leczenie
Pęknięcie czaszki goi się bez następstw, jeżeli poza kością nie było innych uszkodzeń. Na temat postępowania w krwotokach → s. 208. Jeśli doszło do wypłynięcia na zewnątrz płynu mózgowo-rdzeniowego, należy zastosować antybiotyki celem zapobieżenia zakażeniu.

## Zapalenie opon mózgowo-rdzeniowych

### Dolegliwości
W ciągu kilku godzin po zachorowaniu mogą pojawić się: bóle głowy, nadwrażliwość na światło, sztywność karku i niekiedy wymioty. W ciężkich przypadkach występuje zamroczenie lub nieprzytomność. U małych dzieci objawy te występują rzadko,

natomiast często pojawiają się bóle brzucha, a niekiedy również ataki drgawek. Dzieci mogą zapadać na szczególnie ciężkie zapalenie opon mózgowych, manifestujące się gorączką, punkcikami lub plamami na skórze. Niebezpieczeństwo przeoczenia zapalenia opon mózgowych zdarza się zwłaszcza w przypadku niemowląt, które reagują na to schorzenie jedynie zmniejszonym łaknieniem i wzmożoną sennością lub przeraźliwym krzykiem.

### Przyczyny

Przy zapaleniu opon mózgowo-rdzeniowych dochodzi do zakażenia opon bakteriami lub wirusami, które zostały przeniesione z prądem krwi z innego narządu, lub też do rozprzestrzenienia się zarazków bezpośrednio z zapalnie zmienionego ucha lub zatok bocznych nosa na opony. Przy otwartym pęknięciu czaszki zarazki mogą przedostać się poprzez miejsce złamania.

### Ryzyko zachorowania

Dzieci wykazują dużą skłonność do zapadania na zapalenie opon mózgowo-rdzeniowych.

### Zapobieganie

Odpowiednie leczenie zapaleń ucha środkowego i zatok bocznych nosa może zapobiec rozprzestrzenieniu się zarazków na opony. Istnieje szczepienie zapobiegające zakażeniu zarazkiem *Haemophilus influenzae*, który często wywołuje zapalenie opon mózgowych u dzieci.

### Możliwe następstwa i powikłania

Zapalenie opon mózgowo-rdzeniowych może doprowadzić w ciężkich przypadkach do upośledzenia umysłowego, a nawet zgonu.

### Kiedy do lekarza?

Przy podejrzeniu zapalenia opon mózgowo-rdzeniowych należy przewieźć chorego natychmiast do szpitala, gdzie lekarz pobierze płyn mózgowo-rdzeniowy celem zbadania go w kierunku objawów zapalenia i obecności zarazków.

### Jak sobie pomóc

Samemu nie można.

### Leczenie

Zapalenie opon mózgowo-rdzeniowych musi być prawie zawsze obserwowane i leczone w szpitalu. Jeśli badanie płynu mózgowo-rdzeniowego wykazało, że przyczyną zapalenia są bakterie, należy zastosować antybiotyki. W przypadku zapalenia opon wywołanego wirusem nie pozostaje nic innego, jak dobra opieka i nadzieja, że ustrój jest silniejszy niż choroba.

## Zapalenie mózgu

### Dolegliwości

W zależności od nasilenia choroby szeroka jest skala dolegliwości, poczynając od gorączki, bólów głowy i osłabienia, a kończąc na porażeniach, zaburzeniach wzroku, podwójnym widzeniu, drgawkach i nieprzytomności.

### Przyczyny

Prawie z reguły zapalenie mózgu jest wynikiem zakażeń wiruso-

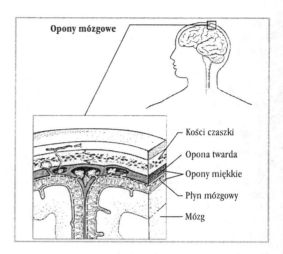

Opony mózgowe

— Kości czaszki
— Opona twarda
— Opony miękkie
— Płyn mózgowy
— Mózg

wych, takich jak grypa, odra, różyczka lub świnka. Takie zapalenie może wywołać również wirus wiosenno-letniego zapalenia mózgu (WLZM), przenoszony przez kleszcze.

### Ryzyko zachorowania

W największym stopniu na zachorowanie narażone są niemowlęta i ludzie bardzo starzy.

### Możliwe następstwa i powikłania

Lekkie zapalenie mózgu w ramach grypy często nie zostaje zauważone i przemija wraz z grypą. Natomiast wirusy, jak *Herpes simplex* (opryszczka), mogą doprowadzić do ciężkiego schorzenia, wymagającego wielotygodniowego pobytu w szpitalu. Może przy tym dojść do długotrwałych porażeń i zaburzeń mowy. W rzadkich przypadkach z zapalenia mózgu może się rozwinąć w przyszłości choroba Parkinsona (→ s. 210).

### Zapobieganie

Ludzi szczególnie narażonych na zakażenia wirusowe, które mogłyby zagrażać zapaleniem mózgu, mogą chronić szczepienia (→ s. 636).

### Kiedy do lekarza?

W razie podejrzenia zapalenia mózgu. Być może lekarz będzie zmuszony zbadać krew i płyn mózgowo-rdzeniowy, by ustalić, czy istnieją cechy zakażenia i obecność zarazków. Niekiedy konieczne jest wykonanie EEG (→ s. 607).

### Jak sobie pomóc

W lekkich przypadkach zapaleń mózgu (np. w trakcie grypy) samopomoc jest niepotrzebna, w ciężkich — niemożliwa.

### Leczenie

Ciężkie przypadki zapalenia mózgu muszą być zawsze obserwowane i leczone w szpitalu, aby istniała możliwość wczesnego rozpoznania i leczenia pojawiających się powikłań, jak na przykład utrata przytomności lub drgawki. Gdy istnieje podejrzenie, że choroba wywołana jest przez wirus *Herpes simplex*, wówczas wskazane może się okazać wstrzykiwanie leku hamującego rozwój wirusów (Aciclovir — Zovirax).

## Ropień mózgu

### Dolegliwości
Objawy porażenne, utrata czucia w obrębie ramienia lub nogi, niekiedy zaburzenia mowy, gorączka, bóle głowy i zamroczenie.

### Przyczyny
W ropniu mózgu gromadzi się ropa uciskająca różne jego części. Przyczyną są zwykle bakterie wywołujące stan zapalny, na przykład w zatokach przynosowych lub w uchu środkowym.

### Ryzyko zachorowania wzrasta:
— w razie zaniechania leczenia zapalenia zatok przynosowych lub ucha środkowego,
— u osób z siniczą wadą serca (→ s. 323).

### Możliwe następstwa i powikłania
W razie wczesnego rozpoczęcia leczenia dochodzi do wyleczenia bez trwałych następstw. Duży ropień, silnie uciskający mózg, może spowodować trwałe porażenie.

### Zapobieganie
Wczesne leczenie zakażeń bakteryjnych antybiotykami.

### Kiedy do lekarza?
W razie podejrzenia ropnia mózgu należy natychmiast przewieźć chorego do lekarza lub do szpitala.

### Jak sobie pomóc
Samemu nie można.

### Leczenie
Czasami wystarcza leczenie antybiotykiem podawanym dożylnie. W ciężkich przypadkach konieczne jest operacyjne opróżnienie zbiornika ropy.

## Przejściowe zaburzenie ukrwienia

### Dolegliwości
Dolegliwości spowodowane zaburzeniem ukrwienia mózgu zależą od tego, którędy biegnie tętnica nieprzepuszczająca krwi, względnie — jakimi czynnościami steruje zaopatrywany przez nią rejon mózgu. Często występuje utrata czucia lub porażenie ręki, nogi lub połowy ciała. W innych przypadkach występują zaburzenia mowy lub wzroku, osoba dotknięta chorobą jest zamroczona lub nieprzytomna. Dolegliwości mogą trwać od kilku minut do wielu godzin.

### Przyczyny
Zwykle zaczopowana zostaje przez zakrzep ta tętnica, która już przedtem była zmieniona miażdżycowo. Skrzepik mógł wytworzyć się na miejscu lub nadpłynąć z odległej tętnicy (zwykle tętnicy szyjnej). Niedobór tlenu w dotkniętej części mózgu prowadzi do zaburzeń funkcji. Przy przejściowym zaburzeniu ukrwienia skrzepik rozpuszcza się w ciągu kilku minut. Nieukrwiony poprzednio rejon mózgu zostaje ponownie zaopatrzony w krew i zaburzenia czynności ustępują.

### Ryzyko zachorowania
Wszystko to, co sprzyja rozwojowi miażdżycy naczyń, zwiększa ryzyko zaburzeń w ukrwieniu mózgu: cukrzyca, nadwaga, nadciśnienie, palenie tytoniu, podeszły wiek (→ Miażdżyca tętnic, s. 302).

### Możliwe następstwa i powikłania
Zaburzenia w ukrwieniu mózgu mogą się powtarzać i pewnego dnia już nie przeminą. Wówczas może dojść do udaru mózgu.

### Zapobieganie
Należy unikać wszystkiego, co sprzyja rozwojowi miażdżycy (→ Miażdżyca tętnic, s. 302). W przypadku kilkakrotnych zaburzeń ukrwienia mózgu można im zapobiec — w pewnych okolicznościach — przez podawanie do końca życia leków przeciwkrzepliwych, a niekiedy przeprowadzenie operacji.

### Kiedy do lekarza?
Jeżeli nagle wystąpi zanik czucia i/lub porażenie ręki lub nogi, należy natychmiast wezwać pogotowie ratunkowe. Tak samo należy postąpić, gdy pojawi się zaburzenie mowy lub wzroku względnie utrata przytomności. Lekarz może ustalić przyczynę zaburzenia ukrwienia, stosując takie badania, jak ultradźwięki, EEG, badanie krwi, rentgenowskie zdjęcie warstwowe (CT/NMR) lub zdjęcie kontrastowe tętnic mózgowych. Większość tych badań może być przeprowadzona wyłącznie w szpitalu.

### Jak sobie pomóc
Wszystko to, co zmniejsza czynniki ryzyka miażdżycy, zapobiega też zaburzeniom ukrwienia mózgu (→ Miażdżyca tętnic, s. 302).

### Leczenie
W zależności od przyczyny schorzenia celowe może być zażywanie leku przeciwzakrzepowego lub obniżającego ciśnienie. Tylko w rzadkich przypadkach konieczna jest operacja tętnicy szyjnej.

## Krwotok mózgowy, obrzęk mózgu

### Dolegliwości
Wylew krwi do mózgu powoduje udar mózgowy, w którym dotknięty obszar mózgu pozbawiony zostaje dopływu tlenu. Dolegliwości są takie same jak przy udarze mózgu (→ s. 208), a ich charakter i nasilenie zależy od umiejscowienia oraz wielkości wylewu. Pogorszenie się stanu przytomności po wypadku lub jej utrata bez widocznego powodu, trwające dłużej niż piętnaście minut, wskazują na krwotok mózgowy. W zaawansowanym stadium źrenice stają się szerokie i sztywne.

### Przyczyny
Krew wycieka z naczynia do mózgu. Zależnie od ilości wynaczynionej krwi mózg zostaje w mniejszym lub większym stopniu uciśnięty. Przyczyną pęknięcia naczynia może być na przykład nadciśnienie, miażdżyca naczyń lub tętniak (→ s. 313).

### Ryzyko zachorowania
Około dziesięciu procent udarów mózgu spowodowanych jest ostrym krwotokiem. W przypadku ludzi młodych udar wywołany krwotokiem jest bardziej prawdopodobny niż w przypadku osób starszych.

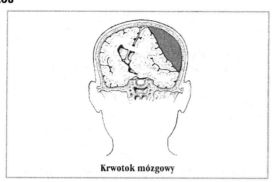

**Krwotok mózgowy**

## Możliwe następstwa i powikłania
Bez leczenia nagromadzenie krwi lub wody w mózgu prowadzi nieuchronnie do zgonu. Jednak nawet przy odpowiednim leczeniu mogą pozostać w mózgu trwałe uszkodzenia. Ich charakter i rozmiar zależy od umiejscowienia i rozległości wynaczynienia.

## Zapobieganie
Nie jest możliwe.

## Kiedy do lekarza?
Jeżeli pogorszył się stan osoby, która po wypadku straciła na krótko przytomność, należy przewieźć ją niezwłocznie do szpitala. Specjalna tomografia komputerowa pozwala ustalić lokalizację i rozmiar procesu, umożliwiając również odróżnienie krwotoku od nagromadzenia wody w mózgu.

## Jak sobie pomóc
Samemu nie można, to niebezpieczne dla życia.

## Leczenie
Nagromadzona w mózgu krew musi zostać jak najszybciej usunięta drogą operacyjną. Obrzęk mózgu, spowodowany zatrzymaniem wody, można zmniejszyć przez infuzję substancji odciągających wodę z tkanek oraz przez podawanie dużych dawek kortyzonu.

## ▌Udar mózgu

### Dolegliwości
Przy udarze mózgu zaburzenie ukrwienia pozostaje. Dolegliwości zależą od umiejscowienia dotkniętej tętnicy lub funkcji, jaką spełnia zaopatrywana przez nią część mózgu. Często dotyczy to ramienia bądź nogi lub połowy ciała, w której następuje utrata czucia i/lub porażenie. W innych przypadkach dochodzi do zaburzeń wzroku lub mowy, dezorientacji lub nieprzytomności. Często objawy te występują po przebudzeniu. W przeciwieństwie jednak do przypadków zaburzeń ukrwienia mózgu symptomy te utrzymują się na ogół dłużej niż przez dwadzieścia cztery godziny.

### Przyczyny
Większość udarów mózgu powstaje w wyniku zamknięcia tętnicy mózgowej. Znacznie mniej polega na krwawieniu do mózgu (→ Krwotok mózgowy, s. 207).

### Ryzyko zachorowania
Przyczyną około osiemdziesięciu procent udarów mózgu jest niedokrwienie mózgu. Wszystko, co sprzyja rozwojowi miażdżycy, zwiększa ryzyko udaru mózgu (→ Miażdżyca tętnic, s. 302).

### Możliwe następstwa i powikłania
W przypadku około jednej trzeciej wszystkich udarów mózgu dolegliwości cofają się w ciągu tygodni lub miesięcy. W jednej trzeciej pozostają zaburzenia mowy lub wzroku. W jednej trzeciej dochodzi do zgonu. Każdy udar jest sygnałem alarmowym. Również wtedy, gdy przebiega bez trwałych następstw. Zawsze bowiem istnieje możliwość wystąpienia następnych, niekiedy cięższych udarów.

### Zapobieganie
Zmniejszać czynniki ryzyka (→ Miażdżyca tętnic, s. 302). W pewnych okolicznościach zaburzeniom ukrwienia można zapobiec przez dożywotnie zażywanie leków przeciwkrzepliwych lub — w rzadszych przypadkach — przez operację naczyń mózgowych.

### Kiedy do lekarza?
W przypadku podejrzenia udaru mózgu należy koniecznie przewieźć chorego do szpitala, gdzie można ustalić przyczynę choroby, posługując się takimi badaniami, jak: ultradźwięki, analiza krwi, EEG, tomografia komputerowa bądź przy zastosowaniu jądrowego rezonansu magnetycznego (MR), a także arteriografia tętnic mózgowych przy użyciu kontrastu.

---

**Udar mózgu**

Większość udarów mózgu następuje w wyniku niedostatecznego ukrwienia lub całkowitego zatrzymania dopływu krwi do jakiejś części tego narządu. Przy wolno postępującej miażdżycy krew z trudnością dociera do mózgu i coraz gorzej zaopatruje w tlen i środki odżywcze. Zwężone naczynie zakrzepiki krwi mogą łatwiej całkowicie zaczopowywać niż naczynie szerokie. Zamknięcie naczynia oznacza brak dopływu krwi do znajdującej się za przeszkodą tkanki mózgu i prowadzi do udaru mózgu.

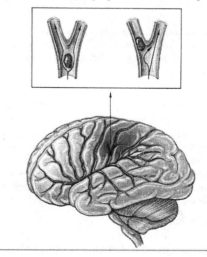

## Jak sobie pomóc

Rehabilitacja po ciężkich nieraz zaburzeniach mowy i ruchu, przeprowadzana w drodze ćwiczeń mowy i gimnastyki leczniczej, wymaga wielkiej siły woli i wiary w skuteczność tych działań. Jednakże tylko regularne ćwiczenia dają szansę odzyskania sprawności i samodzielności. Rodzina i osoby opiekujące się chorym powinny pamiętać, że chory zwykle dobrze wszystko rozumie nawet wówczas, gdy sam nie potrafi się poruszać i mówić.

## Leczenie

W początkowym stadium leczenia osób dotkniętych udarem mózgu chory musi przebywać w szpitalu. Już tu możliwie wczesna gimnastyka lecznicza winna zwiększyć szanse rehabilitacji. Niestety, wciąż ma to miejsce w niedostatecznym stopniu. Po szpitalu następuje kolejna faza rehabilitacji, finansowana przez odpowiednie placówki zakładu ubezpieczeń społecznych. Informacji na temat koniecznych i możliwych ćwiczeń ortofonicznych, gimnastyki leczniczej i przystosowania zawodowego udzielają regionalne wydziały zdrowia. W zależności od przyczyny zachorowania celowe może być zażywanie leków obniżających ciśnienie krwi lub przeciwzakrzepowych.

## Padaczka

### Dolegliwości

Ataki padaczki występują w różnej postaci u poszczególnych osób. Duży napad drgawek (grand mal) niekiedy poprzedzany bywa przez wiele dni bólami głowy, mdłościami, niepokojem i ogólnym rozstrojem. W trakcie napadu chory nagle traci przytomność, upada, sztywnieje. Występują drgawki rąk i nóg. W czasie drgawek oddech może stać się nieregularny. Utrata przytomności i drgawki mogą trwać kilka minut. Potem chorzy zapadają często w głęboki sen, z którego budzą się oszołomieni. W czasie napadu dochodzi zwykle do bezwiednego oddania moczu, rzadziej stolca. W przypadku małych napadów (petit mal) pacjent nie upada. Zwłaszcza w wieku dziecięcym małe ataki manifestują się często tylko tym, że dzieci przerywają na krótko wykonywane w danej chwili czynności i patrzą przed siebie nieobecnym wzrokiem. Potem często w ogóle nie pamiętają przebytego wyda-

---

### Pomoc w napadzie drgawek

— Usunąć wszystkie przedmioty, o które chory mógłby się zranić.
— Osobę w stanie drgawek przenosić w inne miejsce tylko w razie konieczności, np. napad na schodach.
— Nie przytrzymywać i ewentualnie próbować uniemożliwić kurcze.
— Nie wkładać nic między zęby.
— Rozpiąć kołnierzyk.
— Mimo nieregularnego oddechu nie ma potrzeby stosowania sztucznego oddychania.
— Jeśli chory po napadzie śpi, należy go obrócić na bok i pozwolić mu się wyspać.
— Natychmiast wezwać lekarza, jeśli napad trwa ponad trzy minuty lub po pierwszym występuje kolejny.

---

rzenia. Tego rodzaju ataki padaczki uważa się dlatego za sny na jawie.

Przy atakach skroniowych pacjenci często nie tracą przytomności, jednak zachowują się zwykle przez kilka minut „dziwacznie": ruszają palcami, cmokają i śmieją się. Przy napadach ogniskowych dochodzi do drgawek, zaczynających się w jednej połowie twarzy lub w jednej ręce i rozprzestrzeniających się na połowę ciała. Mówimy o stanie padaczkowym wówczas, gdy napady często się powtarzają. Drgawki gorączkowe u dzieci lub u chorych na cukrzycę przy niedocukrzeniu nie mają nic wspólnego z padaczką.

### Przyczyny

Napady padaczkowe wywoływane są patologicznymi wyładowaniami elektrycznymi komórek nerwowych w mózgu. Przyczyną mogą być: uszkodzenia w czasie porodu, zakażenia mózgu, procesy destrukcji w mózgu, choroby przemiany materii, urazy mózgu, guzy mózgu, zatrucia (bardzo często zatrucia alkoholem). Często przyczyna padaczki pozostaje nieznana. Warunkiem jest genetyczna skłonność do zwiększonej gotowości drgawkowej.

### Ryzyko zachorowania

Osoby dotknięte schorzeniem mózgu, na przykład guzem mózgu, lub osoby po przebytych ciężkich urazach głowy wykazują większe ryzyko zachorowania na padaczkę. To samo dotyczy dzieci, które w czasie porodu doznały niedotlenienia.

### Możliwe następstwa i powikłania

*Następstwa dotyczące ciała*

Przy upadku w trakcie napadu istnieje znaczne zagrożenie zranieniem. Bardzo często dochodzi do zranienia języka w wyniku nagryzienia. Wszystkie rodzaje napadów padaczkowych mogą być niebezpieczne zarówno dla chorego, jak i dla osób postronnych, gdy do ataku dochodzi na przykład w ruchu drogowym. Powtarzające się szybko kolejne napady stanowią nagłe zagrożenie życia. Padaczka jest tylko bardzo rzadko uleczalna. W przypadku niektórych dzieci zdarza się, że choroba ustępuje po dojściu do dojrzałości.

*Następstwa socjalne*

Często i w dzisiejszych czasach podejście do padaczki nacechowane jest mentalnością średniowieczną. Nieświadomy lęk przed tą zagadkową chorobą powoduje, że ludzie wzdrygają się na wiadomość, że dana osoba jest chora. Jak dalece życie chorego na padaczkę różni się od życia innych ludzi, zależne jest od tego, w jakim stopniu ataki padaczki opanowane są przez zastosowanie odpowiednich leków i w jakim nasileniu występują objawy uboczne spowodowane przez te leki. Chory na padaczkę może uzyskać prawo jazdy tylko w pewnych warunkach, np. gdy przez okres co najmniej dwóch do trzech lat nie pojawiały się napady. Przed chorym na padaczkę, który pragnie założyć rodzinę, jawi się pytanie dotyczące problemu dziedziczenia choroby. Na pytanie to nie można udzielić jednoznacznej odpowiedzi. Problem należy omówić z lekarzem, mającym doświadczenie w leczeniu padaczki. Cierpiące na padaczkę kobiety nie muszą w zasadzie rezygnować z posiadania własnych dzieci. Jednak przed zaplanowaniem ciąży należy w każdym przypadku zasięgnąć porady lekarza. Ogólne zalecenia są następujące:

— Kobiety, które przez kilka lat nie miały napadów padaczki, powinny — jeśli to możliwe — odstawić leki.

— Chore na padaczkę, przyjmujące leki, mają w 90% szansę urodzenia zdrowego dziecka. Ryzyko wady wrodzonej u dziecka na skutek padaczki matki i/lub jej leczenia jest dwu- do trzykrotnie wyższe.

— Kobiety, które dopiero po upływie pierwszych trzech miesięcy ciąży zasięgają rady lekarza, nie powinny dać się nakłonić do rutynowego przerwania ciąży. Mogą one poddać się badaniu w kierunku wad wrodzonych u rozwijającego się płodu, jeżeli chcą i są gotowe przerwać ciążę (→ Badania związane z ciążą, s. 534).

— Ryzyko szkodliwego działania rozmaitych leków w różnych okresach ciąży jest odmienne. Jednak odradza się zmianę leków w czasie ciąży na nowe preparaty, których ryzyko nie zostało tak dobrze przebadane jak ryzyko stosowania znanych leków.

— Odstawienie leków w czasie ciąży może spowodować nawrót napadów padaczkowych i zagrozić zdrowiu matki i dziecka.

— Nie zostały dotąd opisane szkody u dziecka, powstałe w wyniku przenikania niewielkich ilości leków do mleka matki.

Dzieci chore na padaczkę powinny wzrastać w warunkach jak najbardziej normalnych. Gdy nadejdzie moment wyboru zawodu, należy wykluczyć pracę wymagającą czynności, które w przypadku napadu mogłyby narazić na niebezpieczeństwo chorą osobę, jak również jej otoczenie. Dzieci, u których zdarzają się drgawki, nie powinny być poddawane normalnym szczepieniom do szóstego roku życia. Potem należy rozważnie omówić z lekarzem, pod którego opieką znajduje się dziecko, ewentualne wskazanie do szczepienia.

### Zapobieganie
Padaczka jest — jak już wspomniano — chorobą nieuleczalną. Stosowana w tej chorobie terapia polega wyłącznie na zapobieganiu napadom.

### Kiedy do lekarza?
Gdy dojdzie do ataku drgawek. W zależności od charakteru napadu i towarzyszących mu okoliczności należy przeprowadzić badania krwi, niekiedy badanie płynu mózgowo-rdzeniowego, EEG (→ s. 607) oraz tomografię (→ s. 610). Zdarza się, że lekarz już na podstawie samego opisu może stwierdzić, czy chodzi o padaczkę.

### Jak sobie pomóc
Osoba chora na padaczkę może częstokroć zmniejszyć liczbę ataków, prowadząc rozsądny tryb życia. Brak snu i spożycie alkoholu zwiększa częstość ich występowania.

---

**Polskie Stowarzyszenie Ludzi Cierpiących na Padaczkę**

15-482 Białystok, ul. Fabryczna 57, XI p.

---

**Leki przeciwpadaczkowe**

| | | |
|---|---|---|
| Ergenyl | Mylepsinum | Tegretal |
| Finlepsin | Orfiril | Tegretol |
| Leptilan | Phenydantin | Timonil |
| Liskantin | Rivotril | Valproic acid |
| Luminalum | Ronton | Zentropil |
| Maliasin | Sirtal | |

Najważniejsze objawy uboczne: zmęczenie, pobudliwość, trudności w koncentracji, osłabienie, ból głowy, zaburzenia żołądkowo-jelitowe, wypadanie włosów, tycie, zmiany obrazu krwi, uszkodzenie wątroby.

### Leczenie
Właściwe leczenie powoduje u pięćdziesięciu do sześćdziesięciu procent chorych ustąpienie napadów padaczkowych, a u dwudziestu do trzydziestu procent wpływa na wyraźną poprawę. Takie osiągnięcia uzyskują jednak tylko lekarze mający duże doświadczenie w leczeniu padaczki.

W miarę możliwości staramy się pozostać przy jednym leku. Reakcja na lek jest indywidualna, toteż zdarza się, że wybór odpowiednich preparatów i właściwego ich dawkowania trwa kilka miesięcy. Zwłaszcza w przypadku dzieci ustalenie prawidłowego dawkowania jest niekiedy możliwe tylko w warunkach szpitalnych. Do kontroli służą badania EEG, czasami oznaczanie poziomu leku w krwi. Każda samowolna zmiana dawkowania może zaprzepaścić efekty leczenia. Po dwóch lub trzech latach bez napadów lekarz może spróbować powoli, w ciągu półrocza lub roku, stopniowego odstawienia leków. Do kontroli służy znowu EEG. Zdarza się jednak, że zachodzi potrzeba stosowania leków przez całe życie. Osoba zażywająca leki przeciw padaczce musi to uwzględnić przy przyjmowaniu innych preparatów, albowiem leki przeciwpadaczkowe i inne leki oraz alkohol oddziałują na siebie w różnoraki sposób, wpływając na swą skuteczność.

U niektórych chorych w ośrodkach specjalistycznych można stwierdzić, który odcinek mózgu odpowiedzialny jest za napady. Jest to warunek umożliwiający operację. Stereotaktyczne operacje dały u 55% chorych cierpiących na padaczkę skroniową zupełne ustąpienie ataków, a u 30% zmniejszenie ich częstości.

---

**Lektura uzupełniająca**

BUCHANAN N.: *Padaczka. Poradnik*. PZWL, Warszawa 1997.

---

## Choroba Parkinsona (drżączka poraźna)

### Dolegliwości
Choroba zaczyna się zwykle lekkim drżeniem, występującym tylko w spoczynku, a zanikającym przy ruchu, a także we śnie. Typowym objawem jest ocieranie kciuka o palec wskazujący, tzw. kręcenie pigułek. Z upływem czasu ruchy ulegają zwolnieniu i ograniczeniu (chodzenie, ruchy rąk, mruganie), przy

czym największe trudności sprawia pierwszy ruch. Chory posuwa się małymi i powłóczącymi krokami. Następuje zakłócenie równowagi z powodu braku współruchów rąk. Ruchy mimiczne stają się niemożliwe, ponieważ twarz sztywnieje. Chory zaczyna mówić monotonnie i niezrozumiale, jego pismo staje się drobne i nieczytelne, następuje coraz większe zesztywnienie mięśni.

## Przyczyny

Powolne zniszczenie pewnych ośrodków mózgowych. Zaburzenie równowagi substancji chemicznych, koniecznych dla czynności systemu nerwowego. Obumierają pewne komórki nerwowe produkujące przekaźnik zwany dopaminą. Źródłem tych procesów może być zatrucie ustroju tlenkiem węgla, ucisk guza mózgu lub zapalenie mózgu. W większości przypadków przyczyna zaburzenia pozostaje nieznana. Również niektóre leki, na przykład stosowane w leczeniu schizofrenii, mogą wywołać chorobę Parkinsona. Objawy parkinsonopodobne występujące po lekach neuroleptycznych ustępują po ich odstawieniu lub, jeśli jest to niemożliwe, mogą zostać złagodzone przez zastosowanie pewnych preparatów np. akinetonu.

## Ryzyko zachorowania

Poza schorzeniem wywołanym przez leki lub zatrucie choroba Parkinsona występuje wyłącznie u osób powyżej pięćdziesiątego roku życia. W niektórych rodzinach schorzenie to występuje częściej.

## Możliwe następstwa i powikłania

Narastające dolegliwości utrudniają w coraz większym stopniu wykonywanie codziennych zadań. W bardzo ciężkich przypadkach parkinsonizmu dochodzi do degradacji psychicznej i depresji. Jednak wiele osób dotkniętych tą chorobą — dzięki odpowiedniemu leczeniu — jest w stanie prowadzić prawie normalny tryb życia.

## Zapobieganie

Jest możliwe tylko wówczas, gdy choroba została spowodowana lekami.

## Kiedy do lekarza?

Pojawiające się z wiekiem drżenie jest zjawiskiem zupełnie normalnym, które nie powinno budzić zaniepokojenia. Jeżeli jednak drżenie nasila się, a do niego dołącza się spowolnienie i utrudnienie ruchów, należy udać się do lekarza.

## Jak sobie pomóc

Choremu należy umożliwić prowadzenie niemal normalnego trybu życia. Nawet małe udogodnienia, jak na przykład fotel z wysokimi poręczami czy dodatkowe poręcze przy schodach, mogą być bardzo pomocne. Istotnym czynnikiem leczenia jest opieka psychosocjalna i życzliwość otoczenia w stosunku do chorego.

## Leczenie

Choroby Parkinsona nie można ani wyleczyć, ani jej zatrzymać. Dolegliwości należy zwalczać lekami dopiero wtedy, gdy stają się bardzo uciążliwe. Leki przeciw parkinsonizmowi mają poważne działanie uboczne, a ich skuteczność zmniejsza się po upływie czterech do sześciu lat. W porozumieniu z lekarzem należy ustalić najmniejszą, jednakże jeszcze skuteczną dawkę leku.

---

### Leki przeciw chorobie Parkinsona

| | | |
|---|---|---|
| Akineton | PK-Merz | Sormodren |
| Madopar | Pravidel | Symmetrel |
| Nacom | Sinemet | Tremarit |

Najważniejsze objawy uboczne: kołatanie serca, uczucie gorąca, suchość ust, mimowolne nagłe ruchy, psychozy, dezorientacja i halucynacje.

---

Leczenie choroby Parkinsona bez stosowania gimnastyki rehabilitacyjnej jest niekompletne. Jeżeli drżenie i/lub sztywność mięśni nie ustępują, można rozważyć tzw. operację stereotaktyczną. Rejon mózgu odpowiedzialny za zaburzenie zostaje zlokalizowany za pomocą EEG i tomografii komputerowej, a następnie operacyjnie zniszczony. Po precyzyjnym przygotowaniu operacji przez doświadczonego lekarza zabieg ten daje częstokroć znaczną poprawę.

## Choroba Alzheimera (otępienie starcze)

### Dolegliwości

Istnieją dwie postacie otępienia typu Alzheimera. Jedna z nich zaczyna się wcześnie, między czterdziestym a sześćdziesiątym piątym rokiem życia, druga powyżej tego wieku. Osoby dotknięte tą chorobą stopniowo tracą pamięć. Nie pamiętają, gdzie pozostawiły przedmioty, powtarzają kilka razy odpowiedzi. Zanika logiczne myślenie, wiedza i umiejętności. Mowa staje się uboga i monotonna. W stadium zaawansowanym tracą zdolność wykonywania codziennych prostych czynności. Nie poznają nawet bliskich. Pod koniec tracą kontrolę nad funkcjami ciała (nietrzymanie moczu, stolca). Natomiast odbieranie wrażeń i uczucia w tej chorobie przez długi czas są zachowane. Dlatego chorzy zdając sobie sprawę ze swego stanu, cierpią z powodu reakcji otoczenia. Często w efekcie rozwija się depresja lub narasta agresywność.

### Przyczyny

Badania mózgu osób zmarłych na chorobę Alzheimera wykazały, że patologiczne złogi blokują wzajemne połączenia komórek nerwowych. Komórki te obumierają i tworzą stwardniałe ogniska w tkance mózgowej. Ogniska te blokują transport substancji. Produkcja związków przekaźnikowych maleje, co upośledza przenoszenie informacji z jednego neuronu na drugi. Do dzisiaj istnieją tylko hipotezy odnośnie do przyczyny choroby. Być może czynnikami sprzyjającymi chorobie są: niewłaściwy tryb życia, niedobory, środowisko, zatrucia, zaburzenia przemiany materii w mózgu. Nie można również wykluczyć pewnej skłonności dziedzicznej. Jednakże choroba Alzheimera nie jest równoznaczna z przyspieszonym, ale poza tym normalnym procesem starzenia, który dotyczy każdego człowieka. Chodzi tu raczej o samodzielną jednostkę chorobową.

### Ryzyko zachorowania

W 12 krajach europejskich, zależnie od wieku (częściej po 65, zwłaszcza po 80 roku życia) otępienie starcze występuje u 1,0 do 32,0% populacji. W Polsce brak na ten temat danych statystycznych

Od chwili pojawienia się pierwszych objawów choroby Alzheimera mija od ośmiu do piętnastu lat, zanim śmierć nie wyzwoli człowieka dotkniętego tą chorobą. W miarę rozwoju choroby wzrasta zależność chorych od opiekunów. Stan chorych pozbawionych opieki wyraźnie się pogarsza. Jednakże rodzina i najbliższe osoby, doglądające chorego, stają się zupełnie bezradne, jeżeli nie korzystają z fachowej pomocy.

### Zapobieganie
Przy obecnym stanie wiedzy o chorobie Alzheimera zapobieganie nie jest możliwe.

### Kiedy do lekarza?
Przy podejrzeniu choroby.

### Jak sobie pomóc
Samemu nie można.

---

### Poradnia dla Chorych z Chorobą Alzheimera
Akademia Medyczna, Klinika Neurologii
02-005 Warszawa, ul. Lindleya 4, tel. (0-22) 628-41-87; 628-33-46

### Polskie Stowarzyszenie Pomocy Osobom z Chorobą Alzheimera
Warszawa, ul. Hoża 54/1

---

### Leczenie
Terapia farmakologiczna nie jest w stanie schorzenia wyleczyć, ale może je łagodzić. Lek hamujący cholinesterazę, np. substancja tacrin (Cognex), jest wprawdzie skuteczny, ale obciążony wieloma działaniami ubocznymi. Tacrin jest jednym z niewielu leków, dzięki któremu możliwa jest znaczna poprawa. Również piracetam (Nootropil, Normabrain) może czasem pomagać. Neuroleptyki mogą łagodzić zaburzenia snu i niepokój. Również metody leczenia ukierunkowane na wykorzystanie przetrwałych możliwości intelektualnych, bez ich przeciążania, stwarzają możliwość korzystnego wpływu na przebieg choroby. W końcowym stadium opieka w domu często staje się niemożliwa. Trzeba wtedy oddać chorego do specjalnego zakładu.

## Stwardnienie rozsiane

### Dolegliwości
Dolegliwości bywają różnorakie i początkowo występują przelotnie. Należą do nich następujące objawy: słabość rąk, drętwienie, drżenie, zaburzenia mowy i wzroku. Zwykle dolegliwości te mijają, niekiedy na stałe. Często jednak pojawiają się ponownie po przerwie trwającej kilka miesięcy, a nawet kilka lat. Niekiedy pewne dolegliwości nie ustępują całkowicie. I tak każdy nowy rzut choroby może oznaczać kolejne, dodatkowe utrudnienie w wykonywaniu codziennych czynności.

### Przyczyny
Plamkowate zniszczenie mieliny otaczającej nerwy w postaci osłonki rdzennej w wielu miejscach układu nerwowego, która jest nieodzowna w celu zaopatrywania w substancje odżywcze lub przewodzenia impulsów nerwowych. Uszkodzenia mogą występować w różnych miejscach mózgu i rdzenia, jednak mogą się również cofać. Jeśli na skutek zniszczenia mieliny dojdzie do uszkodzenia samego nerwu, część dolegliwości pozostaje. Jak dotąd, nie wyjaśniono jeszcze powodów takiego uszkodzenia. Być może przyczyną są „powolne", latami oddziałujące wirusy bądź proces autoimmunologiczny (autoagresja).

### Ryzyko zachorowania
Stwardnienie rozsiane zaczyna się najczęściej między dwudziestym a czterdziestym rokiem życia. Kobiety zapadają na tę chorobę nieco częściej niż mężczyźni.

### Możliwe następstwa i powikłania
W wielu przypadkach choroba przebiega powoli i łagodnie: kolejne rzuty przedzielone bywają wieloletnimi przerwami. Ponieważ w czasie ciąży dolegliwości nasilają się, kobietom chorym na stwardnienie rozsiane radzi się rezygnację z rodzenia dziecka.

### Zapobieganie
Nie jest możliwe.

### Kiedy do lekarza?
Przy podejrzeniu stwardnienia rozsianego należy udać się do neurologa. Lekarz podda badaniu płyn mózgowo-rdzeniowy i na podstawie wyniku będzie mógł ewentualnie ustalić, czy istotnie mamy do czynienia z tym schorzeniem. W niektórych przypadkach konieczne jest ponadto wykonanie warstwowego zdjęcia rentgenowskiego (→ TK, s. 610) lub EEG (→ s. 607).

### Jak sobie pomóc
Wskazana jest jak największa aktywność. Ćwiczenia rozluźniające mogą niekiedy złagodzić przykurcze dotkniętych chorobą mięśni. Pomoc i wymianę doświadczeń można znaleźć w grupach samopomocy pacjentów ze stwardnieniem rozsianym.

### Leczenie
Stwardnienie rozsiane jest chorobą nieuleczalną. Jednak gimnastyka lecznicza ma w terapii tego schorzenia znaczenie podstawowe. Terapeuci, prowadzący leczenie zajęciowe, mogą w istotny sposób dopomóc chorym w pokonywaniu codziennych trudów. Podczas rzutów choroby można w niektórych przypadkach złagodzić jej objawy glikokortykoidami. Leki te wywołują jednak wiele ciężkich objawów ubocznych i tracą

---

### Lektura uzupełniająca
BARCIKOWSKA M.: *Jak radzić sobie z chorobą Alzheimera.* Polskie Stowarzyszenie Pomocy Osobom z Chorobą Alzheimera, Warszawa 1994.
ŚWIĄTEK M.: *Stwardnienie rozsiane. Poradnik dla chorych i ich rodzin.* „Pelikan", Warszawa 1989.

skuteczność w terapii stwardnienia rozsianego, gdy stosuje się je przez dłuższy czas. Niekiedy leki powodujące zwiotczenie mięśni (np. baclofen) mogą przynieść ulgę, w innych przypadkach jednak są przyczyną pogorszenia.

## Guzy mózgu

(→ Nowotwory złośliwe, s. 437)

### Dolegliwości
Dolegliwości mogą być różnorakie w zależności od położenia i rozległości tkanki nowotworowej w mózgu. Często występują bóle głowy nasilające się w pozycji leżącej. Ponadto możliwe są nagłe wymioty, niepoprzedzone nudnościami. Poza tym mogą wystąpić osłabienie lub objawy porażenne w jednej połowie ciała, utrata czucia, zaburzenia równowagi i wzroku oraz napady padaczki.

### Przyczyny
Podobnie jak inne komórki również komórki mózgu mogą przekraczać granice normalnego rozrostu (→ Nowotwory złośliwe, s. 437). Guzy mózgu mogą — zwłaszcza u osób dorosłych — rozwinąć się także w wyniku przerzutu na przykład raka sutka lub płuc.

### Ryzyko zachorowania
Ryzyko zachorowania na nowotwór mózgu jest stosunkowo małe.

### Możliwe następstwa i powikłania
Ponieważ tkanka w obrębie czaszki kostnej może się rozszerzać tylko w ograniczonym stopniu, rosnący guz uciska mocno na mózg. Z tego powodu także i guz łagodny może doprowadzić do śmierci, jeśli w odpowiednim momencie nie nastąpi interwencja chirurgiczna. W bardzo rzadkich przypadkach komórki nowotworowe guza mózgu mogą prowadzić do rozwoju nowotworu rdzenia kręgowego.

### Zapobieganie
Nie jest możliwe.

### Kiedy do lekarza?
Gdy często występują bóle głowy, nasilające się w pozycji leżącej lub przebiegające z nagłymi wymiotami. Posługując się takimi

badaniami, jak warstwowe zdjęcie rentgenowskie (TK→ s. 610 i MR → s. 611), EEG (→ s. 607), lekarz może stwierdzić guz mózgu. Niekiedy konieczne jest wykonanie zdjęcia kontrastowego tętnic mózgowych.

### Jak sobie pomóc
Samemu nie można.

### Leczenie
W wielu przypadkach można operacyjnie usunąć cały nowotwór lub jego część. Czasami konieczne jest leczenie naświetlaniem po zabiegu. Często udaje się złagodzić dolegliwości, jednak tylko przejściowo. Poza tym stosuje się niekiedy leki zmniejszające ciśnienie śródczaszkowe lub preparaty przeciwdrgawkowe.

## Urazy rdzenia kręgowego

### Dolegliwości
Urazy rdzenia kręgowego manifestują się zawsze porażeniami lub znieczulicą. Mogą one być przejściowe lub trwałe. Miejsce porażenia zależy do lokalizacji zranienia. Urazy rdzenia kręgowego w obrębie kręgosłupa szyjnego mogą porazić ręce i nogi, czynności narządów trawiennych, wydalniczych i płciowych oraz upośledzić oddech. Przy zranieniach rdzenia kręgowego w obrębie górnego kręgosłupa piersiowego porażenie dotyka nogi, jak również często narządów wydalniczych, nie obejmując ramion i rąk. Przy urazach rdzenia kręgowego w obrębie dolnej części kręgosłupa piersiowego lub w odcinku lędźwiowym może dojść do porażenia obu nóg.

### Przyczyny
Obrzęki, powstające w wyniku uderzenia lub pociągania, wylew krwi lub przerwanie rdzenia kręgowego.

### Ryzyko zachorowania
Nie każdy uraz kręgosłupa związany jest automatycznie z uszkodzeniem rdzenia kręgowego. To ciężkie następstwo dotyczy dziesięciu do dwudziestu na sto osób dotkniętych urazem kręgosłupa. Specjaliści sądzą, że mniej więcej połowa pacjentów z porażeniem poprzecznym doznała tak ciężkiego następstwa wypadku z powodu nieprawidłowego transportu po wypadku.

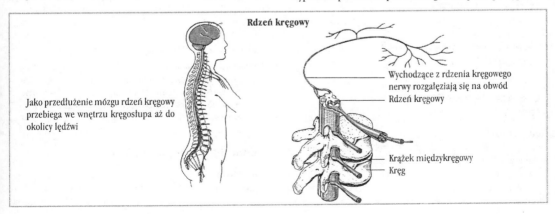

Rdzeń kręgowy

Jako przedłużenie mózgu rdzeń kręgowy przebiega we wnętrzu kręgosłupa aż do okolicy lędźwi

Wychodzące z rdzenia kręgowego nerwy rozgałęziają się na obwód

Rdzeń kręgowy

Krążek międzykręgowy

Kręg

---

### Polskie Towarzystwo Walki z Kalectwem
00-629 Warszawa, ul. Oleandrów 4, tel. (0-22) 25-50-05

### Polskie Forum Osób Niepełnosprawnych i Specjalnej Troski
Warszawa, ul. Jana Olbrachta 94, tel. (0-22) 36-15-93

---

## Możliwe następstwa i powikłania

Każdy uraz rdzenia kręgowego stanowi dramatyczny moment w życiu chorego. Oznacza on najpierw długotrwały pobyt w szpitalu, potem zaś próby uruchomienia i rehabilitacji trwające często latami, a ich efekt nie zawsze daje się przewidzieć. Porażenie poprzeczne równoznaczne jest dla wielu — choć nie dla wszystkich — z uzależnieniem się od opieki innych. Wielu znajdujących się w tej sytuacji chorych może poruszać się tylko w fotelu na kółkach. Niekiedy można powiększyć zakres poruszania się, korzystając z samochodu przystosowanego do obsługi ręcznej. Po urazach rdzenia kręgowego w obrębie kręgosłupa piersiowego lub lędźwiowego chorzy są wprawdzie skazani na poruszanie się w fotelu na kółkach, jednak udaje się zmobilizować ich w takim stopniu, że nie wymagają trwałej pielęgnacji. W następstwie przerwania nerwów często dochodzi do zakażeń pęcherza moczowego, które niepostrzeżenie na drodze wstępującej prowadzą do zapalenia miedniczek nerkowych. Często występują zaburzenia krążenia, wydzielania potu i regulacji temperatury.

## Kiedy do lekarza?

Przy podejrzeniu urazu rdzenia kręgowego należy niezwłocznie wezwać karetkę pogotowia. Chodzi przede wszystkim o udzielenie pomocy nie tyle szybkiej, ile prawidłowej, przy czym najważniejszy jest możliwie stabilny transport chorego na twardej, równej podstawie (→ Ryzyko zachorowania).

## Jak sobie pomóc

Samemu nie można.

## Leczenie

Zależne jest od rodzaju urazu i musi się odbywać w szpitalu. Potem stosuje się zabiegi uruchamiające i rehabilitacyjne.

---

### Lektura uzupełniająca
BEDBROOK G.M.: *Opieka nad chorym z paraplegią*. PZWL, Warszawa 1991.
ZIELIŃSKA-CHARSZEWSKA S.: *Rehabilitacja neurologiczna chorych w domu*. PZWL, Warszawa 1986.

---

## Choroba Heinego i Medina (porażenie dziecięce)

### Dolegliwości

Dziewięćdziesiąt procent zakażeń chorobą Heinego i Medina przebiega tak, że nie zostają one zauważone nawet przez osoby zainfekowane.

Dzieci dotknięte zakażeniem stają się potem odporne na tę chorobę. Wymienione poniżej objawy mogą występować w poda-

nej kolejności, zdarza się jednak również, że zatrzymują się w dowolnym stadium choroby:
— przez dwa do trzech dni gorączka, nudności, bóle pleców i kończyn, chrypka, zaparcie lub biegunka;
— dwa do trzech dni później — bardzo wysoka gorączka, bóle głowy, mięśni, pleców, wymioty;
— osłabienie mięśni, stopniowo przechodzące w porażenie.

### Przyczyny

Zakażenie wirusem polio, atakującym szarą substancję rdzenia kręgowego.

### Ryzyko zachorowania

Im starszy człowiek ulega zakażeniu, tym większe jest ryzyko zachorowania. W przypadku zakażonych niemowląt praktycznie nie dochodzi do porażeń. Choroba Heinego i Medina powodowała niebezpieczeństwo epidemii tak długo, dopóki w krajach o wysokim standardzie życia nie nauczono się strzec niemowląt przed wczesnym zakażeniem. Ryzyko zachorowania wzrasta wówczas, gdy nieszczepione osoby dorosłe przebywają w krajach, w których choroba często występuje (→ Szczepienie, s. 634).

---

### Krajowy Komitet Pomocy Dzieciom Niepełnosprawnym Ruchowo
00-054 Warszawa, ul. Jasna 26, tel. (0-22) 827-78-44

---

## Możliwe następstwa i powikłania

Zakażenie wirusem polio może doprowadzić do niedających się cofnąć porażeń kończyn. Możliwe są też porażenia oddechu i mięśni pęcherza moczowego.

## Zapobieganie

Profilaktyka jest możliwa i polega na szczepieniu (→ Szczepienie, s. 634).

## Kiedy do lekarza?

Przy podejrzeniu zakażenia wirusem Heinego i Medina.

## Jak sobie pomóc

Samemu nie można.

## Leczenie

Choroba Heinego i Medina jest do tej pory nieuleczalna.

---

### Lektura uzupełniająca
FINNIE N.R.: *Domowa pielęgnacja małego dziecka z porażeniem mózgowym*. Agencja Wydaw. „Tor", Warszawa 1994.
MICHAŁOWICZ R., CHMIELIK J.: *Mózgowe porażenie dziecięce. Wskazówki dla rodziców*. Wydaw. Lekarskie PZWL, Warszawa 1997.

---

## Choroba Lyme (borelioza)

### Dolegliwości

Mniej więcej tydzień po ukłuciu (często niezauważonym) przez kleszcza pojawia się wokół miejsca ukłucia okrągła, swędząca, czerwona wysypka, której może towarzyszyć gorączka i bóle kończyn. Po upływie dwóch do sześciu tygodni występują niekiedy silne bóle neuralgiczne. Może dojść do pogorszenia słuchu i upośledzenia smaku. Bardzo często porażeniu ulegają mięśnie połowy twarzy. Zaburzenia rytmu serca i gorączka wskazują na zapalenie mięśnia serca (→ Zapalenie serca, s. 321). Istnieje możliwość dołączenia się bólów kończyn, głowy i karku. Jeżeli choroba nie jest leczona, po miesiącach lub latach pojawia się trzecie stadium objawiające się bólem kolana lub innych stawów. Inne dolegliwości świadczą o uszkodzeniu nerwów. Ponadto mogą wystąpić zmiany skórne.

### Przyczyny
Zakażenie bakteriami (*Borrelia*) przenoszonymi przez ukłucie kleszcza.

### Ryzyko zachorowania
Kleszcze są nosicielami bakterii *Borrelia* w stopniu około stukrotnie częstszym niż wirusa wiosenno-letniego zapalenia mózgu. Stąd ryzyko zachorowania po ukłuciu przez kleszcza na chorobę Lyme jest sto razy większe od ryzyka zachorowania na zapalenie wiosenno-letnie mózgu.

### Możliwe następstwa i powikłania
Uszkodzenie nerwów mózgowych, serca i dużych stawów mogą być trwałe, jeżeli choroba nie została poddana leczeniu we właściwym czasie.

### Zapobieganie
Szczepienie nie zapobiega zachorowaniu na chorobę Lyme. Jedynie celowe zapobieganie schorzeniu polega na takim ubieraniu się przy spacerach, aby kleszcze nie miały dostępu do nagiej skóry.

### Kiedy do lekarza?
Natychmiast gdy wystąpią opisane wyżej dolegliwości. Jednak są one tak mało charakterystyczne, że należy lekarzowi bezwzględnie pomóc w postawieniu diagnozy, informując go o ukłuciu jakiś czas temu przez kleszcza. Badanie krwi może wykazać obecność zarazków. Niekiedy jednak konieczne jest wykonanie w tym celu badania płynu mózgowo-rdzeniowego.

### Jak sobie pomóc
Samemu nie można.

### Leczenie
Stosowanie penicyliny lub cefalosporyny (→ Leki przeciw zakażeniom, s. 621) przez około dwóch tygodni. Uszkodzenia nerwów czaszkowych zwykle cofają się całkowicie.

## Choroby nerwów obwodowych (zapalenie wielonerwowe)

### Dolegliwości
Mrowienie stóp i dłoni. Części ciała stają się bolesne przy dotyku, często zanika czucie drgań. Brak zwykłych odruchów. Występuje osłabienie mięśni.

### Przyczyny
Zapalenie nerwów na skutek zakażenia bakteriami, wirusami i innymi zarazkami. Przyczyną niezapalnych schorzeń nerwów obwodowych mogą być:
— alkoholizm (→ s. 198),
— zatrucie chemiczne, na przykład talem (przemysł przeróbki metali, trucizny na szczury), arsenem (środki ochrony roślin), ołowiem (produkcja farb, przemysł metalowy, wyrób akumulatorów),
— niektóre leki,
— powikłania cukrzycy,
— choroby wątroby i nerek,
— zaburzenia hormonalne,
— zaburzenia przemiany materii.

### Ryzyko zachorowania
Wymienione na pierwszych czterech miejscach pozycje stanowią prawie trzy czwarte przyczyn wszystkich schorzeń nerwów obwodowych. Choroby te występują rzadko u dzieci i młodzieży.

### Możliwe następstwa i powikłania
Większość uszkodzeń w wyniku chorób nerwów obwodowych powstaje na skutek zmniejszenia się odczuwania temperatury i bólu: głębokie rany i zmiany chorobowe, które nie zostają dostrzeżone, ponieważ nie odczuwa się przy nich sygnałów w postaci bólu.

### Zapobieganie
U chorych na cukrzycę (→ s. 449) znaczenie ma wyrównanie cukrzycy, ponadto zaleca się szczególną ostrożność przy pracy z metalami ciężkimi i rozpuszczalnikami.

### Kiedy do lekarza?
Przy zaburzeniach czucia i bólach.

### Jak sobie pomóc
Samemu nie można.

### Leczenie
Nie można wpłynąć na przebieg chorób nerwów obwodowych. Osoby chore powinny usiłować leczyć w odpowiedni sposób chorobę podstawową (→ Cukrzyca, s. 449, → Alkoholizm, s. 198, → Substancje toksyczne w środowisku pracy, s. 787).

## Nerwobóle (neuralgie)

### Dolegliwości
Zwykle ból zjawia się nagle, ma charakter kłujący, trwa zaledwie kilka sekund, może jednak powtarzać się do stu razy na dobę. Czasem ataki bólu wywołane są dotknięciem konkretnych miejsc lub wykonaniem pewnych ruchów. Lekarze określają poszczególne nerwobóle nazwami pochodzącymi od nerwów, które unerwiają teren rozprzestrzeniania się bólu.

*Neuralgia nerwu trójdzielnego*: bóle zwykle w obrębie szczęki górnej i żuchwy.

*Neuralgia międzyżebrowa*: bóle w przestrzeniach międzyżebrowych.

## Przyczyny

Liczne czynniki drażnią nerwy, powodując pojawienie się bólu: zapalenia, bujanie tkanek, blizny. Przy bólach nerwów bez uchwytnych powodów organicznych uzasadnione jest poszukiwanie przyczyn psychicznych i nawiązanie kontaktu z doświadczonym w psychosomatyce lekarzem specjalistą (→ Zaburzenia samopoczucia, s. 175).

## Ryzyko zachorowania

Jest większe u osób w podeszłym wieku.

## Zapobieganie

Nie jest możliwe.

## Kiedy do lekarza?

Gdy wystąpią opisane ataki bólów.

## Jak sobie pomóc

Samemu nie można.

## Leczenie

Lek przeciwbólowy, zawierający wyłącznie paracetamol, rzadko może złagodzić ból (→ s. 620). Akupunktura (→ s. 646), masaż odruchowo-strefowy (terapia neuralna) i znieczulenie przewodowe (→ s. 648) mogą okazać się skuteczne w zwalczaniu nerwobólów. Ciężkie neuralgie wymagają w pewnych okolicznościach leczenia przy użyciu silnych środków przeciwbólowych lub przeciwkurczowych, jak na przykład amizepin lub tegretol. Gdy bóle mają charakter ciągły i są nie do zniesienia, można rozważyć ewentualność wykonania zabiegu przecięcia nerwu. Przedtem jednak należy zasięgnąć rady lekarza psychosomatyka.

## Migrena (połowiczy ból głowy)

Napadowo powtarzające się silne bóle głowy. Zwykle zaczynają się w jednej połowie głowy, następnie powoli rozprzestrzeniają się. Zwiastunem napadu migreny często są wymioty, nadwrażliwość na światło i zaburzenia wzroku, niekiedy mrowienie w jednym z ramion lub dzwonienie w uszach.

## Przyczyny

Patolodzy potrafią bardzo dokładnie opisać przebieg napadu migreny. W okresie poprzedzającym atak naczynia krwionośne w mózgu zwężają się i niedobór tlenu w tkankach wywołuje ból. Zmiany w ukrwieniu wyzwalają cały szereg procesów biochemicznych, które z kolei powodują nasilenie bólów. Na ogół wskazuje się na wiele czynników wyzwalających napady migreny, między innymi czerwone wino, czekolada, niektóre gatunki serów, alkohol, przeciążenie fizyczne, bodźce optyczne, na przykład jaskrawe światło, jak również wiatr halny. W przypadku kobiet za napady migreny „obwinia się": zmiany hormonalne wywołane miesiączką, zażywanie leków, ciążę itp. Jednak stwierdzono, że w przypadku ponad sześćdziesięciu procent osób chorujących na migrenę jej tłem są przyczyny psychiczne. Psychosomatycy ustalili, że osoby cierpiące stale na migrenę charakteryzują się swoistą osobowością. Pokonywanie różnego rodzaju obciążeń w sposób „zdrowy" stwarza im większe trudno-

### Bóle głowy klasterowe

Są formą migreny. Zaczynają się również w jednej połowie głowy, często towarzyszy im łzawienie i wyciek z nosa. Nierzadko występują w środku nocy, utrzymują się przez kilka godzin i po dłuższej, kilkugodzinnej przerwie ponownie powracają. Ataki bólów mogą powtarzać się wielokrotnie w pewnym okresie, ale mogą też zanikać na całe lata. Przyczyny i leczenie takie same jak przy migrenie.

ści niż innym ludziom. Cierpią na rodzaj stałego stresu (→ Zaburzenia samopoczucia, s. 175). Gdy sytuacja stresowa mija, następuje odprężenie również naczyń krwionośnych i wówczas pojawia się ból głowy. W ten sposób można wytłumaczyć ataki bólu pod koniec tygodnia, na początku urlopu lub po powzięciu ważnych decyzji.

## Ryzyko zachorowania

Napady migreny pojawiają się z reguły po okresie dojrzewania płciowego, rzadko natomiast występują po ukończeniu czterdziestego roku życia. Na cztery kobiety przypada trzech mężczyzn cierpiących na migrenę. Większe ryzyko zachorowania dotyczy osób, które w rodzinie mają chorych na migrenę. Nie dowodzi to jednak dziedziczenia połowiczego bólu głowy. Być może dorastająca młodzież uczy się od swoich bliskich pokonywania konfliktów w ten wyzwalający chorobę sposób.

## Możliwe następstwa i powikłania

Migrena może stać się udręką, mimo że z medycznego punktu widzenia nie jest chorobą niebezpieczną. Konieczność częstego przerywania napadów za pomocą leków rodzi niebezpieczeństwo lekozależności, a co za tym idzie — ryzyko uszkodzenia nerek lub wątroby (→ Leki i ich stosowanie, s. 617).

## Zapobieganie

Harmonijny tryb życia (w zgodzie z sobą samym i ze środowiskiem) może zapobiec zaburzeniom czynnościowym, do których należy migrena (→ Zaburzenia samopoczucia, s. 175). Poszczególnym napadom migreny można zapobiegać w ten sposób, że obserwuje się bardzo dokładnie nawyki związane ze snem, jedzeniem itp. (prowadzi się odpowiednie notatki), następnie eliminuje się spośród nich te, które wywołały ból głowy. Osoba, która wcześnie dostrzeże zwiastuny napadu, może mu zapobiec. Czasami wystarczy filiżanka mocnej kawy, ewentualnie z cytryną, lub wczesne zażycie leku przeciwbólowego (→ Leki przeciwbólowe, s. 620).

*Zapobieganie przy użyciu leków*

W przypadku napadów występujących częściej niż dwa razy w miesiącu, można próbować zapobiegać im przez użycie leków, które jednak muszą być przepisane przez lekarza. Trzeba dodać, że żaden z dotychczas stosowanych sposobów nie jest powszechnie uznany.

— Względnie korzystnie działają beta-adrenolityki, np. propranolol, acebutolol, atenolol lub metoprolol. Również pizotyfen (np. w sandomigranie).

— Metysergid (np. deseril retard) może spowodować poważne działania uboczne. Środek ten można zastosować dopiero wówczas, gdy inne leki okazały się bezskuteczne, a i wtedy nie należy zażywać go dłużej niż przez trzy miesiące, i to w najniższej, ale jeszcze skutecznej dawce.

Cinnarizinum, Dixarit, Isoptin, Laroxyl, Polomigran, Sibelium są również skuteczne w profilaktyce migreny, jednakże jeszcze słabo wypróbowane. Po sześciu miesiącach leczenia należy je stopniowo odstawiać.

### Kiedy do lekarza?
Gdy dotąd nie chorowało się na migrenę, a nagle pojawiają się silne bóle głowy z ewentualnymi zaburzeniami wzroku.

### Jak sobie pomóc
Na ogół pewną ulgę przynosi spokój i leżenie w zaciemnionym pokoju. Wielu cierpiącym na migrenę pomaga delikatny masaż barków i wzdłuż kręgosłupa, podobnie jak naświetlanie w podczerwieni. Pomocne są również ćwiczenia odprężające (→ s. 665), które przy regularnym ich uprawianiu zmniejszają równocześnie skłonność do napadów migreny.

> ### Lektura uzupełniająca
> HERZBERG E.: *Migrena*. Zysk i S-ka Wydaw., Poznań 1995.

### Leczenie
Liczne metody spoza medycyny oficjalnej przynoszą pozytywny efekt w leczeniu migreny. Na czele wszystkich tych metod stoi akupunktura (→ s. 646), jak również leczenie segmentowe (→ s. 648) i przezskórna stymulacja nerwowa. Również homeopatia może poszczycić się efektami w leczeniu migreny (→ s. 644). Różne dolegliwości w przebiegu napadu migreny można zwalczać, przepisując następujące leki:
— Metoklopramid (Pespertin) lub domperidon (na przykład Motilium) przeciw nudnościom i wymiotom. Zażyty dziesięć minut przed lekiem przeciwbólowym zapewnia wcześniejszy efekt uśmierzenia bólu.
— Dwie tabletki kwasu acetylosalicylowego lub paracetamolu (→ Leki przeciwbólowe, s. 620), zastosowane jako lek przeciwbólowy.
— Ergotamina — celem skrócenia ataku (np. Ergo-kranit mono, Migrexa).
— Sumatriptan (np. Imigran) nadaje się również do przerwania napadu.

*Uwaga*: Nigdy nie zażywać ergotaminy w większych dawkach lub dłużej niż to zalecił lekarz, gdyż nadmiar tego preparatu może ponownie spowodować ból głowy.

Ponieważ na migrenę prawie zawsze ma wpływ czynnik psychiczny, zaleca się — w przypadku wciąż powtarzających się bó-

> ### Groźba nadużycia leków
> Lekarz powinien regularnie sprawdzać, czy nadal zachodzi konieczność zażywania leków przeciwmigrenowych. Dzięki licznym badaniom naukowym stwierdzono, że co drugi pacjent cierpiący na migrenę wykazuje znaczną poprawę przy stosowaniu tzw. placebo (rzekomy lek, pozbawiony środka działającego).

lów głowy — zasięgnąć rady lekarza, dodatkowo wyszkolonego w psychoterapii (→ Psychoterapia, s. 671).

## Porażenie nerwu twarzowego

### Dolegliwości
W zależności od rodzaju choroby dochodzi do porażeń różnych mięśni jednej połowy twarzy.

Przy każdym ruchu mimicznym twarz ulega zniekształceniu. Porażenie występuje w ciągu kilku godzin i zwykle cofa się po upływie kilku tygodni.

### Przyczyny
Porażenie twarzy występuje najczęściej w następstwie operacji uszu, kiedy to w trakcie zabiegu następuje uszkodzenie nerwu. Porażenia twarzy mogą towarzyszyć zakażeniom, na przykład w chorobie Lyme (→ s. 214). W tzw. porażeniu Bella dochodzi z nieznanych powodów do obrzęku jednego z dwóch nerwów twarzowych w miejscu, w którym opuszcza on kości czaszki.

### Ryzyko zachorowania
Wzrasta przy operacjach uszu.

### Możliwe następstwa i powikłania
W niektórych przypadkach porażenie cofa się już po upływie czterech do sześciu tygodni, w innych — dopiero w ciągu wielu miesięcy. Porażenie może wywołać wyraźne zniekształcenie twarzy. Dlatego osoby chore wymagają wiele współczującego zrozumienia ze strony otoczenia, pomaga im to bowiem przetrwać bez ewentualnego urazu psychicznego do chwili wyzdrowienia. Gdy porażeniem dotknięty jest mięsień powieki, chory nie może w czasie snu zamknąć całkowicie oka, co powoduje wysuszenie spojówki i rogówki oraz uszkodzenie tej ostatniej.

### Zapobieganie
Nie jest możliwe.

### Kiedy do lekarza?
Gdy dochodzi do porażenia twarzy.

### Jak sobie pomóc
Nie można nic uczynić przeciwko porażeniu twarzy. Przy zahamowaniu mrugania można zwilżać rogówkę płynem zastępującym łzy (→ Obciążenia oczu, s. 218).

### Leczenie
Chirurg może próbować ponownie naprawić uszkodzone nerwy lub też zastąpić je przez transplantację zdrowego nerwu. Żadna ze stosowanych dotąd metod farmakologicznych nie udowodniła swej skuteczności.

> ### Lektura uzupełniająca
> BARGUES M.-L.: *Źle słyszę*. Wydaw. W.A.B., Warszawa 1994.
> GÓRALÓWNA M., HOŁYŃSKA B.: *Rehabilitacja małych dzieci z wadą słuchu*. Wydaw. PZWL, Wyd. 2, Warszawa 1993.
> PERIER O.: *Dziecko z uszkodzonym narządem słuchu*. Wydaw. Szkolne i Pedagogiczne, Warszawa 1993.

# OCZY

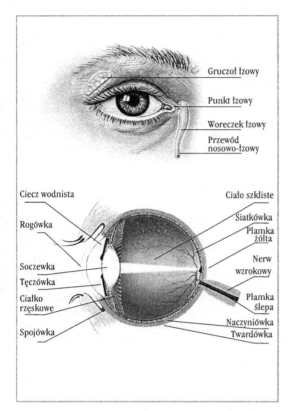

Gruczoł łzowy

Punkt łzowy

Woreczek łzowy

Przewód nosowo-łzowy

Ciecz wodnista

Ciało szkliste

Rogówka

Siatkówka

Plamka żółta

Soczewka

Nerw wzrokowy

Tęczówka

Ciałko rzęskowe

Plamka ślepa

Spojówka

Naczyniówka

Twardówka

Chcąc poznać człowieka, patrzymy mu w oczy. One są „lustrem duszy" i „oknem na świat". Praca oka jest zharmonizowana z całym ustrojem i od niego zależna.

Oko może wykonywać wiele ruchów. Jest ono poruszane przez sześć mięśni znajdujących się w oczodole. Dzięki powiece cienka warstwa płynu łzowego, wydzielanego przez gruczoły łzowe, przy każdym mrugnięciu jest równomiernie rozprowadzana po powierzchni oka. Przed zarazkami gałkę oczną chroni spojówka.

Na ścianę gałki ocznej składają się trzy warstwy:
— skórzasta twardówka, w której części przedniej położona jest przezroczysta rogówka,
— naczyniówka,
— siatkówka, pokrywająca wnętrze oka od jego dna po krawędzie tęczówki.

W środku tęczówki znajduje się otwór źreniczy, a za nim soczewka. Kurczenie się mięśnia rzęskowego zapewnia soczewce taką wypukłość (siłę łamiącą), by wiązka promieni wpadająca do oka utworzyła na siatkówce ostry obraz.

Dwie komory znajdujące się między rogówką i tęczówką regulują ciśnienie wewnątrzgałkowe.

Otoczenie oglądane przez komórki wzrokowe jest odbierane o zmroku jako obraz szary, a przy świetle dziennym jako kolorowy. Impulsy powstałe w komórkach wzrokowych są przenoszone nerwem wzrokowym do mózgu. Tam następuje połączenie obrazów obu oczu w jedno przestrzenne wrażenie wzrokowe.

Światło docierające do siatkówki wyznacza także właściwy dla danego organizmu rytm dobowy oraz wpływa na nastrój.

## OBCIĄŻENIA OCZU

Oczy są nastawione na maksymalną sprawność bez ponoszenia przez to szkody. Podczas stresu i na skutek przemęczenia wydolność wzroku może na jakiś czas zmaleć. Dobre widzenie wymaga dostatecznego oświetlenia, zwłaszcza przy pracach precyzyjnych i czytaniu. Niedostateczny kontrast oko wyrównuje zwiększoną nastawnością (akomodacją). Z upływem czasu mogą się wówczas pojawić bóle oczu. Wraz z wiekiem wzrasta potrzeba oświetlenia.

Bez względu na to, jaką pracę wykonujemy, najkorzystniej jest, gdy światło nie migocze i pada z tyłu w kierunku patrzenia. Przy patrzeniu na ekran telewizora albo przy pracy z komputerem pomieszczenie winno być tak oświetlone, aby źródła światła nie odbijały się od ekranu i nie oślepiały oczu (→ Substancje toksyczne w środowisku pracy — monitory komputerowe, s. 791).

### Jak pomóc zmęczonym oczom
— Oczy należy regularnie poddawać badaniom okulistycznym, a ujawnione wady wzroku korygować.
— Oczom zmęczonym, piekącym i źle widzącym pomaga odprężenie się. W tym celu na kwadrans należy położyć na zamknięte oczy obie dłonie albo ciepły kompres.
— Osoby noszące okulary doznają ulgi, gdy podczas czytania okresowo zdejmują swoje szkła (nie pomaga to przy widzeniu starczym).
— Przez parę minut należy wzrok kierować na bardzo odległy punkt.
— Opuszkami palców należy delikatnie masować czoło, policzki, skronie i łuki brwiowe. Silniej naciskać nasadę nosa.

### Odprężenie dla oczu
Ćwiczenia oczu nie są „gimnastyką mięśni oczu". Nie są też skuteczną metodą leczenia wad refrakcji oczu. Mają natomiast ułatwić postrzeganie bodźców wzrokowych z obrzeży pola widzenia, co zapobiega przeciążeniom i wpływa dodatnio na samopoczucie. Najlepiej, gdy ćwiczenia oczu są opanowywane

w kilkuosobowych grupach, a potem wykonywane w stanie pełnego odprężenia.

## Kojące działanie dłoni

Ułożyć obie dłonie, jak ciepłe czasze, na zamkniętych oczach i przez czas wykonywania kilku głębokich oddechów rozkoszować się tym stanem spoczynku. Potem dłonie odjąć od twarzy, pomrugać parę razy i skupić uwagę na postrzeganym obrazie otoczenia.

## Ruchy wahadłowe i okrężne

Mając zamknięte oczy, należy sobie wyobrazić długie wahadło, które w wolnym tempie wprawia się w wahania o dużej amplitudzie. Końcem nosa podążamy za tym ruchem, wprawiając głowę w swobodne wahania. Innym razem głowa może wykonywać ruchy po torze wyobrażonej ósemki. Te ćwiczenia usuwają sztywność karku. Nie są one wskazane dla osób z silną krótkowzrocznością, ponieważ mogą spowodować zmiany siatkówki. Wzrok poprowadzić wokół przedmiotu postrzeganego na najdalszym horyzoncie, powtarzając całą głową ruchy oczu. Po kilkakrotnym mruganiu należy oczy zamknąć, przypomnieć sobie kilka szczegółów uprzednio oglądanego obrazu, po czym oczy otworzyć i skonfrontować stan rzeczywisty z wyobrażonym obrazem.

## Ćwiczenie ruchów zbieżnych

Po wyprostowaniu i wyciągnięciu przed siebie sprawniejszej ręki, palec wskazujący poprowadzić powolnym ruchem w kierunku oczu, śledząc jego ruch wzrokiem. Wielokrotne powtórki tego ćwiczenia należy przedzielić przykładaniem dłoni do oczu i postępowaniem opisanym wcześniej. Kojące działanie dłoni kończy też ćwiczenia zbieżności oczu.

Jedno oko należy przykryć dłonią. Drugim okiem spoglądać na palce drugiej ręki, która w tym czasie wykonuje szybkie ruchy w różnych kierunkach i odległościach. To ćwiczenie jest obciążeniem dla mięśni oczu, dlatego winno być wykonywane każdym okiem nie dłużej niż pięć minut. Również w tym przypadku należy zakończyć kojącym działaniem dłoni.

## Odprężający masaż oczu

Usiąść w zupełnym rozluźnieniu. Opuszkami palców należy masować czoło, policzki i skronie, wykonując ruchy okrężne od środka czoła na zewnątrz. Trzy palce przykładamy do sklepienia oczodołu, wywierając ucisk w kierunku jego kostnej krawędzi. Potem kładziemy palce na zamknięte oczy i masujemy je delikatnymi ruchami okrężnymi. Ucisk wywierany kciukiem i palcem wskazującym na punkty akupresurowe na bocznych powierzchniach grzbietu nosa doprowadza także do odprężenia.

## Zużyte powietrze

Wśród wielu toksyn wprowadzanych do powietrza przez przemysł i środki transportu najagresywniejszym związkiem jest dwutlenek siarki, który dla oczu jest zawsze czynnikiem drażniącym. Związki z grupy węglowodorów oraz metale ciężkie oddziałują negatywnie na ostrość wzroku (→ Zanieczyszczenie powietrza, s. 779). W mieszkaniu drażniąco działa obok innych toksyn zawartych w dymie papierosowym przede wszystkim form-

### Preparaty skuteczne podczas krótkotrwałego stosowania zastępczego płynu łzowego:

| | | |
|---|---|---|
| Isoptol-Fluid | Protagent | Liquifilm |
| Isopto-Naturale | Okuzell | |

aldehyd (→ Trucizny w mieszkaniu, s. 758) i chemikalia stanowiące składnik aerozoli. Każdy, kto stosuje chemiczne środki czyszczące, piorące i konserwujące, winien chronić oczy przed ich parami oraz unikać dotykania oczu zanieczyszczonymi rękami. Oko powinno być zawsze zwilżane i obmywane cieczą łzową. Komfort oczu i ostrość widzenia zależą od istnienia na powierzchni oka cienkiej warstwy cieczy łzowej.

## Jak pomóc suchym oczom

Przegrzane pomieszczenia, dym tytoniowy, perfumy i aerozole wywołują swędzenie, pieczenie i ból oczu.

Ozon wydzielany przez drukarki laserowe i będący składnikiem letniego smogu doprowadza do zanikania filmu łzowego (cienkiej warstwy płynu łzowego) na powierzchni oczu. Do wysychania filmu łzowego, chroniącego gałkę oczną, doprowadzają również pyły oraz bakterie rozpraszane w pomieszczeniach przez urządzenia klimatyzacyjne i układy wydechowe samochodów.

— Jeśli to możliwe, należy wyłączyć nadmuch powietrza.
— W celu zapewnienia powietrzu dostatecznej wilgotności w okresie grzewczym rozwieszać mokre chusty. Nie używać elektrycznych nawilżaczy!
— Stosować przerwy w pracy i w tym czasie częściej mrugać.
— Dolegliwość można zmniejszyć, zakraplając do oczu płyny zastępujące łzy. Gdy dany preparat zawiera w swoim składzie środki konserwujące, jego dłuższe stosowanie może także doprowadzić do podrażnienia oczu.
— Nie płukać oczu herbatkami. Ostatnio zauważono, że mogą one działać drażniąco i być przyczyną infekcji.
— Nie stosować „wybielaczy" (preparatów zwężających naczynia krwionośne). One też powodują wysychanie oczu i nasilają dolegliwości.

## Wadliwe oświetlenie

Dostateczne oświetlenie jest warunkiem dobrego widzenia. Szczególnie ważne jest ono przy czytaniu i wykonywaniu precyzyjnej pracy. Gdy oświetlenie nie zapewnia wystarczającego kontrastu, stwarzając warunki długotrwałego widzenia zmierzchowego, wówczas oko podejmuje większy wysiłek do przystosowania się, co z czasem może prowadzić do odczuwania bólu oczu.

Natężenie oświetlenia zapewniające komfort widzenia oraz wrażliwość na olśnienia są zależne od wieku i zwiększają się wraz z nim.

## Cechy prawidłowego oświetlenia

— Źródło światła winno być umieszczone nieco poza polem widzenia. U praworęcznych po lewej, u leworęcznych po prawej stronie.
— Wskazane jest wykonywanie prac przy świetle dziennym.

**Lektura uzupełniająca**

LEYDHECKER W., GREHN F.: *Oczy. Poradnik dla każdego.*
PZWL, Warszawa 1998.

Oświetlenie sztuczne winno być zbliżone do normalnego
światła białego. Migocące świetlówki mogą powodować bóle
głowy i zaburzenia wegetatywne.

— Podczas oglądania telewizji pomieszczenie winno być tak
oświetlone, aby źródła światła nie odbijały się na ekranie i nie
powodowały olśnienia oczu.

## Obciążenia wzroku na stanowisku pracy

### Postawa siedząca

Zła postawa siedząca doprowadza do przeciążeń szyjnego odcinka kręgosłupa, co może być powodem przejściowych zaburzeń
widzenia. Odpowiedzialność za prawidłowe zorganizowanie stanowiska pracy ponosi pracodawca. Kompetentnych informacji
dotyczących tego zagadnienia udzielają służby BHP oraz inspek-
torzy pracy.

Praca precyzyjna nie powinna powodować dolegliwości
oczu, jednakże podczas jej wykonywania mogą się ujawnić istniejące zaburzenia, które dotąd nie przeszkadzały. Wady wzroku
muszą być dokładnie skorygowane (→ s. 221), by nie były przyczyną przeciążeń.

### Praca z wykorzystaniem monitorów ekranowych

Posługiwanie się monitorami ekranowymi jest dla oka pracą
„nienaturalną". Oko człowieka jest przystosowane do spoglądania na przedmioty znajdujące się w odległości około 33 cm oraz
do patrzenia w dal, na odległości przekraczające 5 m. Długotrwałe patrzenie na ekran znajdujący się w odległości 50-60 cm
stanowi zatem dla oka znaczne obciążenie.

Konsekwencją wielogodzinnej pracy przy monitorach ekranowych jest zespół przemęczenia, na który składają się takie objawy, jak: nienaturalna postawa ciała, napięcia, nerwowość, bóle
głowy oraz dolegliwości ze strony oczu: pieczenie, migotanie widzianego obrazu, okresowa krótkowzroczność. W większości przypadków dolegliwości te ustępują pod wpływem przerw wypoczynkowych. Obecnie przyjmuje się, że stała praca z monitorami
ekranowymi może prowadzić do trwałego ograniczenia zdolności oka do nastawienia się na właściwą odległość (zdolności do
akomodacji). Wskazuje to na potrzebę przestrzegania zalecenia
zmiany pracy po maksymalnie dwugodzinnej obsłudze monitora ekranowego lub zapewnienia po tym czasie odpowiedniej
przerwy.

Monitory ekranowe i telewizory są ponadto źródłami promieniowania rentgenowskiego, cieplnego, mikrofal, fal radio-
wych i promieniowania pozafioletowego. Natężenie wymienionych promieni i fal oraz dawki docierające do operatorów monitorów ekranowych i osób oglądających telewizję są tak małe, że
zgodnie z aktualnym stanem wiedzy istotne ryzyko dla zdrowia
jest wykluczone.

### Obciążenie promieniami i falami

Promienie rentgenowskie (w zawodach medycznych), promie-

nie podczerwone (wielkie piece, kuźnie, dmuchacze szkła),
promienie ultrafioletowe (spawacze, mierniczy, zawody medyczne), promienie laserowe (branża rozrywki), mikrofale
(instalacje radarowe) i niskie temperatury (chłodnie przemysłowe) mogą doprowadzić do uszkodzenia oczu. Osoby,
których praca jest związana z narażeniem na wymienione
czynniki, powinny stosować odpowiednie okulary ochronne.
Ich dostarczenie jest obowiązkiem pracodawcy.

Z najnowszych spostrzeżeń wynika, że także hałas wytwarzany przez pracujące silniki może zaburzyć sprawność wzroku
(widzenie przestrzenne, widzenie nocne, ocena odległości).

### Substancje trujące w środowisku pracy

Niemal w połowie wszystkich chorób zawodowych pojawiają
się także dolegliwości oczne. Wśród niezliczonych związków
chemicznych, na jakie narażeni są pracownicy, rozpoznano
około sześciuset substancji, które wskutek bezpośredniego
kontaktu lub przez działanie ich par wywołują uszkodzenia
oczu.

Pracownicy winni żądać od zakładu pracy, by:
— stężenia związków chemicznych w środowisku pracy nie

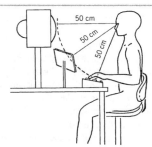

Ekran monitora, stojak na rękopis (materiały źródłowe) i kla-
wiaturę należy rozmieścić w taki sposób, aby ich odległość od
oka wynosiła w każdym przypadku 50 cm.

Ekran nie powinien powodować odbić. Nie zaleca się stosowania filtrów wstępnych.

Ekran winien być kontrastowy. Najlepsze są czarne znaki na
jasnym tle. Gdy znaki są czerwone lub niebieskie, oko zachowuje się tak, jakby było krótkowzroczne. Należy unikać migotania znaków.

Także pismo rękopisów i materiałów źródłowych winno cechować się dostatecznym kontrastem.

Krzesło operatora winno być obrotowe i pozwalać na zmianę
wysokości. Płyta stołu winna być z drewna, dla uniknięcia
jej elektrostatycznego naładowania. Podejmując pracę przy
komputerach, należy zadbać o coroczną kontrolę wzroku
i ewentualną korektę wykrytych wad.

Przy doborze szkieł korekcyjnych należy pamiętać o uwzględ-
nieniu odległości przedmiotów pracy wzrokowej (→ Okulary,
s. 228). Praca przy monitorach ekranowych i komputerach
winna być często przerywana.

Informacji na temat zasad kształtowania stanowisk pracy przy
komputerach i monitorach ekranowych należy poszukiwać
w podręcznikach i opracowaniach z zakresu ergonomii.

przekraczały oficjalnie określonych NDS (najwyższych dozwolonych stężeń) średnich i chwilowych,

— związki toksyczne były poprzez ich odsysanie eliminowane z przestrzeni pracy, a samo pomieszczenie było wentylowane sposobem nawiewnym i wywiewnym,

— chronione było zdrowie także przez stosowanie ochron (dróg oddechowych i okulary ochronne, ekrany chroniące przed odpryskami).

Kto w miejscu pracy jest narażony na wpływ takich czynników, może doznać uszczerbku zdrowia pomimo przestrzegania wszelkich zasad ochrony, a to na skutek współdziałania szkodliwych używek. Alkohol na przykład sprzyja wchłanianiu i nasila działanie trucizn. Palenie papierosów również zwiększa drażniące działanie pyłu, gazów oraz wiatru i urządzeń klimatyzacyjnych.

### Związki chemiczne szkodliwe dla oczu

| | |
|---|---|
| Arsen | Siarczek węgla |
| Chrom | Węglowodory chlorowcowane |
| Mangan | Benzen |
| Tal | Metanol |
| Wanad | Pestycydy |
| Tlenek węgla | Związki fosforoorganiczne |
| Siarkowodór | Metan |

# WYPADKI I SKALECZENIA

## Skaleczenia proste

Pył, rdza i małe ciała obce są zwykle wymywane z oka przez łzy. Można sobie również pomóc, przemywając oko strumieniem wody. Gdy ciało obce jest widoczne, można podjąć próbę jego usunięcia, przecierając gałkę oczną czystą chusteczką w stronę wewnętrznego kącika oka. Przy braku powodzenia wskazana jest pomoc okulisty (→ Wrzód rogówki, s. 234).

## Zadrapanie rogówki

Każde zadrapanie rogówki może być przyczyną powstania owrzodzenia. Z tego powodu należy przy każdym, nawet najmniejszym zadrapaniu, zwrócić się o pomoc do lekarza okulisty. Skaleczenia rogówki wygajają się bardzo szybko, pod warunkiem nałożenia na oko opatrunku i pozostawienia oka na czas od jednego do trzech dni w spokoju. W żadnym razie nie wolno stosować leków zawierających kortyzon.

## Skaleczenia poważne

Podczas frezowania, szlifowania i dłutowania może dojść do wbicia się odłamka do wnętrza oka. Ponieważ rogówka natychmiast znów się zamyka, trudno samemu to zauważyć. Gdy oko po wykonaniu takich prac ulega zaczerwienieniu, należy na oboje oczu nałożyć opatrunek i udać się po pomoc do okulisty. Odłamki tkwiące wewnątrz gałki mogą być przyczyną infekcji grożącej utratą wzroku. Do lekarza należy się także udać wówczas, gdy wskutek skaleczenia pojawia się silny ból, zaczerwienienie,

kurcz powiek, łzawienie i światłowstręt. Do chwili kontaktu z lekarzem specjalistą należy oczy osłonić sterylną chustą.

### Skaleczenie powieki

Pomocy należy szukać i uzyskać w oddziałach okulistycznych, a nie chirurgicznych.

### Uderzenia

Uderzenia piłką, śnieżką, pięścią, strumieniem wody albo sprężonego powietrza mogą spowodować ciężkie uszkodzenia wewnętrznych struktur oka. Gdy po takim uderzeniu pojawia się tzw. siniak pod okiem, należy koniecznie zgłosić się do lekarza okulisty.

### Jak sobie pomóc przy siniaku oka

Siniak oka można zmniejszyć, stosując zimne okłady (→ Okłady zimne, s. 641). Zażycie witaminy C oraz owocu papai przyspiesza proces gojenia wylewu krwi. Stłuczenia gałki ocznej mogą być powodem ciężkich uszkodzeń wewnętrznych oka.

### Skaleczenia substancjami żrącymi

W przypadku dostania się do oka ługu (środki piorące, niegaszone wapno, chemikalia) albo kwasu (z akumulatorów, w zakładach metalurgicznych lub w laboratoriach), a także gdy oko ma kontakt ze środkami do oprysków, konieczne jest szybkie działanie. Oczy trzeba natychmiast przepłukać dużą ilością wody. W tym celu należy palcami szeroko rozsunąć skurczone powieki.

W sytuacjach wyjątkowych, przy braku wody, płukanie oczu należy przeprowadzić herbatą, kawą lub coca-colą. Nie nadaje się do tego celu mleko. Po nałożeniu sterylnego opatrunku należy natychmiast udać się do lekarza okulisty. Jeśli to możliwe, należy zabrać ze sobą etykietę z opakowania zawierającego żrącą substancję.

# WADY WZROKU

Wady refrakcji oka nie są chorobą. Odchylenia do 3 dioptrii są dziś uważane za biologiczną odmianę stanu normalnego. Częściej niż krótkowzroczność spotykana jest dalekowzroczność. Starczowzroczność występuje u wszystkich ludzi, najpóźniej po przekroczeniu pięćdziesiątki. Powyżej tego wieku mogą także pojawić się inne zaburzenia starcze i zmiany chorobowe oka. Dlatego, kierując się zdrowym rozsądkiem, należy od czterdziestego roku życia poddawać swoje oczy kontroli okulistycznej w odstępach rocznych lub dwuletnich.

Biologiczny rozwój oczu oraz ich mechanizmu zgodnego współdziałania i współpracy z mózgiem kończy się dopiero po przekroczeniu trzeciego roku życia. Ćwiczenia i aktywacja pozostałych zmysłów wpływa korzystnie na rozwój oczu. Niemowlęta, które są często noszone na rękach, szybciej i lepiej opanowują umiejętność widzenia. Masowe badania dzieci szkolnych w Niemczech ujawniły, że połowa uczniów noszących okulary widzi niedostatecznie. Natomiast co dziesiąty dorosły jest obciążony znacznym ubytkiem ostrości widzenia jednego oka i utracił zdolność widzenia przestrzennego. Dałoby się temu zapobiec poprzez wczesne podjęcie leczenia zaburzeń odpowiedzialnych za ten nieprawidłowy stan wzroku dorosłych, które pojawiły i rozwinęły się jeszcze w wieku przedszkolnym.

Jest bardzo ważne, aby rodzice dotrzymywali terminów badań zapobiegawczych i poddali swoje dziecko w trzecim roku życia kontroli okulistycznej.

*Objawy wskazujące na istnienie wady wzroku*
Gdy dziecko
— skarży się na bóle i zawroty głowy, na zmęczenie przy oglądaniu przedmiotów znajdujących się w niewielkiej odległości, okresowo zbieżnie zezuje, może mieć oczy dalekowzroczne;
— często mruga i zaciska powieki, przy patrzeniu w dal ustawia głowę ukośnie, może mieć oczy krótkowzroczne;
— często się potyka, uderza o przedmioty otoczenia, sięgając po coś, nie trafia do celu, pociera oczy albo jedno oko zamyka, ołówkiem nie trafia w narysowaną linię, błędnie odpisuje litery, może to wskazywać na osłabienie jednego oka.

W przypadku zauważenia takich objawów należy udać się z dzieckiem do lekarza okulisty.

*Dlaczego nie wszyscy ludzie widzą ostro*
Oko tworzy ostre obrazy, gdy istnieje właściwy stosunek pomiędzy siłą łamiącą soczewki i długością osi gałki ocznej.

Siła łamiąca jest zdolnością systemu optycznego do skupiania wpadających promieni. Mierzona jest w dioptriach. Jedna dioptria odpowiada sile łamiącej soczewki, która promienie świetlne ogniskuje w odległości jednego metra od niej. Oko ma zdolność przystosowania swojej siły łamiącej do odległości (akomodacja). Gdy oglądany przedmiot się przybliża, źrenica się zwęża, a soczewka staje się wypukła. Przy słabszym oświetleniu i zwiększaniu się odległości źrenica poszerza się, a soczewka wiotczeje.

Gdy brak zgodności długości osi (czyli odstępu od środka rogówki do środka siatkówki) i siły łamiącej soczewki oka, wiązka promieni nie jest ogniskowana dokładnie na siatkówce. W przypadku skupienia się promieni biegnących przed okiem równolegle w punkcie znajdującym się przed siatkówką, przedmioty umieszczone w większej odległości są widziane nieostro. Takie oko jest krótkowzroczne. W razie skupienia się promieni poza siatkówką, oko jest dalekowzroczne.

## Nadwzroczność

### Dolegliwości
Przedmioty znajdujące się w dużej odległości widzi się ostro, natomiast umieszczone w pobliżu — są zamazane.

### Przyczyny
W większości przypadków gałka oczna już od urodzenia jest za krótka. Obraz powstaje w takim oku nie dokładnie na siatkówce, lecz poza nią. Odpowiednio do „planu budowy" gałka oczna ulega w okresie ogólnego wzrostu wydłużeniu.

### Ryzyko
Około 55% ogółu ludności to osoby dalekowzroczne, choć nie

w każdym przypadku wada nasilona jest do tego stopnia, że wymagane jest noszenie okularów.

### Możliwe skutki i powikłania
W młodym wieku oczy potrafią swoją dalekowzroczność skompensować. Dzieje się to jednak kosztem przeciążenia mięśnia soczewkowego. Konsekwencją jest pojawianie się bólu głowy, oczu, okresowego zbieżnego zeza i szybkiego zmęczenia. Gdy istniejąca wada nie zostanie wyrównana odpowiednimi okularami, zez może się utrwalić. Następstwem tego może być ograniczenie ostrości wzroku jednego oka. Osobom dalekowzrocznym zagraża częściej niż innym w późniejszym wieku jaskra (→ s. 236).

### Zapobieganie
W grę wchodzi dostatecznie wczesna kontrola u lekarza okulisty oraz noszenie okularów lub soczewek kontaktowych.

### Kiedy do lekarza?
Z chwilą pojawienia się wyżej opisanych dolegliwości lub zauważenia zbieżnego zeza. Dla dzieci istotne znaczenie ma przestrzeganie terminów badań profilaktycznych i poddawanie ich od trzeciego roku życia regularnym kontrolom okulistycznym.

### Jak sobie pomóc
Ćwiczenia oczu nie pomagają nadwzrocznym.

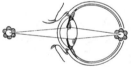

**Oko miarowe, widzące prawidłowo**

Wiązka promieni świetlnych zbiega się na siatkówce. Obraz jest ostry

**Oko krótkowzroczne**

Wiązka promieni świetlnych skupia się przed siatkówką. Obraz jest nieostry

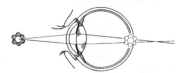

**Oko nadwzroczne**

Wiązka promieni świetlnych skupia się za siatkówką. Obraz jest nieostry

## Leczenie

Lekarz okulista winien możliwie wcześnie przepisać okulary mające wypukłe soczewki (→ Okulary, s. 228). Takie szkła przybliżają i powiększają oglądane przedmioty, natomiast trójwymiarowa przestrzeń jawi się bardziej płasko.

Soczewki kontaktowe (→ s. 229): Dzięki nim możliwe jest skorygowanie nadwzroczności, nie mają natomiast wpływu na rozwój samej niemiarowości oka.

# Krótkowzroczność

## Dolegliwości

Krótkowzroczni widzą ostro przedmioty z odległości do pięciu metrów. Przy odległości większej obraz jest zamazany.

## Przyczyny

Obraz odległych przedmiotów powstaje przed siatkówką. Sporadycznie jest to wynikiem zbyt dużej wypukłości rogówki lub soczewki. Najczęściej chodzi o zbyt długą gałkę oczną. Dotychczas przyczyna nadmiarowego wzrostu gałki nie jest znana.

Istnieją dwa rodzaje krótkowzroczności. Przy krótkowzroczności szkolnej wada się nasila w młodym wieku i proces ten kończy się przed dwudziestym piątym rokiem życia, a sama wada nie przekracza −6 dioptrii. Tylko u znikomej liczby osób wydłużanie się gałki ocznej nadal postępuje do późnego wieku. Ten rodzaj krótkowzroczności o charakterze degeneratywnym jest dziedzicznie uwarunkowany.

## Ryzyko

Krótkowzroczność może się przemijająco nasilić pod wpływem przeciążeń psychicznych, fizycznych, złego oświetlenia i złych warunków pracy. Takie leki, jak: sulfonamidy i acetazolamid oraz mechaniczne urazy i wzrost poziomu cukru we krwi mogą wywoływać przemijającą krótkowzroczność. Starcze zmętnienie soczewki ocznej zmienia ostrość wzroku w kierunku krótkowzroczności. W pewnych okolicznościach dalekowzroczni mogą wówczas odzyskać zdolność do czytania bez okularów. Przestrojenie hormonalne organizmu następujące podczas ciąży może w sposób trwały istniejącą krótkowzroczność nasilić.

## Możliwe następstwa i powikłania

Osoby krótkowzroczne cechuje też często „ślepota nocna". Z tego powodu powinny unikać jazdy samochodem nocą. W przypadku krótkowzroczności osiągającej −6 do −8 dioptrii (myopia średnia) częściej pojawiają się uszkodzenia siatkówki. Krótkowzroczność degeneratywna może doprowadzić do odklejenia się siatkówki i jej krwawień, a przez to do utraty zdolności ostrego widzenia.

## Zapobieganie

Unikać należy pracy nocnej, pracy w pomieszczeniach sztucznie oświetlonych. Gdy jest to niemożliwe, należy zadbać o to, aby
— pomieszczenie nie było oświetlone równomiernie,
— stanowisko pracy było zawsze oświetlone odpowiednio do zadania, jakie się wykonuje,
— odległość pomiędzy obiektem pracy wzrokowej a oczami (przy czytaniu 35-40 cm, przy obsłudze monitorów komputerowych 50 cm) była dokładnie utrzymywana.

Unikać należy przemęczenia spowodowanego długotrwałą pracą precyzyjną. Gdy oczy są zmęczone, należy stosować przerwy w pracy, do momentu odczucia wyraźnego odprężenia.

Osoby obciążone krótkowzrocznością znaczniejszego stopnia winny profilaktycznie, aby uniknąć krwawień wewnątrzgałkowych, przestrzegać zakazu wykonywania ciężkiej pracy fizycznej. Ponieważ krótkowidze często są także nadwrażliwi na światło, powinni przy słonecznej pogodzie nosić okulary przeciwsłoneczne. Okulary przeznaczone do noszenia wewnątrz pomieszczeń wymagają tylko małego przyciemnienia.

## Kiedy do lekarza?

Zawsze wtedy, gdy zauważamy, że ostre postrzeganie przedmiotów w dużej odległości wymaga przymykania powiek. Krótkowzroczne dzieci przez długi czas nie uświadamiają sobie swojej wady wzroku. Regularne badania kontrolne wykonywane przez lekarza okulistę pozwalają na wczesne wykrycie degeneracji siatkówki. Program takiego badania winien objąć koniecznie też biomikroskopię siatkówki i naczyniówki oka. Nie są to badania stosowane rutynowo, dlatego należy się o nie u okulisty upomnieć.

## Jak sobie pomóc

Krótkowidz z wadą nieprzekraczającą −0,75 dioptrii nie odczuwa jako uciążliwości zmniejszonej ostrości obrazu przedmiotów znajdujących się w dali i rezygnuje z noszenia okularów korekcyjnych. Stosując odpowiednie ćwiczenia oczu (→ s. 218), można opanować umiejętność widzenia bez szkieł korekcyjnych.

Natomiast w interesie ogółu obowiązkowe jest noszenie okularów podczas udziału w ruchu ulicznym. Odprężanie się fizyczne i psychiczne powoduje także odprężenie oczu i może się przyczynić do złagodzenia krótkowzroczności. Szczególnie skuteczne są pod tym względem ćwiczenia oddechowe (→ s. 657).

## Leczenie

*Okulary*

W grę wchodzą okulary mające soczewki wklęsłe. Przez nie wszystkie przedmioty wydają się mniejsze, a pomieszczenie głębsze, podłoże bliższe. Przy spoglądaniu przez brzeżne części okularów linie proste jawią się jak zgięte, tym wyraźniej, im wada jest bardziej nasilona.

Z czasem, dzięki „doświadczaniu", mózg koryguje zniekształcony obraz, który wówczas wydaje się znów normalny. Gdy konieczna jest zmiana okularów na większe lub silniejsze, albo przy przestawieniu się na noszenie soczewek kontaktowych, konieczne jest uwzględnienie tego faktu przez nasz mózg, który na przestawienie potrzebuje kilku dni. Do czasu przystosowania się mogą być odczuwane bóle głowy, zawroty, a oglądane obrazy wydają się zagięte.

*Soczewki kontaktowe*

Przy ich stosowaniu brzeżne części obrazu nie są zamazane. Nie jest wykluczone, że stosowanie soczewek kontaktowych może u młodocianych powstrzymać proces pogarszania się krótkowzroczności.

*Keratotomia promienista — zabieg chirurgiczny na rogówce*
Promieniste nacięcie rogówki w przypadku krótkowzroczności wynoszących do 6 dioptrii może około 90% operowanych przywrócić niemal normalny wzrok. Jednakże ostrość widzenia jest zmniejszona, pojawiają się problemy powodowane przez blizny i operowani wykazują nadwrażliwość na światło.

*Zabiegi wykonywane laserem (excimer)*
Laserem usuwa się cienką warstwę w środku rogówki. Taki zabieg jest skuteczny tylko przy umiarkowanej krótkowzroczności, po nim pojawia się silny ból i przez szereg miesięcy — a niekiedy na stałe — pozostaje widzenie zamglone i zmniejszona ostrość wzroku.

*Żywe soczewki kontaktowe (epikeratoplastyka)*
Leczeniu tą metodą poddają się przypadki silnej krótkowzroczności, braku soczewki ocznej i ekstremalnego uwypuklenia rogówki (*keratokonus*). Zabieg polega na naszyciu na rogówkę oka krótkowzrocznego specjalnej soczewki wyszlifowanej z rogówki pobranej od dawcy. Tylko sporadycznie zdarzają się komplikacje podczas wgajania się przeszczepu. W razie potrzeby można tę dodatkową „soczewkę" usunąć, wszywając w jej miejsce kolejną. Zabieg ten może być przeprowadzony ambulatoryjnie, ale przez pierwsze dwa miesiące wskazany jest oszczędny tryb życia, ponieważ przezierność rogówki zoperowanego oka nie jest w tym czasie jeszcze pełna.

W USA takie zabiegi są wykonywane dość często, natomiast w Europie są one dostępne w nielicznych szpitalach.

## Niezborność (astygmatyzm)

### Dolegliwości
Oglądane przedmioty są widziane w postaci zniekształconej, jakby znajdowały się „pod wodą". Rzeczywisty punkt jawi się w określonym kierunku jako kreska. Osoby mające wadę astygmatyzmu są często również krótko- lub dalekowidzami.

### Przyczyny
Zwykły astygmatyzm polega na skrzywieniu rogówki i jest prawdopodobnie uwarunkowany dziedzicznie. Tak zwany nieregularny astygmatyzm jest wynikiem procesów chorobowych toczących się w obrębie rogówki. W grę wchodzą zbliznowacenia rogówki po skaleczeniach lub stanach zapalnych albo ekstremalne jej uwypuklenia.

### Ryzyko
Astygmatyzm nieregularny będący wynikiem skaleczeń, stanów zapalnych lub owrzodzeń rogówki może się nasilić.

### Możliwe następstwa i powikłania
Brak korekcji astygmatyzmu jest przyczyną bólu i zaczerwienienia oczu przy wykonywaniu precyzyjnej pracy wzrokowej.

### Zapobieganie
Nie jest możliwe.

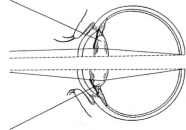

**Akomodacja soczewki oka**
Podczas spoglądania w dal mięsień soczewkowy jest w rozkurczu, soczewka się wydłuża, a jej zdolność do załamywania promieni maleje.

Przy patrzeniu na małą odległość mięsień soczewki się kurczy, soczewka się uwypukla, a jej siła łamiąca wzrasta.

### Kiedy do lekarza?
Z chwilą wystąpienia opisanych dolegliwości.

### Jak sobie pomóc
W rzadkich przypadkach udaje się spowodować wycofanie się astygmatyzmu dzięki konsekwentnie wykonywanym ćwiczeniom rozluźniającym i ćwiczeniom oczu (→ s. 220 i 665).

### Leczenie
*Okulary*: Do korekcji astygmatyzmu stosowane są soczewki cylindryczne. W przypadku równoczesnego istnienia wady krótko- lub dalekowzroczności potrzebne są soczewki uwzględniające obie wady.
*Soczewki kontaktowe*: Najlepszą korektę astygmatyzmu zapewnia twarda soczewka kontaktowa (→ s. 230). Znaczne zniekształcenia rogówki mogą być skorygowane na drodze przeszczepu biologicznej soczewki wykonanej z rogówki dawcy (→ s. 224).

## Starczowzroczność

### Dolegliwości
Po przekroczeniu czterdziestego roku życia przedmioty oglądane z bliska dają obrazy zamazane.

### Przyczyny
Soczewki oczu ulegają stwardnieniu i tracą zdolność do uwypuklania, co jest konieczne przy patrzeniu z bliska.

### Ryzyko
Starczowzroczność dotyka wszystkich ludzi, począwszy od pięćdziesiątki. Zmiany soczewek postępują wraz z wiekiem.

### Możliwe następstwa i powikłania
Ostrość widzenia przy patrzeniu z bliska maleje. Szybciej dochodzi do zmęczenia oczu przy czytaniu i wykonywaniu prac w takiej sytuacji.

### Zapobieganie
Brak możliwości.

## Kiedy do lekarza?

Z chwilą pojawienia się utrudnień przy patrzeniu z bliska. Po przekroczeniu czterdziestego roku życia wskazana jest coroczna kontrola oczu przez okulistę.

## Jak sobie pomóc

Samemu nie można.

## Leczenie

Brak zdolności oka w przystosowaniu się do patrzenia z bliska zastępuje się okularami. Muszą one być dobrane przez okulistę odpowiednio do ich przeznaczenia: do czytania z odległości 35-40 cm, czasem, zależnie od okoliczności, potrzebne są dodatkowe okulary do prac z większych odległości. Im bardziej precyzyjna jest wykonywana praca, tym staranniejszy powinien być dobór okularów na odpowiednią odległość. Ostatnio bardzo modne są wąskie okulary do czytania, nakładane na grzbiet nosa w taki sposób, że możliwe jest spoglądanie w przestrzeń ponad nimi. Wadą ich jest zapewnienie tylko małego pola dokładnego widzenia.

Istnienie już przed starczowzrocznością innej wady wzroku wymaga jej uwzględnienia przy doborze okularów do patrzenia na odpowiednią odległość. Wbrew powszechnemu przekonaniu starczowzroczność tylko w rzadkich przypadkach kompensuje krótkowzroczność, a i to tylko przy patrzeniu z bliska.

Starczowzroczni wymagają zatem dwóch par okularów: do patrzenia w dal oraz do prac w bliskości. Ponieważ ciągłe zmiany okularów przy patrzeniu z bliska i z daleka są uciążliwe, znalazły się w użyciu tzw. *szkła dwuogniskowe*. Zapewniają one możliwość patrzenia na przedmioty dalekie i bliskie.

— W przypadku gdy część soczewki okularowej przeznaczona do patrzenia z bliska od części służącej do patrzenia w dal jest oddzielona linią graniczną, wówczas powstaje na granicy obu obszarów widzenia skokowa zmiana obrazu, do której trzeba się najpierw przyzwyczaić. Wymaga to kilku tygodni. Owej zmianie obrazu można zapobiec, stosując stopniowe przejście z jednego do drugiego obszaru. Takie okulary wyglądają mniej zgrabnie.

— Część soczewki przeznaczona do patrzenia z bliska może być też wtopiona w całą soczewkę przeznaczoną do patrzenia w dal w formie ściętego u góry koła.

Takie okulary umożliwiają też bezpieczne prowadzenie samochodu.

*Okulary trójogniskowe* zawierają pomiędzy obszarem soczewki służącym do patrzenia w dal i obszarem do oglądania przedmiotów położonych blisko dodatkowy obszar dla odległości pośrednich. Wielkość części soczewki, która przeznaczona jest do patrzenia blisko, może być dostosowana do warunków pracy. Gdy różnica korekt potrzebnych dla poszczególnych stref patrzenia jest niewielka (gdy chodzi o osobę z nieznaczną krótkowzrocznością i nieznaczną starczowzrocznością), łatwo się do tych okularów przyzwyczaić. Nie nadają się one dla kierowców samochodów.

*Okulary progresywne, wieloogniskowe* zawierają w sobie kilka obszarów korekcji. Wyglądają jak zwykłe okulary, gdyż soczewki nie mają linii granicznych. Wymienia się ich następujące

wady: środkowe pole widzenia jest bardzo wąskie, poza obszarem przeznaczonym do patrzenia z bliska oglądany obraz wydaje się na początku zagięty, przy ruchach głową obraz wydaje się także w ruchu. Osoby wrażliwe reagują na to bólami głowy, nudnościami i wymiotami. Szkła progresywne są przydatne wówczas, gdy:

— starczowzroczność jest słabo nasilona,
— inne wady wzroku są dokładnie skorygowane,
— okulary noszone są stale.

Okulary progresywne są drogie, a ponieważ starczowzroczność z wiekiem postępuje i co dwa lata potrzebne są nowe okulary, nie jest to bez znaczenia. Szkła progresywne są nieprzydatne w przypadkach, gdy:

— starczowzroczność o wielkości przekraczającej 2,5 dioptrii jest po raz pierwszy korygowana okularami,
— w obszarach pośrednich konieczna jest optymalna ostrość wzroku, a pomiędzy obszarem bliskim i dalekim istnieje znaczna różnica.

Okulary tego typu mogą być przyczyną trudności przy wykonywaniu prac wymagających stałego przesuwania wzroku (prace budowlane, praca nauczyciela) oraz gdy trzeba prowadzić samochód.

W tym przypadku potrzebne są inne okulary do bliży oraz inne do dali lub szkła dwuogniskowe.

## Zez

Zez nie jest defektem urody, jest natomiast zaburzeniem o istotnych konsekwencjach: nawet najmniejsze odchylenie oczu od ustawienia równoległego zaburza obuoczne widzenie. Około czterech procent populacji dorosłych cierpi z powodu zeza, najczęściej wskutek zaniedbania dostatecznie wczesnego leczenia. W większości takich przypadków poprawę uzyskać można wyłącznie dzięki operacji (→ Operacje zeza, s. 227).

W wieku dziecięcym zez jest najczęstszą wadą wzroku. Konieczne jest podjęcie jego leczenia tak szybko, jak tylko to jest możliwe. Istnieje szereg odmian zeza:

— Oczy mogą się odchylać od ustawienia równoległego na zewnątrz albo do środka. W sporadycznych przypadkach oczy ustawiają się różnie co do wysokości.
— Kąt zeza może pozostać stały, przy czym w jednych przypadkach okiem wodzącym spojrzenie może być zawsze to samo oko albo czynić to może oboje oczu na przemian.
— Jedno oko może się odchylać z pozycji normalnej tylko od czasu do czasu, przy czym spojrzenie jest wtedy wodzone przez oko drugie.

## Zez utajony

### Dolegliwości

Oczy okresowo odchylają się od ustawienia normalnego, lecz fakt ten nie dociera do świadomości zezującego. Odchylenie od pozycji równoległej może być zauważone tylko po przykryciu jednego oka. Wskutek tych zaburzeń mogą się pojawić dolegliwości świadczące o niedowidzeniu. Są to takie objawy, jak: pieczenie oczu, szybkie męczenie podczas czytania, problemy z ustaleniem wzroku na oglądanym przedmiocie (fiksacja wzroku), nadwrażliwość na olśnienia, widzenie podwójnego obrazu, zapalenie brzegów powiek i bóle głowy.

### Przyczyny
Ponieważ mięśnie oczu pracują niesynchronicznie, więc w przypadku za małej zdolności kory mózgowej do zlania podniet z obojga oczu w jeden uświadomiony obraz, gałki oczne wyłamują się ze zgodnej funkcji dwuocznej i jedno oko odchyla się wówczas, najczęściej na zewnątrz, od kierunku patrzenia. Objaw ten pojawia się już w okresie dziecięcym.

### Ryzyko
Wskutek zmęczenia, zachorowania albo pod wpływem spożytego alkoholu zez utajony może się ujawnić.

### Możliwe następstwa i powikłania
Zez utajony może przejść w postać jawną, utrwaloną.

### Zapobieganie
Należy unikać spożywania alkoholu i przeciążeń.

### Kiedy do lekarza?
Jak tylko zez zostaje zauważony. Ponieważ zez utajony jest przez rodziców, a nawet lekarzy ogólnych często lekceważony, istnieje uzasadnienie, aby okulista podczas każdego badania kontrolnego brał to pod uwagę, zwłaszcza wtedy, gdy zgłaszane są problemy z czytaniem.

### Jak sobie pomóc
Ćwiczenia zbieżności: Po wyciągnięciu przed siebie wyprostowanej ręki palec wskazujący poprowadzić powolnym ruchem w kierunku oczu, śledząc jak najdłużej jego ruch wzrokiem. Ćwiczenie należy kilkakrotnie powtarzać, potem oczy zamknąć i się odprężyć.

### Leczenie
Zez utajony może być u dzieci wyleczony dzięki specjalnym ćwiczeniom oczu. Tylko wówczas, gdy tego rodzaju leczenie nie daje dobrego skutku, należy podjąć próbę zastosowania szkieł pryzmatycznych. Lepsze okazują się szkła szlifowane niż szkła z rowkowaną folią. Opisane leczenie może być też stosowane u dorosłych.

## Zez utrwalony

Zez ujawniający się u dzieci okresowo jest spostrzegany w niektórych przypadkach i stanowi fazę wstępną zeza utrwalonego.

### Dolegliwości
Jest odczuwany jako defekt urody. Zezujący nie ma zdolności widzenia przestrzennego.

### Przyczyny
— Jest dolegliwością wrodzoną lub stanowi wyraz osłabionej zdolności zlania obrazów obojga oczu, wskutek przebytej odry, kokluszu lub szkarlatyny.
— Może być skutkiem dalekowzroczności.
— Istnieć mogą defekty właściwości łamiących oka, zlokalizowane w różnych miejscach aparatu optycznego.
— W grę wchodzą urazy mechaniczne powodujące wstrząśnienie mózgu oraz przeciążenia psychiczne.
— Guzy mózgu.
— Osłabienie mięśni ocznych lub ich porażenie.
— Wypadnięcie albo wadliwa funkcja sterująca jednej nerwowej drogi wzrokowej.
— Skaleczenie lub jednostronne zmętnienie soczewki oka.

### Ryzyko
W celu zapobieżenia rozwojowi trwałego zeza wszystkie nieprawidłowości wzroku należy możliwie wcześnie leczyć.

### Możliwe następstwa i powikłania
Oko stale odchylone może na zawsze pozostać okiem niedowidzącym, mimo braku organicznego defektu. Zapobiec temu może naprzemienne wykorzystanie jednego i drugiego oka do patrzenia na docelowy przedmiot, co może być wynikiem świadomego sterowania pracą oczu. Dzięki temu naprzemiennemu zezowaniu zachowana zostaje ostrość wzroku obojga oczu.

W obu przypadkach dochodzi do ograniczenia zdolności przestrzennego widzenia.

### Zapobieganie
Należy się poddawać regularnym kontrolom zapobiegawczym.

### Kiedy do lekarza?
Z chwilą spostrzeżenia zeza. Podczas badań profilaktycznych dzieci w wieku do piątego roku życia rodzice winni domagać się wykonania w ramach tego badania także skiaskopii. Polega ona na tym, że do obojga oczu, dwa razy dziennie przez cztery dni, wkraplany jest 0,5-procentowy roztwór atropiny, wskutek czego dochodzi do porażenia mięśnia soczewkowego i do wyłączenia mechanizmu przystosowania oka do patrzenia na różne odległości (akomodacja). Po tym zabiegu przygotowawczym, wykonując skiaskopię, lekarz okulista może dokładnie określić istniejącą wadę wzroku, a potem zapobiec spadkowi ostrości wzroku zagrażającemu jednemu oku (→ s. 227).

### Jak sobie pomóc
Samemu nie można.

### Leczenie zeza dzieci
Każdy lekarz i każda klinika ma faworyzowaną przez siebie metodę leczenia. Z tego powodu nie należy zmieniać raz wybranego ośrodka leczenia. Najlepsze są tzw. szkoły wzroku istniejące przy każdej klinice okulistycznej. Najpierw należy zebrać wywiad, który ośrodek cieszy się najlepszą opinią w zakresie leczenia zeza. Poza tym należy poprosić lekarza okulistę o szczegółowe wyjaśnienie i opisanie kolejnych etapów postępowania leczniczego.

*Cele leczenia*
— Zapobiec osłabieniu wzroku.
— Zapobiec błędnemu zaprogramowaniu siatkówki oka, a już istniejące wyeliminować.
— Uzyskać prawidłowe wysterowanie oczu do patrzenia w dal i do bliży.

*Etapy postępowania leczniczego*

Na początku lekarz nie zawsze może ocenić, czy nie zajdzie potrzeba wykonania także operacji chirurgicznej z koniecznym leczeniem pooperacyjnym. U co trzeciego zezującego dziecka potrzebne są dwie albo trzy operacje chirurgiczne, z czego wynika konieczność dobrej, cierpliwej współpracy rodziców, dziecka i lekarza.

Trud ten zostaje najczęściej nagrodzony: z upływem lat ów defekt urody znika, oczy zachowują prawidłową ostrość wzroku, a tylko ograniczenie zdolności przestrzennego widzenia często nie poddaje się terapii.

*Przeprowadzenie leczenia*

Gdy powodem zeza jest wczesna dalekowzroczność, należy ją skorygować, stosując odpowiednie okulary. Zalecenie to jest słuszne i może być wdrożone już u dzieci jednorocznych. Przepisane okulary dziecko musi nosić też przez następne lata i to przez cały dzień do położenia się spać. Nawet krótkotrwałe zaniechanie stosowania okularów może całkowicie zniweczyć efekty wielomiesięcznego leczenia.

Kolejnym etapem jest tzw. leczenie okluzyjne opatrunkiem zamykającym oko. Przy tej metodzie zamyka się oczy kolejno opatrunkiem, przy czym czas przykrycia oka wodzącego jest dłuższy, drugiego — krótszy.

W tym celu postępuje się następująco:
— nad oczodołem przykleja się plastrem opatrunek zaciemniający oko, lecz przepuszczający powietrze;
— albo zakleja się jedno szkło okularów folią dobraną odpowiednio do rodzaju zaburzenia;
— albo zakrapla się oko roztworem środka rozszerzającego źrenicę; w razie wystąpienia w czasie tego leczenia choroby z gorączką lub biegunki zakraplanie oka należy przerwać.

Leczenie okluzyjne może trwać miesiące i lata. Czas trwania zabiegów i stosowania środków przepisanych przez lekarza okulistę winien być bezwzględnie dotrzymywany. Nie należy się zniechęcać w przypadku, gdy uzyskiwana poprawa ostrości wzroku doprowadzi do ponownego pojawienia się zeza. Przez zastosowanie jeszcze jednej kuracji zez ten może być wyeliminowany.

Ćwiczenia mające na celu wyeliminowanie zeza powinny być przeprowadzane przez specjalistów w klinikach okulistycznych. Mogą one być potrzebne zarówno przed, jak i po operacjach. Zgodnie z aktualnym stanem wiedzy do najskuteczniejszych ćwiczeń należą metody posługujące się bodźcami optomotorycznymi. Ich istota polega na tym, że podczas gdy oko normalne jest pokryte opatrunkiem, wymusza się na oku niedowidzącym wykonywanie ruchów wskazanych przez „trenera mięśni".

*Operacje zeza*

U co drugiego dziecka leczonego z powodu zeza zachodzi potrzeba skorygowania ustawienia zewnętrznych mięśni oka zabiegiem chirurgicznym. Operacja ma na celu możliwie proste ustawienie oka, co uzyskuje się dzięki skróceniu jednego mięśnia oka albo przez przemieszczenie przyczepu mięśnia drugiego. Zależnie od rodzaju istniejącej nieprawidłowości i efektów leczenia wstępnego może zaistnieć potrzeba wielokrotnego powtarzania tego zabiegu.

W przypadku zeza wrodzonego, dużego kąta zeza, a także zeza rozbieżnego, oczopląsu i zezowania z nieprawidłowym ustawieniem głowy operacje chirurgiczne są przeprowadzane dzisiaj już u dzieci w wieku około dwóch lat. W pozostałych przypadkach leczenie operacyjne jest podejmowane w wieku pięciu lat. Warunkiem takiej operacji jest przekształcenie najpierw zeza jednostronnego w zeza naprzemiennego.

Gdy zez pojawia się dopiero w późniejszych latach, zabieg operacyjny winien być wykonany możliwie szybko.

**Leczenie zeza u dorosłych**

Zastosowanie soczewki kontaktowej zazwyczaj poprawia funkcję widzenia przestrzennego, nie zwiększa natomiast ostrości wzroku. Operacja zeza u dorosłych jest najczęściej tylko zabiegiem kosmetycznym, a towarzyszy temu ryzyko, że po zabiegu pojawi się widzenie podwójne oraz że zabieg nie zapewni uzyskania równoległego ustawienia gałek ocznych.

Oszacowania szansy uzyskania dobrego wyniku drogą operacyjną może dokonać tylko bardzo doświadczony okulista zajmujący się wykonywaniem takich zabiegów.

Należy zrezygnować z operacji, gdy w ramach leczenia wstępnego były stosowane szkła pryzmatyczne i wskutek tego pojawiło się widzenie podwójne. W takich przypadkach szansa uzyskania dobrego wyniku operacyjnego jest zbyt mała.

## Niedowidzenie jednego oka

### Dolegliwości

Niedowidzenie jednego oka najczęściej nie jest zauważane.

### Przyczyny

Prawdopodobnie niedowidzenie jednego oka jest wynikiem zaburzenia rozwojowego we wczesnym dzieciństwie. Chodzi o przypadki bez widocznej przyczyny organicznej. Do czynników wywołujących niedowidzenie można zaliczyć takie zaburzenia, jak: choroby powiek, zez, zmętnienie soczewki, nadwzroczność, oczopląs, nieprawidłowa funkcja ośrodkowych centrów wzrokowych, dziedziczne i nabyte zaburzenia nerwowej drogi wzrokowej, a także jednostronne, zbyt długie leczenie atropiną.

### Ryzyko

Jednostronne niedowidzenie rozwija się do ósmego roku życia. Co dziesiąty człowiek jest dotknięty tą wadą. Gdy niedowidzenie nie jest leczone lub gdy wymienione przyczyny nie zostają usunięte, ryzyko niekorzystnych następstw wzrasta.

### Możliwe następstwa i powikłania

Niedowidzenie jednostronne uniemożliwia wykonywanie zawodów wymagających dobrego widzenia przestrzennego, jak na przykład zawodu mechanika precyzyjnego, elektromontera, chirurga i zawodów związanych z wykorzystaniem rotujących urządzeń i maszyn.

Znaczne niedowidzenie jednego oka potraja ryzyko utraty podczas wypadku dobrego oka. Z tego względu należy zrezygnować z wykonywania prac i zawodów obciążonych dużym ryzykiem wypadkowym.

## Zapobieganie

Wskazane są regularne badania profilaktyczne. Począwszy od trzeciego roku życia, należy przeprowadzać kontrolę okulistyczną, a w każdym razie po ujawnieniu się zeza lub po zauważeniu częstszego potykania się, niesprawności ruchów docelowych rąk itp. Wykonanie prostego testu według Langa umożliwia okuliście łatwe rozpoznanie tego zaburzenia. Rodzice winni domagać się przeprowadzenia tego testu.

## Leczenie

Poprawę w przypadkach niedowidzenia jednoocznego może zapewnić wykonywanie ćwiczeń stosowanych w leczeniu zeza (→ s. 226). Tego zaburzenia nie udaje się usunąć przez stosowanie pomocy wzrokowych.

## Ślepota zmierzchowa

### Dolegliwości

Powszechnie uważa się za ślepotę zmierzchową utrudnione przystosowywanie się do widzenia o zmierzchu. Nie chodzi przy tym o ślepotę w znaczeniu dosłownym, gdyż dotknięci nią zachowują zdolność postrzegania konturów w ciemności.

### Przyczyny

Złe przystosowywanie się do ciemności może być cechą dziedziczną. Towarzyszy też krótkowzroczności, niedoborom witaminy A, żółtaczce, występuje w wieku starczym i wtedy, gdy jakaś łamiąca światło część przeziernego aparatu oka ulega zmętnieniu.

### Ryzyko

Podczas wyżej wymienionych chorób należy się liczyć z zaburzeniem przystosowania się oczu do widzenia w ciemności.

### Możliwe następstwa i powikłania

Osoby obciążone ślepotą zmierzchową cechuje niepewność ruchów w ciemności, zwiększone ryzyko doznania wypadku samochodowego i wielokrotnie zwiększone ryzyko wypadkowe w innych okolicznościach.

### Zapobieganie

Tylko wówczas, gdy przyczyną ślepoty zmierzchowej jest niedobór witaminy A, możliwe jest działanie zapobiegawcze (→ Żywienie, s. 704).

### Kiedy do lekarza?

Z chwilą uświadomienia sobie istniejącego zaburzenia.

### Jak sobie pomóc

Samemu nie można. Prowadzenie samochodu nocą wymaga szczególnej ostrożności.

### Leczenie

Możliwe tylko w przypadku, gdy ślepota zmierzchowa jest wynikiem niedoboru witaminy A.

# OKULARY

Przepisanie nowych okularów winno być poprzedzone pełnym badaniem okulistycznym oczu. Zwłaszcza po przekroczeniu czterdziestego roku życia badania takie umożliwiają jednocześnie rozpoznanie nieprawidłowości i chorób w ich wczesnych stadiach rozwojowych. Badania konieczne do przepisania odpowiednich okularów mogą też być wykonane przez optyka. Pomiary sterowane przez komputer należy uznać za mniej wartościowe niż badania tradycyjne przy użyciu próbnych szkieł. Jakość materiałów używanych do wykonywania opraw i samych szkieł jest zwykle regulowana przez odpowiednie normy. Przed nabyciem okularów oferowanych po niskiej cenie należy się upewnić, czy odpowiadają pod względem jakości materiałów zalecanym normom. Obecnie częste są już oferty dostarczenia okularów drogą pocztową przez domy wysyłkowe. Tych gotowych okularów nie należy stosować, nawet jako szkieł rezerwowych, ponieważ zwykle nie odpowiadają indywidualnemu rozstępowi oczu ani kształtowi głowy.

## Oprawy

Oprawa okularów powinna być dostosowana do kształtu głowy i nie zawężać pola widzenia, co jest typowe dla modnych obecnie okularów bardzo wąskich. Oprawy metalowe są trwalsze niż wykonane z tworzyw sztucznych. Zdarzają się jednak uczulenia na metale (szeroko rozpowszechnione jest uczulenie na nikiel) i wtedy z konieczności musi być stosowana oprawa z tworzywa sztucznego. Dla dalekowidzów wskazane jest dobranie wraz ze wzrostem liczby dioptrii samych szkieł, opraw delikatniejszych, dzięki czemu okulary nie są tak ciężkie i wzrasta komfort ich używania. Krótkowzroczni winni ze wzrostem liczby dioptrii wybierać oprawy grubsze, ponieważ w takich oprawach grube szkła są mniej zauważalne. W tych przypadkach korzystniejsze są też szkła mniejsze, gdyż dzięki nim udaje się uniknąć nieostrości obrazu na obrzeżach pola widzenia. Fakt noszenia grubych szkieł korygujących silną wadę staje się mniej widoczny, a całe okulary są znacznie lżejsze.

## Soczewki okularowe

### Rodzaj szkła

Surowcem najczęściej stosowanym do wyrobu soczewek okularowych jest szkło optyczne pod nazwą kron. Soczewki przeznaczone do korekty silnych wad wzroku, a wykonane ze szkła kron, są grube i ciężkie. Inne rodzaje szkła specjalnego umożliwiają wykonanie soczewek cieńszych, lecz równie ciężkich. Ponadto są one wtedy znacznie droższe.

### Tworzywa sztuczne

Soczewki wykonane z tworzyw sztucznych stwarzają mniejsze ryzyko skaleczenia oka w razie złamania okularów. Tworzywo o symbolu CR39 jest lżejsze od szkła typu kron, charakteryzuje się jednakże mniejszą zdolnością załamania światła i szybko ulega zadrapaniu, co jest jego dużą wadą. Znane są szkła okularowe wykonane z tworzyw sztucznych mające większy współczynnik załamania światła, których powierzchnia jest pokryta cienką warstwą kwarcu. Dzięki temu stają się mniej wrażliwe na uszkodzenia mechaniczne. Soczewki z tworzyw sztucznych przeznaczone do korekty silnych wad są bardzo grube, lecz zawsze znacznie lżejsze niż soczewki ze szkła.

### Zabezpieczenie odblaskowe
Soczewki szklane i z tworzyw sztucznych mogą być pokryte jedną lub kilkoma warstwami substancji antyrefleksyjnych. Dzięki temu zapobiega się powstaniu na szkłach okularów refleksów świetlnych. Szkła zabezpieczone antyodblaskowo zapewniają lepszą kontrastowość widzianych przedmiotów i ogólnie lepsze widzenie w ciemności.

### Okulary przeciwsłoneczne

Jeżeli nasila się obciążenie oczu promieniowaniem nadfioletowym, w celu zabezpieczenia soczewki i siatkówki przed uszkodzeniem, wskazane jest noszenie okularów przeciwsłonecznych. Zaleca się zwłaszcza:
- dla dzieci poniżej drugiego roku życia;
- na śniegu, wodzie i piasku, podczas jazdy na nartach, uprawiania surfingu i odbywania podróży przez pustynie;
- w czasie takich podróży, gdy większość pola widzenia zajmuje obraz nieba, jak podczas jachtingu, latania samolotem, jazdy samochodem;
- po operacji usunięcia soczewki oka (np. w wyniku zaćmy), przy stanach zmętnienia soczewki, istnienia zbliznowacenia rogówki.

Osoby reagujące nadwrażliwie na silne światło dzienne winny nosić okulary usuwające ze światła słonecznego składowe ultrafioletowe, z zachowaniem naturalnych barw przedmiotów otoczenia. Wskazane są okulary przeciwsłoneczne o szkłach zabarwionych na kolor brązowy, tłumiące przechodzący strumień światła nie więcej niż w 65%.

Osoby noszące okulary korekcyjne potrzebują do ochrony przed słońcem dodatkowych okularów przeciwsłonecznych. W przypadku używania szkieł o zmiennym zabarwieniu (szkła fototropowe) należy mieć na uwadze, że podczas nocnej jazdy samochodem ubytek światła wskutek stosowania takich szkieł nie powinien przekraczać piętnastu procent. Takie soczewki mogą być wykonane wyłącznie ze szkła. Pod wpływem promieniowania pozafioletowego ulegają one zaciemnieniu. Jeśli są no-

szone stale, to stopień ich zaciemnienia nie powinien przekraczać dziesięciu do piętnastu procent. Ponadto muszą to być szkła mające na powierzchni kilka warstw substancji przeciwodblaskowej. Takie szkła nie mogą być stosowane przez krótkowidzów do pracy wewnątrz pomieszczeń.

# SOCZEWKI KONTAKTOWE

Wady okularów są zaletami soczewek kontaktowych: takie szkła nie łamią się, nie ulegają zaroszeniu, nie uciskają grzbietu nosa, nie stanowią przeszkody w zawodzie, nie zniekształcają obrazu i nie zawężają pola widzenia w przypadku silnej wady wzroku.

Należy jednakże pamiętać, że soczewka kontaktowa jest właściwie ciałem obcym w oku. Aby mogła być noszona, muszą być spełnione następujące warunki:
- same soczewki i roztwory stosowane do ich konserwacji nie mogą działać na oko drażniąco,
- musi być zachowana prawidłowa funkcja gruczołu łzowego, co jest warunkiem stałego zwilżania rogówki i soczewki cieczą łzową,
- muszą istnieć warunki do powstania między soczewką kontaktową a rogówką dostatecznego filmu łzowego („soczewki łzowej”).

Soczewki kontaktowe nie nadają się do noszenia w czasie stanów zapalnych rogówki i jej owrzodzeń, przy chronicznych zaburzeniach dróg łzowych oraz przy chronicznych chorobach oczu. Alergicy i cierpiący na tzw. suche oczy winni z soczewek kontaktowych zrezygnować. Soczewki kontaktowe są potrzebne osobom w starszym wieku po przejściu operacji zaćmy. Do ich założenia konieczna jest pomoc drugiej osoby, ponieważ często zabieg taki przekracza manualną sprawność starszych. Problem zwrotu kosztów nabycia soczewek kontaktowych jest objaśniony w rozdziałach omawiających poszczególne wady wzroku. Wskazane jest zasięgnięcie informacji u okulisty przed podjęciem starań o soczewki kontaktowe.

#### Klasyfikacja materiałów, z których wykonane są soczewki kontaktowe
- twarde/nieprzepuszczalne dla gazów (PMMA);
- stabilne/miernie przepuszczalne dla gazów (CAB);
- giętkie/wysoko przepuszczalne dla gazów (jest mieszaniną materiału o symbolu MMA i silikonu, materiały zawierające chlor);
- miękkie/zawierające wodę (HEMA);
- miękkie/wysoko uwodnione (Non-HEMA).

Obowiązuje zasada, że im soczewka jest twardsza, tym jest mniejsza. Wywołuje wrażenie istnienia ciała obcego w oku, dłużej w związku z tym trwa okres przyzwyczajania się. Im soczewka jest większa, tym jest większa i tym szybciej następuje przyzwyczajenie się do niej. Z tego nie wynika automatycznie, że w każdym przypadku należy wybrać soczewkę miękką. Należy bowiem wiedzieć, że ryzyko uszkodzenia oka, będące skutkiem długoletniego, regularnego noszenia soczewki kontaktowej, jest w przypadku soczewki miękkiej znacznie większe niż przy stosowaniu soczewki twardej. Wybór jest uzależniany od wady oka wymagającej korekcji oraz od warunków indywidualnych i osobistych życzeń.

## Soczewki twarde

Są najtańsze i najtrwalsze. Aby przyzwyczaić się do nich, na początku nosi się je tylko parę godzin dziennie. Potem czas jest stopniowo wydłużany. W razie przerwy w stosowaniu soczewki potrzeba znowu kilku dni ponownej adaptacji. Ten typ soczewki nie nadaje się do stosowania tylko parogodzinnego w ciągu dnia, ponieważ przestawianie się z soczewki kontaktowej na zwykłe okulary wymaga pewnego czasu, kiedy to widzenie jest nieostre.

## Soczewki przepuszczalne dla gazów

Są dobrze tolerowane, gdyż zapewniają łatwe przenikanie tlenu do rogówki. Dają większy komfort, ale są droższe.

## Soczewki miękkie

Są wykonywane z uwodnionego tworzywa. Dopasowują się do oka. Po krótkim okresie przyzwyczajenia się do nich mogą być noszone zarówno przez cały dzień, jak i przez krótsze okresy. Ich wadą jest wymóg starannej pielęgnacji. Zaniedbania w tym zakresie rodzą ryzyko pojawienia się uszkodzeń spojówki i rogówki oka. Takie soczewki muszą być co roku odnawiane. Ryzyko doznania, po ich wieloletnim noszeniu, trwałych uszkodzeń oczu w przypadku soczewek miękkich jest znacznie większe niż przy soczewkach twardych.

## Soczewki do stałego noszenia i soczewki jednorazowe

Soczewki do stałego noszenia (vT) są zakładane na dzień i noc. Są wskazane dla dzieci pozbawionych od urodzenia własnych soczewek, dla osób starszych po przebytej operacji zaćmy i dla upośledzonych. Tym osobom opiekun kontroluje soczewki, wyjmuje co trzy lub cztery tygodnie, czyści i ponownie zakłada, zwracając przy tym uwagę na stan oczu. Taka okresowa kontrola oczu i soczewek jest też konieczna w przypadku, gdy powodem stosowania omawianych soczewek kontaktowych jest wzgląd kosmetyczny albo pożądana wygoda. Noszenie soczewek jednorazowego użytku 14-krotnie zwiększa ryzyko pojawienia się owrzodzeń rogówki. Może to być powodem pogorszenia się wzroku.

## Kolorowe soczewki kontaktowe

Zmniejszają strumień przechodzącego światła, co może być powodem zwiększenia ryzyka wypadkowego podczas jazdy samochodem w warunkach zaciemnienia.

## Dobór soczewek

W połowie przypadków dobór soczewek jest dokonywany przez lekarzy okulistów. W pozostałych przypadkach wykonują to optycy wyspecjalizowani w oferowaniu soczewek kontaktowych. Warunkiem uzyskania przez optyków takich uprawnień jest odbycie specjalnego przeszkolenia oraz wykazanie się dwuletnią praktyką. Okulistów ten wymóg nie dotyczy. Osoba mająca dokonać doboru soczewek musi zorientować się co do warunków pracy i życia, zażywania leków, istnienia uczuleń i ewentualnych chorób oczu. Po dokładnym badaniu może nastąpić dobór właściwych soczewek. Soczewki muszą być poddawane tak długo kontrolom i próbom, aż ich prawidłowe i dokładne osadzenie nie budzi żadnych wątpliwości. W zakres doboru i dopasowania so-

czewek wchodzi też dokładna informacja dotycząca wad i zalet soczewek kontaktowych, prawidłowej ich pielęgnacji, maksymalnego czasu noszenia oraz radzenia sobie w przypadku pojawienia się problemów. Konieczne jest też uzgodnienie terminu następnej kontroli. Dobierający soczewki winien pacjentowi wystawić odpowiedni dokument i odnotować w nim wszystkie dane.

## Pielęgnacja soczewek kontaktowych

Wraz z soczewkami otrzymuje się zwykle także zestaw odpowiednich środków pielęgnacyjnych: jeden środek czyszczący i roztwór do przechowywania soczewek. Zestaw przeznaczony dla soczewek miękkich może jeszcze zawierać roztwór do spłukiwania i środek usuwający substancje białkowe. Nigdy nie należy używać środków różnych wytwórni.

Połowa problemów, na jakie natrafiają osoby stosujące soczewki kontaktowe, jest wywoływana przez dodatki zawarte w środkach pielęgnacyjnych. Z tego powodu należy unikać roztworów zawierających dodatki konserwujące. Oznacza to, że w grę wchodzą jedynie drogie preparaty niekonserwowane, w jednorazowych opakowaniach.

Wskazane jest codzienne wyjmowanie soczewek z oczu i ich dokładne przeczyszczenie. W tym celu przeciera się je palcem wskazującym i kciukiem, stosując odpowiedni roztwór czyszczący, po czym należy je dokładnie spłukać. Ostatnim etapem jest dezynfekcja soczewek w płynie służącym do ich przechowywania. Celem dezynfekcji jest zabicie bakterii, wirusów i grzybów.

Problemy związane z soczewkami mogą wynikać z następujących przyczyn:
— Starzenie się soczewek, wówczas komfort noszenia obniża się. Należy poddać się kontroli u okulisty, który dokonał doboru soczewek.
— Nietolerancja materiałów pielęgnacyjnych. Oczy są zaczerwienione i pieką. Wskazana porada u okulisty.
— Choroby ogólne, ciąża, przeciążenia psychiczne mogą wpłynąć niekorzystnie na wydzielanie łez. Mogą też zmienić skład cieczy łzowej. Na krótką metę mogą wówczas pomóc płyny zastępujące ciecz łzową (→ s. 219).
— Smog, dym z papierosów i instalacje klimatyzacyjne. W zawodach wykonywanych w suchym i zapylonym powietrzu (w piekarni, przy murowaniu) oraz przy pracy wymagającej dużej koncentracji (praca przy monitorach komputerowych) lepiej tolerowane są soczewki o dużej przepuszczalności dla gazów. Na krótki czas środki zastępujące ciecz łzową mogą pomóc przy likwidacji lub ograniczeniu stanów podrażnienia.
— Miękkie soczewki mogą ze względu na swoją strukturę gromadzić gazy. Z tego powodu należy unikać miękkich soczewek kontaktowych, jeśli praca jest wykonywana w atmosferze powietrza zanieczyszczonego szkodliwymi gazami.
— Leki: Niektóre środki przeciwalergiczne, przeciwdepresyjne, obniżające ciśnienie krwi, odwadniające i hormonalne mogą zmienić skład cieczy łzowej. W przypadku, gdy istnieje konieczność długotrwałego zażywania takich leków, należy zasięgnąć porady lekarza, który dokonał doboru soczewek.

## Wskazówki dla osób noszących soczewki kontaktowe

— Soczewki należy wkładać do oka dopiero po trzydziestu minutach od wstania.
— Przed każdym dotknięciem soczewek należy umyć ręce.
— W celu uniknięcia zamiany soczewek należy nimi manipulować pojedynczo.
— Soczewki należy poddawać pielęgnacji dokładnie i regularnie.
— Nigdy nie kłaść się do snu z soczewkami. Wyjątkiem są soczewki typu vT. Wyjęcie na noc soczewek zapewnia rogówce konieczny okres wypoczynku.
— Należy mieć zawsze przy sobie pojemniczek do przechowywania soczewek, okulary zastępcze, a podczas podróży także zestaw środków pielęgnacyjnych.
— Używać można tylko kosmetyków rozpuszczających się w wodzie. Aerozoli należy używać zawsze tylko przed założeniem soczewek.
— Soczewki wysuszone należy włożyć do płynu służącego do ich spłukiwania i pozostawić w nim do chwili ich zmięknięcia. W stanie wysuszonym soczewki są łamliwe, co wymaga szczególnej uwagi. Przed założeniem tak potraktowanych soczewek należy je zdezynfekować.
— W razie gdy jedna soczewka przesunie się pod górną powiekę, należy tę powiekę podciągnąć ku górze i soczewkę palcem przesunąć na właściwe miejsce. Nie należy się obawiać, gdyż soczewka nie może się przesunąć poza gałkę oczną. Przeszkodą nie do przebycia jest bowiem spojówka oka.
— Podczas uprawiania sportów z piłką należy nosić dodatkowe okulary ochronne. Pływać należy bez soczewek, ponieważ soczewki miękkie mogą wchłaniać związki chloru, a soczewki twarde ulegają często zagubieniu.
— *Ważne*: przed wkraplaniem do oczu leków lub przed zabiegami na oczach należy soczewki wyjąć.
— *Ważne*: samemu trudno odróżnić objawy banalnego podrażnienia od wczesnych symptomów niebezpiecznego uszkodzenia oczu. W razie wystąpienia pieczenia, swędzenia, wydzielania się z oczu śluzu, zaczerwienienia oczu, spadku ostrości widzenia lub pojawienia się bólu oczu należy soczewki natychmiast wyjąć. Gdy wyjęcie soczewek jest utrudnione, można sobie pomóc, wkraplając w oko jedną kroplę płynu zwilżającego. Wskazane jest szybkie poddanie się kontroli okulisty.

# CHOROBY OCZU

## Jęczmyk

### Dolegliwości
Powieka ulega nabrzmieniu z równoczesnym silnym bólem. Na brzegu powieki pojawia się ropny stan zapalny. Spojówka jest zaczerwieniona.

### Przyczyny
W grę wchodzi infekcja gruczołu potnego na brzegu powieki lub na jej wewnętrznej powierzchni bakteriami ropotwórczymi (furunkuł).

### Ryzyko zachorowania
Jęczmyk pojawia się wielokrotnie w stanach obniżonej odporności, przy chronicznym zapaleniu powiek, albo gdy z powodu braku czystości infekcja jest raz po raz przenoszona.

### Zapobieganie
Przed dotykaniem oczu należy umyć ręce.

### Kiedy do lekarza?
Gdy dolegliwości nie znikną w ciągu pięciu do ośmiu dni i nie widać tendencji do poprawy.

### Jak sobie pomóc
Ulgę zapewnia stosowanie ciepła. Pomocne są naświetlania światłem czerwonym i ciepłe okłady. W tym celu należy czystą chustę zanurzyć w świeżym naparze rumianku, a po wyżęciu nałożyć na chore zamknięte oko i pozostawić tak długo, jak długo uda się znieść działanie tego gorącego okładu. Zabieg ten powtarzać wielokrotnie, kilka razy w ciągu dnia.

### Leczenie
Okulista otwiera nabrzmiały jęczmyk instrumentem chirurgicznym i umożliwia dzięki temu odpływ ropy. Zalecone antybiotyki w formie maści muszą byc stosowane ściśle według wskazań lekarza.

## Gradówka

### Dolegliwości
Na górnej powierzchni powieki rozwija się niebolesny i niedrażniący guzek, który często utrzymuje się w niezmienionym stanie przez parę tygodni. Skórę nad guzkiem można dowolnie przesuwać, co odróżnia gradówkę od innych guzków mogących nieraz należeć do nowotworów złośliwych.

### Przyczyny
Powodem jest zator wydzieliny gruczołu łojowego.

### Ryzyko zachorowania
Wzrasta w stanach zaburzeń wydzielania.

### Możliwe następstwa i powikłania
W niektórych przypadkach guzek ulega zapaleniu, wtedy dochodzi do obrzmienia powieki i silnej bolesności.

### Zapobieganie
Nie jest możliwe.

### Kiedy do lekarza?
W przypadku rozwinięcia się bolesnego zapalenia.

### Jak sobie pomóc
Małe guzki znikają same w ciągu kilku tygodni. Opróżnienie się guzka z łoju można przyspieszyć, pocierając powiekę w kierunku jej brzegu.

### Leczenie
Większe guzki wymagają często ingerencji operacyjnej. Zabieg jest wykonywany ambulatoryjnie, w znieczuleniu miejscowym.

## Zapalenie brzegu powieki

### Dolegliwości

Brzegi powieki są zaczerwienione, swędzą i piodą. Między rzęsami tworzą się łuski. Dochodzić może do wypadania rzęs. Nieraz tworzą się ropne strupki. Podczas snu dochodzi do zlepiania się powiek wskutek wysychania wydzieliny.

### Przyczyny

Podrażnienie przez dym, pył, kosmetyki (cienie do powiek), instalacje klimatyczne oraz infekcje bakteryjne.

### Ryzyko zachorowania

Ryzyko wzrasta z nasilaniem się wyżej wymienionych czynników.

### Możliwe następstwa i powikłania

Zapalenie brzegów powiek może się wielokrotnie powtarzać.

### Zapobieganie

Należy unikać czynników drażniących. W przypadku noszenia okularów należy poddawać się okresowej kontroli okulistycznej.

### Kiedy do lekarza?

Gdy dolegliwości nie ustąpią w ciągu kilku dni samorzutnie.

### Jak sobie pomóc

Ulgę dają chłodne okłady. W tym celu należy czystą chustę zanurzyć w ochłodzonej, ugotowanej herbacie i po wyżęciu nałożyć na zamknięte oko.

### Leczenie

Zapalenie brzegów powiek może być bardzo uporczywe. Najczęściej pomagają tylko antybiotyki w postaci maści. Przed podjęciem leczenia wskazane jest przeprowadzenie bakteriologicznego badania w celu ujawnienia czynnika przyczynowego. Stosowanie antybiotyków bez uprzedniego badania bakteriologicznego, co zdarza się ostatnio coraz częściej, prowadzi zwykle do rozwoju grzybicy rogówki. Leczenie trwa jeden do dwóch tygodni. Trzeba pamiętać, że gdyby zaistniała potrzeba zastosowania przez dłuższy czas preparatów kortyzonu (glikokortykoidów), konieczny byłby też uprzedni pomiar ciśnienia wewnątrzocznego. Badanie to przeprowadza lekarz okulista.

## Guzki i wrzody na powiece

(→ Nowotwory złośliwe, s. 437)
Istnieje wiele niezłośliwych guzów powiek, takich jak tłuszczaki, nabrzmienia naczyń krwionośnych, gradówka albo brodawki. Występują jednakże również złośliwe guzki powiek.

### Dolegliwości

Najczęściej brak dolegliwości.

### Przyczyny

Przyczyna rozwoju raka powiek nie jest znana. Początkiem są różne rozrosty tkanek, przewlekły, długo utrzymujący się stan zapalny gruczołów łojowych.

### Ryzyko zachorowania

Rak powiek zdarza się bardzo rzadko. Jeszcze rzadsze są tzw.

raki kolczysto-komórkowe (*spinalioma*), a jednocześnie są bardziej złośliwe.

### Następstwa i powikłania

Guzy płytkowe z jędrnym brzegiem, umieszczone najczęściej w wewnętrznym kącie oka (*basalioma*) rzadko dają przerzuty.

W razie wczesnego rozpoznania raka powiek może on być chirurgicznie usunięty ze stuprocentową pewnością wyleczenia. Nieleczony może się rozwijać w kierunku oczodołu, zagrażając gałce ocznej.

### Zapobieganie

Nie jest możliwe.

### Kiedy do lekarza?

Zawsze, gdy pojawią się brodawkowate narośla lub strupiaste owrzodzenia, należy natychmiast poprosić o pomoc lekarza chorób skórnych lub okulistę. Często rak powiek zaczyna się od wielokrotnego pojawiania się strupków na powiece.

### Jak sobie pomóc

Samemu nie można.

### Leczenie

W większości przypadków, gdy chodzi o małe wrzody, cofają się one samorzutnie po kilku miesiącach. Przy braku takiej tendencji mogą być usunięte chirurgicznie. Jest to zabieg prosty, wykonywany ambulatoryjnie. Często obywa się nawet bez miejscowego znieczulenia.

## Podwinięcie powieki dolnej

### Dolegliwości

Brzeg powieki jest wciągnięty do środka (*entropium*). Rzęsy trą o spojówkę, doprowadzając do jej podrażnienia. Podrażnieniu ulega również rogówka. Brzeg powieki może być wywinięty na zewnątrz (*ektropium*). W tym przypadku dochodzi do wysuszenia i bólu spojówki, rogówki i wewnętrznej powierzchni powieki.

### Przyczyny

W starszym wieku dochodzi do zwiotczenia tkanki włóknistej. Komplikacją po operacjach upiększających może być wywinięcie na zewnątrz dolnej powieki.

### Ryzyko zachorowania

Wzrasta z wiekiem.

### Możliwe następstwa i powikłania

Długotrwałe drażnienie może doprowadzić do stanu chorobowego spojówki i rogówki. Grozi także wysuszenie oka.

### Zapobieganie

Brak takich możliwości.

### Kiedy do lekarza?

Gdy objawy stają się dokuczliwe.

### Jak sobie pomóc

Przeprowadzać należy płukania oczu przegotowaną wodą lub

naparem rumianku (→ s. 644). Stany podrażnienia mogą być łagodzone zakraplaniem płynów zastępujących ciecz łzową (→ s. 219).

## Leczenie
Mały zabieg operacyjny w znieczuleniu miejscowym może doprowadzić do prawidłowego ułożenia powieki.

## ▌Niedrożność dróg łzowych

### Dolegliwości
*U dzieci*: stałe łzawiące oczy.
*U dorosłych*: często brak dolegliwości. Czasami pogorszenie widzenia i bóle oczu.

### Przyczyny
Punkt łzowy i/lub drogi odprowadzające łzy mogą być od urodzenia zamknięte, mogą się też wskutek chronicznego kataru lub zapalenia spojówki zwęzić.

### Ryzyko zachorowania
Jest dość duże u noworodków.

### Możliwe następstwa i powikłania
W przypadku dłuższego zamknięcia dróg łzowych może dojść do infekcji gruczołu łzowego. Jej wynikiem jest obrzęk gruczołu z możliwością pojawienia się niebezpiecznego owrzodzenia na rogówce.

### Zapobieganie
Nie jest możliwe.

### Kiedy do lekarza?
Gdy wystąpią wyżej opisane dolegliwości.

### Jak sobie pomóc
Wrodzone zamknięcie dróg łzowych ustępuje często samorzutnie w okresie do szóstego miesiąca życia. Ustąpienie anomalii można przyspieszyć, masując drogi łzowe delikatnie w kierunku punktu łzowego.

### Leczenie
Lekarz okulista może przeprowadzić udrożnienie dróg łzowych odpowiednią sondą. Wskazane jest też zastosowanie płukania udrożnionych dróg. Sondowanie i płukanie jest przeprowadzane podczas krótkotrwałej narkozy w warunkach klinicznych. Potem przez parę dni stosowane są krople usuwające stan obrzmienia błon śluzowych.

## ▌Zapalenie spojówki

### Dolegliwości
Spojówka jest czerwona, obrzękła, czasami swędzi, boli i produkuje wydzielinę. Po przebudzeniu oko jest zalepione.

### Przyczyny
— Reakcja uczuleniowa (→ Alergia, s. 338) na przykład na pyłki roślinne lub kosmetyki.
— Podrażnienie przez ciało obce, promienie pozafioletowe (przebywanie bez okularów ochronnych w solarium).

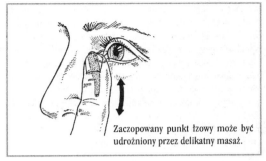

Zaczopowany punkt łzowy może być udrożniony przez delikatny masaż.

— Działanie gazów drażniących (takich, jak ozon, pary rozpuszczalników, dym tytoniowy), zwłaszcza w przypadku noszenia soczewek kontaktowych.
— Infekcje bakteryjne wywołujące wydzielanie ropnej wydzieliny. Najczęściej dotyczy to obojga oczu.
— Infekcje chlamydią (→ s. 511) dochodzące do skutku przez bezpośredni kontakt.
— Infekcje wirusowe, którym towarzyszy pojawianie się wodno-śluzowej wydzieliny. Infekcja wirusowa dotyczy najpierw tylko jednego oka i przenosi się na drugie po kilku dniach. Przy zachorowaniach o charakterze epidemicznym dotknięte są całe rodziny, dzieci klas szkolnych. Wówczas też pojawiają się takie dolegliwości, jak: bóle głowy, rozbicie, powiększenie gruczołów limfatycznych szczęk.

### Ryzyko zachorowania
Zapalenie spojówek jest najczęstszą chorobą oczu. Ryzyko zachorowania wzrasta pod wpływem używania kosmetyków, korzystania z publicznych pływalni o niskim poziomie higieny, używania brudnych ręczników, pocierania oczu brudnymi palcami, korzystania z pobytów w solariach bez okularów ochronnych.

### Możliwe następstwa i powikłania
Stan zapalny spojówek może się przenieść na rogówkę i białkówkę (twardówkę). Alergiczny stan zapalny spojówek może być początkiem nawracającego kataru siennego lub astmy.

### Zapobieganie
Należy unikać wyżej opisanych niebezpieczeństw.

### Kiedy do lekarza?
Gdy dolegliwości nie ustąpią samorzutnie po trzech dniach.

### Jak sobie pomóc
Z powodu ryzyka rozszerzenia się infekcji nie należy przeprowadzać żadnych kąpieli oczu ani płukań herbatą. Należy używać tylko własnego ręcznika.

### Leczenie
Przyczynę zapalenia winien ustalić lekarz okulista. Alergiczne stany zapalne spojówki można potraktować kroplami do oczu typu Opticron, zawierającymi środki antyalergiczne. Wskazane jest wczesne zastosowanie takich leków. Bakteryjne zapalenia spojówek są leczone kroplami i maściami zawierającymi antybiotyki. Mogą być stosowane tylko po ich przepisaniu przez

okulistę i pod jego obserwacją. Dowolny dobór antybiotyku prowadzi najczęściej do grzybicy oka. W zasadzie nie należy stosować glikokortykoidów do chwili ustalenia przyczyn zapalenia spojówek, gdyż w przypadku zapalenia na tle infekcji wirusami opryszczki dojść może do ciężkiego uszkodzenia rogówki. Wirusowe zapalenie spojówek ustępuje zwykle po kilku tygodniach samorzutnie. Zastosowanie przez kilka dni preparatów kortyzonowych może w takich przypadkach być uzasadnione. Takim leczeniem można zapobiec przeniesieniu się stanu zapalnego na rogówkę. Może też być podjęta próba leczenia typowymi środkami przeciwwirusowymi. Do takich leków należy na przykład acyklowir.

## Zapalenie rogówki

### Dolegliwości
Dolegliwości wydają się banalne: oko jest zaczerwienione i lekko bolesne. Także widzenie jest miernie upośledzone.

### Przyczyny
Częstą przyczyną są podrażnienia przez promieniowanie pozafioletowe, podczas uprawiania sportów zimowych, przy spawaniu elektrycznym i używaniu kopiarek. Rzadziej stan zapalny jest wywoływany przez wirusa opryszczki.

### Ryzyko zachorowania
Nieuzasadnione stosowanie preparatów kortyzonowych w stanach chorobowych oczu coraz częściej doprowadza do opryszczki rogówki.

### Możliwe następstwa i powikłania
Blizny powstające na rogówce mogą być przyczyną pogorszenia wzroku.

### Zapobieganie
Podczas spawania i napromieniania promieniami pozafioletowymi należy stosować okulary ochronne. Nie należy spoglądać w błyski maszyn kopiujących.

### Kiedy do lekarza?
Po zauważeniu wyżej opisanych objawów w najkrótszym czasie.

### Jak sobie pomóc
Należy odpocząć.

### Leczenie
W przypadkach banalnego zapalenia rogówki pomagają zimne okłady na zamknięte oczy. W razie ślepoty śnieżnej i po spoglądnięciu w błyski promieni pozafioletowych stosuje się przez kilka dni środki usuwające obrzmienie błony śluzowej i miejscowo środki przeciwbólowe. Zdolność do wykonywania pracy jest przez parę dni ograniczona.

Gdy lekarz rozpozna infekcję grzybiczą, należy zastosować środki przeciwgrzybicze. Na infekcję wirusową wskazują charakterystyczne zmiany rogówki. Jej zwalczanie wymaga zastosowania środków przeciwwirusowych, np. acyklowiru. Leczenie jest w tym przypadku długotrwałe.

## Wrzód rogówki

### Dolegliwości
Najczęściej widoczne jest szarobiałe lub zielonożółte owrzodzenie w środkowej części rogówki. Ostrość wzroku jest zmniejszona, a z powodu silnego bólu dochodzi do kurczowego zamknięcia powiek. W przedniej komorze oka może pojawić się ropa.

### Przyczyny
Wrzody mogą się rozwinąć na małych zadrapaniach rogówki. Rzadziej są wynikiem infekcji bakteryjnych lub wirusowych. Mogą też powstać na skutek niedomykania się powiek. Przyczyną owrzodzenia może być też noszenie soczewek kontaktowych typu miękkiego. Dalsze przyczyny: niedobór witaminy A, infekcje grzybicze.

### Ryzyko zachorowania
Wzrasta w przypadku doznania zadrapań rogówki, jej skaleczenia oraz w wyniku stałego noszenia soczewek kontaktowych.

### Możliwe następstwa i powikłania
Wrzodowi rogówki towarzyszy zawsze stan zapalny części oka. Jest jedną z najgroźniejszych chorób oka, ponieważ istnieje wtedy niebezpieczeństwo, że dojdzie do stanu zapalnego tęczówki, do rozpuszczenia się rogówki lub do rozwoju jaskry (→ s. 236). Mimo troskliwego leczenia może dojść do całkowitego zniszczenia oka.

### Zapobieganie
Regularne kontrole stanu oka, gdy noszone są soczewki kontaktowe.

### Kiedy do lekarza?
Natychmiast po pojawieniu się opisanych dolegliwości.

### Jak sobie pomóc
Samemu nie można.

### Leczenie
Najpierw lekarz podejmie próbę wyleczenia oka przez zastosowanie antybiotyków w postaci kropli, maści i iniekcji, wspomagając to postępowanie podaniem środków ogólnoustrojowych w zastrzykach i kroplówkach. Dopiero wtedy, gdy tą drogą choroba nie może być opanowana, stosowane jest elektryczne przyżeganie obrzeża wrzodu. Po wyleczeniu pozostają blizny rogówki, które są powodem zniekształcenia oglądanych obrazów. W takich przypadkach podejmowane są próby poprawy ostatecznego stanu oka przez dobór i noszenie soczewek kontaktowych.

## Zapalenie tęczówki, zapalenie ciałka rzęskowego

### Dolegliwości
Gałka oczna jest silnie zaczerwieniona. Odczuwany jest tępy ból oka. Widzenie jest upośledzone, źrenica jest zwężona.

### Przyczyny
— Reakcja uczuleniowa na białko bakteryjne lub wirusowe,

docierające do oka z innego źródła infekcji w organizmie drogą krwionośną.

— Jest skutkiem chorób ogólnoustrojowych (np. reumatoidalnego zapalenia stawów, toksoplazmozy, gruźlicy, kiły), skaleczeń oka, zachorowań rogówki i siatkówki.

### Ryzyko zachorowania
Wzrasta w stanach infekcji, przy chorobach reumatycznych i wskutek skaleczeń oka.

### Możliwe następstwa i powikłania
Na skutek sklejenia się tęczówki i soczewki może dojść do wzrostu ciśnienia wewnątrzgałkowego (→ Jaskra, s. 236).

Gdy proces chorobowy dosięgnie również ciałka rzęskowego, rozwinąć się mogą dalsze komplikacje: zmętnienie ciała szklistego i wahania ciśnienia wewnątrz gałki ocznej. Grozi utrata wzroku.

### Zapobieganie
Nie jest możliwe.

### Kiedy do lekarza?
W każdym przypadku odczuwania tępego bólu oka i ujawnienia się osłabienia wzroku natychmiast należy pójść do lekarza okulisty.

### Jak sobie pomóc
Samemu nie można.

### Leczenie
Przyczyny omawianej choroby należy usunąć lub podjąć ich leczenie. Według wskazówek lekarza wkrapla się dwa razy dziennie do oka środek zawierający jako istotny składnik atropinę. Dzięki temu następuje rozszerzenie źrenicy. Zapobiega to zlepianiu się tęczówki z soczewką i stan zapalny się cofa. W większości przypadków zapalenie tęczówki wymaga podawania wysokich dawek leków zawierających glikokortykoid — miejscowo do oka i przyjmowanych ogólnie.

## Zaćma, zmętnienie soczewki oka (katarakta)

### Dolegliwości
Stopniowo obraz oglądanych przedmiotów staje się coraz bardziej nieostry. Powolny rozwój choroby doprowadza do tego, że po latach świat jest widziany jak przez mgłę. Oko staje się nadwrażliwe na olśnienia.

### Przyczyny
— Z wiekiem dochodzi do starzenia się soczewki, co doprowadza do najczęstszej postaci, tzw. *zaćmy starczej*. Zmętnienie soczewki może zacząć się od środka lub od jej obrzeży. Gdy zmiana dotyczy tylko jądra centralnego soczewki, zachowana jest zdolność czytania przez krótki czas bez okularów. W takich przypadkach leczenie operacyjne nie jest wskazane.

— Zaćma rzadko jest dolegliwością wrodzoną: na podłożu dziedzicznym lub wskutek przebycia przez matkę podczas ciąży takich chorób, jak: świnka, odra, różyczka, ospa wietrzna, choroba Heinego i Medina, wirusowe zapalenie wątroby.

Dziecko może być już w pierwszym roku życia poddane zabiegowi i otrzymać odpowiednie okulary.

— Młodzieńcze zmętnienie soczewki na tle dziedzicznym.

— Może być skutkiem cukrzycy, tężca, świerzbiączki ogniskowej.

— Dłuższe leczenie glikokortykoidami. Zmętnienie soczewki cofa się samorzutnie po zaprzestaniu leczenia tymi preparatami.

— Zwiększone działanie promieniowania UV-B ze światła słonecznego ze względu na ścienienie warstwy ozonowej.

— Działanie pioruna lub płomieni, a także promieni rentgenowskich.

— Uderzenia, skaleczenia i procesy zapalne oka.

### Ryzyko zachorowania
Wzrasta z powodów wyżej wymienionych.

### Możliwe następstwa i powikłania
Ostrość widzenia coraz bardziej maleje. W końcu oko rozróżnia tylko jasność od ciemności, nie staje się jednak ślepe.

### Zapobieganie
Jedyna możliwość zapobiegania polega na unikaniu wyżej wymienionych ostatnich trzech przyczyn. Podczas dłuższego przebywania na otwartej przestrzeni, w czasie kąpieli słonecznych, wędrówek górskich, podczas gier sportowych i pływania należy nosić okulary przeciwsłoneczne z filtrem nieprzepuszczającym promieniowania pozafioletowego. Stosować okulary ochronne i osłaniać oczy podczas wykonywania zdjęć rentgenowskich.

### Kiedy do lekarza?
Z chwilą ujawnienia się dolegliwości.

### Jak sobie pomóc
Należy zadbać o dobre oświetlenie wewnątrz pomieszczeń. Precyzyjne prace wymagające kontroli wzrokiem winny być wykonywane przy świetle dziennym. Wybierać lampy z kloszami niepowodującymi olśnień. Przed światłem słonecznym oko należy chronić, nosząc czapki z dużym ochronnym daszkiem. Przy czytaniu książki dobrze jest nałożyć na stronę ciemną kartkę ze szczeliną, odkrywającą tylko kilka wierszy czytanych w danej chwili. Tym sposobem unika się doznania olśnień przez światło odbite od książki.

### Leczenie
Na zaćmę nie ma leków. Trzeba się zatem nauczyć żyć z tym defektem. Dopiero gdy zaćma jest odpowiednio rozwinięta, można rozważyć operację oka. Warunkiem podjęcia leczenia operacyjnego jest dobry stan ogólny pacjenta. Zbyt duże zaawansowanie zaćmy może doprowadzić do ciężkich powikłań i zmusić do wykonania operacji. Tak długo, jak długo możliwe jest samodzielne poruszanie się i wystarczająca jest orientacja w przestrzeni, operacja nie jest konieczna. Ogólnie obowiązuje zasada, że oka, które jeszcze ma zdolność czytania, nie należy operować. Chory na zaćmę winien razem z okulistą omówić całokształt spraw związanych z operacją i wspólnie podjąć decyzję o jej terminie. Istotna jest ocena stopnia ograniczenia swobody życia i jego komfortu.

*Operacje zaćmy*

Za najbezpieczniejszą technikę operacyjną u osób starszych uważa się obecnie pozatorebkową ekstrakcję, który to zabieg polega na usunięciu soczewki oka pod narkozą albo w miejscowym znieczuleniu, z pozostawieniem tylnej ścianki torebki soczewkowej. Bezpośrednio po ekstrakcji soczewki wprowadza się na jej miejsce sztuczną soczewkę. Do najlepszych zalicza się soczewki tylnokomorowe. Zabieg kończy się zaszyciem małej rany rogówki. Wymagany jest tylko kilkudniowy pobyt w szpitalu. Po trzech miesiącach możliwe jest ponowne podjęcie pracy.

Jako komplikacja zdarza się odklejenie siatkówki, obrzęk plamki i rzadko występujące zapalenie spowodowane infekcją. Najczęściej wskutek naprężeń wywołanych przez szew, rozwija się niezborność oka (astygmatyzm), co jednak ustępuje po kilku miesiącach, gdy dojdzie do wessania szwu.

*Korekta ostrości widzenia*

W przypadku usunięcia soczewki bez jej zastąpienia soczewką sztuczną konieczne jest po operacji stosowanie okularów o sile łamiącej od 10 do 12 dioptrii. Są to okulary dość grube. Jedne są potrzebne do bliży, inne do patrzenia w dal. Najpierw stosuje się okulary tymczasowe, a po kilku tygodniach — ostateczne. Obraz oglądanych przedmiotów jest powiększany przez okulary o jedną trzecią. Ten fakt wymaga niełatwego przestawienia się. Gdy drugie oko zachowało ostrość widzenia na dobrym poziomie, konieczne jest zasłonięcie oka operowanego szybką mleczną, do czasu aż będzie konieczna operacja oka drugiego.

Operowane oko może być też zaopatrzone w soczewkę kontaktową. W tym przypadku różnica obrazów jest mniejsza i przestawienie się łatwiejsze. Jednakże posługiwanie się taką soczewką kontaktową dla osób w podeszłym wieku jest sprawą trudną, co uzasadnia przepisanie soczewek typu vT (→ s. 230). Do patrzenia z bliska i czytania potrzebne są wówczas drugie okulary.

Zarówno okulary, jak i soczewki kontaktowe przeznaczone dla oczu pozbawionych własnej soczewki muszą być zaopatrzone w filtr chroniący siatkówkę oka przed promieniowaniem ultrafioletowym.

Implantacja soczewki z tworzyw sztucznych w miejsce soczewki usuniętej jest doskonałym rozwiązaniem w tych przypadkach, gdy tylko jedno oko było dotknięte zaćmą i potrzebna była tylko jedna operacja. W takim przypadku zapewnione jest dobre widzenie bezpośrednio po zdjęciu opatrunku operacyjnego. Jednakże i w tym przypadku potrzebne są okulary do bliży.

## Jaskra

Jaskra jest najczęstszą przyczyną ślepoty członków społeczeństw przemysłowych. Co piąty niewidomy utracił wzrok wskutek jaskry. Prawidłowa opieka lekarska może proces rozwoju choroby i utratę wzroku z jej powodu powstrzymać. Ciśnienie wewnątrzgałkowe jest niezależne od ciśnienia krwi. Określane jest, podobnie jak ciśnienie krwi, w milimetrach słupa rtęci (mm Hg). W większości przypadków ciśnienie wewnątrzoczne wynosi około 13,5 mm Hg. Przedział wartości prawidłowych sięga od 8 do 20 mm Hg. W okresie ostrego ataku jaskry ciśnienie wewnątrzoczne może wzrosnąć do 70 mm Hg.

### Dolegliwości

*Jaskra przewlekła*: skrycie rozwijające się schorzenie jednego lub obojga oczu pozostaje przez wiele lat niezauważone, i nawet w tej fazie, kiedy już jest uszkodzony nerw wzrokowy. Od czasu do czasu widziany obraz jest zamazany, odczuwa się bóle głowy, potrzebuje się częściej nowych okularów, ponieważ ostrość wzroku ulega zmianie. Dopiero później zauważa się brak obrazu w środkowym polu widzenia. W tym okresie nerw wzrokowy wykazuje już znaczne uszkodzenia.

*Jaskra ostra*: ostry napad ma przebieg dramatyczny i dotyczy tylko jednego oka. Nagle występują bóle oka i czołowej części głowy. Towarzyszą temu nudności i wymioty, dreszcze, gorączka oraz poczucie zupełnego rozbicia. Często uchodzi uwagi fakt zaczerwienienia jednego oka i tam skoncentrowanych dolegliwości. Podejrzewa się wówczas ostry stan chorobowy w nadbrzuszu. Tymczasem wzrok zanika, źrenica się rozszerza, światło olśniewa, oko łzawi. Gałka oczna jest twarda jak kamień.

Symptomem ostrzegawczym występującym przed ostrym napadem jest okresowe widzenie „mgły" lub kolorowych pierścieni wokół źródeł światła.

### Przyczyny

Ciśnienie wewnątrzoczne wzrasta, ponieważ utrudniony jest odpływ cieczy wodnistej. Zdarza się to w późniejszym wieku i może być odległym skutkiem zatoru żyły siatkówki, skutkiem urazów oka lub długotrwałego stosowania leków zawierających glikokortykoid.

*Jaskra z ciasnym kątem tęczówkowo-rogówkowym*: w tym przypadku kąt komory jest ukształtowany zbyt ciasno, co powoduje dolegliwości podobne do zwiastunów ostrego napadu jaskry — zdarzające się często nocą, w postaci bólu oka i głowy.

*Ostry atak jaskry*: jest często spowodowany przez doznane pobudzenie i ciemność. Takie warunki panują np. podczas oglądania nocą filmu kryminalnego w telewizji. Wyzwolić napad mogą również niezwyczajne wysiłki fizyczne, wypijanie dużych ilości płynów, nadużycie kofeiny, alkoholu, nikotyny, a także zażywanie preparatów zawierających składniki rozszerzające źrenice (np. lekarstwa na depresję).

### Ryzyko zachorowania

Około czterech procent ludzi cierpi na jaskrę. Większość z nich ma ponad czterdzieści lat. W niektórych rodzinach choroba występuje z większą częstotliwością.

### Możliwe następstwa i powikłania

Wzrok jest zagrożony, gdyż trwające nadciśnienie wewnątrz gałki ocznej doprowadza do uszkodzenia nerwu wzrokowego.

### Zapobieganie

Od czterdziestego roku życia corocznie należy poddawać się kontroli okulistycznej. Program kontroli winien uwzględnić tonometrię aplanacyjną, zbadanie dna oka i określenie pola widzenia. Badania te są, niestety, wykonywane w niewystarczającym zakresie.

W razie stwierdzenia, że oczy są ze względu na ich indywidualną budowę anatomiczną narażone na wpływ narastającego ciśnienia wewnątrzocznego, podejmowane są w niektórych przypadkach zapobiegawcze operacje (→ Operacje, s. 237).

### Kiedy do lekarza?

— W każdym przypadku postrzegania mgły i kolorowych pierścieni wokół źródeł światła.

— Natychmiast udać się do lekarza okulisty w przypadku pierwszych napadów zaburzeń widzenia, którym towarzyszą zaczerwienienie oczu, bóle głowy i nudności, nawet wtedy, gdy wszystko po paru godzinach samorzutnie ustępuje. Każdy napad jaskry powoduje dalsze uszkodzenie nerwu wzrokowego.

### Jak sobie pomóc

*Jaskra przewlekła*: nie należy nigdy pić większych ilości płynów. Należy zrezygnować z palenia papierosów, które zmniejszają dopływ krwi do nerwu wzrokowego. Jeśli to jest możliwe, należy unikać stresów i intensywniejszych przeżyć uczuciowych. Normalne zajęcia i obciążenia, takie jak uprawianie sportu, seks, latanie samolotami nie szkodzą. Możliwe jest wykonywanie zwyczajowe swojego zawodu. Wolno też wykonywać ciężką pracę fizyczną w stałym pochyleniu do przodu. Lekarz okulista winien stwierdzić, czy ostrość wzroku jest wystarczająca do prowadzenia pojazdu.

*Jaskra ostra*: środkiem pierwszej pomocy może być duży łyk wódki lub koniaku, co doprowadza zwykle do spadku ciśnienia.

### Leczenie jaskry przewlekłej

Do zadań okulisty należy znalezienie takiej kombinacji leków, która doprowadzi w sposób najłagodniejszy do normalizacji poziomu ciśnienia wewnątrzocznego. W tym celu konieczne jest dokonywanie co cztery godziny, przez dzień i noc pomiarów ciśnienia wewnątrzocznego i określenie indywidualnego rytmu wahań tego ciśnienia w ciągu doby. Na podstawie krzywej przebiegu ciśnienia lekarz może określić minimalną ilość leków potrzebną do opanowania schorzenia. W razie braku powodzenia leczenia zachowawczego konieczna jest operacja oka.

*Lekarstwa*

W celu zwężenia źrenicy stosowana jest pilokarpina, która musi być zakraplana w odpowiednim roztworze co pięć do sześciu godzin. Na noc może być stosowana maść. Gdy pilokarpina jest źle tolerowana, można ją zastąpić karbacholem. Wieloletnie stosowanie środków zwężających źrenicę może być powodem zaburzeń widzenia i reakcji uczuleniowych oka.

*Środki obniżające ciśnienie krwi (beta-adrenolityki)* działają przez dwanaście godzin i wymagają tylko dwukrotnego w ciągu dnia zakraplania. Nie doprowadzają do zaburzeń wzroku. W rzadkich przypadkach u osób starszych, na skutek niedostatecznego zaopatrzenia nerwu wzrokowego, mogą doprowadzić do jego dalszego uszkodzenia. Najczęściej stabilizuje się ciśnienie wewnątrzgałkowe, stosując kombinację pilokarpiny i beta-adrenolityków. Czasami musi być dodany środek, który ogranicza wytwarzanie cieczy komorowej. Do tego celu nadaje się dobrze dipiwefryna (np. Glaucothil), wymagająca dwukrotnego zakraplenia dziennie. Także te leki mogą zaburzyć zaopatrzenie nerwu

---

> ### Lekarstwa wskazane: Pilokarpina w celu zwężenia źrenicy
>
> Isopto-Pilocarpin, Pilocarpin, Pilocarpin Puroptal, Pilocarpinum hydrochloricum, Pilocarpol, Pilomann, Spersacarpin
>
> ### Lekarstwa wskazane: Beta-adrenolityki stosowane w leczeniu jaskry
>
> Arteoptic, Betamann, Beta-Ophtiole, Betoptima, Chibro Timoptol, Durapindol, Glauconex, Glauco Visken, Ophtorenin, Timoptic (A), Vistagen Liquifilm

wzrokowego. Dopiero gdy te środki zawiodą, mogą być podawane leki doustne hamujące produkcję cieczy ocznej, np. acetazolamid lub diklofenamid. Długotrwałe ich zażywanie prowadzi do niedoboru potasu (→ Potas, s. 731).

*Operacje*

Są brane pod uwagę tylko wówczas, kiedy leczenie farmakologiczne nie zapewnia powstrzymania postępu jaskry przewlekłej.

*Trabekuloplastyka laserowa*

Jest to metoda skuteczna. Polega na rażeniu tkanki łącznej przy ciałku rzęskowym promieniami laserowymi. Powoduje to lepszy odpływ cieczy komorowej, a przez to spadek ciśnienia. Zabieg może być wykonany ambulatoryjnie i powtórzony na każdym oku dwukrotnie. Nie jest bolesny i nie stanowi ryzyka.

Prawdopodobieństwo uzyskania dobrego wyniku przy zastosowaniu operacji przetoki lub po poszerzeniu kąta komory wynosi od sześćdziesięciu do osiemdziesięciu procent. Ostatecznym środkiem jest operacyjne wprowadzenie specjalnego zaworu z tworzywa sztucznego, umożliwiającego odpływ cieczy na zewnątrz. Po jednej trzeciej tych zabiegów następuje szybszy rozwój katarakty.

Po zabiegu obowiązuje dwutygodniowy okres spokoju. Po dwóch miesiącach może być znów podjęta ciężka praca fizyczna. Konieczne są nadal okresowe kontrole ciśnienia wewnątrzocznego. Po operacyjnym wytworzeniu przetoki konieczne jest przez dalszy czas życia zakraplanie środka odkażającego.

### Leczenie ostrego ataku jaskry

Dramatyczne objawy ostrego napadu jaskry łagodzi kroplówka leków obniżających ciśnienie i uspokajających. Kolejnym kro-

---

> ### Zalecenia dla chorych na jaskrę
>
> — Leki okulistyczne stosować regularnie zawsze o tym samym czasie.
> — Krople podane w nadmiarze należy usunąć wacikiem.
> — Należy utrzymywać zawsze wystarczający zapas leków okulistycznych. Mętnych kropli nie stosować! Należy zapisać sobie nazwy leków, stężenia w procentach, aby w razie potrzeby zapewnić nową porcję leku.
> — Wiele leków podnosi ciśnienie wewnątrzoczne. Należy spytać lekarza i aptekarza, czy lek przepisany na inną chorobę nie jest przeciwwskazany dla chorych z jaskrą.

kiem jest zabieg z wykorzystaniem promieniowania laserowego. Istotne jest to, że nie ma potrzeby otwarcia oka.

*Irydektomia — wycięcie części tęczówki*
Z tęczówki wycina się małą jej część, co umożliwia odpływ cieczy wodnistej do komory przedniej. Ponieważ w dziewięćdziesięciu trzech procentach przypadków ostry atak jaskry zagraża także drugiemu oku, należy także to oko poddać profilaktycznej operacji. Już po dwóch tygodniach od dnia operacji można podjąć normalne życie.

W przypadku pogorszenia wzroku znacznego stopnia → Utrata wzroku (ślepota), s. 240.

## Zanik plamisty siatkówki

### Dolegliwości
Stopniowo zanika równocześnie w obojgu oczach lub kolejno najpierw w jednym, a potem w drugim zdolność ostrego widzenia. Przez długi czas proces ten pozostaje niezauważony, do momentu utraty zdolności czytania. W ciemności widzi się lepiej.

### Przyczyny
Dziedziczne skłonności, miażdżyca tętnic, choroby układu krążenia, choroby przemiany materii, wysoki poziom stężenia cholesterolu we krwi, cukrzyca.

### Ryzyko zachorowania
Co dwudziesty człowiek musi się liczyć z tym, że po sześćdziesiątym roku życia będzie stopniowo tracił ostrość wzroku z powodu zaniku tej części siatkówki, która zapewnia największą ostrość.

### Możliwe następstwa i powikłania
Z upływem czasu nastąpi stopniowe osłabienie wzroku. Zachowana zostaje jednak zdolność postrzegania błękitu nieba i zieleni łąki. W przypadku suchego zaniku plamistego siatkówki sprawność wzroku na obwodzie pola widzenia pozostaje normalna. To umożliwia prowadzenie normalnego życia i pozwala na dobrą orientację w przestrzeni.

### Zapobieganie
Po przekroczeniu czterdziestego roku życia należy się poddać co najmniej raz na dwa lata kontroli okulistycznej.

### Kiedy do lekarza?
Z chwilą zauważenia w środku oglądanego obrazu nieostrej plamki, która z czasem ujawni tendencję do powiększania się.

### Jak sobie pomóc
— Należy bezwzględnie zaprzestać palenia papierosów. Alkoholu używać z umiarem.
— Stosować zdrowe odżywianie (→ s. 705).
— Korzystać z relaksującego odpoczynku południowego i spoczynku nocą.
— Stosować ćwiczenia układu krążenia, zażywać regularnie ruchu (→ Ruch i sport, s. 748).

### Leczenie
Dotąd brak skutecznych leków na to schorzenie. Nie udało się

też na razie wykazać, że lekarstwa poprawiające krążenie zapewniają lepsze odżywienie siatkówki i plamki żółtej. W przypadku rzadkiej postaci wilgotnego zaniku plamistego możliwe jest potraktowanie nowo tworzących się naczyń na obrzeżu plamki promieniowaniem laserowym, co zapobiega krwawieniom. Zabieg jest bezbolesny i jest przeprowadzany ambulatoryjnie. Winien być jednak wykonany przez doświadczonego okulistę w warunkach klinicznych. Tym zabiegiem nie uzyskuje się poprawy wzroku, niemniej proces chorobowy ulega wstrzymaniu.

*Środki pomocnicze dla oczu*
Do patrzenia w dal pomocy uzyskać nie można. Silniejsze okulary przeznaczone do czytania dają większy obraz na siatkówce, ale konieczność czytania wówczas z małej odległości powoduje zmęczenie. Poza tym następuje nie tylko powiększenie pisma, lecz także powiększenie centralnego ubytku w polu widzenia.

Właściwa pomoc dla oczu, jak na przykład stosowanie lupy okularowej albo dwuogniskowej lupy okularowej, powiększającej obraz czterokrotnie, musi być dostosowana indywidualnie. Nie należy inwestować w taki sprzęt bezkrytycznie. Niektórzy optycy i kliniki specjalistyczne przekazują tego rodzaju pomoce na okres próbny.

W rzadkich przypadkach, gdy lekarz potwierdza, że proces chorobowy postępuje wolno, pomocny może być telewizyjny zestaw do czytania. Składa się on z kamery telewizyjnej, którą czytający przesuwa nad tekstem. Obraz tekstu pojawia się na ekranie monitora w powiększeniu dwudziestopięciokrotnym.

## Zaburzenia ukrwienia siatkówki

### Dolegliwości

*Przy zaburzeniach ostrych*
— Nagle jedno oko staje się ślepe, bez zwiastunów i bez bólu.
— Nagle pojawiają się ubytki w polu widzenia jednego, a rzadziej i drugiego oka, odnosi się wrażenie, jakby były zasłonięte czarną zasłoną. Brak bólu.
— Silne osłabienie wzroku.

*Podczas przewlekłych zaburzeń ukrwienia*
— Powolne pogorszenie wzroku.

### Przyczyny
— Zamknięcie centralnej tętnicy siatkówki albo ostre niedokrwienie nerwu wzrokowego spowodowane stanem zapalnym naczyń (→ Reumatoidalne zapalenie stawów, s. 423).
— Zamknięcie gałązek naczyń siatkówki.
— Zamknięcie centralnej żyły siatkówki.
— Nadciśnienie krwi, zwapnienie naczyń.
Przyczyny mogą być określone tylko przez badanie dna oka.

### Ryzyko zachorowania
Wzrasta z wiekiem. Zaburzenia krzepnięcia krwi, nadciśnie-

nie, stresy i palenie papierosów są czynnikami ryzyka dla zaburzeń w krążeniu krwi każdego rodzaju.

## Możliwe następstwa i powikłania

W przypadku zamknięcia centralnej tętnicy siatkówki oraz naczyń krwionośnych odżywiających nerw wzrokowy ślepocie najczęściej nie udaje się zapobiec. Przy masywnych krwawieniach po zakrzepach żył w obrębie siatkówki siła wzroku ulega znacznemu osłabieniu. Takie krwawienia mogą mimo leczenia powtórzyć się kilkakrotnie. W rzadkich przypadkach istnieje groźba rozwinięcia się katarakty.

## Zapobieganie

Przy zaburzeniach krzepnięcia krwi wskazane jest profilaktyczne stosowanie kwasu acetylosalicylowego.

## Kiedy do lekarza?

W każdym przypadku pojawienia się ubytku pola widzenia należy natychmiast pójść do lekarza okulisty.

## Jak sobie pomóc

Samemu nie można.

## Leczenie

Ważne jest podjęcie leczenia kwasem acetylosalicylowym. Zmniejsza on skłonność zlepiania się płytek krwi. W szczególnych warunkach leczenie to jest konieczne przez szereg miesięcy. Inne środki zmniejszające krzepliwość krwi, zawierające kumarynę albo heparynę, są ryzykowne i nie zapewniają dobrego skutku.

Zastosowanie promieni laserowych może wstrzymać proces tworzenia się nowych naczyń i chorej części siatkówki. Zabieg jest bezbolesny i może być wykonany ambulatoryjnie bez użycia narkozy.

Zwrócić się należy do doświadczonego okulisty. Po zabiegu konieczny jest przez pewien czas spokój z unieruchomieniem.

## Odwarstwienie siatkówki

### Dolegliwości

Najpierw postrzega się błysk świetlny, potem unosi się „czarna ściana" albo opada „ciemna zasłona". Następnie pojawia się faza widzenia zniekształconego, nieostrego, a nawet tylko odbierania ogólnego wrażenia światła.

*Sygnały ostrzegawcze*

Błyski świetlne, tumany dymu i widzenie jak przez welon — zwłaszcza w ciemności, zapowiada odwarstwienie się ciała szklistego, w wyniku czego może nastąpić odklejenie się siatkówki.

### Przyczyny

Zmiany zwyrodnieniowe istniejące w obwodowych częściach siatkówki i pociąganie przez ciało szkliste doprowadzają do powstania otworów i przedarć podkowiastych siatkówki.

Ciecz ciała szklistego wnika między oba listki siatkówki. Bez podjęcia leczenia może dojść do odwarstwienia się całej siatkówki i do ślepoty oka. Odwarstwienie się siatkówki może być też wynikiem urazu oraz skutkiem operacji zaćmy.

### Ryzyko zachorowania

Wzrasta z wiekiem, w przypadku krótkowzroczności w zakresie 6-8 dioptrii oraz w razie wypadku.

### Zapobieganie

Jeśli rozwinęła się choroba jednego oka, zaleca się przeprowadzanie regularnie także badania oka zdrowego. Dla zapobieżenia rozdarciom siatkówki stosuje się jej laserowe przyklejanie. Mimo to, a może nawet w wyniku tego postępowania, dochodzić może do odwarstwienia się siatkówki.

### Możliwe następstwa i powikłania

Silne osłabienie wzroku może się pogłębić aż do całkowitej ślepoty.

### Kiedy do lekarza?

Natychmiast po wystąpieniu opisanych dolegliwości.

### Jak sobie pomóc

Samemu nie można.

### Leczenie

W tej chorobie leki pomóc nie mogą. Należy w możliwie najkrótszym czasie poddać się operacji wykonanej przez doświadczonego lekarza.

Pod miejscowym znieczuleniem albo w narkozie ogólnej przeprowadza się ponowne złączenie obu warstw siatkówki. Metoda leczenia polega na przyłożeniu do twardówki oka, w miejscu, gdzie siatkówka ma być zlepiona, pręta metalowego ochłodzonego uprzednio do temperatury −80°C (krioterapia). Zabieg może trwać szereg godzin. Po jego zakończeniu potrzebny jest pobyt w szpitalu przez okres jednego tygodnia. Po opuszczeniu szpitala oczy wymagają jeszcze ochrony. Unikać należy nagłych ruchów, co zdarza się na przykład przy czytaniu. Oglądanie telewizji nie stanowi natomiast ryzyka. Im wcześniej operacja zostaje wykonana, tym więcej jest szans na przywrócenie ostrości wzroku na poziomie istniejącym przed zachorowaniem. W dziesięciu procentach operacja może pozostać bez rezultatu. Gdy jest zbyt późno przeprowadzana, odsetek niepowodzeń może wzrosnąć do trzydziestu. Przy braku powodzenia tego zabiegu potrzebna jest jeszcze jedna, bardziej skomplikowana operacja. Jedno jest jednakże pewne, gdy operacja „przyklejenia" siatkówki nie zostanie podjęta, nastąpi nieodwołalnie utrata wzroku tego oka.

## Wrodzone anomalie siatkówki

### Dolegliwości

Pierwsze symptomy: ślepota zmierzchowa, utrudniona adaptacja do jasności i doznawanie olśnień. Ubytki pola widzenia zaczynają się najczęściej na obrzeżach siatkówki i przemieszczają się do środka, aż do stanu tzw. widzenia lunetowego.

### Przyczyny

Jest schorzeniem dziedzicznym o nieznanej przyczynie.

### Ryzyko zachorowania

Ta dolegliwość może wystąpić w każdym wieku. Gdy jej po-

## Polski Związek Niewidomych

00-216 Warszawa, ul. Konwiktorska 9, tel. (0-22) 831-85-32

## Koło Pomocy Dzieciom Niewidomym

40-093 Katowice, ul. Św. Jana 10, tel. (0-32) 253-83-00
50-338 Wrocław, ul. Reja 27, tel. (0-71) 22-29-25; 22-70-16

## Koło Pomocy Dzieciom Niedowidzącym i Niedosłyszącym

42-200 Częstochowa, ul. Wolności 20, tel. (0-34) 24-15-32
64-920 Piła, ul. Bydgoska 21, tel. (0-67) 13-10-16

## Stowarzyszenie Rodziców i Przyjaciół Dzieci Niewidomych, Słabo Widzących „Tęcza"

Warszawa, ul. Kopińska 6/10, tel. (0-22) 822-03-44

cząstki pojawiają się już w pierwszych dziesięciu latach życia, w połowie życia doprowadza do ślepoty. Jeśli zaczyna się w starszym wieku, doprowadza tylko do powolnie narastającego osłabienia wzroku.

**Możliwe następstwa i powikłania**
Rozwój ślepoty.

**Zapobieganie**
Nie jest możliwe.

**Kiedy do lekarza?**
Przy pierwszych objawach choroby.

**Jak sobie pomóc**
Kontakty osobiste z innymi osobami dotkniętymi tym samym schorzeniem mogą uczynić życie bardziej znośnym. W zespołach samopomocy skupiających chorych na wrodzone anomalia siatkówki można też uzyskać informacje o istocie choroby, o istniejących środkach zaradczych oraz z zakresu poradnictwa genetycznego.

**Leczenie**
Do dziś nie znaleziono skutecznej metody leczenia tej dolegliwości. Postępowanie oparte na wykorzystaniu wysoko rozwiniętej techniki, polegające na wszczepianiu tzw. chipów, jest nadal w fazie prób doświadczalnych.

## Utrata wzroku (ślepota)

Radzenie sobie w życiu w przypadku istnienia poważnego ubytku wzroku stanowi problem w każdym wieku. Bardzo istotne jest, aby z widzenia resztkowego, którym się jeszcze dysponuje, uzyskać dla siebie maksymalne korzyści oraz aby osoby z otoczenia,

### Lektura uzupełniająca

LEFEBVRE G.: *Zaburzenia wzroku*. Wydaw. W.A.B., Warszawa 1993.
TRZCIŃSKA-DĄBROWSKA Z.: *Okulistyka praktyczna*. PZWL, Warszawa 1995.

a także lekarze pomogli nam utrzymać swoje miejsce w środowisku. Z punktu widzenia medycyny do niewidomych zalicza się osoby, które nie odbierają wrażenia światła lub nie są w stanie określić kierunku położenia źródła światła.

W praktyce, stosując ogólnie przyjęte kryteria, niewidoma jest osoba, której lepsze oko ma ostrość wzroku wynoszącą tylko 1/50 stanu normalnego. W różnych krajach są stosowane nieco odmienne kryteria i różnie traktowana jest resztkowa zdolność widzenia.

### Zalecenia dla osób z dużym upośledzeniem wzroku

— Wszystkie prace precyzyjne należy, gdy to jest możliwe, wykonywać tylko przy świetle dziennym.
— Należy chronić oczy przed bezpośrednim światłem słonecznym.
— Światło sztuczne ma być dostatecznie silne, niepowodujące olśnienia. Źródła światła sztucznego nie powinny być umieszczone na wysokości oczu. Podczas pracy światło winno docierać do przestrzeni pracy znad naszych ramion.
— Należy zadbać o dobre oświetlenie całego mieszkania, a zwłaszcza schodów i progów. Te ostatnie mogą być specjalnie uwidocznione białą farbą.
— W przypadku pogłębiania się upośledzenia wzroku należy się dostatecznie wcześnie nastawić i przygotować na czas całkowitej ślepoty. Należy podjąć naukę brajla i rozważyć odpowiednie przeszkolenie zawodowe.
— Środki pomocnicze potrzebne w życiu codziennym można uzyskać w odpowiednich stowarzyszeniach. Związki niewidomych organizują kursy umożliwiające lepszą orientację na co dzień, kursy stenotypii, języków obcych, pisma dla niewidomych, gry na różnych instrumentach. Tam są też osiągalne książki drukowane dużymi literami, brajlem lub nagrane na taśmie magnetycznej.
— Związki niewidomych udzielają też informacji dotyczących uprawnień, ulg, zwolnień od opłat za używanie radia i TV, zniżek podatkowych, przysługujących dodatków pieniężnych itp.
— W urzędach opieki społecznej można zasięgać informacji o istniejących instytucjach państwowych służących rehabilitacji niewidomych oraz o możliwości otrzymania odpowiedniego miejsca pracy.

*Ćwiczenia dla osób bliskich ślepocie*
Dla osób dotkniętych silnie rozwiniętym upośledzeniem wzroku zorganizowano specjalną szkołę, która może pomóc wszystkim dotkniętym ślepotą w zdobyciu umiejętności orientowania się w przestrzeni i zorganizowania sobie normalnego życia.

Niektórzy mogą się ponownie nauczyć czytania. W wielu klinikach przeprowadzane są pod nadzorem lekarzy i specjalnie przeszkolonych nauczycieli ćwiczenia oswajające z tzw. tablicami wzrokowymi, z kostkami i specjalnymi ruchami oraz angażujące i rozwijające zmysł dotyku. Informacji na temat tych możliwości należy poszukiwać w klinikach okulistycznych akademii medycznych.

W przypadku pogłębiania się upośledzenia należy pomyśleć o podjęciu nauki pisma dla niewidomych (brajla), którego istota polega na wyczuwaniu opuszkami palców kropkowatych wybrzuszeń papieru. Wybór czasu podjęcia nauki tego pisma jest bardzo istotny, ponieważ zmysł dotyku może się znacznie rozwinąć dopiero wtedy, gdy zdolność widzenia jest bardzo ograniczona. Zarówno dla osób w wysokim stopniu upośledzonych, jak i dla dzieci niewidomych od urodzenia bardzo ważne jest najwcześniejsze podjęcie działań usprawniających. Szczególnie istotna rola przypada rodzicom i opiekunom. Aby mogli zapew-nić optymalne działania rehabilitacyjne, winni utrzymywać kontakty z instytucjami mogącymi służyć fachową wiedzą na ten temat. Istnieją zabawki i specjalnie przygotowane programy gier i zabaw, których wykorzystanie może umożliwić przygotowanie dzieci intelektualnie normalnych, lecz niewidomych, do podjęcia nauki szkolnej w wieku sześciu lat, wraz z innymi, normalnie widzącymi.

W niektórych krajach istnieją instytucje zajmujące się wczesnym usprawnianiem niewidomych. Program tej opieki przewiduje też wizyty terapeutów w domach rodzinnych dzieci niewidomych, aby podejmować działania rehabilitacyjne wszędzie tam, gdzie brak dotąd odpowiednich szkół.

# USZY

Uszy odbierają nie tylko dźwięki i szmery, pomagają nam także w utrzymywaniu stanu równowagi fizycznej. Na narząd słuchu składa się ucho zewnętrzne, ucho środkowe, ucho wewnętrzne oraz nerw słuchowy z ośrodkowymi drogami nerwowymi.

## Ucho zewnętrzne
Ta część narządu składa się z chrzęstnej małżowiny usznej oraz z zewnętrznego przewodu słuchowego o długości około trzech centymetrów, zamkniętego w głębi błoną bębenkową. Zadaniem ucha zewnętrznego jest doprowadzenie dźwięków z zewnątrz do błony bębenkowej, a także ochrona ucha środkowego.

## Ucho środkowe
W skład ucha środkowego wchodzi błona bębenkowa, jama bębenkowa, kosteczki słuchowe, kanał łączący jamę bębenkową z jamą nosowo-gardłową (trąbka Eustachiusza), mięśnie oraz upowietrzone przestrzenie zawarte w wyrostku sutkowatym (*mastoideus*) leżącym za uchem. Błona bębenkowa jest delikatną membraną o średnicy centymetrowej. Jej zadaniem jest przetworzenie odbieranych fal dźwiękowych w energię drgań mechanicznych przekazywanych następnie łańcuchowi kosteczek słuchowych — młoteczkowi, kowadełku i strzemiączku. Trąbka Eustachiusza zapewnia wyrównywanie ciśnienia wewnątrz ucha środkowego. Uważa się, że upowietrzone jamy wyrostka sutkowatego zapewniają tłumienie szmerów żucia. Funkcja ucha środkowego polega na przekształceniu energii ruchu dostarczanej przez falę dźwiękową do błony bębenkowej na energię ciśnienia oraz na jej dalszym przekazaniu.

## Ucho wewnętrzne
Zawiera właściwy narząd słuchu (*cochlea*) oraz narząd równowagi. Narząd słuchu ma kształt ślimaka i zamienia mechaniczny ruch płytki strzemiączka w impuls elektryczny. Narząd równowagi składa się z dwóch banieczek i trzech kanałów półkolistych wypełnionych cieczą.

## Nerw słuchowy i ośrodkowe drogi słuchowe
Nerw słuchowy odbiera elektryczne impulsy powstałe w narządzie słuchu. Ośrodkowe drogi słuchowe doprowadzają odebrane impulsy do mózgu.

## Przytępienie słuchu (przygłuchawość)

### Dolegliwości
— Nie słyszy się tykania zegarów.
— Podczas telefonowania zdarzają się często trudności ze zrozumieniem mowy rozmówcy.
— W kinie i teatrze rozumienie tekstu wymaga miejsca w pierwszych rzędach.
— Z trudem udaje się śledzić towarzyską rozmowę kilku osób.

— Będąc pieszym, zauważa się nadjeżdżające samochody dopiero w ostatniej chwili.

### Przyczyny
Rozróżniane są dwa rodzaje przyczyn przytępienia słuchu:

*Upośledzenie słuchu odbiorcze*, którego powodem jest uszkodzenie delikatnych komórek rzęsatych w uchu wewnętrznym albo zaburzenie przewodnictwa impulsów elektrycznych do mózgu. Ten rodzaj głuchoty jest powodowany przez:

*Hałas*, który jest najczęstszą przyczyną uszkodzenia słuchu. Ryzyko doznania trwałego uszkodzenia słuchu istnieje wówczas, gdy do uszu docierają fale dźwiękowe o poziomie przekraczającym 90 dB i działają na ten narząd regularnie i przez długi czas. 90 dB odpowiada mniej więcej głośnej muzyce tanecznej. Duży samochód ciężarowy może w odległości kilku metrów wytworzyć hałas osiągający poziom do 90 dB. Podczas koncertu rockowego osiągany jest zwykle poziom do 100 dB. Robotnik drogowy, który przez wiele lat pracuje bez ochrony słuchu, stosując młoty pneumatyczne (wówczas powstaje hałas o poziomie 110 do 120 dB), z pewnością dozna upośledzenia słuchu. Zawodowe uszkodzenie słuchu jest najczęstszą chorobą zawodową.

Do dalszych przyczyn odbiorczej głuchoty należy zaliczyć: obciążenie dziedziczne, urazy i skaleczenia, uboczne działanie leków, przewlekłe stany zapalne ucha środkowego (→ s. 248), zapalenie opon mózgowych, zapalenie ucha wewnętrznego, niektóre guzy mózgu, choroba Ménière'a (→ s. 250), anomalie rozwojowe ucha wewnętrznego, zwyrodnienie starcze ślimaka, nagła utrata słuchu (→ s. 251), stwardnienie rozsiane (→ s. 212).

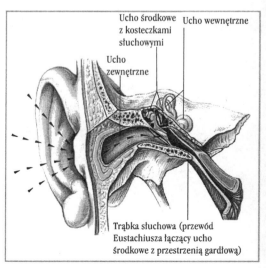

Ucho środkowe z kosteczkami słuchowymi

Ucho wewnętrzne

Ucho zewnętrzne

Trąbka słuchowa (przewód Eustachiusza łączący ucho środkowe z przestrzenią gardłową)

*Drugi rodzaj przyczyn upośledzenia słuchu* to głuchota przewodzeniowa. Uszkodzenie dotyczy struktur ucha zewnętrznego i środkowego: przewodu słuchowego, błony bębenkowej i kosteczek słuchowych. Ten rodzaj głuchoty jest skutkiem istnienia w zewnętrznym przewodzie czopu woskowinowego (→ s. 246), zamknięcia zewnętrznego przewodu słuchowego przez ciała obce lub stanu zapalnego tego przewodu (→ s. 247), zniekształceń ucha zewnętrznego i środkowego, skaleczeń ucha zewnętrznego i środkowego, kataru trąbki Eustachiusza (→ s. 247), ostrego i przewlekłego zapalenia ucha środkowego (→ s. 248), otosklerozy (→ s. 251). Głuchotę przewodzeniową można w wielu przypadkach usunąć, stosując środki zachowawcze lub zabiegi operacyjne. Gdy całkowite wyleczenie jest niemożliwe, uzyskuje się co najmniej istotną poprawę.

## Ryzyko zachorowania

Z badań statystycznych ludności Niemiec wynika, że co piętnasty mieszkaniec tego kraju ma słuch upośledzony. Znacznie częściej dotyczy to osób starszych, rzadziej młodych. Ryzyko zachorowania wzrasta, gdy:
— wykonywana jest praca w hałasie: na przykład w Austrii około dwustu pięćdziesięciu tysięcy pracowników jest narażonych na systematyczny wpływ hałasu w miejscu pracy;
— mieszkanie mieści się w budynku położonym tuż przy bardzo ruchliwej ulicy, z dużym ruchem samochodów ciężarowych;
— często i długo przebywa się w dyskotece;
— mieszkanie jest położone blisko lotniska lub strefy niskich lotów.

Subiektywnie oceniana głośność nie zmienia się liniowo z poziomem natężenia danego dźwięku. Przy zmianie jego poziomu o każde 6 dB głośność się podwaja lub maleje do połowy. Z tej zależności wynika, że przy zmianie poziomu od 60 do 120 dB subiektywna głośność danego dźwięku wzrasta tysiąc razy.

Poziomy natężenia powyżej 85 dB mogą po dłuższym działaniu doprowadzić do uszkodzenia słuchu. Powyżej 120 dB hałas powoduje ból uszu. Huk o poziomie natężenia 125 dB może wywołać trwałe uszkodzenie. Ucho człowieka potrafi odbierać tony o częstotliwości od 20 Hz (niskie) do 20 000 Hz (wysokie).

## Zapobieganie

*Na stanowisku pracy*: należy zadbać o to, aby źródła hałasu o poziomie przekraczającym 85 dB nie działały na nasz organizm przez dłuższy czas.

Na przykład austriackie prawo pracy przewiduje, że pobyt na stanowisku pracy, gdzie występuje hałas do 85 dB nie może przekraczać 8 godzin. Gdy ten poziom jest przekraczany o 5 dB i sięga 90 dB, dozwolony jest czas pobytu w tym środowisku zmniejszony do połowy, to jest do 4 godzin. Przy poziomie 95 dB ten czas skraca się do 2 godzin, przy 100 dB — do 1 godziny, przy 105 dB do 1/2 godziny, a gdy poziom natężenia sięga 110 dB, czas dozwolonego pobytu w takim hałasie wynosi tylko 15 minut.

Ponieważ podany poziom albo czas pobytu jest często przekraczany, uwzględniane są zalecenia związków zawodowych i zakładów ubezpieczeń nakazujące noszenie od 85 dB wzwyż indy-

| Orientacyjne poziomy natężenia hałasu (w decybelach) | |
|---|---|
| Tykający zegarek ręczny | 20 |
| Hałas tła w strefach mieszkalnych nocą | 30-35 |
| Cichy pokój mieszkalny | 40 |
| Hałas tła w strefach mieszkalnych w dzień | 40-45 |
| Normalna rozmowa | 60 |
| Pomieszczenia biurowe, np. kancelaria | 70 |
| Głośna restauracja | 70 |
| Głośna muzyka, główna ulica | 80 |
| Samochód ciężarowy w odległości 5 m | 90 |
| Motorowa kosiarka trawy | 90-100 |
| Przeciętna głośność walkmana | 95 |
| Koncert rockowy, dyskoteka | 100-110 |
| Silnik pojazdu wprowadzany na obroty | 110 |
| Silnik samolotu w odległości 240 m | 110 |
| Młot pneumatyczny w odległości około 1 m | 100-120 |
| Silnik samolotu w odległości 30 m | 120-130 |

widualnych ochron słuchu. Możliwe są następujące środki ochronne:
— Wata mikrowłóknista. Jest tania, wygodna i wystarcza jako zabezpieczenie w hałasie do 100 dB.
— Elastyczne wkładki douszne. Są niewygodne, ale tłumią hałas lepiej niż wata ochronna.
— Wkładki douszne z pianki rozprężliwej. Stanowią kombinację właściwości waty i wkładek elastycznych. Mogą być używane wielokrotnie z dobrym skutkiem.
— Ochrony nauszne, przydatne wtedy, kiedy zachodzi potrzeba tylko okresowej ochrony.

W każdym przypadku wykonywania pracy w środowisku silnego hałasu należy także zasięgnąć informacji w związkach zawodowych, zwłaszcza na temat podstaw prawnych umożliwiających domaganie się ograniczenia hałasu u jego źródeł.

*Dyskoteka i walkmany*

Młodociani często mają uszkodzony słuch, głównie na skutek narażenia na zbyt głośną muzykę w dyskotece lub słuchaną przez walkmana.

*Hałas lotniczy*

Z badań wykonanych w Niemczech wynika, że samoloty wojskowe latające na wysokości 75 m nad ziemią wytwarzają hałas o poziomie natężenia sięgającym 130 dB. Pod jego wpływem uszkodzeń słuchu doznają przede wszystkim dzieci.

## Możliwe następstwa i powikłania

Uszkodzenia słuchu mogą ograniczyć sprawność zawodową i wpłynąć negatywnie na życie społeczne. Znaczny ubytek słuchu wywołany przez hałas w miejscu pracy jest zaliczany do chorób zawodowych i upoważnia do otrzymywania renty.

## Kiedy do lekarza?

Jak tylko odniesiesz wrażenie, że gorzej słyszysz.

## Wskazówki ostrzegawcze

Indywidualnie stosowanymi ochronami można zapobiec trwałym uszkodzeniom słuchu, niemniej należy wziąć pod uwagę, że hałas doprowadza do szeregu innych zaburzeń zdrowotnych. Różne badania wykazały, że długotrwały wpływ hałasu zakłóca system obronny ustroju, co może spowodować wzrost ryzyka infekcji. Hałas wpływa także na układ krążenia. Osoby obciążone hałasem cierpią częściej na nadciśnienie (→ s. 304).

### Jak sobie pomóc

Najlepszą samopomocą jest zapobieganie uszkodzeniom narządu słuchu. Polski Związek Głuchych oferuje informacje dotyczące problemów związanych z przytępieniem słuchu: pomoc prawną, zabiegi rehabilitacyjne, kursy treningu słuchowego, pośrednictwo w kontaktach, informacje o roszczeniach wobec kas chorych i ubezpieczeń inwalidzkich, udogodnienia prawne.

Jeżeli ktoś przez dłuższy okres źle słyszał, z chwilą gdy założy aparat słuchowy, najpierw przelęknie się głośnych szmerów, które usłyszy. Jak należy optymalnie nastawić aparat słuchowy, można się nauczyć na kursach treningu słuchowego, które organizuje wyspecjalizowane Towarzystwo Przygłuchych.

W Polsce wyczerpujących informacji w tym zakresie udzielają terenowe specjalistyczne poradnie foniatryczne. Lektura uzupełniająca → s. 217.

Zasady zachowania się osób z przytępionym słuchem oraz głuchych w kontaktach z normalnie słyszącymi:
— Jeśli chcemy, aby rozmówca uwzględnił fakt naszego upośledzenia słuchu, nie można tego stanu przed nim zataić.
— Posiadany aparat wzmacniający sygnały słuchowe należy nosić regularnie i w sposób widoczny.
— Partnera rozmowy należy poprosić, aby mówił do nas, zwracając się w naszym kierunku. Poinformujmy go, że nie musi krzyczeć. Wystarczy, jeśli będzie mówić wyraźnie.
— Należy zważać na to, by zawsze widzieć usta lub twarz swojego rozmówcy.
— Samemu należy mówić wolno i wyraźnie, wtedy także do nas rozmówcy będą mówić w ten sposób.
— Należy zachować cierpliwość i poprosić o powtórzenie wypowiedzi, jeśli nie zrozumieliśmy treści.
— Nie należy sprawiać wrażenia, że wszystko usłyszeliśmy prawidłowo, gdy tak nie jest. Takie zachowanie prowadzi do nieporozumień.
— Gdy odniesiemy wrażenie, że głośność odbieranej mowy jest zbyt mała, należy najpierw sprawdzić, czy aparat wzmacniający funkcjonuje poprawnie, czy nie trzeba wymienić baterii. Dbając o poprawne i sprawne użytkowanie aparatu wzmacniającego, unikniemy zgorszenia i irytacji naszego partnera.
— Należy ćwiczyć odczytywanie mowy z ust partnera. W ten sposób zapewniamy sobie możliwość utrzymania kontaktów towarzyskich.
— Siadając, należy zająć miejsce, z którego widzimy dobrze oświetloną twarz partnera. Umożliwia to odczytywanie mowy z jego ust.

— Gdy nie słyszymy dzwonków u drzwi, należy je wymienić na brzęczki o niskiej częstotliwości. Mogą one być połączone z sygnałami świetlnymi. Gdy telefonując, nie korzystamy z aparatu wzmacniającego, można odpowiedni wzmacniacz wbudować w słuchawkę.

### Leczenie

Jeśli powodem osłabienia jest stosowanie leku, należy w porozumieniu z lekarzem natychmiast z niego zrezygnować.

Gdy rodzaj upośledzenia słuchu umożliwia korzystanie z aparatu dla słabo słyszących, lekarz winien pacjenta skierować do akustyka, zajmującego się takimi urządzeniami, który dobierze optymalny aparat. Przytępienie słuchu nie polega tylko na tym, że ktoś słyszy wszystko ciszej. Ubytek słuchu i resztkowa zdolność słyszenia są zróżnicowane dla różnych tonów. Osoby w starszym wieku mają często trudności ze słyszeniem tonów wysokich. Odpowiednio do stanu słuchu, aparat wspomagający ma u każdego do spełnienia inne zadanie i musi być indywidualnie dobrany.

## Jaki aparat dla słabo słyszących?

*Aparaty kieszonkowe.* W ich przypadku mikrofon, wzmacniacz, regulator głośności i baterie znajdują się w pudełku podobnym do pudełka papierosów. Słuchawka musi być włożona do ucha. Odpowiednim przewodem jest połączona z pudełkiem. To urządzenie wspomagające jest wyraźnie widoczne, bo jest noszone w takim miejscu, aby uniknąć szmerów tarcia odzieży. Aparaty tego typu są przydatne dla osób z dużym i bardzo dużym ubytkiem słuchu.

*Aparaty noszone za uchem.* Większość aparatów wspomagających umieszcza się za uchem. Odbierają one za pomocą mikrofonu tony i dźwięki, wzmacniają je elektrycznie i wprowadzają krótkim wężykiem do zewnętrznego przewodu słuchowego. Ten rodzaj aparatu może być też wbudowany w ramiączko okularów. Są przydatne zarówno u osób z małym, jak i dużym ubytkiem słuchu.

*Aparaty wkładane w małżowinę uszną.* Specjalista akustyk sporządza odpowiedni odlew części małżowiny, w który wbudowuje sam aparat wzmacniający. Aparaty tego typu wypełniają małżowinę uszną i mają tę zaletę, że ich mikrofon znajduje się w optymalnym miejscu naturalnym dla odbioru sygnałów dźwiękowych. Odbierają lepiej wysokie częstotliwości i umożliwiają dokładniejszą orientację co do kierunku napływu dźwięków. Wadą jest utrudniona manipulacja regulatorem wzmocnienia oraz trudności z włączeniem i wyłączeniem aparatu. Aparaty te są przydatne w przypadku małych i średnio nasilonych ubytków słuchu.

*Aparaty noszone w przewodzie słuchowym.* Te aparaty mieszczą się całkowicie w zewnętrznym przewodzie słuchowym i w związku z tym są niewidoczne. Jakość i wzmocnienie odbieranych sygnałów jest podobne do cech aparatów noszonych w małżowinie usznej. Wada polega na wymaganej zręczności w regulacji głośności oraz przy włączaniu i wyłączaniu aparatu. Są przydatne w przypadku małych i średnich ubytków słuchu.

## Głuchota całkowita

### Dolegliwości
Żaden sygnał dźwiękowy nie dociera do świadomości.

### Przyczyny
Przyczyna głuchoty może mieć charakter wrodzony lub być m.in. skutkiem zapalenia opon mózgowych. W późniejszym wieku przyczyną głuchoty są te same czynniki, które doprowadzają do przytępienia słuchu.

### Ryzyko zachorowania
Ryzyko doznania głuchoty jest zwiększane przez czynniki wywołujące przytępienie słuchu (→ s. 242).

### Zapobieganie
Według aktualnego stanu wiedzy brak jakichkolwiek możliwości zapobieżenia głuchocie wrodzonej. Odnośnie do zagadnienia szkodliwego działania na słuch hałasu (→ Przytępienie słuchu, s. 242).

### Możliwe następstwa i powikłania
Wrodzona głuchota jest powodem opóźnienia rozwoju umysłowego dzieci. Większość tych dzieci sprawność mówienia opanowuje bardzo późno albo pozostaje niema. Głuchota w znacznym stopniu utrudnia kontakty społeczne i ogranicza szanse zawodowe.

### Kiedy do lekarza?
Z chwilą zauważenia, że słuch ulega osłabieniu.

### Jak sobie pomóc
Warto skontaktować się z istniejącymi organizacjami służącymi informacjami i pomocą w tym zakresie. Towarzystwa organizują kursy czytania z warg. Gdy ta sprawność jest z trudem opanowywana, możliwe jest podjęcie próby przyswojenia sobie umiejętności komunikowania się systemem znaków ręcznych. Opanowanie tej „mowy" wymaga jednak także nauki.

### Leczenie
Gdy uszy obustronnie są całkowicie albo prawie całkowicie głuche, można zastosować tzw. implanty ślimakowe. Podstawowym warunkiem, który dla takiego zabiegu musi być spełniony, jest prawidłowy stan nerwu słuchowego. Istnieje wiele typów implantów. Wszystkie składają się z części wewnętrznej, implantowanej, posiadającej jedną lub kilka elektrod, i z części zewnętrznej, którą jest procesor mowy oraz nadajnik.

Wyniki uzyskiwane przez zastosowanie implantów są różne. Jedni pacjenci, u których je zastosowano, orientują się dzięki nim w otoczeniu, odbierając różne szmery, inni rozumieją znów mowę ludzką, bez potrzeby odczytywania jej z warg partnera. Główną wadą tych pomocy są bardzo wysokie koszty.

## Szumy w uszach

### Dolegliwości
Odbierane są szumy, dzwonienie, gwizdy, syczenie i inne dźwięki, które w danym miejscu nie są słyszane przez inne osoby. Objawy te mogą być stałe lub pojawiać się okresowo w różnych odstępach czasu.

### Przyczyny
— Czop woskowinowy (→ s. 246).
— Ciało obce w zewnętrznym przewodzie słuchowym.
— Otoskleroza (→ s. 251).
— Uszkodzenie spowodowane przez hałas lub eksplozje.
— Uszkodzenie błony bębenkowej (→ s. 249).
— Urazy głowy.
— Choroby układu krążenia krwi.
— Nadczynność tarczycy (→ s. 463).
— W sporadycznych przypadkach działanie uboczne leków.
— Zatrucie ołowiem, tlenkiem węgla, rtęcią.
— Choroba Ménière'a (→ s. 250).

### Ryzyko zachorowania
Szmery w uszach są stosunkowo częstą dolegliwością. Szczególnie dotknięte są osoby obciążone stresem i z uszkodzeniem słuchu spowodowanym przez hałas.

### Zapobieganie
Zgodnie z aktualnym stanem wiedzy nie jest możliwe.

### Możliwe następstwa i powikłania
Pogorszenie samopoczucia, problemy ze snem, depresja, odczuwanie strachu, wyłączanie się ze środowiska społecznego. Szmery te nie doprowadzają do głuchoty.

### Kiedy do lekarza?
Zawsze wtedy, gdy dolegliwości nie ustąpią po krótkim czasie samorzutnie.

### Jak sobie pomóc
Gdy opisane szmery w uszach nie są zbyt głośne, można sobie pomóc, słuchając cichej muzyki. Właściwa jest muzyka wysokotonalna, grana przez orkiestry smyczkowe pozbawione basów. Istnieje też muzyka specjalnie skomponowana dla pacjentów cierpiących na szmery w uszach, np. terapia muzyczna (TOMATIS). Ulgę dają ćwiczenia rozluźniające (→ s. 665).

### Leczenie
Wskazane jest poddanie się badaniu ogólnomedycznemu i specjalistycznemu w celu wyjaśnienia przyczyny dolegliwości.

### Krajowy Komitet Audiofonologiczny
00-054 Warszawa, ul. Jasna 24/26, tel. (0-22) 827-76-51 w. 412

### Koło Pomocy Dzieciom Głuchym
40-093 Katowice, ul. Św. Jana 10, tel. (0-32) 253-83-00
50-338 Wrocław, ul. Reja 27, tel. (0-71) 22-29-25; 22-70-16

### Polska Fundacja Pomocy Dzieciom Niedosłyszącym „Echo"
02-011 Warszawa, Al. Jerozolimskie 101, tel. (0-22) 629-00-31

### Polski Związek Głuchych
00-241 Warszawa, ul. Podwale 23, tel. (0-22) 831-40-71

U większości pacjentów cierpiących na szumy w uszach nie da się uzyskać wyleczenia, niemniej możliwe jest znaczne zmniejszenie dolegliwości. Tylko szumy występujące nagle (w fazie ostrej) ustępują pod wpływem leczenia. W pierwszych godzinach lub dniach chorzy muszą być leczeni lekami wzmagającymi przepływ krwi. Jeśli badanie lekarskie ujawniło istnienie określonej choroby będącej przyczyną słyszanych szmerów, należy ją leczyć. W przypadku gdy powodem może być zażywane lekarstwo, trzeba zaniechać jego stosowania. W razie braku poprawy, w grę wchodzą takie leki, jak: aviomarin, cinnarizina, flunarazyna, sibelium, stugeron, vertirosan. Tlenoterapia nadciśnieniowa oraz leczenie miękkim promieniowaniem laserowym, oferowane w przypadkach szumów w uszach, są zwykle drogie, a ich skuteczność jest wątpliwa. Sensowniejsze są programy ułatwiające opanowywanie stresu. Polegają one na nauczeniu pacjentów sztuki odprężania się przez uprawianie jogi, słuchanie muzyki albo za pomocą prowadzenia rozmów w grupach. To postępowanie sprzyja akceptacji słyszanych szumów.

Jeśli i to leczenie nie odniesie skutku, można zastosować mały aparacik wyglądający podobnie do aparatu dla osób z osłabionym słuchem, z tą różnicą, że w tym przypadku jego zadaniem jest wytwarzanie odpowiedniego dźwięku, który jest zdolny do zamaskowania dokuczliwych szmerów.

## Odstające uszy

### Dolegliwości
Odstające uszy mogą istotnie pogorszyć samopoczucie.

### Jak sobie pomóc
Bezsensowne jest przyklejanie lub przewiązywanie uszu na czas snu.

### Leczenie
Jedynym leczeniem stosowanym z sukcesem jest operacja uszu. Polega ona na wycięciu kawałka chrząstki z tylnej części, z pociągnięciem małżowiny usznej do tyłu, i zaszyciu rany skórnej. Wymaga to pobytu w szpitalu przez dwa dni. Takiej operacji nie należy podejmować przed ukończeniem piątego roku życia, ponieważ do tego czasu małżowiny nie są jeszcze w pełni rozwinięte. Natomiast po osiągnięciu tego wieku wskazane jest przeprowadzenie zabiegu w krótkim czasie, aby zapobiec urazom psychicznym dziecka narażonego na drwiny rówieśników.

## Czop woskowinowy

### Dolegliwości
Dokucza wrażenie, że uszy są zaczopowane. Odbiór sygnałów dźwiękowych jest osłabiony. W sporadycznych przypadkach pojawiają się szmery w uszach.

### Przyczyny
Każdy wytwarza różną ilość woszczyny w przewodzie słuchowym. Czasami dochodzi do jej nagromadzenia i do zamknięcia przewodu.

### Ryzyko zachorowania
W Niemczech na przykład rejestruje się rocznie sto siedemdziesiąt tysięcy wizyt u lekarza z powodu czopów woskowinowych. Osoby pracujące w środowisku silnie zapylonym, a także ci, którzy mają skłonność do zwiększonego wydzielania woskowiny, narażeni są na pojawienie się u nich czopów woskowinowych.

### Możliwe następstwa i powikłania
Czopy woskowinowe nie stanowią żadnego ryzyka dla uszu.

### Zapobieganie
Gdy współprzyczyną pojawiania się czopów woskowinowych jest praca w zapylonym powietrzu, pewną ochronę może zapewnić noszenie w tych warunkach ochronników słuchu.

### Kiedy do lekarza?
W każdym przypadku należy poddać się badaniu lekarskiemu.

### Jak sobie pomóc
Usunięcie czopów woskowinowych należy do zabiegów wykonywanych przez lekarza. Nie należy podejmować prób usunięcia czopów, posługując się pręcikami lub innymi ostrymi przedmiotami. Wówczas istnieje niebezpieczeństwo, że czop zostanie przesunięty w kierunku błony bębenkowej i ją uszkodzi.

### Leczenie
U osób mających prawidłową błonę bębenkową usunięcie czopu polega na jego wypłukaniu letnią wodą. Gdy ten zabieg nie pomoże lub gdy wiadomo, że błona bębenkowa jest uszkodzona, usunięcia czopu dokonuje lekarz, posługując się małymi haczykami.

## Ciało obce w uchu

### Dolegliwości
Dokuczliwe wrażenie istnienia obcego ciała w uchu, odczuwanie bólu z ucisku, szmery w uchu, osłabienie słuchu lub zakłócenia słuchu, gdy ciało obce wypełnia cały przewód słuchowy.

### Kiedy do lekarza?
W każdym przypadku należy zgłosić się do lekarza, który ciało obce usunie.

### Jak sobie pomóc
Obecność owada w zewnętrznym przewodzie słuchowym jest bardzo dokuczliwa. Pomóc sobie można, wkraplając do przewodu parę kropli oliwy. W wyniku tego zabiegu dochodzi do uspokojenia owada lub do jego uśmiercenia. Następnie należy udać się do lekarza.

### Leczenie
Gdy błona bębenkowa nie jest uszkodzona, lekarz przepłukuje zewnętrzny przewód słuchowy letnią wodą. Brak powodzenia zmusza lekarza do sięgnięcia po odpowiednie instrumenty. U małych dzieci zabieg jest najczęściej przeprowadzany w narkozie. Przy silnie obrzmiałym przewodzie słuchowym wprowadza się do niego najpierw skrawki nasiąknięte alkoholem lub wkrapla krople do uszu, a następnie przepłukuje się ucho wodą.

## Zapalenie zewnętrznego przewodu słuchowego

### Dolegliwości
Jednocześnie z bólem odczuwa się swędzenie ucha zewnętrznego. W ciężkich przypadkach obserwuje się wyciek zielonożółtej ropy z przewodu. Ostrość słuchu jest zmniejszona, a ruchy głową wywołują ból.

### Przyczyny
W niektórych przypadkach istnieje stan zapalny skóry wyściełającej cały przewód słuchowy. W innych przyczyną jest ograniczony proces o charakterze infekcji, np. czyrak albo ropień. Przyczyną infekcji są najczęściej bakterie albo wirusy, rzadziej grzyby.

Infekcje zewnętrznego przewodu słuchowego mogą być spowodowane przez zadrapania, manipulację w przewodzie ostrym przedmiotem, przez rozpylanie lakieru do włosów, brud, pył albo przez kąpanie się w silnie zabrudzonej wodzie.

### Ryzyko zachorowania wzrasta na skutek
— obecności wody w przewodzie słuchowym po kąpieli, pływaniu lub nurkowaniu,
— przebywania w klimacie wilgotnym i gorącym,
— chorób skórnych,
— skaleczenia zewnętrznego przewodu słuchowego przy jego czyszczeniu. Zewnętrzny przewód słuchowy ulega zwykle samooczyszczeniu, dzięki ruchowi górnej warstwy skóry usuwającemu wytworzoną woskowinę na zewnątrz. Częsta manipulacja pałeczkami z wacikiem w zewnętrznym przewodzie słuchowym zaburza mechanizm samooczyszczania się tego przewodu.

### Możliwe następstwa i powikłania
Niepodjęcie leczenia infekcji grozi jej przeniesieniem się na części chrzęstne i kostne ucha i objęciem stanem zapalnym ucha środkowego.

### Zapobieganie
W uchu nie należy manipulować ostrymi przedmiotami. Nie należy także używać pręcików z wacikiem do czyszczenia uszu, gdyż w normalnym stanie oczyszczają się one samorzutnie. Przed kąpielą, pływaniem i nurkowaniem należy zewnętrzne przewody słuchowe zabezpieczyć wacikami nasączonymi oliwą.

### Kiedy do lekarza?
Jak tylko odniesie się wrażenie, że zewnętrzny przewód słuchowy jest skaleczony lub przebiega stan zapalny.

### Jak sobie pomóc
Nie należy w tych przypadkach wkraplać samemu kropli do uszu. Leczenie powinno się powierzyć lekarzowi.

### Leczenie
Lekarz może wykonać następujące zabiegi:
— oczyścić zewnętrzny przewód słuchowy (płukanie),
— w celu zwalczania obrzęku może do przewodu włożyć tasiemki nasiąknięte alkoholem,
— może do przewodu wprowadzić tasiemki nasiąknięte anty-

biotykami, preparatami glikokortykoidowymi albo może wprowadzić te leki jako krople.

## Zapalenie trąbki słuchowej

### Dolegliwości
Pojawia się wrażenie ucisku i zapełnienia ucha, osłabienie słuchu oraz w niektórych przypadkach szmery w uchu.

### Przyczyny
Powodem opisanych dolegliwości jest zamknięcie trąbki Eustachiusza. Najczęstszą przyczyną są procesy zapalne w obrębie nosa i gardła, a w niektórych przypadkach powodem mogą być nagłe zmiany ciśnienia powietrza (podczas latania i nurkowania), jak też nowotwory nosa lub gardła.

### Ryzyko zachorowania
Jest stosunkowo duże u dzieci, które często chorują.

### Możliwe następstwa i powikłania
Przy braku leczenia może dojść do nagromadzenia się w uchu środkowym gęstej wydzieliny, która może być powodem trwałego upośledzenia słuchu.

### Zapobieganie
Procesy zapalne w obrębie nosa i gardła, zwłaszcza u dzieci, należy zawsze leczyć u lekarza.

### Kiedy do lekarza?
Każdy przypadek zapalenia trąbek słuchowych winien być zbadany i leczony w najkrótszym czasie.

### Jak sobie pomóc
Brak sensownych i skutecznych sposobów samopomocy.

### Leczenie
Do najważniejszych zabiegów należy stosowanie kropli do nosa mających właściwości usuwania obrzmienia błony śluzowej (→ s. 286). W celu zapewnienia przewietrzania ucha środkowego wskazane są następujące środki:
— Przy zamkniętych ustach i zatkanym nosie ostrożnie wydmuchiwać powietrze oddechowe w kierunku nosa.
— Gdy to nie pomoże, lekarz wdmuchuje balonem powietrze w jedną dziurkę nosa, zatykając jednocześnie drugą dziurkę. W momencie wdmuchiwania powietrza wypowiada się

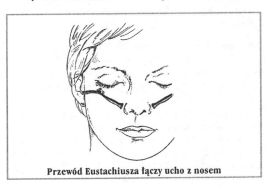

**Przewód Eustachiusza łączy ucho z nosem**

słowo „Karol" albo „kuku", co powoduje podniesienie podniebienia miękkiego ku górze, zamknięcie przestrzeni noso-gardzieli i wtłoczenie powietrza do trąbek.
— Ponowny brak powodzenia zmusi do znieczulenia błony śluzowej nosa, po czym do trąbki zostaje wprowadzony odpowiedni cewnik.
— W razie stwierdzenia w uchu środkowym płynu wysiękowego, lekarz delikatnie nacina błonę bębenkową i przez wytworzony otwór wysysa nagromadzony płyn. Zabieg ten jest przeprowadzany w miejscowym znieczuleniu.
— Konieczne jest zadbanie o długoczasowe przewietrzenie ucha środkowego. W tym celu niezbędne jest usunięcie operacyjne polipów (→ s. 287), fachowe leczenie procesów zapalnych nosa i jam obocznych nosa, a także wprowadzenie poprzez błonę bębenkową małej rurki doprowadzającej powietrze do przestrzeni ucha środkowego. Rurkę tę zostawia się w uchu przez parę miesięcy.

## Ostre zapalenie ucha środkowego

### Dolegliwości
Dominuje wrażenie „pełnego" ucha, któremu towarzyszy pulsujący ból, nasilający się nocą. Do dalszych dolegliwości należy osłabienie słuchu, wysoka gorączka, a u małych dzieci — nudności i wymioty. Bardzo małe dzieci cierpiące na ostre zapalenie ucha środkowego nie potrafią jeszcze wskazać na ucho jako na miejsce odczuwania bólu. Ich reakcja polega wówczas na piskliwym krzyku. Wskutek procesu zapalnego rozwija się w uchu środkowym nadciśnienie, które w ciągu kilku dni doprowadza do przerwania błony bębenkowej i do wycieku ropnego płynu z ucha. W tym samym momencie chory doznaje ulgi, ból staje się mniejszy, gorączka opada. W fazie gojenia się zmian wyciek ropny ustaje, błona bębenkowa samorzutnie się zabliźnia, słuch się normalizuje.

### Przyczyny
Czynnikiem wywołującym są infekcje bakteryjne lub wirusowe.

### Ryzyko zachorowania
Rocznie rejestruje się w Niemczech ponad 3 miliony wizyt u lekarza z powodu zachorowania na ostre zapalenie ucha środkowego. Około połowy pacjentów to dzieci w wieku do lat 11.
Ryzyko zachorowania wzrasta u osób z katarem, nawracającymi polipami (→ Polipy nosa, s. 287), zapaleniem nosa i gardła oraz po odrze, śwince czy szkarlatynie.

### Możliwe następstwa i powikłania
W wyniku błędnego lub opóźnionego leczenia ostre zapalenie ucha środkowego może przejść w stan przewlekły. Dalszym ryzykiem jest rozszerzenie się procesu zapalnego na części kostne za uchem — na wyrostek sutkowaty (→ Zapalenie wyrostka sutkowatego, s. 249). W tym przypadku staje się konieczny zabieg operacyjny, którego celem jest usunięcie zainfekowanej części kości. Ciężką komplikacją towarzyszącą zapaleniu ucha środkowego jest podrażnienie lub zapalenie opon mózgowych (→ Zapalenie opon mózgowych, s. 205).

### Kiedy do lekarza?
W najkrótszym czasie.

### Jak sobie pomóc
Należy pozostać w łóżku, na ucho nałożyć ciepły okład, niekiedy wskazane jest zażycie środka przeciwbólowego. Podjęcie leczenia ogólnie dostępnymi kroplami do uszu nie ma sensu i nie jest wskazane.

### Leczenie
W celu zwalczenia infekcji lekarz zaleci przede wszystkim antybiotyki doustnie (→ s. 621), leki przeciwhistaminowe i przeciwbólowe. Podczas fazy gojenia konieczne jest dopilnowanie dobrego przewietrzenia ucha środkowego poprzez drożne trąbki. W tym celu lekarz posłuży się balonem, którym wtłoczy powietrze w jedną dziurkę nosa, gdy druga dziurka w tym czasie jest zaciskana. W momencie wdmuchiwania powietrza wypowiada się słowo „Karol" lub „kuku". Dzięki temu następuje uniesienie podniebienia miękkiego, zamknięcie przestrzeni noso-gardzieli i wtłoczenie powietrza do trąbek.
W przypadku kłującego bólu, który jest wywoływany przez duże ciśnienie panujące w uchu środkowym, lekarz dokonuje małego nacięcia błony bębenkowej, co pozwala na swobodny wypływ ropy z wnętrza ucha.
U małych dzieci taki zabieg jest wykonywany w warunkach szpitalnych, pod narkozą. Nacięta błona bębenkowa goi się w okresie jednego do dwóch tygodni.

## Przewlekłe zapalenie ucha środkowego

### Dolegliwości
Stale lub raz po raz dochodzi do wycieku wydzieliny z ucha. Słuch jest osłabiony. Często odnosi się wrażenie, że ucho jest wypełnione wodą. Dokuczają szmery w uchu.

### Przyczyny
W grę wchodzą przewlekłe infekcje ucha środkowego spowodowane przez bakterie, wirusy. Rozwojowi infekcji sprzyjają następujące okoliczności:
— Błędne lub opóźnione leczenie ostrego zapalenia ucha środkowego.
— Wrodzona podatność błony śluzowej ucha środkowego.
— Wrodzone lub nabyte zmiany w obrębie ucha środkowego i trąbek słuchowych.
— Bakterie albo wirusy odporne na leczenie.

### Ryzyko zachorowania
Chroniczne stany zapalne ucha środkowego zdarzają się najczęściej u dzieci do piątego roku życia oraz u dorosłych w wieku powyżej czterdziestu lat.

### Możliwe następstwa i powikłania
Pojawić się mogą zaburzenia słuchu wskutek otworu w błonie bębenkowej lub uszkodzenia łańcucha kosteczek słuchowych. W następstwie osłabienia słuchu dochodzi u dzieci do zahamowania rozwoju mowy, co błędnie jest uważane za tępotę lub niedorozwój. Ciężką komplikacją przewlekłego zapalenia ucha

środkowego jest podrażnienie opon mózgowych (→ Zapalenie opon mózgowych, s. 205).

### Zapobieganie
Prawidłowe i wczesne leczenie ostrego zapalenia ucha środkowego.

### Kiedy do lekarza?
W najkrótszym czasie.

### Jak sobie pomóc
Należy dbać o to, by uszy były suche i czyste. Unikać dostania się wody do uszu.

### Leczenie
Oczyszczenie i wysuszenie uszu poprzez zastosowanie alkoholowych kropli do uszu oraz zażywanie antybiotyków. Gdy rozwinie się zapalenie wyrostka sutkowatego, konieczna staje się operacja chirurgiczna. Uszkodzone kosteczki słuchowe mogą być zastąpione odpowiednimi protezami. W wielu przypadkach tego rodzaju zabieg przywraca słuch w zadowalającym stopniu.

## Zapalenie wyrostka sutkowatego
Tą nazwą określa się zapalenie upowietrzonych jamek znajdujących się w kostnym wyrostku sutkowatym za uchem.

### Dolegliwości
Narastanie temperatury podczas ostrego zapalenia ucha środkowego w fazie wycieku ropnej wydzieliny. Towarzyszy temu ból uszu, ból przy opukiwaniu okolicy ucha, odstawanie małżowiny, narastanie niedosłuchu.

### Przyczyny
Brak możliwości odpływu ropnej wydzieliny z wnętrza ucha środkowego powoduje rozprzestrzenianie się procesu zapalnego na otaczającą tkankę kostną.

### Ryzyko zachorowania
Zapalenie wyrostka sutkowatego może być powikłaniem stanu zapalnego ucha środkowego.

### Możliwe następstwa i powikłania
Zapalenie wyrostka sutkowatego może ulec całkowitemu wygojeniu, nie pozostawiając uszkodzenia słuchu, pod warunkiem odpowiedniego leczenia.

### Zapobieganie
W razie stwierdzenia zapalenia ucha środkowego wskazane jest leczenie antybiotykami.

### Kiedy do lekarza?
W najkrótszym czasie.

### Jak sobie pomóc
Samemu nie można.

### Leczenie
Rozpoznanie zapalenia wyrostka sutkowatego wymaga wykonania przez lekarza badania rentgenowskiego. Leczenie zaczyna

się od podania drogą iniekcji odpowiedniego antybiotyku. Jeśli stan zapalny rozwinął się do tego stopnia, że za małżowiną uszną widoczny jest obrzęk i zaczerwienienie, konieczna jest natychmiastowa operacja chirurgiczna. Polega ona na otwarciu wyrostka sutkowatego i usunięciu zainfekowanej części kości.

## Uszkodzenie błony bębenkowej
### Dolegliwości
Silnemu bólowi ucha towarzyszy niekiedy krwawienie z przewodu słuchowego oraz osłabienie słuchu. Pojawienie się zawrotów głowy jest wskazówką, że skaleczeniu uległo także ucho wewnętrzne. W okresie paru dni do opisanych objawów może dołączyć spowodowany infekcją wyciek ropny z ucha, szczególnie wtedy, gdy do ucha środkowego dostała się woda.

### Przyczyny
Skaleczenie może być następstwem manipulacji w uchu ostrymi przedmiotami, pręcikami, ołówkami itp. Uszkodzenie błony bębenkowej może być następstwem zapalenia ucha środkowego, urazów ucha, eksplozji i wypadków przy nurkowaniu.

### Ryzyko zachorowania wzrasta
— gdy uszy są narażone na uderzenia,
— w razie obecności w rejonach eksplozji,
— wskutek skaleczenia przy czyszczeniu ucha.

Zewnętrzny przewód słuchowy podlega samooczyszczaniu. W przypadku częstego czyszczenia zewnętrznego przewodu słuchowego pręcikami z watą fizjologiczny mechanizm samooczyszczania ulega zakłóceniu.

### Możliwe następstwa i powikłania
Uszkodzenie błony bębenkowej grozi zapaleniem ucha środkowego. Wygojona błona bębenkowa nie stanowi żadnego problemu dla zdrowia. Pozostające po wyleczeniu błony osłabienie słuchu jest zwykle małego stopnia.

### Zapobieganie
Nie należy manipulować w uchu żadnymi pręcikami, nawet pręcikami z watą.

### Kiedy do lekarza?
W najkrótszym czasie.

### Jak sobie pomóc
W razie bardzo silnego bólu można zastosować środek przeciwbólowy (→ s. 620).

### Leczenie
Pomocne są krople do uszu likwidujące obrzęk oraz antybiotyki zapobiegające infekcji. W celu przyspieszenia procesu wygojenia lekarz może zastosować znieczulenie miejscowe i na uszkodzoną błonę bębenkową nałożyć kawałek folii z tworzywa sztucznego. W większości przypadków skaleczenie goi się w ciągu dwóch tygodni. Jeśli błona bębenkowa nie zamknie się w okresie dwóch miesięcy, konieczny jest zabieg operacyjny polegający na wprowadzeniu zastępczej błony bębenkowej (tympanoplastyka).

## Ból wywołany zmianami ciśnienia

### Dolegliwości
Pojawia się silny ból ucha, pulsujące szmery w uchu, uczucie za-czopowania ucha oraz osłabienie słuchu. Czasami dokuczają za-wroty głowy.

### Przyczyny
Podczas kataru może nastąpić zwężenie lub całkowite zamknię-cie trąbki słuchowej. Drożna trąbka słuchowa jest warunkiem wyrównywania się ciśnienia w uchu środkowym podczas latania samolotem, nurkowania, korzystania z wyciągów narciarskich i kolejek linowych. Zamknięta trąbka jest przeszkodą dla wyrów-nywania się ciśnień, wskutek czego różnica ciśnienia wewnątrz ucha środkowego i w zewnętrznym przewodzie słuchowym znie-kształca błonę bębenkową, a czasami doprowadza nawet do jej naddarcia.

### Możliwe następstwa i powikłania
Silne różnice ciśnień mogą być powodem krwawień w uchu środkowym. Prawidłowe leczenie zapobiega osłabieniu słuchu.

### Zapobieganie
Nie należy latać samolotem, nurkować, korzystać z wyciągów narciarskich i kolejek linowych w czasie kataru nosa, gdy odczu-wamy trudności z wyrównywaniem ciśnienia wewnątrz uszu. Podczas latania samolotem nie należy pić napojów alkoholo-wych. Małe dzieci (niemowlęta) podczas lądowania należy utrzy-mać w pozycji pionowej, aby zapobiec zamknięciu się trąbek słuchowych. Opisanym dolegliwościom zapobiega żucie gumy podczas lotu. Równie skuteczne jest częste ziewanie. Pomocne jest też zastosowanie kropli do nosa powodujących zniknięcie obrzęku błony śluzowej. Ten środek jest wskazany przed startem i przed lądowaniem.

### Kiedy do lekarza?
W razie braku poprawy i utrzymania się dolegliwości ponad pięć godzin. Aby zapobiec bólom wywoływanym przez różnice ciśnie-nia, wskazane jest zastosowanie leków przeznaczonych do lecze-nia kataru nosa.

### Jak sobie pomóc
→ Zapobieganie.

### Leczenie
Utrzymanie się bólu mimo stosowanych środków samopomocy wymaga pomocy lekarza, który po znieczuleniu błony śluzowej nosa udrożni trąbki, wprowadzając do ich wnętrza małe cewniki. Dzięki nim nastąpi upowietrzenie ucha środkowego i wyrówna-

---

**Celowe: środki przeciw katarowi nosa zapobiegające bólom ucha wywołanym nagłą zmianą ciśnienia wewnątrz ucha środkowego i w zewnętrznym przewodzie słuchowym**

| | | |
|---|---|---|
| Nasivin | Rhinazin | Rhinospray |
| Olynth | Rhinon | Xylometazolin |

---

nie ciśnienia. Gdy i ten zabieg nie daje poprawy, lekarz może dokonać drobnego nacięcia błony bębenkowej i przez ten otwór wprowadzić małą rurkę do wnętrza ucha środkowego. Po ustąpieniu dolegliwości i usunięciu rureczki błona bęben-kowa zarasta w ciągu dwóch tygodni bez potrzeby leczenia.

## Perlak

Perlaki są łagodnymi nowotworami naskórkowej warstwy skóry.

### Dolegliwości
Zauważa się nieznaczne, niejednokrotnie nawet silne osłabie-nie słuchu, czasami pojawia się cuchnący wyciek z ucha, do-kuczają bóle głowy i ból uszu oraz zawroty głowy.

### Przyczyny
Najczęściej perlaki są następstwem skaleczeń błony bębenko-wej przy istniejącym przewlekłym zapaleniu ucha środkowego. W rzadkich przypadkach perlaki mogą się pojawić na skutek długotrwałych zaburzeń upowietrzenia ucha środkowego wy-wołanych na przykład katarem trąbek słuchowych. Mogą też być wrodzone.

### Ryzyko zachorowania
Zapalenie ucha środkowego sięgające krawędzi przewodu słu-chowego sprzyja uszkodzeniom błony bębenkowej.

### Możliwe następstwa i powikłania
Perlak nie poddany leczeniu może się rozprzestrzenić i dopro-wadzić do uszkodzenia łańcucha kosteczek słuchowych. Kon-sekwencją tego procesu jest trwałe upośledzenie słuchu. U piątej osoby operowanej z powodu perlaka dochodzi do wzno-wy. Komplikacja ta może się stać niebezpieczna, gdy leczenie jest podejmowane z opóźnieniem.

### Zapobieganie
Każde przewlekłe zapalenie ucha środkowego wymaga po-prawnego i starannego leczenia.

### Kiedy do lekarza?
W najkrótszym czasie.

### Jak sobie pomóc
Samemu nie można.

### Leczenie
Perlaki muszą być operowane. Gdy proces chorobowy jest za-awansowany, konieczne staje się odtworzenie łańcucha kos-teczek słuchowych, zniszczonych przez perlaka, protezami z metalu, ceramiki lub kości. U około 20% chorych poddanych operacji dochodzi do wznowy.

## Choroba Ménière'a

### Dolegliwości
Napady zawrotów głowy pojawiające się nieregularnie w odstę-pach kilku tygodni do kilku lat. Napadom tym towarzyszy szum w uszach, odczuwanie ucisku i nudności. Typowe są wymioty

i napady pocenia się oraz osłabienie słuchu, zwłaszcza w zakresie tonów niskich.

Niekiedy chorzy na chorobę Ménière'a odczuwają przed atakiem ucisk w uszach. Napad może trwać od paru minut do kilku godzin. W przypadku trwania choroby przez dłuższy czas ataki stają się mniej intensywne, lecz osłabienie słuchu ma wówczas charakter trwały. Narastający ubytek słuchu obciąża w siedemdziesięciu procentach przypadków tylko jedno ucho.

## Przyczyny
W labiryncie tej części ucha wewnętrznego, która reguluje stan równowagi ustroju, narasta ilość cieczy. To powoduje wzrost ciśnienia wewnątrz labiryntu, uszkodzenie delikatnych ścianek oraz zaburzenie zmysłu równowagi. Powód gromadzenia się zwiększonej ilości płynu nie jest dotąd znany.

## Ryzyko zachorowania
W Niemczech rozpoznaje się tę chorobę u około 280 000 osób rocznie.

## Możliwe następstwa i powikłania
Najczęściej dolegliwości są słabo nasilone. W przypadkach ciężkich dolegliwościom towarzyszy uczucie silnego lęku. Obserwowane są też napady migreny. Bardzo rzadko choroba Ménière'a może doprowadzić do zupełnej głuchoty — ze wszystkimi negatywnymi skutkami w zakresie zdrowia psychicznego i współżycia społecznego (→ Głuchota całkowita, s. 245).

## Zapobieganie
Chorobie Ménière'a zapobiega dieta z ograniczoną ilością soli kuchennej. Pod jej wpływem zmniejsza się ryzyko napadów (→ Żywienie, s. 704).

## Kiedy do lekarza?
Z chwilą pojawienia się opisanych dolegliwości. Postawienie rozpoznania wymaga dokładnych badań obejmujących testy równowagi, badanie stanu słuchu, badanie neurologiczne, wykonanie zdjęć rentgenowskich głowy oraz badania ośrodków słuchowych w mózgu.

## Jak sobie pomóc
W momencie pojawienia się napadu należy spokojnie leżeć. Ograniczyć spożywanie soli i płynów.

## Leczenie
Wszystkie stosowane lekarstwa tylko łagodzą, a nie leczą choroby.

*Leczenie ostrego napadu*
Pozostawanie w łóżku, podawanie dożylnych iniekcji środków przeciw nudnościom i wymiotom.

*Leczenie długotrwałe*
Zażywanie środków uspokajających okazało się skuteczne przeciwko odczuwanym uciskom, uczuciu lęku i zlewnym potom.

*Operacje*
Gdy środki farmakologiczne nie spowodują poprawy, konieczny staje się zabieg operacyjny. Polega on na wytworzeniu w kostnej obudowie ucha środkowego otworu, który zapewnia dekompre-

się ucha wewnętrznego. W około 70% wszystkich przypadków ustępują wówczas napady zawrotów głowy. Niestety, po pewnym czasie dolegliwości powracają.

## Otoskleroza

### Dolegliwości
Odczuwanie szumu w uszach, który często jest określany jako cykanie świerszcza. Narasta osłabienie słuchu, najczęściej asymetrycznie, silniej w jednym uchu.

### Przyczyny
W otosklerozie dochodzi do zwapnienia w kostnym labiryncie ucha wewnętrznego. Zaburzenie dotyczy przeważnie połączenia między płytką strzemiączka a okienkiem owalnym ucha wewnętrznego. Oznacza to, że strzemiączko znajdujące się w uchu środkowym jest „wmurowane" w okienko owalne, a przez to traci możliwość ruchu i przekazywania drgań do ucha wewnętrznego. Przyczyna zwapnienia nie jest dotąd znana. Przypuszcza się, że istotną rolę odgrywa czynnik dziedziczny.

### Ryzyko zachorowania
Co roku rozpoznaje się w Niemczech 30 tysięcy zachorowań na otosklerozę. Dotknięci tą chorobą to przeważnie osoby starsze.

### Możliwe następstwa i powikłania
Zabieg operacyjny może w wielu przypadkach doprowadzić do odzyskania sprawnego słuchu. Jednakże w im większym stopniu proces sklerozy angażuje ucho wewnętrzne, tym szybciej dochodzi do ponownego osłabienia słuchu pomimo dokonanej operacji.

### Zapobieganie
Nie jest możliwe.

### Kiedy do lekarza?
Z chwilą pojawienia się podejrzenia, że choruje się na otosklerozę.

### Jak sobie pomóc
Samemu nie można.

### Leczenie
Dopóki ucho wewnętrzne jest jeszcze sprawne, dopóty wykonywany jest zabieg operacyjny, którego celem jest zastąpienie „wmurowanego" strzemiączka odpowiednią protezą. W jednym przypadku na sto po zabiegu dochodzi do całkowitej głuchoty.

W wyjątkowych przypadkach, gdy przeprowadzenie zabiegu operacyjnego jest niemożliwe, poprawę słuchu można uzyskać, stosując odpowiedni aparat wzmacniający.

## Nagła utrata słuchu

### Dolegliwości
Podstawowym objawem jest nagłe pojawienie się jednostronnego osłabienia słuchu lub całkowitej głuchoty, połączonej

z odczuwaniem ciśnienia w uszach i słyszeniem szmerów. Tylko u co dziesiątej osoby dotkniętej tą dolegliwością proces choroby dotyczy obojga uszu.

## Przyczyny

Podejrzewa się, że przyczyną są zaburzenia ukrwienia ucha wewnętrznego, infekcja wirusowa albo uboczne działanie leków. Rzadko przyczyną jest rak lub choroby ośrodkowego układu nerwowego. Powodem może być także stres.

W związku z tym podejrzewa się, że szczególnie narażone na nagłą utratę słuchu są te osoby, które nie potrafią doprowadzić do fizjologicznej równowagi między napięciem a odprężaniem się (→ Zdrowie i dobre samopoczucie, s. 173).

## Ryzyko zachorowania

W większości przypadków choroba pojawia się u osób powyżej czterdziestego roku życia.

## Możliwe następstwa i powikłania

Nagła utrata słuchu wymaga natychmiastowego podjęcia leczenia. Często dochodzi do spontanicznej normalizacji sprawności słuchu.

## Zapobieganie

Nie jest możliwe.

## Kiedy do lekarza?

Natychmiast.

## Jak sobie pomóc

Samemu nie można.

## Leczenie

Natychmiastowa hospitalizacja oraz infuzje środków poprawiających krążenie, niskomolekularnych dekstranów, witamin i prokainy. Po dziesięciu infuzjach należy przejść na środki doustne.

# SKÓRA

Skóra, mając powierzchnię około dwóch metrów kwadratowych i ważąc około dwóch kilogramów, jest największym narządem człowieka. Stanowi ona granicę ze światem zewnętrznym i spełnia kilka funkcji. Jest narządem umożliwiającym odbieranie wrażeń zmysłowych — dotyku, bólu i temperatury. Odgrywa dużą rolę w kontaktach z innymi ludźmi, ma wpływ na samopoczucie. Chroni przed czynnikami mechanicznymi (uderzenie, tarcie). Reguluje ciepłotę ciała przez zewnętrzną warstwę izolacyjną (włosy), warstwę tkanki tłuszczowej, system chłodzenia sieci naczyń krwionośnych i gruczoły potowe. Jej warstwa rogowa, suchość i kwaśny odczyn chronią przed zarazkami chorobotwórczymi. Przez pogrubienie i opaleniznę skóra uniemożliwia szkodliwe działanie promieni ultrafioletowych słońca. Tworząc barierę między organizmem i środowiskiem zewnętrznym, skóra zapobiega wysuszeniu ustroju i wnikaniu weń drobnoustrojów.

Skóra jest narządem widocznym, dostępnym dla oczu. Dlatego też „odrażające" choroby skóry wywierają zawsze wpływ na samopoczucie psychiczne. Na przykład trądzik — jeden z najczęstszych problemów medycznych młodocianych — może wpłynąć niekorzystnie na rozwój osobowości. Wysypki, przebarwienia skóry i znamiona bywają tak bardzo szpecące, że działają na otoczenie odstręczająco. Zresztą niezliczone ilości kosmetyków najlepiej świadczą o tym, jakie znaczenie dla naszego samopoczucia ma stan skóry i włosów. I przeciwnie — skóra może odzwierciedlać nasze samopoczucie: pocimy się ze strachu, rumienimy ze wstydu. Sytuacje, które powodują, że człowiek mógłby „wyskoczyć ze skóry", u niektórych osób manifestują się wysypkami.

Tak więc można powiedzieć, że skóra jest zwierciadłem duszy.

## Pielęgnacja skóry

Regularna pielęgnacja skóry jest ważna nie tylko ze względów higienicznych, lecz wpływa także na dobre samopoczucie i może zapobiec występowaniu chorób. Sposób pielęgnowania skóry zależy od tego, czy mamy skórę normalną, suchą czy tłustą. Jednak typ skóry uzależniony jest we wszystkich niemal przypadkach od pory roku (w zimie z reguły skóra jest bardziej sucha niż w lecie), hormonów i ogólnego stanu zdrowia. U niektórych osób nawet w obrębie twarzy występują różne typy skóry. Preparaty do pielęgnacji skóry i jej leczenia stoją do naszej dyspozycji w różnych postaciach. Rozróżnia się więc: maści, kremy, zawiesiny i roztwory.

Maści są tłuste i albo nie zawierają wody, albo zawierają jej bardzo niewiele. Nadają się do natłuszczania, zwłaszcza wilgotnej skóry i pozostają na skórze w postaci tłustej warstwy.

Kremy są emulsjami, a więc stabilnymi mieszaninami wody i tłuszczu. Rozróżnia się dwa typy kremów: emulsje wody w oleju, które są tłuste i trudniej je rozprowadzić na skórze; emulsje oleju w wodzie, zawierające mniej tłuszczu, dające się łatwo rozprowadzić na skórze i szybko w nią wnikają; zawiesiny — mieszanki oleju, wody i proszku — nakładają się łatwo na skórę, działają chłodząco i wysuszają ostro zapalnie zmienione i sączące wykwity. Zawiesiny należy przed użyciem wstrząsnąć.

Roztwory składają się z wody lub alkoholu, w którym rozpuszczone są ciała stałe. Działają one podobnie jak zawiesiny — wysuszająco.

### Oczyszczanie skóry

Przy każdym umyciu woda, a jeszcze bardziej mydło i jemu podobne środki usuwają ze skóry brud, tłuszcz, złuszczony naskórek i wiążące wilgoć substancje. W efekcie mycia skóra staje się sucha i szorstka. Zdrowa skóra w normalnych warunkach szybko uzupełnia usunięty tłuszcz. Ponadto większość środków służących do mycia skóry zawiera substancje natłuszczające. Zbyt częste mycie bez późniejszego natłuszczania może prowadzić do nadmiernego wysuszenia skóry i drobnego łuszczenia.

*Mydła? Syntetyczne detergenty? Mleczka oczyszczające? Wody toaletowe?*

Syntetyczne detergenty wyglądają tak samo jak mydła, jednak zawierają zawsze sztuczne związki myją-

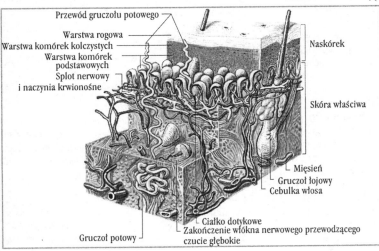

Przewód gruczołu potowego
Warstwa rogowa
Warstwa komórek kolczystych
Warstwa komórek podstawowych
Splot nerwowy i naczynia krwionośne
Naskórek
Skóra właściwa
Mięsień
Gruczoł łojowy
Cebulka włosa
Ciałko dotykowe
Zakończenie włókna nerwowego przewodzącego czucie głębokie
Gruczoł potowy

ce. Mają one tę przewagę nad mydłem, że cechuje je wartość około 6 pH odpowiadająca kwasocie skóry, podczas gdy mydło wykazuje odczyn zasadowy — około 10 pH.

— Przy skórze tłustej należy dać pierwszeństwo syntetycznym detergentom, albowiem odtłuszczają one skórę lepiej niż mydło.

— Przy skórze suchej należy wybrać mydło takie, które zawiera dużą ilość substancji natłuszczających (np. mydło dla niemowląt).

— Skóra zdrowa toleruje dobrze oba rodzaje mydeł, jednak nadmiernie częste mycie może zaszkodzić niezależnie od rodzaju mydła.

— Środki pielęgnacyjne dla niemowląt powinny zawierać jak najmniej składników dodatkowych, a więc również i pachnideł.

— Mydła twarde i syntetyczne detergenty mają tę przewagę nad płynnymi, że nie zawierają środków konserwujących.

— Mleczka oczyszczające myją skórę najłagodniej. Są to płynne emulsje oleju w wodzie, które nakłada się na skórę i zmywa wodą. Mleczka te słabo odtłuszczają. Służą najczęściej do usuwania makijażu.

— Wody toaletowe zawierają alkohol i cieszą się dużą popularnością ze względu na ich odświeżający efekt. Jednakże dermatolodzy odradzają ich stosowanie, gdyż powodują one wysuszenie i odtłuszczenie skóry.

### Skóra sucha
Skóra sucha ma skłonność do łuszczenia się, jest matowa, marszczy się szybciej i często daje uczucie wzmożonego napięcia.

Skóra sucha występuje często:
— u osób starszych w następstwie zmniejszonej funkcji gruczołów łojowych,
— u kobiet w okresie klimakterium,
— u osób przebywających długo w pomieszczeniach z centralnym ogrzewaniem lub klimatyzacją,
— u osób używających odtłuszczonych mydeł lub dodatków kąpielowych w postaci pianek.

Skóra sucha nie lubi częstych kąpieli. Im gorętsza woda kąpieli czy prysznica, tym większy ubytek tłuszczu skóry. Po umyciu czy kąpieli należy więc posmarować suchą skórę kremem lub zawiesiną, dzięki czemu następuje lepsze zmagazynowanie wilgoci w skórze. Środki do pielęgnacji skóry suchej są raczej bogate w tłuszcze.

*Jaki krem? Jakie mleczko? Jaka zawiesina?*
Właściwość stosowanego środka można sprawdzić drogą próby: jeżeli wkrótce po nasmarowaniu skóra znowu jest sucha, należy zastosować środek bogatszy w tłuszcze (zwykle jest to emulsja typu woda w oleju). Lekki, tłusty połysk skóry wskazuje na przesycenie jej tłuszczem. Wystarczy wtedy emulsja oleju w wodzie. Niestety, producenci kremów uniwersalnych rzadko informują na opakowaniu, jaki rodzaj emulsji został użyty w danym kremie. W kremach przeznaczonych do użytku w ciągu dnia są to najczęściej emulsje oleju w wodzie, natomiast w kremach przeznaczonych na noc stosuje się emulsje wody w oleju.

### Skóra normalna
Skóra normalna pokryta jest warstewką zawierającą wodę i tłuszcz, nie wymaga zatem zwykle specjalnej pielęgnacji. Poczynając od dwudziestego piątego roku życia, gruczoły łojowe skóry wydzielają mniej łoju. Oznacza to, że skóra w miarę starzenia się staje się bardziej sucha. Skóra normalna szybko uzupełnia usunięty w czasie mycia tłuszcz.

### Skóra tłusta
Przy skórze tłustej gruczoły łojowe wydzielają nadmiernie dużo tłuszczu, przy czym następuje rozszerzanie się porów. Na skórze tłustej pojawia się połysk wtedy, gdy wydzielany tłuszcz ma charakter oleju, natomiast gdy tłuszcz zasycha już w mieszku włosa, skóra robi wrażenie suchej. Często zdarza się, że człowiek ma dwa rodzaje skóry: czoło, nos i broda są jakby naoliwione, a policzki suche. Środki pielęgnacyjne dla skóry tłustej są ubogie w tłuszcz i zawierają substancje odtłuszczające.

## Oparzenie słoneczne

W warstwie podstawowej, tj. w głębokiej warstwie skóry, znajdują się komórki wytwarzające czarny barwnik — melaninę. Barwnik ten rozsiany jest w naskórku i zabarwia go. Promienie ultrafioletowe pobudzają wytwarzanie melaniny i rozwój komórek naskórka. Ustrój broni się przed promieniami ultrafioletowymi za pomocą „grubej" i ciemniejszej skóry.

### Dolegliwości
Występuje zaczerwienienie skóry, która staje się gorąca i nadwrażliwa, a niekiedy obrzękła. Przy silnym oparzeniu powstają pęcherze.

### Przyczyny
Zbyt długotrwałe nasłonecznienie skóry. Odbite promienie słoneczne mogą nawet przy mglistej pogodzie lub w cieniu spowodować oparzenie.

### Wzrost ryzyka
Występuje u osób z jasną karnacją skóry, przebywających w gorącym klimacie lub wysoko w górach.

### Możliwe skutki i powikłania
Przy częstych oparzeniach skóry lub regularnym zażywaniu kąpieli słonecznych w ciągu wielu lat dochodzi do wcześniejszego starzenia się skóry i utraty jej elastyczności. Ponadto zwiększa się niebezpieczeństwo zachorowania na raka skóry.

### Zapobieganie
Należy dostosować intensywność i czas kąpieli słonecznych do jakości używanych przy opalaniu środków, jak również do typu skóry. Stopniowe opalanie się daje trwalszą opaleniznę i jest bardziej równomierne. Promienie ultrafioletowe słońca przenikają w 20% przez odzież.

*Jak długo można się opalać?*
Zdaniem dermatologów nie należy opalać się w ogóle! Każda kąpiel słoneczna zwiększa ryzyko zachorowania na raka skóry. Jeśli to kogoś mimo wszystko nie odstrasza, powinien przy-

## Typy skóry

| | I | II | III | IV |
|---|---|---|---|---|
| Skóra: | wybitnie jasna | jasna | jasna, jasnobrązowa | brązowa, oliwkowa |
| Piegi: | liczne | rzadkie | brak | brak |
| Włosy: | rude | blond, brązowe | ciemnoblond, brązowe | ciemnobrązowe |
| Brodawki sutków: | bardzo jasne | jasne | ciemniejsze | ciemne |
| Oparzenia słoneczne: | zawsze bardzo bolesne | zawsze bardzo bolesne | rzadsze, mierne | rzadkie |
| Indywidualny czas ochronny w słońcu: | 5-10 minut | 10-20 minut | 20-30 minut | 40 minut |

najmniej stosować jakiś ochronny środek przeciwsłoneczny. Należy pomnożyć liczbę wskaźnika ochronnego przez własny współczynnik i stąd uzyskuje się okres, przez który — po zastosowaniu środka — można przebywać na słońcu, nie narażając się na większe szkody. Na przykład: osoba z typem skóry III może zażywać kąpieli słonecznej bez ochrony około dwudziestu minut, nie doznając poparzenia. Jeżeli osoba ta zastosuje środek ochronny ze wskaźnikiem sześć, będzie mogła przebywać na słońcu sześć razy dłużej (przez dwie godziny).

*Uwaga*: Własny współczynnik określa jedynie z grubsza właściwości skóry i może w indywidualnych przypadkach bardzo się różnić. Poza tym wskaźnik ochronny podany przy środku przeciwsłonecznym może wykazać znaczne wahania nawet w tych samych przypadkach.

Środki przeciwsłoneczne, reklamowane jako oporne na wodę, charakteryzują się istotnie tą właściwością, czego dowiodły przeprowadzone w Niemczech badania.

*Mleczko do opalania? Krem i olejek? Samoopalacz?*
— Krem do opalania zawiera więcej tłuszczu niż mleczko i trudniej rozprowadza się na skórze. Dlatego stosuje się go najczęściej na twarz.
— Mleczko rozprowadza się na całym ciele. Środki tanie i drogie równie dobrze chronią skórę.
— Olejki właściwie nie chronią skóry przed promieniowaniem; ich zadaniem jest zwilżenie i natłuszczenie skóry.
— Produkty zabarwiające skórę na brązowo pobudzają rzekomo (zgodnie z reklamą) komórki do wzmożonego wytwarzania barwnika. Specjaliści mają co do tego wątpliwości.

## Solaria

W nowoczesnych solariach agresywne promieniowanie UV-B zwykle zostaje przefiltrowane, a użyte są głównie promienie UV-A. W ten sposób skóra staje się brązowa, ale nie wytwarza się zrogowacenie. W związku z tym przy normalnym nasłonecznieniu skóra może ulec oparzeniu. Czystość, higiena jak również sposób udzielania porad przez personel dają podstawy do oceny jakości solariów. Należy zachowywać następujące zasady ostrożności:

— nie stosować przeciwsłonecznych środków ochronnych,
— tego samego dnia nie korzystać z solarium i słońca,
— nosić okulary przeciwsłoneczne,
— w ciągu roku nie stosować więcej niż pięćdziesiąt naświetlań (łącznie słońca i solarium).

— Samoopalacze zawierają dwuhydroksyaceton (DHA) barwiący na brązowo najbardziej powierzchowną warstwę skóry. Ten kolor nie odpowiada jednak normalnej opaleniźnie i nie chroni przed słońcem. Ta „opalenizna" utrzymuje się około tygodnia i nie jest szkodliwa.
— Czujniki (sensory) UV zachwalane są jako najnowsza możliwość ochrony przed oparzeniem słonecznym. Przeprowadzone w Niemczech urzędowe badania udowodniły, że nie można polegać na tych urządzeniach i odradza się ich używanie.

### Kiedy do lekarza?
Gdy oparzenie słoneczne bardzo boli.

### Jak sobie pomóc
Chronić bolesne miejsce, przykładając wilgotne okłady. Posmarować zaczerwienioną skórę środkiem służącym do jej pielęgnacji.

### Leczenie
Lekarz może przepisać lek przeciwzapalny, zawierający kortyzon (→ s. 624).

## Oparzenie
(→ Pierwsza pomoc, s. 687)

### Kiedy do lekarza?
Gdy odnosi się wrażenie, że działania we własnym zakresie nie wystarczą. Zawsze wówczas, gdy w przypadku dziecka oparzenie obejmuje powierzchnię przekraczającą pięć procent powierzchni całego ciała. U niemowląt i małych dzieci może to być np. przedramię lub czwarta część głowy. Dorośli muszą udać się do lekarza, gdy oparzeniu ulegnie ponad dwadzieścia procent powierzchni skóry. Stopień oparzenia nie odgrywa tutaj roli.

### Jak sobie pomóc
Oparzony odcinek skóry należy natychmiast zanurzyć w zimnej wodzie lub polewać go zimną wodą z kranu albo stosować zimne okłady. Zabiegi te należy kontynuować do momentu ustąpienia bólu. Może to trwać od kilku minut do pół godziny. Po zastosowaniu tych zabiegów nie występują ani zaczerwienienia skóry, ani pęcherze. W przypadku rozległych oparzeń należy dużo pić.

---

**Lektura uzupełniająca**

POTOCKI J.L.: *Oparzenia i odmrożenia*. PZWL, Warszawa 1990.

*Ostrzeżenie*
Nie stosować żadnych proszków, maści, olejków itp.

**Leczenie**
Prowadzi się w zależności od stopnia i rozległości oparzenia w trybie nagłym w szpitalu.

## Odmrożenie

### Dolegliwości
Zależnie od stopnia odmrożenia dolegliwości są różne:
I stopień: zaczerwienienie,
II stopień: zaczerwienienie i pęcherze,
III stopień: białe, twarde, zamrożone, pozbawione czucia partie skóry. Po odtajeniu miejsca odmrożone są skórzaste, suche, czarne i obumarłe.

### Przyczyny
Zbyt długie oddziaływanie niskich temperatur na niechronione części ciała.

### Ryzyko
Osoby cierpiące na miażdżycę naczyń (→ Miażdżyca tętnic, s. 302) lub zażywające betablokery są bardziej narażone na odmrożenia. Zmęczenie, alkohol, niedobór tlenu na dużych wysokościach może prowadzić do utraty odczuwania i niebezpieczeństwa zamarznięcia. Również dzieci często nie zdają sobie z tego sprawy.

### Możliwe następstwa i powikłania
Zależą od stopnia odmrożenia. Przy natychmiastowej samopomocy lub leczeniu istnieją szanse, że nie będzie żadnych dolegliwości. W przypadku ciężkich odmrożeń zachodzi niekiedy konieczność amputacji odmrożonej części ciała.

### Zapobieganie
Dostateczna ochrona przed zimnem, zwłaszcza uszu, rąk i stóp, ewentualnie też nosa.

### Kiedy do lekarza?
Gdy działanie we własnym zakresie nie wystarcza.

### Jak sobie pomóc
*Ostrzeżenie*: Odmrożonych miejsc nie należy masować, nacierać śniegiem i bezpośrednio nagrzewać (piecyki ogrzewcze, poduszki elektryczne itp.).
Nie chodzić na odmrożonych nogach!
Prawidłowe ogrzewanie odmrożonych części ciała:
— odmrożone ręce trzymać pod pachami lub w letniej wodzie,
— odmrożone części twarzy przykryć dłońmi w suchych rękawiczkach, dopóki nie odzyskają normalnego zabarwienia,
— odmrożone palce stóp lub stopy unieść i trzymać w cieple lub
— jeśli to możliwe — zanurzyć w letniej wodzie; ostrożnie poruszać ocieplonymi częściami ciała.

Faza ogrzewania odmrożonych części ciała może być bardzo bolesna i trwać od czterdziestu pięciu minut do godziny. Dolegliwości można złagodzić, stosując środek przeciwbólowy (→ Leki przeciwbólowe, s. 620).

*Uwaga*: W wyniku powtarzających się wielokrotnie zamrożeń i odtajeń powstają wyjątkowo rozległe uszkodzenia tkanek. Dlatego odtajanie ma sens tylko wówczas, gdy nie zachodzi niebezpieczeństwo ponownego zamarznięcia.

### Leczenie
Przy ciężkich odmrożeniach konieczna jest niekiedy operacja.

## Grzybica stóp

### Dolegliwości
Początkowo występuje zaczerwienienie i świąd skóry, potem pojawia się sącząca wydzielina. Skóra łuszczy się i wydziela niemiły zapach. W przebiegu choroby mogą pojawić się bolesne pęknięcia. Grzybica umiejscawia się zwykle między palcami, może jednak obejmować także podeszwy, końce palców i brzegi stóp.

### Przyczyny
Infekcja grzybicza.

### Ryzyko zachorowania
Grzybica stóp należy do najczęściej występujących chorób. Ryzyko zachorowania wzrasta wówczas, gdy dochodzi do rozmiękczenia skóry przez wodę lub pot. Na grzybicę często zapadają sportowcy i osoby, które po kąpieli nie wycierają do sucha przestrzeni znajdujących się między palcami.

### Możliwe następstwa i powikłania
Grzybica skóry jest schorzeniem wprawdzie nieprzyjemnym, ale raczej łagodnym. Grzyby przenoszą się, lecz w przypadku osób o nieuszkodzonej i normalnie odpornej skórze nie dochodzi do rozwoju choroby. Również w obrębie zakażonej już skóry grzyb może się rozprzestrzeniać tylko w przypadku jej wcześniejszego uszkodzenia lub niedostatecznej odporności.

### Zapobieganie
Po kąpieli należy zawsze dokładnie osuszyć przestrzenie między palcami stóp. Zaleca się noszenie skarpetek i obuwia z materiałów naturalnych. Dobrze jest chodzić często boso, ale nie na dywanach i matach łazienkowych w hotelach.

### Kiedy do lekarza?
Gdy zawiodły stosowane środki domowe.

### Jak sobie pomóc
Gdy nie ma stanu zapalnego lub gdy stan ten już ustąpił, celowe jest użycie środka przeciwgrzybiczego (Antimycoticum) do stosowania zewnętrznego.

*Ważne*: Środek przeciwgrzybiczy trzeba stosować co najmniej przez dwa do trzech tygodni, i to również wtedy, gdy odnosi się wrażenie, że po kilku dniach choroba ustąpiła. W przeciwnym razie istnieje niebezpieczeństwo nawrotu. Stopy dotknięte silnym procesem zapalnym należy najpierw wymoczyć w dezynfekcyjnym roztworze nadmanganianu potasu lub wypędzlować zawiesiną, składającą się z tlenku cynku, gliceryny i wody (*lotio alba aquosa*), co działa wysuszająco i chłodząco. Nie stosować środków dezynfekcyjnych zawierających formaldehyd, ponieważ wywołują one często egzemy kontaktowe.

### Leczenie
U osób młodych pierwsza grzybica goi się często sama, gdy stosuje się zapobiegawcze środki domowe oraz wówczas, gdy przez zbyt intensywne leczenie nie upośledza się zdolności do samowyleczenia. Osoby te rozwijają w sobie rodzaj odporności i ponowne zakażenie grzybicą jest mało prawdopodobne. Gdy zakażenie dotyczy również paznokci, leczenie staje się długotrwałe. Nakładanie na paznokcie środków przeciwgrzybiczych nie daje efektu. W takim przypadku pomagają leki zlecone przez lekarza, stosowane przez wiele miesięcy.

## Pęcherze na skutek otarcia

### Zapobieganie
— Nowe buty nosić najwyżej pół godziny, zabierać ze sobą wygodne buty na zmianę.
— Natrzeć stopy wazeliną.
— Skarpetki z akrylu najlepiej chronią przed pęcherzami.
— Niedopasowane skarpety zwiększają ryzyko powstania pęcherzy.

### Jak sobie pomóc
Nakłucie pęcherza i opróżnienie go z płynu zmniejsza ból. W tym celu należy nacisnąć palcem pęcherz i przepchnąć płyn w jedno miejsce, nakłuć go poziomo igłą. Przedtem igłę należy zdezynfekować alkoholem, wrzątkiem lub nad płomieniem. Nie usuwać skóry! Założyć plaster.

## Nagniotek

### Dolegliwości
Są to bolesne, zrogowaciałe miejsca na stopach, zwykle tam, gdzie ucisk buta jest największy.

### Przyczyny
Najczęściej noszenie ciasnego obuwia.

### Możliwe następstwa i powikłania
Nagniotek nie ma znaczenia dla zdrowia, niemniej może być bardzo bolesny i dokuczliwy.

### Zapobieganie
Noszenie wygodnego obuwia (→ s. 413).

### Kiedy do lekarza?
Gdy stosowane domowe sposoby zawiodły.

### Jak sobie pomóc
Unikać ucisku i ocierania skóry stóp, nosząc wystarczająco obszerne obuwie. Naklejać plastry przeciw nagniotkom. Plastry są dostępne w każdej aptece lub drogerii.

### Leczenie
Gdy postępowanie prowadzone w ramach samopomocy nie odnosi skutku, można usunąć nagniotek chirurgicznie.

## Pęknięcia warg

### Przyczyny
Suche wargi i ich pęknięcia występują w zimie i są spowodowane suchym powietrzem w pomieszczeniach lub wiatrem. Niektóre pasty do zębów, słodycze, gumy do żucia zawierają alergizujące składniki i mogą powodować uszkodzenia warg. Stany takie mogą też być spowodowane promieniami ultrafioletowymi (słonecznymi).

### Jak sobie pomóc
— Unikać oblizywania językiem warg, bo powoduje to większe wysychanie.
— Korzystać z nawilżaczy powietrza.
— Dużo pić.
— Przenieść tłuszcz z innych miejsc na skórze palcem na wargi.
  Pomadki zawierające glicerynę jeszcze bardziej wysuszają wargi.

### Kiedy do lekarza?
Gdy pęknięcia w kącikach ust nie goją się, są wtedy najczęściej zakażone bakteriami lub grzybami.

## Modzele

### Dolegliwości
Zgrubienia skóry występujące najczęściej na spodniej stronie stóp i na wewnętrznej stronie dłoni.

### Przyczyny
Powtarzające się tarcie lub ucisk na dotknięte miejsca skóry.

### Możliwe następstwa i powikłania
Bolesne pęknięcia skóry.

### Kiedy do lekarza?
Nie ma potrzeby leczenia u lekarza.

### Jak sobie pomóc
Rozmiękczanie miejsc zrogowaciałych, np. przez kąpiele i następujące po nich starcie zrogowaciałej skóry pumeksem (można dostać w drogerii lub w aptece).

## Brodawki

### Dolegliwości
Są to rogowate grudki w kolorze skóry, cechujące się szorstką powierzchnią i mogące pojawić się w każdym miejscu ciała. Same brodawki nie bolą, mogą jednak powodować ból, zależnie od umiejscowienia, na przykład na podeszwie.
→ Kłykciny kończyste, s. 512.

### Przyczyny
Brodawki rozwijają się, gdy istnieją dwa warunki:
— wirus (ludzki wirus *Papilloma*),
— wrota zakażenia.
  Brodawki mogą przenosić się przez bezpośrednią styczność skóry zakażonej ze skórą zdrową, istnieje również możli-

wość zakażenia się brodawkami w basenach i na salach gimnastycznych. Przeciętny czas od zakażenia do pojawienia się brodawki (okres wylęgania) wynosi trzy do czterech miesięcy.

### Ryzyko zachorowania
Występują one w każdym wieku, ale pojawiają się najczęściej u dzieci i młodocianych, rzadziej u osób starszych.

### Możliwe następstwa i powikłania
Brodawki są schorzeniem niewinnym, ponieważ jednak mogą rozprzestrzeniać się na całym ciele, bywa, że wpływają negatywnie na wygląd i samopoczucie osoby, która na nie cierpi (→ Zaburzenia samopoczucia, s. 175).

### Zapobieganie
Unikanie bezpośredniej styczności z osobą dotkniętą brodawkami.

### Kiedy do lekarza?
— przy dużej liczbie brodawek,
— przy oszpeceniu,
— przy brodawkach umiejscowionych na prąciu i wargach sromowych,
— gdy pacjent ma ponad czterdzieści pięć lat, w celu wykluczenia raka skóry,
— gdy domowe sposoby okazują się bezskuteczne.

### Jak sobie pomóc
Istnieje niezliczona ilość środków ludowych, działających przeciwko brodawkom, począwszy od „zamawiania", a kończąc na tajemniczych ziołowych nalewkach. Badacze sądzą, że „zamówienie" pobudza w mózgu system odpornościowy, który zwalcza brodawki. Większość wykwitów znika samoistnie bez leczenia w ciągu sześciu miesięcy. Amerykański Urząd Zdrowia zaleca naklejanie na brodawki plastrów zawierających kwas salicylowy. Zmiękczoną zrogowaciałą warstwę skóry zdejmuje się wielokrotnie nożyczkami, pilnikiem itp. Przylepiec zmienia się co trzy dni do momentu, kiedy brodawka stanie się biała. Postępowanie to może trwać do trzech miesięcy. Należy zaznaczyć, że leczenie to nie zapobiega jednak ponownemu pojawieniu się brodawek.

### Leczenie
Zależy ono od rodzaju, liczby i miejsca, w którym występują brodawki. Zwykle zaczyna się od próby zdjęcia brodawki przy użyciu roztworów i plastrów, kwasu salicylowego, podofiliny, benzoesu lub tretinoiny.

*Leki*
— Brodawki stóp i tzw. zwykłe brodawki leczy się najczęściej roztworami kwasu salicylowego lub plastrem (→ Jak sobie pomóc). W opornych przypadkach lekarz może wstrzyknąć do brodawki trochę cytostatyku bleomycyny. Po upływie trzech do czterech tygodni wyschnięta tkanka odpada. Środek ten pomaga w prawie wszystkich przypadkach. Nie można go jednak stosować w czasie ciąży. Można stosować lakier Verrumal zawierający cytostatyk fluorouracyl, kwas salicylowy i środek ułatwiający wnikanie leku w głąb brodawki.

— Płaskie brodawki na twarzy i grzbiecie dłoni można codziennie smarować tretynoiną (Atrederm) lub eudyną. Lek ten stosuje się przy trądziku. Powoduje on często złuszczenie, a tym samym oddzielenie brodawki.

*Operacje*
Jeśli leczenie farmakologiczne nie pomaga, można brodawkę usunąć chirurgicznie:
— Przez zamrożenie brodawki płynnym azotem. Miejscowe znieczulenie nie jest konieczne. Po kilku godzinach powstaje pęcherz, który trzeba usunąć i zastosować antybiotyk. Zwykłe brodawki wymagają na ogół kilkakrotnego powtórzenia zabiegów.
— Koagulacja elektryczna. W miejscowym znieczuleniu zwęgla się tkankę brodawki za pomocą prądu o wysokiej częstotliwości, następnie usuwa się ją ostrą łyżeczką. Wadą tej metody jest częste pozostawianie bolesnej blizny i nawroty występujące u jednej trzeciej operowanych.

## Ukłucie owada

### Dolegliwości
Zaczerwienione, swędzące i obrzękłe bąble.

### Przyczyny
Ukłucie komarów, moskitów, os, pszczół, szerszeni, pająków.

### Możliwe następstwa i powikłania
Ukłucia skóry przez owady są najczęściej nieszkodliwe. Po ukłuciach pszczół, os i szerszeni w rzadkich przypadkach zdarza się zagrażająca życiu reakcja alergiczna. Pojawia się wówczas silny świąd skóry głowy i języka, rozległe zaczerwienienie skóry, duszność, wymioty, parcia na stolec, poty, przyspieszenie tętna, utrata przytomności. Ukłucia w obrębie jamy ustnej mogą spowodować niebezpieczny dla życia obrzęk.

### Zapobieganie
Stosować w oknach siatki przeciw owadom.

*Zwalczanie owadów*
Paski (stripy) przeciw owadom — niektóre z zawartych w nich składników mogą spowodować poważne objawy uboczne. Na przykład Vapona Strip zawiera dichlorfos, który może wywołać bóle głowy, zaburzenia wzroku, osłabienie, poty, nudności i wymioty. Nie na darmo w instrukcji czytamy: „Nie umieszczać w pokojach szpitalnych, w sypialniach, w pokojach przeznaczonych dla niemowląt i małych dzieci lub w wozach campingowych i namiotach".
*Aerozole* należy odrzucić z dwóch powodów:
— przeprowadzone badania wykazały, że siedem procent użytkowników tych preparatów cierpi na dolegliwości przy oddychaniu, złe samopoczucie, nudności i bóle głowy;
— gazy zawarte w aerozolach szkodzą środowisku.
*Odparowywacze elektryczne* są skuteczne, ale związane z ryzykiem dla zdrowia. Działają jak stały trujący tusz, wywierający szkodliwy wpływ nie tylko na owady, ale także na ludzi.
*Ultradźwiękowe* urządzenia przeciw komarom są wprawdzie nieszkodliwe, ale też nieskuteczne.

*Pułapki UV* — ta jakoby cudowna broń przeciw owadom ma dwie wady: niewiele komarów daje się na nią zwabić, natomiast zabija ona inne, pożyteczne owady.

*Repelenty* (środki odstraszające) — naniesione na skórę odstraszają owady. Działają sześć do ośmiu godzin. Jak dotąd nie stwierdzono ich ewentualnej szkodliwości.

### Kiedy do lekarza?

Gdy pojawią się reakcje alergiczne. Natychmiast, gdy ukłucie zlokalizowane jest wewnątrz jamy ustnej.

### Jak sobie pomóc

Żądło pszczoły należy ostrożnie usunąć, nie uciskając przy tym sąsiadującego z nim pęcherza (ewentualnie obciąć zawierający jad pęcherz). Na skórę nałożyć kostkę lodu lub zimny okład.

### Leczenie

W przypadku silnego odczynu zapalnego lekarz może zastosować na skórę środek zawierający kortyzon.

## Wszy

### Dolegliwości

*Wszy głowowe*: świąd skóry na głowie i egzematyczne zmiany na granicy skóry owłosionej, za uszami i na karku. Gnidy — jasne, przypominające łuski łupieżu twory, mocno przylegające do włosa.

*Wszy odzieżowe*: grudki, bąble, zmiany ropne na tułowiu i kończynach, połączone ze świądem. Często na plecach pojawiają się dwa lub trzy czerwone pryszcze.

*Wszy łonowe*: zmiany egzematyczne i drobne, niebieskie plamki w obrębie owłosienia łonowego i pod pachami, na piersi, a czasem w obrębie rzęs. Wszy łonowe są widoczne na skórze jako żółtoszare punkty. Drobniutkie, punkcikowate jaja znajdują się na owłosieniu łonowym.

### Przyczyny

*Wszy głowowe* mają około dwóch do trzech milimetrów długości i żyją najchętniej we włosach za uszami lub na tylnej stronie głowy. Ponieważ ich kolor dostosowuje się do koloru włosów, trudno je dostrzec. Wesz głowowa składa w ciągu swego trzydziestodniowego życia od 50 do 150 drobnych, białych, przezroczystych jajeczek, które przykleja do włosów w pobliżu skóry głowy (gnidy). Wesz głowowa nie potrafi skakać ani fruwać, ale biega bardzo szybko. Przechodzi z jednego człowieka na drugiego przez kontakt z włosami (używanie wypożyczanych grzebieni lub leżące blisko siebie grzebienie, szale, czapki, kapelusze), jak również przez styczność z zawszonymi, wypadającymi włosami.

*Wesz odzieżowa* ma długość około czterech milimetrów. Żyje w odzieży.

*Wesz łonowa* jest płaska i okrągła, o dwumilimetrowym przekroju. Przenosi się w trakcie stosunku płciowego, czasem przez odzież i pościel.

### Ryzyko zachorowania

Wbrew powszechnej opinii czystość i porządek nie chronią przed wszami. W ubiegłych latach wszawica stała się znowu plagą i nie ma ona związku z warunkami higienicznymi w „zawszonych" rodzinach. Możliwości przenoszenia się wszy są obecnie bardziej różnorodne niż dawniej. Dzieci częściej wymieniają między sobą części odzieży, wieszają je razem w szatniach w czasie zajęć sportowych, stoją blisko jedno przy drugim w publicznych środkach lokomocji. Zbiegłe z głowy wszy mogą spokojnie czekać na kołnierzu na następnego „gospodarza".

### Możliwe następstwa i powikłania

Istnieje możliwość zakażenia miejsca ukąszenia. Zwykle wszawicą dotknięci są członkowie rodziny i jej przyjaciele.

### Zapobieganie

Unikać kontaktu cielesnego z osobami, które mają wszy. Nie pożyczać grzebieni, szczotek do włosów, kapeluszy, czapek, szali, ręczników lub bielizny pościelowej.

### Kiedy do lekarza?

Z chwilą podejrzenia o wszawicę.

### Jak sobie pomóc

Często ze wstydu rodzice przemilczają fakt, że ich dziecko ma wszy. Ten fałszywy wstyd jest jednym z powodów szerokiego rozprzestrzeniania się wszawicy. Należy powiadomić o tym fakcie przedszkolankę lub nauczyciela, jak również rodziców zaprzyjaźnionych dzieci. Osoby stanowiącej źródło wszawicy nie da się ustalić, jednak racjonalne postępowanie całego otoczenia może zapobiec temu, aby wszy stały się „zwierzętami domowymi". Dzieci mogą wrócić do szkoły dopiero wówczas, gdy lekarz lub wydział zdrowia (w Niemczech) potwierdzi, że wszawica została zlikwidowana.

*Wesz głowowa*: należy wyrzucić grzebienie i szczotki do włosów, jak również ozdoby noszone we włosach i na głowie. Wygotować ręczniki i pościel. Na przedmiotach, których nie da się wygotować, można wytępić wszy w następujący sposób:

— przechowywać dany przedmiot przez cztery tygodnie w mocno zawiązanym plastikowym worku w temperaturze poniżej +20°C lub

— przez jeden dzień w temperaturze około 35°C.

Ten sposób postępowania można zastosować w stosunku do płaszczy zimowych, koców, zabawek pluszowych itp. przedmiotów, które dzieci chętnie do siebie przytulają. Nie zapomnieć o obciągniętym materiałem siedzeniu dla dziecka w samochodzie. Wyściełane meble można spryskać środkiem owadobójczym lub oddać do zakładu dezynfekcji, dezynsekcji i deratyzacji.

*Wesz odzieżowa i łonowa*: bieliznę osobistą, pościelową, ręczniki i części garderoby należy wygotować lub oddać do pralni.

### Leczenie

Zastosowanie środka niszczącego wszy i gnidy. Powtórzenie zabiegu po upływie siedmiu do dziesięciu dni. Niemowlęta i małe dzieci traktować zgodnie ze wskazówkami lekarza ze względu na możliwość zatrucia. Należy zachować szczególną ostrożność, gdyż środek przeciwko wszawicy na skutek zadrapań może łatwo przeniknąć do ustroju.

## Środki przeciwko wszawicy

*Organoderm, Prioderm*; substancja czynna — Malathion. Szybki i pewny efekt. Środek zalecany przez Ministerstwo Zdrowia Niemiec. Tylko w przypadku wszawicy głowowej.

*Jacutin, Quellada*; substancja czynna — Lindan. Mniej pewne działanie. Żel musi pozostać na głowie przez trzy dni. Przy silniejszym stężeniu mogą się zdarzyć zatrucia, zwłaszcza u małych dzieci. Stwierdzono, że przestał już działać przeciwko niektórym rodzajom wszy.

*Goldgeist forte, Aescalon*, substancja czynna — wyciąg Pyrethrum. Dość dobrze tolerowany, jednak nie wszystkie wszy giną, jedna trzecia pasożytów przeżywa kurację.

Środki krajowe: Artemisol, Delacet, szampon Pipi.

*Wesz głowowa*: po leczeniu widoczne jeszcze gnidy zawierają tylko puste jaja, które nie są już niebezpieczne. Płukanie włosów roztworem octu ułatwia wyczesanie gęstym grzebieniem pozostałych gnid.

## Pchły

### Dolegliwości
Zaczerwienione, silnie swędzące bąble z krwawym punktem pośrodku. Często widoczne są trzy miejsca ukłucia obok siebie.

### Ryzyko zachorowania wzrasta
W złych warunkach higienicznych i przy kontakcie ze zwierzętami domowymi.

### Możliwe następstwa i powikłania
Ukłucie pchły jest bardzo nieprzyjemne, gdyż wywołuje silny świąd, nie jest jednak szkodliwe dla zdrowia. Dopiero po kilku dniach dochodzi do zagojenia miejsc ukłucia.

### Zapobieganie
Unikać bliższej styczności ze zwierzętami domowymi. Pchły wszystkich zwierząt domowych kłują również ludzi.

### Kiedy do lekarza?
Gdy świąd staje się trudny do zniesienia.

### Jak sobie pomóc
Pchły pojawiają się na skórze człowieka w czasie ssania krwi. Poza tym okresem są raczej niewidoczne, przebywają w odzieży. Aerozol owadobójczy zabija je w ich „domostwach", a więc w łóżku, w wyściełanych meblach, w dywanach, firankach, odzieży itp. Należy także odpchlić zwierzęta domowe i ich legowiska. W razie trudności można się zwrócić do zakładu dezynfekcji, dezynsekcji i deratyzacji.

### Leczenie
Silny świąd można złagodzić, nakładając środki stosowane przy ukłuciach owadów.

## Świerzb

### Dolegliwości
Silny świąd. Drobne, zaczerwienione, znajdujące się obok sie-

bie grudki i krosty na bocznych powierzchniach palców, w zgięciach rąk, w okolicach kostek, pośladków i w obrębie narządów płciowych. Nasilenie świądu występuje krótko po położeniu się do snu. Troskliwa pielęgnacja ciała nie ma wpływu na zakażenie świerzbem. Nieznaczne zmiany skóry łatwo rozpoznaje się błędnie jako alergię lub egzemę, co w efekcie przyczynia się do niewłaściwego leczenia (np. maścią zawierającą kortykoidy).

### Przyczyny
Zaatakowanie skóry przez świerzbowce drążące w warstwie rogowej skóry małe tunele. Świerzb przenosi się przez bezpośrednią styczność z zakażoną osobą (np. przy stosunku płciowym) lub — rzadziej — przez kontakt z jej bielizną pościelową, a także odzieżą. Świąd pojawia się trzy do czterech tygodni po zakażeniu świerzbem. Wbrew szeroko rozpowszechnionym poglądom świerzb może pojawić się w „najlepszych rodzinach" i w najlepszych warunkach higienicznych.

### Ryzyko zachorowania wzrasta
U ludzi zmuszonych do życia w bliskiej z sobą styczności.

### Możliwe następstwa i powikłania
Świerzbowce atakują najczęściej wszystkich członków rodziny. Silny świąd zmusza do drapania się. W miejscach zadrapań pojawiają się odczyny zapalne. Niektórzy reagują alergicznie i wówczas pojawiają się uczuleniowe wysypki.

### Zapobieganie
Praktycznie nie istnieją pewne metody zapobiegawcze. Świerzb może przenieść się na każdego.

### Kiedy do lekarza?
Przy podejrzeniu świerzbu.

### Jak sobie pomóc
Wygotować wszelką ewentualnie zainfekowaną bieliznę. Jeżeli nie jest to możliwe, nie używać tej bielizny przez co najmniej cztery dni. W tym czasie świerzbowce giną.

### Leczenie
Nasmarowanie całego ciała środkiem zawierającym lindan (np. Jacutin, Agalin, Quellada) lub mesulfen (np. Mitigal). Kobiety w ciąży i dzieci w wieku poniżej dziesięciu lat nie powinny być leczone mesulfenem z powodu niebezpieczeństwa ciężkiego zatrucia. Leczone muszą być wszystkie osoby pozostające w bliskim kontakcie.

Preparaty krajowe: maść Wilkinsona, maść siarkowa lub w lżejszych przypadkach — Cetriscabin, Novoscabin lub Crotamiton.

## Wyprysk kontaktowy

(→ Alergia, s. 338)

### Dolegliwości
Zaczerwienienie i obrzęk skóry, zwykle połączone ze świądem i tworzeniem się pęcherzyków. W późniejszym okresie pęcherzyki mogą pękać, sączyć i przemieniać się w strupy. W trakcie

gojenia dochodzi do złuszczenia skóry. W stanach przewlekłych skóra ulega pogrubieniu. Wyprysk kontaktowy może wystąpić w każdym miejscu. Często określa się go według lokalizacji, np. wyprysk dłoni, podudzia. Egzema może szerzyć się z pierwotnego miejsca na inne obszary skóry.

## Przyczyny

— Bezpośredni kontakt z drażniącą lub szkodliwą substancją. Środki silnie drażniące, jak kwasy, ługi lub fenol, powodują widoczne zmiany w ciągu kilku minut. W przypadku substancji słabo działających dostrzegalne efekty mogą pojawić się dopiero po upływie kilku dni (→ Trucizny w mieszkaniu, s. 758).

— Reakcje alergiczne, przy których między pierwszym i ponownym kontaktem wywołującym wyprysk może minąć od kilku dni do kilku lat. Może się zdarzyć, że nagle reaguje się alergicznie na jakąś substancję, która latami była bezproblemowo tolerowana (→ Alergia, s. 338).

Poszukiwanie przyczyn komplikuje się przez to, że wyprysk kontaktowy powstaje czasem w wyniku współdziałania substancji drażniącej lub uczulającej z nasłonecznieniem (fototoksyczny lub fotoalergiczny wyprysk kontaktowy). Pojawienie się alergii uwarunkowane bywa zwykle pewną gotowością psychiczną (→ Zaburzenia samopoczucia, s. 175).

## Ryzyko zachorowania

Wbrew często wyrażanym poglądom, że zapadalność na schorzenia wypryskowe bardzo wzrosła, liczba rozpoznawanych rocznie przypadków u dorosłych w Niemczech utrzymuje się od początku lat osiemdziesiątych na względnie tym samym poziomie.

Wzrost ryzyka występuje:

— u osób z dziedziczną skłonnością do reakcji uczuleniowych;

— w grupach mających stałą styczność z substancjami alergizującymi (np. robotnicy budowlani, fryzjerzy) (→ Substancje toksyczne w środowisku pracy, s. 787).

---

## Miejsce i przyczyny występowania wyprysku kontaktowego

*Owłosiona skóra głowy*: Wszystkie kosmetyki łącznie ze środkami barwiącymi i służącymi do pielęgnacji włosów. Ponieważ skóra głowy jest wyjątkowo odporna na związki alergizujące, ich efekt uwidacznia się często na sąsiadujących miejscach (powieki, uszy, kark, twarz) i na rękach.

*Powieki*: Wszystkie substancje, które nakłada się na owłosioną skórę głowy, twarz i dłonie, zwłaszcza lakier do paznokci. Poza tym związki w postaci gazów, jak np. perfumy, aerozole do nosa i aerozole przeciw owadom. Środki czyszczące, politury meblowe, oleje roślinne, drewno, żywice syntetyczne, środki służące do czyszczenia soczewek kontaktowych.

*Czoło*: Opaski w kapeluszach (przyczynę stanowią chromian i inne związki, którymi preparuje się kapelusze, np. olejek wawrzynowy, związki syntetyczne).

*Twarz*: Wszystkie kosmetyki nakładane na twarz i w jej sąsiedztwie. Poza tym wszystkie związki, które przenoszą się na twarz z rąk lub powietrza.

*Między brwiami, za uszami*: Części okularów (przyczyną jest kobalt i aparaty słuchowe).

*Płatki uszu*: Kolczyki, zwłaszcza biżuteria niklowa.

*Nos*: Maści i krople do nosa, perfumy, chusteczki nakropione mentolem.

*Usta*: Pasty do zębów, płyny do płukania ust, owoce cytrusowe, pokarmy zawierające związki konserwujące i sztuczne barwniki, pomady i maści do ust, końcówki papierosów i cygar, cygarniczki.

*Kark, szyja*: Wszystkie rodzaje kołnierzy, perfumy, lakiery do paznokci, kosmetyki, barwniki w odzieży (zwłaszcza czarna odzież), materiały wełniane i jedwabne, biżuteria.

*Pachy*: Dezodoranty i środki zmniejszające pocenie się, depilatory, wkładki wchłaniające pot (często są tak wszyte, że nie są widoczne) barwniki w odzieży, perfumy.

*Dłonie, przedramiona*: Środki służące do mycia, chromiany (cement), nikiel (biżuteria).

*Wnętrze dłoni*: Plastik lub farba nałożona na kierownicę samochodu.

*Grzbiet palców*: Rękawiczki gumowe.

*Palec wskazujący*: Ramki okularów, maszyny do pisania, wprowadzane palcami czopki, rozprowadzane maści, cebulki roślin, czosnek, pomidory, marchew, niezliczona ilość różnych związków.

*Tułów*: Odzież, środki kąpielowe, mydła, środki służące do masażu, zawartość kieszeni, metale znajdujące się w odzieży.

*Okolice narządów płciowych*: Wszystkie środki antykoncepcyjne, środki higieniczne, perfumy, leki.

*Brzuch*: Guziki, zatrzaski przy spodniach.

*Pośladki*: Sedesy, podkłady.

*Odbyt*: Czopki i maści przeciw hemoroidom, pokarmy i napoje, środki przeczyszczające.

*Udo*: Podwiązki, zawartość kieszeni w spodniach, źle wypłukane resztki mydła i proszku do prania.

*Podudzie*: Materiał pończoch i ich barwnik, leki stosowane w leczeniu wrzodów podudzia, estry lanoliny.

*Stopy*: Buty (np. farbowana chromem skóra, materiały syntetyczne, kleje), pasty do butów, środki przeciwgrzybicze, środki hamujące pocenie się, środki dezynfekujące (formaldehyd).

W ostatnich latach znacznie wzrosła ilość chorób skórnych uważanych za choroby zawodowe. Na przykład statystyki austriackich zakładów ubezpieczeń wykazały ponadstuprocentowy wzrost chorób skórnych od 1978 roku.

## Możliwe następstwa i powikłania

Przy długotrwałym działaniu szkodliwej substancji alergizującej wyprysk może rozprzestrzenić się na całe ciało. Przez cały czas utrzymywania się zmian skórnych oraz bezpośrednio po ich wyleczeniu skóra jest niezwykle wrażliwa na najrozmaitsze substancje. Na skórze dotkniętej wypryskiem mogą dodatkowo rozwinąć się infekcje bakteryjne i grzybicze. Egzemy nie są zaraźliwe.

## Zapobieganie

Jest możliwe, jeżeli znana jest substancja uczulająca. Należy wówczas unikać wszelkiego z nią kontaktu. Nie wykonywać gołymi rękami prac związanych z czyszczeniem. Wkładać w tym celu rękawiczki bawełniane, a na nie rękawiczki z plastiku. Rękawiczki gumowe mogą także spowodować wyprysk kontaktowy.

## Kiedy do lekarza?

Gdy wystąpią dolegliwości.

## Jak sobie pomóc

W razie nagłego pojawienia się wyprysku kontaktowego należy przez kilka minut płukać skórę wodą, następnie założyć sterylny opatrunek i przykładać woreczek plastikowy z lodem, co łagodzi świąd. Na sączące zmiany okład z mleka, zmieniany co 3 minuty, kilka razy. Potem spłukać wodą. Nie stosować pudru, masła, oliwy ani żadnych „domowych środków". Generalnie należałoby wykluczyć jakąkolwiek styczność z drażniącymi lub alergizującymi substancjami. W przypadku kosmetyków może to być trudne, bo nie wszyscy producenci kosmetyków podają skład swoich produktów. Przy wyprysku na dłoniach zaleca się stosowanie do mycia delikatnych mydeł lub mleczek. Po umyciu rąk należy je wytrzeć do sucha i nasmarować nieperfumowanym kremem (kilka razy dziennie). Przy sprzątaniu nakładać bawełniane rękawiczki, a na nie plastikowe.

## Leczenie

Wyprysk kontaktowy może być bardzo podobny do innych schorzeń skóry (np. grzybic). Leczenie musi się więc opierać na bardzo solidnej diagnozie. Dopóki nie wykluczy się styczności z substancją wyzwalającą alergię, dopóty leczenie będzie bezskuteczne lub też efekt leczenia okaże się krótkotrwały. Wykrycie czynnika uczulającego może być trudne. Konieczny jest dokładny wywiad na temat zawodu, hobby, prac w gospodarstwie domowym, przyzwyczajeń urlopowych, odzieży, stosowanych leków i kosmetyków. Specjalne testy naskórne, umożliwiające wykrycie przyczyny uczulenia, można wykonać dopiero po przeminięciu ostrej fazy choroby (→ Alergia, s. 338). Ostry wyprysk kontaktowy leczy się miejscowo substancją zawierającą kortykoidy. Ze względu na możliwość pojawienia się objawów ubocznych nie należy stosować kortykoidów dłużej niż przez trzy tygodnie (→ Kortyzon (glikokortykoidy), s. 624). Przy silnym świądzie uzyskuje się dobre efekty po zastosowaniu środków przeciwhistami-

### Lektura uzupełniająca

CHIVOT M.: *Mała encyklopedia zdrowej skóry*. Wydaw. W.A.B, Warszawa 1996.
FABER S.: *Kosmetyka naturalna*. „Spar", Warszawa 1992.
RUDOWSKA I.: *Higiena i kosmetyka dzieci i młodzieży*. „Watra", Warszawa 1991.
SZMURŁO A.: *Mamo! mam suchą skórę: książka dla rodziców*. „Sanmedia", Warszawa 1996.

nowych (→ Alergia, s. 338). Leki te działają również uspokajająco. Przy dużym nasileniu się wyprysku trzeba niekiedy podać kortykoid dożylnie.

## Świerzbiączka (atopowe zapalenie skóry, egzema atopowa, egzema endogenna)

### Dolegliwości

Przewlekłe, silnie swędzące, powierzchowne zapalenie skóry o różnym przebiegu i różnej manifestacji:
— Egzema niemowlęca (ognipiór): mniej więcej od trzeciego miesiąca życia zaczerwienienie, tworzenie się pęcherzyków, łuszczenie na twarzy i głowie.
— Atopowe zapalenie skóry młodocianych i dorosłych: zwykle symetryczne zmiany na twarzy, karku, w zgięciach łokci i kolan, z suchą, zaczerwienioną, pogrubiałą i podrapaną skórą. Silny świąd skóry ulegającej przebarwieniu.

### Przyczyny

Przyczyny nie są w pełni poznane. Przyjmuje się, że świerzbiączka uwarunkowana jest genetycznie, a mechanizm jej rozwoju ma charakter immunologiczny. Choroba zaczyna się często już w niemowlęctwie. W przypadku czterech spośród pięciorga dzieci istnieje szansa, że „wyrosną" one z choroby w okresie dojrzewania. Pacjenci dotknięci świerzbiączką charakteryzują się niewątpliwie specjalną strukturą osobowości, reagującą swoiście na stresy psychiczne. Choroba pojawia się zwłaszcza w sytuacjach obciążenia emocjonalnego we wciąż nawracających cyklach (→ Zaburzenia samopoczucia, s. 175). Nowe badania wykazały, że niektóre środki spożywcze —

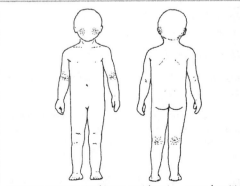

Typowe miejsca w świerzbiączce ogniskowej — *neurodermitis* (atopowe zapalenie skóry, egzema endogenna)

zwłaszcza produkty mleczne, białko jaj, cytrusy — mogą powodować świąd i zaczerwienienie skóry. Jednak w większości podręczników lekarskich wyrażane są wątpliwości co do związku atopowego zapalenia skóry z pokarmami.

Również inne czynniki, jak krańcowe wahania temperatury, wełniana lub jedwabna odzież, pewne oleje i tłuszcze lub alergizujące związki chemiczne mogą wyzwalać rzuty choroby. Kąpiel w słodkiej wodzie może zaszkodzić, podczas gdy kąpiele morskie są tolerowane dobrze.

### Ryzyko zachorowania
Atopowe zapalenie skóry jest ciężką chorobą, która dotyka zwykle niemowlęta i dzieci. Występuje ona często u osób, które same — lub członkowie ich rodzin — cierpią na katar sienny, astmę oskrzelową lub zapalenie spojówek. 7-10% niemowląt i dzieci zapada na tę chorobę.

### Możliwe następstwa i powikłania
Charakterystyczny dla atopowego zapalenia skóry jest silny i występujący okresowo świąd, zmuszający do rozdrapywania skóry. W efekcie dochodzi niekiedy do poważnych uszkodzeń skóry i jej wtórnego zakażenia. Choroba stanowi zwykle duże obciążenie nie tylko dla pacjenta, lecz także dla jego rodziny. Dzieci cierpią bardzo, szczególnie nocą z powodu nieznośnego świądu. Konieczność stosowania w takich przypadkach maści i uspokajania chorego może zakłócić współżycie całej rodziny. Ponieważ jednak stres pogarsza dolegliwości, a zdaniem niektórych lekarzy jest wręcz ich źródłem, powstaje tu błędne koło, oddziałujące w jednakowym stopniu na psychikę i na skórę. Zdarza się, że rodzice swoim zachowaniem wręcz podtrzymują chorobę dziecka: wyrażane przez nich współczucie dla cierpień dziecka może być dlań „nagrodą" przerastającą cierpienie (→ Zaburzenia samopoczucia, s. 175). Nie oznacza to oczywiście, że dziecku niepotrzebna jest w czasie choroby serdeczna opieka. Niemniej zachodzące w czasie choroby dziecka procesy psychofizyczne należy bacznie, ale zarazem krytycznie obserwować. Choroba może doprowadzić do utraty pewności siebie, do osamotnienia i depresji. Niekiedy konieczne jest leczenie psychoterapeutyczne (→ Poradnictwo i psychoterapia, s. 670).

### Zapobieganie
Niektórzy lekarze zalecają, aby karmić dzieci z rodzin dotkniętych świerzbiączką tzw. gotową żywnością hipoalergizującą. Jednakże korzyści wynikające ze stosowania tego rodzaju diety nie zostały — jak dotąd — udowodnione.

### Kiedy do lekarza?
Gdy zabiegi stosowane w ramach samopomocy nie pomagają lub gdy mamy do czynienia z ciężką postacią choroby.

### Jak sobie pomóc
Ponieważ klasyczna medycyna nie może poszczycić się większymi efektami w leczeniu świerzbiączki, w wielu miejscach powstały tzw. grupy samopomocy, które wydają poradniki na temat postępowania w tym schorzeniu i udzielają indywidualnych porad.

*Praktyczne wskazówki*
— Stworzyć jak najbardziej stabilną sytuację emocjonalną.

Ewentualnie nauczyć się technik odprężania (→ Relaks, s. 664), aby łatwiej zwalczać stresy, które stanowią bodźce do nowych rzutów choroby. W razie odczucia, że samemu nie podoła się temu zadaniu, należy zwrócić się po fachową pomoc (→ Poradnictwo i psychoterapia, s. 670).
— Unikać klimatu skrajnie wilgotnego i skrajnie suchego.
— Przy suchym powietrzu używać nawilżaczy.
— Unikać odzieży wełnianej lub szorstkich sztucznych włókien; dobre są materiały z bawełny i jedwabiu.
— Możliwie rzadko do mycia używać wody i zwykłych środków myjących. Do mycia stosować mleczka lub łagodne namiastki mydła.
— Nie używać pieniących dodatków kąpielowych, lecz stosować olejki. Kąpiel — podobnie jak mycie i tusz — nie powinna być gorąca.
— Po umyciu skóry należy posmarować ją mleczkiem, kremem lub maścią.
— Po wypraniu bielizny i odzieży należy je bardzo dokładnie wypłukać. Do ostatniego płukania dodać jedną do dwóch łyżek octu.
— Jeśli wyprysk umiejscowiony jest na stopach, unikać wysokich, ciasnych butów, na przykład gumowców. Nie nosić pantofli domowych z filcu lub futra. Korzystniejsze są otwarte sandały z lnu lub skóry.
— Zbyt wysoka temperatura w pokoju podobnie jak zbyt ciepła odzież zwiększają świąd.
— Należy niezwłocznie leczyć każdą infekcję skórną.
— Unikać źle tolerowanych pokarmów. Często należą do nich: cytryny, ryby, jaja, orzechy, migdały, owoce strączkowe i cukier w każdej postaci. Istnieją doniesienia o chorych na świerzbiączkę, leczonych latami bezskutecznie na różne sposoby, którzy wyzdrowieli po rygorystycznej, systematycznie prowadzonej diecie. Jednak trudności zastosowania takiej diety, zwłaszcza u dzieci, mogą być bardzo duże.
— Pożądany jest wielotygodniowy pobyt w klimacie korzystnym dla skóry, nad morzem lub w górach na wysokości ponad 1500 m n.p.m. Jednak wartość tych kuracji jest problematyczna, gdyż po powrocie w normalne warunki klimatyczne często występuje wznowa choroby.
— Unikać — jeśli to możliwe — szczepień i antybiotyków, gdyż i one mogą wywołać rzuty choroby.

### Leczenie
Jeśli samopomoc nie da efektu lub dolegliwości staną się nie do zniesienia, lekarz zastosuje prawdopodobnie maść lub krem zawierający kortykoidy. Preparaty te często bywają jednak nadużywane, gdyż dają bardzo szybki efekt. Po odstawieniu leku dolegliwości często wracają z większym niż poprzednio nasileniem. Istnieje też możliwość wystąpienia różnych objawów ubocznych (→ Kortyzon (glikokortykoidy), s. 624). Świerzbiączka może trwać miesiącami, a nawet latami. Przez tak długi okres nie można jednak stosować kortykoidów. Leki te należy traktować jako rezerwę na wypadek wyraźnego pogorszenia. Silny, nocny świąd mogą złagodzić leki przeciwhistaminowe (→ Alergia, s. 338). Niektóre z nich mają jednak tak silne działanie uspokajające, że jeszcze następnego dnia rano pa-

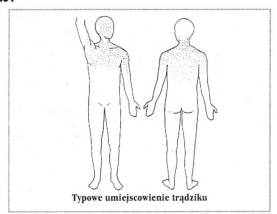

**Typowe umiejscowienie trądziku**

cjent bywa senny. Osoby przyjmujące te leki nie mogą prowadzić samochodu.

W stanach przewlekłych świerzbiączki ogniskowej wskazane jest niekiedy stosowanie leków zawierających dziegieć.

# Trądzik

### Dolegliwości

Czarne punkciki na skórze („wągry" otwarte); grudki białe („wągry" zamknięte). Gdy wągry ulegną zapaleniu, powstają czerwone krosty trądzikowe. W ciężkich przypadkach tworzą się guzkowate, zapalne ogniska w skórze, które mogą ropieć i pozostawiać blizny.

### Przyczyny

Przyjmuje się, że ważną rolę przy powstawaniu trądziku odgrywa w okresie dojrzewania produkcja hormonu zwanego testosteronem. Pobudza on gruczoły łojowe do wzmożonej produkcji łoju. Większe wytwarzanie substancji rogowej u ujścia gruczołów upośledza wypływ łoju. Torebka gruczołowa powiększa się, aż wreszcie łój pod wzmożonym ciśnieniem uchodzi na zewnątrz i w wyniku przemiany chemicznej czernieje. Ta mieszanka łoju z substancją zrogowaciałą może ulegać stanom zapalnym. Tworzą się wągry. Przez ich wyciskanie wprowadza się do otaczającej tkanki wolne kwasy tłuszczowe pobudzające stan zapalny. W ten sposób trądzik nasila się. Schorzenie mogą również wywoływać leki, takie jak: kortykoidy, jod, brom, środki antyepileptyczne, barbiturany, lit, witaminy $B_6$, $B_{12}$ i $D_2$. Dla tej postaci trądziku charakterystyczne są: nagły początek, zajęcie rozległej przestrzeni w nietypowych miejscach (tułów, ramiona, nogi) oraz pojawianie się poza okresem dojrzewania. Również zatrucie węglowodorem polichlorowym (np. dioksyna) może wywołać trądzik. Choroba spowodowana dłuższą stycznością skóry ze smołą, dziegciem lub olejami występuje w miejscu bezpośredniego kontaktu, na przykład na udach, w wyniku przylegania nasyconych olejem spodni. Przyczyną trądziku mogą być także kremy ochronne złożone z bardzo tłustych składników.

### Ryzyko zachorowania

Najczęściej na to schorzenie zapadają ludzie młodzi, między dwunastym i dwudziestym rokiem życia. W tym wieku właściwie prawie wszyscy w mniejszym lub większym stopniu mają trądzik, co wiąże się ze zmianą składu hormonów. W przypadku kobiet nasilenie trądziku występuje w drugiej połowie cyklu. Trądzik zmniejsza się latem, prawdopodobnie dzięki działaniu promieni ultrafioletowych, a nasila zimą.

### Możliwe następstwa i powikłania

Dla osób młodych trądzik jest przede wszystkim problemem psychicznym i nieodpowiednio leczony może pozostawić ślady nie tylko na skórze, ale także w psychice człowieka.

Nieprawidłowe leczenie stanów zapalnych może pozostawić trwałe blizny.

### Zapobieganie

Zapobieganie jest niemożliwe. Właściwe leczenie może jednak znacznie złagodzić dolegliwości.

### Kiedy do lekarza?

Gdy zabiegi stosowane w ramach samopomocy nie przynoszą poprawy.

### Jak sobie pomóc

— Pielęgnacja skóry: zaatakowane trądzikiem miejsca przemywać dwa razy dziennie delikatnym mleczkiem. Nie używać zawiesin, kremów i wód kolońskich nieprzepisanych przez lekarza. Środki te są nieskuteczne, a czasami powodują podrażnienie. Stosowanie Clearasilu (pol. Benzacne, Acnosan) może być pomocne w oczyszczaniu.

— Nie wyciskać pryszczy. Zwykle prowadzi to do pogorszenia. Jeżeli jednak ktoś mimo wszystko to czyni, powinien postępować w sposób opisany w ramce na stronie 265. Strupków nie wolno zdrapywać, gdyż przedłuża to proces gojenia o kilka tygodni i może spowodować blizny. Najlepiej usuwać wągry w gabinecie kosmetycznym.

— Zalecane jest nasłonecznienie, jednak należy unikać przesadnego opalania się, albowiem uszkadza ono skórę i zwiększa niebezpieczeństwo raka skóry (→ Oparzenie słoneczne, s. 254).

— Unikać w miarę możliwości nakładania makijażu. Jeżeli mimo to od czasu do czasu robi się makijaż, to należy potem gruntownie oczyścić skórę twarzy.

### Leczenie

Prawie zawsze trądzik goi się sam po osiągnięciu przez pacjenta wieku dojrzałego. Jest to jednak małą pociechą dla młodo-

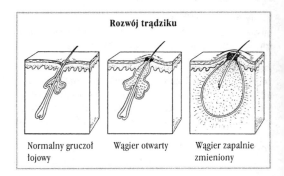

**Rozwój trądziku**

| Normalny gruczoł łojowy | Wągier otwarty | Wągier zapalnie zmieniony |

## Technika wyciskania zaskórnika

— Nałożyć na 10 minut gorący kompres celem rozmiękczenia skóry.
— Zdezynfekować skórę 70-procentowym izopropanolem.
— Palec owinąć czystą chustką.
— Skórę wokół zaskórnika rozciągnąć, a następnie wyciskać od dołu.
— Wykwity z ropnym szczytem nakłuć sterylną igłą, potem wycisnąć.
— Złagodzić odczyn zapalny opatrunkiem z wyciągu rumianku.

cianych. Kto nie chce się z tym faktem pogodzić, może szukać pomocy u dermatologa. Celowe jest leczenie zewnętrzne kwasem witaminy A (Airol) (Atrederm) w postaci nalewki lub maści. Nie pomylić jednak tego środka z witaminą A, która nie może zastąpić kremu. Trądzik może początkowo ulec pogorszeniu, jednak najpóźniej po upływie dwóch miesięcy ujawnia się pozytywny efekt. Zewnętrzne preparaty dostępne w kraju: Benzacne, Acnesulph, Skinoren.

*Leczenie wewnętrzne*
Leczenie wewnętrzne należy rozpoczynać dopiero wtedy, gdy terapia zewnętrzna nie dała rezultatu. Obie metody powinny się wzajemnie uzupełniać.
— Zażywanie antybiotyku tetracykliny w kombinacji z lekami stosowanymi na skórę. Specjaliści uważają, że stosowanie preparatu przez szereg miesięcy, a nawet lat, jest uzasadnione. Nie dotyczy to kobiet w ciąży.
— W krańcowo ciężkich przypadkach, które nie poddają się innej terapii, sprawdziły się izotretynoina (Roaccutan) i etretynat (Tigason). Mogą jednak pojawić się poważne działania uboczne w obrębie skóry i śluzówek. Ponieważ leki te mogą w czasie ciąży spowodować najcięższe wady wrodzone, przeto przed podjęciem leczenia należy z całą pewnością wykluczyć ciążę, a w czasie leczenia zapobiegać jej. Przy stosowaniu Roaccutanu jeszcze przez miesiąc po zakończeniu kuracji należy korzystać ze środków antykoncepcyjnych, a po Tigasonie — nawet jeszcze przez dwa lata.

## Celowe: zewnętrzne leczenie nadtlenkiem benzoilu

| | | |
|---|---|---|
| Aknefug oxid | Oxy-Fissan | Ultra-Clear-A-Med |
| Akneroxid | Panoxyl | |
| Benzacne | Sanoxit | |

Działanie uboczne: bardzo rzadko alergia.

## Celowe: zewnętrzne leczenie kwasem retinojowym (tretynoina)

| | |
|---|---|
| Airol | Epi-Aberel |
| Cordes-VAS | Eudyna |

Działanie uboczne: częste podrażnienia skóry, które narastają przy większym dawkowaniu bez wpływu na efekt leczniczy.

— Kobiety używające stale pigułki antykoncepcyjnej mogą wybrać takie preparaty jak Neo-Eunomin lub Diane 35. Zawierają one rodzaj hormonu, który może mieć korzystny wpływ na trądzik. Efekty leczenia mogą się ujawnić jednakże dopiero po przeprowadzeniu trzech do czterech kuracji.

## Pocenie nadmierne

### Dolegliwości
Często trudno stwierdzić, czy mamy do czynienia z nadmiernym poceniem, czy też stanowi ono normalną reakcję organizmu na wysoką temperaturę lub stres. Niekiedy wiąże się ono z wydzielaniem nieprzyjemnego zapachu.

### Przyczyny
Dzięki poceniu ustrój reguluje swą temperaturę. Nadmierne pocenie się może być spowodowane gorączką, nadczynnością tarczycy (→ s. 463), zaburzeniami hormonalnymi lub lekami (np. kortyzonem). Przy obciążeniu psychicznym pocą się zwykle mocno dłonie, stopy i pachy (→ Zaburzenia samopoczucia, s. 175).

### Ryzyko wzrasta
— u osób ze znaczną nadwagą,
— u młodocianych w okresie dojrzewania,
— u fryzjerów pracujących z płynami do trwałej ondulacji na zimno; często występuje u nich nadmierne pocenie się rąk i wtórne wypryski.

### Zapobieganie
Noszenie przewiewnej, pochłaniającej wilgoć odzieży. Unikanie napojów pobudzających pocenie, takich jak: herbata, kawa, alkohol. Zredukowanie nadwagi. Fryzjerzy powinni nosić rękawiczki ochronne przy nakładaniu trwałej ondulacji na zimno.

### Kiedy do lekarza?
Gdy zabiegi w ramach samopomocy nie przynoszą rezultatów.

### Jak sobie pomóc
— Mycie zapobiega wydzielaniu się przykrego zapachu.
— Herbatka z szałwii zmniejsza pocenie się.
— Kto często poci się ze strachu, powinien stosować techniki relaksacyjne (→ Relaks, s. 664).
— Dezodoranty. Składają się na ogół z alkoholu, perfum i substancji odwaniających. Alkohol wysusza skórę i daje poczucie świeżości, perfumy tłumią zapach potu, substancje odwaniające zabijają bakterie rozkładające pot i wywołujące niemiły zapach. Działanie wszystkich dezodorantów jest jednakowe, różnią się jedynie ceną i zapachem.
— Środki hamujące wytwarzanie potu (antytranspiranty). Należy je stosować tylko przy dużej nadprodukcji potu. Środki te zawierają sole metali, kwasy i aldehydy, które kurczą gruczoły potowe i zmniejszają wytwarzanie potu dwadzieścia do pięćdziesięciu procent. Nie są to środki w pełni bezpieczne, gdyż mogą spowodować podrażnienia i zapalenia skóry.

## Zmniejszenie zapachu ciała

— Unikać potraw zawierających cebulę, czosnek, ryby i curry. Aromaty tych potraw przez kilka godzin po jedzeniu wydalane są z potem i można je wyczuć.
— Brak owłosienia pod pachami nie zmniejsza pocenia, ale ogranicza zapach.
— Codziennie myć nogi, zmieniać skarpetki.
— Codziennie moczyć nogi przez pół godziny w naparze z kilku torebek czarnej herbaty. Zawarta w niej tanina garbuje skórę. Po 8-10 dniach dolegliwości maleją. Jeśli to nie pomaga, należy użyć dezodorantu.

— Amerykanie polecają zamiast pudru proszek do pieczenia ciast. Jest tani i dobrze wchłania pot, nie drażni skóry.

### Leczenie
— Stosowanie leków blokujących układ nerwowy parasympatyczny (leki antycholinergiczne, np. atropina). Objawy uboczne, jak suchość w ustach, zaburzenia wzroku itp. są jednak dość znaczne i pojawiają się zwykle wcześniej, zanim jeszcze nastąpi zmniejszenie wydzielania potu.
— Operacyjne usunięcie gruczołów potowych lub przecięcie nerwów pobudzających gruczoły potowe. Efekty uboczne i ryzyko przeprowadzania tych zabiegów są jednak tak duże, że należy przed decyzją wykonania zabiegu dokładnie zastanowić się nad ewentualnymi korzyściami, jakie może przynieść zabieg.
— Warto spróbować jontoforezy. Zanurza się ręce i nogi w wodzie, przez którą przepływa prąd stały. Trzytygodniowa kuracja, zabieg raz dziennie, później jeden raz tygodniowo, może znormalizować wydzielanie potu.

## Wyprysk łojotokowy

### Dolegliwości
Lekką postacią wyprysku łojotokowego jest tłusty, żółtawy łupież na skórze głowy. U dorosłych łuszczy się nie tylko skóra głowy, lecz zjawisko to występuje także na innych częściach ciała, na przykład w okolicy brwi, nosa, bruzd prowadzących od nasady

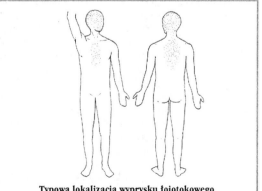

**Typowa lokalizacja wyprysku łojotokowego**

nosa do kącików ust, w fałdach pod brodą. W przypadku mężczyzn wyprysk łojotokowy rozprzestrzenia się czasem na brodę i owłosioną skórę piersi oraz pleców. Dolegliwości związane z wypryskiem łojotokowym pojawiają się często już w wieku dzięcięcym.

### Przyczyny
Przyczyna występowania wyprysku łojotokowego dotychczas nie jest znana. Podejrzewa się istnienie dziedzicznej skłonności w tym kierunku, a za czynnik wyzwalający uważa się stres.

### Ryzyko zachorowania
W Niemczech na wyprysk łojotokowy choruje około 360 000 osób.

### Możliwe następstwa i powikłania
Choroba nie jest zakaźna, ale może rozprzestrzenić się na całe ciało w postaci zaczerwienienia i łuszczenia. Lekarze nazywają tę postać choroby erytrodermią.

### Zapobieganie
Przy aktualnym stanie wiedzy na temat wyprysku łojotokowego zapobieganie temu schorzeniu nie jest możliwe.

### Kiedy do lekarza?
Gdy dolegliwości nie ustępują lub gdy choroba ma ciężką postać.

### Jak sobie pomóc
Samemu nie można. Należy unikać tłustych środków do pielęgnacji skóry.

### Leczenie
Zwykle korzystnie działają stosowane na skórę leki do wcierania, zawierające kortykoidy. Jednakże nie należy stosować tych środków przez ponad trzy tygodnie, albowiem po dłużej trwającej kuracji może zaistnieć niebezpieczeństwo trwałych uszkodzeń skóry (→ s. 624). Bardzo skutecznym lekiem na tę chorobę jest środek przeciwgrzybiczy Ketoconazol.

## Rybia łuska

### Dolegliwości
Choroba występuje już we wczesnym dzieciństwie i manifestuje się szorstką, suchą skórą i białoszarymi, mocno przylegającymi łuskami (tzw. skóra jaszczurcza). Rybia łuska atakuje silniej ręce i nogi niż tułów i twarz. Dłonie i podeszwy są modelowato zgrubiałe.

### Przyczyny
Nadmierne wytwarzanie substancji rogowej. Schorzenie jest dziedziczne.

### Ryzyko zachorowania
Choroba atakuje trzy na tysiąc osób i pojawia się w równym stopniu u obu płci. Istnieje poza tym szczególna, bardzo rzadko występująca postać dziedziczna rybiej łuski pojawiająca się wyłącznie u mężczyzn.

### Możliwe następstwa i powikłania
Choroba nie jest zaraźliwa ani bolesna. Nie da się jej wpraw-

dzie wyleczyć, ale można w dużym stopniu poprawić wygląd pacjenta i złagodzić dolegliwości.

## Zapobieganie
Zgodnie z współczesnym stanem wiedzy o rybiej łusce zapobieganie nie jest możliwe.

## Kiedy do lekarza?
Jak najwcześniej po wystąpieniu objawów choroby.

## Jak sobie pomóc
Chłodna pogoda zwykle pogarsza stan skóry zaatakowanej chorobą, toteż w czasie chłodów należy ubrać się ciepło i nałożyć rękawice.

Niezmiernie ważną rzeczą w tej chorobie jest również utrzymywanie skóry w stanie elastyczności:
— należy oszczędnie używać mydła,
— dziesięciominutowa kąpiel nasyca warstwę rogową skóry wilgocią; po kąpieli należy posmarować skórę wazeliną.

## Leczenie
W celu usunięcia łusek stosuje się maści zawierające kwas salicylowy. Maści na bazie mocznika powodują dłuższe magazynowanie wilgoci w skórze. Najskuteczniejsze jednak jest stosowanie preparatów zawierających izotretynoinę lub etretynat, używanych również w leczeniu trądziku (→ Trądzik, s. 264).

# ▌Łupież różowy

## Dolegliwości
W początkowym stadium choroba zlokalizowana jest zwykle na tułowiu i występuje w postaci jednej lub kilku dużych łuszczących się, jasnoczerwonych lub bladoróżowych plam. W ciągu następnych dni plamy obejmują cały tułów, ramiona i uda, omijając zwykle twarz, ręce i nogi. Objawy utrzymują się na ogół przez okres czterech do dwunastu tygodni.

## Przyczyny
Przyczyny występowania łupieżu różowego nie są dokładnie znane. Podejrzewa się zakażenie wirusowe.

## Ryzyko zachorowania
Choroba może zaatakować osobę w każdym wieku, występuje jednak częściej u osób płci żeńskiej w wieku od dwunastu do czterdziestu lat. Większość zachorowań pojawia się w okresie wiosny i jesieni.

## Możliwe następstwa i powikłania
Choroba nie jest zaraźliwa i przemija samoistnie w ciągu czterech do sześciu tygodni. Nawroty schorzenia obserwuje się rzadko.

## Zapobieganie
Zgodnie ze współczesnym stanem wiedzy na temat łupieżu różowego zapobieganie nie jest możliwe.

## Kiedy do lekarza
Gdy tylko wystąpią opisane objawy. Wizyta u lekarza pożądana jest głównie dlatego, aby wykluczyć inne choroby o podobnych objawach.

## Jak sobie pomóc
Charakter choroby bywa niekiedy uporczywy, zwłaszcza u osób, które często i gruntownie się myją. Przy dużym nasileniu objawów należy unikać gorących kąpieli, natrysków, parówek, sauny i masaży.

## Leczenie
Specjalne leczenie nie jest potrzebne. Przy bardzo intensywnej wysypce i silnym świądzie lekarz zaleci być może stosowanie leku zawierającego glikokortykoid. Leku takiego nie należy jednak używać przez okres dłuższy niż trzy tygodnie, a to ze względu na jego działanie uboczne (→ Kortyzon (glikokortykoidy), s. 624).

# ▌Łuszczyca

## Dolegliwości
Ceglastoczerwone, uniesione, zwykle nieswędzące plamy, pokryte srebrzystymi łuskami. Te ogniska łuszczycy bywają często małe, punkcikowate, jednakże mogą osiągać również wielkość monety, a nawet dłoni. Występują najczęściej na kolanach i łokciach, w okolicy kości krzyżowej oraz na skórze głowy. Rzadziej pojawiają się pod pachami, na piersiach, na narządach płciowych i w okolicy odbytu, nigdy w jamie ustnej. Na dłoniach i stopach łuszczyca przybiera zwykle postać ostro ograniczonych, zaczerwienionych ognisk z bolesnymi pęknięciami lub pęcherzykami. W przypadku trzydziestu do pięćdziesięciu procent osób chorych na łuszczycę choroba obejmuje swoim zasięgiem także i paznokcie, które ulegają zgrubieniu i wykazują drobne zagłębienia (tzw. paznokcie nakrapiane). Niekiedy paznokcie przebarwiają się na kolor żółtawobiały i mają obrzeżenie wyglądające jak plama oleju. Paznokcie osób chorych na łuszczycę rosną szybciej niż u osób zdrowych. Oddzielają się one częściowo od łożyska. Choroba atakuje ludzi w różnym wieku. Przebiega rzutami, których częstość, nasilenie i czas trwania bywają różne.

## Przyczyny
Przypuszczalnie dziedziczne zaburzenie polegające na ponadprzeciętnie szybkiej produkcji komórek w pewnych miejscach skóry.

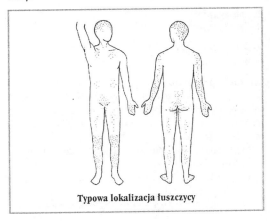

**Typowa lokalizacja łuszczycy**

Bodźcami wywołującymi chorobę mogą się stać:
— Choroby infekcyjne, jak angina, grypa, zapalenie oskrzeli.
— Leki, jak sole litu stosowane w leczeniu depresji, następnie środki przeciwmalaryczne i tzw. beta-adrenolityki, które stosuje się w leczeniu schorzeń serca i krążenia.
— Obciążenia emocjonalne (→ Zaburzenia samopoczucia, s. 175).
— Zranienia skóry.

## Ryzyko zachorowania

Na schorzenie to cierpi ponad milion Niemców i około 140 000 Austriaków. Ryzyko zachorowania wzrasta u dzieci do dwudziestu pięciu procent, jeśli jedno z rodziców ma łuszczycę, a od sześćdziesięciu do siedemdziesięciu procent, jeśli na łuszczycę chorują oboje rodzice.

## Możliwe następstwa i powikłania

Łuszczyca może trwać przez całe życie. Jednak w przypadku około dwóch trzecich pacjentów występują długotrwałe okresy remisji, w czasie których choroba staje się prawie niezauważalna.

Łuszczyca nie jest zaraźliwa, jednakże wielu chorych cierpi z tego powodu, że otoczenie traktuje ich jak trędowatych. Może to doprowadzić do kompleksu mniejszej wartości oraz izolowania się od otoczenia. Osoby, których samopoczucie ulega pogorszeniu z powodu łuszczycy, powinny zgłosić się do psychoterapeuty (→ Poradnictwo i psychoterapia, s. 670).

Łuszczyca nastręcza problemów przede wszystkim wówczas, gdy występuje na dłoniach, jest bowiem wtedy widoczna i może utrudnić pracę zawodową. Większość stosowanych przy łuszczycy kremów i maści jest tłusta. Jeśli tymi środkami smarujemy dłonie, może łatwo dojść do natłuszczenia i zabrudzenia papieru lub innych trzymanych w ręku przedmiotów, z którymi chory styka się w pracy.

W rzadkich przypadkach łuszczyca prowadzi do komplikacji, które trudno leczyć:
— Gdy wykwity łuszczycowe rozszerzą się na całe ciało, mówi się o erytrodermii.
— Gdy w ogniskach łuszczycy wystąpią krosty (*Psoriasis pustulosa* — łuszczyca krostkowa).

W przypadku około jednej piątej chorych na łuszczycę do zmian skórnych dołączają się dolegliwości stawowe (→ Łuszczycowe zapalenie stawów, s. 426).

## Zapobieganie

Nie jest możliwe.

## Kiedy do lekarza?

Jak najwcześniej.

## Jak sobie pomóc

Stosowanie diety nie wpływa na przebieg choroby. Korzystnie działa zwykle opalanie, jednak umiarkowane, albowiem oparzenie słoneczne pogarsza stan skóry. Należy dbać o to, aby skóra była gładka, stosując:
— regularne kąpiele z dodatkiem szklanki mleka i łyżeczki od herbaty oliwy z oliwek,
— regularne wcieranie olejków lub zawierających tłuszcz zawiesin do pielęgnacji skóry,
— do golenia miejsc chorych używać golarki elektrycznej.

## Leczenie

Mimo że leczenie zewnętrzne jest niewygodne i uciążliwe, należy zawsze w pełni wykorzystać jego możliwości, zanim dołączy się doń środki doustne.

### Leczenie zewnętrzne

— Leki zawierające kwas salicylowy rozpuszczają łuski.
— Szampony z dziegciem stosowane w leczeniu skóry owłosionej głowy.
— Maści i kremy zawierające dziegieć są wprawdzie skuteczne, jednak wielu chorych odrzuca je ze względu na smołowy zapach i brudzenie odzieży. Przy ich stosowaniu stan skóry poprawia się po upływie dwóch do trzech, a czasem dopiero po upływie czterech tygodni.
— W przypadkach przewlekłych, szczególnie opornych: leczenie skojarzone środkami dziegciowymi i naświetlaniem ultrafioletowym. Dwa lub trzy razy dziennie naciera się skórę dziegciem uzyskanym z węgla kamiennego. Przed naświetlaniem warstwę dziegciu należy usunąć. Leczenie trwa cztery do sześciu tygodni, przy czym poprawę widać już po upływie około trzech tygodni.
— Leki zawierające glikokortykoidy, stosowane zewnętrznie, dają wprawdzie szybciej efekt, jednak po ich odstawieniu dochodzi zwykle do ciężkiego nawrotu choroby (o objawach ubocznych glikokortykoidów → s. 624).
— Od dawna sprawdza się substancja ditranol, zawarta razem z kwasem salicylowym w wielu preparatach. Ponieważ lek ten przebarwia skórę i bieliznę, można go stosować tylko w czasie pobytu chorego w szpitalu.

### Leczenie wewnętrzne

— Leczenie PUVA uchodzi za najskuteczniejszą metodę terapii doustnej. Połyka się metoksalen, który przy równoczesnym naświetleniu promieniami ultrafioletowymi blokuje podział komórek, zapobiegając w ten sposób tworzeniu się typowych ognisk łuszczycy. Postępowanie to jest dość kłopotliwe (cztery razy w tygodniu naświetlanie) i przy dłuższym stosowaniu szkodliwe dla skóry. Niewykluczone, że przy tym postępowaniu wzrasta ryzyko zachorowania na raka skóry. Dlatego leczenie PUVA należy stosować tylko w bardzo ciężkich przypadkach łuszczycy.
— Dopiero gdy wszystkie inne metody zawiodły, uzasadnione jest leczenie metotreksatem. Środek ten może wywołać ciężkie objawy uboczne (→ Leczenie farmakologiczne (chemioterapia), s. 443).
— Niektóre postacie łuszczycy leczy się etretynatem. Rezultat leczenia może pojawić się na skórze po upływie czterech do sześciu tygodni. Jako objaw uboczny prawie zawsze występuje suchość w ustach, pękanie warg i czasem przejściowe wypadanie włosów, a także krwawienie z nosa i świąd skóry. W czasie ciąży stosowanie leku jest niedopuszczalne, prowadzi bowiem do wad rozwojowych. Zarówno w czasie leczenia, jak i przez okres dwóch lat po jego zakończeniu nie należy absolutnie dopuszczać do zaistnienia ciąży.
— W łuszczycy nie należy stosować kortykoidów doustnie.

# Rozstępy

## Dolegliwości

Różnej długości i szerokości pasma, biegnące równolegle lub zbieżnie, występujące zwykle na skórze bioder i piersi, również pach, ud, podbrzusza i pośladków. Rozstępy mają początkowo odcień czerwonawy lub niebieskoczerwony, później stają się jasne.

## Przyczyny

W wyniku zwiększonej przez dłuższy czas zawartości hormonów kory nadnerczy we krwi (→ s. 469) dochodzi do rozciągnięcia włókien elastycznych skóry.

## Ryzyko zachorowania wzrasta

— U kobiet w ciąży.
— W okresie dojrzewania.
— U osób ze znaczną nadwagą.
— Przy chorobowo wzmożonej produkcji hormonów kory nadnerczy (→ Choroba i zespół Cushinga, s. 469).
— Przy leczeniu glikokortykoidami.

## Możliwe następstwa i powikłania

Rozstępy są nieszkodliwe dla zdrowia, mogą jednak stwarzać problemy, gdyż osoby nimi dotknięte często czują się oszpecone.

## Zapobieganie

Rozstępom powstającym w okresach przemian hormonalnych (dojrzewanie i ciąża) nie można zapobiegać. Przy leczeniu glikokortykoidami → s. 624.

## Kiedy do lekarza?

Gdy istnieją wątpliwości co do przyczyn powstania rozstępów.

## Jak sobie pomóc

Korzyści wynikające ze stosowania szczotkowań i codziennych masaży są problematyczne.

## Leczenie

Nie ma możliwości skutecznego leczenia rozstępów.

# Ostuda (przebarwienia, plamy od perfum)

## Dolegliwości

Żółtobrązowe plamy rozmieszczone symetrycznie na czole, skroniach i policzkach.

## Przyczyny

— Zmiany hormonalne w czasie ciąży lub w wyniku stosowania pigułek antykoncepcyjnych. Słońce nasila przebarwienia.
— Nasłonecznienie w połączeniu z kremami zawierającymi wazelinę, nawet gdy służą tylko do pielęgnacji skóry.
— Nasłonecznienie w połączeniu z pewnymi związkami perfumeryjnymi (olejek bergamotowy).

## Ryzyko zachorowania

Przebarwienia spowodowane środkami kosmetycznymi do pielęgnacji skóry występują pięć do dziesięciu razy częściej niż przebarwienia wynikające ze zmian hormonalnych.

## Możliwe następstwa i powikłania

Plamy są nieszkodliwe i niezaraźliwe. Cofają się z reguły samoistnie, gdy zniknie przyczyna ich powstania.

## Zapobieganie

Przed nasłonecznieniem skóry nie stosować żadnych kosmetyków ani perfum. Należy sprawdzić skład kosmetyków. W przypadku wątpliwości należy się zwrócić do firmy produkującej kosmetyki, prosząc o podanie ich składu. Można też zwrócić się z prośbą o tę informację do lekarza. Najlepiej jednak unikać opalania twarzy lub stosować przy opalaniu środki o wysokim współczynniku ochrony świetlnej.

## Kiedy do lekarza?

Wówczas, gdy plamy bardzo przeszkadzają.

## Jak sobie pomóc

Nałożenie na twarz makijażu tuszującego plamy.

## Leczenie

— Przebarwione miejsca można wybielić preparatem Depigman. Przed zastosowaniem należy ten preparat przez tydzień wypróbowywać za uchem, ponieważ może on powodować reakcje alergiczne lub wybielić skórę zbyt mocno.
— Lekarz może „zamrozić" przebarwione miejsca płynnym azotem. Tworzą się wówczas strupki, które odpadają po ośmiu, dziesięciu dniach. Po upływie około trzech tygodni odtwarza się w tych miejscach nowa, normalnie zabarwiona skóra.

# Bielactwo

## Dolegliwości

Ostro ograniczone białe plamy na skórze o brzegach mających często ciemne zabarwienie. Plamy te szczególnie rzucają się w oczy na skórze śniadej. Zwykle wykazują skłonność do rozprzestrzeniania się.

## Przyczyny

Nie są znane. Przyjmuje się istnienie zaburzenia ogólnych mechanizmów odpornościowych.

## Ryzyko zachorowania wzrasta

U osób cierpiących na schorzenia tarczycy lub cukrzycę, jak również w przypadku osób, u których występują schorzenia układu odpornościowego.

## Możliwe następstwa i powikłania

Plamy są wprawdzie nieszkodliwe i niezaraźliwe, jeżeli jednak szpecą, mogą stać się dla osób nimi dotkniętych poważnym problemem. Odbarwione miejsca są narażone na szkodliwe działanie promieni słonecznych.

## Zapobieganie

Przy aktualnym stanie wiedzy na temat bielactwa zapobieganie temu schorzeniu nie jest możliwe.

## Kiedy do lekarza?

Wówczas, gdy plamy bardzo szpecą.

### Jak sobie pomóc

Unikać nasłonecznienia plam lub zmniejszyć opalanie wolnej od plam skóry przez zastosowanie środków przeciwsłonecznych z wysokim współczynnikiem ochrony świetlnej (→ Oparzenie słoneczne, s. 254). Zapobiega to zwiększaniu się kontrastu. Białe plamy można pokryć makijażem lub zabarwić „samoopalaczem".

### Leczenie

— Miejscowa fotochemoterapia: na małe plamy nakłada się lek Meladinin (metoksalen). Potem można w niektórych przypadkach zabarwić białe plamy przez naświetlenie słoneczne lub lampę kwarcową.
— Leczenie PUVA — jak w łuszczycy (→ s. 268). Tego rodzaju leczenie jest bardzo kłopotliwe. Mogą upłynąć miesiące, a nawet lata, nim osiągnie się zadowalający efekt kosmetyczny. Naświetlanie zwiększa możliwość rozwoju raka skóry.
— Zamiast przyciemniać białe plamy, można próbować rozjaśnić normalną skórę na twarzy i rękach, aby uzyskać jednolite jasne zabarwienie (→ Ostudy, s. 269). Być może efekt ten będzie mniej rażący od kontrastu między jasnymi a ciemnymi miejscami na skórze.

## Łupież pstry

### Dolegliwości

Różnie zabarwione plamki na środku piersi i pleców, gdzie znajdują się liczne gruczoły łojowe. Są one koloru brudnożółtego, zwykle łuszczą się strzępiasto. Specjalna postać (*pityriasis versicolor alba*) powoduje wyraźne odbarwienie zajętych miejsc, manifestujące się w postaci białych plam.

### Przyczyny

Nieszkodliwa, powierzchowna, niezapalna infekcja grzybicza prowadzi do tego, że z upływem czasu zajęte miejsca skóry tracą swój barwnik. Otaczająca skóra robi wrażenie ciemniejszej, zwłaszcza gdy jest opalona. Stąd zdarza się, że chorobę rozpoznajemy tylko latem.

### Ryzyko zachorowania

Jest większe przy wzmożonym poceniu się. Zwyczaj noszenia nienadających się do prania części odzieży bezpośrednio na skórze sprzyja nawrotom choroby. Zawiesiny i kremy przeciwsłoneczne pobudzają rozwój grzybka.

### Możliwe następstwa i powikłania

Choroba jest nieszkodliwa i prawie niezaraźliwa. Podobnie jak wszystkie schorzenia wpływające na wygląd człowieka łupież pstry może pogarszać samopoczucie (→ Zaburzenia samopoczucia, s. 175).

### Zapobieganie

Regularne mycie się, masaż przy użyciu szczotki.

### Kiedy do lekarza?

Gdy wykwity pogarszają samopoczucie.

### Jak sobie pomóc

Samopomoc nie ma sensu bez uprzedniego upewnienia się, że chodzi właśnie o tę grzybicę.

### Leczenie

Na zajęte grzybkiem miejsca nakłada się regularnie przez okres jednego do dwóch tygodni środek przeciwgrzybiczy (np. Canesten, Clotrimasol lub Epipevaryl). Ponieważ niepostrzeżenie dochodzi do zajęcia skóry głowy, należy myć w tym czasie włosy szamponem zawierającym dwusiarczyn selenu lub Nizoral. W pewnych okolicznościach lekarz może przepisać specjalne nalewki do wcierania w skórę głowy. Jeśli leczenie zewnętrzne jest bezowocne, rozprzestrzenienie grzybicy znaczne i choroba wciąż nawraca, zaleca się zażywanie środka przeciwgrzybiczego ketokonazolu (Nizoral) przez okres około dwóch tygodni. Jako działanie uboczne tego leku występuje — wprawdzie rzadko — ciężkie uszkodzenie wątroby. Po leczeniu plamy utrzymują się w pewnych okolicznościach jeszcze przez jakiś czas, aż na skutek nasłonecznienia wszystkie partie skóry przybiorą ten sam odcień.

## Trądzik różowaty

### Dolegliwości

Najpierw pojawiają się plamiste zaczerwienienia skóry gruboporowatej, przede wszystkim nosa, czoła i policzków. Później tworzą się grudki i krosty. Czasem całymi latami występują nawroty, bywa też, że choroba utrzymuje się przez całe życie pacjenta. Trądzik różowaty atakuje zwykle osoby o jasnej cerze w wieku od trzydziestu do pięćdziesięciu lat. Nieleczony trądzik różowaty przeradza się niekiedy — prawie wyłącznie u mężczyzn — w tzw. guzowatość nosa (*rhinophyma*).

### Przyczyny

Podejrzewa się różne przyczyny powstawania trądziku różowatego, na przykład dziedziczną skłonność i schorzenie wewnętrzne. Wbrew powszechnemu przekonaniu alkohol nie odgrywa żadnej roli w rozwoju guzowatości nosa. Różnorodne i nieswoiste bodźce mogą powodować zaczerwienienie twarzy, m.in. podenerwowanie, stres emocjonalny, wysoka temperatura, spożywanie ostrych potraw i picie gorących napojów. Zdaniem wielu lekarzy istotną rolę w rozwoju choroby odgrywa skład chemiczny łoju.

### Ryzyko zachorowania

Kobiety chorują nieco częściej niż mężczyźni.

### Możliwe następstwa i powikłania

Choroba nie przenosi się i jest nieszkodliwa dla zdrowia, jednak ze względu na to, że rzuca się w oczy, wpływa często bardzo negatywnie na samopoczucie (→ Zaburzenia samopoczucia, s. 175). Czasami choroba atakuje oczy, powodując zapalenie spojówek.

### Zapobieganie

Przy współczesnym stanie wiedzy o trądziku różowatym zapobieganie nie jest możliwe.

### Kiedy do lekarza?

Gdy wystąpią opisane objawy.

### Jak sobie pomóc

Podobnie jak w przypadku trądziku pospolitego (akne), bardzo ważne jest oczyszczanie skóry: mycie delikatnym mleczkiem higienicznym dotkniętych trądzikiem różowatym miejsc dwa razy w ciągu dnia. Nie należy stosować żadnych maści, kremów ani zawiesin, które nie zostały przepisane przez lekarza.

### Leczenie

Leczenie jest podobne do terapii stosowanej przy trądziku pospolitym: dokładne oczyszczanie skóry, zażywanie przez wiele tygodni antybiotyków (np. tetracyklin). Nie należy stosować kortykoidów, ponieważ po ich odstawieniu następuje zaostrzenie choroby. Widoczne na skórze poszerzone naczynia można „wypalić" igłą elektryczną. Zabieg ten jest bolesny i nazywa się elektrodesykacja. Kuracja składa się z kilku seansów, efekty są mierne, objawy mogą się powtarzać. Guzowatość nosa można usunąć tylko na drodze operacyjnej. Wyleczenie następuje bardzo szybko, jednakże istnieje możliwość nawrotów choroby.

## Pokrzywka

(→ Alergia, s. 338)

### Dolegliwości

Wykwity skórne przypominające te, które pojawiają się po dotknięciu pokrzywą, czerwone lub białe, przelotne, swędzące, wyniosłe plamy na skórze. W cięższych przypadkach mogą puchnąć całe części ciała, jak: twarz, ręce, nogi, okolice stawów lub szyja. Wysypki spowodowane lekami występują zwykle początkowo na tułowiu, następnie rozprzestrzeniają się na całe ciało w kierunku stóp. Utrzymują się na ogół przez okres dwóch do trzech tygodni. Przy wysypkach spowodowanych uczuleniem na leki lub ukłuciem owada występują nudności, bóle głowy, duszność, poty, kurczowe bóle brzucha i duży spadek ciśnienia tętniczego. W rzadkich przypadkach stany te mogą zagrażać życiu (→ Alergia, s. 338).

### Przyczyny

Pokrzywka jest objawem częstym, jednak nie zawsze wiąże się ona z uczuleniem. Wystąpienie pokrzywki może być reakcją na:
— artykuły spożywcze (często ryby, jaja, zboże, krowie mleko, homary, ostrygi, orzechy, jagody);
— zawarte w pokarmach dodatki (chinina w toniku, mentol w paście do zębów, żółty barwnik tartrazin = E$^{102}$) (→ Dodatkowe substancje w środkach spożywczych, s. 720);
— pozostałości po środkach stosowanych w opryskach owoców i jarzyn lub leki w mięsie (→ Substancje szkodliwe w pokarmach, s. 713);
— leki doustne (zwłaszcza penicylina, salicylaty, jak aspiryna);
— maści i czopki;
— metale, jak np. amalgamat w plombach lub metale stosowane przy operacjach;
— ukłucia owadów, przede wszystkim pszczół i os;
— stres;
— kontakt skóry z roślinami;
— promienie słońca, promienie rentgenowskie;
— ucisk na skórę, zwłaszcza na podeszwy stóp i pośladki;
— krańcowe wahania temperatury;
— ostre, ropne infekcje, np. zatok bocznych nosa;
— zakażenia wirusowe.

### Ryzyko zachorowania

Kobiety chorują dwukrotnie częściej niż mężczyźni.

### Możliwe następstwa i powikłania

Alergiczne wysypki skórne są w większości przypadków wprawdzie nieprzyjemne, lecz nie stanowią zagrożenia dla zdrowia. Niekiedy jednak mogą wystąpić stany zagrażające życiu i wymagające natychmiastowej pomocy lekarskiej.

### Zapobieganie

Unikanie wszelkich czynników mogących spowodować pokrzywkę.

### Kiedy do lekarza?

Gdy dolegliwości są dokuczliwe lub często się powtarzają.

### Jak sobie pomóc

Wilgotne okłady działają ochładzająco na dotknięte zmianami miejsca. Należy starać się ustalić środki spożywcze lub artykuły chemiczne, które powodują uczulenie. Może to być bardzo trudne, ponieważ obecnie większość produktów żywnościowych zawiera pozostałości związków chemicznych lub sztuczne dodatki, wobec czego alergia nie jest spowodowana samym pokarmem, lecz którymś z dodatków. Należy więc przestawić odżywianie — o ile to możliwe — na dietę pełnowartościową (→ Żywienie pełnowartościowe, s. 705). Skłonność do reakcji alergicznych zanika często samoistnie.

### Leczenie

Na temat hiposensybilizacji → Alergia, s. 338. Ostra pokrzywka mija spontanicznie po upływie jednego do siedmiu dni. Dolegliwości można łagodzić lekami przeciwhistaminowymi (→ Alergia, s. 338). W stanach zagrożenia życia stosuje się wlewy dożylne kortyzonu i adrenaliny.

## Liszajec (impetigo)

### Dolegliwości

Drobne pęcherzyki usytuowane zwykle wokół ust i nosa, zasychające po krótkim czasie. W miejscach tych powstają żółte, miodowe strupki, które wywołują świąd. W wyniku drapania następuje rozprzestrzenienie się choroby na dalsze partie skóry.

### Przyczyny

Bardzo zaraźliwa, bakteryjna infekcja skóry.

### Ryzyko zachorowania

Choroba występuje głównie u dzieci.

### Możliwe następstwa i powikłania

Choroba jest na ogół nieszkodliwa, jednak nieleczona może się rozprzestrzenić na całe ciało, co zwłaszcza u małych dzieci może stanowić zagrożenie życia. Właściwe leczenie liszajca prowadzi zwykle do szybkiego wyzdrowienia. Dotknięte chorobą miejsca pozostają jeszcze przez pewien czas jaśniejsze, wkrótce jednak przybierają normalny kolor. W rzadkich przypadkach, gdy liszajec spowodowany jest bakteriami typu paciorkowców, może dojść do zaatakowania nerek.

## Zapobieganie
Unikanie styczności z osobami zakażonymi.

## Kiedy do lekarza?
Gdy zaistnieje podejrzenie choroby.

## Jak sobie pomóc
Należy ostrożnie wodą i mydłem usunąć strupki, aby ewentualnie przepisana przez lekarza maść mogła dotrzeć do chorej skóry. Mydło i ręczniki używane przez chorego należy rygorystycznie odseparować. W czasie choroby dzieci nie powinny uczęszczać do przedszkola i szkoły.

## Leczenie
Stosuje się tłuste maści z antybiotykiem w celu umożliwienia oddzielenia strupków. Jeżeli tworzą się liczne pęcherzyki, należy zastosować antybiotyk. Aby ustalić, czy choroba nie zaatakowała nerek, należy po upływie trzech, a potem pięciu tygodni po wyzdrowieniu zbadać mocz pacjenta.

## Róża

### Dolegliwości
Ostro ograniczony, bolesny rumień z obrzękiem skóry i wypustkami na boki. W obrębie chorych miejsc (zwykle dotyczy to podudzi i twarzy) pojawiają się niekiedy różnej wielkości pęcherze. Objawom tym towarzyszą gorączka i dreszcze.

### Przyczyny
Bakterie (paciorkowce), które wnikają do ustroju przez uszkodzoną skórę, na przykład w pęknięciach skóry w okolicy nosa, w owrzodzeniu podudzi, w grzybicy stóp. Rozprzestrzeniają się one na drodze naczyń i przestrzeni limfatycznych.

### Ryzyko zachorowania
Choroba może wystąpić w każdym wieku.

### Możliwe następstwa i powikłania
Róża w postaci przewlekłej i stale nawracającej może doprowadzić do zarośnięcia naczyń limfatycznych, w wyniku czego może dojść do zniekształcającego obrzęku różnych części ciała ze zgrubieniem skóry (zwłaszcza nóg), do ropnego zapalenia skóry (flegmona) i zakażenia krwi (sepsa).

### Zapobieganie
Leczenie uszkodzeń skóry, które ułatwiają rozwój róży.

### Kiedy do lekarza?
Wówczas, gdy zaistnieje podejrzenie choroby.

### Jak sobie pomóc
Nie jest celowe.

### Leczenie
Pozostawanie w łóżku i przyjmowanie dużych dawek antybiotyku.

## Czyrak, karbunkuł (czyrak gromadny)

### Dolegliwości
Głęboko osadzony, zapalny i bolesny guz z centralnym ropnym rozmiękaniem, który rozwinął się w wyniku zapalenia gruczo-

łu łojowego włosa. Czyraki powstają u nasady włosa, często w miejscu wzmożonego pocenia się, a także w miejscach narażonych na ocieranie, jak: kark, twarz, pachy, pośladki. Gdy chodzi o wyjątkowo duży czyrak lub o kilka czyraków położonych obok siebie, to mówimy o karbunkule. Czyrak na brzegu powieki to jęczmień (→ Jęczmyk, s. 231).

### Przyczyny
Ropne, bakteryjne (gronkowce) zapalenie gruczołu łojowego włosa.

### Ryzyko zachorowania wzrasta
Przy ogólnie złym stanie zdrowia, niedostatecznej higienie i przy cukrzycy.

### Możliwe następstwa i powikłania
Czyraki i karbunkuły powtarzają się u niektórych osób przez dłuższy okres. W rzadkich przypadkach proces ropny może zająć znaczną płaszczyznę skóry. Mówimy wtedy o flegmonie.

### Zapobieganie
Zapobieganie jest w pewnej mierze możliwe przez przestrzeganie higieny ciała.

### Kiedy do lekarza?
— Gdy czyrak nie wygoi się w ciągu dwóch tygodni po zastosowaniu zabiegów domowych.
— Gdy czyraki wciąż się powtarzają.
— Gdy chodzi o karbunkuł.
— Gdy dołącza się gorączka.
— Gdy czyrak umiejscawia się na twarzy.

### Jak sobie pomóc
Większość czyraków dojrzewa i pęka w ciągu dwóch tygodni. Można przyspieszyć ten proces przez stosowanie gorących, wilgotnych okładów, zmienianych co kilka godzin. Również i nakładanie maści „wyciągających" może przyspieszyć proces dojrzewania czyraka. Przy czyrakach konieczne jest zachowanie higieny. Zarazki mogą być przenoszone z czyraka rękami na przykład na żywność, gdzie następuje ich rozwój, który może spowodować zatrucie pokarmowe. Osoby cierpiące na czyraka, a zajmujące się przygotowaniem posiłków, powinny przed przystąpieniem do tej czynności starannie myć ręce. Aby zmniejszyć ryzyko rozprzestrzenienia się czyraków na całe ciało, należy zrezygnować z kąpieli w wannie, a korzystać raczej z prysznica. Zaleca się częstą zmianę ręczników.

### Leczenie
Gdy czyrak dojrzeje, wówczas albo pęka sam, albo lekarz może to przyspieszyć małym nacięciem, co umożliwi odpływ ropy. Stosowanie antybiotyków jest konieczne tylko wówczas, gdy czyrak lub czyraki mnogie usytuowane są na twarzy lub w nosie, gdy chorobie towarzyszy gorączka, gdy stan zapalny rozprzestrzenia się na sąsiadujące tkanki i gdy powtarzają się stale nawroty choroby.

## Półpasiec

### Dolegliwości

Palące bóle z zaczerwienieniem i tworzeniem się pęcherzyków w obrębie połowy ciała. Półpasiec może pojawić się na dowolnym miejscu ciała, jednakże najczęściej występuje na tułowiu i na twarzy. Pęcherzyki rozprzestrzeniają się stopniowo wzdłuż nerwu, zaopatrującego odpowiedni odcinek ciała, następnie przemieniają się w strupy i znikają po upływie dwóch do trzech tygodni, pozostawiając małe blizny.

Piekące bóle mogą się utrzymywać przez wiele tygodni lub miesięcy. Jeszcze przed pojawieniem się zmian na skórze pacjenci czują się źle i skarżą się na bóle w tych okolicach ciała, w których później wystąpią wykwity.

### Przyczyny

Zakażenie wirusem *Varicella-zoster*, tym samym, który powoduje ospę wietrzną. Po przebyciu ospy wietrznej wirus pozostaje w ustroju w pewnych komórkach nerwowych, tzw. zwojach rdzeniowych. Na skutek osłabienia mechanizmów immunologicznych dochodzi nagle do uaktywnienia wirusa.

### Ryzyko zachorowania

Półpasiec może dotknąć osobę w każdym wieku, jednak najczęściej atakuje ludzi po pięćdziesiątce. Prawdopodobieństwo zachorowania wzrasta w przypadku osób z osłabioną odpornością.

### Możliwe następstwa i powikłania

Choroba jest zaraźliwa tak długo, dopóki utrzymują się pęcherzyki. Osoby, które dotąd nie przebyły ospy wietrznej, zetknąwszy się z wirusem, zapadają na tę chorobę „wieku dziecięcego". Półpasiec goi się w większości przypadków po upływie dwóch do trzech tygodni, nie pozostawiając trwałych następstw. W rzadkich przypadkach bóle utrzymują się latami. Gdy półpasiec usytuowany jest na twarzy, może dojść do przejściowego porażenia nerwów twarzowych. Jeżeli choroba zaatakuje oczy, zachodzi niebezpieczeństwo uszkodzenia spojówek i rogówek, a w konsekwencji utrata wzroku.

### Zapobieganie

Zapobieganie nie jest możliwe. Jednakże wczesne leczenie środkami przeciwwirusowymi może wyraźnie złagodzić przebieg choroby. W przypadku osób o nieuszkodzonym układzie odpornościowym półpasiec występuje tylko raz w życiu.

### Kiedy do lekarza?

Przy pierwszych objawach półpaśca. Jeżeli choroba pojawia się w obrębie twarzy, należy niezwłocznie udać się do okulisty.

### Jak sobie pomóc

Unikać wilgoci, przeciągów i chłodu. Ciepło łagodzi ból. Choremu oku należy zapewnić spokój. Można próbować złagodzić bóle przy użyciu prostych środków przeciwbólowych (→ s. 620).

### Leczenie

W nieskomplikowanym półpaścu stosuje się tłuste maści, umożliwiające bezbolesne usunięcie strupków po pęcherzykach. Miejsce po strupku można okryć opatrunkiem. W przypadku dużego nasilenia choroby lub znacznej jej bolesności dobre rezultaty

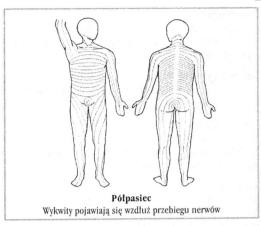

**Półpasiec**
Wykwity pojawiają się wzdłuż przebiegu nerwów

daje zastosowanie acikloviru (Zovirax, Heviran) w postaci tabletek lub infuzji. Środek ten łagodzi i skraca przebieg choroby.

## Opryszczka pospolita

### Dolegliwości

Bolesne pęcherzyki na wargach lub śluzówce ust. Zwiastunem pojawienia się choroby jest zwykle świąd, uczucie napięcia i mrowienia w miejscach dotkniętych opryszczką. Zrazu przejrzysta zawartość pęcherzyków ulega zmętnieniu, następnie pęcherzyki zasychają i przybierają barwę brązową. Strupki odpadają samoistnie po upływie kilku dni. Dolegliwości wywołane opryszczką nie trwają zwykle dłużej niż dziesięć dni.

### Przyczyny

Zakażenie pierwotne wirusem *herpes simplex* następuje zwykle w okresie wczesnego dzieciństwa i na ogół nie zostaje zauważone. Choroba przenosi się z człowieka na człowieka przez bezpośrednią styczność. Po zakażeniu wirus przebywa w ustroju, trzymany w ryzach przez przeciwciała. Czasem pewne bodźce mogą uaktywnić „drzemiące" w ustroju wirusy wywołujące pojawianie się pęcherzyków na wargach i w ustach. Wśród tych bodźców należy wymienić: schorzenie gorączkowe, intensywne nasłonecznienie, wyrwanie zęba, otarcia w obrębie warg, uczulenie pokarmowe, stres oraz miesiączkę.

### Ryzyko zachorowania

Prawie wszyscy ludzie są zakażeni wirusem opryszczki pospolitej (*herpes simplex*).

### Możliwe następstwa i powikłania

Opryszczka pospolita jest chorobą zakaźną, jednak w przypadku osób o nieuszkodzonym układzie odpornościowym nie wywołuje objawów chorobowych. Pęcherzyki nie pozostawiają blizn, jednakże wykazują skłonność do pojawiania się wciąż w tych samych rejonach skóry. W przypadku osób z ciężkimi zaburzeniami immunologicznymi opryszczka pospolita może rozszerzyć się i stać się zagrożeniem dla życia (→ Zapalenie mózgu, s. 206). Zakażenie rogówki opryszczką stanowi zagrożenie dla wzroku (→ Zapalenie rogówki, s. 234).

### Zapobieganie

Zapobieganie nie jest możliwe, jednak zastosowanie leków przeciwwirusowych we wczesnym stadium choroby może złagodzić jej przebieg.

### Kiedy do lekarza?

Przy znacznym rozprzestrzenieniu się zmian chorobowych i wówczas, gdy stan nie poprawia się po upływie kilku dni.

### Jak sobie pomóc

Nie można. Jeżeli pęcherzyki umiejscowione są w jamie ustnej, to płukanie szałwią może złagodzić odczyn zapalny (→ Zapalenie błony śluzowej jamy ustnej, s. 357).

### Leczenie

Wskazane jest stosowanie zawiesin wysuszających i dezynfekujących. Wczesne smarowanie chorych miejsc lekami przeciwwirusowymi (Vidarabin, Zovirax, Heviran) może tylko zahamować dalsze szerzenie się choroby. Wirusy muszą być zwalczone przez własny układ odpornościowy. W przypadkach szczególnie ciężkich lub wówczas, gdy opryszczka często nawraca, można stosować Zovirax doustnie lub w zastrzykach.

## Znamię

### Dolegliwości

Znamiona mogą mieć różne rozmiary, mogą mieć zabarwienie skóry, być żółtobrązowe lub czarne. Ich powierzchnia bywa gładka, owłosiona lub brodawkowata, płaska lub wypukła. Znamiona nie powodują żadnych dolegliwości, mogą jednak wpływać niekorzystnie na wygląd.

### Przyczyny

W większości przypadków istnieje dziedziczna skłonność do znamion. Nasłonecznienie może pobudzać ich rozwój.

### Ryzyko zachorowania

U noworodka znamiona występują tylko w wyjątkowych przypadkach, natomiast w ciągu życia pojawiają się niemal u każdego człowieka.

### Możliwe następstwa i powikłania

Znamiona są prawie zawsze nieszkodliwe. W rzadkich przypadkach mogą przekształcić się w raka skóry (→ s. 274). Zezłośliwienie zapowiadają zmiany zachodzące w obrębie znamienia. Podejrzenie raka skóry zachodzi wówczas, gdy:
— znamię powiększa się,
— znamię zmienia barwę,
— znamię staje się szorstkie, łuszczy się lub pojawiają się na nim guzki,
— znamię boli, swędzi, krwawi lub pojawia się stan zapalny,
— liczba znamion nagle znacznie wzrasta.

40-50% przypadków raka skóry rozwija się z barwnikowych komórek znamion.

### Zapobieganie

Zapobieganie jest możliwe w bardzo ograniczonym zakresie i polega na unikaniu promieni słonecznych.

### Kiedy do lekarza?

Gdy wygląd znamion pogarsza samopoczucie lub gdy zjawiają się zmiany budzące podejrzenie raka skóry.

### Jak sobie pomóc

Samopomoc jest bezcelowa.

### Leczenie

Szpecące lub budzące podejrzenie raka skóry znamiona wycina się po miejscowym znieczuleniu. W wyniku dobrze wykonanego zabiegu łagodne znamię nie może ulec zezłośliwieniu.

## Rak skóry

(→ Nowotwory złośliwe, s. 437)

### Dolegliwości

Rak skóry występuje pod wieloma postaciami. Zapowiedź lub zwiastun raka skóry mogą stanowić:
— plamy bez znamion, które ulegają zmianom (→ Znamię, s. 274);
— nowo pojawiające się znamiona;
— znamiona i grudki, które powiększają się, łuszczą i krwawią, występują głównie na twarzy, zwłaszcza w pobliżu oka lub po jednej stronie nosa;
— zmiany w obrębie narządów płciowych, łącznie z brodawką piersi (twory brodawkowate, białe lub czerwone przebarwienia, zgrubienia).

### Przyczyny

Zezłośliwienie komórek. Wcześniejsze uszkodzenia skóry ułatwiają rozwój raka: owrzodzenia, blizny, zmiany wywołane naświetleniami rentgenowskimi, przede wszystkim jednak promieniami ultrafioletowymi.

### Ryzyko zachorowania

Rak skóry jest jednym z najczęstszych rodzajów raka. Wśród najważniejszych przyczyn wzrostu zachorowalności na raka skóry należy wymienić kult opalenizny i ścienienie warstwy ochronnej ozonu. Zbrązowieć za wszelką cenę przez nadmierne nasłonecznienie i korzystanie z solariów! W większości przypadków rak skóry występuje u osób po pięćdziesiątce w obrębie partii skóry najbardziej narażonych na operowanie słońca.

### Możliwe następstwa i powikłania

Dermatolodzy rozróżniają w zasadzie trzy rodzaje raka skóry:
— większość to raki podstawnokomórkowe (basaliomy). Ich wzrost jest powolny, są mało złośliwe, nie dają przerzutów (→ s. 437);
— raki kolczystokomórkowe wnikają częściej niż basalioomy w głąb ciała i w późniejszych stadiach wykazują skłonność do przerzutów;
— złośliwe czerniaki są bardzo niebezpieczne, ponieważ szybko rosną i dają wczesne przerzuty. Jednak rozpoczęte we właściwym czasie leczenie stwarza również i przy tej postaci raka skóry prawie stuprocentową szansę wyleczenia.

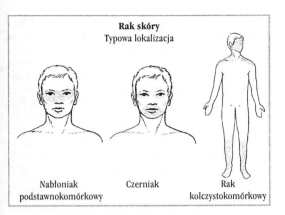

**Rak skóry**
Typowa lokalizacja

Nabłoniak     Czerniak     Rak
podstawnokomórkowy          kolczystokomórkowy

Prawie wszystkie postacie raka skóry są uleczalne pod warunkiem wczesnego rozpoczęcia leczenia.

Jednakże raki skóry nieleczone mogą rozszerzyć się na całe ciało.

### Zapobieganie

Unikać intensywnego nasłonecznienia i opalania w solariach. Absolutnie nie dopuszczać do oparzeń słonecznych, stosując między innymi środki przeciwsłoneczne o wysokim współczynniku ochronnym (→ Oparzenie słoneczne, s. 254). Przy wcześnie ustalonej diagnozie można wyleczyć prawie wszystkie postacie raka skóry. Dlatego tak ważną rolę odgrywa wczesne zwrócenie uwagi na objawy ostrzegawcze. Osoby, które ukończyły dwudziesty rok życia, powinny raz na miesiąc kontrolować skórę, zwłaszcza jej partie narażone na promieniowanie słoneczne. W przypadku stwierdzenia podejrzanych zmian na skórze należy jak najszybciej zgłosić się do specjalisty chorób skórnych. Między dwudziestym i czterdziestym rokiem życia zaleca się lekarskie kontrole skóry co trzy lata, po ukończeniu czterdziestu lat — co rok.

### Kiedy do lekarza?

Wówczas, gdy zauważy się jakikolwiek niezwykły objaw na skórze. Aczkolwiek większość występujących na skórze zmian jest nieszkodliwa, zawsze istnieje niebezpieczeństwo, że w danym przypadku może chodzić o raka skóry. W razie wątpliwości lepiej niepotrzebnie zgłosić się do lekarza, niż za późno rozpocząć leczenie.

### Jak sobie pomóc

Stosowanie zabiegów w ramach samopomocy może okazać się w przypadku raka skóry niebezpieczne.

### Leczenie

Po dokładnym przebadaniu podejrzanej zmiany skóry — ewentualnie po pobraniu wycinka — w przypadku podejrzenia raka skóry usuwa się chirurgicznie budzącą wątpliwości tkankę. Pobyt w szpitalu na ogół nie jest w tym celu konieczny.

---

**Pomoc w przypadku raka skóry**

Zgłosić się w najbliższej poradni dermatologicznej.

---

W celu wczesnego wykrycia ewentualnych nawrotów lekarz powinien przeprowadzać regularne kontrole.

## Wrzód podudzia

### Dolegliwości

Źle gojąca się rana na podudziu, najczęściej w obrębie kostek.

### Przyczyny

Owrzodzenia podudzia spowodowane są prawie zawsze zaburzeniem odpływu krwi w żyłach nóg (→ Zapalenie żył powierzchownych, s. 312, Zapalenie żył głębokich, s. 313). Poza tym przyczyną owrzodzeń podudzi mogą być:

— zaburzenia ukrwienia tętniczego,
— cukrzyca,
— rak skóry,
— kiła,
— pewne postacie anemii,
— infekcje wywołane bakteriami i grzybami.

### Ryzyko zachorowania

Wrzody podudzia są chorobą występującą bardzo często. Ryzyko zachorowania wzrasta wraz z wiekiem.

### Możliwe następstwa i powikłania

Przy właściwym leczeniu wrzód podudzia goi się szybko. Bez leczenia lub przy błędnym postępowaniu mogą wystąpić dodatkowo egzemy kontaktowe, jak również może dojść do zakażeń bakteryjnych i grzybiczych.

### Zapobieganie

Nie dopuszczać do zastoju żylnego w nogach przez:

— poruszanie nogami,
— jak najczęstsze wysokie układanie nóg,
— noszenie pończoch przeciwżylakowych,
— właściwe leczenie żylaków (→ s. 311), zapaleń żył powierzchownych (→ s. 312) i zapaleń żył głębokich (→ s. 313).

### Kiedy do lekarza?

Wówczas, gdy pojawiają się dolegliwości.

### Jak sobie pomóc

Nie należy leczyć się samemu, ponieważ przy owrzodzeniu podudzia skóra jest wyjątkowo wrażliwa na działanie substancji drażniących i uczulających.

### Leczenie

Owrzodzenie podudzi pokryte strupami lub ropą oczyszcza się za pomocą wilgotnych okładów. Rany goją się tylko wówczas, gdy ustąpi zastój krwi w żyłach. W tym celu zakłada się opatrunek uciskowy, poczynając od grzbietu stopy u nasady palców, a kończąc pod kolanem. Ucisk opatrunku powinien być najbardziej intensywny w obrębie stopy, maleć zaś w kierunku kolana. Powoduje to spadek ciśnienia w kierunku serca, ułatwiający odpływ krwi. Odpowiednie wkładki służą do wywierania ucisku bezpośrednio na owrzodzenie. Codziennie rano, jeszcze przed wstaniem z łóżka, należy zmieniać ten opatrunek. Trzeba poprosić lekarza lub pielęgniarkę o dokładne pouczenie co do sposobu bandażowania, by móc wykonać ten zabieg samemu lub z pomocą kogoś z rodziny lub współmieszkańców.

## Odleżyny

### Dolegliwości
W miejscach długotrwałego ucisku, na przykład w wyniku leżenia, siedzenia na krześle inwalidzkim, opatrunków i szyn, pojawia się najpierw zaczerwienienie, obrzęk i stwardnienie skóry, potem zaś dochodzi do rozpadu tkanek skóry i mięśni, do zniszczenia kości i zakażenia krwi.

### Przyczyny
Długotrwały, silny ucisk hamujący dopływ krwi. Powoduje to niedobór tlenu w tkankach i rozpad skóry oraz leżących pod nią mięśni.

### Ryzyko zachorowania
Długotrwałe leżenie stanowi poważny problem u osób z zaburzeniami świadomości i odczuwania bólu. Przyczyną może być tarcie i podrażnienia przez szorstkie podkłady oraz fałdy na prześcieradle i odzieży, wilgoć powstająca przy poceniu się, nietrzymaniu moczu i stolca. Wszystkie te czynniki mogą w przypadku osób obłożnie chorych doprowadzić szybko do powstania odleżyn.

### Możliwe następstwa i powikłania
Jeżeli leczenie nie zostało podjęte dostatecznie wcześnie, może dojść do uszkodzenia mięśni i kości.

### Zapobieganie
Osoby leżące powinny zmieniać pozycję co najmniej co dwie godziny. Jeżeli nie mogą tego uczynić samodzielnie, należy je obra-

cać na łóżku (→ s. 576). Specjalne materace, wypełnione żelem silikonowym lub wodą, umożliwiają równomierne rozłożenie ciężaru ciała. Jako podkład bardzo dobrze służy skóra barania. Osoby korzystające z krzesła inwalidzkiego powinny zmieniać pozycję co pięć do dziesięciu minut, nawet wówczas, gdy siedzą na zmniejszającej ucisk poduszce. Skórę chorych należy utrzymywać w stanie suchym, w idealnej czystości. Bielizna pościelowa powinna być często zmieniana (→ Pielęgnacja, s. 574). Nacieranie spirytusem, podobnie jak każda forma ruchu — również na leżąco — poprawia ukrwienie. Ważna jest dokładna kontrola stanu skóry co najmniej raz na dzień, ponieważ w krótkim czasie mogą powstać ciężkie jej uszkodzenia.

### Kiedy do lekarza?
Możliwie jak najwcześniej.

### Jak sobie pomóc
Wczesne leczenie może doprowadzić do bardzo szybkiego wyleczenia odleżyny. Chorych miejsc nie należy nakrywać. Powinny one być suche i nienarażone na ucisk. W celu uniknięcia lub złagodzenia odleżyn stosuje się nadmuchiwane koła i inne tego typu przedmioty pomocnicze. Lekki masaż może pobudzić ukrwienie.

### Leczenie
Lekarz może oczyścić owrzodzenia, a zniszczoną tkankę usunąć operacyjnie.

**Lektura uzupełniajaca**

CHIVOT M.: *Dolegliwości i choroby skóry.* Wydaw. W.A.B., Warszawa 1993.
KREMPEL O.: *Trening anty-cellulitis.* „Sic", Warszawa 1994.

# WŁOSY

Włosy wpływają na nasz wygląd, a więc również na samopoczucie. Włos zbudowany jest z komórek keratynowych, które wolno wypychane są z mieszka włosowego skóry. Zdrowy włos wzrasta przez około dwóch do sześciu lat, każdego dnia o około 0,35 mm. Po okresie wzrostu następuje trwająca około trzech miesięcy faza spoczynku. W końcu włos wypada, a na jego miejscu wzrasta nowy. Na skórze głowy znajduje się przeciętnie sto do stu pięćdziesięciu tysięcy włosów, z których około trzydziestu do sześćdziesięciu codziennie wypada. Utratę do stu włosów dziennie uważa się jeszcze za normalną. Ponieważ owłosienie głowy określa w sposób zasadniczy wygląd zewnętrzny człowieka, nie szczędzimy zwykle wysiłku i kosztów na pielęgnację włosów.

## Szampony

Komórki keratynowe, z których zbudowane są włosy, są martwe. Witaminy, białka i inne „substancje odżywcze" zawarte w środkach do pielęgnacji włosów dla włosów są nieprzyswajalne. Do pielęgnacji wystarczy regularne mycie włosów. Poszczególne szampony prawie nie różnią się skutecznością. Zróżnicowane są jedynie pod względem ceny i walorów zapachowych.

## Farbowanie włosów

Około dwudziestu procent Austriaków i Niemców stosuje chemiczne środki farbujące włosy. Zwykle są to tak zwane farby utleniające. Podczas farbowania włosy poddane zostają dość uszkadzającej procedurze; aby umożliwić wniknięcie barwnika do włosów, muszą one zostać najpierw zwilżone środkiem silnie alkalicznym. Istnieje podejrzenie, że niektóre środki barwiące mogą w niewielkich ilościach przedostawać się przez skórę do krwi i sprzyjać powstawaniu raka. Częste stosowanie środków farbujących włosy może wywoływać również uczulenia. Cierpią na nie najczęściej uczniowie w zakładach fryzjerskich. Częste stosowanie barwników do włosów może być przyczyną alergii.

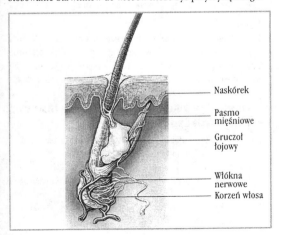

— Naskórek

— Pasmo mięśniowe

— Gruczoł łojowy

— Włókna nerwowe
— Korzeń włosa

W zestawieniu z farbami utleniającymi rozwiązaniem oszczędzającym włosy jest stosowanie barwników naturalnych, na przykład henny lub herbaty.

## „Trwałe" ondulacje

Podczas wykonywania trwałej ondulacji włosy zmiękcza się środkami chemicznymi, następnie nadaje im pożądaną formę i utrwala ją środkami utleniającymi. Fachowo wykonana trwała ondulacja nie wywołuje zwykle uszkodzeń skóry. Zbyt częste jej stosowanie lub zbyt mocne rozjaśnianie włosów może być przyczyną rozszczepiania się końców włosów — wówczas nie pozostaje nic innego, jak je przyciąć.

## Płukanki do włosów

Płukanki do włosów ułatwiają ułożenie włosów po umyciu i nadają im bardziej połyskliwy i gęsty wygląd. Płukanki te stanowią zwykle mieszaninę olejków, środków zmiękczających i wosków, która w postaci cienkiej warstwy pokrywa zewnętrzną powierzchnię włosów.

## Żele do włosów

Wspomaganie ułożenia włosów za ich pomocą nie jest ryzykowne dla zdrowia ani nie szkodzi skórze. Czasopismo niemieckiej organizacji ochrony konsumentów wydało w tym zakresie zadowalające lub też dobre opinie.

## Pianki do golenia

Wielu mężczyzn używa maszynek do golenia. W przypadku golenia się żyletką lub brzytwą stosuje się przede wszystkim wygodne, lecz obciążające środowisko naturalne pianki do golenia. Jako nośnik gazowy zawierają one środki chemiczne, takie jak: butan, propan, freon lub eter dwumetylowy, gromadzące się następnie w atmosferze. Dlatego też w przypadku golenia się żyletką lub brzytwą bardziej wskazane jest stosowanie mydeł lub kremów do golenia.

## Łupież

### Dolegliwości

Silne złuszczanie się skóry na głowie jest przede wszystkim problemem kosmetycznym. Łuszcząca się skóra w innych miejscach ciała → Wyprysk łojotokowy, s. 266, → Łuszczyca, s. 267.

### Przyczyny

Martwe komórki złuszczają się ze skóry głowy w sposób ciągły. Gdy zjawisko to z nieznanych przyczyn ulega nasileniu, złuszczanie się staje się widoczne w formie łupieżu. W niektórych przypadkach łupież może być wywołany przez wyprysk łojotokowy (→ s. 266) lub łuszczycę (→ s. 267). Powstawanie łupieżu nie zależy od sposobu odżywiania się; dieta nie ma nań wpływu.

## Wskazówki dotyczące mycia włosów

— Codzienne mycie głowy nie szkodzi włosom normalnym ani tłustym, a przetłuszczenie włosów nawet zwiększa się.

— Wybierz łagodny szampon dostosowany do rodzaju twoich włosów (suchych, tłustych lub normalnych).

— Szampony drogie niekoniecznie są jednocześnie najlepsze. Nie zwracaj uwagi na slogany reklamowe odnoszące się do wartości pH; pod tym względem wszystkie szampony są w przybliżeniu dostosowane do pH skóry.

— Wystarczające jest zwykle jednorazowe wtarcie szamponu we włosy.

— Ważne jest dokładne spłukanie wodą, które powinno trwać około pięciokrotnie dłużej niż namydlanie głowy.

— Włosy należy delikatnie wysuszyć, najlepiej bez użycia suszarki. Gorące powietrze z suszarki może włosom zaszkodzić.

### Ryzyko zachorowania
Łupież jest jedną z najczęstszych dolegliwości dermatologicznych.

### Zapobieganie
Zgodnie z obecnym stanem wiedzy nie jest możliwe.

### Możliwe następstwa i powikłania
Łupież nie daje żadnych.

### Kiedy do lekarza?
Przy bardzo nasilonym łupieżu lub gdy w postaciach łagodnych nie uzyskuje się poprawy środkami domowymi.

### Jak sobie pomóc
Możesz zmniejszyć tworzenie się łupieżu:

— Szampony przeciw łupieżowi działają dopiero po trzech, czterech tygodniach. Prawdopodobnie będziesz musiał wypróbować różne szampony, aż znajdziesz właściwy. Po każdym myciu włosy należy dokładnie wypłukać. Używanie za dużej ilości szamponu, zbyt częste mycie i gorące suszenie włosów mogą podrażnić skórę głowy, co pobudza tworzenie łupieżu.

— Stosowanie specjalnych szamponów przeciw łupieżowi, zawierających kwas salicylowy (na przykład Lygal), siarkę (na przykład Schwefel Diasporal) lub dziegieć (na przykład Polytar fluessig).

— W przypadku bardzo nasilonego łupieżu można umyć włosy mydłem zawierającym siarczek selenu (na przykład Selsun, Selukos). Łupież powinien ulec zmniejszeniu w ciągu kilku tygodni. Ubocznie zabieg ten może wywoływać szybsze przetłuszczanie się włosów, w przypadku zaś niedokładnego spłukania po namydleniu włosy mogą przybrać — w wyniku odbarwienia — odcień żółtawy.

## Wypadanie włosów, łysienie

### Dolegliwości
Częściowy lub całkowity zanik owłosienia głowy.

### Przyczyny
U wszystkich ludzi powyżej dwudziestego piątego roku życia rozpoczyna się przerzedzanie włosów. Łysienie u mężczyzn prawie zawsze jest wyrazem naturalnych procesów starzenia się. Nasile-

nie wypadania włosów zależy od czynników przekazywanych dziedzicznie — zarówno ze strony ojca, jak i matki. U wielu kobiet włosy wybitnie gęstnieją w czasie ciąży i ponownie przerzedzają się w ciągu trzech miesięcy po porodzie, po czym w dalszym czasie wzrastanie i gęstość włosów osiągają swój normalny poziom. Przerzedzanie się włosów w okresie przekwitania jest zjawiskiem normalnym. Wszystkie te zmiany są zależne od wahań stężeń estrogenów i męskiego hormonu płciowego, testosteronu.

W niektórych typach fryzur (na przykład tak zwanym końskim ogonie) korzenie włosów podlegają stałemu pociąganiu, co przyczynia się do wypadania włosów.

Nagła poważna choroba, operacja, stres, niedobór żelaza (→ Niedokrwistość, s. 324), zajście w ciążę lub przerwanie stosowania pigułki antykoncepcyjnej mogą również nieoczekiwanie wywoływać przejściowe wypadanie włosów. Wypadanie włosów jest częstym objawem ubocznym w czasie leczenia raka środkami przeciwnowotworowymi (→ Nowotwory złośliwe, s. 437). Również środki obniżające poziom cholesterolu, leki przeciw zapaleniu stawów, witamina A, beta-adrenolityki i leki przeciw wrzodom żołądka mogą spowodować wypadanie włosów.

### Ryzyko zachorowania
Wypadanie włosów u mężczyzn jest zjawiskiem normalnym.

### Zapobieganie
Zgodnie z obecnym stanem wiedzy nie jest możliwe.

### Możliwe następstwa i powikłania
Łysienie nie jest szkodliwe, odbija się jednak w znaczący sposób na poczuciu własnej wartości.

### Kiedy do lekarza?
Gdy odnosisz wrażenie, że w twoim przypadku łysienie nie jest wynikiem normalnego procesu starzenia się.

### Jak sobie pomóc
Jeśli nie chcesz pogodzić się z przerzedzeniem włosów, rozwiązaniem może być kupno peruki lub półperuki (tupeciku). Wadą wielkiej liczby oferowanych cudownych środków leczniczych pozostaje jak dotąd brak udowodnionej skuteczności.

### Leczenie
Zastosowanie dwuprocentowego roztworu preparatu Minoxidyl, który należy wcierać w skórę głowy dwa razy dziennie, przerywa wypadanie włosów u 80-90% leczonych; u około połowy stosujących to leczenie włosy odrastają. Po zakończeniu

## Błędne przekonania dotyczące włosów i ich wypadania

— Wypadanie włosów nie jest spowodowane przez łupież lub zbyt częste mycie włosów szamponem.

— Wyrywanie włosów nie upośledza ich odrastania.

— Częste strzyżenie włosów nie powoduje ich szybszego odrastania.

— Poprawa ukrwienia skóry głowy nie przyczynia się do lepszego wzrostu włosów.

kuracji włosy mogą znowu wypadać. Środek ten jest osiągalny jedynie w Austrii. W Niemczech nie jest zarejestrowany ze względu na możliwe skutki niepożądane.

Przeszczepianie skrawków własnej skóry owłosionej w miejsca pozbawione włosów. Wyniki takiego leczenia są niejednokrotnie dość dobre, należy się jednak liczyć z tym, że uzyskane „bogactwo" może niekiedy z biegiem lat ponownie zaniknąć. Przeszczepienia dokonuje się w znieczuleniu miejscowym. Pobraniu sztancą podlegają małe skrawki skóry na głowie, zawierające każdy od dziesięciu do piętnastu czynnych mieszków włosowych, następnie „przesadza" się je w określone miejsca pozbawione owłosienia, z których wcześniej w podobny sposób usunięto fragmenty skóry. W czasie jednego zabiegu można przeszczepić od dziesięciu do czterdziestu takich skrawków skóry. Jednak osiągnięcie zadowalającego pod względem kosmetycznym wyniku wymaga wykonania stu do dwustu przeszczepów. W miejscu pobrania przeszczepianych skrawków włosy już nie odrastają.

## Zapalenie mieszków włosowych. Wrośnięte włosy brody

### Dolegliwości
Powierzchowne krosty z czerwoną obwódką, często zawierające w środku włos. Zapalenie mieszków włosowych występuje często na tułowiu i skórze twarzy.

### Przyczyny
Ropne zapalenie górnej części mieszka włosowego występuje często bez uchwytnej przyczyny. W obrębie skóry twarzy włosy zarostu zgięte bocznie w wyniku golenia mogą wnikać końcami w skórę i wywoływać w ten sposób jej podrażnienie i zapalenie.

### Zapobieganie
Nie jest możliwe. Celem uniknięcia zapalenia wywołanego przez wrastające włosy brody należy je usuwać pęsetą.

Gdy dochodzi do wrastania znacznej liczby włosów brody, jedynym rozwiązaniem pozostaje zapuszczenie zarostu.

### Ryzyko zachorowania
Powierzchowne zapalenie mieszków włosowych może wystąpić u osób w każdym wieku. Wrośnięte włosy brody są naturalnie dolegliwością mężczyzn.

### Lektura uzupełniająca
BRUNING N.: Co robić, gdy wypadają włosy. Poradnik. Wydaw. BUS, Kraków 1994.
PASTOK D.: 118 sposobów pielęgnacji włosów. „Lek w Polsce", Warszawa 1994.

### Możliwe następstwa i powikłania
Na podłożu powierzchownego zapalenia mieszków włosowych może dojść do powstania czyraka (furunculus) lub czyraka gromadnego (carbunculus) → s. 272.

### Kiedy do lekarza?
Gdy dolegliwości stają się dokuczliwe.

### Jak sobie pomóc
Należy zmienić sposób golenia się. Powinno się unikać wilgoci, nadmiernie wysokiej temperatury otoczenia, pocenia się oraz maści sporządzonych na tłustych podłożach.

### Leczenie
Przykładanie na zajęte chorobowo miejsca gazików nasyconych roztworem antybiotyku na podłożu alkoholu.

## Łysienie plackowate głowy lub brody

### Dolegliwości
Nagłe pojawienie się na skórze owłosionej głowy lub brody okrągłych ognisk łysienia wielkości monety.

### Przyczyny
Nieznane.

### Ryzyko zachorowania
Choroba może wystąpić w każdym wieku, najczęściej jednak u dzieci.

### Zapobieganie
Nie jest możliwe.

### Możliwe następstwa i powikłania
U około jednej trzeciej chorych w obrębie zajętych chorobowo miejsc włosy samoistnie odrastają po kilku miesiącach. U kolejnej jednej trzeciej chorych występuje ciągłe wypadanie włosów, częściowo bez odrastania, a u pozostałej jednej trzeciej choroba rozprzestrzenia się, mogąc doprowadzić do całkowitego wyłysienia.

### Kiedy do lekarza?
W przypadku szybkiego rozprzestrzeniania się łysienia.

### Jak sobie pomóc
Poprzez dobór odpowiedniej fryzury, peruk lub nakryć głowy.

### Leczenie
Skuteczność podskórnych wstrzyknięć glikokortykoidów w obrębie głowy jest niepewna. Niekiedy udaje się pobudzić odrastanie włosów poprzez celowe wywołanie kontaktowego zapalenia skóry. Wspomniana metoda leczenia jest jednak bardzo żmudna, a jej powodzenie niepewne.

# PAZNOKCIE

Paznokcie są zbudowane z materiału zrogowaciałego (keratyny), powoli wyrastającego z korzenia paznokcia. Paznokcie palców dłoni rosną szybciej niż paznokcie palców stóp. Przeciętnie paznokieć kciuka wzrasta o 0,1 mm dziennie.

Paznokcie poprzez ekspozycję na warunki atmosferyczne, wilgoć, chłód, działanie substancji chemicznych, ścieranie podczas pracy, jak rzadko która część ciała narażone są na drobne urazy.

Liczne choroby ogólnoustrojowe mogą też wywoływać zmniejszenie wzrostu paznokci, ich ścienienie, zniekształcenie lub przebarwienie. Do powstania *paznokci rozwarstwionych* może dojść w wyniku zbyt częstej ekspozycji na wodę, mydło i środki służące do zmywania naczyń. Paznokcie mogą się wówczas rozwarstwiać z wierzchu i stopniowo odłupywać. W przypadkach takich w razie kontaktu z ługami należy zawsze stosować rękawice ochronne z PCW.

*Paznokcie łamliwe lub miękkie* są najczęściej oznaką złego ogólnego stanu zdrowia, którego przyczynę należy wyjaśnić. Poprawę stanu paznokci można zaś uzyskać poprzez systematyczne wcieranie specjalnych kremów lub oliwy z oliwek.

Występowanie *dołeczków lub plamek na paznokciach* jest zjawiskiem normalnym i nie oznacza choroby. Jednak w przypadku zbyt obfitego nakrapiania paznokci należy zwrócić się do lekarza, gdyż może być ono objawem łuszczycy (→ Łuszczyca, s. 267). Bruzdki na paznokciach powstają w wyniku drobnych skaleczeń w obrębie korzenia paznokcia i ustępują samoistnie.

Wskutek wylewów krwawych po uderzeniu lub zmiażdżeniu powstają *paznokcie sine*. Mimo że są zwykle bardzo bolesne, wyleczenie następuje na ogół samoistnie. Większe krwawienie pod paznokieć może doprowadzić do całkowitego oddzielenia się od palca.

Przyczyną *paznokci żółtych*, które nie mają znaczenia chorobowego, są najczęściej barwne lakiery do paznokci.

*Białe plamki* są oznaką drobnych skaleczeń wierzchniej warstwy paznokcia i również nie mają znaczenia chorobowego. Niektóre choroby skóry, na przykład grzybice (→ Grzybica stóp, s. 256), mogą również obejmować paznokcie.

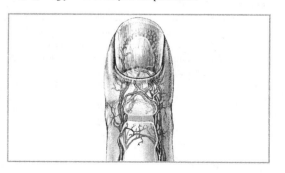

## Pielęgnacja paznokci

— Paznokcie należy systematycznie obcinać. Poprzez krótko utrzymane paznokcie zapobiega się ich rozwarstwianiu i naderwaniom.

— Paznokcie u nóg właściwiej jest obcinać prosto niż półokrągło, gdyż w przeciwnym razie może dojść do uszkodzenia skóry w okolicy przylegającej do kątów paznokci.

— Skóra wokół paznokcia nie wymaga żadnych zabiegów. Ewentualnie można ją po umyciu rąk ściągnąć paznokciem kciuka drugiej ręki lub ręcznikiem. „Skórek" nie powinno się wycinać.

— W przypadku odprysków lakieru z pomalowanych paznokci właściwsze jest uzupełnienie lakierem ubytków niż usunięcie lakieru z całego paznokcia i pomalowanie na nowo.

— Nie należy używać zmywacza do paznokci częściej niż raz w tygodniu.

— Uzasadnione jest moczenie paznokci suchych i łamliwych w oliwie z oliwek.

— Aby uniknąć uciążliwych powikłań, chorzy na cukrzycę i osoby starsze w przypadku zapalenia łożyska paznokcia zawsze powinny zwrócić się o pomoc do lekarza.

## Zapalenie łożyska paznokcia

### Dolegliwości
Występuje obrzęk, zaczerwienienie i często silna bolesność łożyska paznokcia. Tkanka jest nacieczona ropnie.

### Przyczyny
Zapalenie łożyska paznokcia rozwija się zwykle w wyniku skaleczenia podczas manikiuru, a następnie bakteryjnego lub grzybiczego zakażenia wału paznokciowego. Bakterie wywołują zazwyczaj zakażenia ostre, zakażenia grzybicze mają raczej powolny przebieg.

### Ryzyko zachorowania wzrasta
— U chorych na cukrzycę.
— U osób często zanurzających dłonie na dłuższy czas w wodzie.

### Zapobieganie
Do prac w wodzie należy nosić rękawiczki bawełniane, na które następnie nakłada się rękawice z PCW. Staranny manikiur.

### Możliwe następstwa i powikłania
Zapalenie korzenia paznokcia jest przyczyną wyrastania paznokci zniekształconych lub przebarwionych.

### Kiedy do lekarza?
Niezwłocznie, gdy wystąpi zapalenie łożyska paznokcia.

## Jak sobie pomóc
Skutecznie we własnym zakresie nie można.

## Leczenie
Zapalenie łożyska paznokcia wywołane zakażeniem bakteryjnym wymaga leczenia przez chirurga.

W przypadku zakażenia grzybiczego konieczne jest systematyczne, prowadzone przez okres miesięcy, wcieranie w miejsca zajęte zapaleniem środków przeciwgrzybiczych. Nie wolno próbować wprowadzać leku pod paznokieć na siłę. W przypadku braku poprawy może być potrzebne doustne stosowanie leków przeciwgrzybiczych. Leki te mogą — co prawda rzadko — wywoływać poważne działania uboczne.

*Istotna wskazówka*: Wszystkie środki przeciwgrzybicze — zarówno maści, jak i tabletki — należy bezwzględnie stosować przez pełny okres zalecony przez lekarza, który niekiedy wynosi kilka miesięcy. Nawet wówczas, gdy wykwity chorobowe znikają z powierzchni skóry, fragmenty grzybni wciąż mogą znajdować się w obrębie tkanki.

## Wrastające paznokcie

### Dolegliwości
Paznokcie palców stóp wnikają w okolicy kątów w otaczającą tkankę, powodując ból i zapalenie. Tego rodzaju dolegliwość dotyczy najczęściej paluchów.

### Przyczyny
Zbyt krótkie obcięcie paznokci w rogach.

### Ryzyko zachorowania wzrasta
Przy noszeniu za ciasnego obuwia.

### Zapobieganie
Zwracać uwagę, aby paznokcie u nóg były obcinane prosto.

### Możliwe następstwa i powikłania
Bolesny stan zapalny.

### Kiedy do lekarza?
Gdy rozwinęło się zapalenie tkanki w sąsiedztwie paznokcia lub gdy chorujesz na cukrzycę.

### Jak sobie pomóc
Jeśli nie rozwinęło się jeszcze zapalenie tkanki w sąsiedztwie paznokcia, można podsunąć cienki płatek tkaniny bawełnianej pod naroże dokuczającego paznokcia. Paznokieć wzrasta dzięki temu, nie wnikając w położoną pod nim tkankę. Płatek materiału należy zmieniać dwa razy dziennie.

Noś skarpetki i obuwie, które nie uwierają stóp.

### Leczenie
Niekiedy potrzebny jest drobny zabieg operacyjny, w czasie którego usuwa się wrośnięty fragment paznokcia.

# UKŁAD ODDECHOWY

Oddychanie polega na rozprężaniu płuc przy udziale mięśni klatki piersiowej i przepony. Zasysane w ten sposób powietrze przepływa do płuc przez nos, gardło, tchawicę i oskrzela. W obrębie nosa i gardła powietrze jest filtrowane, ogrzewane i nawilżane. Poprzez gardło przemieszczają się zarówno spożywane pokarmy, jak i wdychane oraz wydychane powietrze. Na wysokości krtani ich drogi rozchodzą się: przy połykaniu następuje zamknięcie krtani przez nagłośnię i pokarm przemieszcza się do przełyku, natomiast w czasie oddychania szpara głośni jest otwarta i powietrze przedostaje się przez tchawicę do oskrzeli.

Oskrzela można porównać do układu rur rozdzielających się niczym gałęzie drzewa na coraz dalsze i cieńsze odnogi doprowadzające powietrze do właściwej tkanki płucnej, czyli do pęcherzyków płucnych.

W pęcherzykach płucnych otoczonych siecią bardzo cienkich naczyń krwionośnych zachodzi wymiana gazowa: tlen zawarty we wdychanym powietrzu przenika do krwi, natomiast wyprodukowany w organizmie dwutlenek węgla przechodzi z krwi do pęcherzyków płucnych, skąd jest wydychany. Przy wydechu następuje zwiotczenie mięśni oddechowych i „zapadnięcie się" klatki piersiowej, dzięki czemu powietrze jest wypychane z płuc. Struny głosowe w krtani w czasie mowy wywołują drgania wydychanego powietrza — taki jest mechanizm powstawania głosu.

Wszystkie odcinki dróg oddechowych, począwszy od nosa aż do najmniejszych oskrzeli, wyścielone są błoną śluzową. Za utrzymanie błony śluzowej w stanie wilgotnym odpowiadają znajdujące się w jej obrębie liczne małe gruczoły produkujące śluz. Z jego pomocą i przy współudziale licznych mikroskopijnych rzęsek, w które zaopatrzona jest także błona śluzowa, następuje transport ciał obcych, takich jak cząstki kurzu lub sadzy, w kierunku jamy ustnej.

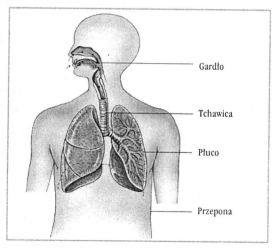

Gdy rozwija się zapalenie błony śluzowej, dochodzi do jej obrzęku i zwiększenia wytwarzania śluzu, co obserwuje się jako wydzielinę z nosa w czasie kataru lub wykrztuszaną treść przy zapaleniu oskrzeli. Ciągła ekspozycja na czynniki drażniące, na przykład dym tytoniowy lub zanieczyszczenia zawarte w powietrzu, może spowodować trwałe uszkodzenie błony śluzowej. Wyraża się ono dalszym zwiększeniem wytwarzania śluzu, jednak przy zmniejszonej liczbie rzęsek. Transport wydzieliny w kierunku jamy ustnej staje się wówczas upośledzony, doprowadza do podrażnienia oskrzeli.

## NOS

Nos jest nie tylko miejscem, w którym znajduje się aparat węchowy, lecz również pierwszym narządem, który przyjmuje wdychane powietrze w czasie jego wędrówki do pęcherzyków płucnych.

Wdychane powietrze po przejściu przez filtr utworzony z drobnych włosków w przedsionku nosa jest nawilżane w kontakcie z błoną śluzową zawierającą gruczoły śluzowe i ogrzewane ciepłem krwi przepływającej przez jej delikatne naczynia krwionośne. Po przejściu przez jamę nosową wdychane powietrze przemieszcza się następnie do gardła.

W nosie znajdują się ponadto ujścia przewodów nosowo-łzowych oraz otwory łączące go z zatokami obocznymi nosa. Zatoki oboczne nosa, będące wyścielonymi błoną śluzową jamami w kościach twarzowej części czaszki, również przyczyniają się do ogrzania wdychanego powietrza.

### Skaleczenia nosa

Urazy nosa mogą spowodować widoczne krwawiące skaleczenia zewnętrzne lub uszkodzenia delikatnych naczyń krwionośnych błony śluzowej nosa.

W konsekwencji nieszczęśliwego wypadku może dojść nawet do uszkodzenia kości lub chrząstki nosa.

**Dolegliwości**
Krwawienie z nosa.

Na złamanie kości nosa wskazuje jego widoczne zniekształcenie i nadmierna ruchomość połączona z dużą bolesnością przy przemieszczaniu.

**Przyczyny**
Najczęstszą przyczyną urazu nosa jest upadek lub uderzenie. Do krwawienia z nosa dochodzi, gdy uszkodzeniu ulegają naczynia krwionośne, szczególnie w przednim odcinku nosa, do czego prócz urazu usposabia zbyt intensywne czyszczenie nosa

### Gardło (etykiety na ilustracji)
Gardło

Tchawica

Płuco

Przepona

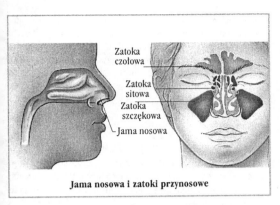

**Jama nosowa i zatoki przynosowe**

lub wysychanie jego błony śluzowej. U niektórych osób krwawienie z nosa występuje bez jakiejkolwiek uchwytnej przyczyny.

### Ryzyko zachorowania

Skłonność do krwawień z nosa występuje u osób cierpiących na nadciśnienie, miażdżycę naczyń lub zaburzenia krzepnięcia krwi.

### Możliwe następstwa i powikłania

*Krwawienia z nosa*: Jakkolwiek mogą wydawać się niebezpieczne, na ogół nie są groźne i łatwo je zatrzymać. Jedynie w rzadkich przypadkach krwawienie z nosa może być przyczyną znacznej utraty krwi, co zdarza się przy zaburzeniach krzepnięcia krwi.
*Skaleczenia zewnętrzne*: Podobnie jak i inne skaleczenia otwarte mogą ulegać zakażeniu.
*Urazy wewnętrzne*: Złamanie nosa lub przemieszczenie jego chrząstek może utrudniać przepływ powietrza przez jamy nosowe: zwężeniu mogą też ulec połączenia z zatokami obocznymi nosa. W rzadkich przypadkach w wyniku krwawienia wewnętrznego może dojść do wytworzenia krwiaka i zakażenia.

### Zapobieganie

Przy skłonnościach do krwawień z nosa należy unikać zbytniego wysuszania jego błony śluzowej, dbając o odpowiednie nawilżenie powietrza w mieszkaniu, szczególnie w pomieszczeniach ogrzewanych (→ Ogrzewanie, s. 774). Ostrożny umiar zalecany jest również przy czyszczeniu nosa w chusteczkę.

### Kiedy do lekarza?

— W przypadku krwawienia z nosa, gdy nie udaje się zatrzymać go samemu lub też gdy krwawienia nawracają często mimo braku kataru, urazu lub innej uchwytnej przyczyny.
— W przypadku skaleczeń zewnętrznych typu ran ciętych i szarpanych, przy czym większe skaleczenia mogą wymagać zeszycia w znieczuleniu miejscowym.
— Przy uszkodzeniu kości lub chrząstki nosa. Na podstawie zdjęcia rentgenowskiego lekarz może rozpoznać złamanie i podjąć decyzje dotyczące dalszego leczenia.

### Jak sobie pomóc

*Szybka pomoc w przypadku krwotoku z nosa*: Przy silnym krwawieniu z nosa należy skłonić głowę do przodu i ucisnąć przednią połowę nosa kciukiem i palcem wskazującym przez okres około pięciu do dziesięciu minut. Dodatkowo pomocne

może być przyłożenie wilgotnego okładu lub worka z lodem na kark, gdyż zimno powoduje obkurczenie się naczyń krwionośnych.

Po ustaniu krwawienia należy powstrzymać się od czyszczenia nosa przez dwanaście godzin, by nie uszkodzić ponownie naczyń krwionośnych.
*Skaleczenia*: Do czasu uzyskania pomocy lekarskiej otwarte rany w okolicy nosa należy opatrzyć czystą suchą chusteczką. Pomoc we własnym zakresie nie jest możliwa w przypadku urazów kości lub chrząstki nosa.

### Leczenie

*Krwawienie z nosa*: Przy silnym krwotoku, którego nie udało się zatrzymać zwykłym uciskiem z zewnątrz, lekarz zakłada na miejsce krwawiące tampon z gazy, którego zadaniem jest wywieranie miejscowego ucisku na naczynia. Tego rodzaju opatrunek uciskowy musi być utrzymany przez dwanaście godzin.

Jedynie w rzadkich przypadkach przedłużającego się krwawienia staje się potrzebne zniszczenie krwawiących naczyń, co osiąga się w sposób najłagodniejszy działaniem roztworu azotanu srebra.

Dawniej często stosowano w tym samym celu przyżeganie elektryczne. Wskutek uszkodzenia otaczającej śluzówki zabieg ten może wywołać jednak nowe krwawienia.

Gdy przyczyną krwawienia jest choroba ogólnoustrojowa (na przykład nadciśnienie tętnicze lub zaburzenie krzepnięcia), wymaga ona odpowiedniego leczenia (→ Wysokie ciśnienie krwi, s. 304, → Niedobór płytek krwi, s. 327).
*Skaleczenia zewnętrzne*: Pomoc lekarska polega na oczyszczeniu, zdezynfekowaniu i niekiedy zeszyciu rany.
*Urazy wewnętrzne*: Gdy w przypadku złamania kości nosa potrzebne jest jego nastawienie, zabieg taki przeprowadza się u osób dorosłych zwykle w znieczuleniu miejscowym.

Niesprawiające dolegliwości przemieszczenie chrząstki nosa w przedniej jego części nie wymaga leczenia. Korekcyjny zabieg lekarski staje się jednak potrzebny, gdy zniekształcenie takie powoduje nasilające się z biegiem czasu trudności w oddychaniu lub też gdy jest przyczyną częstych zakażeń w obrębie zatok przynosowych.

## Przeziębienie, „grypa"

### Dolegliwości

Choroba określana potocznie jako „przeziębienie" lub „grypa" jest w rzeczywistości wirusowym zakażeniem dróg oddechowych. Katar jest niejednokrotnie pierwszym i jedynym objawem choroby. Wśród objawów wymienić należy ból gardła, lekki kaszel, ból głowy, bóle kończyn, uczucie ogólnego rozbicia i gorączkę.

### Przyczyny

Przyczyną przeziębienia lub grypy nie jest zimno, lecz różnorodne wirusy, które ze szczególną łatwością są przenoszone z człowieka na człowieka. Ich duża zakaźność poprzez kropelki wydzieliny wydalane podczas kaszlu lub kichania powoduje szybkie rozprzestrzenianie się infekcji pomiędzy ludźmi.

Wspomniane wirusy atakują w pierwszej kolejności błonę śluzową nosa i gardła, powodując jej obrzęk i zwiększone wytwarzanie płynnej wydzieliny. W dalszej kolejności zakażenie wirusowe może rozprzestrzeniać się na oskrzela i zatoki przynosowe.

### Ryzyko zachorowania

Przeziębienia występują częściej u dzieci, ponieważ ich organizm nabiera odporności stopniowo, po zetknięciu z każdym kolejnym wirusem.

Przeziębienia są częstsze zimą niż w ciepłych porach roku — najprawdopodobniej dlatego, że podczas chłodów ludzie przebywają częściej razem w zamkniętych pomieszczeniach, co przyczynia się do przenoszenia zakażenia drogą kropelkową.

### Możliwe następstwa i powikłania

Przeziębienie jest zwykle dolegliwością dokuczliwą, lecz niegroźną i po około trzech do pięciu dniach ustępuje samoistnie. Niekiedy zakażenie wirusowe może się rozprzestrzenić — z zajęciem płuc, mózgu lub serca, co ma w szczególności miejsce w przypadku zakażenia wirusami z grupy wirusów grypy. Jedynie w przypadku zakażenia wirusem z grupy wirusów grypy mówimy o zachorowaniu na grypę w pełnym tego słowa znaczeniu.

W przebiegu każdego rodzaju przeziębienia może dojść do dodatkowego zakażenia bakteryjnego śluzówek. Powikłanie to występuje częściej u małych dzieci, osób w podeszłym wieku oraz osób, których siły odpornościowe zostały osłabione w przebiegu przebytej uprzednio choroby lub na skutek zażywania leków. W bardzo rzadkich przypadkach grypa może być chorobą śmiertelną.

### Zapobieganie

Zakażenia trudno uniknąć. Niemniej jednak w przypadku zachorowania na przeziębienie pozostanie przez kilka dni w odosobnieniu domowym może uchronić inne osoby przed zakażeniem. Szczepienia mogą co prawda chronić przed zakażeniem niektórymi wirusami (→ Szczepienia, s. 627), jednak przeziębienie może być wywołane przez znaczną liczbę wirusów różnych odmian. Dlatego nie ma przeciw przeziębieniom szczepień. Dodatkowe spożycie witaminy C nie zmniejsza ryzyka zachorowania (→ Żywienie, s. 704).

### Kiedy do lekarza?

Wizyty lekarskiej wymaga przeziębienie trwające dłużej niż siedem dni lub w przypadku gdy zakażenie rozprzestrzenia się poza obszar nosogardła, a domowe sposoby leczenia nie powodują ustąpienia choroby w ciągu trzech dni. Objawem rozszerzania się zakażenia może być gorączka powyżej 39°C, silne bóle gardła lub uszu, suchy i bolesny kaszel, duszność, silny ból głowy.

### Jak sobie pomóc

Wskazany jest odpoczynek i przebywanie w ciepłym, lecz nie przegrzanym pomieszczeniu. Aby uniknąć dodatkowego podrażnienia śluzówek, należy zadbać o właściwe nawilżenie powietrza w pomieszczeniu (→ Ogrzewanie, s. 774).

W przypadku utraty apetytu nie trzeba zmuszać się do jedzenia, należy jednak pić wystarczająco dużo herbaty lub wody mineralnej, gdyż gorączka zwiększa zapotrzebowanie organizmu na płyny. Gorączka jest ważnym elementem odpowiedzi odpor-

nościowej organizmu, ponieważ w podwyższonej temperaturze obumiera wiele wirusów. Gorączka do 41°C jest dokuczliwa, lecz nie jest niebezpieczna, o ile organizm nie został osłabiony przebyciem innych chorób. W przypadku dużych dolegliwości ulgę mogą przynieść zimne kompresy (→ Okłady, s. 641). Rozgrzanie organizmu wywołane działaniem środków napotnych może także przyczynić się do zwalczania wirusów.

### Leczenie

Może polegać jedynie na łagodzeniu objawów (→ Katar, s. 284, → Zapalenie gardła, s. 288). Nie należy usiłować zwalczać uczucia rozbicia, gdyż stanowi ono sygnał ze strony organizmu, że potrzebny jest mu odpoczynek w celu skutecznej walki z zakażeniem. Najlepszym lekarstwem jest w tym przypadku pozostanie w łóżku.

*Leki*

O ile nie da się w ogóle uniknąć ich stosowania, w celu obniżenia gorączki lub złagodzenia bólu głowy uzasadnione może być zażycie leków zawierających jako środek czynny wyłącznie paracetamol (→ Proste środki przeciwbólowe, s. 620).

Należy natomiast unikać stosowania tak zwanych środków „przeciwgrypowych", złożonych z wielu składników. Zażywanie takich mieszanek lekowych nie ma uzasadnienia, a ponadto ich skuteczność lecznicza jest wątpliwa. Działanie niektórych składników tych leków może być nawet szkodliwe.

## Katar, nieżyt nosa

### Dolegliwości

Katar jest zwykle pierwszym i często jedynym objawem przeziębienia. Dokucza wówczas wyciek z nosa, utrudnienie oddy-

---

### Herbatki napotne

**Herbatka z kwiatu lipy**

— Suszony kwiat lipy w ilości jednej do dwóch łyżeczek do herbaty wsypać do średniej wielkości filiżanki i zalać wrzątkiem.

— Odczekać pięć minut, a następnie odcedzić.

*Sposób podawania*: W celu wywołania potów należy wypić późnym popołudniem (między godziną 15 a 18) jedną do dwóch filiżanek świeżo sporządzonej herbatki i pozostać pod przykryciem w łóżku. O podanej porze działanie napotne herbatki jest wyraźnie silniejsze niż w innych porach dnia.

**Mieszana herbatka napotna**

*Skład*: 30 g kwiatu lipy, 30 g kwiatu czarnego bzu, 20 g kwiatu wiązówki błotnej, 20 g łupin głogu.

*Sposób przyrządzania*:

— łyżeczkę do herbaty podanej mieszanki zalać wrzątkiem w średniej wielkości filiżance,

— odcedzić po pięciu, dziesięciu minutach naciągania.

*Sposób podawania*: jak w przypadku herbatki z kwiatu lipy.

chania, nosowy głos i osłabienie węchu. W okresie późniejszym wodnista początkowo wydzielina z nosa może się zagęścić i przybrać kolor zielonkawożółty.

## Przyczyny

Katar jest zwykle wywoływany przez wirusy przenoszone z człowieka na człowieka w drobniutkich kropelkach wody unoszonych z prądem powietrza. Inną przyczynę ma katar sienny (→ s. 285).

Czynnik chorobotwórczy wywołuje zaczerwienienie i obrzęk błony śluzowej nosa, a jej gruczoły śluzowe wytwarzają zwiększone ilości wydzieliny. Niekiedy dochodzi ponadto do osiedlenia się bakterii na zapalnie zmienionych śluzówkach nosa. Odnośnie do kataru wywołanego dłuższym stosowaniem kropel do nosa → Katar na skutek nadużywania kropli do nosa, poniżej.

## Ryzyko zachorowania

Jest zwiększone u dzieci, ponieważ katar wywołują u nich zwykle wirusy, a siły odpornościowe organizmu dzieci nabierają pełnej wydolności dopiero po upływie kilku lat.

## Możliwe następstwa i powikłania

W większości przypadków katar jest dolegliwością uciążliwą, niemniej jednak niegroźną i mija po kilku dniach.

Rozprzestrzenienie się zakażenia na obszar zatok przynosowych może być przyczyną dłużej trwających dolegliwości (→ Zapalenie zatok przynosowych, s. 287).

U niemowląt katar może być przyczyną trudności przy karmieniu. Ponadto u małych dzieci zatkany nos usposabia do wystąpienia zapalenia ucha środkowego.

## Zapobieganie

Nie jest możliwe.

## Kiedy do lekarza?

— Jeśli katar trwa dłużej niż pięć do siedmiu dni.
— Gdy nastąpiło rozprzestrzenienie się zakażenia na zatoki przynosowe i dolne drogi oddechowe. Do objawów nasuwających takie podejrzenie należą: gorączka powyżej 39°C, silny ból gardła lub uszu, suchy lub bolesny kaszel, utrudnione oddychanie, bóle w okolicy czoła lub podoczodołowej.

## Jak sobie pomóc

— Należy dużo pić, by ułatwić rozwodnienie wydzieliny.
— Przebywanie w ciepłych, lecz nieprzegrzanych pomieszczeniach. W celu uniknięcia dodatkowego podrażnienia błony śluzowej nosa wskazane jest nawilżenie powietrza — najprościej poprzez rozwieszenie wilgotnych ręczników na kaloryferach.
— Wkraplanie do nosa roztworu soli kuchennej.
— Wdychanie gorących par, na przykład znad herbatki rumiankowej (→ Inhalacja, s. 642) pozwala zmniejszyć przy „zatkanym" nosie obrzęk śluzówki i upłynnić przyschnięty śluz. U osób dorosłych i starszych dzieci udrożnienie zatkanego nosa można ponadto uzyskać poprzez miejscowe stosowanie roztworu soli kuchennej, wzięcie gorącego prysznica, zastosowanie okładów napotnych lub kąpiel parową (saunę), albo poprzez pływanie.

---

### Płukanka z roztworu soli kuchennej — środek pomocny i nieszkodliwy

Rozpuść jeden gram soli kuchennej w jednej dziesiątej litra wody i wpuść plastikową strzykawką pozbawioną igły kilka kropel tego roztworu do nosa (u małych dzieci zabieg należy powtarzać pięć razy dziennie, podając każdorazowo trzy do pięciu kropel). Stosowany roztwór nie jest szkodliwy, jeśli stężenie soli nie przekracza jednego procenta. Niekiedy bezpośrednio po podaniu może wystąpić pieczenie w nosie.

---

— Poprawny sposób czyszczenia nosa polega na zatkaniu jednej dziurki i silnym wydmuchiwaniu powietrza przez drugą. Jednoczesne ściśnięcie obu skrzydełek nosa sprzyja przemieszczeniu zalegającej zawartości w głąb, przez co zwiększa się ryzyko wystąpienia zapalenia zatok przynosowych.

## Leczenie

Kataru — podobnie jak innych chorób „przeziębieniowych" — nie udaje się leczyć, pozostaje jedynie łagodzenie dolegliwości.

W przypadku gdy bezskuteczne okazują się środki domowe, można próbować zmniejszyć katar przy użyciu leków obkurczających naczynia. W zależności od leku działanie kropli do nosa trwa trzy (np. Tyzine), sześć (np. Xylometazolin) lub nawet dziewięć (np. Otriven, Otrivin) godzin. Leki te łagodzą jedynie objaw „zatkania" nosa, nie działają natomiast przeciw wirusom wywołującym katar. U niemowląt wspomniane krople mogą jednak ułatwić karmienie.

*Katar na skutek nadużywania kropli do nosa*

Stosowanie kropli do nosa przez więcej niż dwa do trzech dni może po ich odstawieniu spowodować znaczne nasilenie obrzęku śluzówek — rozwija się katar polekowy. Ponowne sięgnięcie po krople do nosa z powodu nieustąpienia kataru rozpoczyna błędne koło, w wyniku którego katar polekowy może przejść w postać przewlekłą, a w konsekwencji poważnemu uszkodzeniu może ulec śluzówka nosa.

Nie należy zatem stosować kropli do nosa dłużej niż przez trzy dni, a ponowne ich użycie może nastąpić dopiero po dziesięciu dniach przerwy.

Osobie przewlekle stosującej krople do nosa może być trudno się od nich odzwyczaić. W takim przypadku pomocne mogą być dwa podane poniżej sposoby postępowania:
— Krople podawać tylko do jednego otworu nosowego, ograniczając ich stosowanie do czasu ustąpienia obrzęku w drugim przewodzie nosowym. Sposób ten umożliwia ciągle swobodne oddychanie przez nos.
— Krople do nosa zastąpić na pewien czas stosowaniem roztworu soli kuchennej.

## Katar alergiczny (katar sienny)

(→ Alergia, s. 338)

### Dolegliwości

Katar sienny jest jedną z wielu chorób, u których podłoża leży alergia. Wydzielina z nosa w katarze siennym jest zwykle wodnista i klarowna, częste jest kichanie. Prawie zawsze występuje łzawienie i pieczenie oczu.

## Przyczyny
Skłonność do wystąpienia reakcji uczuleniowej jest prawdopodobnie wrodzona. Faktyczne rozwinięcie się odczynu alergicznego na czynnik wywołujący wymaga jednak licznych uwarunkowań (→ Alergia, s. 338). Moment, od którego organizm zaczyna nadmiernie (alergicznie) reagować na szereg bodźców ze środowiska zewnętrznego, zależy także od równowagi psychicznej i wydolności danej osoby.

W przypadku kataru siennego — najbardziej znanej postaci kataru alergicznego — śluzówka nosa reaguje odczynem alergicznym na pyłki kwiatów. Jeśli katar alergiczny występuje przez cały rok lub być może w szczególności w okresie zimowym, bardziej prawdopodobnym czynnikiem wywołującym go są roztocza kurzu domowego lub sierść, lub złuszczony naskórek zwierząt domowych. W katarze alergicznym dochodzi do obrzęku błony śluzowej nosa i wzmożonego wytwarzania płynnej wydzieliny.

## Ryzyko zachorowania zwiększa się
— Gdy u danej osoby występuje skłonność do odczynów uczuleniowych, na przykład w postaci uwarunkowanych alergicznie wysypek skórnych lub astmy.
— Przy przedłużającym się kontakcie z czynnikiem wywołującym alergię.

## Możliwe następstwa i powikłania
Osoby cierpiące na katar alergiczny wykazują szczególnie często

---

### Krople i aerozole do nosa nadające się do krótkotrwałego stosowania:

| | | |
|---|---|---|
| Coldan | Privin | Snup |
| Nasivin | Rhinon | Tyzine |
| Otriven | Rhinospray | Xylometazolin |
| Otrivin | | |

*Najważniejsze działania uboczne*: po ustąpieniu działania często nasilenie obrzęku śluzówek, katar „polekowy" w przypadku dłuższego stosowania, u niemowląt niebezpieczeństwo zaburzeń oddychania i utraty świadomości, lecz także możliwość wystąpienia nadmiernego pobudzenia.
*Wskazówka*: nie stosować dłużej niż przez dwa do trzech dni.

### Leki pochodzenia naturalnego i środki homeopatyczne przeciw katarowi nosa

| | | |
|---|---|---|
| Euphorbium comp. | Sinfrontal | Sinupret Tropfen |
| Rekomill | Sinuselect | |

*Godne odradzania*: tabletki „na katar"
Niektóre z tych środków zawierają leki przeciwhistaminowe, które nie pomagając przy katarze spowodowanym przeziębieniem, wywołują uczucie zmęczenia. Inne środki mogą powodować niepożądany wzrost ciśnienia tętniczego krwi. Niektóre zaś środki mogą wręcz nasilać katar.

---

skłonność do występowania zapaleń zatok przynosowych (→ s. 287).

Katar sienny może z biegiem czasu „przenieść się" na inne piętro" — gdy następuje ujawnienie astmy oskrzelowej.

## Zapobieganie
Zapobieganie jest możliwe tylko wtedy, gdy udaje się wykryć czynnik wywołujący alergię i próbuje się go unikać. Przyczyną dolegliwości odczuwanych na przełomie wiosny i lata oraz latem są zwykle pyłki kwiatów. Osoba, u której udało się ustalić rodzaj pyłków wywołujących katar sienny, powinna, posługując się kalendarzem informującym o wysiewie pyłków, ustalić niebezpieczny dla siebie okres i w tym czasie przebywać w miarę możliwości w pomieszczeniach zamkniętych, a nawet wyjechać na urlop. Powyżej 1500 m n.p.m. oraz nad morzem pyłki kwiatów prawie nie występują. Lokalna prasa i rozgłośnie radiowe podają w określonych porach po wiadomościach informacje dotyczące rodzaju, ilości i kierunku unoszenia się pyłków.

Gdy czynnikiem wywołującym alergię jest sierść lub złuszczony naskórek zwierząt domowych, jedyną radą — zgodnie z zasadą unikania styczności z alergenem — jest rozstanie się (mimo łez) z ukochanym zwierzęciem. Co do zwalczania roztoczy kurzu domowego → Alergia, s. 338.

## Kiedy do lekarza?
Gdy podejrzewasz, że twój katar ma podłoże alergiczne.

## Jak sobie pomóc
— Wieczorem umyć włosy.
— Zamykać na noc okna.
— W okresie wysiewu pyłków nie kosić trawy ani nie ciąć żywopłotów.
— Krople do nosa zawierające kromoglikan oraz inne środki przeciw katarowi są osiągalne bez recepty.

## Leczenie
Ponieważ kondycja psychiczna może mieć udział w powstaniu alergii i nasileniu jej objawów, zalecane jest skorzystanie z porady lekarza mającego doświadczenie z zakresu chorób psychosomatycznych.

Bardziej uzasadnione jest zapobieganie katarowi alergicznemu niż leczenie „cieknącego" nosa. Zadając ukierunkowane pytania, lekarz może pomóc w ustaleniu czynnika wywołującego alergię.

Odczulanie (→ Alergia, s. 338) ma największą szansę powodzenia, gdy katar sienny wywołany jest jedynie niewielką liczbą gatunków pyłków.

### Leki
Katarowi siennemu można zapobiegać za pomocą leków zawierających kromoglikan dwusodowy (np. Duracroman, Lomupren, Vividrin, Intal). Ich skuteczne działanie rozpoczyna się niekiedy dopiero po wielu dniach stosowania.

Dolegliwości mogą łagodzić krople do nosa, których działanie polega na zmniejszaniu obrzęku śluzówki przy katarze (→ Katar, s. 284).

Spośród leków stosowanych wewnętrznie w leczeniu kataru siennego mogą być pomocne środki przeciwhistaminowe (→ Alergia, s. 338).

## Zapalenie zatok przynosowych

Zatoki oboczne nosa są przestrzeniami jamistymi w kościach twarzy, położonymi z boku, z tyłu i powyżej nosa. Zaliczają się do nich także zatoki czołowe. Wszystkie zatoki przynosowe mają połączenie z jamą nosa i wysłane są błoną śluzową.

### Dolegliwości

Ból i uczucie ucisku w kościach policzkowych lub w okolicy nadczołowej pojawiające się kilka dni od początku kataru. Wysięk z nosa w tym czasie najczęściej już nie występuje. Dolegliwości dają się najbardziej we znaki po wstaniu z łóżka i przy pochylaniu się.

### Przyczyny

W czasie kataru bakterie lub wirusy przedostają się do zatok. W wyniku obrzęku śluzówki w obrębie przewodów łączących zatoki z jamą nosa upośledzony jest odpływ powstającej wydzieliny.

Również w przebiegu kataru alergicznego może rozwinąć się zapalenie zatok przynosowych (→ Katar alergiczny, s. 285).

### Ryzyko zachorowania wzrasta

— W przypadku występowania polipów w nosie.
— Gdy w wyniku przemieszczenia przegrody nosowej dochodzi do dodatkowego zwężenia połączeń między zatokami przynosowymi a jamą nosową.
— Przy współistnieniu kataru alergicznego, gdyż wówczas wrażliwe śluzówki silniej reagują na czynniki chorobotwórcze i zanieczyszczenia powietrza.

Niekiedy częste zapalenia zatok są jedynym objawem alergii (→ s. 338).

### Możliwe następstwa i powikłania

Przy postawionym we właściwym czasie rozpoznaniu i podjętym prawidłowym leczeniu wywołane przez bakterie zapalenie zatok przynosowych rzadko jest przyczyną poważnych następstw. Nieleczone mogą się w rzadkich przypadkach rozszerzyć na mózgowie.

### Zapobieganie

W czasie kataru pij dużo, właściwie nawilżaj powietrze w pokoju, w którym przebywasz, i kilkakrotnie w ciągu dnia wykonuj inhalacje parowe (zwykle nad naparem z rumianku). Środki te nie tylko są pomocne przy katarze, ale także zapobiegają rozwinięciu się zapalenia zatok. Pomocne jest również częste, przeprowadzane we właściwy sposób, czyszczenie nosa (→ Katar, s. 284).

Osoby często zapadające na zapalenie zatok powinny systematycznie stosować w czasie kataru wkraplanie roztworu soli kuchennej do nosa, a w porozumieniu z lekarzem również krople do nosa zmniejszające obrzęk śluzówki (→ Katar, s. 284).

Jeśli przyczyną częstych zapaleń zatok przynosowych są polipy w nosie lub przemieszczenie przegrody nosa, należy omówić z lekarzem celowość usunięcia polipów lub korekcji skrzywionej przegrody nosa. Częste występowanie zapaleń zatok przynosowych może nasuwać podejrzenie alergicznego podłoża choroby (→ Alergia, s. 338).

### Kiedy do lekarza?

— Gdy dolegliwości trwają dłużej niż trzy dni lub też towarzyszy im wysoka gorączka.
— Gdy często zapadasz na zapalenie zatok przynosowych.

### Jak sobie pomóc

Choroba ustępuje często w ciągu dwóch, trzech dni. Ulgę — podobnie jak w przypadku kataru — przynosi przebywanie w ciepłym, o właściwej wilgotności pomieszczeniu i inhalacje (→ Katar, s. 284).

### Leczenie

Zadaniem kropli do nosa usuwających obrzęk śluzówki jest przywrócenie i utrzymanie drożności połączeń zatok z jamą nosa (→ Katar, s. 284). W przypadku zakażenia bakteryjnego i gdy choroba trwa dłużej niż trzy dni, potrzebne jest leczenie antybiotykami (→ s. 621).

W rzadkich przypadkach niezbędny jest zabieg operacyjny, którego celem jest wytworzenie sztucznego połączenia między zatokami a jamą nosa.

## Polipy nosa

### Dolegliwości

Polipy w nosie najczęściej nie dają żadnych dolegliwości. Niekiedy jednak mogą one utrudniać oddychanie przez nos i mowa staje się wówczas „nosowa". Osoby cierpiące na polipy nosa często oddychają przez otwarte usta. W nocy zaś chrapią, ponieważ oddychają przez usta także w czasie snu.

### Przyczyny

Polipy nosa są łagodnymi naroślami na błonie śluzowej nosa.

### Ryzyko zachorowania wzrasta

U osób cierpiących na katar alergiczny.

### Możliwe następstwa i powikłania

Polipy w nosie mogą utrudniać oddychanie przez nos. Wówczas oddychanie następuje, zwłaszcza w nocy, przez usta i wdychane powietrze omija naturalny filtr, jakim jest nos, co usposabia do zakażeń górnych dróg oddechowych. Niekiedy polip może zamykać połączenie do zatoki przynosowej i staje się przyczyną częstych zapaleń zatok. U dzieci polipy nosa mogą być przyczyną zapalenia ucha środkowego.

### Zapobieganie

Nie jest możliwe.

### Kiedy do lekarza?

— Gdy utrudnione jest oddychanie przez nos, głos staje się „nosowy" i występuje głośne chrapanie w nocy.
— Gdy często rozwijają się zapalenia zatok przynosowych.

Za pomocą specjalnej lampy lekarz może stwierdzić, czy przyczyną dolegliwości są polipy w nosie.

### Jak sobie pomóc
Samemu nie można.

### Leczenie
Polipy w nosie nie są groźne i nie wymagają leczenia dopóty, dopóki nie wywołują żadnych dolegliwości. Wiele osób mających polipy w nosie nie wie o tym. Jednak gdy polipy stają się przyczyną częstych zapaleń zatok przynosowych, mogą zostać usunięte przez lekarza w czasie niewielkiego zabiegu operacyjnego.

## GARDŁO I SZYJA

Wdychane powietrze po odfiltrowaniu, ogrzaniu i nawilżeniu w jamie nosa i zatokach przynosowych przepływa do gardła, a następnie do tchawicy. Tylną ścianę gardła można oglądać samemu przed lustrem po szerokim otworzeniu ust i uciśnięciu w dół języka. Po obu stronach ściany tylnej widoczne są okrągłe łuki ze znajdującymi się na nich migdałkami podniebiennymi. Stanowią one część układu odpornościowego organizmu i w czasie walki z zakażeniem ulegają powiększeniu podobnie jak węzły chłonne. W czasie wdechu nagłośnia jest otwarta, powietrze przepływa przez krtań i struny głosowe do tchawicy i następnie dalej do oskrzeli.

W krtani wydychane powietrze może być wprawiane w drgania za pośrednictwem strun głosowych — w taki właśnie sposób powstaje głos. Wszystkie części gardła pokryte są błoną śluzową.

### Zapalenie migdałków

#### Dolegliwości
Przy zapaleniu migdałków występuje silny ból gardła, utrudnione jest połykanie, dokucza gorączka i silny ból głowy. Na łukach podniebiennych gardła widoczne są zaczerwienione i obrzmiałe migdałki podniebienne. Na ich powierzchni często widoczne są małe, żółte punkciki (czopy).

#### Przyczyny
Zapalenie migdałków wywołują często bakterie (paciorkowce), które mogą być przenoszone z człowieka na człowieka w maleńkich kropelkach śliny. Niekiedy zaczerwienienie i niewielki obrzęk migdałków występuje w czasie wirusowego zapalenia gardła.

#### Ryzyko zachorowania
Zapalenia migdałków występują często u dzieci, natomiast rzadko u dorosłych.

#### Możliwe następstwa i powikłania
Zakażenia paciorkowcem, o ile nie są wystarczająco wcześnie i intensywnie leczone antybiotykami przez lekarza, mogą wywoływać, zwłaszcza u dzieci, ciężkie choroby serca i nerek.

#### Zapobieganie
W przypadku zachorowania przez członka rodziny na zapalenie migdałków wywołane przez paciorkowce uzasadnione może być niekiedy zastosowanie w celu zapobiegawczym penicyliny.

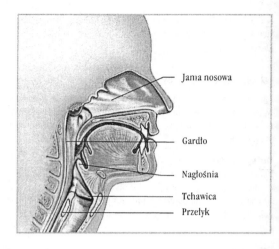

Jama nosowa

Gardło

Nagłośnia

Tchawica

Przełyk

### Jak sobie pomóc
Należy pozostać w łóżku, w ciepłym pomieszczeniu i spożywać wyłącznie miękkie lub płynne pokarmy. Pić należy dużo, wykluczając soki owocowe, gdyż dodatkowo drażnią one gardło (zimne mleko często działa łagodząco).

### Leczenie
Gdy sprawcą zachorowania są bakterie, podaje się penicylinę (→ Leki przeciw zakażeniom, s. 621).

Jeśli zapalenie migdałków wywołane zostało przez wirusy, stosuje się leki jak przy zapaleniu gardła (→ s. 288).

W przypadku występowania gorączki i bólu głowy celowe może być, szczególnie dla ułatwienia zaśnięcia, zastosowanie leku o działaniu przeciwgorączkowym i przeciwbólowym, zawierającego wyłącznie paracetamol lub kwas acetylosalicylowy (→ Proste środki przeciwbólowe, s. 620).

*Leczenie operacyjne*
U dzieci wskazane jest jak najdłuższe zachowanie obronnej funkcji migdałków. Dlatego też ich operacyjne usunięcie uzasadnione jest tylko, gdy:
— migdałki są tak znacznie powiększone, że powodują głośne chrapanie i trwałe utrudnienie oddychania,
— zapalenie migdałków nie ustępuje mimo leczenia lub też stale nawraca; u dzieci jako graniczną częstość nawrotów przyjmuje się czterokrotne wystąpienie zakażenia gardła w ciągu roku.

Gdy nie występują powikłania, migdałki u dzieci mogą być usunięte w czasie wizyty ambulatoryjnej.

### Zapalenie gardła

#### Dolegliwości
Przy zapaleniu górnej części gardła występuje ból, utrudnienie połykania i na ogół gorączka. Tylna ściana gardła jest zaczerwieniona i obrzmiała.

#### Przyczyny
Zapalenie gardła rozwija się często w trakcie przeziębienia,

a czynnikiem wywołującym są najczęściej wirusy. W rzadkich przypadkach chorobę mogą wywoływać także bakterie (paciorkowce). Ponadto długo trwające zapalenie zatok przynosowych może się rozprzestrzenić na obszar gardła.

### Ryzyko zachorowania
Uszkodzona błona śluzowa gardła jest bardziej podatna na czynniki chorobotwórcze. Tak więc nadmierne spożycie alkoholu, palenie papierosów, dymy przemysłowe i spaliny samochodowe oraz drażniące substancje występujące w miejscu pracy mogą stać się przyczyną zakażenia błony śluzowej gardła.

### Możliwe następstwa i powikłania
Zakażenie gardła może utrzymywać się przez okres tygodni, a nawet miesięcy i przechodzić w stan przewlekły u palaczy tytoniu, osób spożywających znaczne ilości alkoholu oraz przy częstym narażeniu na powietrze skażone substancjami drażniącymi śluzówki.

Zapalenie gardła może utrzymywać się przewlekle również wtedy, gdy zostało wtórnie wywołane zapaleniem zatok przynosowych i wówczas może być wyleczone tylko po usunięciu pierwotnej przyczyny.

### Zapobieganie
Należy unikać substancji drażniących śluzówkę.

### Kiedy do lekarza?
Gdy dolegliwości nie ustępują w ciągu dwóch, trzech dni.

### Jak sobie pomóc
Podstawą postępowania jest ochrona błony śluzowej gardła:
— Należy unikać przebywania w pomieszczeniach zanieczyszczonych dymem tytoniowym, a także przegrzanych. Wskazane jest przebywanie w pomieszczeniach ciepłych, w których, o ile jest to możliwe, należy nawilżyć powietrze — najprościej poprzez położenie mokrych ręczników na kaloryfery.
— Należy pić dużo płynów — z wyjątkiem soków owocowych, gdyż ich kwaśny odczyn jest dodatkowym czynnikiem drażniącym.
— W przypadku silnych dolegliwości spożywać możliwie tylko pokarmy papkowate lub płynne.
— Płukanie gardła lub ssanie cukierków może dodatkowo nawilżać ścianę gardła.

### Leczenie
Gardło można płukać letnim naparem z rumianku lub szałwii albo jednoprocentowym roztworem soli kuchennej. Roztwór taki sporządza się przez rozpuszczenie jednego grama soli kuchennej w stu mililitrach (0,1 l) wody.

Jeśli przyczyną długo trwającego zakażenia błony śluzowej gardła jest inne schorzenie (na przykład zapalenie zatok obocznych nosa), wyleczenie można uzyskać jedynie przez wyeliminowanie choroby podstawowej.

Nie zaleca się stosowania komercyjnych środków do płukania gardła, gdyż zawierają one składniki nie tylko zbędne, lecz nawet potencjalnie szkodliwe. Także mało uzasadnione jest stosowanie tabletek do ssania zawierających antybiotyki, środki odkażające lub środki miejscowo znieczulające. Podczas ssania

składniki aktywne są rozcieńczane przez ślinę, a ponadto prawie nie wchodzą w kontakt z zakażonymi warstwami tkanek. Badania wykazały, że większość wspomnianych tabletek do ssania należy zakwalifikować jedynie do kategorii kosztownych cukierków.

Leczenie antybiotykami lekarz zaleca wówczas, gdy jednoznacznie ustali, że zapalenie gardła zostało wywołane przez bakterie.

## Zapalenie krtani, zapalenie strun głosowych

### Dolegliwości
W przebiegu zapalenia gardła dochodzi również do zajęcia struktur położonych niżej: krtani, nagłośni i strun głosowych. Wówczas do bólu gardła dołącza się chrypka i silny ból przy mówieniu.

U dzieci, których drogi oddechowe są dość wąskie, mogą ponadto wystąpić trudności w oddychaniu. Powikłanie to jest rzadkie u dorosłych.

### Przyczyny
Podobnie jak w przypadku zapalenia gardła zapalenie krtani często rozwija się w przebiegu przeziębienia, czynnikiem zaś wywołującym są najczęściej wirusy. W rzadkich przypadkach chorobę mogą również wywoływać pewne rodzaje bakterii. Ponadto długotrwałe zapalenie zatok obocznych nosa może ulec rozprzestrzenieniu aż na obszar krtani i strun głosowych. Zapalenie krtani może ponadto wywoływać nadmierne palenie tytoniu, spożycie alkoholu, narażenie na wyziewy przemysłowe, spaliny samochodowe oraz substancje drażniące śluzówkę, występujące w miejscu pracy. Jeśli zapalenie obejmuje głównie struny głosowe, jego przyczynę można odnieść do nadmiernego ich obciążenia. Dzieje się tak na przykład podczas nadmiernie długiego lub głośnego mówienia lub śpiewania.

### Ryzyko zachorowania
Uprzednio podrażniona błona śluzowa jest bardziej podatna na działanie czynników chorobotwórczych. Ryzyko zachorowania jest więc zwiększone u osób palących tytoń lub często narażonych na zawarte w powietrzu substancje drażniące śluzówkę.

### Możliwe następstwa i powikłania
Zapalenie krtani u dzieci może zagrażać życiu (→ Zapalenie nagłośni, s. 561).

Natomiast u dorosłych zachodzi ryzyko zbyt późnego rozpoznania guza krtani, ponieważ odczuwane w takim przypadku dolegliwości prawie nie różnią się od tych typowych dla zapalenia krtani.

### Zapobieganie
Należy unikać narażenia na substancje szkodliwe drażniące śluzówkę.

### Kiedy do lekarza
— Wystąpienie duszności wymaga natychmiastowego leczenia szpitalnego.
— Gdy chrypka, ból przy mówieniu i ból gardła utrzymują się dłużej niż trzy dni.

## Jak sobie pomóc

Pomoc we własnym zakresie polega przede wszystkim na ochronie podrażnionej błony śluzowej krtani.

— Unikaj przebywania w pomieszczeniach przegrzanych lub zanieczyszczonych dymem tytoniowym: przebywaj jednak w cieple. W miarę możliwości dbaj o nawilżenie powietrza, na przykład poprzez położenie ręczników na kaloryferze.
— Oszczędzaj swój głos.
— Płucz gardło roztworem soli kuchennej.
— Pij gorące mleko zawierające rozpuszczone tabletki soli emskiej.

## Leczenie

W rzadkich przypadkach przyczyną choroby są bakterie. Po jednoznacznym ustaleniu takiego rozpoznania lekarz zaleca leczenie antybiotykami. Antybiotyki stosuje się wówczas jednak wewnętrznie, a nie w postaci tabletek do ssania ani środków do płukania gardła.

## Guz krtani i strun głosowych

(→ Nowotwory złośliwe, s. 437)

### Dolegliwości

Guzy w obrębie krtani mogą mieć naturę łagodną lub złośliwą. Do guzów łagodnych należą brodawczaki i polipy strun głosowych, guzem złośliwym jest rak krtani.

Do pierwszych objawów choroby należą rozwijające się z wolna zmiany zabarwienia głosu, chrypka, ból gardła, bóle przy mówieniu i trudności w połykaniu. W okresie późniejszym mogą pojawić się trudności przy oddychaniu.

### Przyczyny

Do powstania łagodnych guzów strun głosowych lub krtani może przyczynić się przeciążenie strun głosowych (na przykład w wyniku częstego głośnego mówienia lub śpiewania), narażenie na substancje drażniące zawarte we wdychanym powietrzu (na przykład dym tytoniowy, wyziewy przemysłowe), jak również zakażenie wirusowe.

### Ryzyko zachorowania

Ryzyko zachorowania wzrasta u palaczy tytoniu i w przypadku nadmiernego spożywania alkoholu.

### Możliwe następstwa i powikłania

W przypadku zbyt późnego rozpoznania guzów złośliwych, jak również niektórych guzów łagodnych może dojść do poważnego utrudnienia oddychania.

Konsekwencją operacyjnego usunięcia raka krtani jest konieczność opanowania mowy przy użyciu sztucznej krtani. Należy się liczyć z tym, że wówczas głos jest bardzo zniekształcony i kalectwo to może sprawiać znaczne trudności w życiu codziennym. W sytuacji takiej warto spróbować nawiązać kontakt z osobami dotkniętymi podobnym upośledzeniem.

### Zapobieganie

U osób, u których uprzednio już wystąpiły guzy łagodne strun głosowych, zapobieganie ich nawrotowi może polegać na oszczędzaniu głosu.

Wydaje się, że jedynym sensownym sposobem profilaktyki guzów złośliwych jest prowadzenie możliwie najbardziej oszczędnego trybu życia.

### Kiedy do lekarza?

— Gdy chrypka utrzymuje się okresowo lub stale mimo nieobecności objawów przeziębienia.
— Gdy w czasie przeziębienia chrypka, ból gardła lub trudności w połykaniu trwają dłużej niż cztery dni.

Posługując się specjalnym przyrządem, lekarz może obejrzeć krtań i rozpoznać guz. Pobranie w czasie badania małego kawałka tkanki pozwala rozstrzygnąć, czy stwierdzona zmiana ma charakter łagodny czy złośliwy.

### Jak sobie pomóc

Samemu nie można.

### Leczenie

Łagodne guzy można usunąć w czasie niewielkiego zabiegu operacyjnego, przy czym często wystarcza znieczulenie miejscowe. Dostatecznie wcześnie rozpoznane guzy złośliwe leczy się niekiedy wyłącznie naświetlaniem promieniami. W większości przypadków leczenie guzów złośliwych jest jednak operacyjne, po czym uzupełniająco stosuje się naświetlanie promieniami. Gdy rak krtani zdąży się już znacznie rozprzestrzenić, zachodzi konieczność wykonania drogą operacyjną otworu na szyi poniżej krtani, umożliwiającego oddychanie.

W takim przypadku trzeba się nauczyć mówienia przy użyciu sztucznej krtani.

## OSKRZELA

Wdychane powietrze po przejściu przez krtań przepływa przez oskrzela do pęcherzyków płucnych. Oskrzela przypominają układ rur rozdzielających się na wzór gałęzi drzewa.

W obrębie nosa i gardła wdychane powietrze jest ogrzewane, nawilżane i oczyszczane. Proces ten jest kontynuowany w oskrzelach, których ściany wysłane są cienką warstwą błony śluzowej. Wytwarza ona nieprzerwanie śluz, który łącznie z osadzonymi na nim cząstkami kurzu, pyłkami, bakteriami itp., przemieszczany jest dzięki rzęskom nabłonka migawkowego w kierunku tchawicy i gardła, a następnie połykany.

Błona śluzowa oskrzeli jest wrażliwa na działanie często powtarzających się bodźców drażniących, takich jak dym tytoniowy, zanieczyszczenia zawarte w powietrzu oraz zakażenia, które mogą uszkadzać rzęski nabłonka migawkowego.

W wyniku uszkodzenia rzęsek upośledzone jest oczyszczanie oskrzeli ze śluzu i kurzu. Wyrazem usiłowań organizmu zmierzających do wydalenia nagromadzonej wydzieliny jest kaszel. Podrażniona błona śluzowa staje się jednak coraz bardziej podatna na zakażenia, w wyniku czego dochodzi do coraz częstszych nawrotów zapaleń oskrzeli i płuc.

W obrębie błony śluzowej oskrzeli — podobnie jak w przypadku śluzówki nosa — mogą rozwijać się reakcje alergiczne. Mamy wówczas do czynienia z astmą oskrzelową, wywołującą zwężenie oskrzeli i utrudnienie oddychania.

Ponadto długotrwałe drażnienie błony śluzowej oskrzeli może być przyczyną powstania zmian o charakterze złośliwym, takich jak na przykład rak oskrzeli.

## Ostre zapalenie oskrzeli

### Dolegliwości

Ostre zapalenie oskrzeli rozwija się najczęściej w związku z przeziębieniem. Na ogół po dwóch, trzech dniach od wystąpienia przeziębienia pojawia się bolesny kaszel, skojarzony często z wykrztuszaniem białożółtej śluzowatej plwociny. Chorobie często towarzyszy gorączka i niekiedy trudności w oddychaniu.

Odnośnie do zapalenia oskrzeli u dzieci → Zapalenie obturacyjne oskrzeli, s. 562.

### Przyczyny

Czynniki chorobotwórcze wywołujące przeziębienie mogą także zakazić błonę śluzową oskrzeli. W większości przypadków są to wirusy, rzadziej na podłożu uprzednio uszkodzonej błony śluzowej może rozwinąć się bakteryjne ostre zapalenie oskrzeli.

### Ryzyko zachorowania wzrasta

— U palaczy tytoniu (→ Palenie tytoniu, s. 740).
— U osób mieszkających w rejonach stałego występowania znacznie nasilonego skażenia powietrza substancjami szkodliwymi (→ Zanieczyszczenie powietrza, s. 779, → Trucizny w mieszkaniu, s. 758).
— U osób chorych na serce i choroby płuc (np. astmę, rozedmę, rozstrzenie oskrzeli).
— U dzieci, gdyż są bardziej niż dorośli podatne na przeziębienia.

### Możliwe następstwa i powikłania

U osób w wieku podeszłym lub w przypadku osłabienia układu odpornościowego może w dalszej kolejności rozwinąć się zapalenie płuc.

U osób chorujących na zapalenie oskrzeli częściej niż jeden raz w roku może dojść w wyniku nawracających zakażeń do trwałego uszkodzenia błony śluzowej oskrzeli.

### Zapobieganie

Wskazany jest możliwie oszczędny tryb życia: unikanie ekspozycji na zanieczyszczone powietrze i przede wszystkim niepalenie tytoniu.

### Kiedy do lekarza?

— Gdy zapalenie oskrzeli nie ustępuje w ciągu dwóch, trzech dni.
— Gdy chorobie towarzyszy gorączka powyżej 39°C.
— Jeśli zauważysz krwioplucie.
— Gdy pojawią się trudności w oddychaniu.

### Jak sobie pomóc

Należy unikać podrażnienia oskrzeli przez dym tytoniowy w pomieszczeniach, gazy spalinowe, opary kuchenne itp.

W miarę możliwości wskazany jest odpoczynek i przebywanie w pomieszczeniach ciepłych, lecz nieprzegrzanych. Celem uniknięcia dodatkowego podrażnienia błony śluzowej oskrzeli

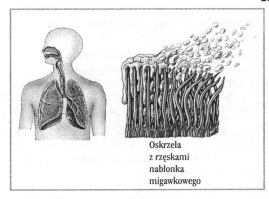

Oskrzela
z rzęskami
nabłonka
migawkowego

należy zadbać o nawilżenie powietrza, rozwieszając wilgotne ręczniki na grzejnikach.

Powinno się pić wystarczająco dużo herbaty lub wody mineralnej, gdyż podczas gorączki wzrasta zapotrzebowanie organizmu na płyny.

Wilgotne zawijania łydek mogą przyczynić się do obniżenia gorączki (→ s. 641). Leczenie mogą uzupełniać różnego rodzaju herbatki wykrztuśne.

### Leczenie

Zapalenie oskrzeli przebiegające bez powikłań nie wymaga specjalnego leczenia. Niepotrzebne jest na ogół zażywanie leków. W razie potrzeby w celu zmniejszenia bólu i gorączki można posłużyć się prostymi środkami przeciwbólowymi (→ s. 620).

*Leki stosowane w razie kaszlu*
Wiele leków z tej grupy zawiera składniki hamujące kaszel,

## Herbatki wykrztuśne

### Ziele tymianku

Tymianek ma działanie rozkurczowe i wykrztuśne.
*Sposób przygotowania:*
— łyżeczkę do herbaty tymianku wsypać do średniej wielkości filiżanki i zalać wrzątkiem;
— odczekać dziesięć minut, następnie odcedzić.
*Sposób podawania:* Pić kilkakrotnie w ciągu dnia filiżankę świeżo sporządzonej herbatki.

### Ziele babki lancetowatej

*Sposób przyrządzania i podawania:* jak w przypadku herbatki tymiankowej, należy jednak użyć dwie łyżeczki do herbaty ziela babki.

### Mieszana herbatka wykrztuśna

*Skład:* 30 g ziela tymianku, 15 g ziela babki lancetowatej, 10 g kopru włoskiego, 10 g mchu islandzkiego, 10 g korzenia lukrecji.
*Sposób przygotowania i podawania:* jak w przypadku herbatki tymiankowej.

## Uzasadnione jest stosowanie leków upłynniających śluz

Ambroxol pod różnymi nazwami fabrycznymi
Bromhexin pod różnymi nazwami fabrycznymi

| | | |
|---|---|---|
| Flegamina | Mucophlogat | Muco-Sanigen |
| Fluimucil | Mucosolvan | Muco-Tablinen |
| Mucomyst | Mucret | Transbronchin |

Najważniejsze działania uboczne dotyczące wszystkich środków upłynniających śluz: dolegliwości żołądkowe połączone z nudnościami i wymiotami, biegunka, bóle głowy. W przypadku inhalacji: pobudzenie do kaszlu.

wśród nich przede wszystkim kodeinę. Hamowanie kaszlu w ten sposób nie jest jednak uzasadnione, gdyż upośledza wykrztuszanie śluzu, co wpływa na przedłużenie leczenia.

Inne leki zawierają substancje, których zadaniem jest upłynnienie śluzu w oskrzelach i w ten sposób ułatwienie jego wykrztuszania. Ich skuteczność nie została jednak dotychczas wystarczająco potwierdzona.

*Antybiotyki*

W rzadkich przypadkach zapaleń oskrzeli wywołanych przez bakterie (na wystąpienie których wskazuje dłuższe utrzymywanie się choroby i zielonkawe podbarwienie plwociny) i gdy rozpoznanie zostało jednoznacznie postawione przez lekarza, w leczeniu może okazać się uzasadnione sięgnięcie po antybiotyki (→ Leki przeciw zakażeniom, s. 621).

## Przewlekłe zapalenie oskrzeli

### Dolegliwości

Dolegliwości są podobne jak w ostrym zapaleniu oskrzeli: bolesny kaszel często skojarzony z odkrztuszaniem białożółtej śluzowatej plwociny, często występuje gorączka, niekiedy trudności w oddychaniu. Nawroty dolegliwości występują coraz częściej, aż w końcu utrzymują się przez cały rok. Palacze tytoniu uważają, że kaszel dokuczający im najczęściej rano jest normalnym zjawiskiem związanym z paleniem. Z biegiem czasu kaszel ten nasila się jednak, wykrztuszana wydzielina staje się coraz gęstsza, a w późniejszym etapie rozwija się zwykle duszność. Odnośnie do zapalenia oskrzeli u dzieci → Zapalenie obturacyjne oskrzeli, s. 562.

### Przyczyny

Często nawracające zapalenia oskrzeli doprowadzają do trwałego uszkodzenia błony śluzowej oskrzeli. Stan ten sprzyja jeszcze częstszym nawrotom zakażeń. Dochodzi do pogrubienia ścian oskrzeli i nadmiernego wytwarzania w nich śluzu, który z coraz większym wysiłkiem jest wykrztuszany. Kaszel staje się dolegliwością przewlekłą, do której dołącza się dodatkowo odkrztuszanie i duszność.

### Ryzyko zachorowania wzrasta

— U palaczy tytoniu (→ Palenie tytoniu, s. 740).

— Przy narażeniu na skażone szkodliwymi substancjami powietrze (→ Zanieczyszczenie powietrza, s. 779).

— Przy częstym narażeniu zawodowym na substancje szkodliwe (→ Substancje toksyczne w środowisku pracy, s. 787).

— W złych warunkach mieszkaniowych. Świadczy o tym sześciokrotnie większa zachorowalność na przewlekłe zapalenie oskrzeli wśród osób z gorzej sytuowanych warstw społecznych niż u osób o wysokim standardzie socjalno-ekonomicznym, którym dane jest mieszkać i pracować w zdrowym otoczeniu.

— Na obszarach częstego występowania mgieł.

— U osób, które już od dzieciństwa narażone były na zamieszkiwanie w okolicy o zanieczyszczonym powietrzu.

### Możliwe następstwa i powikłania

Przewlekłe zapalenie oskrzeli jest chorobą z początku niezauważaną, tlącą się i często niedocenianą. Zmiany w obrębie błony śluzowej oskrzeli mogą jednak coraz bardziej postępować i w końcu zagrażać życiu chorego, gdy dochodzi do rozwoju zmian płucnych (→ Rozedma płuc, s. 295), utrwalonej duszności i niedotlenienia. Zwężone naczynia płucne przyczyniają się do osłabienia serca. Ponadto zwiększa się ryzyko wystąpienia dodatkowego zakażenia bakteryjnego i rozwoju zapalenia płuc. Ponieważ palacze tytoniu szczególnie często cierpią na przewlekłe zapalenie oskrzeli, którego objawy są bardzo podobne do objawów w przypadku raka płuc, łatwo u nich o przeoczenie pierwszych objawów guza złośliwego.

### Zapobieganie

Należy prowadzić możliwie oszczędny tryb życia, unikać narażenia na zanieczyszczenia zawarte w powietrzu i przede wszystkim — palenia tytoniu.

### Kiedy do lekarza?

Jeśli chorujesz na zapalenie oskrzeli częściej niż raz w roku. Zadaniem lekarza jest zebranie w trakcie wyczerpującej rozmowy informacji o twoich warunkach życia i pracy. W następnej kolejności lekarz zleci wykonanie zdjęcia rentgenowskiego płuc i badań czynności płuc (→ Prześwietlenie, s. 608). Osoby cierpiące na przewlekłe zapalenie oskrzeli muszą pozostawać pod stałą kontrolą lekarską.

### Jak sobie pomóc

W przypadku przewlekłego zapalenia oskrzeli pomoc we własnym zakresie odgrywa szczególnie dużą rolę:

— Palacze tytoniu powinni potraktować rozpoznanie przewlekłego zapalenia oskrzeli jako sygnał ostrzegawczy i natychmiast rzucić palenie (→ Palenie tytoniu, s. 740).

— Unikaj przebywania w pomieszczeniach zanieczyszczonych dymem tytoniowym.

— Jeśli pracujesz na stanowisku pracy z narażeniem na substancje szkodliwe, powinieneś spróbować uzyskać przeniesienie do innej pracy.

— Unikaj kontaktu z osobami przeziębionymi, gdyż banalne przeziębienie łatwo zwalczane przez zdrowy organizm może być niebezpieczne dla chorego na przewlekłe zapalenie oskrzeli.

— Unikaj nadmiernego wysiłku fizycznego. Regularne uprawianie sportu na świeżym powietrzu może mieć jednak korzystne działanie (→ Ruch i sport, s. 748).

## Leczenie
Celem leczenia jest przede wszystkim zapobieganie postępowi choroby.

### Leki upłynniające śluz
Często potrzebne jest stosowanie leków rozwadniających śluz (→ Ostre zapalenie oskrzeli, s. 291).

### Leki rozszerzające oskrzela
Jeśli w przebiegu przewlekłego zapalenia oskrzeli dochodzi do rozwoju duszności nawracającej w sposób napadowy lub utrzymującej się stale, może zajść potrzeba stosowania aerozoli zawierających leki rozszerzające oskrzela lub też doustnego zażywania leków z tej grupy (→ Astma, poniżej).

### Glikokortykoidy stosowane wziewnie
W uzasadnionych przypadkach może zajść potrzeba zastosowania przez lekarza glikokortykoidów w postaci preparatów do inhalacji (→ Astma, poniżej). Do najważniejszych objawów ubocznych leku podanego wziewnie zalicza się zmniejszenie odporności na zakażenia, czego następstwem jest często grzybica jamy ustnej (→ Zapalenie drożdżakowe jamy ustnej, s. 357). Jej wystąpieniu można zapobiegać poprzez intensywne przepłukanie jamy ustnej po wykonaniu inhalacji.

### Antybiotyki
Bakteryjne zakażenia oskrzeli wymagają leczenia antybiotykami, zleconego przez lekarza w odpowiednim czasie. Aby umożliwić dobranie właściwego leku z tej grupy, wskazane jest przebadanie plwociny i krwi celem ustalenia rodzaju czynnika wywołującego zakażenie (→ Leki przeciw zakażeniom, s. 621). Opinie dotyczące skuteczności przewlekłego stosowania niskich dawek antybiotyków w celu zapobiegania poważnym zakażeniom są podzielone.

## Astma

### Dolegliwości
Typowe są napady kaszlu i duszności. W przeciwieństwie do zapalenia oskrzeli dolegliwości mają charakter napadowy i ustępują pod wpływem leczenia. Napad astmy rozpoczyna się zwykle drażniącym kaszlem, który staje się coraz dokuczliwszy: towarzyszy mu silna duszność. W końcu chory odkrztusza lepki, przeźroczysty śluz. Wzmożony wysiłek oddechowy nie przynosi ulgi, a wręcz przyczynia się do nasilenia napadu, gdyż prowadzi do rozdęcia płuc; stan ten ulega całkowitej normalizacji po ustąpieniu napadu. Typowa jest przede wszystkim trudność w wydychaniu powietrza z płuc, któremu towarzyszy charakterystyczny świszczący odgłos. Przy lżejszych napadach świsty nad płucami słychać jedynie po przystawieniu ucha do klatki piersiowej. Po napadzie wszystkie te objawy ustępują.

### Przyczyny
W astmie oskrzelowej występuje nadwrażliwość błony śluzowej

oskrzeli (prawdopodobnie wrodzona). Pojawienie się astmy u danej osoby w odpowiedzi na czynniki wywołujące ma jednak wiele uwarunkowań (→ Alergia, s. 338). Moment, od którego organizm zaczyna reagować w sposób nadmierny (alergiczny) na szereg bodźców ze środowiska zewnętrznego, zależy ponadto od równowagi psychicznej i wydolności danej osoby (→ Zaburzenia samopoczucia, s. 175).

U około połowy chorych na astmę czynnikiem wywołującym napady są zakażenia dróg oddechowych. Jedynie u około dwudziestu procent astmatyków napady są wyzwalane przez pyłki kwitnących roślin, sierść zwierzęcą, środki chemiczne lub leki, zwłaszcza przeciwbólowe, jak kwas acetylosalicylowy (→ Alergia, s. 338). Jeszcze mniej chorych cierpi na astmę wywołaną wysiłkiem fizycznym. W czasie napadu astmy dochodzi do obrzęku błony śluzowej oskrzeli. Jednocześnie warstwa mięśniowa w ich ścianie ulega obkurczeniu, doprowadzając do zwężenia oskrzeli. Zagęszczony śluz zatyka światło oskrzeli.

### Ryzyko zachorowania wzrasta
— U palaczy tytoniu oraz osób narażonych na zanieczyszczenia atmosferyczne, mgły, środki chemiczne na stanowisku pracy (→ s. 758 do 797).
— W przypadku często nawracających zapaleń oskrzeli.
— Gdy u danej osoby lub członków jej rodziny występuje predyspozycja do zachorowań na choroby alergiczne.
— U dzieci, które zapadają na chorobę najczęściej między piątym a dziesiątym rokiem życia. Niejednokrotnie po osiągnięciu dojrzałości płciowej astma ustępuje.

### Możliwe następstwa i powikłania
Prawidłowo leczona astma nie jest niebezpieczna dla życia,

---

## Co robić w przypadku ciężkiego napadu astmy
— Jeśli to możliwe, posadzić chorego przy stole, przy którym powinien usiąść prosto tak, by mógł podeprzeć się rękami.
— Zadbać o dopływ świeżego powietrza.
— Pomocy należy udzielać w spokojnej atmosferze, gdyż lęk przyczynia się do nasilenia napadu.
— Zapisane przez lekarza leki chory powinien mieć cały czas przy sobie. Po ich zażyciu należy zanotować rodzaj i ilość zastosowanych w czasie napadu środków.
— W czasie ciężkiego napadu potrzebne jest jednoczesne zastosowanie trzech leków: ampułek teofiliny do picia, glikokortykoidów w areozolu i/lub w tabletkach oraz inhalacji środka rozszerzającego oskrzela.
— Jeśli dolegliwości nasilają się lub nie ustępują w ciągu godziny, należy wezwać lekarza prowadzącego leczenie. Jeśli jest on nieobecny, należy odtransportować chorego do najbliższego szpitala. Lekarz może podać dożylnie środek rozszerzający oskrzela. Duszność można usunąć, podając do oddychania powietrze o zwiększonej zawartości tlenu. W przypadkach zagrożenia życia prowadzone jest sztuczne oddychanie.

## Prawidłowy sposób użycia aplikatora do inhalacji

Aplikator trzymać końcówką z ustnikiem skierowaną w dół, kładąc palec wskazujący od góry na przycisk. Przed użyciem wstrząsnąć pojemnikiem.

Zrobić głęboki wydech.

Włożyć końcówkę z ustnikiem do ust i szczelnie objąć wargami. Robiąc głęboki wdech, jednocześnie mocno nacisnąć przycisk.

Utrzymać głęboki wdech przez co najmniej pięć sekund po dokonanej inhalacji.

choć w czasie napadu chory może odczuwać lęk przed jego utratą. W większości przypadków astma nie wywołuje trwałych zmian w płucach. Niemniej jednak u osób w wieku podeszłym lub osłabionych ciężki i nieleczony napad astmatyczny może spowodować ostre niedotlenienie i prowadzić do zejścia śmiertelnego. Przykrą dolegliwością towarzyszącą astmie o wieloletnim przebiegu są nawracające zapalenia oskrzeli. Po dłuższym czasie astma może nie ujawniać się już w postaci napadów, lecz przejść w stadium utrwalone, powodujące w znacznym stopniu upośledzenie wydolności chorego.

Stan zdrowia i samopoczucie osoby cierpiącej na astmę może podlegać gwałtownej zmianie. Powstająca wówczas konieczność modyfikacji leczenia wymaga konsultacji lekarza. Dla chorych uciążliwa jest stała zależność od lekarza, pogotowia i szpitali. Poza tym ograniczenia wynikające z natury choroby stanowią w podobnym stopniu obciążenie dla chorego, jego partnera, jak i całej rodziny.

Zwłaszcza możliwość utraty pracy może w przypadku osoby przewlekle chorej na astmę stanowić zagrożenie wiszące niczym miecz Damoklesa nad całą rodziną. Osoby mające trudności w podołaniu takim obciążeniom mogą znaleźć oparcie i radę w grupach samopomocy chorych lub zasięgnąć porady u zawodowego psychoterapeuty (→ Poradnictwo i psychoterapia, s. 670).

### Zapobieganie

Wystąpieniu astmy nie można zapobiec, można jednak zapobiegać zbytniemu nasileniu dolegliwości i napadom. W przypadku astmy o podłożu alergicznym duże znaczenie ma zatem wykrycie czynnika wywołującego, aby w przyszłości próbować w miarę możliwości unikać wszelkiej styczności z nim. Przy astmie alergicznej można zastosować odczulanie (→ Alergia, s. 338).

### Kiedy do lekarza?

Jeśli tylko podejrzewasz, że chorujesz na astmę. Lekarz może stwierdzić na podstawie ukierunkowanych pytań i osłuchiwania płuc, czy rzeczywiście podejrzenie było słuszne. Wespół z lekarzem możesz następnie podjąć próbę identyfikacji czynnika wyzwalającego napady astmy. Niekiedy do ustalenia rozpoznania potrzebne jest dodatkowo prześwietlenie płuc.

Jeżeli jesteś już leczony z powodu astmy, ponownej konsultacji lekarskiej powinieneś zasięgnąć w przypadku, gdy:
— Twoja wydolność pozostaje ograniczona mimo prowadzonego leczenia.
— Budzisz się w nocy z powodu duszności.
— Trudności w oddychaniu utrzymują się nawet pół godziny po zażyciu leku.
— Chcąc uniknąć dolegliwości, musisz stosować lek częściej niż co cztery godziny.

### Jak sobie pomóc

Leczenie astmy jest możliwe jedynie w ścisłej współpracy chorego z lekarzem.

We własnym zakresie możesz jednak podjąć działania w celu zapobieżenia napadom:
— Zastanów się, w jakich okolicznościach dochodzi do wystąpienia napadu i staraj się ich następnie unikać (→ Alergia, s. 338).
— Zaprzestań palić (→ s. 741).
— Nie przebywaj w pomieszczeniach zanieczyszczonych dymem tytoniowym.
— Unikaj kontaktu z substancjami drażniącymi, takimi jak: intensywne zapachy i opary kuchenne, substancje szkodliwe występujące w powietrzu atmosferycznym i na stanowisku pracy.
— Uprawiaj sport (→ Ruch i sport, s. 748). Bardzo dobre wyniki daje pływanie. Jeśli wysiłek miałby wyzwalać napad, musisz zażyć lek kilka minut przed jego rozpoczęciem.
— Jeśli napady wywołuje zimne powietrze, okrywaj nos i usta szalikiem, wychodząc z domu przy niskiej temperaturze.
— Prowadź trening autogenny (→ s. 666), który czasem może zapobiec napadowi, a najczęściej przynajmniej go złagodzić.

### Leczenie

W leczeniu astmy obowiązuje gradacja postępowania, zróżnicowana dla dorosłych i dzieci, w której rodzaj i dawkowanie leków zależą od ciężkości i częstości napadów. Przewlekłe zapalenie błony śluzowej oskrzeli prowadzi niezwłocznie do nieodwracalnych zmian. Naczelną zasadą leczenia astmy jest maksymalne zahamowanie tego zapalenia lub cofnięcie jego objawów. Do tego celu służy u dorosłych przede wszystkim inhalacja glikokortykoidów. Możliwe jest także stosowanie kromoglikanu sodowego. Środek ten może zapobiec uwalnianiu przez komórki organizmu substancji, które wyzwalają napady astmy. U dzieci zaleca się odwrotną kolejność, gdyż stosowanie inhalacji glikokortykoidów nie zostało dostatecznie zbadane pod względem skutków niepożądanych.

Przy ostrym napadzie astmy należy zastosować inhalację krótko działającego leku rozszerzającego oskrzela. Rozszerza

## Leki stosowane w leczeniu astmy

*Aerozole w pojemnikach dozujących zawierające glikokorty-koidy, stosowane w celu zapobiegawczym*

| | | |
|---|---|---|
| Beclocort | Budezonid | Sanasthmax |
| Becloturmant | Dexamethason | Sanasthmyl |
| Becotide | Dexapolcort | Viarox |
| Bronalide | Pulmicort | |

Najważniejsze działania uboczne: zmniejszona odporność na zakażenia, występujące często wtórnie zakażenia grzybicze (→ Zapalenie drożdżakowe jamy ustnej, s. 357), którym można zapobiegać poprzez dokładne przepłukanie jamy ustnej wodą po wykonaniu inhalacji.

*Skuteczne środki rozszerzające oskrzela stosowane wziewnie w ostrym napadzie*

| | | |
|---|---|---|
| Berotec | Broncho Spray | Salbutamol |
| Bricanyl | Ipratropium bromide | Sultanol |

*Skuteczne środki rozszerzające oskrzela stosowane doustnie*

| | | |
|---|---|---|
| Aerobin | Bronchoretard | Spiropent |
| Aerodyn | Euspirax | Theophyllinum |
| Afonilum | Isophyllen | 300 prolongatum |
| Aminophyllinum | Mundiphyllin | Theospirex |
| Astmopent | PulmiDu | Unifyl |
| Atenos | Salbutamol | |
| Bricanyl-Duriles | Solosin | |

Najważniejsze działania uboczne: w zależności od grupy lekowej: zaburzenia żołądkowo-jelitowe, zaburzenia snu lub drżenie mięśni, niepokój, bicia serca, ból w okolicy serca.

on mięśniówkę oskrzeli i zapobiega obkurczaniu po zadziałaniu jakiegoś bodźca. Dla dzieci dostępne są specjalne urządzenia inhalacyjne (np. „babyhaler"). Każdorazowo po naciśnięciu uwalnia się dokładnie odmierzona ilość substancji aktywnej.

Jeżeli dolegliwości występują wielokrotnie w ciągu dnia, a wydolność dotkniętej osoby jest wyraźnie zmniejszona, muszą być dodatkowo, regularnie pobierane leki rozszerzające oskrzela i/lub należy przejść na inhalację długo działających środków. Przy długo utrzymującej się astmie nie można pominąć przedłużonego pobierania tabletek glikokortykoidów. Środki te mogą powodować poważne skutki uboczne (→ Glikokortykoidy, s. 624).

Istotną pomocą dla chorych na astmę jest „peak-flow-meter". Można nim mierzyć intensywność prądu powietrza, które podczas wydechu jest maksymalnie wytłaczane z płuc. Od wyników prób czynnościowych płuc zależy, które leki należy stosować w domu podczas napadu astmatycznego. Wyniki tych ustaleń należy odnotować w dzienniczku.

*Uwaga*: Niektórych leków chorzy na astmę nie powinni w żadnym przypadku stosować (np. beta-adrenolityków lub kwasu acetylosalicylowego). Nawet gdy czynnikiem wywoławczym napadów astmatycznych są zakażenia, stosowanie antybiotyków ani nie zmniejsza częstości, ani ciężkości napadów.

*Szkolenie pacjentów*

Najlepszym leczeniem astmy jest takie, przy którym pacjent sam potrafi określić swój stan i następnie działa odpowiednio do sytuacji. Można się tego nauczyć w toku kilkutygodniowego szkolenia prowadzonego przez lekarzy. Do tego programu szkoleniowego należą: poznanie przyczyn, przebiegu i skutków choroby, umiejętność pomiaru objętości wydechowej, w różnych stanach zastosowania właściwego leku, autogenny trening. Leczenie astmy lekami może być tylko wówczas skuteczne, gdy chory dokładnie wie, co i dlaczego ma czynić w określonej sytuacji. Dlatego wątpliwości należy tak długo omawiać z lekarzem, aż zostaną wyjaśnione.

Dla opanowania astmy należy prowadzić „dzienniczek". Należy w nim odnotowywać wartości pomiarów „peak-flow" (szczytowy przepływ powietrza) i reakcję dróg oddechowych na leki. W ten sposób można ustalić z prowadzącym lekarzem dzienne wahania objawów chorobowych i skuteczność kombinacji leków, przy najmniejszych skutkach niepożądanych.

*Dodatkowe możliwości leczenia*

Ponieważ w powstaniu napadu, jak i nasileniu jego objawów odgrywa rolę również stan psychiczny pacjenta, należy doradzić poradę u lekarza biegłego w problemach psychosomatycznych.

Trening relaksacyjny (→ s. 665) może pomóc łagodzić lęk nasilający napad. Wiele badań potwierdziło skuteczność jogi w działaniu łagodzącym astmę.

## PŁUCA

Wdychane powietrze dociera poprzez oskrzela do płuc i wypełnia trzysta milionów pęcherzyków płucnych, których łączna powierzchnia równa jest w przybliżeniu powierzchni kortu tenisowego. Przy ich udziale tlen zawarty w powietrzu przenika do krwi, natomiast dwutlenek węgla z odtlenionej krwi przedostaje się do ich wnętrza i jest następnie wydychany. Opisana wymiana gazowa może ulegać zaburzeniu w przebiegu różnych chorób płuc.

### Rozedma płuc

**Dolegliwości**

Rozedma płuc rozwija się powoli, dlatego też objawy ujawniają się z wolna. Narastają one stopniowo w ciągu miesięcy, a nawet lat, co powoduje, że nie spostrzega się ich wystarczająco wcześnie.

Wydolność fizyczna organizmu zmniejsza się. Wcześniej niż dotychczas pojawia się zadyszka przy wysiłku fizycznym. Niekiedy duszność występuje nawet w spoczynku. Oddech staje się świszczący podobnie jak w astmie.

U niektórych chorych pojawia się kaszel podobny jak w przewlekłym zapaleniu oskrzeli — występuje po przebudzeniu i połączony jest z odkrztuszaniem białożółtego śluzu.

Na ogół rozpoznanie rozedmy następuje dopiero wtedy, gdy choroba zdążyła już osłabić czynność serca, co wyraża się występowaniem obrzęków kończyn dolnych.

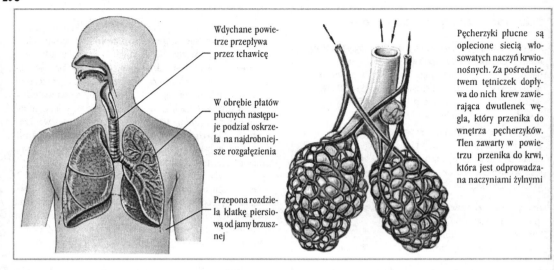

Wdychane powietrze przepływa przez tchawicę

W obrębie płatów płucnych następuje podział oskrzela na najdrobniejsze rozgałęzienia

Przepona rozdziela klatkę piersiową od jamy brzusznej

Pęcherzyki płucne są oplecione siecią włosowatych naczyń krwionośnych. Za pośrednictwem tętniczek dopływa do nich krew zawierająca dwutlenek węgla, który przenika do wnętrza pęcherzyków. Tlen zawarty w powietrzu przenika do krwi, która jest odprowadzana naczyniami żylnymi

## Przyczyny

Rozedma płuc jest zwykle następstwem przewlekłego zapalenia oskrzeli. Stanowi permanentnego podrażnienia oskrzeli w chorobie tej towarzyszy obrzęk ich błony śluzowej; wywierane na pęcherzyki płucne ciśnienie niszczy wiele z nich. Zmniejszenie liczby pęcherzyków powoduje zwiększenie rozmiarów pozostałych. To sprawia, że zmniejsza się powierzchnia dostępna dla procesu wymiany gazowej. Po pewnym czasie płuca stają się coraz bardziej sztywne, a serce zmuszone jest do pokonywania coraz większego wysiłku przy przepompowywaniu przez nie krwi. Wszystkie czynniki sprzyjające wystąpieniu przewlekłego zapalenia oskrzeli (→ s. 292) mogą więc w dalszym przebiegu prowadzić do powstania rozedmy płuc. Natomiast rzadko przyczyną rozedmy płuc jest astma.

## Ryzyko zachorowania

Jest znacznie zwiększone u osób chorujących na przewlekłe zapalenie oskrzeli. Powietrze skażone substancjami szkodliwymi nie tylko przyczynia się do samego powstania rozedmy, lecz także wpływa na jej postęp.

## Możliwe następstwa i powikłania

Z powodu zmniejszenia liczby pęcherzyków płucnych do organizmu dociera niewystarczająca ilość tlenu, w związku z tym chorzy odczuwają stałą duszność objawiającą się występowaniem zadyszki. Zmniejszająca się podatność płuc powoduje przeciążenie serca. Zaawansowana rozedma może zakończyć się śmiercią, gdy wystąpi ostra niewydolność serca.

## Zapobieganie

Wszystkie przedsięwzięcia zapobiegawcze, mające chronić przed wystąpieniem przewlekłego zapalenia oskrzeli, dotyczą w takim samym stopniu profilaktyki rozedmy płuc (→ s. 295).

## Kiedy do lekarza?

— W przypadku nasilenia się dolegliwości w przebiegu przewlekłego zapalenia oskrzeli. Jeśli zauważysz, że twoja wydolność fizyczna zmniejszyła się i łatwo dostajesz zadyszki.

— Osoby z już rozpoznaną rozedmą płuc powinny zwracać się o pomoc do lekarza w przypadku każdego przeziębienia, podejrzenia zakażenia oskrzeli i przy nagłym pogorszeniu się stanu zdrowia.

## Jak sobie pomóc

Na pierwszym planie jest prowadzenie jak najbardziej oszczędnego trybu życia.

— Niezwłocznie należy rzucić palenie tytoniu.

— Unikaj przebywania w pomieszczeniach zanieczyszczonych dymem tytoniowym.

— Jeśli pracujesz na stanowisku pracy, na którym jesteś narażony na substancje szkodliwe, powinieneś podjąć próbę przeniesienia do innej pracy.

— Unikaj styczności z osobami przeziębionymi, gdyż banalne przeziębienie, nieobciążające zdrowego organizmu, może być niebezpieczne dla życia osoby chorej na rozedmę płuc.

— Unikaj nadmiernego wysiłku fizycznego. Zalecane jest jednak systematyczne uprawianie mało obciążających zajęć sportowych na świeżym powietrzu.

## Leczenie

Rozedmowych zmian w płucach nie da się cofnąć, można jednak dążyć do zmniejszenia dolegliwości i zahamowania postępu choroby. Każde zakażenie w obrębie oskrzeli lub płuc wymaga leczenia, często przy użyciu antybiotyków. W wielu przypadkach pomocne są leki upłynniające śluz w oskrzelach (→ Przewlekłe zapalenie oskrzeli, s. 292). W razie pojawienia się świszczącego oddechu mogą być przydatne leki rozszerzające oskrzela, stosowane w astmie (→ Astma, s. 293).

U osób cierpiących na zaawansowaną rozedmę w przypadku wystąpienia zakażenia często zachodzi potrzeba okresowego oddychania powietrzem o zwiększonej zawartości tlenu. Ponadto w leczeniu mogą dodatkowo być zastosowane leki poprawiające pracę serca (→ Niewydolność serca, s. 318) i środki moczopędne (→ Wysokie ciśnienie krwi, s. 304).

## Zapalenie płuc

### Dolegliwości

Objawy różnią się w zależności od czynnika chorobotwórczego wywołującego zapalenie płuc.

Często występują: wysoka gorączka z dreszczami, uczucie rozbicia, bóle głowy i kończyn. Kaszel jest zwykle suchy i bolesny. W odkrztuszanej wydzielinie mogą być widoczne ślady krwi. W ciężkim zapaleniu płuc oddech staje się przyspieszony. Chorzy odczuwają wówczas duszność i znajdują się w ogólnie ciężkim stanie. Oznaką niedotlenienia jest wystąpienie sinego zabarwienia warg i paznokci.

### Przyczyny

Zapalenie płuc mogą wywoływać różnego rodzaju bakterie i wirusy, a ponadto grzyby, drażniące środki chemiczne (np. benzyna) lub ciała obce dostające się do płuc (np. kęsy pokarmowe). Zapalenie rozwija się w najbardziej delikatnych częściach tkanki płucnej. Choroba może zajmować całe płuco lub tylko część płata płucnego.

### Ryzyko zachorowania wzrasta

— U dzieci poniżej drugiego lub trzeciego roku życia.
— U dzieci narażonych na stały kontakt z dymem tytoniowym.
— U osób w wieku podeszłym.
— U palaczy tytoniu.
— U osób ze znacznym osłabieniem układu odpornościowego.

### Możliwe następstwa i powikłania

W przypadku osoby o ogólnie wydolnym organizmie leczonej antybiotykami zapalenie płuc ustępuje zwykle w ciągu dwóch do trzech tygodni, nie pozostawiając niekorzystnych następstw. Mimo to ozdrowieńcy odczuwają osłabienie jeszcze przez następnych kilka tygodni. U osób w wieku podeszłym lub bardzo osłabionych oraz chorych na inną bardzo poważną chorobę zapalenie płuc mogą wywoływać odmiany zarazków wykazujące dużą odporność na stosowane leczenie. Wówczas zapalenie płuc może być chorobą zagrażającą życiu.

*Wysięk w opłucnej, ropień płuca*

Niekiedy odczyn zapalny może rozprzestrzeniać się z tkanki płucnej dalej na opłucną, która jest cienką błoną pokrywającą zewnętrzną powierzchnię płuc i wewnętrzną powierzchnię klatki piersiowej. W takiej sytuacji może dojść do nagromadzenia się w opłucnej płynu, który przez ucisk na płuco dodatkowo utrudnia oddychanie. Aby oddychanie ułatwić lub aby ustalić czynnik chorobotwórczy, lekarz pobiera czasem wspomniany płyn do badania.

Jeżeli zapalenie płuc zostało wywołane przez ciało obce, na przykład kęs pokarmowy, które przedostało się do dróg oddechowych, lub też przez określone rodzaje bakterii, może dojść do otorbienia się miejsc, w których wystąpiło zapalenie ropne. Takie zmiany określa się mianem ropni płuc.

### Zapobieganie

Nie istnieją środki zapobiegawcze o uniwersalnym działaniu profilaktycznym.

### Kiedy do lekarza?

— Gdy kaszel i wysoka gorączka trwają dłużej niż dwa dni.
— Gdy występuje ból przy oddychaniu lub kaszlu.
— Jeśli w wykrztuszanej wydzielinie znajdują się brunatne ślady (zmieniona krew).
*Natychmiastowa* pomoc lekarska potrzebna jest, gdy:
— W spoczynku występuje przyspieszenie oddychania lub duszność.

W wielu przypadkach lekarz stawia rozpoznanie po osłuchaniu i opukaniu płuc. Niekiedy zaleca dodatkowo wykonanie zdjęcia rentgenowskiego (→ Prześwietlenie, s. 608). Badanie wykrztuszanej plwociny i krwi ma na celu ustalenie rodzaju czynnika chorobotwórczego, który wywołał zapalenie płuc.

### Jak sobie pomóc

Samemu nie można.

### Leczenie

Zapalenie płuc prawie zawsze leczone jest antybiotykami (→ Leki przeciw zakażeniom, s. 621). Antybiotyki nie są skuteczne w przypadku zapalenia płuc wywołanego przez wirusy, mogą jednak zapobiegać wystąpieniu dodatkowego zakażenia bakteryjnego.

Rozległe zapalenie płuc wymaga leczenia szpitalnego. Wówczas może zajść potrzeba dożylnego podawania leków (np. w postaci kroplówek), a niekiedy umożliwienie choremu oddychania powietrzem o zwiększonej zawartości tlenu.

## Gruźlica

Gruźlica rozpoczyna się najczęściej w płucach i — jeśli nie jest leczona — rozprzestrzenia się w kolejnych rzutach na inne narządy. U podłoża choroby leży reakcja organizmu na zakażenie; w zajętych narządach tworzą się ogniska zapalne niszczące tkankę, mogące w późniejszym okresie ulegać otorbieniu.

### Dolegliwości

Początkowo odczuwane są dolegliwości nienasuwające podejrzenia, że mogą być wywołane przez gruźlicę: niewysoka gorączka, złe samopoczucie i spadek wagi. Do typowych objawów gruźlicy należy kaszel z odpluwaniem żółtawozielonkawej flegmy, odkrztuszanie krwi (zwłaszcza rano), bóle w klatce piersiowej i skoki gorączki. Do czasu rozwinięcia się opisanych objawów mogą upłynąć dwa lata.

### Przyczyny

Chorobę wywołują bakterie (prątki) gruźlicy. Źródłem zakażenia są chorzy na gruźlicę wydalający prątki wraz z drobniutkimi kropelkami plwociny zawieszonymi w powietrzu. Prątki gruźlicy wykazują dużą odporność i mogą przez wiele dni przeżywać w stanie wysuszonym w zamkniętych pomieszczeniach. Źródłem zakażenia może być również niepasteryzowane mleko pochodzące od krów zarażonych gruźlicą.

U osób młodocianych i dorosłych, których siły odpornościowe są w pełni sprawne, zakażenie prątkami gruźlicy nie oznacza jeszcze zachorowania na gruźlicę, gdyż ich organizm wytwarza substancje odpornościowe niedopuszczające do rozwinięcia się choroby.

## Skuteczne leki przeciwgruźlicze

*Uwaga*: Powodzenie leczenia zależy od tego, czy leki są stosowane przez wystarczająco długi okres i w zaleconych ilościach. W żadnym wypadku nie przerywaj na własną rękę leczenia tylko z tego powodu, że poczułeś się lepiej i nie odczuwasz już objawów choroby.

*Leki*

| | | |
|---|---|---|
| INH-Eggochemia | Isozid | Tebesium |
| Isoniaziduid | Neo Tizide | |

Najważniejsze działania uboczne: zawroty głowy, zaburzenia żołądkowo-jelitowe, uszkodzenie wątroby, zmiany w obrazie krwi, uszkodzenie układu nerwowego.

| | | |
|---|---|---|
| Rifa | Rifoldin | Rimactan |
| Rifampicin | | |

Najważniejsze działania uboczne: uszkodzenie wątroby, zaburzenia żołądkowo-jelitowe, zawroty i bóle głowy, niepewne działanie zabezpieczające pigułki antykoncepcyjnej.

| | | |
|---|---|---|
| Etambutol | Etibi | Myambutol |

Najważniejsze działania uboczne: rzadko zaburzenia widzenia, zaparcie, bardzo rzadko dna moczanowa.

### Ryzyko zachorowania wzrasta
— Jest tym większe, im gorszy jest stan odżywienia danej osoby oraz w im większym zagęszczeniu zmuszona jest ona mieszkać.
— Gdy dochodzi do kontaktu z osobami, które aktualnie chorują lub przebyły gruźlicę i nie były leczone.
— U osób z osłabioną odpornością organizmu na zakażenie.

### Możliwe następstwa i powikłania
W wyniku podjętych przedsięwzięć higienicznych i społeczno-politycznych, począwszy od przełomu dziewiętnastego i dwudziestego wieku, nastąpiło w Europie Zachodniej znaczne zmniejszenie się rozprzestrzenienia gruźlicy. W tej części świata ryzyko zachorowania na gruźlicę jest więc małe.

Niedostatecznie wczesne rozpoznanie gruźlicy zwiększa ryzyko zajęcia przez chorobę innych narządów.

### Zapobieganie
Na temat szczepień przeciw gruźlicy → s. 629.

Zapobiegawcze leczenie lekami przeciwgruźliczymi ma uzasadnienie, o ile spełnione są trzy warunki: występuje duże ryzyko zachorowania, odporność organizmu jest obniżona oraz duże jest prawdopodobieństwo styczności z prątkami gruźlicy (np. w przypadku podróży do innych krajów).

Na podstawie odczynu tuberkulinowego lekarz może stwierdzić, czy organizm danej osoby wytworzył już odporność przeciw prątkom gruźlicy.

### Kiedy do lekarza?
— Jeśli podejrzewasz, że zetknąłeś się z nieleczonym chorym na gruźlicę lub przewidujesz możliwość takiego kontaktu. Uwaga ta dotyczy przede wszystkim osób, których układ odpornościowy został osłabiony w przebiegu innej choroby lub w trakcie jej leczenia.

— W przypadku spadku wagi, uczucia rozbicia i kaszlu z odpluwaniem żółtozielonkawej flegmy. Rozpoznanie gruźlicy lekarz stawia na podstawie wykonanego zdjęcia rentgenowskiego płuc i badania plwociny.

### Jak sobie pomóc
Samemu nie można.

### Leczenie
Leczenie gruźlicy musi być prowadzone za pomocą specjalnych leków przeciwgruźliczych. W zależności od stopnia zaawansowania choroby zachodzi potrzeba jednoczesnego stosowania dwóch do czterech leków, leczenie zaś może trwać parę miesięcy, a nawet lat.

W leczeniu gruźlicy stosuje się zawsze kilka leków jednocześnie, co ma na celu zmniejszenie prawdopodobieństwa wystąpienia oporności bakterii na pojedynczy lek i w konsekwencji utraty jego skuteczności.

Zakaźność gruźlicy ustępuje dwa tygodnie po rozpoczęciu leczenia. W przeszłości chorzy na gruźlicę musieli podlegać ścisłej izolacji w szpitalach, natomiast współcześnie okres hospitalizacji jest ograniczony jedynie do początku leczenia gruźlicy.

Przy każdym zachorowaniu na gruźlicę niezbędne jest dokładne zbadanie środowiska domowego (rodzina, osoby wspólnie mieszkające).

## Zator tętnicy płucnej, zawał płuca

### Dolegliwości
Nagłe wystąpienie duszności i przyspieszenie oddychania połączone z uczuciem dużego lęku. Niekiedy dołącza się tępy ból za mostkiem, czasem kaszel lub gorączka.

Opisane dolegliwości nie są jednak typowe tylko dla zatoru tętnicy płucnej i mogą wystąpić również w wielu innych schorzeniach.

### Przyczyny
Przyczyną choroby są zakrzepy tworzące się w żyłach dolnej połowy ciała. Zakrzep pojedynczy lub mnogie fragmenty mogą zostać przeniesione z prądem krwi do płuc, gdzie częściowo lub całkowicie zaczopują pojedyncze lub jednocześnie kilka naczyń płucnych. Bardzo rzadko dochodzi do rozwoju zawału płuca — w takim przypadku odcięciu ulega dopływ krwi do wydzielonego obszaru płuca, co powoduje powstanie martwicy w tym miejscu.

### Ryzyko zachorowania wzrasta
— We wszystkich schorzeniach i okolicznościach sprzyjających powstawaniu zakrzepów w żyłach, takich jak: długotrwałe unieruchomienie w łóżku, zapalenie żył (→ s. 312), niektóre choroby nowotworowe.
— W przebiegu ciąży oraz u kobiet stosujących doustne środki antykoncepcyjne („pigułkę").
— U osób z nadwagą.
— U osób cierpiących na przewlekłe choroby serca lub płuc.
— U osób pozostawionych bez leczenia, u których już uprzednio wystąpił zator tętnicy płucnej.

## Możliwe następstwa i powikłania

Następstwa zatoru zależą od liczby i średnicy zatkanych naczyń płucnych. Przerwanie dopływu krwi do większego obszaru płuc może wywołać niedotlenienie. Zwiększa się też praca, którą musi wykonać serce, przepompowując krew poprzez płuca, co przy równoczesnym niedotlenieniu może być przyczyną wystąpienia ciężkiej niewydolności serca.

Zator tętnicy płucnej może być niebezpieczny dla życia u osób obciążonych poważną chorobą serca lub przewlekłą chorobą płuc; u pozostałych osób może ustąpić, nie pozostawiając żadnych następstw.

## Zapobieganie

W celu zapobieżenia tworzeniu się zakrzepów chorym po operacjach zaleca się możliwie wczesne uruchomienie i nakłania do przejścia chociażby kilku kroków. Osobom, u których ryzyko wystąpienia zakrzepów jest szczególnie duże, a dłużej unieruchomionym w łóżku, podaje się w celu zapobiegawczym lek zmniejszający krzepnięcie krwi, na przykład heparynę. Środek ten stosuje się w postaci zastrzyków, zwykle dwa do trzech razy dziennie.

## Kiedy do lekarza?

Zator tętnicy płucnej bezwzględnie wymaga leczenia szpitalnego. Ustalenie rozpoznania wymaga przeprowadzenia licznych badań: badania krwi, EKG, zdjęcia rentgenowskiego i scyntygrafii płuc (→ Metody badania, s. 598).

## Jak sobie pomóc

Samemu nie można.

## Leczenie

Skrzeplinę udaje się na ogół rozpuścić za pomocą leków (jest to tak zwane leczenie fibrynolityczne). W rzadkich przypadkach potrzebne jest postępowanie operacyjne.

Niezbędne w leczeniu zatoru tętnicy płucnej mogą okazać się dodatkowo leki usprawniające pracę serca i krążenie, leki przeciwbólowe oraz na ogół oddychanie powietrzem o zwiększonej zawartości tlenu.

Leczenie uzupełniające obejmuje zapobieganie tworzeniu się nowych zakrzepów (→ Zapalenie żył, s. 312).

## Obrzęk płuc

### Dolegliwości

Duże trudności odczuwane przy oddychaniu wraz z przyspieszeniem oddechu, silna duszność, aż do uczucia duszenia się włącznie. Często ponadto bladość i silne poty. W wyniku niedotlenienia może wystąpić sine zabarwienie warg i paznokci.

### Przyczyny

W przebiegu obrzęku płuc płyn ze światła naczyń krwionośnych przedostaje się do pęcherzyków płucnych i ich otoczenia. W zaistniałej sytuacji bardzo utrudnione lub wręcz uniemożliwione jest przenikanie tlenu z wdychanego powietrza do krwi.

Przyczyny obrzęku płuc najczęściej należy szukać nie w samych płucach, lecz w sercu, które może być zbyt osłabione, by mogło przepompowywać krew zalegającą w płucach do naczyń

obwodowych (→ Niewydolność serca, s. 318). Obrzęk płuc może być wywołany także przez wdychanie trujących gazów, takich jak na przykład fluor lub chlor.

### Ryzyko zachorowania

Jest zwiększone u osób z zaawansowaną lub nieleczoną lewokomorową niewydolnością serca (→ Niewydolność serca, s. 318).

### Możliwe następstwa i powikłania

Obrzęk płuc zawsze powoduje niedotlenienie, które należy jak najszybciej usunąć. W przypadku zbyt późnego rozpoznania i leczenia obrzęku płuc może się on zakończyć śmiercią. Jeśli usunięta zostaje przyczyna wywołująca, obrzęk płuc szybko ustępuje, nie pozostawiając trwałego uszkodzenia płuc.

### Zapobieganie

Polega na poprawnym leczeniu niewydolności serca (→ s. 318).

### Kiedy do lekarza?

Obrzęk płuc wymaga jak najszybszego podjęcia leczenia w warunkach szpitalnych. Celem zmniejszenia duszności chory powinien być przewożony do szpitala przy zachowaniu w miarę możliwości pionowej pozycji górnej połowy ciała.

### Jak sobie pomóc

Samemu nie można.

### Leczenie

Obrzęk płuc poddaje się na ogół leczeniu obejmującemu oddychanie powietrzem o zwiększonej zawartości tlenu i zastosowanie leków poprawiających pracę serca oraz moczopędnych.

Niekiedy lekarz musi szybko zmniejszyć objętość krwi, którą serce mogłoby wtłoczyć do płuc. W tym celu wykonuje upust kilkuset mililitrów krwi lub zakłada i nadmuchuje mankiety od aparatów do mierzenia ciśnienia krwi na nogi i ramiona.

## Odma opłucnowa

### Dolegliwości

Mają różne nasilenie w zależności od wielkości odmy — od niewielkiego zmniejszenia wydolności fizycznej i złego samopoczucia aż do ciężkiej duszności połączonej z niewydolnością krążenia. Często odczuwane są kłujące bóle w klatce piersiowej, w okolicy ramion lub w nadbrzuszu, niekiedy występuje kaszel bez odkrztuszania wydzieliny.

### Przyczyny

Przyczyną jest wydostanie się powietrza z pęcherzyków płucnych i nagromadzenie w przestrzeni między blaszkami opłucnej, która jest cienką błoną wyścielającą zewnętrzną powierzchnię płuc i wewnętrzną powierzchnię klatki piersiowej. W zaistniałej sytuacji uniemożliwione jest napełnianie się płuca powietrzem w czasie wdechu.

W szczególnej postaci odmy — odmie wentylowej — ilość powietrza uwięzionego w opłucnej wzrasta przy każdym oddechu, uniemożliwiając w końcu całkowicie rozprężanie się płuca przy wdechu.

Przyczyną przedziurawienia opłucnej może być rana zadana z zewnątrz. Przebicie opłucnej może wystąpić także w przebiegu rozedmy (→ s. 295), mukowiscydozy (→ s. 562) oraz ropnia lub gruźlicy (→ s. 297).

### Ryzyko zachorowania
Jest znacznie zwiększone u osób chorujących na mukowiscydozę lub rozedmę płuc.

### Możliwe następstwa i powikłania
Mała odma może ustąpić samoistnie w ciągu kilku tygodni. Leczenie szpitalne jest konieczne, gdy odmie towarzyszy duszność lub gdy doszło do wytworzenia się odmy wentylowej.

Możliwość ponownego powstania odmy po zakończeniu leczenia zależy od wywołującej ją przyczyny.

### Zapobieganie
Jeśli przyczyną uporczywie nawracającej odmy są duże pęcherze rozedmowe, celowe może się okazać ich operacyjne usunięcie.

### Kiedy do lekarza?
Jeśli podejrzewasz wystąpienie odmy.

### Jak sobie pomóc
Samemu nie można.

### Leczenie
Jeżeli odma wymaga leczenia, polega ono na wprowadzeniu drenu do opłucnej, poprzez który przez kilka dni dokonuje się odsysania powietrza. Decyzja, czy potrzebna jest dodatkowo operacja w celu zamknięcia przedziurawienia w opłucnej, zależy od przyczyny, która je wywołała.

## Rak płuc, rak oskrzela

(→ Nowotwory złośliwe, s. 437)

### Dolegliwości
Objawy są na ogół zbliżone do występujących w przewlekłym zapaleniu oskrzeli: kaszel z odpluwaniem żółtobiałej flegmy, duszność odczuwana przy wysiłkach fizycznych lub świszczący oddech. Niekiedy pojawia się dodatkowo kłujący ból przy wdechu lub stały ból w klatce piersiowej.

Jeśli opisane objawy pozostają zlekceważone, komórki raka mogą osiedlić się także w innych narządach, takich jak na przykład skóra, kości, wątroba lub mózg.

### Przyczyny
Wśród chorych na raka płuc dziewięćdziesiąt procent to palacze tytoniu. Powstaniu raka sprzyja przypuszczalnie przewlekłe zapalenie oskrzeli i towarzyszące mu zmiany komórkowe w oskrzelach, występujące u palaczy tytoniu. Jednak żeby rak się rozwinął, także u palaczy niezbędne jest genetyczne uwarunkowanie skłonności. Na drugim miejscu co do przyczyny raka płuc jest narażenie na radon w mieszkaniach (→ Trucizny w mieszkaniu, s. 758). Do tego dochodzi wiele innych substancji szkodliwych w powietrzu (→ Zanieczyszczenia powietrza, s. 779, → Substancje toksyczne w środowisku pracy, s. 787).

### Ryzyko zachorowania
Ryzyko zachorowania na raka płuc zwiększa się z każdym wypalonym papierosem i zależy także od wieku, w którym rozpoczął się nałóg palenia. Prawdopodobieństwo zachorowania na raka płuc jest pięciokrotnie większe u osób, które zaczęły systematycznie palić w piętnastym roku życia, w porównaniu do palaczy, którzy wpadli w ten nałóg dopiero w dwudziestym piątym roku życia. Palenie do dziesięciu sztuk papierosów dziennie zwiększa ryzyko zachorowania pięciokrotnie, natomiast w przypadku palenia trzydziestu pięciu papierosów dziennie staje się czterdziestokrotnie większe.

Badania wykazały, że u kobiet niepalących zamieszkujących z palącym partnerem ryzyko zachorowania na raka płuc jest o jedną trzecią wyższe niż u kobiet, których partner nie pali tytoniu.

U palaczy cygar i fajek ryzyko zachorowania na raka płuc jest „tylko" dwu- do czterokrotnie większe niż u osób niepalących.

### Możliwe następstwa i powikłania
Leczenie operacyjne, napromienianie i chemioterapia mogą przynieść wyleczenie zaledwie u mniej niż co dziesiątego chorego na raka płuc — pod warunkiem wczesnego rozpoznania choroby.

### Zapobieganie
Niepalenie lub zaprzestanie palenia tytoniu. Po piętnastu latach niepalenia ryzyko zachorowania na raka płuc u byłych palaczy tytoniu zrównuje się z występującym u osób, które nigdy nie paliły.

### Kiedy do lekarza?
Natychmiast z chwilą pojawienia się typowych objawów.

### Jak sobie pomóc
Samemu nie można.

### Leczenie
W przypadku dostatecznie wczesnego rozpoznania możliwe jest operacyjne usunięcie zajętego płata lub całego płuca. Zabieg taki nie oznacza jeszcze wyleczenia i musi być następnie uzupełniony napromienianiem lub niekiedy także chemioterapią.

Leczenie napromienianiem i chemioterapią stosuje się także wtedy, gdy niemożliwe jest przeprowadzenie operacji. Oba wymienione sposoby leczenia, w szczególności jednak chemioterapia, obciążone są licznymi poważnymi i uciążliwymi działaniami ubocznymi. O wyborze metody leczenia decyduje lekarz, biorąc pod uwagę stopień zaawansowania choroby.

### Lektura uzupełniająca

INLANDER C.B., MORAN C.: *77 sposobów walki z zaziębieniami i grypą*. Ofic. Wydaw. SPAR, Warszawa 1995.
RIDGWAY R.: *Astma*. Zysk i S-ka Wyd., Poznań 1996.
ROSŁAWSKI A.: *Lecznicze ćwiczenia oddechowe w chorobach płuc*. Wydaw. „Medycyna Praktyczna", Kraków 1994.
ŻOŁNOWSKI Z.: *Kaszel. Lekarz radzi*. „Omega-Praksis", Łódź 1994.

# SERCE I KRĄŻENIE

Pompuje i pompuje, i pompuje... serce bije niezmordowanie, od urodzenia aż do śmierci, sto tysięcy razy na dzień, dwa i pół miliarda razy w okresie życia trwającego siedemdziesiąt lat. Kiedy człowiek pracuje, kiedy śpi, jego serce dostosowuje się automatycznie do zróżnicowanych obciążeń, zaopatrując cały organizm w krew. Jest ona przez serce wtłaczana do tętnic albo do płuc, albo do innych części organizmu. Tętnice stopniowo rozgałęziają się, stają się coraz węższe, przekształcają się w tętniczki, nadal się rozgałęziają aż do bardzo małych naczyń krwionośnych, określanych jako naczynia włosowate lub włośniczki. Przez te włośniczki tkanki są zaopatrywane w tlen i substancje odżywcze. Po drodze, przez naczynia włosowate, krew przejmuje odpady przemiany materii. Powstały podczas przemiany materii dwutlenek węgla zabarwia krew na ciemno. Przez żyły „zużyta" krew wraca do serca, skąd jest przepompowywana do płuc. W płucach zaopatrywana jest w tlen i przez serce ponownie wtłaczana do krążenia.

## Serce

Wewnątrz serce jest przedzielone przegrodą na połowę. Każda z tych części składa się z przedsionka i komory, które są z sobą połączone zastawką podobną do wentyla. Prawy przedsionek i prawa komora są przeznaczone dla krwi „zużytej", ubogiej w tlen, lewy przedsionek i lewa komora dla krwi bogatej w tlen, napływającej z płuc. Aby zapewnić jednokierunkowy przepływ krwi, niezbędne są cztery zastawki serca: dwie kształtem podobne do rozpiętych żagli, oddzielają oba przedsionki od komór,

— Serce pompuje krew do krążenia

— W płucach krew oddaje dwutlenek węgla i przyjmuje tlen

— Nerki filtrują krew

— Włośniczki zaopatrują tkanki wszystkich narządów w krew

— Wątroba jako „fabryka przemiany materii" odtruwa krew

a dwie tzw. półksiężycowate, kształtem odpowiadające kieszeniom, znajdują się pomiędzy komorami a tętnicami odprowadzającymi.

Przebieg ruchów pompy jest sterowany bodźcami elektrycznymi, przewodzonymi przez układ bodźco-przewodzący. Wychodząc z węzła zatokowego w prawym przedsionku, bodźce rytmu serca są przewodzone poprzez dalsze węzły i włókna do mięśnia sercowego.

Ruchy pompy odbywają się według następującego schematu:

1. Przedsionki wypełniają się krwią: krew bogata w dwutlenek węgla spływa z obwodu organizmu do prawego przedsionka, krew bogata w tlen z płuc do lewego przedsionka.

2. Przedsionki kurczą się, zastawki żaglowate otwierają się i krew jest przetłaczana do komór.

3. Z chwilą gdy komory serca są napełnione, zastawki żaglowate zamykają się, a otwierają się zastawki półksiężycowate aorty i tętnicy płucnej: krew bogata w dwutlenek węgla jest przepompowana z prawej komory do płuc, krew bogata w tlen z lewej komory do krążenia krwi w organizmie. Ponieważ lewa komora wykonuje największą pracę, jej mięsień jest najsilniej rozwinięty. Serce nie jest odżywiane bezpośrednio przez krew przepływającą przez przedsionki i komory, lecz korzysta z własnego układu naczyń, określanego jako naczynia wieńcowe serca. Ściana wewnętrzna mięśnia sercowego jest wysłana cienką warstwą, wsierdziem. Strona zewnętrzna mięśnia sercowego jest otoczona dwuściennym workiem, tzw. workiem osierdziowym. Wewnętrzna ściana tego worka jest ściśle zrośnięta z mięśniem sercowym (nasierdzie), ścianę zewnętrzną osierdzia stanowi blaszka ścienna zwana także osierdziem włóknistym. Za pomocą osierdzia włóknistego mięsień sercowy jest ruchomo przymocowany do klatki piersiowej, kręgosłupa, dużych naczyń i przełyku. Pomiędzy obiema ścianami worka osierdziowego znajduje się mała ilość płynu.

## Krążenie

Całkowita długość wszystkich naczyń krwionośnych u przeciętnie wysokiego człowieka wynosi około stu tysięcy kilometrów. Krew krąży w nich w dwóch oddzielnych krążeniach, mianowicie w krążeniu płucnym i krążeniu systemowym (krążenie małe i duże). W krążeniu płucnym żylna „zużyta" krew jest pompowana z serca do płuc, tam oddaje dwutlenek węgla i przejmuje tlen. Następnie krew ta jest pompowana z powrotem do serca i przez krążenie duże jest rozdzielana do całego organizmu.

Odchodzące od serca naczynia krwionośne (tętnice) muszą przy każdym skurczu serca wytrzymać duże ciśnienie. Dlatego też ich warstwa mięśniowa jest silniejsza od ścian naczyń żylnych. Żyły są też mniej elastyczne niż tętnice. Przy każdym

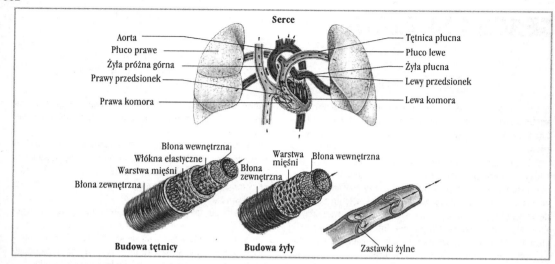

Serce

Aorta
Płuco prawe
Żyła próżna górna
Prawy przedsionek
Prawa komora

Tętnica płucna
Płuco lewe
Żyła płucna
Lewy przedsionek
Lewa komora

Błona wewnętrzna
Włókna elastyczne
Warstwa mięśni
Błona zewnętrzna

Błona zewnętrzna

Warstwa mięśni
Błona wewnętrzna

**Budowa tętnicy**

**Budowa żyły**

Zastawki żylne

ruchu kończyn górnych i dolnych kurczące się mięśnie wywierają ucisk na żyły, wyciskając z nich krew, która dzięki wbudowanym w nie zastawkom żylnym płynie z powrotem do serca.

Ten złożony układ sercowo-naczyniowy (układ krążenia), bez przerwy pracujący, staje się wraz z wiekiem, co zrozumiałe, coraz bardziej podatny na zaburzenia. Ponieważ średni czas przeżycia w krajach przemysłowych w minionych latach stale wzrastał, zwiększyła się też liczba cierpiących na choroby serca i naczyń. W Polsce w ostatnim dwudziestoleciu umieralność spowodowana chorobami układu krążenia stale wzrasta i osiągnęła w 1994 roku aż 51,1% wszystkich zgonów.

### Czynniki ryzyka

Medycyna wyszczególnia wiele przyczyn chorób serca i naczyń, określając je jako czynniki ryzyka. Do najważniejszych należą: podwyższone ciśnienie krwi, wysoki poziom tłuszczów we krwi, palenie tytoniu, cukrzyca, nadwaga. Mężczyźni zapadają częściej niż kobiety na choroby serca. Do innych czynników ryzyka należą: brak ruchu, zaawansowany wiek, uwarunkowania genetyczne (częste występowanie miażdżycy u krewnych w młodszym przedziale wieku). Im więcej czynników ryzyka występuje u danego człowieka, tym większe prawdopodobieństwo zachorowania na chorobę serca lub naczyń.

### Choroba wieńcowa serca

Najczęstszą chorobą serca jest choroba wieńcowa serca, określana przez lekarzy także jako choroba niedokrwienna serca. Pojęcie to obejmuje różne choroby serca, spośród których wszystkie są skutkiem zwężenia naczyń wieńcowych serca (→ Miażdżyca tętnic, poniżej):
— dusznica bolesna (→ s. 315),
— zawał serca (→ s. 316),
— niewydolność serca (→ s. 318).

Ryzyko zachorowania na chorobę wieńcową zwiększa się:
— na skutek palenia tytoniu (→ s. 740),
— u osób z wysokim ciśnieniem krwi (→ s. 304),

— u chorych na cukrzycę (→ s. 449),
— u osób z nieprawidłowym składem bądź z wysokim poziomem tłuszczów we krwi (→ s. 303),
— u osób chorych na dnę moczanową (→ s. 422).

Poza tym przypuszcza się, że osoby z nadwagą oraz te, które mają odczucie, że są stale przeciążone warunkami życia i pracy zawodowej, są ponadprzeciętnie narażone na zachorowanie na jedną z postaci choroby wieńcowej serca (→ Zdrowie i dobre samopoczucie, s. 173).

### Miażdżyca tętnic

#### Dolegliwości

Miażdżyca jest właściwie naturalnym procesem starzenia się, który w wielu przypadkach nie powoduje żadnych dolegliwości. Miażdżyca staje się zauważalna dopiero przez jej skutki narządowe.

#### Przyczyny

Zdrowe tętnice są elastyczne i umięśnione, dostosowują się do zróżnicowanych wielkości ciśnienia, rozszerzają się bądź zwężają. Przy zbyt wysokim ciśnieniu krwi, wysokim poziomie cholesterolu we krwi i uszkodzonych ścianach tętnic mogą się odkładać tłuszczowce (lipidy) w ścianie wewnętrznej tętnic. Przez powiększanie się tych nawarstwień powstają w tętnicach zmiany określane przez lekarzy jako kaszaki. Ostatecznie odkładają się w tych miejscach także inne substancje, na przykład wapń. Ściany tętnic stają się sztywne i utrudniają przepływ krwi. Proces ten stale postępuje, aż pewnego dnia tkanki narządów nie są dostatecznie zaopatrywane w krew. Lekarze określają to postępujące „zwapnienie" naczyń jako miażdżycę tętnic (skleroza tętnic).

#### Ryzyko zachorowania wzrasta

— u osób z wysokim poziomem cholesterolu we krwi,
— u mężczyzn,
— u palaczy tytoniu,

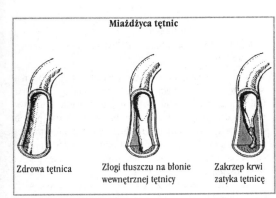

**Miażdżyca tętnic**

Zdrowa tętnica | Złogi tłuszczu na błonie wewnętrznej tętnicy | Zakrzep krwi zatyka tętnicę

— u chorych na cukrzycę, niewydolność nerek lub nadciśnienie krwi.

## Możliwe następstwa i powikłania
— zaburzenia ukrwienia (→ s. 310),
— niewydolność nerek (→ s. 397),
— dusznica bolesna (→ s. 315),
— zawał mięśnia sercowego (→ s. 316) i jego skutki dla serca w postaci niewydolności serca i zaburzeń rytmu serca,
— udar mózgu (→ s. 208).

## Zapobieganie
Najważniejsze jest zaniechanie palenia tytoniu (→ Palenie tytoniu, s. 740). W ten sposób można znacznie zmniejszyć ryzyko zawału serca. Zaprzestanie palenia jest celowe w każdym wieku.

## Leczenie
Zależy od rodzaju powstałej choroby (→ Możliwe następstwa i powikłania).

## Wzrost stężenia lipidów we krwi

### Dolegliwości
Jeżeli poziom cholesterolu i trójglicerydów we krwi jest wyższy niż prawidłowy, nie powoduje to żadnych odczuwalnych dolegliwości. O kształtowaniu się poziomu lipidów można uzyskać informację po wykonaniu odpowiednich badań (→ poniżej). Większość naukowców zajmujących się problematyką żywieniową prezentuje pogląd, że podwyższony poziom cholesterolu przyczynia się do powstania miażdżycy tętnic (→ s. 302), co prowadzi do zawału serca i ujawnienia się niewydolności mięśnia sercowego. Trójglicerydy — wydaje się — odgrywają mniejszą rolę w powstawaniu miażdżycy. Wiadomo jednakże, że bardzo wysoki poziom trójglicerydów we krwi może spowodować zapalenie trzustki.

### Przyczyny
Cholesterol w organizmie pochodzi z dwóch źródeł: organizm wytwarza go sam (głównie w wątrobie), drugim zaś źródłem jest cholesterol zawarty w pokarmach pochodzenia zwierzęcego. Pokarm obfitujący w tłuszcze, nadmierne spożycie alkoholu, niektóre choroby wątroby, tarczycy i nerek, a także cukrzyca mogą przyczyniać się do wzrostu poziomu cholesterolu we krwi. Pod-

wyższony poziom cholesterolu może być także uwarunkowany genetycznie.

To, co w wyniku laboratoryjnym podaje się jako poziom cholesterolu, jest sumą stężenia różnych tłuszczów (lipidów).

### Lipid lipidowi nie jest równy
Trójglicerydy są typowymi tłuszczami, które spożywamy wraz z pokarmem. Pewne jest, że podwyższony poziom trójglicerydów jest mniej szkodliwy dla zdrowia niż podwyższone stężenie cholesterolu. Poziom trójglicerydów wzrasta zarówno przy bogatotłuszczowym, jak i bogatowęglowodanowym odżywianiu. Także alkohol, cukrzyca i niektóre choroby nerek wywołują wzrost poziomu trójglicerydów. Wysoki poziom trójglicerydów może być uwarunkowany dziedzicznie.

Tłuszcze spożyte wraz z pokarmem są we krwi właściwie nierozpuszczalne. Dlatego potrzebny jest specjalny mechanizm transportowy. Poszczególne substancje tłuszczowate (cholesterol, fosfolipidy, wolne kwasy tłuszczowe) łączą się w tym celu z pewnymi białkami, które w języku specjalistów określa się jako lipoproteiny.

Lekarze stwierdzili, że różne lipoproteiny w rozwoju miażdżycy odgrywają całkowicie odmienną rolę.

Do „dobrych" lipoprotein, które chronią przed powstaniem miażdżycy, należą HDL (high density lipoproteins = lipoproteiny o dużej gęstości). Wiele badań wykazało, że np. dusznica bolesna występuje o połowę mniej często, jeżeli HDL wzrasta z 30 mg/dl do 60 mg/dl. „Złymi", ze względu na prawdopodobieństwo uszkadzającego wpływu na naczynia krwionośne, są LDL (low density lipoproteins = lipoproteiny o niskiej gęstości). Oznacza to, że wysokie stężenie LDL zwiększa prawdopodobieństwo powstania miażdżycy tętnic. Prawie dwie trzecie wszystkich lipidów we krwi przenoszonych jest pod postacią LDL, podczas gdy udział HDL wynosi tylko około dwudziestu do dwudziestu pięciu procent.

### Ryzyko zachorowania
Prawie co czwarty dorosły ma podwyższony poziom cholesterolu. Szczególnie zagrożeni są odżywiający się głównie mięsem i tłuszczami. Wegetarianie mają znacznie rzadziej podwyższony poziom cholesterolu aniżeli osoby spożywające mięso.

### Możliwe następstwa i powikłania
Długotrwale utrzymujący się podwyższony poziom cholesterolu przyspiesza rozwój miażdżycy i skraca czas przeżycia. Z drugiej strony istnieją przesłanki, że niskie stężenie cholesterolu lub obniżenie jego poziomu na skutek leczenia mogą pociągać za sobą zwiększone ryzyko zachorowania niedotyczące układu sercowo-naczyniowego. Przy takim stanie wiedzy nie są możliwe jednoznaczne zalecenia.

### Zapobieganie
Nadal dyskutuje się wśród ekspertów, jak wysoki może być bezpieczny dla zdrowia poziom cholesterolu.

Amerykańskie Towarzystwo Kardiologiczne zaleca od 1988 roku bardziej ostry i złożony schemat:
— Dorośli powyżej dwudziestego roku życia powinni co najmniej raz na pięć lat poddać się badaniu poziomu cholesterolu.

— Poziom cholesterolu do 200 mg/dl nie jest niebezpieczny.
— Przy poziomie powyżej 200 mg/dl należy w odstępie kilku tygodni ponownie zbadać poziom cholesterolu, aby wykluczyć pomyłkę laboratoryjną.
— Jeżeli badanie wykazało poziom pomiędzy 200 a 239 mg/dl i nie występują inne objawy choroby serca (jak np. dusznica bolesna) lub gdy występują mniej niż dwa czynniki ryzyka, jak: palenie tytoniu, cukrzyca, nadciśnienie krwi, nadwaga, płeć męska, to wystarczy wykonać badania kontrolne w odstępie jednego roku i odżywiać się bardziej zdrowo (→ Jak sobie pomóc).
— Jeżeli są oznaki choroby mięśnia sercowego, występują więcej niż dwa czynniki ryzyka lub gdy poziom cholesterolu jest wyższy niż 240 mg/dl, należy wykonać dokładne oznaczenie poziomu we krwi wszystkich lipoprotein. Jeżeli okaże się przy tym, że stężenie LDL przekracza 160 lub wartości HDL są poniżej 35, należy zmienić odżywianie.

### Kiedy do lekarza?
Podwyższony poziom cholesterolu we krwi jest najczęściej „przypadkowo" wykrywany. Dorośli powyżej dwudziestego roku życia powinni zlecić oznaczenie poziomu cholesterolu co najmniej raz na pięć lat.

### Jak sobie pomóc
— Zaniechać palenia tytoniu (→ Palenie tytoniu, s. 740).
— Zajęcia fizyczne prowadzą do wzrostu stężenia HDL, co chroni przed powstaniem miażdżycy tętnic (→ Ruch i sport, s. 748).
— Umiarkowane odżywianie się (→ Żywienie, s. 704). Są przesłanki przemawiające za tym, że dzięki właściwemu odżywianiu mogą ustąpić nawarstwienia cholesterolu w tętnicach, pod warunkiem że nie doszło jeszcze do zwapnień. Może to oznaczać, że do wieku sześćdziesięciu do siedemdziesięciu lat rozwój miażdżycy może być zatrzymany lub przynajmniej spowolniony.

### Leczenie
*Ostrzega się przed niewłaściwymi rozpoznaniami*
By stwierdzić, że poziom cholesterolu jest rzeczywiście podwyższony, należy wykonać przynajmniej trzy badania krwi w odstępie jednego do kilku tygodni. W Stanach Zjednoczonych stwierdzono, że na skutek niedokładnych metod pomiarowych więcej niż połowa oznaczonych poziomów lipidów budziła zastrzeżenia. Przed badaniem poziomu cholesterolu nie należy przez dwanaście do szesnastu godzin przyjmować żadnych pokarmów, podobnie jak w poprzedzający wieczór nie należy pić alkoholu.

*Poziom cholesterolu podczas ciąży*
W ostatnim trymestrze ciąży niezależnie od diety poziom cholesterolu wzrasta zwykle o trzydzieści pięć procent. Wiąże się to z prawidłowymi procesami ustrojowymi.

*Leczenie bez leków*
Jeżeli wzrost poziomu lipidów był uwarunkowany nadmiernym spożyciem alkoholu, niewyrównaną cukrzycą, chorobą wątroby lub nerek, stan ten normalizuje się przez samo leczenie wymienionych chorób. Przy podwyższonym poziomie cholesterolu,

> **Lektura uzupełniająca**
>
> TRUBO R.: *Sposób na cholesterol*. Wydaw. „Amber", Warszawa 1997.

który nie był spowodowany przez jakąkolwiek chorobę, najważniejsze jest, by zmienić zwyczaje żywieniowe (→ s. 705). Cztery do sześciu tygodni po zasadniczej zmianie diety, również po dalszych trzech miesiącach, należy zbadać poziom cholesterolu. Jeżeli wartości znajdują się w dozwolonym przedziale (→ powyżej), to badanie poziomu cholesterolu należy powtarzać w pierwszym roku co trzy miesiące, a następnie co sześć miesięcy.

Korzyści z poszczególnych zaleceń dietetycznych wielu specjalistów ocenia ostatnio bardzo sceptycznie. Przestawienie dietetyczne jest zasadne tylko na podstawie indywidualnej porady dietetycznej. Zalecenia i ograniczenia spożywania określonych pokarmów muszą uwzględniać nie tylko produkty wyjściowe, ale i ich przetwory. Ostrzeżenia przed kwasami tłuszczowymi typu trans, które powstają przy produkcji margaryny, oraz przed nadmiernym spożywaniem wielonienasyconych kwasów tłuszczowych → s. 707.

Generalnie okazało się, że tak zwana dieta śródziemnomorska — dużo chleba, jarzyn, owoców, raczej ryby niż mięso, olej oliwkowy — ma korzystny wpływ na czas przeżycia ludzi o wysokim ryzyku sercowo-naczyniowym, nawet wówczas, gdy poziom cholesterolu się nie zmienia. W każdym przypadku celowe jest ograniczenie spożycia następujących pokarmów: mięsa, kiełbasy, pełnotłustych produktów mlecznych, żółtka jaj. U niektórych osób nawet rygorystyczna dieta nie zmniejsza stężenia lipidów we krwi.

*Leczenie lekami*
Zażywanie tabletek uważa się za celowe tylko razem z dietą i tylko wówczas, gdy ona zawiedzie:
— Cholestyramina jest wprawdzie środkiem godnym zalecenia, jednakże stosowana jest rzadko ze względu na niepożądane objawy żołądkowo-jelitowe i skomplikowany sposób przyjmowania. To samo dotyczy kolestypolu, podobnie działającego leku.
— Lowastatyna (Mevinacor, Mevacor), prawastatyna (Pravasin) i simwastatyna (Denan, Zokor) hamują enzym, który jest organizmowi potrzebny do wytwarzania cholesterolu. Ze względu na możliwość uszkodzenia wątroby przy leczeniu tym muszą być wykonywane kontrolne badania laboratoryjne wątroby. Bardzo rzadko może wystąpić także uszkodzenie mięśni. W tym przypadku lek należy natychmiast odstawić.
— Stosowanie innych leków do leczenia podwyższonego poziomu lipidów jest uważane za dyskusyjne.

## Wysokie ciśnienie krwi (nadciśnienie)
### Dolegliwości
Podwyższone ciśnienie krwi w większości przypadków nie powoduje żadnych dolegliwości. Bóle głowy, kołatanie serca i ogólne złe samopoczucie występują tylko wówczas, gdy ciś-

nienie jest krańcowo podwyższone. Pomiar ciśnienia krwi należy do rutynowych czynności lekarskich. Dlatego podwyższone ciśnienie krwi bywa najczęściej stwierdzane przypadkowo.

### Przyczyny

Tylko u około pięciu do dziesięciu na sto osób można na podstawie badań i testów laboratoryjnych ustalić przyczynę podwyższonego ciśnienia krwi. Najczęściej są nimi choroby nerek, gruczołów wewnątrzwydzielniczych lub serca. W języku lekarskim ten typ nadciśnienia jest określany jako nadciśnienie wtórne.

Na ogół nieuwzględnianą przyczyną podwyższonego ciśnienia jest uboczne działanie leków zawierających substancję fenylpropanolaminę (= DL-norefedrynę). Jest ona składnikiem licznych osiągalnych bez recepty leków hamujących apetyt i stosowanych także przeciw katarowi. Szczególnie zagrożone są osoby, które zażywają te leki łącznie z kofeiną lub z zawierającymi kofeinę środkami orzeźwiającymi, jak Percoffedrinol. Dolne ciśnienie krwi (ciśnienie rozkurczowe) może przez to wzrosnąć u zdrowych osób do 105 mm Hg i wyżej. U dziewięćdziesięciu do dziewięćdziesięciu pięciu na sto osób nie wiadomo dlaczego ciśnienie krwi jest podwyższone. Specjaliści mówią w tym przypadku o samoistnym bądź pierwotnym nadciśnieniu. Lekarze uznający wzajemne oddziaływanie procesów somatycznych wiedzą, że ciśnienie krwi może wzrosnąć także wówczas, kiedy ludzie nie potrafią zachować równowagi pomiędzy napięciem a odprężeniem (→ Zaburzenia samopoczucia, s. 175). Inną prawdopodobną możliwością patogenetyczną jest nadczynność rdzenia nadnerczy (→ s. 470).

### Ryzyko zachorowania

Wraz z wiekiem zwiększa się ryzyko wzrostu ciśnienia krwi. Do trzydziestego piątego roku życia jest nim dotknięty prawie co dziesiąty człowiek, od sześćdziesiątego piątego około jeden na cztery. Według normy przyjętej przez Światową Organizację Zdrowia w Polsce co czwarty mieszkaniec ma nadciśnienie i co czwarty ciśnienie graniczne. Tylko połowa z nich o tym wie. Spośród nich tylko połowa będzie leczona, a spośród leczonych tylko połowa otrzyma dostateczne leczenie. Lekarze określają ten fakt jako „prawo połowy”. Oznacza to, że tylko co ósmy człowiek z nadciśnieniem będzie tak leczony, że wysokość jego ciśnienia osiągnie znowu prawidłowy zakres. W różnych badaniach stwierdzono, że cały szereg czynników zwiększa ryzyko powstania pierwotnego nadciśnienia krwi:

---

### Ostrożnie — następujące leki mogą podwyższyć ciśnienie krwi

*Leki przeciw katarowi z nosa*

| | | |
|---|---|---|
| Actifed | Ornatos | Rhinopront sol. |
| Contac 700 | Rhinopront kaps. | Vibrocil |

*Leki przeciw „grypie”*
Trimedil

*Leki odchudzające*

| | | |
|---|---|---|
| Adipex | Fugoa N | Recatol N |
| Antiadipositum X-112 | Mirapront N | |

---

— Nadwaga: osoby z nadwagą mają nadciśnienie dwukrotnie częściej niż osoby z prawidłową masą ciała.
— Sól: u wielu osób ciśnienie krwi wzrasta na skutek dużej konsumpcji soli. Odwrotnie — ciśnienie obniża się u osób, które używają małych ilości soli.
— Alkohol: badacze uniwersytetu w Ulm stwierdzili, że alkohol, zwłaszcza u mężczyzn, jest jedną z głównych przyczyn wysokiego ciśnienia. Alkohol jest „bombą kaloryczną” i wywołuje w organizmie długotrwałe zmiany przemiany materii, które mogą prowadzić do nadwagi, a przez to do nadciśnienia.
— Zbyt mała aktywność fizyczna może sprzyjać powstawaniu nadwagi, a w następstwie prowadzić do nadciśnienia.
— Cukrzyca: chorzy na cukrzycę częściej mają nadciśnienie krwi.
— Stres: przy krótkotrwałym obciążeniu wzrasta na krótko ciśnienie krwi. Jest jednak dyskusyjne, czy stres wywołuje długotrwały wzrost ciśnienia krwi (→ Zaburzenia samopoczucia, s. 175).
— Hałas: stałe wysokie natężenie hałasu (niskie przeloty samolotów, ruch uliczny, hałas na stanowisku pracy itp.) sprzyja powstawaniu nadciśnienia krwi (→ Przytępienie słuchu, s. 242).
— Dziedziczenie: na podstawie badań bliźniaków badacze wnoszą, że dziedziczenie odgrywa ważną rolę w powstaniu nadciśnienia krwi.
— Uboczne działanie leków i dużych ilości lukrecji: jest niezliczona ilość leków, które na skutek ich działania ubocznego mogą podwyższać ciśnienie krwi: pigułki antykoncepcyjne, różne leki wykrztuśne, glikokortykoidy, krople do oczu, leki przeciw katarowi itp.

### Możliwe następstwa i powikłania

Jeżeli przez dłuższy czas ciśnienie krwi jest podwyższone, wzrasta ryzyko udaru mózgu, chorób serca i nerek, pojawienia się uszkodzeń oczu i naczyń. Oznacza to, że obniża się czas przeżycia. Skraca się on zwłaszcza wówczas, gdy dochodzą jeszcze inne obciążające czynniki, jak: palenie tytoniu, nadwaga, wysoki poziom cholesterolu we krwi, mało ruchliwy tryb życia itp.

### Zapobieganie

— Obniżyć nadciśnienie (→ Masa ciała, s. 709).
— Regularnie uprawiać sport, korzystne są zwłaszcza długodystansowe biegi na nartach, długodystansowy bieg (jogging), jazda na rowerze, wędrówki (→ Ruch i sport, s. 748).
— Dbać o dostateczny i regenerujący sen, zmniejszyć wygórowane ambicje życiowe, usunąć źródła hałasu.

### Kiedy do lekarza?

By zapobiec następstwom chorobowym, należy możliwie wcześnie leczyć nadciśnienie krwi. Czy masz podwyższone ciśnienie, możesz stwierdzić przede wszystkim podczas wizyty u lekarza.

*Pomiar ciśnienia krwi*
Na ogół ciśnienie krwi jest mierzone następująco: zakłada się mankiet na ramię i napompowuje go powietrzem tak długo, aż

przez tętnicę przestanie przepływać krew. Przez odpuszczanie powietrza z mankietu zmniejsza się ciśnienie i od pewnego momentu serce może znowu przetłaczać krew przez uciśniętą tętnicę. Za pomocą słuchawki lekarskiej wysłuchuje się odgłosu tętna nad tętnicą (szmery Korotkoffa) w zgięciu łokciowym:

— Pierwsze słyszalne tony oznaczają wielkość ciśnienia skurczowego. Jest ono skutkiem skurczu serca i wpompowania krwi do tętnic. Ta fala jest wyczuwalna jako tętno w okolicy stawu nadgarstkowego.

— Zanik tętnienia oznacza wielkość ciśnienia rozkurczowego. Odpowiada ono okresowi rozkurczu serca i napełniania go krwią.

Ciśnienie jest zwykle podawane następująco: 140/90 mm Hg (milimetrów słupa rtęci — co oznacza różnicę słupa rtęci wywołaną aktualnym ciśnieniem). Dla oceny ciśnienia krwi brana jest pod uwagę tak pierwsza, jak i druga wartość. Druga, oznaczająca ciśnienie rozkurczowe, jest jednak ważniejsza.

Ciśnienie znacznie waha się w ciągu dnia, zależnie od tego, czy się śpi, uprawia sport bądź doznaje się nadmiernych obciążeń psychicznych. O wysokim ciśnieniu mówi się wówczas, gdy podczas wielu pomiarów ciśnienie krwi w spoczynku, w różnych dniach, skurczowe jest wyższe niż 160, a rozkurczowe wyższe niż 95. Wartości pomiędzy 140/90 a 160/95 określa się jako graniczne.

*Błędne pomiary*

Na podstawie różnych badań stwierdzono, że podczas pomiaru ciśnienia krwi popełniane są błędy. Może to prowadzić do tego, że ktoś pobiera leki na nadciśnienie krwi, mimo że jego ciśnienie właściwie jest prawidłowe. Najczęściej błędy pomiaru powstają przez:

— Nerwowość i napięcie pacjenta podczas pomiaru ciśnienia krwi. Przez to ciśnienie automatycznie wzrasta. Właściwą ocenę ciśnienia można uzyskać przy pomiarach ciśnienia wykonanych przez siebie samego lub jeżeli lekarz w okresie dziesięciu minut wykona trzy do czterech pomiarów i uwzględni tylko ostatni wynik.

— Mankiety gumowe: U pacjentów o grubych ramionach używa się za krótkich i za wąskich mankietów. Przez to ciśnienie jest określane błędnie o 10 do 15 mm Hg za wysoko.

— Wiek: Jeżeli ściany tętnic są sztywne i zgrubiałe, może się okazać, że właściwe ciśnienie jest znacznie niższe niż wartość zmierzonego. Można to stwierdzić podczas równoczesnego wymacywania tętna w okolicy nadgarstka przy napompowywaniu mankietu aparatu do mierzenia ciśnienia. Jeżeli ciśnienie w mankiecie przekracza ciśnienie skurczowe, to normalnie nie wyczuwa się ani tętna, ani tętnicy. Jeżeli natomiast tętnica jest sztywna i zgrubiała, to nie wyczuwa się wprawdzie żadnego tętna, ale nadal tętnicę. W tym przypadku można wnosić, że zmierzona wartość ciśnienia jest od 10 do 60 mm Hg za wysoka.

— U osób w podeszłym wieku może się zdarzyć, że ciśnienie w pozycji siedzącej jest podwyższone, a podczas stania jest prawidłowe. Dlatego u osób w podeszłym wieku należałoby zawsze dokonywać pomiaru ciśnienia krwi także w pozycji stojącej.

— Błędna technika pomiarowa: Może ona wynikać z niewłaściwego przyłożenia słuchawki, zbyt szybkiego wypuszczania powietrza z mankietu, błędów podczas słuchania lub niewłaściwego odczytu bądź używania niewłaściwych aparatów pomiarowych.

## Jak sobie pomóc

Jeżeli lekarz stwierdził podwyższone ciśnienie krwi, należy się zastanowić, czy nie kupić aparatu do mierzenia ciśnienia krwi dla samokontroli. Prawdopodobnie jesteś w domu bardziej odprężony i własne pomiary wskazują, że ciśnienie jest prawidłowe. W tym wypadku nie potrzebujesz żadnego leczenia. Jeżeli masz za wysokie ciśnienie i obniżasz je lekami, samopomoc jest przydatna w dokładniejszej kontroli efektów leczenia. Nie zmieniaj jednakże sam ilości zażywanych leków.

*Rady dotyczące samodzielnego pomiaru ciśnienia*

— Używaj atestowanego urządzenia pomiarowego.
— Poproś sprzedawcę aparatu lub leczącego cię lekarza o dokładne objaśnienie techniki pomiaru.
— Ciśnienie należy mierzyć przed południem między godziną ósmą a dziesiątą i zawsze wówczas, gdy się źle czujesz.
— Mierz ciśnienie zawsze na tym samym ramieniu.
— Używaj mankietu gumowego, który odpowiada obwodowi ramienia. Przy normalnym obwodzie ramion jest właściwy mankiet o szerokości 13 do 14 cm i długości 50 cm; przy grubych ramionach szerokość powinna wynosić 18 cm.
— Nałóż mankiet na szerokość około dwóch palców powyżej zgięcia łokciowego.
— Napompuj mankiet 30 mm Hg powyżej oczekiwanego ciśnienia skurczowego.
— Trzymaj rękę spokojnie.
— Spuszczaj powietrze tak, by ciśnienie obniżało się od 2 do 3 mm Hg na sekundę.
— Nim ponowisz pomiar, odczekaj co najmniej minutę i wypuść całkowicie powietrze z mankietu.
— Zapisz wynik pomiaru. Dopisz datę, godzinę, sytuację (siedzenie itp.) oraz szczególne obciążenia.
— Jeżeli nie używasz automatycznego aparatu, a sam stwierdzasz stale inne wartości pomiaru, niż to określają u ciebie inne osoby, może to zależeć prawdopodobnie od tego, że masz upośledzony słuch.

## Leczenie bez leków

Większość pacjentów z nadciśnieniem ma jedynie lekko podwyższone ciśnienie (wartości rozkurczowe pomiędzy 90 i 105 mm Hg). Prawie wszyscy poważni lekarze zalecają jako pierwsze postępowanie w tym przypadku leczenie bez leków. Zaleca się:

— Zmniejszyć nadwagę (→ Masa ciała, s. 709).
— Nie unikać sytuacji, które skłaniają do śmiechu, albowiem znakomicie odprężają, co powoduje obniżenie ciśnienia.

---

**Lektura uzupełniająca**

LAUGHIN A.: *Nadciśnienie tętnicze.* „Astrum", Wrocław 1996.

Odprężający wpływ wywiera także posiadanie jakiegoś zwierzęcia domowego.

— Ograniczyć spożycie soli — najlepiej po indywidualnym ustaleniu normalizacji ciśnienia pod wpływem samej diety ubogosolnej.

— Ograniczyć spożycie alkoholu: niekiedy przez to samo ciśnienie się normalizuje; także odchudzanie się będzie łatwiejsze.

— Udzielać się sportowo (→ Ruch i sport, s. 748).

— Przyswoić sobie różne techniki odprężenia i regularnie je stosować (→ Relaks, s. 664).

— Przemyśleć tryb życia: dbać o dostateczny i regenerujący sen; jeżeli to możliwe, usunąć nadmierne obciążenia.

— Odstawić leki, które mogą podwyższać ciśnienie krwi: pigułki antykoncepcyjne, leki przeciwreumatyczne, glikokortykoidy, środki orzeźwiające, niektóre krople do nosa i leki zmniejszające łaknienie (→ s. 305).

— Zaniechać palenia tytoniu: tytoń uszkadza serce i naczynia krwionośne znacznie bardziej niż wysokie ciśnienie krwi, mimo że podwyższa ciśnienie krwi tylko w nieznacznym stopniu.

— Umiarkowane spożycie kawy, herbaty, kakao, coli jest dozwolone także przy wysokim ciśnieniu.

## Leczenie lekami

Dopiero gdy leczenie bez leków jest bezskuteczne, ciśnienie krwi nie zostało dostatecznie obniżone lub gdy równocześnie stwierdza się uszkodzenie nerek lub serca, stosowanie leków jest uzasadnione. Jeżeli ciśnienie rozkurczowe jest wyższe niż 115 mm Hg, należy ze względu na niebezpieczeństwo udaru mózgu lub niewydolności serca prawie zawsze zastosować leczenie lekami. Zabiegi samopomocowe powinny je zawsze uzupełniać.

Dostępnych jest bardzo dużo leków do leczenia wysokiego ciśnienia krwi. Niemiecka Liga do Zwalczania Wysokiego Ciśnienia Krwi zaleca, by postępować według stopniowanego planu:

*I stopień*: U osób od około sześćdziesiątego roku życia rozpoczyna się leczenie za pomocą leku moczopędnego (diuretyk), u młodszych stosuje się jakiś beta-adrenolityk. Jeżeli z jakiegokolwiek powodu któryś z tych leków nie wchodzi w rachubę, stosuje się u starszych osób beta-adrenolityk, a u młodszych diuretyki.

*II stopień*: Jeżeli ciśnienie krwi nie ulega obniżeniu po zastosowaniu jednego z tych leków, dobiera się jeszcze drugi. Najlepiej kombinuje się środek moczopędny z beta-adrenolitykiem i odwrotnie. Jeżeli to jest niemożliwe, można też łączyć z sobą inne leki (np. leki rozszerzające naczynia, jak: dihydralazyna, prazosyna, metyldopa lub klonidyna, ze środkami moczopędnymi). Celem ułatwienia dostępne są obecnie leki, które zawierają gotowe mieszanki różnych substancji. Określa się je jako preparaty złożone.

## Najczęściej używane składniki preparatów beta-adrenolitycznych

acebutolol, alprenolol, atenolol, betaksolol, bunitrolol, bupranolol, coretal, karazolol, karteolol, labetalol, mepindolol, metipranolol, metoprolol, nadolol, penbutolol, pindolol, propranolol, satolol, timolol, toliprolol

### Leki moczopędne (diuretyki)

| | | |
|---|---|---|
| Aldacton | Fludex | Lasix |
| Aldacton sulfucin | Furosemidum o różnych | Osyrol Lasix |
| Aquaphor | nazwach zastrzeżonych | Spiro comp. |
| Arelix | przez producentów | Ratiopham |
| Edecrin | Indapamid (Tertensif) | Verospiron |
| Esiteren | Lasilacton | |

### Leki obniżające ciśnienie krwi z grupy antagonistów wapnia

| | | |
|---|---|---|
| Adalat | Cordicant | Isoptin |
| Amlodypina (Norvasc) | Corotrend | Nife-puren |
| Bayotensin | Dilzem | Nitrendypina |
| Cordafen | Felodipina | Pidilat |

### Leki obniżające ciśnienie krwi zawierające prazosynę lub dihydralazynę

| | | |
|---|---|---|
| Dihydralazinum | Pertenso | Prazosinum |
| Minipress | Polpressin | hydrochloricum |
| Nepresol | Polypress | Tri-Torrat |

### Leki obniżające ciśnienie krwi zawierające rezerpinę

| | | |
|---|---|---|
| Adelphan Esidrex | Durotan | Suprenoat |
| Adelphan Esidrix | Normatens | Terbolan |
| Caprinol | Resaltex | Tri Thiazid Re- |
| Derebon | Retiazid | serpin Stada |

### Lek obniżający ciśnienie krwi zawierający klonidynę

Catapresan

### Leki obniżające ciśnienie krwi zawierające metyldopę

| | |
|---|---|
| Caprinol | Presinol |

### Leki obniżające ciśnienie krwi z grupy inhibitorów enzymu przekształcającego angiotensynę — kaptopryl lub enalapryl

| | | |
|---|---|---|
| Benazepryl | Enalapryl | Pres |
| Capozide | Lizynopryl | Ramipryl |
| Captopryl | Lopirin | Tensobon |
| Cilazapryl | Perindopryl | Xanef |

*III stopień*: Jeżeli dwa różne leki nie obniżają dostatecznie ciśnienia krwi, łączy się trzy różne leki o zróżnicowanym sposobie działania.

### Beta-adrenolityki

Zmniejszają wpływ sympatycznego układu nerwowego na serce i naczynia krwionośne, mianowicie serce bije wolniej, ciśnienie się obniża — tak w spoczynku, jak i w sytuacjach obciążeń. Beta-adrenolityki działają nie tylko na serce i naczynia, lecz również na inne narządy organizmu. To tłumaczy różne działania uboczne.

Stosunkowo często występują zawroty głowy, senność, zwolnienie tętna. Beta-adrenolityki mogą być przyczyną stale utrzymujących się zimnych stóp, burzliwych marzeń sennych, depresyjnych nastrojów, obniżenia potencji i „suchych" oczu. Aktualnie dostępnych jest wiele różnych beta-adrenolityków.

Wywierają one negatywny wpływ na przemianę lipidów. Oznacza to, że stężenie „dobrych" HDL obniża się, a trójglicerydów i „złych" LDL wzrasta.

### Diuretyki (leki moczopędne)

Powodują, że nerki wydalają zwiększoną ilość sodu i wody. Przez to zmniejsza się objętość płynu w naczyniach krwionośnych, a ciśnienie spada. Przy długotrwałym stosowaniu diuretyki zmniejszają napięcie naczyń krwionośnych i również w ten sposób obniżają ciśnienie krwi. Szereg leków moczopędnych wykazuje działanie uboczne, objawiające się równoczesnym wzmożonym wydalaniem potasu przez nerki. By zapobiec ucieczce tej ważnej substancji z ustroju, lekarze często przepisują leki moczopędne zatrzymujące potas w organizmie (diuretyki oszczędzające potas). Są również leki zawierające kombinacje diuretyków wydalających i oszczędzających potas. Jeżeli organizm utracił zbyt dużo potasu, może się to objawiać zwykłym znużeniem, uczuciem osłabienia w nogach, kurczami łydek, zaparciem i zaburzeniami rytmu serca. Leki moczopędne prowadzą do tego, że na początku leczenia trzeba oddawać częściej i więcej moczu. Po kilku dniach zjawisko to ustępuje.

### Antagoniści wapnia

Hamują działanie wapnia w ścianie naczyń krwionośnych, zmniejszając ich napięcie oraz rozszerzając je w ten sposób. W następstwie tego obniża się ciśnienie krwi. Mogą wystąpić następujące objawy uboczne: bóle głowy, zaczerwienienie twarzy, kołatanie serca, obrzęk kostek, czasami także wykwity skórne. Objawy uboczne są wprawdzie nieprzyjemne, ale najczęściej nie niebezpieczne.

Badania z 1995 roku wskazują, że długotrwałe stosowanie krótko działających antagonistów wapnia, pochodnych dihydropirydyny, np. nifedipiny, może niekorzystnie wpływać na czas przeżycia. Nie dotyczy to długo działających preparatów należących do drugiej i trzeciej generacji antagonistów wapnia. Spośród krótko działających efektu takiego nie wywiera werapamil.

### Dihydralazyna i prazosyna

Rozszerzają małe naczynia krwionośne. Na skutek tego spada ciśnienie krwi. Ubocznymi działaniami mogą być: bóle głowy, uczucie gorąca i częstoskurcz serca. Ponadto organizm zatrzymuje więcej soli i wody. Dlatego stosowane są najczęściej łącznie z jakimś lekiem moczopędnym. Prazosyna, jako że bardzo silnie obniża ciśnienie krwi, może na początku leczenia prowadzić do uczucia osłabienia, bladości i zapaści krążeniowej.

### Rezerpina

Wpływa ona na aktywność sympatycznego układu nerwowego i przez to obniża ciśnienie krwi, działając również na ośrodki mózgowe, może wywołać stany depresyjne. Innymi działaniami ubocznymi mogą być: zwolniona reaktywność nerwowa, zaburzenia potencji, suche błony śluzowe, przewlekły nieżyt nosa z dużym obrzękiem błony śluzowej, wrzody żołądka i biegunka. Ze względu na działanie uboczne powinna być ordynowana przez lekarza dopiero wtedy, gdy inne leki nie wchodzą w rachubę lub nie wystarczają.

### Klonidyna i metyldopa

Obie substancje wywierają zbliżone efekty lecznicze i działanie uboczne: mogą opóźniać reaktywność nerwową, wywołują suchość w ustach i obniżają potencję. Ze względu na zatrzymywanie soli w organizmie powinny być stosowane łącznie ze środkami moczopędnymi.

### Inhibitory enzymu przekształcającego angiotensynę

Takie substancje jak kaptopryl, enalapryl i inne zmniejszają działanie układu hormonalnego, który obkurcza naczynia krwionośne i przez to podwyższa ciśnienie krwi. Stały się one lekami pierwszego wyboru, są dobrze znoszone, niekiedy występują wykwity skórne, suchy kaszel i zaburzenia czucia smaku. Ciężkie działania uboczne, jak zaburzenia w układzie krwiotwórczym i uszkodzenie nerek, są rzadkie. By je rozpoznać, wykonuje się regularne badania laboratoryjne.

### Zmniejszyć działanie uboczne

Wszystkie leki wywołują działania uboczne. Przez około trzy tygodnie od początku leczenia wszyscy pacjenci czują się gorzej, gdyż ich organizm musi się dopiero przystosować do niższego, prawidłowego ciśnienia krwi.

Następujące postępowanie najczęściej może wyłączyć lub zmniejszyć skutki ubocznego działania leków:

— Wymień swojemu lekarzowi wszystkie leki, które zażywasz, także przeczyszczające, krople do nosa, tabletki przeciwbólowe, tabletki antykoncepcyjne, leki wzmacniające serce itp. Poinformuj lekarza o działaniach ubocznych leków, które dawniej zażywałeś.

— Weź pod uwagę zabiegi wymienione w punkcie Leczenie bez leków. Możesz się wtedy obejść mniejszą ilością leków.

— Jeżeli to możliwe, leczenie powinno być rozpoczęte jednym lekiem zawierającym tylko jedną substancję czynną.

— Leczenie należy zaczynać możliwie małą ilością substancji aktywnej, by krążenie mogło się stopniowo przystosować. Wiele leków działa dopiero po kilku dniach.

— Niezwłocznie informuj lekarza o działaniach ubocznych.

### Raz leki, zawsze leki?

Połowa wszystkich osób z łagodnym nadciśnieniem krwi ma po upływie pół roku także bez leków prawidłowe wartości ciśnienia krwi. Zdarza się to szczególnie wówczas, gdy zostanie ograniczone spożycie alkoholu, soli oraz nastąpi zmniejszenie nadwagi. Im wyższe jest ciśnienie krwi, im dłużej się ono utrzymuje, tym mniejsze jest prawdopodobieństwo, że ciśnienie samo wróci do normy. Jeżeli wartości ciśnienia krwi podczas stosowania jakiegoś leku są znowu prawidłowe, możesz po kilku miesiącach porozmawiać z lekarzem, czy nie można by stopniowo zmniejszać dawki lub odstawić leku.

*Uwaga*: Niektórych leków nie można w żadnym przypadku odstawić nagle, lecz jedynie stopniowo (np. klonidyna, beta-adrenolityki). Możliwe jest, że ciśnienie pozostanie prawidłowe także bez leku. Ponieważ niektóre leki także po odstawieniu jeszcze przez pewien czas działają, można to stwierdzić dopiero po jednym do dwóch tygodni.

*Nadciśnienie podczas ciąży*
Podwyższone ciśnienie krwi podczas ciąży oznacza tak dla matki, jak i dla płodu ryzyko zdrowotne. Ciężarne powinny próbować obejść się bez leków. Często spada ciśnienie już pod wpływem przerwy w aktywności fizycznej, np. kiedy się w ciągu dnia na kilka godzin położysz.

*Uwaga*: W ciąży obowiązują niższe wartości graniczne ciśnienia krwi, powyżej których trzeba wkroczyć z leczeniem. Jeżeli są potrzebne leki, należy stosować albo beta-adrenolityki, metyldopę bądź dihydralazynę, gdyż te środki nie uszkadzają płodu.

## Niskie ciśnienie krwi (podciśnienie tętnicze krwi)

### Dolegliwości

Niskie ciśnienie krwi nie zawsze jest odczuwalne. Jeżeli nie powoduje ono żadnych dolegliwości, nie jest żadną chorobą, lecz raczej szczęśliwym przypadkiem, ponieważ ludzie z niskim ciśnieniem krwi mają ponadprzeciętnie długi czas przeżycia. Do częstych dolegliwości należą zawroty głowy, skłonność do omdleń rano po wstaniu z łóżka lub częstoskurcz serca, a także zaburzenia rytmu serca. Do ogólnoustrojowych objawów niskiego ciśnienia krwi mogą należeć poty, uczucie zimna, wrażliwość na zmianę pogody, zaburzenia snu, nużliwość poranna, zmniejszenie wydajności pracy, zaburzenia widzenia, upośledzenie koncentracji uwagi, skłonność do zawrotów głowy i mroczki przed oczyma po zmianie pozycji z leżącej bądź siedzącej na stojącą. U dzieci niskie ciśnienie krwi może się objawiać brakiem apetytu podczas śniadania, niejasnymi bólami brzucha lub głowy, upośledzoną koncentracją uwagi i znużeniem.

### Przyczyny

Zaburzenia są skutkiem niewłaściwego rozmieszczenia krwi w organizmie. W obrębie żył, a więc w naczyniach, które odprowadzają krew z powrotem do serca, znajduje się około 85% całkowitej objętości krwi, podczas gdy część tętnicza zawiera tylko 15%. U ludzi z niskim ciśnieniem krwi duża część krwi gromadzi się w żyłach kończyn dolnych, i chwilowo mało krwi dopływa z powrotem do serca. Zbyt niskie ciśnienie krwi może mieć różne przyczyny:

— Może ono być uwarunkowane konstytucjonalnie: wysokie, szczupłe osoby mają nieco niższe ciśnienie krwi.
— Obciążenia psychiczne, które wiążą się z wyczerpaniem i rezygnacją, mogą obniżać ciśnienie krwi (→ Zaburzenia samopoczucia, s. 175).
— Długotrwałe stanie w upale.
— Utrata krwi lub płynów (przez wymioty, krwotoki wewnętrzne, biegunkę).
— Różne choroby serca i naczyń.
— Dłuższa choroba obłożna.
— Choroby zakaźne.
— Choroby neurologiczne.
— Działanie uboczne leków (np. leki moczopędne, leki przeciw nadciśnieniu krwi, dusznicy bolesnej, psychozom i depresji).

### Ryzyko zachorowania

W anglosaskim obszarze językowym niskie ciśnienie krwi jest określane jako „German disease", czyli „choroba niemiecka". Tam nie przypisuje się tym dolegliwościom takiego znaczenia chorobowego jak w Niemczech. Podobnie podchodzą do niskiego ciśnienia lekarze w Polsce. Brak danych dotyczących częstości jego występowania

### Możliwe następstwa i powikłania

Niskie ciśnienie może być wprawdzie nieprzyjemne, jest jednakże prawie zawsze pozbawione niebezpieczeństwa. U starszych osób istnieje możliwość upadku na skutek zawrotów głowy. U ciężarnych niskie ciśnienie krwi może zmniejszać urodzeniową masę noworodka.

### Zapobieganie

Następujące działania poprawiają krążenie krwi:
— Dostateczny, regenerujący sen.
— Natryski o zmiennej temperaturze (ciepło-zimno).
— Aktywność sportowa (→ s. 748).
— Rano powoli rozpoczynać dzień.

### Kiedy do lekarza?

Jeżeli bardzo cierpisz z powodu dolegliwości, a zabiegi we własnym zakresie nic nie pomagają.

### Jak sobie pomóc

Komisja Leków Niemieckiego Towarzystwa Lekarskiego zaleca jako najważniejsze działanie unikanie leków, natomiast intensywny program treningowy: chodzenie w wodzie, polewania metodą Kneippa, natryski o zmiennej temperaturze, gimnastyka oddechowa i regularna aktywność sportowa. Pływanie jest jednym z najlepszych rodzajów sportu dla poprawy krążenia.

Celowe są ponadto następujące działania:
— Nie spiesz się przy rannym wstawaniu.
— Filiżanka kawy lub czarnej herbaty jest wypróbowanym środkiem powodującym krótkotrwałe podniesienie ciśnienia.
— Udaj się po jedzeniu na spacer.
— Wypijaj dziennie około 6 do 8 filiżanek płynu.

### Leczenie

Lekarz powinien najpierw poszukiwać innych przyczyn i ewentualnie leczyć inne choroby (choroby zakaźne, choroby serca itp.). Dopiero gdy zabiegi we własnym zakresie nie wystarczą, przez krótki czas można zastosować leki. Nie mogą one w żadnym wypadku zastąpić innych zabiegów. Ostatecznie mogą nawet pogorszyć stan. Przed zaleceniem leków lekarz powinien wyjaśnić, o jaki rodzaj niskiego ciśnienia chodzi. W tym celu wykonuje test Schellonga. Po pewnym czasie leżenia trzeba wstać, po czym, bez jakichkolwiek obciążeń, następują pomiary ciśnienia krwi i tętna. W zależności od wyniku celowe są następujące leki:
— Jeżeli obniży się ciśnienie skurczowe i rozkurczowe, a serce bije szybko, stosowane są tzw. adrenomimetyki. Lekarstwa te zwężają naczynia krwionośne w kończynach górnych i dolnych. Użyteczna okazała się tutaj substancja etylefryna (np. Effortil).

— Jeżeli obniży się ciśnienie skurczowe, a ciśnienie rozkurczowe wzrośnie, ponadto serce bije szybciej, celowy jest lek dihydroergotamina (DHE, np. DET MS, Dihydergot, Ergont). Lek ten zwiększa siłę skurczową żył, działa jednak dopiero po kilku dniach.

— W niektórych przypadkach może być celowa kombinacja obu tych substancji etylefryny i DHE (np. Dihydergot plus, Effortil plus, Ergomimet plus).

Niemiecka Federalna Komisja Leków ocenia inne leki jako „bez dostrzegalnej przydatności" przy niskim ciśnieniu i radzi zrezygnować z ich stosowania. Do nich należą witaminy, adenozyna, kwas nikotynowy, aminopikolina, sparteina, głóg, melisa, kwas salicylowy.

*Wskazówka ostrzegawcza*: Leków przeciw niskiemu ciśnieniu krwi nie należy stosować dłużej niż tydzień.

## Zaburzenia ukrwienia

(Choroba okien wystawowych, chromanie przestankowe)

### Dolegliwości

Dolegliwości występują najczęściej w nogach, rzadko w rękach. Rozróżnia się różne stopnie nasilenia choroby:

— Bóle podczas obciążenia fizycznego, chwilowe chromanie (*claudicatio intermittens*). Można pokonać tylko krótkie odległości. Po przerwie trwającej do pięciu minut można przejść kolejny odcinek drogi, aż ból ponownie wystąpi: idzie się od okna wystawowego do okna wystawowego, stąd nazwa „choroba okien wystawowych".

— Także w spoczynku silne bóle w nogach i palcach stóp, które nasilają się podczas uniesienia nóg.

— Uszkodzenie skóry i tkanki mięśniowej. Tkanka obumiera: noga palacza tytoniu.

### Przyczyny

Stwardniałe i zgrubiałe tętnice (→ Miażdżyca tętnic, s. 302) nie mogą już dostatecznie zaopatrywać mięśni w krew. Miażdżyca jest procesem rozwijającym się przez dziesiątki lat i jest spowodowana przez:

— naturalne starzenie się,
— za dużą ilość lipidów we krwi (→ s. 303),
— palenie tytoniu.

### Ryzyko zachorowania wzrasta

— Wraz z wiekiem.
— U chorych na cukrzycę.
— Przy nadwadze.
— Przy zwiększonym stężeniu kwasu moczowego we krwi (dna moczanowa jako następstwo).
— Na skutek niedostatecznego ruchu.

### Możliwe następstwa i powikłania

W końcowym okresie choroby występują owrzodzenia palców stóp, na pięcie i na podudziach. Mięśnie zanikają. Tkanka obumiera (martwica) i może się rozkładać (zgorzel). By zapobiec zatruciu organizmu przez produkty rozpadu, zachodzi konieczność amputacji nogi.

### Zapobieganie

Zaprzestać palenia tytoniu (→ s. 740), zajęcia sportowe (→ s. 748), dieta uboga w tłuszcze (→ s. 303), zmniejszyć masę ciała (→ Masa ciała, s. 709).

### Kiedy do lekarza?

Jak tylko zaczniesz podejrzewać, że masz zaburzenia ukrwienia. Posługując się specjalnym urządzeniem, tzw. ultradźwiękami Dopplera, lekarz może zmierzyć skurczowy przepływ krwi w kończynach górnych oraz dolnych i w ten sposób określić nasilenie upośledzenia ukrwienia.

### Jak sobie pomóc

Działania samopomocowe mogą zmniejszyć postęp choroby lub go zatrzymać. W tym celu należy:

— Zaniechać palenia tytoniu (→ s. 740).
— Zmniejszyć masę ciała (→ s. 709).
— Spożywać pokarmy ubogotłuszczowe (→ Wzrost stężenia lipidów we krwi, s. 303).
— Wysokie ciśnienie stosownie leczyć (→ s. 304).

Następujące działania mogą łagodzić dolegliwości:

— Najważniejszym postępowaniem przy przejściowym chromaniu jest trening chodzenia: ustal liczbę kroków, które możesz przejść do momentu pojawienia się bólu. Trzy czwarte z tego przejdź żwawym krokiem. Poczekaj chwilę przed ponownym przejściem tej odległości. W ten sposób powinieneś codziennie trenować około jednej godziny. Ustal co tydzień odległość, jaką możesz przejść bez bólu, i odpowiednio wydłużaj odległość marszu. Z czasem będziesz mógł pokonywać coraz większe odległości bez bólu.

— Do spania ustaw łóżko od strony głowy o dziesięć do piętnastu centymetrów wyżej.

— Nie używaj termoforów ani poduszek elektrycznych.

— Sprawdzaj codziennie swoje nogi pod kątem odcisków, pęknięć, owrzodzeń lub nagniotków. Połóż w tym celu duże lustro na podłodze i oglądnij swoje podeszwy.

— Myj stopy codziennie letnią wodą i łagodnym mydłem, ostrożnie i dobrze wysuszaj.

— Przy bardzo suchej skórze stosuj częściej krem pielęgnacyjny.

---

### Codzienne ćwiczenia dla zwiększenia ukrwienia

— Stań w odległości około jednego metra przed ścianą. Postaw stopy płasko na podłodze i opieraj się rękami o ścianę. Zegnij ramiona dziesięć razy, pozostawiając przy tym plecy i nogi wyprostowane.

— Usiądź na krześle i wstań z rękami założonymi na krzyż. Powtórz ćwiczenie dziesięć razy.

— Stań dwadzieścia razy na palcach stóp.

— Unoś naprzemiennie stopy.

— Wykonaj dziesięć przysiadów z wyprostowanymi plecami. Trzymaj się oparcia krzesła, by nie upaść.

— Korzystaj ze schodów zamiast z windy. Chodź przy tym często na palcach.

## Leki rozszerzające naczynia

| Składnik | Preparat |
|---|---|
| Naftydrofuryl | Dusodril |
| Buflomedyl | Bufedil, Defluina peri, Loftyl |
| Flunaryzyna | Sibelium |
| Pentoksyfilina | Trental |
| | Polfilin |

— Noś buty z dostatecznie dużą przestrzenią dla palców.
— Nigdy nie chodź boso.

## Leczenie

*Leki*

Jeżeli to konieczne, możesz na krótki czas łagodzić bóle jakimś lekiem przeciwbólowym, który zawiera kwas acetylosalicylowy (→ Proste środki przeciwbólowe, s. 620). Stosując dziennie 150-300 mg kwasu acetylosalicylowego, można także zapobiegać chorobie niedokrwiennej kończyn. Leczenie zaburzeń ukrwienia lekami jest tylko wówczas celowe, gdy odległość przejścia mimo treningu pozostaje ograniczona lub gdy masz bóle także że w spoczynku. Wówczas stosuje się także leki rozszerzające naczynia. Po stosowaniu leku najwyżej przez trzy miesiące lekarz powinien ustalić, czy dalsze leczenie tym lekiem ma sens.

*Operacje*

Przy wyraźnych zaburzeniach ukrwienia można rozszerzyć tętnice, wprowadzając cewnik balonikowy. Działanie to wielokrotnie poprawia stan kończyny. Do tego jest potrzebny pobyt w szpitalu od jednego do dwóch dni. W języku lekarskim określa się to jako przezskórną plastykę naczyń. Inna możliwość operacji polega na tym, by zwężone miejsce tętnicy ominąć, stosując pomostowanie protezą naczyniową lub przeszczepem żylnym albo tętniczym. Metoda ta u większości chorych bardzo zmniejsza dolegliwości i zapobiega grożącemu w niektórych sytuacjach odjęciu kończyny. „Świeże" uniedrożnienia pozakrzepowe można także rozpuścić lekami. Jednakże leczenie to powinno być przeprowadzone w szpitalu.

## Żylaki

### Dolegliwości

Widoczne, obrzęknięte, wężykowate żyły, najczęściej na kończynach dolnych. W niektórych przypadkach towarzyszą im bóle. Osoby z żylakami mają często już po krótkim staniu lub po zrobieniu zakupów obrzęknięte nogi. Pod koniec dnia buty wydają się za ciasne. U kobiet dolegliwości te nasilają się najczęściej kilka dni przed i po miesiączce. Przy dużych żylakach skóra może przez upośledzone krążenie krwi przebarwiać się na brązowo — najczęściej w okolicy kostek.

### Przyczyny

Krew płynie z narządów do serca nie tylko dlatego, że serce pompuje. Z żył krew jest zwrotnie wypychana w kierunku serca również przez skurcz mięśni kończyn. Żeby krew nie płynęła przy tym w niewłaściwym kierunku, żyły zaopatrzone są w specjalne zastawki. Jeżeli te zastawki z jakiegokolwiek powodu nie funkcjonują, część krwi, która powinna płynąć w kierunku serca, jest wtłaczana do żył na powierzchni mięśni. Ze względu na to, że w przeciwieństwie do tętnic żyły mają stosunkowo cienką warstwę mięśni, rozciągają się one i przybierają charakter wężykowaty. Zjawisko to określa się żylakiem. Prawdopodobnie przy powstawaniu żylaków mają znaczenie czynniki wrodzone. Przyczyniają się do tego rosła sylwetka ciała, mało ruchliwy tryb życia, nadwaga, praca przeważnie na stojąco lub w pozycji siedzącej oraz odżywianie z udziałem małej ilości substancji resztkowych (błonnika).

### Ryzyko zachorowania

Ryzyko zachorowania wzrasta wraz z wiekiem. Kobiety są częściej dotknięte żylakami niż mężczyźni.

### Możliwe następstwa i powikłania

Najczęściej żylaki są głównie problemem kosmetycznym: sine kręte pasma wzdłuż kończyn dolnych uważane są za nieestetyczne. Przy wykształconych żylakach skóra nóg może być przebarwiona brunatnawo. Możliwe jest pojawienie się wyprysku, owrzodzeń podudzi, nagromadzenia płynu w tkankach (obrzęk) i zakrzepów (→ s. 313).

### Zapobieganie

Ryzyko pojawienia się żylaków prawdopodobnie można zmniejszyć przez:
— Spożywanie pokarmów obfitujących w substancje resztkowe (→ Żywienie, s. 704).
— Utrzymanie prawidłowej masy ciała (→ Masa ciała, s. 709).
— Zażywanie dostatecznej ilości ruchu (→ Ruch i sport, s. 748).
— Unikanie dłuższego stania.
— Unoszenie nóg tak często, jak to jest możliwe.

### Kiedy do lekarza?

Jeżeli chcesz usunąć żylaki z przyczyn kosmetycznych lub gdy dolegliwości są nieprzyjemne, gdy tylko pojawi się krwawienie z żylaków lub owrzodzeń podudzi.

### Jak sobie pomóc

Poza działaniami wchodzącymi w zakres zapobiegania: Noś codziennie i przez cały dzień pończochy elastyczne, lecz muszą to być podwójnie przędzone pończochy uciskowe II klasy. Otrzymasz je w zaopatrzeniu ortopedycznym lub w aptece. Zwykłe pończochy elastyczne nie mają dostatecznego działania. Wkładaj te pończochy, nim wyjdziesz z łóżka, póki żyły są jeszcze „puste".

### Leczenie

Smarowanie nóg środkami przeciwżylakowymi lub „wzmacniającymi żyły" nie poprawia znacząco żylaków. Są tylko dwie sensowne metody postępowania leczniczego: spowodowanie zarośnięcia lub usunięcie żylaków. W obu przypadkach powinieneś po zabiegu przez około trzy do sześciu tygodni nosić pończochy uciskowe i być ruchliwym, jak tylko to jest możliwe. Funkcje zarośniętych bądź usuniętych żył przejmą pozostałe żyły. Żylaki mogą powstać także po operacji.

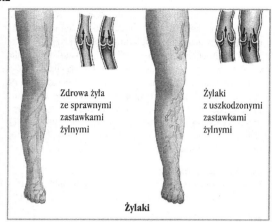

Zdrowa żyła
ze sprawnymi
zastawkami
żylnymi

Żylaki
z uszkodzonymi
zastawkami
żylnymi

Żylaki

*Działanie zmierzające do zarośnięcia żył (sklerotyzacja)*
Lekarz stosuje ten rodzaj leczenia dopiero wtedy, gdy poszerzone są również małe żyły skóry lub jeżeli oprócz dużych żył poszerzone są również ich rozgałęzienia. Do takiego leczenia nie jest potrzebny pobyt w szpitalu. Ze względu na niebezpieczeństwo zakrzepu (→ s. 313) kobiety nie powinny stosować pigułek antykoncepcyjnych przynajmniej sześć tygodni przed zabiegiem.

Celem zarośnięcia żylaka lekarz wprowadza do pustej żyły środek, który powoduje jej zapalenie. Następnie bandażuje nogę. Przez to ściany żyły są uciśnięte i zarastają. Bandaż należy nosić przynajmniej trzy tygodnie. Ważne jest, żeby w tym czasie wykonywać wszystkie normalne czynności i możliwie dużo chodzić. Jeżeli masz żylaki na obu nogach, działanie takie wykonuje się z przerwą kilkudniową.

*Ryzyko*: Jeżeli lekarz wprowadzi środek niewłaściwie obok żyły, mogą powstać bolesne zapalenia tkanki podskórnej i owrzodzenia. W niektórych przypadkach skóra może się przebarwić na brązowo. Rzadko dochodzi do reakcji alergicznych.

Średnio jeden na dziesięć tysięcy takich zabiegów kończy się śmiertelnie.

*Operacje*
Kiedy obie duże żyły nogi przekształciły się w żylaki, ich operacyjne usunięcie jest najbezpieczniejszym leczeniem. Do tego celu potrzebny jest tygodniowy pobyt w szpitalu.

Najpierw lekarz sprawdza drożność głębokich żył kończyny, posługując się w tym celu specjalnym badaniem rentgenowskim z użyciem środka kontrastowego (flebografia). Środek ten wprowadza się do żyły na grzbietowej części stopy. Jeżeli badanie rentgenowskie potwierdzi drożność, lekarz wykonuje pod ogólnym znieczuleniem małe nacięcie w pobliżu kostki, w okolicy kolana i w okolicy pachwiny. Następnie wyciąga żyły. Opatrunek uciskowy zapobiega silniejszym krwawieniom po operacji. Żeby uniknąć tworzenia się zakrzepów, powinieneś wstać i w miarę możliwości chodzić.

### Lektura uzupełniająca

FRITZ K., GAHLEU I., ITSCHERT G.: *Żylaki i choroby żył*. Wydaw. „Sic", Warszawa 1997.

*Ryzyko*: U około co piątego chorego dochodzi do uszkodzenia nerwów w okolicy kostki. Skutkiem tego jest brak czucia w tym miejscu. Duże krwawienia, zakażenia, uszkodzenia tętnic lub głębokich żył uda występują rzadko. Przeciętnie po jednej na pięć tysięcy operacji zdarza się śmiertelny przypadek.

## Zapalenie żył powierzchownych

### Dolegliwości
Rozpierające bóle w mięśniach podudzi: obrzęk nóg, w ciężkich przypadkach zaczerwienienie, świąd i twarde powrózkowate obrzmienie w zakresie dotkniętej żyły; niekiedy stan podgorączkowy. W obrębie żylaków (→ s. 311) zapalenie żył rozwija się szczególnie łatwo.

### Przyczyny
Żyły ulegają zapaleniu najczęściej na skutek zakażenia lub uszkodzenia. Zapalenie zaburza przepływ krwi przez żyłę. Na skutek tego powstają skrzepy krwi, które przyczepiają się do ściany zmienionej zapalnie żyły. Lekarze określają to jako zakrzepowe zapalenie żyły.

### Ryzyko zachorowania wzrasta
— Przy żylakach (→ s. 311).
— Przez uszkodzenie żył na skutek zastrzyków, kroplówek lub cewnikowania.
— Przy wzmożonej krzepliwości krwi, co może być wywołane na przykład pigułką antykoncepcyjną lub niektórymi postaciami raka.
— Przez zastój krwi po porodzie, po operacjach lub po dłużej trwającej chorobie obłożnej.

### Możliwe następstwa i powikłania
Zapalenia żył powierzchownych nie są najczęściej niebezpieczne.

### Zapobieganie
— Utrzymanie prawidłowego ciężaru ciała (→ Masa ciała, s. 709).
— Zażywanie dostatecznej ilości ruchu (→ s. 748).
— Unoszenie kończyn dolnych tak często, jak to jest możliwe.
— Dieta obfitująca w substancje resztkowe (→ Żywienie, s. 704).
— Podczas długiej trasy samochodowej robić dużo przerw, podczas podróży samolotem lub pociągiem często wstawać i chodzić. Pić dużo, żeby krew nie uległa zagęszczeniu.

### Kiedy do lekarza?
Jak tylko pojawią się opisane objawy.

### Jak sobie pomóc
Jeżeli ktoś ma pończochy uciskowe dopasowane przez specjalistę, powinien je włożyć i dużo chodzić. Źle założone bandaże mogą wyrządzić więcej szkody niż pożytku. Bóle możesz łagodzić skutecznie kwasem salicylowym (→ Leki przeciwbólowe, s. 620). Nie należy masować bolesnych miejsc, chyba że wyraźnie zalecił to lekarz. Masowanie może spowodować oderwanie się zakrzepu z następowym zatorem innego naczynia.

### Leczenie

— Lekarz zakłada opatrunek uciskowy, z którym powinieneś jak najwięcej chodzić.
— Zażywanie leków hamujących zapalenie, jak indometacyna (np. Amuno, Indo-Arcana, Indocid, Indo-Phlogont, Indo-Ratiopharm).

Przy prawidłowym leczeniu dolegliwości znikają w ciągu kilku tygodni.

## Zapalenie żył głębokich

### Dolegliwości

Podudzie lub udo brzękną i bolą, skóra jest przebarwiona sino lub czerwono. Zapalonej żyły nie można dostrzec ani wymacać. Niekiedy można podczas ucisku łydki wyczuć w głębi twardy powrózek.

### Przyczyny

W żyłach głębokich powstały zakrzepy krwi. Utrudnia to odpływ krwi do serca.

### Ryzyko zachorowania

Około dziewięćdziesięciu procent zakrzepów żył dotyczy kończyn dolnych i obszaru miednicy, około czterech procent kończyn górnych i barków. Reszta rozdziela się na pozostałe części ciała. Zakrzepy żył głębokich występują przede wszystkim po ciężkich urazach i dużych operacjach. Co trzeci pacjent mający więcej niż czterdzieści lat, który poddaje się poważnej operacji, jest tym dotknięty. Także długotrwałe podróże autobusem, samochodem lub samolotem mogą spowodować — na skutek braku ruchu — zapalenie żył głębokich. Następujące czynniki zwiększają ryzyko powstania zakrzepów: choroby nowotworowe i cukrzyca, niewydolność krążenia, nadwaga, żylaki, ciąża, zawał serca, porażenie połowicze, palenie tytoniu. Istnieje ponadto wrodzone zaburzenie krzepnięcia (niedobór antytrombiny III), które częściej prowadzi do zakrzepów.

### Możliwe następstwa i powikłania

Skrzep krwi z żyły podudzia może być przenoszony wraz z prądem krwi do coraz większych żył — najpierw do żył miednicy, następnie do żyły próżnej dolnej — aż do serca. Serce pompuje krew do tętnic płucnych, ponieważ, oddalając się od serca, tętnice zwężają się, czop zakrzepu utyka w którejś tętnicy i zatyka jej światło. Zaopatrywana przez tę tętnicę tkanka płucna jest w ten sposób nagle pozbawiona dopływu krwi. W ten sposób powstaje zator tętnicy płucnej (→ s. 298). Ta niebezpieczna dla życia choroba stanowi największe ryzyko związane z zakrzepem żył głębokich.

### Zapobieganie

Ze względu na niebezpieczeństwo wystąpienia groźnych dla życia zatorów płucnych szczególnie ważne jest zapobieganie:
— Kobiety powyżej trzydziestu pięciu lat powinny stosować inne sposoby antykoncepcji niż pigułki antykoncepcyjne.
— Zaniechaj palenia tytoniu (→ s. 740).
— Jeżeli ktoś jest dłuższy czas obłożnie chory, powinien raz po raz napinać mięśnie nóg i poruszać stopą oraz palcami, by pobudzić krążenie krwi.
— Przy dużym zagrożeniu zakrzepem, na przykład po operacjach, lekarz wprowadza do żył lek przeciwkrzepliwy, heparynę.
— Jeżeli leczenie trwa dłużej, lekarz ordynuje pochodne kumaryny (Marcumar, Sintrom) do połykania. Działają one dopiero po jednym do dwóch dni.

### Kiedy do lekarza?

Niezwłocznie, jak tylko pojawią się opisane objawy.

### Jak sobie pomóc.

Samemu nie można.

### Leczenie

Ostre zakrzepowe zapalenie żył głębokich musi być natychmiast leczone w szpitalu. Kończynę umieszcza się wyżej i rozpoczyna leczenie heparyną (→ Zapobieganie, powyżej). Zakrzep usiłuje się rozpuścić za pomocą takich środków farmakologicznych, jak streptokinaza i urokinaza. Jeżeli kończyna jest obrzęknięta, muszą być noszone pończochy uciskowe w celu uniknięcia bólów, przebarwień skóry, ponownych obrzęków i owrzodzeń. W niektórych przypadkach lekarz musi usunąć zakrzep operacyjnie.

Celem uniknięcia powtórzenia się zakrzepicy zachodzi konieczność stosowania, najczęściej przez wiele miesięcy, doustnych środków hamujących krzepnięcie krwi, jak Marcumar lub Sintrom. W okresie tym zachodzi konieczność regularnej kontroli zdolności krwi do krzepnięcia, by pacjent nie był narażony na niespodziewane krwotoki (→ Test Quicka, s. 601).

## Tętniaki

Tętniaki są uwypukleniami uszkodzonych ścian tętnic.

### Dolegliwości

Mogą być różne, zależnie od miejsca w organizmie, w którym te uwypuklenia występują, i od ich wielkości:
— Kaszel, który nie ustępuje, chrypka, zaburzenia oddychania, bóle w klatce piersiowej przy tętniakach tętnicy odchodzącej od serca (aorta).
— Bóle podobne do spotykanych przy zawale serca przy tzw. tętniaku rozwarstwiającym aorty. Wówczas ściana aorty jest rozwarstwiona, a krew wciska się pod dużym ciśnieniem pomiędzy te warstwy.

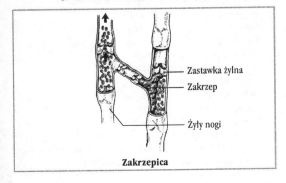

Zastawka żylna
Zakrzep
Żyły nogi

**Zakrzepica**

— Silne bóle głowy przy tętniakach w obrębie mózgu.
— Widocznie tętniący guz na ścianie aorty w obrębie brzucha, w niektórych przypadkach łącznie z utratą apetytu i wagi ciała.

### Przyczyny
W zasadzie są trzy przyczyny powstawania tętniaków:
— Wrodzona słabość mięśni tętnic.
— Zapalenia osłabiające ściany tętnic (→ Zapalenie serca, s. 321).
— Uszkodzenia ścian tętnic na skutek miażdżycy (→ s. 302) i przez nadciśnienie krwi (→ s. 304).

### Ryzyko zachorowania wzrasta
Wraz z wiekiem. Tętniaki występują najczęściej na skutek miażdżycy i nadciśnienia krwi.

### Możliwe następstwa i powikłania
W zależności od miejsca usytuowania w organizmie oraz od tego, jak bardzo są uwypuklone — tętniaki mogą zagrażać życiu.

### Zapobieganie
Przy nadciśnieniu obniżenie ciśnienia krwi do prawidłowych granic (→ Wysokie ciśnienie krwi, s. 304) oraz ogólne postępowanie zmierzające do zapobieżenia lub zwolnienia procesu miażdżycowego (→ s. 302).

### Kiedy do lekarza?
Jak tylko zaczniesz podejrzewać, że masz tętniaka.

### Jak sobie pomóc
Nie można, działanie we własnym zakresie jest nieuzasadnione.

### Leczenie
Jeżeli lekarz, posługując się badaniem rentgenowskim, ultradźwiękami i tomografią komputerową, stwierdzi obecność tętniaka, a ten jest bolesny i niebezpieczny, konieczne są leki obniżające ciśnienie krwi (→ s. 307) i/lub operacja.

## Choroba Raynauda, zespół Raynauda
W zależności od przyczyny odróżnia się chorobę od zespołu Raynauda.

### Dolegliwości
Napadowe przebarwienia palców rąk lub stóp, najpierw białe, później sine, a ostatecznie czerwone. Dotknięte członki są wówczas albo godzinami zdrętwiałe, albo występuje w nich kłucie, jednakże nie bolą.

Przy długo utrzymującej się chorobie Raynauda skóra palców może być gładka, połyskująca lub szorstka.

### Przyczyny
*Choroba Raynauda*
Z nieznanych przyczyn małe tętnice reagują szczególnie na zimno i emocje. Na skutek tego obkurczają się. Następstwem jest niedostateczne zaopatrzenie tkanki mięśniowej w krew. Zmiany skóry i innych tkanek są rzadkie.

*Zespół Raynauda*
Opisane dolegliwości mogą być skutkiem:

— chorób autoimmunologicznych → Twardzina układowa (sklerodermia), s. 429; Reumatoidalne zapalenie stawów, s. 423,
— choroby tętnic,
— zatrucia i leków zawierających alkaloidy sporyszu lub metysergid,
— ubocznego działania leków obniżających nadciśnienie krwi (np. beta-adrenolityków, klonidyny) lub leków przeciw bólom głowy zawierających ergotaminę,
— zmian chorobowych spowodowanych wieloletnią pracą przy użyciu pił mechanicznych i młotów pneumatycznych.

### Ryzyko zachorowania
Choroba Raynauda występuje około czterech razy częściej u kobiet niż u mężczyzn. Dotknięte są zwłaszcza młode kobiety.

### Możliwe następstwa i powikłania
Upośledzenie zaopatrzenia tkanek w krew może długotrwale zmniejszyć zdolność czucia. Choroba Raynauda postępuje wolno, podczas gdy zespół Raynauda bardzo szybko. Mogą one powodować bliznowacenie dotkniętych tkanek i powstawanie owrzodzeń.

### Zapobieganie
Choroba Raynauda: możliwości zapobiegania nie są znane.

Dolegliwości w zespole Raynauda mogą być w wielu przypadkach opanowane po przerwaniu ciągłej pracy z piłami mechanicznymi i młotami pneumatycznymi.

### Kiedy do lekarza?
Jeżeli dolegliwości nie ustępują mimo działań we własnym zakresie.

### Jak sobie pomóc
— Ręce i nogi mieć zawsze suche i trzymać je w cieple.
— Nie nosić obcisłych butów.
— Zaniechać palenia tytoniu. Upośledza ono dodatkowo krążenie krwi (→ s. 740).
— Przy chłodnej pogodzie unikać, jeżeli to jest możliwe, przebywania na dworze.

### Leczenie
*Leki*
Jeżeli działania we własnym zakresie nie są wystarczające, po-

| Leki zalecane przy chorobie Raynauda i dolegliwościach z nią związanych | |
|---|---|
| Bufedil | Nicotol |
| Cetal | Pericephal |
| Cinnabene | Rentylin |
| Cinnarizin o różnych | Rökan |
| nazwach zastrzeżonych | Ronicol |
| przez producentów | Sermion |
| Defluina peri | Sibelium |
| Dusodril | Tebonin |
| Lamuran | Trental |
| Pentoxifyllin o różnych | Vincamin o różnych |
| nazwach zastrzeżonych | nazwach zastrzeżonych |
| przez producentów | przez producentów |

mocne mogą być leki rozszerzające naczynia. Należałoby je stosować zawsze tylko przez krótki okres.

*Operacje*
Jeżeli dolegliwości związane z zespołem Raynauda lub chorobą Raynauda stale się nasilają i prowadzą do inwalidztwa, może być niekiedy celowe chirurgiczne usunięcie niektórych nerwów. Operacja ta nazywa się sympatektomią. Poprawa trwa jednakże tylko rok do dwóch lat.

## Dusznica bolesna (dławica piersiowa)

### Dolegliwości
Najczęściej uczucie ściskania, duszność i bóle w klatce piersiowej, promieniujące do szyi, szczęki, do pleców i ramion. W rzadkich przypadkach bóle występują tylko w ramionach, w nadgarstkach i karku. Dolegliwości mogą być bardzo zróżnicowane, w zależności od tego, w którym kierunku bóle promieniują. Dlatego czasami dolegliwości na tle dusznicy bolesnej są mylnie rozpoznawane jako bóle zębów, bóle żołądka lub nadgarstka. Bóle są tępe i silne, pojawiają się typowo podczas wysiłku fizycznego, trwają często tylko kilka minut i ustępują w spoczynku. Napadom często towarzyszy uczucie lęku. Dotknięte nimi osoby odnoszą wrażenie ściskania klatki piersiowej żelazną obręczą. Napady mogą występować z różną częstotliwością: wielokrotnie w ciągu dnia lub kilkakrotnie w miesiącu bądź roku. Mogą zwiększać częstość występowania lub całkowicie ustąpić. Jeżeli liczba napadów się zmienia, trwają dłużej, pojawiają się w spoczynku, z nieznacznego powodu itp., lekarze określają taki stan niestabilną dusznicą bolesną.

### Przyczyny
Tętnice zaopatrujące mięsień sercowy w krew są zwężone. Trzy duże tętnice wieńcowe serca mało są ze sobą połączone, dlatego przy zwężeniu jednego z tych naczyń inne prawie nie może go „uzupełnić". Przy wysiłku fizycznym serce musi więcej pompować. Na skutek zwężenia mięsień sercowy mimo to nie otrzymuje wystarczająco dużo utlenionej krwi. Jest to przyczyną typowych bólów o charakterze dusznicy bolesnej.

### Ryzyko zachorowania
Dusznica bolesna jest jedną z najczęstszych chorób w starszym wieku. Ryzyko zwiększa się przez:
— palenie tytoniu,
— cukrzycę,
— podwyższone ciśnienie krwi,
— za wysoki poziom cholesterolu we krwi,
— za wysoki poziom kwasu moczowego we krwi,
— mało ruchliwy tryb życia,
— nadwaga, duże obciążenie w pracy zawodowej i w życiu prywatnym (→ Zaburzenia samopoczucia, s. 175).

### Możliwe następstwa i powikłania
Przez działania we własnym zakresie i leczenie można umożliwić wielu chorym na dusznicę bolesną prowadzenie normalnego trybu życia. Jednakże niebezpieczeństwo zawału serca lub nagłej śmierci sercowej są u nich większe niż u zdrowych. Czas przeżycia zależy od tego, w jakim stopniu są uszkodzone tętnice sercowe. Dzięki lekom, operacjom pomostowania lub rozszerzeniu tętnic wieńcowych duża część chorych pozostaje przez lata bez dolegliwości.

### Zapobieganie
Jest niemożliwe.

### Kiedy do lekarza?
Przy podejrzeniu zachorowania na dusznicę bolesną. Badanie serca polega na wykonaniu koronarografii. Przy tym badaniu pacjent otrzymuje wprawdzie środek uspokajający, ale nie stosuje się żadnego znieczulenia ogólnego (narkozy). Lekarz wprowadza cewnik do tętnicy na ramieniu lub w pachwinie. Przez cewnik wstrzykuje rentgenowski środek kontrastowy (→ s. 609) do tętnicy wieńcowej i uwidacznia ją za pomocą promieni rentgenowskich na monitorze. W ten sposób można dokładnie stwierdzić, która tętnica wieńcowa jest uszkodzona.

*Ryzyko*: Przeciętnie u jednego na tysiąc badanych występują powikłania niebezpieczne dla życia.

### Jak sobie pomóc
— Zaniechać palenia tytoniu (→ s. 740). Kto nie pali dłużej niż dwa lata, jest narażony na takie samo ryzyko jak ktoś, kto nigdy nie palił.
— Zredukować nadwagę (→ Masa ciała, s. 709).
— Wysokie ciśnienie krwi koniecznie leczyć pod kontrolą lekarską (→ s. 307).
— Obniżyć za wysoki poziom cholesterolu we krwi (→ s. 304).
— Zażywać ruchu; celowe są zwłaszcza biegi, jednakże wcześniej należy się poddać dokładnemu badaniu lekarskiemu (→ Ruch i sport, s. 748).
— Nie jeść niczego ciężko strawnego.
— Unikać stresu psychicznego, nagłych wysiłków i nagłej dużej zmiany temperatury.

### Leczenie
*Leki*
Leczenie dusznicy bolesnej lekami ma dwa cele:
    1. Przerwać ostre napady lub im krótkotrwale zapobiegać.
    2. Zapobiec dalszym napadom.
Napady dusznicy bolesnej przerywa się nitrogliceryną. Trzeba rozgryźć kapsułkę leku lub inhalować jego zawartość w aerozolu. Lekiem tym, używanym od wielu dziesiątek lat, można zapobiec napadom dusznicowym na około dwudziestu do trzydziestu minut. Jeżeli ktoś uważa to za konieczne, może się tym sposobem przygotować do stosunku seksualnego. Najczęstszym działaniem ubocznym nitrogliceryny są bóle głowy. Do leczenia ostrych napadów okazała się również przydatna nifedipina. Przy ostrym napadzie należy rozgryźć kapsułkę tego leku. Długotrwale zapobiega się napadom albo za pomocą nitratów, beta-adrenolityków, albo antagonistów wapnia.

*Operacje pomostowania („by-pass")*
Jeżeli metody samopomocowe i leki nie przynoszą dostatecznej poprawy, pomocna może się okazać plastyka naczyń lub pomostowanie. Badaniem lekarskim (EKG spoczynkowy i wy-

### Leki stosowane w celu przerwania napadu dusznicy bolesnej lub zapobieżenia mu przez krótki czas

| | | |
|---|---|---|
| Adalat | Iso Mack spray | Nitroglicerinum |
| Cordafen | Isoket aerozol | Nitro Mack maść |
| Cordicant | z dozownikiem | Nitrolingual |
| Cordonit | Nifedipina | Pidilat |
| Duranifin | Nife-Puren | Sorbonit |

siłkowy, badanie izotopowe, koronarografia) można dokładnie ustalić, który fragment mięśnia sercowego jest niedokrwiony. Od tego zależy decyzja dotycząca wykonania plastyki naczyniowej lub pomostowania. Jeżeli zwężone są dwa lub trzy naczynia wieńcowe serca, operacja pomostowania może być ratującą życie. Jeżeli zwężenie dotyczy jedynie jednego lub dwóch naczyń, na ogół operuje się wówczas, gdy występują silne bóle.

Przy operacjach pomostowania chirurg pobiera odcinek żyły z podudzia lub odcinek tętnicy piersiowej wewnętrznej i przeszczepia jako „obejście" pomiędzy aortą a tętnicą wieńcową tak, że krew może znowu przepływać bez przeszkody.

Operacja ta trwa około trzech godzin. Następnie trzeba pozostać pod kontrolą najczęściej przez kilka dni na sali intensywnej opieki. Pobyt w szpitalu trwa około trzech tygodni. U około osiemdziesięciu pięciu procent wszystkich chorych po operacji pomostowania znikają dolegliwości lub znacznie się zmniejszają. Mimo operacji choroba może jednak dalej postępować. Jeżeli z powodu zwężenia tętnic wieńcowych duże odcinki serca są nadal zagrożone niedokrwieniem, operacja jest postępowaniem jednoznacznie przedłużającym życie.

*Ryzyko*: Około jeden do trzech chorych na stu umiera na skutek operacji.

*Rozszerzenie zwężonych naczyń serca (plastyka naczyń)*
Operacji tej nie można wykonać u wszystkich chorych. Jest ona właściwa wówczas, gdy zwężone są tylko pojedyncze naczynia i leżą w pobliżu odejścia tętnicy (pień lewej tętnicy wieńcowej) od aorty. Przy angioplastyce lekarz znieczula najpierw miejsce na ramieniu lub kończynie dolnej, gdzie wprowadza cewnik do tętnicy i wsuwa go aż do miejsca zwężenia w sercu. Na cewniku

jest umieszczony balonik, który zostaje rozdęty powietrzem w miejscu zwężenia tętnicy i jego zadaniem jest rozciągnięcie jej. Zabieg trwa około czterdziestu pięciu minut. Doświadczonemu lekarzowi udaje się tą metodą u osiemdziesięciu na stu pacjentów poprawić ukrwienie serca. U około co piątego pacjenta naczynia zwężają się ponownie kilka dni lub tygodni po zabiegu. Niekiedy już podczas tego zabiegu dochodzi do sytuacji, która zmusza do wykonania operacji pomostowania. Rozszerzanie naczyń wieńcowych można wielokrotnie powtarzać.

*Ryzyko*: Odpowiada spotykanemu przy operacji pomostowania: jeden do trzech na stu pacjentów umiera.

## Zawał serca

### Dolegliwości
Ostry zawał serca najczęściej wywołuje podobne dolegliwości jak napad dusznicy bolesnej. Utrudniony oddech i głębokie, tępe bóle promieniujące z okolicy sercowej do szyi, szczęki dolnej, pleców i do ramion, lęk przed śmiercią, zimny pot, szybkie tętno. Jednakże u około jednej piątej dotkniętych chorych zawał „maskuje" się: nagłe omdlenie z wymiotami, ale bez bólów; niejasne dolegliwości w nadbrzuszu lub niewytłumaczalna duszność; lekki ucisk za mostkiem, połączony z niejasnym bólem jednego ramienia lub w szczęce. W przeciwieństwie do dusznicy bolesnej bóle zawałowe nie ustępują ani po zażyciu kapsułki nitrogliceryny, ani po kilkuminutowym odpoczynku. Zawał może wystąpić także podczas odpoczynku. Zawały występują najczęściej w godzinach rannych.

### Przyczyny
Zawał ma tę samą przyczynę co dusznica bolesna: niewystarczające zaopatrzenie mięśnia sercowego w krew, a tym samym w tlen. Zdarza się to wówczas, gdy tętnice wieńcowe serca są silnie zwężone na skutek miażdżycy. Często ostatecznym czynnikiem wywołującym zawał jest zakrzep krwi w miejscu zwężenia. W porównaniu do dusznicy bolesnej różnica polega na tym, że przy zawale niedobór tlenu pewnego obszaru mięśnia sercowego jest tak duży, że tkanka obumiera, jeżeli nie uda się otworzyć zwężonego naczynia w ciągu około sześciu godzin.

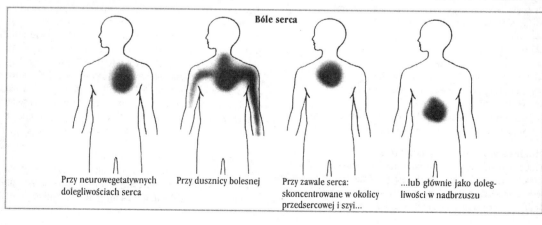

**Bóle serca**

Przy neurowegetatywnych dolegliwościach serca

Przy dusznicy bolesnej

Przy zawale serca: skoncentrowane w okolicy przedsercowej i szyi...

...lub głównie jako dolegliwości w nadbrzuszu

## Ryzyko zachorowania

W Polsce z powodu zawału rocznie umiera 300 000 osób. W przekroju ogólnym mężczyźni są bardziej zagrożeni niż kobiety. W Niemczech wśród osób 50-letnich na zawał serca częściej zachorowują mężczyźni niż kobiety. Ponieważ kobiety na ogół żyją dłużej niż mężczyźni, całkowita liczba zawałów u mężczyzn zmniejszyła się w ostatnich latach o 18%, podczas gdy u kobiet nieco wzrosła. Przez dziesiątki lat uważano, że kobiety są mniej zagrożone zawałem, dopiero w ostatnich latach niektóre dolegliwości u kobiet zaczęto wiązać przyczynowo z zawałem serca. Następujące czynniki zwiększają ryzyko wystąpienia zawału serca:
— Palenie tytoniu. Zwiększa ono częstość wystąpienia zawału dwa do pięciu razy.
— Wysokie ciśnienie krwi (→ s. 304).
— Cukrzyca (→ s. 449).
— Wysoki poziom lipidów we krwi (→ s. 303).
— Dna moczanowa (→ s. 422).

Ponadto podejrzewa się, że osoby z nadwagą i te, które warunki pracy i życia odczuwają jako uciążliwe, również dzielą wysokie ryzyko doznania zawału mięśnia sercowego (→ Zaburzenia samopoczucia, s. 175).

## Możliwe następstwa i powikłania

Dla wielu osób zawał kończy się śmiercią. Dla tych, którzy go przeżyją, część pozostałej tkanki sercowej pozostanie na zawsze uszkodzona. Oznacza to, że serce takie nie toleruje dodatkowych obciążeń, jego wydolność jest ograniczona. Regularne ćwiczenia fizyczne mogą jednak zwiększyć jego wydolność. Ponieważ „stwardnienie" tętnic postępuje wraz z wiekiem, istnieje niebezpieczeństwo ponownego zawału serca. Odpowiednie zapobieganie może zmniejszyć to ryzyko.

## Zapobieganie

— Zaniechaj palenia tytoniu (→ s. 740). Ten, kto powstrzyma się od palenia przez okres dłuższy niż dwa lata, dzieli znowu takie samo ryzyko jak osoby, które nigdy nie paliły.
— Zredukuj nadwagę (→ Masa ciała, s. 709).
— Koniecznie lecz nadciśnienie krwi (→ s. 304).
— Obniż za wysoki poziom cholesterolu (→ s. 304).
— Wprowadź zajęcia ruchowe, uprawiaj zwłaszcza biegi (→ s. 751). Warunkiem jednakże jest uprzednie dokładne badanie lekarskie.
— Unikaj stresu psychicznego, nagłego obciążenia i nagłej zmiany temperatury.
— Tak ukształtuj swoje życie, by utrzymać właściwą równowagę pomiędzy napięciem a odprężeniem (→ Zaburzenia samopoczucia, s. 175).

## Kiedy do lekarza?

Zawał serca może wystąpić w każdej sytuacji: w teatrze, w domu, podczas gry w tenisa itp. Większość ludzi umiera podczas pierwszej godziny od zauważenia pierwszych objawów. Oznacza to, że pierwsza godzina rozstrzyga o rokowaniu co do przeżycia zawału.

Przy podejrzeniu zawału serca nie broń się przed natychmiastowym przewiezieniem do szpitala. Ze względu na ostrożność lepiej być raz niepotrzebnie zawiezionym do szpitala, niż później robić sobie wyrzuty. Co drugi pacjent, który umiera,

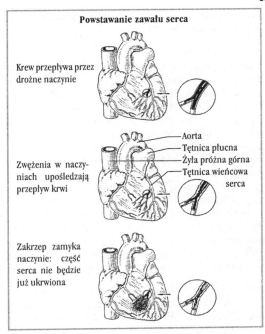

**Powstawanie zawału serca**

Krew przepływa przez drożne naczynie

Zwężenia w naczyniach upośledzają przepływ krwi

Aorta
Tętnica płucna
Żyła próżna górna
Tętnica wieńcowa serca

Zakrzep zamyka naczynie: część serca nie będzie już ukrwiona

mógłby przeżyć, gdyby natychmiast otrzymał właściwą pomoc lekarską.

## Jak sobie pomóc

Najważniejszym i często ratującym życie działaniem jest niezwłoczne wezwanie karetki pogotowia ratunkowego. Jest to jednakże możliwe tylko wówczas, jeżeli dotknięty lub krewny potrafią rozpoznać oznaki zawału serca. Jeżeli ktoś podejrzewa, że ma zawał, powinien się natychmiast położyć i unikać jakiegokolwiek wysiłku i zdenerwowania. Połknij jedną tabletkę aspiryny.

Jeżeli nie masz niskiego ciśnienia krwi, zażyj jedną tabletkę nitrogliceryny.

## Leczenie

Jeżeli istnieje podejrzenie zawału, czynność serca powinna być nadzorowana. Wstrzyknięte lub wprowadzone we wlewie kroplowym leki powinny zmniejszyć bóle, opanować lęk przed śmiercią, odciążyć serce i wyrównać zaburzenia rytmu serca.

Podczas pierwszych dwunastu, najlepiej w ciągu 4-6 godzin od wystąpienia dolegliwości lekarz może spróbować lekami rozpuścić skrzep w naczyniach. Przez to można ograniczyć uszkodzenie mięśnia serca. Większość chorych z zawałem serca cierpi po kilku dniach na depresję, którą również należy leczyć (→ Depresja, s. 191).

U osób dłuższy czas obłożnie chorych istnieje większe ryzyko doznania zatoru tętnicy płucnej. Żeby temu zapobiec, stosuje się lek przeciwkrzepliwy, heparynę w zastrzykach lub w kroplówkach dożylnych.

### Operacje pomostowania („by-pass")

Operacja pomostowania po zawale serca może niekiedy wydłużyć czas przeżycia. Czy jest celowa, zależy od stanu naczyń wieńcowych serca (→ s. 316).

*Leczenie po zwolnieniu ze szpitala*
Pobyt w szpitalu trwa najczęściej około dwu do trzech tygodni. Bezpośrednio po tym następuje najczęściej wielotygodniowy pobyt w ośrodku rehabilitacyjnym, gdzie w sposób ukierunkowany i stopniowy stosowane są zajęcia fizyczne. Program rehabilitacyjny zależy od wieku, rozmiarów uszkodzenia, od ewentualnych zaburzeń rytmu, od ewentualnie istniejącej niewydolności serca, od sytuacji zawodowej i od osobistych oczekiwań. Jeżeli to możliwe, powinieneś się dołączyć do tak zwanej „ambulatoryjnej grupy sercowej".

Alkohol w małych ilościach jest dopuszczalny.

Jeżeli po około sześciu tygodniach po przebytym zawale serce znowu dobrze pracuje, najczęściej można prowadzić normalne życie. By nie dopuścić do kolejnych zawałów, należy bezwzględnie stosować się do wszystkich zaleceń dotyczących zapobiegania (→ s. 317). Jeżeli ktoś tego przestrzega, ma dobre perspektywy dalszego rozkoszowania się życiem.

*Leki stosowane w celu zapobieżenia dalszym zawałom*
*Aspiryna*: Wielu lekarzy zaleca codzienne zażywanie aspiryny w celu zapobieżenia dalszym zawałom. Korzyść z takiego leczenia jest jednakże dyskusyjna. Wadą jest częsta niedyspozycja żołądkowa. W istocie dla ochrony serca wystarczy pół tabletki aspiryny zawierającej 100 mg. W Austrii mówi się „pół tabletki aspiryny dla dzieci".

*Środki przeciwzakrzepowe, jak Coumadin, Marcumar lub Sintrom*: Od dziesiątków lat trwa dyskusja, czy te leki mogą zapobiec zawałowi serca. Niepodważalne jest jednakże, że środki przeciwzakrzepowe mogą spowodować jako działanie uboczne ciężkie krwotoki. Ich stosowanie jest na pewno celowe wówczas, gdy na ścianie serca w zakresie zawału nagromadzi się materiał zakrzepowy. Można to stwierdzić badaniem ultrasonograficznym serca.
*Beta-adrenolityki*: Różne badania wskazują, że beta-adrenolityki wydłużają czas przeżycia.

## Niewydolność serca

### Dolegliwości
W zależności od dolegliwości lekarze rozróżniają niewydolność prawego bądź lewego serca.
*Niewydolność lewego serca*: duszność i częstoskurcz serca przy większych wysiłkach fizycznych. Jeżeli choroba postępuje, duszność występuje także bez wysiłku fizycznego, zwłaszcza wieczorem. Duszność pojawia się przy położeniu poziomym. Jest się

wówczas zmuszonym przyjąć pozycję siedzącą lub położyć sobie kilka poduszek pod głowę. Napady duszności trwające nie dłużej niż godzinę mogą zerwać chorego ze snu. W najcięższych przypadkach dolegliwości oddechowe łączą się z bólami w klatce piersiowej i krwiopluciem.

*Niewydolność prawego serca*: Obrzęknięte kostki, uczucie rozpierania szyi i brzucha, nużliwość.

### Przyczyny
O niewydolności serca mówi się wówczas, gdy serce nie ma już dość siły, by utrzymać dostateczne krążenie krwi. Oznacza to, że serce wypompowuje za mało krwi i dlatego przyjmuje również za mało krwi z żył. W następstwie w żyłach znajduje się za dużo krwi. To ciśnienie powoduje przesączanie płynu do otaczających tkanek, które „puchną".

Przyczyną niewydolności serca mogą być: choroba niedokrwienna serca i jej następstwa (zawał serca, dusznica bolesna), nadciśnienie krwi, wada zastawek serca, wszystkie pozostałe choroby mięśnia sercowego (kardiomiopatie), zator tętnicy płucnej, choroba reumatyczna.

### Ryzyko zachorowania
Niewydolność serca jest rozpoznaniem najczęściej stawianym przez lekarzy ogólnych. Od kilku lat niektóre krytyczne artykuły w specjalistycznych czasopismach lekarskich wskazują, że wielu lekarzy rozpoznanie to stawia pochopnie. Na niewydolność serca cierpią najczęściej osoby starsze.

### Możliwe następstwa i powikłania
Nieleczona niewydolność serca może spowodować zaburzenia rytmu serca (→ s. 319). Nieleczona niewydolność lewego serca może prowadzić do zagrażającego życiu nagromadzenia płynu w płucach (→ Obrzęk płuc, s. 299).

Wywołane niewydolnością prawego serca nagromadzenia płynu mogą uszkadzać skórę i tkankę podskórną kończyn dolnych. Zastój krwi uszkadza też wątrobę, błonę śluzową żołądka i nerki.

### Zapobieganie
Jest niemożliwe.

### Kiedy do lekarza?
Kiedy zaczniesz podejrzewać, że cierpisz na niewydolność serca.

### Jak sobie pomóc
— Gdy tylko możesz, odpoczywaj. Siedzenie w fotelu jest korzystniejsze niż leżenie. Powinieneś wprawdzie zmniejszyć aktywność fizyczną, jednakże nie należy z niej rezygnować, gdyż wspomaga ona krążenie krwi.
— Ograniczyć spożycie soli. Przez to organizm zatrzymuje mniej wody, co zmniejsza niebezpieczeństwo nagromadzenia płynu w tkankach.
— Od godziny siedemnastej mniej pić.
— Zredukować nadwagę (→ s. 709).

### Leczenie
Przed rozpoczęciem terapii lekarz powinien ustalić, czy jakakolwiek inna choroba nie jest przyczyną niewydolności serca.

**Lektura uzupełniająca**

BROUANT B.: *Choroby serca i układu krwionośnego*. Wyd. 2, Wydaw. W.A.B., Warszawa 1996.
JACOBSEN J.R.: *Wrodzone wady serca*. „Efekt", Warszawa 1993.
MATHES P.: *Poradnik zawałowca: zapobieganie, rozpoznawanie, leczenie, rehabilitacja*. PZWL, Warszawa 1996.

W takiej sytuacji najpierw należałoby odpowiednio leczyć chorobę podstawową. Niewydolność serca jest leczona różnymi sposobami:
— Działaniami we własnym zakresie.
— Lekami zwiększającymi siłę skurczową serca (leki wzmacniające serce).
— Lekami moczopędnymi.
— Lekami rozszerzającymi naczynia, ułatwiającymi sercu pracę przez to, że podczas pompowania krwi pokonuje mniejszy opór (tak zwane inhibitory enzymu przekształcającego angiotensynę).

*Leki wzmacniające serce (glikozydy naparstnicy)*
Leki te, właściwie stosowane, są błogosławieństwem. Ponieważ rozpiętość pomiędzy dawką działającą leczniczo a dawką toksyczną tego leku jest dość mała, istnieje niebezpieczeństwo zatruć. Do tego dochodzi fakt, że lekarze — zwłaszcza w Niemczech i Austrii — często niepotrzebnie przepisują te leki. Dawka skuteczna leków wzmacniających serce jest u poszczególnych pacjentów różna i waha się nawet u tego samego chorego. Lekarz musi ją więc indywidualnie ustalić, uwzględniając przy tym wiek, ciężar ciała i ewentualnie uszkodzenia narządów wewnętrznych. Może też upłynąć jeden do czterech tygodni, aż tabletki będą skuteczne. Właściwe dawkowanie lekarz może ustalić tylko przez dokładną obserwację chorych, a nie wyłącznie przez badanie stężenia leku we krwi.

Objawami zatrucia mogą być: utrata apetytu, nudności lub wymioty, bóle podbrzusza, biegunka, niezwykłe stany osłabienia, zbyt wolne lub niemiarowe tętno, zaburzenia widzenia (kolorowe światło wokół widzianego przedmiotu), senność, splątanie lub depresja, bóle głowy.

Natychmiast skontaktuj się z lekarzem, jeżeli przypuszczasz, że jesteś zatruty zbyt dużymi dawkami leków wzmacniających serce. Stosowanie leków wzmacniających serce jest często potrzebne tylko na okres trzech do sześciu miesięcy. Ze względu na niebezpieczeństwo zaburzeń rytmu nie powinieneś tych leków samowolnie odstawiać.

*Leki moczopędne (diuretyki)*
Dieta z ograniczeniem soli i leki moczopędne zmniejszają objętość płynu krążącego w organizmie. Ma to duże znaczenie dla długotrwałego leczenia niewydolności serca. Odnośnie do działania i skutków ubocznych leków moczopędnych → Wysokie ciśnienie krwi, s. 304.

*Leki rozszerzające naczynia (inhibitory enzymu przekształcającego angiotensynę)*
Te lub inne nowe leki odbarczają serce przez to, że rozszerzają naczynia i dlatego zmniejszają opór, który serce musi pokonywać. Zmniejszają one również obciążenie serca przez zmniejszenie napływu krwi do serca. Podczas tego leczenia konieczne są częste badania lekarskie i laboratoryjne, gdyż jako działanie uboczne obniża się ciśnienie krwi i może się pogorszyć czynność nerek (→ Wysokie ciśnienie krwi, s. 304).

*Transplantacja (przeszczepienie) serca*
Jeżeli mimo leczenia nadal pogarsza się siła skurczowa serca, pozostaje tylko możliwość przeszczepienia serca. Takie operacje są ostatnio rutynowo wykonywane w specjalnie do tego zorganizowanych ośrodkach, a ich skuteczność ocenia się wysoko. W rezultacie takich operacji, przeprowadzonych w najbardziej doświadczonych placówkach tego typu na świecie, dwa lata po zabiegu żyje jeszcze osiemdziesięciu spośród stu pacjentów. Największym problemem przy transplantacji narządów jest reaktywność organizmu na obcą tkankę. Organizm reaguje na to w taki sposób, jakby chodziło o wdarcie się zarazków chorobotwórczych. Wytwarza on zwiększoną ilość przeciwciał i przeszczepiony narząd szybko traci swoją wydolność. Żeby temu przeszkodzić, ludzie, którym przeszczepiono narząd, muszą przez całe życie zażywać tzw. leki immunosupresyjne (obniżające odporność organizmu), które mają duże działania uboczne.

## Zaburzenia rytmu serca

Serce pracuje tylko wówczas, gdy stale otrzymuje „polecenia". Te „polecenia" lub bodźce (impulsy) powstają spontanicznie w tzw. węźle zatokowym. Są to komórki w prawym przedsionku serca. Około siedemdziesięciu impulsów na minutę rozprzestrzenia się poprzez układ bodźco-przewodzący na mięsień sercowy i wywołuje czynność skurczową serca w dokładnie ustalonych odstępach.

Jeżeli ten złożony system wypada z rytmu, powstają zaburzenia rytmu. Przyczyny tego mogą być różnorakie:
— Zdenerwowanie i obciążenie fizyczne.
— Następstwo nadmiernego spożycia alkoholu, kawy, palenia tytoniu.
— Działanie uboczne lub przedawkowanie leków.
— Objaw towarzyszący chorobom serca i naczyń (np. dusznica bolesna, zawał serca, choroby reumatyczne).
— Objaw towarzyszący innym ciężkim chorobom i urazom.
Zaburzenia rytmu serca na tle organicznym muszą być leczone przez lekarza.

## Skurcze dodatkowe (ekstrasystole)

### Dolegliwości
Dodatkowe skurcze serca lub pozorne wypadnięcie jednego uderzenia serca jest odczuwane jako potknięcie się uderzenia serca. Przerwa pojawia się dlatego, że serce wykonuje najpierw jeden skurcz za dużo, następnie wprowadza przerwę, by utrzymać stałą średnią liczbę uderzeń.

### Przyczyny
Skurcze dodatkowe mogą pochodzić z przedsionków lub komór serca.

*Skurcze dodatkowe pochodzenia przedsionkowego są częste:*
— u całkowicie zdrowego człowieka,

## Godne polecenia leki wzmacniające siłę skurczową mięśnia sercowego

| | | |
|---|---|---|
| Cedilanid | Digotap | Lanitop |
| Deslanatosidum | Digoxin | Novodigal |
| Digacin | Lanatilin | |
| Digimerck | Lanicor | |

— przy nerwowości,
— po spożyciu alkoholu lub kawy,
— przy nieleczonej niewydolności serca, gdyż wówczas przedsionek jest rozdęty i podrażniony przez zalegającą krew,
— podczas lub po nierozpoznanym zapaleniu mięśnia sercowego,
— przy nadczynności tarczycy.

*Skurcze dodatkowe pochodzenia komorowego są częste:*
— u całkowicie zdrowych osób,
— u osób chorych na chorobę wieńcową serca (→ s. 302), zwłaszcza podczas i po zawale serca,
— przy niewydolności serca,
— u chorych na niewydolność serca, którzy zażywają duże dawki naparstnicy,
— podczas lub po zapaleniach serca.

### Ryzyko zachorowania
Prawie wszyscy ludzie doznają uczucia, jakby ich serce od czasu do czasu „potykało się".

### Możliwe następstwa i powikłania
Skurcze dodatkowe są w większości przypadków nieszkodliwe. Czy musi być zastosowane leczenie, zależy z jednej strony od odczuwalnych dolegliwości, z drugiej strony od ewentualnie współistniejącej choroby serca. Zbyt częste skurcze dodatkowe (np. co drugie uderzenie — skurcz dodatkowy) mogą upośledzać wydolność serca jako pompy. Skurcze dodatkowe mogą wywołać w niektórych sytuacjach częstoskurcz (→ poniżej).

### Zapobieganie
Jeżeli wiadomo, czym są spowodowane skurcze dodatkowe (np. przez alkohol lub kawę), można spróbować wyłączyć te czynniki.

### Kiedy do lekarza?
Jeżeli ponownie pojawią się skurcze dodatkowe.

### Jak sobie pomóc
Ograniczyć konsumpcję alkoholu, kawy i coli.

### Leczenie
Najczęściej leczenie jest niepotrzebne. W niektórych sytuacjach celowe mogą się okazać leki. W zależności od przyczyny skurczów dodatkowych lekarz przepisuje beta-adrenolityki, naparstnicę, preparaty z grupy antagonistów wapnia lub specjalne leki wpływające na automatyzm serca. Dlatego często konieczna jest współpraca lekarza ogólnego z kardiologiem. Prawie wszystkie leki przeciw zaburzeniom rytmu serca mogą same jako działanie uboczne wywołać zaburzenia rytmu serca.

## Częstoskurcz serca

### Dolegliwości
Bardzo szybkie skurcze serca prowadzą w niektórych przypadkach do osłabienia, zawrotów głowy, uczucia ściskania klatki piersiowej, kołatania serca i bólu kłującego w okolicy serca.

### Przyczyny
Są dwa rodzaje częstoskurczu:

1. Wywołany zdenerwowaniem, lękiem i wysiłkiem fizycznym. Odczuwane przy tym bicie serca jest normalne i nieszkodliwe. Czasami takiemu biciu serca może towarzyszyć uczucie duszności, zawroty głowy, kłucie w okolicy serca. Jednakże samo serce nie wykazuje przy tym objawów chorobowych. Lekarze określają tę postać bólów sercowych jako dolegliwości neurowegetatywne, zespół serca hiperkinetycznego, nerwicę serca (→ Zaburzenia samopoczucia, s. 175).

2. Częstoskurcz pojawia się niespodziewanie. Zjawisko to może objąć kilka salw uderzeń lub trwać parę godzin. Koniec jest również natychmiastowy. Wówczas serce bije zazwyczaj bardzo szybko, około stu osiemdziesięciu uderzeń na minutę. Wtórnie obniża się ciśnienie krwi, pojawiają się zawroty głowy, osłabienie, uczucie ściskania, lęk.

Ta postać częstoskurczu jest najczęściej wywołana w przedsionku (częstoskurcz nadkomorowy). Przyczyny są te same co przy skurczach dodatkowych przedsionkowych (→ s. 319). Znacznie rzadziej częstoskurcz występuje w komorach serca (częstoskurcz komorowy), mianowicie prawie zawsze w sercu uszkodzonym wcześniej. W tym przypadku skutkiem mogą być omdlenia, ponieważ czynność mechaniczna serca jest bardzo ograniczona.

### Ryzyko zachorowania
Postać częstoskurczu serca wywołanego zdenerwowaniem czy wysiłkiem jest bardzo częsta. Częstoskurcz napadowy pochodzenia przedsionkowego jest rzadki, a częstoskurcz komorowy występuje bardzo rzadko.

### Możliwe następstwa i powikłania
Pierwszy rodzaj częstoskurczu nie jest niebezpieczny i znika, gdy ustąpi uciążliwa sytuacja. Jeżeli przeżycia wywołują tak duże reakcje organizmu, można przypuszczać, że długotrwałe obciążenia powodują uszkodzenie także innych narządów (→ Zaburzenia samopoczucia, s. 175).

Natomiast częstoskurcz nadkomorowy z powodu dolegliwości może być bardzo uciążliwy, gdyż w czasie jego trwania dotknięta nim osoba nie jest zdolna do wykonywania jakichkolwiek czynności, mogą również wystąpić zawroty głowy. Spowodowany chorobami częstoskurcz komorowy może być w niektórych sytuacjach niebezpieczny dla życia i prowadzić do zatrzymania krążenia krwi.

### Zapobieganie
Odpowiednie leczenie wszystkich chorób, które mogą wywołać częstoskurcz serca (→ Przyczyny).

### Kiedy do lekarza?
Jeżeli ponownie cierpisz z powodu niewytłumaczalnego częstoskurczu serca, tym objawom towarzyszy lęk lub miałeś dotychczas jedyny ciężki napad. Lekarz może ustalić dokładną przyczynę za pomocą EKG, ergometrii oraz innych badań.

### Jak sobie pomóc
Celowe jest ograniczenie picia kawy. Jeżeli częstoskurcz jest wywołany psychosocjalnymi obciążeniami, spróbuj je w jakiś sposób zmniejszyć lub uporaj się z nimi. Jeżeli nie udaje ci się tego uczynić samemu lub przy udziale przyjaciół czy znajo-

mych, możesz zwrócić się o pomoc zawodową (→ Poradnictwo i psychoterapia, s. 670). Pomocne mogą być także ćwiczenia odprężające (→ s. 665). Pewne „chwyty" przydatne przy napadowych częstoskurczach nadkomorowych: należy pobudzić ten nerw, który zwalnia częstość akcji serca (nerw błędny). Można to osiągnąć na przykład przez parcie, jak przy oddawaniu stolca, picie lodowato zimnej wody lub silny masaż tętnicy na szyi. Poproś lekarza, by ci to pokazał.

### Leczenie

Jeżeli lekarz stwierdzi, że częstoskurcz ma przyczynę organiczną (zapalenie mięśnia sercowego, niewydolność serca itp.), leczenie ukierunkowuje się na tę chorobę. Jeżeli częstoskurcz jest wywołany obciążeniami psychosocjalnymi, a działania samopomocowe nie przynoszą dostatecznej poprawy, lekarz może przepisać takie leki jak beta-adrenolityki lub środki uspokajające. Nadkomorowe częstoskurcze nie wymagają żadnego leczenia, jeżeli występują rzadko i krótko. W innym przypadku pomocne są takie leki jak naparstnica, antagoniści wapnia i specjalne leki przeciw zaburzeniom rytmu. Komorowe częstoskurcze są leczone w szpitalu. W każdym przypadku chodzi o całkowite opanowanie ich przez leki przeciw zaburzeniom rytmu lub operację serca. W niektórych przypadkach wszczepia się rozrusznik serca lub defibrylator.

## Blok serca

### Dolegliwości

Zwolnione bicie serca, połączone z sennością, zawrotami głowy; ciemność przed oczyma lub krótkotrwała utrata przytomności; napadowo głęboki oddech. Czasami tętno jest prawidłowe, lecz wypadają pojedyncze uderzenia. Od tzw. skurczów dodatkowych zjawisko to może być odróżnione przez lekarza na podstawie badania EKG (→ s. 607).

### Przyczyny

Przy bloku serca dochodzi do przerwania przewodzenia bodźców w jakimkolwiek miejscu. Może to być spowodowane przez:
— choroby reumatoidalne lub miażdżycę tętnic,
— zatrucia na skutek przedawkowania leków wzmacniających serce (→ s. 319),
— aktywną chorobę reumatyczną (→ s. 426),
— choroby nowotworowe,
— kiłę (→ s. 513),
— zawał serca (→ s. 316),
— objawy starzenia się układu bodźco-twórczego i bodźco-przewodzącego serca.

### Ryzyko zachorowania

Blok serca może wystąpić w związku z wszystkimi chorobami serca i jest dlatego stosunkowo częsty.

### Możliwe następstwa i powikłania

Napad może być śmiertelny, jeżeli spowoduje zatrzymanie krążenia krwi trwające dłużej niż trzy do czterech minut.

### Zapobieganie

Jest niemożliwe.

### Kiedy do lekarza?

Jak najszybciej.

### Jak sobie pomóc

Nie można. Przy zatrzymaniu serca krewni powinni zastosować pierwszą pomoc do momentu nadejścia lekarza pogotowia ratunkowego (→ Zatrzymanie krążenia, s. 697).

### Leczenie

Jeżeli przewodzenie bodźców nie jest tylko przejściowo zaburzone, lekarz może za pomocą rozrusznika serca przywrócić normalną czynność skurczową.

*Rozrusznik serca*

Urządzenie to przekazuje małe uderzenia prądem elektrycznym, czyli bodźce elektryczne, w żądanym rytmie do serca. Jest ono wszczepiane do ściany klatki piersiowej lub brzucha i łączone cienkimi przewodami z sercem.

*Ryzyko*: Techniki operacyjne są tak udoskonalone, że ryzyko jest małe. Śmiertelne powikłania podczas wszczepiania rozrusznika można było obniżyć do promilowego zakresu przypadków. Czas przeżycia osób z rozrusznikami serca jest przeciętnie nieco krótszy niż osób zdrowych i zależny tylko od choroby podstawowej. Okres sprawności rozrusznika wynosi kilka lat. Mniej więcej co trzy do sześciu miesięcy lekarz powinien zbadać pacjenta i sprawdzić urządzenie. Równocześnie mierzy elektronicznie pozostały ładunek baterii. Osoby z rozrusznikiem serca mogą bez problemów prowadzić samochód. Nowoczesne rozruszniki są zabezpieczone silną metalową kapsułą przed zakłóceniami z zewnątrz (urządzenia kontrolne na lotniskach, elektryczne maszynki do golenia itp.). Mimo to nie należy tych urządzeń zbliżać bezpośrednio do rozrusznika.

## Zapalenie serca (zapalenie mięśnia sercowego, zapalenie wsierdzia, zapalenie osierdzia)

### Dolegliwości

*Zapalenie mięśnia sercowego i zapalenie wsierdzia*: Dolegliwości mogą być bardzo różne i nieswoiste. Gorączka, częstoskurcz, duszność, płytki oddech, nużliwość, bladość, niskie ciśnienie krwi.

*Zapalenie osierdzia*: gorączka, częstoskurcz i bóle w klatce piersiowej.

### Przyczyny

Zapalenie serca bywa wywołane przede wszystkim przez szereg procesów zapalnych toczących się w innych narządach:
— Następstwo ogólnych zakażeń (np. grypy, błonicy, szkarlatyny).
— Po ciężkich operacjach.
— Choroba reumatyczna (→ s. 426).
— Ogniska ropne w organizmie (np. przewlekłe zapalenie migdałków).
— Zaniedbanie leczenia zębów (→ s. 347).
— Użycie niesterylnych igieł do zastrzyków (np. przez narkomanów).

Zapalenie serca powstaje przez zakażenie drobnoustrojami, przenoszonymi tam wraz z prądem krwi. W zależności od tego, która część serca jest dotknięta, chodzi o zapalenie mięśnia sercowego, zapalenie wsierdzia lub zapalenie osierdzia.

## Ryzyko zachorowania

*Zapalenie wsierdzia* spowodowane zakażeniem dotyczy przede wszystkim osób w wieku od piętnastu do sześćdziesięciu lat. Mężczyźni jednak chorują na tę chorobę dwukrotnie częściej niż kobiety.

*Zapalenie mięśnia sercowego* jest rzadką chorobą mogącą wystąpić jako powikłanie ciężkich zakażeń.

*Zapalenie osierdzia*: Lekkie postacie są częste, nie dają jednakże żadnych dolegliwości. Ciężkie postacie, powodujące bóle, są względnie rzadkie.

## Możliwe następstwa i powikłania

*Zapalenie wsierdzia*: Nieleczone najczęściej kończy się śmiertelnie. W leczonym zapaleniu wsierdzia poprawa następuje najczęściej po kilku dniach. Skutkiem może być powstanie wady zastawek serca. Zastawki obkurczają się, sklejają lub nie mogą właściwie spełniać swej funkcji ze względu na osłabienie mięśnia sercowego wywołane zakażeniem.

*Zapalenie mięśnia sercowego*: Ciężkie postacie mogą być przyczyną zgonu na skutek zatrzymania czynności serca.

*Zapalenie osierdzia*: Najczęściej nie zagraża życiu. Jednak jeśli się rozszerza i w worku osierdziowym nagromadzi się wysięk, może dojść do niebezpiecznego ucisku serca (tamponada serca).

## Zapobieganie

*Zapalenie wsierdzia*: Chorym z wadą zastawkową zaleca się zapobiegawcze stosowanie antybiotyków przed operacjami lub zabiegami stomatologicznymi.

*Zapalenie osierdzia i mięśnia sercowego*: Nie istnieją działania zapobiegawcze. Zapalenie mięśnia sercowego jest często niezauważalnym zjawiskiem towarzyszącym przeziębieniu. Dlatego po przeziębieniu należałoby jeszcze przez mniej więcej tydzień unikać obciążeń fizycznych.

## Kiedy do lekarza?

Jak tylko podejrzewasz, że cierpisz na zapalną chorobę serca.

## Jak sobie pomóc

Samemu nie można.

## Leczenie

Ponieważ dolegliwości mogą być bardzo różne, często lekarzowi trudno stwierdzić, czy chodzi o zapalną chorobę serca. Aby postawić rozpoznanie, najczęściej należy wykonać badania radiologiczne, badanie krwi i EKG. Przy zapaleniach we wszystkich przypadkach bezwzględnie zaleca się leżenie w łóżku lub pobyt w szpitalu.

*Leki*

Jeżeli zapalenie jest spowodowane bakteriami, lekarz przepisuje odpowiedni antybiotyk, poza tym ewentualnie środki przeciwbólowe, leki hamujące zapalenie, jak glikokortykoidy (→ s. 624).

*Operacje*

*Zapalenie osierdzia*: Ostre zapalenia worka osierdziowego

stwarzają czasami konieczność wykonania upustu płynu z worka osierdziowego przez nakłucie igłą.

*Zapalenie wsierdzia*: Niekiedy zakażenie musi być natychmiast opanowane przez operację zastawki (→ s. 323), w innych przypadkach konieczność taka zachodzi dopiero po latach.

## Choroby mięśnia sercowego (kardiomiopatie)

Jako kardiomiopatie określa się w medycynie niektóre wrodzone lub nabyte choroby mięśnia sercowego.

*Kardiomiopatia przerostowa*: Mięsień sercowy jest pogrubiały.

*Kardiomiopatia rozstrzeniowa (zastoinowa)*: Z nieznanej przyczyny mięsień sercowy jest cienki i słaby, nie pompuje (nie kurczy się) tak silnie, jak powinien.

*Kardiomiopatia restrykcyjna*: Ściany komór są sztywne i nierozciągliwe.

## Dolegliwości

Kardiomiopatie powodują często dolegliwości podobne do niewydolności serca (→ s. 318) lub innych chorób serca. W zależności od rodzaju kardiomiopatii dolegliwości są zróżnicowane.

*Kardiomiopatia przerostowa*: duszność, dolegliwości jak w dusznicy bolesnej (→ s. 315), kołatanie serca.

*Kardiomiopatia zastoinowa*: niewydolność serca (→ s. 318) i zaburzenia rytmu serca.

*Kardiomiopatia restrykcyjna*: duszność, łatwe męczenie się, niewydolność serca (→ s. 318).

## Przyczyny

Przyczyny kardiomiopatii są często niejasne. Mogą do nich należeć: dziedziczenie, zapalenia serca, alkohol, leki, guzy serca, różne choroby zależne od sposobu odżywiania się itp.

## Ryzyko zachorowania

*Kardiomiopatia zastoinowa*: Jest najczęstszą postacią i dotyczy głównie mężczyzn.

*Kardiomiopatia restrykcyjna*: Jest bardzo rzadka.

## Możliwe następstwa i powikłania

Kardiomiopatie są często bardzo ciężkimi chorobami powodującymi skrócenie czasu przeżycia. Proces chorobowy może jednak ulec zahamowaniu w różnych stadiach lub nawet zmniejszyć się.

## Zapobieganie

Jest niemożliwe.

## Kiedy do lekarza?

Najszybciej jak można.

## Jak sobie pomóc

Staraj się dużo odpoczywać. Unikaj stresu. Chorzy z kardiomiopatią zastoinową powinni unikać alkoholu.

## Leczenie

Rozpoznanie można postawić najczęściej dopiero po wykonaniu licznych badań (EKG, badanie radiologiczne itp.). Lekarz powinien wykluczyć inne możliwe przyczyny tych dolegliwości (np. nadciśnienie krwi, wada zastawek serca, zawał serca). Leczenie jest często bardzo trudne i wymaga rozległej wiedzy specjalistycznej. Stosuje się różne leki (inhibitory enzymu przekształcającego angiotensynę, leki moczopędne, leki umiarawiające, naparstnicę itp.). W niektórych przypadkach celowa jest transplantacja serca (→ s. 319).

## Nabyte wady zastawkowe

### Dolegliwości
Serce reguluje przepływ krwi za pomocą czterech zastawek, które źle funkcjonując, mogą spowodować podobne dolegliwości jak przy niewydolności serca (→ s. 318). Ogólne objawy to: łatwa męczliwość, duszność, silne bicie serca po wysiłku fizycznym. W ciężkich przypadkach dolegliwości te występują także w spoczynku.

### Przyczyny
— Zapalenie wsierdzia (→ s. 321).
— Choroba reumatyczna.
— Objawy starzenia się.
— Zawał serca (→ s. 316).

### Ryzyko zachorowania
Wraz z wiekiem wady zastawkowe występują częściej.

### Możliwe następstwa i powikłania
Bez leczenia obniża się czas przeżycia. Nieleczone wady zastawkowe mogą prowadzić do niewydolności serca (→ s. 318), zaburzeń rytmu serca (→ s. 319), obrzęku płuc (→ s. 299) i innych chorób zagrażających życiu.

### Zapobieganie
Prawidłowe leczenie choroby reumatycznej (→ s. 426) i zapalenia wsierdzia (→ s. 321).

### Kiedy do lekarza?
Jak tylko zostaną stwierdzone objawy tej choroby.

### Jak sobie pomóc
Nie można.

### Leczenie
Jeżeli wada zastawkowa jest nieduża, często wystarczają leki wzmacniające serce i moczopędne.

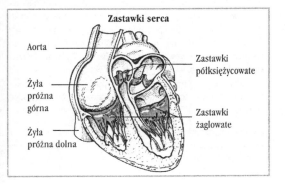

**Zastawki serca**

Aorta

Żyła próżna górna

Żyła próżna dolna

Zastawki półksiężycowate

Zastawki żaglowate

Przy ciężkich wadach zastawek jedynym możliwym leczeniem jest operacja. Przedtem wykonuje się badanie serca za pomocą cewnikowania. W tym celu wprowadza się do serca przez żyłę lub tętnicę cienki cewnik z urządzeniem pomiarowym.

*Operacja wady zastawkowej serca*
Uszkodzoną zastawkę usuwa się i zastępuje sztuczną. Chirurg może wybrać jedną z następujących możliwości:
— zastawkę z tworzywa sztucznego lub metalu,
— specjalnie preparowane zastawki serca pobrane od świń,
— plastykę zastawek za pomocą własnych tkanek,
— wypreparowane ludzkie zastawki.
Podczas takiej operacji, trwającej dwie do czterech godzin, pacjent jest podłączony do aparatu „płuco-serce". Po okresie wypoczynku trwającego wiele tygodni około osiemdziesięciu procent wszystkich chorych może prowadzić normalne życie. Wymagają jednakże stosowania przez całe życie tabletek przeciwkrzepliwych (Warfaryna, Sintrom, Markumar).

## Wrodzone wady serca

### Dolegliwości
Duszność i bladość przy „białych" wadach serca. Sinica przy „sinych" wadach serca. Sinica występuje na skutek mieszania się krwi tętniczej z krwią żylną ubogą w tlen.

### Przyczyny
Nieprawidłowy rozwój serca w łonie matki. W niektórych przypadkach można za przyczynę uznać na przykład genetyczne uwarunkowanie, różyczkę podczas ciąży lub uboczne działanie leków.

### Ryzyko zachorowania
Wrodzone wady zastawek serca notuje się raz na sto dwadzieścia urodzeń.

### Możliwe następstwa i powikłania
Nieduże wady zastawek w niewielkim stopniu upośledzają wydolność serca. Dzieci z ciężkimi wadami serca mogą umrzeć podczas porodu.

### Zapobieganie
Jest niemożliwe.

### Kiedy do lekarza?
Wady serca są rozpoznawane podczas rutynowego badania po porodzie i u niemowląt.

### Jak sobie pomóc
Samemu nie można.

### Leczenie
Jedynym możliwym leczeniem jest operacja. W zależności od ciężkości wady operuje się ją pomiędzy drugim a ósmym rokiem życia.
*Ryzyko*: Ryzyko operacyjne jest przy „białych" wadach serca bardzo małe. Przy operacjach „sinych" wad serca umiera do piętnastu ze stu pacjentów.

# KREW

Krew spełnia dwie ważne funkcje:

1. Transportową: czerwone ciałka krwi przenoszą tlen do komórek tkanek i jednocześnie odprowadzają zwrotnie wydychany w płucach dwutlenek węgla, będący powstałym w czasie przemiany materii produktem odpadowym. Krew transportuje po całym ciele wchłonięte w przewodzie pokarmowym składniki odżywcze. Wytwarzane w różnych miejscach organizmu ważne dla życia substancje, takie jak enzymy, hormony, substancje odpornościowe itp., są przenoszone przez krew do tych miejsc, w których są potrzebne.

2. Krzepnięcie krwi: przy skaleczeniach skóry i tkanek zadaniem krwi jest uszczelnienie uszkodzonych miejsc. Tak więc krew krzepnie, by zasklepić rany. To ważne dla życia zadanie spełnia wiele zawartych w krwi substancji, których uczynnianie zachodzi za pośrednictwem skomplikowanego wielostopniowego mechanizmu. W ciele człowieka dorosłego krąży około pięciu litrów krwi. Złożona jest ona zasadniczo z następujących elementów: czerwonych ciałek krwi (erytrocytów), białych ciałek krwi (leukocytów), płytek krwi (trombocytów) i osocza. Lekarze rozróżniają trzy grupy chorób układu krwiotwórczego:
— niedokrwistości (anemie),
— zaburzenia krzepnięcia,
— białaczki.

## Niedokrwistość z niedoboru żelaza

### Dolegliwości
Łatwa męczliwość, wewnętrzny niepokój, sucha skóra, zwiększone wypadanie włosów, kruche, łamliwe paznokcie, uszkodzenia błony śluzowej nosa.

### Przyczyny
Żelazo jest substancją niezbędną do życia. W ciele dorosłego mężczyzny znajduje się około pięćdziesięciu miligramów żelaza na

kilogram masy ciała, w ciele kobiety zaś około trzydziestu pięciu miligramów na kilogram masy ciała. Z zawartego w organizmie żelaza sześćdziesiąt do siedemdziesięciu procent związanych jest w hemoglobinie. Reszta zmagazynowana jest w wątrobie, śledzionie i szpiku kości.

Niedokrwistość z niedoboru żelaza mogą wywoływać trzy główne przyczyny:
— Znaczna utrata krwi z powodu zbyt obfitych miesiączek, zapalenia żołądka, raka przewodu pokarmowego, hemoroidów, tasiemczycy. Również zażywanie niektórych leków, między innymi kwasu acetylosalicylowego (przykładowy preparat: Polopiryna), środków przeciwreumatycznych, między innymi indometacyny (przykładowe preparaty: Amuno, Metindol), środków przeciwnadciśnieniowych, między innymi rezerpiny (przykładowe preparaty: Brinerdin, Briserin, Normatens), hormonów płciowych, leków przeciwnowotworowych i glikokortykoidów może być przyczyną krwawień doprowadzających do powstania anemii.
— Pożywienie ubogie w żelazo może stanowić problem szczególnie u małych dzieci i u dorosłych zmuszonych do przestrzegania specjalnej diety.
— Występująca z różnych przyczyn, na przykład po operacji żołądka lub w raku żołądka, niezdolność przewodu pokarmowego do wchłaniania żelaza.

### Ryzyko zachorowania
W krajach uprzemysłowionych na niedokrwistość z niedoboru żelaza cierpi co trzecie dziecko i co druga kobieta.

Zwiększone zapotrzebowanie na żelazo występuje u kobiet ciężarnych.

### Możliwe następstwa i powikłania
Niedokrwistość z niedoboru żelaza wywołuje ogólne osłabienie organizmu, zwykle nie jest jednak niebezpieczna dla życia.

### Zapobieganie
Zapotrzebowanie ludzkiego organizmu na żelazo w normalnych warunkach pokrywają spożywane pokarmy. Żelazo zawarte w pożywieniu pochodzenia zwierzęcego jest dziesięcio- do dwudziestokrotnie lepiej przyswajane przez organizm niż zawarte w żywności pochodzenia roślinnego. Wartościowym źródłem żelaza są ryby i mięso (→ Żelazo, s. 733). Wegetarianie nie muszą obawiać się niedoboru żelaza, jeśli spożywają w wystarczających ilościach produkty pochodne mleka, zielone liście warzyw i produkty zbożowe sporządzone z pełnego ziarna.

### Kiedy do lekarza?
Gdy odczuwane dolegliwości nasuną podejrzenie, że cierpisz na niedobór żelaza.

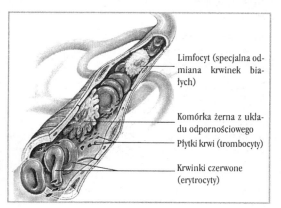

Limfocyt (specjalna odmiana krwinek białych)

Komórka żerna z układu odpornościowego

Płytki krwi (trombocyty)

Krwinki czerwone (erytrocyty)

## Grupy krwi

Krwi nie można wymieniać w sposób dowolny pomiędzy poszczególnymi osobami. Przetoczenie danej osobie w sposób przypadkowy krwi drugiego człowieka związane byłoby z ryzykiem powstania reakcji alergicznej.

W krwi znajdują się substancje (antygeny) mogące reagować ze skierowanymi przeciw nim składnikami (przeciwciałami) zawartymi w krwi drugiego człowieka. Dochodzi wówczas do zlepiania się (aglutynacji) krwi. Aby zjawisku takiemu zapobiec, należy zbadać, czy i jakie antygeny zawiera dana krew.

Wyróżnia się cztery odrębne cechy antygenowe, które popularnie określa się jako grupy krwi: A, B, AB i 0. W Europie Środkowej około 45% ludzi posiada grupę krwi A, niecałe 40% grupę krwi 0, około 10% grupę krwi B i około 5% grupę krwi AB. Krew grupy 0 może otrzymać każdy człowiek, niezależnie od posiadanej grupy krwi. Osobom z grupą krwi AB można przetoczyć krew dawcy z dowolnej innej grupy. Jednak współcześnie przetacza się z zasady krew zgodną grupowo. Oprócz układu grupowego AB0 we krwi znajdują się ponadto antygeny układu Rh. Wyróżnia się krew Rh dodatnią i Rh ujemną.

Przetaczać wolno tylko krew o takim samym czynniku Rh.

W czasie ciąży niezgodność antygenów układu Rh matki i płodu może być przyczyną dużych problemów zdrowotnych (→ Niezgodność w zakresie czynnika Rh, s. 547).

### Jak sobie pomóc

Przy już zaistniałym niedoborze żelaza nie można.

### Leczenie

Przy niedostatecznej podaży żelaza organizm najpierw zużywa zgromadzone rezerwy. Dopiero stan, w którym zasoby te ulegają wyczerpaniu, przez co zakłócona zostaje produkcja hemoglobiny, określa się mianem niedokrwistości z niedoboru żelaza. Niedobór żelaza można stwierdzić, wykonując badanie krwi.

Leczenie ma dwa cele:
— usunięcie przyczyny niedoboru żelaza,
— uzupełnienie zasobów żelaza w organizmie.

Przywrócenie prawidłowej zawartości żelaza we krwi wymaga dwumiesięcznego leczenia tabletkami zawierającymi żelazo. Co najmniej sześciu miesięcy leczenia potrzeba do całkowitego wypełnienia magazynów żelaza w organizmie.

Niedobór żelaza najskuteczniej leczy się preparatami zawierającymi tzw. dwuwartościowe żelazo.

Komisja do Spraw Leków Niemieckiego Towarzystwa Lekarskiego zwraca uwagę na zbyteczność stosowania na ogół drogich preparatów złożonych, zawierających obok żelaza witaminy i metale. Wartości leczniczej nie mają również inne składniki preparatów złożonych. Także stosowanie preparatów żelaza o przedłużonym czasie wchłaniania w przewodzie pokarmowym

### Godne polecenia leki zawierające żelazo dwuwartościowe

Ferro Sanal    Hemofer    Spartocine
Ferrum Hausmann    Hemofer prolongatum

(tzw. preparatów typu depot) nie ma uzasadnienia. Wszystkie preparaty żelaza mogą sporadycznie wywoływać objawy uboczne, takie jak nudności, bóle brzucha, wymioty, biegunka lub zaparcie. Występowanie czarnych stolców w czasie leczenia preparatami żelaza jest zjawiskiem normalnym.

## Niedokrwistość megaloblastyczna

### Dolegliwości

Bladość, lekkie zażółcenie skóry i twardówek (białkówek), utrata apetytu, zmniejszenie wydolności organizmu, zaburzenia żołądkowo-jelitowe. Niekiedy występuje zapalenie błony śluzowej jamy ustnej i języka. Przy długo trwającym niedoborze witaminy $B_{12}$ mogą rozwinąć się zaburzenia neurologiczne w postaci niezbornego chodu oraz zaburzeń czucia wibracji i ułożenia kończyn.

### Przyczyny

Najczęstszą przyczyną jest niedobór witaminy $B_{12}$. Ponieważ w zależności od przyczyny leczenie różni się w sposób zasadniczy, niezbędne jest ustalenie dokładnego rozpoznania przez lekarza.

*Niedobór witaminy $B_{12}$*

Do prawidłowego przyswajania witaminy $B_{12}$ przez organizm niezbędny jest specjalny nośnik (tzw. czynnik wewnętrzny) wytwarzany przez błonę śluzową żołądka. W przypadkach, gdy czynnik wewnętrzny nie jest dostępny w dostatecznych ilościach, na przykład wskutek częściowego wycięcia żołądka lub zaniku błony śluzowej żołądka, przyswajanie witaminy $B_{12}$ przez organizm jest niewystarczające.

*Niedobór kwasu foliowego*

Zaburzenie to jest rzadkie. Najczęściej rozwija się u alkoholików z powodu niewłaściwego odżywiania.

### Ryzyko zachorowania

Wzrasta po częściowym lub całkowitym wycięciu żołądka lub jelita cienkiego, w ciężkich chorobach u osób stosujących przez dłuższy czas jednostronną dietę.

### Możliwe następstwa i powikłania

Leczona niedokrwistość megaloblastyczna nie pozostawia trwałych następstw. Natomiast pozostawienie niedokrwistości megaloblastycznej bez leczenia może doprowadzić do uszkodzenia rdzenia kręgowego i w konsekwencji do powstania trwałych objawów neurologicznych.

### Zapobieganie

Stosując bogato zróżnicowaną dietę (→ s. 705), niedokrwistości megaloblastycznej można zapobiegać tylko wówczas, gdy organizm wytwarza dostateczne ilości czynnika wewnętrznego — nośnika witaminy $B_{12}$. Witamina $B_{12}$ zawarta jest w mięsie, rybach, żółtku jaj, mleku i serach. Żywność pochodzenia roślinnego pozbawiona jest witaminy $B_{12}$, z wyjątkiem warzyw zawierających kwas mlekowy, takich jak na przykład kiszona kapusta (→ s. 729).

### Kiedy do lekarza?

Gdy podejrzewasz, że cierpisz na niedobór witaminy $B_{12}$. W przypadku gdy ktoś z krewnych choruje na niedokrwistość Addisona-Biermera, należy o tym powiedzieć lekarzowi.

### Jak sobie pomóc

W przypadku już zaistniałego niedoboru witaminy $B_{12}$ nie można. Niewielki niedobór kwasu foliowego można uzupełnić, zmieniając zwyczaje żywieniowe (→ Kwas foliowy, s. 730).

### Leczenie

W przypadku niedoboru czynnika wewnętrznego lekarz zleca podanie witaminy $B_{12}$ w postaci zastrzyków, gdyż witamina $B_{12}$ podana doustnie byłaby bezużytecznie wydalana z organizmu. Na początku leczenia trzeba wykonać zwykle kilka wstrzyknięć tygodniowo, później na ogół wystarcza jeden zastrzyk w miesiącu. Tego rodzaju leczenie zwykle musi być prowadzone do końca życia. Niedobór kwasu foliowego leczy się poprzez odpowiednią zmianę diety i dodatkowo podając tabletki lub zastrzyki zawierające kwas foliowy.

## Niedokrwistość hemolityczna

### Dolegliwości

Bladość, męczliwość, duszność, kołatanie lub trzepotanie serca (szczególnie podczas wysiłku), niekiedy żółtawe zabarwienie skóry i ciemniejsze niż zwykle zabarwienie moczu. Gdy choroba trwa dłużej, może dojść do wytworzenia kamieni w pęcherzyku żółciowym.

### Przyczyny

— W przypadku choroby dziedzicznej objawy mogą wystąpić już w chwili lub w krótkim czasie po urodzeniu.
— Choroby zakaźne.
— W przypadku tzw. autoimmunologicznej niedokrwistości hemolitycznej z niewyjaśnionych bliżej przyczyn organizm wytwarza przeciwciała skierowane przeciw własnym krwinkom czerwonym.
— Środki chemiczne (np. pary benzyny, ołów, bor, fluor, alkohol metylowy, naftalina, azotyny, olej terpentynowy, trójchloroetan (→ Trucizny w mieszkaniu, s. 758 do 778) lub leki (kwas acetylosalicylowy, np. polopiryna, sulfonamidy i antybiotyki) mogą u szczególnie podatnych osób wywoływać niedokrwistość hemolityczną.
— Po przetoczeniu krwi, gdy z różnych przyczyn w organizmie zostaną wytworzone przeciwciała przeciw obcym krwinkom czerwonym.
— Po operacji wszczepienia sztucznych zastawek serca.
— Po ukąszeniach jadowitych węży.

### Ryzyko zachorowania

Jest zwiększone, gdy wśród możliwych przyczyn znajdują się wyżej wymienione czynniki.

---

#### Lektura uzupełniająca

ZIEMIAŃSKI S., ZAWISTOWSKA Z.: *Sposób na anemię, czyli żywienie w niedokrwistości*. Wydawnictwo Spółdzielcze, Warszawa 1990.

---

### Możliwe następstwa i powikłania

Choroba rzadko jest przyczyną śmierci, w niektórych przypadkach może jednak trudno poddawać się leczeniu.

### Zapobieganie

Jest możliwe jedynie w zakresie unikania kontaktu ze środkami chemicznymi mogącymi wywołać niedokrwistość hemolityczną.

### Kiedy do lekarza?

Gdy tylko podejrzewasz, że chorujesz na niedokrwistość hemolityczną.

### Jak sobie pomóc

Można tylko w przypadku niedokrwistości hemolitycznej wywołanej środkami chemicznymi — należy wówczas unikać jakiejkolwiek styczności z nimi.

### Leczenie

Sposób leczenia zależy od przyczyny choroby.

Gdy przyczyną niedokrwistości hemolitycznej jest uboczne działanie leków, należy przerwać stosowanie wszystkich budzących podejrzenie lekarstw.

W przypadku zawodowej styczności ze środkami chemicznymi, mogącymi wywołać niedokrwistość hemolityczną, wskazana jest zmiana miejsca pracy.

Gdy niedokrwistość hemolityczna jest spowodowana przeciwciałami, lekarz podejmuje próbę osłabienia ich działania za pomocą leków.

Usunięcie śledziony może przynieść odczuwalną poprawę lub całkowite wyleczenie przede wszystkim w przypadku choroby wrodzonej.

## Krwawiączka (hemofilia)

### Dolegliwości

Objawy występują zwykle już w dzieciństwie — już raczkowanie może spowodować wylewy krwi w stawach kolanowych i łokciowych. Rany cięte i skaleczenia mogą długotrwale krwawić; upadki mogą spowodować krwawienia wewnętrzne, obrzęki kończyn i bóle stawów.

### Przyczyny

We krwi brak tzw. ósmego czynnika krzepnięcia, który jest niezbędny w procesie krzepnięcia krwi. W około siedemdziesięciu pięciu procentach przypadków krwawiączka jest chorobą wrodzoną.

Skłonność do wystąpienia krwawiączki mogą przekazywać swoim dzieciom zarówno kobiety, jak i mężczyźni. Na krwawiączkę chorują jednak prawie wyłącznie mężczyźni.

### Ryzyko zachorowania

Występowanie wśród krewnych osób chorych na hemofilię może wskazywać, że samemu może się być nosicielem uszkodzonego genu. Kobiety lub mężczyźni mający takich krewnych oraz przyszli rodzice mogą w poradni chorób genetycznych uzyskać informację dotyczącą prawdopodobieństwa urodzenia się zdrowego dziecka. Choroba nie zawsze jest przenoszona na dziecko. We wczesnym okresie ciąży możliwe jest ustalenie, czy dziecko będzie chorowało na krwawiączkę.

## Możliwe następstwa i powikłania
Współczesne możliwości lecznicze zmniejszyły ryzyko wystąpienia porażeń i przedwczesnego zgonu. Większe skaleczenia mogą być jednak niebezpieczne dla życia. Poważnym obciążeniem w życiu osoby chorej na krwawiączkę i jej krewnych jest występowanie stałego zagrożenia i trwała zależność od pomocy lekarskiej.

## Zapobieganie
Przy urazach dostatecznie wczesna iniekcja preparatu czynnika ósmego może zapobiec trwałym uszkodzeniom stawów.

## Kiedy do lekarza?
Gdy tylko podejrzewasz, że krzepnięcie krwi u dziecka jest nieprawidłowe.

## Jak sobie pomóc
Należy unikać uprawiania niebezpiecznych sportów. Nie zażywać leków mogących zwiększyć ryzyko krwawienia (np. środków przeciwbólowych i przeciw przeziębieniu zawierających kwas acetylosalicylowy; przykładowy preparat: polopiryna). Chorzy najczęściej sami uczą się, w jakich sytuacjach i w jakich ilościach sami mogą sobie zaaplikować preparat czynnika ósmego.

## Leczenie
Przy wystąpieniu znacznego krwawienia należy natychmiast zwrócić się o pomoc do lekarza, który zleca przetoczenie koncentratu ósmego czynnika krzepnięcia. Zależnie od nasilenia krwawienia może zachodzić potrzeba kilkukrotnego powtórzenia tego leczenia w ciągu kolejnych pięciu do dziesięciu dni.

---

### Polskie Towarzystwo Chorych na Hemofilię
00-791 Warszawa, ul. Chocimska 5, tel. (0-22) 822-15-11

---

## Niedobór płytek krwi

### Dolegliwości
Na skórze może pojawić się wysypka w postaci drobnych jasno- lub ciemnoczerwonych kropek. Kropki te odpowiadają miejscom drobniutkich krwawień podskórnych. Wykwity te mogą występować na całym ciele, jednak najczęściej rozpoczynają się na nogach. Często dochodzi do krwawień z nosa i wylewów podskórnych. Ponadto przedłużone jest krwawienie po skaleczeniach.

### Przyczyny
Niekiedy w następstwie choroby zakaźnej lub z przyczyn dotychczas nieznanych wytwarzane są w organizmie substancje odpornościowe niszczące płytki krwi.

Liczba płytek krwi może się zmniejszyć w wyniku działania ubocznego leków przeciwnowotworowych, jak również w przebiegu białaczki.

W rzadkich przypadkach niedobór krwinek płytkowych może być skutkiem działania ubocznego prawie wszystkich leków.

## Ryzyko zachorowania
Wzrasta w sytuacjach wymienionych wśród przyczyn choroby.

## Możliwe następstwa i powikłania
Ciężkie krwawienia pozostawione bez leczenia mogą być śmiertelne. Niekiedy z powodu krwawień do mózgu może dojść do wystąpienia porażeń.

## Zapobieganie
Zgodnie z obecnym stanem wiedzy nie jest możliwe.

## Kiedy do lekarza?
Gdy tylko wystąpią opisane wyżej objawy.

## Jak sobie pomóc
Samemu nie można.

## Leczenie
Z dużym prawdopodobieństwem lekarz zaleci odstawienie większości leków, gdyż niedobór płytek krwi — w rzadkich co prawda przypadkach — może być wynikiem działania ubocznego wielu leków. Gdy choroba spowodowana jest fałszywie ukierunkowanymi własnymi substancjami odpornościowymi organizmu, lekarz będzie próbował zapobiec niszczeniu płytek krwi poprzez podawanie glikokortykoidów. W wyniku leczenia w ciągu kilku tygodni następuje poprawa lub też całkowite wyleczenie. Gdy poprawa nie następuje, sięga się w leczeniu po immunoglobuliny podawane w zastrzykach lub operacyjnie usuwa się śledzionę. W przypadku niedostatecznego wytwarzania płytek krwi w szpiku kostnym niezbędne jest ich uzupełnianie za pomocą transfuzji.

---

## Agranulocytoza

### Dolegliwości
W ostrym przebiegu występują dreszcze, gorączka, bolesne owrzodzenia na śluzówkach jamy ustnej i w okolicy odbytu, jak również bakteryjne zapalenie płuc.

### Przyczyny
Zmniejszeniu ulega liczba granulocytów, które stanowią specjalną odmianę białych krwinek. Przyczyną może być działanie uboczne leków (np. leków przeciwnowotworowych, jak również leków stosowanych w leczeniu chorób tarczycy, leków przeciwpadaczkowych oraz antybiotyków).

Sporadycznie choroba może pojawić się w następstwie ciężkiego niedoboru witaminy $B_{12}$ lub kwasu foliowego (→ Niedokrwistość megaloblastyczna, s. 325). W rzadkich przypadkach agranulocytoza może być wrodzona.

### Ryzyko zachorowania
Choroba może wystąpić w każdym wieku.

### Możliwe następstwa i powikłania
Nieleczona agranulocytoza może być przyczyną zakażenia krwi (sepsy), zapalenia płuc i krwawień.

Choroba ta dawniej była najczęściej śmiertelna. Obecnie można uzyskać wyleczenie bez trwałych następstw. Niemniej jednak wrażliwość na czynnik wyzwalający pozostaje, należy więc unikać w przyszłości zażywania leku, który wywołał agranulocytozę.

Przy miernie obniżonej liczbie granulocytów objawy często mogą być nieznacznie nasilone lub nie występować wcale.

### Zapobieganie
Nie jest możliwe.

### Kiedy do lekarza?
Niezwłocznie gdy zachodzi podejrzenie wystąpienia agranulocytozy.

### Jak sobie pomóc
Samemu nie można.

### Leczenie
*Agranulocytoza ostra*
Wystąpienie ostrej agranulocytozy i zakażenia wymaga leczenia szpitalnego. Chory powinien niezwłocznie otrzymać antybiotyk o szerokim zakresie działania.

Gdy zachodzi podejrzenie, że choroba została wywołana działaniem ubocznym leku, należy natychmiast przerwać jego stosowanie. Opisane środki zaradcze już po kilku dniach pozwalają na uzyskanie poprawy.

*Agranulocytoza przewlekła*
Leczenie nie jest potrzebne, jeśli liczba granulocytów jest obniżona jedynie miernie, a odczuwane dolegliwości są nieznaczne lub nie występują wcale. Wyjątek stanowi wystąpienie gorączki i objawów zakażenia. We wspomnianym przypadku — podobnie jak w agranulocytozie ostrej — niezwłocznie powinno być podjęte leczenie antybiotykami. W niektórych przypadkach celowe jest leczenie glikokortykoidami lub usunięcie śledziony.

## Białaczki (nowotwory złośliwe układu krwiotwórczego)

Są cztery rodzaje białaczki: ostra limfatyczna, ostra szpikowa, przewlekła limfatyczna i przewlekła szpikowa (→ Nowotwory złośliwe, s. 437).

### Dolegliwości
*Ostra białaczka*
Wśród pierwszych objawów może wystąpić zmęczenie, zmniejszona wydolność organizmu, duszność, spadek wagi, zakażenia, zwłaszcza w obrębie jamy ustnej i gardła, poty nocne, bóle kości i stawów, owrzodzenia warg i jamy ustnej. W okresie późniejszym występują dodatkowo krwawienia skórne i śluzówkowe, powiększenie węzłów chłonnych, powiększenie śledziony i wątroby.

*Przewlekła białaczka limfatyczna i przewlekła białaczka szpikowa*
Obie choroby często przez dłuższy czas nie dają żadnych objawów i wówczas wykrywane są przypadkowo w czasie wykonywanego z różnych powodów badania krwi.

Do pierwszych objawów można zaliczyć: ogólnie złe samopoczucie, brak apetytu, spadek wagi. Poza tym występuje zwykle gorączka, zlewne poty nocne, powiększenie śledziony, które odczuwane jest jako rozpieranie w okolicy lewego nadbrzusza, oraz objawy niedokrwistości: bladość skóry i ogólne osłabienie.

### Przyczyny
Zaburzenia genetyczne doprowadzają do niekontrolowanego mnożenia się białych ciałek krwi w szpiku kostnym, które następnie przedostają się do krwi. Dowiedziono związku przyczynowego białaczek ze zwiększonym napromieniowaniem, jakie nastąpiło po wybuchu reaktora atomowego w Czarnobylu, oraz z toksycznym wpływem benzenu, np. wskutek narażenia na pary benzenu. Wpływ dioksyn jest podobny.

### Ryzyko zachorowania
*Ostra białaczka*
Częściej występuje u osób młodszych, zwłaszcza u dzieci.

*Przewlekła białaczka limfatyczna*
Częstość występowania choroby wzrasta z wiekiem. Zachorowania wśród mężczyzn są dwu- do trzykrotnie częstsze niż u kobiet.

*Przewlekła białaczka szpikowa*
Zachorowalność wzrasta z wiekiem. Choroba równie często dotyka mężczyzn i kobiety.

### Możliwe następstwa i powikłania
*Ostra białaczka*
Bez leczenia choroba ta może w krótkim czasie zakończyć się śmiercią. Największe prawdopodobieństwo wyleczenia występuje u dzieci. Obecnie może być wyleczonych około siedemdziesięciu spośród stu dzieci chorych na białaczkę ostrą. U trzydziestu do czterdziestu procent chorych dorosłych możliwe jest uzyskanie wyleczenia lub osiągnięcie kilkuletniego okresu przeżycia wolnego od dolegliwości.

*Przewlekła białaczka limfatyczna*
Średni czas przeżycia od chwili wystąpienia pierwszych objawów wynosi około siedmiu lat. Wskutek osłabienia sił odpornościowych organizmu częściej występują zakażenia, które są też najczęstszą przyczyną zgonu.

*Przewlekła białaczka szpikowa*
Średni czas przeżycia od chwili wystąpienia pierwszych objawów wynosi trzy do czterech lat.

### Zapobieganie
Zgodnie ze współczesnym stanem wiedzy nie jest możliwe.

### Kiedy do lekarza?
Niezwłocznie, gdy zacząłeś podejrzewać, że zachorowałeś na białaczkę. Lekarz zleci wykonanie dokładnego badania obrazu krwi (→ Metody badania, s. 598).

---

**Lektura uzupełniająca**

SUŁEK K.: *1000 (tysiąc) praktycznych pytań z hematologii*. „7 i Pół", Warszawa 1996.

## Jak sobie pomóc
Zgodnie ze współczesnym stanem wiedzy nie można.

## Leczenie
### Ostra białaczka
Zawsze wymaga leczenia szpitalnego, o ile to możliwe — w ośrodkach specjalistycznych. Leczenie polega przede wszystkim na stosowaniu leków przeciwnowotworowych (cytostatyków), które niszczą komórki białaczkowe. Ponieważ zwykle zarówno sama choroba, jak i jej leczenie powodują szczególnie dużą zapadalność na zakażenia i skłonność do krwawień, w leczeniu konieczne jest też stosowanie antybiotyków i przetoczeń ciałek oraz płytek krwi. Stosunkowo nowa metoda leczenia polega na przeszczepianiu szpiku kostnego. Musi on jednak pochodzić od krewnego chorego, najczęściej od brata lub siostry i mieć ściśle określone cechy immunologiczne (tzw. zgodność w zakresie układu HLA). Dla dawcy pobranie szpiku nie wiąże się z żadnymi następstwami. W niektórych przypadkach można również

pobrać od chorego jego własny szpik kostny i po „oczyszczeniu" dokonać zwrotnego przeszczepienia.

### Przewlekła białaczka limfatyczna
Przy przypadkowo rozpoznanej przewlekłej białaczce limfatycznej, występującej bez żadnych dolegliwości, konieczne jest jedynie systematyczne wykonywanie badań kontrolnych. Wielu chorych przeżywa w ten sposób wiele lat bez dolegliwości, nie wymagając leczenia.

Leczenie staje się potrzebne, gdy dają o sobie znać objawy takie jak: powiększenie węzłów chłonnych, śledziony lub wątroby, zbytnie zmniejszenie się liczby płytek krwi, gorączka, spadek wagi, cechy niedokrwistości. Wówczas przede wszystkim stosuje się leki przeciwnowotworowe. Zmniejszenie węzłów chłonnych i śledziony można również uzyskać poprzez ich napromienienie. W przypadku niedokrwistości stosuje się przetoczenia krwi, zakażenia zaś leczy się antybiotykami. Opisane postępowanie często pozwala na uzyskanie znacznej poprawy.

### Przewlekła białaczka szpikowa
U większości chorych celem leczenia jest złagodzenie dolegliwości i poprawa obrazu krwi. Pobyt w szpitalu zwykle nie jest konieczny. Natomiast w terapii głównie stosuje się leki przeciwnowotworowe, a w określonych przypadkach również napromienianie. Wystąpienie niedokrwistości wymaga częstych przetoczeń krwi. W celu kontroli wykonuje się u chorych systematyczne badania krwi.

### Lektura uzupełniająca
BOENKLER H.-W.: *Kompendium immunologii*. PZWL, Warszawa 1996.
DĄBROWSKI M.P.: *Układ odpornościowy, twój osobisty lekarz*. Sanmedia, Warszawa 1994.
GEESING H.: *Trenujemy odporność, czyli droga do ponownej młodości*. „Astrum", Wrocław 1995.

# UKŁAD ODPORNOŚCIOWY (IMMUNOLOGICZNY)

Układ odpornościowy, pełniący w organizmie wiele funkcji, chroni nas przed chorobami i przyczynia się do zachowania zdrowia. Dopóki układ odpornościowy działa skutecznie, nie uświadamiamy sobie walki, która toczy się w naszym organizmie. Skutki są odczuwalne dopiero wówczas, gdy na skutek wtargnięcia wirusów, bakterii, grzybów, obcych ustrojowi białek, jednokomórkowców zwierzęcych, trucizn itp. następuje jego przeciążenie. Wtedy gorączkujemy, pocimy się, odczuwamy bóle, cierpimy na zapalenia. Krótko mówiąc, czujemy się chorzy! Układ odpornościowy nie jest układem wyizolowanym, lecz jest zintegrowany z układami krwiotwórczym, nerwowym i endokrynnym.

Wiadomo, że stan psychiczny ma wpływ na układ odpornościowy. Nie zostało jeszcze w pełni zbadane, jak to się dzieje szczegółowo. Pewne jest, że:

— Obciążenia psychiczne sprzyjają wystąpieniu chorób zakaźnych (np. opryszczka pospolita). Z drugiej strony, ponieważ mogą także zmniejszać ryzyko pojawienia się chorób zakaźnych, należy wnosić, że dużą rolę odgrywa sposób reagowania na stres (→ Zdrowie i dobre samopoczucie, s. 173).

— W przypadku alergii, chorób nowotworowych i chorób autoimmunologicznych nie ma dotąd żadnych dowodów, że są one wywołane czynnikami obciążającymi stan psychiczny. Mogą jednak prowadzić do nasilenia objawów chorobowych.

— Dotąd nie udowodniono, że określone czynniki osobowościowe lub typ osobowości mogą sprzyjać powstawaniu alergii, chorób nowotworowych lub autoimmunologicznych.

*Zdolności obronne w okresie życia*

Już od urodzenia układ odpornościowy walczy nieprzerwanie z obcymi komórkami, które przedostają się do organizmu wraz z pokarmem, powietrzem oddechowym i na skutek zranienia. Jego siła działania jest jednakże zróżnicowana w poszczególnych okresach życia. U niemowląt układ odpornościowy musi sobie stopniowo przyswoić swoje kompetencje immunologiczne. Z każdą chorobą uczy się wytwarzać więcej coraz bardziej ukierunkowanych komórek obronnych. W podeszłym wieku sprawność układu odpornościowego maleje, gdyż poszczególne składowe tego obronnego systemu stają się mniej wydolne, a ich współdziałanie coraz mniej sprawne. W konsekwencji zwiększa się podatność na choroby, a ponieważ układ odpornościowy jest także odpowiedzialny za usuwanie komórek nowotworowych powstających w organizmie, u starszych ludzi częściej występują nowotwory złośliwe.

## Narządy układu odpornościowego

Komórki układu odpornościowego znajdują się w całym organizmie. W niektórych narządach są one szczególnie obficie nagro-madzone. Dotyczy to węzłów chłonnych, śledziony, szpiku kostnego, grasicy, tkanki chłonnej (limfatycznej) przewodu pokarmowego (zwłaszcza wyrostka robaczkowego) i dróg oddechowych (migdałków). Do układu odpornościowego w szerszym znaczeniu należą także układ krzepnięcia krwi, skóra i błony śluzowe.

### Grasica
Grasica leży za mostkiem. Aż do okresu dojrzewania płciowego powiększa swoje rozmiary, a następnie stopniowo się obkurcza. Jednakże swoje zadanie w zakresie odporności spełnia nadal. Grasica stanowi centrum rozwoju i organizacji odporności. Właśnie w grasicy jest przygotowywana wyspecjalizowana grupa białych ciałek krwi, mianowicie limfocyty T, do zadań w zakresie czynności obronnych w organizmie.

### Węzły chłonne
Węzły tkankowe, w kształcie ziarna fasoli bądź okrągłe, mają średnicę od jednego do dwudziestu pięciu milimetrów. Można je wymacać pod pachami, w pachwinach, na szyi i w wielu miejscach ciała. Także migdałki i wyrostek robaczkowy należą do utkania limfatycznego. Podczas zakażeń lub stanów zapalnych mogą ulec silnemu powiększeniu. Węzły chłonne działają jak filtry dla ciał obcych i produktów przemiany materii i są centralnym miejscem krążenia chłonnego (limfatycznego).

### Śledziona
Śledziona jest częścią składową układu odpornościowego i między innymi odpowiada za wytwarzanie limfocytów. Ponadto ma do spełnienia szereg innych funkcji, między innymi oczyszcza krew z obcych substancji i rozkłada krwinki czerwone.

### Układ krzepnięcia krwi
Podczas walki komórek odpornościowych z zarazkami chorobotwórczymi uwalniane są enzymy, które aktywują układ krzepnięcia krwi. Właśnie poprzez układ krzepnięcia krwi organizm stara się ograniczyć „miejsca walki". Powstaje rodzaj bariery wokół tej tkanki.

### Skóra i błony śluzowe
Skóra stanowi pierwszą barierę ochronną wobec obcych substancji i organizmów. Dodatkowej ochrony dostarczają kwas mlekowy i kwasy tłuszczowe zawarte w pocie i łoju, stwarzające kwaśne środowisko niesprzyjające rozwojowi bakterii. Jamy ciała, jak jama ustna, nos, oczy, ujście cewki moczowej, odbytnica, pochwa są chronione przez dalsze bariery. Wydzielane przez skórę i błony śluzowe wydzieliny mogą zapobiec przyczepieniu się napastników i ich dalszej penetracji do wnętrza ciała. Poza tym organizmy i ciała obce, które wtargnęły do wnętrza, są wydalane przez kaszel, kichanie i przez stały ruch rzęsek umieszczonych na powierzchni komórek błony śluzowej.

Podobne zadanie mają łzy, ślina i mocz, składające się także ze składników bakteriobójczych. W żołądku znajduje się kwas solny, sperma zawiera spermine i cynk; łzy, ślina i wydzielina z nosa zawierają enzym lizozym. Pewną rolę ochronną odgrywają także niektóre bakterie sadowiące się na powierzchni ciała. Stwarzając bowiem poprzez swoją przemianę materii określone środowisko, utrudniają inwazję innych drobnoustrojów (np. grzybów).

## Funkcja układu odpornościowego

W układzie odpornościowym, za pomocą którego organizm się broni przed obcymi substancjami i drobnoustrojami, funkcjonują dwie zasadniczo różne składowe, mianowicie odporność komórkowa i odporność humoralna, oparta na substancjach uwalnianych przez układ odpornościowy.

## Fagocytoza

Tak zwane komórki żerne pochłaniają bakterie i rozkładają je. Zjawisko to jest określane jako fagocytoza. Te komórki, wytwarzane w szpiku kostnym, są zaliczane do białych krwinek i określane jako granulocyty lub mikrofagi. Okres życia granulocytów wynosi dwa do trzech dni. Komórki te przebywają głównie we krwi, ale znajdują się także w ogniskach zapalnych tkanek, zwalczając przede wszystkim bakterie ropotwórcze. Długo żyjące makrofagi przebywają głównie w płucach, wątrobie, śledzionie i węzłach chłonnych. Można je znaleźć także w tkance łącznej i w małych naczyniach krwionośnych. Makrofagi zwalczają przede wszystkim mikroorganizmy, które wtargnęły do wnętrza komórek. Z chwilą rozpoczęcia czynności żernej uruchamia się ciąg procesów chemicznych.

## Układ dopełniacza

Ten system obronny, wytwarzany częściowo w wątrobie, obejmuje około dwudziestu różnych białek, które w złożonym współdziałaniu ze wzrastającą siłą reagują na wrogie komórki. Układ dopełniacza w ramach odporności ogranizmu ma do spełnienia następujące zadania:

— Współdziałanie z komórkami żernymi. Różne składowe układu dopełniacza przyczepiają się do wrogich komórek, by ułatwić komórkom żernym ich wytropienie i przyczepienie się.

— Niektóre czynniki układu dopełniacza (np. histamina) powodują rozszerzenie małych naczyń krwionośnych, dzięki czemu możliwe jest przenikanie przez ich ściany ustrojowych substancji obronnych. Wyrazem rozszerzenia naczyń krwionośnych skóry jest jej zaczerwienienie i obrzęk.

— Niektóre składniki układu dopełniacza uszkadzają ścianę intruzów tak bardzo, że prowadzi to do obumarcia tych komórek.

— Jeżeli wszystko, co obce, jest usunięte, układ dopełniacza sam się ogranicza. Bez tego mechanizmu organizm odniósłby szkody.

## Modulatory układu odpornościowego

Z chwilą gdy organizm stwierdzi jakieś zakażenie lub uszkodzenie tkanki któregoś narządu, natychmiast, w tempie niemal błyskawicznym, wytwarza w dużej ilości tak zwane immunomodulatory, które współdziałają z układem dopełniacza. Do immu-

nomodulatorów zaliczane są takie substancje, jak interleukina-1 i interleukina-2, fibrynogen i wiele innych. Interleukina-1, przykładowo, podnosi gotowość obronną limfocytów T i B. Powoduje ona także wzrost temperatury ciała (gorączka), przez co bakterie prędzej obumierają.

## Interferony

Te własne białka ustrojowe kierują swoje działanie przeciw wirusom. Są one wytwarzane przez limfocyty T (→ s. 332) i inne komórki. Ostatnio interferony są produkowane techniką genową i stosowane jako leki.

Po zaatakowaniu przez wirusa komórki ustrojowe rozpoczynają wytwarzanie interferonu, który gromadzi się na powierzchni sąsiednich niezakażonych komórek i tworzy rodzaj ściany ochronnej przed wirusem. Interferony mogą ponadto wpływać na aktywność innych komórek odpornościowych.

## Komórki K (zdolne do zabijania innych komórek)

Określenie „K" pochodzi od angielskiego słowa „killer" (zabójca). Chodzi tu o duże krwinki białe, wyspecjalizowane w odporności przeciw wirusom i komórkom nowotworowym. Z komórkami K ściśle współdziałają różne interferony, zwiększając ich działanie obronne.

## Swoisty układ odpornościowy

Ten drugi element ustrojowej odporności składa się z limfocytów T i B. Z chwilą urodzenia człowieka układ ten istnieje tylko w zarodku, a rozwija się dopiero w kontakcie z obcymi komórkami. W organizmie dorosłego człowieka krąży około 1000 miliardów tych komórek obronnych, spośród których dziennie około jednego miliarda podlega odnowie. Limfocyty są stale w ruchu w organizmie. Miejscami preferowanego przez nie zatrzymywania się są śledziona, węzły chłonne i tkanka chłonna jelit.

Zarówno limfocyty T, jak i B mogą gromadzić informacje o obcych substancjach (antygenach), z którymi kiedyś weszły w kontakt. Jeżeli gdzieś się ponownie pojawi ta sama obca substancja lub komórka, te „komórki pamięci" dbają o to, żeby natychmiast postawić całą siłę obronną w stan działania przeciw zarazkom, na które organizm stał się odporny. Odporność ta rozwija się przeciw większości chorób dziecięcych, takich jak świnka, odra, różyczka, ospa wietrzna, po przebyciu choroby lub po odpowiednim szczepieniu (→ s. 627).

### Limfocyty B

Powstają w szpiku kostnym i stąd wędrują do układu chłonnego (obszaru żołądkowo-jelitowego, dróg oddechowych, dróg moczowych), gdzie wchodzą w kontakt z obcymi komórkami (antygenami) i przechodzą proces przyswojenia umiejętności rozpoznawania ich i przekształcenia się w komórki długo żyjące. Limfocyty B w znacznej mierze są podporządkowane limfocytom T. Limfocyty B noszą na swojej powierzchni około 100 000 tak zwanych przeciwciał (immunoglobuliny), które mogą być przekazywane do płynów ustrojowych. Przeciwciała rozpoznają ustrojowo obce i szkodliwe komórki własnego organizmu (na przykład komórki nowotworowe) i potrafią je zniszczyć z udziałem innych jednostek układu odpornościowego. Każde przeciwciało jest specyficzne tylko dla jednego rodzaju obcych komórek — podobnie jak klucz do jednego tylko zamka. Ponieważ istnieją miliony obcych komórek, w ustroju musi być tyle samo różnych przeciwciał lub organizm musi mieć możliwość wytwarzania takich przeciwciał. Jeżeli gdzieś obca komórka zostanie zidentyfikowana jako „znana", limfocyty B, które są nośnikami specyficznych przeciwciał, rozpoczynają natychmiast produkcję przeciwciał, i to w dużych ilościach (2000 na sekundę), aż wróg zostanie skutecznie zwalczony. Trwa to najczęściej kilka dni. W tym czasie dotknięta osoba czuje się chora. Każde przeciwciało dysponuje następującymi możliwościami:

— potrafi rozróżniać komórki własnego organizmu i obce,
— potrafi rozpoznawać wrogie komórki (antygeny),
— potrafi się przyczepić do antygenów,
— potrafi przywołać na pomoc układ dopełniacza,
— potrafi przywołać komórki żerne.

Chorobowo zmienione własne komórki organizmu są traktowane przez przeciwciała podobnie jak obce komórki.

*Limfocyty T*
Te komórki są również wytwarzane w szpiku kostnym, nabywają jednakże swojej kompetencji immunologicznej pod wpływem hormonów grasicy. Są wyspecjalizowane w zwalczaniu wszystkiego, co obce, co wniknęło do komórek własnego organizmu. Tymi obcymi dla organizmu są przede wszystkim wirusy, które nie potrafią się rozmnażać bez udziału innych komórek. Limfocyty T znajdują się w układzie chłonnym organizmu, przebywają jednak głównie w obwodowej tkance limfatycznej. Jedna z grup tych obrońców — limfocyty T indukcyjno-wspomagające — jest wyspecjalizowana w wykrywaniu zamaskowanych wrogów, naznaczaniu ich rodzajem „śmiertelnego pocałunku", i stwarza w ten sposób „kolegom" możliwości ich zniszczenia. Komórki T indukcyjno-wspomagające ponadto za pomocą interleukin mogą aktywować komórki K (zabójcze). Inna podgrupa limfocytów T zbiera i gromadzi informacje o wrogu. Podobnie jak limfocyty B, również limfocyty T przez kontakt z antygenem ulegają aktywacji, a przez podziały komórkowe przekształcają się w rodzaj „fabryk broni".

## Zaburzenia układu odpornościowego

Jest pewne, że zawsze gdy pojawia się choroba, zdolność obronna układu odpornościowego jest zmniejszona. Niektóre choroby jednakże dotyczą swoiście układu odpornościowego.

### Choroby autoimmunologiczne
Jeżeli układ odpornościowy zatraca zdolność rozróżniania komórek własnych i obcych, komórek zdrowych i chorych — za-

czyna nagle atakować własne zdrowe komórki. W następstwie pojawiają się choroby określane jako „autoimmunologiczne" — z greckiego *autos* = „sam", np. reumatoidalne zapalenie stawów (→ s. 423), twardzina układowa (→ s. 429), toczeń trzewny (→ s. 428), typ I cukrzycy (→ s. 450), choroba Gravesa-Basedowa (→ s. 463), miastenia (→ s. 409), stwardnienie rozsiane (→ s. 212).

Siła samoniszcząca (autoagresywna) chorób autoimmunologicznych może być zahamowana tylko przez działania z zewnątrz. Służą temu skuteczne leki, jak glikokortykoidy, środki immunosupresyjne, interferony i niektóre interleukiny.

### Alergie
Alergie są reakcjami nadwrażliwości organizmu na powtarzany kontakt z obcą substancją, jak pyłki kwiatów, leki, sierść zwierząt, środki chemiczne. Krańcowo silna reakcja obronna może się manifestować miejscowo w postaci zapaleń skóry jako zapalenie błony śluzowej, jak w astmie, lub jako choroba całego organizmu, jak przy alergii na penicylinę (→ Alergia, s. 338).

### Niedobory odpornościowe
Jeżeli organizm nie ma do dyspozycji dostatecznie skutecznych komórek obronnych, taki stan określa się jako niedobór odpornościowy (immunologiczny). Przyczyna może być wrodzona bądź nabyta. Skutkiem niedoboru odpornościowego jest AIDS. Do niedoboru odpornościowego mogą prowadzić między innymi białaczka, zespół nerczycowy, stosowanie leków przeciwnowotworowych (cytotoksycznych), leczenie promieniami jonizującymi.

## Leczenie układu odpornościowego
Od silnego układu odpornościowego oczekuje się, że skutecznie będzie bronił organizm przed chorobami. Różnymi sposobami i metodami próbuje się wzmocnić układ odpornościowy.

### Stymulacja i modulacja układu odpornościowego
Dawniej nazywano to „hartowaniem". Celem jest ćwiczenie układu odpornościowego za pomocą zimna, ciepła, kąpieli, sauny, klimatu wysokogórskiego, ruchu, sportu, odżywiania, relaksu, postu, różnych środków ziołowych, bakteryjnych, stosowanych doustnie lub w iniekcjach. Odnośnie do tych zabiegów, ich zastosowania i skuteczności → Naturalne metody leczenia, s. 640.

Nowy kierunek badań, mianowicie psychoneuroimmunologia, zajmuje się związkami pomiędzy stanem psychicznym a układem odpornościowym. Dotąd brak pewnych wyników badań do wysnucia wniosków, a zwłaszcza sformułowania zaleceń → Lektura uzupełniająca, s. 329.

# UKŁAD CHŁONNY (LIMFATYCZNY)

Układ chłonny składa się z naczyń chłonnych, węzłów chłonnych i śledziony. Naczynia chłonne stanowią układ drenujący tkanki. Dzięki sieci kapilarnych naczyń limfatycznych zbierana jest z tkanek treść płynna i drobne cząstki. Pod nazwą chłonki przenoszona jest ona naczyniami limfatycznymi o budowie zbliżonej do żył i podobnie do nich wyposażonymi w układ zastawek. Wszystkie większe naczynia chłonne znajdują ujście do żył w górnej części klatki piersiowej, dzięki czemu chłonka przedostaje się z powrotem do układu krążenia.

Układ chłonny stanowi ważną składową układu odpornościowego organizmu. Węzły chłonne przechwytują zarazki chorobotwórcze, substancje obce i wędrujące komórki rakowe i usiłują je unieszkodliwić, wytwarzając w tym celu specjalną odmianę białych ciałek krwi — limfocyty.

## Mononukleoza zakaźna

### Dolegliwości
Przez okres jednego do dwóch tygodni utrzymują się niecharakterystyczne dolegliwości „grypopodobne", którym towarzyszy umiarkowana gorączka oraz niekiedy znaczna bolesność gardła i katar. Węzły chłonne w okolicy szyi i karku są powiększone. Poruszanie głową staje się bolesne. Często też powiększeniu ulegają węzły chłonne pachowe i pachwinowe. Niekiedy pojawia się wysypka skórna. Objawy są bardzo podobne do grypy lub anginy, co utrudnia rozpoznanie. Pewne rozpoznanie jest możliwe na podstawie badania krwi.

### Przyczyny
Choroba wywoływana jest przez wirus Epsteina i Barra należący do grupy wirusów opryszczki. Wirus przenoszony jest prawdopodobnie poprzez bliski kontakt z ust do ust („choroba pocałunków"), także przy piciu ze wspólnego naczynia. W organizmie wirus pozostaje prawdopodobnie w stanie „uśpienia" i w przypadku osłabienia sił odpornościowych ulega uaktywnieniu, wywołując chorobę.

### Ryzyko zachorowania
Jednym z najczęstszych objawów tak u dzieci, jak i dorosłych jest zapalenie gardła i migdałów podniebiennych, stanowiących główną przyczynę kierowania chorych do szpitala. Okres od chwili zarażenia do czasu rozwinięcia się choroby może wynosić do siedmiu tygodni.

### Możliwe następstwa i powikłania
Zwykle objawy ustępują bez następstw po dwóch lub trzech tygodniach. Niekiedy jednak tygodniami lub miesiącami utrzymuje się depresyjny nastrój, ogólne osłabienie i brak napędu życiowego. Zmiany zachodzące w układzie odpornościowym sprawiają, że organizm staje się podatny na zakażenia. W śledzionie może dojść do zastoju krwi, który w najgorszym przypadku może doprowadzić do jej pęknięcia. Możliwe jest wystąpienie krwawień z przewodu pokarmowego i dróg oddechowych.

### Zapobieganie
Nie jest możliwe.

### Kiedy do lekarza?
Gdy zapaleniu gardła towarzyszy znaczne i bolesne powiększenie węzłów chłonnych.

### Jak sobie pomóc
Obniżenie gorączki poprzez wilgotne zawijanie łydek. Złagodzenie bólów gardła stosowaniem kompresów (→ Środki domowe, s. 640).

### Leczenie
Dość często okres zdrowienia może się przedłużać, niemniej jednak nie daje się go przyspieszyć zabiegami leczniczymi. Proste środki przeciwbólowe i przeciwgorączkowe (→ s. 620) mogą złagodzić dolegliwości. W przypadku dołączenia się zakażeń bakteryjnych można je leczyć za pomocą penicyliny.

## Ziarnica złośliwa (choroba Hodgkina)
(→ Nowotwory złośliwe, s. 437)

### Dolegliwości
Pierwszym objawem tej choroby nowotworowej jest powiększenie węzłów chłonnych szyi, pachowych lub pachwinowych. Ponadto może wystąpić gorączka, zlewne poty, znużenie, napadowe osłabienie, spadek wagi i świąd skóry.

### Przyczyny
Komórki układu chłonnego ulegają niespodziewanie przemianie złośliwej. Ostatnio mnożą się poszlaki wskazujące, że choroba ta ma charakter nabyty, a nie dziedziczny.

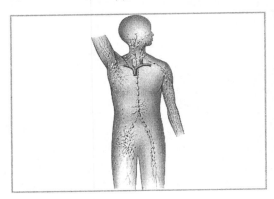

### Ryzyko zachorowania

Ryzyko zachorowania jest największe między piętnastym a trzydziestym piątym rokiem życia oraz powyżej pięćdziesiątego czwartego.

### Możliwe następstwa i powikłania

Choroba nieleczona przez dłuższy czas może zakończyć się śmiercią. W zależności od zaawansowania wyleczenie można osiągnąć u sześćdziesięciu do dziewięćdziesięciu procent chorych. Jednakże niektórzy chorzy wyleczenie okupują ciężkimi następstwami ubocznymi, które ujawniają się niekiedy dopiero po dwudziestu latach. W zależności od rodzaju leczenia należy mieć na uwadze bezpłodność, uszkodzenie serca, płuc i tarczycy lub wtórne nowotwory.

### Zapobieganie

Zgodnie z obecnym stanem wiedzy nie jest możliwe.

### Kiedy do lekarza?

Niezwłocznie, gdy nasunie się podejrzenie, że zachorowałeś na tę chorobę.

### Jak sobie pomóc

Zgodnie z obecnym stanem wiedzy samemu nie można.

### Leczenie

Większość chorych udaje się wyleczyć lekami przeciwnowotworowymi i/lub napromienianiem.

## Chłoniak

(→ Nowotwory złośliwe, s. 437)

### Dolegliwości

Pierwszym objawem są zwykle powiększone węzły chłonne. Wśród innych możliwych dolegliwości wymienić należy: ogólnie złe samopoczucie, brak apetytu, spadek wagi, gorączkę i zlewne poty nocne.

### Przyczyny

Nieznane; podejrzewa się zakażenie wirusowe.

### Ryzyko zachorowania

Chłoniaki mogą wystąpić w każdym wieku. Częstość zachorowań wzrasta z wiekiem.

### Możliwe następstwa i powikłania

Przebieg chłoniaków bywa różny. W przypadku chłoniaków łagodnych, nawet nieleczonych, okres przeżycia może być długi. Nieleczone chłoniaki złośliwe prowadzą do śmierci. Wyleczenie można uzyskać u około jednej trzeciej chorych na bardzo złośliwe chłoniaki.

### Zapobieganie

Zgodnie z obecnym stanem wiedzy niemożliwe.

### Kiedy do lekarza?

W przypadku każdego niespowodowanego zakażeniem powiększenia węzłów chłonnych w obrębie szyi.

### Jak sobie pomóc

Zgodnie z obecnym stanem wiedzy samemu nie można.

### Leczenie

Gdy zajęte są węzły chłonne tylko w jednym miejscu, leczenie polega na napromienianiu połączonym następnie z ewentualnym podawaniem leków przeciwnowotworowych. W przypadku gdy choroba zdołała już się rozprzestrzenić, leczenie prowadzi się przede wszystkim środkami przeciwnowotworowymi.

# AIDS
# (zespół nabytego upośledzenia odporności)

Gdy na początku lat osiemdziesiątych wykryto epidemię AIDS, mówiło się, że choroba dotyczy wyłącznie homoseksualistów i narkomanów oraz kobiet bardzo często zmieniających partnerów. Konserwatywni apostołowie moralności uznali AIDS za „karę boską", wymierzoną za rozwiązłość współczesnych obyczajów. Gdy jednak choroba zaczęła atakować także osoby heteroseksualne, jak również dzieci, w czasopismach pojawiły się nowe, budzące grozę doniesienia. Pierwsze prognozy specjalistów kazały przypuszczać, że AIDS rozprzestrzeni się jak eksplozja. Obawiano się załamania całej opieki medycznej. Tymczasem okazało się, że liczba nowych zachorowań w określonych grupach, na przykład wśród homoseksualistów, jest stała, a nawet w niektórych krajach spada. W krajach europejskich AIDS atakuje różne grupy ludności: w Niemczech, Wielkiej Brytanii, Francji i Holandii są to głównie homoseksualiści, we Włoszech i w Hiszpanii — narkomani. Od wybuchu epidemii zarejestrowano w Niemczech ogółem 21 392 zakażenia, głównie u mężczyzn, przy czym liczba ta jest kwestionowana z powodu zdarzających się wielokrotnych rejestracji tych samych osób. Z drugiej strony nieznana dokładnie liczba zakażonych nie poddała się badaniom testowym. Tak więc trudno o właściwą ocenę liczby rzeczywiście zakażonych osób. W Polsce oszacowano, że najbardziej prawdopodobna rzeczywista liczba zakażeń wirusem HIV w latach 1986-1995 wynosiła około 12 do 15 tysięcy. W tym czasie zarejestrowano 408 zachorowań na AIDS i 238 zgonów z tego powodu. W grupie osób zakażonych najliczniejsi są używający środków odurzających (68%).

W niektórych okolicach Afryki i Azji sytuacja jest dramatyczna.

## Dolegliwości
Kilka dni po zakażeniu mogą wystąpić objawy przypominające grypę. Osoba zarażona wirusem HIV początkowo czuje się zdrowa przez kilka miesięcy, a nawet lat. Wśród pierwszych objawów, świadczących o postępie choroby, wymienić należy: gorączkę, spadek masy ciała, biegunki, obrzęki węzłów chłonnych, ogólne osłabienie, bóle głowy, przytępienie intelektu, stany pomroczne, wysypki skórne, zakażenie jamy ustnej i gardła. Te nieswoiste początkowo objawy mogą się cofnąć.

Znowu mijają miesiące i lata, zanim wystąpi — wskutek zaniku odporności — pełny obraz choroby z następującymi objawami:
— duszność, suchy kaszel i gorączka jako wyraz zapalenia płuc;
— ciężkie biegunki;
— dolegliwości przy połykaniu — jako wyraz chorób grzybiczych przełyku;
— opryszczka (*herpes simplex*),
— nowotwór skóry (mięsak Kaposiego oraz mięsak limfatyczny);

— gruźlica;
— wysypki skórne;
— zmiany osobowości, upośledzenie pamięci, spadek aktywności, ataki drgawek itp. — jako wyraz postępującego uszkodzenia mózgu przez wirusy.

## Przyczyny
AIDS wywołany jest przez tzw. wirus HIV (Human Immunodeficiency Virus — ludzki wirus upośledzenia odporności). W wyniku zakażenia po latach zmniejsza się liczba pewnego rodzaju białych ciałek krwi. Komórki te stanowią część „ochrony" ustroju, odpowiedzialną za zwalczanie raka i zarazków chorobotwórczych. Ustrój nie może się teraz wystarczająco skutecznie bronić przed czynnikami chorobotwórczymi.

Zakażenie może nastąpić tylko w trojaki sposób:
1. W wyniku stosunku płciowego bez zastosowania środków ochronnych, przy czym ryzyko zwiększa się przy współistnieniu chorób wenerycznych i zapaleń. Mężczyźni, których partnerzy spółkują doodbytniczo bez kondomu, są znacznie bardziej narażeni, ponieważ wirusy lub zakażone komórki przenoszą się z wielką łatwością poprzez pęknięcia śluzówki jelita lub przez bezpośrednią styczność komórek z błoną śluzową.

2. Przez przetoczenie krwi zawierającej wirusy HIV. Szczególnie narażeni są narkomani, którzy zwykle używają wspólnych strzykawek i igieł. Jeszcze przed kilku laty grupę o dużym ryzyku zachorowania na AIDS stanowili chorzy na hemofilię, którzy — nie wiedząc o tym — otrzymywali produkty krwi zakażone wirusem HIV.

3. Z zakażonej matki na jej dziecko. Według nowych doniesień 20-30% wszystkich niemowląt zaraża się od matek chorych na AIDS.

W rzadkich przypadkach następuje zakażenie przy karmieniu piersią. Przez podanie AZT (Retrovir) w czasie ciąży liczba zakażonych niemowląt może spaść do 8%.

*AIDS nie przenosi się przez:*
— Uścisk dłoni lub obejmowanie się. Osoba zarażona nie musi rezygnować z tych gestów. Potrzebuje ona w równym, a nawet większym stopniu niż osoba zdrowa, manifestacji ludzkiej życzliwości.
— Normalne kontakty w miejscu pracy.
— Dotykanie klamek, słuchawek telefonicznych, ręczników, narzędzi pracy; kaszel, kichanie.
— Komary lub inne owady.
— Pływanie w basenach publicznych. Nawet wówczas, gdy na skórze są rany i otarcia, nie ma zagrożenia przy kąpieli.
— Używanie szczoteczki do zębów osoby chorej. W literaturze światowej nie ma ani jednego opisanego przypadku zakażenia za pośrednictwem szczoteczki do zębów. Jednak ze

względów ogólnohigienicznych należy posługiwać się tylko własną szczoteczką.
— Używanie publicznych toalet.
— Używanie naczyń, z których jadł chory na AIDS. Nawet przy jedzeniu z jednego talerza nie zachodzi niebezpieczeństwo zarażenia się.
— Korzystanie z nożyc i brzytwy u fryzjera.
— Leczenie stomatologiczne, ponieważ wszystkie narzędzia są dezynfekowane po każdorazowym użyciu.
— Przelotne pocałunki. Teoretycznie istniałoby niebezpieczeństwo infekcji przy intensywnym całowaniu się z wkładaniem języka do ust partnera, a to na skutek bezpośredniego kontaktu z krwią (małe rany w ustach, krwawienie dziąseł), ale nie poprzez ślinę. Praktycznie ten sposób zakażenia jest nieprawdopodobny.

Doniesienia o niebezpieczeństwie nowego subtypu HIV-E są odrzucane przez poważniejszych badaczy i uważane za sianie paniki. Również subtyp E nie może być przeniesiony przez pocałunki, łzy i wydzielinę z nosa. Koncentracja wirusów w tych płynach jest zbyt mała.

## Możliwe następstwa i powikłania

Od zakażenia do pojawienia się pierwszych symptomów choroby upływa najczęściej kilka lat. Tylko w przypadku co drugiej zakażonej osoby choroba występuje w ciągu dziesięciu lat od zakażenia. To, że wiele osób żyje długo po zakażeniu, dowodzi, że infekcja wirusem HIV nie musi prowadzić do AIDS i wczesnej śmierci.

U około 2% wszystkich zakażonych układ odpornościowy jest nienaruszony przez około dziesięć lat i skutecznie zapobiega rozwojowi wirusów. Od niedawna wiadomo, że jeden rzadko występujący rodzaj wirusa HIV jest nieszkodliwy i nie atakuje układu odpornościowego. Układ immunologiczny niektórych ludzi wydaje się dysponować substancjami skutecznie trzymającymi wirusa HIV w szachu. Poza tym badania wykazały, że niektórzy ludzie są odporni na ten wirus i nie ulegają zakażeniu nawet wówczas, gdy wielokrotnie mają z nim styczność. Zwykle od zakażenia do pojawienia się pierwszych objawów choroby mija kilka lat. Gdy jednak już dojdzie do rozwoju choroby, odpowiednie leczenie może wydatnie przedłużyć okres przeżycia.

## Zapobieganie

Zapobieganie jest możliwe przez unikanie ryzyka zakażenia:
— W krajach, w których opracowano programy „leków zastępczych", narkomani powinni korzystać z tej formy pomocy. Kto nie chce z niej korzystać, nie powinien w żadnym przypadku używać cudzych strzykawek i igieł, stosować natomiast wyłącznie sprzęt jednorazowego użytku.
— Przy stosunkach płciowych z różnymi partnerami używać prezerwatyw i stosować techniki seksualne, przy których nie dochodzi do wymiany płynów ustrojowych. Jest to szczególnie ważne w Afryce i Azji, gdzie wiele prostytutek jest zakażonych.
*Uwaga*: Testy Organizacji Ochrony Konsumenta w Niemczech i w Austrii wykazały, że prezerwatywy nie gwarantują stuprocentowej ochrony przed zakażeniem. Zgodnie z niemiecką normą przemysłową 1,4% gum może być nieszczel-

nych. Reklama o treści „przebadane elektronicznie" lub „wielokrotne badania elektroniczne" nie oznacza, że wszystkie prezerwatywy są w stu procentach szczelne (→ Prezerwatywa, s. 518).
— Jeżeli test wykazał zakażenie wirusem HIV u kobiety ciężarnej, można — ze względu na duże ryzyko zakażenia dziecka — rozważyć ewentualność przerwania ciąży.

## Kiedy do lekarza?

Jeżeli nasuwa się podejrzenie, że doszło do zarażenia wirusem HIV, należy zwrócić się do zaufanego lekarza lub do ośrodka zajmującego się leczeniem AIDS. Obecnie powstają ośrodki pomocy chorym na AIDS.

Aby stwierdzić zakażenie wirusem HIV zaleca się przeprowadzenie co najmniej dwóch testów: badania rutynowego dokonuje się za pomocą tzw. testu screeningowego (przesiewowego). Jeżeli za jego pomocą wykryje się przeciwciała, tzn. reakcję ustroju na obecność wirusów, należy zastosować drugi test z tą samą próbą krwi. Dopiero gdy i ta próba wypadnie dodatnio, a więc wykaże reakcję ustroju na obecność wirusa HIV, można być pewnym, że istotnie doszło do zakażenia. Jeżeli próba jest ujemna, to, niestety, nie ma stuprocentowej pewności, że nie nastąpiło zakażenie. Przeciwciała, których poszukuje się wspomnianym testem, powstają dopiero po upływie od czterech do dwunastu tygodni od chwili zakażenia. Istnieje zatem możliwość, że doszło do zakażenia, mimo że wynik testu był negatywny, a to z tej przyczyny, że przeciwciała nie zdążyły się jeszcze wytworzyć.

## Jak sobie pomóc

Nie należy nigdy poddawać się testowi na obecność wirusa HIV bez uprzedniego naradzenia się z zaufanym lekarzem lub przed porozumieniem się z ośrodkiem zajmującym się AIDS. W szpitalach testy w kierunku HIV mogą być wykonywane jedynie za zgodą pacjenta. Dla ochrony personelu szpitalnego, który mógłby zarazić się, wywiera się na chorych nacisk, aby przed operacjami wykonać badania. Na przykład w niektórych szpitalach wiedeńskich wykonuje się systematycznie testy na obecność wirusa HIV bez wiedzy i zgody pacjentów. Działanie to jest sprzeczne z prawem. Wszystkie ośrodki zajmujące się badaniami HIV są prawnie zobowiązane do zachowania tajemnicy lekarskiej. Jednak przepis ten był wielokrotnie łamany, co pociągnęło za sobą poważne następstwa socjalne i zawodowe dla pacjentów.

Jeżeli przynajmniej dwa testy wykazały jednoznacznie zakażenie wirusem HIV, należy zastosować się do zasad:

### Lektura uzupełniająca

FORD M.T.: *100 pytań i odpowiedzi wokół AIDS*. Grupa Image, Warszawa 1994.
*HIV i AIDS: Problemy psychospołeczne i medyczne*. PCK; Szwedzki Czerwony Krzyż, Warszawa 1991.
JOHNSON E.M.: *Jak możesz uniknąć AIDS*. Wydaw. W.A.B., Warszawa 1995.
STAPIŃSKI A.: *O tym trzeba wiedzieć: AIDS i inne choroby przenoszone drogą płciową*. PZWL, Warszawa 1988.

## Pomoc w AIDS

Ośrodki potwierdzania seropozytywnych wyników badań na AIDS:

00-791 Warszawa, ul. Chocimska 24, Zakład Immunopatologii Państwowego Zakładu Higieny, tel. (0-22) 49-31-86
00-957 Warszawa, ul. Chocimska 5, Instytut Hematologii, tel. (0-22) 49-36-96
Poradnie dla chorych na AIDS przy klinikach i oddziałach zakaźnych.

Wykaz wybranych placówek służby zdrowia świadczących opiekę dla osób zakażonych i chorych na AIDS:
Białystok — Punkt AIDS przy Klinice Obserwacyjno-Zakaźnej AM, ul. Żurawia 3, tel. (0-85) 32-75-70
Bydgoszcz — Poradnia Profilaktyki i Leczenia Zakażeń Wirusowych, ul. św. Floriana 10, tel. (0-52) 22-00-34
Chorzów — Ośrodek Diagnostyki i Terapii AIDS dla woj. katowickiego, ul. Zjednoczenia 10, tel. (0-32) 241-32-55 w. 241 lub 241-71-92
Częstochowa — Wojewódzka Przychodnia Leczenia Nabytych Niedoborów Odporności, ul. PCK 1, tel. (0-34) 22-37-77
Gdańsk — Centrum Diagnostyki i Leczenia AIDS przy Klinice Chorób Zakaźnych, Oddział II, ul. Długa 84/85, tel. (0-58) 41-40-41 w. 18
Łódź — Przychodnia AIDS przy Specjalistycznym Dermatologicznym Zespole Opieki Zdrowotnej, ul. Krzemieniecka 5, tel. (0-42) 86-25-70, 86-25-71
Kraków — Regionalna Przychodnia AIDS, ul. Śniadeckich 5, tel. (0-12) 21-96-57
Poznań — Klinika Chorób Zakaźnych AM, ul. Wincentego 21, tel. (0-61) 877-36-71
Warszawa — Poradnia dla Nosicieli HIV, ul. Leszno 17, tel. (0-22) 632-07-25 oraz Klinika Chorób Zakaźnych Wieku Dziecięcego AM, ul. Wolska 37, tel. (0-22) 632-06-83
Wrocław — Klinika Chorób Zakaźnych AM, ul. Kamieńskiego 73a, tel. (0-71) 325-52-42
Stowarzyszenie Wolnotariuszy wobec AIDS „Bądź z Nami", Al. Jerozolimskie 23/14, Warszawa tel. (0-22) 622-50-01

— Przeprowadzać w regularnych odstępach badania lekarskie. Ośrodki do tego powołane wykonują te badania anonimowo i bezpłatnie.
— Prowadzić możliwie jak najbardziej higieniczny tryb życia, ograniczyć spożycie alkoholu i palenie papierosów, stosować urozmaiconą dietę, unikać kąpieli słonecznych.
— Jeśli to możliwe, nie jeździć w strefy tropikalne, gdyż tam istnieje niebezpieczeństwo zakażenia nieznanymi, często trudno wykrywalnymi i opornymi w leczeniu zarazkami.
— Zlikwidować wszystkie ogniska zapalne w ustroju.

Należy zwracać się ze wszystkimi sprawami i problemami do przychodni AIDS, które udzielają porad anonimowo i bezpłatnie. W poradniach tych można uzyskać:
— informacje i wyjaśnienia;
— telefoniczne i osobiste porady lekarskie, także specjalistyczne (psychologiczne i seksuologiczne) z pełną gwarancją anonimowości;
— anonimowe i bezpłatne badania przeciwciał;
— pomoc psychologiczną dla osób zakażonych i członków ich rodzin;
— porady prawne, pomoc ze strony kompetentnych pracowników socjalnych, usługi i opiekę w domu oraz w szpitalu.

## Leczenie

Przebiegu choroby nie udaje się wprawdzie zatrzymać preparatem AZT (Retrovir), ale można ten proces opóźnić. Leczenie AIDS trwa przez całe życie pacjenta. Osoba dotknięta tą chorobą powinna bezzwłocznie podejmować leczenie wszelkich pojawiających się infekcji i guzów, gdyż uszkodzony system odpornościowy nie jest w stanie sam sobie z nimi poradzić. Istnieją skuteczne metody leczenia wszystkich zakaźnych powikłań. Nie można, jak dotąd, przewidzieć, kiedy nauka stworzy skuteczną szczepionkę.

# ALERGIA

Alergia jest chorobą układu odpornościowego (immunologicznego → s. 330) organizmu. Lekarze rozróżniają różne typy reakcji z nadwrażliwości. Tym też wyjaśniają, dlaczego na przykład alergia na określone pokarmy u jednej osoby zmienia błonę śluzową przewodu pokarmowego, a u innej nią dotkniętej wywołuje wykwity skórne.

W mowie potocznej przez „alergię" rozumie się dwa rodzaje reakcji: nadwrażliwość natychmiastową, ograniczoną do jednego narządu lub obejmującą cały organizm, bądź wolno rozwijającą się nadwrażliwość.

## Mechanizm

Wszystkie otaczające nas substancje mogą być dla układu odpornościowego ciałem obcym (antygeny). Ale tylko szczególnie nadwrażliwe (uczulone) osoby reagują „alergicznie" na substancje, które na innych nie oddziałują. Układ odpornościowy reaguje na antygeny w ten sposób, że wytwarza białka, tzw. przeciwciała. Antygeny i przeciwciała oddziałują na siebie. Aktywuje to określone rodzaje krwinek białych.

Ta, w zasadzie normalna reakcja, jest zmieniona w alergii. Pojawia się olbrzymia ilość przeciwciał we krwi, a komórki białe oddziałują nadwrażliwie. Uwalniają one hormony tkankowe (mediatory), jak na przykład histaminę. Ze swej strony hormony tkankowe uruchamiają reakcje, których organizm już nie potrafi kontrolować. Jeżeli organizm w ten sposób alergicznie zareagował, to zachowuje on ten fakt nadal w „pamięci". Gdy zetknie się ponownie z tą substancją, odpowiedź obronna przebiega znacznie szybciej niż przy pierwszym kontakcie.

## Dolegliwości

Znany jest nagły wyciek z nosa przy katarze siennym (→ s. 285), łzawiące oczy przy alergicznym zapaleniu błony śluzowej (→ s. 233), swędząca skóra przy pokrzywce (→ s. 271) i nieoczekiwany napad duszności w astmie alergicznej (→ s. 293).

Reakcje anafilaktyczne są nagłymi odczynami alergicznymi, które się rozgrywają w całym organizmie, a nieleczone mogą mieć przebieg dramatyczny.

Leki i jad wprowadzony przez ukłucie owada są przykładami substancji, które mogą wywołać taką reakcję wstrząsową. Do odczynów alergicznych, obejmujących cały organizm, a które rozwijają się wolno, należy wyprysk kontaktowy (→ s. 260) i alergia na pokarmy.

## Przyczyny i czynniki wywołujące

Skłonność niektórych osób do reakcji alergicznej na określone substancje może mieć podłoże dziedziczne. Jednakże wiele czynników musi wspólnie zadziałać, by ktoś zachorował na alergię. Jednym z nich najprawdopodobniej jest coraz bardziej nasilająca się chemizacja środowiska. Wydaje się, że szkodliwe substancje, jak metale ciężkie, składniki kurzu, środki ochrony roślin itd. wiążą się z antygenami i nasilają ich efekt alergogenny. Reagowanie na mnogość takich substancji może przekraczać możliwość niejednego układu odpornościowego.

Tego, że dobre samopoczucie ma wpływ na układ immunologiczny, współcześnie chyba już nikt nie kwestionuje (→ Zaburzenia samopoczucia, s. 175). Tym samym stan psychiczny może być czynnikiem, który wzmacnia lub osłabia gotowość organizmu do odczynu alergicznego na jakiś antygen. Z tego wynika, że określony człowiek nie jest chory na alergię podobnie jak jest niebieskooki, lecz tylko w określonych warunkach, które mogą się zmieniać, reaguje alergicznie lub nie na specyficzne substancje.

W zasadzie każdy czynnik może działać alergizująco. Poznano dotąd wiele grup substancji, które działają alergizująco na wielu ludzi. Niejedna substancja sama nie wywołuje alergii, lecz toruje ją pośrednio przez to, że uszkadza nieco skórę lub błony śluzowe. Dopiero wówczas zwiększa się przepuszczalność dla innych substancji, które wywołują alergię. Jako przykład może służyć szkodliwy dwutlenek siarki, który może bezpośrednio sam wywołać astmę alergiczną, może jednakże również tak uszkodzić błonę śluzową oskrzeli, że pośrednio wywołuje alergię na pyłek brzozy.

→ Trucizny w mieszkaniu, s. 758.
→ Zanieczyszczenia powietrza, s. 779.
→ Substancje toksyczne w środowisku pracy, s. 787.

## Ryzyko zachorowania

W krajach przemysłowych zachorowanie na alergię zwiększyło się alarmująco. Na podstawie reprezentatywnych badań Instytutu Infas w 1989 roku okazało się, że na alergię choruje 21% mieszkańców Niemiec. Jedno z badań w Bawarii wykazało w 1988 roku 20% chorych na alergię i 40% uczulonych pięcio- i sześciolatków.

## Następstwa i powikłania

Życie chorego na alergię może być bardzo uciążliwe. Najpierw zachodzi konieczność licznych wizyt u lekarza albo pobytów w szpitalu, aby ustalić przyczynowe alergeny. Jeżeli ktoś je zna, musi całe życie tak postępować, by unikać z nimi kontaktu. Jeżeli nie może ich uniknąć, chory boryka się przez całe życie z dolegliwościami, które wywołuje alergia i jej leczenie. Zachorowania na alergię w ciągu całego roku lub taką, która nawraca sezonowo, stanowią plamy na wizerunku obowiązkowego pracownika. Przy częstej niezdolności do pracy rodzi się nawet obawa o utratę stanowiska pracy. Psychika chorych na alergię może być łatwo dotknięta, jeżeli ludzie z otoczenia odbierają wykwity skórne jako coś odrażającego. Ale także inne objawy obciążają samopoczucie chorego. Organizm cierpi nie tylko z powodu alergii, lecz również na skutek jej leczenia.

## Wstrząs anafilaktyczny

Może wystąpić natychmiast i do piętnastu minut od kontaktu z substancją wywołującą alergię.

*Dolegliwości*: Świąd, zaczerwienienie skóry, obrzęki na całym ciele, duszność, spadek ciśnienia krwi, czasami nudności i wymioty.

*Pierwsza pomoc*: Chorego położyć tak, by kończyny dolne były wyżej niż głowa. Natychmiast wezwać pogotowie ratunkowe (→ s. 689).

Alergia ma często tę nieprzyjemną właściwość, że „zmienia piętro" umiejscowienia. Na przykład katar sienny przeistacza się w astmę. W narządach, które pośrednio są obciążone skutkami alergii, łatwo rozwijają się przeróżne wtórne choroby.

Wstrząs anafilaktyczny może zagrażać życiu.

### Zapobieganie

Właściwe ukształtowanie życia zewnętrznego i wewnętrznego może ograniczać wpływ czynników wywołujących. Należy tu uwzględnić umiarkowane odżywianie się, które możliwie jak najmniej naraża organizm na substancje szkodliwe. To samo dotyczy środowiska domowego i pracy zawodowej. Należy uprawiać ruch i sport dla poprawy samopoczucia, dbać o właściwą równowagę pomiędzy aktywnością a odprężeniem psychicznym i fizycznym.

Jeżeli chodzi o noworodki, nic nie chroni ich tak przez pół roku przed licznymi alergenami jak mleko matki. Matki, które chcą karmić piersią, a wywodzą się z rodziny obciążonej alergią, powinny po porodzie zdecydowanie żądać, by ich dziecko nie było karmione jakimikolwiek produktami mlecznymi. Kontakt z mlekiem krowim w pierwszych dniach życia może działać alergizująco nawet wówczas, gdy niemowlę będzie następnie karmione mlekiem matki. Jeżeli u matki brak laktacji, to w rodzinach obciążonych alergią jest uzasadnione podjęcie próby karmienia tzw. mlekiem ubogoalergenowym (Aletemil HA, Aptamil HA, Beba HA) celem zmniejszenia ryzyka zachorowania na alergię.

Zły zwyczaj polegający na przekłuwaniu uszu u małych dziewczynek i zakładaniu mosiężnych kolczyków sprzyja wytworzeniu się pewnego rodzaju alergii.

### Kiedy do lekarza?

Przy podejrzeniu alergii. Jednakże lekarz domowy nie dysponuje dostatecznym czasem, by dochodzić „detektywistycznie" alergenów przyczynowych. Specjalistami w tym zakresie są alergolodzy. Dokładne badanie ciała jest uzupełniane wyczerpującym wywiadem, za pomocą którego usiłuje się trafić na trop substancji odpowiedzialnych za reakcję alergiczną. Udzielenie odpowiedzi może ułatwić posłużenie się „dziennikiem alergicznym":

— Jak objawiają się dolegliwości alergiczne?
— Kiedy występują: w ciągu dnia, nocą, przez całą dobę?
— Czy są zależne od pory roku, zmiany pogody, czynności, miejsca, pomieszczeń, obecności osób, samopoczucia?

### Koło Pomocy Dzieciom z Alergią

00-056 Warszawa, ul. Kredytowa 1a, tel. (0-22) 826-27-15

## Niektóre z licznych czynników wywołujących alergię

— Pył kwiatowy traw, drzew lub krzewów, który jest przenoszony przez wiatr.
— Kurz zawierający włosy zwierząt i złuszczony naskórek.
— Kurz domowy. Roztocza są pajączkowatymi zwierzętami wielkości jednego milimetra. Ich ulubionym pożywieniem jest złuszczony naskórek człowieka. Szczególnie często przebywają w łóżku. Wysuszone odchody tych roztoczy tworzą razem z pozostałymi składnikami kurzu tzw. kurz domowy.
— Pleśnie.
— Mąka, cement.
— Środki spożywcze, zwłaszcza mleko krowie i białko jaj kurzych. U dzieci alergia na środki spożywcze ujawnia się najczęściej w obrębie przewodu pokarmowego (→ Nietolerancja mleka krowiego, s. 563, → Choroba glutenowa, s. 383), u dorosłych raczej na skórze lub w drogach oddechowych.
— Dodatki do środków spożywczych (→ Dodatkowe substancje w środkach spożywczych, s. 720).
— Substancje zanieczyszczające powietrze, zwłaszcza formaldehyd i dwutlenek siarki (→ Trucizny w mieszkaniu, s. 758, → Zanieczyszczenie powietrza, s. 779).
— Substancje chemiczne w środkach czyszczących, kosmetykach, środkach do prania, farbach.
— Liczne substancje chemiczne na stanowisku pracy (→ Substancje toksyczne w środowisku pracy, s. 787).
— Leki, zwłaszcza penicylina (→ Leki przeciw zakażeniom, s. 621), kwas acetylosalicylowy (aspiryna → Leki przeciwbólowe, s. 620) oraz dożylnie wprowadzane środki kontrastowe do badań radiologicznych. Także środki do miejscowego znieczulenia, maści zawierające balsam peruwiański, składniki środków ochronnych przeciw oparzeniu słonecznemu i leki przeciwbólowe zawierające metamizol prowadzą stosunkowo często do alergii.

— Czy dolegliwości nasilają się w określonych okolicznościach?
— Gdzie występują: w zamkniętych pomieszczeniach, tylko w konkretnych pomieszczeniach, na stanowisku pracy, w domu, tylko na wolnej przestrzeni?
— Jakie inne okoliczności wykazują z tym związek: pokarmy, takie czynności, jak: czyszczenie, używanie środków chemicznych, części garderoby lub biżuteria?
— Zażywanie leków?

Do badania tego należy również dokładna charakterystyka środowiska pracy i nawyków życiowych.

Ponieważ z reguły nie uświadamiamy sobie wszystkich szczegółów czynności codziennych, zalecane jest prowadzenie dziennika, do którego przez pewien okres należy wpisywać wszystkie znaczące czynniki. Lekarz może uzupełnić swoje „dochodzenie" testami alergometrycznymi. Jednakże powinien to zrobić dopiero wówczas, gdy ma uzasadnione podejrzenie alergii.

### Testy skórne

Skórę przedramienia lub pleców zadrapuje się igłą. Następnie nakrapla się najczęściej całą serię różnych substancji, które są podejrzane jako alergeny (prick test). Przy teście śródskórnym wprowadza się roztwór testujący śródskórnie. Jeżeli wystąpi odczyn alergiczny, skóra ulega zaczerwienieniu i tworzy się bąbel. Ponieważ na przykład oko, nos, płuco lub jelito mogą całkiem inaczej reagować niż skóra, test skórny nigdy nie jest pełnym dowodem. Test z substancjami, co do których wiadomo, iż mogą wywołać wstrząs alergiczny, może być wykonany dopiero wówczas, jeżeli spełniono wszystkie warunki, by opanować ewentualny wstrząs.

### Badania krwi

PRIST (z ang. paper-radio-immunosorbent-test): Lekarz ustala stężenie przeciwciał odpowiedzialnych za reakcję alergiczną. RAST (z ang. radio-allergen-sorbent-test): Tym testem można zmierzyć stężenie przeciwciał przeciw określonym antygenom. Testy oparte na badaniu krwi są najczęściej jeszcze mniej pewne niż testy skórne.

### Testy prowokacyjne

Tutaj doprowadza się substancję podejrzaną o wywoływanie alergii do bezpośredniego kontaktu z danym narządem. Tak więc przy katarze siennym można wkroplić mniej więcej jedną kroplę krańcowo rozcieńczonej zawiesiny pyłków do oka lub do nosa. Przy astmie alergicznej wprowadza się roztwór substancji drogą inhalacji. Przy podejrzeniu alergii pokarmowej próbuje się odwrotnej postaci testu prowokacyjnego: najpierw skreśla się wszystkie podejrzane potrawy z jadłospisu, następnie wprowadza się je znowu sukcesywnie i obserwuje reakcję. Jednakże również pokarmy mogą być testowane najpierw jako koncentraty na skórze.

### Jak sobie pomóc

Nawet jeżeli znany jest czynnik wywołujący alergię, leczenie łatwiejsze jest w „mowie niż w czynie". Konkretnych substancji należy unikać. Ciężko rozstawać się z kochanymi zwierzętami, jeszcze trudniej zmienić zawód, a unikanie kurzu domowego wydaje się prawie niemożliwe; mimo to są to jedynie prawdziwie skuteczne działania. Dodatkowo można skorzystać z poniższych pożytecznych wskazówek:

### Przy alergii pyłkowej
— Unikać przebywania na wolnej przestrzeni.
— Mieć okna i drzwi zamknięte.
— Na „okres alergii" przenieść urlop. Na wysokości ponad tysiąca pięćset metrów powietrze jest prawie wolne od pyłków. Także powietrze nadmorskie jest niemal od nich wolne.

### Przy alergii na kurz domowy lub alergii na roztocza kurzu domowego
Roztocza nie lubią tworzyw sztucznych. Zmiana materiałów na-

**Lektura uzupełniająca**

FISCHER P.J.: *Alergie u dzieci i młodzieży. Zapobieganie, rozpoznawanie, leczenie.* „Vocatio", Warszawa 1995.

turalnych na syntetyczne może pozbawić roztocza przestrzeni życiowej.
— Usunąć wszystkie pochłaniacze kurzu: zasłony, dywany, narzuty, regały z dekoracjami.
— Kołdry z pierza i materace włosiane zastąpić tworzywem sztucznym i dawać je do prania lub czyszczenia co sześć do ośmiu tygodni.
— Tapety zastąpić malowaniem ścian.
— Wykładziny dywanowe zastąpić zmywalną podłogą.
— Gdyby ktoś tego nie chciał stosować, należy codziennie wszystko odkurzać odkurzaczem, także pościel łóżkową.
— Firma Artilin produkuje lakier do użytku wewnętrznego, zabijający roztocza, który został pozytywnie oceniony przez francuskie ministerstwo zdrowia.
— Na wiosnę i jesienią stosować Arcarosan. Jest to środek niebudzący zastrzeżeń pod względem wpływu na zdrowie człowieka. Zabija roztocza, a ich wydaliny łączy w większe cząstki, które później można łatwiej usunąć.

**Lektura uzupełniająca**

DROSZCZ W.: *Alergia.* „Wiedza Powszechna", Warszawa 1991.
NOVICK N.L.: *Jak żyć z alergią. Poradnik medyczny.* Wydaw. „Novus Orbis", Gdańsk 1997.

### Przy alergii na pleśnie
— Osuszyć wilgotne ściany i podłogi.
— Wymienić tapety.

Wielu chorych na alergię wie, że nie znosi pewnych substancji, które mogą być zawarte w środkach do pielęgnacji skóry bądź jako dodatki w środkach spożywczych. Jednakże nie zawsze informacje o składnikach znajdują się na opakowaniach tych produktów. Uporczywe dopytywanie się chorych na alergię u producentów mogłoby nareszcie skłonić ich do ujawnienia „tajemnicy produkcyjnej".

### Leczenie
Leczenie swoiste chorób alergicznych poszczególnych narządów — patrz poszczególne choroby.

### Odczulanie
Za pomocą odczulania można próbować zmniejszyć wrażliwość wobec czynnika ją wywołującego.

W tym celu substancja powodująca alergię jest albo wstrzykiwana w jak najmniejszym rozcieńczeniu podskórnie, albo połykana. Leczenie przechodzi wiele stadiów różniących się stężeniem alergenu, określanym przez lekarza. W optymalnej sytuacji organizm rozwija pewien stopień tolerancji wobec stężeń antygenu, które przed leczeniem wywoływały napad alergii. Dowodem na skuteczność odczulania powinno być wykazanie, że dany alergen nie wywołuje objawów alergii w obrębie reagującego narządu. Sam test skórny w tym celu nie wystarcza. Ponadto nie należy wstrzykiwać równocześnie więcej niż dwóch substancji. Nie należy oczekiwać wiele po roztworach zawierających sześć lub siedem substancji. Leczenie trwa co najmniej rok. Jeżeli po dwuletnim leczeniu nie stwierdza się istotnej poprawy, to można je przerwać. Jeżeli zaobserwuje się pewne działanie, jednakże nie jest ono zadowalające, leczenie można przedłużyć o kolejny, trzeci rok. Nie należy stosować leczenia odczulającego wobec substancji, których można unikać. Według opinii Amerykańskiej Akademii Alergii i Immunologii każdy pacjent, który poddaje się takiemu leczeniu, ponosi ryzyko trudne do przewidzenia. Ryzyko to obejmuje możliwość wystąpienia wstrząsu anafilaktycznego i jest względnie duże, gdyż antygen jest wprowadzany bezpośrednio do organizmu.

## Akupunktura

Akupunktura może mieć wpływ przede wszystkim na lżejsze postacie alergii. Jeżeli nawet nie zapobiega napadom alergicznym, pomaga przynajmniej zmniejszyć liczbę stosowanych leków. Inną korzyścią jest to, iż akupunktura praktycznie nie powoduje skutków ubocznych (→ Akupunktura, s. 646). Akupunktura okazała się szczególnie skuteczna w leczeniu zapaleń błony śluzowej nosa, spojówek oka i w alergii skórnej. Zgodnie ze stanowiskiem Zarządu Głównego Polskiego Towarzystwa Alergologicznego z 1997 roku skuteczność akupunktury w leczeniu chorób alergicznych jest kontrowersyjna i nieudowodniona.

## Leczenie lekami

Środkami raczej zapobiegającymi są kromoglikan dwusodowy i ketotyfen. Zapobiegają one uwolnieniu przez krwinki białe substancji wywołujących niekontrolowaną reakcję alergiczną w tkankach. Muszą one być stosowane regularnie.

---

### Zapobiegawczo stosuje się kromoglikan dwusodowy

*Do oczu*:
Allergocrom, Opticrom, Vividrin

*Do nosa*:
Duracroman, Lomupren, Lomusol, Vividrin
Na zmniejszenie dolegliwości trzeba czasami czekać kilka dni.
Przeciw astmie: Intal

Działania uboczne: przy wdychaniu w rzadkich przypadkach pojawia się kaszel i duszność.

### Zalecany profilaktycznie ketotifen

Tylko przeciw astmie: Zaditen
Działania uboczne: działanie może się długo nie ujawniać.
Wywołuje znużenie, upośledzenie koncentracji uwagi.

---

### Polskie Towarzystwo Pomocy Dzieciom Chorym na Astmę i Alergie

Zarząd Główny: 74-400 Rabka, ul. Polna 3b/21, tel. (0-187) 760-60 w. 296

---

*Leki przeciwhistaminowe*

Leki te zapobiegają działaniu hormonów tkankowych (mediatorów), które wywołują niekontrolowaną reakcję alergiczną. Łagodzą one świąd, ale równocześnie wywołują uczucie znużenia. Naniesione na skórę, same mogą wywołać alergię. Leki przeciwhistaminowe powinny być stosowane tylko w razie potrzeby i tylko wówczas, gdy miejscowe leczenie alergicznie reagującego narządu jest niemożliwe (np. za pomocą kropli do oczu lub do nosa).

---

### Leki przeciwhistaminowe do połykania

| | | |
|---|---|---|
| AH3 N | Metaplexan | stinum |
| Fenistil | Omeril | Teldane |
| Hisfedin | Polaramin | Terfemundin |
| Hismanal | Pro Actidil | Terfenadin |
| Lisino | Stada | Tinset |
| Mereprine | Tavegyl-Clema | Zyrtec |

*Uwaga*: Ze względu na możliwość wystąpienia objawów znużenia przed przystąpieniem do prowadzenia samochodu, obsługi maszyn lub wykonywania czynności wymagających szczególnie dużej uwagi należy zaobserwować swoje reakcje po zastosowaniu tych leków.

---

*Glikokortykoidy*

Zagrażająca życiu reakcja anafilaktyczna jest leczona między innymi wlewami dożylnymi lub zastrzykami kortyzonu. Długotrwale utrzymujące się choroby alergiczne, których inne leki nie łagodzą dostatecznie, mogą być przez lekarza leczone glikokortykoidami (→ s. 624).

# ZĘBY

Zęby będące narządem żucia rozmieszczone są na łukach zębowych wzdłuż szczęki i żuchwy; szczęka i żuchwa połączone są ze sobą w stawie żuchwowym. Zawiązki zębów w obu łukach zębowych są całkowicie wykształcone w chwili narodzin. W skład uzębienia mlecznego wchodzi dwadzieścia zębów — przed ukończeniem osiemnastego miesiąca życia widoczne są już na ogół wszystkie. Uzębienie stałe składa się z trzydziestu dwu zębów. Na przełomie trzynastego i czternastego roku życia obecne są już najczęściej po dwa siekacze, jeden kieł, dwa zęby przedtrzonowe i dwa trzonowe w każdej połowie łuku zębowego. Trzeci ząb trzonowy, położony najbardziej z tyłu, wyrzyna się zwykle około dwudziestego pierwszego roku życia. U co trzeciej osoby zęby te, zwane zębami mądrości, nie wyrastają w ogóle. Aby zęby mogły równomiernie ułożyć się w obrębie łuku zębowego, musi istnieć już w dzieciństwie równowaga między umięśnieniem policzków, języka i warg; znaczenie w tym przypadku mają również czynniki dziedziczne. Wpływają one na prawidłowe ułożenie zgryzu lub powodują, że tworzy się przodozgryz, tyłozgryz albo zgryz krzyżowy. Nieprawidłowe ustawienie zębów lub braki w uzębieniu mogą niekorzystnie wpływać na staw żuchwowy, a także utrudniać żucie. Współcześnie nie wykorzystujemy w pełni możliwości naszych zębów — typowe dla społeczeństw krajów uprzemysłowionych miękkie i obfitujące w cukier pożywienie przyczyniło się do powstania nowych chorób „cywilizacyjnych"; chorób zębów i przyzębia.

Na przykład w Niemczech i Austrii z powodu próchnicy zębów lub przyzębicy cierpi dziewięć na dziesięć osób. W Szwajcarii dzięki wzorcowemu powszechnemu programowi zapobiegania, wprowadzonemu we wszystkich przedszkolach i szkołach, udało się już w drugim pokoleniu znacznie zmniejszyć zachorowalność na wymienione wyżej choroby narządu zębowego. W naszym kraju nie ma podobnie skutecznego systemu zapobiegawczego.

## Właściwa pielęgnacja

### Szczoteczki do zębów

Decydujące znaczenie dla zdrowia zębów ma całkowite usuwanie kamienia nazębnego i z tego powodu szczoteczka do zębów jest najważniejszym przyrządem służącym do ich pielęgnacji. Powinna być na tyle mała i poręczna, aby możliwe było dotarcie do wszystkich zachyłków jamy ustnej. Włosy szczoteczki powinny być wykonane z tworzywa sztucznego i być na tyle miękkie, by nie kaleczyły dziąseł. Z tego samego powodu włosy szczoteczki powinny mieć jednakową długość i być równo ustawione.

Szczoteczkę należy prowadzić zwrotnymi ruchami na odcinku od dziąsła do korony zęba, tak by jej włosy mogły wnikać we wszystkie przestrzenie między zębami. Każdy ząb należy czyścić z osobna od strony wewnętrznej, zewnętrznej i żującej. Jednocześnie odpowiedniemu masażowi należy poddać dziąsła. Jeżeli rozwinął się już zanik dziąseł, wskazane jest oczyszczanie z resztek pokarmowych przestrzeni między zębami specjalną szczoteczką międzyzębną oraz poddawanie dziąseł masażowi. Stosowanie elektrycznych szczoteczek do zębów uzasadnione jest tylko w przypadku występowania trudności w wykonywaniu ruchów, na przykład u osób obłożnie chorych lub niepełnosprawnych. Strumień wody pod ciśnieniem podawany ze specjalnych urządzeń do spłukiwania zębów nie może zastąpić ich czyszczenia szczoteczką, a co najwyżej stanowić jego uzupełnienie. Uwaga ta dotyczy w szczególności miejsc w pobliżu mostków zębowych i ortodontycznych aparatów korekcyjnych, czyli tam, gdzie łatwo gromadzą się resztki pokarmowe. W chorobach dziąseł strumień wody pod ciśnieniem mógłby wręcz wpychać bakterie i szczątki obumarłych tkanek głębiej do kieszonek zębowych. Po wyczyszczeniu zębów szczoteczką bardziej wskazane jest przepłuka-

Szkliwo

Zębina

Wypełnienie ubytku (plomba)

Nerw

Miazga zęba

Kanał korzeniowy z miazgą zęba

Cement korzenia

Więzadła korzenia

Próchnica bruzdkowa

Próchnica głęboka

Próchnica korzeniowa

Obumarłe tkanki miazgi zęba

Ropień okołowierzchołkowy

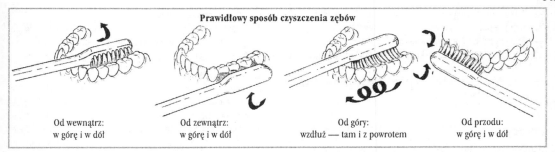

**Prawidłowy sposób czyszczenia zębów**

| Od wewnątrz:<br>w górę i w dół | Od zewnątrz:<br>w górę i w dół | Od góry:<br>wzdłuż — tam i z powrotem | Od przodu:<br>w górę i w dół |

nie ust wodą — z kilkakrotnym dokonaniem energicznego jej przepchnięcia poprzez przestrzenie międzyzębowe.

Skuteczne czyszczenie zębów trwa przynajmniej około trzech minut. Kontrolę jego efektywności ułatwia lustro zawieszone na wysokości twarzy, a w przypadku dzieci (co jest ważne!) pomocne jest małe lusterko do ust i nastawiany zegar do odmierzania czasu.

Przy użyciu środków zabarwiających kamień nazębny można samemu sprawdzić skuteczność czyszczenia zębów. Do tego celu najbardziej przydatne są środki zawierające tylko jedną substancję — fluoresceinę.

### Nitka do czyszczenia zębów
Punkty styczne w przestrzeniach między zębami są w szczególnym stopniu zagrożone występowaniem próchnicy. Dlatego należy usuwać z nich kamień nazębny za pomocą nitki. Najwłaściwsze do tego celu są nitki niewoskowane, dostępne w aptekach i drogeriach. Nitkę należy napiąć między palcami i ostrożnie przeciągać w miejscach stycznych wzdłuż szyjek zębów. Korzystając z nitki, należy też dokładnie oczyszczać przestrzenie pod mostkami zębowymi. Zadanie to ułatwia nawlekadło do nitki.

### Pasty do zębów
Past do zębów nie zalicza się do środków leczniczych, lecz ułatwiających poślizg w czasie czyszczenia zębów szczoteczką: dają one też wrażenie „świeżości" w jamie ustnej. Pasty do zębów zawierają pozostałości różnych substancji i wiele dodatków chemicznych (związki czynne powierzchniowo — sól sodową siarczanu alkoholu laurylowego, środki dezynfekujące itp.), które mogą szkodliwie oddziaływać na dziąsła. Czyszczenie zębów przy użyciu tylko szczoteczki i czystej wody pozwala osiągnąć ten sam efekt co posługiwanie się pastą do zębów. Nie zostało udowodnione, czy dodatki ziołowe lub witaminy zawarte w pastach do zębów przyczyniają się do poprawienia jędrności dziąseł oraz czy określone dodatki mogą zapobiegać tworzeniu się lub usuwać kamień nazębny. Kamień nazębny tworzy się zresztą na nowo po każdym umyciu zębów i tylko energiczne posługiwanie się szczoteczką umożliwia jego ściągnięcie ze szkliwa. Dodatek związków fluoru do past do zębów ma na celu wzmacnianie szkliwa, co jest możliwe tylko tak długo, jak długo utrzymuje się ich przyleganie do powierzchni zębów. Ponadto przy długim składowaniu past do zębów dochodzi do rozkładu związków fluoru. Tylko nieliczni producenci podają dokładny skład past do zębów; pasty do zębów nie podlegają także urzędowej kontroli. Powinno się przestrzegać zasady, że im mniej pasty do zębów się

używa, im mniej się pieni oraz im bardziej cierpki ma smak — tym lepiej dla zębów. Należy też zwracać uwagę na ilość i cenę pasty w tubach, ponieważ występują w tym zakresie zasadnicze różnice.

### Płyny do płukania jamy ustnej
Do utrzymania higieny jamy ustnej środki te nie są potrzebne — maskują jedynie zaniedbania w pielęgnacji zębów. Jeśli zawierają dodatek alkoholu, mogą powodować uszkodzenia błony śluzowej. Dodatek środków odkażających może zaś zaburzać skład flory bakteryjnej w obrębie jamy ustnej.

## Lęk przed dentystą
Jeśli obawiasz się wizyty u stomatologa, powinieneś z nim o tym problemie porozmawiać. Cierpliwe udzielanie informacji przez lekarza na temat możliwości zmniejszenia bólu w czasie zabiegów, jak również o przebiegu i poszczególnych etapach leczenia działa znacznie skuteczniej kojąco niż leki uspokajające, których stosowanie proponuje, niestety, wielu lekarzy. Jeśli strach jest tak duży, że odbiera ci odwagę do wizyty u stomatologa, to możesz zastanowić się wraz z lekarzem domowym, czy nie byłaby w tym przypadku pomocna psychoterapia (→ s. 670). Dziecku w pokonaniu lęku przed dentystą możesz pomóc w następujący sposób:
— Przygotuj je do wizyty u stomatologa, bawiąc się z nim „w dentystę", na przykład naśladując badanie za pomocą lusterka.

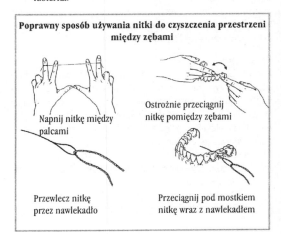

**Poprawny sposób używania nitki do czyszczenia przestrzeni między zębami**

Napnij nitkę między palcami

Ostrożnie przeciągnij nitkę pomiędzy zębami

Przewlecz nitkę przez nawlekadło

Przeciągnij pod mostkiem nitkę wraz z nawlekadłem

— Zabierz je ze sobą na twoje posiedzenie u stomatologa, o ile sam nie boisz się leczenia.

— Wybierz lekarza, który poświęca pacjentom dostatecznie dużo czasu, najlepiej zaś takiego, który zajmuje się także stomatologią dziecięcą.

— Nie przyrzekaj dziecku, że nie będzie bolało, raczej zaapeluj o jego współpracę.

## Urazy

Złamanie żuchwy lub szczęki, rozchwianie zębów, urazowe pęknięcia wymagają nie tylko opatrzenia w klinice chirurgii szczękowo-twarzowej, lecz także leczenia u stomatologa. Wybity ząb — w szczególności u osób młodocianych — może zostać na powrót osadzony operacyjnie w zębodole i przetrwać w nim jeszcze kilka lat. Osoba poszkodowana musi niezwłocznie udać się do chirurga szczękowego, ząb zaś należy w czasie transportu przetrzymywać albo w specjalnym pojemniku do ratowania zębów, albo (jeżeli to jest niemożliwe) należy włożyć go do zwykłego mleka, w którym komórki mogą przeżyć około godziny.

### Wypadki dotyczące uzębienia mlecznego

Małe dzieci często upadając, uderzają się w twarz. Jeśli w następstwie takiego zdarzenia ząb ulega obluzowaniu lub wbiciu do kości, należy niezwłocznie udać się z dzieckiem do stomatologa. Uraz często jest przyczyną obumarcia miazgi zęba, który przyjmuje wtedy ciemne zabarwienie. Należy zanotować przebieg zdarzenia, na wypadek gdyby w przyszłości miały wystąpić trudności przy wyrzynaniu się zęba. Zęby dzieci z przodozgryzem są szczególnie zagrożone w czasie urazów. W przypadku wybicia zębów przednich stomatolog może wypełnić lukę prowizoryczną protezką. Dopiero około dwudziestego roku życia możliwe jest wstawienie w to miejsce ostatecznego mostka zębowego.

## Próchnica

### Dolegliwości

Ząb jest wrażliwy na ciepło i zimno, jak również na pokarmy kwaśne i słodkie. Ból występuje dopiero wtedy, gdy próchnica po przeniknięciu poprzez szkliwo dociera do zębiny. Białożółte lub brązowe przebarwienia na powierzchni szkliwa powinieneś traktować jako pierwsze objawy rozpoczynającej się próchnicy.

### Przyczyny

Kamień nazębny — występują w nim drobnoustroje, które mają zdolność przywierania do powierzchni zęba, odżywiają się cukrem i produkują kwasy, które niszczą szkliwo. W konsekwencji otwiera się droga do wnikania bakterii, a także grzybów w głąb zęba. Po przebiciu się próchnicy poprzez warstwę szkliwa atakowana jest następnie zębina.

Powstawaniu kamienia nazębnego sprzyja:

— każdy cukier, także gronowy i miód oraz bardzo drobno zmielona mąka,

— brak higieny jamy ustnej (→ s. 342),

— praca w warunkach dużego zapylenia.

### Ryzyko zachorowania

Powstawaniu próchnicy sprzyja niewłaściwa pielęgnacja zębów, wszelkie uleganie łakomstwu, pozostawianie zepsutych zębów bez leczenia.

### Zapobieganie

Próchnicy można w dużym stopniu zapobiegać, czyszcząc zęby systematycznie i dokładnie — obowiązkowo dwa razy dziennie oraz po każdym posiłku, jak również każdorazowo po spożyciu napojów lub potraw zawierających cukier (→ Właściwa pielęgnacja, s. 342). Ważne jest, by dwa razy w roku kontrolować zęby u stomatologa.

W czasie każdej wizyty stomatolog powinien skontrolować stan higieny jamy ustnej i w razie potrzeby udzielić wskazówek na temat poprawnego sposobu czyszczenia zębów.

*Zapobieganie próchnicy za pomocą fluorków*

Fluorki są spożywane w pokarmach lub dostarczane bezpośrednio na powierzchnię zębów, umożliwiając tym samym utwardzenie szkliwa. Ponieważ w otaczającym środowisku powietrze i pożywienie są już i tak silnie skażone fluorem, nie powinno się stosować dodatku fluorków do wody pitnej, mleka lub soli kuchennej. Lekarz stomatolog w prosty sposób może nanieść żel lub lakier zawierający fluor na powierzchnię szkliwa zębów. Systematyczne stosowanie w wieku dziecięcym tabletek zawierających fluor może usposabiać do bezkrytycznego zażywania wszelkiego rodzaju pigułek w wieku późniejszym.

Fluorki powinno się stosować w celu osiągnięcia utwardzenia szkliwa w sposób ukierunkowany: tylko pod kontrolą lekarską, w przypadku występowania dużej skłonności do powstawania próchnicy oraz przy niekorzystnych nawykach żywieniowych.

Tabletki zawierające kombinację fluoru i witaminy D są mało celowe.

*Uszczelnianie szkliwa*

Zabezpieczenie przed wnikaniem próchnicy oraz zahamowanie rozwoju próchnicy już istniejącej można uzyskać poprzez uszczelnienie delikatnych pęknięć szkliwa lub bruzdek na powierzchni żującej zębów za pomocą tworzywa sztucznego. Przed dokonaniem tego zabiegu stomatolog musi, korzystając ze specjalnych szczotek, dokładnie oczyścić zagrożone próchnicą miejsca.

### Możliwe następstwa i powikłania

Zmiany ciśnienia w czasie lotu samolotem, wędrówki w górach, przy nurkowaniu itp. mogą wywołać silny ból zęba spowodowany nierozpoznaną uprzednio próchnicą.

Nieleczona próchnica wnika głęboko — skutkiem tego jest zakażenie miazgi zęba, które może rozprzestrzeniać się na kość, zatoki szczękowe oraz tkanki miękkie. Sam zaś ząb może być bezpowrotnie stracony. Wówczas może dochodzić do nieprawidłowego ustawienia zębów sąsiadujących z miejscem ubytku i występowania dolegliwości przy gryzieniu.

### Kiedy do lekarza?

Zapobiegawczo dwa razy w roku. Ból jako sygnał alarmowy pojawia się za późno.

---

### Skuteczny w razie bólu zęba: paracetamol

| | | |
|---|---|---|
| Acenol | Mexalen | Treupel P |
| Enelfa | Paracetamol z załączoną | Tylenol |
| Eu-Med P | nazwą producenta | |
| Krarofin simpex | Paracetamol effervescens | |

Najważniejsze działania uboczne: w przypadku bardzo częstego i wieloletniego stosowania nie można wykluczyć wystąpienia uszkodzenia nerek. Przy przedawkowaniu: uszkodzenie wątroby.

---

### Jak sobie pomóc

Nie można. Tak zwane środki domowe — wódka lub goździki przyprawowe — nie powinny być przykładane na bolące miejsce, ponieważ mogą uszkodzić miazgę zęba i dziąsło. Najbardziej skutecznym środkiem na ból zęba jest udanie się do dentysty. Osoby, którym dokucza ból zęba, powinny otrzymać pomoc w dniu zgłoszenia się do lekarza.

W trakcie oczekiwania możesz sobie pomóc poprzez:

— Silne pocieranie punktu akupunkturowego znajdującego się w zewnętrznym kącie łożyska paznokcia palca wskazującego.

— Przykładanie na krótki czas zimnego, wilgotnego kompresu na policzek.

— Ograniczone w czasie zażywanie jednego z prostych środków przeciwbólowych. Przedłużone stosowanie leków przeciwbólowych mogłoby utrudniać postawienie rozpoznania. Najwłaściwsze w tym przypadku są środki zawierające paracetamol jako wyłączny składnik (→ Proste środki przeciwbólowe, s. 620).

Leki przeciwbólowe mające w swym składzie kwas acetylosalicylowy zwiększają skłonność do krwawień. Można ich użyć tylko wtedy, gdy nie jest przewidywany zabieg typu chirurgicznego (np. usuwanie zęba). Dzieciom chorującym na zakażenia wirusowe (na grypę lub ospę wietrzną) nie należy podawać preparatów zawierających kwas acetylosalicylowy (→ Proste środki przeciwbólowe, s. 620).

Jedynie w przypadku bardzo silnego bólu lekarz stomatolog może na zasadzie wyjątku zalecić stosowanie dekstropropoksyfenu (np. tabletki APA) lub preparatu złożonego, mającego w swym składzie kwas acetylosalicylowy lub paracetamol i kodeinę (np. Nedolon P, Talvosilen).

W żadnym przypadku nie powinieneś stosować preparatów złożonych o innym od podanego wyżej składzie (→ Leki przeciwbólowe, s. 620).

---

### Skuteczny w razie bólu zęba: kwas acetylosalicylowy

| | | |
|---|---|---|
| Acetylin | Asprocol | Kwas acetylosalicylowy |
| Acidum | Contradol | z załączoną |
| acetylsalicylicum | Polopiryna | nazwą producenta |
| Antos | Polopiryna C | Ztrineral |

Najważniejsze działania uboczne: bóle w okolicy żołądka, nudności, skłonność do krwawień, zawroty głowy, szum w uszach.

---

### Leczenie

Lekarz stomatolog musi dokładnie usunąć próchnicę przy użyciu wiertła. Jeśli próchnica sięga w pobliże miazgi zęba, może okazać się konieczne znieczulenie miejscowe. Podany zastrzyk może na okres kilku godzin upośledzać zdolność koncentracji uwagi. Z tego powodu nie powinieneś w tym czasie prowadzić samochodu ani obsługiwać skomplikowanych maszyn. Przed wypełnieniem ubytku (założeniem plomby) lekarz powinien zastosować podkład z cementu, którego zadaniem jest ochrona miazgi zęba.

Przy wypełnianiu dużych ubytków lekarz powinien założyć specjalną opaskę wokół zęba (tzw. formówkę) celem zapobieżenia wypływaniu materiału użytego do wypełnienia i wtórnemu uszkodzeniu dziąsła. Jeśli stwierdzisz po założeniu plomby częste więźnięcie resztek pokarmowych między zębami, lekarz powinien powtórnie interweniować.

Po każdym założeniu wypełnienia lekarz musi sprawdzić i w razie potrzeby skorygować jakość zgryzu, aż do chwili gdy wyeliminowane zostanie uczucie obcego ciała. W przeciwnym razie mogą pojawić się trudności przy gryzieniu i dolegliwości ze strony stawu żuchwowego. Powinieneś nalegać, by lekarz poprawił wypełnienie tak, aby zęby stykały się ze sobą, jak do tego uprzednio przywykłeś.

Nie powinieneś mieć w ustach jednocześnie wypełnień z dwóch różnych metali: dotyczy to zwłaszcza stykających się miejsc zgryzu. W następstwie mogą wystąpić prądy elektryczne powodujące korozję wypełnień.

### Leczenie laserem stomatologicznym

Rzekomo bezbolesne wiercenie laserem nie jest godne polecenia. Technika ta jeszcze nie dojrzała i na przykład w USA jest zakazana. Laserem można leczyć dziąsła, jednakże niewłaściwe zastosowanie prowadzi do nieodwracalnych uszkodzeń. Szkolenie personelu leczącego przeprowadzają konstruktorzy tych urządzeń.

---

## Zapalenie miazgi zęba

### Dolegliwości

Dotychczas odczuwany ból zęba staje się świdrujący, tętniący, tępy, ulega rozprzestrzenieniu. Może wystąpić obrzęk policzka i powiększenie węzłów chłonnych w okolicy podżuchwowej i na szyi.

### Przyczyny

W obrębie zęba rozwija się stan zapalny.

### Ryzyko zachorowania wzrasta

W przypadku zaniedbania leczenia próchnicy zębów.

### Zapobieganie

Systematyczna pielęgnacja zębów oraz kontrola u stomatologa dwukrotnie w ciągu roku.

### Możliwe następstwa i powikłania

Ząb może obumrzeć, a zakażenie może objąć kość. Martwy ząb staje się ogniskiem, które powoduje zmniejszenie odporności

## Wypełnienia (plomby)

Badania ostatnio przeprowadzone wykazały, że nie istnieją idealne materiały do wypełnień, gdyż każdy może wywołać alergię. Najlepszym wypełnieniem jest własny zdrowy ząb.

*Materiały kompozytowe* o barwie zębów są utwardzane światłem ultrafioletowym i nadają się do wykonywania wypełnień w miejscach widocznych. Lekarz powinien wybrać materiał fotoutwardzalny. Trwałość kompozytów przygotowywanych z dwóch składników jest mniejsza. Im dokładniej stomatolog wypoleruje wypełnienie po utwardzeniu, tym mniejsza będzie skłonność do przywierania kamienia nazębnego w tym miejscu.

Do wypełniania dużych ubytków na powierzchniach żujących zębów bocznych nie należy stosować kompozytów, ponieważ materiały te nie wytrzymują nacisku w czasie gryzienia. Kompozyty mogą wydzielać trucizny.

*Stopy złota* są drogie i stosowanie ich ma uzasadnienie tylko przy uzębieniu mało podatnym na próchnicę. Użycie ich wymaga usunięcia w trakcie wiercenia większej niż przy innych rodzajach wypełnień ilości zdrowej masy zęba. Wypełnienia ze złota odlewa się w pracowni na podstawie modelu odciskowego, a następnie osadza w zębie przy użyciu cementu. Brzegi zamykające wypełnienie wymagają bardzo dokładnej obróbki, aby zapobiec wypłukiwaniu cementu i wnikaniu kamienia nazębnego. W przypadku małych ubytków stosuje się wypełnienia wewnętrzne, a przy dużych ubytkach — pokrycia zewnętrzne, które rozpościerają się na całej powierzchni żującej zęba i mają tę zaletę, że w dużym stopniu stanowią jego ochronę.

*Materiały ceramiczne* stosowanie ich jako materiału do wypełnień jest na etapie badań. Mają grube brzegi, które mniej dokładnie pasują niż wypełnienia ze stopów złota.

*Amalgamat* jest najbardziej rozpowszechnionym materiałem używanym do wykonywania wypełnień. Stanowi mieszaninę srebra, miedzi, rtęci i innych metali. Pewna część rtęci może przenikać do organizmu w czasie zakładania plomby lub wskutek korozji wypełnienia i wywierać działania szkodliwe dla zdrowia, wywołując na przykład reakcje uczuleniowe. Trwałość wypełnień amalgamatowych można zwiększyć, zmniejszając jednocześnie obciążenie rtęcią, jeśli lekarz stomatolog:
— użyje amalgamatów typu „non-gamma-2",
— wypełnienie założy dostatecznie silnie,
— wypolerowania wypełnienia dokona w odstępie co najmniej jednego dnia od założenia, oraz gdy przestrzegana jest poprawna pielęgnacja zębów i unika się spożywania zbyt gorących potraw.

*Obciążenie rtęcią.* Mimo wieloletnich podejrzeń nadal nie ma dowodu, że rtęć uwalniana z plomb wywołuje psychosomatyczne dolegliwości, jak migrena, astma, bóle krzyża i depresje lub nawet takie choroby, jak reumatyzm i rak. W zależności od liczby wypełnień organizm może przyjąć z amalgamatu sześć razy więcej rtęci niż z pokarmem. Rtęć jest gromadzona przede wszystkim w nerkach, mózgu i w wątrobie. Nie wynikają z tego, według aktualnego stanu wiedzy, szkody zdrowotne. Z przyczyn zapobiegawczych Niemiecki Instytut Leków zaleca u ciężarnych, matek karmiących piersią i u dzieci do szóstego roku życia nie zakładać nowych plomb amalgamatowych lub wyborować stare. Przy wyborowaniu powstaje para rtęci i przez to nagłe duże narażenie. Obciążenie rtęcią powinno być określone w 24-godzinnej zbiórce moczu. Zastrzyki DMPS i następowe pomiary we krwi nie powodują większej dokładności diagnostycznej.

organizmu na inne choroby, zwłaszcza typu przewlekłego, jak również sprzyja powstawaniu reakcji alergicznych.

### Kiedy do lekarza?
Dwa razy w roku do kontroli. Przy wystąpieniu nawet najmniejszego bólu zęba niezwłocznie udaj się do dentysty.

### Jak sobie pomóc
Nie można. Odnośnie do złagodzenia bólu → Próchnica, s. 344.

### Leczenie korzenia
Zęby ze zmienioną chorobowo lub obumarłą miazgą warto zachować. Jednak w przypadku niektórych chorób wewnętrznych zęby po przeprowadzonym leczeniu przewodowym uważa się za niepożądany czynnik ryzyka. Należy je usuwać w następujących przypadkach:
— gdy współistnieje zaawansowane zapalenie przyzębia, sam ząb zaś uległ rozchwianiu;
— gdy z powodu silnego zakrzywienia korzeni (np. zębów trzonowych) można się spodziewać małej skuteczności leczenia przewodowego;

— przy głębokich pęknięciach korony lub korzenia;
— gdy chodzi o ząb mało ważny z punktu widzenia sprawności żucia, estetyki wyglądu zewnętrznego lub możliwości oparcia na nim protezy.

W każdym przypadku lekarz stomatolog powinien w sposób wiarygodny wyjaśnić pacjentowi, dlaczego proponuje usunięcie chorego lub obumarłego zęba (→ Usuwanie zębów, s. 350). Leczenie przewodowe może wymagać wielu wizyt u stomatologa. Lekarz musi nawiercić ząb i usunąć miazgę z kanału korzeniowego. W tym celu lekarz nie powinien powodować obumarcia zęba przy zastosowaniu środków chemicznych, na przykład arszeniku. Właściwsze jest radykalne znieczulenie za pomocą zastrzyku, a następnie doszczętne rozwiercenie i usunięcie zakażonej miazgi zęba. W przypadku objęcia zmianą chorobową także zębiny konieczne staje się jej usunięcie.

Rozpoczęcie leczenia poprzedza wykonanie zdjęcia rentgenowskiego zęba, aby ustalić długość potrzebnych narzędzi.

Ponowne zdjęcie rentgenowskie wykonuje się, by skontro-

## Materiały używane do wypełnień korzeniowych

Żaden z materiałów stosowanych do wypełnień korzeniowych nie jest idealny. Ze szczytu korzenia środki te mogą oddziaływać na otoczenie kostne. Zabieg wymaga szczególnej dokładności ze strony lekarza stomatologa, który musi przepchnąć sztyfcik lub pastę używaną do wypełnienia w miarę możliwości w bezpośrednie sąsiedztwo wierzchołka korzenia, co zapobiega występowaniu objawów niepożądanych. Mimo to niewielkie ryzyko powstawania zmian zapalnych w wymienionej okolicy pozostaje nadal (→ Zapalenie wierzchołka korzenia zęba, poniżej). Niemniej jednak pewne pasty do wypełnień korzeniowych mogą przyczyniać się do wygaszenia istniejących już stanów zapalnych u szczytu korzenia zęba. Nadaje się do tego naturalna substancja gutaperka.

lować, czy wypełnienie korzeniowe zostało wykonane prawidłowo. Należy zwrócić się do lekarza z prośbą o pokazanie i objaśnienie zdjęć rentgenowskich zęba.

## Osadzanie sztyftów

Najlepiej kilka miesięcy po przeprowadzonym leczeniu przewodowym ząb zaopatruje się w wypełnienie lub nakłada koronę protetyczną. W przypadku dużego stopnia zniszczenia korony zęba wypełnienie, jak również za pomocą nagwintowanych sztyftów wkręcanych w zębinę lub kanał korzeniowy. Za najlepsze uważa się sztyfty wykonane z metali odpornych na korozję: tytanu lub tantalu. Zęby zawierające wypełnienie korzeniowe mogą z upływem czasu ulegać przebarwieniu lub stawać się kruche. Z tego powodu w wielu przypadkach uzasadnione jest zaopatrywanie ich w koronę protetyczną osadzaną na sztyfcie.

## Zapalenie wierzchołka korzenia zęba: ropień, ziarniniak, przetoki, torbiel

### Dolegliwości

Chory ząb jest wrażliwy na opukiwanie i/lub nagryzanie. Ból pulsuje zgodnie z rytmem tętna i staje się coraz silniejszy. Przebicie się treści zapalnej z okolicy okołowierzchołkowej poprzez kość na zewnątrz może być przyczyną powstania ropnia w obrębie policzka, języka, podniebienia lub zatoki szczękowej. U dzieci otwarcie się ropnia następuje najczęściej samoistnie. Ropne nacieczenie tkanek miękkich powoduje obrzęk policzka. Obrzęki mogą występować także w okolicy dna jamy ustnej, szczęki, a także na podniebieniu. Nie zawsze są one bolesne, czasem jednak towarzyszy im gorączka.

Niekiedy, szczególnie często u dzieci, proces zapalny toruje sobie drogę na zewnątrz błony śluzowej jamy ustnej, wytwarzając kanał zwany przetoką. Wycieka z niej ciągle ropa; zmiana tego rodzaju jednak nie boli.

### Przyczyny

Nieleczona próchnica zębów (→ s. 344).

### Ryzyko zachorowania wzrasta

W przypadku zaniedbania leczenia próchnicy.

### Zapobieganie

Systematyczna pielęgnacja zębów. Dwukrotnie w ciągu roku kontrolna wizyta u stomatologa.

### Możliwe następstwa i powikłania

Zapalenie okołowierzchołkowe może przejść w postać przewlekłą. Ropne ognisko na wierzchołku korzenia może ulec otorbieniu i stawać się powodem poważnych przewlekłych chorób organizmu. Może wytworzyć się torbiel w obrębie kości, jak również wystąpić ropne zapalenie zatok szczękowych.

### Kiedy do lekarza?

Najszybciej jak tylko jest to możliwe.

### Jak sobie pomóc

Ból może złagodzić przykładanie wilgotnego zimnego kompresu lub woreczka z lodem.

Okłady ciepłe, suche lub wilgotne (→ Okłady, s. 641) przyczyniają się do szybszego „dojrzewania" ropnia.

### Leczenie

Ropnie, które nie uległy przebiciu, lekarz powinien otwierać dopiero wtedy, gdy są „dojrzałe".

Jeśli leczenie przewodowe nie powoduje wygaszenia procesu zapalnego w okolicy wierzchołka korzenia zęba, niezbędne staje się usunięcie (resekcja) zajętego chorobą szczytu korzenia. Leczenie poprzedza wykonanie zdjęcia rentgenowskiego oraz podanie znieczulenia miejscowego. Lekarz przecina i odsuwa dziąsło, a następnie frezem usuwa warstwę kości. W końcu oddziela wierzchołkową część korzenia zęba i dokładnie oczyszcza powstałą jamę z ropy i zmienionych chorobowo tkanek. Niekiedy dokonuje uszczelnienia wierzchołka korzenia za pomocą materiału wypełniającego. Zabieg kończy się zawsze zeszyciem i opatrzeniem rany.

Opisany powyżej zabieg jest względnie łatwy do przeprowadzenia, gdy dotyczy zębów przednich. W przypadku zębów bocznych wymaga dużej biegłości chirurgicznej oraz sporo czasu; zawsze jednak jest możliwy do przeprowadzenia.

Torbiele w obrębie kości usuwa się w podobny sposób; pozostaje wówczas na ogół dość duża jama. W przypadku gdy zabieg był skuteczny, przestrzeń tę wypełnia jednak stopniowo tkanka kostna. Duże zaawansowanie procesu zapalnego może spowodować konieczność usunięcia zęba. U osób młodych niekiedy istnieje możliwość wszczepienia usuniętego zęba na powrót.

## Zapalenie dziąseł

### Dolegliwości

Dziąsła są wrażliwe na dotyk, tracą swą jasnoróżową barwę, stają się niebieskawe, obrzmiewają w przestrzeniach międzyzębowych oraz łatwo broczą krwią — na przykład w czasie mycia zębów.

### Przyczyny

Kamień nazębny nagromadzony powyżej i przede wszystkim poniżej brzegu dziąseł; stres; zgrzytanie zębami z powodu wystających plomb, źle dopasowanych protez zębowych, jak również wywołane napięciem psychicznym; niedobór witamin;

cukrzyca, zaawansowane choroby wątroby przebiegające z jej niewydolnością; uczulenia. Przestrojenie hormonalne związane z dojrzewaniem płciowym lub występujące w okresie przekwitania, stosowanie pigułki antykoncepcyjnej, uboczne działanie niektórych leków przeciwpadaczkowych.

Zatrudnienie w przemyśle przetwórstwa ołowiu jest dodatkowo przyczyną czarnego zabarwienia brzegów dziąseł.

### Ryzyko zachorowania wzrasta

W stanach wymienionych wśród przyczyn, a także przy braku pielęgnacji zębów, gdy stomatolog nie przeprowadził usunięcia kamienia nazębnego, przy podrażnieniu pastami do zębów, płynami do płukania jamy ustnej lub środkami służącymi do mocowania i czyszczenia protez zębowych.

### Możliwe następstwa i powikłania

Przewlekłe zapalenie dziąseł sprzyja rozwojowi chorób przyzębia.

### Zapobieganie

Systematyczne przestrzeganie higieny jamy ustnej, dwukrotna w ciągu roku kontrolna wizyta u stomatologa, usuwanie kamienia nazębnego.

Schorzeniu zapobiega dieta zawierająca mało cukru. Dieta bogatoresztkowa powoduje korzystny masaż dziąseł w czasie żucia i przyczynia się do poprawienia ich jędrności. Podobne działanie wywiera masaż dziąseł wykonywany za pomocą czystego palca, przeprowadzany kilka razy dziennie.

### Kiedy do lekarza?

Gdy występują krwawienia z dziąseł.

### Jak sobie pomóc

Rozpoczynające się dolegliwości ze strony dziąseł można opanować, przeprowadzając systematycznie trzy razy dziennie dokładny i poprawnie wykonany masaż przy użyciu szczoteczki do zębów (→ Właściwa pielęgnacja, s. 342).

Skuteczne działanie „pojędrniających dziąsła" past do zębów lub płynów do płukania jamy ustnej nie zostało dowiedzione.

### Leczenie

Stosowanie leków jest bezskuteczne.

Podstawowym elementem leczenia stomatologicznego jest usuwanie kamienia nazębnego, w szczególności zaś położonego poniżej brzegu dziąseł, gdyż w tym miejscu wywołuje ich podrażnienie.

Dodatkowo zadaniem stomatologa jest wytłumaczenie poprawnego sposobu pielęgnacji zębów. Niestety, nie praktykuje się tego we wszystkich gabinetach.

## Choroby przyzębia: zapalenie, przyzębica (paradontoza)

### Dolegliwości

*Zapalenie przyzębia*: Z głębokich kieszonek zębowych wydziela się po uciśnięciu treść ropna. Dopiero w okresie późniejszym występują ciągnące bóle w okolicy zębodołu. Zęby stają się niekiedy wrażliwe na nagryzienie, ulegają rozchwianiu.

*Przyzębica* (zanik dziąseł): Bez zapalenia dochodzi do zmian zanikowych w obrębie części kostnych łuków szczękowych. Częstość występowania przyzębicy zwiększa się z wiekiem.

Bardzo bolesne jest rzadziej występujące *ostre ropne zapalenie przyzębia*, powodujące niszczenie tkanek. Choroba ta dotyka przeważnie osoby w młodym wieku.

### Przyczyny

Zapalenie przyzębia jest następstwem zapalenia dziąseł.

Nie wyjaśniono dotąd wszystkich przyczyn przyzębicy, do jej powstania przyczynia się jednak na pewno brak higieny jamy ustnej i błędy popełniane w leczeniu stomatologicznym.

Przyczyną ostrego ropnego zapalenia przyzębia jest zakażenie wywołane brakiem higieny jamy ustnej.

### Ryzyko zachorowania

Zaniedbanie pielęgnacji zębów powoduje wzrost ryzyka zachorowania.

### Zapobieganie

Systematyczna właściwa pielęgnacja zębów (→ s. 342).

Lekarz stomatolog koniecznie powinien systematycznie usuwać kamień nazębny znajdujący się zarówno powyżej, jak i poniżej brzegu dziąseł, ponieważ sprzyja on powstawaniu chorób przyzębia. Usuwanie kamienia nazębnego za pomocą urządzeń ultradźwiękowych lub manualnie powinno być wykonywane w czasie każdej wizyty u stomatologa. Niestety, postępowanie takie nie stanowi jak dotąd reguły.

Po usunięciu kamienia dokonuje się wypolerowania szkliwa za pomocą pasty czyszczącej i obrotowych szczoteczek lub gumek.

Zabieg taki umożliwia usunięcie przebarwień wywołanych piciem herbaty lub paleniem tytoniu.

### Możliwe następstwa i powikłania

*Zapalenie przyzębia i przyzębica*: Występuje zanik kości w obrębie łuków szczękowych, rozchwianie się i wypadanie zębów. *Ostre ropne zapalenie przyzębia*: Ogólnie złe samopoczucie.

### Kiedy do lekarza?

Gdy występują krwawienia z dziąseł; przy tworzeniu się kieszonek dziąsłowych; gdy obecna jest ropna wydzielina, w razie cuchnięcia z ust; przy ciągnących bólach zębów, gdy zęby są wrażliwe na nagryzanie, przy bólach w obrębie dziąseł i błony śluzowej jamy ustnej.

### Jak sobie pomóc

Samemu nie można.

### Leczenie

Nie ma skutecznych leków przeciw chorobom przyzębia. Pomóc może jedynie leczenie chirurgiczne, a następnie rygorystyczne przestrzeganie higieny jamy ustnej.

Leczenie chorób przyzębia wymaga wielu wizyt. Tkanki zmienione zapalnie usuwa się chirurgicznie, a korzenie zęba oczyszcza się poprzez wyłyżeczkowanie. Zabieg taki jest bolesny i dlatego przeprowadza się go w znieczuleniu miejscowym; w trakcie zabiegu występuje silne krwawienie z dziąseł.

Po zabiegu szyjki zębów pozostają nadwrażliwe przez kilka

tygodni. Zęby wydają się „dłuższe", gdyż brzegi dziąseł mogą ulec obniżeniu. Wkrótce jednak dziąsła odzyskują jędrność oraz następuje umocnienie się obluzowanych zębów.

Warunkiem utrzymania korzystnego wyniku operacji jest następnie systematyczne czyszczenie zębów. Lekarz stomatolog powinien udzielić informacji o prawidłowym sposobie jego przeprowadzania oraz co pół roku kontrolować stan uzębienia.

Osoby, które przebyły już chorobę przyzębia i utraciły część zębów, powinny szczególnie konsekwentnie dbać o swoje uzębienie, aby zapobiec nawrotowi zapalenia.

Nie ma, niestety, skutecznego środka, który mógłby przeciwdziałać zanikom kostnym w obrębie łuków szczękowych i wypadaniu zębów na skutek przyzębicy (choroba ta występuje szczególnie w wieku podeszłym, stanowi jednak tylko 5% wszystkich chorób przyzębia).

## Choroby stawu żuchwowego

### Dolegliwości

Występują tępe bóle w okolicy stawu żuchwowego, promieniujące w kierunku szyi i głowy; niekiedy obserwuje się w jego obrębie trzeszczenia przy wykonywaniu ruchów. Niemożliwe staje się pełne otwarcie ust. Zakres ruchów w stawie jest ograniczony.

Mięśnie żwacze wykazują wzmożone napięcie. Dołączają się też bóle głowy i szyi, mogące promieniować do barku.

### Przyczyny

— Opisane dolegliwości najczęściej są spowodowane nawykiem zaciskania zębów lub zgrzytania zębami, co obserwuje się szczególnie w sytuacjach stresowych oraz w nocy w czasie snu.
— Zbyt wysokie wypełnienia (plomby), niedopasowane protezy zębowe, wady zgryzu.
— Zapalenie stawu żuchwowego wywołane zakażeniem lub urazem.

### Ryzyko zachorowania

Częstość występowania zapalenia stawu żuchwowego wywołanego jego zwyrodnieniem wzrasta u osób powyżej pięćdziesiątego roku życia.

### Możliwe następstwa i powikłania

Zmniejszenie ruchomości stawu żuchwowego.

### Zapobieganie

Dopilnuj, by stomatolog skontrolował jakość zgryzu po wykonaniu wypełnienia lub dopasowaniu protezy zębowej.

### Kiedy do lekarza?

Gdy wystąpią opisane dolegliwości.

### Jak sobie pomóc

Wilgotne gorące okłady łagodzą ból. Spożywaj pokarmy w postaci papkowatej. Oszczędnie wykonuj ruchy w stawie żuchwowym.

### Leczenie

Uzębienie nieuporządkowane zawsze wymaga leczenia.

Zakładana na noc szyna korygująca zgryz może przyczynić się do ustawienia łuków szczękowych w prawidłowym położeniu.

Warunkiem koniecznym uzyskania trwałego wyleczenia jest oduczenie się reagowania zaciskaniem zębów na sytuacje obciążające (→ Poradnictwo i psychoterapia, s. 670, oraz → Relaks, s. 664).

Będziesz mógł wówczas obyć się bez zażywania leków przeciwbólowych i uspokajających.

Ropne zakażenia stawu żuchwowego wymagają leczenia antybiotykami. W uzupełnieniu leczenia konieczne jest prowadzenie ćwiczeń otwierania ust oraz rozciągających staw żuchwowy, aby przywrócić jego ruchomość.

Uwaga powyższa dotyczy także zapaleń stawu żuchwowego na tle reumatycznym (→ Reumatoidalne zapalenie stawów, s. 423).

## Leczenie wad zgryzu u dorosłych

Zgryzu „idealnego" prawie się nie spotyka. Niewielkie wady lub zwichrowania zgryzu występują często i mogą stanowić indywidualną cechę danej osoby, a nawet dodawać jej szczególnego uroku. Po zakończeniu okresu wzrostu szczęki i żuchwy leczenie ortodontyczne ma uzasadnienie, gdy występuje upośledzenie żucia, mówienia lub zagrożenie chorobami przyzębia. Często leczenie jest potrzebne tylko dlatego, że w młodym wieku korekcji ortodontycznej zaniedbano lub zakończyła się ona niepowodzeniem. Duże wady (wydatny przodo- lub tyłozgryz) wymagają często zabiegu chirurgicznego. Decyzję o konieczności jego przeprowadzenia podejmują razem ortodonta i chirurg szczękowy.

*Minusy*: Na ogół potrzebne jest pełne leczenie ortodontyczne, trwające kilka lat, wiążące się z dużym obciążeniem psychicznym. Aparaty korekcyjne zakładane na stałe są widoczne i mogą mieć niekorzystny wpływ na życie zawodowe i układ partnerski danej osoby. Współistniejące choroby przyzębia wymagają uprzedniego wyleczenia. Nie odnotowano badań, które sprawdzałyby odległe wyniki leczenia ortodontycznego u osób dorosłych. Duże jest ryzyko rozwoju próchnicy i odwapnienia szkliwa. Jeśli przed leczeniem występowały kłopoty z mówieniem, nie należy się spodziewać ich automatycznego zniknięcia — na ogół niezbędne jest następcze leczenie u logopedy.

Uwzględniając powyższe uwagi, łatwo zrozumieć, że zanim zostanie podjęta decyzja o poddaniu się leczeniu, należy dobrze przemyśleć wszystkie za i przeciw (także → Zęby mleczne, s. 353). Częstym źródłem dolegliwości są zęby mądrości, które mogą wyrastać na przykład krzywo, co jest przyczyną tworzenia się kieszonek dziąsłowych i sprzyja występowaniu stanów zapalnych. Zęby mądrości mogą być też zatrzymane, co oznacza, że nie wyrzynają się prawidłowo i w sytuacji takiej wymagają usunięcia. Problemów przysparzają wtedy często ich zakrzywione korzenie (→ Gdy zęba nie da się uratować, s. 350).

Wszystko to przybliża dokładną ocenę korzyści i ryzyka przed podjęciem decyzji poddania się takiemu leczeniu (→ Zęby mleczne, s. 353).

# GDY ZĘBA NIE DA SIĘ URATOWAĆ

Usunięcie zęba zawsze powinno się traktować jako ostateczność. Obumarły ząb należy wyrwać, gdy:

— jego korzenie są silnie zakrzywione i niedrożne, a okołoszczytowej zmiany chorobowej nie można leczyć poprzez usunięcie wierzchołka korzenia;

— ząb jest rozchwiany z powodu zapalenia przyzębia i zachodzi współistnienie chorób przewlekłych, takich jak na przykład choroby reumatyczne, zapalenie kłębuszków nerkowych, choroby serca, zapalenie tęczówki oka;

— próchnica sięga aż do korzenia zęba;

— ząb jest pochylony, wyrósł za daleko lub w niewłaściwym miejscu, co może być przyczyną częstych zapaleń (np. w przypadku zębów mądrości).

## Usuwanie zębów

Lekarz stomatolog rozpoczyna zabieg od znieczulenia danego miejsca za pomocą zastrzyku. Następnie odsuwa dziąsło od szyjki zęba i usuwa go dźwignią lub kleszczami. Nawet podczas poprawnie przeprowadzonego zabiegu może dojść do odłamania się części korony lub korzeni. Odłamy lekarz musi starannie usunąć, a zmienione zapalnie tkanki wyłyżeczkować. Występujące w chwili usunięcia zęba dość znaczne krwawienie zatrzymuje się po zagryzieniu tamponu z gazy. Wypełnienie się zębodołu świeżą krwią ma zasadnicze znaczenie dla procesu gojenia.

W zwykłych przypadkach stosowanie leków przeciwbólowych po usunięciu zęba nie jest potrzebne. Przez pewien czas po zabiegu działa jeszcze podany zastrzyk znieczulający. Zimny okład przykładany kilka razy dziennie od zewnątrz na okolicę, w której został wykonany zabieg, przyczynia się do złagodzenia bólu. Po usunięciu zęba nie powinieneś używać żadnych środków przeciwbólowych zawierających kwas acetylosalicylowy (→ Próchnica, s. 344), gdyż mogą one sprzyjać występowaniu krwawienia. Preferowane są środki przeciwbólowe mające w swym składzie paracetamol.

Wielu lekarzy stomatologów zaleca zażywanie antybiotyków po usunięciu zęba, choć leczenie miejscowe jest wystarczające. Jeśli lekarz zaleci stosowanie antybiotyku, zapytaj go o powód takiej decyzji. Jest ona uzasadniona, gdy:

— zagraża rozprzestrzenienie się ograniczonego miejscowo zakażenia, na przykład gdy nasila się obrzęk, powiększeniu ulegają węzły chłonne, występuje gorączka;

— osłabione są siły odpornościowe organizmu;

— chodzi o zapobieżenie zakażeniu w przypadku świeżych urazów w obrębie szczęki lub żuchwy.

Antybiotyków przeznaczonych do nanoszenia na powierzchnię błony śluzowej (np. w postaci maści) nie powinno się stosować, gdyż zmniejszają one odporność przeciw drobnoustrojom.

## Założenie korony

Nałożenie na ząb korony protetycznej jest uzasadnione w przypadku, gdy jego naturalna korona uległa w dużym stopniu zniszczeniu i nie można zapewnić trwałego osadzenia wypełnień. Ko-

---

## Postępowanie po zabiegach chirurgicznych w obrębie jamy ustnej

— Pozwól sobie na odpoczynek. Nie dotykaj językiem rany. Mów mało i jedz tylko pokarmy papkowate. Powinieneś unikać substancji drażniących, takich jak: napoje typu cola, dym tytoniowy i kawa.

— Przepłukiwanie za pomocą środków do płukania gardła lub naparów ziołowych nie jest wskazane, ponieważ niekorzystnie wpływa na proces gojenia.

— Jeśli krwawienie nawraca, powinieneś przepłukać usta, a następnie zagryźć czystą złożoną chusteczkę. Jeśli krwawienie nie ustąpi w ciągu godziny, niezbędne jest zwrócenie się do stomatologa.

— Jeśli po dwóch lub trzech dniach od usunięcia zęba pojawiają się silne bóle, zębodół zaś wypełnia zamiast skrzepu szarożółty cuchnący nalot, lekarz musi ranę ponownie odkazić i w razie potrzeby uwolnić i oczyścić od znajdującej się w niej pozostałości.

---

rony protetycznej nie należy nakładać na zęby mocno się chwiejące lub dotknięte chorobą dotyczącą wierzchołka korzenia. Również względy czysto estetyczne nie powinny być wyłączną przesłanką do oszlifowywania każdego niekorzystnie położonego zęba. Czas przeżycia zęba z nałożoną koroną jest bowiem krótszy niż zęba zdrowego.

**Wykonanie korony protetycznej**

Aby pacjent nie odczuwał bólu, lekarz protetyk poda zastrzyk znieczulający. Następnie oszlifowuje koronę zęba na ogół tak, że granica szlifu przebiega powyżej brzegu dziąsła. W końcu nakłada na ząb koronę tymczasową.

Niewielkie bóle odczuwane w tym czasie nie powinny wzbudzać niepokoju. Jeśli jednak bóle się nasilają, należy zwrócić się do lekarza.

Ostateczną koronę protetyczną lekarz osadza, gdy ma pewność, że:

— brzegi korony dokładnie przylegają do zęba,

— odpowiednia jest jej styczność z zębami sąsiednimi,

— korona nie przeszkadza przy nagryzaniu ani w czasie żucia.

Odczuwane po zabiegu podrażnienie powinno ustąpić po kilku dniach. Dłużej może utrzymywać się wrażliwość na temperaturę. Do lekarza protetyka powinieneś udać się, jeśli:

— opisane wyżej dolegliwości nasilają się w czasie jedzenia lub podczas mycia zębów,

— występuje krwawienie z dziąsła lub jego obrzęk,

— w miejscu założenia korony zaczepiają się resztki pokarmowe,

— korona odpadnie.

Wymienione objawy wskazują na wadliwe wykonanie korony. Trwałość korony protetycznej wykonanej prawidłowo powinna wynosić dziesięć lat. Długoterminowe badania wykazały jednak, że z powodu nieodpowiedniego wykonania zmniejsza się żywotność co drugiej korony.

*Materiał na korony*

Najlepszą jakość mają korony wykonane z metalu. Ze wzglę-

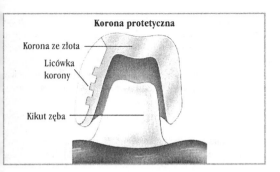

**Korona protetyczna**

Korona ze złota

Licówka korony

Kikut zęba

dów kosmetycznych wybierane są jednak korony z licówką porcelanową. Wykonane są one z metalowego stopu, na który w części eksponowanej naniesiona jest warstwa porcelany. Licówka wykonana z tworzywa sztucznego szybciej ulega zużyciu. Całkowite pokrywanie korony protetycznej warstwą porcelany — także na powierzchni żującej — nadal stanowi problem sporny z punktu widzenia naukowego. Korony pozbawione metalowego rdzenia i wykonane w całości z tworzywa sztucznego lub porcelany nie gwarantują idealnego przylegania do zęba oraz zbyt szybko ulegają zużyciu. Dotyczy to również komputerowo przygotowanych koron.

## Mostkowanie zębów

Niekiedy braki w uzębieniu nie powodują w ogóle upośledzenia jego czynności. Uzupełnienia luk w uzębieniu za pomocą mostków protetycznych należy dokonać w odpowiednim czasie, jeśli:
— zęby sąsiednie ulegają pochyleniu w stronę przerwy w uzębieniu, obluzowują się lub dochodzi do tworzenia się kieszonek w dziąsłach;
— zęby antagonistyczne „wchodzą" do luki;
— wymienione nieprawidłowości powodują zaburzenie gryzienia i żucia lub są przyczyną występowania bólów kostnych albo w obrębie stawu żuchwowego.

**Rodzaje mostków**

Mostek protetyczny powinien — o ile to możliwe — być utworzony tylko z dwóch filarów i przęsła stanowiącego sztuczny ząb. Za idealne z punktu widzenia kosmetycznego uważa się mostki pokryte licówką. Wykonuje się je ze stopów metali szlachetnych lub nieszlachetnych i pokrywa warstwą porcelany. Zęby filarowe wymagają oszlifowania i nałożenia koron. Na koronach osadzane jest przęsło mostka. Może się na nim znajdować kilka zębów tylko pod warunkiem, że mostek zostanie oparty na zdrowych zębach. Aby nie uszkadzać dziąsła, mostek protetyczny nie powinien dotykać do łuku szczękowego w miejscu luki zębowej. Wyjątek stanowią położone z przodu siekacze — sztuczne zęby dopasowuje się wówczas dokładnie do kształtu dziąsła, tak aby mogły imitować naturalny wygląd.

Tylko pod warunkiem występowania małego nacisku podczas żucia możliwe jest zastosowanie mostka protetycznego typu Maryland. Filary przęsła mostka są wówczas dosłownie przyklejone do bardzo nieznacznie oszlifowanych od tyłu zębów wspornikowych. Trwałość jest jednakże zazwyczaj krótka.

## Sporządzanie mostka protetycznego

Zęby, na których ma się opierać mostek, muszą zostać oszlifowane, tak jak zostało to opisane w przypadku nakładania korony protetycznej (→ s. 350).

Także mostek osadza się prowizorycznie na okres potrzebny do upewnienia się, że nie występują problemy przedstawione w opisie koron protetycznych ani podrażnienie błony śluzowej pod przęsłem mostka. Dopiero wówczas osadza się na cemencie mostek na stałe.

Lekarz protetyk musi skontrolować dokładność dopasowania mostka oraz jego styczność z błoną śluzową.

Nieodzownym elementem leczenia jest także udzielenie przez lekarza dokładnych objaśnień co do utrzymywania prawidłowej higieny w obrębie mostka przy wykorzystaniu szczoteczki do czyszczenia przestrzeni międzyzębowych lub nitki do zębów.

## Częściowe protezy zębowe

Jeśli pozostało za mało zębów, które mogłyby służyć jako filary dla mostków, lub gdy wykonanie mostka jest zbyt kosztowne, nieuniknione staje się noszenie protezy zębowej.

Przestawienie się z posługiwania własnymi zębami na noszenie wyjmowanej protezy nie zawsze przychodzi łatwo. Może upłynąć wiele tygodni, zanim nastąpi oswojenie się języka, policzków i mięśni jamy ustnej z przedmiotem odczuwanym jako ciało obce. Nie ulegaj zniechęceniu — przy spokojnym nastawieniu wewnętrznym i pod warunkiem dobrego dopasowania protezy szybko udaje się przezwyciężyć napotykane początkowo trudności.

**Problemy związane z protezami zębowymi**

Przyzwyczajenie się do noszenia protezy, zwłaszcza zębów dolnych, następuje dość powoli. Początkowo śmianie się, kaszel, kichanie, mówienie i żucie sprawiają trudności. Zaburzone jest też odczuwanie smaku. Można sobie pomóc poprzez cierpliwie prowadzone ćwiczenia — na przykład spożywanie początkowo potraw tylko o miękkiej konsystencji oraz ćwiczenie mowy przed lustrem. Lekarz protetyk powinien systematycznie sprawdzać u pacjenta dopasowanie protezy. Ponieważ z upływem czasu dochodzi do zmian w obrębie błony śluzowej i części kostnych, może stać się konieczne podścielenie protezy.

W żadnym wypadku nie powinno się tego robić samemu. Amerykańskie Stowarzyszenie Dentystów ostrzega przed środkami do przyklejania protez, jak również przed wyściółkami pod protezy i stoi na stanowisku, że „źle dopasowane protezy stanowią zagrożenie dla zdrowia". Przy występowaniu bólów uciskowych lekarz jest zobowiązany do poprawienia protezy.

**Pielęgnacja protez zębowych**

Ma duże znaczenie, ponieważ protezy pokrywają znaczną powierzchnię dziąseł, uniemożliwiając przepłukiwanie tych miejsc przez ślinę. W miejscach przylegania protezy łatwo ulegają zatrzymaniu resztki pokarmowe, co może być przyczyną nieprzyjemnego zapachu z ust. Protezy zębowe, jak również dziąsła i pozostałe jeszcze zęby należy dokładnie czyścić miękką szczoteczką i solą do czyszczenia i mydłem do prania.

Środki chemiczne mogą wywoływać podrażnienie błony śluzowej oraz powodować utratę gładkości miękkiej zewnętrznej powłoki protezy. Naloty z węglanu wapnia można usunąć od czasu do czasu wkładając protezę do octu. Ultradźwiękowe urządzenia do czyszczenia protez zębowych (dostępne w sklepach specjalistycznych) umożliwiają ponadto usuwanie plam wywołanych piciem herbaty i paleniem tytoniu. Przed założeniem protezę należy zawsze dokładnie opłukać wodą.

## Materiały używane do wykonywania częściowych protez zębowych

Noszenie protez częściowych wykonanych z tworzyw sztucznych i opierających się bezpośrednio na błonie śluzowej (bez lub z umocowaniem do pozostałych jeszcze zębów) należy traktować jako rozwiązanie wyłącznie prowizoryczne. Tego rodzaju protezy stosuje się tylko w okresie między usunięciem zębów a uzyskaniem całkowitego wygojenia się ran.

Ostateczne częściowe protezy zębowe odlewa się ze stopów metali nieszlachetnych, a na metalowym szkielecie protezy osadza się następnie sztuczne zęby.

Zapinki mocują dającą się wyjmować protezę do zębów filarowych, zapewniających dla niej oparcie. Może zachodzić potrzeba nałożenia koron protetycznych na zęby filarowe, ponieważ pod zapinkami protezy łatwo dochodzi do rozwoju próchnicy, codzienne zaś wyjmowanie protezy może powodować uszkodzenia szkliwa. Umocowania częściowych protez zębowych zaciskające się na zębach filarowych (takie jak na przykład wsuwki działające na zasadzie rowka i sprężynki lub zapinki zatrzaskowe) są niełatwe w wykonaniu oraz drogie. Posługując się materiałami informacyjnymi, lekarz powinien ci wyjaśnić, które rozwiązania preferuje i dlaczego.

### Dopasowanie częściowych protez zębowych

Po sporządzeniu modelu odciskowego protezy częściowe wykonuje się w pracowni protetycznej.

Kolor i materiał, z którego proteza zostanie wykonana, możesz jednak wcześniej uzgodnić z lekarzem.

Przed zdjęciem modelu odciskowego niezbędne jest leczenie pozostającego uzębienia i wyleczenie chorób przyzębia.

Po założeniu po raz pierwszy noszenie protezy częściowej może początkowo sprawiać trudności. Miejsca, na których się ona opiera, mogą się stawać bolesne na ucisk. Tego rodzaju niedogodności dają się bez trudności usunąć po wprowadzeniu poprawek.

Utrzymujący się wodnisty katar może być objawem uczulenia na kobalt, chrom lub nikiel zawarty w metalowym stopie użytym do wykonania protezy. O jego wystąpieniu powinieneś powiedzieć lekarzowi.

Nadmierna ruchomość protezy, nawracanie miejscowej wrażliwości uciskowej, jak również bóle zębów filarowych świadczą o niepoprawnym jej wykonaniu.

Jest oczywiste, że w opisanej sytuacji lekarz protetyk powinien:
— cierpliwie sprawdzić, czy umocowanie protezy częściowej nie powoduje naprężeń i gwarantuje niezakłócony przebieg żucia;
— dokładnie zademonstrować pacjentowi sposób zakładania i wyjmowania protezy;
— w regularnych odstępach czasu sprawdzać, czy wyściółka protezy wymaga uzupełnienia z powodu zmian zachodzących w obrębie części kostnych;
*Uwaga*: Nigdy nie próbuj samodzielnie poprawiać wyściółki protezy.
— objaśnić istotne elementy prawidłowej higieny jamy ustnej.

## Całkowite protezy zębowe

Zasadniczo należy zachowywać ostatnie niezaatakowane przez próchnicę zęby stałe tak długo, jak tylko jest to możliwe. Są one przydatne jako podpora dla protez zębowych — elastycznie przejmują nacisk występujący przy nagryzaniu. Uwaga ta odnosi się w szczególności do zębów dolnych.

Jeżeli zaszła konieczność usunięcia wielu lub ostatnich pozostałych zębów, sporządzenie protezy zębowej typu ostatecznego możliwe jest dopiero po uzyskaniu wygojenia, co następuje na ogół po kilku miesiącach. Do tego czasu możliwe jest posługiwanie się protezą tymczasową, którą z reguły zakłada się natychmiast po usunięciu zębów — w czasie, gdy utrzymuje się jeszcze działanie znieczulające podanego zastrzyku przeciwbólowego. Ponieważ w okolicy rany po usunięciu zębów oraz w obrębie części kostnych dokonują się zmiany, może zachodzić potrzeba nawet wielokrotnej korekcji położenia protezy. Pełne wygojenie umożliwia zdjęcie modelu odciskowego protezy ostatecznej.

Najdogodniejszym materiałem do wykonywania całkowitych protez zębowych są tworzywa sztuczne. Sporządzenie protezy o konstrukcji metalowej jest uzasadnione tylko w przypadkach występowania udowodnionego uczulenia na tworzywa sztuczne.

Zęby protezy powinny być wykonane z tworzywa sztucznego odpornego na ścieranie. Zęby porcelanowe przypominają co prawda do złudzenia zęby prawdziwe, są jednak — w porównaniu z zębami wykonanymi z tworzywa sztucznego — bardziej podatne na złamanie, a ponadto często wydają klapiący dźwięk przy zamykaniu ust.

## Wszczepy zębów

W pozbawioną zębów szczękę lub żuchwę lekarz protetyk może wszczepić metalowe lub wykonane z innych materiałów ele-

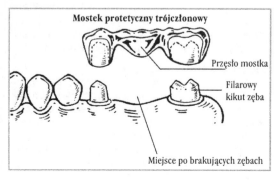

**Mostek protetyczny trójczłonowy**

Przęsło mostka

Filarowy kikut zęba

Miejsce po brakujących zębach

menty, na których następnie osadza się koronę protetyczną lub umocowuje protezę zębową.

Istnieje wiele sposobów wykonywania wszczepów — ich wspólną cechą jest wysoki koszt.

Nie znaleziono, jak dotąd, rozwiązania głównego problemu — wszczep może być miejscem wnikania bakterii do kości, co w konsekwencji prowadzi do jej zniszczenia.

Nieprawidłowe przyjęcie się wszczepu stwarza sytuację, która jest znacznie gorsza od istniejącej przed jego dokonaniem. Nawet jeżeli liczba wykonywanych wszczepów stale rośnie, obowiązuje zasada: wszczepy dopiero wówczas, gdy wyjmowanej protezy inaczej nie można już osadzić.

# ZĘBY MLECZNE

Najlepszym sposobem zapobiegającym występowaniu w przyszłości kłopotów z uzębieniem jest karmienie dziecka piersią (→ Karmienie piersią, s. 549). Mleko kobiece zawiera wszystkie substancje potrzebne do zmineralizowania zawiązków zębów.

Ssanie sutka sprzyja ponadto powstaniu prawidłowego ustawienia zgryzu.

## Ząbkowanie

U wielu niemowląt wyrzynanie się zębów z łuków szczękowych jest bolesne. Środkiem zaradczym jest gumowy gryzak lub twarda skórka z chleba, które stanowią dodatkowo bodziec dla dziecka, przyczyniający się do wcześniejszego opanowania umiejętności żucia.

Natomiast środki „na ząbkowanie" są wybitnie niekorzystne — mają słodki smak i powodują bardzo wczesne przyzwyczajanie się dziecka do cukru, który jest wrogiem zębów numer jeden.

## Próchnica zębów mlecznych

Słodyczy, zwłaszcza tych, które przyklejają się do zębów, dzieci nie powinny spożywać wcale. Najgorsze jednak jest zjadanie ich między posiłkami! Po każdym spożyciu słodyczy powinieneś wyegzekwować umycie przez dziecko zębów (→ Prawidłowy sposób czyszczenia zębów, s. 343).

Zęby mleczne są małe, dlatego znacznie szybciej mogą ulegać zniszczeniu przez próchnicę.

Znaczenie zębów mlecznych polega zaś na torowaniu drogi zębom stałym, aby mogły się one równo ułożyć w obrębie łuku zębowego. Niestety wielu rodziców i stomatologów nie przejmuje się zbytnio zębami mlecznymi, uważając, że i tak są skazane na wypadnięcie.

## Objawy ostrzegawcze
## — w następujących sytuacjach należy niezwłocznie udać się do stomatologa:

— Zęby reagują bólem na słodycz, zimno oraz ciepło.
— Miejscami obserwuje się zbielenie lub brązowe zabarwienie szkliwa.
— Występuje częste więźnięcie resztek pokarmowych.
— Odkruszenie się szkliwa lub wypadnięcie wypełnienia (plomby).

# Nieprawidłowe położenie zębów oraz wady zgryzu

Mogą mieć charakter wrodzony. Do ich powstania i nasilenia przyczyniają się także różnego rodzaju złe nawyki, jak obgryzanie paznokci, ssanie palca i wczesna utrata zębów mlecznych. Nieprawidłowości niedużego stopnia nie stanowią problemu — niekiedy korekcja może nastąpić samoistnie, po niewielkim podszlifowaniu zębów przez stomatologa.

Do wyglądu zewnętrznego przywiązuje się duże znaczenie i dlatego też wielu rodziców wyraża chęć poddania leczeniu zgryzu swoich dzieci, mimo że:
— jest ono długotrwałe,
— może obciążająco odbijać się na całej rodzinie,
— znacznie zwiększa ryzyko występowania próchnicy zębów,
— osiągnięcie zadowalającego i trwałego wyniku jest możliwe tylko pod warunkiem właściwego zaplanowania i przeprowadzenia leczenia przez lekarza ortodontę oraz dobrej współpracy ze strony dziecka.

## Objawy ostrzegawcze wskazujące na nieprawidłowe położenie zębów i wady zgryzu
— Bardzo ciasne ułożenie zębów przednich.
— Niewypadnięcie zębów mlecznych we właściwym czasie.
— Zniszczenie w znacznym stopniu przez próchnicę lub przedwczesna utrata zębów mlecznych.
— Nieprawidłowe położenie zębów górnych względem dolnych.
— Występujące u dzieci nawyki: wciągania wargi, dociskania języka do zębów, oddychania przez usta, obgryzania paznokci lub ssania palca.

## Co powinno decydować o podjęciu leczenia ortodontycznego
Leczenie ortodontyczne jest uzasadnione, gdy:
— Położenie zębów jest do tego stopnia nieprawidłowe, że tworzą się luki, co sprzyja występowaniu chorób zębów i przyzębia.
— Zaburzone jest mówienie i żucie.
— Niemożliwe jest zetknięcie się warg, co sprawia, że dziecko przez cały czas oddycha przez usta.

Dokładnego przemyślenia wymaga natomiast podejmowanie leczenia ze wskazań wyłącznie kosmetycznych.

*Niebezpieczeństwa związane z leczeniem*
Ingerencja w skomplikowany układ, jakim jest narząd żucia, może wywołać lawinę następstw, jeśli aparaty korekcyjne nie są stosowane w poprawny sposób. Nie tak rzadko leczenie ortodontyczne może przyczynić się do powstania uszkodzenia stawów żuchwowych lub wystąpienia próchnicy zębów i chorób przyzębia.

Należy także brać pod uwagę możliwość osiągnięcia tylko przejściowego sukcesu leczniczego.

## Planowanie leczenia
Lekarz ortodonta powinien pokazać rodzicom i dziecku, na czym polegają nieprawidłowości zgryzu, i wyjaśnić ich znaczenie chorobowe. Rodzice mogą oczekiwać, że lekarz, korzy-

stając z tablic poglądowych, objaśni im, na czym polegają poszczególne etapy leczenia, jak zbudowane są aparaty korekcyjne, jak długo trwa leczenie i jakie wyniki pozwala ono osiągnąć.

Decyzję podjęcia leczenia można odłożyć do jedenastego roku życia dziecka. Jednak w naglących przypadkach leczenie należy podejmować już z chwilą rozpoczęcia wyrzynania się zębów stałych. Do przypadków naglących zalicza się przypadki dające dolegliwości ze strony stawu żuchwowego oraz rażące nieprawidłowości położenia zębów lub ustawienia zgryzu, które powodują utrudnienia mówienia, żucia, jak również nie pozwalają na zamknięcie ust. Jeśli wraz z dzieckiem nadal nie masz pewności, czy podjąć leczenie i w jakim stopniu jest ono potrzebne, powinieneś zasięgnąć opinii więcej niż jednego lekarza ortodonty. Leczenie ortodontyczne stanowi dużą ingerencję w życie dziecka i może rozciągać się na całe lata. Zadaniem rodziców i lekarza jest przekonanie dziecka, że przejmuje tym samym część odpowiedzialności za siebie i za swoje zdrowie, jak również, że może ono oczekiwać pomocy z ich strony.

Lekarz ortodonta powinien wyczerpująco przedstawić plan leczenia. Objaśnienia powinny obejmować uzasadnienie dlaczego i jakie aparaty korekcyjne poleca oraz czy istnieją ewentualnie inne rozwiązania (w leczeniu ortodontycznym stosuje się różnego rodzaju aparaty korekcyjne zakładane czasowo lub na stałe). Wyjaśnienia rodzicom i dziecku wymagają ponadto zadania czekające ich w związku z leczeniem. Udostępniona przez lekarza kopia planu leczenia będzie im umożliwiać pełny wgląd w osiągane postępy leczenia w domu. Należy sądzić, że śledzenie planu leczenia będzie stanowiło bodziec do wytrwania w takim samym stopniu co świadomość, że zaniedbanie leczenia przez kilka dni może zniweczyć efekt osiągnięty w ciągu kilku miesięcy.

Wykonywania ważnych czynności związanych z leczeniem lekarz nie powinien zlecać personelowi pomocniczemu. Należą do nich: dopasowywanie aparatu, osadzanie zatrzasku, przyklejanie klamerek, doginanie i dopasowywanie drucików oraz dokonywanie wszystkich przeglądów kontrolnych.

Duże znaczenie ma systematyczne udzielanie przez ortodontę lub personel pomocniczy objaśnień na temat prawidłowej pielęgnacji zębów. Ponadto w ramach profilaktyki próchnicy zębów dziecko powinno dwa razy w roku być kontrolowane przez stomatologa.

## Wskazówki dotyczące noszenia wyjmowanych korekcyjnych aparatów ortodontycznych

— Występujące początkowo uczucie ciała obcego zanika po kilku dniach. Czytanie na głos umożliwia pokonanie napotykanych początkowo trudności przy mówieniu.

— Zęby i aparaty należy dokładnie czyścić trzy razy dziennie. Aparatów nie należy zamaczać w środkach pielęgnacyjnych, lecz dokładnie opłukiwać wodą. Należy w miarę możliwości unikać spożywania przekąsek między posiłkami.

— W czasie zakładania aparatu należy chwytać za części plastikowe, aby uniknąć wykrzywienia elementów drucianych.

— W czasie, gdy aparat nie jest noszony, powinien być przechowywany w sztywnym pudełku w celu zapobieżenia jego połamaniu.

— Jeśli aparat nie „trzyma się" prawidłowo, należy niezwłocznie udać się do lekarza ortodonty.

## Wskazówki odnoszące się do noszenia korekcyjnych aparatów ortodontycznych mocowanych na stałe

— Zęby należy czyścić szczególnie troskliwie po każdym posiłku, posługując się dodatkowo specjalną szczoteczką do czyszczenia przestrzeni międzyzębowych i ewentualnie aparatem do wytwarzania strumienia wody pod ciśnieniem. Lekarz może zalecić używanie płukanek z roztworem fluorków lub zaproponować zastosowanie żelu lub lakieru nażębnego zawierającego fluorki.

— Zjawiskiem normalnym jest odczuwanie ucisku przez kilka dni za każdym razem po przestawieniu aparatu. Jeśli jednak ucisk, kłucia lub bóle wywołane przez części składowe aparatu wystąpią bezpośrednio po wizycie u ortodonty, powinieneś zgłosić się do niego ponownie, aby uniknąć uszkodzenia błony śluzowej.

— W czasie wieczornego mycia zębów należy sprawdzać, czy nie nastąpiło obluzowanie się części aparatu. Odklejenie się klamerek wymaga niezwłocznej naprawy, jeśli chcesz uniknąć przedłużenia leczenia o kilka następnych tygodni.

### Dalsze leczenie

W chwili osiągnięcia celu — to znaczy po uzyskaniu oczekiwanego położenia zębów — często trudno jest zrozumieć, że leczenie na tym się jeszcze nie kończy. Aparat więzadłowy zębów, dziąsła, błona śluzowa, język, wargi, mięśnie żwacze oraz mięśnie mimiczne muszą się jeszcze dostosować do nowej sytuacji. Na etapie tym nadal istnieje duże ryzyko, że zęby mogą powrócić do poprzedniego położenia. Z tego powodu opisana faza leczenia wymaga szczególnie poważnego potraktowania.

Do celów kontynuowania leczenia lekarz ortodonta może użyć różnych aparatów utrzymujących położenie zębów. Opty-

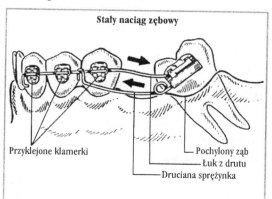

**Stały naciąg zębowy**

Przyklejone klamerki

Pochylony ząb

Łuk z drutu

Druciana sprężynka

malny jest przyrząd z tworzywa elastycznego, który po tygodniu intensywnego noszenia zakłada się później już tylko na noc.

Ortodonta powinien udokumentować zakończenie leczenia, sporządzając gipsowy model i zdjęcia rentgenowskie uzyskanego nowego ułożenia zębów. Tylko wówczas jest możliwe dokonanie porównania ze stanem wyjściowym.

**Lektura uzupełniająca**

KOLLMAN W.: *Zdrowe i piękne zęby. Poradnik dla pacjentów*. Wydaw. „Astrum", Wrocław 1997.

SKRZYPEK B.: *A teraz zdrowe zęby. Pielęgnowanie, zapobieganie, leczenie*. PZWL, Warszawa 1995.

# PRZEWÓD POKARMOWY

Wysłany błoną śluzową przewód pokarmowy stanowi kanał rozciągający się między jamą ustną a odbytem, wzdłuż którego przemieszcza się papka pokarmowa. Pokarmy podlegają rozdrobnieniu przy udziale zębów i zmieszaniu ze śliną. W dalszej kolejności składniki pokarmowe ulegają rozłożeniu aż do elementów prostych: cukry złożone rozszczepiane są do cukrów prostych, białka — do aminokwasów, tłuszcze zaś — do gliceryny i kwasów tłuszczowych, gdyż tylko w takiej postaci mogą przenikać poprzez ścianę jelita. Ze wspomnianych elementów prostych organizm wytwarza własne produkty (hormony i enzymy) lub też — co dzieje się przede wszystkim w obrębie wątroby — używa ich do odbudowy własnych białek, tłuszczów i węglowodanów.

Przez gardło i przełyk papka pokarmowa przemieszcza się do żołądka, w którym podlega wymieszaniu z sokiem żołądkowym zawierającym kwas solny i enzymy. Papka pokarmowa

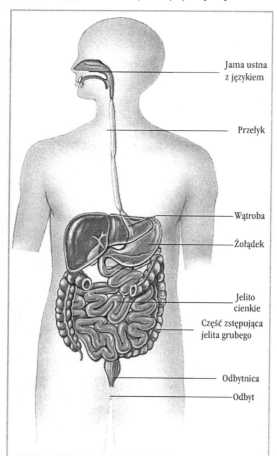

Jama ustna
z językiem

Przełyk

Wątroba

Żołądek

Jelito
cienkie

Część zstępująca
jelita grubego

Odbytnica

Odbyt

przedostaje się następnie do dwunastnicy, stanowiącej początkowy odcinek jelita cienkiego. W niej znajduje się ujście przewodu trzustkowego (którym napływa sok trzustkowy bogaty w enzymy) oraz ujście tzw. przewodu żółciowego wspólnego, przez który napływa żółć. Jelito cienkie (mające długość od pięciu do ośmiu metrów) jest miejscem, w którym odbywa się właściwe trawienie.

Kosmki jelitowe znajdujące się po wewnętrznej stronie jelita wchłaniają składniki pokarmowe, które w większości przechodzą następnie do krwi w żyłach układu wrotnego. Żyłą wrotną składniki pokarmowe docierają do wątroby, gdzie podlegają dalszej obróbce. Do wątroby napływa również krew z innych narządów jamy brzusznej, na przykład ze śledziony, położonej w nadbrzuszu na lewo od żołądka. W miejscu połączenia jelita cienkiego i grubego znajduje się krótkie jelito ślepe, w którym znajduje się ujście mającego pięć do ośmiu centymetrów długości wyrostka robaczkowego. Papka pokarmowa, po pobraniu z niej prawie wszystkich składników pokarmowych, przemieszczana jest z jelita cienkiego do grubego. Poprzez jego część wstępującą, poprzecznicę i część zstępującą przesuwa się następnie do esicy. Na opisanym odcinku w sposób ciągły odbywa się wchłanianie wody, po czym niepodlegające wchłanianiu składniki pokarmowe są wydalane przez odbytnicę i odbyt w postaci stolca.

W stolcu znajdują się wydzieliny błony śluzowej, złuszczone komórki śluzówki, substancje mineralne i bakterie, które współuczestniczyły w procesie trawienia. Brązową barwę stolca powodują barwniki żółciowe.

## JAMA USTNA

Ograniczenie jamy ustnej stanowią: wargi, policzki, język, podniebienie, dno jamy ustnej, żuchwa, szczęka i staw żuchwowy, mięśnie żwacze i zęby. Współdziałanie wymienionych części anatomicznych odbija się nie tylko na mimice i wyglądzie zewnętrznym, lecz także na brzmieniu głosu. W początkach życia człowieka jama ustna jest najważniejszym narządem dotyku i łączności ze światem.

Będąc przedsionkiem przewodu pokarmowego, jama ustna spełnia ważne zadanie dostatecznego rozdrobnienia pokarmów. Ślina rozcieńcza pokarm, sprawia, że staje się on łatwo przesuwalny, a ponadto trawi niektóre zawarte w nim składniki. Na języku znajdują się strefy czucia smaku, dzięki którym jest on pomocny w wyborze pokarmów.

W jamie ustnej ujście mają trzy pary gruczołów ślinowych: ślinianki podżuchwowe, podjęzykowe i przyuszne. Ponadto, rozproszone gruczoły ślinowe znajdują się w obrębie błony śluzowej wyścielającej jamę ustną.

Ślina spłukuje i oczyszcza jamę ustną. Żyją w niej w równowadze biologicznej liczne bakterie, grzyby oraz inne mikroorganizmy. Zachowanie wspomnianej równowagi może być przyczyną różnych schorzeń.

Wygląd śluzówki jamy ustnej i nalotu na języku odzwierciedla ogólny stan organizmu. Zmiany ich wyglądu mogą nasuwać podejrzenie chorób wątroby i przewodu pokarmowego, cukrzycy, chorób układu krwiotwórczego, jak również nowotworów. Znaczne zmiany wyglądu błony śluzowej jamy ustnej i języka powinny zawsze skłaniać do wizyty u lekarza lub stomatologa.

## Zapalenie błony śluzowej jamy ustnej

### Dolegliwości
Występuje bolesność, pieczenie, obrzęk i zaczerwienienie błony śluzowej jamy ustnej. Niekiedy mimo zwilżania płynem dokucza uczucie suchości śluzówki. Mogą tworzyć się pęcherzyki. Język jest obłożony i przebarwiony na kolor żółty aż do ciemnoczerwonego. Spożywanie pokarmów sprawia ból, upośledzone jest odczuwanie smaku. Dodatkowo może pojawić się gnilny zapach z ust, niekiedy występuje gorączka.

### Przyczyny
Najbardziej rozpowszechnioną przyczyną jest brak higieny jamy ustnej. Do innych przyczyn należą: skaleczenia ostrymi krawędziami zębów, rany spowodowane przygryzieniem, podrażnienie dymem tytoniowym, odczyny uczuleniowe na wykonane z tworzyw sztucznych lub metali elementy protez zębowych, niedobór witamin (C oraz z grupy B) i żelaza, zakażenie bakteryjne, choroby krwi. Ponadto do powstania zapalenia błony śluzowej jamy ustnej może przyczyniać się praca w wysokich temperaturach, w oparach kwasów lub ługów, jak również zatrucie metalami ciężkimi (→ Substancje toksyczne w środowisku pracy, s. 787).

### Ryzyko zachorowania wzrasta
W przypadku zaniedbania higieny, palenia tytoniu, styczności z mogącymi wywołać uczulenie częściami protez zębowych i środkami służącymi do ich pielęgnacji, diety ubogiej w witaminy (→ s. 706); często w wyniku zmiany sposobu odżywiania się i niedostatecznej higieny w czasie urlopu; przy obniżeniu odporności organizmu wskutek innych chorób.

### Możliwe następstwa i powikłania
Utrata apetytu, zanik dziąseł, silne pogorszenie samopoczucia.

### Zapobieganie
Podstawowe znaczenie ma prawidłowa higiena jamy ustnej (→ Właściwa pielęgnacja, s. 342). Unikaj bezpośredniego konta-

### Godne polecenia płukanki
— z trzyprocentowego roztworu wody utlenionej (środek apteczny). Nie stosować dłużej niż siedem dni;
— z naparu z szałwii lub rumianku (→ Leki ziołowe, s. 642);
— z gotowego wyciągu z rumianku, zawartego w preparatach Eukamilat, Kamillosan, Perkamillon.

### Leki miejscowo znieczulające błonę śluzową (do krótkotrwałego stosowania)

| | |
|---|---|
| Dynexan A | Kamistad |
| Dynexan maść | Lignocainum hydrochloricum, żel |
| Herviros s.N. roztwór | Para Muc |

Najważniejsze działania uboczne: uczulenia

ktu z ustami osób cierpiących na zapalenie jamy ustnej. Spróbuj zaprzestać palenia tytoniu (→ Palenie tytoniu, s. 740).

### Kiedy do lekarza?
— Gdy obrzęk, zaczerwienienie i ból nie ustępują w ciągu kilku dni mimo leczenia we własnym zakresie.
— W przypadku silnego cuchnięcia z ust i gorączki.
— Gdy utrzymują się odleżyny pod protezami zębowymi.
— Gdy dochodzi do powstania owrzodzeń.

### Jak sobie pomóc
Starannym pielęgnowaniem zębów.

Unikaj drażniących mechanicznie pokarmów i — jeśli to możliwe — nie pal tytoniu.

### Leczenie
Codzienne staranne czyszczenie zębów z użyciem roztworu wody utlenionej. Niekiedy zachodzi konieczność zastosowania antybiotyków. Myślący krytycznie lekarze stomatolodzy oraz naukowcy odradzają stosowanie płukanek, tabletek do ssania, środków w aerozolu lub maści w leczeniu zapalenia błony śluzowej jamy ustnej.

Wszystkie wymienione środki wywierają działania uboczne i w żaden sposób nie usuwają przyczyn schorzenia.

## Zapalenie drożdżakowe jamy ustnej (pleśniawki)

### Dolegliwości
Ból w obrębie jamy ustnej. Białe plamy o wyglądzie ściętego mleka na śluzówkach, broczące krwią po usunięciu.

Niekiedy występuje powiększenie węzłów chłonnych w górnej części szyi.

### Przyczyny
Zakażenie grzybicze.

### Ryzyko zachorowania wzrasta
Przy doustnym lub miejscowym leczeniu antybiotykami, wziewnym podawaniu glikokortykoidów (np. w astmie oskrzelowej), po leczeniu promieniami oraz przy upośledzonym wytwarzaniu śliny.

### Możliwe następstwa i powikłania
Zakażenie grzybicze może się rozprzestrzeniać na cały organizm.

### Zapobieganie
Antybiotyki należy stosować wyłącznie w sposób ukierunkowa-

ny (→ Leki przeciw zakażeniom, s. 621). Po każdej inhalacji glikokortykoidów należy energicznie przepłukać usta wodą.

### Kiedy do lekarza?
Z chwilą wystąpienia opisanych dolegliwości.

### Jak sobie pomóc
Samemu nie można.

### Leczenie
Na podstawie badań laboratoryjnych lekarz powinien ustalić, czy i jaki rodzaj grzyba jest przyczyną choroby.

Dopiero wówczas możliwe jest ukierunkowanie leczenia właściwymi lekami przeciwgrzybiczymi.

## Afty

### Dolegliwości
Zwykle okrągłe, silnie bolesne, mające białawe zabarwienie i otoczone czerwoną obwódką wykwity na błonie śluzowej warg i policzków. Niekiedy mogą występować także na języku.

### Przyczyny
Zakażenie wirusowe. Czynnik chorobotwórczy występuje w organizmie większości ludzi i może wywoływać schorzenie w stanach ogólnego osłabienia sił odpornościowych oraz w sytuacjach stresowych.

### Ryzyko zachorowania
Wzrasta przy narażeniu na stres.

### Możliwe następstwa i powikłania
Utrata apetytu.

### Zapobieganie
Nie jest możliwe.

### Kiedy do lekarza?
Jeśli chciałbyś uzyskać złagodzenie dolegliwości.

### Jak sobie pomóc
Prócz pozwolenia sobie na odrobinę wolnego czasu nie ma innego sposobu postępowania.

### Leczenie
Leki znieczulające miejscowo mogą krótkotrwale złagodzić dolegliwości (→ Zapalenie błony śluzowej jamy ustnej, s. 357). Nanosi się je na afty za pomocą wacika. Ulgę może przynieść także wystarczająco wczesne zastosowanie środków zawierających acyklowir (Zovirax).

W przypadku często nawracających aft lekarz może wzmocnić układ odpornościowy, podając globuliny gamma w zastrzyku.

## Zapalenie ślinianek

### Dolegliwości
Występuje bolesny obrzęk ślinianki, w jej ujściu może pojawić się treść ropna.

### Przyczyny
Bakterie dostające się do przewodu wprowadzającego śliniankę na skutek upośledzonego przepływu śliny, zapalenie błony śluzowej jamy ustnej, guzy łagodne i złośliwe ślinianek, leczenie promieniami, kamica przewodu ślinowego.

### Ryzyko zachorowania wzrasta
W przypadku zmniejszonego przepływu śliny: w chorobach powodujących wysychanie błony śluzowej (zespół Sjögrena). Zapalenie ślinianki może być również późnym następstwem świnki przebytej w dzieciństwie.

### Możliwe następstwa i powikłania
Względnie często występuje uniedrożnienie przez kamienie ślinowe przewodów wyprowadzających ślinianek podżuchwowych. Mogą one ulec zropieniu i przebiciu na zewnątrz.

### Zapobieganie
Nie jest możliwe.

### Kiedy do lekarza?
Przy wystąpieniu silnych bólów.

### Jak sobie pomóc
Zjedzenie cytryny lub żucie gumy zwiększa wydzielanie śliny.

### Leczenie
Zapalenie zwalcza się antybiotykami. Niekiedy lekarz zmuszony jest usunąć śliniankę operacyjnie. Operacyjnego usunięcia w znieczuleniu miejscowym wymagają też kamienie ślinowe.

## Zapalenie języka

### Dolegliwości
Język jest wygładzony i zaczerwieniony. Może też wystąpić jego obrzmienie, uczucie pieczenia i bolesność.

### Przyczyny
— Podrażnienie przez ostre krawędzie zębów, źle dopasowane protezy zębowe, alkohol, tytoń, ostre przyprawy, oparzenie lub uszkodzenie mechaniczne.
— Niedobór witamin z grupy B lub żelaza.
— W przebiegu różnych chorób skóry, cukrzycy, kiły.
— Przyczyny natury psychicznej.

### Ryzyko zachorowania wzrasta
W przypadku braku higieny jamy ustnej i palenia tytoniu.

### Możliwe następstwa i powikłania
Dolegliwości występujące w czasie jedzenia i oddychania.

### Zapobieganie
Właściwa pielęgnacja jamy ustnej (→ s. 357).

### Kiedy do lekarza?
Gdy mimo leczenia domowego zapalenie języka utrzymuje się przez kilka dni. Zapalenie języka może być zwiastunem:
— niedokrwistości megaloblastycznej (→ s. 325),
— objawem choroby glutenowej (→ s. 383),
— niedokrwistości z niedoboru żelaza (→ s. 324).

## Jak sobie pomóc

Płukanie jamy ustnej trzyprocentowym roztworem wody utlenionej, naparem z szałwii lub rumianku (→ Leki ziołowe, s. 642).

## Leczenie

Lekarz powinien leczyć choroby leżące u podłoża schorzenia.

## Leukoplakia (rogowacenie białe)

### Dolegliwości

Białawoniebieskie plamy na brzegach i grzbiecie języka oraz na błonie śluzowej jamy ustnej. Opisane zmiany stają się szorstkie i rogowacieją.

### Przyczyny

Prawdopodobnie przewlekłe drażnienie — przez nadłamane zęby, plomby, dym z fajki lub nawyk dociskania języka do podniebienia.

### Ryzyko zachorowania

Choroba występuje najczęściej u mężczyzn między dwudziestym piątym a pięćdziesiątym piątym rokiem życia.

Oddziaływanie kadmu i substancji promieniotwórczych zawartych w dymie tytoniowym zwiększa ryzyko zachorowania (→ Palenie tytoniu, s. 740).

### Możliwe następstwa i powikłania

U palaczy tytoniu schorzenie może ulec przemianie w raka.

### Zapobieganie

Zaprzestanie w miarę możliwości palenia tytoniu (→ Palenie tytoniu, s. 740).

### Kiedy do lekarza?

W przypadku stwierdzenia typowych wykwitów należy zwrócić się do lekarza dermatologa lub stomatologa.

### Jak sobie pomóc

Samemu nie można.

### Leczenie

Niezbędne jest wyeliminowanie przyczyn wywołujących.

Niekiedy konieczne jest chirurgiczne usunięcie miejsc zrogowaciałych.

## Rak w obrębie jamy ustnej

(→ Nowotwory złośliwe, s. 437)

### Dolegliwości

Są niecharakterystyczne: pieczenie, uczucie obcego ciała, znieczulica pod protezą, obecność krwi w ślinie.

Każdy twór guzkowaty lub wrzodziejący bądź miejsce stwardniałe występujące na języku, jego podstawie czy w obrębie błony śluzowej jamy ustnej nasuwa podejrzenie raka (wyjątek: afty → s. 358).

### Przyczyny

— Palenie tytoniu.

— Guzy języka i błony śluzowej jamy ustnej są często wywoływane przewlekłym drażnieniem mechanicznym w przypadku nadłamanych zębów, wystających plomb lub niedopasowanych protez zębowych. Łagodne nowotwory mogą ulec zezłośliwieniu.

### Ryzyko zachorowania

Wzrasta u wszystkich osób wypalających paczkę papierosów dziennie lub żujących tytoń oraz systematycznie pijących alkohol. Zagrożenie zachorowaniem występuje także u pracowników galwanizerni i u szlifierzy metali.

### Możliwe następstwa i powikłania

Prawdopodobieństwo wyleczenia jest duże w przypadku guzów błony śluzowej nieprzekraczających średnicy jednego centymetra. Komórki rakowe wcześnie jednak zajmują liczne węzły chłonne okolicy jamy ustnej i szyi. W co trzecim przypadku prawdopodobne jest rozwinięcie się dodatkowego guza w obrębie jamy ustnej, gardła, krtani, przełyku lub płuc.

### Zapobieganie

O ile to możliwe, zaprzestań palenia tytoniu (→ Palenie tytoniu, s. 740). Dwa razy w roku poddawaj się kontroli u stomatologa.

### Kiedy do lekarza?

Przy pierwszych objawach stwardnienia, pojawienia się guzków lub tworzenia się czerwono zabarwionych owrzodzeń szczególnie w okolicy dna jamy ustnej, spodniej strony języka, podniebienia miękkiego i wewnętrznej strony policzków. Na podstawie badania rozmazu lekarz może zawczasu zidentyfikować komórki rakowe.

### Jak sobie pomóc

Samemu nie można.

### Leczenie

Każdy rodzaj raka w obrębie jamy ustnej wymaga usunięcia operacyjnego. Celem możliwie doszczętnej eliminacji komórek rakowych często potrzebne jest usunięcie kości szczękowej oraz tkanek w okolicy twarzy i szyi. W stanach zaawansowanych uzasadniona jest dodatkowo chemioterapia. Następczo stosuje się leczenie napromienianiem.

Nawet przy rozległych zabiegach operacyjnych chirurgom udaje się obecnie uniknąć zeszpecenia twarzy. Wygląd twarzy odtwarza się w sposób możliwie zadowalający przeszczepami własnych tkanek i kości chorego oraz przy użyciu protez. Decyzja co do zastosowania danej metody chirurgicznej zależy od rozprzestrzenienia guza oraz konstytucji i wieku chorego. Zabieg naprawczy należy przeprowadzać w możliwie krótkim odstępie od pierwszej operacji. Wymaga on w każdym przypadku cierpliwości i współpracy ze strony chorego. Wskazane jest

---

**Krajowe Koło Pomocy Dzieciom z Rozszczepem Wargi i Podniebienia**

00-054 Warszawa, ul. Jasna 24/26,
tel. (0-22) 827-76-51 w. 412

skorzystanie z proponowanego leczenia rehabilitacyjnego i profilaktycznego. Pomocna może być psychoterapia.

## Rozszczep podniebienia

### Dolegliwości
U większości dzieci z rozszczepem podniebienia utrudnione lub niemożliwe jest karmienie piersią. Występuje zachłystywanie się pokarmem. Cofnięcie żuchwy i przemieszczenie języka ku tyłowi w niektórych ciężkich postaciach wady może powodować utrudnienie oddychania.

### Przyczyny
Rozszczep podniebienia może występować rodzinnie i ma wówczas charakter wady wrodzonej, przekazywanej dziedzicznie. Ponadto uważa się, że występowanie wady jest uwarunkowane wieloma przyczynami. Rolę odgrywa środowisko wewnątrzmaciczne, a także czynniki środowiska zewnętrznego (→ s. 581).

### Ryzyko zachorowania
Rozszczep podniebienia występuje średnio raz na 650 do 750 żywych urodzeń. Wada częstsza jest u dziewczynek. Jeżeli jest nią obarczona matka, ryzyko wystąpienia wady u potomstwa wzrasta dwukrotnie.

### Możliwe następstwa i powikłania
Utrudnienie lub uniemożliwienie karmienia piersią. W okresie późniejszym zaburzenia i upośledzenie mowy.

### Zapobieganie
Nie jest możliwe.

### Kiedy do lekarza?
Na ogół już w czasie oględzin i badania noworodka przez lekarza następuje rozpoznanie wady. W innych przypadkach podejrzenie występowania wady nasuwają trudności przy karmieniu (krztuszenie się i zachłystywanie niemowlęcia), rzadziej zaś utrudnienie oddychania. Ustalenie rozpoznania wymaga wizyty u lekarza pediatry.

### Jak sobie pomóc
Decydujące znaczenie dla postępowania z dzieckiem mają zalecenia lekarza pediatry. Aby umożliwić karmienie piersią, stosuje się na sutki kapturki z dużym otworem. Samo zaś karmienie niemowlęcia należy prowadzić powoli i bardzo cierpliwie w pozycji półsiedzącej, aby zapobiec zwracaniu pokarmu i zachłystywaniu się. Niekiedy karmi się strzykawką ze smoczkiem z miękkiej gumy.

### Leczenie
Korekcję wady, polegającą na zszyciu rozszczepu podniebienia, przeprowadza się operacyjnie pomiędzy pierwszym a drugim rokiem życia dziecka, z reguły nim dziecko zacznie mówić. Niekiedy z powodu znacznego upośledzenia mowy zachodzi konieczność przeprowadzenia wtórnych operacji, gdy dziecko jest starsze.

# PRZEŁYK

Przełyk łączy jamę ustną z żołądkiem. Jego umięśnione ściany przemieszczają całą połykaną treść do wpustu żołądka. Obecny w tym miejscu mięsień okrężny oraz fałdy błony śluzowej zapobiegają cofaniu się treści żołądkowej do przełyku. Przełyk wysłany jest błoną śluzową, która nie jest chroniona przed działaniem kwasu.

## Odbijania kwaśne, zgaga, odpływ żołądkowo-przełykowy

### Dolegliwości
Papka pokarmowa wraz z sokiem żołądkowym jest permanentnie cofana do przełyku, czemu towarzyszy piekący i uciskający ból za mostkiem (zgaga). Dolegliwości występują zwykle w podobnym, lecz różniącym się u poszczególnych osób, odstępie czasu po jedzeniu.

### Przyczyny
— Osłabienie mięśnia zwieracza przełyku.
— Nadwaga (→ Masa ciała, s. 709).
— Ciąża (→ s. 531).
— Przepuklina rozworu przełykowego przepony (→ s. 409).

### Ryzyko zachorowania
Kwaśne odbijania często wywołuje nadmierne palenie tytoniu oraz picie zbyt dużych ilości kawy i alkoholu. Skłonność do występowania odbijań zwiększa obcisła odzież, nadwaga oraz towarzyszący ciąży wzmożony ucisk w kierunku żołądka.

### Możliwe następstwa i powikłania
— Bóle przy połykaniu, szczególnie stałych kęsów. W czasie jedzenia występujące uczucie zatrzymywania się kęsa.
— Zapalenie przełyku (→ s. 361).

### Zapobieganie
— Unikaj palenia tytoniu oraz spożywania kawy i alkoholu (→ Używki, s. 740).
— O ile to możliwe, zrezygnuj z pokarmów tłustych oraz czekolady. Jedz w pozycji wyprostowanej i przełykaj kilkakrotnie po każdym kęsie. Spożywaj jak najmniejszą kolację.
— Unikaj nadwagi, siedzącego trybu życia.
— Nie noś zbyt ciasnej odzieży, staraj się nie wykonywać skłonów do przodu.
— W czasie leżenia trzymaj głowę na podwyższeniu.

### Kiedy do lekarza?
Gdy permanentnie występuje zarzucanie kwaśnej treści do przełyku, a dolegliwości nie ustępują samoistnie.

### Jak sobie pomóc
Pozbyć się nadwagi (→ Masa ciała, s. 709).

### Leczenie
Leczenie dolegliwości związanych z zarzucaniem (refluksem) żołądkowo-przełykowym jest takie samo jak w przypadku zapalenia przełyku.

# Zapalenie przełyku

## Dolegliwości

Na ogół po posiłkach odczuwany jest za mostkiem piekący i uciskający ból (zgaga), który może promieniować aż do szyi. Niekiedy występują odbijania treścią pokarmową i kwasem żołądkowym. Niekiedy objawem tego odruchu jest nocny kaszel, uczucie duszności i chrypka. Trudności przy połykaniu są nasilone szczególnie w przypadku pokarmów bardzo zimnych lub bardzo gorących.

## Przyczyny

— Nadużywanie alkoholu i papierosów.
— Kwaśne odbijania.
— Podrażnienie wywołane lekami, szczególnie w postaci kapsułek, które zażyte bez popicia wystarczającą ilością płynu mogą pozostawać przyklejone w obrębie przełyku. Do niebezpiecznych leków zalicza się środki przeciwbólowe zawierające kwas acetylosalicylowy lub indometacynę, beta-adrenolityki i tetracykliny (→ Leki i ich stosowanie, s. 617).
— Grzybicze zapalenie przełyku.
— Przepuklina rozworu przełykowego (→ s. 409).
— Skaleczenia (np. ośćmi ryby) lub oparzenia (np. kwasami lub ługami).

## Ryzyko zachorowania wzrasta

Przy nadmiernym paleniu tytoniu i piciu alkoholu.

## Możliwe następstwa i powikłania

Zbliznowacenie i zwężenie przełyku, krwawiące owrzodzenia przełyku.

## Zapobieganie

— Wystrzegaj się palenia papierosów i picia alkoholu (→ Palenie tytoniu, s. 740, → Alkohol, s. 742).
— Leki zażywaj zawsze w pozycji pionowej i popijaj szklanką wody. Sprawdzonym środkiem ułatwiającym poślizg leku po połknięciu jest przegryzienie odrobiną banana.

## Kiedy do lekarza?

Niezwłocznie należy zgłosić się do lekarza, gdy występują silne bóle i wzmagające się trudności przy połykaniu lub wymioty krwią. Wymienione dolegliwości są również objawami alarmującymi w przypadku raka przełyku. Lekarz przeprowadza badanie endoskopowe z pobraniem wycinka tkanki (→ Wziernikowanie narządów wewnętrznych, s. 612), co umożliwia ustalenie przyczyny dolegliwości i wykluczenie raka.

## Jak sobie pomóc

— Zrezygnuj z papierosów, soków owocowych i alkoholu.
— Jeśli cierpisz na nadwagę, powinieneś schudnąć.
— Jedz zawsze w pozycji wyprostowanej, dokładnie rozgryzaj pokarmy i połykaj w małych porcjach. Ostatni posiłek w ciągu dnia powinien być jednocześnie posiłkiem najmniejszym.
— W pozycji leżącej głowę trzymaj na podwyższeniu.

## Leczenie

*Leki*

Leki neutralizujące nadmiar kwasu solnego (→ s. 367) są po-

mocne w zwalczaniu piekących bólów i zapalenia. Za optymalne uważa się preparaty hamujące pompę protonową i produkcję kwasu ($H_2$-blokery, → s. 367). Zakażenia grzybicze leczy się środkami przeciwgrzybiczymi.

*Operacja*

Wchodzi w grę, gdy leki nie doprowadzają w wystarczającym stopniu do złagodzenia dolegliwości lub gdy przyczyną zapalenia przełyku jest przepuklina rozworu przełykowego przepony.

# Uchyłki przełyku

## Dolegliwości

Uczucie ucisku lub zalegania ciała obcego w przełyku, trudności przy połykaniu. Stale nawracające ulewania niestrawioną papką pokarmową. Zwraca uwagę odbijanie się w czasie mówienia.

## Przyczyny

Tworzą się workowate uwypuklenia błony śluzowej przełyku na zewnątrz, w których zalegają resztki pokarmów, co powoduje ścienienie ściany przełyku.

Uchyłki przełyku mogą nie dawać żadnych dolegliwości i wówczas nie wymagają leczenia.

## Ryzyko zachorowania

Uchyłki przełyku występują rzadko.

## Możliwe następstwa i powikłania

Może rozwinąć się ciężkie zapalenie przełyku. Gdy przez nieuwagę treść pokarmowa przedostanie się do tchawicy, dochodzi wówczas do powstania ropnia płuc.

## Zapobieganie

Nie jest możliwe.

## Kiedy do lekarza?

Gdy odczuwasz opisane dolegliwości.

## Jak sobie pomóc

Jedz w małych ilościach, ostrożnie połykając dokładnie pogryziony pokarm.

## Leczenie

Uchyłki przełyku usuwa się operacyjnie. Wymagany zabieg operacyjny jest rozległy.

# Zwężenie przełyku

## Dolegliwości

Silne, kurczowe bóle przy połykaniu z uczuciem ucisku i dławienia się. Oddychanie jest bolesne lub utrudnione.

## Przyczyny

Blizny po owrzodzeniach lub oparzeniach zwężające światło przełyku. Rzadko przyczyną zwężenia mogą być inne choroby, na przykład twardzina (→ s. 429). Blizny mogą pozostawać również po leczniczym zniszczeniu żylaków przełyku (→ Marskość wątroby, s. 371).

### Ryzyko zachorowania

Zwężenie przełyku występuje rzadko. Ryzyko zachorowania wzrasta w przypadku oparzenia lub występowania owrzodzeń przełyku.

### Możliwe następstwa i powikłania

Utrzymujące się trudności przy połykaniu, wtórnie spadek wagi. Gdy pokarm przedostaje się do tchawicy, następstwem może być ropień płuc.

### Zapobieganie

Nie jest możliwe.

### Kiedy do lekarza?

Przy utrzymujących się trudnościach przy połykaniu.

### Jak sobie pomóc

Staraj się dobrze rozgryzać twarde jedzenie, połykaj tylko małe, dokładnie zmieszane ze śliną kęsy. Ewentualnie spożywaj pokarmy papkowate.

### Leczenie

Lekarz może przeprowadzić rozszerzanie przełyku, posługując się metalowymi narzędziami wprowadzanymi za pomocą endoskopu. Zabieg taki przywraca drożność przełyku na dłuższy okres. Po przebytym oparzeniu przełyku często potrzebny jest zabieg operacyjny, w czasie którego usuwa się zwężony odcinek przełyku i zastępuje go wstawką z jelita grubego. Opisana operacja jest zabiegiem poważnym, obarczonym znacznym ryzykiem.

## Rak przełyku

(→ Nowotwory złośliwe, s. 437)

### Dolegliwości

W okresie wczesnym nie występują żadne dolegliwości. Później pojawiają się zaburzenia połykania, które mogą nasilać się do tego stopnia, że połykanie staje się w ogóle niemożliwe. Dodatkowo dołącza się spadek wagi, przykry zapach z ust, chrypka, nudności, wymioty, bóle za mostkiem.

### Przyczyny

Dotychczas nie wiadomo, dlaczego dochodzi do rozwoju raka.

### Ryzyko zachorowania

Rak przełyku występuje na ogół dopiero po sześćdziesiątym roku życia. W osiemdziesięciu procentach dotyka mężczyzn:

— Zagrożone zachorowaniem są osoby spożywające duże ilości wysokoprocentowych alkoholi i palacze tytoniu (→ Alkohol, s. 742).

— Ryzyko zachorowania jest większe u osób cierpiących na owrzodzenia przełyku.

### Możliwe następstwa i powikłania

Guz może szybko ulec rozprzestrzenieniu, dając przerzuty do płuc i wątroby.

### Zapobieganie

Nie jest możliwe.

### Kiedy do lekarza?

Alarmującym objawem w przypadku raka przełyku są uporczywie utrzymujące się trudności połykania — powinieneś wówczas niezwłocznie udać się do lekarza. Badaniem endoskopowym (→ Wziernikowanie narządów wewnętrznych, s. 612) lekarz może potwierdzić lub wykluczyć obecność raka.

### Jak sobie pomóc

Samemu nie można.

### Leczenie

Rak umiejscowiony w obrębie górnego odcinka przełyku jest na ogół nieoperacyjny. W przypadku położenia w środkowej części przełyku operacja może być skuteczna w skojarzeniu z napromienianiem. Rak umiejscowiony w dolnym odcinku przełyku wymaga leczenia operacyjnego. Jednak szansę pięcioletniego przeżycia ma jedynie co czwarty chory. Zabieg endoskopowy przy użyciu lasera umożliwia szybkie udrożnienie zwężonego przełyku bez potrzeby przeprowadzania operacji. Zaburzenia połykania zmniejszają się raptownie po napromienieniu. Ustąpienie dolegliwości uzyskuje się również przez założenie do przełyku protezy. Razem z zespołem leczącym powinieneś ustalić, jaki zabieg jest celowy i konieczny, określić program łagodzenia dolegliwości.

Psychoterapia może wspierać proces leczenia. Pomocne bywają także grupy samopomocowe. Medycyna alternatywna może poprawiać samopoczucie, ale nie hamuje rozwoju nowotworu.

## ŻOŁĄDEK

Żołądek stanowi umięśniony worek o pojemności około jednego litra, którego zadaniem jest gromadzenie pokarmu i przygotowanie go do trawienia. Węglowodany pozostają w żołądku przez około jedną godzinę, dłużej białka, a najdłużej tłuszcze. Dalsze przemieszczanie pokarmów z żołądka do dwunastnicy odbywa się poprzez odźwiernik. Skurczami mięśni, dzięki którym zachodzi mieszanie papki pokarmowej w żołądku, zawiaduje wegetatywny układ nerwowy. Pod jego wpływem znajduje się również wydzielanie soku żołądkowego oraz histaminy, prostaglandyn i gastryny — substancji uczestniczących w regulacji procesu trawienia. Ponieważ istotny wpływ na wegetatywny układ nerwowy mają nastroje i stan psychiczny, żołądek bywa nazywany „zakątkiem pogody ducha". Z tego powodu osoby cierpiące na dolegliwości ze strony żołądka powinny poszukiwać ich przyczyn także w sferze psychicznej i poruszyć ten temat w czasie rozmowy z lekarzem (→ Zaburzenia samopoczucia, s. 175).

## Żołądek drażliwy (niestrawność czynnościowa)

### Dolegliwości

Występują okresowo lub sporadycznie, pod postacią objawów pojedynczych lub ich kombinacji, często w czasie lub po jedzeniu:

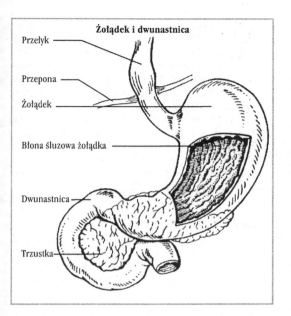

**Żołądek i dwunastnica**

Przełyk

Przepona

Żołądek

Błona śluzowa żołądka

Dwunastnica

Trzustka

— Piekące kurczowe bóle w nadbrzuszu.
— Nudności, wymioty.
— Zgaga, odbijania.
— Uczucie ucisku lub pełności, wzdęcia.
— Utrata apetytu.
— Suchość w jamie ustnej, pieczenie języka i/lub zaburzenia połykania.

Stąd też bierze się błędne przekonanie wielu osób na nie cierpiących, że przyczyną dolegliwości jest spożyty pokarm. Opisanym skargom często towarzyszy obniżenie nastroju, lęk, niepokój, bezsenność, uczucie przeciążenia, mrowienie w jamie ustnej, uczucie braku tchu, dolegliwości sercowe lub drżenie kończyn.

## Przyczyny

— Przełomowe momenty w życiu (osiągnięcie dojrzałości płciowej, zawarcie małżeństwa, urodzenie dzieci, przekroczenie wieku średniego, zmiana zawodu itp. → Zaburzenia samopoczucia, s. 175).
— Poważna strata (partnera, pracy, kraju rodzinnego itp.).
— Bardzo ciężka praca, praca przy taśmie lub zmianowa.
— Pośpiech i nieregularne spożywanie posiłków może odbijać się na żołądku, powodując zaburzenia jego motoryki.
— Sytuacje wiążące się z uczuciem lęku lub odrazy mogą prowokować nudności i wymioty. Poprzez wymioty organizm „uwalnia" się od zalegających w nim na przykład napięć lub konfliktów szkolnych będących nie do zniesienia dla dziecka w wieku szkolnym.
— Wstręt jest także uwarunkowany kulturowo, gdyż człowiek „uczy się" brzydzić określonymi rzeczami.

## Ryzyko zachorowania

Prawdopodobieństwo wystąpienia dolegliwości żołądkowych zwiększają stres i obciążenia psychiczne.

## Możliwe następstwa i powikłania

W przypadku uporczywego nawracania dolegliwości należy wyjaśnić, czy ich przyczyna wiąże się z organicznym uszkodzeniem.

## Zapobieganie

— Spróbuj odzwyczaić się od palenia (→ Palenie tytoniu, s. 740).
— Jeśli tylko możesz, unikaj sytuacji stresowych.
— Świadome odprężenie się może zawczasu zapobiec dolegliwościom (→ Relaks, s. 664).
— W porozumieniu z lekarzem odstaw wszystkie leki uszkadzające żołądek.

## Kiedy do lekarza?

Gdy dolegliwości powtarzają się. Podobne do opisanych dolegliwości występują także w przypadku wrzodu żołądka lub dwunastnicy. Dlatego też, gdy nie ustępują one po czterech tygodniach, lekarz powinien wykonać badanie endoskopowe błony śluzowej żołądka i dwunastnicy (→ Panendoskopia, s. 612). Badanie to pozwala również na wykluczenie często stawianego błędnie rozpoznania „zapalenia" żołądka.

## Jak sobie pomóc

Zrób coś pozytywnego dla swego zdrowia:
— Powinieneś się wyłączyć i odpocząć w sytuacji odprężenia, co ułatwia technika relaksacji według Fuchsa (→ s. 668).
— Dolegliwości może złagodzić termofor lub wilgotny ciepły lub chłodny kompres (→ Środki domowe, s. 640).
— Alkoholu i papierosów używaj tylko w ilościach, które ci nie szkodzą; unikaj ich jednak na czczo. W porozumieniu z lekarzem odstaw wszystkie leki mogące działać uszkadzająco na żołądek.
— Specjalna dieta nie jest potrzebna. Jedz wszystko, co ci smakuje, unikaj zaś rzeczy, które ci szkodzą. Z jadłospisu powinieneś jednak skreślić potrawy ciężko strawne oraz dania bardzo gorące lub bardzo zimne. Powstrzymaj się od jedzenia późnym wieczorem. Korzystne oddziaływanie ma dieta bogata w substancje resztkowe — zawierająca obfitość warzyw, owoców i produktów z pełnego ziarna (→ Zdrowe żywienie, s. 704).
— Akupresura (→ s. 660) — punktowy masaż uciskowy możesz przeprowadzać sam, lepiej jednak, gdy go wykona ktoś inny.

## Leczenie

— Akupunktura (→ s. 646).
— Leczenie homeopatyczne (→ s. 644).
— Masaż (→ s. 658) mają działanie ogólnie odprężające. Szczególnie skuteczne są masaże tkanki łącznej.
— Specjalne techniki oddychania umożliwiają odprężenie i wspomagają proces zdrowienia (→ Oddychanie, s. 664).

---

**Lektura uzupełniająca**

PFEIFFER A.: *Dolegliwości układu pokarmowego*. Cedrus Publishing House, Warszawa 1997.

## Herbatki żołądkowe o działaniu kojącym

*Zastosowanie*: Dwa do trzech razy dziennie filiżankę ciepłej, świeżo przygotowanej herbatki popijać między posiłkami.

**Liście mięty pieprzowej**
*Sposób przygotowania*: Łyżkę stołową liści mięty pieprzowej zalać gorącą wodą w średniej wielkości filiżance; odczekać pięć do dziesięciu minut, następnie odcedzić.

**Kwiat rumianku**
*Sposób przygotowania*: Łyżkę stołową kwiatu rumianku zalać wrzątkiem w średniej wielkości filiżance; trzymać dziesięć minut pod przykryciem, następnie odcedzić.

**Ziele krwawnika**
*Sposób przygotowania*: jak w przypadku kwiatu rumianku, należy jednak użyć dwóch łyżeczek ziela krwawnika.

**Herbatki żołądkowe o działaniu pobudzającym**
Zadaniem ich jest pobudzanie wydzielania kwasu żołądkowego, usprawnienie trawienia i usuwanie dolegliwości uwarunkowanych niedostateczną produkcją soku żołądkowego. Herbatki te mają najczęściej gorzki lub wręcz bardzo gorzki smak.
Działania uboczne: Sporadyczne bóle głowy u osób wrażliwych na substancje o gorzkim smaku.

**Ziele tysiącznika pospolitego**
*Sposób przygotowania*: Jedną do dwóch łyżeczek do herbaty ziela tysiącznika zalać wrzątkiem w średniej wielkości filiżance; odczekać piętnaście minut, następnie odcedzić.

**Mieszana herbatka żołądkowa**
*Skład*: 25 g ziela tysiącznika pospolitego, 25 g ziela piołunu, 20 g korzenia goryczki, 20 g skórek pomarańczy, 10 g cynamonu.
*Sposób przygotowania*: Dwie łyżeczki do herbaty mieszanki zalać wrzątkiem w średniej wielkości filiżance; odczekać dziesięć do piętnastu minut, następnie odcedzić.
*Uwaga*: Nie stosować w przypadku wrzodów żołądka lub dwunastnicy.

*Leki*
Wybór zależy od przyczyny dolegliwości:
— Zakażenie bakterią *Helicobacter pylori* wymaga potrójnej terapii (→ Wrzód żołądka, s. 366).
— Nadmierne wydzielanie kwasu może być zredukowane stosowaniem środków zobojętniających kwas bądź hamujących jego wydzielanie (np. przez $H_2$-blokery).
— W nudnościach: jednorazowe zażycie środka zawierającego metoklopramid. Leki te powinny być stosowane krótko.
— Wzdęcia i uczucie pełności w obrębie żołądka i jelit wywołane są nadmiernym wytwarzaniem gazów. Skuteczność leków mających zapobiegać temu zjawisku jest podawana w wątpliwość. Jeśli jednak uważasz, że leki te przynoszą ci ulgę, możesz je bez obawy stosować przez krótki okres.
— Zagadnienie sporne stanowi stosowanie leków pobudzających apetyt.

— Chorym cierpiącym na dolegliwości żołądkowe przepisywane są często leki uspokajające. Środki te powodują jednak wiele działań ubocznych i mogą wywoływać uzależnienie. W przypadku ostrego stresu można je zastąpić jednorazowym zażyciem środka blokującego receptory beta. W ostrych bólach pochodzenia żołądkowego nie powinno się stosować leków neuroleptycznych.
Leki uspokajające usuwają jedynie objawy, nie zwalczają jednak przyczyn dolegliwości. Jeśli pragniesz rozprawić się z głębiej leżącymi przyczynami swojej choroby, potrzebna ci będzie pomoc. W jaki sposób znaleźć odpowiedniego terapeutę i w sprawie doboru najwłaściwszych metod leczniczych → Poradnictwo i psychoterapia, s. 670.

## Zapalenie żołądka ostre

Podrażnienie żołądka często określa się niewłaściwie mianem zapalenia (→ Żołądek drażliwy, s. 362). Lekarze używają jednak pojęcia zapalenia żołądka (*gastritis*) w przypadku ostrego zapalenia błony śluzowej żołądka wywołanego zatruciem pokarmowym.

### Dolegliwości
Objawy różnią się w zależności od przyczyny wywołującej chorobę: nagle występuje silny ból w okolicy żołądka, któremu towarzyszy ogólne osłabienie, ból głowy, uczucie pełności, nudności prowadzące aż do wymiotów, niekiedy nieprzyjemny zapach z ust, obłożony język i gorączka. Opisane dolegliwości ustępują zwykle samoistnie w ciągu kilku dni.

### Przyczyny
Czynniki wywołujące są na ogół znane:
— Nadużycie alkoholu.
— Leki o działaniu drażniącym błonę śluzową żołądka (np. środki przeciwbólowe i przeciwreumatyczne, przedawkowanie leków nasercowych zawierających naparstnicę, glikokortykoidy, leki przeciwnowotworowe).
— Oparzenie kwasami lub ługami.
— Promienie rentgenowskie (np. po leczeniu napromienianiem).
— Zepsute produkty spożywcze skażone laseczką jadu kiełbasianego. Toksyny wytwarzane przez tę bakterię są bardzo niebezpieczne. Mnożą się one w zepsutych rybach, mięsie, konserwach warzywnych itp. Pierwszymi objawami zatrucia jadem kiełbasianym są: porażenie mięśni ocznych i podwójne widzenie, zaburzenia połykania, mdłości, zimne poty. W dalszej kolejności dołącza się porażenie jelit i zaparcie.
— Zakażenia wirusowe.
— Trujące grzyby.

### Ryzyko zachorowania
Nadużycie alkoholu i zażywanie wymienionych wyżej leków zwiększa ryzyko zachorowania na ostre zapalenie żołądka.

### Możliwe następstwa i powikłania
— Uszkodzona błona śluzowa żołądka może być źródłem

krwawienia. Występują wówczas wymioty treścią o wyglądzie fusów od kawy lub krwiste i/lub wydalanie zabarwionego na czarno stolca. W takim przypadku: natychmiast zgłoś się do lekarza.
— Tylko niewiele grzybów należy do trujących. Do niebezpiecznych zalicza się na przykład muchomora plamistego, który wywołuje zaburzenia w układzie nerwowym oraz zakłócenia pracy serca i oddychania. Muchomor sromotnikowy barwy zielonej lub białej powoduje śmierć poprzez uszkodzenie wątroby. Śmiertelne zatrucie może także wywołać krowiak podwinięty.
— Nieleczone zatrucie jadem kiełbasianym doprowadza w ciągu tygodnia do zgonu.

## Zapobieganie
— Unikaj nadmiernych ilości alkoholu (→ Alkohol, s. 742) i leków o działaniu uszkadzającym żołądek.
— Wyrzucaj zepsute produkty spożywcze.
— Nigdy nie zostawiaj w zasięgu dzieci środków i płynów do czyszczenia.
— Daj do sprawdzenia osobie obeznanej zebrane przez siebie grzyby, jeśli nie znasz dobrze ich gatunków. Świeżo zebrane grzyby należy spożywać w ciągu trzydziestu godzin.

## Kiedy do lekarza?
*Pierwsza pomoc*: należy wywołać wymioty poprzez włożenie palca do gardła oraz zażyć środki przeczyszczające. Do lekarza zwrócić się gdy:
— przyczyny dolegliwości nie są znane,
— jeśli podejrzewasz zatrucie.
*Natychmiast* udaj się do lekarza w przypadku wystąpienia krwawienia.
*Bezwarunkowo do szpitala*: przy podejrzeniu zatrucia jadem kiełbasianym.

## Jak sobie pomóc
Ostre dolegliwości żołądkowe ustępują najczęściej samoistnie po jednym do dwóch dniach leżenia w łóżku. Dolegliwości może złagodzić herbata lub napar z mięty lub rumianku (→ Żołądek drażliwy, s. 362).

## Leczenie
W zwykłych przypadkach leczenie nie jest potrzebne. Jedynie w przypadku wystąpienia krwawienia lekarz musi wyjaśnić jego przyczynę za pomocą badania endoskopowego. Jeśli dolegliwości wywołują leki, których zażywanie jest konieczne, powinieneś poradzić się lekarza, w jaki sposób mógłbyś skutecznie ochraniać żołądek.

*Leki*
— Najlepszym lekiem przeciw kurczowym bólom żołądka jest Buscopan, podawany w postaci zastrzyku lub czopka. Większość innych środków rozkurczowych zawiera znaczną liczbę składników, przez co kryje w sobie ryzyko występowania działań ubocznych.
— Przeciw utrzymującemu się pobudzeniu wymiotnemu uzasadnione jest u osób dorosłych zastosowanie zaordynowane-

go przez lekarza metoklopramidu (np. Gastronerton, MCP, Paspertin) lub cyzaprydu (Coordinax, Prepulsid).
— Środki roślinne i inne zamienniki uważa się za nieskuteczne, pozorne leki.

# Zapalenie żołądka przewlekłe

## Dolegliwości
Często nie występują żadne objawy. Niekiedy po jedzeniu pojawiają się bóle oraz uczucie ucisku i pełności.

## Przyczyny
Błona śluzowa żołądka jest zmieniona zapalnie i ulega zanikowi, niekiedy całkowitemu. Podejrzewa się następujące przyczyny schorzenia:
— Zakażenie bakterią o nazwie *Helicobacter pylori*. Można je wykazać za pomocą gastroskopii z pobraniem wycinka błony śluzowej (→ Panendoskopia, s. 612) lub badania krwi.
— Może być ono wyrazem procesu starzenia się, na który wywierają wpływ czynniki bytowe.
— Zmiany ukrwienia.
— Następstwa refluksu po operacji żołądka.

## Ryzyko zachorowania
Ryzyko wystąpienia zaniku błony śluzowej żołądka wzrasta z wiekiem.

## Możliwe następstwa i powikłania
Rzadko występująca zaawansowana postać schorzenia — zanikowe zapalenie żołądka — może doprowadzać do niedoboru żelaza i być przyczyną niedokrwistości megaloblastycznej (→ s. 325) oraz wiązać się ze zwiększonym ryzykiem zachorowania na raka. Z tego powodu osoby, u których postawiono rozpoznanie zaniku błony śluzowej żołądka, powinny corocznie poddawać się badaniu endoskopowemu.

## Zapobieganie
Unikaj picia alkoholu (→ s. 742) oraz bardzo zimnych lub gorących napojów, ostrych przypraw i leków o działaniu uszkadzającym żołądek.

## Kiedy do lekarza?
Gdy wystąpią wymienione wyżej dolegliwości. Przewlekłe zapalenie żołądka często nie daje żadnych dolegliwości i jest wykrywane przypadkowo w czasie endoskopii. Wówczas też leczenie nie jest potrzebne.

## Jak sobie pomóc
Samemu nie można.

## Leczenie
Przy endoskopowo wykazanym zakażeniu przez *Helicobacter pylori* z obecnością wrzodu można opanować zapalenie, stosując środki hamujące wydzielanie kwasu lub hamujące pompę protonową (→ s. 366), w kombinacji z antybiotykami.
Na zanik błony śluzowej żołądka nie udaje się oddziaływać. Dolegliwości towarzyszące schorzeniu łagodzą leki wią-

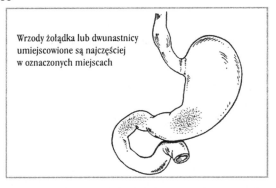

Wrzody żołądka lub dwunastnicy umiejscowione są najczęściej w oznaczonych miejscach

żące kwas (→ Wrzód żołądka lub dwunastnicy). W przypadku niedoboru żelaza lub witaminy $B_{12}$ wymagane jest ich uzupełnienie w organizmie.

## Wrzód żołądka lub dwunastnicy

Wrzód (*ulcus*) stanowi ubytek w obrębie błony śluzowej żołądka lub dwunastnicy drążący do warstwy mięśniowej ich ściany; może być przyczyną krwawienia lub przedziurawienia ściany narządu. Choroba wrzodowa występuje często.

### Dolegliwości

*Objawem wrzodu żołądka* jest uczucie ucisku lub pełności w okolicy żołądka, występujące bezpośrednio po posiłkach.

*Objawy wrzodu dwunastnicy*: Występujące na czczo, w nocy lub dwie godziny po posiłkach bóle o charakterze przewiercania, przecinania, kłucia, zlokalizowane często na obszarze między pępkiem a środkiem prawego łuku żebrowego. Towarzyszą im często wymioty. Często występuje brak apetytu. Pieczenie w dołku podsercowym i dolegliwości towarzyszące opisane w przypadku żołądka drażliwego występują zaledwie u co trzeciej osoby z rzeczywiście rozpoznanym wrzodem. Połowa wrzodów nie daje żadnych dolegliwości i dlatego krwawienie z wrzodu lub jego przedziurawienie może wystąpić bez objawów zwiastunowych.

### Przyczyny

— Dziewięćdziesiąt procent chorych na chorobę wrzodową jest zakażonych bakterią *Helicobacter pylori*.
— Wrodzona skłonność stanowi podłoże do powstania wrzodu w odpowiedzi organizmu na sytuacje obciążające, takie jak: stres w życiu zawodowym i towarzyskim, pośpiech, używanie nikotyny i alkoholu.
— Leki: środki przeciwbólowe zawierające kwas acetylosalicylowy oraz leki przeciwreumatyczne ułatwiają powstawanie i utrudniają gojenie wrzodów. Powstawaniu wrzodów sprzyjają ponadto: glikokortykoidy (→ s. 624), niektóre leki stosowane w zapaleniu oskrzeli i astmie, niektóre leki przeciwwymiotne, przeciw zakażeniom (antybiotyki), przeciwnadciśnieniowe, zmniejszające krzepliwość krwi, przeciwuczuleniowe, przeciwcukrzycowe, niektóre leki nasercowe i krążeniowe oraz przeciwgrzybicze.
— Ciężkie wypadki lub operacje mogą w ciągu kilku godzin spo-

wodować powstanie wrzodu (jest to tak zwany wrzód stresowy).

### Ryzyko zachorowania

Wrzód trawienny występuje w ciągu życia u dwóch spośród stu osób. Ryzyko zachorowania wzrasta w przypadku:

— Wykonywania bardzo ciężkiej pracy, pracy na akord, przy taśmie lub pracy zmianowej i przy nieregularnym odżywianiu się; zatrudnienia w zawodach z dziedziny transportu i komunikacji; pracy w zakładach chemicznych, przemyśle przetwórstwa metali oraz u operatorów maszyn zawodowo narażonych na substancje toksyczne.
— Po wygojeniu wrzodu ryzyko jego ponownego powstania wynosi około osiemdziesięciu pięciu procent i jest znacznie wyższe u palaczy tytoniu niż u osób niepalących.

### Możliwe następstwa i powikłania

— Na skutek bliznowacenia może dojść do zwężenia (stenozy) odźwiernika, czego następstwem jest uczucie pełności, utrata apetytu i znaczny spadek wagi.
— Nieleczony wrzód może przedziurawić ścianę żołądka czy dwunastnicy lub krwawić. Sytuacja taka stanowi zagrożenie życia i wymaga natychmiastowego leczenia operacyjnego. Ryzyko zgonu z powodu wrzodu znacznie zmniejszyło się w ostatnich latach, gdyż dzięki nowym lekom (leki blokujące wydzielanie kwasu; preparaty bizmutu) zmniejszyła się nawrotowość choroby.
— Uporczywie nawracający wrzód żołądka (uwaga ta nie dotyczy wrzodu dwunastnicy) wiąże się ze zwiększonym ryzykiem zachorowania na raka żołądka.

### Zapobieganie

— Nie zażywaj środków przeciwbólowych bez zaleceń lekarza.
— Z umiarem rozkoszuj się stymulatorami wydzielania kwasu: alkoholem, kawą, herbatą, nikotyną i owocami cytrusowymi.
— Gdzie tylko to możliwe, unikaj stresu, lęku i konfliktów.

### Kiedy do lekarza?

Gdy uporczywie nawracają niejasnego charakteru bóle w nadbrzuszu i inne opisane wyżej dolegliwości.

### Jak sobie pomóc

— Zaprzestań palenia tytoniu (→ Palenie tytoniu, s. 740), pozwól sobie na odpoczynek, spróbuj się „wyłączyć".
— Nie pij wysokoprocentowych alkoholi, w szczególności na pusty żołądek.
— Nie zażywaj leków działających uszkadzająco na żołądek, jeśli nie są niezbędne. Prowadzenie dziennika dolegliwości pomaga lekarzowi uzyskać wgląd w skuteczność i działania uboczne leków.
— Herbatki z rumianku, melisy lub mięty mogą złagodzić bóle wrzodowe (→ Żołądek drażliwy, s. 362).
— Do środków domowych o sprawdzonej skuteczności należy macerat z siemienia lnianego lub wyciśnięty na zimno sok z surowej białej kapusty.
— Wilgotne ciepłe kompresy i okłady w miejscu występowania dolegliwości (→ Środki domowe, s. 640).

## Natychmiast do lekarza

*W krwotoku z górnego odcinka przewodu pokarmowego występują*: nudności, wymioty o wyglądzie fusów od kawy lub krwiste, czarny stolec wydzielający charakterystyczną woń. Przy dużej utracie krwi szybko rozwija się wstrząs!

*Przy przedziurawieniu ściany żołądka lub dwunastnicy spowodowanym owrzodzeniem występuje*: ból brzucha kojarzący się z pchnięciem nożem, zlewne poty, szybkie tętno; wstrząs rozwija się po około sześciu godzinach!

— Akupresura (→ s. 660).
— Powinieneś jeść to, co ci służy, unikać zaś potraw, które, jak wiesz z doświadczenia, szkodzą. Korzystna jest pełnowartościowa zróżnicowana dieta (→ Żywienie, s. 704). Osoby cierpiące na wrzód żołądka mogą zachować tradycyjny układ trzech posiłków dziennie. Natomiast chorzy na wrzód dwunastnicy powinni rozdzielać posiłki na kilka małych porcji oraz unikać jedzenia późno wieczorem.
— Powinieneś przemyśleć i zmienić swój styl i sytuację życiową, unikając gniewu, lęku i zdenerwowania. Pierwszym krokiem w tym kierunku może być opanowanie technik relaksacyjnych (→ s. 665), następnym zaś rozprawienie się z problemami twego wnętrza — poprzez psychoterapię (→ s. 670).

*Leczenie lekami*
Ponad jedna trzecia wrzodów goi się spontanicznie. Leczenie ma dwa cele: wygojenie wrzodu i zapobieganie nawrotom.

Środki hamujące wydzielanie kwasu (blokery receptorów $H_2$) szybko znoszą ból; w dziewięciu na dziesięć przypadków umożliwiają wygojenie wrzodu najpóźniej po ośmiu tygodniach; przy stałym pobieraniu mogą zapobiegać tworzeniu nowych wrzodów. Wszystkie $H_2$-blokery działają podobnie dobrze.

Jako środki rezerwowe do krótkotrwałego intensywnego leczenia służą leki hamujące pompę protonową, jak omeprazol, np. Losec, Antra, Gastroloc. Stosowane przewlekle są czynnikiem ryzyka.

Jeśli z powodu objawów ubocznych nie można stosować leków hamujących wydzielanie kwasu, wyjściem alternatywnym są leki zawierające pirenzepinę bądź środek osłaniający błonę śluzową Sucralfat (Ulcogant). Środki te są przyjmowane rano i wieczorem pół godziny przed jedzeniem. Pomocny może być także lek Proglumid (Milid), hamujący nadmierne wydzielanie gastryny. Przeciw bólom żołądkowym i do leczenia wrzodów (a nie zapobiegawczo) skuteczne są środki neutralizujące kwas. Zażywa się je po jedzeniu trzy razy dziennie. Spośród znanych preparatów najmniej objawów ubocznych wywołują zawierające glin i magnez.

Przy zakażeniu bakteriami *Helicobacter pylori* najszybciej dochodzi do wyleczenia przez stosowanie preparatów bizmutu, jak Jatrox, Telen, Bismofalk, DeNol, Gastisol, w kombinacji z antybiotykami, jak tetracyklina, klaritromycyna, i metronidazolem oraz blokerami receptorów $H_2$. Długotrwałe stosowanie bizmutu zwiększa jednak ryzyko ciężkich zaburzeń centralnego układu nerwowego. Jeśli uda się usunąć *Helicobacter pylori*, nawroty prawie nie pojawiają się.

*Leczenie operacyjne*
Tylko rzadko jest konieczne:
— Krwawienie z wrzodu lub jego przedziurawienie wymaga najczęściej leczenia operacyjnego.
— Wskazaniem do operacji jest też uporczywa nawrotowość wrzodu, występująca mimo systematycznego stosowania leków i technik relaksacyjnych.
— Celowość leczenia operacyjnego należy rozważyć również wtedy, gdy w ciągu trzech miesięcy nie następuje całkowite wygojenie wrzodu żołądka (zachodzi podejrzenie raka).
Stosuje się następujące techniki operacyjne:
— Częściowe wycięcie żołądka. Za pomocą różnych nazw poszczególnych operacji lekarze określają zakres wycięcia żołądka i sposób jego połączenia z dwunastnicą lub jelitem cienkim. Częściowe wycięcie żołądka pociąga za sobą szereg możliwych następstw: biegunki, nadmiernie szybkie opróżnienie żołądka, spadek wagi, refluks i zanik błony śluzowej żołądka (często występujący po operacji typu Billroth-II). Z tego powodu częściowe wycięcie żołądka stosuje się powściągliwie.
— Przecięcie nerwów błędnych (wagotomia). W czasie tzw. wagotomii wysoko wybiórczej przecięciu podlegają jedynie gałązki nerwowe wpływające na wydzielanie kwasu. Metoda ta jest uważana za najbardziej godną polecenia w przypadku wrzodu dwunastnicy i położonego w pobliżu odźwiernika.

*Po operacji*
Upływa nieco czasu, zanim możliwy jest powrót do normalnego życia.

Wspomniany okres cierpliwego oczekiwania można korzystnie spożytkować na przykład na przyswojenie sobie technik relaksacyjnych (→ Relaks, s. 664). Osoby po przebytej operacji żołądka mogą w zasadzie do woli jeść i pić, jedynie alkohol powinny traktować z rezerwą.

### Leki wiążące kwas solny

| | | |
|---|---|---|
| Alugastrin | Maalox 70 | Riopan |
| Gelusil Suspension | Maaloxan | Talcid |

### Leki hamujące wydzielanie kwasu solnego

| | | |
|---|---|---|
| Altramet | Neutromed | Sostril |
| Cimetag | Pepdul | Ulsal |
| Ganor | Ranigast | Zantic |

### Leki hamujące pompę protonową

| | | |
|---|---|---|
| Lanzoprazol | Pantoprazol | Omeprazol (Losec) |

### Preparaty zawierające pirenzepinę

| | |
|---|---|
| Gastrozepin | Ulcoprotect |
| Pirenzepina produkowana pod różnymi nazwami preparatów | Ulgescum |

Odczuwane krótko po wagotomii zaburzenia połykania i uczucie pełności ustępują samoistnie.

Po przebytym częściowym wycięciu żołądka wskazane jest jedzenie w małych porcjach, wielokrotnie w ciągu dnia.

## Rak żołądka

(→ Nowotwory złośliwe, s. 437)

### Dolegliwości

Rak żołądka jest przez dłuższy czas ograniczony do błony śluzowej żołądka, a następnie nagle zaczyna się rozrastać. Jeśli występują dolegliwości, są one podobne do opisanych w przypadku żołądka drażliwego. Jedynie wstręt do mięsa jest typowym objawem raka żołądka. Uczucie ucisku i pełności może się nasilać, później występuje utrata apetytu i szybki spadek wagi. Wystąpić mogą fusowate wymioty i smolisty stolec o charakterystycznym zapachu podobny do tego, jaki obserwuje się w przypadku krwawienia z wrzodu żołądka.

### Przyczyny

Przyczyny powstawania raka żołądka nie zostały do końca wyjaśnione. Pewne jest, że ryzyko zachorowania na raka żołądka zwiększa palenie tytoniu i spożywanie alkoholu. Nitrozoaminy (zawarte np. w wędzonych produktach spożywczych) i substancje toksyczne, które powstają przy przypalaniu tłuszczów (wielopierścieniowe węglowodory aromatyczne) mogą wywoływać raka żołądka. Do czynników potencjalnie wywołujących raka należą także substancje toksyczne (aflatoksyny) wytwarzane przez pleśnie występujące na zepsutych produktach spożywczych. Prawdopodobnie współdziałają także bakterie *Helicobacter pylori*.

### Ryzyko zachorowania

Rak żołądka jest jednym z najczęściej występujących nowotworów. Rozwija się zwykle po czterdziestym roku życia. Ryzyko zachorowania na raka żołądka jest zwiększone:

— przy skłonności rodzinnej,
— u osób, u których występuje zanik błony śluzowej żołądka,
— przy narażeniu na stres,
— w przypadku wrzodów żołądka,
— po częściowym wycięciu żołądka typu Billroth-II.

### Możliwe następstwa i powikłania

Przy odpowiednio wczesnym wykryciu i leczeniu operacyjnym raka żołądka okres przeżycia chorych nie różni się od wyliczonego dla osób zdrowych. Po usunięciu guza nowotworowego w stadium zaawansowanym szansę przeżycia pięcioletniego ma jedynie co ósmy chory. Rak żołądka jest często przeoczany i operowany zbyt późno. Z tego powodu dramatycznie maleją szanse na przeżycie dłużej niż pięć lat. W Polsce na raka żołądka rocznie umiera 10 na 100 000 kobiet i 26 na 100 000 mężczyzn.

### Zapobieganie

— Zaprzestań palenia tytoniu i ogranicz spożycie alkoholu (→ Używki, s. 740).
— Unikaj nadwagi oraz ogranicz w swoim jadłospisie ilość mięsa, drobiu i pokarmów bardzo tłustych (→ Żywienie, s. 704).
— Unikaj mięsa wędzonego, peklowanego i mocno spieczonego

nad płomieniem (z rusztu), gdyż w tych postaciach może być ono rakotwórcze. Nie dopuszczaj, by tłuszcz „dymił" w czasie pieczenia.

— Z zasady nie jedz żadnych produktów spożywczych pokrytych pleśnią (z wyjątkiem kultur pleśniowych występujących na serach). Sprawdzaj, czy orzechy są świeże, gdyż na nich trudno jest zobaczyć pleśń.

### Kiedy do lekarza?

— Gdy dolegliwości związane z żołądkiem rzekomo drażliwym (*gastritis*) utrzymują się dłużej niż przez cztery tygodnie. Lekarz powinien wówczas wykonać badanie endoskopowe i pobrać w razie potrzeby wycinki (→ Panendoskopia, s. 612).
— W przypadku zanikowego zapalenia żołądka i wrzodu żołądka zachodzi konieczność systematycznej kontroli endoskopowej.

### Jak sobie pomóc

Samemu nie można.

### Leczenie

Niezbędna jest wczesna operacja. W zależności od wielkości guza usuwa się mniejszą lub większą część żołądka. Pozostały kikut żołądka łączy się z jelitem cienkim. Opisany zabieg jest co prawda dość rozległy, ale nawet po usunięciu całego żołądka możliwe jest prowadzenie normalnego trybu życia. Musi jednak upłynąć kilka miesięcy, zanim ponownie stanie się możliwe spożywanie — w małych porcjach — normalnych potraw i ich prawidłowe trawienie. W przypadku niedoboru witamin, soli mineralnych i składników odżywczych można je uzupełniać pod postacią preparatów leczniczych.

Po operacji zabronione jest palenie tytoniu, picie alkoholu i stosowanie innych używek.

Pacjenci powinni wraz z zespołem leczącym ustalić, które zabiegi są celowe i konieczne, by codzienne życie było znośne, oraz ustalić program łagodzenia dolegliwości. Psychoterapia, a także grupy samopomocowe mogą wspierać proces leczenia. Medycyna alternatywna może poprawić samopoczucie, lecz nie hamuje rozrostu nowotworu.

## WĄTROBA, ŻÓŁĆ, TRZUSTKA

Większa część wątroby leży w prawym nadbrzuszu przed żołądkiem, lewy płat za nim, trzustka jeszcze bardziej w tyle. Wątroba, będąca największym gruczołem w ustroju, spełnia różne funkcje:

*W zakresie trawienia*: wątroba wytwarza do jednego litra żółci na dobę i wydala ją przez przewód żółciowy do dwunastnicy. Kwasy żółciowe pomagają w rozkładaniu tłuszczów pokarmowych tak, by śluzówka jelit mogła je wchłonąć, a wraz z nimi rozpuszczalne w tłuszczu witaminy. W przerwach między fazami trawienia otwór prowadzący do dwunastnicy jest zamknięty i płyn żółciowy gromadzi się w pęcherzyku żółciowym. W chwili gdy w związku z trawieniem pojawia się zapotrzebowanie na żółć, następuje skurcz pęcherzyka żółciowego i żółć dociera do dwunastnicy.

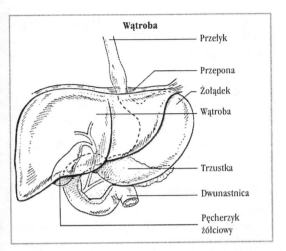

Wątroba
— Przełyk
— Przepona
— Żołądek
— Wątroba
— Trzustka
— Dwunastnica
— Pęcherzyk żółciowy

*W zakresie układu krwiotwórczego*: jeszcze przed urodzeniem tu powstają czerwone i białe ciałka krwi. Przez całe życie człowieka wątroba rozkłada stare ciałka krwi, gromadzi żelazo itp. W przemianie materii wątroba „kontroluje" krew pod względem zawartości „obcych ciał", ewentualnie odtruwa je. Z oczyszczanej krwi wątroba przejmuje nadające się do metabolizacji związki, przetwarza wchłonięte białko w białko własne, wbudowuje w nie cukier i za pośrednictwem krwi dostarcza produkty odżywcze do komórek. Produkt rozkładu białka, jakim jest mocznik, krew transportuje do nerek, które wydalają go wraz z moczem.

*W zakresie gospodarki hormonalnej*: wątroba wytwarza produkty wyjściowe dla hormonów płciowych i dla tłuszczów ustrojowych. Jako organ o tak wielorakich zadaniach wątroba jest oczywiście nieodzowna do życia i dlatego charakteryzuje się ona zadziwiającą zdolnością do regeneracji. Nawet po usunięciu dwóch trzecich masy wątroby, zdrowa jej reszta może z powodzeniem spełniać zadania całego narządu. Jeżeli jednak dojdzie do całkowitego zniszczenia wątroby, pozostaje tylko jedna szansa: transplantacja narządu. Przeprowadzenie zabiegu transplantacji wątroby jest niezwykle trudne. Trzustka również wytwarza soki trawienne, zawierające fermenty (enzymy). Docierają one u większości osób przewodem żółciowym do dwunastnicy. W nielicznych przypadkach przewód trzustkowy biegnie oddzielnie. O funkcji trzustki jako gruczołu wytwarzającego hormony → Cukrzyca, s. 449.

## Żółtaczka

Żółtaczka sama w sobie nie jest chorobą, lecz objawem różnych schorzeń, najczęściej wątroby lub żółci. Skóra, śluzówki i twardówki oczu ulegają zażółceniu, ponadto żółtaczce towarzyszy zwykle świąd skóry.

Odcień zażółcenia wskazuje na chorobę podstawową:
— zabarwienie pomarańczowe: uszkodzenie wątroby (→ Zapalenie wątroby, s. 370, → Marskość wątroby, s. 371);
— zabarwienie zielonkawe: zastój żółci (→ Kamica żółciowa, s. 373).

## Zatrucie wątroby

### Dolegliwości

Przy zatruciu wątroby w wyniku spożycia alkoholu lub stosowania leków przez długi czas nie ma żadnych typowych objawów aż do chwili wystąpienia żółtaczki. Po spożyciu grzybów trujących żółtaczka występuje nagle, po zjedzeniu muchomora sromotnikowego — najczęściej po upływie dwudziestu czterech godzin.

### Ryzyko zachorowania

Najczęstszym schorzeniem „centrali odtruwającej", jaką jest wątroba, bywa zatrucie.

### Przyczyny, możliwe następstwa i powikłania

*Alkohol*: → Marskość wątroby, s. 371.

*Leki*: stanowią istotną przyczynę chorób wątroby. Przy dużych dawkach mogą wywierać bezpośrednie działanie trujące. Jednakże w przypadku osób wrażliwych leki mogą szkodzić niezależnie od stosowanej dawki. Większość uszkodzeń wątroby spowodowana jest lekami przeciwbólowymi i przeciwreumatycznymi. I tak np. lek przeciwbólowy paracetamol, stosowany w dawkach ponad dziesięć do piętnastu gramów, może w ciągu pięciu dni po zażyciu doprowadzić do ostrej niewydolności wątroby. W przypadku alkoholików ta ilość leku może doprowadzić do śmierci. Paracetamol może również spowodować rozwój przewlekłego uszkodzenia wątroby.

Środki stosowane w psychozach (fenotiazyny), leki przeciwdepresyjne (trójcykliczne leki przeciwdepresyjne), leki przeciwreumatyczne (fenylbutazon) i przeciwbakteryjne (erytromycyna) mogą spowodować uszkodzenia wątroby, przypominające marskość, lecz dające się całkowicie wyleczyć. Hormonalne środki antykoncepcyjne mogą wywołać zastój żółci i powstawanie łagodnych guzów wątroby.

Związki stosowane w narkozie (halotan, metoksyfluran, enfluran) mogą po kilkakrotnym zastosowaniu wywołać ciężkie zapalenie wątroby po upływie kilku dni po zastosowaniu narkozy. W wielu przypadkach zapalenie to może doprowadzić do śmierci. Lek przeciwgruźliczy INH (izoniazyd) może nawet rok po zażyciu doprowadzić do powstania zespołu przypominającego zapalenie wątroby. Niektóre leki powodują czasami zaburzenia czynności wątroby. Należą do nich ASS (kwas acetylosalicylowy, lek przeciwbólowy), tetracykliny, sulfonamidy oraz inne preparaty przeciwbakteryjne, antyarytmiczne (chinidyna), uspokajające (wodzian chloralu) moczopędne, nasercowo-krążeniowe (antagoniści wapnia), stosowane przy dnie (allopurynol), przy padaczce (kwas walproinowy) i przeciwrakowe.

*Trucizny*: czterochlorek węgla (stosowany np. w przemyśle tworzyw sztucznych, w metalurgii, w pralniach chemicznych) może — w zależności od wchłoniętej ilości — uszkadzać, a nawet zniszczyć tkankę wątroby. Jad muchomora sromotnikowego może spowodować załamanie funkcji wątroby, a co za tym idzie — śmierć.

### Zapobieganie

Należy zachować umiar w piciu alkoholu. Leki przeciwbólowe

stosować tylko wówczas, gdy nie udaje się w inny sposób złagodzić bólu lub też gdy środek został zlecony przez lekarza. Przy styczności z truciznami w pracy należy przestrzegać przepisów bhp (→ Substancje toksyczne w środowisku pracy, s. 787). Gdy samemu zbiera się grzyby, należy poddać je kontroli osoby kompetentnej lub też spożywać je tylko wówczas, gdy ma się stuprocentową pewność, że nie są trujące.

### Kiedy do lekarza?
Gdy wystąpią objawy żółtaczki (→ s. 369), należy natychmiast przewieźć chorego do szpitala.

### Jak sobie pomóc
Samemu nie można.

### Leczenie
Terapia stosowana przy stłuszczeniu wątroby może doprowadzić do znacznej poprawy, podobnie jak w zatruciu wątroby spowodowanym nadużyciem alkoholu lub lekami. Jednakże przy przewlekłym zatruciu wątroby nie ma szans na wyleczenie, a perspektywę przeżycia stwarza jedynie stosowanie metod intensywnej terapii. W zatruciach spowodowanych muchomorem sromotnikowym stosuje się kroplówki zawierające duże dawki sylimaryny (Legalon i Sylimarol).

## Stłuszczenie wątroby

### Dolegliwości
Mimo że „stłuszczona" wątroba zawsze jest powiększona, nie sprawia na ogół dolegliwości. Niekiedy pacjent ma uczucie pełności i lekkich mdłości. W rzadkich przypadkach występują bóle pod prawym łukiem żebrowym.

### Przyczyny
Stłuszczenie wątroby nie ma związku z tłustym odżywianiem się. Przyczyny schorzenia są następujące:
— Alkoholizm (→ s. 198).
— Zatrucie licznymi chemikaliami i lekami.
— Cukrzyca.
— Kilka rzadkich wrodzonych schorzeń przemiany materii.
— Ciąża.
— Stosowanie przez dłuższy czas jednostronnej, bogatej w węglowodany i ubogiej w tłuszcze diety.
— Nadwaga.

### Ryzyko zachorowania wzrasta
W wyniku częstego i obfitego spożywania alkoholu oraz jednostronnego, bogatego w węglowodany odżywiania się.

### Możliwe następstwa i powikłania
Stłuszczenie wątroby jest na ogół nieszkodliwe i może ustąpić samoistnie. Tylko wówczas, gdy przyczyną stłuszczenia jest zatrucie, może nastąpić dalsze uszkodzenie wątroby. Ostre postacie stłuszczenia, będące wynikiem ekscesów alkoholowych, stanowią zagrożenie życia.

### Zapobieganie
Higieniczny tryb życia, racjonalne odżywianie, rzadkie spożywa-

nie alkoholu, stosowanie leków tylko w przypadku istotnej potrzeby, unikanie chemikaliów.

### Kiedy do lekarza?
Gdy podejrzewa się stłuszczenie wątroby.

### Samopomoc i leczenie
Nie ma potrzeby stosowania leków z wyjątkiem wrodzonego zaburzenia przemiany tłuszczów. Należy zmniejszyć o połowę ilość spożywanych potraw węglowodanowych.
Zupełne odstawienie alkoholu może doprowadzić do cofnięcia stłuszczenia.

## Zapalenie wątroby

### Dolegliwości
Wczesnym, ostrzegawczym objawem zapalenia wątroby są bóle pod prawym łukiem żebrowym. Początek schorzenia przypomina grypę: osłabienie, ból głowy, niekiedy bóle stawów, często nudności z pobudzeniem do wymiotów, wstręt do potraw mięsnych i tłuszczów, do alkoholu i papierosów, zaparcie, biegunki i wzdęcia. Na skutek lekkiego powiększenia wątroby występują bóle w prawym podżebrzu. Często pojawia się lekka gorączka i swędząca, pokrzywkowata wysypka. W drugiej fazie choroby żółkną twardówki oczu i skóra, ciemnieje mocz. Gorączka spada do normy. Następuje odbarwienie stolca. Niekiedy powiększają się węzły chłonne karkowe oraz śledziona. Żółtaczka nasila się zwykle przez pierwsze trzy tygodnie. W rzadkich przypadkach zapalenie wątroby przebiega bez objawów żółtaczkowych. Jeżeli nie zostanie rozpoznane, istnieje niebezpieczeństwo zakażenia otoczenia.

### Przyczyny
Wirusy, bakterie, pasożyty i leki. Często jednak przyczyny są nieznane. Wirusy wywołujące zapalenie wątroby są określane jako A, B, C, D, E, F i G. Niekiedy wirusy te wymagają dłuższego czasu, aby się „zagnieździć" i wywołać objawy choroby:
— Wirus A (*Hepatitis* A — wirusowe zapalenie wątroby typu A) trwa od sześciu do pięćdziesięciu dni.
— Wirus B (*Hepatitis* B — wirusowe zapalenie wątroby typu B) trwa do pół roku.
— Wirusy C, D, E i inne nie są dostatecznie poznane.

Również inne wirusy, na przykład wirus wywołujący świnkę, mononukleozę zakaźną, opryszczkę (*Herpes simplex*) i ospę wietrzną, mogą spowodować zapalenie wątroby.
Istnieją dwie główne drogi zakażenia:
*Wirusowe zapalenie wątroby typu A* — na drodze pokarmowej, np. przez wodę, napoje i potrawy, zwłaszcza owoce morza, zanieczyszczone moczem lub kałem; przez bliski kontakt (nakrycia stołowe, korzystanie z toalety) z osobami zakażonymi. Epidemie wywoływane są często przez muchy, które przenoszą zarazki.
*Wirusowe zapalenie wątroby typu B i C* — poprzez krew. Wrotami zakażenia mogą być mikroskopijne uszkodzenia skóry, do których wnika zakażona ślina, mocz, stolec, śluz z pochwy, nasienie, krew lub osocze. Ryzyko zakażenia jest wyjątko-

wo duże przy stosunkach płciowych. Rzadziej dochodzi do infekcji przy zabiegach lekarskich, leczeniu dentystycznym lub także ozonem, przy wykonywaniu tatuażu czy akupunktury niezdezynfekowanymi igłami lub przy wykonywaniu manicure albo pedicure. Zakonserwowana krew badana jest na obecność wirusów wywołujących zapalenie wątroby. Wirusy C są główną przyczyną zakażeń transfuzyjnych.

Osoby zakażone, jeszcze nawet przed stwierdzeniem u siebie choroby, mogą ją przenosić. Zarazki mogą niekiedy zachować się w krwi jeszcze przez trzy miesiące po wyleczeniu pacjenta.

## Ryzyko zachorowania

Lekarze, pielęgniarki, laborantki są narażeni, jeżeli mają kontakt z zakażoną krwią lub jej przetworami albo z zakażonym stolcem. Ryzyko zachorowania wzrasta przy pracy w szpitalach, w ośrodkach dializy i oddziałach rakowych. Chorzy otrzymujący krew konserwowaną (chorzy na hemofilię), nie są już tak bardzo narażeni od czasu, gdy istnieją metody wykrywania wirusa. Narkomani i homoseksualiści obciążeni są dość dużym ryzykiem. Wirusowe zapalenie wątroby typu B jest bardzo rozpowszechnione w południowo-wschodniej Azji, w krajach położonych na południe od Sahary i w rejonie Amazonki. Informacje na temat szczepień → s. 637.

## Możliwe następstwa i powikłania

*Ostre zapalenie wątroby*: w rzadkich przypadkach ostre zapalenie wątroby prowadzi do dramatycznego pogorszenia. Po dużej senności następuje zamroczenie świadomości, potem utrata przytomności. Po upływie kilku dni następuje zgon. Przyczyny tego procesu nie zostały do tej pory wyjaśnione. Najczęściej proces ten dotyczy alkoholików. Ostre zapalenie wątroby typu B może w 10-15%, natomiast zapalenie typu C w co trzecim przypadku przejść w stan chroniczny. Najczęściej zdarza się to w przypadku osób starszych i ozdrowieńców.

*Przewlekłe zapalenie wątroby*: często przebiega bez żółtaczki i może trwać przez wiele lat. Jeżeli przyczyną przewlekłego zapalenia wątroby są leki, choroba może ustąpić samoistnie po ich odstawieniu. Gdy przewlekłe zapalenie wątroby zostało wywołane wirusem typu B lub C i D, schorzenie może przejść w marskość wątroby (→ poniżej). Defekty w układzie odpornościowym odpowiedzialne są za agresywną postać przewlekłego zapalenia wątroby, przy której następują nawroty żółtaczki i która rzadko cofa się, prowadząc najczęściej do marskości i/lub niewydolności wątroby.

## Zapobieganie

*Hepatitis A*: przestrzeganie higieny przy jedzeniu i piciu, jak również higieny ciała (→ Podróżowanie, s. 699). Istnieje możliwość uodpornienia biernego przy zastosowaniu gammaglobuliny (→ s. 637).

*Hepatitis B*: istnieje skuteczne szczepienie (→ s. 637).

*Hepatitis B i C*: wykonywać zabiegi lekarskie i przetoczenie produktów krwi tylko w razie konieczności. Przed zaplanowanymi operacjami przygotować konserwę z własnej krwi chorego. Przy stosunkach płciowych używać prezerwatyw. Nie tatuować się, nie wstrzykiwać narkotyków.

## Kiedy do lekarza?

Gdy pogarsza się ogólne samopoczucie i wystąpi żółknienie moczu, skóry i białkówek oczu.

## Jak sobie pomóc

Z chwilą rozpoznania choroby należy, z uwagi na możliwość zakażenia innych osób, unikać bliskiej z nimi styczności. Zwracać uwagę na zachowanie czystości, gdyż mocz, stolec, ślina i krew mogą przenieść chorobę. Konieczne jest wygotowywanie pościeli, ręczników, chustek do nosa itp. Kto mieszka razem z osobą wykazującą obecność przeciwciał anty-B, musi liczyć się z zakażeniem przy stosunku płciowym. Możliwość taka jest nawet większa niż w przypadkach zakażenia AIDS. Należy całe życie używać kondomu lub zaszczepić się i okresowo badać odporność, oznaczając poziom przeciwciał. W razie ich spadku należy się doszczepiać.

## Leczenie

Zapalenie wątroby musi być potwierdzone badaniem krwi. Już w początkach choroby można odróżnić poszczególne jej postacie. Nie istnieje możliwość leczenia przyczyn choroby. W większości przypadków ostry proces cofa się samoistnie w ciągu czterech do sześciu tygodni. Leżenie nie jest konieczne, jednakże wskazany jest wypoczynek do chwili spadku gorączki i poprawy wyników laboratoryjnych. Potem można podjąć zwykłą pracę.

W dziewięciu na dziesięć przypadków po upływie trzech do czterech miesięcy następuje całkowite wyleczenie choroby, przy zapaleniu wątroby typu A — prawie zawsze. Badania krwi należy jednak przeprowadzać do pełnej normalizacji ich wyników.

*Dieta*: brak łaknienia występujący na początku choroby mija zwykle po upływie kilku dni. Przebieg drugiej fazy schorzenia można skrócić — wbrew dawniej panującym poglądom — przez zastosowanie diety bogatej w tłuszcze i białko.

Zapalenie wątroby typu B i C można leczyć interferonem.

# Marskość wątroby

## Dolegliwości

Często osoby chore na marskość wątroby nie mają żadnych objawów. Wyglądają i czują się dobrze. Tylko od czasu do czasu bywają osłabione, mają anemię i czują się nieswojo.

— Odczuwają drętwienie stóp i palców rąk, na skórze pojawiają się drobniutkie naczynia krwionośne (pajączki).

— Twarz bywa często blada, o „brudnawym" odcieniu.

— Zanika apetyt, chorzy tracą na wadze.

— Mężczyźni obserwują u siebie powiększenie się sutków, ponieważ wątroba niedostatecznie unieczynnia hormony żeńskie, istniejące również w organizmie męskim. Jądra kurczą się, maleje popęd płciowy i potencja.

— W późniejszych stadiach choroby wypadają włosy pod pachami i na wzgórku łonowym

Na początku choroby wątroba jest powiększona (→ Stłuszczenie wątroby, s. 370), potem kurczy się. Dolegliwości występują zwykle dopiero po ukończeniu trzydziestego roku życia, a po czterdzieste pojawiają się ciężkie uszkodzenia wątroby, spowodowane długotrwałą chorobą.

## Przyczyny

— Wieloletnie nadużywanie alkoholu. Często występuje wówczas żółtaczka. Alkohol nasila istniejącą już marskość wątroby spowodowaną innymi przyczynami.
— Środki odurzające, środki czyszczące i różne leki.
— Marskość wątroby nierzadko bywa następstwem zapalenia wątroby typu B lub C, niewydolności serca lub zapalenia dróg żółciowych.
— Wrodzone choroby przemiany żelaza, miedzi i tłuszczów.

## Ryzyko zachorowania

Co trzeci mężczyzna musi liczyć się z marskością wątroby, jeżeli przez ponad dwadzieścia lat codziennie pije do 100 gramów alkoholu. Odpowiada to około czterech do siedmiu butelek piwa lub jednej butelce wina, albo 0,2 do 0,5 litra wódki (→ Alkohol, s. 742). W przypadku kobiet obowiązuje to samo z tym, że granica szkodliwości wynosi już 34 do 40 gramów alkoholu dziennie. Alkoholikom wydaje się, że dobrze tolerują alkohol. Jest to pogląd równie błędny jak opinia, że są osoby jakoby mniej wrażliwe na szkodliwe działanie leków (np. uspokajających i antybiotyków). Stosowanie tych środków może wpłynąć dodatkowo na uszkodzenie wątroby.

## Możliwe następstwa i powikłania

— Krwotoki z przełyku. Przy zastoju w dorzeczu żyły wrotnej powstają żylaki przełyku. Jeśli w tych żylakach nastąpi wzrost ciśnienia, może dojść do ich pęknięcia, czego wynikiem będzie krwotok. Zwymiotowana krew ma kolor jasnoczerwony. Stan ten zagraża życiu i chory musi znaleźć się w szpitalu. Leczenie polega na natychmiastowej obliteracji żylaków. Spośród chorych na marskość wątroby 30-50% umiera z powodu krwotoku z żylaków przełyku i towarzyszącej mu śpiączki wątrobowej.
— Puchlina brzuszna: powstaje z powodu zaburzeń gospodarki wodnej i objawia się powiększeniem brzucha oraz bolesnym uciskiem w jamie brzusznej.
— Zaburzenia przytomności i lęki (majaczenie alkoholowe, śpiączka wątrobowa).
— Guzki krwawnicze (→ s. 389).
— Rak wątroby (→ poniżej).
  Nieleczona marskość wątroby prowadzi do śmierci w wyniku załamania się wszystkich funkcji wątroby (śpiączka wątrobowa), masywnych krwotoków z żylaków przełyku lub niewydolności nerek.

## Zapobieganie

Prowadzenie zdrowego trybu życia: nienadużywanie alkoholu, stosowanie leków tylko w razie konieczności, unikanie styczności ze środkami chemicznymi.

## Kiedy do lekarza?

Przy pierwszych objawach choroby wątroby. Badania krwi ustalają przyczynę i stopień uszkodzenia narządu. Kto chce skontrolować stan swej wątroby, może poprosić lekarza o zbadanie enzymów wątrobowych (AlAT, AspAT, Gamma-GT → Oznaczanie enzymów we krwi, s. 604).

## Jak sobie pomóc

Zupełne wykluczenie alkoholu. Dieta uboga w tłuszcze, obfitująca w witaminy i środki odżywcze ułatwia proces zdrowienia (→ Żywienie, s. 704).

## Leczenie

Obumarłe komórki wątrobowe są stracone raz na zawsze. Jeżeli jednak rozpoznanie choroby nastąpiło jeszcze przed początkiem bliznowacenia i alkohol został natychmiast definitywnie odstawiony, istnieje możliwość samoistnej regeneracji wątroby.

Leczenie marskości wątroby za pomocą leków jest prawie niemożliwe. Jednak mogą one pomagać w zwalczaniu następstw. W przypadku lekkiej śpiączki wątrobowej stosuje się infuzje roztworów odżywczych. Lżejsze krwotoki z żylaków przełyku można zatrzymać operacyjnie. Puchlinę brzuszną i zaburzenia elektrolitowe leczy się środkami moczopędnymi (→ s. 307). Postępująca marskość wątroby zagraża życiu. Ostatnią szansą ratunku może być przeszczepienie wątroby. Jednak tę skomplikowaną operację wykonuje się w niewielu tylko ośrodkach, a jej efekty są — jak dotąd — skromne.

## Rak wątroby

(→ Nowotwory złośliwe, s. 437)

## Dolegliwości

Rak wątroby właściwie nie powoduje typowych dolegliwości. Wskazówką może być utrata wagi ciała, brak apetytu, bóle w prawym nadbrzuszu, pogorszenie stanu ogólnego i niewielka gorączka. Wątroba jest powiększona, twarda i bolesna przy ucisku.

## Przyczyny

— Zwykle w następstwie marskości wątroby.
— Aflatoksyna — produkt rozpadu pleśni występującej na spleśniałych produktach żywnościowych.
— Następstwo zakażenia wirusem zapalenia wątroby typu B lub C.
— Rzadko zezłośliwienie guza wątroby wywołanego stosowaniem środków antykoncepcyjnych.

## Ryzyko zachorowania

W porównaniu z Afryką i z Azją Południowo-Wschodnią w Europie rak wątroby jest schorzeniem rzadkim, stanowiąc zaledwie 0,5% wszystkich rodzajów nowotworów złośliwych. Jednak osoba cierpiąca na przewlekłe zapalenie wątroby typu B lub C narażona jest na stokrotnie większe ryzyko zachorowania na raka wątroby.

## Możliwe następstwa i powikłania

Z uwagi na to, że rak wątroby bywa zwykle wykrywalny w zaawansowanym stadium choroby, prowadzi szybko do zgonu. Jedynie w rzadkich przypadkach raka (*carcinoma fibrolamellare*) występującego u osób młodych, niedotkniętych schorzeniem wątroby, istnieją większe szanse na przeżycie.

## Zapobieganie

Możliwość zapobiegania rakowi wątroby we własnym zakresie jest ograniczona do kilku podstawowych reguł:

— nie należy jeść nadpleśniałych potraw,

— unikać prac związanych z polichlorkiem winylu,

— przy stosunkach płciowych zabezpieczać się prezerwatywami chroniącymi przed zakażeniem wirusowym zapaleniem wątroby typu B lub C.

## Kiedy do lekarza?

Przy podejrzeniu raka wątroby. USG, tomografia komputerowa i rezonans magnetyczny mogą wykryć raka wątroby z dość dużą dokładnością. 75% trafnych rozpoznań daje biopsja wątroby (→ s. 615).

## Jak sobie pomóc

Samemu nie można.

## Leczenie

W rzadkich tylko przypadkach wykrywa się raka wątroby na tyle wcześnie i jest on tak ograniczony, że uzasadniona jest próba zabiegu operacyjnego polegającego na usunięciu nowotworu. Rak wątroby nie reaguje na leczenie energią promienistą. Także rozmaite leki przeciwrakowe nie dają w tym przypadku poprawy. Przy raku wątroby transplantacja nie jest możliwa.

## Kamica żółciowa

### Dolegliwości

Kamienie żółciowe mogą istnieć przez wiele lat, nie powodując dolegliwości. Tylko od czasu do czasu — często po tłustym posiłku — występują niejasne bóle w nadbrzuszu oraz nudności. Silniejsze podrażnienie promieniuje w kierunku pleców.

W pewnym momencie rozwoju choroby pojawia się silna kolka i gwałtowne kurcze w nadbrzuszu, przyjmujące postać niedającego się wytrzymać bólu, który promieniuje w kierunku barku. Bóle te połączone są z wymiotami, poceniem się, zawrotami głowy, często także z gorączką i dreszczami. Te ataki kamicy żółciowej mogą samoistnie ustąpić w ciągu trzech dni, zdarza się jednak, że nawracają w różnych odstępach czasu — co parę dni lub miesięcy.

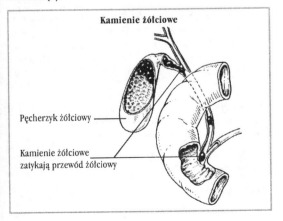

**Kamienie żółciowe**

Pęcherzyk żółciowy

Kamienie żółciowe
zatykają przewód żółciowy

## Przyczyny

Zaburzenia przemiany materii w wątrobie przyczyniają się do tego, że w żółci tworzą się kamienie z cholesterolu lub wapnia. Ich wielkość bywa różna: od ziarnka piasku do orzecha włoskiego, a nawet większa. Gdy kamienie zatkają ujście pęcherzyka żółciowego, przede wszystkim zaczopują przewody żółciowe, wówczas dochodzi do kolki.

Przekarmienie i nadwaga przyczyniają się w istotny sposób do powstawania kamicy żółciowej. Występują one:

— często u kobiet po kilku ciążach, przy stosowaniu środków antykoncepcyjnych;

— często przy przewlekłych zapaleniach pęcherzyka żółciowego (→ s. 374), cukrzycy (→ s. 449) i marskości wątroby (→ s. 371);

— rzadziej przy chorobie Leśniowskiego-Crohna (→ s. 385) i przy wrzodziejącym zapaleniu jelita grubego (→ s. 384).

### Ryzyko zachorowania

Kamica żółciowa należy do najczęściej spotykanych chorób. Cierpią na nią co piąta kobieta i co dziesiąty mężczyzna. Choroba pojawia się najczęściej dopiero po ukończeniu trzydziestego roku życia i w przypadku połowy osób nią dotkniętych przez całe ich życie nie powoduje dolegliwości. Często kamicę żółciową wykrywa się przypadkowo, wykonując zdjęcia rentgenowskie lub badania ultrasonograficzne.

### Możliwe następstwa i powikłania

Kamica żółciowa niesie możliwość powikłań. Jeżeli kamienie żółciowe zaklinują się w przewodach żółciowych, może dojść do żółtaczki i/lub:

— do zapalenia pęcherzyka i/lub przewodów żółciowych (→ s. 374),

— do zropienia pęcherzyka żółciowego,

— do zastoju żółci z wtórnym uszkodzeniem wątroby,

— do zapalenia trzustki (→ s. 375),

— do niedrożności jelita (→ s. 380),

— do raka pęcherzyka żółciowego lub dróg żółciowych (→ s. 374).

### Zapobieganie

Unikanie nadwagi (→ Masa ciała, s. 709).

### Kiedy do lekarza?

Przy powtarzających się lub utrzymujących się kolkach, wysokiej gorączce i żółtaczce.

### Jak sobie pomóc

Przyłożenie termoforu, stosowanie zimnych lub gorących okładów na okolicę pęcherzyka żółciowego mogą złagodzić bóle (→ Środki domowe, s. 640). Pomaga również picie łykami wody.

Czopki przeciwskurczowe (Scopolan, Vegantalgin) mogą złagodzić bóle do chwili kontaktu z lekarzem.

### Leczenie

Po zaaplikowaniu zastrzyku przeciwbólowego lekarz musi ustalić przyczynę kolki. Obecność kamieni żółciowych najłatwiej stwierdzić, posługując się badaniem ultrasonograficznym i cholecystografią (→ s. 611).

*Operacja*

*Operacja pęcherzyka żółciowego*: Wypełniony kamieniami żółciowymi pęcherzyk żółciowy, zwłaszcza gdy jest zapalnie zmieniony i zropiały, należy usunąć w całości. Ryzyko operacji jest najmniejsze wówczas, gdy choroba przebiega jeszcze bez dolegliwości. Dlatego na ogół chirurg wyznacza termin operacji po upływie około sześciu tygodni po ostrej kolce.

Operacja pęcherzyka żółciowego ma przewagę nad wszystkimi innymi metodami leczenia, ponieważ pozwala uniknąć nagłego zabiegu koniecznego w przypadku ostrego powikłania.

Operację pęcherzyka żółciowego przeprowadza się w narkozie. Już na następny dzień po operacji należy na krótko wstać z łóżka. Obecnie stosuje się najczęściej metodę laparoskopową. Od pierwszego dnia po zabiegu można pić, a w trzecim zacząć spożywać pokarmy papkowate. Pobyt w szpitalu trwa około tygodnia. Po operacji nie obowiązują ograniczenia dietetyczne. Można jeść to, co smakuje, do czego jesteśmy przyzwyczajeni i po czym czujemy się dobrze. Jeżeli wystąpią dolegliwości w postaci wzdęć, nudności, uczucia pełności, zaparcia, biegunki itp., należy zastanowić się, czy nie dokuczały one również przed operacją. W większości przypadków dolegliwości te nie mają żadnego związku z zabiegiem. Tylko u 7% osób operowanych zabieg powoduje bóle i pewne problemy (np. zbliznowacenia, uszkodzenia nerwów i naczyń krwionośnych).

*Operacje przewodów żółciowych*: Jeżeli kamienie powstały w przewodach żółciowych, można je usunąć chirurgicznie, zachowując same przewody. Inna metoda polega na wprowadzeniu endoskopu (→ Wziernikowanie narządów wewnętrznych, s. 612), który elektrotermicznie rozszerza ujście przewodu żółciowego (*papillotomia*). Potem specjalnym przyrządem wyciąga się kamienie z przewodu żółciowego. Dolegliwości i zachowanie się pacjenta po powyższym zabiegu są takie same jak po operacji pęcherzyka żółciowego. Zdarza się, że po usunięciu kamieni z przewodów żółciowych powstają tam nowe kamienie. Wówczas konieczny jest ponowny zabieg.

*Kruszenie kamieni*

W specjalnych przypadkach możliwe jest rozbijanie kamieni żółciowych przy użyciu fal dźwiękowych. Ten zabieg stosuje się przy kamieniach znajdujących się w pęcherzyku żółciowym, a także — choć w mniejszym stopniu — w przewodach żółciowych. Natomiast tylko wyjątkowo rozbija się kamienie usytuowa-

---

## Dieta w kamicy żółciowej

Dieta papkowata z sucharkami i herbatą jest celowa tylko w ostrym stanie kamicy żółciowej. Ograniczenie spożycia tłuszczów nie zapobiega występowaniu nowych kolek. Tolerowane są również potrawy smażone. Można jeść wszystko, na co się ma ochotę i co smakuje. Nie trzeba rezygnować z małych ilości alkoholu. Jeżeli uważa się, że smażone i tłuste potrawy są źle znoszone, można je skreślić z diety. Wskazane jest unikanie potraw wzdymających, jak cebula, kapusta itp. Przyjmować posiłki w mniejszych ilościach pięć razy dziennie, unikając zbyt dużych porcji. Należy zrezygnować z gorzkich wódek, które są gorzej tolerowane niż wódka czysta.

---

ne w przewodzie pęcherzykowym. W opisanych przypadkach operacja nie jest konieczna.

*Leki*

Jeżeli przekrój kamieni nie przekracza 2 cm i nie zawierają one wapnia, można je rozpuścić, stosując leki zawierające kwasy żółciowe. Leczenie to trwa miesiącami i należy je stosować tylko wówczas, gdy operacja nie jest możliwa. Leczenie kamicy żółciowej przez rozpuszczanie kamieni nie może być stosowane przy nadwadze, przy chorobach wątroby i układu żółciowego oraz w czasie ciąży. Korzyści wynikające ze stosowania dostępnych na rynku ponad dwustu leków wątrobowych są problematyczne. Wątpliwy jest również ich wpływ na dolegliwości pęcherzyka żółciowego.

## Zapalenie pęcherzyka żółciowego

### Dolegliwości

Nagle pojawiają się silne kolkowe bóle po prawej stronie poniżej łuku żebrowego, gdzie wcześniej często już odczuwano bolesność. Objawom tym towarzyszy gorączka, dreszcze, wymioty i zmiana zabarwienia stolca. Brzuch jest twardy i bolesny przy ucisku. Przelotnie pojawia się żółtaczka.

### Przyczyny

Zapalenie pęcherzyka żółciowego (*cholecystitis*) lub dróg żółciowych (*cholangitis*) jest prowokowane najczęściej przez kamienie żółciowe. Rzadko przyczynę stanowią zakażenia innych narządów, na przykład jelit. Zapalenie pęcherzyka żółciowego może też być następstwem ciężkich wypadków, oparzeń i operacji.

### Ryzyko zachorowania

Kamienie żółciowe stwarzają niebezpieczeństwo częstych zapaleń pęcherzyka żółciowego i dróg żółciowych.

### Możliwe następstwa i powikłania

— Jeśli w trakcie zapalenia pęcherzyka żółciowego kamienie żółciowe zatkają przewody żółciowe, może dojść do zakażenia jamy brzusznej, zapalenia trzustki lub przewlekłego uszkodzenia wątroby.

— W następstwie zapalenia pęcherzyka żółciowego może rozwinąć się rak tego narządu. Tego typu nowotwór stanowi 5% wszystkich guzów rakowych. Rak pęcherzyka żółciowego ma skłonność do przerzutów, głównie do wątroby. Choroba wykrywana jest zwykle bardzo późno. Zaledwie jedna trzecia pacjentów przeżywa pięć lat od chwili rozpoznania schorzenia.

### Zapobieganie

Jeśli przyczyną zapalenia pęcherzyka żółciowego są kamienie, to ich usunięcie zapobiega powstawaniu raka.

### Kiedy do lekarza?

Gdy wystąpią bóle kolkowe.

### Jak sobie pomóc

Samemu nie można.

## Leczenie

Ostry rzut zapalenia pęcherzyka żółciowego stopniowo cofa się samoistnie po upływie dwóch do trzech dni, a znika całkowicie w ciągu tygodnia. Jeśli nie istnieje ryzyko z powodu innych chorób, to należy możliwie wcześnie usunąć operacyjnie pęcherzyk. Zabieg jest prosty (→ Kamica żółciowa, s. 373). Po kilkudniowym pobycie w szpitalu i kilku tygodniach oszczędnego trybu życia można ponownie podjąć normalne życie. Informacje dotyczące diety → Kamica żółciowa, s. 373. Tylko w przypadku niewielu pacjentów po operacji ponownie występują kolki. Może to oznaczać, że przeoczono drobne kamyki w przewodzie żółciowym lub że zaistniały zaburzenia czynności ujścia przewodu żółciowego do dwunastnicy. W takiej sytuacji konieczny jest ponowny zabieg. Przy użyciu endoskopu nacina się miejsce ujścia, następnie usuwa kamienie (→ Wziernikowanie narządów wewnętrznych, s. 612).

## Zapalenie trzustki

### Dolegliwości

*Ostre zapalenie trzustki* stanowi zagrożenie życia. Sygnały alarmowe:

— Niekiedy stopniowo, najczęściej jednak nagle występują bóle w środkowym nadbrzuszu, promieniujące w obie strony w kierunku pleców lub podbrzusza. Wkrótce potem zjawia się lęk przed śmiercią. Tylko w co piątym przypadku występuje deskowate napięcie powłok.

— Najczęściej obfite wymioty treścią żołądkową, zawierające spore ilości żółci.

— W pierwszych dniach choroby gorączka do 39°C.

— W ciężkich przypadkach intensywne zaczerwienienie twarzy, przyspieszenie tętna i oddechu.

— Wkrótce może dojść do zagrażającego życiu wstrząsu: bladość twarzy, zimne poty, spadek ciśnienia, przyspieszenie tętna, duszność.

*Przewlekłe zapalenie*: może ciągnąć się latami. Niekiedy przebieg jest bezbolesny lub występują opisane wyżej dolegliwości, które zwykle nasilają się po jedzeniu, piciu alkoholu i na leżąco. Stolec jest tłusty i obfity. Przewlekłe zapalenie niszczy tkankę gruczołową.

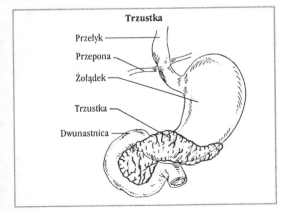

**Trzustka**

Przełyk

Przepona

Żołądek

Trzustka

Dwunastnica

## Przyczyny

— Często zapalenie trzustki wywołane jest przez inne infekcje, na przykład w następstwie kamicy żółciowej. Przyczyną zapalenia trzustki może być choroba dwunastnicy lub kamienie w przewodach trzustkowych. Utrudniają one odpływ soku trzustkowego. Zawarte w nim fermenty trawią własną tkankę, powodując jej zniszczenie.

— Przewlekłe nadużywanie alkoholu (→ Alkohol, s. 742).

— Operacje brzuszne.

— Inne przyczyny, jak zaburzenia przemiany materii, nadczynność tarczycy, przedawkowanie witaminy D; choroby autoimmunizacyjne pozostają w sferze domniemań.

### Ryzyko zachorowania

Ryzyko zachorowania wzrasta w przypadkach wymienionych uprzednio.

### Możliwe następstwa i powikłania

Ostre zapalenie trzustki stanowi zagrożenie życia. Lekkie zapalenie przeżywa 95% pacjentów. W przypadku co piątego chorego ciężkie zapalenie trzustki kończy się zgonem.

Przewlekłe zapalenie trzustki: przez całe życie mogą utrzymywać się cukrzyca (→ s. 449) i dolegliwości trawienne z objawami niedoborów (→ Niewydolność trzustki, s. 376). Wzrasta ryzyko rozwoju raka trzustki.

### Kiedy do lekarza?

Gdy wystąpią alarmujące objawy, natychmiast wezwać lekarza lub udać się do szpitala.

### Jak sobie pomóc

*Ostre zapalenie*: natychmiast zaniechać picia i jedzenia.
*Przewlekłe zapalenie*: bezwzględny zakaz picia alkoholu.

### Leczenie

*Ostre zapalenie*: ciężkie przypadki muszą być poddane leczeniu w ośrodkach intensywnej terapii. Gdy stwierdzone zostanie zapalenie trzustki, odżywianie chorego może odbywać się tylko dożylnie. Przyjmowanie pokarmów i napojów jest niedozwolone tak długo, dopóki utrzymują się dolegliwości. Zdarza się, że chory musi być odżywiany sztucznie przez okres do ośmiu tygodni. W przypadku wymiotów należy odsysać sondą treść żołądkową. Gwałtowne bóle zmuszają do stosowania środków przeciwbólowych. W niektórych przypadkach nieodzowna jest operacja. Na przykład gdy po trzech dniach leczenia nie ma poprawy, należy częściowo lub w całości usunąć trzustkę. Dzieje się tak wówczas, gdy kamienie utrudniają odpływ lub gdy wytworzył się ropień trzustki.

Osoby, którym usunięto całą trzustkę, muszą przez całe życie wstrzykiwać sobie insulinę (→ Cukrzyca, s. 449).
*Przewlekłe zapalenie*: obowiązuje bezwzględny zakaz picia alkoholu. Z uwagi na to, że przy zapaleniu trzustki trawienie tłuszczów jest upośledzone, należy skreślić z jadłospisu w znacznym stopniu tłuszcze zwierzęce i roślinne. Można je zastąpić tłuszczem kokosowym (Ceres i Palmin), gdyż ustrój może je trawić bez udziału enzymów trzustki. Zaleca się dodatkowe zażywanie enzymów trzustki pod postacią leków. Przy

ciężkich i długotrwałych bólach środki przeciwbólowe pomagają w niewielkim tylko stopniu, istnieje więc niebezpieczeństwo uzależnienia pacjenta od leków (→ s. 617). Jeżeli ponadto dołączy się cukrzyca, trzeba wstrzykiwać insulinę (→ s. 200). Jeżeli następują częste nawroty zapalenia trzustki, a stan ogólny pacjenta nie ulega poprawie, trzeba wziąć pod uwagę ewentualność usunięcia całego narządu.

## Niewydolność trzustki

### Dolegliwości
Tłuste, papkowate stolce, ogólne osłabienie.

### Przyczyny
Osłabiony gruczoł wydziela za mało enzymów odgrywających ważną rolę w trawieniu tłuszczów i białek, ponadto zaś umożliwiających wchłanianie witamin rozpuszczalnych w tłuszczach. Niewydolność trzustki jest następstwem przewlekłego jej zapalenia (→ s. 375) lub raka (→ poniżej).

### Ryzyko zachorowania
Niewydolność trzustki należy do chorób rzadko spotykanych.

### Możliwe następstwa i powikłania
— Zanik mięśni w wyniku niedoboru białka.
— Zanik masy kostnej na skutek zaburzonego wchłaniania witaminy D.
— Ślepota nocna (brak witaminy A).
— Skłonność do krwawień (brak witaminy K).
— Zmiany skórne (brak witaminy E).

### Zapobieganie
Nie jest możliwe.

### Kiedy do lekarza?
W przypadku wystąpienia opisanych dolegliwości.

### Jak sobie pomóc
Samemu nie można.

### Leczenie
Jak przy przewlekłym zapaleniu trzustki (→ s. 375).

## Rak trzustki

(→ Nowotwory złośliwe, s. 437)

### Dolegliwości
Rak trzustki wywołuje dolegliwości dopiero w bardzo późnym stadium rozwoju choroby. Różnią się one od siebie w zależności od miejsca usytuowania guza. Guzy znajdujące się w głowie trzustki powodują odruchy wymiotne, utratę apetytu, spadek wagi ciała i postępującą powoli, bezbolesną żółtaczkę. Jeśli nowotwór mieści się w "trzonie" trzustki, występują świdrujące bóle nadbrzusza, promieniujące w kierunku pleców i potęgujące się po jedzeniu i w pozycji leżącej.

### Przyczyny
Poza zapaleniem trzustki inne przyczyny raka trzustki nie są znane.

### Ryzyko zachorowania
Rak trzustki rozwija się zwykle po ukończeniu sześćdziesięciu lat. Nie jest to choroba rzadka.

3% zgonów spowodowanych chorobą nowotworową przypada na raka trzustki. Wykrycie raka trzustki następuje zwykle w zaawansowanym stadium choroby, toteż w momencie jej wykrycia w 90% istnieją już przerzuty, zwykle do wątroby lub płuc.

### Możliwe następstwa i powikłania
Tylko 2% chorych na raka trzustki przeżywa pięć lat od chwili wykrycia choroby.

### Zapobieganie
Nie jest możliwe.

### Kiedy do lekarza?
W początkowym stadium rozwoju rak trzustki nie powoduje bólów. Chorobę wykrywa się zwykle przez przypadek. Najlepsze efekty w wykrywaniu raka trzustki dają badania ultrasonograficzne, tomografia komputerowa i badania histologiczne fragmentu tkanki (→ s. 614).

### Jak sobie pomóc
Samemu nie można.

### Leczenie
Jeżeli guz jest ograniczony do trzustki, należy ją usunąć w całości, co zwiększa szanse przeżycia od 5 do 10%. Usunięcie trzustki oznacza oczywiście, że rozwinie się cukrzyca i trzeba będzie wstrzykiwać choremu insulinę (→ Cukrzyca, s. 449). We wszystkich innych przypadkach operacja raka trzustki jest niemożliwa. Kombinacja naświetlań z lekami przeciwrakowymi może przedłużyć życie. Psychoterapia bywa pomocna, natomiast metody medycyny alternatywnej nie znalazły potwierdzenia.

# JELITO

Chyba żadna z czynności organizmu nie jest tak zróżnicowana i zależna od wpływów zewnętrznych jak wypróżnienie. Czynniki takie, jak wiek, nawyki żywieniowe, wpływy społeczne i kulturowe, jak również usposobienie danej osoby, wpływają na wygląd stolca i częstość jego wydalania. U niektórych osób wypróżnienie dokonuje się dwa do trzech razy dziennie, u innych zaś dwa do trzech razy na tydzień. Niektóre osoby nie zwracają żadnej uwagi na procesy związane z trawieniem, innym wypróżnienie sprawia przyjemność, wreszcie są osoby mające z nim kłopoty.

Ściana jelita zbudowana jest z trzech warstw:
— ze znajdującej się od zewnątrz gładkiej otrzewnej,
— warstwy mięśniowej,
— wewnętrznej pofałdowanej błony śluzowej.

Jelito jest "zawieszone" w jamie brzusznej na pasmach i fałdach wyrastających z otrzewnej na tylnej ścianie brzucha. Skurcze mięśniówki jelita (tzw. perystaltyka) odpowiadają za przesuwanie papki pokarmowej w jego świetle.

Właściwym miejscem, w którym zachodzi trawienie, jest jelito cienkie o długości pięciu do sześciu metrów. Zadaniem kosmków jelitowych, znajdujących się na jego wewnętrznej powierzchni, jest wchłanianie składników pokarmowych. W jelicie grubym odbywa się wchłanianie wody. Następnie resztki pokarmowe transportowane są do odbytnicy i wydalane poprzez odbyt.

## Jelito drażliwe

### Dolegliwości
— Dokuczają ci bóle brzucha, których nie potrafisz jednak dokładnie umiejscowić.
— Gnębi cię uczucie pełności.
— Występują wzdęcia. Brzuch jest rozdęty i napięty, mogą być słyszalne kruczenia.
— Uskarżasz się na naprzemienne występowanie biegunek i zaparć, ewentualnie również częste oddawanie stolca.

### Przyczyny
Sporadyczne występowanie opisanych dolegliwości może stanowić normalną reakcję organizmu na określone produkty spożywcze lub stres i wówczas ma ścisły związek ze zdolnością danej osoby do jego odreagowania.

Utrwalenie się dolegliwości jest oznaką występowania trudności w rozwiązywaniu sytuacji stresowych (→ Zaburzenia samopoczucia, s. 175).

### Ryzyko zachorowania
Gdy w rodzinie występują dolegliwości jelitowe, należy się spodziewać, że u danej osoby wystąpi właśnie ten sposób reagowania na stres.

### Możliwe następstwa i powikłania
Dolegliwości jelitowe mogą ulec utrwaleniu, uprzykrzając życie codzienne.

### Zapobieganie
Powinieneś sam zabawić się w detektywa i wykryć, co wywołuje u ciebie bóle brzucha. Jeśli jest to cebula, kapusta lub owoce strączkowe, należy po prostu ich unikać. Ta sama uwaga dotyczy również napojów gazowanych.

### Kiedy do lekarza?
Wizyta u lekarza może być uzasadniona, gdy odczuwane dolegliwości stają się wyraźne i coraz bardziej dokuczliwe.

### Jak sobie pomóc
Przy wzdęciach pomocny jest termofor lub herbatki ziołowe. Nie staraj się zatrzymywać gazów, bo wiatry przynoszą w tym przypadku ulgę. Jeśli wzdęcia i bóle brzucha występują w okresie międzyposiłkowym, złagodzenie dolegliwości może przynieść przegryzienie „małego co nieco".

Najskuteczniejszym środkiem przeciw uczuciu nadmiernej pełności jest mniejsze zwracanie na nie uwagi.

Nawiasem mówiąc, warto przy tym dodać, że spostrzeżenie to odnosi się w tym samym stopniu do zmartwień. Mały kieliszek wódki ziołowej może wspomóc trawienie. Nie przesadzaj jednak z ilością alkoholu.

---

## Herbatki przeciw wzdęciom i kurczom jelit (herbatki na wiatry, herbatki żołądkowo-jelitowe)

*Sposób podawania*: dwa do czterech razy dziennie pić między posiłkami filiżankę świeżo sporządzonej herbatki.

### Kminek
*Sposób przygotowania*:
— bezpośrednio przed użyciem jedną do dwóch łyżeczek do herbaty kminku rozbić lub rozgnieść, posługując się na przykład młotkiem,
— zalać wrzątkiem w średniej wielkości filiżance, przykryć,
— po piętnastu minutach odcedzić.

### Koper włoski i anyżek
*Sposób przygotowania:* jak w przypadku herbatki kminkowej. Dla niemowląt i dzieci użyć tylko jednej łyżeczki do herbaty kminku lub anyżku.

### Kwiat rumianku
*Sposób przygotowania:*
— łyżkę stołową kwiatu rumianku zalać wrzątkiem w średniej wielkości filiżance,
— trzymać dziesięć minut pod przykryciem, następnie odcedzić.

### Ziele krwawnika
*Sposób przygotowania*: jak w przypadku kwiatu rumianku należy jednak użyć dwóch łyżeczek do herbaty ziela krwawnika.

### Mieszana herbatka żołądkowo-jelitowa
*Skład*: 25 g kminku, 25 g liści mięty, 25 g kwiatu rumianku, 25 g korzenia kozłka lekarskiego.
*Sposób przygotowania:*
— łyżkę stołową mieszanki zalać wrzątkiem w średniej wielkości filiżance,
— odczekać pięć do dziesięciu minut, następnie odcedzić.

---

Jeśli dolegliwości występują zawsze, gdy jesteś zdenerwowany i w sytuacjach konfliktowych, pomocne mogą być ćwiczenia odprężające (→ s. 665). Również joga oferuje specjalne ćwiczenia poprawiające regularność wypróżnienia (→ Joga, s. 669). Kruczenie w brzuchu należy do zwykłych odgłosów świadczących o funkcjonowaniu organizmu.

Systematyczne uprawianie ruchu (spacery, ćwiczenia gimnastyczne, pływanie, wędrowanie, jazda na rowerze) sprzyja prawidłowej pracy jelita.

### Leczenie
Stosowanie lekarstw nie jest konieczne. Przy długotrwałych wzdęciach można spróbować zastosować przez krótki okres leki o działaniu zmniejszającym napięcie powierzchniowe (np. Dimeticon, Lefax, Lefaxin i Sabsimplex). Ich użyteczność jest jednak podawana w wątpliwość przez amerykański urząd do spraw leków.

Rzekomo wspomagające trawienie środki zawierające enzymy zostały ocenione przez komisję do spraw leków Niemieckiego Związku Lekarzy jako drogie i nieskuteczne, a to głównie dlatego, że dawki były zbyt małe. Odnośnie do środków rozkurczowych → Zapalenie żołądka ostre, s. 364. Jeżeli objawom chorobowym towarzyszy depresja, celowe mogą się okazać masaże tkanki łącznej (→ s. 662) lub techniki treningowe mające na celu uzyskanie zmian w zachowaniu (→ s. 673).

## Zakażenia jelitowe

### Dolegliwości

Podstawowym objawem zakażenia jelitowego jest biegunka połączona niekiedy z wymiotami. Przeciętna waga stolca wydalanego dziennie przez człowieka wynosi od 100 do 300 gramów i może być większa u osób często spożywających warzywa, owoce i produkty wytworzone z pełnego ziarna. Stolec zawiera sześćdziesiąt do dziewięćdziesięciu procent wody. W przypadku biegunki ilość ta jest większa, co oznacza utratę wody przez organizm. Jednorazowe wystąpienie rozwolnionego stolca nie jest jeszcze czymś nienormalnym i nie powinno budzić niepokoju. Jako biegunkę określa się występowanie wodnistego stolca częściej niż trzy razy dziennie.

Dolegliwości mogą się różnić w zależności od czynnika wywołującego zakażenie.

— *Przy zakażeniu pałeczkami okrężnicy* (są to bakterie pochodzące z jelita grubego, mogące zanieczyszczać pokarmy na skutek braku higieny osobistej lub przedostawać się do produktów spożywczych i wody pitnej z powodu nieprawidłowego odprowadzania ścieków); niezbyt nasilona biegunka niekiedy z towarzyszącymi wymiotami; biegunka nie trwa zwykle dłużej niż jeden do dwóch dni. Biegunki tego rodzaju występują zwykle w lecie; leczenie na ogół nie jest potrzebne.

— *Przy zakażeniu gronkowcami* (są to bakterie ropne zdolne do wytwarzania odpornej na wysoką temperaturę substancji toksycznej uszkadzającej jelito) początkowo występują silne wymioty, później dołącza się biegunka. Charakterystyczne jest występowanie ślinotoku i bólów brzucha. W razie pojawienia się opisanych objawów należy zasięgnąć porady lekarskiej.

— *Przy zakażeniach wirusowych* występuje biegunka oraz intensywne wymioty oraz bóle głowy i mięśni. Ponadto może się dołączyć niewysoka gorączka, katar lub ból gardła. Choroba trwa tydzień i zwykle wymaga leżenia w łóżku.

— *„Grypa jelitowa", „biegunka z przedszkoli", „biegunka podróżna"* — podane nazwy określają biegunkę wywołaną mieszanym zakażeniem wirusowym i bakteryjnym. Wśród objawów występują zawroty głowy, wymioty, głośne przelewania w brzuchu, bolesne kurcze jelit i biegunka — w różnych kombinacjach i w różnym stopniu nasilenia. Choroba może niekiedy przybrać formę małej epidemii. Ustępuje najczęściej samoistnie po kilku dniach.

— *W salmonellozach* odzwierzęcego pochodzenia głównym czynnikiem zachorowań w Polsce są *Salmonella enteritidis*, *Salmonella agona* i *Salmonella typhimurium* (zakażenie może nastąpić poprzez styczność z chorym lub jego stolcem oraz wskutek spożycia skażonych produktów spożywczych, na przykład potraw, które długo lub wielokrotnie odgrzewano, niedopieczonego drobiu oraz jaj, majonezów, sałatek, słodkich deserów i produktów mlecznych). Obserwuje się nagłe wystąpienie nudności, wymiotów, bólów brzucha i ciężkiej wodnistej biegunki mogącej utrzymywać się przez dwa do pięciu dni. Dolegliwościom często towarzyszy gorączka.

— *Dur brzuszny i dury rzekome* — to groźne zakażenia wywołane przez pałeczki duru lub duru rzekomego, znajdujące się w zakażonej wodzie pitnej i produktach spożywczych. Początkowo występuje zaparcie, stopniowo narasta gorączka, pojawiają się bóle głowy, brak apetytu, zapalenie oskrzeli. W drugim tygodniu choroby gorączka sięga 40°C, pojawia się drobnoplamista różowa wysypka na tułowiu, rzadziej na rękach i nogach. Biegunka o wyglądzie papki z groszku występuje dopiero w trzecim tygodniu choroby.

— *Zakażenie spiralną bakterią o nazwie Campylobacter ieiuni* (do którego dochodzi za pośrednictwem skażonych produktów spożywczych lub wody pitnej) charakteryzują: gorączka, dreszcze, bóle brzucha oraz wodnista biegunka przy liczbie wypróżnień dochodzącej do dwudziestu dziennie.

— *Czerwonka bakteryjna* — zakażenie pałeczkami czerwonki (przenoszone za pośrednictwem skażonej wody pitnej i produktów spożywczych): rozpoczyna się gorączką i silnymi, kurczowymi bólami brzucha. Następnie dołączają się częste wymioty i krwawośluzowa wodnista biegunka oraz osłabienie.

— *Czerwonka pełzakowa* wywołana zakażeniem amebą (pełzakiem czerwonki) przenoszoną w skażonej wodzie pitnej i produktach spożywczych; na początku obserwuje się osłabienie, bóle brzucha i nudności, nie występuje jednak gorączka. Po kilku dniach pojawia się biegunka, stolce są szklistośluzowe, podbarwione malinowo z powodu domieszki krwi.

— *Cholera* — zakażenie bakteryjne wywołane przecinkowcem cholery (przenosi się za pośrednictwem skażonej wody pitnej i produktów spożywczych); występują wodniste ryżowate stolce, uporczywe wymioty, zatrzymanie moczu. Nie stwierdza się gorączki, ale raczej nadmiernie obniżoną ciepłotę ciała.

Nawet mimo uzyskania wyleczenia ozdrowieńcy mogą przez okres do trzech miesięcy wydalać zakaźne czynniki chorobotwórcze. Lekarz powinien przeprowadzić badania w tym kierunku po przebyciu ciężkiej choroby biegunkowej. U osób pracujących w dziale spożywczym tego rodzaju kontrola na nosicielstwo jest obowiązkowa, zwłaszcza że spotyka się przewlekłych nosicieli, u których nie występują żadne dolegliwości.

### Ryzyko zachorowania

Jest zwiększone przy braku higieny oraz w okresach zwiększonej częstości zachorowań na biegunki, a także w przypadku podróży do egzotycznych krajów. Czerwonka bakteryjna i pełzakowa, dur brzuszny, dury rzekome oraz cholera należą do chorób, które w Europie prawie już nie występują. U Europejczyków stanowią więc często „pamiątkę" z podróży poza kontynent.

## Możliwe następstwa i powikłania

Ponieważ w czasie biegunki organizm traci znaczną ilość płynu i składników mineralnych, takich jak potas i magnez (co określa się mianem utraty elektrolitów), może rozwinąć się niewydolność krążenia. Skłonność taką obserwuje się w szczególności u dzieci, osób w wieku podeszłym oraz bardzo osłabionych, jak również u chorych na ciężkie choroby biegunkowe, na przykład na cholerę. Następstwem utraty płynu przez organizm może być niewydolność nerek.

## Zapobieganie

Obejmuje stosowanie zabiegów higienicznych. Należy o nich szczególnie pamiętać w podróżach, gdy nie ma się pewności, że odprowadzenie ścieków odseparowano w sposób wykluczający zakażenie wody pitnej i produktów spożywczych. Fekalia odprowadzane do morza są często przyczyną spożycia zakażonych zwierząt morskich (→ Ogólne środki zapobiegawcze w podróży, s. 699). W celu zapobieżenia zakażeniom salmonellowym pracownicy zakładów przetwórstwa żywności poddawani są regularnym badaniom. Odnośnie do zachowania w gospodarstwie domowym → Substancje szkodliwe w pokarmach, s. 713. Szczepienia zapobiegawcze stosuje się przeciw cholerze (→ s. 638) i durowi brzusznemu (→ s. 638).

## Kiedy do lekarza?

Koniecznie powinieneś udać się do lekarza, gdy stwierdzisz obecność w stolcu krwi, śluzu, ropy lub tłuszczu.

## Jak sobie pomóc

Powstrzymaj się od jedzenia, lecz dużo pij: osłodzoną herbatę, wodę mineralną, coca-colę (z których po odstaniu lub przez wytrząsanie usunięty został dwutlenek węgla) oraz soki owocowe. Owoce zawierają cenny potas, cukier zaś sprzyja wchłanianiu soli mineralnych, których utrata następuje w czasie ciężkiej biegunki. Z tego też powodu powinieneś dwa razy dziennie spożywać szczyptę soli (tzn. ilość mieszczącą się na końcu noża). Płyn do picia o podanym poniżej składzie zawiera wszystkie istotne składniki (można je niedrogo nabyć w aptece). Napoje tego typu, zawierające elektrolity, dostępne są również w postaci gotowej w handlu, lecz cena ich jest znacznie wyższa (Elotrans, Normolyt). Wypijaj czterokrotnie większą objętość płynów niż zazwyczaj, gdyż tylko w ten sposób możesz uzupełnić straty. Pozwól sobie na odpoczynek.

W drugim lub trzecim dniu możesz już jeść tarte jabłka i suchary bądź osolony kleik lub marchwiankę (przepis → Choroby wieku dziecięcego, Zakażenie żołądkowo-jelitowe, s. 564). Jeśli

---

### Roztwór uzupełniający ubytek płynu w czasie biegunki

| | |
|---|---|
| 2,5 g sody spożywczej | 3,5 g soli kuchennej |
| 1,5 g chlorku potasu | 20 g cukru gronowego (glukozy) |

należy rozpuścić w jednym litrze przegotowanej wody.

---

w ciągu wspomnianego okresu biegunka nie ustąpi, zwróć się o pomoc do lekarza.

Biegunka i wymioty stanowią naturalną drogę wydalania czynników chorobotwórczych i substancji toksycznych. Zażywanie węgla aktywnego nie jest uzasadnione, gdyż ani nie zapobiega utracie płynów, ani też nie unieszkodliwia czynników chorobotwórczych lub toksycznych. Uwaga ta dotyczy także takich środków domowych, jak suszone borówki lub mąka na chleb świętojański. Na pierwszym planie jest picie płynów.

## Leczenie

Stosowanie tzw. leków na biegunkę jest mało uzasadnione. Jedynie w przypadku, gdy biegunka trwa dłużej niż pięć dni lub gdy przybiera postać zagrażającą zdrowiu oraz pod warunkiem jednoznacznego ustalenia jej przyczyny, lekarz może zalecić stosowanie leków hamujących motorykę jelita i wtórnie ograniczających utratę elektrolitów, na przykład Imodium. Przy wystąpieniu zakażenia bakteryjnego należy ustalić rodzaj czynnika wywołującego. Skuteczne leczenie antybiotykami nie jest jednak możliwe we wszystkich chorobach. Jeśli bardzo duża utrata płynów spowodowała konieczność leczenia szpitalnego, ich niedobór uzupełniany jest za pomocą kroplówek.

## Zaparcie stolca

### Dolegliwości

Stolec jest twardy, wypróżnienie sprawia trudność, dołącza się uczucie niecałkowitego wypróżnienia.

Oddawanie stolca tylko trzy razy na tydzień uważa się jeszcze za normalne. Mianem zaparcia określa się dopiero stan, w którym przez okres dłuższy niż trzy dni nie nastąpiło oddanie stolca.

### Przyczyny

— Przewlekłe zaparcie jest częstą dolegliwością. Nierzadko błędnie interpretuje się pojęcia — źródłem dręczącego niepokoju staje się przekonanie danej osoby, że stolec powinno się oddawać przynajmniej raz dziennie lub też że powinien on mieć bardziej miękką konsystencję itp. Osoba skrupulatnie dbająca o uwolnienie organizmu od „nieczystych" odpadów ryzykuje wplątanie się w błędne koło oczekiwania i uczucia zawodu, gdy do wypróżnienia jednak nie dochodzi. Szczególnie jednostki o typie „człowieka sukcesu" same wpędzają się w zaparcie, uważając, że nie warto tracić czasu na sprawy trywialne, do których bądź co bądź należy wizyta w WC.

— Zaparcie ostre występuje, gdy biorąc pod uwagę normalne zwyczaje danej osoby, nie dochodzi przez dłuższy czas do wypróżnienia. Przyczyną może być lęk lub cierpienie duchowe (→ Zaburzenia samopoczucia, s. 175). Zaparcie występujące po podróży do nowego miejsca pobytu uważa się za wyraz typowej reakcji adaptacyjnej.

— Różne choroby jelita lub unerwienia.

— Następstwa operacji.

— Działanie uboczne leków: środków stosowanych w zaburzeniach psychicznych, leków zobojętniających kwas (zawierających aluminium), środków nasennych i uspokajających, leków przeciwkaszlowych i przeciwbólowych zawierających kodeinę.

### Ryzyko zachorowania
Występuje w przypadku błędów żywieniowych. Zaparciu sprzyja na przykład zbyt duże spożycie cukru przy małym spożyciu substancji resztkowych i płynów (→ Picie, s. 722).

Zaparcie często występuje w ciąży.

Rzadko przyczyny są organiczne, takie jak guzki krwawnicze, wągrzyca (larwy tasiemca, które dodatkowo wywołują bóle) lub wypadanie śluzówki.

### Możliwe następstwa i powikłania
Następstwem przewlekłego zaparcia może być zapalenie uchyłków jelita grubego (→ s. 382) i rak jelita grubego (→ s. 387).

Długotrwałe stosowanie środków zawierających antrachinon stwarza ryzyko rozwoju raka.

### Zapobieganie
Najważniejszym sposobem zapobiegania jest dieta bogata we włókna roślinne, mająca w swym składzie chleb razowy, surowe warzywa i owoce oraz picie dużej ilości płynów. Wspomniane produkty spożywcze przyczyniają się do wypełnienia jelita i ułatwiają wypróżnienie. Szklanka wody mineralnej lub świeżo wyciśniętego soku owocowego wypita rano pobudza wypróżnienie w takim samym stopniu jak spożycie otrąb pszennych lub siemienia lnu (dwa do pięciu gramów dziennie: nie rozdrabniać).

Systematyczne uprawianie ruchu także zapewnia prawidłową pracę jelita.

Niewskazane jest przetrzymywanie stolca i odkładanie wypróżnienia mimo odczuwanej potrzeby. Pomocne może być natomiast wykształcanie odruchu wypróżnienia w określonej porze dnia. Ćwiczenia relaksacyjne lub joga mogą ułatwiać bezproblemowe wypróżnienie. Jeśli jesteś zmuszony zażywać leki sprzyjające powstaniu zaparcia, spróbuj omówić z lekarzem środki zaradcze.

### Kiedy do lekarza?
Przy długotrwałym zaparciu. Nagła zmiana częstości oddawania stolca wymaga wyjaśnienia przyczyny przez lekarza.

### Jak sobie pomóc
Już przy pierwszych objawach zaparcia włącz do jadłospisu surowe warzywa, owoce, oliwę oraz dużo pij. Działanie przeczyszczające ma kiszona kapusta, rabarbar, śliwki, figi i melony.

Staraj się nie zażywać żadnych środków przeczyszczających. Wszystkie leki przeczyszczające, w tym również preparaty ziołowe, zaburzają bilans wodny organizmu, przy dłuższym stosowaniu mogą natomiast uszkadzać mięśniówkę jelita, które staje się wówczas jeszcze bardziej leniwe. Stosowanie tych leków przez krótki czas ma uzasadnienie jedynie wtedy, gdy zachodzi potrzeba opróżnienia jelita przed operacją lub wykonaniem zdjęć rentgenowskich lub gdy występuje silny ból w okolicy odbytu.

---

### Lektura uzupełniająca
BOMSKI A.: *Przewlekłe zaparcia i biegunki u dorosłych.* PZWL, Warszawa 1986.

---

### Herbatki przeczyszczające

*Sposób podawania*: pić rano i/lub wieczorem filiżankę świeżo sporządzonej herbatki. Skuteczne działanie występuje po dziesięciu do dwunastu godzinach.

**Liście senesu**
*Sposób przygotowania:*
— czubatą łyżeczkę do herbaty liści senesu zalać gorącą wodą (lecz nie wrzątkiem) w średniej wielkości filiżance,
— trzymać dziesięć minut pod przykryciem, następnie odcedzić.

**Owoce senesu**
*Sposób przygotowania*: jak w przypadku liści senesu, należy jednak użyć tylko pół łyżeczki do herbaty owoców.

**Mieszana herbatka przeczyszczająca**
*Skład*: 60 g liści senesu, 10 g kopru włoskiego, 10 g kwiatu rumianku, 20 g liści mięty.
*Sposób przygotowania:*
— jedną do dwóch łyżeczek do herbaty mieszanki zalać gorącą wodą w średniej wielkości filiżance,
— odczekać 10 minut, następnie odcedzić.

*Najważniejsze działania uboczne herbatek przeczyszczających*: kurczowe bóle brzucha występujące przy przedawkowaniu, płynne stolce.

*Uwaga*: herbatek przeczyszczających nie stosować w ciąży ani w okresie karmienia. Zawarte w nich substancje aktywne przenikają do mleka matki i nawet przy normalnym dawkowaniu mogą wywołać biegunkę u niemowlęcia.

---

Jeśli jednak chcesz wspomóc swoje jelito sztucznie przez krótki czas, możesz skorzystać z herbatek przeczyszczających. Lewatywy (→ Środki domowe, s. 640) mogą co prawda również pomóc, nie należy się jednak do nich przyzwyczajać, gdyż upośledzają samoistną aktywność jelita.

### Leczenie
Przy zaparciu trwającym ponad tydzień może zajść konieczność przeprowadzenia w gabinecie lekarskim ręcznego wydobycia zapieczonego stolca.

Uregulowanie wypróżnień mogą wspomagać: kuracje pitne (→ s. 679) wodą mineralną zawierającą szczególnie dużo siarczanu magnezu i siarczanu sodu, gimnastyka oddechowa, kuracje według Kneippa (→ s. 679) i masaże okrężnicy lub tkanki łącznej. Hydroterapia okrężnicy (→ s. 642) nie jest właściwym leczeniem przewlekłego zaparcia.

### Zwężenie, niedrożność jelit
Przy wystąpieniu zwężenia jelit transport treści jelitowej jest częściowo upośledzony.

W niedrożności jelit dochodzi do całkowitego zablokowania przemieszczania się treści jelitowej.

### Dolegliwości
*Zwężenie jelit*: utrzymuje się przez dłuższy okres zaparcie

(dłużej niż przez pięć dni), utrata apetytu, uczucie pełności. Przeoczenie wymienionych objawów grozi wystąpieniem: *Niedrożności jelit*, która wyraża się nagłymi bolesnymi kurczami w brzuchu oraz odbijaniami. W ciągu kilku godzin następuje pogorszenie się obrazu choroby: wymioty treścią jelitową, podbarwioną żółcią, zatrzymanie wiatrów i stolca. Powłoki brzucha są miękkie i wzdęte. Wobec niemożności pokonania przeszkody po trwających kilka godzin bólach kolkowych następuje uspokojenie się jelita — znikają szmery jelitowe i rozwija się porażenie jelit. Zwykle następuje wkrótce zapaść krążeniowa.

## Przyczyny
— Uwięźnięcie jelita w przepuklinie w ścianie brzucha.
— Kamienie żółciowe (→ s. 373).
— Zapalne choroby jelit (→ Choroba Leśniowskiego-Crohna, s. 385, → Wrzodziejące zapalenie jelita grubego, s. 384) i zapalenie uchyłka (→ s. 382).
— Zawężenie jelita.
— Rak jelita grubego (→ s. 387).
— Ostre lub przewlekłe zapalenie otrzewnej, zapalenie trzustki (→ s. 375).
— W wyniku wytworzenia się zrostów po operacjach.
— Zamknięcie naczynia krwionośnego.
— Stosowanie przeciw zaparciu zbyt gęstych środków pęczniejących, jak siemię lniane, otręby pszenne.

## Ryzyko zachorowania
Niedrożność występuje stosunkowo rzadko.

## Możliwe następstwa i powikłania
Nieleczone zwężenie jelit prowadzi do niedrożności. Niepodjęcie leczenia niedrożności jelit prawie zawsze kończy się śmiercią.

## Zapobieganie
Obejmuje leczenie choroby podstawowej.

W przypadku stwierdzenia zwężenia jelita nie powinno się spożywać pokarmów bogatoresztkowych.

## Kiedy do lekarza?
W przypadku wystąpienia objawów niedrożności należy natychmiast umieścić chorego w szpitalu.

## Jak sobie pomóc
Samemu nie można.

## Leczenie
Niedrożność jelit musi być (możliwie najwcześniej) leczona operacyjnie. Na podstawie zdjęcia rentgenowskiego i/lub badania endoskopowego można określić miejsce przeszkody (→ Wziernikowanie narządów wewnętrznych, s. 612).

Konieczne jest uzupełnienie niedoboru płynów i leczenie choroby podstawowej.

W czasie operacji po otwarciu jamy brzusznej następuje uwolnienie uwięźniętego jelita lub usunięcie zrostów otrzewnej.

Nagromadzona powyżej przeszkody treść jelitowa odsysana jest za pomocą sondy wprowadzonej przez usta lub nos.

W przypadku gdy dokonała się już martwica fragmentu jelita, zniszczony odcinek musi zostać usunięty.

## Zapalenie wyrostka robaczkowego

### Dolegliwości
Wyróżnia się dwie postacie zapalenia wyrostka robaczkowego. *Ostre zapalenie wyrostka robaczkowego*: Nagle występują bóle w prawej części brzucha nasilające się przy kaszlu, kichaniu lub chodzeniu. Często dołączają się zawroty głowy, wymioty, podwyższona temperatura, zaparcie, wzdęcia, nieprzyjemny zapach z ust. Brzuch jest twardy; bóle mogą promieniować w kierunku pęcherza moczowego i narządów płciowych. *Przewlekłe zapalenie wyrostka robaczkowego*: Charakteryzuje się występowaniem przez okres miesięcy zmiennych dolegliwości (takich jak uczucie rozbicia, bóle brzucha, zaburzenia w oddawaniu stolca), zanim rozwinie się postać ostra.

W niektórych krajach lekarze negują istnienie przewlekłego zapalenia wyrostka robaczkowego. Utrzymujące się dolegliwości brzuszne wiążą z przyczynami psychosomatycznymi.

### Przyczyny
Prawidłowo otwarte wejście do wyrostka robaczkowego może zostać zatkane stolcem lub wskutek zagięcia; rzadziej przyczyną są ciała obce, guzy lub robaki. W konsekwencji rozwija się zakażenie prowadzące do wytworzenia się ropnia.

U dzieci podrażnienie wyrostka robaczkowego może wystąpić w przebiegu zapalenia migdałków podniebiennych (→ s. 288).

### Ryzyko zachorowania
Zapalenie wyrostka występuje względnie często u osób młodocianych oraz młodych osób dorosłych. Usunięcia wyrostka robaczkowego często dokonuje się już u dzieci.

Jednak dwadzieścia do trzydziestu procent tych operacji jest wynikiem błędnego rozpoznania, o czym przekonano się, stwierdzając w trakcie zabiegów niezmieniony zapalnie wyrostek robaczkowy.

Również u osób młodocianych operacje wyrostka robaczkowego przeprowadza się w krajach niemieckojęzycznych znacznie częściej niż na przykład w USA. Na skutek tworzenia się zrostów następstwem takiego postępowania u kobiet może być niepłodność.

### Możliwe następstwa i powikłania
W trakcie choroby może dojść do sklejenia się pętli jelitowych z jelitem ślepym i tworzenia się ropni. Pozostawienie ostrego zapalenia wyrostka robaczkowego bez leczenia może doprowadzić w ciągu dwudziestu czterech godzin do przebicia się zapalenia do otrzewnej.

Najczęściej powikłanie to występuje w czwartym dniu. W takim przypadku bóle mogą przejściowo się zmniejszyć, wkrótce jednak ponownie ulegają nasileniu oraz dołączają się wymioty i gorączka.

### Zapobieganie
Nie jest możliwe.

### Kiedy do lekarza?
Typowy objaw zapalenia wyrostka robaczkowego
— Ból pojawiający się przy łagodnej próbie skręcenia do we-

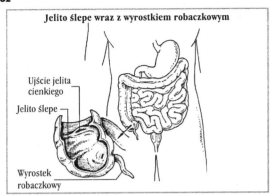

**Jelito ślepe wraz z wyrostkiem robaczkowym**

Ujście jelita cienkiego

Jelito ślepe

Wyrostek robaczkowy

wnątrz wyprostowanej prawej nogi chorego. Bóle nasilają się zwłaszcza przy zwolnieniu ucisku w rzucie wyrostka robaczkowego.

— Gdy bóle brzucha trwają kilka godzin, nie ustępując, a wręcz ulegają nasileniu mimo użycia ciepłego termoforu, powinieneś zawezwać pomoc lekarską.

— Jeśli chory wymiotuje zielonkawą treścią oraz ma bladą i spoconą twarz, natychmiast należy go umieścić w szpitalu.

**Jak sobie pomóc**

Leż spokojnie w łóżku; przyłożenie worka z lodem może złagodzić ból. Mając na uwadze, że trzeba będzie przeprowadzić operację w znieczuleniu ogólnym, powinieneś powstrzymać się od jedzenia i picia. Pragnienie możesz złagodzić, płucząc usta wodą. Przeciwwskazane jest stosowanie jakichkolwiek środków przeczyszczających i przeciwbólowych.

**Leczenie**

Badając chorego i na podstawie dodatkowych prób laboratoryjnych, lekarz ustala rozpoznanie zapalenia wyrostka robaczkowego, które wymaga natychmiastowej operacji. Nawet gdyby objawy zapalenia miały ustąpić, bardzo duże jest prawdopodobieństwo jego ponownego wystąpienia. Już w krótkim czasie po operacji chory powinien wstać z łóżka, a niezbędny pobyt w szpitalu ogranicza się zaledwie do kilku dni. W przypadku dzieci możliwy jest wypis do domu jeszcze w tym samym dniu, pod warunkiem zapewnienia im dobrej opieki. Zwykle po upływie trzech tygodni możliwe jest podjęcie normalnej pracy. Gdy doszło do wytworzenia ropnia, dokonuje się najpierw ewakuacji ropy na zewnątrz poprzez założony dren. Po odczekaniu kilku tygodni możliwe jest następnie usunięcie wyrostka robaczkowego.

## Zapalenie otrzewnej

**Dolegliwości**

Alarmujące objawy „ostrego brzucha": powłoki brzuszne są twarde i napięte, prócz tego stwierdza się zatrzymanie wiatrów i stolca, wymioty, bardzo silne bóle brzucha, zaburzenia oddychania, przyspieszone tętno, zimne czoło i dłonie, bladość.

**Przyczyny**

Zapalenie obejmuje otrzewną — błonę pokrywającą narządy

położone w brzuchu. Część jamy brzusznej może następnie zająć proces ropny.

**Ryzyko zachorowania**

Wiele chorób i urazów może wywołać zapalenie otrzewnej:

— Przebicie wrzodu żołądka (→ s. 366); przedziurawienie zmienionego zapalnie wyrostka robaczkowego (→ Zapalenie wyrostka robaczkowego, s. 381); przebicie owrzodzenia jelita cienkiego lub grubego; przeoczone przedziurawienie przewodu pokarmowego w czasie badań wziernikowych; tworzenie się przetok w chorobie Leśniowskiego-Crohna (→ s. 385).

— Pęknięcie zmienionego zapalnie pęcherzyka żółciowego (→ Zapalenie pęcherzyka żółciowego, s. 374).

— Przebicie się ropnia wątroby, okołonerkowego lub położonego w powłokach brzusznych; przedziurawienie macicy.

— W przebiegu gruźlicy (→ s. 297).

— Zropienie węzłów chłonnych.

— Rozprzestrzeniające się zapalenie opłucnej lub osierdzia.

— Zakażenie po zranieniu powłok brzusznych.

**Możliwe następstwa i powikłania**

Zapalenie otrzewnej zawsze zagraża życiu chorego.

**Zapobieganie**

Nie jest możliwe.

**Kiedy do lekarza?**

Natychmiast, gdy stwierdza się objawy „ostrego brzucha".

**Jak sobie pomóc**

Samemu nie można.

**Leczenie**

W zależności od przyczyny wykonuje się natychmiastową operację i leczy antybiotykami. Dostatecznie wczesny zabieg pozwala w większości przypadków na uratowanie chorego.

## Zapalenie uchyłka

**Dolegliwości**

Zwraca uwagę naprzemienne występowanie biegunek i zaparć w skojarzeniu z kurczowymi bólami brzucha, najczęściej w lewym podbrzuszu. Niekiedy widoczna jest krew w stolcu.

**Przyczyny**

Uchyłki są to mieszkowate uwypuklenia błony śluzowej na zewnątrz poprzez warstwę mięśniową jelita. Mają zwykle wielkość wiśni i występują najczęściej w obrębie jelita grubego. Uchyłki dają dolegliwości tylko wtedy, gdy w ich obrębie rozwinie się zapalenie.

**Przyczyny**

Na motorykę jelita wpływa stopień jego wypełnienia. Im więcej substancji resztkowych znajduje się w diecie, tym większe jest wypełnienie jelita i tym sprawniej zachodzi jego opróżnienie. U osób przywykłych do spożywania pokarmów ubogoresztkowych występuje zwiększone ryzyko zachorowania na zapalenie uchyłka. Częstość występowania choroby zwiększa się z wiekiem. Obecność uchyłków stwierdza się u co trzeciej osoby powyżej siedemdziesiątego roku życia.

## Możliwe następstwa i powikłania
Nawracający stan zapalny w obrębie uchyłka grozi jego przedziurawieniem i rozwinięciem się zapalenia otrzewnej (→ s. 382). Mogą tworzyć się również przetoki do narządów położonych w sąsiedztwie (np. do pęcherza moczowego).

## Zapobieganie
Zapalenie uchyłka występuje rzadziej u osób bardzo aktywnych fizycznie i spożywających dietę bogatoresztkową.

## Kiedy do lekarza?
Gdy pojawi się ostry ból lub w przypadku przewlekłych bólów w lewym podbrzuszu. Przy stwierdzeniu obecności krwi w stolcu.

## Jak sobie pomóc
Należy bezwzględnie zrezygnować ze stosowania środków przeczyszczających, gdyż właśnie one przyczyniają się do powstania przewlekłego zaparcia. Pobudzenie pracy jelita można uzyskać przez spożywanie pokarmów bogatoresztkowych i uprawianie ruchu. Postępowanie takie zapobiega zaleganiu treści w jelicie i wystąpieniu zapalenia. Natomiast przeciwny skutek wywiera unieruchomienie w łóżku i dieta bezresztkowa.

## Leczenie
Opisane dolegliwości mogą również nasuwać podejrzenie raka jelita grubego, które lekarz może wykluczyć, wykonując badanie wziernikowe (→ Rektoskopia, s. 613). Zapalenie leczy się antybiotykami. Jednak gdy nawraca silne krwawienie z uchyłka lub rozwijają się opisane powikłania, konieczne staje się operacyjne usunięcie chorego odcinka jelita. Niekiedy leczenie wymaga przejściowego wytworzenia sztucznego odbytu, którego likwidacji dokonuje się w czasie następnej operacji wykonywanej zwykle po upływie czterech do sześciu miesięcy.

Przy operacjach z powodu raka jelita grubego lub wrzodziejącego zapalenia jelita grubego sztuczny odbyt często musi zostać wytworzony na stałe. Osiąga się to przez podciągnięcie kikuta jelita grubego do powłok brzusznych i przyszycie jego końca

do skóry (jest to tzw. kolostomia). Rzadko zachodzi potrzeba usunięcia całego jelita grubego. W sytuacji takiej konstruuje się ujście jelita cienkiego na powłokach brzusznych (jest to tzw. ileostomia). Oba opisane typy ujść zaopatruje się w woreczki kałowe. Z powodu innej konsystencji stolca przy ujściu jelita cienkiego, pielęgnacja ileostomii jest bardziej uciążliwa niż kolostomii.

Niekiedy możliwe jest wytworzenie zespolenia utrzymującego stolec. Wówczas chory może opróżniać zbiornik stolca samodzielnie za pomocą cewnika. Zamknięcie magnetyczne lub pneumatyczne zapewnia szczelność wobec gazów jelitowych i stolca. Lekarz powinien udzielić choremu wyczerpujących informacji na temat planowanej operacji, możliwości wytworzenia oraz pielęgnacji sztucznego odbytu.

## Zaburzenia wchłaniania
Istnieje szereg chorób, w których upośledzone jest wchłanianie składników pokarmowych z jelita. Ich następstwem jest niedobór w organizmie składników mineralnych, witamin lub białka.

### Dolegliwości
Występowanie obfitych cuchnących biegunek, spadek wagi i niedokrwistość nasuwa podejrzenie zaburzenia wchłaniania jelitowego. W przebiegu swoistych stanów nietolerancji, na przykład dotyczących laktozy lub w chorobie glutenowej, dochodzi do rozwoju objawów niedoborowych.

### Leczenie
Niekiedy wykrycie przyczyny dolegliwości zajmuje kilka lat i wymaga wykonania szczegółowych badań specjalistycznych. Po ostatecznym ustaleniu rozpoznania specjalna dieta i uzupełnianie składników, których organizm nie jest w stanie przyswajać z pożywienia, pozwala na prowadzenie na ogół normalnego, wolnego od dolegliwości trybu życia.

## Choroba glutenowa (celiakia)

### Dolegliwości
Choroba może ujawnić się już w wieku dziecięcym (określana jest wówczas nazwą celiakii) lub dopiero w wieku dojrzałym (jest to tzw. sprue dorosłych). W przebiegu choroby okresy zaostrzeń mogą przeplatać się z długimi okresami bez dolegliwości. Ujawnienie następuje najczęściej między szóstym a dwunastym miesiącem życia, to znaczy w okresie, gdy do pożywienia niemowlęcia dołączone zostają produkty pochodzenia zbożowego.

*Dzieci*: Chore dzieci nie rozwijają się prawidłowo, są blade, cierpią na wzdęcia, oddają duże objętościowo, zabarwione żółtawo, cuchnące stolce. Stwierdza się wzdęcie brzucha, ponadto może wystąpić niedokrwistość. Dłuższy czas trwania choroby prowadzi do zahamowania wzrostu.

*Dorośli*: Występuje niedokrwistość, spadek wagi, bóle kości, mrowienia w kończynach, obrzęki i zmiany skórne. Życie codzienne utrudniają bolesne, cuchnące biegunki i widoczne

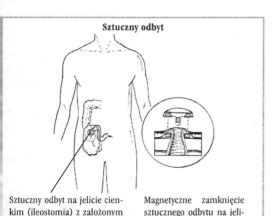

Sztuczny odbyt

Sztuczny odbyt na jelicie cienkim (ileostomia) z założonym woreczkiem kałowym

Magnetyczne zamknięcie sztucznego odbytu na jelicie grubym (kolostomia)

obrzęki ciała. Charakterystyczne dla choroby jest występowanie tłuszczu w stolcu.

## Przyczyny

Przyczyną choroby jest nadwrażliwość na białko o nazwie gluten, zawarte w ziarnie pszenicy i żyta oraz — w mniejszych ilościach — w ziarnie jęczmienia, owsa i orkiszu. Dochodzi do zwiększenia się liczby pewnej odmiany białych ciałek krwi, które uszkadzają błonę śluzową jelita cienkiego (→ Alergia, s. 338). W konsekwencji dochodzi do zmian zanikowych jelita, które wówczas nie jest w stanie prawidłowo wchłaniać składników odżywczych.

## Ryzyko zachorowania

Choroba glutenowa może występować rodzinnie. Ponadto częstość zachorowań jest zwiększona w niektórych krajach. W Polsce chorobę tę rozpoznaje się u jednego dziecka na trzy do pięciu tysięcy.

## Możliwe następstwa i powikłania

U dzieci niedokrwistość z niedoboru żelaza; u dorosłych niedobór kwasu foliowego. W zależności od przebiegu choroby objawy niedoboru mogą stać się zauważalne również w innych narządach, na przykład w kościach → Osteoporoza (rozrzedzenie kości), s. 402. Trwająca przez całe życie choroba stanowi duże obciążenie psychiczne dla chorych, często stwierdza się występowanie depresji. Ponadto u kobiet mogą występować zaburzenia miesiączkowania, u mężczyzn zaś zaburzenia potencji.

## Zapobieganie

Im później następuje przestawienie niemowlęcia z karmienia mlekiem matki lub w pełni przyswajalnym mlekiem w proszku na żywienie pokarmami zawierającymi produkty zbożowe, tym później jelito wchodzi w kontakt z wywołującym alergię glutenem i tym później występuje możliwość rozwinięcia się choroby.

## Kiedy do lekarza?

Gdy ujawni się zespół opisanych objawów. Pewne rozpoznanie choroby glutenowej jest możliwe dopiero na podstawie badania fragmentu tkanki pobranego z jelita, po wykonaniu tzw. biopsji. Jej przeprowadzanie wymaga leżenia w szpitalu.

## Jak sobie pomóc

Pożywienie musi być całkowicie pozbawione glutenu. Oznacza to, że mleko i papki dla niemowląt oraz wszystkie potrawy mączne (chleb, makaron, desery, sosy, wyroby panierowane) należy przygotowywać, stosując inne rodzaje mąki, na przykład kukurydzianą, gryczaną, ziemniaczaną lub z prosa. Owoce, warzywa, jaja, mięso, ryby można spożywać bez ograniczeń. Musisz bezwzględnie unikać potraw zawierających gluten, wyszczególnionych w wykazie otrzymanym od lekarza i dokładnie przestrzegać zalecanej diety. Bardzo pomocne są istniejące grupy samopomocy chorych na chorobę glutenową, które w rodzinnej atmosferze umożliwiają chorym i członkom ich rodzin dokony-

---

### Lektura uzupełniająca

*Dziecko z celiakią w rodzinie polskiej*, pod red. J. Socha. Towarzystwo Przyjaciół Dzieci, Warszawa 1991.

---

### Krajowy Komitet Kół Przyjaciół Dzieci na Diecie Bezglutenowej

00-054 Warszawa, ul. Jasna 26, tel. (0-22) 827-78-44

---

wanie wymiany doświadczeń. Sporządzają one listy artykułów spożywczych zawierających gluten (należą do nich np. konserwy, wyroby wędliniarskie, słodycze). Pomagają również w przygotowaniu przepisów kulinarnych oraz umożliwiają uzyskanie adresów piekarń wypiekających chleb bezglutenowy i rozprowadzających mąki, makarony i pieczywo niezawierające glutenu. Pomoc ta może dotyczyć również wskazania ośrodków wypoczynkowych oferujących bezglutenowe żywienie. Ponadto możliwe jest uzyskanie informacji na temat ewentualnych zapomóg i zasiłków.

## Leczenie

Choroby glutenowej nie udaje się leczyć lekami. Jedynie przestrzeganie diety umożliwia ustąpienie po sześciu do dziewięciu miesiącach zmian śluzówkowych. Przestrzeganie diety przez całe życie chroni przed nawrotami choroby.

*Uwaga*: Niewystępowanie objawów choroby mimo nieprzestrzegania diety nie oznacza, że można zrezygnować z diety bezglutenowej. Zauważalne objawy występują często dopiero w okresie późniejszym, niekiedy nawet po kilkuletnim spożywaniu pokarmów zawierających gluten, przy czym chorobę mogą wyzwalać dodatkowe czynniki obciążające organizm, takie jak nieżyt jelit lub ciąża. Pośród późnych następstw mogą wystąpić ciężkie schorzenia, trudniej wówczas poddające się leczeniu. W zależności od nasilenia stanów niedoborowych w ostrym okresie choroby konieczne staje się uzupełnienie witamin, składników mineralnych i żelaza.

## Wrzodziejące zapalenie jelita grubego

Jest to odmiana przewlekłego zapalenia błony śluzowej jelita grubego z występowaniem jej owrzodzeń, rozpoczynająca się w obrębie odbytnicy, mogąca się jednak rozprzestrzeniać na całe jelito.

### Dolegliwości

Wrzodziejące zapalenie jelita grubego może przebiegać rzutami, którym towarzyszą bóle i gorączka. Charakterystyczne dla choroby jest występowanie krwawych i śluzowych biegunek, utrata zaś krwi może być znaczna w przypadku zajęcia całego jelita grubego. Wśród następstw należy wymienić brak apetytu, spadek wagi i niedokrwistość. Ponadto mogą występować bóle stawów, zmiany skórne i zmiany zapalne w obrębie oczu.

### Przyczyny

Przyczyn powstawania wrzodziejącego zapalenia jelita grubego nie udało się dotychczas wyjaśnić. Prawdopodobne jest występowanie czynników wrodzonych. Istnieją jednak poszlaki wskazujące na udział bakterii w powstawaniu choroby. Pewne znaczenie odgrywają także czynniki natury psychicznej (→ Zaburzenia samopoczucia, s. 175).

Także leki przeciwreumatyczne zawierające tenoksykam, diklofenak i indometacynę mogą wywołać zapalenie jelita.

## Ryzyko zachorowania

Wrzodziejące zapalenie jelita grubego jest chorobą rzadką, występującą jednak częściej niż druga zapalna choroba jelita — choroba Leśniowskiego-Crohna.

## Możliwe następstwa i powikłania

Przy niezwłocznym podjęciu leczenia u dziewięciu na dziesięciu chorych występuje jedynie niewielkie utrudnienie życia poza domem. Częste biegunki mogą ograniczać aktywną działalność chorego, ogólne osłabienie zaś tłumi chęć podejmowania przedsięwzięć. Dodatkowym obciążeniem dla chorych może być konieczność systematycznego przeprowadzania badań wziernikowych oraz świadomość, że po dziesięciu latach trwania choroby wzrasta ryzyko zachorowania na raka jelita grubego.

## Zapobieganie

Poza stosowaniem diety obfitującej we włókna roślinne (→ Żywienie, s. 704) nie istnieją inne sposoby zapobiegania.

## Kiedy do lekarza?

Natychmiast z chwilą wystąpienia stolca z domieszką krwi i śluzu. Lekarz powinien wykonać badanie endoskopowe jelita grubego i pobrać wycinki (→ Rektoskopia, s. 613).

## Jak sobie pomóc

Nie ma żadnych specjalnych ograniczeń dietetycznych, powinieneś więc jeść wszystko, co ci nie szkodzi. Korzystna jest dieta mieszana, obfitująca we włókna roślinne.

## Leczenie

Ostry rzut choroby leczy się glikokortykoidami (często w postaci wlewek) i salazosulfapirydyną (Azulfidine, Colo Pleon, Salazopyrin). W leczeniu przewlekłym stosuje się także mesalazynę (Claversal, Salofalk).

Wymienione środki mogą przedłużać okresy remisji choroby, nie doprowadzają jednak do wyleczenia.

W przypadku gdy choroba doprowadza do dramatycznego spadku wagi i utraty krwi oraz zajęcia znacznej części jelita grubego, może dojść do rozwinięcia się porażenia okrężnicy (*megacolon toxicum*). Wówczas zmienione chorobowo jelito musi być usunięte operacyjnie, po czym szybko następuje poprawa.

### Psychoterapia

Z biegiem czasu przewlekła choroba jelita grubego stanowi coraz większe obciążenie psychiczne dla chorego. Jeśli wrzodziejące zapalenie jelita grubego odbija się na twoim życiu, ulega wyraźnemu pogorszeniu lub staje się bardzo uciążliwe, uzasadnione może być zwrócenie się o pomoc do psychoterapeuty. Jest to tym bardziej godne zalecenia, gdyż często stosunek do własnej osoby i do życia jest czynnikiem przyczyniającym się do powstania choroby (→ Poradnictwo i psychoterapia, s. 670).

## Choroba Leśniowskiego-Crohna

Chorobą Leśniowskiego-Crohna określa się przewlekłe zapalenie błony śluzowej i ściany jelita, w którym dochodzi do blizno-

wacenia i wtórnie do łatwego powstawania przetok. Zmiany chorobowe zajmują najczęściej ostatnią pętlę jelita cienkiego. Często objęte są nimi ograniczone odcinki jelita cienkiego, grubego i odbytnicy. Zapalenie może również występować odcinkowo na całej długości przewodu pokarmowego — od ust aż do odbytu.

### Dolegliwości

Występują uporczywie nawracające silne kurczowe bóle brzucha, ogólnie złe samopoczucie i częste wodniste biegunki, niekiedy z domieszką krwi. Ponadto do objawów należą spadek wagi, uporczywie nawracające gorączki, bóle stawów zmiany skórne, zmiany chorobowe w obrębie śluzówki jamy ustnej oraz zapalenia oczu mogą na równi z rzekomym „zapaleniem" wyrostka robaczkowego towarzyszyć początkowi choroby. Charakterystyczne jest występowanie bolesnych pęknięć i przetok w okolicy odbytu. Choroba rozwija się bardzo powoli w ciągu lat i przebiega rzutami, z okresami remisji trwającymi od kilku miesięcy do kilku lat.

### Przyczyny

Niewyjaśnione są przyczyny wywołujące chorobę Leśniowskiego-Crohna, jak również powody częstego występowania w niektórych rodzinach oraz zwiększonej zachorowalności w okresie ostatnich dziesięcioleci. Przyjmuje się, że choroba może mieć związek ze stresem spowodowanym czynnikami psychicznymi i społecznymi (→ Zaburzenia samopoczucia, s. 175). Skłonność do alergii i dieta o dużej zawartości cukru sprzyjają występowaniu choroby Leśniowskiego-Crohna. Niejasny jest — jak dotąd — ewentualny udział bakterii w powstawaniu choroby Leśniowskiego-Crohna.

### Ryzyko zachorowania

Choroba rozpoczyna się zwykle u młodych osób dorosłych i występuje z jednakową częstością u kobiet i u mężczyzn.

### Możliwe następstwa i powikłania

Niedokrwistość w przypadku intensywniejszych krwawień. W stanach zaawansowanych tworzą się przetoki, z których treść ropna może opróżniać się do zdrowych pętli jelita, do pęcherza moczowego, pochwy lub w okolicy odbytu. Występuje ryzyko powstania zwężenia jelita (→ s. 380) i przedziurawienia zmienionych chorobowo pętli jelitowych. Nieznacznie zwiększone jest ryzyko zachorowania na raka jelit.

Dwie trzecie chorych na chorobę Leśniowskiego-Crohna może normalnie uczestniczyć w życiu zawodowym, natomiast jedna trzecia chorych uskarża się — mimo leczenia — na występujące stale dolegliwości.

### Zapobieganie

Poza dietą obfitującą we włókna roślinne nie istnieją inne sposoby zapobiegania.

### Kiedy do lekarza?

Gdy wystąpią opisane dolegliwości. Natychmiast powinieneś udać się do lekarza, gdy uwagę zwracają zmiany w okolicy odbytu lub w przypadku pojawienia się biegunek z domieszką krwi i śluzu.

## Jak sobie pomóc

Dieta obfitująca we włókna roślinne, odpoczynek i zrównoważony tryb życia mogą korzystnie wpływać na przebieg choroby.

## Leczenie

Rozpoznanie choroby często następuje w sposób przypadkowy w czasie operacji wyrostka robaczkowego. Im wcześniej choroba zostanie rozpoznana, tym większe są możliwości jej skutecznej terapii. Lekarz powinien ustalić rozległość zmian chorobowych i występowanie ewentualnych powikłań. W tym celu musi wykonać badanie endoskopowe dolnego i górnego odcinka przewodu pokarmowego, z pobraniem wycinków (→ Wziernikowanie narządów wewnętrznych, s. 612). Zwykle konieczne jest też badanie rentgenowskie jelita cienkiego.

### Leki

Stosując leki, można wyciszyć ostre rzuty choroby, nie można im jednak zapobiec. Ostry rzut choroby wymaga leczenia glikokortykoidami w wysokich dawkach → Kortyzon (glikokortykoidy), s. 624. Zmniejszenie dawki glikokortykoidów jest możliwe przy jednoczesnym leczeniu azatiopryną (Imuran). Wspomniane leki mogą przedłużać okresy remisji choroby. Przy jednoczesnym zajęciu jelita grubego pomocne jest leczenie salazosulfapirydyną (Azulfidine, Colo Pleon, Salazopyrin) lub mesalazyną (Claversan, Salofalk). Ponieważ środki te — zależnie od przebiegu choroby — wymagają stosowania przez bardzo długi okres, mogą powodować znaczące działania uboczne. Uzyskanie wyleczenia nie jest możliwe.

### Operacja

W przebiegu choroby występuje zwykle potrzeba wielokrotnego przeprowadzania operacji, gdy dochodzi do zwężenia jelita lub tworzenia się przetok. U niektórych chorych konieczność leczenia operacyjnego powtarza się stale. W ich przypadku nawracające dolegliwości i liczne operacje w dużym stopniu odbijają się na komforcie życia (→ Sztuczny odbyt, s. 383).

### Dieta

W czasie ostrego rzutu choroby konieczne jest przejście na dietę kosmonautów. Stosowany roztwór substancji odżywczych podlega całkowitemu wchłanianiu w obrębie jelita cienkiego. Dochodzi do zmniejszenia nasilenia biegunek i bólów, ustąpienia gorączki, zmniejszenia się niedokrwistości. Z powodu bardzo nieprzyjemnego smaku roztwór odżywczy podaje się za pomocą sondy założonej przez nos bezpośrednio do żołądka. Zastosowanie pompy infuzyjnej umożliwia podawanie roztworu odżywczego w sposób ciągły. Opisany sposób leczenia nadaje się do prowadzenia również poza szpitalem. Roztwór odżywczy można przygotowywać samemu, a pojemnik wraz z pompą infuzyjną można nosić na podobieństwo torby zawieszonej na ramieniu. W rzadkich przypadkach (np. po operacyjnym usunięciu znacznej części jelita cienkiego) roztwór odżywczy musi być podawany dożylnie. W szpitalu chory zapoznaje się ze sposobem podłączenia roztworu odżywczego do cewnika tkwiącego w żyle. Po kilku dniach możliwe jest samodzielne wykonywanie wlewów w domu (przykładowo w godzinach nocnych). W ciągu dnia cewnik pozostaje zamknięty, co umożliwia swobodne poruszanie się bez większych ograniczeń.

### Psychoterapia

Zwrócenie się o pomoc do psychoterapeuty może być uzasadnione w przypadku, gdy choroba mocno odbija się na życiu codziennym chorego, ulega wyraźnemu nasileniu lub staje się bardzo uciążliwa. Konsultacja taka jest tym bardziej godna polecenia, gdyż często stosunek chorego do własnej osoby i do życia okazuje się czynnikiem przyczyniającym się do powstania choroby (→ Zaburzenia samopoczucia, s. 175).

Psychoterapia nie zapobiega nawrotom choroby, przyczynia się jednak do osiągnięcia poprawy i ustąpienia objawów (→ Poradnictwo i psychoterapia, s. 670).

# Polipy jelita

## Dolegliwości

Polipy najczęściej nie dają żadnych dolegliwości aż do czasu, gdy stwierdzi się obecność krwi i śluzu w stolcu.

## Przyczyny

Spora liczba guzów jelita ma charakter łagodny i nie daje objawów, a przyczyna ich powstawania pozostaje nieznana. Wśród nich licznie mogą występować przede wszystkim polipy — pojedynczo lub w mnogich skupieniach w jelicie grubym. Zmiany te są niekiedy przyczyną krwawień.

## Ryzyko zachorowania

Polipy jelita występują u siedmiu procent ludzi. Rzadka odmiana choroby, w której występuje skupianie się licznych polipów na obszarze jelita, uwarunkowana jest czynnikami wrodzonymi.

## Możliwe następstwa i powikłania

Im większe rozmiary polipów i innych guzów jelita, tym większe jest ryzyko ich ewentualnej przemiany w raka. Szczególnie wysokie ryzyko rozwoju raka występuje w przypadku uwarunkowanej czynnikami wrodzonymi predyspozycji do tworzenia się polipów: w wieku trzydziestu lat wynosi ono pięćdziesiąt procent, a w wieku czterdziestu lat odnotowuje się już nawet dziewięćdziesiąt procent.

Niektóre guzy łagodne mogą przybierać tak duże rozmiary, że doprowadzają do zamknięcia światła jelita (→ s. 380).

## Zapobieganie

Aby zawczasu wykryć polipy jelita, ukończywszy pięćdziesiąty rok życia, powinieneś rokrocznie przeprowadzać badanie stolca na obecność krwi utajonej (tzw. Hemoccult-test), które należy do badań profilaktycznych wykonywanych w celu wczesnego wykrywania raka.

## Kiedy do lekarza?

Natychmiast, gdy zauważysz ślady krwi lub śluzu w stolcu.

## Jak sobie pomóc

Samemu nie można.

## Leczenie

Lekarz powinien wykonać badanie endoskopowe jelita w celu wykluczenia raka (→ Rektoskopia, s. 613). Pojedyncze polipy odcina się prądem elektrycznym za pomocą pętli wprowadzanej przez endoskop od strony odbytu. Zabieg taki nie wymaga znieczulenia, a podjęcie normalnej pracy jest możliwe następnego dnia. Z powodu możliwości przemiany w raka duże guzy usuwa się w całości, co wymaga przeprowadzenia operacji w znieczuleniu ogólnym i rozcięcia jelita z zewnątrz. W przypadku występowania polipów w gęstych skupiskach konieczne może być niekiedy usunięcie ich łącznie z zajętą ścianą jelita. Kontrolne badanie endoskopowe lekarz powinien przeprowadzić dwukrotnie w ciągu pierwszego roku po zabiegu, a następnie w odstępach rocznych. Należy koniecznie usunąć wszystkie nowo wykryte polipy.

W przypadku polipowatości dziedzicznej skupiska polipów są tak gęste, a ryzyko rozwoju raka tak duże, że w dwudziestym roku życia uzasadnione jest profilaktyczne usunięcie całego jelita grubego. Wiąże się to jednak z koniecznością wytworzenia sztucznego odbytu (→ s. 383).

## Rak jelita grubego i odbytnicy

(→ Nowotwory złośliwe, s. 437)

### Dolegliwości

Pierwszym objawem ostrzegawczym może być nagła zmiana typowej dla ciebie częstości i jakości wypróżnienia — pojawić się może długotrwałe zaparcie lub biegunka. Narasta uczucie parcia na stolec. Oddawanie wiatrów połączone jest z wydalaniem małej ilości stolca. Stolec zawiera niewielkie ślady śluzu i krwi barwy ciemnoczerwonej aż do czarnej, co jednak rzadko się zauważa. Dopiero w okresie późnym pojawiają się bóle brzucha, utrata apetytu, niedokrwistość i spadek wagi. Gdy rak umiejscawia się w pobliżu odbytu, może być wymacany w czasie zabiegów higienicznych.

### Przyczyny

Przyczyny występowania raka jelita grubego są prawdopodobnie wielorakie:
— Jednostronna, uboga w substancje resztkowe dieta.
— Substancje szkodliwe zawarte w pożywieniu. Zaliczają się do nich benzopireny, powstające podczas opiekania na rożnie i wędzenia, oraz nitrozoaminy, które powstają podczas pieczenia mięsa wędzonego i peklowanego, są zawarte w artykułach spożywczych konserwowanych azotynami, a także w owocach i jarzynach. Nitrozoaminy znajdują się również w dymie tytoniowym.
— Rodzinne występowanie wskazuje na czynniki genetyczne.

### Ryzyko zachorowania

Rak jelita grubego należy do najczęściej występujących rodzajów nowotworu złośliwego: u kobiet stanowi piętnaście procent, a u mężczyzn dwanaście procent wszystkich raków. Ryzyko zachorowania jest znacznie zwiększone u osób z polipami jelita grubego lub chorujących na wrzodziejące zapalenie jelita grubego (→ s. 384 i 386), a także, gdy rak jelita grubego wystąpił już u spokrewnionego członka rodziny.

### Możliwe następstwa i powikłania

Zawczasu przeprowadzony zabieg operacyjny (przed powstaniem przerzutów) stwarza co drugiemu choremu szansę przeży-

cia dziesięcioletniego, a nawet dłuższego. Przy zajęciu węzłów chłonnych jedna czwarta chorych ma szansę na przeżycie pięcioletnie. Natomiast przy rozprzestrzenieniu choroby na inne narządy wewnętrzne — mimo naświetlań promieniami i/lub stosowania leków przeciwnowotworowych — pięć lat przeżywa zaledwie pięć procent chorych. Rak jelita grubego pozostawiony bez leczenia kończy się śmiercią w ciągu roku.

### Zapobieganie

Dieta mieszana, obfitująca w substancje resztkowe, korzystnie wpływa na pracę jelit (→ Żywienie, s. 704). Po czterdziestym roku życia powinieneś rokrocznie być badany przez lekarza palcem przez kiszkę stolcową, a od pięćdziesiątego roku życia mieć corocznie przeprowadzone badanie na obecność krwi utajonej w stolcu (Hemoccult-test). Rak odbytnicy jest łatwo dostępny badaniu. Wskazane jest też po pięćdziesiątym roku życia co 3 do 5 lat poddawanie się badaniu rektoskopowemu (→ Rektoskopia, s. 613).

### Kiedy do lekarza?

Natychmiast przy wystąpieniu objawów ostrzegawczych. Osoby cierpiące na hemoroidy często lekceważą obecność krwi w stolcu. Pamiętaj jednak, że przy stwierdzeniu obecności krwi w stolcu należy niezwłocznie udać się do lekarza. Nalegaj wtedy na przeprowadzenie dogłębnych badań.

### Jak sobie pomóc

Samemu nie można.

### Leczenie

W przypadku podejrzenia raka jelita grubego niezbędne jest przeprowadzenie badania endoskopowego (→ Rektoskopia, s. 613).

Guz musi być usunięty operacyjnie. W miarę możliwości dokonuje się następnie połączenia jelita „koniec do końca". Gdy rak umiejscowiony jest nisko w odbytnicy lub w samej okolicy odbytu, usuwa się ją operacyjnie i tworzy odbyt sztuczny (→ s. 383). Jeżeli operacja jest niemożliwa, rozmiary guza można ograniczyć metodą elektroresekcji. Wówczas celowe jest zastosowanie cytostatyków lub promieni rentgenowskich. Postępowanie to niekoniecznie zapobiega dalszemu rozwojowi guzów. Także powtórne badania, które wcześniej ujawniły nawroty, nie przynoszą przedłużenia życia.

Chorzy razem z zespołem leczącym powinni uzgodnić, jakie działania są celowe i potrzebne, by ustalić program mający na celu zmniejszenie dolegliwości. Wszystko, co cieszy, robi dobrze, podnosi jakość życia, pomaga w zwalczaniu choroby.

Psychoterapia wspiera proces zdrowienia i ułatwia znoszenie choroby. Także grupy samopomocowe ułatwiają psychiczne uporanie się z chorobą. Medycyna alternatywna może poprawić samopoczucie, ale brak dowodów na to, że hamuje rozrost guza.

## Robaki

Robaki pasożytują w organizmie człowieka i zwierząt. W naszej szerokości geograficznej występują najczęściej owsiki, glisty i tasiemce. Robaki tropikalne są zwykle „pamiątką" przywiezioną z podróży i w zakresie rozpoznania oraz leczenia stanowią często znaczny problem dla krajowych lekarzy.

### Dolegliwości
*Owsiki*
Świąd odbytu, parcie na stolec z powodu zapalenia odbytnicy, u dziewcząt ewentualnie zapalenie zewnętrznych narządów płciowych. W stolcu widoczne białe robaki długości około centymetra.

*Glisty*
Na ogół występują tylko bliżej nieokreślone dolegliwości brzuszne. W stolcu widoczne są jasnej barwy robaki piętnasto-, dwudziestocentymetrowe.

*Tasiemce*
Utrata wagi bez uchwytnej przyczyny, niejasne dolegliwości brzuszne. Przy inwazji tasiemca rybiego (bruzdogłowiec szeroki) może dołączyć się znaczna niedokrwistość. W stolcu, czasem także w bieliźnie lub pościeli, spotyka się przypominające pasma makaronu białe fragmenty robaków.

Inwazja tasiemca psiego (bąblowiec jednojamowy) może objawić się drażniącym kaszlem.

Najwcześniejszym objawem inwazji tasiemca lisiego (bąblowiec wielojamowy) jest żółtaczka.

### Przyczyny
*Owsiki*
Zarażenie następuje przez styczność z kurzem zawierającym cząstki stolca wraz z jajami owsików lub za pośrednictwem zanieczyszczonych pokarmów. Osobniki żeńskie owsika wypełzają w czasie snu osoby zarażonej z odbytu i składają tysiące jaj w fałdach skórnych okolicy odbytu. Jaja owsików przytwierdzające się do paznokci w czasie drapania się mogą być przenoszone do ust.

*Glisty*
Zarażenie dokonuje się poprzez kurz zawierający cząstki stolca wraz z jajami glist lub przez sałatę i warzywa, które nawożono fekaliami. Glisty pasożytują w jelicie cienkim.

---

### Skuteczne środki przeciw robakom

Pirvinium (Molevac): przeciw owsikom
Mebendazol (Pantelmin, Vermox): przeciw owsikom i glistom
Pyrantel (Combantrin, Helmex): przeciw owsikom i glistom
Prazykwantel (Cesol): przeciw tasiemcom
Niklozamid (Yomesan): przeciw tasiemcom

---

*Tasiemce*
Do inwazji dochodzi na skutek spożycia niepoddanych obróbce termicznej produktów mięsnych (metka, mięso siekane, farsze, mięso niedopieczone) lub ryb, w których mogą znajdować się larwy (wągry) tasiemca. W jelicie z larw rozwijają się dorosłe robaki zbudowane z płaskich segmentów, mogące osiągać do dziesięciu metrów długości.

Jajami tasiemca psiego i lisiego można się zarazić, spożywając niemyte grzyby i owoce runa leśnego rosnące nisko przy ziemi.

Tasiemiec psi osiedla się przede wszystkim w płucach, wytwarzając wypełnione płynem pęcherze.

Tasiemiec lisi tworzy pęcherze przede wszystkim w obrębie wątroby.

### Ryzyko zachorowania
*Owsiki*
Występują często u dzieci.

*Tasiemce*
Inwazje stały się rzadkie od czasu, gdy zwierzęta ubojowe pochodzą prawie wyłącznie z zakładów hodowlanych.

Tasiemiec psi i lisi są w naszej szerokości geograficznej względnie rzadko spotykanymi pasożytami u zwierząt żyjących w stanie dzikim.

### Możliwe następstwa i powikłania
*Owsiki*
Spadek wagi. Niekiedy wskutek wnikania pasożytów do ściany jelita może dochodzić do tworzenia się owrzodzeń w jelicie grubym lub powstania odczynu zapalnego w wyrostku robaczkowym.

*Glisty*
Larwy rozwijają się w płucach, drogach żółciowych i trzustce, mogąc wywołać zapalenie w zajętych narządach.

Rzadko dochodzi do zatkania górnych dróg oddechowych, nosogardła lub jelita cienkiego.

*Tasiemce*
Pęcherze tasiemca psiego w płucach ulegają zwykle otorbieniu i wówczas nie dają już żadnych dolegliwości. Inwazja wątroby przez pęcherze tasiemca lisiego może prowadzić do zejścia śmiertelnego.

### Zapobieganie
*Owsiki*
Dokładne mycie rąk po każdym wypróżnieniu.

*Glisty*
Produkty spożywcze, które prawdopodobnie były nawożone fekaliami, należy dokładnie umyć. Najlepiej jednak nie spożywać ich w stanie surowym.

*Tasiemce*
Mięso i ryby spożywać tylko po dokładnej obróbce termicznej. Owoce leśne i grzyby należy dokładnie myć. Nie karmić psów mięsem, które zostało zakwalifikowane jako nienadające się do spożycia przez człowieka.

**Kiedy do lekarza?**
Jeśli stwierdzisz u siebie występowanie wyżej opisanych objawów.

**Jak sobie pomóc**
*Owsiki i glisty*
— Po oddaniu stolca oczyść okolicę odbytu wilgotną bawełnianą ścierką lub obmyj pod bieżącą wodą.
— Umyj ręce mydłem i wyszczotkuj paznokcie po każdym wypróżnieniu.
— Aby zapobiec odnawianiu się inwazji, wygotuj pościel, bieliznę, bieliznę nocną i ścierki do mycia.

**Leczenie**
Lekarz dysponuje lekami przeciw różnym rodzajom robaków. W przypadku inwazji owsików lub glist leczenie należy po pewnym czasie powtórzyć. Ewentualnie należy leczyć także innych członków rodziny. Pęcherze tasiemca psiego względnie dobrze udają się usuwać operacyjnie. W przypadku pęcherzy tasiemca lisiego jest to praktycznie niemożliwe. Pozostaje wtedy próba oddziaływania na inwazję pasożyta za pomocą leków: mebendazolu lub prazykwantelu. Prawdopodobieństwo skuteczności takiego leczenia jest jednak małe.

## Szczeliny odbytu

**Dolegliwości**
Szczeliny błony śluzowej i zwieracza zewnętrznego odbytu mogą być przyczyną bólów i krwawień; mogą się one także wielokrotnie odnawiać.

**Przyczyny**
Najczęstszą przyczyną jest twardy stolec. Ponadto praktyki seksualne bez dostatecznych środków poślizgowych.

**Ryzyko zachorowania**
Wzrasta przy doodbytniczych (analnych) stosunkach płciowych.

**Możliwe następstwa i powikłania**
Przy odbyciu analnego stosunku płciowego bez zabezpieczenia prezerwatywą występuje ryzyko zarażenia chorobami wenerycznymi, przy czym rozwinąć się może zapalenie błony śluzowej odbytnicy (→ Choroby weneryczne, s. 510). Przy braku zabezpieczenia prezerwatywą w czasie stosunku analnego wzrasta również ryzyko zachorowania na AIDS (→ s. 335).

**Zapobieganie**
Dieta bogatoresztkowa (→ Zaparcie stolca, s. 379).
Ostrożność przy praktykach seksualnych, stosowanie środków poślizgowych.

**Kiedy do lekarza?**
Przy występowaniu bólów i krwawień.

**Jak sobie pomóc**
Staraj się spożywać dietę bogatoresztkową i dużo pij celem rozmiękczenia stolca. Unikaj środków przeczyszczających. Maści lub czopki o działaniu przeciwzapalnym i uśmierzającym ból, zawierające glikokortykoidy, należy stosować jedynie przez krótki czas, gdyż ich używanie może prowadzić do zakażenia grzybicą.

## Guzki krwawnicze (hemoroidy)

Zmiany określane w rozumieniu potocznym mianem hemoroidów w rzeczywistości nimi nie są. W rozumieniu lekarskim guzkowate twory w ujściu odbytu są zakrzepami okołoodbytniczymi. Stanowią bolesne wylewy krwi wskutek pęknięcia naczyń krwionośnych w okolicy odbytu. Z lekarskiego punktu widzenia hemoroidy położone są w głębi odbytu — stanowią guzkowate poszerzenia w obrębie wewnętrznego odbytniczego splotu żylnego.

**Dolegliwości**
Krwawienia żywoczerwoną krwią, świąd i bóle w czasie oddawania stolca.

**Przyczyny**
*Hemoroidy „zewnętrzne"*: są następstwem pofałdowań skóry w okolicy odbytu.
*Hemoroidy „wewnętrzne"* (guzki krwawnicze) — do ich powstawania przyczynia się:
— przewlekłe zaparcie i zwiększone parcie w czasie oddawania stolca;
— środki przeczyszczające; nie zapobiegają one powstawaniu hemoroidów, a wręcz przeciwnie — wymuszając potrzebę wypróżnienia, powodują (przy utrzymywanym siłą woli zamknięciu zwieracza odbytu) zwiększone parcie na końcowy odcinek jelita;
— niedostatek ruchu i nadwaga;
— marskość wątroby, nadciśnienie wrotne.

**Ryzyko zachorowania**
*Hemoroidy „zewnętrzne"*: zwiększone ryzyko występuje u osób wykonujących zawody wymagające pozycji siedzącej (np. u kierowców obsługujących dalekie trasy, jak również u pracowników biurowych).
*Hemoroidy „wewnętrzne"* (guzki krwawnicze): ryzyko zachorowania zwiększają twarde stolce i przewlekły kaszel.

**Możliwe następstwa i powikłania**
W przypadku występujących od dłuższego czasu guzków krwawniczych może dojść do ich wypadania przez odbyt. Powikłanie

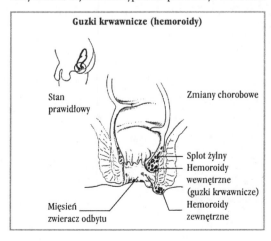

**Guzki krwawnicze (hemoroidy)**

Stan prawidłowy

Zmiany chorobowe

Splot żylny
Hemoroidy wewnętrzne (guzki krwawnicze)
Hemoroidy zewnętrzne

Mięsień zwieracz odbytu

to jest związane z dużą bolesnością i wymaga na ogół leczenia operacyjnego.

## Zapobieganie

— Dieta obfitująca we włókna roślinne przyczynia się do rozmiękczenia stolca (→ Zaparcie stolca, s. 379, → Żywienie, s. 704).

— Systematyczne uprawianie ruchu wpływa na poprawę pracy jelita, w przeciwieństwie do środków przeczyszczających, które wywołują jego zgnuśnienie.

— Siadaj na twardych krzesłach. Unikaj długiego stania lub siedzenia, podnoszenia — jeśli to możliwe — ciężkich przedmiotów oraz długich „posiedzeń" w ubikacji.

## Kiedy do lekarza?

Gdy dokuczają ci opisane dolegliwości, a środki domowe nie przynoszą poprawy.

Samo badanie obmacywaniem jest niewystarczające — lekarz powinien uwidocznić guzki krwawnicze w czasie rektoskopii (→ s. 613).

## Jak sobie pomóc

Unikaj silnego parcia w czasie wypróżnienia; pozwól sobie na spokój i odprężenie (→ Zaburzenia samopoczucia, s. 175). Obmywaj okolicę odbytu ciepłą wodą z mydłem i osuszaj bawełnianym ręcznikiem.

## Leczenie

Leki łagodzą jedynie objawy, nie umożliwiając wyleczenia schorzenia.

Przeciw bólom spowodowanym guzkami krwawniczymi nie należy stosować środków zawierających leki miejscowo znieczulające, będące pochodnymi kwasu paraaminobenzoesowego (etoform, prokaina, tetrakaina; isobutamben), balsam peruwiański lub formalinę, gdyż substancje te bardzo często wywołują uczulenia. Stosowanie leków zawierających glikokortykoidy również należy zarzucić, ponieważ mogą szkodliwie oddziaływać na skórę. Długotrwałe stosowanie środków zawierających glikokortykoidy sprzyja zakażeniom grzybiczym odbytu i odbytnicy. Sprawdź w załączonych ulotkach informacyjnych, czy zapisane ci leki zawierają wymienione wyżej substancje.

Znacznie zaawansowane guzki krwawnicze wymagają zniszczenia za pomocą ostrzykiwań lub poprzez leczenie zimnem. Wypadające przez odbyt guzki krwawnicze usuwa się operacyjnie.

## Lektura uzupełniająca

BĘTKOWSKA T., ROŻNOWSKA K.: *Diety w różnych chorobach: nerek, wątroby, dróg żółciowych trzustki, jelita grubego, żołądka*. Wyd. 2. Agencja Wydaw. „Emilia", Kraków 1997.

CIBOROWSKA H.: *Diety w chorobach dzieci: w biegunkach, celiakii, chorobach zakaźnych, otyłości, cukrzycy, fenyloketonurii*. Agencja Wydaw. „Emilia", Kraków 1996.

GIERLIŃSKA E.: *Kuchnia bezglutenowa. Kuchnia bezmleczna. 150 przepisów dietetycznych dla chorych z zespołem złego wchłaniania*. Agencja Wydawniczo-Oświatowa, Warszawa 1996.

SZYMAŃSKI A.: *Hemoroidy i żylaki*. Wydaw. „Mada", Warszawa 1997.

# NERKI I DROGI MOCZOWE

Przyjmowane pokarmy podlegają w organizmie różnym procesom (tzw. przemianie materii). W ich wyniku powstają odpady (produkty zbędne, a nawet szkodliwe), które muszą być wydalone z organizmu. To zadanie spełniają nerki. Ich brak doprowadziłby w krótkim czasie do śmiertelnego zatrucia organizmu.

Nerki działają jak oczyszczalnie ścieków, które filtrują niezużyte produkty przemiany materii i wydalają je wraz z nadmiarem wody w postaci moczu. Jednym z głównych zadań nerek jest regulacja zawartości w organizmie soli i wody. Narząd ten jest także miejscem produkcji bądź przemiany witamin i hormonów wpływających na przykład na liczbę krwinek czerwonych, metabolizm kości i regulację ciśnienia tętniczego krwi.

Człowiek ma dwie nerki. Każda z nich składa się z ponad miliona jednostek czynnościowych (nefronów), które filtrują krew (kłębuszki) i zagęszczają mocz (cewki). Mocz przepływa z miedniczek nerkowych poprzez moczowód do pęcherza moczowego. Po osiągnięciu zawartości około 0,4 do 1 litra pęcherz jest opróżniany poprzez cewkę moczową na zewnątrz organizmu (mikcja).

Najczęstszymi chorobami dróg moczowych są różnego rodzaju zakażenia. Dzieje się tak, ponieważ organizmy chorobotwórcze mogą przedostawać się tzw. drogą wstępującą poprzez cewkę moczową do pęcherza i dalej poprzez moczowód do miedniczki nerkowej. Znacznie rzadziej dochodzi do zakażenia nerek poprzez krew (droga zstępująca). Połowa wszystkich zakażeń dróg moczowych nie powoduje żadnych dolegliwości. U osób podatnych nawet niejawne klinicznie zakażenia mogą powodować schorzenia samych nerek, w tym ich niewydolność. Jest to przy tym grupa schorzeń, w zapobieganiu której odpowiednie postępowanie chorego jest bardzo skuteczne.

## Zapalenie błony śluzowej pęcherza moczowego, zapalenie pęcherza moczowego

### Dolegliwości
Ciągłe parcie na pęcherz przy wydalaniu jedynie małych ilości moczu; mikcji towarzyszyć może pieczenie i kłucie w okolicy cewki i pęcherza, w niektórych przypadkach pojawia się czerwony kolor (obecność krwi) i ostry zapach moczu.

### Przyczyny
Zakażenie moczu drobnoustrojami chorobotwórczymi (najczęściej bakteriami). Głównym czynnikiem wywołującym opisywane dolegliwości u mężczyzn jest powiększony gruczoł krokowy (stercz, „prostata").

### Ryzyko zachorowania
Ryzyko zachorowania na zapalenie pęcherza moczowego zwiększają:

— nieprawidłowa budowa układu moczowego,
— obecność kamieni w nerkach lub w drogach moczowych,
— obciążenia psychiczne,
— obecność cewnika w pęcherzu moczowym.

Zapalenie pęcherza występuje stosunkowo często u kobiet. Jest to związane z krótką cewką moczową. Drobnoustroje chorobotwórcze łatwo pokonują 3-5-centymetrowy odcinek od ujścia cewki do pęcherza moczowego. Dodatkowo ryzyko rozwoju zapalenia pęcherza zwiększają wszystkie okoliczności, które zaburzają fizjologię flory bakteryjnej w okolicy moczopłciowej. Należą do nich:
— Ciąża (→ s. 531).
— Zapalenie pochwy (→ s. 482).
— Używanie intymnych dezodorantów i kąpiele pianowe.
— Używanie krążków macicznych (→ s. 518).
— Opadanie macicy lub pęcherza moczowego (→ s. 487).

Wzrost ryzyka zachorowania na zapalenie pęcherza moczowego u mężczyzn jest związany z powiększeniem gruczołu krokowego (→ s. 496).

### Możliwe następstwa i powikłania
Zapalenia pęcherza są wprawdzie nieprzyjemne, ale najczęściej nie niebezpieczne. W przypadkach nieleczonych mogą czasem doprowadzać do rozwoju ostrego lub/i przewlekłego odmiedniczkowego zapalenia nerek (→ s. 393-394).

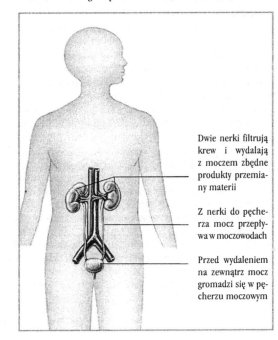

Dwie nerki filtrują krew i wydalają z moczem zbędne produkty przemiany materii

Z nerki do pęcherza mocz przepływa w moczowodach

Przed wydaleniem na zewnątrz mocz gromadzi się w pęcherzu moczowym

## Zioła moczopędne

Poprzez zwiększenie przepływu moczu powodują wypłukiwanie drobnoustrojów chorobotwórczych z dróg moczowych. Dlatego ich użycie jest uzasadnione i może być pomocne w zapobieganiu zakażeniom. Nie są skuteczne jednak przy istniejącym zapaleniu dróg moczowych.

*Uwaga*: W żadnym przypadku nie wolno używać ziół moczopędnych u chorych przewodnionych, z upośledzoną czynnością układu krążenia lub nerek. W takich przypadkach podanie większej ilości płynu jest szkodliwe.

### Liść brzozy
*Sposób przyrządzania:*
— w filiżance średniej wielkości jedną lub dwie łyżeczki liści brzozy zalać gorącą wodą,
— zostawić na 15 minut, następnie odcedzić.

### Ziele skrzypu
*Sposób przyrządzania:*
— dwie lub trzy łyżeczki ziela skrzypu zalać gotującą wodą w filiżance średniej wielkości,
— gotować 5 do 10 minut,
— zostawić na 15 minut, następnie odcedzić.

### Mieszanka ziół moczopędnych
20 g liści brzozy, 20 g kłącza perzu, 20 g liści nawłoci pospolitej, 20 g korzenia lukrecji.
— łyżkę stołową mieszanki ziół zalać gorącą wodą w filiżance,
— zostawić na 10 minut, następnie odcedzić,
*Sposób użycia wymienionych ziół:*
Jedną filiżankę świeżo zaparzonych ziół pić 3-4 razy dziennie.

### Zapobieganie u kobiet
Właściwa higiena osobista: po oddaniu stolca oczyszczanie ruchem z „przodu" (krocze) do „tyłu" (odbyt).

Częste, powtarzające się zakażenia dróg moczowych zwiększają niebezpieczeństwo wystąpienia przewlekłego odmiedniczkowego zapalenia nerek. Dlatego w przypadku nawrotów choroby zaleca się podjęcie następujących środków:
— Unikanie intymnych dezodorantów, płynów do kąpieli, „ostrych" mydeł, ponieważ uszkadzają skórę i błonę śluzową narządów moczowo-płciowych, ułatwiając w ten sposób przenikanie bakterii i rozwój zakażenia.
— Trzeba brać pod uwagę, że chemiczne środki antykoncepcyjne zmieniają środowisko pochwy, czyniąc błonę śluzową bardziej podatną na osiedlanie i rozwój bakterii.
— Należy dużo pić — zwiększenie objętości moczu „wypłukuje" bakterie z dróg moczowych, zmniejszając ryzyko rozwoju zakażenia.
— Nie przetrzymywać za długo moczu w pęcherzu, ponieważ jego znaczne wypełnienie zmniejsza odporność przeciwbakteryjną.
— Przed stosunkiem płciowym pić szklankę wody i opróżniać pęcherz bezpośrednio po stosunku.

### Kiedy do lekarza?
Kiedy zauważysz opisywane objawy. Lekarz zaleci badanie moczu (→ s. 605). W przypadku podejrzenia dodatkowych schorzeń (np. powiększenie gruczołu krokowego, kamienie nerkowe) konieczne są dalsze badania.

### Jak sobie pomóc
Korzystne jest działanie ciepła, dlatego należy unikać oziębienia ciała.

Należy dużo pić (dwa litry lub więcej), np. zioła moczopędne. Racjonalne jest także zwiększenie zawartości witaminy C w pożywieniu, ponieważ powoduje ona „zakwaszenie" moczu, co utrudnia wzrost bakterii.

### Leczenie
W razie niepowikłanego zapalenia pęcherza moczowego stosuje się zwykle jedno- lub trzydniowe leczenie biseptolem (kortymoksazolem) lub amoksycyliną (→ Leki przeciw zakażeniom, s. 621). Jeżeli po dwóch lub trzech dniach leczenia nadal występują dolegliwości, to znaczy że nie wszystkie bakterie zostały usunięte. Należy wówczas przedłużyć leczenie wymienionymi środkami o dalsze dziesięć dni.

Ciągle nawracanie zapalenia pęcherza jest często spowodowane zwężeniem cewki moczowej. W miejscu zwężenia mocz wydalany w czasie mikcji ulega zawirowaniu i kieruje się z powrotem do pęcherza. W takich przypadkach osiągnięcie trwałej poprawy wymaga operacyjnego usunięcia zwężenia i zapewnienia swobodnego odpływu moczu przez cewkę moczową.

## Atonia pęcherza, nerwica pęcherza moczowego (nietrzymanie moczu)

### Dolegliwości
Niekontrolowane oddawanie moczu w dzień lub w nocy. Mimowolne oddawanie moczu w czasie kaszlu, parcia na stolec, kichania, podnoszenia i innych wysiłków.

### Przyczyny
— Osłabienie mięśni zwieraczy cewki moczowej („wysiłkowe nietrzymanie moczu"). Takie zjawisko występuje najczęściej u kobiet i jest związane z wiekiem lub ze zwiotczeniem mięśni przepony miednicy, występującym np. po porodzie.
— Infekcje dróg moczowych (→ Zapalenie pęcherza, s. 391).
— Wrodzone wady rozwojowe i zniekształcenia dróg moczowych.
— „Neurogenna atonia pęcherza" (nerwowopochodna) może wystąpić w następstwie np. choroby Parkinsona, udaru mózgu, choroby Alzheimera oraz urazów mózgu lub rdzenia kręgowego.
— Szkodliwe substancje działające toksycznie na układ nerwowy (→ Substancje szkodliwe w pokarmach, s. 713).
— Działanie niepożądane różnych leków, np. przeciwbólowych, jak ibuprofen (→ s. 620).

*U mężczyzn*: → Choroby gruczołu krokowego, s. 496.

## Ryzyko zachorowania

W Niemczech objawy nietrzymania moczu występują u około 4 mln osób, spośród których 80% stanowią kobiety. Ponad połowa z nich skarży się na wysiłkowe nietrzymanie moczu.

## Możliwe następstwa i powikłania

Większość chorych, wstydząc się swojej dolegliwości, próbuje radzić sobie samemu. Ponieważ jednak nie używają właściwych środków, nie są w stanie ukryć typowego zapachu moczu. Chorzy boją się wychodzić z domu, co z kolei naraża ich na społeczną izolację i samotność.

## Zapobieganie

Każdy poród powoduje krańcowe rozciągnięcie mięśni przepony miednicy. Właściwe ćwiczenia gimnastyczne pozwalają na wzmocnienie mięśni i przywrócenie prawidłowej czynności zwieraczy. Odpowiednie leczenie chorób powodujących nietrzymanie moczu w większości przypadków zapobiega wystąpieniu opisywanych objawów.

## Kiedy do lekarza?

Natychmiast po wystąpieniu dolegliwości.

Badanie moczu, USG oraz w razie potrzeby badanie radiologiczne powinny pozwolić na ustalenie przyczyny nietrzymania moczu.

## Jak sobie pomóc

— Regularnie oddawać mocz, aby wyprzedzić mimowolne oddawanie moczu i doprowadzić do odpowiedniego „wytrenowania" pęcherza.

— Specjalna bielizna lub wkładki wchłaniają mocz i neutralizują przykry zapach.

— Mężczyźni mogą używać specjalnej prezerwatywy połączonej z cewnikiem, przez który mocz spływa do pojemnika. Pojemnik przytwierdza się do uda i nosi pod ubraniem.

— Inną możliwością jest założenie cewnika przez cewkę moczową do pęcherza i odprowadzenie moczu do noszonego pod ubraniem pojemnika.

### Ćwiczenia pęcherza moczowego

Ćwiczenia rozpoczyna się „przyzwyczajaniem" pęcherza moczowego do jego opróżniania co godzina przez kilka dni. Jeżeli po mikcji chora odczuwa, że pęcherz nie jest właściwie opróżniony, należy wstać, usiąść ponownie i przechylając się do tyłu spróbować wyprzeć resztki moczu. Utrzymywanie się suchej bielizny w razie stosowania jednogodzinnych odstępów między kolejnymi opróżnieniami pęcherza pozwala na ich przedłużenie do dwóch godzin.

Celem takiego postępowania jest osiągnięcie 3-4-godzinnych przerw między kolejnymi mikcjami.

W ciągu dnia nie trzeba zmniejszać ilości przyjmowanych płynów (→ Picie, s. 722), należy jednak ograniczyć ich spożywanie wieczorem.

### Ćwiczenia mięśni przepony miednicy

Aby ćwiczenia mięśni przepony miednicy były skuteczne, muszą być prowadzone według fachowych wskazówek. Odpowiednie kursy prowadzą rehabilitanci szpitalni, akuszerki lub specjalne

**Lektura uzupełniająca**

MANITIUS A.: *Co należy wiedzieć o chorobach nerek i dróg moczowych.* PZWL, Warszawa 1989.

WYSZYŃSKA T.: *Choroby nerek u dzieci.* PZWL, Warszawa 1991.

ośrodki zdrowia dla kobiet, tam można się nauczyć właściwych ćwiczeń dla odpowiednich mięśni.

Jedynym następstwem wielokrotnie powtarzanych rad, aby w czasie mikcji w toalecie napinać mięśnie, powodując w ten sposób przerywanie strumienia moczu, jest umiejętność skutecznego zamykania naturalnych otworów ciała. Ćwiczenia te nie wzmacniają jednak mięśni przepony miednicy.

Po około sześciu miesiącach systematycznych, codziennych ćwiczeń wykonywanych według odpowiednich wskazówek kobieta może się spodziewać ustąpienia lub przynajmniej znacznego osłabienia objawów nietrzymania moczu.

## Leczenie

Anatomiczne przyczyny nietrzymania moczu (wrodzone wady układu moczowego, choroby gruczołu krokowego, urazy, wytworzenie się przetoki itp.) mogą być skutecznie leczone operacyjnie.

Nietrzymanie moczu u mężczyzn można leczyć najczęściej środkami rozkurczowymi (parasympatykolitycznymi). Działaniem niepożądanym tych leków jest uczucie suchości w jamie ustnej i zaburzenia widzenia. Jeżeli osłabienie przepony miednicy związane jest ze zmianami hormonalnymi w okresie przekwitania kobiety, pomocne może być stosowanie maści lub czopków estrogenowych (→ s. 477). Leczenie nietrzymania moczu pochodzenia neurogennego obejmuje podanie leków rozkurczowych (leki parasympatykolityczne), założenie cewnika do pęcherza moczowego i różne działania chirurgiczne (np. wytworzenie sztucznej drogi odpływu moczu).

### Leczenie operacyjne

U kobiet, u których nieskuteczne były właściwie przeprowadzone ćwiczenia przepony miednicy, można rozważyć leczenie operacyjne. Polega ono na przemieszczeniu pęcherza moczowego i umocowaniu go w jamie brzusznej. Powoduje to naciągnięcie cewki moczowej, co z kolei ułatwia działanie mięśni zwieraczy. Jednak skuteczność takiego zabiegu jest bardzo niepewna.

## Ostre zapalenie miedniczek nerkowych (ostre odmiedniczkowe zapalenie nerek)

### Dolegliwości

Nagle występujące dreszcze, gorączka, gwałtowne bóle w okolicy lędźwiowej, nudności i wymioty, kolka nerkowa. Częstsze i utrudnione oddawanie moczu. Mocz może być mętny lub nieco zabarwiony na czerwono z powodu obecności krwi.

### Przyczyny

Najczęściej infekcje bakteryjne wstępujące drogami moczowymi. Cewnik założony do pęcherza, kamienie nerkowe, wady rozwojowe dróg moczowych, powiększenie gruczołu krokowego lub inna przyczyna zwężenia dróg moczowych utrudniają przepływ moczu, ułatwiając w ten sposób infekcję.

U dzieci częstszą przyczyną jest odpływ wsteczny (refluks): tak nazywa się przedostawanie się moczu z pęcherza wyżej do moczowodów. Powodem jest wrodzone zaburzenie ujścia moczowodowo-pęcherzowego. W rzadkich przypadkach odmiedniczkowe zapalenie nerek może być powodowane przez drobnoustroje chorobotwórcze dostające się do nerek drogą krwi.

### Ryzyko zachorowania wzrasta
— u chorych z częstymi zakażeniami dróg moczowych,
— u chorych z odpływem wstecznym,
— u kobiet w ciąży,
— u chorych z cewnikiem założonym do pęcherza moczowego,
— u chorych z kamicą nerkową,
— u chorych z przerostem gruczołu krokowego.

### Możliwe następstwa i powikłania
W razie podjęcia szybkiego i odpowiedniego leczenia powikłania występują rzadko. U dzieci chorych na cukrzycę lub osób osłabionych infekcja może się rozszerzyć, doprowadzając do pojawienia się bakterii uropatogennych we krwi. Gdy dochodzi do objawów uogólnionego zakażenia, mówimy o posocznicy (*urosepsis*).

### Zapobieganie u kobiet
— Właściwa higiena osobista: po oddaniu stolca oczyszczenie ruchem „z przodu" (krocze) do „tyłu" (odbyt).
— Unikanie intymnych dezodorantów, płynów do kąpieli, „ostrych" mydeł, gdyż uszkadzają skórę i błonę śluzową narządów moczowo-płciowych, ułatwiając w ten sposób przenikanie bakterii i rozwój zakażenia.
— Unikanie chemicznych środków antykoncepcyjnych, które zmieniają naturalne środowisko pochwy i czynią błonę śluzową bardziej podatną na rozwój drobnoustrojów chorobotwórczych.
— Dużo pić — im więcej moczu, tym skuteczniej „wypłukiwane" są bakterie z dróg moczowych, co zmniejsza ryzyko rozwoju zakażenia.
— Nie przetrzymywać za długo moczu w pęcherzu, ponieważ jego znaczne wypełnienie zmniejsza odporność przeciwbakteryjną.

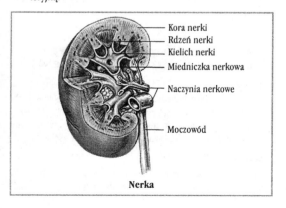

Kora nerki
Rdzeń nerki
Kielich nerki
Miedniczka nerkowa
Naczynia nerkowe
Moczowód

**Nerka**

— W trakcie stosunku płciowego bakterie znajdujące się w cewce moczowej zostają „wepchnięte" do pęcherza. Dlatego przed każdym stosunkiem należy wypić szklankę wody, a bezpośrednio po stosunku opróżnić pęcherz, aby wydalić z niego bakterie, które mogą być przyczyną zapalenia.

### Zapobieganie u mężczyzn
(→ Gruczolak gruczołu krokowego, s. 496)

### Kiedy do lekarza?
Jak najszybciej.

### Jak sobie pomóc
Samemu nie można. W tym przypadku nie pomagają zioła moczopędne.

### Leczenie
Zwykle stosuje się antybiotyki lub inne leki odkażające drogi moczowe. Po jednym lub dwóch dniach leczenia występuje poprawa. Leczenie antybiotykami należy stosować co najmniej czternaście dni, a często dłużej.

U osób z częstymi nawrotami odmiedniczkowego zapalenia nerek wskazane jest wykonanie badań mających na celu wykrycie ewentualnych przyczyn choroby.

Badania krwi i moczu, badania rentgenowskie nerek (→ s. 608), ultrasonografia nerek, badanie w kierunku stwierdzenia lub wykluczenia wstecznego odpływu moczu (refluksu).

## Przewlekłe odmiedniczkowe zapalenie nerek (przewlekłe śródmiąższowe zapalenie nerek)

### Objawy
Długotrwałe zapalenie nerek powoduje stale postępujące uszkodzenie tego narządu. Pojawia się osłabienie, uczucie rozbicia, wzmożona nużliwość. Dochodzi do częstszego oddawania moczu (szczególnie w nocy).

### Przyczyny
Przewlekłe odmiedniczkowe zapalenie nerek rozwija się najczęściej w wyniku nawrotów infekcji dróg moczowych, w tym i ostrego odmiedniczkowego zapalenia nerek. Dochodzi wówczas do bliznowacenia i kurczenia się czynnego miąższu nerkowego. Ważną przyczyną jest wieloletnie nadużywanie środków przeciwbólowych (→ s. 620). Rozwojowi przewlekłego odmiedniczkowego zapalenia sprzyja również obecność kamieni nerkowych (→ s. 396).

### Ryzyko zachorowania wzrasta w przypadku
— nawrotów ciężkich infekcji dróg moczowych,
— powtarzającego się ostrego odmiedniczkowego zapalenia nerek,
— obecności kamieni nerkowych,
— długoletniego przyjmowania środków przeciwbólowych (np. tabletek „z krzyżykiem" → s. 620).

### Możliwe następstwa i powikłania
Brak leczenia doprowadza do uszkodzenia nerek i trwałego ograniczenia ich funkcji. Dochodzi do podwyższenia ciśnienia

tętniczego krwi (→ s. 304) oraz podwyższenia poziomu kreatyniny i mocznika we krwi. Ostatnie stadium tej choroby nazywa się mocznicą. W tym okresie krew musi być oczyszczana za pomocą specjalnych urządzeń (→ Niewydolność nerek, s. 397).

## Zapobieganie

Ograniczyć ilość i czas przyjmowania leków przeciwbólowych. Inne środki zapobiegawcze → Ostre odmiedniczkowe zapalenie nerek, s. 393. W przypadku częstych infekcji dróg moczowych należy przeprowadzić badanie krwi i moczu, aby odpowiednio wcześnie rozpoznać przewlekłe odmiedniczkowe zapalenie nerek.

---

### Lektura uzupełniająca

DUŁAWA J.: *Zakażenia układu moczowego*. Wydaw. Med. Prakt., Kraków 1998.
KOPP K.F., KELLER H.: *Choroby nerek. Rozpoznanie. Zapobieganie. Leczenie*. Wydaw. „Astrum", Wrocław 1997.

---

## Kiedy do lekarza?

Natychmiast, kiedy podejrzewasz u siebie przewlekłe zapalenie nerek.

## Jak sobie pomóc

— natychmiast odstawić przyjmowanie jakichkolwiek środków przeciwbólowych,
— dieta według przepisu lekarza lub dietetyczki.

## Leczenie

Leczenie przewlekłego zapalenia nerek powinno być prowadzone przez specjalistę chorób nerek (nefrologa) lub doświadczonego internistę. Sposób leczenia zależy od stopnia zaawansowania choroby. W przypadku gdy przyczyną przewlekłego zapalenia nerek są kamienie lub inna przeszkoda w odpływie moczu, należy podjąć próbę ich usunięcia.

Wystarczająco często stosować krótkotrwałe kuracje antybiotykami zwalczające skutecznie nawracające infekcje dróg moczowych. W niektórych przypadkach lekarz może zalecić zażywanie antybiotyku przez dłuższy okres w mniejszej niż normalnie dawce. W wyjątkowych przypadkach może się zdarzyć, że lekarz zleci jedynie regularne powtarzanie badań, nie przepisując antybiotyków. Często konieczne jest tzw. leczenie uzupełniające, np. lekami obniżającymi ciśnienie tętnicze krwi, lekami wpływającymi na przemianę materii, jak sole wapnia, wodorotlenek glinu czy witaminy (głównie witamina D).

## Ostre zapalenie kłębuszków nerkowych

### Dolegliwości

Uczucie zmęczenia i rozbicia. Często dolegliwości te pojawiają się po chorobach infekcyjnych (wirusowych lub bakteryjnych) z towarzyszącą gorączką. Po kilkudniowej poprawie i normalizacji temperatury gorączka pojawia się ponownie; może zmniejszyć się ilość oddawanego moczu. Mocz może być mętny z powodu obecności białka lub zaczerwieniony z powodu obecności krwinek czerwonych. Dochodzi do obrzęków głównie powiek

i w okolicy kostek. Podwyższone ciśnienie tętnicze krwi może być przyczyną bólów głowy.

### Przyczyny

Przyczyny nie są dokładnie poznane. W niektórych przypadkach można wykazać istnienie reakcji obronnych w kłębuszkach nerkowych (→ Zaburzenia samopoczucia, s. 175).

Zapalenie kłębuszków nerkowych jest wynikiem skomplikowanych zjawisk odpornościowych (immunologicznych), których następstwem jest uszkodzenie błony filtrującej krew w nerkach. Niesprawność komórek filtrujących doprowadza do przechodzenia krwinek czerwonych i białka do moczu. Wydalanie szkodliwych produktów przemiany materii staje się utrudnione, na skutek czego dochodzi do zatrucia organizmu, w tym także do dalszego uszkodzenia nerek.

### Ryzyko zachorowania

Ostre kłębuszkowe zapalenie nerek jest bardzo rzadkie.

### Możliwe następstwa i powikłania

Każde ostre kłębuszkowe zapalenie nerek jest poważną chorobą zagrażającą życiu. W wielu przypadkach możliwe jest jednak wyzdrowienie bez pozostawienia śladów. W innych — choroba może przechodzić w stan przewlekły, doprowadzając do znacznego uszkodzenia nerek.

### Zapobieganie

Nie jest możliwe.

### Kiedy do lekarza?

Natychmiast po zauważeniu wymienionych dolegliwości. Im szybsza pomoc lekarska, tym większe szanse wyzdrowienia.

### Jak sobie pomóc

Wszelkie próby ograniczania leczenia do „samopomocy" są niebezpieczne.

### Leczenie

Rodzaj leczenia zależy od stopnia ciężkości choroby. Precyzyjna diagnostyka wymaga często pobrania fragmentu tkanki nerkowej do badania (→ Biopsje, s. 615). Innymi metodami badań są: ultrasonografia, badanie rentgenowskie, badanie krwi i moczu (→ Metody badania, s. 598). W leczeniu farmakologicznym używa się antybiotyków, glikokortykosteroidów (np. Encorton) i leków immunosupresyjnych. W niektórych przypadkach konieczne jest zastosowanie pozaustrojowego oczyszczania krwi (→ Hemodializa, s. 398).

## Przewlekłe zapalenie kłębuszków nerkowych

### Dolegliwości

Często występują typowe objawy (→ Ostre zapalenie kłębuszków nerkowych, powyżej). Pojawia się białkomocz i krwiomocz. Choroba może przebiegać w sposób ciągły lub napadowy. Czasem jej skryty przebieg sprawia, że może być rozpoznana przypadkowo, np. przy okazji diagnostyki nadciśnienia tętniczego. Szczególną formą omawianego schorzenia jest zatrzymanie wody (obrzęki) w całym organizmie, głównie na twarzy i podudziach. Mocz staje się silnie pieniący i mętny. Pojawia się w nim duża ilość białka. Ta forma schorzenia nazywana jest zespołem nerczycowym.

### Przyczyny
Nie są dokładnie poznane. W niektórych przypadkach można wykazać istnienie reakcji obronnych w kłębuszkach nerkowych (→ Zaburzenia samopoczucia, s. 175). Zapalenie jest wynikiem skomplikowanych zjawisk odpornościowych (immunologicznych), których następstwem jest uszkodzenie błony filtrującej krew w nerkach. Niesprawność komórek filtrujących doprowadza do przechodzenia krwinek czerwonych i białka do moczu. Utrudnione jest wydalanie szkodliwych produktów przemiany materii, które pozostając w organizmie, powodują jego zatrucie, w tym także dalsze uszkodzenie nerek.

### Ryzyko zachorowania
Chorzy na kłębuszkowe zapalenie nerek stanowią około połowy wszystkich osób ze schyłkową niewydolnością nerek wymagających dializy.

### Możliwe następstwa i powikłania
Przebieg choroby jest bardzo różny. Najczęściej dochodzi do stopniowego rozwoju niewydolności nerek (→ s. 397).

### Zapobieganie
Jest niemożliwe.

### Kiedy do lekarza?
Zawsze, kiedy mocz staje się mętny, o zabarwieniu czerwonym lub silnie pieniący.

### Jak sobie pomóc
Samemu nie można.

### Leczenie
W celu postawienia diagnozy potrzebne jest badanie krwi i moczu, badanie ultrasonograficzne i ewentualnie rentgenowskie. Czasem konieczne jest badanie wycinka tkanki nerki (→ Biopsje, s. 615). Leczenie przyczynowe jest często niemożliwe. Ważna jest jednak normalizacja podwyższonego ciśnienia tętniczego krwi (→ s. 304). Należy obniżyć podwyższone ciśnienie tętnicze (→ s. 307). Wskazane jest utrzymywanie specjalnej, ubogobiałkowej diety, którą określi lekarz, a konieczna regularna kontrola lekarska w specjalistycznej przychodni (poradnia nefrologiczna). W niektórych przypadkach celowe jest stosowanie enkortonu i/lub leków immunosupresyjnych.

Jeżeli leczenie jest nieskuteczne, z czasem konieczne staje się pozaustrojowe oczyszczanie krwi (→ Hemodializa, s. 398) lub transplantacja nerki.

## Urazy nerek

### Dolegliwości
Lekkie urazy mogą powodować gorączkę i bolesność w okolicy lędźwiowej (dolna część pleców). W niektórych przypadkach w moczu pojawia się ślad krwi, najczęściej dzień lub dwa po wystąpieniu urazu. Silne bóle i znaczna ilość krwi w moczu stanowią sygnał bardzo poważnego urazu.

### Przyczyny
Uderzenie, ukłucie, stłuczenie w okolicy nerek.

### Możliwe następstwa i powikłania
Krwawienia wewnętrzne i zakażenia.

### Kiedy do lekarza?
Kiedy odczuwasz ból lub/i zauważysz krew w moczu. Wielkość urazu nerek można zwykle ocenić za pomocą badania ultrasonograficznego i rentgenowskiego (→ s. 611, 608).

### Jak sobie pomóc
Nerka posiada znaczną zdolność do samozagojenia ran. W większości przypadków postępowanie ogranicza się do pozostania w łóżku przez siedem do dziesięciu dni.

### Postępowanie
Cięższe urazy wymagają leczenia szpitalnego. Czasami w wyniku urazu nerki zachodzi konieczność jej usunięcia. Najczęściej nie ma to żadnych ujemnych następstw dla zdrowia. Człowiek może żyć normalnie z jedną nerką.

## Kamienie nerkowe (kamica nerkowa)

### Dolegliwości
Jeżeli kamienie nerkowe są zbyt duże, aby przedostać się z nerki do moczowodu, chory może nie odczuwać żadnych dolegliwości lub jedynie niewielkie bóle w okolicy nerek.

Dolegliwości pojawiają się wówczas, kiedy kamień zaczyna się przemieszczać. Najbardziej charakterystycznym objawem kamicy nerkowej są nagle występujące, ostre lub tępe, napadowe bóle — tzw. kolka nerkowa. Dolegliwości te pojawiają się, kiedy dochodzi do przemieszczania się kamienia z nerki do moczowodu. Ból rozpoczyna się w okolicy lędźwiowej (dół pleców) i promieniuje w dół do spojenia łonowego. Jego natężenie może być tak silne, że chory wymaga natychmiastowej interwencji lekarskiej. Bólom mogą towarzyszyć nudności, a w moczu pojawić się może ślad krwi. Ustąpienie dolegliwości mimo niewydalenia kamienia na zewnątrz sugeruje, że znajduje się on w pęcherzu moczowym.

### Przyczyny
Powstawanie kamieni nerkowych ułatwiają następujące czynniki:
— przewlekłe zakażenie dróg moczowych;
— choroby gruczołu przytarczycowego (nadczynność przytarczyc; → s. 466);
— zastój moczu spowodowany przeszkodą w jego odpływie (zwężenie, blizny, wady rozwojowe);
— rodzaj przyjmowanego pożywienia (diety), powodującego wzrost obecności w moczu substancji ułatwiających powstawanie kamieni;
— przyjmowanie zbyt małych ilości płynów (→ Picie, s. 722);
— przewlekłe choroby jelit (→ s. 384);
— wieloletnie przyjmowanie środków przeciwbólowych.

## Ryzyko zachorowania

Mężczyźni bardziej niż kobiety są narażeni na wystąpienie kamicy nerkowej. Ryzyko zachorowania wzrasta wraz z wiekiem. W Polsce w latach 1967-1985 z powodu kamicy nerkowej zgłosiło się do lekarza 0,36% ludności.

Ryzyko zachorowania wzrasta w czasie upalnej pogody, kiedy duża część wypitych płynów nie jest wydalana przez nerki, lecz poprzez gruczoły potowe. Wzrasta wówczas stężenie wapnia w moczu, co ułatwia powstawanie kamieni w drogach moczowych.

## Możliwe następstwa i powikłania

Kamienie nerkowe zwiększają ryzyko:
— zakażenia dróg moczowych (→ Zapalenie pęcherza moczowego, s. 391);
— powstawania zwężenia i zbliznowaceń dróg moczowych, co z kolei zwiększa ryzyko tworzenia się kamieni;
— przewlekłego odmiedniczkowego zapalenia nerek (→ s. 394).

## Zapobieganie

Dużo pić, szczególnie w czasie upalnej pogody. W niektórych przypadkach chorzy na kamicę nerkową (którzy już mieli lub mają kamienie) mogą hamować powstawanie następnych złogów, stosując odpowiednią dietę. Rodzaj diety określi lekarz lub dietetyczka na podstawie analizy chemicznej kamienia. Przeważająca liczba kamieni składa się głównie ze szczawianu wapnia. Wynika z tego, że należy ograniczyć w diecie mleko i jego przetwory, starać się wyeliminować sól, szpinak, rabarbar i pomidory.

## Kiedy do lekarza?

Zawsze w przypadku kolki nerkowej. Jeżeli wiesz, że masz kamicę nerkową, powinieneś regularnie kontrolować się u urologa lub nefrologa.

## Jak sobie pomóc

Pić tak dużo, jak to jest możliwe. Czasem doprowadza to do wydalenia kamienia drogą naturalną i zmniejsza ryzyko powstawania następnego złogu.

W zapobieganiu powstawania dalszych kamieni pomaga także dieta przepisana przez lekarza lub dietetyczkę.

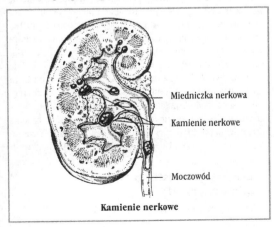

Miedniczka nerkowa

Kamienie nerkowe

Moczowód

**Kamienie nerkowe**

## Leczenie

Przede wszystkim (jeśli to jest uzasadnione wielkością i położeniem kamienia) należy podjąć próbę usunięcia złogu drogą naturalną poprzez przyjmowanie dużych ilości płynów, leki rozkurczowe, ciepłe okłady i ewentualnie terapię ruchową. Jeżeli takie postępowanie jest nieskuteczne, a kamień leży w moczowodzie lub pęcherzu, lekarz może podjąć próbę ściągnięcia go za pomocą specjalnej pętli. Niestety, taki zabieg wymaga założenia grubego cewnika do pęcherza i jest bardzo nieprzyjemny (→ Cystoskopia, s. 614).

Kamienie można kruszyć (litotrypsja) za pomocą udarowych fal ultradźwiękowych.

Leczenie operacyjne jest konieczne w następujących okolicznościach:
— kiedy nie ustępuje kolka nerkowa leczona farmakologicznie,
— w przypadku ciężkich infekcji spowodowanych zastojem moczu,
— w przypadku bardzo dużych kamieni,
— w każdym przypadku spowodowanego przez kamień zagrożenia dla nerki,
— kiedy próba kruszenia lub usunięcia kamienia za pomocą pętli jest nieskuteczna.

Po wydaleniu lub usunięciu kamienia należy go poddać analizie chemicznej. Od jej wyniku zależy rodzaj stosowanej diety, która ma na celu zapobieganie powstawaniu następnych złogów, a także dobór leków.

Szczególnie w kamicy moczanowej mają one duże znaczenie. Właściwe leczenie zapobiegawcze może zmniejszyć ryzyko wystąpienia nowych ataków kamicy w przyszłości.

## Upośledzenie czynności nerek. Niewydolność nerek (mocznica)

### Dolegliwości

Choroba może zaczynać się zupełnie niezauważalnie i nie powodować żadnych dolegliwości. Jednym z pierwszych objawów niewydolności nerek może być częstsze oddawanie moczu w nocy (nykturia). Mocz składa się przede wszystkim z wody, podczas gdy zbędne i szkodliwe produkty przemiany materii pozostają w organizmie. Chory czuje się senny i osłabiony. Może wystąpić duszność. W dalszym przebiegu występują nudności, wymioty, brak apetytu, uczucie nieprzyjemnego smaku w ustach, żółtobrązowe (ziemiste) zabarwienie i świąd skóry. W końcowym stadium niewydolności nerek (schyłkowa niewydolność nerek, mocznica) może pojawić się zapalenie osierdzia, obrzęk płuc, porażenie i śpiączka mocznicowa.

### Przyczyny

Powtarzające się ciężkie zapalenie nerek (np. przewlekłe odmiedniczkowe lub kłębuszkowe zapalenie nerek), urazy powodujące uszkodzenie nerek i ich bliznowacenie. W wyniku tych schorzeń dochodzi do stopniowego ograniczania funkcji filtracyjnej nerek. Wśród innych przyczyn należy wymienić: długoletnie nadużywanie środków przeciwbólowych (→ s. 620); długoletnie nadciśnienie tętnicze; zmiany naczyniowe u chorych na cukrzycę. Inne przyczyny przewlekłej niewydolności nerek (np. torbielowatość nerek) są znacznie rzadsze.

## Ryzyko zachorowania
Niewydolność nerek może się rozwinąć w każdym wieku. Najbardziej narażone są osoby, które przez wiele lat zażywają leki przeciwbólowe.

## Możliwe następstwa i powikłania
Następstwa i powikłania upośledzenia czynności nerek są bardzo liczne. Najważniejsze z nich to: nadciśnienie tętnicze (→ s. 304), obniżenie zdolności koncentracji, stany wyczerpania, utrata masy ciała, choroby kośćca, męczący świąd skóry, zaburzenia seksualne, impotencja, skaza krwotoczna, niedokrwistość, uszkodzenie mięśnia sercowego i inne. Końcowym stadium stopniowego pogarszania funkcji nerek jest ich schyłkowa niewydolność.

## Zapobieganie
Unikanie nadużywania leków przeciwbólowych. W zapobieganiu i wczesnym rozpoznaniu najważniejsze są regularne kontrole lekarskie.

## Kiedy do lekarza?
— kiedy zaczynasz oddawać mocz częściej niż do tej pory,
— w razie niewyjaśnionej utraty masy ciała,
— w razie przedłużających się nudności, szczególnie jeśli nasilają się rano,
— w razie częstych wymiotów z niewyjaśnionego powodu,
— w razie zmęczenia i uczucia rozbicia, które występują bez uchwytnej przyczyny.

## Jak sobie pomóc
Dużo pić. Nie przyjmować na własną rękę jakichkolwiek leków bez porozumienia się z lekarzem.

Możliwość działań we własnym zakresie jest ograniczona. W przypadku podejrzenia niewydolności nerek powinieneś zasięgnąć rady lekarza nefrologa.

## Leczenie
Tylko ostra niewydolność nerek może być odwracalna. Przewlekła niewydolność nerek prowadzi nieuchronnie do konieczności zastosowania jednego z kilku rodzajów tzw. leczenia nerkozastępczego: hemodializy (dializy pozaustrojowej), dializy otrzewnowej (tzw. przerywanej lub ciągłej ambulatoryjnej dializy otrzewnowej) lub transplantacji nerek.

### Hemodializa
Kiedy wydolność pracy nerek spada poniżej 5%, zbędne produkty przemiany materii muszą być wydalane z organizmu za pomocą specjalnego urządzenia zwanego potocznie „sztuczną nerką". Urządzenie to działa w ten sposób, że krew jest doprowadzona specjalnymi przewodami do przyrządu zwanego dializatorem. Tam następuje przefiltrowanie zbędnych produktów przemiany materii z krwi do płynu dializacyjnego, a oczyszczona krew pompowana jest z powrotem do organizmu. Opisany wyżej zabieg nazywa się dializą pozaustrojową (hemodializą) i powinien być przeprowadzony zwykle trzy razy w tygodniu po cztery

do pięciu godzin. Przeprowadzenie hemodializy wymaga specjalnego dostępu do naczyń. Dostęp taki gwarantuje przetoka tętniczo-żylna, którą zakłada się najczęściej na lewym lub prawym przedramieniu. Założenie przetoki wymaga małej, ale precyzyjnej operacji polegającej na połączeniu tętnicy i żyły bezpośrednio lub za pomocą specjalnej plastikowej protezy naczyniowej.

Dializy mogą być przeprowadzone nie tylko w szpitalu, ale po odpowiednim szkoleniu można je stosować także w domu, jako tzw. dializy domowe. Wymaga to przeszkolenia członków rodziny w ośrodku dializoterapii dla zaznajomienia się z podstawowymi problemami technicznymi i medycznymi. Chorzy dializowani powinni otrzymywać dietę ubogobiałkową (40-60 g białka na dobę), ubogosolną i ograniczać ilość przyjmowanych płynów.

W Polsce nie przeprowadza się hemodializ w domu chorego.

Dzięki dializoterapii wielu chorych może pozostawać czynnych zawodowo i zachować — poza czasem samej dializy — dotychczasowy rozkład dnia. Tym samym, nie licząc konieczności związania z maszyną trzy razy w tygodniu, tryb życia tych chorych może być zbliżony do tego, jaki prowadzą ludzie zdrowi. Nerki odpowiadają nie tylko za wydalanie wody, wytwarzają także hormony, m.in. erytropoetynę, która pobudza produkcję czerwonych krwinek. Ponadto biorą udział w regulacji gospodarki elektrolitowej i ciśnienia tętniczego krwi. Z powodu wielu zadań, jakie spełniają nerki, dializoterapia doprowadza do ustąpienia wielu dolegliwości związanych z przewlekłą niewydolnością nerek, ale nie jest w stanie zlikwidować wszystkich. Lepszym rozwiązaniem jest transplantacja nerki. Długość życia chorych dializowanych zależy od choroby podstawowej. Możliwości współczesnej medycyny pozwalają na przedłużenie życia dzięki dializoterapii o więcej niż dziesięć lat.

### CADO (ciągła ambulatoryjna dializa otrzewnowa)
Ta metoda wykorzystuje błonę wyściełającą jamę brzuszną (otrzewną) jako naturalną błonę filtracyjną zastępującą błonę filtracyjną kłębuszków nerkowych. Najpierw w znieczuleniu miejscowym zakłada się do jamy brzusznej cienki cewnik, który pozostaje tak długo, jak długo przeprowadzane będą zabiegi CADO, tj. miesiące lub lata. Jeden koniec cewnika znajduje się wewnątrz, drugi na zewnątrz jamy brzusznej. Zewnętrzny koniec zostaje podłączony do plastikowej butli zawierającej dwa do trzech litrów jałowego wodnego roztworu o odpowiednim składzie chemicznym. Butlę umieszcza się wysoko nad poziomem powłok brzusznych, aby roztwór dializacyjny spływał do jamy otrzewnej siłą ciężkości, w ciągu piętnastu do dwudziestu minut. Po opróżnieniu butli umieszcza się ją wraz z zamkniętym drenem pod ubraniem w taki sposób, że pozostaje niewidoczna dla osób postronnych. Pozostawanie płynu przez kilka godzin w jamie brzusznej umożliwia przedostawanie się do niego z małych naczyń krwionośnych otrzewnej szkodliwych

produktów przemiany materii, które normalnie wydalane są przez nerki. Po czterech, ośmiu godzinach kładzie się pustą butlę na podłodze, pozwalając, aby spływał do niej z powrotem siłą ciężkości płyn znajdujący się w jamie otrzewnej. Trwa to również około piętnastu do dwudziestu minut. Następnie podłącza się nową butlę, powtarzając wszystkie opisane wyżej czynności. Stała, nieprzerwana wymiana płynu z jamy brzusznej pozwala na usunięcie z organizmu zbędnych produktów przemiany materii w sposób zbliżony do tego, w jaki czynią to nerki.

Plusy: w odróżnieniu od hemodializ chory nie jest w tak dużym stopniu uzależniony od pomocy innych osób. Łatwiejsza niż u chorych hemodializowanych jest normalizacja ciśnienia tętniczego krwi i mniejszy stopień niedokrwistości. Poza tym dieta ubogobiałkowa może być przestrzegana mniej rygorystycznie.

*Minusy*: istnieje niebezpieczeństwo bakteryjnego zakażenia otrzewnej. Ryzyko zakażenia można zmniejszyć, ściśle przestrzegając czystości przy każdorazowej wymianie płynu. Dodatkową niedogodnością jest konieczność noszenia pod ubraniem butelki i drenu. Istnieją już jednak systemy nowsze od CADO, które pozwalają na uniknięcie tych niedogodności.

*Transplantacja nerek*
Transplantacja jest najlepszym rodzajem leczenia przewlekłej niewydolności nerek. Pozwala na pełną rehabilitację chorego (w przypadku kobiet również na ciążę) oraz na daleko idącą niezależność od szpitala. Przeciwwskazaniami do transplantacji są obecne zakażenia, ciężka niewydolność krążenia i bardzo zaawansowany wiek.

Przygotowanie do transplantacji wymaga zestawu badań, które muszą być powtarzane co dwa miesiące. Sam zabieg przeszczepienia nerki wykonywany jest jedynie w wyspecjalizowanych ośrodkach. Polega on na implantacji (wszczepieniu) nerki pobranej od dawcy, do dołu biodrowego. Chore nerki pozostają na swoim miejscu. W Niemczech i Austrii ewentualni biorcy nerki oczekują zwykle od sześciu miesięcy do czterech lat na znalezienie odpowiedniego narządu. Dawcami nerek są najczęściej zmarli w nagłych okolicznościach młodzi ludzie. Czas oczekiwania uzależniony jest od znalezienia dawcy nerki z taką samą jak biorca grupą krwi oraz jak najbardziej zbliżonym układem tzw. antygenów zgodności tkankowej. W niektórych, wybranych przypadkach istnieje możliwość pobrania nerki od dawcy żyjącego. Może to być ktoś z rodziców lub rodzeństwa, u którego stwierdza się duże podobieństwo w zakresie układu zgodności tkankowej (tzw. dawca rodzinny).

Transplantacja niesie ze sobą następujące ryzyko:
— w czasie zabiegu przeszczepienia nerki lub krótko po nim mogą wystąpić powikłania jak w przypadku każdej innej operacji;
— przez cały okres pozostawania w organizmie obcej nerki chory musi przyjmować specjalne leki, które osłabiają jego obronność immunologiczną; w przeciwnym przypadku nerka zostałaby „odrzucona" przez organizm.

Leki, o których mowa (immunosupresyjne), osłabiają i upośledzają także odporność na infekcje (bakteryjne, wirusowe i grzybicze), a stosowane przez długi okres zwiększają ryzyko

rozwoju choroby nowotworowej, uszkodzenia wątroby i samej przeszczepionej nerki.

Mimo stosowania leków upośledzających obronność organizmu wcześniej lub później przeszczepiona nerka ulega odrzuceniu. W takim przypadku konieczny staje się powrót do leczenia dializami. W większości przypadków możliwa jest także następna transplantacja.

## Guzy nerek i/lub pęcherza
(→ Nowotwory złośliwe, s. 437)

### Dolegliwości
Pierwszym objawem jest najczęściej obecność krwi w moczu.

### Przyczyny
Nie są dokładnie znane. Długotrwałe nadużywanie leków przeciwbólowych (→ s. 620) i palenie papierosów zwiększają ryzyko wystąpienia raka nerki lub pęcherza.

### Ryzyko zachorowania
Guzy nerki lub/i pęcherza występują najczęściej u mężczyzn po pięćdziesiątym roku życia. Mężczyźni chorują znacznie częściej niż kobiety. Ryzyko zachorowania wzrasta u palaczy papierosów oraz u osób nadużywających środków przeciwbólowych.

### Możliwe następstwa i powikłania
Przy braku odpowiedniego leczenia dochodzi do rozprzestrzeniania się komórek nowotworowych w innych częściach organizmu.

### Zapobieganie
Przerwać palenie papierosów (→ Palenie tytoniu, s. 740), zracjonalizować i ograniczyć przyjmowanie leków przeciwbólowych (→ s. 620).

### Kiedy do lekarza?
Natychmiast, kiedy zauważysz podane wyżej dolegliwości. Przy podejrzeniu guza lekarz przeprowadzi konieczne badania (ultrasonograficzne, rentgenowskie).

### Jak sobie pomóc
Samemu nie można.

### Leczenie
*Rak nerki*
Odpowiednio wcześnie rozpoznany rak nerki może być często skutecznie leczony operacyjnie. W sytuacji, gdy chory zgłasza się do lekarza zbyt późno, kiedy niemożliwy jest radykalny zabieg operacyjny, rokowanie jest złe, a spodziewany okres przeżycia znacznie ograniczony.

*Rak pęcherza*
Wczesne rozpoznanie raka pęcherza umożliwia pełne wyleczenie za pomocą zabiegu operacyjnego, naświetlania i farmakoterapii. W ciężkich przypadkach możliwe jest całkowite usunięcie pęcherza, wytworzenie ujścia moczowodowego na zewnątrz do specjalnego pojemnika noszonego stale przez chorego.

# KOŚCI

Szkielet kostny stanowi rusztowanie ciała ochraniające narządy wewnętrzne oraz mózgowie. Kości połączone są ze sobą stawami i więzadłami oraz mięśniami przyczepiającymi się do nich, co umożliwia wykonywanie ruchu. Ponadto kości są potężnym spichlerzem wapnia i fosforu. Sztywna kość w swym wnętrzu jest nadzwyczaj żywotna. Nieustanny proces budowy i zaniku tkanki kostnej umożliwia dostosowywanie się szkieletu do stale zmieniających się wymogów ciała.

Poszczególne kości otoczone są błoną zwaną okostną. Z niej, poprzez kanaliki, do wnętrza kości wnikają naczynia krwionośne i nerwy, które obejmują całą warstwę zewnętrzną substancji kostnej. Ta zewnętrzna zbita warstwa kości zwana jest substancją zbitą albo warstwą korową kości. Długie kości rurowate, jak np. kość udowa, zbudowane są prawie tylko z warstwy zbitej. Wewnątrz niej znajduje się jama szpikowa, która u dorosłych wypełniona jest żółtym szpikiem kostnym. Kości kręgosłupa oraz szyjka kości udowej mają inną strukturę. Ich wnętrze zbudowane jest podobnie jak gąbka. Takiej konstrukcji kości zawdzięczają niezwykle dużą stabilność i wytrzymałość na obciążenia.

## Przebudowa kości

Przebudowę kości wykonują dwa rodzaje komórek: tzw. osteoblasty i osteoklasty. Pierwsze budują kość, podczas gdy drugie, zwane komórkami kościogubnymi, powodują ubywanie kości. Przebudowę kości regulują hormony poprzez utrzymywanie odpowiedniego poziomu wapnia i fosforu we krwi oraz poprzez aktywność ruchową ciała.

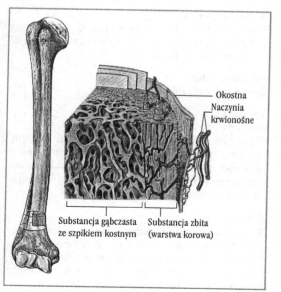

Okostna
Naczynia krwionośne

Substancja gąbczasta ze szpikiem kostnym

Substancja zbita (warstwa korowa)

Na budowę kości wywierają wpływ następujące czynniki:
— Parathormon (→ Przytarczyce, s. 466).
— Kalcytonina (→ Tarczyca, s. 460).
— Witamina D, która wpływa na wchłanianie odpowiedniej ilości wapnia z jelita i osadzanie go w kości.
— Hormony płciowe (estrogeny i testosteron): działają w ten sposób, że wzmagają wydzielanie kalcytoniny i/lub bezpośrednio pobudzają osteoblasty.
— Aktywność ruchowa ciała: mocne mięśnie poprzez swoje przyczepy pociągają silnie za kości. W ten sposób kość jest „zmuszana" do większej wytrzymałości, tak by nie uległa złamaniu.
— Wapń: osadza się w kości.

Redukcję — zanikanie kości (działanie kościogubne) powodują:
— Parathormon w zmiennej równowadze z kalcytoniną (→ Przytarczyce, s. 466, → Tarczyca, s. 460).
— Nadmierna ilość witaminy D.
— Zbyt dużo soli fosforowych w porównaniu z zawartością wapnia we krwi.
— Bezruch — zbyt mała ruchliwość.
— Kortyzon i pochodne (glikokortykoidy), jeśli przyjmowane są w zbyt dużych dawkach i zbyt długo (→ s. 624).

## Kości dziecięce

Dzieci mają „miękkie" kości, które są dostosowane wystarczająco do obciążeń występujących w tym wieku. Dzieciom nie wolno dźwigać dużych ciężarów przez dłuższy czas. W pierwszych latach życia komórki kostne przebudowują „kości dziecięce" w „kości dorosłych". Do tego potrzeba dużo wapnia.

Na końcach dziecięcych kości długich znajduje się warstwa zbudowana z tkanki chrzęstnej (chrząstka nasadowa), w której odbywa się wzrost kości na długość.

## Kości stare

Po trzydziestym roku życia u każdego człowieka zaczyna się zanikanie kości, którego nikt nie może wstrzymać. W wieku siedemdziesięciu lat każdy człowiek utracił jedną trzecią swej masy kości. Nie oznacza to jednak, automatycznie, że starsi ludzie doznają licznych złamań kości. W podeszłym wieku obciążenia ciała są zazwyczaj mniejsze niż w latach młodzieńczych, dlatego też częściowo odwapnione kości wytrzymają je.

## Złamania kości

### Dolegliwości

Bóle i obrzmienie w obrębie złamania. Złamana kość jest ustawiona w innej pozycji niż zwykle i ruchoma jest w miejscach, w których normalnie ta ruchomość nie występuje.

## Przyczyny

Kości mogą ulec złamaniu podczas każdego wypadku: przy uderzeniu, stłuczeniu, upadku. U osób ze zmniejszoną masą kostną (np. w przebiegu osteoporozy) złamanie kości następuje na skutek błahego urazu, niepowodującego u innych ludzi takich skutków (→ Osteoporoza, s. 402).

### Ryzyko zachorowania

Łamliwość kości zależna jest od ich wytrzymałości, a ta z kolei związana jest z wiekiem. Najczęściej łamią się kości przedramienia oraz kciuk. W starszym wieku dość często ulega złamaniu szyjka kości udowej.

### Możliwe następstwa i powikłania

W zależności od mechanizmu i siły urazu każde złamanie kości w następstwie wypadku jest związane z uszkodzeniem tkanek miękkich otaczających kość, naczyń krwionośnych, ewentualnie nerwów. Złamanie kości o zmniejszonej wytrzymałości w następstwie osteoporozy zwykle nie powoduje tych uszkodzeń. Duże niebezpieczeństwo powikłań infekcyjnych występuje w złamaniach otwartych, kiedy odłam złamanej kości przebija skórę. Natomiast wadliwie zrośnięte złamania kości mogą być przyczyną bólów i ograniczenia ruchów, co często powoduje wadliwe obciążenia stawów reagujących na to zmianami zwyrodnieniowymi (→ s. 421). W skrajnie niekorzystnych powikłaniach może dojść do zniszczenia kości. Szczególnie niebezpieczne powikłania zagrażają ludziom starym w okresie, kiedy złamana kończyna wymaga pełnego unieruchomienia. Są to: zapalenia żył, zapalenia płuc lub odleżyny w miejscach nacisku na skórę. Złamanie kręgosłupa powinno być leczone operacyjnie. Może ono spowodować uszkodzenie rdzenia kręgowego z porażeniem kończyn dolnych oraz zwieraczy pęcherza moczowego i odbytu (→ Urazy rdzenia kręgowego, s. 213).

### Zapobieganie

Zapobieganie wypadkom.

### Kiedy do lekarza?

Wówczas, kiedy bóle, upośledzenie ruchów lub podejrzanie niewłaściwe ustawienie kości kończyn mogą sugerować złamanie kości (→ Urazy kości, s. 692).

### Leczenie

Wyleczenie złamanej kości wymaga spełnienia trzech podstawowych warunków. Odłamy kostne muszą stykać się dokładnie, a złamana kończyna musi być w pełni unieruchomiona z zapewnieniem dobrego ukrwienia. Jeśli zdjęcie rentgenowskie wykazuje niezadowalające ustawienie odłamów kostnych, lekarz dokonuje próby zewnętrznego właściwego ich ustawienia. Zabieg ten ze względu na jego bolesność i potrzebę zwiotczenia mięśni wykonuje się w narkozie. Czasem stosuje się wyciąg z użyciem ciężarków, aby rozciągnąć przesunięte odłamy kostne. Kości, które mają się zrosnąć, unieruchamia się, stosując opatrunek gipsowy lub (w metodzie operacyjnej) łączy się odłamy za pomocą gwoździ, śrub, płytek albo pętli drutu. Przy zapadaniu się kręgów w przebiegu osteoporozy, fragmenty kości gąbczastej, z której zbudowany jest trzon kręgu, zaklinowują się i wzajemnie podpierają (→ Osteoporoza, s. 402). W takiej sytuacji nastawienie złamania nie jest możliwe i jest zbędne.

*Gips*

Już podczas pobytu w szpitalu uczysz się tzw. ćwiczeń izometrycznych. Napinanie mięśni w opatrunku gipsowym zapobiega ich zanikowi i poprawia ukrwienie kości. Ten „trening" nie powinien być przesadny. W okresie gojenia najważniejszy jest spokój. Po zdjęciu gipsu musisz przyswoić sobie aktywne leczenie ruchem, aby odzyskać siłę mięśniową. Poprawnego chodzenia z pomocą kul musisz nauczyć się w szpitalu. Dowiesz się tam, w jakim stopniu wolno ci obciążać chorą kończynę.

W miarę możliwości nie należy stosować kąpieli ani natrysku, nawet jeżeli opatrunek gipsowy chroniony jest plastikową powłoką. Skóra pod gipsem wysycha z trudnością i przez to narażona jest na niebezpieczeństwo. Jeżeli mimo zachowania ostrożności, skóra pod gipsem została zamoczona, pomocny w jej wysuszeniu może być strumień zimnego powietrza z suszarki. Zanim opuścisz szpital, powinieneś omówić z personelem dalsze postępowanie w warunkach domowych. Należy ustalić, czy poradzisz sobie sam, czy też będziesz potrzebował czyjejś pomocy.

*Operacja*
*Zespolenie kości elementami metalowymi*
Ta metoda jest prawie zawsze równoznaczna z dwiema operacjami: jedną związaną z wszczepieniem łączy metalowych, drugą z ich usunięciem. Elementy z tworzywa wchłanianego przez organizm są dopiero w stadium prób. Według opinii ortopedy o wysokim międzynarodowym autorytecie operacje te są wykonywane częściej, niż wynika to z bezwzględnej potrzeby, gdyż opieka nad pacjentem leczonym tylko opatrunkiem gipsowym jest długotrwała i żmudna. Pacjentów z gwoździowanymi lub zespalanymi wkrętami złamaniami pielęgnuje się łatwiej.

Operacja jest uzasadniona gdy:
— Istnieje prawdopodobieństwo, że przy zastosowaniu metod nieoperacyjnych kości nie zrosną się należycie.
— Istnieją wskazania do możliwie rychłego uruchomienia chorego, tak aby zmniejszyć niebezpieczeństwo powikłań związanych z długotrwałym leczeniem. Na przykład złamanie szyjki kości udowej u starszych osób leczy się właśnie metodą operacyjną.
— Uszkodzeniu uległy tkanki miękkie, naczynia krwionośne,

---

### Po założeniu opatrunku gipsowego zgłoś się natychmiast do lekarza, jeśli:

— Pod gipsem coś boli i potrafisz dokładnie określić miejsce tego bólu.
— Zagipsowana kończyna zmienia barwę.
— Staw leżący powyżej lub poniżej gipsu staje się mniej ruchomy albo nieruchomy lub ulega obrzękowi.
— Jeśli masz uczucie, że zagipsowana kończyna drętwieje albo staje się jakby obumarła.

mięśnie i nerwy, które mogą być zrekonstruowane tylko operacyjnie.

Początkowo trzeba odciążyć operowaną kończynę, stosując laski, kule, szyny lub gips. Lekarz może usunąć części metalowe dopiero wtedy, gdy kość odzyska zdolność nośną. Ponieważ trudno dokładnie ocenić, kiedy ten moment nastąpi, należy raczej poczekać nieco dłużej z operacją usunięcia części metalowych. W złamaniu kości udowej może to potrwać dwa lata.

*Powikłania*: Do zwykłego ryzyka operacyjnego dochodzi ryzyko związane z operowaniem na otwartej kości: infekcje, zaburzenia w zrastaniu kości. Zastosowany metal może działać jak ciało obce, wywołując stan zapalny uszkadzający tkanki miękkie i kości.

### Złamania kości u dzieci

— Goją się tym szybciej, im młodsze jest dziecko.
— Umiarkowanie krzywo zrośnięte kości lub zrośnięte ze skróceniem odłamów wyrównują się wystarczająco w trakcie wzrostu.
— Niezmiernie rzadko występują powikłania złamań (w postaci zesztywnienia stawów, odwapnienia kości lub skrzywienia), czy też wysięki jako następstwa długotrwałego leczenia.
— Złamania w nasadach przystawowych występują wprawdzie rzadko, lecz muszą być operowane.
— Złamania w okolicy strefy wzrostowej są częste, lecz mogą być leczone bez operacji.

## Osteoporoza (rozrzedzenie kości)

W wieku trzydziestu pięciu do czterdziestu lat zaczyna się proces rozrzedzenia (rzeszotnienia) kości wskutek zaniku i ścieńczenia beleczek kostnych, którego nie można powstrzymać. Jak już wspomniano, u każdego siedemdziesięcioletniego człowieka obserwuje się utratę około jednej trzeciej masy kości. Nie ma to znaczenia dopóty, dopóki kościec jest zdolny do dźwigania ciężaru ciała, również przy jego obciążeniu. Dopiero po wystąpieniu złamań kości pojawiają się dolegliwości bólowe, wówczas mówi się o chorym na osteoporozę. Dokuczliwe bóle krzyża i zmieniona sylwetka, tzw. wdowi garb, przez długi czas były pomijanym problemem kobiet. Zmiana nastąpiła w chwili, kiedy statystycy w USA zaczęli liczyć koszty związane z leczeniem złamań szyjki kości udowej w następstwie osteoporozy. Wiele kobiet zawdzięcza szansę przeżycia starości bez obciążeń dzięki docenieniu gospodarczo-społecznego znaczenia osteoporozy oraz wysiłkom badawczym i zapobieganiu.

### Dolegliwości

Z początku lekkie bóle krzyża, które z czasem mogą się stać nieznośne, a innym razem ustępują. Niektóre kobiety zauważają, że stają się wyraźnie niższe, inne znów udają się do lekarza, ponieważ zupełnie bez powodu wystąpiło u nich złamanie.

### Przyczyny

Wszystkie wymienione czynniki, które przyspieszają rozrzedzenie kości albo utrudniają budowę kości, sprzyjają zanikowi kości. Należą do nich:
— Niedostatek hormonów płciowych.

— Niedostatek ruchu.
— Niedostateczne przyswajanie wapnia, np. po operacji żołądka (→ Wrzód żołądka lub dwunastnicy, s. 366) lub przy zapalnych chorobach jelit (→ Wrzodziejące zapalenie jelita grubego, s. 384, → Choroba Leśniowskiego-Crohna, s. 385).
— Upośledzenie czynności nerek (→ Niewydolność nerek, s. 397).
— Choroby przytarczyc (→ s. 466).
— Długotrwałe przyjmowanie glikokortykoidów (np. jako leku przeciwreumatycznego, w astmie lub alergii → s. 624).

### Ryzyko zachorowania u kobiet

Na osteoporozę częściej chorują kobiety niż mężczyźni, ponieważ w okresie przejściowym w dużym stopniu obniża się ochronne działanie hormonów płciowych. Jednak nie wszystkie kobiety w tym okresie chorują na osteoporozę. Dokładnie jedna czwarta objęta jest tym ryzykiem. Dotąd nie wyjaśniono, dlaczego tak jest. Kobiety z tej grupy tracą w czasie niewielu lat okresu przejściowego tyle masy kostnej, że staje się to przyczyną występowania dolegliwości. U innych kobiet mija dwadzieścia do trzydziestu lat, zanim mogą się ujawnić ciężkie skutki odwapnienia kości.

Dotąd brak pewnej metody pozwalającej odróżnić kobiety objęte ryzykiem od pozostałych. Jak wykazuje doświadczenie, ryzyko osteoporozy jest większe u kobiet, które:
— Są dziedzicznie obciążone podatnością na osteoporozę.
— Poddane były operacji usunięcia jajników przed czterdziestym rokiem życia.
— Przed czterdziestym rokiem życia weszły w okres przejściowy.
— Uprawiały nadmiernie sport, co doprowadziło do zatrzymania menstruacji.
— Przyjmują mało wapnia w pożywieniu.
— Dużo palą.
— Nadużywają alkoholu.
— Nie rodziły dzieci.
— Są bardzo szczupłe — po okresie przejściowym w tkance tłuszczowej organizmu wytwarzane są żeńskie hormony płciowe (estrogeny) z innych hormonów płciowych. Mało tkanki tłuszczowej oznacza mniej estrogenów.
— W pewnym okresie schudły (→ s. 196).

### Ryzyko zachorowania u mężczyzn

Są zagrożeni osteoporozą, kiedy działanie ich hormonów płciowych jest wyłączone przez leki, na przykład w przebiegu leczenia raka gruczołu krokowego (→ s. 497).

### Możliwe następstwa i powikłania

*Złamania kręgów*: Zdarza się to jednej spośród pięciuset kobiet w ciągu roku. Rdzeń kręgowy pozostaje przy tym nieuszkodzony, a zatem nie należy się obawiać porażeń o charakterze paraplegii. Ból towarzyszący złamaniu określany jest często jako „lędźwioból" (lumbago) i przechodzi po kilku tygodniach. Kilka zapadniętych na skutek złamań trzonów kręgów w odcinku piersiowym tworzy garb. W ten sposób punkt ciężkości ciała przesuwa się ku przodowi, co zwiększa niebezpieczeństwo upadku. Częste są wzmożone bolesne napięcia mięśni przy-kręgosłupowych, które usiłują przejąć wciąż słabnącą funkcję podpierającą kręgosłupa.

*Złamania szyjki kości udowej*: Jak wynika z danych dotyczących kobiet amerykańskich, 15% z nich w swoim życiu doznaje tego złamania. Ryzyko zgonu na skutek powikłań z tym związanych jest pięciokrotnie większe w porównaniu z innymi kobietami w tym samym wieku. Złamania wszelkich typów w starszym wieku są często przyczyną zmniejszonej ruchliwości. Z tego powodu starsze osoby często są mało samodzielne.

## Zapobieganie

Stosując niektóre ogólnie przyjęte sposoby, każdy może zapobiegać groźbie wystąpienia dolegliwości związanych ze starczym odwapnieniem kości.

— Systematycznie zażywaj ruchu (np. codziennie uprawiaj gimnastykę, dwa razy w tygodniu pływaj lub codziennie wykonuj półgodzinny szybki marsz).
— Codziennie spożywaj od 800 do 1000 mg wapnia. Przy stosowaniu względnie pełnowartościowego pożywienia jest to możliwe (→ Wapń, s. 731). Tylko wyjątkowo istnieje potrzeba zażywania pastylki wapniowej.
— Unikaj wspinania się na wysokość, np. przy czyszczeniu okien lub wymianie żarówek w lampach. Przeciwślizgowe podeszwy obuwia zapobiegają upadkom.

### *Zapobieganie z zastosowaniem leków*

Stosowanie hormonów płciowych sprawiło, że liczba złamań może ulec zmniejszeniu. Kobiety, którym usunięto macicę, otrzymują lek zawierający tylko estrogen. Pozostałe przyjmują preparat złożony z estrogenu i gestagenu. Gestagen ma na celu zmniejszenie ryzyka wystąpienia raka błony śluzowej macicy podczas stosowania estrogenu. W użyciu są również plastry zawierające estrogen, mogą one wystarczająco zapobiegać osteoporozie. Po pięciu latach należałoby zakończyć terapię hormonalną. Masa kostna jest prawdopodobnie wtedy dość stabilna, a przy dłuższym stosowaniu estrogenów wzrasta ryzyko zachorowania na raka, tak że zdominowuje korzyść. Na stronie 476 (→ Okres przekwitania) podano informacje, kiedy wstrzymać leczenie hormonami i jakie jest ich uboczne działanie.

## Kiedy do lekarza?

### *Kobiety*

Kiedy po ukończeniu czterdziestu lat miewasz stałe bóle w plecach. Młodsze kobiety powinny się zastanowić, czy istnieje u nich szczególne ryzyko osteoporozy (→ Ryzyko zachorowania) i w okresie przejściowym omówić ze swoim lekarzem problem zapobiegania i wykonania ewentualnego badania densytometrycznego kości.

### *Mężczyźni*

Impotencja i zmniejszenie zainteresowań seksualnych mogą być wskazówką, że organizm wytwarza niewystarczającą ilość hormonów płciowych (→ Zaburzenia seksualne u mężczyzn, brak popędu, s. 704, 705). Jeśli odczuwasz stałe bóle pleców, powinieneś to omówić ze swoim lekarzem. Rozpoznanie osteoporozy lekarz stawia zazwyczaj na podstawie zdjęcia rentgenow-

skiego złamanej kości. Na podstawie odpowiedzi na zadane pytania i przebadania, lekarz może określić, czy należysz do grupy osób zagrożonych chorobą. Dopiero kiedy łatwe do zbadania czynności narządów, na przykład przewodu pokarmowego i nerek, nie przemawiają za osteoporozą, przeprowadza się bardziej kosztowne badania laboratoryjne.

### *Badanie stopnia uwapnienia kości (densytometria)*

W tym celu najczęściej wykonuje się w odstępach trzech miesięcy zdjęcia rentgenowskie nadgarstka. Nie znaczy to, że badanie to jest bez wpływu na organizm (→ s. 609). Jeśli z pomiarów tych wynika, że kobieta w okresie jednego roku traci 3,5% masy kostnej, to większość ginekologów doradza stosowanie hormonów. Ta wartość graniczna oparta jest na wynikach badań naukowych. Dotąd nie ma jednoznacznie opracowanych norm, które podawałyby, od kiedy celowe jest stosowanie hormonów. Badanie gęstości kości jest częściowo przedmiotem krytyki, ponieważ wyniki sposobów badań są nieporównywalne. Wielu lekarzy, nie mając właściwych kwalifikacji, podejmuje się tych badań, dlatego należy wykonywać je w odpowiednim i zawsze tym samym instytucie lub klinice.

## Jak sobie pomóc

— Tylko regularny ruch podtrzymuje masę kostną (→ Ruch i sport, s. 748). Dotyczy to również osób, które stosują zapobiegawcze leki przeciw osteoporozie.
— Dieta bogata w wapń (→ Sole mineralne, s. 731).
— Skreśl ze swojego jadłospisu produkty gotowe do spożycia: zawarte w nich związki fosforu zmniejszają poziom wapnia we krwi.

Stosowane w okresie przekwitania środki pochodzenia roślinnego nie pomagają w dolegliwościach związanych z osteoporozą.

Należy oszczędzać kręgosłup:

— Nie dźwigać niczego, co może być przesunięte.
— Rozkładać ciężar równo na oba ramiona.
— Ciężary podnosić z pozycji przysiadu, a nie ze skłonu z prawie wyprostowanymi nogami.
— Urządzić sobie stanowisko pracy na takiej wysokości, aby móc pracować z wyprostowanymi plecami.
— Siedzieć na krzesłach o normalnej wysokości z oparciami na ramiona, a nie na niskich taboretach.
— Postarać się o mocny, ale uginający się materac leżący na twardym podłożu.

## Leczenie

Podstawą leczenia osteoporozy są hormony. Wraz z zastosowaniem ruchu i preparatów wapnia mogą powstrzymać dalsze osłabienie kości.

### *Fluor*

Poglądy na jego działanie są niejednolite. Zalecane jest stosowanie preparatów fluoru pod kontrolą kliniczną. Regularne badania powinny upewnić, że leczenie takie jest korzystne dla kości, a nie jest szkodliwe.

*Działania uboczne*: u około jednej trzeciej chorych fluor nie działa. U niektórych mogą nastąpić drobne złamania, po-

## Leki zawierające fluor, stosowane w leczeniu osteoporozy

Fluorek sodu (Natrium Fluorid)   Ossiplex   Triden

nieważ wzmocnienie kości fluorem jest relatywnie niewielkie. Przy niepotrzebnie wysokim dawkowaniu mogą wystąpić obrzęki stawów w stopach oraz zaburzenia żołądkowo-jelitowe.

### Kalcytonina
Kobiety, u których nie wolno stosować estrogenów, mogą, w miarę możliwości, zapobiegać osteoporozie, stosując kalcytoninę. Jeśli osteoporoza już wystąpiła, to kalcytonina nie zmniejsza częstości występowania złamań kości, jednak znacznie zmniejsza dolegliwości. Kalcytonina może być przyczyną pojawienia się nudności. Kalcytonina może być stosowana w postaci aerozolu donosowo (Calcitocin nasal spray).

### Bisfosfoniany
Odwapnienie kości leczy się kwasem etydronowym, alendronatem, pamindronatem bądź klodronatem. Od 1996 roku substancje te dopuszczone są również do leczenia osteoporozy. Po tych lekach gęstość kości ulega poprawie. Rzadziej występują złamania. Dotąd nie wiadomo, czy dłuższe stosowanie tego leku nie zaburzy mineralizacji kości. Preparaty: Didronel, Diphos, Etidronat, Fosamax, Aredia, Binefos.

### Wapń
Sam wapń nie wzmacnia kości w rozwiniętej już osteoporozie.

### Witamina D
Jest wątpliwe, czy witamina D może zmniejszyć zanik kości.

## Osteomalacja (krzywica, demineralizacja kości)

Choroba, w której substancja podstawowa kości ulega niedostatecznemu uwapnieniu, nazywa się u dzieci krzywicą, a u dorosłych osteomalacją (demineralizacja kości).

### Dolegliwości
*U dzieci*
Niespokojny sen, poty, zmniejszenie się spontanicznej ruchliwości, opóźnione raczkowanie i chodzenie, opóźniony wzrost uzębienia, nadmiernie duży brzuszek.

*U dorosłych*
Bóle kostne, głównie klatki piersiowej przy kaszlu i kichaniu, w pachwinach podczas chodzenia, kręgosłupa.

### Lektura uzupełniająca
CZERWIŃSKI E., HOSZOWSKI K.: *Sam na sam z osteoporozą*. Wyd. 2, Polska Fundacja Osteoporozy, Kraków 1996.
MARCINOWSKA-SUCHOWIERSKA E., TAŁAŁAJ M., BOROWICZ J.: *Osteoporoza: komu zagraża, jak jej uniknąć*. PZWL, Warszawa 1995.
MCLLWAIN H.: *Pokonać osteoporozę*. Wydaw. „Amber", Warszawa 1997.

### Przyczyny
Niedostatek witaminy D, zbyt mało nasłonecznienia.
U dorosłych jeszcze dodatkowo:
— Niedostatek witaminy D po operacjach żołądka, w chorobach jelita cienkiego lub trzustki.
— Upośledzenie czynności nerek lub marskość wątroby.
— Zażywanie leków przeciw padaczce.
— Nadużywanie środków przeczyszczających.

### Ryzyko zachorowania

*U dzieci*
Pomiędzy trzecim miesiącem a drugim rokiem życia. Ryzyko zachorowania wzrasta przy jednostronnym odżywianiu oraz przy niedostatecznym nasłonecznieniu na skutek zadymienia.

### Możliwe następstwa i powikłania

*U dzieci*
Kości długie wyginają się, powstają nogi szpotawe (O) albo koślawe (X).

*U dorosłych*
Ponieważ unika się bolesnych ruchów, mięśnie ulegają zanikowi. Szkielet wygina się na skutek niezauważalnego zapadania się kręgów i złamań kości.

### Zapobieganie
Racjonalne odżywianie (→ Witamina D, s. 730) i dużo słońca. Niemowlęta w pierwszym roku życia otrzymują zazwyczaj od lekarza dziecięcego zalecaną dzienną dawkę witaminy D. Powinno to zapobiec krzywicy.

### Kiedy do lekarza?
Kiedy zauważysz opisane wyżej dolegliwości.

### Jak sobie pomóc
Spożywać potrawy zawierające dużo witaminy D (→ s. 730) i wapnia (→ s. 731).

### Leczenie

*U dzieci*
Możliwie codziennie 100-200 jednostek (JM) witaminy D oraz nasłonecznianie lub naświetlanie promieniami ultrafioletowymi. Jeśli nie zapewnia się codziennego przyjmowania witaminy D, jednorazowo 300 000 jednostek (JM) witaminy D (terapia uderzeniowa). Po zakończeniu leczenia skrzywienia kości ulegają zwykle samokorekcji.

*U dorosłych*
Witamina D w dużych dawkach. Noszenie gorsetu ortopedycznego, który ewentualnie może odciążyć kręgosłup.

## Preparaty zawierające tylko witaminę D

| | | |
|---|---|---|
| D-Tracetten | Oleovit | Virgosan |
| Ergocalciferol | Vigantoletten | Vitaminum $D_3$ |

## Łamliwość, kruchość kości

U osób z łamliwością kości dochodzi o wiele łatwiej do złamań kości niż u innych. Złamania te jednak goją się szybko. Dzieci, u których łamliwość kości pojawiła się jeszcze w łonie matki, żyją krótko. Jeśli choroba wystąpi później, dotknięte nią osoby mogą dożyć późnych lat, niejednokrotnie nawet z mocno zniekształconym układem kostnym.

### Dolegliwości

U małego dziecka obserwuje się łatwość złamań z błahych przyczyn. Najczęściej dotyczy to kości długich ramion i nóg, które mogą również ulec wygięciu.

Skłonność do tych złamań maleje lub zupełnie ustępuje po okresie dojrzewania. Po pięćdziesiątce pacjenci dotknięci tą chorobą cierpią z powodu objawów zużycia kości, gdyż zmiany zniekształcające są szczególnie duże i częste.

### Przyczyna

Choroba dziedziczna.

### Ryzyko zachorowania

Ryzyko jest duże, jeśli ktoś z krewnych dotknięty jest tą chorobą.

### Możliwe następstwa i powikłania

Niski wzrost, później często osłabienie słuchu. U osesków na skutek zaburzeń oddychania często występują zakażenia. Zdarza się zatrzymanie rozwoju zębów. Życie chorych zależy od tego, jak ciężki jest przebieg choroby. Możliwe są wszystkie stopnie nasilenia — od częstych, uciążliwych złamań kości aż do ciężkiego kalectwa.

### Zapobieganie

Jest niemożliwe.

### Kiedy do lekarza?

Przy pierwszych objawach choroby.

### Jak sobie pomóc

Ważne jest nadzwyczaj ostrożne, troskliwe obchodzenie się z chorym. Rodzice takiego dziecka muszą się nauczyć właściwej opieki nad nim.

Jeśli to tylko możliwe, należy dążyć do częstych ruchów wszystkich części ciała. Mocne mięśnie chronią zagrożone kości.

Pływanie jest możliwe już od szóstego miesiąca życia, w starszym wieku wskazana jest także jazda na rowerze.

### Życie z łamliwością kości (kostnieniem niedoskonałym)

W miarę możliwości dzieci takie powinny wspólnie z innymi uczęszczać do przedszkola i do szkoły. Zależy to oczywiście od regionalnych uwarunkowań i stopnia upośledzenia dziecka. Pomoc, radę i moralne wsparcie uzyskają rodzice w grupach samopomocowych.

### Leczenie

Leczenie przyczynowe jest niemożliwe.

*Gimnastyka lecznicza*

Powinna być rozpoczęta od trzeciego miesiąca życia i kontynuowana.

*Złamania kości*

Powinny być leczone w wyspecjalizowanym ośrodku. Normalnie złamania te goją się szybko. Śruby i płytki do zespoleń kości nie są przydatne. Jednakże przy złamaniach kości udowej dobre wyniki uzyskano, stosując gwóźdź śródszpikowy. Pomocnicze aparaty ortopedyczne mogą, w pewnym zakresie, odciążyć i chronić narząd ruchu.

*Zęby*: jeśli są mocno zaatakowane, należy zadbać o wczesne zaopatrzenie w korony, aby dziecko mogło się normalnie odżywiać.

*Upośledzenie słuchu*

Konieczne jest coroczne badanie słuchu. Jeśli okaże się, że dziecko źle słyszy, trzeba je wyposażyć w aparat słuchowy, by umożliwić kontakt z otoczeniem (→ Przytępienie słuchu, s. 242).

---

### Krajowe Koło Pomocy Dzieciom z Wrodzoną Łamliwością Kości

00-054 Warszawa, ul. Jasna 24/26, tel. (0-22) 827-76-51

# MIĘŚNIE

Mięśnie szkieletowe umożliwiają poruszanie się ciała. Ich włókna mięśniowe mają zdolność wykonywania szybko po sobie następujących skurczów i rozkurczów. Sygnał do tej pracy mięśni przekazują nerwy. Każdy mięsień zbudowany jest z włókien mięśniowych ułożonych w pęczki otoczone tkanką łączną. Jedno włókno mięśniowe ma szerokość od jednej setnej do jednej dziesiątej milimetra, ale długość od pięciu do dwunastu centymetrów. Zapasy energii zawarte we włóknie wystarczają na 20 sekund pracy mięśnia. Po tym czasie krew musi doprowadzić glukozę i tlen, które dostarczą nowej energii. Jeśli mięsień jest zmuszony do pracy bez wystarczającego dopływu tlenu, gromadzą się w nim niepożądane produkty przemiany materii, jak np. kwas mlekowy. Włókna mięśniowe, jeśli tylko mogą odpocząć, natychmiast usuwają te „odpady". Dlatego, jeśli mięśnie są obciążone, korzystniejsze jest stosowanie wielu krótkich przerw niż długich, ale rzadkich.

## Bóle mięśni

### Dolegliwości
Ból mięśni odczuwasz jeden lub dwa dni po ich znacznym przeciążeniu lub po obciążeniu, do którego nie są przyzwyczajone.

### Przyczyny
Mechaniczne przeciążenie mięśni. We włóknach mięśniowych gromadzi się, między innymi, kwas mlekowy jako niepoża-

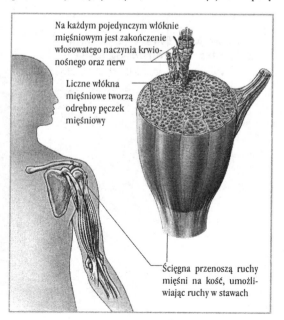

Na każdym pojedynczym włóknie mięśniowym jest zakończenie włosowatego naczynia krwionośnego oraz nerw

Liczne włókna mięśniowe tworzą odrębny pęczek mięśniowy

Ścięgna przenoszą ruchy mięśni na kość, umożliwiając ruchy w stawach

dany produkt przemiany materii oraz powstają drobniutkie pęknięcia.

### Ryzyko zachorowania wzrasta
— Im mniejsze jest przyzwyczajenie do aktywności ruchowej.
— W sporcie, kiedy przeceniasz swoje możliwości, zwłaszcza wówczas, gdy np. rozgrzejesz powierzchnię skóry maścią przeciwreumatyczną (odczuwasz ciepło, mięsień jednak pozostaje wciąż zimny).

### Możliwe następstwa i powikłania
Ból mięśniowy przechodzi bez następstw.

### Zapobieganie
Należy wzmacniać mięśnie poprzez regularne ćwiczenia fizyczne (→ Ruch i sport, s. 748).

### Kiedy do lekarza?
Wizyta u lekarza jest zbędna.

### Jak sobie pomóc
— Bolesne mięśnie rozluźnić w ciepłej wodzie.
— Gimnastyka pod natryskiem (np. bieg w miejscu przy natryskiwaniu nóg ciepłą wodą).
— Kąpiele naprzemienne: bolesne części kończyn trzymać przez trzy minuty w ciepłej wodzie, następnie na dwadzieścia sekund zanurzyć w zimnej wodzie. Powtarzać ten zabieg wielokrotnie. W końcu wykonać rozgrzewkę za pomocą ćwiczeń gimnastycznych.

### Leczenie
Jeśli bóle stają się nieznośne, można je złagodzić jakimś środkiem przeciwbólowym (→ Proste środki przeciwbólowe, s. 620).

## Kurcze mięśni

### Dolegliwości
Obkurczone postronkowato pasma mięśni są bolesne.

### Przyczyny
Zmniejszone ukrwienie w najmniejszych obszarach mięśni i zaburzenia przemiany materii w komórkach mięśniowych. Uszkodzone nerwy mogą nasilić napięcie mięśni i ich skurcz.

### Ryzyko zachorowania wzrasta
— Kiedy zaburzona jest gospodarka wodno-elektrolitowa (soli mineralnych). Może się to zdarzyć, kiedy odżywiasz się nieracjonalnie, kiedy przyjmujesz leki odwadniające lub przeczyszczające albo przy obfitych potach.
— Podczas lub po kilku godzinach od nadzwyczajnego wysiłku.
— Kiedy kontynuujesz wysiłek, chociaż jesteś już wyczerpany.

### Ćwiczenia usuwające kurcze mięśni łydki

Stań w odległości od pół do jednego metra przed ścianą i pochyl się do przodu tak, aby czoło nie dotykało ściany. Podeszwy mają mocno spoczywać na podłodze. Utrzymuj taką pozycję przez dwadzieścia sekund, następnie rozluźnij nogi (wykonaj kilka luźnych ruchów). Jest rzeczą normalną, że po wykonaniu ćwiczenia odczujesz lekkie „ciągnięcia" w łydkach.

— W łydkach i stopach: jeśli nosisz niewłaściwe obuwie (→ Stopy, s. 413).

### Możliwe następstwa i powikłania
Kurcze mięśni są najczęściej niegroźne, ale mogą być uciążliwe. Po długotrwałym skurczu następnego dnia możesz odczuwać ból mięśnia.

### Zapobieganie
— Zwracaj uwagę na rozważne odżywianie się i picie dostatecznej ilości płynów (→ Picie, s. 722). Przy podejrzeniu choroby przyjmowanie preparatów wapnia, magnezu, miedzi itp. jest bezsensowne.
— Wzmocnij mięśnie poprzez gimnastykę (→ Ruch i sport, s. 748).
— Przy uprawianiu sportu lub przy obfitych potach należy dużo pić, najlepiej soki owocowe rozcieńczone wodą mineralną.
— Jeżeli przyjmujesz leki, zapoznaj się z załączoną instrukcją i/albo zapytaj lekarza, czy te leki nie mogą wywołać skurczów.

### Kiedy do lekarza?
Gdy kurcze mięśni powtarzają się często i bez widocznej przyczyny. Przy podejrzeniu, że kurcze mięśni mogą być wywołane lekarstwami.

### Jak sobie pomóc
Aby rozluźnić mięśnie, należy próbować wszystkiego, co wzmaga ukrwienie mięśni, np. miękki masaż ze wstrząsaniem mięśni oraz ciepło. Nigdy nie stosować zimna. Kurcz rozluźnia się przy rozciąganiu mięśni w kierunku przeciwnym do skurczu.

*Przy kurczu w łydkach i stopach*
— Ćwiczenia jak wyżej.
— Uciskać kciukami obkurczone miejsce.
— Usiądź na podłodze, ujmij palce stopy w ręce, prostując następnie nogi.
— Usiądź na podłodze, zegnij nogę, a osoba udzielająca pomocy niech zgina stopę w stronę grzbietową.

*Podczas pływania*
— W pozycji na plecach ująć ręką palce stopy i pociągnąć ku sobie, piętę zaś pchać w przeciwnym kierunku.

### Leczenie
Jeśli na podstawie badania laboratoryjnego lekarz stwierdził obniżony poziom magnezu we krwi, można ten brak wyrównać tabletkami zawierającymi magnez (Lactomag, Asmag). Można zastosować środki uspokajające lub leki rozluźniające mięśnie. Niewiele jest jednak odpowiednich preparatów, a ich zastosowa-

nie jest wskazane przy niektórych chorobach mięśni. Całkowicie pozbawione sensu jest usiłowanie zapobiegania nocnym kurczom mięśni przez zażycie tabletki (Limptar).

## Stłuczenie, zmiażdżenie, wylew krwi

### Dolegliwości
Widoczną oznaką stłuczenia mięśni jest krwiak, sina plama. Lekki ból w chwili urazu. Miejsce to boli przy uciskaniu. Zasinienie może wystąpić dopiero po kilku dniach.

### Przyczyny
Ucisk, cios, uderzenie.

### Ryzyko zachorowania wzrasta
— Jeśli cierpisz na zaburzenia krzepnięcia krwi (np. zmniejszenie liczby płytek krwi) → s. 601.
— Jeśli zażywasz leki opóźniające proces krzepnięcia krwi.

### Możliwe następstwa i powikłania
Zasinienie powstaje na skutek krwawienia pod skórą z drobnych tętniczek. Jeżeli są uszkodzone głębiej położone naczynia, krwawienie uwidacznia się jako obrzmienie (opuchnięcie). Rozległe lub obfite krwawienia mogą upośledzać czynności mięśni i stawów. Silne stłuczenie głowy wymaga pozostania w szpitalu na obserwacji. Czasami dopiero po kilku dniach okazuje się, że wystąpiło krwawienie, które wywołując ucisk na mózg, może go uszkodzić (→ Stłuczenie mózgu, s. 205). Tomografia komputerowa (→ s. 610) uwidacznia uszkodzenie tkanek już we wczesnym stadium po urazie.

### Zapobieganie
Nie jest możliwe.

### Kiedy do lekarza?
Przy bardzo silnym stłuczeniu szczególnie wrażliwych okolic ciała, jak głowa i genitalia.

### Jak sobie pomóc
— Kończyny z rozległym krwawym wylewem ułożyć możliwie wysoko.
— Stosowanie zimna przez dwadzieścia cztery godziny (→ s. 652) powinno ograniczyć krwawienie do możliwie małych rozmiarów.
— Okłady z arniki. Dwie łyżki stołowe nalewki z arniki na pół litra wody z jedną ósmą litra alkoholu z izopropanolem.
— W późniejszym okresie ciepło sprzyja wchłonięciu krwiaka: ciepłe kąpiele, okłady borowinowe itp. (→ s. 651).

### Leczenie
Maści z heparyną albo z wyciągiem z pijawek powinny pomóc w szybszym wchłonięciu krwiaka. Nie wszyscy uznają działanie tych środków.

## Naderwanie mięśnia, rozdarcie włókien mięśnia, przerwanie mięśnia

O naderwaniu włókien mięśniowych mówimy wtedy, kiedy włókna na skutek rozciągnięcia w słabszych miejscach ulegają naderwaniu. Przerwanie włókien mięśnia stanowi duże uszkodzenie w splocie mięśnia. Bardzo rzadko dochodzi do całkowitego przerwania mięśnia.

### Dolegliwości
*Przy naderwaniu*: punktowy, kłujący ból, szczególnie przy ucisku na uszkodzone miejsce.

*Przy świeżym przerwaniu*: bolesne zagłębienie w miejscu uszkodzenia, czasem z guzowatym zgrubieniem powyżej i poniżej zranienia.

### Przyczyny
— Ciągłe przeciążenie mięśni.
— Cios albo uderzenie w mocno napięty mięsień zdarza się szczególnie często w sporcie.

### Ryzyko zachorowania wzrasta
Kiedy mięśnie są słabe albo podczas zajęć sportowych.

### Możliwe następstwa i powikłania
W zależności od wielkości uszkodzeń i liczby przerwanych włókien mięśniowych występuje mniejszy lub większy wylew krwawy. Gdy uszkodzenie to nie zostanie całkowicie wyleczone, poszczególne włókna łączą się blizną. W tym miejscu mięsień traci częściowo swą elastyczność. Narasta niebezpieczeństwo dalszego naderwania włókien. Czas ustąpienia wylewu wynosi około czterech do sześciu dni. Naderwanie goi się około czterech tygodni, do wyleczenia przerwania mięśnia potrzeba około sześciu tygodni. Mogą upłynąć nawet trzy miesiące, zanim mięśnie odzyskają swą dawną siłę.

### Zapobieganie
Mięśnie trzeba dobrze rozgrzać. Nie wolno ich przeciążać. Trening kondycyjny. Opatrunek lub pończocha elastyczna.

### Kiedy do lekarza?
Przy podejrzeniu o naderwanie lub przerwanie mięśnia. Jako laik nie możesz rozstrzygnąć, czy przerwanie mięśnia powinno być leczone operacyjnie.

### Jak sobie pomóc
— Uszkodzone (zranione) kończyny ułożyć wysoko.
— Leczenie zimnem przez dwadzieścia cztery godziny (→ s. 652) sprzyja ograniczeniu rozmiarów wylewu krwawego, który towarzyszy przerwaniu mięśnia.
— Okłady z roztworu: dwie łyżki stołowe nalewki z arniki na pół litra wody z dodatkiem jednej ósmej litra alkoholu lub izopropanolu.
— Dopiero po ustąpieniu obrzmienia (opuchnięcia) można przyspieszyć cofanie się wylewu krwawego poprzez stosowanie ciepła: ciepłe kąpiele, okłady borowinowe itp.

### Leczenie
*Leczenie fizykalne*
Opatrunek odciążający, w którym ucisk zmniejszający się od dołu do góry łagodzi ból. Opatrunek ten może jednak stosować osoba, którą nauczono tej metody. W okresie leczenia mięśnia trzeba utrzymywać w ruchu, przykładowo:
— stosując lekkie ćwiczenia ruchowe w wannie lub pod natryskiem,

— gimnastykując się,
— dalej wskazane są: ultradźwięki i diatermia krótkofalowa (→ Fizykoterapia, s. 650).

*Leczenie z zastosowaniem leków*
Maści zawierające heparynę i wyciągi z pijawek mają przyspieszać wchłonięcie wylewu krwawego jako następstwa uszkodzenia mięśnia. Działanie tych leków podawane jest w wątpliwość. Nieznośne bóle można łagodzić środkami przeciwbólowymi (→ Proste środki przeciwbólowe, s. 620).

*Operacje*
Większe naderwania mięśni muszą być zszywane, tak aby mięsień znów był czynnościowo wydolny.

## CHOROBY MIĘŚNI (ZANIK MIĘŚNI)

To, co w języku ludowym określane jest jako „osłabienie mięśni” albo „zanik mięśni", jest objawem ponad stu różnych chorób mięśni szkieletowych. Kiedy nerwy sterujące mięśniami są uszkodzone albo chore, wtedy mięśnie nie otrzymują „bodźców do czynności" i ulegają zanikowi. Poznać to można po tym, że ramiona i nogi robią się coraz cieńsze. Mówimy wtedy o zaniku mięśni pochodzenia nerwowego.

Jeśli nerwy są zdrowe albo mięśnie chore, wtedy te ostatnie również ulegają osłabieniu. Nie zawsze dostrzega się to z wyglądu, ponieważ chorą i zanikającą masę mięśni zastępuje tkanka łączna. Choroby te zwane są dystrofiami mięśni.

Obie grupy chorób częściowo są dziedziczne, mają one utajony, postępujący przebieg, który jest tym wolniejszy, im później wystąpi początek choroby. Leczeniem tych chorób zajmuje się specjalista neurolog. W szczególnym niebezpieczeństwie są dzieci.

Lekarz dziecięcy lub ogólny może nie rozpoznać tej choroby dostatecznie wcześnie. Chociaż nie jest znane leczenie przyczynowe, stosowanie gimnastyki leczniczej na długo podtrzymuje siłę mięśnia.

Choroba mięśni oznacza stały, postępujący ubytek siły mięśniowej i ruchomości, z którym chory musi nauczyć się żyć, a po latach lub po dziesiątkach lat jest skazany na wózek inwalidzki i pomoc innych osób. Chorzy i ich rodziny mogą uzyskać pomoc w organizacjach samopomocowych.

## Zapalenie mięśni

Istnieje wiele rodzajów zapalenia mięśni z podobnymi objawami chorobowymi.

### Dolegliwości
Początkowo bóle mięśni jak przy ich przeciążeniu. Podwyższona temperatura, spadek wagi, pogorszenie nastroju.

### Przyczyny
Rzadko się zdarza, aby choroba była wywołana przez drobnoustroje. Częściej ma podłoże autoimmunologiczne, kiedy organizm wytwarza przeciwciała działające przeciw własnej tkance mięśniowej (→ Zaburzenia samopoczucia, s. 175). Prawdopodobnie istnieje skłonność dziedziczna.

**Ryzyko zachorowania**

Kobiety częściej niż mężczyźni zapadają na zapalenie mięśni.

**Możliwe następstwa i powikłania**

Osłabienia i zwiotczenia mięśni mogą powoli postępować lub też przemijać, aby znowu powrócić. W najgorszym przypadku porażeniu ulegają mięśnie oddechowe i mięśnie brzucha. Choroba nieleczona lekami może doprowadzić do wystąpienia wstrząsu wywołanego produktami rozpadu mięśni. Prawie jedna piąta chorych umiera.

**Zapobieganie**

Jest niemożliwe.

**Kiedy do lekarza?**

Kiedy przez ponad miesiąc odczuwasz bóle mięśni.

**Jak sobie pomóc**

Samemu nie można.

**Leczenie**

Poprzez leżenie w łóżku należy w miarę możliwości wyłączyć z czynności mięśnie dotknięte chorobą.

Później ostrożnie, gimnastyką leczniczą (→ s. 656) dostosowaną do natężenia choroby, można przywracać ruchy. Gimnastyka jest niezbędna do wzmocnienia włókien mięśniowych niedotkniętych chorobą.

Zapalenie mięśni, które rozwija się w ten sposób, że układ odpornościowy organizmu wytwarza przeciwciała skierowane przeciw samemu sobie, wymaga stosowania leków tłumiących tę reakcję. Do tego celu nadają się przede wszystkim glikokortykoidy (→ s. 624).

## Miastenia (niedomoga mięśniowa)

**Dolegliwości**

Mięśnie bardzo łatwo ulegają zmęczeniu i bardzo powoli przychodzą znowu do siebie. Na początku choroby traci się kontrolę nad mięśniami ocznymi, podniebienia i gardła. Występuje słabość mięśni ramion i nóg. W późniejszym okresie choroba obejmuje mięśnie karku i tułowia.

**Przyczyny**

Jest to choroba z autoimmunizacji — organizm kieruje swoje siły odpornościowe przeciw samemu sobie (→ Zaburzenia samopoczucia, s. 175). Prawdopodobnie udział w tej chorobie bierze również grasica. Jest to narząd (gruczoł) położony za mostkiem, ulega on zanikowi po osiągnięciu dojrzałości. Jest organem bardzo ważnym dla wydolności układu odpornościowego. W miastenii ciężkiej bodźce nerwowe nie są przenoszone na mięśnie tak jak w zdrowym organizmie.

**Ryzyko zachorowania**

Kobiety stanowią 60% chorych, mężczyźni 40%. Choroba nie jest dziedziczna.

**Możliwe następstwa i powikłania**

Choroba może mieć początek ostry, postępować powoli i ustąpić, aby znowu powrócić. Wyłania się problem, gdy porażeniem zostaną objęte mięśnie oddechowe.

**Lektura uzupełniająca**

BUCZKIEWICZ A.: *Rehabilitacja w chorobach mięśni*. PZWL, Warszawa 1993.

**Zapobieganie**

Jest niemożliwe.

**Kiedy do lekarza?**

Przy jakimkolwiek podejrzeniu osłabienia mięśni, szczególnie przy podwójnym widzeniu albo innych zaburzeniach wzroku.

**Jak sobie pomóc**

Samemu nie można. Chorzy nie powinni stosować ćwiczeń ruchowych ani treningu kondycyjnego.

**Leczenie**

*Leki*

W lżejszych przypadkach można to osłabienie mięśni pokonywać, stosując prostygminę albo mestinon. Bardziej rozwinięta choroba leczona jest lekami tłumiącymi system odpornościowy, jak na przykład Azathioprin (Immuran) i/albo glikokortykoidy.

*Operacje*

U trzech czwartych pacjentów następuje znaczna poprawa po usunięciu gruczołu grasicznego.

## Przepuklina

Przepukliny są to „dziury" w powłokach brzucha, normalnie zamknięte tkanką, a przez które uwypuklają się wnętrzności.

*Przepuklina pępkowa*

Poprzez słabą tkankę wokół pępka fragmenty otrzewnej wypychają się na zewnątrz.

*Przepuklina nadbrzuszna*

Poprzez słabe miejsca w tkance łącznej pomiędzy pępkiem a mostkiem, może się wypychać tkanka tłuszczowa.

*Przepuklina pachwinowa*

U mężczyzny w kanale pachwinowym (w pachwinie) przebiegają powrózek nasienny i naczynia krwionośne zaopatrujące jądra, a u kobiet więzadła macicy. W tym słabym miejscu mogą uwypuklać się trzewia z jamy brzusznej.

*Przepuklina udowa*

Występuje nieco poniżej miejsca przepukliny pachwinowej. Jest to miejsce, gdzie z jamy brzusznej wychodzą duże naczynia krwionośne zaopatrujące kończyny dolne. Tutaj może uwypuklić się otrzewna lub pętle jelit.

*Przepuklina przeponowa*

Przez otwór w przeponie wtłacza się żołądek w kierunku klatki piersiowej.

**Dolegliwości**

*Przepuklina nadbrzuszna, pępkowa, udowa i pachwinowa*: rozwija się najczęściej w ciągu tygodni w postaci obrzmienia.

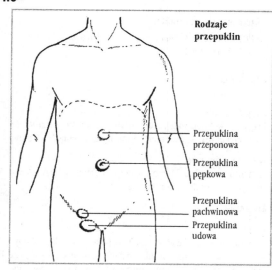

Rodzaje przepuklin

- Przepuklina przeponowa
- Przepuklina pępkowa
- Przepuklina pachwinowa
- Przepuklina udowa

Może jednak powstać nagle podczas wysiłku, przy podnoszeniu ciężaru. Przepukliny rzadko łączą się z dolegliwościami, czasami występuje uczucie ucisku w brzuchu, odbijania, wymioty albo zaparcia.

*Przepuklina uwięźnięta*: zawartość worka przepuklinowego ulega powiększeniu i zaczerwienieniu. Występują silne bóle.

*Przepuklina przeponowa*: w zależności od rodzaju przepukliny albo nie zauważa się jej, albo też dolegliwości podobne są do tych, jakie odczuwane są w chorobie wieńcowej serca: ucisk w żołądku, zgaga, bóle w lewym nadbrzuszu, które mogą promieniować w okolicę serca i pleców, szczególnie w pozycji leżącej.

## Przyczyny

Warstwa łącznotkankowa nie wytrzymuje naporu narządów wewnętrznych.

### Ryzyko zachorowania wzrasta:
— Przy nadwadze.
— Przy wrodzonym osłabieniu tkanki łącznej.
— Przy stałych albo powtarzających się przeciążeniach mięśni brzucha, przy podnoszeniu albo dźwiganiu ciężarów lub też przy parciu na stolec (zaparcia) albo przedłużającym się kaszlu.
— Przy zajęciach sportowych (np. balet).

### Możliwe następstwa i powikłania
Przepuklina, którą możesz odprowadzić, nie jest problemem. Jeśli się to nie uda, albo przepuklina stale nawraca, istnieje niebezpieczeństwo, że ulegnie uwięźnięciu.

*Przepuklina uwięźnięta* (przeważnie pachwinowa i udowa): pętla jelitowa uwięźnięta w otworze przepukliny ulega obumarciu na skutek braku dopływu krwi.

*Przepuklina przeponowa*: w większości przypadków przebiega niewinnie. Niebezpieczeństwo stanowi niepotrzebne jej operowanie albo postawienie mylnie przez lekarza niegroźnego rozpoznania „przepuklina przeponowa", zamiast poszukiwania po-

**Wskazówka**
Poddaj się operacji przepukliny, zanim uwięźnie. Uwięźnięta przepuklina musi być zoperowana w ciągu kilku godzin od jej wystąpienia.

ważniejszych chorób towarzyszących, które występują u co drugiego pacjenta z przepukliną przeponową. Inne choroby mogące imitować przepuklinę przeponową ujawniają się najczęściej obecnością krwi w stolcu.

### Zapobieganie
— Zmniejszyć nadwagę (→ Masa ciała, s. 709).
— Dbać o regularny stolec (→ Zaparcie stolca, s. 379).
— Wzmacniać tkankę łączną (→ Ruch i sport, s. 748).
— Ciężary nosić na barkach, a nie przed sobą (na brzuchu).

### Kiedy do lekarza?
Kiedy zauważysz obrzmienie w obrębie brzucha albo kiedy często występuje ucisk w żołądku i zgaga.

### Leczenie
*Przepuklina nadbrzuszna*: Praktycznie nie powoduje żadnych niebezpiecznych dla życia komplikacji. Dopóki nie stwarza problemów, dopóty nie musi być operowana.

*Przepuklina przeponowa*: Tylko wyjątkowo operacja jest konieczna.

*Wszystkie inne przepukliny*: Należy je operować. Zszywa się wówczas warstwę tkanki ponad przepukliną. Pobyt w szpitalu trwa kilka dni, a następnie przez wiele tygodni należy się oszczędzać.

Możliwe są również operacje endoskopowe polegające na wprowadzeniu instrumentów operacyjnych do jamy brzusznej przez małe nacięcie powłok. Operacje te obciążają chorego w znacznie mniejszym stopniu aniżeli duże operacje jamy brzusznej.

*Przepuklina pachwinowa u dzieci*: Operację można wykonać ambulatoryjnie.

*Przepuklina pępkowa u dzieci*: Jeżeli sama się nie zamknie do drugiego roku życia, należy ją operować.

### Jak sobie pomóc
Pasy przepuklinowe pomagają tylko czasowo, mogą poprzez ucisk zniszczyć znajdującą się pod nimi tkankę łączną. Utrudnia to późniejszą operację.

*Przepuklina pachwinowa u dzieci*: ciepła kąpiel uspokaja dziecko. Potem najczęściej przepuklinę udaje się odprowadzić. Operację można wykonać ambulatoryjnie.

*Przepuklina pępkowa u dzieci*: powinna być leczona operacyjnie, jeśli nie cofnie się samoistnie i nie zamknie się do drugiego roku życia.

---

**Towarzystwo Zwalczania Chorób Mięśni**
02-914 Warszawa, ul. św. Bonifacego 10,
tel. (0-22) 618-04-17

# ŚCIĘGNA I WIĘZADŁA

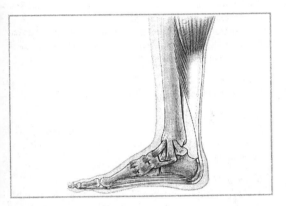

Kości i mięśnie, a także stawy i mięśnie, są połączone ze sobą ścięgnami. Pociąganie mięśnia jest przenoszone na kość poprzez ścięgno. Ścięgna są mocne i odporne na rozciąganie, są prawie nierozciągliwe. Poruszają się one w pochewce ścięgnowej, swego rodzaju „łożysku ślizgowym". Kaletki maziowe umożliwiają wzajemne ślizganie się skóry, ścięgien i mięśni, prawie bez tarcia, co powoduje rozłożenie nacisku równomiernie na wszystkie warstwy. Poślizg daje taki sam płyn (maź) jak w stawie.

Więzadła są w swej strukturze podobne do ścięgien. Utrzymują stawy na swoim miejscu i stabilizują je. Również one są wytrzymałe na pociąganie, ale nie mogą się rozciągać jak taśma gumowa. Urazy powodujące nadmierne rozciągnięcie torebki stawowej łączą się często z rozwłóknieniem (naderwaniem) więzadeł. Rozluźnione więzadła są przyczyną niestabilności stawu i przemieszczania się elementów kostnych względem siebie, co może prowadzić do wcześniejszego zużycia stawu.

## Naderwanie, rozdarcie ścięgien.
## Naderwanie, rozdarcie więzadeł

Naderwanie ścięgien albo więzadeł jest następstwem ich nadmiernego rozciągnięcia. Dalsze rozciąganie powoduje przerwanie ścięgna lub więzadła.

### Dolegliwości
*Naderwanie*: bóle przy zginaniu albo prostowaniu stawu.
*Przerwanie*: nagły silny ból.

Mięsień, którego ścięgno uległo przerwaniu, nie może wykonać ruchu. Równocześnie w obrębie uszkodzenia pojawia się zagłębienie. W późniejszym okresie jest ono niewidoczne, ponieważ znika w obszarze obrzękniętych tkanek.

### Przyczyny
Kiedy tkanki otaczające ścięgno są źle ukrwione lub pochewka ścięgnowa jest w stanie zapalnym, ścięgno ulega zwyrodnieniu.

Chorobowo zmienione ścięgno staje się niezdolne do przenoszenia dużych obciążeń. W tej sytuacji może naderwać się, rzadko natomiast całkowicie zostaje przerwane. Przy normalnym obciążeniu uszkodzeniu może ulec ścięgno, które jest „zimne" (bez rozgrzewki, na skutek bezruchu, wilgoci lub ochłodzenia z zewnątrz).

Zdrowe ścięgna tylko wyjątkowo przerywają się na skutek nadzwyczajnego przeciążenia, przykładowo:
— gdy energiczny ruch ulega nagle zatrzymaniu (np. przy upadku),
— przy kopnięciu lub uderzeniu w napięte ścięgno.

### Ryzyko zachorowania wzrasta
— W czasie biegu po nierównych bieżniach, po twardych lub „mazistych" podłożach, szczególnie w halach.
— Podczas zawodów sportowych, gdy wymagane są energiczne ruchy (np. bieg krótkodystansowy, skok w dal, bieg przez płotki, tenis, squash).

### Możliwe następstwa i powikłania
Przy lekkim naderwaniu potrzeba od dwu do dziesięciu dni na wygojenie, przy większym naderwaniu — do sześciu tygodni, przy przerwaniu — do dziesięciu tygodni. Kto nie przestrzega tego czasu spoczynku, musi się liczyć ze znacznie dłuższym okresem leczenia. Uszkodzenie może się powtórzyć w obrębie tego samego stawu, który zaopatrują uszkodzone ścięgna lub więzadła. Brak stabilności stawu na skutek niedostatecznie wygojonych ścięgien i więzadeł często prowadzi do rozwoju zmian zwyrodnieniowych (→ Choroba zwyrodnieniowa stawów, s. 421).

### Zapobieganie
— Powolny, dostosowany do stanu organizmu trening w czasie zajęć sportowych.
— Dostateczna rozgrzewka przed większymi obciążeniami.
— Jeśli zdarzyły się już naderwania ścięgien lub więzadeł, należy szczególnie ochraniać obciążone miejsca za pomocą opatrunku elastycznego.
— Nosić odpowiednie obuwie z miękką podeszwą: ważne szczególnie podczas zajęć sportowych.

### Kiedy do lekarza?
Gdy, uwzględniając wymienione wyżej dolegliwości, podejrzewasz, że ścięgno lub więzadło uległo naderwaniu lub przerwaniu.

### Jak sobie pomóc
— Uszkodzoną kończynę ułożyć wysoko i unieruchomić.
— Stosowanie zimna może doraźnie zmniejszyć ból (→ s. 652).
— Jeśli jesteś pewien, że nastąpiło naderwanie, jeden dzień po uszkodzeniu można zastosować ciepło (→ s. 651).

Opatrunek uciskowy albo unieruchamiający powinien założyć ktoś, kto to potrafi. Wadliwy ucisk lub wyciąg może zwiększyć uszkodzenie.

### Leczenie

Części kończyn z naderwanymi ścięgnami lub więzadłami lekarz unieruchamia opatrunkiem czynnościowym (np. opatrunek taśmowy, sportowe obuwie lecznicze). Opatrunki te przejmują częściowo obciążenie kończyny. Czasem niezbędne jest założenie opatrunków z szynami lub gipsowych. Przerwane ścięgno zginacza lub prostownika powinno być jak najprędzej operowane. Kiedy lekarz uzna okres ochronny ścięgna lub więzadła za zakończony, powinien zalecić ćwiczenia w wodzie i/albo gimnastykę leczniczą, tak by nauczyć się znowu obciążania stawu (→ Gimnastyka lecznicza, s. 656).

## Zapalenie pochewki ścięgna

### Dolegliwości

Bóle przy ruchach w obrębie pochewki ścięgnowej. Przy zapaleniu pochewek ścięgnowych przedramienia zdarza się czasem, że nie można utrzymać przedmiotu w ręce.

### Przyczyny

Nadmierne obciążenie mięśni, ścięgien i aparatu więzadłowego. Informacje dotyczące przyczyn tych przeciążeń (→ Reumatyzm pozastawowy, s. 429). Wnętrze pochewek ścięgnowych staje się szorstkie, ruchy ścięgna w tym źle „nasmarowanym" łożysku stają się bolesne. Podobnie dzieje się z błoną maziową stawu w reumatyzmie (→ s. 419). Wnętrze pochewki ścięgnowej może ulec zapaleniu, wtedy ta zmieniona tkanka uciska ścięgno.

### Ryzyko zachorowania wzrasta

— Przy ciągłym przeciążeniu i jednostronnych ruchach (pisanie na maszynie, robienie na drutach).
— W sporcie przy zbyt twardym podłożu.
— Przy intensywnym treningu sportowym, gdy nieelastyczne ścięgno nie wytrzymuje wzmożonej siły mięśnia.
— Po źle wygojonych następstwach uderzeń i przerwaniach ścięgna.

### Możliwe następstwa i powikłania

Przy większych obciążeniach ścięgno może ulec przerwaniu. Ścięgno i pochewka ścięgnowa mogą ulec sklejeniu, co powoduje niemożność wykonania ruchu. Z kolei następuje skrócenie ścięgien i pogorszenie zdolności ruchowych.

### Zapobieganie

Należy wykonywać naprzemiennie różne rodzaje ruchów. Przy pracach jednostronnych stosować przerwy. W sporcie: powolny, stopniowy, dopasowany do stanu organizmu trening. Przed wzmożonymi obciążeniami dostatecznie rozgrzać mięśnie. Nosić obuwie na miękkiej podeszwie.

### Kiedy do lekarza?

Kiedy odczuwasz stałe bóle. Lekarze bardzo często zapominają o tym, że zapalenie pochewek ścięgnowych należy do początkowych objawów reumatoidalnego zapalenia stawów (→ s. 423).

Jeśli mimo leczenia zapalenia pochewki ścięgnowej przez dłuższy czas nie ma poprawy, należy udać się do lekarza reumatologa.

### Jak sobie pomóc

— Unieruchomić bolesną okolicę.
— Zastosowanie zimna może doraźnie złagodzić ból (→ s. 652).
— Leczenie ciepłem (→ s. 651).

Opatrunki odciążające może zakładać jedynie osoba znająca się na tym. Po ustąpieniu dolegliwości staw należy powoli i ostrożnie obciążać.

### Leczenie

Unieruchomić opatrunkiem bolesną okolicę.

*Leczenie fizykalne*

Stosowane są: ultradźwięki (→ s. 656), galwanizacja (→ s. 654), prądy o wysokiej częstotliwości (→ s. 655), gimnastyka lecznicza (→ s. 656).

*Leczenie lekami*

W razie potrzeby leki przeciwbólowe (→ s. 620). Kortyzon tylko w rzadkich przypadkach, kiedy inne metody nie stłumią stanu zapalnego (→ s. 624).

## Zapalenie kaletki maziowej

### Dolegliwości

Bóle przy ruchach, w następstwie ograniczona ruchomość. Obrzmienie nad stawem.

### Przyczyny

— Bakterie, które wniknęły z zewnątrz, albo które dostały się z prądem krwi.
— Przeciążenia.
— Złogi kwasu moczowego w przebiegu dny moczanowej (→ s. 422).
— Stany zapalne w chorobach reumatycznych.

W stanie zapalnym wewnętrzna warstwa kaletki maziowej ulega zgrubieniu. Wewnątrz kaletki gromadzi się płyn.

### Ryzyko zachorowania wzrasta

Ryzyko zachorowania wzrasta w zawodach, w których staw na skutek długotrwałego ucisku jest szczególnie przeciążony (np. u gospodyń domowych, posadzkarzy, pracujących na kolanach).

### Możliwe następstwa i powikłania

Zapalenia kaletek maziowych mogą być następstwem nieleczonych naderwań lub przerwań więzadeł albo ścięgien.

### Kiedy do lekarza?

Kiedy odczuwasz bóle w kaletce znajdującej się ponad stawem, których sam nie umiesz dostatecznie złagodzić, albo kiedy miejsce to ulega zaczerwienieniu. Lekarz musi wtedy wykluczyć jako przyczynę dnę albo reumatoidalne zapalenie stawów.

### Jak sobie pomóc

— Staw unieruchomić, ułożyć wysoko.

— Do czterech razy dziennie stosować zimno (→ s. 652).
— Trzy dni po pojawieniu się dolegliwości zastosować ciepło (→ s. 651) albo maści przeciwreumatyczne (→ Stawy, s. 417).

## Leczenie

Lekarz, stosując opatrunek uciskowy z gąbki piankowej, może zmniejszyć obrzmienie zapalnie zmienionej kaletki.

*Fizykoterapia* (→ s. 650)
Leczenie zimnem (→ s. 652), podczerwienią (→ s. 651) i ultradźwiękami (→ s. 656), galwanizacją (→ s. 654).

*Leczenie lekami*
W razie potrzeby środki przeciwbólowe (→ s. 620). Glikokortykoidy tylko w rzadkich przypadkach, kiedy inne metody nie stłumią stanu zapalnego (→ s. 624).

*Operacja*
Jeśli przez długi czas utrzymuje się stan zapalny kaletki maziowej, który nie jest wywołany bakteriami, można ją operacyjnie usunąć. Natomiast gdy zapalenie wywołane jest przez bakterie, lekarz musi zapewnić odpływ ropy z kaletki maziowej, stosując cięcie. W dalszym leczeniu stosuje się antybiotyki.

# STOPY

Stopy są tak skonstruowane, że możemy obiema nogami mocno stać na ziemi. Ich budowa w postaci sklepień zapewnia rozłożenie ciężaru ciała tak, że dwie trzecie ciężaru przypada na przodostopie, reszta zaś na piętę i palce. Współdziałanie więzadeł i mięśni zapobiega załamaniu się tej konstrukcji. Każde obuwie zaburzające tę równowagę szkodzi stopie. Następstwa: obolałe stopy, zmęczenie nogi, bóle pleców. Chodzenie boso wciąż jest najlepsze dla stóp. Ponieważ w codziennym życiu jest to prawie niemożliwe, obuwie i pończochy powinny być tak dobrane, aby zbliżały się do tego ideału. Oznacza to, że:
— Pończochy powinny być obszerne z przodu i mieć poprzeczny szew zamiast spiczastego zakończenia.
— Obuwie powinno być tak szerokie, by palce stopy leżały obok siebie, wzajemnie sobie nie przeszkadzając.
— Palce muszą mieć dostatecznie dużo miejsca, aby mogły się poruszać na boki i ku górze.
— Podeszwa powinna być elastyczna, aby umożliwić płynne przeniesienie ciężaru od pięty ku palcom.
— Chodzenie w obuwiu bez obcasa najlepiej imituje chodzenie boso. Tak zwane obuwie zdrowotne jest najbardziej zbliżone

## Wskazówka przy zakupie obuwia

Na kawałek mocnego papieru nastąpić mocno mokrą stopą, następnie wyciąć uzyskaną odbitkę. Odbitka ta musi bez większych trudności pasować i z łatwością dać się włożyć do kupowanego buta.
Wskazówka ta dotyczy również dzieci, u których należy sprawdzić, mając na uwadze rośnięcie stopy, czy buty są dostatecznie duże.

do tego ideału. Niestety, na ogół nie jest uznawane za „ładne". Jednak nie tylko próżność skłania kobiety do noszenia „ładnych" butów, które rujnują ich stopy — mężczyźni mają w tym swój udział przez aprobowanie lub dezaprobatę tego, co jest atrakcyjne: smukłe nogi, optycznie jeszcze wydłużone przez obcasy.
— Obcasy wyższe niż czterocentymetrowe przenoszą większą część obciążenia na przodostopie, powodując ściskanie palców stopy w przedniej części buta.
— Przy stałym noszeniu wysokich obcasów skraca się ścięgno Achillesa. Wtedy niemożliwe staje się bezbolesne chodzenie bez wysokich obcasów.
Kto nosi obuwie przez cały dzień, powinien dbać o zdejmowanie go i odpoczynek dla stóp przy każdej okazji.
— Chodź możliwie dużo boso.
— Codziennie uprawiaj gimnastykę stóp (→ poniżej).
— W obuwiu zdrowotnym wykonanym z naturalnych materiałów stopy mogą się rozluźnić.
— W sandałach gimnastycznych palce ćwiczą uchwyt. Elastyczna podpora stopy umożliwia odprężenie podczas stania.
— Sandały masujące pobudzają krążenie krwi, jednak nie należy ich stale nosić.
— Obuwie sportowe i do tenisa nie jest obuwiem zdrowotnym.
Uszkodzeń stóp powstałych na skutek wieloletniego noszenia niewłaściwego obuwia nie można zniwelować przez zastosowanie obuwia zdrowotnego. Czasami zastosowanie wkładek ortopedycznych łagodzi dolegliwości, często jedynie zastosowanie obuwia ortopedycznego na miarę umożliwia chodzenie.

## Stopa koślawa

Pięta jest ustawiona wyraźnie na zewnątrz. W skrajnych przypadkach wewnętrzny brzeg stopy spoczywa na podłożu (podłodze): pacjent „stoi obok swoich stóp". U dzieci tak ukształtowaną stopę należy uznać za „normalną", niewymagającą leczenia.

### Dolegliwości
Dolegliwości odczuwane są rzadko: bóle w łydkach pojawiają się wieczorem, stopy łatwo się męczą, występują kurcze w łydkach (→ Kurcze mięśni, s. 406).

### Przyczyny
Zbyt słabe więzadła nie stabilizują sklepień stopy. Mięśnie unoszące wewnętrzną lub zewnętrzną część stopy nie są jednakowo mocne.

### Ryzyko zachorowania wzrasta
Przy osłabieniu więzadeł i mięśni.

### Możliwe następstwa i powikłania
Stopa koślawa najczęściej łączy się z płaskostopiem podłużnym i poprzecznym. Mówimy wtedy o stopie płaskokoślawej.

### Zapobieganie
Gimnastyka stóp.

## Kiedy do lekarza?
Gdy sam nie jesteś w stanie złagodzić dolegliwości.

## Jak sobie pomóc
Nosić obuwie nieuciskające stóp. Wkładki ortopedyczne przynoszą ulgę i nigdy nie szkodzą.

> **Lektura uzupełniająca**
> ARENDT W.: *Dbaj o stopy*. PZWL, Warszawa 1991.
> MALINA H.: *Wady kończyn dolnych. Postępowanie korekcyjne*. Wydaw. „Emilia", Kraków 1996

## Leczenie
Instruktor gimnastyki leczniczej może udzielić wskazówek dotyczących ćwiczeń przeciwdziałających wadliwym ustawieniom stóp. W ciężkich przypadkach można zastosować wkładkę obejmującą piętę tak, aby unieść przyśrodkowy brzeg stopy. Operować należy tylko bardzo zaawansowane, wadliwe ustawienia stopy.

> **Gimnastyka bosych stóp**
> — Stań na palcach, wyprostuj kolana i chodź wkoło.
> — Stań na piętach, zegnij kolana i chodź wkoło.
> — Palcami stopy podnoś z podłogi takie przedmioty jak ołówek, chustka i puszczaj je.
> — Stań na palcach i wykonuj ruchy okrężne piętą, kilka razy do wewnątrz i kilka razy na zewnątrz. Ćwiczenie to można wykonać, siedząc.
> — Stań na pięcie i wykonuj ruchy okrężne przodostopiem. Kilka razy do wewnątrz i kilka razy na zewnątrz. Ćwiczenie to można wykonać, siedząc.

## Stopa płaska

### Dolegliwości
Stopa płaska jest najcięższą postacią stopy płaskokoślawej. Nieprawidłowość ta powoduje bóle stopy. Dzieci, które przez długie lata chodzą z płaskimi stopami, nie odczuwają bólów, zaczynają odczuwać dolegliwości z chwilą wejścia w życie zawodowe (stopa płaska uczniowska lub żołnierska).

### Przyczyny
Stopy płaskie mogą być wrodzone albo powstają, kiedy stopa płaskokoślawa nie zostaje skorygowana.

### Ryzyko zachorowania wzrasta
Wskutek osłabienia więzadeł i mięśni.

### Możliwe następstwa i powikłania
W stawach stopy mogą przedwcześnie rozwinąć się zmiany zwyrodnieniowe.

### Zapobieganie
Gimnastyka stóp → powyżej.

### Kiedy do lekarza?
Gdy sam nie umiesz złagodzić dolegliwości.

### Jak sobie pomóc
Samemu nie można.

> **Lektura uzupełniająca**
> KOTECKA-NOCEŃ M., PŁUKARZ H.: *Stopy płaskie u dzieci*. PZWL, Warszawa 1986.

### Leczenie
Stopa płaska sztywna nie poddaje się korekcji wkładkami ortopedycznymi. Lepiej istniejący kształt stopy podeprzeć wkładką miękką. Dla stóp płaskich bardzo trudno dobrać odpowiednie obuwie. Czasami potrzebne jest obuwie wykonane na miarę przez szewca-ortopedę. Kiedy pojawią się bóle stawów, należy oszczędzać je przez dłuższy czas, a następnie — pod fachowym nadzorem — znowu stopniowo obciążać.

## Stopa końska
Przodostopie jest skierowane do dołu i mało ruchome. Stopa ustawiona jest na główkach kości śródstopia, a pięta nie dotyka podłogi.

### Dolegliwości
Bóle na skutek przeciążenia przodostopia.

### Przyczyny
Stopa końska jest wrodzona albo może być następstwem zranienia lub porażenia, np. po udarze mózgowym. W stopie końskiej skróceniu ulega ścięgno Achillesa. Podczas ruchów mięśnie łydki są stale napięte.

### Ryzyko zachorowania wzrasta
Stopa końska występuje względnie często u osób obłożnie chorych, kiedy stopy są ułożone niewłaściwie. W łóżku stopa automatycznie przyjmuje ustawienie końskie. Im cięższa jest kołdra, tym większe niebezpieczeństwo wytworzenia się stopy końskiej. Usztywnienie powstaje bardzo szybko i jest trudno odwracalne.

### Możliwe następstwa i powikłania
Bóle i ograniczenie ruchów przodostopia. Utrudnia rehabilitację pacjenta.

### Zapobieganie
U osoby leżącej dłużej należy podeprzeć kołdrę tak, aby nie spoczywała na stopach. Stopy należy ustawić pod kątem prostym, podpierając je na przykład deską, pięty zaś powinny być skierowane do dołu. Przy konstruowaniu odpowiedniego podparcia stóp należy skorzystać z rad instruktora gimnastyki leczniczej. W szpitalu wadliwemu ustawieniu stóp zapobiega się, stosując gimnastykę leczniczą. U porażonych stosuje się odpowiednie szyny podpierające stopy.

### Kiedy do lekarza?
Gdy stopa końska przeszkadza w chodzeniu.

### Jak sobie pomóc
Samemu nie można.

### Leczenie
Tylko w stanie początkowym gimnastyka lecznicza albo lecze-

**Strefy bólu**

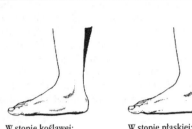

W stopie koślawej:
podeszwy i łydki

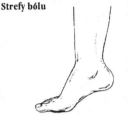

W stopie płaskiej:
podeszwy

W stopie końskiej:
podeszwa w obrębie
przodostopia

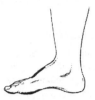

W stopie wydrążonej:
stęp (podbicie), przodostopie
na podeszwie, opuszki palców

nie opatrunkami gipsowymi może czasami zapobiec powstaniu stopy końskiej. Najczęściej trzeba operacyjnie poluźnić zesztywniałe tkanki miękkie i wydłużyć ścięgno Achillesa.

## Stopa wydrążona

Sklepienie podłużne jest nadmiernie podwyższone (wysokie podbicie).

### Dolegliwości
Odciśnięcia na grzbiecie stopy, czyli na szczycie wygięcia stopy (podbicia), na podeszwie pod głowami kości śródstopia i na palcach. Palce są mocno, szponowato przygięte i mniej lub bardziej sztywne. Na przodostopiu i zewnętrznej krawędzi stopy w obuwiu szybciej ściera się zelówka.

### Przyczyny
Zaburzenia nerwowe powodują prawdopodobnie niedowład drobnych mięśni stopy, co w następstwie prowadzi do szpotawości.

### Ryzyko zachorowania wzrasta
Stopa wydrążona jest często następstwem porażeń albo pierwszym objawem osłabienia mięśni.

### Możliwe następstwa i powikłania
Często występują nadwichnięcia, skręcenia.

### Zapobieganie
Nie jest możliwe.

### Kiedy do lekarza?
Gdy sam nie umiesz złagodzić dolegliwości.

### Jak sobie pomóc
Samemu nie można.

### Leczenie
Wkładki ortopedyczne mogą odciążyć przodostopie. Zazwyczaj konieczne jest obuwie ortopedyczne na miarę, ponieważ w obuwiu standardowym (seryjnym) jest za mało miejsca na przodostopie. W ciężkich przypadkach możliwy jest zabieg operacyjny.

## Stopa poprzecznie płaska

Stopa poprzecznie płaska rozszerza się wachlarzowato do przodu. Sklepienie poprzeczne stopy jest spłaszczone i poszerzone.

### Dolegliwości
Bóle w przodostopiu, bóle palców, ponieważ poszerzona stopa nie mieści się już w normalnym bucie. Uciśnięte niektóre miejsca na stopie, zgrubienia skóry (modzele), nagniotki (odciski) na podeszwie, w miejscu, gdzie znajduje się staw drugiego i trzeciego palca. Problemy z zakupem obuwia.

### Przyczyny
Przeciążenie przodostopia.

### Ryzyko zachorowania wzrasta
— Przy osłabieniu mięśni i więzadeł.

### Możliwe następstwa i powikłania
Może powstać paluch koślawy albo palce młoteczkowate (→ s. 416).

### Zapobieganie
Unikać wszystkiego, co zwiększa ryzyko.

### Kiedy do lekarza?
Gdy nie możesz sam złagodzić dolegliwości.

### Jak sobie pomóc
Peloty na płaskostopie poprzeczne powinny lepiej rozłożyć ucisk na podeszwę. Muszą być umieszczone w miejscu, gdzie na przodostopiu podeszwa poddaje się lekko przy ucisku kciukiem.

### Leczenie
Zgrubienie skóry (modzel) i odciski najlepiej jest fachowo usunąć u pedikiurzystki. U instruktora gimnastyki leczniczej możesz nauczyć się ćwiczeń ruchowych, mających poprawiać sklepienie poprzeczne stopy.

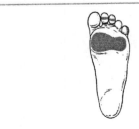

**Stopa poprzecznie płaska:** bolesne miejsca

Wkładki ortopedyczne są wskazane, gdyż odbarczają stopę. Czasem kształt stopy musi być skorygowany operacyjnie.

## Paluch koślawy

Z natury stopa jest najszersza w obrębie paliczków podstawowych palców, a duży palec (paluch) ustawiony jest prosto. O paluchu koślawym mówimy wówczas, kiedy duży palec (paluch) odchylony jest więcej niż o dziesięć stopni w stronę pozostałych palców.

### Dolegliwości
Początkowo nic nie boli, ale osoby z paluchem koślawym mają kłopoty ze znalezieniem wygodnych butów. Później miejsce ucisku na przyśrodkowej powierzchni u podstawy palucha jest bardzo bolesne. Może tam się rozwinąć zapalenie kaletki maziowej.

### Przyczyny
W stopie poprzecznie płaskiej skrócone ścięgna ściągają paluch w stronę pozostałych palców.

Stany zapalne mogą zniszczyć podstawowy staw palucha.

### Ryzyko zachorowania wzrasta
— Na skutek noszenia wąskiego obuwia i pończoch.
— Na skutek noszenia wysokich obcasów.
— Przy już istniejącym płaskostopiu poprzecznym.

### Możliwe następstwa i powikłania
Paluch przesuwa pozostałe palce do boku. Z czasem następuje zużycie stawu podstawowego palucha (→ Choroba zwyrodnieniowa stawów, s. 421).

### Zapobieganie
Należy nosić obuwie, w którym palce mają dostatecznie dużo swobody (→ Gimnastyka stóp, s. 414).

### Kiedy do lekarza?
Gdy nie możesz sam złagodzić dolegliwości.

### Jak sobie pomóc
Osłony (poduszeczki w kształcie pierścienia) mogą złagodzić ucisk. Szewc powinien poszerzyć but lub wyciąć okienko w odpowiednim miejscu. Można również zastosować peloty do sklepienia poprzecznego.

### Leczenie
Przywrócenie właściwego kształtu stopy uzyskuje się tylko poprzez zabieg operacyjny. Jeżeli operacja miałaby być przeprowa-

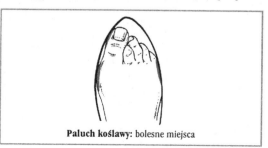

**Paluch koślawy:** bolesne miejsca

dzona jedynie ze względów kosmetycznych, należy ją odradzać. Wynik operacji palucha koślawego nie zawsze jest zadowalający, a wyniku operacji nie można od razu ocenić. Niemniej operacja ta jest często przeprowadzana, ponieważ pacjenci chcą znowu nosić normalne obuwie. Względnie często po operacji zdarzają się zniekształcenia palców, zesztywnienia, bóle, upośledzenie chodu. Po usunięciu guza (zapalnie zmienionej kaletki maziowej i wyrośli kostnej) najczęściej następuje nawrót.

## Palce szponiaste/młoteczkowate

Palce są skrzywione szponiasto w stawach środkowych i końcowych. W palcu młoteczkowatym staw środkowy jest zagięty prawie pod kątem prostym.

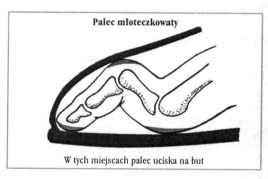

**Palec młoteczkowaty**

W tych miejscach palec uciska na but

### Dolegliwości
Modzelowate zgrubienia i stany zapalne skóry.

### Przyczyny
W ciasnym bucie palce ulegają zgięciu. W następstwie ograniczenia ruchów krótkie mięśnie stopy ulegają przykurczeniu, a ścięgna skróceniu.

### Ryzyko zachorowania wzrasta
W następstwie wszystkiego, co sprzyja stopie poprzecznie płaskiej i paluchowi koślawemu.

### Możliwe następstwa i powikłania
Bóle i odciski.

### Zapobieganie
Unikać wszystkiego, co zwiększa ryzyko.

### Kiedy do lekarza?
Gdy sam nie umiesz złagodzić dolegliwości.

### Jak sobie pomóc
Zmniejszyć ucisk na zmiany modzelowate przez zastosowanie pierścieni z filcu. Regularne usuwanie odcisków (nagniotków) przy pielęgnacji stóp (→ Nagniotek, s. 257).

### Leczenie
Jeśli tak zniekształcone palce utrudniają chód, mogą być skrócone operacyjnie.

# STAWY

Każda kość w organizmie jest połączona z kością sąsiednią poprzez staw. Jest to warunkiem poruszania się.

## Chrząstka

Aby końce kości mogły się ślizgać względem siebie bez tarcia, pokryte są warstwą elastycznej chrząstki odpornej na nacisk. Chrząstka ta nie jest ukrwiona, jednak stanowi żywą tkankę. W jej wnętrzu znajdują się komórki chrzęstne (chondrocyty). Wytwarzają one materiał do budowy, a tym samym do wzrastania chrząstki, zapewniający jej elastyczność. Potrzebne do tego substancje chrząstki otrzymują wprawdzie powoli, ale ciągle, z płynu stawowego. Jeśli transport składników odżywczych ustaje, komórki chrzęstne obumierają. Martwa chrząstka ulega zanikowi. Wtedy ogołocone z chrząstki końce kości, trąc o siebie, wywołują ból.

## Torebka stawowa (warstwa zewnętrzna)

Na zewnątrz znajduje się mocna torebka zbudowana z tkanki łącznej wzmocnionej jeszcze więzadłami. Więzadła te przechodzą przeważnie w ścięgna. Te ostatnie łączą staw z mięśniami.

## Torebka stawowa (warstwa wewnętrzna)

Wewnętrzna warstwa wyścielona jest błoną maziową. Błona ta jest dobrze ukrwiona i wydziela lepki płyn stawowy. Jest on substancją smarującą i amortyzującą uderzenia oraz stanowi otoczkę ochronną stawu. Transportuje też substancje odżywcze, które są potrzebne komórkom chrzęstnym. Jest to jednak możliwe tylko wtedy, gdy staw się porusza. Wszystkie zmiany zachodzące we krwi zachodzą również w płynie stawowym. Wszystko, co spożywasz, jak również stresy, którym jesteś poddany, wpływają poprzez krew na płyn stawowy. Zmiana ilości i jakości płynu stawowego ujawnia się poprzez ból występujący przy ruchach stawu.

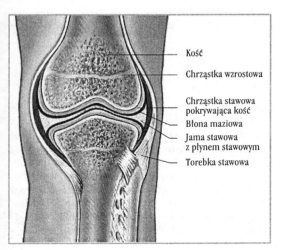

Kość

Chrząstka wzrostowa

Chrząstka stawowa pokrywająca kość

Błona maziowa

Jama stawowa z płynem stawowym

Torebka stawowa

## Skręcenie

### Dolegliwości

W zależności od siły urazu występują dolegliwości w postaci krótkotrwałego bólu, przy którym czynność stawu ograniczona jest w niewielkim stopniu, aż do długotrwałego bólu i widocznego obrzmienia. Przy poważniejszym uszkodzeniu obciążenie stawu staje się niemożliwe.

### Przyczyny

Przy nadmiernym ruchu w stawie więzadła zostają nadmiernie rozciągnięte i mogą ulec naderwaniu, a nawet rozerwaniu (→ s. 411). Taki nadmierny ruch może wystąpić przy przegięciu stóp lub upadku na kolano podczas jazdy na nartach.

### Ryzyko zachorowania wzrasta

— Gdy w następstwie często powtarzających się uszkodzeń więzadła są rozluźnione.
— W sporcie, przede wszystkim przy różnego rodzaju biegach.

### Możliwe następstwa i powikłania

Na skutek uszkodzenia następuje wylew krwawy do tkanek albo do stawu. Jeżeli zdarza się to wielokrotnie, to mogą wystąpić zmiany zwyrodnieniowe (→ Choroba zwyrodnieniowa stawów, s. 421).

### Zapobieganie

— Jeśli już kilkakrotnie doznałeś skręcenia, chroń miejsca obciążone opatrunkiem elastycznym.
— Noś dopasowane obuwie z miękką podeszwą. Jest to szczególnie ważne przy uprawianiu sportu.
— Noś buty na płaskim obcasie.

### Kiedy do lekarza?

Gdy staw opuchnie i nie możesz nim poruszać w normalny sposób.

### Jak sobie pomóc

— Uszkodzoną kończynę ułożyć wysoko i unieruchomić.
— Trzy do czterech razy dziennie stosować zimno (→ s. 652).
— Po upływie 12 do 24 godzin można zastosować ciepło w celu szybszego wchłonięcia wylewu krwawego: leczenie ciepłem (→ s. 651), maści przeciwreumatyczne (→ s. 420).

### Leczenie

Opatrunki uciskowe albo unieruchamiające może zakładać jedynie osoba, która się tego nauczyła. Niewłaściwy ucisk albo pociąganie może zaszkodzić. Kiedy lekarz pozwoli na obciążenie stawu, należy to robić stopniowo, pod kierunkiem instruktora gimnastyki leczniczej. Stosowne ćwiczenia mają na celu wzmocnienie mięśni odpowiedzialnych za czynną stabilizację stawu oraz więzadeł zapewniających stabilizację bierną. Staw

należy dostatecznie długo ćwiczyć według zaleceń. W ten sposób można zmniejszyć utrzymującą się bolesność. Temu celowi służy również gimnastyka podwodna.

## Zwichnięcie

Przy tym uszkodzeniu kości tworzące staw ulegają całkowitemu przemieszczeniu względem siebie. Czasem zaraz wskakują z powrotem na swoje miejsca. Często jednak pozostają przemieszczone. Wtedy lekarz musi je nastawić.

### Dolegliwości
— Nieznośny ból w momencie zwichnięcia.
— Nie można poruszać stawem, a przy każdej próbie ruchu ból się nasila.
— Staw puchnie.

### Przyczyny
Uszkodzenie stawu na skutek wadliwego ruchu w kierunku, w którym normalnie staw się nie zgina.

### Ryzyko zachorowania wzrasta
— Kiedy aparat więzadłowy uległ rozluźnieniu po wielokrotnych podobnych uszkodzeniach.
— Kiedy mięśnie są względnie słabe.
— W sporcie, szczególnie przy biegach po nierównym podłożu.

### Możliwe następstwa i powikłania
Więzadła i ścięgna, które stabilizują staw, mogą ulec przerwaniu, a kości pęknięciu albo złamaniu. Przy częstych wylewach krwawych do stawu może nastąpić jego zwyrodnienie (→ Choroba zwyrodnieniowa stawów, s. 421). Wielokrotne zwichnięcia stawu czynią go niestabilnym, a w następstwie tego zwichnięcia występują jeszcze częściej.

### Zapobieganie
— Jeżeli doznałeś już wielokrotnych naderwań, skręceń lub zwichnięć, powinieneś zabezpieczać staw bandażem (opatrunkiem).
— Stałe wzmacnianie mięśni ćwiczeniami gimnastycznymi.
— Dostateczna rozgrzewka przed zajęciami sportowymi (→ s. 748).

### Kiedy do lekarza?
Gdy na podstawie opisanych dolegliwości można przyjąć, że doznałeś zwichnięcia stawu. Jedynie na podstawie zdjęcia rentgenowskiego można stwierdzić, czy kość uległa uszkodzeniu.

### Jak sobie pomóc
Uszkodzony staw ułożyć wysoko i unieruchomić.

### Leczenie
Zwichnięty staw musi być nastawiony przez lekarza tak szybko, jak to tylko możliwe. Czasami napięcie mięśni jest tak duże, że nastawienia trzeba dokonać w narkozie. Przerwane więzadła i ścięgna muszą być zszyte. Po operacji pełne wygojenie stawu trwa około pół roku. Dopiero po wyleczeniu, a następnie zastosowaniu gimnastyki będziesz mógł bezboleśnie posługiwać się stawem. Informacje na temat leczenia uszkodzonych kości → Złamania kości, s. 400.

## Uszkodzenie łąkotki

Kolano składa się z trzech odrębnych stawów. Całość stabilizują więzadła i ścięgna. Funkcję amortyzatora pomiędzy powierzchniami kostnymi kolana pełnią ruchome, chrzęstne, półksiężycowate krążki, tzw. łąkotki, przyśrodkowa i boczna.

### Dolegliwości
Silne bóle przy wyproście i przeproście kolana oraz przy kręceniu zgiętym podudziem. Staw jest rozluźniony, dlatego odczuwa się jego niepewność przy obciążaniu i przy ruchach.

### Przyczyny
Podczas urazu aparat więzadłowo-torebkowy może ulec naderwaniu lub naciągnięciu. Łąkotka może zostać zaklinowana pomiędzy powierzchniami stawowymi kości udowej i kości piszczelowej, a nawet ulec oderwaniu. Uszkodzenia kolana są często kombinacją uszkodzenia torebki stawowej, więzadeł i łąkotek.

### Ryzyko zachorowania wzrasta
— W sporcie, szczególnie przy grze w piłkę nożną albo jeździe na nartach. Kiedy ciało wykonuje skręt przy ustalonej na podłożu stopie i nieco zgiętym kolanie, ciężar ciała może wgnieść łąkotkę pomiędzy kość udową i piszczelową.
— W zawodach związanych z pracą w pozycji klęku, przysiadu (np. sprzątaczki, ogrodnicy).

### Możliwe następstwa i powikłania
Uszkodzenia kolana związane są zwykle z wylewem krwawym do stawu kolanowego. Kolano nieleczone prawidłowo lub niedoleczone może utracić swoją stabilność i ulec zmianom zwyrodnieniowym (→ Choroba zwyrodnieniowa stawów, s. 421). Przez okres przynajmniej sześciu miesięcy po uszkodzeniu łąkotki nie należy uprawiać sportów, które są często przyczyną tych urazów: tenis stołowy, jazda na nartach, piłka nożna.

### Zapobieganie
Opatrunek stabilizujący albo opaska elastyczna przed zajęciami sportowymi.

### Kiedy do lekarza?
Gdy przypuszczasz, że kolano uległo poważnemu uszkodzeniu.

### Jak sobie pomóc
Unieruchomić kolano, zastosować natychmiastowe leczenie zimnem (→ s. 652).

### Leczenie
Podejrzenia uszkodzenia łąkotki z całą pewnością potwierdza się tylko za pomocą artroskopii (→ s. 615), podczas której można usunąć zaklinowane części chrząstki. Zaklinowana łąkotka — podobnie jak przerwane więzadło — wymaga leczenia operacyjnego. Leczenie pooperacyjne w takich przypadkach może być bardzo zróżnicowane. Należy możliwie długo kontynuować ćwiczenia wyznaczone przez instruktora gimnastyki leczniczej. W ten sposób można zmniejszyć bolesność odległą. Gimnastyka podwodna służy również temu celowi.

## Reumatyzm

„To zapewne będzie reumatyzm" — myśli wielu, kiedy przy ruchach pojawia się ból. Rwanie w kończynach, bóle mięśni, zaczerwienione, bolesne, opuchnięte stawy, sztywne kolano, bóle w krzyżach, wszystko to dolegliwości na tle „chorób reumatycznych". Reumatyzm obejmuje wiele różnych postaci chorób. Ich przyczyny są różne i rozmaicie się je leczy. Wspólną ich cechą jest zajęcie stawów i/albo tkanki łącznej. Rozróżnia się następujące odmiany reumatyzmu:

— Reumatyzm ze stanem zapalnym: reumatoidalne zapalenie stawów (→ s. 423), choroba Bechterewa (→ s. 427), choroba reumatyczna (→ s. 426), toczeń trzewny (→ s. 428).
— Choroba zwyrodnieniowa stawów (→ s. 421).
— Reumatyzm pozastawowy. Mięśnie, więzadła, ścięgna i kaletki maziowe są bolesne i zmienione (→ s. 429).
— Dna moczanowa (→ s. 422).

### Poszukiwanie „właściwego" lekarza

Na ogół z bólami mięśni czy stawów udajesz się do lekarza ogólnego albo do internisty lub ortopedy. Rzadko trafiasz do reumatologa. Nie należy się więc dziwić, że w pierwszych sześciu miesiącach leczenia jedna piąta, a nawet połowa przypadków zapalenia stawów, pozostaje nierozpoznana. A przecież tylko prawidłowa diagnoza umożliwia skuteczne leczenie. Wielokrotnie zaniechane zostaje dostatecznie wczesne przekazanie pacjenta pod opiekę ambulatorium reumatologicznego dużej kliniki. Masz jednak prawo zażądać takiego skierowania, jeśli masz wątpliwości, czy twój lekarz dokładnie ustalił podłoże choroby.

### Dane ogólne dotyczące leczenia chorób reumatycznych

Dla reumatyzmu nie ma schematu leczenia. Lekarz wraz z tobą musi ustalić, jak w danym momencie najskuteczniej złagodzić dolegliwości oraz jak utrzymać twoją zdolność ruchową. Decydować będzie tutaj nie tylko stan zdrowia, ale również samopoczucie w trakcie leczenia. Tylko ten, kto akceptuje gimnastykę leczniczą, będzie ją uprawiał przez całe życie. Dla osób, które żywią uprzedzenia do gimnastyki leczniczej, właściwe będzie zalecenie terapii słońcem i delikatnego treningu.

*Odżywianie*
Nie istnieje dieta przeciwreumatyczna, która leczyłaby tę chorobę (wyjątek → Dna moczanowa, s. 422). Dieta mleczno-jarzynowa dłużej stosowana daje pozytywne wyniki. W leczeniu dny moczanowej (→ s. 423) dieta jest ważnym i niezbędnym elementem.

*Fizykoterapia* (→ s. 650)
Podstawą leczenia reumatyzmu jest ruch. Lepiej zmniejszyć ból za pomocą leków niż zrezygnować z ruchu. Przy ćwiczeniach ruchowych nie należy przekraczać granicy tolerancji bólowej. Leczenie fizykalne z zastosowaniem ciepła, zimna i prądów elektrycznych pobudza tkanki; szczególnie korzystna są masaże całego ciała (→ Masaż, s. 658). Jeżeli masz możliwość, aby stosować masaże całego ciała, powinny one trwać pół godziny.

Po takim okresie biernego „poddawania się leczeniu" pożądane jest uaktywnienie się. Instruktor gimnastyki leczniczej

powinien sporządzić indywidualny program ćwiczeń i przećwiczyć go. Twoim zadaniem będzie regularne realizowanie tego programu w domu i utrzymanie w ten sposób niezależności ruchowej.

*Ergoterapia*
Podczas zajęć ergoterapeutycznych nauczysz się różnych sposobów, które ułatwią codzienne życie, poznasz swoje możliwości zajęcia się pracą, którą będziesz mógł wykonywać mimo choroby.

*Leczenie lekami*
Leczenie przeciwreumatyczne wymaga długotrwałego planowania. Lekarz powinien złagodzić chwilowe bóle i stopniować dawki leków, aby w trakcie długotrwałego leczenia nie zaszkodzić bardziej niż to jest konieczne.

*Maści*
Maści przeciwreumatyczne ze składnikami drażniącymi skórę są szczególną odmianą leczenia ciepłem. Stosuje się je w stawach przewlekle zmienionych, ale nie w stadium zapalnym. Informacje o maściach i lekach przeciwreumatycznych → Niesteroidowe leki przeciwzapalne.

*Niesteroidowe leki przeciwzapalne*
Jest to grupa leków, które równocześnie łagodzą bóle, hamują odczyn zapalny i zmniejszają obrzęki. Zastosowanie ich ma sens wówczas, gdy:
— bez pomocy tych leków nie jesteś w stanie wykonać niezbędnych ruchów,
— odczuwasz silne bóle i nie wystarcza samo leczenie fizykalne,
— w reumatoidalnym zapaleniu stawów leki podstawowe nie działają w wystarczającym stopniu (→ s. 426).

Niesteroidowe leki przeciwzapalne nie działają jednakowo u wszystkich chorych. W miarę możliwości powinieneś pod kierunkiem swojego lekarza i wspólnie z nim wybrać właściwy środek.

Przy stosowaniu niesteroidowych leków przeciwzapalnych obowiązują następujące ogólne zasady:
— Należy stosować tylko wypróbowane leki, których działanie uboczne jest od dawna znane.
— Wybierać należy takie środki, które wykazują działanie krótkotrwałe. Przy długotrwale działających środkach istnieje duże niebezpieczeństwo niekorzystnego działania ubocznego. Dotyczy to szczególnie osób powyżej sześćdziesiątego roku życia.
— Leczyć tak krótko, jak to tylko możliwe.
— Nie łączyć ze sobą różnych leków przeciwreumatycznych. Stosowane razem nie działają silniej, za to zwiększa się niebezpieczeństwo działania ubocznego.
— Nie stosować preparatów złożonych.

*Tabletki, czopki, zastrzyki, maści*
Niesteroidowe środki przeciwzapalne stosuje się najczęściej doustnie. Osoby, które odczuwają przy tym dolegliwości żołądkowe, mogą spróbować, czy przypadkiem nie będą lepiej tolerowały czopków. Nie jest to jednak pewne, ponieważ lek prze-

| Maści przeciwreumatyczne zawierające składniki drażniące skórę | | |
|---|---|---|
| Algesal | Diphlogen | Finalgon |
| Algesalona | Direktan | Forapin |
| Amlenat | Dolo Arthrosensx | Histadermin maść |
| Arthrodestal | Dolo-Exihirud | Mentho-neurin |
| Bayolin | Dolo Menthoneurin | Mobilat |
| Capsi gel N | Dolo Mobilat | Oschont |
| Capsiplast | Doloneuro-Gel | Pasta Cool |
| Capsiplex maść | Enelbin | Rheumasan |

nika z jelita do krwi i działa ogólnie. Stosowanie leków przeciwreumatycznych w zastrzykach nie ma sensu: połknięte działają równie szybko jak w zastrzyku. Nie należy stosować leku złożonego z wielu substancji. Nie ma naukowego uzasadnienia do stosowania takich leków. Istnieją również leki przeciwreumatyczne do stosowania zewnętrznego. Jeśli takie leki wcierasz na dużych powierzchniach skóry, a lek wnika do krwi, musisz się liczyć z takim samym działaniem ubocznym jak po połknięciu tabletki. Skóra często reaguje odczynem alergicznym na wcieranie tych leków. Są one pomocne wtedy, gdy można za ich pomocą zmniejszyć ból jednego lub kilku stawów.

*Kortyzon* → s. 624.

*Leki podstawowe* → s. 426.

*Zastrzyki dostawowe*
Zgody na zastrzyk dostawowy możesz udzielić tylko lekarzowi, którego darzysz pełnym zaufaniem. Zastrzyki te są stosowane przez wielu lekarzy częściej, niż to jest rzeczywiście niezbędne.

Zastrzyk do stawu może być zastosowany, jeżeli ból stawu jest nieznośny. W pozostałych przypadkach wystarczy leczenie ogólne. Iniekcja dostawowa łączy się zawsze z niebezpieczeństwem zainfekowania stawu. Zdarza się to raz na dziesięć tysięcy tego rodzaju iniekcji, a w co trzynastym przypadku kończy się śmiercią. Im starszy pacjent, tym większe niebezpieczeństwo śmierci w następstwie infekcji stawu. W następstwie takiego zastrzyku może dojść do uszkodzenia kości. Wtedy staw może ulec zesztywnieniu. Aby temu zapobiec, lekarz musi przeprowadzić iniekcję tak jak zabieg operacyjny. Jeżeli przez pięć dni codziennie lekarz będzie obserwował staw, może dostatecznie wcześnie uchwycić objawy zapalenia.

**Operacje**
W reumatoidalnym zapaleniu stawów ważne są dwa rodzaje zabiegów operacyjnych: usuwanie błony maziowej stawu i wymiana stawu.

*Usuwanie błony maziowej stawu*
Usunięcie błony maziowej jest uzasadnione we wczesnym stadium choroby. Zapalnie zmieniona błona zostaje usunięta, aby mogła w jej miejsce odrosnąć zdrowa tkanka i stan zapalny nie zniszczył stawu.

*Technika zabiegu operacyjnego*: podczas wziernikowania stawu (→ Artroskopia, s. 615) albo w pełnej narkozie w szpitalu.

*Wynik*: Prawie co piąty staw trzeba w ciągu dziesięciu lat ponownie operować.

*Sztuczne stawy*
Żaden materiał nie jest tak odporny na obciążenia jak chrząstka i kość. Dlatego powinieneś dobrze rozważyć razem z lekarzem wszystkie za i przeciw wymiany stawu.

Sztuczny staw ma tylko ograniczoną wytrzymałość (staw biodrowy 10-15 lat).
— Ma ograniczoną wytrzymałość na obciążenie.
— Jeśli operacja się nie uda albo staw później się obluzuje, można go zawsze wymienić.
— Operacja ta związana jest ze stosunkowo dużym ryzykiem infekcji (1-4%).

*Sztuczny staw biodrowy*
Głowa i panewka stawu biodrowego zostają wymienione na elementy ze szlachetnego metalu, tworzywa sztucznego lub ceramiki.

Z chwilą wprowadzenia w szpitalach ryczałtowego rozliczania kosztów w doborze endoprotezy ważna jest jej cena.

Części metalowe zostają zakotwiczone w kości metodą cementowania lub metodą bezcementową. Przy metodzie cementowej proteza stawu zostaje połączona z kością za pomocą cementu. Ma to następujące zalety:
— Proteza zostaje natychmiast mocno osadzona i może być obciążana tuż po operacji.
— Istnieje już prawie trzydziestoletnie doświadczenie w stosowaniu tych protez.

*Wady*: cementowane protezy wytrzymują dziesięć do dwudziestu lat. Protezy cementowane stosuje się jeśli:
— Pacjent ma więcej niż sześćdziesiąt lat.
— Pacjent musi możliwie szybko stanąć na nogi.

| Leki zawierające tylko niesteroidowe składniki przeciwzapalne | |
|---|---|
| Brufen | Liman |
| Diclofenac z dodaną | Metindol |
| nazwą producenta | Orudis |
| Diclo-Phlogont | Piroxicam |
| Ibuprofen z dodaną | Profenid prolongatum |
| nazwą producenta | Proxen |
| Indometacin z dodaną | Relifex |
| nazwą producentaI | Tilcotil |
| Indo-Phlogont | Voltaren |

*Najważniejsze działania uboczne*: do 40 procent osób przyjmujących leki przeciwreumatyczne uskarża się na działania uboczne, które mogą pojawiać się przejściowo, ale mogą powodować trwałe szkody: uszkodzenia żołądka i jelit, od nudności do pękniętych wrzodów żołądka, uszkodzenia nerek do ich niewydolności, wykwity skórne do zmian skórnych jak po oparzeniach, uszkodzenia wątroby, uszkodzenie nerwów w postaci ograniczenia zakresu reakcji aż do napadów padaczkopodobnych.

### Leki do wcierania zawierające tylko niesteroidowe środki przeciwzapalne

Ibuprofen          Metindol          Voltaren
Indomet-Ratiopharm  Rheumon
Majamil            Traumon

— Istnieją objawy osteoporozy.
— Pacjent nie musi być czynny zawodowo.

*Zalety*: Po dziesięciu latach u trzech czwartych badanych proteza cementowa była w pełni sprawna.

*Protezy bezcementowe* mają chropowatą lub profilowaną powierzchnię, która drażni kość, co prowadzi do obrastania protezy. Oczekuje się, że te protezy będą miały dłuższą trwałość niż protezy cementowe. Bezcementowe protezy stosuje się wtedy, gdy:

— Pacjent nie ma jeszcze sześćdziesięciu lat.
— Ma zdrowe kości.
— Istnieje pewność, że staw nie będzie przeciążany ani w pracy, ani w sporcie.

*Zalety*: protezy bezcementowe są stale udoskonalane, wyniki lecznicze są coraz lepsze. Większość protez wszczepia się dzisiaj bez cementu.

Protezy bezcementowe nie spełniły jednak pokładanej w tej metodzie nadziei. Znacznie częściej ulegają one złamaniu aniżeli endoprotezy cementowe.

*Zachowanie się po operacji:*
— gimnastyka lecznicza odgrywa najważniejszą rolę;
— trenować i ćwiczyć mięśnie, jak nauczono cię w szpitalu;
— dużo pływać, przede wszystkim na plecach;
— jeździć na rowerze, chodzić;
— unikać sportów związanych z pozycją tyłozgięcia tułowia (tenis, squash, skoki);
— unikać spacerowania pod górę i z góry;
— na dwa miesiące zrezygnować z prowadzenia samochodu. Jeśli wymieniono prawy staw biodrowy, nie jeździj przez pół roku, zanim nie uzyskasz odpowiedniej siły hamowania.

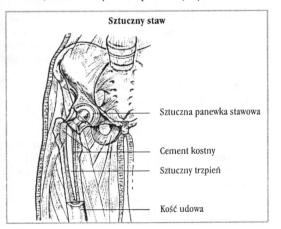

**Sztuczny staw**

Sztuczna panewka stawowa

Cement kostny

Sztuczny trzpień

Kość udowa

*Sztuczny staw kolanowy*
Protezy stawu kolanowego jest znacznie trudniej skonstruować i wszczepić niż protezy stawu biodrowego. Wytrzymałość tych protez jest bardzo różnie oceniana.

*Sztuczne stawy barku, ramienia, ręki i stopy*
Istnieją od niedawna. Nie wiadomo, czy po operacji uzyska się większy zakres ruchów. Doświadczenie w tej dziedzinie jest skromne.

## Choroba zwyrodnieniowa stawów

Choroba zwyrodnieniowa stawów jest typowym zużyciem stawów na skutek długotrwałego obciążania ponad granicę ich wytrzymałości.

### Dolegliwości
— Bóle stawów, które przy ruchach powoli zmniejszają się, ale po dłuższym obciążeniu znów powracają.
— Obrzęki stawów.
— Guzki na środkowych i końcowych stawach palców.
— Ból przy ucisku na staw.
— Stawy stają się mniej ruchome.

### Przyczyny
Najbardziej przekonującą przyczyną jest „zużycie". Osoba, która przez całe życie ciężko pracowała, może mieć zużyte stawy. Jednak nie wszyscy, którzy ciężko pracowali, a obecnie odpoczywają, cierpią na „reumatyzm". Obawa przed utratą samodzielności sprzyja rozwojowi choroby. Również stan stałego przygnębienia i beznadziejności pogłębia dolegliwości stawowe (→ Zaburzenia samopoczucia, s. 175).

Czynniki przyspieszające zużycie stawów:
— Wrodzone i nieleczone wadliwe ustawienia kośćca: kończyny dolne koślawe albo szpotawe, na przykład kolana „X" lub „O" (→ Wada rozwojowa stawu biodrowego, s. 556).
— Nieleczone uszkodzenia łąkotek.
— Wadliwie wygojone złamania kości.
— Sport wyczynowy.
— Długoletnia nadwaga.

### Ryzyko zachorowania
Powyżej pięćdziesiątego roku życia połowa ludzi ma zwyrodnieniowo zmienione stawy, ale w niektórych zawodach ryzyko zachorowania wyraźnie wzrasta. I tak, zwyrodnieniowa choroba stawów kolanowych: u dekarzy, górników (46%), pracowników biurowych (24%), u płytkarzy i kamieniarzy uważana jest nawet za chorobę zawodową. To samo dotyczy stawów łokciowych u pracowników budowlanych, którzy stale obsługują młot pneumatyczny, co może dla nich oznaczać uznanie choroby zawodowej (→ s. 796). Brak jednak wciąż odpowiednich kryteriów oceny dla sprzątaczek i gospodyń domowych, u których występują zmiany zwyrodnieniowe stawów.

Choroba zwyrodnieniowa stawów biodrowych występuje u 43% górników, u 28% noszących ciężary, u 6% pracowników biurowych.

### Możliwe następstwa i powikłania
Stałe obciążanie chrząstki stawowej utrudnia jej odżywianie,

co prowadzi do jej chropowatości i rozwłóknienia. Zeszlifowane cząsteczki chrząstki stawowej drażnią błonę maziową stawu, która reaguje stanem zapalnym. „Smarowanie" stawu jest niedostateczne, w stanie zapalnym komórki wydzielają substancje, które powodują rozluźnienie i rozpulchnienie chrząstki stawowej. Pojawiające się bóle ograniczają ruchomość, muskulatura ulega zanikowi, a chrząstka stawowa jest jeszcze gorzej odżywiana.

W chorobie zwyrodnieniowej stawów kolanowych ulegają one zniekształceniu w postaci „X" albo „O".

W chorobie zwyrodnieniowej stawów nie trzeba się obawiać tak ciężkich zniekształceń jak w reumatoidalnym zapaleniu stawów.

### Zapobieganie

Regularne ruchy równomiernie obciążające stopy, na przykład pływanie, jazda na rowerze, biegi długodystansowe (→ Ruch i sport, s. 748). Również regularne, codzienne dziesięciominutowe ćwiczenia gimnastyczne podtrzymują kondycję.

### Kiedy do lekarza?

Gdy dolegliwości poważnie dokuczają.

### Jak sobie pomóc

— Rano trzeba zarezerwować czas na rozruszanie się.
— Podczas dnia stosować przerwy, w których stawy mogą odpocząć.
— Unikać długotrwałych jednostronnych pozycji ciała i jednostajnego ruchu.
— Zmniejszyć nadwagę (→ Masa ciała, s. 709).
— Wskazany jest sport: pływanie, jazda na rowerze.
— Obuwie z elastycznymi podeszwami chroni stawy nóg.
— W zmianach zwyrodnieniowych w stawie biodrowym używać laski po stronie zdrowej.
— W sklepach ortopedycznych można zakupić „siedzenia z katapultą", które ułatwiają wstawanie z krzesła.
— Dostępne są również podwyższenia sedesu z tworzywa sztucznego.

### Leczenie

Tylko regularny, odpowiedni ruch może zwolnić postęp choroby zwyrodnieniowej stawów. Jedynie w ten sposób chrząstka stawowa może otrzymać niezbędne substancje odżywcze.

*Leczenie fizykalne*

W leczeniu właściwe jest stosowanie ciepła (→ s. 651), prądów o wysokiej częstotliwości (→ s. 655), promieni podczerwonych (→ s. 651), ultradźwięków (→ s. 656), zawijań (→ s. 651), masaży (→ s. 658), gimnastyki leczniczej (→ s. 656).

*Leczenie lekami*

Maści (→ Maści przeciwreumatyczne, s. 420) mogą łagodzić bóle. Niesteroidowe leki przeciwzapalne (→ s. 420) czynią bóle znośnymi, szczególnie przed ćwiczeniami. Glikokortykoid (→ s. 624) w chorobie zwyrodnieniowej jest zbędny.

*Operacje* → Operacje reumatologiczne, s. 420.
Operacje korygujące wadliwe ustawienia układu kostnego często stwarzają możliwości długotrwałego utrzymania funkcji stawów. Stały ból stawów biodrowych i związane z tym ograniczenie ruchów w tych stawach można z powodzeniem leczyć również u starszych osób, stosując sztuczne stawy.

## Dna moczanowa

Dna moczanowa jest typową chorobą związaną z dobrobytem. Polega ona na osadzaniu się w stawach kryształków kwasu moczowego.

### Dolegliwości

Napad dny dotyczy najczęściej palucha albo stawu kolanowego: dotknięty staw obrzmiewa, jest zaczerwieniony i znośnie boli. Najczęściej pojawia się gorączka.

### Przyczyny

Skłonność do rozwinięcia się tej choroby przemiany materii jest dziedziczna. Nerki nie wydalają w dostatecznej ilości powstałego w organizmie kwasu moczowego, tak że wzrasta jego stężenie we krwi.

### Ryzyko zachorowania

W latach wojny prawie nie spotykano chorych na dnę moczanową. Obecnie wśród dwóch procent mężczyzn w wieku osiemnastu do dwudziestu lat stwierdza się podwyższony poziom kwasu moczowego we krwi, a u mężczyzn w średnim wieku u ośmiu procent: trzech mężczyzn na stu zapada na tę chorobę przed sześćdziesiątym piątym rokiem życia. U kobiet dna moczanowa występuje rzadziej. Ryzyko zachorowania wzrasta wraz ze wzrostem stężenia kwasu moczowego we krwi. Wzrost tego stężenia jest spowodowany przez:
— obfite odżywianie bogate w mięso i tłuszcze,
— alkohol,
— leki, takie jak isoniazid (w gruźlicy), furosemid i kwas etakrynowy (oba stosowane przy odwadnianiu).

### Możliwe następstwa i powikłania

Począwszy od stężenia 9 mg w 100 ml krwi, kwas moczowy ulega wykrystalizowaniu. Jeśli proces ten zachodzi w stawach, to łączy się z napadem dny. Nieleczona może trwać przez dni i tygodnie. U jednej piątej chorych dna od początku przebiega przewlekle bez uprzednich napadów. Atakuje ona chrząstkę stawową i w następstwie może prowadzić do zniszczenia stawów. Guzki dnawe występują w chrząstce, kościach, pochewkach ścięgnowych, skórze, nerkach. Powstają one wtedy, gdy

### Chorzy na dnę moczanową powinni zrezygnować ze spożywania

| | | |
|---|---|---|
| Alkoholu | Ostrych | Szpinaku |
| Drobiu | przypraw | Śledzi |
| Grzybów | Podrobów | Zup, kiełbas |
| Kalafiora | Roślin | i innych dań |
| Majonezu | strączkowych | sporządzanych |
| Marmolad | Sardynek w oleju | z mięsa albo |
| Marynat | Serdelków | drobiu |
| Mięsa | Szparagów | |

tkanka usiłuje otorbić powstałe kryształki. U ponad 70% chorych na dnę w następstwie rozwijają się uszkodzenia nerek.

## Zapobieganie

Utrzymywać prawidłową masę ciała i odżywiać się tak, aby udział tłuszczu w pożywieniu nie przekraczał 30%.

## Kiedy do lekarza?

Po wystąpieniu pierwszego napadu dny.

## Jak sobie pomóc

— Stosować dietę ubogopurynową.
— Obniżenie ciężaru ciała o siedem do dziesięciu kilogramów obniża poziom kwasu moczowego we krwi o 2 mg/100 ml krwi.
— Pić dużo, jeśli lekarz nie ma co do tego zastrzeżeń (wodę mineralną z niewielkimi ilościami soli mineralnych).

## Leczenie

*W ostrym napadzie dny*
Ochładzać chory staw zimnym okładem lub położyć okład z lodem (→ Leczenie zimnem, s. 652). Wezwać lekarza. Jeśli napad powtórzy się, zażyć lek przepisany przez lekarza według zalecenia.

*Leczenie stałe*
Służą do tego celu leki hamujące tworzenie się kwasu moczowego (Allopurynol) albo wzmagające jego wydalanie (Probenecyd). Leczenie dny z zastosowaniem leków należy stosować tylko wtedy, gdy:
— Nie masz nadwagi, stosujesz dietę ubogopurynową i mimo to masz ponad 9 mg kwasu moczowego w 100 ml krwi.

---

### Właściwe leki przy ostrym napadzie dny moczanowej

| Substancja czynna | Preparat |
|---|---|
| kolchicyna | Colchicum Dispert |
| | Colchysat krople |
| indometacyna | Metindol |
| | Indocid |
| fenylobutazon | Butapirazol |

### Leki mające uzasadnienie w obniżeniu podwyższonego poziomu kwasu moczowego

*Leki zawierające Allopurinol*

| | | |
|---|---|---|
| Bleminol | Gichtex | Uritas |
| Epidropoal | Remid | Zyloric |
| Geapur | Uripurinol | |

oraz kilka innych preparatów z określeniem Allo- albo Allopurinol i dołączoną nazwą producenta.
*Leki zawierające Benzbromaron*
Benzbromaron z dołączoną nazwą producenta

| | |
|---|---|
| Narcaricin | Uricovac |

*Środek kombinowany z Allopurinolu i Benzbromaronu*

| | |
|---|---|
| Acifugan | Allomaron |

---

— Oprócz podwyższonego poziomu kwasu moczowego we krwi masz podwyższone ciśnienie krwi.
— Dodatkowo oprócz podwyższonego poziomu kwasu moczowego masz jeszcze kamienie nerkowe.
— Napady dny występowały wielokrotnie.

## Reumatoidalne zapalenie stawów

W chorobie tej występuje zapalenie wielu stawów, które z czasem ulegają zniekształceniu, a w końcu sztywnieją.

### Dolegliwości

— Zmęczenie, upośledzenie sprawności, wydolności, gorączka.
— Bolesne stawy palców, przede wszystkim stawy podstawowe palca wskazującego i środkowego, rzadko stawy końcowe. Często bolesne są wymienione stawy obu rąk równocześnie.
— Ból przy uścisku ręki, kiedy kości palców ściśnięte są razem.
— Rano palce sztywne dłużej niż trzydzieści minut.
— Rano, po przebudzeniu bóle przy każdym ruchu (ból na początku rozruchu).
— Bóle albo upośledzenie czucia we wszystkich palcach rąk, poza małym palcem (→ Zespół cieśni nadgarstka, s. 429).
— Obrzęk stawów utrzymujący się ponad sześć tygodni.
— Przy zaciśniętej pięści prawie nie są widoczne różnice między „dolinami" i „górami" w obrębie stawów śródręczno-palcowych.
— Bóle kręgosłupa szyjnego.
— Napadowo występujące rwące bóle w ramionach albo nogach.
— Wyczuwalne guzki pod skórą w okolicy łokci, nadgarstków i stawów palców ręki, ale nie ponad końcowymi stawami palców.
— Szczególnie znamienne u dzieci z przewlekłym zapaleniem wielostawowym jest zapalenie tęczówki oka (→ s. 234).

### Przyczyny

Dotąd nie wiadomo, dlaczego człowiek zapada na reumatoidalne zapalenie stawów. Z pewnością ma w tym swój udział układ odpornościowy, na który wpływają obciążenia i stresy. Chorzy potwierdzają, że ich organizm reaguje na załamania psychiczne nasileniem się choroby (→ Zaburzenia samopoczucia, s. 175). Objawem udziału układu odpornościowego w reumatoidalnym zapaleniu stawów są odczyny reumatoidalne. Są to przeciwciała skierowane przeciwko własnemu białku. Mogą one służyć lekarzowi jako wskazówka przy ustalaniu diagnozy. Stwierdzone odczyny reumatoidalne nie są dowodem istnienia reumatoidalnego zapalenia stawów, podobnie ich brak nie świadczy o tym, że ktoś jest zdrowy.

W reumatoidalnym zapaleniu stawów błona maziowa wytwarza zbyt dużo zmienionego płynu stawowego. Powoduje to bóle i obrzmienie tkanki wokół stawu. Błona maziowa nadmiernie się rozrasta i zaburza ślizgowy ruch stawu. Chrząstka stawowa zostaje uszkodzona. Przy braku chroniącej kość chrząstki stawowej leżąca pod nią kość jest „nadżerana". Staw ulega zniekształceniu, wygięciu, a w końcu zesztywnieniu. Otaczające staw więzadła i ścięgna zostają wciągnięte

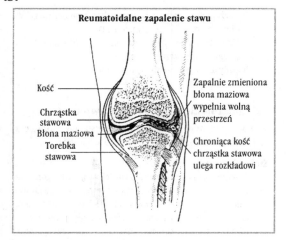

**Reumatoidalne zapalenie stawu**

Kość

Chrząstka stawowa
Błona maziowa
Torebka stawowa

Zapalnie zmieniona błona maziowa wypełnia wolną przestrzeń

Chroniąca kość chrząstka stawowa ulega rozkładowi

w proces chorobowy. Ponieważ każdy ruch jest bolesny, unika się ruchu w stawach, co w następstwie powoduje zanik mięśni.

## Ryzyko zachorowania

Nie można przewidzieć, kto i kiedy zachoruje na reumatoidalne zapalenie stawów. Z nieznanych przyczyn kobiety chorują co najmniej dwa razy częściej niż mężczyźni. W Polsce na tę chorobę zapada rocznie kilkaset dzieci. Im wiek bardziej zaawansowany, tym częściej występuje choroba.

U dzieci i młodzieży przebieg tej choroby wykazuje pewne odrębności w porównaniu z postacią obserwowaną u dorosłych.

## Możliwe następstwa i powikłania

Nie można przewidzieć przebiegu choroby. Niektórzy ludzie przez miesiące i lata nie odczuwają dolegliwości. W postaciach „złośliwych" w ciągu jednego roku lub dwóch lat stawy mogą ulec zniszczeniu. W niektórych postaciach objawy zapalne mogą wystąpić ze strony serca, płuc i oka. Osłabienie serca pozostaje zwykle niezauważone, ponieważ chorzy ci nie są narażeni na duże wysiłki i obciążenia. U 60-75% chorych dzieci występuje zapalenie tylko jednego stawu. Wracają do zdrowia, a ich ruchy nie ulegają większemu ograniczeniu.

### Życie chorego na reumatoidalne zapalenie stawów

Rozpoznanie reumatoidalnego zapalenia stawów obciąża chorego oraz w dużym stopniu żyjące z nim osoby. Często oznacza to życie uzależnione od lekarzy, lekarstw, terapii ruchowej i środków pomocniczych, przeraża również widmo inwalidztwa. To zagrożenie jest tak wielkie, że nie można oddzielić od siebie psychicznych przyczyn i psychicznych następstw tej choroby. Życie jednak staje się lżejsze, jeżeli żyjesz zgodnie z organizmem, niż gdy występujesz przeciw niemu. Spróbuj zmienić stosunek do niego. Zwracaj uwagę na język, którym organizm przemawia do ciebie i przekazuje sygnały, rób to, co dla niego jest korzystne. Nie wzdragaj się przed oferowaną ci pomocą w pokonywaniu trudności życiowych. Wielu osobom z reumatoidalnym zapaleniem stawów fachowe wsparcie pozwoliło odnaleźć wartość życia. Wzajemna pomoc w grupie samopomocowej może okazać się bardzo cenna (→ Poradnictwo i psychoterapia, s. 670).

### Na co dzień

— Planuj dzień tak, abyś dysponował czasem w fazach bólu.
— Dbaj o przerwy, w których stawy mogą odpocząć.
— Unikaj długotrwałych, jednostronnych pozycji ciała i ruchów.
— Zdrowe i pełnowartościowe pożywienie (→ s. 705) wzmacnia siły obronne.
— Kontroluj wagę: każdy kilogram więcej obciąża dodatkowo twoje stawy.

### Praca

Praca daje niezależność finansową i uznanie, oznacza, że możesz czegoś dokonać. Jako chory na chorobę układu ruchu możesz wnieść niejedno dla społeczności, do której należysz. Pracując w Polsce, powinieneś omówić z lekarzem zakładowym, jakie masz szanse na przyszłość oraz ewentualną zmianę stanowiska i rodzaju pracy. Lekarz zakładowy wyda ci odpowiednie zaświadczenie dla kierownictwa zakładu pracy.

— W razie braku w twoim zakładzie pracy takich możliwości możesz zwrócić się z wnioskiem do Zakładu Ubezpieczeń Społecznych (ZUS), który orzeka o ewentualnej niezdolności do dotychczas wykonywanej pracy i przyznaniu na określony czas tak zwanej renty szkoleniowej. Przekwalifikowanie zawodowe prowadzą urzędy pracy.

— Tylko całkowita niezdolność do pracy oraz niezdolność do samodzielnej egzystencji stanowi podstawę do przyznania renty z tytułu niezdolności do pracy. Odwołania od decyzji ZUS rozpatruje wyłącznie Sąd Ubezpieczeń Społecznych.

— Osoba leczona przez dłuższy czas i korzystająca z okresowej niezdolności do pracy przez 180 dni może ubiegać się o przedłużenie świadczeń, jeśli stan zdrowia rokuje przywrócenie zdolności do pracy.

— Jeśli brak takiego rokowania, to w ramach prewencji rentowej istnieje możliwość przyznania przez ZUS świadczeń rehabilitacyjnych na czas określony, o ile dotychczasowy przebieg leczenia rokuje przywrócenie zdolności do pracy.

— Poradnictwo zawodowe prowadzą wojewódzkie urzędy pracy.

— Osoby nieposiadające żadnych uprawnień emerytalnych lub rentowych mogą zwracać się o pomoc do miejscowych ośrodków pomocy społecznej.

— Zaopatrzenie w wózek inwalidzki, protezy, kule do chodzenia, gorset korekcyjny itp. można uzyskać na podstawie wniosku wydanego przez lekarza specjalistę w Wojewódzkiej Poradni Zaopatrzenia Ortopedycznego.

— Osoby niepełnosprawne mogą znaleźć zatrudnienie w zakładach pracy chronionej.

— O niepełnosprawności danej osoby orzeka Wojewódzki Zespół Orzekający o Stanie Niepełnosprawności. Orzeczenie to może stanowić podstawę do uzyskania zasiłku rodzinnego.

— Matka wychowująca niepełnosprawne dziecko do lat 16 może uzyskać dodatek pielęgnacyjny na podstawie zaświadczenia lekarza opiekującego się tym dzieckiem.

— Pomocą i radą służą również samopomocowe stowarzyszenia osób przewlekle chorych, np. Stowarzyszenie Osób z Chorobą Alzheimera, Chorych na Padaczkę, Chorych na Cukrzycę, koła Polskiego Związku Niewidomych i wiele innych.

— Bardzo pomocna jest również działalność charytatywna kościołów, Polskiego Czerwonego Krzyża, Caritas, Towarzystwa Brata Alberta i wielu lokalnych organizacji społecznych.

— W zakładach leczniczych dla dzieci prowadzone są szkoły, które umożliwiają kontynuowanie nauki w trakcie kuracji.

— Istnieje również możliwość indywidualnego nauczania dziecka w domu, o ile lekarz stwierdzi taką potrzebę.

— Istnieją szkoły specjalne i warsztaty dla młodzieży niepełnosprawnej z możliwością zakwaterowania w internacie.

## Właściwe ułożenie

Jedną trzecią życia spędzasz w łóżku, w tym czasie możesz zniweczyć sporo z tego, co przez dzień udało się żmudnie odbudować. Odpowiednie poczynania mogą temu zapobiec:

— Mocne materace (konstrukcja z listew) zamiast materaców sprężynowych.

— Mała poduszeczka (jasiek) albo wałek pod kark zamiast dużej grubej poduszki.

— Leżeć tak płasko, jak to tylko możliwe.

— Nigdy w pozycji leżącej nie krzyżować nóg oraz nie podkładać wałka pod doły podkolanowe: biodra i kolana mogą zesztywnieć w pozycji zgięcia.

## Seks

Dawanie i otrzymywanie czułości i miłości, gdy się ma zniekształcone stawy i bóle, przychodzi z trudnością. Wrogami rozkoszy są: lęk, że nie jest się godnym pożądania, i świadomość ograniczeń (np. ruchowych). A jednak należy uczynić wszystko, aby nie utracić tego ważnego elementu radości życia.

— Kochać powinno się nie tylko w nocy. Południe jest zazwyczaj porą dnia o mniejszym nasileniu bólu. Spróbuj porozumieć się z partnerem/partnerką, aby tak zaplanować dzień, by pora ta była wolna dla obojga.

— Rozluźnij się przedtem w ciepłej kąpieli albo spróbuj wziąć wspólną gorącą kąpiel pod natryskiem.

— Lekarz może poradzić, jaki przedtem zażyć skuteczny środek przeciwbólowy.

— Wielość pozycji miłosnych pozwala na puszczenie wodzy fantazji. Możecie wspólnie określić, jak w najłatwiejszy sposób osiągnąć zadowolenie.

— Nie cofajcie się przed niezwykłością: również ręce, usta i skóra mogą dać poczucie rozkoszy.

## Zapobieganie

Nie jest możliwe.

## Kiedy do lekarza?

Jeśli wystąpi kilka objawów choroby, należy udać się do lekarza, który w określeniu specjalności ma tytuł reumatologa (→ Wybór lekarza, s. 589). Lekarz ogólny ma zazwyczaj zbyt mało doświadczenia w leczeniu reumatoidalnego zapalenia stawów.

Dzieci chore na młodzieńcze przewlekłe zapalenie stawów muszą co sześć do ośmiu tygodni być poddawane kontroli okulistycznej. Tylko dokładne badanie wyjaśnia, czy dziecko nie nale-

ży do tych 20%, u których oprócz zapalenia stawów rozwinęło się zapalenie tęczówki.

## Jak sobie pomóc

Przestaw swoje odżywianie na pełnowartościowe (→ s. 705).

Pomoc dla dzieci:

— Wraz z nauczycielem spróbuj ułatwić dziecku dotarcie do pomieszczenia szkolnego bez pomocy.

— Spowoduj — jeśli to konieczne z zaświadczeniem lekarskim — aby dziecko mogło korzystać z podręczników będących własnością szkoły i mogło je pozostawić w klasie. Zaoszczędziłoby to noszenia ciężkiej torby szkolnej.

— Postaraj się, aby dziecko — jeśli ma trudności w pisaniu — uzyskało ułatwienia albo stosowne wydłużenie czasu.

— W grupie samopomocowej powinieneś omówić problem dodatkowej pomocy lekcyjnej. Może grono rodziców uzgodni wspólne ponoszenie kosztów.

— Jak masz się zachować, towarzysząc dziecku w drodze do szpitala → Dziecko w szpitalu, s. 596.

## Leczenie

### Leczenie dietą

Wiele osób z tym schorzeniem odczuwa poprawę po zastosowaniu pełnowartościowej diety jarzynowo-mlecznej. Obserwacje wykazują, że tak uzyskana poprawa może trwać nawet dłużej niż rok. Natomiast na gliadynę zawartą w produktach zbożowych oraz na albuminy zawarte w mleku wielu chorych reaguje rzutem zaostrzenia choroby. Dla stwierdzenia wrażliwości na wymienione produkty należy konsekwentnie przez pewien czas wykluczyć je z jadłospisu. Długotrwałe spożywanie oleju rybnego lub oleju z wiesiołka oraz przyjmowanie witaminy E może spowodować zmniejszenie dolegliwości i dawkowania leków.

### Leczenie fizykalne

W leczeniu fizykalnym reumatoidalnego zapalenia stawów przydatne są następujące rodzaje zabiegów:

— Zimno, kiedy stawy są w ostrym stanie zapalnym, mocno ucieplone (→ Leczenie zimnem, s. 652).

— Ciepło, poza okresami rzutów ostrego zapalenia (→ Leczenie ciepłem, s. 651).

— Kąpiele (→ s. 653), zawijania borowinowe (→ s. 651).

— Gimnastyka lecznicza (→ s. 656).

— Elektroterapia (→ s. 654).

— Ergoterapia, która pozwala łatwiej pokonać trudności w życiu zawodowym i w domu.

## Leczenie z zastosowaniem leków

### Leki podstawowe

Pomimo możliwości wystąpienia działania ubocznego w leczeniu reumatoidalnego zapalenia stawów należy możliwie jak najwcześniej zastosować leki podstawowe. Do leków podstawo-

---

**Koło Pomocy Dzieciom z Młodzieńczym Przewlekłym Zapaleniem Stawów**

70-601 Szczecin, ul. Jarowita 2, tel. (0-91) 34-74-41

---

## Leki podstawowe stosowane w reumatoidalnym zapaleniu stawów

| | | |
|---|---|---|
| Arechin | Azulfidine RA | Ridaura |
| Artamin | Cuprenil | Salazopiryn |
| Aureotan | Plaquenil | Sulfasalazin |
| Auro-Detoxin | Quensyl | |

---

wych zaliczane są również środki immunosupresyjne. Powodują one obniżenie aktywności układu immunologicznego, który w reumatoidalnym zapaleniu stawów atakuje własne tkanki chorego. Leki te w pierwszych dwóch latach zwalniają proces niszczący stawy i zmniejszają uszkodzenia narządów wewnętrznych, uwarunkowane chorobą reumatoidalną. Może jednak minąć dwa miesiące do pół roku, zanim odczujesz ich pozytywne działanie. Regularne i skrupulatne badania kontrolne są w tym leczeniu niezbędne.

Szczególnie ważne jest zastosowanie leków podstawowych u dzieci, u których mogą one najszybciej wstrzymać proces niszczenia stawów.

*Działania uboczne*: Wszystkie leki podstawowe mogą szkodzić organizmowi. Warto, by lekarz wyjaśnił ci stopień osobistego ryzyka.

*Niesteroidowe leki przeciwzapalne*
Ich zastosowanie jest celowe, by krótkotrwale łagodzić bóle towarzyszące ostremu rzutowi choroby, albo gdy leki podstawowe nie tłumią ich dostatecznie. U dzieci lekarz powinien usiłować ograniczyć się tylko do tych leków. Preparaty → Reumatyzm, s. 420.

*Glikokortykoidy*
Mogą łagodzić reumatyzm, ale nie leczyć. Lekarz powinien je zalecić tylko wtedy, gdy wszystkie inne metody lecznicze nie zdołają przytłumić stanu zapalnego. Wtedy mogą być bardzo pomocne. Informacje na temat leczenia glikokortykoidami → s. 624.

*Operacje* → Reumatyzm, s. 420.
Synowektomię (wycięcie błony maziowej) należy wykonać możliwie wcześnie, aby usunąć ogniska zapalne. Zazwyczaj odczuwa się poprawę, nawet jeśli stan zapalny nawraca po dłuższym czasie.

Leczenie operacyjne może częściowo zmniejszyć dolegliwości stawowe. Istnieje możliwość wymiany stawów (endoprotezy).

---

## Leki immunosupresyjne, które stosuje się w gośćcu

| | | |
|---|---|---|
| Abitrexate | Endoxan | Sandimmum |
| Cyclostin | Methotrexat | |

---

## Łuszczycowe zapalenie stawów

### Dolegliwości
W chorobie tej występują równocześnie ogniska łuszczycowe (→ Łuszczyca, s. 267) i zapalenie stawów:

— Najczęściej zajęte są stanem zapalnym wszystkie stawy jednego palca u ręki lub jednego palca u stopy.
— Zajęte są te same stawy w większej liczbie palców.
— Zajęte mogą być stawy skokowe i kolanowe.
— Zmiany skórne mogą być nieobecne. Szczególnie u dzieci zmiany stawowe często mogą wyprzedzać pojawienie się zmian skórnych.
— Jasno nakrapiane paznokcie w połączeniu z innymi dolegliwościami mogą wskazywać na tę chorobę.

### Przyczyny
Nie są znane.

### Ryzyko zachorowania
U około jednej piątej ludzi ze zmianami łuszczycowymi rozwijają się również dolegliwości stawowe.

### Możliwe następstwa i powikłania
W porównaniu z reumatoidalnym zapaleniem stawów zapalenie łuszczycowe stawów przebiega łagodniej (→ Reumatoidalne zapalenie stawów, Życie chorego na reumatoidalne zapalenie stawów, s. 423).

### Zapobieganie
Nie jest możliwe.

### Kiedy do lekarza?
Przy opisanych dolegliwościach.

### Jak sobie pomóc
→ Reumatoidalne zapalenie stawów, s. 423.

### Leczenie
Bóle stawowe należy łagodzić środkami przeciwbólowymi (→ s. 620). Leczenie powinien prowadzić lekarz, stosując leki podstawowe (→ Reumatoidalne zapalenie stawów, s. 423). Niesteroidowe leki przeciwzapalne mogą pogorszyć zmiany skórne.

---

## Zapalenia stawów w chorobach zakaźnych (reaktywne zapalenia stawów), choroba reumatyczna

### Dolegliwości
Zaczerwienione, obrzęknięte, bolesne stawy, najczęściej staw skokowy i kolanowy, z możliwością współistnienia gorączki, zapalenia gardła, płonicy, może wystąpić również zapalenie pochewek ścięgnowych, spojówki albo tęczówki oka oraz zapalenie nerek.

### Przyczyny
Zapalenia stawów są późnym następstwem zakażenia, które toczyło się w innych narządach. W grę wchodzą:
— Paciorkowce jako czynnik wywołujący zapalenie pęcherza albo zapalenie w obrębie narządów płciowych.
— Jersinie jako drobnoustroje wywołujące różne choroby żołądka i jelit.
— Gonokoki wywołujące choroby narządów płciowych (rzeżączka).

— Chlamydie wywołujące zapalenie pęcherza oraz stany zapalne okolic narządów płciowych.
— Bakterie przenoszone przy ukąszeniu przez kleszcze wywołujące chorobę Lyme (boreliozę).

### Ryzyko zachorowania
Ryzyko zachorowania wzrasta przy dodatnim odczynie HLA-B27 (→ Choroba Bechterewa, poniżej).

Najczęściej na chorobę reumatyczną po zakażeniu paciorkowcami zapadają dzieci i młodociani. Choroba ta w Europie stała się rzadkością, od momentu kiedy zapalenia gardła zaczęto zwalczać antybiotykami.

### Możliwe następstwa i powikłania
Może upłynąć dłuższy czas, zanim zapalenia stawów przeminą. Choroba reumatyczna po zakażeniu paciorkowcami, jak mówi stare porzekadło, „liże stawy, ale kąsa serce". Najwięcej obaw wzbudza zapalenie tkanek serca. Jeśli nawet sama choroba stawów została całkowicie zwalczona, istnieje niebezpieczeństwo wczesnej śmierci na skutek powstałego uszkodzenia serca.

### Zapobieganie
Choroby wywołane wymienionymi drobnoustrojami muszą być leczone antybiotykami (→ s. 621).

### Kiedy do lekarza?
Do lekarza należy się zgłosić w sytuacji, gdy po przebyciu wymienionych chorób zaczynasz odczuwać bóle stawów.

Zdarza się czasem, że po zapaleniu gardła albo po przebyciu płonicy dolegliwości mogą trwać dwa lub trzy tygodnie, po ukąszeniu kleszcza — kilka tygodni lub miesięcy (nawet do ponad roku).

### Jak sobie pomóc
Dolegliwości łagodzi chłodzenie stawów (→ Leczenie zimnem, s. 652).

### Leczenie
Chorobę zasadniczą leczyć antybiotykami. Dolegliwości stawowe lekarz może łagodzić niesteroidowymi lekami przeciwzapalnymi (→ Reumatyzm, s. 419). W chorobie reumatycznej po zakażeniu paciorkowcami trzeba stosować penicylinę w celu zapobiegania nawrotom i nowym zakażeniom.

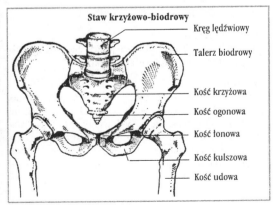

Staw krzyżowo-biodrowy
— Kręg lędźwiowy
— Talerz biodrowy
— Kość krzyżowa
— Kość ogonowa
— Kość łonowa
— Kość kulszowa
— Kość udowa

## Zesztywniające zapalenie stawów kręgosłupa (choroba Bechterewa)
Zmiany zapalne kręgosłupa określamy jako chorobę Bechterewa. Ewentualnie zmiany te dotyczyć mogą innych stawów.

### Dolegliwości
— Bóle krzyża i dolnej części pleców, nasilające się w pozycji leżącej, w nocy powodują przebudzenie, zmniejszają się przy ruchach. Bóle te mogą imitować nerwoból nerwu kulszowego (ischias), nie mają jednak charakteru napadowego, lecz raczej skryty, pełzający. Podniesienie przedmiotu z podłogi przychodzi z trudnością.
— Przemijające i nawracające bóle stawów.
— Uczucie ciasnoty w klatce piersiowej przy wdechu, kaszlu albo kichaniu.
— Zapalenie tęczówki (→ s. 234).
— Bóle w stawie kolanowym lub pięcie. U jednej trzeciej młodocianych te objawy przeważają nad typowymi bólami krzyża.

### Przyczyny
Skłonność do rozwoju choroby jest prawdopodobnie dziedziczna. Objawem przemawiającym za tym może być obecność we krwi antygenu HLA-B27 (→ Kiedy do lekarza?) W chorobie Bechterewa — podobnie jak w innych chorobach reumatoidalnych — układ odpornościowy (immunologiczny) powoduje atakowanie komórek własnego organizmu (→ Zaburzenia samopoczucia, s. 175).

### Ryzyko zachorowania
Mężczyźni chorują cztery razy częściej niż kobiety. Choroba występuje szczególnie często między dwudziestym a trzydziestym rokiem życia. Jeśli choruje bliski krewny, może to zwiększać ryzyko.

### Możliwe następstwa i powikłania
Choroba przebiega rzutami, czasami z długimi okresami bez dolegliwości. Kręgi ulegają postępującemu zesztywnieniu od dołu ku górze. Powstają typowe plecy okrągłe. Zniekształcony kręgosłup przygina głowę do przodu i ku dołowi. Zesztywniała klatka piersiowa utrudnia oddychanie.

Tylko u jednej trzeciej do jednej piątej chorych choroba postępuje do tego stadium. U większości, mimo że uprzednio trwała wiele lat, ulega wygaszeniu. U kobiet ogólnie przebiega łagodniej.

*Dziedziczenie*: Dane mówiące, że dziecko chorego na chorobę Bechterewa również zachoruje, są bardzo niejednoznaczne.

Prawdopodobieństwo takie wzrasta, jeśli dwoje chorych na tę chorobę zdecyduje się na założenie rodziny. Nie jest uzasadnione, aby dzieci chorego na chorobę Bechterewa badać w kierunku HLA-B27. Może to jedynie wzbudzić obawy, podczas gdy nie istnieją możliwości zapobiegawcze.

*Ciąża*: W czasie ciąży dolegliwości zazwyczaj nie ustępują. Cięcie cesarskie jest konieczne tylko wtedy, gdy stawy biodrowe i kości miednicy są niedostatecznie ruchome.

## Zapobieganie

Nie jest możliwe.

### Kiedy do lekarza?

Gdy zaczynasz odczuwać opisane dolegliwości. Dopiero po około czterech do dwunastu miesięcy od wystąpienia pierwszych dolegliwości zdjęcia rentgenowskie wykazują zapalenie stawów krzyżowo-biodrowych. Najwyraźniej wykażą to komputerowe zdjęcia warstwowe — tomografia komputerowa (→ s. 610). Na początku choroby mogą być nieobecne typowe objawy choroby Bechterewa i dlatego wielu chorych jest leczonych niewłaściwie przez dłuższy czas, a nawet niepotrzebnie operowanych na krążek międzykręgowy (dysk). Lekarz może łatwiej ustalić rozpoznanie, jeśli wykona badanie krwi chorego w kierunku HLA-B27. U około 75% chorych badanie to wypada dodatnio, co oznacza, że ich krwinki białe wykazują obecność czynnika chorobowego. U 10% zdrowych osób badanie to wypada dodatnio, mimo że nie chorują na chorobę Bechterewa.

### Jak sobie pomóc

— Codziennie przynajmniej przez godzinę leżeć na brzuchu. Powoduje to wyprostowanie przygiętego kręgosłupa. Jeśli nie możesz znieść tej pozycji, podziel ten czas na „porcje". Pomocne może być podłożenie poduszki pod klatkę piersiową.
— Leżeć płasko i możliwie na twardym podłożu. W podróży znacznie korzystniej będzie ułożyć materac na podłodze, niż spędzić noc w zapadającym się łóżku.
— Unikać ciężkiej pracy fizycznej.
— Korzystne rodzaje sportu: pływanie na plecach, pływanie kraulem, piłka siatkowa, długodystansowe biegi na nartach, jazda na rowerze.
— W pracy oraz podczas dłużej trwającej jazdy samochodem stosować przerwy, w czasie których wykonywać ćwiczenia rozluźniające i oddechowe, jak cię tego nauczono podczas gimnastyki leczniczej.
— Podczas zajęć w pozycji siedzącej często wstawać i wykonywać przeprost (przekraczający prawidłowy wyprost) w stawach biodrowych.
— Śpiew i gwizdanie są ćwiczeniami oddechowymi.
— Obuwie z elastyczną podeszwą amortyzuje uderzenia związane z chodzeniem po twardym asfalcie.

### Leczenie

Najważniejszą rzeczą w leczeniu jest utrzymanie ruchomości kręgosłupa. Zesztywnienia nie poddają się ponownemu uruchomieniu. Ćwiczenia gimnastyczne, które musisz wykonywać dwa razy dziennie po trzydzieści minut, powinny stać się nawykiem, jak czyszczenie zębów.

*Leczenie fizykalne*

Odpowiednimi ćwiczeniami są: gimnastyka lecznicza (→ s. 656), masaż (→ s. 658). Leczenie ciepłem dla łagodzenia bólów, ale nie wtedy, gdy stawy są w ostrym stanie zapalnym.

Bardzo korzystna dla chorych na chorobę Bechterewa jest kuracja w specjalnych zakładach, na przykład w sanatorium reumatologicznym. W razie wątpliwości wskazane jest nawiązanie kontaktu z tymi zakładami leczniczymi.

*Leczenie lekami* → Reumatyzm, s. 419.
Niesteroidowe leki przeciwzapalne dla złagodzenia bólu i umożliwienia stosowania ćwiczeń. Kortyzon stosowany jest tylko wyjątkowo w bardzo ciężkich zmianach stawowych.

*Operacje* → s. 420.
Wymiana zesztywniałych stawów biodrowych może być szczególnie wskazana u młodszych pacjentów. Kręgosłup mocno przygięty zmusza do kierowania wzroku ku dołowi. W tym przypadku operacja kręgosłupa daje przynajmniej taką poprawę, że pacjent może patrzeć prosto przed siebie.

## Toczeń trzewny (toczeń rumieniowaty układowy)

### Dolegliwości

— Lekki wzrost temperatury przez dłuższy czas połączony ze zmęczeniem, rozbicie, utrata ciężaru ciała.
— Bóle stawowe podobnie jak w reumatoidalnym zapaleniu stawów (→ s. 423).
— Wykwity skórne. Typowy jest wykwit motylowaty na twarzy.
— Wypadanie włosów.

### Przyczyny

Dotąd niedokładnie poznane. Odgrywa tu rolę układ odpornościowy w znaczeniu choroby autoimmunizacyjnej (→ Zaburzenia samopoczucia, s. 175). Możliwe, że na rozwój choroby wywierają wpływ wirusy, środowisko zewnętrzne i leki.

### Ryzyko zachorowania

Kobiety chorują częściej niż mężczyźni.

### Możliwe następstwa i powikłania

— Zapalenie tkanek serca.
— Zapalenie nerek, mogące prowadzić do ich niewydolności.
— Zapalenie przepony.
— Obniżenie ogólnej odporności sprzyja rozwojowi innych chorób.

### Zapobieganie

Nie jest możliwe.

### Kiedy do lekarza?

Gdy zaczynasz odczuwać opisane dolegliwości.

### Jak sobie pomóc

Należy używać środków ochronnych przeciw słońcu. Zapalenia skóry często rozwijają się po nasłonecznieniu.

### Leczenie

Lekkie postacie tocznia trzewnego leczone są podobnie jak reumatoidalne zapalenia stawów niesteroidowymi środkami przeciwzapalnymi albo lekami podstawowymi (→ Reumatoidalne zapalenie stawów, s. 423). Jeśli jednak zajęte są inne narządy, trzeba przytłumić aktywność układu odpornościowego glikokortykoidami (→ s. 624) i środkami immunosupresyjnymi. Zmiany skórne wymagają również leczenia glikokortykoidami.

# Twardzina układowa (sklerodermia)

## Dolegliwości

— Objawy zaburzeń w ukrwieniu palców rąk i nóg: blade lub niebieskawe, bóle.
— Ogniska owrzodzeń na opuszkach palców.
— Bóle stawowe.
— Trudności w połykaniu spowodowane zwężeniem przełyku (→ s. 361), brak apetytu, spadek wagi ciała.
— Zmiany skórne: skóra staje się gładka, sztywna, mniej ruchoma i mniej przesuwalna. Powoduje to gorszą ruchomość stawów.
— Następstwa zbyt małego wydzielania śluzu przez błony śluzowe: suchość w ustach, zapalenia spojówek, suchość pochwy u kobiet.
— Niemożność wysunięcia języka.

## Przyczyny

Nie są dotąd dokładnie poznane, ale prawdopodobnie ma w tym swój udział układ odpornościowy, poprzez autoimmunizację (→ Zaburzenia samopoczucia, s. 175). Tkanka łączna jest częściowo w stanie zapalnym. W każdym przypadku ulega zgrubieniu i zwiększa swą objętość. Powoduje to przede wszystkim uszkodzenia skóry, błony śluzowej przewodu pokarmowego w górnym odcinku, płuc i nerek.

## Ryzyko zachorowania

Kobiety chorują prawie sześciokrotnie częściej niż mężczyźni. Być może rozwojowi choroby sprzyjają chemikalia (lek przeciwgruźliczy isoniazyd, polichlorek winylu, pył silikonowy). U kobiet z silikonowymi implantami sutków choroba ta występuje częściej.

## Możliwe następstwa i powikłania

— Naczynia krwionośne są zapalnie zmienione albo ulegają zwężeniu aż do całkowitego zamknięcia.
— Płuca nie pracują prawidłowo; następstwem choroby są: kaszel, duszność, niedostateczne zaopatrzenie organizmu w tlen.
— Osłabienie mięśnia sercowego, który ulega zbliznowaceniu.
— Niedostateczne ukrwienie nerek może doprowadzić do ich niewydolności.
— U mężczyzn przebieg choroby jest bardziej niekorzystny aniżeli u kobiet.

## Zapobieganie

Nie jest możliwe.

## Kiedy do lekarza?

Przy pojawieniu się kilku z wymienionych dolegliwości. Po oznaczeniu parametrów układu odpornościowego lekarze specjaliści mogą już we wczesnym stadium ustalić diagnozę i określić z pewnym prawdopodobieństwem, jaki będzie przebieg choroby.

## Jak sobie pomóc

Unikać zimna, dotyczy to również pokarmów i napojów.

## Leczenie

Leczenie fizykalne jest niezbędne. Szczególnie skuteczny jest drenaż limfatyczny.
    Niekorzystnie rokujące postacie choroby leczone są D-peni-

cylaminą, pomimo znacznego działania ubocznego (Artamin, Metalcaptase, Trisorcin, Trolovol). Poza tym należy stosować różne zabiegi łagodzące objawy choroby.

# Reumatyczne bóle wielomięśniowe

Ta szczególna postać reumatyzmu polega na chorobie tkanki łącznej naczyń krwionośnych w obrębie mięśni.

## Dolegliwości

— Utrata apetytu, spadek wagi ciała, ogólne osłabienie.
— Bóle w obrębie karku, barków i miednicy o największym nasileniu wczesnym rankiem.
— Gwałtownie pogarszający się wzrok.

## Przyczyny

Dotąd nie są znane.

## Ryzyko zachorowania

Choroba ta na ogół występuje tylko u osób powyżej pięćdziesiątego piątego roku życia. Kobiety zapadają na nią prawie trzy razy częściej niż mężczyźni.

## Możliwe następstwa i powikłania

Ściana wewnętrzna naczyń krwionośnych, w szczególności tętnicy skroniowej, jest zapalnie zmieniona. Następstwem są zaburzenia wzroku. Istnieje możliwość wystąpienia zakrzepów żylnych, niedrożności naczyń krwionośnych i zatorów. Czasem w proces chorobowy włączone są naczynia wieńcowe serca.

## Kiedy do lekarza?

Gdy odczuwasz opisane objawy choroby.

## Jak sobie pomóc

Samemu nie można.

## Leczenie

Już przy podejrzeniu reumatycznych bólów wielomięśniowych lekarz powinien natychmiast zlecić glikokortykoid (→ s. 624). Przy zaatakowaniu oczu leczenie musi być w trybie pilnym przeprowadzone w szpitalu.

# REUMATYZM POZASTAWOWY

Reumatyzm pozastawowy jest wspólnym określeniem na bolesne zmiany w „częściach miękkich" narządów ruchu, w tkance łącznej. Jest to tkanka, która łączy ze sobą inne tkanki i znajduje się poza kośćmi, mięśniami i stawami. Początkowo nie ma stanu zapalnego. Jako reumatyzm pozastawowy określamy między innymi następujące choroby:

# Bolesny bark, „ramię tenisisty", zespół cieśni nadgarstka

## Dolegliwości

Dolegliwości w tych wszystkich chorobach mogą być bardzo różne: niektórych ludzi „boli wszystko", inni mogą zlokalizować ból w określonych częściach ciała, jeszcze inni odczuwają pieczenie. Chorzy czują się słabi, znużeni, pozbawieni sił. Bó-

> ## Wskazówki dotyczące siły uchwytu rakiety tenisowej
>
> Obwód trzonka rakiety powinien być równy odległości od końca palca środkowego ręki do linii środkowej dłoni.

le pojawiają się nagle albo powoli się nasilają, utrzymują się i wzmagają, ustępują i znowu wracają.

*Bolesny bark*: Jednakowo powtarzane ruchy barku są bolesne.

*Ramię tenisisty*: Ból zewnętrznej powierzchni stawu łokciowego, promieniujący do przedramienia, bóle przy zaciskaniu pięści.

*Zespół cieśni nadgarstka*: Bóle ręki, szczególnie w nocy, które mogą przechodzić do całego ramienia, poprzez bark do karku. Rano palce są sztywne i słabe, kciuk, palec wskazujący i środkowy pozbawione są czucia, mięśnie kłębu kciuka ulegają zanikowi.

### Przyczyny

Podczas przeciążenia i wymuszonego jednostronnego wysiłku następuje wzmożone zapotrzebowanie tkanek na tlen. Podobna jest sytuacja podczas napięcia psychicznego, gdy poprzez układ nerwowy mięśnie poddane są stałemu napięciu. Ze względu na to, że dopływ tlenu zazwyczaj nie pokrywa wzmożonego zapotrzebowania tkanek, następuje obumarcie komórek mięśniowych. Powstają śródmięśniowe ogniska stwardnień. Zmiany te dotyczą również ścięgien, więzadeł i otaczających tkanek.

*Zespół cieśni nadgarstka*: Dolegliwości wywołane są przewlekłym zapaleniem pochewki ścięgna, która uciska nerw w obrębie nadgarstka.

### Ryzyko zachorowania

Ponad połowa dolegliwości w narządzie ruchu może być określona jako reumatyzm pozastawowy.

Ryzyko zachorowania wzrasta:

— Kiedy ludzie w życiu codziennym zużywają więcej siły, aniżeli jest to niezbędne.
— Na skutek zawodowego jednostronnego obciążenia, jak pisanie na maszynie przez sekretarki, ruchy obrotowe narzędziami, u kasjerek w supermarkecie, przy dzierganiu.
— U sportowców przy wadliwej sile uchwytu lub technice uderzenia (w tenisie) albo przy wadliwej technice rzutu (np. w rzucie oszczepem).
— Kiedy mięśnie usiłują wyrównać wadliwą postawę ciała (np. kiedy noga jest krótsza).

### Możliwe następstwa i powikłania

Wadliwa postawa powoduje nadmierny wysiłek mięśni. Może to wywołać błędne koło: wadliwa postawa — wzmożone napięcie — niedotlenienie — złe zaopatrzenie w tlen wszystkich tkanek — ból — wadliwa postawa. Jeśli stan ten utrzymuje się zbyt długo, szkody przy tym powstałe są prawie nieodwracalne.

Niektórzy ludzie odczuwają te dolegliwości tak mocno, że powtarzające się nawroty choroby czynią ich niezdolnymi do pracy. Jeśli lekarz nie rozpozna dostatecznie wcześnie związku pomiędzy ciałem a psychiką, to rozwijają się tzw. kariery pacjentów z długotrwałymi dolegliwościami (→ Zaburzenia samopoczucia, s. 175).

### Zapobieganie

— W pracach ręcznych wykorzystywać możliwie na zmianę obie ręce.
— Sportowcy powinni być pouczeni przez trenera co do właściwej techniki uderzania i rzutu, tenisiści powinni przeanalizować siłę chwytu rakiety.

### Kiedy do lekarza?

Gdy nieznośne bóle utrzymują się pomimo ćwiczeń rozluźniających, niezbędna jest konsultacja lekarza reumatologa mającego doświadczenie w chorobach psychosomatycznych. Pacjenta trzeba przekonać, że przyczyną dolegliwości może być jego własne zachowanie.

### Jak sobie pomóc

Dolegliwości łagodzi wszystko, co zmniejsza napięcie: ćwiczenia rozluźniające, sen dający odpoczynek, unieruchomienie bolesnego obszaru ciała. W ostrym stanie: stosowanie zimna (→ s. 652) trzy do czterech razy dziennie. Następnie stosowanie ciepła (→ s. 651) albo maści przeciwreumatycznych.

### Leczenie

*Fizykoterapia* → s. 650.
— Gimnastyka lecznicza (→ s. 656), masaże (→ s. 658).
— Leczenie ciepłem: promienie podczerwone, kompresy na kończyny, diatermia (→ s. 651).
— Przy bólach związanych z wykonywaniem zawodu ergoterapeuta może przyjrzeć się, jak można poprawić twoje warunki pracy.

*Leczenie lekami*
— Leki przeciwbólowe (→ s. 620).
— Leki znoszące napięcie mięśni (→ s. 433).
— Leki uspokajające (→ s. 181).

*Poradnictwo i psychoterapia* → s. 670.
Operacje w zespole cieśni nadgarstka. Kiedy inne metody lecznicze (np. jednorazowe wstrzyknięcie kortyzonu) nie dały efektu, należy wkrótce operować. Podczas operacji nerw zostaje uwolniony dzięki przecięciu więzadła przebiegającego poprzecznie w nadgarstku.

Zamiast właściwej operacji, tytułem próby, przy zmianach zwyrodnieniowych i zapalnych tkanek miękkich można zastosować leczenie uderzeniowe. Najczęściej w znieczuleniu miejscowym skupioną wiązkę ultradźwięków o wysokiej częstotliwości i gęstości energii kieruje się dokładnie na obszar objęty zmianami chorobowymi. Uboczne działanie występuje rzadko, ale przy niefachowym postępowaniu może nastąpić zniszczenie tkanek i nerwów. Dlatego z zabiegów tych należy korzystać w klinikach akademickich, które opanowały te metody leczenia.

> ### Lektura uzupełniająca
>
> BÄKER B.A.: *Bóle stawów, reumatyzm, artretyzm*. Wydaw. W.A.B., Warszawa 1995.
> POZOWSKI A., USZYŃSKI K.: *Mam sztuczny staw biodrowy*. PZWL, Warszawa 1995.
> ROSŁAWSKI A.: *Ćwiczenia lecznicze i rekreacja fizyczna w chorobach reumatycznych*. Wydaw. AWF, Wrocław 1995.

# KRĘGOSŁUP

Postawa stojąca jest wynikiem działania kręgosłupa i połączonego z nim skomplikowanego mechanizmu mięśniowego. Wszystkie mięśnie kończyn i tułowia w różny sposób łączą się z kręgosłupem. Leżące jeden na drugim kręgi są tak zbudowane, że tworzą kanał kręgowy, w którym znajduje się rdzeń kręgowy oraz wychodzące zeń i z mózgu nerwy. Rdzeń kręgowy oraz przebiegające w nim nerwy są chronione przez utworzony z kręgów kanał kręgowy. Małe stawy łączą kręgi ze sobą tak, że są one ruchome względem siebie.

## Trzy odcinki

Mówi się o „szyi i karku", przez co rozumie się kręgosłup szyjny: siedem bardzo ruchomych najwyżej położonych kręgów z ich tarczkami międzykręgowymi. One to dźwigają głowę.

Mówi się o „plecach", przez co rozumie się kręgosłup piersiowy: zbudowany z dwunastu kręgów jest względnie nieruchomy, ponieważ połączony jest z żebrami klatki piersiowej. Tworzy klatkę kostną dla wrażliwego serca i płuc.

Mówi się o „krzyżu", a rozumie się przez to kręgosłup lędźwiowy: składa się z pięciu kręgów i jest również bardzo gietki. Na jego ostatnim kręgu i leżącej pod nim kości krzyżowej spoczywa główny ciężar ciała. Kość krzyżowa i przylegająca do niej od dołu kość ogonowa są ze sobą mocno zrośnięte.

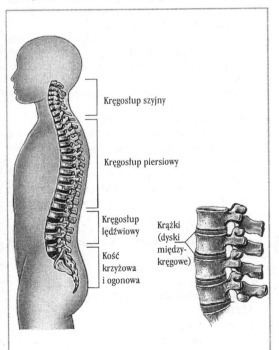

Kręgosłup szyjny

Kręgosłup piersiowy

Kręgosłup lędźwiowy

Kość krzyżowa i ogonowa

Krążki (dyski między-kręgowe)

## Krążki międzykręgowe (dyski) jako amortyzatory

Pomiędzy kręgami znajdują się krążki międzykręgowe (dyski) jako elementy tłumiące nacisk. Stanowią one około jednej czwartej wysokości kręgosłupa. Krążki międzykręgowe zbudowane są z mocnego pierścienia włóknistego, jądra galaretowatego i nie są ukrwione. Normalne, codzienne obciążenia powodują nacisk na miękkie jądro galaretowate, tak że pod wieczór możesz być nawet o około dwa centymetry niższy niż rano.

Leżenie powoduje odciążenie kręgosłupa. Następuje wtedy zassanie do krążków płynu z otaczających tkanek i krążki stają się znów sprężyste. Regenerują się one tym lepiej, im skuteczniej odprężony jest kręgosłup. W miarę starzenia się zmniejsza się zdolność regeneracyjna krążków międzykręgowych.

## Bóle pleców i krzyża

Zespół bólowy kręgosłupa szyjnego, zespół bólowy kręgosłupa piersiowego, zespół bólowy kręgosłupa lędźwiowego nie są chorobami, lecz medycznym określeniem bolesności odcinków kręgosłupa.

### Przyczyny

Bóle pleców najczęściej są spowodowane błędnym kołem polegającym na tym, że mięśnie są mocniej napięte niż to dla nich korzystne. Bóle wzmagają napięcie mięśni, uniemożliwiające dostateczną regenerację krążków międzykręgowych. Zaburzone zostaje współdziałanie poszczególnych kręgów. Mięśnie usiłują wyrównać to zaburzenie przez dalsze wzmożenie napięcia.

To wzmożone napięcie jest z kolei wyrazem zaburzenia równowagi pomiędzy napięciem a rozluźnieniem (odprężeniem; → Zaburzenia samopoczucia, s. 175).

Słowo „postawa" ma podwójne znaczenie: oznacza stan psychiki i zewnętrzną sylwetkę człowieka, elementy, które wzajemnie na siebie wpływają. Zmiana postawy (sylwetki) wpływa na psychikę i odwrotnie — psychika wpływa na postawę (sylwetkę).

### Ryzyko zachorowania

Najbardziej ruchome i obciążone odcinki kręgosłupa ulegają najwcześniej zużyciu. W miarę starzenia się w kręgosłupie każdego człowieka występują objawy zużycia. Nie oznacza to jednak, że w każdym przypadku mamy do czynienia z chorobą.

Kto przez dłuższy czas żyje i pracuje, wytężając wszystkie siły, ten szczególnie łatwo się wyczerpuje (→ s. 173).

### Możliwe następstwa i powikłania

Uszkodzone tarczki mogą uciskać nerwy (→ Uszkodzenia krążków międzykręgowych, dyskopatia, s. 433). Wadliwe obcią-

---

**Gimnastyka kręgosłupa**

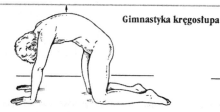

„Koci grzbiet" w pozycji na czworakach: brodę przyciągnąć do klatki piersiowej, brzuch wciągnąć, plecy wygiąć wysoko ku górze. Powoli rozluźniać i prostować plecy.

W ułożeniu na plecach unieść głowę i ramiona. Łokcie zgiąć do kąta prostego, dłonie skierować w stronę kolan. Utrzymać przez kilka sekund tę pozycję.

W pozycji na czworakach ramiona skręcać na zewnątrz, głowę i tułów skręcać razem możliwie daleko bez unoszenia kolan. To samo powtórzyć w przeciwnym kierunku.

W ułożeniu na plecach ręce założyć za potylicę. Unieść głowę i barki. Skręcając tułów w obie strony, łokcie utrzymywać jak najdalej ku tyłowi (w odwiedzeniu).

---

żanie i przeciążanie małych stawów międzykręgowych oznacza szybsze ich zużycie (→ Choroba zwyrodnieniowa stawów, s. 421, w kręgosłupie zwana spondyloartrozą). Ścięgna, nerwy i naczynia krwionośne łączące się z mięśniami przewodzą bóle do odległych części ciała. W ten sposób mogą się pojawiać: bóle głowy, przedramion, podudzi, zaburzenia wzroku, słuchu i równowagi. Połowa przedwczesnych wniosków o przyznanie renty jest uzasadniana dolegliwościami w obrębie kręgosłupa.

## Zapobieganie

Kręgosłup jest utrzymywany w swojej normalnej pozycji nie tylko przez mięśnie grzbietu, ale również przez napięte mięśnie brzucha. Ludziom czynnym w sporcie łatwiej uporać się z dolegliwościami w krzyżu aniżeli mało aktywnym ruchowo. W zapobieganiu dolegliwościom kręgosłupa obowiązuje dewiza „Ruch jest wszystkim". Obciążenie w krzyżu jest tym większe, im bardziej jest zwiotczały brzuch. Dlatego zapobieganie oznacza wzmocnienie mięśni brzucha i rozciągnięcie mięśni grzbietu. Ćwiczenia wzmacniające mięśnie brzucha i rozciągające mięśnie grzbietu (→ powyżej) powinieneś wykonywać wolno i pod kontrolą. Zwracaj zawsze uwagę, aby dolny odcinek kręgosłupa lędźwiowego był ustawiony prosto. W ten sposób automatycznie napinasz mięśnie brzucha i unikasz nadmiernego wklęśnięcia lędźwi.

Pożyteczne jest również ćwiczenie równowagi:

— Stanąć na jednej nodze, poruszać intensywnie jednym ramieniem albo drugą nogą, np. w powietrzu wypisać nazwisko (im szybciej, tym skuteczniej). W ćwiczeniach jogi jest wiele ćwiczeń równowagi.

— Chodzenie po schodach z woreczkiem piasku albo niedużą książką na głowie. Ten orientalny trening kręgosłupa należy stosować dwa razy dziennie po dwadzieścia minut.

— Chodzenie w wodzie sięgającej do barków, pływanie kraulem.

— Stanie i ćwiczenie równowagi na huśtawce.

— Różnorodne czynności należy wykonywać naprzemiennie.

*Wskazówki, jak oszczędzać kręgosłup na co dzień*

— Często zmieniać pozycję ciała na taką, jakiej zazwyczaj nie przyjmujesz, celem odbarczenia przeciążonych stawów.

— Należyta wysokość stołu i krzesła przy wszystkich pracach. „Należyta" oznacza, że kolana, biodra i stawy łokciowe mają być zgięte pod kątem prostym.

— Jeśli to konieczne stanowisko pracy odpowiednio zmodyfikować, ewentualnie z pomocą ergoterapeuty.

— Jak najczęściej kłaść się na brzuchu przy czytaniu i oglądaniu telewizji.

— Spać na mocnym materacu ułożonym na twardym podłożu, bez grubej poduszki.

— Nie nosić niczego, co można toczyć lub przesuwać.

— Przy podnoszeniu ciężkich przedmiotów przyjmij pozycję przysiadu, zamiast je podnosić z wyprostowanymi ramionami.

— Ciężar rozkładać równomiernie na oba ramiona.

— W niektórych klinikach prowadzi się „szkołę pleców", w której możesz się nauczyć, jak wzmacniać plecy i jak je oszczędzać.

Każdy rodzaj odprężenia zapobiega bólom krzyża i zarazem pomaga całemu organizmowi w osiągnięciu równowagi życiowej (→ s. 664).

---

## Ćwiczenia wzmacniające mięśnie grzbietu

Pływanie, siatkówka, koszykówka, długodystansowy bieg narciarski, ćwiczenia na drążku i na kółkach

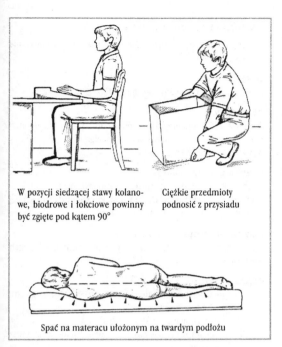

W pozycji siedzącej stawy kolanowe, biodrowe i łokciowe powinny być zgięte pod kątem 90°

Ciężkie przedmioty podnosić z przysiadu

Spać na materacu ułożonym na twardym podłożu

## Kiedy do lekarza?

Gdy bóle utrzymują się przez dłuższy czas, a nie jesteś w stanie złagodzić dolegliwości ćwiczeniami i innymi działaniami we własnym zakresie.

## Jak sobie pomóc

— Leżenie w łóżku albo ułożenie, jak opisano → Rwa kulszowa, poniżej.
— Leczenie ciepłem (→ s. 651) albo stosowanie maści przeciwreumatycznych (→ s. 420).
— Przy bólach w obrębie kręgosłupa szyjnego: kołnierz ortopedyczny, aby doraźnie unieruchomić i odciążyć kręgosłup szyjny.
— Gumowe obcasy dla zamortyzowania chodu na twardym podłożu.
— Pływanie oraz gimnastyka wyrównawcza.
— Ćwiczenia rozluźniające (→ Relaks, s. 664).

## Leczenie

*Leczenie fizykalne*
— Gimnastyka lecznicza (→ s. 656) jest najważniejsza w leczeniu bólów krzyża. Najpierw powinna spowodować rozluźnienie mięśni, następnie wzmocnić je.
— Masaż (→ s. 658).
— Akupunktura daje znakomite wyniki w leczeniu bólów krzyża.
— Znieczulenie przewodowe (→ s. 648).

*Leki*
Środki przeciwbólowe (→ s. 620) powodują również rozluźnienie napiętych mięśni. Jeżeli działanie to nie jest wystarczające, lekarz może zlecić na krótki okres Diazepam (Valium, Relanium → s. 181). Najczęściej przepisywany w Niemczech lek rozluź-

niający mięśnie, zawierający tylko jeden środek działający (Tetrazepam), wywołuje równie szybko uzależnienie jak Diazepam.

## Postrzał, rwa kulszowa, dyskopatia

### Dolegliwości
*Postrzał (heksenszus)*: Nagły, silny ból w krzyżu, często przy pochyleniu się, wyprostowywaniu, ruchu skrętnym albo przy dźwiganiu. Przy kaszlu, kichaniu albo parciu bóle nasilają się. Mięśnie przykręgosłupowe są napięte. Prawie nie można się poruszać i znaleźć dogodnej pozycji.
*Rwa kulszowa (ischias)*: To samo, ale bóle umiejscowione głębiej w okolicy krzyżowej, promieniujące do okolicy siedzeniowej wzdłuż bocznej i tylnej powierzchni uda, często do łydki i dalej w dół do kostek i stopy. Możliwe jest wystąpienie niedowładów.

### Przyczyny
— Przemieszczenie w obrębie tarczki międzykręgowej, zwanej potocznie dyskiem, albo wypadnięcie jądra galaretowatego, które uciska wtedy wychodzące z rdzenia kręgowego nerwy. Występuje wtedy:
— Wzmożone napięcie mięśni i wadliwa postawa (skrzywienie kręgosłupa).

### Ryzyko zachorowania
Możliwość zmian związanych z przedwczesnym starzeniem się i kruchością pierścienia włóknistego w krążku międzykręgowym na podłożu wrodzonego osłabienia tkanki łącznej. Każda postać duchowego i fizycznego przeciążenia przez długi czas prowadzi do przykurczów i napięć, które przekraczają wytrzymałość krążków międzykręgowych.

### Możliwe następstwa i powikłania
Aby się chronić i oszczędzać, cierpiący przyjmuje postawę, która powoduje jeszcze większy wysiłek mięśni.
Jeżeli dysk, czyli krążek międzykręgowy, zablokuje otwór międzykręgowy, może nastąpić trwałe uszkodzenie nerwów.

### Zapobieganie
— Wypracować sobie i stosować właściwą równowagę między napięciem a rozluźnieniem.
— Przestrzegać ogólnych wskazówek troskliwego obchodzenia się z kręgosłupem (→ s. 431).
— Na stanowisku pracy stosować ćwiczenia wyrównawcze, odbarczające.
— Wzmacniać muskulaturę brzucha i pleców.

### Kiedy do lekarza?
— Natychmiast, gdy wystąpią objawy porażenne.
— Gdy pomimo zabiegów we własnym zakresie utrzymują się nieznośne bóle.
— Kiedy po upływie miesiąca bóle nie zmniejszyły się albo nawróciły.

### Jak sobie pomóc
Stosować wszystkie rodzaje relaksu: leżeć w łóżku, mokre ciepło (→ s. 651), kąpiele, ćwiczenia odprężające (→ s. 665).

## Leczenie

Postrzał i rwa kulszowa są zawsze sygnałami mówiącymi, aby więcej uwagi poświęcać równowadze między napięciem a odprężeniem. Jeśli uważasz, że nie umiesz pozwolić sobie na „brak osiągnięć", warto porozmawiać o tym z lekarzem. (→ Poradnictwo i psychoterapia, s. 670).

### Leczenie fizykalne
— Masaż (→ s. 658).
— Zawijania borowinowe (→ Leczenie ciepłem, s. 651).
— Po ustąpieniu ostrych dolegliwości: ukierunkowana gimnastyka lecznicza kręgosłupa (→ s. 432).
— Akupunktura (→ s. 646).
— Leczenie znieczuleniem przewodowym (→ s. 648).
— Leczenie metodą Feldenkraisa (→ s. 667).

### Leki

Aby złagodzić ostry ból: leki przeciwbólowe (→ s. 620), leki rozluźniające mięśnie (→ s. 433).

Czasami lekarz wstrzykuje środek znieczulający nerwy (np. prokainę → Znieczulenie przewodowe, s. 648). Należy go jednak stosować tylko po to, aby przerwać negatywny wpływ bólu na wzmożone napięcie mięśni.

### Operacja

Jeżeli krążek międzykręgowy uciska nerwy w kanale międzykręgowym, powodując porażenia lub niedowłady, należy możliwie szybko ten ucisk usunąć. Przedtem wyczekuje się, czy wielotygodniowe leczenie nie przynosi poprawy albo czy nastąpi wielokrotny nawrót wypadnięcia dysku.

Tylko około dziesięciu procent pacjentów, których dolegliwości są następstwem wypadnięcia dysku, wymaga leczenia operacyjnego. Przed operacją należy potwierdzić za pomocą tomografii komputerowej, rezonansem magnetycznym albo mielografią, czy wypadnięcie krążka międzykręgowego rzeczywiście jest przyczyną istniejących dolegliwości. Dwie trzecie operowanych pozbywa się dolegliwości, pozostali nadal cierpią. W niektórych przypadkach stan chorych po operacji ulega nawet pogorszeniu.

**Możliwie bezbolesne ułożenie cierpiącego na rwę kulszową**

Ułożyć na twardym, dość wysokim łóżku, z płaską poduszeczką pod głową.
Następnie nogi zgięte pod kątem prostym ułożyć na taborecie albo krześle.
Wszystko to musi być tak wysokie, aby pośladki były nieco uniesione i część ciężaru przypadała na nogi (podudzia).

## Choroba Scheuermanna

Jest to choroba kręgosłupa młodzieży powodująca powstanie okrągłych pleców.

### Dolegliwości
Napięte mięśnie grzbietu (pleców), które rzadko bolą.

### Przyczyny
Z nieznanych dotąd przyczyn dochodzi do zaburzenia kostnienia kręgów, które ulegają wygięciu. Pociąga to za sobą zmiany w krążkach międzykręgowych.

### Ryzyko zachorowania
Choroba ta ujawnia się najczęściej około czternastego roku życia. Im później się pojawia, tym wolniej postępuje i tym krócej trwa. Po osiągnięciu dojrzałości wygasa.

### Możliwe następstwa i powikłania
Plecy usztywniają się w tzw. okrągłej formie. Zmiany w kręgach mogą powodować bóle.

### Zapobieganie
— Pozwól dziecku swobodnie wzrastać. Nie strofuj go ani słowami, ani czynami.
— Pływanie wzmacnia muskulaturę pleców.
— Należy możliwie często leżeć na brzuchu (podczas czytania i oglądania telewizji).
— Zwracać uwagę na właściwą wysokość stołu i krzesła.
— Pracować na ukośnie ustawionym blacie stołu.

### Kiedy do lekarza?
Przy stale utrzymującej się wadliwej postawie (sylwetce) dziecka, szczególnie jeżeli towarzyszą temu bóle pleców. Nie każde dziecko z wadliwą postawą (sylwetką) ma chorobę Scheuermanna. Jak dotąd choroba ta jest rozpoznawana zbyt często. Wzbudza to uczucie lęku u dzieci gnębionych zbędnymi ćwiczeniami leczniczymi.

### Jak sobie pomóc
— Leczenie ciepłem (→ s. 651) albo maściami przeciwreumatycznymi (→ s. 420).
— Nie nosić ciężarów.
— Nie siedzieć zbyt długo i nie pracować w pozycji przygarbionej.

### Leczenie
Rodzice pragną, by ich dziecko „miało dobrą sylwetkę". Często jednak przygarbione plecy są wyrazem „przygarbionej" duszy. Jeśli psychika ulegnie wyprostowaniu, to i skrzywiony kręgosłup może się wyprostować (→ Poradnictwo i psychoterapia, s. 670). Leczenie gimnastyką leczniczą, zajmującą lwią część wolnego czasu, oraz noszenie gorsetu ortopedycznego mogą bardzo ujemnie wpłynąć na psychikę dziecka. Wymuszanie tymi sposobami prostego kręgosłupa u dziecka jest mało sensowne, a przy okazji (mówiąc w przenośni) można dziecku „złamać kark".

Ogólnie choroba ta trwa dwa lata. W tym czasie należy oszczędzać kręgosłup, później „osoby z Scheuermannem" mogą stosować normalne obciążenie.

*Leczenie fizykalne*
Każdy rodzaj gimnastyki leczniczej wymaga odpowiedzialnej współpracy ze strony dziecka. Jest do tego niezbędna pewnego rodzaju dojrzałość.

*Leki*
Środki przeciwbólowe tylko przy silnych bólach (→ s. 620).

## Skrzywienie boczne kręgosłupa (skolioza)

Skoliozą nazywamy boczne skrzywienie kręgosłupa z równoczesnym skręceniem w jego osi podłużnej.

### Dolegliwości
Zazwyczaj skrzywienie to dostrzegają inni, na przykład przy zakupie odzieży. Skrzywienie widoczne jest przy daleko posuniętej chorobie.
— Biodro z jednej strony jest bardziej wysunięte.
— Bark (zazwyczaj prawy) jest ustawiony nieco wyżej. Łopatka odstaje.
— Przy przodopochyleniu tułowia, patrząc od tyłu, widoczne jest uwypuklanie jednej połowy pleców (garb żebrowy albo uwypuklenie lędźwi).

### Przyczyny
Przyczyna większości bocznych skrzywień kręgosłupa jest nieznana. Rzadko przyczyną są porażenia albo wady wrodzone.

### Ryzyko zachorowania
Dwie do czterech osób na sto ma skrzywienie boczne kręgosłupa, ale tylko dwie do czterech na tysiąc wymaga traktowania i leczenia tego skrzywienia jako skoliozy (bocznego skrzywienia kręgosłupa). Na skoliozę zwraca się uwagę najczęściej w wieku trzynastu do czternastu lat. Dziewczynki są dotknięte chorobą około czterech razy częściej aniżeli chłopcy. Po ukończonym wzroście następuje zwolnienie krzywienia się kręgosłupa. Czasami proces ten zatrzymuje się.

*Dziedziczenie:* U dzieci z rodziny, w której występuje skolioza, istnieje większe ryzyko zachorowania na tę chorobę.

### Możliwe następstwa i powikłania
— Bóle.
— Klatka piersiowa może ulec zniekształceniu.
— Chorzy bardzo cierpią z powodu zdeformowania ciała (garb). Prawie połowa kobiet i jedna trzecia mężczyzn nie zawiera związku małżeńskiego. Bezrobocie i inwalidztwo znacznie częściej dotyczy tych chorych aniżeli osób zdrowych.

### Zapobieganie
Najlepszym zapobieganiem jest wczesne rozpoznanie. Dzieci z lekką skoliozą powinny być badane przez ortopedę co pół roku, aby móc stwierdzić ewentualne pogorszenie.

### Kiedy do lekarza?
Kiedy zauważysz opisane oznaki. Mało doświadczony lekarz może na zdjęciu rentgenowskim mylnie rozpoznać skoliozę. Dzieje się tak wówczas, gdy dziecko podczas wykonywania zdjęcia nie stoi zupełnie spokojnie, wtedy zdjęcie wykazuje wygięcie krę-

**Lektura uzupełniająca**

*Bóle kręgosłupa. Poradnik dla Ciebie.* Red. J. KIWERSKI. PZWL, Warszawa 1997.
CZERWIŃSKI R.: *Kręgosłup na co dzień. Gimnastyka wyrównawcza.* Wydaw. „Sic", Warszawa 1996.
KEMP H.-D.: *Szkoła pleców. Pełny program profilaktyki i rehabilitacji kręgosłupa.* Wydaw. „Sic", Warszawa 1994.
LEIBOLD G.: *Bóle kręgosłupa.* Wydaw. J&BF, Warszawa 1996.

gosłupa. Jednak wówczas nigdy nie widać skręcenia kręgosłupa w jego długiej osi.

### Jak sobie pomóc
Samemu nie można.

### Leczenie
Jeśli lekka skolioza (poniżej 20%) ulega nasileniu, to należy zastosować gorset ortopedyczny. W przypadku skoliozy powyżej 30% spodziewany rzut wzrostu dziecka należy uprzedzić założeniem gorsetu, a nie czekać, aż nastąpi pogorszenie skrzywienia kręgosłupa. Musi on być dokładnie dopasowany. Poprzez ucisk i rozciąganie wymusza właściwe ustawienie kręgosłupa. Gimnastyka lecznicza wspomaga jedynie to leczenie.

*Czas noszenia gorsetu:* Zależy od tego, jak ciężka jest choroba i w jakim wieku rozpoczęto leczenie. Zazwyczaj czas noszenia gorsetu waha się od czternastu do dwudziestu trzech godzin na dobę. Leczenie trwa aż do czasu zakończenia wzrostu. U dziewcząt równoznaczne to jest z ukończeniem około piętnastego roku życia, u chłopców następuje to około dwu lat później.

*Trudności:* Trudno jest aktywnego młodego człowieka zmusić do noszenia takiego pancerza. Nie odczuwa on dolegliwości i nie zdaje sobie sprawy, co być może go czeka, jeśli nie będzie leczony.

Gorsety uciskają, są kłopotliwe i prawie nie udaje się ich ukryć pod modnym ubraniem.

*Zalety:* U wielu udaje się uniknąć pogorszenia, a zatem i operacji.

*Operacja*
W skoliozach powyżej 50% należy oczekiwać pogłębiania się skrzywienia. Operację należy przeprowadzić, zanim dojdzie do ekstremalnego zniekształcenia ciała, pojawienia się dolegliwości oraz obciążenia psychicznego, które bardzo ujemnie oddziałuje na życie chorego. Korekcja operacyjna skoliozy jest „dużą operacją", którą wykonuje się tylko przy dużych zniekształcających skrzywieniach kręgosłupa. W tych przypadkach zakłada się dwie sztaby w zmienionym chorobowo odcinku kręgosłupa. Kręgosłup ulega zrośnięciu i w tym odcinku jest unieruchomiony. Po operacji jest konieczne noszenie gorsetu gipsowego albo ortopedycznego przez rok, tak aby odcinek operowany uległ zesztywnieniu. W operacjach przeprowadzanych nowoczesnymi metodami noszenie gorsetu jest czasem zbędne.

*Wyniki:* Skrzywienie kręgosłupa ulega zmniejszeniu o około połowę.

*Ryzyko*: Poza ogólnie możliwym ryzykiem operacyjnym na skutek narkozy, transfuzji krwi i infekcji, dochodzi niebezpieczeństwo porażenia na skutek uszkodzenia rdzenia kręgowego (u 0,3 do 0,8 % operowanych).

W przypadku skręcenia kręgosłupa w odcinku lędźwiowym można operować z dojścia przedniego przez jamę brzuszną. Wyniki operacyjne w tej metodzie są lepsze, ale sam zabieg operacyjny jest bardziej rozległy. Porażenia występują rzadziej.

Podczas leczenia gorsetem ortopedycznym i po zabiegu operacyjnym chorzy mają prawo być uznawani za niepełnosprawnych do czasu uzyskania zdolności do prawidłowego obciążania kręgosłupa.

# NOWOTWORY ZŁOŚLIWE

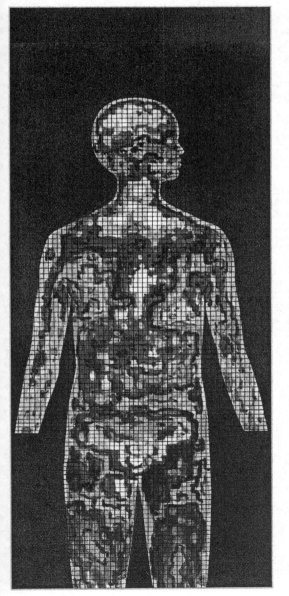

Mimo usiłowań badaczy dotąd choroba ta opierała się odkryciu jej wszystkich tajemnic. Również w zakresie wczesnego rozpoznawania i bardziej skutecznego leczenia uzyskuje się powoli kroczący postęp. Podtrzymuje to mit o nowotworach jako „pladze ludzkości", a lęk wielu ludzi przed tą chorobą jest większy niż przed innymi, nawet bardziej niebezpiecznymi chorobami. Cierpiący na chorobę nowotworową muszą bardziej obawiać się „śmierci społecznej" niż właściwej, biologicznej, gdyż często są opuszczani przez tych, których najbardziej potrzebują. Co trzeci mieszkaniec krajów uprzemysłowionych choruje na nowotwór złośliwy, a prawie co piąty umiera z powodu tej choroby. Wielkości te uległy w okresie ostatnich piętnastu lat nieznacznemu zmniejszeniu, biorąc pod uwagę przedłużający się czas przeżycia. Jednakże im dłużej żyjemy, tym dłużej jesteśmy narażeni na środowiskowe czynniki rakotwórcze. Wraz z wiekiem wzrasta więc ryzyko zachorowania na nowotwór złośliwy. W Polsce w 1995 roku odnotowano ponad 202 zgony na 100 000 ludności.

## Co to jest nowotwór złośliwy

Przez pojęcie zbiorcze „nowotwór złośliwy" rozumie się różne odmiany złośliwego bujania komórek. Nowotwór złośliwy może objąć wszystkie okolice i narządy organizmu. Każdy narząd w organizmie składa się z komórek wyspecjalizowanych do pełnienia określonych czynności (np. komórki krwi, nerek, mięśni). W kodzie genetycznym tych komórek jest zawarty program, który określa ich zadania, właściwości i rozwój. Jeżeli program ten ulegnie zaburzeniu, komórki zatracają swą funkcję i wymykają się spod normalnej kontroli ich wzrostu. W każdej chwili i wszędzie w organizmie powstają komórki nowotworowe. Upływają jednakże lata bądź dziesiątki lat, nim jakaś komórka przekształci się w nowotworową. Komórka nowotworowa jest „mniej dojrzała" i odporniejsza niż inne komórki. Zwykle komórki nowotworowe są rozpoznawane i unieszkodliwiane przez układ odpornościowy. Jeżeli układ odpornościowy „przeoczy" jakąś komórkę nowotworową, może nastąpić jej rozmnożenie, co określa się guzem. Nie wszystkie guzy są jednakowe. To, czy guz jest łagodny czy złośliwy, zależy od tego, z jakich komórek się wywodzi i jakie wystąpiło zaburzenie kontroli rozrostu.

*Guzy łagodne* są dobrze odgraniczone od pozostałej tkanki narządu. Nie są one agresywne wobec sąsiednich narządów i nie naciekają ich.

*Złośliwe guzy* wnikają w sąsiedztwo innych komórek i niszczą je. Należą do nich:
— raki: złośliwe guzy skóry, błon śluzowych i tkanki gruczołowej;
— mięsaki: złośliwa choroba tkanki łącznej i kości;
— białaczki: w tej chorobie zaburzone jest wytwarzanie krwinek białych;
— chłoniaki złośliwe: choroba układu chłonnego (limfatycznego), głównie węzłów chłonnych;
— szpiczaki: złośliwy rozrost komórek plazmatycznych; są

one odpowiedzialne za wytwarzanie cząsteczek białkowych służących odporności.

Komórki nowotworów złośliwych rozprzestrzeniają się w organizmie wraz z krążeniem krwi lub przez układ chłonny i mogą tworzyć w innych narządach przerzuty nowotworu. Istnieją przy tym pewne prawidłowości:

— Im mniejszy jest guz, tym większa możliwość wyleczenia.
— Jeżeli średnica nowotworu złośliwego jest większa niż jeden centymetr — prawdopodobnie już powstały przerzuty.
— Niektóre guzy tworzą przerzuty bardzo wcześnie, inne raczej późno.
— W zależności od miejsca ogniska pierwotnego przerzutów należy oczekiwać w określonych narządach.
— W około siedmiu procentach nowotworów złośliwych można znaleźć przerzuty, a nie ognisko pierwotne. W tych przypadkach możliwość wyleczenia jest bardzo mała.
— Niektóre przerzuty powiększają się bardzo wolno i przez lata nie upośledzają stanu zdrowia.

Dlatego zasadniczo ważne jest, by:

— wcześnie rozpoznany nowotwór złośliwy, jeżeli ma być operowany, usunąć jak najprędzej,
— przy niektórych nowotworach złośliwych należy preferować leczenie chemiczne (cytostatyki) lub napromienianie; rozstrzygnięcie zależy od wyniku badania komórek.

## Jak powstaje nowotwór złośliwy

Nie istnieje jednolita przyczyna powstawania wszystkich nowotworów złośliwych. Ostateczne związki przyczynowe oczekują na wyjaśnienie. W każdym przypadku musi zadziałać kilka czynników, by komórka otrzymała „sygnał startowy" do nieprawidłowego rozwoju.

*Człowiek jako czynnik rozwoju nowotworu złośliwego*
— Dziedziczna skłonność, która nie musi się manifestować jakąś chorobą; choroby przebiegające z uszkodzeniem chromosomów (informacja genetyczna); zaburzenia enzymów ustrojowych.
— Zmniejszona sprawność układu odpornościowego, choroby układu immunologicznego.
— Przeciążenia psychosocjalne (→ Zdrowie i dobre samopoczucie, s. 173).

*Czynniki ryzyka powstania nowotworu złośliwego zawarte w środowisku*
— Substancje chemiczne.
— Wpływ czynników fizycznych: promieniowanie słoneczne i radioaktywne.
— Drobnoustroje: wirusy, bakterie, pasożyty.

## Człowiek jako czynnik ryzyka powstania nowotworu

Pewne rodzaje nowotworów złośliwych występują częściej w niektórych rodzinach. Nie oznacza to, że nowotwór jest „dziedziczny". Organizm tych ludzi jest w pewnych, dotąd tylko częściowo poznanych okolicznościach, bardziej niż u innych osób zdolny

do rozwoju nowotworu złośliwego. Rak płuca u dziadka i ojca jest dostatecznym argumentem, by nie palić tytoniu i na stanowisku pracy unikać styczności z substancjami oraz pyłami agresywnymi wobec płuc. U córki kobiety, która zachorowała na raka sutka, ryzyko zachorowania także na raka sutka zwiększa się trzykrotnie. Dla niej regularna comiesięczna samokontrola i coroczne badanie przez lekarza powinny być oczywiste. Jeżeli nowotwór złośliwy pojawi się w młodym wieku, u krewnych z pierwszej linii tego chorego bardzo wzrasta ryzyko wystąpienia nowotworu złośliwego. Powinni oni poddać się wszystkim zalecanym badaniom zapobiegawczym (→ Zapobieganie, s. 440).

### Ustrojowe czynniki rakotwórcze

W organizmie każdego zdrowego człowieka znajdują się geny nowotworowe, tzw. onkogeny. Różne wpływy zewnętrzne lub czynniki wywołujące mogą uaktywnić te własne geny nowotworowe organizmu. Każda komórka organizmu ma ponadto enzymy, które mogą aktywować substancje rakotwórcze. Jednakże każda komórka ma także inne enzymy, które je „neutralizują". Ponadto wątroba może przekształcić pierwotnie obojętne substancje w związki rakotwórcze. W każdym organizmie człowieka istnieje możliwość rozwoju nowotworu złośliwego, który nie jest chorobą określonego narządu, lecz całego organizmu. Guz nowotworowy powstaje dopiero z chwilą zachwiania równowagi całego organizmu.

### Psychogenne czynniki ryzyka

Żeby doszło do rozwoju nowotworu złośliwego, musi nastąpić załamanie czynności kontrolnej układu odpornościowego organizmu. Choroby układu odpornościowego stanowią z reguły dodatkowe ryzyko rozwoju nowotworu. Lecz również stres psychiczny, jak na przykład stałe tłumienie własnych potrzeb i uczuć, konflikty dotyczące więzi z partnerami życiowymi i tłumiony gniew oraz agresja, osłabiają układ immunologiczny. Podobnie działają urazowe, głęboko sięgające przeżycia, jak na przykład utrata kochanego człowieka.

### Promienie słoneczne jako czynnik ryzyka

Jest pewne, że promieniowanie nadfioletowe odgrywa rolę w rozwoju raka skóry. Nadmierne napromienienie przez słońce (słońce w górach lub solaria) trwające latami, niejednokrotnie aż do oparzenia, znacznie zwiększa to niebezpieczeństwo.

### Palenie tytoniu jako czynnik ryzyka

Nałóg palenia jest zdecydowanie najważniejszą przyczyną raka (→ Palenie tytoniu, s. 740). Palenie wywołuje prawie 90% zachorowań na raka płuc. Ryzyko zachorowania na raka płuc wzrasta z każdym papierosem. Ktoś, kto pali do dziesięciu papierosów na dzień, dzieli pięciokrotne ryzyko raka płuc, kto pali ponad trzydzieści pięć papierosów — czterdziestokrotne. Niepalący, którzy przez lata, towarzysząc partnerowi lub na stanowisku pracy, biernie palą, również mają zwiększone ryzyko zachorowania na raka.

### Alkohol jako czynnik ryzyka

Nadużywanie alkoholu zwiększa działanie palenia tytoniu: to podwójne obciążenie powoduje wzrost ryzyka zachorowania na raka dwadzieścia do czterdziestu razy.

## Pożywienie jako czynnik ryzyka

Rzeczoznawcy oceniają, że jedną trzecią wszystkich przypadków raka należy przyczynowo wiązać z niezdrową żywnością. Zwiększone spożycie tłuszczów zwierzęcych zwiększa ryzyko raka jelita. Wraz z żywnością przyjmujemy także wiele rozmaitych czynników rakotwórczych, jak na przykład nitrozoaminy i nitrozoamidy w peklowanych produktach mięsnych, wędzonych rybach oraz serach. Zawartość azotanów w jarzynach (→ Substancje szkodliwe w pokarmach, s. 713) i w wodzie pitnej (→ Picie, s. 722) stale wzrasta. Trzustka, żołądek i jelito również same wytwarzają ustrojowe nitrozoaminy. Nitrozoaminy znajdują się ponadto w dymie z papierosów i cygar, na który narażeni są niepalący. Podczas opiekania na rożnie powstają benzopireny, gdy krople tłuszczu spadają do żaru. Te substancje rakotwórcze powstają także wówczas, gdy rozgrzany tłuszcz na patelni paruje, znajdują się również na ciemnej otoczce zimnych wędlin. Aflatoksyna jest trucizną, którą wytwarzają niektóre pleśnie, wywołujące zwłaszcza raka wątroby i żołądka. Jest ona zawarta w spleśniałych potrawach także wówczas, gdy usunięto pleśń. Nadpleśniałe środki spożywcze (zwłaszcza orzechy, wędzona szynka, chleb, marmolada) powinny być wyrzucone. Grzyby, które są użyte do produkcji sera miękkiego, nie wytwarzają tej trucizny. Metale ciężkie jak kadm, chrom, nikiel i arsen znajdują się w zwiększających się ilościach w owocach polnych, zbożach i owocach, grzybach, podrobach, mięsie i rybach. Również one są podejrzane jako czynniki ryzyka raka (→ Substancje szkodliwe w pokarmach, s. 713).

## Leki jako czynnik ryzyka

Estrogeny, stosowane przeciw dolegliwościom związanym z przekwitaniem i osteoporozie, są uważane za substancje rakotwórcze dla macicy, jakkolwiek równocześnie chronią przed rakiem jajnika.

Także maści zawierające dziegieć lub arsen, stosowane przez długi okres, są podejrzane o prowokowanie rozwoju raka.

## Środowisko jako czynnik ryzyka nowotworów złośliwych

Same przez się obciążenia środowiskowe nie mogą wywołać nowotworu. W złożonym mechanizmie współdziałania są one „tylko" czynnikami wspomagającymi jego rozwój. Ponieważ ich liczba oraz stężenie stale wzrastają, wielu badaczy przypuszcza, że obecnie duża część chorób nowotworowych może mieć związek z wpływem zanieczyszczeń środowiska. Najwrażliwsze na chemiczne czynniki ryzyka są małe dzieci. Do czynników rakotwórczych zalicza się na przykład węglowodory aromatyczne, aminy, alkilowane substancje, tytoń, nikiel, azbest, sole chromu, dwutlenek toru, alkaloidy Starca, aflatoksynę.

Substancje te wywołują bezpośrednie przekształcenie komórek w komórki nowotworowe.
→ Trucizny w mieszkaniu, s. 758.
→ Zanieczyszczenie powietrza, s. 779.
→ Substancje toksyczne w środowisku pracy, s. 787.

## Ryzyko promieniowania

Wypadek reaktora w Czarnobylu w roku 1987 w smutny sposób

## Ryzyko zmniejszają

— *Odżywianie*: najlepszą dietą zapobiegającą rakowi jest umiarkowane, pełnowartościowe pożywienie z biologicznie dynamicznych upraw.
— *Palenie tytoniu*: najlepiej byłoby zaprzestać palenia (→ Palenie tytoniu, s. 740). Jeżeli się to nie udaje: liczbę wypalanych papierosów należy radykalnie zmniejszyć i unikać głębokiego zaciągania się.
— *Nadużywanie alkoholu*: zmniejsz spożycie alkoholu (→ Alkoholizm, s. 198).
— *Słońce*: unikaj intensywnego nasłoneczniania się (→ Oparzenie słoneczne, s. 254).
— *Higiena intymna*: dla dobrego samopoczucia i atrakcyjności czystość jest oczywista. W sferze intymnej mężczyzny należy uwzględnić ważny czynnik: czystość jest ważnym przyczynkiem do zapobiegania rakowi prącia i stwarza pewne zabezpieczenie przeciw powstaniu raka szyjki macicy u partnerki.
— *Przewlekłe zapalenia*: usiłuj wyleczyć przewlekłe zapalenia (np. w jamie ustnej, dotyczące błony śluzowej żołądka, dróg żółciowych).
— *Czynności hobbistyczne*: unikaj prac w styczności z materiałami zawierającymi azbest (→ Azbest, s. 763).
— *Praca w domu i w ogrodzie*: w ogrodzie należy bardzo oszczędnie stosować środki ochrony roślin (pestycydy). Bardzo starannie przestrzegaj zaleceń w zakresie bezpieczeństwa pracy. Załóż rękawice gumowe i wykonuj opryskiwanie tylko przy bezwietrznej pogodzie. Środki do pielęgnacji drzew należy stosować tylko w rękawicach i po założeniu maski ochronnej.

potwierdził to, co i tak wiedziano po zrzuceniu bomb atomowych na Hiroszimę i Nagasaki: narażeni na promieniowanie jonizujące dzieła wielokrotnie większe ryzyko zachorowania na białaczkę. U dzieci osób, które po katastrofie reaktora nie były ewakuowane, zwiększa się liczba wad rozwojowych, a współczynnik zachorowania na chorobę nowotworową wzrósł więcej niż dwukrotnie. Obciążenie radioaktywne w otoczeniu elektrowni jądrowych oficjalnie podawane jest w granicach 1 milirema (mrem), gdy są zachowane wszystkie przepisy bezpieczeństwa. Działanie na organizm człowieka małej energii promieniowania, zbliżonego do naturalnego tła radioaktywności, jest jednakże do dzisiaj niedostatecznie zbadane.

### Źródła promieniowania

W Niemczech średnie, zależne od cywilizacji, obciążenie promieniowaniem jonizującym wynosi około 60 miliremów rocznie. Największy w tym udział mają medyczne zabiegi diagnostyczne i lecznicze (→ Badanie rentgenowskie, s. 608). W Polsce obciążenie z tytułu diagnostyki ocenia się na około jedną piątą obciążenia naturalnego. Źródłem jednej czwartej tej dawki jest promieniotwórczy radon, który przenosi się do pomieszczeń mieszkalnych z głębi ziemi na drodze termokonwekcji; powstaje również podczas rozpadu składników radu w materiałach budowlanych i ulega nagromadzeniu w źle wietrzonych pomieszczeniach (→ Promieniowanie jonizujące, s. 763). Znaczne jest także obciążenie promieniowaniem w związku z paleniem tytoniu: silnie promieniujący polon 210 dociera wraz z dymem tytoniowym do najdrobniejszych oskrzelików płuc. Trzydzieści papierosów na dzień oznacza obciążenie płuc w granicach 8 mrem w roku.

## Zapobieganie

### Czynniki zmniejszające ryzyko wystąpienia nowotworów złośliwych zawarte w pokarmach

Niektóre jarzyny prawdopodobnie działają czynnie przeciw rozwojowi raka żołądka i jelita i prawdopodobnie też raka macicy, języka i płuc: kalafior, brokuły, brukselka, kapusta biała, kapusta pekińska. Niedobór składników śladowych, mianowicie magnezu, żelaza, miedzi, cynku, selenu, osłabia układ immunologiczny. Składniki śladowe są zawarte we wszystkich pokarmach naturalnych w dostatecznych ilościach. Ważne jest, że zrównoważone pożywienie zabezpiecza te potrzeby. Mniejsze, niż kiedyś przypuszczano, jest ochronne działanie witamin. Witamina C hamuje powstawanie nitrozamin w żołądku (→ Witamina C, s. 730), witamina A sprzyja dojrzewaniu komórek skóry i błon śluzowych. Przyjmuje się, że mogłaby przeciwdziałać rozwojowi raka. Jednakże nikt nie powinien na własną rękę próbować przeciwdziałać rozwojowi raka witaminą A. To, co dotyczy wszystkich witamin, odnosi się zwłaszcza do witaminy A: nadmiar jest niezdrowy (→ Witamina A, s. 729). Jest dyskusyjne, czy witamina E hamuje różne odmiany nowotworów złośliwych (→ Witaminy, s. 728).

## Przezorność

Najmniejsze zmiany w i na twoim ciele może najwcześniej stwierdzić ktoś, kto cię wewnętrznie i zewnętrznie zna i potrafi w każdej chwili zbadać. Kto może spełnić najlepiej te warunki, jeżeli nie ty sam? Wzajemne badanie przez partnera lub partnerkę może być celowe pod warunkiem, że masz pewną wprawę w badaniu samego siebie. Poproś zaufanego lekarza, by ci objaśnił, kiedy celowe są badania skóry, sutków, jąder i na co należy przy tym zwrócić szczególną uwagę (→ Samobadanie sutków, s. 479, Samobadanie jąder, s. 495). Domagaj się od swego lekarza, by zechciał cierpliwie wysłuchać twoich spostrzeżeń.

Możliwe jest wykonanie badań mających na celu wczesne rozpoznanie raka. Tej możliwości nikt nie powinien siebie pozbawić. Z niektórymi badaniami zalecanymi dla wczesnego rozpoznania raka wiąże się wprawdzie pewne ryzyko, na przykład narażenie na promieniowanie radioaktywne podczas badania rentgenowskiego. W tym przypadku należałoby z lekarzem omówić osobiste ryzyko i według tego zaplanować postępowanie.

### Znaki ostrzegawcze

Z powodu lęku przed niepokojącym rozpoznaniem raka wielu ludzi nie udaje się do lekarza lub podaje mu niepełne spostrzeżenia i dolegliwości. Jednakże lekarz nie jest jasnowidzem. Jeżeli chcesz, żeby ci pomógł, musisz mu podać pełne i prawdziwe informacje. Każda niezwykła zmiana powinna cię bez ociągania za

### Badania zalecone celem wczesnego rozpoznania nowotworów złośliwych

*U kobiet i mężczyzn*

| | |
|---|---|
| Samokontrola skóry | od 20 roku życia miesięcznie |
| Badanie skóry przez lekarza | od 30 roku życia corocznie |
| Badanie odbytnicy palcem | od 40 roku życia corocznie |
| Badanie na obecność krwi utajonej w stolcu | od 45 roku corocznie; przy niejasnościach dodatkowo wziernikowanie odbytnicy co 3-5 lat |

*U mężczyzn*

| | |
|---|---|
| Samobadanie jąder | od 20-40 roku miesięcznie |
| Badanie gruczołu krokowego | od 45 roku corocznie |
| Badanie zewnętrznych narządów płciowych przez lekarza | od 20 roku co trzy miesiące, od 40 roku corocznie |

*U kobiet*

| | |
|---|---|
| Samobadanie sutków | od 25 roku miesięcznie |
| Badanie sutków przez lekarza | od 30 roku corocznie, kobiety przyjmujące hormony co pół roku |
| Mammografia i kseroradiografia | między 35 a 40 rokiem jeden raz, od 50 roku co dwa lata |
| Badanie ginekologiczne, wymaz z pochwy i badanie cytologiczne błony śluzowej macicy | od 20 roku corocznie, kobiety przyjmujące hormony co pół roku |

prowadzić do lekarza. Często zmiany okazują się nieszkodliwe. Jeśli chcesz należeć do tych nielicznych szczęśliwych, powinieneś wykorzystać szansę wczesnej diagnozy. Im wcześniej nowotwór złośliwy jest rozpoznany, tym większe są możliwości wyleczenia. Jedna trzecia wszystkich chorych na nowotwory złośliwe może być całkowicie wyleczona powszechnie stosowanymi metodami.

## Rozpoznanie: nowotwór złośliwy

Okres od wysunięcia podejrzenia do ostatecznego rozpoznania może być dla osoby dotkniętej oraz dla członków rodziny niezwykle obciążający. Ważne, by w tym okresie mieć kogoś, kto byłby chętny do rozmów z tobą. Może to być lekarz, lecz także ktoś z grup samopomocowych. Nawiąż z tymi grupami możliwie wcześnie kontakt, gdyż czasami mogą one doradzić, jaką podjąć decyzję co do planowanego leczenia (adresy przy odnośnych chorobach). W nagłym przypadku możesz bez zastrzeżeń zwrócić się także do ośrodków poradnictwa psychicznego. Niektórych ludzi nęka lęk, że „dla ich własnego dobra" lekarz przemilcza właściwe rozpoznanie. Jeżeli mu jednak w sposób jednoznaczny oświadczysz, że chcesz wiedzieć, co się rozgrywa w twoim organizmie, jest on zobowiązany udzielić informacji. W dniu, kiedy masz otrzymać informację o ostatecznym rozpoznaniu, nie udawaj się — jeśli to możliwe — sam do lekarza.

Ktoś zaufany może ci pomóc znosić smutek. Poza tym dwóm głowom będzie łatwiej zapamiętać wszystkie informacje, które prawdopodobnie otrzymasz. Być może również już wtedy lekarz będzie chciał omówić dalsze postępowanie. Żebyś mógł przyzwolić na te działania, musi przedtem poinformować cię o planowanym leczeniu, działaniu i skutkach ubocznych. Żądaj od lekarza informacji o ewentualnych innych sposobach leczenia. Nie mów na wszystko natychmiast tak, lecz prześpij każdą decyzję. Rzadko leczenie jest tak naglące, że nie masz czasu poradzić się innych osób. Mogą to być przyjaciele, zaufani, inni lekarze lub doradcy grup samopomocowych. O perspektywach na przyszłość lekarz może ci udzielić informacji tylko na podstawie statystycznych danych liczbowych. Nie jest to żaden konkret dotyczący osobistych szans. Zależą one nie tylko od medycyny i farmacji, lecz również w znacznej mierze od twej woli życia, powiązań z rodziną i przyjaciółmi oraz możliwości pozytywnych przeżyć po chorobie nowotworowej.

## Leczenie nowotworów złośliwych

Cele leczenia nowotworów złośliwych są różne zależnie od sytuacji wyjściowej. Muszą być jasno określone i sprawdzane w toku faktycznego przebiegu choroby. W najkorzystniejszej sytuacji ce-

### Nowotwory złośliwe — objawy ostrzegawcze

Następujące dolegliwości mogą wskazywać na wiele chorób, ale mogą być również objawem nowotworu złośliwego. Jeżeli zauważysz je u siebie i nie potrafisz ich wyjaśnić, należy udać się do lekarza:

— znużenie i obniżenie sprawności;
— spadek wagi ciała;
— dłużej niż trzy tygodnie utrzymujące się zaburzenia trawienne: naprzemienna biegunka i zaparcie, stolce ołówkowate;
— wstręt do niektórych potraw (np. do mięsa);
— wymioty z zawartością krwi;
— śluz lub krew w stolcu;
— krew w moczu;
— kaszel z krwistą plwociną;
— utrzymujące się bóle;
— kaszel trwający dłużej niż sześć tygodni i przedłużająca się chrypka;
— brodawka, znamię lub ostuda na skórze, zmieniające swój wygląd;
— każda nowo powstała zmiana na skórze, zwłaszcza w miejscach ciała wystawionych na nasłonecznienie;
— rany i owrzodzenia, które — mimo leczenia — goją się bardzo powoli lub niedostatecznie;
— krwisty wyciek z pochwy pomiędzy miesiączkami, po stosunku płciowym lub po okresie przekwitania;
— guz w sutku;
— guz w jądrze;
— guz na szyi, w dole pachowym lub w pachwinie;
— bóle kości.

lem jest wyleczenie, to znaczy całkowite opanowanie choroby. Wyleczenie jest możliwe, jeżeli choroba nowotworowa — ze względu na swój charakter i stadium rozwojowe — dobrze odpowiada na zastosowane leczenie i istnieje możliwość uzyskania jej całkowitego opanowania, to jest ustąpienia guza. Jeżeli taka pełna remisja trwale się utrzymuje, można mówić o wyleczeniu. Chorych na nowotwór złośliwy uważa się za wyleczonych, jeżeli do pięciu lat od leczenia nie nastąpił nawrót.

Przy wielu chorobach nowotworowych wyleczenie jest niemożliwe. Można jednakże korzystnie wpływać na przebieg choroby. Takie postępowanie określa się jako „paliatywne", „łagodzące" objawy. Jeżeli guz nowotworowy ulegnie zmniejszeniu, oznacza to najczęściej przedłużenie życia i/lub zmniejszenie dolegliwości. Tym sposobem około jednej trzeciej chorych na nowotwory latami żyje z guzem. Na przykład napromieniowanie przerzutów nowotworu do kości — nawet jeżeli nie leczy choroby — w dużym stopniu łagodzi bóle, zapobiega złamaniom kości i znacznie poprawia jakość życia.

Żeby chorzy na nowotwory mogli sobie uświadomić, dlaczego mają być leczeni, mimo że działanie to nie opanowuje choroby nowotworowej, lekarze winni w miarę jasno i dokładnie określić cel takiego postępowania objawowego (paliatywnego). Z drugiej strony, przy nieuleczalnych chorobach nowotworowych, które przebiegają bez dolegliwości, istnieje możliwość rezygnacji z leczenia przez długi czas. Wówczas lepsza jakość życia wiąże się z oszczędzeniem choremu obciążających zabiegów. Kompetentni lekarze mają realistyczne rozeznanie co do osiągalnych celów. Według tego określają rodzaj i zakres zabiegów diagnostycznych oraz leczniczych. Intensywną diagnostykę i uciążliwe leczenie zaproponują raczej tym chorym, którzy mają realną szansę na wyleczenie i silną wolę życia, aniżeli tym, którzy powinni być traktowani wyłącznie objawowo. Korzystne jest, aby lekarz przedyskutował koncepcję leczniczą z pacjentem. Pacjenci poinformowani, godzący się na określone działanie, nie czują się bezbronni w konfrontacji z chorobą. Świadomość możliwości kontroli przebiegu choroby może się przyczynić do wyleczenia.

Wielu pacjentów obawia się, że leczenie czyni ich bardziej chorymi, niż są. Winni zaufać, że postępowanie lecznicze jest tak ukierunkowane, że nie powinno pociągać gorszych skutków niż sama choroba. Na podstawie międzynarodowych doświadczeń dla każdej choroby i jej stadium rozwojowego wypracowano standardowe postępowanie. Niekiedy skuteczny okazuje się tylko pewien rodzaj leczenia lub dodatkowe zabiegi.

### Operacja

Najstarszą i najskuteczniejszą metodą leczenia jest operacyjne usunięcie guza. Musi być przy tym usunięta dostatecznie szeroka warstwa zdrowej tkanki, by uniknąć pozostawienia jakichkolwiek komórek nowotworowych znajdujących się w mikroskopijnych wypustkach guza nowotworowego. Większość chorych na nowotwór zawdzięcza swoje życie temu radykalnemu leczeniu. Jeżeli nowotwór zajął sąsiednie węzły chłonne, zachodzi konieczność usunięcia tej okolicy możliwie z przynależnymi drogami chłonnymi (operacja „en bloc"). Na ogół nie jest celowe operacyjne usuwanie odległych przerzutów. Ich

## Obywatelski Komitet Zwalczania Raka

Warszawa, ul. Wawelska 15, tel. (0-22) 822-56-99

## Polski Komitet Zwalczania Raka

Warszawa, ul. Wawelska 15, tel. (0-22) 823-66-99

często duża liczba stawia granice każdej radykalnej metodzie operacyjnej. Bardzo radykalne operacje, z wyjątkiem dotyczących raka jajnika, uważa się dzisiaj za postępowanie przestarzałe, gdyż nie wszystko, co jest technicznie wykonalne, umożliwia chorym znośne życie. Nie powinno się stosować zabiegów, które wyłącznie przedłużają okres cierpień.

### Leczenie napromienianiem

Napromienianie może wprawdzie wywołać nowotwór, jednakże może go również leczyć. Promieniowanie rentgenowskie nakierowane na guzy może hamować zdolność podziałową komórek nowotworowych. Dokładne nakierowanie promieniowania, jego dokładny dobór i równocześnie osłona otaczających zdrowych tkanek w znacznym stopniu umożliwiają ograniczenie działania napromienienia do tkanki guza. Prawie każda część ciała może być osiągalna dla dowolnej dawki promieniowania. Postęp techniki sprawił, że leczenie napromienianiem jest dzisiaj nieco mniej uciążliwe niż dawniej.

*Możliwości wyleczenia*

Szanse na wyleczenie zależą od wrażliwości tkanki guza na napromienianie. Zależy to od rodzaju tkanki i jej ukrwienia: tkanka bogatsza w tlen jest wrażliwsza na promieniowanie niż słabo ukrwiona. Jednakże w każdej tkance guzów nowotworowych są komórki ubogie w tlen, co jest powodem, iż po napromienianiu guz najpierw się zmniejsza, następnie jednak znowu się rozrasta. Część tkanki rakowej w ogóle nie reaguje na napromienianie.

Bardzo ważną rolę odgrywa leczenie napromienianiem między innymi raka gruczołu krokowego i we wczesnych okresach raka sutka. Jako leczenie uzupełniające do leczenia farmakologicznego (chemioterapia) leczenie napromienianiem jest celowe przy rakach odbytnicy, odbytu, błony śluzowej macicy, raka szyjki macicy i sromu. Ponadto pod wpływem napromieniania guz może się tak dalece zmniejszyć, że bóle ulegają złagodzeniu, mimo że organizm zasadniczo nie uwolnił się od nowotworu.

*Działania uboczne*

Działania uboczne napromieniania zależą od okolicy napromienionej i od wrażliwości tej tkanki. Im większe jest pole napromieniowane, tym większy negatywny wpływ na stan ogólny pacjenta i jego samopoczucie. Najczęściej pojawia się znużenie, ogólne osłabienie, utrata łaknienia. W obrębie głowy i szyi pojawiają się często zapalenia błon śluzowych wywołujące dolegliwości podczas połykania; napromienianie brzucha może wywołać zapalenie żołądka i zapalenie jelita z biegunką, wymiotami, wzdęciami i kurczami. Dolegliwości te utrzymują się często także po zakończeniu leczenia napromienianiem.

Z powodu lęku przed dolegliwościami w zakresie przewodu pokarmowego wielu napromienianych chorych bardzo ogranicza

przyjmowanie pokarmów i przez to chudnie. Leki i dieta mogą na ogół łagodzić te dolegliwości. Przeciw wymiotom jest stosowany metoklopramid (np. Paspertin), jak również deksametazon. Obecnie osiągalnych jest wiele leków o silnym działaniu przeciwwymiotnym. Należą do nich: Domperidon, Ondansetron, Zofran, Grawisetron, Cisapride. Środki łagodzące bóle, zastosowane przed jedzeniem, i leki przeciwbiegunkowe umożliwiają spożywanie dostatecznej ilości pokarmów. Skóra reaguje na napromienianie podobnie jak przy oparzeniu słonecznym — zaczerwienieniem i podrażnieniem. Niekiedy tworzą się pęcherzyki, często przebarwienia. Napromienione okolice skóry mogą po około trzech tygodniach utracić owłosienie. Po kilku miesiącach włosy najczęściej znowu odrastają.

Napromienianie jest leczeniem, którego działanie, a częściowo także uboczne skutki, pojawiają się często dopiero po tygodniach lub miesiącach. Powinieneś swoje spostrzeżenia — i z nimi związane obawy — omówić z lekarzem leczącym, nawet wówczas, gdy napromienianie zostało zakończone.

## Leczenie farmakologiczne (chemioterapia)

Nie ma takiego leku, który niszczyłby tylko komórki nowotworowe, nie wywierając szkodliwego wpływu na komórki zdrowe. Leki przeciwnowotworowe (cytostatyki) są truciznami komórkowymi. Hamują one rozrost wszystkich komórek, które się szybko dzielą. Dlatego atakują też układ krwiotwórczy, błony śluzowe, komórki płciowe i komórki włosów.

Obecnie stosuje się w klinikach około stu różnych leków przeciwnowotworowych. Najważniejszymi grupami są:
— Alkilujące: cyklofosfamid (Cyclostin, Endoxan), trofosfamid (Ixoten), ifosfamid (Holoxan), busulfan (Myleran).
— Jony nieorganiczne: cisplatyna (Apiplatin, Platinol, Platiblastin, Platinex).
— Antymetabolity: metotreksat, merkaptopuryna (Puri-Nethol), fluorouracyl, cytarabina (Alexan, Cytosar, Udicil).
— Alkaloidy roślinne: winblastyna (Velbe), winkrystyna (Oncovin, Vincristin).
— Antybiotyki działające cytostatycznie: daktynomycyna (Cosmegan, Lyovac-Cosmegen), daunorubicyna (Daunoblastin), doksorubicyna (Adriblastin), bleomycyna.
— Antyhormony: fosfestrol (Honvan), chlorotrianisen (Merbentul), estramustyna (Estracyt), drostanolon (Masterid), tamoksyfen (Nolvadex, Zitazonium).
— Cytokiny: interferon (Roferon-A3, Intron A).

### Pomoc we własnym zakresie wobec skutków ubocznych napromieniania

— Przy nużliwości spróbuj odpoczywać tak często, jak to jest możliwe. Jeżeli masz zaburzenia snu, nie stosuj żadnych środków nasennych bez uprzedniej porady lekarskiej.
— Jedz raczej często i mniejsze posiłki. Między głównymi posiłkami możesz spożyć świeże, łatwo strawne owoce, soki owocowe, mleko, twarożek itp.
— Na około pół godziny przed jedzeniem zażyj trochę ruchu, by odczuć głód. Przygotuj sobie swoje ulubione potrawy szczególnie starannie. Jedzenie w dobrym nastroju i towarzystwie pobudza apetyt.
— Unikaj styczności napromienionej części ciała z mydłem, kosmetykami, perfumami, maściami, lampami ogrzewającymi lub termoforem. Ochraniaj to miejsce przed promieniami słonecznymi i dużym chłodem.

Leki przeciwnowotworowe mogą być stosowane w postaci wlewów dożylnych, zastrzyków, tabletek, drażetek, roztworów do picia, a w raku skóry w maściach. Wiele z tych leków stosuje się w kombinacji celem zwiększenia i ukierunkowanej skuteczności oraz zmniejszenia poszczególnych działań ubocznych. Także okres leczenia musi być dostosowany do indywidualnego przypadku.

*Możliwości wyleczenia*
Po całkowitym usunięciu widocznego guza zwiększa się szansa na wyleczenie terapią farmakologiczną między innymi raka sutka przed okresem przekwitania, z zajętymi także węzłami chłonnymi, raka jajnika i drobnokomórkowego raka płuca.

W przypadku około dziesięciu procent guzów rozszerzających się na cały narząd chemioterapia stwarza dużą szansę na wyleczenie. Do tych należą między innymi niektóre postacie białaczki, nowotwory złośliwe układu limfatycznego (chłoniaki złośliwe), a w mniejszym stopniu drobnokomórkowy rak oskrzeli. Dotąd brak jakichkolwiek dowodów, że chemioterapia sama lub w kombinacji z napromienianiem przedłuża przeżycie w następujących postaciach raka: niedrobnokomórkowy rak oskrzela, rak przełyku, żołądka, trzustki, jelita cienkiego lub grubego, mózgu lub tkanek miękkich i czerniak złośliwy. Wielu chorych chemioterapia bardzo wyczerpuje fizycznie i psychicznie. Długie wyczekiwanie w klinice na leczenie, a także podczas kuracji, może okazać się udręką dla osłabionego chorego na nowotwór złośliwy. Także ostre i długotrwałe skutki uboczne, jak nudności lub wypadanie włosów, bardzo obciążają większość chorych. Działania zapobiegawcze wywierają jedynie ograniczony skutek. Krytyczni lekarze decydują się na zastosowanie tego, w zasadzie pomocnego leczenia, dopiero wówczas, gdy korzyść z przedłużenia życia chemioterapią przeważa nad uciążliwymi skutkami ubocznymi.

*Działania uboczne*
Działania uboczne różnych leków przeciwnowotworowych mogą być zróżnicowane i różnie nasilone.

*Nudności i wymioty*
Przeciw tym częstym, niekiedy bardzo ciężkim dolegliwościom istnieją skuteczne leki, np. Zofran. Niektóre z tych leków mogą zwłaszcza u młodych chorych prowadzić do dużego niepokoju wewnętrznego, co z kolei opanowuje się innymi lekami. Lęk przed wymiotami powoduje często wystąpienie u tych chorych wymiotów już przed zastosowaniem leków przeciwnowotworowych oraz utratę apetytu w okresie leczenia farmakologicznego.

*Wypadanie włosów*
Wielu ludzi traci całkowicie lub częściowo włosy podczas leczenia farmakologicznego i przeżywa to jako ciężki uraz psychiczny. Odkrycie, że ochłodzenie skóry głowy podczas leczenia farmakologicznego ratuje korzenie włosów, doprowadziło do rozwoju różnych czepków chłodzących. Takie czepki chłodzące obniżają ukrwienie skóry głowy, powodując zmniejszony dopływ leków przeciwnowotworowych do tej okolicy. Jeżeli chemioterapię z użyciem niektórych leków ogranicza się tylko do

kilku cykli i do niskiego dawkowania (np. przy leczeniu uzupełniającym raka sutka), może nie dojść do wypadania włosów. Po zakończeniu chemioterapii w każdym przypadku włosy znowu odrastają.

*Zapalenie błony śluzowej*
Leki przeciwnowotworowe uszkadzają niekiedy błony śluzowe jamy ustnej i pochwy. W następstwie w tych miejscach pojawia się suchość, nadżerki i owrzodzenia. Dlatego podczas tego leczenia szczególnie ważna jest higiena jamy ustnej i narządu płciowego.

*Zakażenia*
Większość kuracji przeciwnowotworowych z zastosowaniem cytostatyków powoduje po około dziewięciu dniach leczenia przejściowe obniżenie liczby krwinek białych. Do normalizacji obrazu krwi może jednakże upłynąć nawet kilka miesięcy. Przy dużym obniżeniu wzrasta niebezpieczeństwo zakażenia. Celem zapobieżenia konieczna jest bardzo dokładna higiena jamy ustnej — z płukaniem — i kontrola gardła. Unikaj źródeł zakażenia. Przy objawach zakażenia należy niezwłocznie skontaktować się z lekarzem.

*Krwawienia*
Liczba płytek krwi, które biorą udział w krzepnięciu krwi, jest zmniejszona. Dlatego niebezpieczeństwo stwarzają urazy i krwawiące rany. Unikaj ryzyka urazów.

## Leczenie hormonalne
Stosowanie hormonów lub ograniczenie ich wytwarzania w przypadkach hormonalnie zależnej choroby nowotworowej może hamować rozrost guza i zapobiegać wystąpieniu przerzutów. Należą do nich przede wszystkim rak sutka i gruczołu krokowego. Zmniejszenie wytwarzania hormonów można uzyskać operacyjnie lub stosując leki. Przy raku sutka operacja polega na usunięciu jajników. Przy raku gruczołu krokowego — usunięcie jąder lub zniszczenie tkanki wytwarzającej hormony przez napromienianie. Ponieważ kastracja pociąga za sobą skutki związane z płciowością, leczenie takie może być dużym obciążeniem psychicznym. W przypadku stwierdzenia tzw. receptorów hormonalnych na komórkach nowotworowych, można zastosować odpowiednie antyhormony celem zahamowania rozrostu guza i powstania przerzutów. Jest to „czasowa kastracja chemiczna". W porównaniu z agresywną chemioterapią podczas leczenia hormonalnego obserwuje się znacznie mniej działań ubocznych w innych narządach organizmu.

## Leczenie immunologiczne
Ponieważ własny układ immunologiczny ustroju odgrywa istotną rolę przy powstaniu nowotworów złośliwych, od lat gorączkowo poszukuje się możliwości wzmocnienia tego układu. Jednakże to, co teoretycznie wydaje się logiczne, w praktyce napotyka bariery: prawdopodobnie układ immunologiczny nie rozpoznaje każdej komórki nowotworowej jako „wroga" i nie mobilizuje mechanizmów odpornościowych. Jest też możliwe, że liczba komórek organizmu przekształconych w nowotworowe tak szybko wzrasta, że układ odpornościowy „nie nadąża". Biorąc pod uwagę możliwości układu odpornościowego, masa nowotworu okazuje się niezwyciężona.

Po początkowych powodzeniach stosowania szczepionki BCG, *Corynebacterium parvum*, levamizolu, hormonów grasicy i innych środków nastąpiło rozczarowanie. Jedynie w raku pęcherza moczowego szczepionka BCG okazała się skuteczna. Także euforia dotycząca interferonu — poparta olbrzymimi nakładami środków finansowych i dlatego przedwcześnie uwieńczona liśćmi laurowymi — nie oparła się z biegiem czasu krytyce. Wyjątek stanowią efekty leczenia niektórych białaczek. Próby wzmocnienia ustrojowej odporności przeciwnowotworowej metodami techniki genowej są jeszcze w stadium doświadczeń (→ s. 738).

## Leczenie kombinowane
W niektórych postaciach raka może być celowa kombinacja różnych sposobów leczenia. Tak na przykład operacja, napromienianie i włączenie leków przeciwnowotworowych znacznie zwiększyły szanse na wyleczenie w przypadku guza Wilmsa (rak nerki u dzieci). Leki przeciwnowotworowe mogą istotnie przedłużyć czas przeżycia po operacjach sutka lub raka żołądka. W przypadku raka pęcherza celowe jest napromienianie jako przygotowanie do operacji; przy raku jajnika napromienianie stosuje się potem. Przy raku płaskokomórkowym odbytu, jamy nosowo-gardłowej skuteczne jest napromienianie połączone z lekami przeciwnowotworowymi. Postępowaniem takim można wyleczyć raka drobnokomórkowego oskrzeli.

---

### Pomoc we własnym zakresie wobec skutków ubocznych leków przeciwnowotworowych

— Spożywaj częściej małe posiłki, jedz powoli, pij łykami małe ilości, unikaj słodyczy i tłustych potraw — w ten sposób żołądek nie będzie przeciążony. Suche potrawy, jak tost i sucharki, uspokajają żołądek. Unikaj owoców cytrusowych i ostrych przypraw.

— Przed zażyciem leków spożywaj lekkie potrawy (zupy, sucharki).

— Jeżeli odczuwasz wstręt do mięsa, to pomocne jest przyprawienie go sosem sojowym, sokiem owocowym lub winem.

— Ważna jest staranna higiena jamy ustnej. Należy używać miękkiej szczoteczki do zębów, a nie wody do ust, która zawiera alkohol i sól. Stosuj łagodną pastę do zębów zawierającą fluor, by uniknąć próchnicy.

— Zabezpiecz wargi kremem do warg, by nie wysychały.

— Ze względu na zwiększoną podatność na zakażenia należy unikać większych skupisk ludzi i osób chorych na choroby zakaźne. Powiadom lekarza o pojawieniu się gorączki lub biegunki utrzymujących się dłużej niż dwa dni bądź o bólach podczas oddawania stolca.

— Ze względu na zwiększone niebezpieczeństwo wystąpienia krwawienia (na skutek upośledzenia procesu krzepnięcia krwi) należy się ostrożnie obchodzić z nożami i narzędziami, a podczas pracy w ogrodzie nosić rękawice. Unikaj sportów, które mogą spowodować urazy.

## Żyć z nowotworem

Ponieważ czynniki psychiczne i socjalne w znacznym stopniu współdecydują o przebiegu choroby, najbliższe osoby mają do spełnienia ważne, wspierające zadanie. Krzepiące stosunki wspomagają odporność immunologiczną. Chorzy na nowotwory, którzy wspólnie z leczącym lekarzem pragną zwalczyć chorobę, zachowują aktywną postawę wobec swoich problemów. Lepiej radzą sobie z presją cierpienia, nabierają do siebie zaufania i planują przyszłość. Wielu chorych na nowotwory przeżywa jednakże stany lękowe i depresje, które ograniczają ich kontakty społeczne. Niestety, zespoły leczące nadal nie zapewniają chorym właściwej rozmowy wspierającej przed i po leczeniu nowotworu, w każdym razie nie w stopniu niezbędnym.

Chorzy na nowotwory, którzy nauczą się jakichkolwiek metod relaksacyjnych (→ s. 665) i regularnie je stosują, lepiej znoszą uciążliwe leczenie. Także medytacje (→ s. 669) i regularne uprawianie jogi (→ s. 669) nadają się do psychicznego odprężenia. Proces leczenia może wspomagać zdrowe odżywianie, które może być tak skomponowane jak opisane odżywianie dla ochrony przed rakiem (→ s. 440) oraz program zajęć ruchowych ze spacerami, wycieczkami, pływaniem, lekką gimnastyką.

Podobny skutek może przynieść terapia grupowa zachęcająca do wypowiadania się o aktualnych lękach i przemyśleniach dotyczących dotychczasowego życia (→ Poradnictwo i psychoterapia, s. 670).

## Opieka psychologiczna

Pojawienie się choroby nowotworowej wstrząsa bytem, prowadzi do depresji oraz ciężkich zaburzeń organizmu i poczucia własnej wartości. Dodatkowo osłabia to znacznie układ odpornościowy. Dlatego w ostatnich latach u wielu onkologów utrwaliło się przekonanie, że opieka psychologiczna powinna stanowić nieodłączną część leczenia.

W Niemczech wielokrotnie zaleca się opiekę psychologiczną, psychoterapię tak podczas leczenia, jak i opieki domowej. Badania wykazały, że chorzy na raka, którzy decydują się na psychoterapię, cierpią mniej niż inni podczas postępowania lekarskiego oraz z powodu lęku, osiągają również wyższą jakość życia i mogą oczekiwać nawet większych szans na wyleczenie. Najlepiej, gdy opieka psychologiczna zostaje wdrożona od momentu postawienia rozpoznania.

Poza rozmowami indywidualnymi i grupowymi szczególne znaczenie mają tutaj metody polegające na odprężeniu (→ s. 665). Także intensywna medytacja (→ s. 669) może znacznie poprawić jakość życia. Na proces leczenia szczególnie korzystny wpływ wywiera terapia zajęciowa, jak: ergoterapia, leczenie ruchem, muzyką, przez malowanie obrazów. Szczególnie cenne okazały się ćwiczenia Simontona. Podczas tego treningu zachowania się chorzy rozprawiają się w stanie odprężenia ze swoją chorobą przez to, że wyobrażają sobie chorobę, przeciwdziałanie jej oraz postępowanie lekarskie w symbolicznych obrazach. Następnie wyobrażane jest również wyleczenie. Te obrazy wyobrażeniowe są także rysowane. Metody Simontona można się nauczyć przy udziale psychologa, by potem ją stosować codziennie samodzielnie. Instrukcję do nauczenia się tej metody można ku-

pić. Metoda Simontona istotnie pomaga chorym na nowotwór złośliwy poprawić samopoczucie i zapomnieć o lęku i beznadziejności. Istnieją spostrzeżenia, że w pojedynczych przypadkach hamuje ona rozrost guza. Przegląd wyników różnych metod wykazał:

— Mniej ważne, do jakiego kierunku terapeutycznego należy opiekun. Istotne jest to, że chory na nowotwór jest otaczany ciągłą opieką i ma do niego pełne zaufanie. Do tego należy uwzględnić przeszłą i obecną sytuację społeczną chorego na nowotwór złośliwy.
— Do informacji o rozpoznaniu, najpóźniej o operacji i leczeniu, powinni być włączeni członkowie rodziny.
— Celowe są rozmowy w grupach zachęcające do przemyślenia dotychczasowego życia.

## Grupy samopomocowe

Opieka psychologiczna przed, podczas i po leczeniu nowotworu złośliwego nie jest jeszcze tak dobra, jak być powinna, i nie obejmuje wszystkich obszarów życia. Ważną rolę odgrywa wymiana doświadczeń, przekazywanie informacji i uczestnictwo, jakie oferują grupy samopomocowe. Cierpienie podzielone jest połową cierpienia, podzielona wiedza jest podwójnie pomocna.

## Badania kontrolne

Rodzaj i czas trwania leczenia określają wielkość obciążeń samego chorego oraz jego najbliższych. W przypadku większości operacji potrzebny jest dwu- do czterotygodniowy pobyt w szpitalu. Dla napromienień należy uwzględnić sześć do ośmiu tygodni. Chemioterapia rozciąga się na dłuższy okres i trwa — z przerwami w leczeniu — często ponad cztery do dwunastu miesięcy i dłużej. By optymalnie wykorzystać szansę wyleczenia, ważne są regularne badania kontrolne, podczas których lekarz sprawdza skutek pierwszego leczenia, szuka ponownych guzów nowotworowych w pierwotnym miejscu nowotworu i w odległych miejscach (przerzuty). Przykładem może być nowotwór jądra, który często pojawia się ponownie przed upływem dwóch lat. Jeżeli zostanie rozpoznany, ponowne leczenie może całkowicie wyleczyć pacjenta. Dlatego celowe są badania kontrolne, początkowo w odstępie jednego miesiąca, później co dwa miesiące. Przeciwieństwem do tego jest na przykład rak sutka z przerzutami u kobiet, który jest nieuleczalny. Lekarz powinien omówić z chorym cały program badań kontrolnych, który powinien być ukształtowany możliwie elastycznie, gdyż zdrowie jest ważniejsze niż samo badanie.

### Niezdolność do wykonywania zawodu, niezdolność do pracy

Chorzy na nowotwory złośliwe cierpią najbardziej z powodu izolacji, zmniejszenia poczucia własnej wartości i upośledzenia wydolności. Dlatego tak ważne jest, by pozostali „jedną nogą" w życiu codziennym oraz zawodowym. Lekarz i chory na nowotwór powinni razem szukać takiego rodzaju terapii, który by to umożliwił. Jeżeli niezdolność do pracy i inwalidztwo zostaną urzędowo potwierdzone, oznacza to izolację od środowiska socjalnego. Jeżeli nie można tego obejść, również w tym problematycznym okresie lekarz powinien być towarzyszem i pomocą przy poszukiwaniu socjalno-prawnego wsparcia. Choroba nowotworowa wpędza wielu nią dotkniętych w problemy finansowe.

Porad dotyczących zapomogi, wypłat rent (emerytur), środków pomocniczych, zniżek i wykazu adresów instytucji, które udzielają pomocy, można uzyskać w wojewódzkich poradniach onkologicznych i w Obywatelskim Komitecie do Zwalczania Raka.

## Niekonwencjonalne sposoby leczenia

Chory ma prawo w każdej chwili zrezygnować z leczenia zaproponowanego mu przez lekarza. W ostatnich latach wzrasta liczba chorych na nowotwory, którzy wybierają taką drogę.

Wiele niemedycznych metod leczenia nowotworów złośliwych opiera się na założeniu, że zwiększają one odporność immunologiczną. Ocenę skuteczności wyprowadza się z całokształtu zachowań chorego na nowotwór, ponieważ leczenia wymaga nie tylko chory narząd, lecz cały człowiek w jego powiązaniach społecznych. Odnosi się to do okresu dzieciństwa, dotyczy rodziny, wychowania, szkoły, pracy i kontaktów osobistych. Stawia ono na znaczenie osobistego nastawienia do choroby i jego wpływ na zdolność do samowyleczenia. Próbuje też aktywizować siły drzemiące w chorych.

Jeżeli metody te traktować alternatywnie, czyli gdy mają zastąpić leczenie stosowane przez medycynę oficjalną, wówczas niosą z sobą wielkie ryzyko zaprzepaszczenia szans, które mimo wszystko stwarza medycyna oficjalna. Żadna z metod leczniczych stosowanych przez medycynę alternatywną nie potrafiła dowieść sposobami naukowo-badawczymi swej skuteczności

---

### Leczenie choroby nowotworowej jest użyteczne, jeżeli

— może wyleczyć chorobę,
— przedłuża życie chorego,
— poprawia jakość życia.

Nie wystarczy, że wywoła jedynie ustąpienie guza.

Przy zabiegach alternatywnych przestrzegaj następujących wskazówek:

— Nie stosuj kilku zabiegów w tym samym czasie. Trudno zorientować się, co powoduje objawy uboczne.
— Uważaj na objawy uboczne, w razie potrzeby środek należy odstawić. Środki pochodzenia roślinnego także mogą powodować objawy uboczne.
— Jeżeli ktoś mówi wyłącznie o „raku", upraszcza, by pokryć swoją niewiedzę.
— Pamiętaj, że stosujący medycynę alternatywną mają także interes finansowy. Wielu chorych na nowotwory poświęciłoby cały swój majątek, żeby tylko pozbyć się choroby. Lecz niestety, wysoki koszt nie gwarantuje skuteczności leczenia.
— O radę pytaj swego lekarza domowego lub onkologa. Oni poinformują cię, która metoda przyniesie ułatwienie, wsparcie i pomoc.

---

w nowotworach złośliwych. Mimo to są korzystne skutki takich metod leczenia. Dzieje się tak zwłaszcza wówczas, gdy są one stosowane jako uzupełnienie medycyny oficjalnej.

### O cudownych lekach i cudownych uzdrawiaczach

Propozycje szarlatanów na rynku paramedycznym są wielorakie. W ostatnim czasie proponuje się różne, najczęściej drogie środki jako uzupełnienie chemioterapii, które podobno mają zwiększyć jej tolerancję. Przez pseudonaukową motywację trudne lub nawet niemożliwe jest oddzielenie tych produktów od leków pożytecznych. Dla wielu takich środków, które przez uporczywą, szeptaną reklamę zdobywają nabywców, może być trafne powiedzenie, że wiara przenosi góry. Dotyczy to zwłaszcza samozwańczych „cudownych doktorów". Mogą oni czasem mieć sukcesy, gdyż ich pacjenci chcą w nich wierzyć i dlatego — jak w każdej chorobie — (z wiarą lub bez niej) wiele może zdziałać spontaniczna siła samouzdrawiająca organizmu. Godne uwagi jest jednakże to, że spontaniczne wyleczenie nowotworu złośliwego jest udokumentowane. Jak można odróżnić informacje poważne od nierzeczowych? Gdy w wywiadzie mowa jest o „cudach", uzasadniony jest sceptycyzm.

## Zwalczanie bólu nowotworowego

U połowy wszystkich chorych na nowotwory złośliwe już od początku występują bóle, jedna trzecia nieuleczalnie chorych na nowotwory jest dotknięta ciężkim, przewlekłym bólem. Kiedy i jak silne bóle występują, zależy w znacznej mierze od umiejętności zespołu leczącego: okazanie zainteresowania i pomocy może zmniejszyć subiektywne odczucie bólu.

Światowa Organizacja Zdrowia zaleciła następujący plan stopniowego zwalczania bólu u chorych na nowotwory złośliwe:

— Na początku używa się zwykłych środków przeciwbólowych, jak kwas acetylosalicylowy i paracetamol (→ Proste środki przeciwbólowe, s. 621) lub leków łagodzących ból, stosowanych przeciw reumatyzmowi (diklofenak, indometacyna).
— Jeżeli te leki już nie pomagają, włącza się dodatkowo środki morfinopodobne, tzw. opioidy. Najsłabszą substancją z tej grupy jest kodeina, kolejną tramadol. Oba leki mogą być z dobrym skutkiem kombinowane z lekami przeciwreumatycznymi.
— Jeżeli taką kombinacją nie uzyskuje się skutku przeciwbólowego, należy przejść do silniej działających substancji z grupy opioidów. Lekiem standardowym jest morfina. Opioidy mogą być stosowane jako krople, tabletki, drażetki, czopki, zastrzyki i wlewy dożylne.

Istotną korzyścią stosowania kropel, tabletek, drażetek, czopków jest to, że chorzy, stosując je, są niezależni. Mogą oni, jeżeli okoliczności życiowe na to pozwalają, sami stosować te środki w domu. Wszystkie leki przeciwbólowe, zwłaszcza opioidy, powinny być stosowane według planu czasowego. Oznacza to, że leki przeciwbólowe są dawkowane tak wysoko, by uzyskać pełne tłumienie bólu, a odstępy czasu między poszczególnymi dawkami powinny być tak krótkie, by nie pojawiły się

## Niekonwencjonalne metody leczenia nowotworów o wątpliwej skuteczności

*Diety*: Nowotworu nie można „wygłodzić", żadna dieta nie jest skuteczna przeciw nowotworom. Kuracje sokowe według Breussa, dieta według Gersona, Kelleya lub Kousmina, jak również dodatkowe obciążenie organizmu makrobiotykami.

*Przegrzanie (hipertermia)*: Wielostopniowa kuracja przeciwrakowa według Ardene'a łączy przegrzanie z inhalacjami tlenu, lecz metoda ta nie wykazuje jednoznacznej skuteczności; metoda Weisenburga, łącząca przegrzanie z wysokimi dawkami witamin, jest jeszcze w stadium doświadczeń.

*Medycyna antroposofistyczna*: Przeciwguzowe działanie iniekcji jemioły (np. Iscador, Plenasol) nie zostało jednoznacznie potwierdzone badaniami na dużej populacji; mogą one łagodzić objawy uboczne konwencjonalnego leczenia przeciwnowotworowego.

*Homeopatia*: Nie hamuje rozwoju guza, może jednak poprawić samopoczucie.

*Leki*: Skuteczność przeciwguzowa środków roślinnych jest wątpliwa, na przykład iniekcje ekinacyny są ryzykowne.

*Ozonoterapia*: Stwarza niebezpieczeństwo zatorów.

*Preparaty organiczne*: Leczenie wyciągami grasicy jest ryzykowne, leczenie świeżymi komórkami zagraża życiu.

*Zabiegi bioenergetyczne*: Skuteczność na przykład terapii biorezonansowej nie jest dowiedziona; akupunktura może spowodować uszkodzenia i zakażenia.

*Wzmacnianie odporności organizmu*: Wyleczenie guza na przykład zabiegami według Wiedemanna, Theurera lub Schleichera nie zostało potwierdzone.

*Preparaty z własnych płynów ustrojowych i tkanek*: Na przykład preparaty z tkanki nowotworowej, jak ASI, ADI, AHIT według Kiefa, lub IAT; cytokiny, jak ATC według Klehra; szczepionki z limfocytów, jak LAK. Ich skuteczność jest wysoce wątpliwa: jakie ryzyko pociągają za sobą, jeszcze nie wiadomo.

*Środki medycyny ludowej*: Na przykład sok z czerwonej boćwiny nie może leczyć nowotworu, inne, jak nafta, są ponadto ryzykowne.

nowe stany bólowe. Według ustaleń WHO lekarze w Niemczech ordynują w porównaniu do innych krajów o wiele za mało chorym na nowotwory złośliwe. Pod koniec lat osiemdziesiątych jeszcze gorzej pod tym względem prezentowała się Austria: stosuje się tu bowiem jedną dwudziestą tej ilości silnych środków przeciwbólowych, która jest aplikowana na przykład w Wielkiej Brytanii. Jedną z przyczyn jest zawiłe wypisywanie recept na środki odurzające lub specjalnych recept na narkotyki. Lekarze, którzy nie chcą sobie zadać takiego trudu, informują chętnie, że „nie wolno im zapisywać morfiny". Rozpowszechniana obawa laików, a niestety także lekarzy i personelu pielęgniarskiego, że pacjenci mogliby się uzależnić, okazała się w przypadku chorych na nowotwór złośliwy nieuzasadniona. Współcześnie istnieją tendencje raczej do zapobiegania pojawieniu się bólów niż do zwalczania dopiero po ich wystąpieniu.

### Uzupełniające sposoby zwalczania bólu

Poza właściwym zwalczaniem bólu celowe może być włączenie leków zmniejszających uczucie lęku, leków przeciwpsychotycznych i innych środków neurofarmakologicznych (np. także alkohol), gdyż również te leki łagodzą bóle i dolegliwości towarzyszące, jak zaburzenia snu. Stosując ukierunkowane leczenie, można dzisiaj uczynić znośniejszym ostatni okres życia i cierpień. W pojedynczych przypadkach, przy bardzo silnych bólach, może okazać się konieczny zabieg neurochirurgiczny. Lekarz może np. przerwać pasma nerwowe w rdzeniu kręgowym lub w sposób ukierunkowany blokować nerwy, wstrzykując do nich alkohol lub miejscowo działające środki znieczulające. Przezskórna stymulacja nerwów okazała się mało skuteczna przy przewlekłych bólach nowotworowych i jest już rzadko stosowana.

Zabiegi fizykalne w celu łagodzenia bólu powinny być stosowane tylko na zlecenie lekarza. Przy przerzutach do kręgosłupa na przykład masaże mogą się okazać niebezpieczne.

### Wskazówki dla krewnych i opiekunów

Tylko niewielu ludzi jest skorych lub zdolnych opiekować się krewnymi chorymi na nowotwory. Zadanie sprawowania opieki jest bardzo uciążliwe, może jednak wzbogacać duchowo. Pomoc onkologiczna informuje o ułatwieniach, o ruchu „Hospicjum" (→ s. 587), proponuje kursy dla nieprofesjonalnych opiekunów.

— Nowotwór złośliwy budzi lęk, tak u ciebie, jak i u chorego na nowotwór. Niepewność jest w tej sytuacji czymś normalnym. Mimo to nie rób uników, gdyż chorzy na nowotwór złośliwy mają pełne wyczucie tego, kiedy inni nie mówią wprost lub co innego, niż to wyraża ich stan zdrowia. Przyznaj wobec chorego, że nie jesteś pewny i że jest ci smutno. Prawdopodobnie doda mu to odwagi, by wypowiedzieć swoje niepokoje i troski.

— Prawdomówność stopniowana powinna być nicią przewodnią w waszym współżyciu. Chorzy na nowotwór wyraźnie wskazują, ile w danym momencie chcą wiedzieć o swojej chorobie. Najczęściej mogą się z tym tylko stopniowo pogodzić. Po początkowym nastawieniu, wyrażającym się chętnym przyjmowaniem nieprawdy, następuje gniew i bunt przeciw chorobie, później rozterki, depresja, nowa nadzie-

### Niewłaściwa niekonwencjonalna diagnostyka nowotworowa

Fałszywe rozpoznanie nowotworu jest możliwe przy następujących metodach:
— rozpoznawanie na podstawie wyglądu tęczówki;
— elektroakupunktura według Volla — na podstawie nieokreślonych danych pomiarowych;
— różne testy krwi uwzględniające wygląd krzepnącej kropli krwi;
— niektóre laboratoria wątpliwego autoramentu poszukują czynników rakotwórczych we krwi; różdżkarze usiłują dowieść istnienia „rakotwórczego" promieniowania ziemi, dla którego brak jest jakiegokolwiek dowodu.

ja. Nie usiłuj uciec, nawet jeżeli taki nastrój jest trudny do zniesienia. Jeżeli będziesz reagować wymijająco i z nierealistyczną troską, chory poczuje się osamotniony.

— Ważne jest utrzymanie bezpośredniego kontaktu z chorym na nowotwór. Inaczej będzie przepełniony uczuciami całkowitej bezwartościowości. Bezpieczeństwo, radość i pozytywne przeżycia wywierają korzystny wpływ na przebieg choroby.

— Nie rób niczego „za plecami" chorego, staraj się wszystkie decyzje podejmować razem z nim.

— Nawiąż kontakt z pracodawcą chorego; często nieracjonalne obawy i wstręt prowadzą do nieusprawiedliwionego zwolnienia. Włącz do rozmowy również radę pracowniczą i leczącego lekarza.

— Dowiedz się o możliwościach pomocy finansowej w ubezpieczalni i biurach pomocy socjalnej. Także Pomoc Onkologiczna udziela informacji w tym zakresie.

— Nikt nie może powiedzieć niczego pewnego o przyszłości. Odpowiadaj na pytania chorego dotyczące przyszłości w sformułowaniach zawierających nadzieję, ale nie czyń żadnych obietnic, co do których nie masz pewności.

— Nie oponuj, jeżeli chory na nowotwór wyraża smutek, rozpacz i zwątpienie. Często będzie też nękany wstydem, poczuciem winy, nienawiścią i pogardą dla siebie. Zwłaszcza w chwilach przełomów powinieneś być dla chorego. Poszukaj pomocy u przyjaciół, specjalistów, w Obywatelskim Komitecie Zwalczania Raka, w grupach samopomocowych, u pracownika urzędu socjalnego, psychologa, duchownego lub w rozmowie z leczącym lekarzem.

— Dowiedz się w ubezpieczalni i w urzędzie gminnym, jakie możliwości pomocy (zorganizowane odwiedziny domowe, pomoc domowa, opieka domowa dla chorych) stoją do dyspozycji, żeby opieka domowa mogła być zorganizowana.

— Opieka nad ciężko chorym stanowi długotrwałą sytuację stresową. Nie usiłuj samemu pokonywać wszystkiego. Ty czasem też potrzebujesz pomocy. Spróbuj się odseparować: pomocą może być wyobrażenie sobie podopiecznego zdrowego. Opiekun nie powinien współcierpieć, lecz współczuć.

— Jeżeli czujesz, że opieka nad chorym przekracza twoje możliwości, nie zmuszaj się do tego ciężkiego zadania. W tym przypadku będzie lepiej, jeżeli chory zostanie umieszczony w szpitalu. Będziesz wówczas mógł włączyć swoje siły do niezwykle ważnych odwiedzin chorego.

— W kontaktach z chorym staraj się — w rzeczywistości lub w myślach — zawsze włączać także jego krewnych i przyjaciół.

## Lektura uzupełniająca

ANDERS A., ALTHEIDE H. J.: *Rak — powstawanie i zapobieganie*. PZWL, Warszawa 1990.

BANEK S.: *Nie bój się raka*. Ofic. Wydaw. SPAR, Warszawa 1993.

PICHLER E., RICHTER R.: *Nasze dziecko ma nowotwór*. Zysk i S-ka Wyd., Poznań 1995.

THOR-WIEDEMANN S., WIEDEMANN G.: *Chroń się przed rakiem: twój osobisty program profilaktyki*. Wydaw. J&BF, Warszawa 1997.

# UKŁAD ENDOKRYNNY

Hormony prawie wszystkim kojarzą się z „najpiękniejszymi rzeczami na świecie", czyli z miłością i zachowaniem seksualnym. O istnieniu hormonów płciowych: estrogenów i testosteronu wiedzą niektórzy, o insulinie niewielu, a na przykład o hormonie stymulującym czynność tarczycy — TSH prawie nikt. A są to tylko nieliczne przykłady z dużej liczby „posłańców" organizmu.

Gruczoły wydzielania wewnętrznego razem z innymi mechanizmami regulacyjnymi dostosowują działania wszystkich organów naszego ciała. Hormony są przekaźnikami informacji z gruczołu wewnętrznego wydzielania, docierającymi drogą krwi do odpowiednich narządów. Hormon i właściwy narząd rozpoznają się wzajemnie, ponieważ struktura hormonu i powierzchnie komórek tego narządu posiadają miejsca, które można porównać do klucza pasującego do właściwego zamka.

Praca wszystkich gruczołów wydzielania wewnętrznego jest ze sobą ściśle powiązana. Zależności między nimi są trzypoziomowe. Najwyżej, bo w samym mózgowiu znajdują się dwa gruczoły wewnętrznego wydzielania spełniające nadrzędne funkcje regulacyjne w stosunku do innych gruczołów — podwzgórze i przysadka mózgowa.

Produkują one tzw. hormony tropowe, które regulują czynność pozostałych docelowych gruczołów endokrynnych. Takimi docelowymi gruczołami są na przykład tarczyca, trzustka i nadnercza. Wszystkie one produkują odpowiednie hormony — dla przykładu trzustka produkuje insulinę.

Podwzgórze i przysadka są w stanie rozpoznać, czy gruczoły obwodowe reagują na ich sygnał, poprzez ocenę stężenia odpowiednich hormonów we krwi.

## TRZUSTKA

Trzustka produkuje przede wszystkim enzymy trawienne (→ Trzustka, s. 368). Równocześnie jest gruczołem wewnętrznego wydzielania. W tzw. komórkach β wysp Langerhansa produkowana jest insulina, a w komórkach α glukagon — hormon działający odwrotnie do insuliny.

### Działanie insuliny
Insulina wywiera wielorakie działanie na przemianę materii. Między innymi utrzymuje stężenie glukozy we krwi na określonym poziomie: nie powinno ono opadać poniżej 60 mg% i wzrastać powyżej 140 mg% nawet po posiłku. Jeżeli znajdująca się we krwi ilość glukozy przekracza aktualne zapotrzebowanie organizmu, insulina pozwala na magazynowanie nadwyżki w wątrobie, mięśniach i tkance tłuszczowej. Pewna ograniczona ilość insuliny krąży we krwi nawet w okresie między posiłkami (zapotrzebowanie podstawowe).

### Działanie glukagonu
Jeżeli trzustka „rozpoznaje" zbyt niską zawartość glukozy we krwi, zaczyna zwiększać produkcję glukagonu — hormonu działającego odwrotnie do insuliny. Hormon ten wpływa na przykład na uwolnienie zapasów glukozy z wątroby.

## Cukrzyca

### Dolegliwości
Częstymi objawami cukrzycy są:
— zwiększone pragnienie i częste oddawanie moczu, również w nocy,
— świąd całego ciała; u kobiet głównie świąd pochwy,
— pogorszenie zdolności widzenia,
— wyprzenia w fałdach skóry (na udzie, pod sutkami),
— częste zapalenia śluzówki jamy ustnej, pochwy lub członka,
— bóle głowy,
— nocne kurcze łydek,
— mrowienie i drętwienie rąk i stóp.
Dorośli mogą nie mieć żadnych dolegliwości mimo istniejącej cukrzycy. W wieku młodzieńczym może dojść do na-

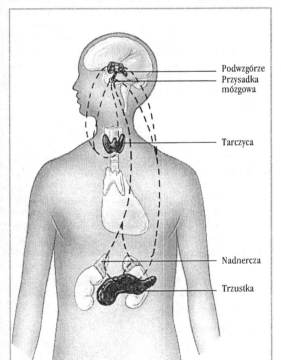

Podwzgórze
Przysadka mózgowa

Tarczyca

Nadnercza
Trzustka

głego zwiększenia stężenia glukozy we krwi bez wystąpienia opisanych wyżej objawów.

Choroba może szybko doprowadzić do stanu zagrożenia (śpiączka cukrzycowa).

Objawami stanu zagrożenia są:
— zapach z ust podobny do zapachu zmywacza do paznokci,
— nudności, wymioty,
— bóle brzucha,
— wysuszenie skóry i błon śluzowych,
— zaburzenia świadomości aż do utraty przytomności (śpiączka).

Chory, u którego rozwinęła się śpiączka cukrzycowa, powinien jak najszybciej znaleźć się w szpitalu.

## Przyczyny

*Typ I* (cukrzyca typu młodzieńczego): skłonność do rozwoju tej choroby jest dziedziczna. Jednak to, czy cukrzyca ujawnia się klinicznie, zależy od wielu czynników zewnętrznych.

Do rozwoju cukrzycy typu I dochodzi wówczas, gdy wskutek zaburzeń układu immunologicznego ponad 80% komórek trzustki produkujących insulinę zostaje zniszczonych (→ Zaburzenia samopoczucia, s. 175). Na ujawnienie cukrzycy mogą wpływać różne substancje chemiczne. Za pomocą różnych substancji trujących (np. nitrozamin lub pochodnych kwasu cyjanowodorowego dodawanych do pożywienia) można wywołać cukrzycę u zwierząt (tzw. cukrzyca doświadczalna).

*Typ II* (cukrzyca typu dorosłych): również i w tym przypadku dziedziczy się skłonność do rozwoju choroby. Komórki produkujące insulinę nie są w stanie odpowiedzieć na każdy bodziec. Do obciążeń, które doprowadzają do rozwoju cukrzycy, należy przede wszystkim nadwaga. Komórki tłuszczowe w niektórych przypadkach mogą stać się oporne na insulinę. Trzustka musi produkować znacznie więcej insuliny niż u osób z prawidłową masą ciała, aby spowodować wejście glukozy do wnętrza komórki tłuszczowej. Zwiększona praca obciąża trzustkę, aż do „wyczerpania". Ponadto niemożliwa staje się zwiększona produkcja insuliny po posiłku stosownie do potrzeb.

## Ryzyko zachorowania

*Typ I*: w Polsce podobnie jak w Niemczech żyje około 150 000 chorych na cukrzycę typu I, w Austrii około 35 000 do 40 000 chorych jest leczonych insuliną.

*Typ II*: w Niemczech żyje około 4 milionów chorych na cukrzycę typu II, w Austrii około 300 000 i ta liczba ciągle wzrasta, w Polsce 1 200 000.

Ryzyko zachorowania zależy głównie od obecności nadwagi. Dziesięcioprocentowa nadwaga powoduje czterokrotne, a dwudziestoprocentowa — trzydziestokrotne zwiększenie prawdopodobieństwa zachorowania na cukrzycę.

Okoliczności zwiększające ryzyko rozwoju cukrzycy u osób z wrodzonymi skłonnościami:
— zabiegi chirurgiczne,
— wypadki,
— długotrwałe znaczne obciążenia psychiczne,
— ciąża,
— niektóre leki.

## Możliwe następstwa i powikłania

Dzięki odpowiedniemu leczeniu, utrzymującemu stężenie glukozy we krwi w granicach normy, chory może dożyć starości. Jeżeli jednak przez dłuższy czas występują mniejsze lub większe wahania tego stężenia, dochodzi do różnorodnych powikłań.

### Uszkodzenia małych naczyń (mikroangiopatia)

Na wewnętrznej stronie małych naczyń gromadzą się tzw. glikowane białka (czyli białka z przyłączoną glukozą).

To upośledza przepływ krwi, co doprowadza do znacznego utrudnienia w gojeniu się ran. Najcięższą postacią tzw. choroby małych naczyń jest uszkodzenie nerek (nefropatia), uszkodzenie siatkówki (retinopatia) i nerwów (neuropatia).

### Uszkodzenie nerek (nefropatia)

Zmiany w najmniejszych naczyniach nerkowych doprowadzają w końcu do niewydolności tego narządu (→ s. 397).

Niewydalone, szkodliwe produkty przemiany materii zatruwają cały organizm.

Uszkodzenie nerek występuje u ponad 30% chorych na cukrzycę, szczególnie w razie niedostatecznej kontroli stężenia glukozy w surowicy krwi. W Niemczech co roku około 1000 chorych na cukrzycę wymaga rozpoczęcia leczenia dializami. Wielu spośród nich umiera z powodu powikłań sercowo-naczyniowych, które występują częściej u chorych na niewydolność nerek.

### Uszkodzenie oczu

Najmniejsze naczynia w oku stają się kruche, powstają mikrotętniaczki, co powoduje wynaczynianie krwi w siatkówce. W przezroczystym ciałku szklistym dochodzi do nowotworzenia naczyń, co w znacznym stopniu upośledza wzrok. Brak leczenia doprowadza do całkowitej ślepoty. Po siedemnastu latach u około 90% chorych na cukrzycę typu I występują zmiany oczne.
→ Zaćma, zmętnienie soczewki oka (katarakta), s. 235.
→ Jaskra, s. 236.

### Uszkodzenie dużych naczyń (makroangiopatia)

Dochodzi do odkładania się lipidów na błonie wewnętrznej naczyń (→ Wzrost stężenia lipidów, s. 303). Najbardziej narażeni na makroangiopatię są chorzy w podeszłym wieku, gdyż i bez cukrzycy istnieje u nich wiele czynników ryzyka tego schorzenia. Uszkodzenie naczyń obejmuje różne narządy. Szczególnie niebezpieczne jest współwystępowanie uszkodzenia naczyń wieńcowych serca z uszkodzeniem układu nerwowego: z tego powodu zawał mięśnia sercowego u chorych na cukrzycę może przebiegać bezbólowo; w ten sposób chory pozbawiony jest sygnału o ogromnym zagrożeniu. 70% chorych na cukrzycę umiera z powodu chorób serca i układu krążenia.

Zaburzony jest przepływ krwi w kończynach (→ Zaburzenia ukrwienia, s. 310).

### Uszkodzenia nerwów (neuropatia)

Dochodzi do nieprawidłowej reakcji układu nerwowego na

---

## Leki, które mogą spowodować rozwój cukrzycy typu II

— leki steroidowe (np. w chorobach reumatycznych, alergicznych, astmie, po transplantacji narządów) — cukrzycę może wywołać nawet kilkudniowe leczenie steroidami;
— leki moczopędne (stosowane np. w nadciśnieniu tętniczym);
— środki antykoncepcyjne.

Stężenie glukozy w surowicy krwi normalizuje się najczęściej po zaprzestaniu przyjmowania leków.

---

bodźce. Pierwszymi objawami neuropatii cukrzycowej są zazwyczaj:

— mrowienie stóp i/lub rąk,
— uczucie palenia stóp,
— nocne kurcze mięśni łydek,
— bóle kończyn; choremu wydaje się na przykład, że jego kołdra stała się cięższa.

Rozwijające się zaburzenia czucia są niebezpieczne. Chory nie odczuwa bólu przy powierzchownych urazach. Małe, banalne zranienia mogą powodować owrzodzenia niszczące tkanki miękkie i kości. Szczególnie narażone są stopy.

Rozwijająca się neuropatia zmienia charakter chodu. Przodostopie jest obciążone o jedną trzecią bardziej niż normalnie. Należy dodać, że obciążenie stopy wzrasta wraz ze stopniem nadwagi.

Ciemne zabarwienie części stopy wskazuje na rozwój martwicy (zgorzeli). Czasem jedynym sposobem leczenia jest amputacja, ponieważ produkty rozkładu rany zatruwają cały organizm.

U chorych na cukrzycę wskazania do amputacji kończyny występują dwadzieścia razy częściej niż w pozostałej populacji.

Obecnie jednak podejmuje się decyzję o amputacji u zbyt wielu chorych na cukrzycę. W wielu przypadkach można tego zabiegu uniknąć, oczyszczając chirurgicznie ranę, stosując odpowiednie antybiotyki i odciążając stopę.

Nie należy podejmować decyzji o amputacji stopy, poddudzia lub uda bez uprzedniej konsultacji z kompetentnym specjalistą diabetologiem!

Neuropatia może dotyczyć również narządów wewnętrznych. Objawia się to np.:

— Przyspieszonym biciem (akcją) serca.
— Utrudnionym opróżnianiem żołądka.
— Zaparciami lub biegunkami.
— Trudnościami w całkowitym opróżnieniu pęcherza. W ten sposób w pęcherzu zawsze pozostaje pewna ilość moczu, w którym znacznie łatwiej dochodzi do rozwoju bakterii.
— U mężczyzn neuropatia może powodować zaburzenia potencji. Mniej lub bardziej zaburzony jest łuk odruchowy, dzięki któremu krew pozostaje w ciałach jamistych prącia. Po dziesięciu latach trwania cukrzycy opisane problemy pojawiają się u połowy chorych.

### Zapobieganie

*Typ I*: Żadne środki nie uchronią cię przed wystąpieniem choro-
by. Istnieją próby stosowania leków wpływających na układ immunologiczny. Są to tak zwane leki immunosupresyjne, hamujące aktywność układu immunologicznego skierowaną przeciwko komórkom produkującym insulinę. Do tej pory nie ma jednak przekonujących dowodów skuteczności takiego leczenia. Ponadto stosowanie leków immunosupresyjnych zwiększa ryzyko zachorowania na nowotwór lub niewydolność nerek, tym bardziej że leczenie to musi być stosowane długotrwale.

*Typ II*: Każdy może zapobiec lub przynajmniej opóźnić wystąpienie u siebie cukrzycy typu II. Odpowiednie są wszelkie działania osłaniające trzustkę:

— utrzymanie prawidłowej masy ciała,
— ograniczenie spożycia alkoholu,
— systematyczne ćwiczenia fizyczne,
— unikanie leków ułatwiających wystąpienie cukrzycy (→ powyżej).

### Zapobieganie odległym powikłaniom

W początkowym okresie wolno rozwijające się odległe powikłania cukrzycy są zwykle niezauważalne. Dzięki przestrzeganiu podanych niżej zaleceń możliwe jest zapobieganie im lub przynajmniej opóźnianie wystąpienia. W początkowym okresie możliwe jest nawet cofanie się już istniejących zmian. Wymaga to jednak kompleksowego postępowania, albowiem do dzisiaj nie wykryto leku, który potrafiłby w pełni zapobiegać odległym powikłaniom cukrzycy. Bardzo ważne są regularne badania lekarskie, aby odpowiednio wcześnie rozpoznać zwiastuny zmian naczyniowych i układu nerwowego. Poza tym należy:

— O ile to możliwe, utrzymywać stężenie glukozy we krwi jak najbliżej wartości prawidłowych.
— Nie palić tytoniu. Ryzyko uszkodzenia siatkówki u palaczy chorych na cukrzycę jest dwukrotnie większe niż u niepalących, a ryzyko wystąpienia niewydolności nerek ponaddwukrotnie większe.
— Utrzymywać prawidłową masę ciała (→ Masa ciała, s. 709).
— Utrzymywać prawidłowe ciśnienie tętnicze krwi, głównie poprzez odpowiedni tryb życia, w razie konieczności poprzez leki obniżające ciśnienie (→ Wysokie ciśnienie krwi, s. 304).
— Utrzymywać prawidłowe stężenie lipidów we krwi dzięki odpowiedniej diecie, wyjątkowo przez stosowanie leków (→ Wzrost stężenia lipidów we krwi, s. 303).
— Żyć według hasła: „ruch to zdrowie". Jeśli nie jesteś w stanie uprawiać regularnie bardziej obciążających ćwiczeń sportowych, możesz spróbować ćwiczeń podanych na stronie 310.
— Zapobiegać ciąży możliwie innymi środkami niż pigułki antykoncepcyjne (→ Zapobieganie ciąży, s. 515).
— Unikać środków uszkadzających nerki (nefrotoksycznych). Należą do nich między innymi leki przeciwbólowe (→ s. 620), środki kontrastowe używane w badaniach radiologicznych.
— Chorzy na cukrzycę w wieku podeszłym powinni zwracać szczególną uwagę na swoje stopy.

## Pielęgnacja stóp u chorych na cukrzycę z neuropatią

— codziennie myj stopy w letniej wodzie, używając łagodnego mydła i wycieraj miękkim (delikatnym) ręcznikiem;

— regularnie oglądaj uważnie stopy, a szczególną uwagę zwracaj na przestrzenie między palcami: szczeliny, zaczerwienienia, wysypkę, pęcherze;

— połóż na podłodze większe lusterko, aby dokładnie obejrzeć powierzchnię podeszwową stóp;

— po umyciu skórę natłuszczaj lanoliną (z wyjątkiem przestrzeni międzypalcowych);

— unikaj gorących kąpieli: istnieje duże ryzyko oparzenia, ze względu na upośledzenie czucia;

— z tego samego powodu nie używaj poduszek elektrycznych i termoforów do ogrzania stóp;

— chroń stopy przed nasłonecznieniem;

— nigdy nie chodź boso ani bez skarpet, w lecie uważaj na gorące kamienie i piasek;

— używaj odpowiednio dużych skarpet i butów, tak aby stopy miały wystarczająco dużo miejsca; palce nie mogą być uciśnięte, aby można było nimi swobodnie poruszać;

— jeżeli przy mierzeniu obuwia nie jesteś w stanie wyczuć, czy jest dostatecznie duże, narysuj obrys stopy na papierze, wytnij go i noś przy sobie w czasie zakupów; przymierzając buty włóż wycięty obrys do środka i sprawdź, czy leży na podeszwie zupełnie swobodnie;

— wybieraj buty z miękkiej skóry, na płaskim, szerokim obcasie;

— możliwie często zmieniaj buty;

— ze względu na możliwość zranienia używaj jedynie pilnika do paznokci;

— jeżeli sam nie jesteś w stanie pielęgnować stóp według podanych wyżej zasad, poproś o to kogoś bliskiego;

— w innym przypadku regularnie odwiedzaj zakład kosmetyczny; ze względu na konieczność zachowania szczególnej ostrożności, poinformuj pedikiurzystkę, że jesteś chory na cukrzycę.

### Kiedy do lekarza?

Gdy stwierdzisz podane objawy jakiegokolwiek powikłania cukrzycy lub jeżeli masz nadwagę i ktoś z bliskich krewnych choruje na cukrzycę.

Gdy istnieje podejrzenie, że rozwija się u ciebie cukrzyca, lekarz sprawdzi stężenie glukozy we krwi na czczo (przed śniadaniem) oraz około dwóch godzin po posiłku. Prawdopodobnie masz cukrzycę, jeżeli:

— stężenie glukozy na czczo przekracza 120 mg% lub

— stężenie glukozy po posiłku przekracza 180 mg%.

Wartości stężenia glukozy pomiędzy 80 i 120 mg% lub stężenie glukozy po jedzeniu pomiędzy 120 i 180 mg% są wartościami granicznymi. W przypadku wątpliwości lekarz może wykonać tzw. próbę doustnego obciążenia glukozą. Polega ona na tym, że podaje się choremu do wypicia roztwór określonej ilości glukozy i następnie sprawdza się jej stężenie we krwi co trzydzie-

ści minut. Ten test jest bardzo pomocny dla kobiet w ciąży, ponieważ w tych przypadkach jest szczególnie ważne, aby utrzymywać prawidłowe stężenie glukozy we krwi (→ Ciąża, s. 531).

### Jak sobie pomóc

W pewnym stopniu pomocne mogą być tzw. naturalne środki lecznicze przepisane przez lekarza.

### Leczenie cukrzycy

Leczenie cukrzycy obejmuje:

— stosowanie diety cukrzycowej, bogatoresztkowej,

— uprawianie odpowiednich ćwiczeń fizycznych (leczenie ruchem),

— kontrolę stężenia glukozy we krwi i jej zawartości w moczu,

— w niektórych przypadkach dodatkowo stosowanie tzw. doustnych leków przeciwcukrzycowych,

— w niektórych przypadkach stosowanie insuliny.

*Szkolenie chorych na cukrzycę*

Chorzy na cukrzycę powinni jeszcze raz stać się uczniami. Większość z nich musi się nauczyć zupełnie nowego rodzaju odżywiania. Poza tym muszą wiedzieć, jak przyjmować doustne leki przeciwcukrzycowe, jak podawać sobie insulinę, a przede wszystkim jak przeprowadzać konieczne kontrole. Trudno nauczyć się tego z książek czy w czasie krótkiej wizyty u lekarza.

Dla obu typów cukrzycy istnieją odpowiednie programy edukacyjne. Niektóre szpitale i kliniki diabetologiczne prowadzą specjalne kursy szkoleniowe.

Informacje na ten temat można uzyskać w specjalistycznych poradniach przeciwcukrzycowych.

### Leczenie ruchem

Zależności w leczeniu cukrzycy są proste: dużo ruchu — mało leków, mało ruchu — dużo leków. Przez pojęcie ruchu należy rozumieć: uprawianie ćwiczeń co najmniej trzy razy w tygodniu przez trzydzieści minut z natężeniem powodującym wyraźne pocenie się. Zalecanymi rodzajami sportu są: biegi, jazda na rowerze, pływanie, biegi narciarskie, ale także na przykład uprawianie ogródka lub mycie podłogi.

### Leczenie dietetyczne

Podstawowe zasady leczenia dietetycznego zależą od tego, czy dotyczą chorego na cukrzycę typu II z nadwagą lub z prawidłową masą ciała, czy chorego, który musi wstrzykiwać sobie insulinę. U chorego na cukrzycę typu II z nadwagą zachowane jest wytwarzanie insuliny, ale istniejąca nadwaga uniemożliwia prawidłowe działanie tego hormonu. Jeżeli taki chory znormalizuje masę ciała (schudnie), ilość insuliny produkowanej przez jego własną trzustkę może okazać się zupełnie wystarczająca. W tym przypadku leczenie dietetyczne oznacza: pozbycie się nadwagi, spożywanie w ciągu dnia kilku małych posiłków, składających się głównie z pokarmów bogatoresztkowych.

Chorzy na cukrzycę typu II z prawidłową masą ciała powinni się odżywiać w taki sposób, aby wystarczyła im zmniejszona ilość insuliny, produkowana jeszcze przez ich trzustkę.

## Węglowodany dozwolone bez ograniczenia spożycia

Wszystkie rodzaje warzyw i orzechów z wyjątkiem ziemniaków i kukurydzy.

## Węglowodany dozwolone z uwzględnieniem jednostek węglowodanowych

W zależności od rodzaju węglowodanów poszczególne produkty spożywcze zwiększają stężenie glukozy z różną szybkością:
— szybciej: cukier słodowy, purée ziemniaczane, pieczone ziemniaki, miód, ryż, płatki kukurydziane, coca-cola,
— umiarkowanie: chleb, ciasto, müsli, budyń, piwo, płatki owsiane, banany, kukurydza, ziemniaki, cukier spożywczy używany w gospodarstwie domowym, soki owocowe,
— wolniej: mleko, jogurt, owoce, makaron, lody.

Zapobieganie zbyt dużym wahaniom stężenia glukozy we krwi wymaga przestrzegania następujących zasad dietetycznych:
— spożywanie pokarmów bogatoresztkowych (→ s. 708),
— unikanie czystego cukru i innych węglowodanów, po spożyciu których stężenie glukozy we krwi szybko wzrasta (→ s. 708),
— jedzenie kilku małych posiłków w ciągu dnia.

Chorzy na cukrzycę leczeni insuliną muszą dostosowywać dawki insuliny do spożywanych posiłków. Ponieważ wzrost stężenia glukozy we krwi powodują przede wszystkim pokarmy zawierające węglowodany, ten składnik pożywienia wymaga szczególnej uwagi. W zależności od wielkości zapotrzebowania na insulinę potrzebną do ich przyswojenia przez organizm, węglowodany dzieli się na tzw. dozwolone bez ograniczenia spożycia bądź z uwzględnieniem jednostek węglowodanowych.

Szybkość zwiększenia stężenia glukozy we krwi po posiłku zależy nie tylko od rodzaju węglowodanów. Decydująca jest szybkość wchłaniania składników pokarmowych z jelita do krwi. Na przykład tłuszcz zwalnia wchłanianie.

### Jednostka chlebowa

W utrzymaniu równowagi pomiędzy ilością spożywanych węglowodanów i dawką insuliny warto posługiwać się „wymiennikiem węglowodanowym" (WW) lub „jednostką chlebową" (JCh). 1 WW odpowiada dwunastu gramom węglowodanów. Jest to w przybliżeniu pół bułki, pół kromki chleba, pół banana lub jedna mała gruszka. Nie jest to dokładna miara masy, lecz stosowane w celach praktycznych przybliżenie. Omawiane pojęcie zostało wprowadzone, aby chorym leczonym insuliną ułatwić urozmaicenie diety. Każda porcja pokarmu zawierająca 12 gramów węglowodanów może być zastąpiona innym produktem spożywczym zawierającym taką samą ilość węglowodanów.

Ilość jednostek chlebowych, jaką powinni spożywać chorzy leczeni insuliną, zależy od masy ciała oraz zapotrzebowania kalorycznego związanego z wykonywaną pracą. Również chorzy zażywający doustne leki przeciwcukrzycowe powinni spożywać określoną ilość jednostek chlebowych. Pozwala to na uniknięcie stanu „niedocukrzenia" (hipoglikemii).

### Napoje alkoholowe

Spożycie alkoholu przez chorego na cukrzycę może wywołać wystąpienie niedocukrzenia krwi (→ s. 456). Dwa kieliszki „dozwolonego" alkoholu nie będą jednak szkodliwe. Alkoholami „dozwolonymi" są: winiaki, wódki czyste, wódki owocowe, koniaki, whisky, wytrawne wina i szampany, jedna szklanka piwa. Najlepiej wypijać kieliszek alkoholu podczas głównego posiłku.

*Warto wiedzieć*
— Wino z żółtą pieczątką zawiera mniej niż dziesięć gramów cukru w litrze. Wina zawierające mniej niż cztery gramy cukru mogą być znakowane jako „dozwolone dla chorych na cukrzycę".
— „Wino musujące dla chorych na cukrzycę" może zawierać w litrze najwyżej dwa gramy cukru lub 40 gramów innych substancji słodzących.
— Niedozwolone jest spożywanie dużych ilości piwa oraz takich napojów zawierających cukier, jak likiery, słodkie wina oraz inne wina niewytrawne (przede wszystkim z późnego winobrania) i większość szampanów.
— Wszystkie szampany, także wytrawne („trocken", „brut", lub „dry") mogą zawierać duże ilości cukru.
— Należy zachować ostrożność przy spożyciu „piwa dozwolonego dla chorych na cukrzycę", ponieważ niektóre z nich zawierają dużo alkoholu.

Namiastki cukru → s. 721; dieta cukrzycowa → s. 726.

### Leczenie doustnymi środkami przeciwcukrzycowymi (tabletkami)

Doustne leki przeciwcukrzycowe działają tylko w przypadku, kiedy trzustka jeszcze jest w stanie produkować insulinę. Leki te nie są jednak w stanie równoważyć grzechów dietetycznych! Ich przyjmowanie ma sens wówczas, gdy choroba powoduje dolegliwości oraz:
— twoja masa ciała jest prawidłowa lub nieco tylko przekroczona (3 do 5 kg),
— systematycznie uprawiasz ćwiczenia,
— tabletki doprowadzają do normalizacji stężenia glukozy we krwi w ciągu dwóch tygodni.

Z powyższego wynika, że tabletki przeciwcukrzycowe powinna przyjmować mniej niż jedna trzecia chorych na cukrzycę. Praktyka wskazuje jednak na coś innego. Doustne leki przeciwcukrzycowe zapisywane są prawie każdemu choremu na cukrzycę, który nie jest leczony insuliną. Leczenie tabletkami powinno zaczynać się od pochodnych sulfonylomocznika. Ich dużą wadą jest to, że u chorych z już istniejącą nadwagą powodują dodatkowe zwiększenie masy ciała. Ponadto mogą powodować niedocukrzenie krwi (→ s. 456). Leki drugiej grupy

## Tabela „wymienników" węglowodanowych

1 jednostkę chlebową (=12 g węglowodanów) zawiera na przykład:

*Pieczywo*

| | |
|---|---|
| 25 g bułki | 25 g chleba pszennego |
| 35 g chleba żytniego | 15 g pieczywa chrupkiego |
| 35 g chleba razowego | 25 g pumpernikla |
| 25 g chleba tostowego (grzanki) | 20 g sucharów |

*Kasze*

| | |
|---|---|
| 5 g kaszy jaglanej | 15 g prosa |
| 20 g płatków owsianych | 15 g ryżu |
| 20 g kaszy owsianej | 15 g grysiku |

*Mąka*

| | |
|---|---|
| 15 g mąki pszennej | 15 g proszku budyniowego |
| 15 g bułki tartej | 15 g kaszy palmowej (sago) |
| 15 g mąki ziemn. | 45 g mąki sojowej |

*Ziemniaki i przetwory ziemniaczane*

| | |
|---|---|
| 760 g ziemniaków | 15 g płatków ziemn. |
| 40 g frytek | 15 g klusek ziemn. |

*Ciasta*

15 g makaronu

*Mleko i jego przetwory*

| | |
|---|---|
| 250 g mleka pełno-tłustego | 250 g zsiadłego mleka |
| | 300 g maślanki |
| 250 g mleka chudego | 250 g jogurtu |

*Owoce (ważone ze skórką i pestkami)*

| | |
|---|---|
| 90 g ananasa (świeżego) | 100 g wiśni |
| 100 g jabłek | 110 g kiwi |
| 110 g moreli | 170 g mandarynek |
| 90 g bananów | 90 g mirabelek |
| 90 g gruszek | 120 g nektarynek |
| 140 g jeżyn | 170 g pomarańczy |
| 90 g czarnej jagody | 190 g grejpfrutów |
| 160 g truskawek | 120 g brusznic |
| 80 g fig (świeżych) | 80 g pigwy |
| 150 g malin | 80 g renklody |
| 300 g melona | 140 g agrestu |
| 140 g porzeczek | 400 g arbuza |

*Soki owocowe*

| | |
|---|---|
| 100 g soku jabłkowego | 130 g soku pomarańczowego |
| 130 g soku grejpfrutowego | |

*Różne*

| | |
|---|---|
| 25 g chipsów | 25 g ziarna pszenicy |
| 20 g krakersów | |

— biguanidy lekarz przepisuje tylko w wyjątkowych przypadkach ze względu na ich działanie uboczne.

Akarboza (Glucobay) hamuje wchłanianie spożytych węglowodanów już w górnym odcinku przewodu pokarmowego. Przez to powoduje spłaszczenie tzw. krzywej cukrowej. Ze względu na swoje działanie niepożądane — silne wzdęcia, bóle brzucha i biegunki — leki te są tolerowane tylko przez nielicznych chorych na cukrzycę.

### Leczenie insuliną

Zastrzyki insuliny stają się konieczne, kiedy:
— organizm nie produkuje wcale lub prawie wcale własnej insuliny,
— wystąpiły poważne zaburzenia przemiany materii objawiające się obecnością acetonu w moczu lub istnieje duże ryzyko wystąpienia takich zaburzeń.

Leczenie insuliną jest konieczne również wtedy, gdy pomimo prawidłowej masy ciała, wystarczającej aktywności fizycznej i odpowiedniej diety cukrzycowej stężenie cukru we krwi jest podwyższone i:
— masz mniej niż sześćdziesiąt lat,
— zażywane doustne leki przeciwcukrzycowe po dwóch tygodniach nie obniżyły stężenia glukozy we krwi lub obniżyły je w znikomym stopniu,
— masz uszkodzoną wątrobę lub/i nerki,
— jesteś w ciąży.

U niektórych chorych na cukrzycę typu dorosłych stosuje się leczenie równocześnie insuliną i doustnymi lekami przeciwcukrzycowymi.

*Dwa rodzaje leczenia insuliną*

*Klasyczna („sztywna") insulinoterapia*: Wszystko wytłumaczy ci lekarz: ile jednostek insuliny, jak często robić zastrzyki, ile razy dziennie i kiedy powinieneś przyjmować posiłki. Musisz jedynie kontrolować cukier we krwi i w moczu oraz regularnie chodzić do lekarza. Musisz pamiętać, że ta forma leczenia insuliną czyni cię bardzo zależnym od lekarza.

*Intensywna insulinoterapia*: Polega na tym, że możesz się nauczyć na odpowiednich kursach, w jaki sposób samemu ustalać dawkę insuliny zależnie od czasu i rodzaju posiłku, aktywności fizycznej czy obecności choroby. Ponadto wstrzykujesz trzy do pięciu razy różne rodzaje insuliny albo podawane oddzielnie, albo zmieszane razem. Musisz przynajmniej cztery razy w ciągu dnia sprawdzać stężenie glukozy we krwi. W ten sposób znacznie uniezależniasz się od opieki lekarza.

*Pióro insulinowe („pen")*

Strzykawki i igły wypierane są stopniowo przez tzw. pióra insulinowe (peny), używane już przez większość chorych na cukrzycę. Wyglądają jak zwykłe wieczne pióra. Zamiast atramentu posiadają pojemnik na insulinę, a zamiast stalówki — igłę. Miejscem wstrzyknięcia najczęściej jest brzuch lub udo. Podając zastrzyk, należy ująć skórę między dwa palce jednej ręki, tworząc odpowiedni fałd i wbić igłę drugą ręką pod kątem około 45°. Nie należy obawiać się zakażenia: nie ma konieczności odkażania skóry przed każdym zastrzykiem (wyjątkiem jest leczenie za pomocą pompy insulinowej).

## Przykłady jednostek chlebowych (JCh) w gotowych produktach

| | |
|---|---|
| 1 „Big Mac" 3 1/2 JCh | 1 placek ziemn. 1 JCh |
| 1 cheeseburger 2 1/2 JCh | 1 panierowany |
| 1 „hamburger" rybny 3 JCh | kotlet 2 JCh |
| 1 kluska drożdżowa 3 JCh | 2 krokiety 1 JCh |
| 100 g purée ziemnia- | 40 g frytek 1 JCh |
| czanego 1 JCh | 1 kluska z mąki |
| 1 kluska ziemniaczana 2 JCh | pszennej 2 JCh |

*Wady:*
— kłaczki w roztworze insuliny upośledzają mechanikę pióra;
— w razie przedostania się powietrza do aparatu nie uzyska się odpowiedniego wypływu insuliny przy próbie wstrzyknięcia;
— każda firma używa do swoich penów specjalnego rodzaju insuliny; w nagłym przypadku może to być niedogodne;
— jeżeli zachodzi konieczność użycia insuliny krótko i długo działającej, trzeba podawać je osobno.

*Pompa insulinowa*
Pompę wielkości pudełka do papierosów możesz nosić na pasku, w kieszeni spodni lub w innym dogodnym miejscu. Cienki przewód łączy pojemnik z insuliną w pompie z igłą wprowadzoną na stałe do tkanki tłuszczowej brzucha i przymocowanej na stałe przylepcem. Pompa „podaje" w krótkich odstępach czasu określoną, stałą ilość insuliny (ilość podstawowa). Jeżeli wymagana jest większa ilość insuliny (przy posiłku) należy wydać pompie „odpowiednie dyspozycje". Leczenie insuliną za pomocą pompy określone jest mianem tzw. intensywnej insulinoterapii.

*Zalety:*
— szczególnie wskazana dla osób z nieregularnym rytmem dobowym (np. praca zmianowa) oraz dla kobiet w ciąży.

## „Tabletki przeciwcukrzycowe" — pochodne sulfonylomocznika

| | |
|---|---|
| Euclamin | Gliklazid |
| Euglucon | Glimistada |
| Glibenclamid | Glipizide |
| Glibornuride | Gliquidon |

*Niepożądane działanie uboczne*: szczególnie w przypadku tabletek o przedłużonym działaniu istnieje niebezpieczeństwo niezauważalnego wystąpienia hipoglikemii (→ s. 456).
*Kontrola* (→ również s. 456): na początku leczenia codziennie dwie godziny po śniadaniu należy badać mocz specjalnymi paskami testowymi. Później wystarczy to badanie powtarzać dwa razy w tygodniu. Jeżeli przez trzy kolejne dni stwierdzisz obecność cukru w moczu, powinieneś pójść do lekarza. W razie przeziębienia lub innej ostrej choroby z gorączką lub wymiotami należy skontrolować mocz na obecność acetonu. W razie stwierdzenia jego obecności należy porozumieć się z lekarzem.

*Wady:*
— przewód łączący może się urwać lub zatkać;
— obecność igły może powodować dolegliwości, igła może się wysunąć z miejsca wkłucia;
— zamiast do tkanki, insulina może się przedostawać pod przylepiec;
— igła wprowadzona do tkanki podskórnej może wywoływać bóle lub odczyny zapalne;
— w miejscu wkłucia może pojawić się zaczerwienienie, obrzmienie lub stwardnienie;
— stajesz się zależny od rodzaju insuliny „przypisanej" do danego urządzenia;
— „odczuwanie protezy";
— pompa jest bardzo droga.

### Lektura uzupełniająca

DIETERLE P.: *Dieta dla cukrzyków*. Wydaw. J&BF, Warszawa 1997.
TATOŃ J.: *Cukrzyca. Poradnik dla pacjentów*. Wyd. 2, PZWL, Warszawa 1996.

*Różne rodzaje insuliny*
Rozróżnia się insuliny tzw. krótko działające i długo działające (insuliny o przedłużonym działaniu). Preparat insuliny długo działającej ma zapewnić stałą, podstawową ilość insuliny, jakiej organizm stale potrzebuje. Preparat insuliny krótko działającej służy do podawania przed posiłkiem, ponieważ wówczas organizm potrzebuje większych ilości insuliny. W preparatach przeznaczonych do użycia w strzykawkach 1 ml roztworu zawiera 40 lub 80 jednostek insuliny. Natomiast insulina do piór lub pompy produkowana jest w ilości 100 jednostek w 1 ml roztworu. Należy pamiętać, że możliwe są również inne stężenia insuliny w produkowanych przez różne firmy preparatach.

*Przechowywanie fiolek z insuliną*
Insulinę należy przechowywać w lodówce (nie w zamrażarce!). Fiolki używane na bieżąco mogą być przechowywane w temperaturze pokojowej. Nie należy używać insuliny przedatowanej. Może powodować odczyny alergiczne.

*Kontrola*
Należy kilka razy dziennie kontrolować cukier we krwi lub w moczu. Częstość i czas kontroli są indywidualne i powinny być każdorazowo ustalone przez lekarza. W czasie ostrych chorób należy sprawdzać również obecność acetonu.

### Leczenie transplantacją
Przeszczepianie całej trzustki lub izolowanych komórek wysp trzustkowych ciągle jest w okresie prób naukowych. Wyniki ciągle jeszcze nie są przekonywające.

### Kontrola
Chorzy na cukrzycę powinni sprawdzać „ustawienie" cukrzycy za pomocą tzw. pasków testowych.

*Cukier w moczu*
Godzinę lub dwie godziny po posiłku idź do toalety i przepłucz

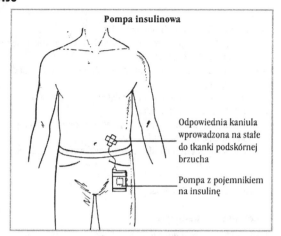

**Pompa insulinowa**

Odpowiednia kaniula wprowadzona na stałe do tkanki podskórnej brzucha

Pompa z pojemnikiem na insulinę

papierek testowy w strumieniu moczu. Zabarwi się w zależności od zawartości cukru. Na podstawie skali barw umieszczonej na opakowaniu możesz odczytać wynik. Jeżeli w ciągu trzech kolejnych dni zawartość cukru w moczu przekroczy 2%, powinieneś pomyśleć o przyczynie: przybór wagi? za mało ćwiczeń? choroba? leki?

Jeżeli nie jesteś w stanie sam ustalić przyczyny i jej wyeliminować, idź do lekarza.

*Aceton (ciała ketonowe) w moczu*
Niebezpieczeństwo istnieje przy nagłym podwyższeniu stężenia glukozy we krwi lub stwierdzeniu dużego cukromoczu. Należy wówczas możliwie szybko zgłosić się do lekarza.

*Oznaczanie stężenia cukru we krwi*
Potrzebujesz do tego jedną kroplę krwi z opuszki palca lub płatka ucha. Uzyskuje się ją przez nakłucie igłą lub specjalnie do tego celu przeznaczonym nożykiem. Po pojawieniu się kropli krwi należy postępować zgodnie z podaną instrukcją. Zmianę zabarwienia papierka wskaźnikowego porównać ze skalą barw na opakowaniu.

*Przyrządy do pomiaru stężenia cukru*
Używając specjalnego glukotestu, unikasz korzystania ze skali barw. Otrzymujesz wynik od razu w odpowiednich jednostkach. W Polsce można kupić taki przyrząd w niektórych aptekach lub w stowarzyszeniach zrzeszających chorych na cukrzycę.

Należy pamiętać, że bardzo niskie lub bardzo wysokie wartości glikemii są przez ten przyrząd mierzone niedokładnie.

## Rady „oszczędnościowe" dla chorych

Paski testowe można przeciąć wzdłuż żyletką lub nożyczkami, uzyskując dwa cieńsze. Wystarczy to na dwa razy dłużej, potrzebujesz wówczas dwa razy mniej krwi. Dokładność wyników pozostaje niezmieniona. Dla użytkowników pomp insulinowych: pompy i oprzyrządowanie mniej znanych producentów są tańsze, a nie są gorsze od produkowanych przez duże i renomowane firmy.

---

**Paski do oznaczania cukru w moczu**

| | |
|---|---|
| Diabur test 5000 | Glucotest |
| Diastix | Tes Tape |

**Paski do oznaczania acetonu w moczu**

| | |
|---|---|
| Ketostix | Ketur-test |

**Paski do oznaczania cukru i acetonu w moczu**

| | |
|---|---|
| Keto-Diabur 5000 | Keto-Diastix |

**Paski do oznaczania cukru w osoczu krwi**

| | |
|---|---|
| GA-Test | Haxmo-Glucotest 20-80 R |
| Glucostix | Visidex I. |

**Nożyki do nakłucia palca**

| | |
|---|---|
| Autoclix | Autolet |
| Auto-Lancet | Glucolet |

**Wskazówki**
Najmniej bolesne jest ukłucie w boczną powierzchnię opuszki palca. Jeżeli palec jest chłodny, z opuszki ciekłie niewiele krwi. Przed nakłuciem powinieneś potrzeć palec. W przypadku nakłucia płatka małżowiny usznej, „następnym razem" wystarczy jedynie zdrapać stary strupek. Dla uzyskania kilku kropel krwi nie trzeba nowego nakłucia.

### Kontrole lekarskie
Ich częstość ustala lekarz. Dobrym sposobem sprawdzenia skuteczności leczenia cukrzycy jest oznaczanie tzw. hemoglobiny glykowanej (Hb $A_{1c}$). Ten parametr pozwala na wnioskowanie o stężeniu cukru we krwi przez ostatnie trzy miesiące przed badaniem.

Należy pamiętać, że wyniki wszystkich badań należy porównywać z właściwymi dla nich normami. Normy te mogą być bowiem różne, w zależności od stosowanej metody.

O właściwym leczeniu cukrzycy świadczą wartości HbA1c pomiędzy 6,5 i 7,5%.

W czasie każdej wizyty u lekarza należy sprawdzić ciśnienie tętnicze krwi i masę ciała.

Przynajmniej raz w roku lekarz przeprowadza następujące badania:
— badanie ogólne moczu (m.in. zawartość białka w moczu, → s. 605);
— badania krwi (m.in. kreatynina → s. 603, stężenie lipidów w surowicy krwi → s. 602);
— elektrokardiogram (→ EKG, s. 607);
— badanie neurologiczne kończyn dolnych (np. test z użyciem widełek stroikowych); w ten sposób lekarz sprawdza stopień uszkodzenia nerwów obwodowych;
— badanie tętna na stopie;
— badanie okulistyczne: badanie dna oka, pomiar ciśnienia śródgałkowego, określenie ostrości wzroku.

Kiedy pojawią się określone powikłania, wymienione badania powinny stać się częstsze niż przed ich wystąpieniem.

### Powikłania leczenia cukrzycy: niedocukrzenie (hipoglikemia)
Wystąpienie niedocukrzenia jest sygnałem, że stosowane le-

czenie cukrzycy nie jest w pełni właściwe. Pojawia się wtedy, gdy ilość insuliny we krwi wzrasta w sposób przekraczający zapotrzebowanie. Może to być wynikiem przedawkowania samej insuliny lub doustnych leków przeciwcukrzycowych. Niewielkie, szybko opanowane niedocukrzenie nie powoduje żadnych powikłań. Znaczna, szczególnie dłużej trwająca hipoglikemia może prowadzić do trwałego uszkodzenia mózgu.

*Objawy niedocukrzenia*
— wzmożona potliwość,
— niepokój wewnętrzny, drżenie rąk, „miękkie" kolana, kołatanie serca,
— wzmożona drażliwość,
— bóle głowy,
— uczucie głodu („wilczy głód"),
— zaburzenia koncentracji,
— zmęczenie,
— zaburzenia snu,
— zaburzenia widzenia,
— agresywność.

Przy braku natychmiastowego leczenia dochodzi do drgawek i utraty przytomności.

*Co robić?*
W razie pierwszych objawów wskazujących na niedocukrzenie należy zjeść 10 do 20 gramów cukru gronowego lub wypić 200 ml soku owocowego. Powinieneś zawsze mieć cukier w kostkach w zasięgu ręki: w kieszeni marynarki, spodni, w samochodzie, w szafce nocnej.

Następnie spożyj jeszcze dwie jednostki chlebowe (chleb, owoce, czekoladę lub podobny posiłek). Po opanowaniu objawów niedocukrzenia należy spróbować ustalić, jak mogło do niego dojść. Przyczynami niedocukrzenia mogą być:
— podanie zbyt dużej ilości insuliny (nieprawidłowe dawkowanie doustnych leków przeciwcukrzycowych),
— niedostatecznie obfity posiłek,
— nieprzewidziany wysiłek fizyczny,
— nadużycie alkoholu,
— wymioty lub biegunka,
— kuracja odchudzająca,
— dodatkowe leki obniżające stężenie glukozy we krwi.

*Postępowanie w przypadku doraźnej potrzeby*
Chorzy na cukrzycę powinni stale nosić przy sobie „ekwipunek wypadkowy". Powinieneś poinformować krewnych, kolegów w pracy i znajomych, że jesteś chory na cukrzycę, „bierzesz" insulinę oraz jak można ci pomóc w razie niedocukrzenia krwi. Staraj się wyjaśnić otoczeniu:
— na czym polegają objawy niedocukrzenia;
— gdzie nosisz przy sobie zapas cukru i ewentualnie glukagon;
— że należy ci podać cukier wówczas, gdy zauważą twoje dziwne zachowanie, występujące bez uchwytnej przyczyny. Powyższa wskazówka jest szczególnie aktualna, jeżeli spotykają się z twojej strony z agresywnym sprzeciwem (niedocukrzenie może powodować agresję);

— najbardziej prawdopodobną przyczyną utraty przytomności jest u ciebie niedocukrzenie krwi;
— co należy robić w przypadku utraty przytomności.

Pamiętaj, aby odpowiednio wcześnie nauczyć swoich najbliższych, jak podawać najbardziej konieczne leki.

*Postępowanie w stanach najwyższego zagrożenia:*
*glukagon*
Glukagon „poleca" wątrobie uruchomienie wszystkich jej rezerw glukozy. Oryginalne opakowania glukagonu jako leku zawierają: strzykawkę z igłą, ampułkę z wodą, ampułkę z proszkiem.

## Niedostateczne leczenie cukrzycy: wysoki poziom cukru (hiperglikemia)
Regularna kontrola cukru we krwi i w moczu zapobiega niezauważalnemu wzrostowi glikemii. Hiperglikemia uszkadza wszystkie narządy i może być przyczyną różnych powikłań. Poza tym każda utrata przytomności spowodowana przez hiperglikemię jest przyczyną obumierania komórek mózgowych.

Objawy hiperglikemii są takie same jak dolegliwości podane na stronie 449.

*Co robić?*
Natychmiast zbadać mocz pod kątem obecności cukru i acetonu. W razie bardzo wysokich wartości należy przestrzegać niżej podanych zaleceń. W każdym przypadku stwierdzenia hiperglikemii należy skontaktować się z lekarzem, który postara się ustalić przyczynę.

*Zalecenia dla chorych na cukrzycę, u których doszło do znacznego wzrostu stężenia cukru we krwi, a którzy nie są leczeni insuliną lub/i nie posiadają insuliny krótko działającej*
— jeżeli zawartość cukru w moczu przekracza 2%, należy dokonywać pomiaru cukromoczu trzy razy dziennie;
— jeżeli przez trzy kolejne dni cukromocz przewyższa 3% lub stwierdza się znaczny cukromocz i znaczną acetonurię (obecność acetonu w moczu), natychmiast zgłosić się do lekarza;
— do tego czasu dużo pić (gorzka herbata, woda mineralna).

*Zalecenia w przypadku znacznej hiperglikemii u chorych na cukrzycę, którzy posiadają preparaty insuliny krótko działającej*
Jeżeli doszło do znacznego zwiększenia stężenia cukru we krwi lub zawartość cukru w moczu przekracza 2% i towarzyszy mu acetonuria:
— podać insulinę krótko działającą w dawce około 20% stosowanej dotychczas dawki dziennej; dużo pić;
— po dwóch godzinach zbadać cukier we krwi i aceton w moczu; jeżeli obie wartości dalej pozostają wysokie, jeszcze raz podać taką samą dawkę insuliny;
— po następnych dwóch godzinach ponownie wykonać te same badania; jeżeli stężenie cukru we krwi jest niższe niż 240 mg%, ale stwierdza się nadal znaczną ilość acetonu w moczu, jeszcze raz podać insulinę w dawce o połowę mniejszej niż przy pierwszym podaniu;

— stężenie cukru we krwi poniżej 180 mg%: dużo pić, spożyć posiłek w ilości odpowiadającej dwóm jednostkom chlebowym.

## Leczenie powikłań

Najważniejszą zasadą leczenia powikłań cukrzycy jest utrzymywanie stężenia cukru we krwi poniżej 150 mg% (średnio w ciągu dnia). Poza tym należy przestrzegać wskazówek zawartych w punkcie zapobieganie (→ s. 451).

*Uszkodzenie dużych naczyń*
Pierwszą i najważniejszą zasadą jest zaprzestanie palenia tytoniu (→ Zaprzestać palić, s. 740). Zobacz także Leczenie zaburzeń przepływu krwi, s. 310.

*Uszkodzenie nerwów*
Nie ma skutecznego sposobu leczenia uszkodzenia nerwów w cukrzycy (neuropatii cukrzycowej).

*Uszkodzenie nerek*
W razie wystąpienia objawów uszkodzenia nerek należy dążyć do utrzymania wartości ciśnienia tętniczego poniżej 120/80 mm Hg. Takie postępowanie może zwolnić szybkość rozwoju nefropatii.

W przypadku rozwoju przewlekłej niewydolności nerek u chorych na cukrzycę poniżej czterdziestego piątego roku życia należy rozważyć transplantację obcej nerki (→ Niewydolność nerek, s. 397). U chorych w wieku powyżej sześćdziesięciu pięciu lat zaleca się raczej leczenie dializą (Dializa, → Niewydolność nerek, s. 397) kilka razy w tygodniu. Jeżeli masz od czterdziestu pięciu do sześćdziesięciu pięciu lat, sposób leczenia zależy od stanu twoich dużych naczyń krwionośnych oraz od obecności powikłań cukrzycy.

*Uszkodzenie oczu*
Zmienione chorobowo obszary siatkówki można niszczyć za pomocą promieni laserowych (→ Odwarstwienie siatkówki, s. 239). Takie postępowanie nie poprawia wprawdzie wzroku, może jednak zapobiegać rozwojowi zmian. Chorzy na cukrzycę w młodym wieku powinni być leczeni „nożem laserowym" jak najszybciej po stwierdzeniu patologicznego rozrostu („bujania") naczyń. W przypadku chorych w starszym wieku można z laseroterapią czekać do momentu, kiedy badanie kontrolne wykaże pogorszenie stanu siatkówki.

W razie krwawień do ciała szklistego usuwa się cały ten narząd z wszystkimi zmienionymi chorobowo tkankami (vitrektomia). Operacja nie daje wprawdzie gwarancji polepszenia wzroku, jednak przynajmniej może opóźnić wystąpienie całkowitej ślepoty. Niestety, po wykonanym zabiegu krwawienia często się powtarzają.

W przypadkach krańcowych należy się liczyć z całkowitą lub prawie całkowitą utratą wzroku (→ Utrata wzroku, s. 240). Jeżeli dojdzie do całkowitego zmętnienia soczewki, można ją usunąć operacyjnie (→ Zaćma, katarakta, s. 235).

*Niemoc płciowa (impotencja)*
Leczenie → s. 508.

---

## Opanowanie niedocukrzenia (hipoglikemii)

*Środki spożywcze odpowiednie w leczeniu niedocukrzenia*
Dwie kostki cukru gronowego (odpowiadają 1 JCh), sok owocowy, lemoniada, rodzynki, keksy.

*Mniej odpowiednie*
Czekolada i inne słodycze zawierające tłuszcz.

*„Wyposażenie wypadkowe" chorych na cukrzycę zażywających leki przeciwcukrzycowe*
Kilka kostek cukru gronowego.

*„Wyposażenie wypadkowe" chorych na cukrzycę leczonych insuliną*
Paski do oznaczania glukozy we krwi, kilka kostek cukru gronowego; jedno opakowanie glukagonu (kontrolować datę ważności!); przynajmniej 2 JCh jako dodatkowa rezerwa kalorii (np. rodzynki, czekolada, sok w kartonie).

*Pomoc dla nieprzytomnego chorego na cukrzycę*
Udrożnić drogi oddechowe (usunąć resztki pokarmu i protezę zębową z ust). Ułożyć na boku, jeżeli możliwe, zmierzyć stężenie glukozy we krwi.
Podać glukagon. Jeżeli nie masz glukagonu, wezwij lekarza! W tym czasie włóż kostkę cukru między policzek a dziąsło i uciśnij palcem.
*Osobom nieprzytomnym nie wolno wlewać płynu do ust!*
Jeżeli 10 minut po podaniu glukagonu chory nie odzyskuje przytomności, zadzwoń po lekarza!
Po odzyskaniu przytomności zjeść jeszcze 2 JCh.

*Podanie glukagonu*
— zdjąć ochraniacz z igły;
— przebić igłą gumowy korek zamykający ampułkę z wodą i naciągnąć strzykawkę;
— przebić igłą korek następnej buteleczki i wstrzyknąć wodę do fiolki z suchą substancją;
— wstrząsać fiolką aż do rozpuszczenia całości proszku;
— nabrać gotowy roztwór do strzykawki; igła musi pozostawać cały czas w roztworze, w przeciwnym razie do strzykawki dostanie się powietrze;
— wbić igłę w skórę uda, pośladka lub brzucha i powoli naciskać tłok strzykawki; w nagłym przypadku możesz wbić igłę przez koszulę lub spodnie.

---

*Leczenie zranień zewnętrznych*
Każda rana, która
— nie zaczyna się goić w ciągu tygodnia,
— powoduje zaczerwienienie otaczającej skóry,
— charakteryzuje się żółtawą lub zielonkawą wydzieliną, wymaga zdecydowanie kontroli lekarskiej.

Leczenie owrzodzenia stopy polega na spoczynku i niskim ułożeniu chorej nogi. Wskazane jest jej ułożenie na miękkiej poduszce, aby uniknąć nadmiernego ucisku i powstania odleżyny. Rana powinna być przemywana odpowiednimi płynami odkażającymi (dezynfekcyjnymi). Czasami zachodzi konieczność przyjmowania antybiotyków (doustnie, domięśniowo lub dożylnie).

## Życie codzienne chorych na cukrzycę

Chorzy na cukrzycę i rodzice dzieci chorych na cukrzycę są narażeni na różne stresy życia codziennego, podobnie jak osoby zdrowe. Czasami piętrzące się problemy wydają się nie do rozwiązania. Pamiętaj jednak, że ze swoimi sprawami nie jesteś na świecie sam. Prawie w każdym mieście działają grupy samopomocy chorym na cukrzycę. W Polsce istnieje Stowarzyszenie Chorych na Cukrzycę. Adres Towarzystwa i zakres pomocy, jaką możesz uzyskać, otrzymasz w „swojej" poradni cukrzycowej.

Przewlekle chorzy wymagają często kwalifikowanej pomocy psychologicznej. Jak jej szukać → Poradnictwo i psychoterapia, s. 670.

### W pracy zawodowej

Niebezpieczeństwo wystąpienia niedocukrzenia (i w konsekwencji utraty przytomności) powoduje, że wiele prac jest dla chorych na cukrzycę zabronionych. Należą do nich: praca przy wirujących częściach, przy prasie, wtryskarce, walcu, wielkim piecu, a także przy obsłudze urządzeń znajdujących się pod napięciem elektrycznym. Nie możesz pracować jako dekarz, kominiarz, murarz, tynkarz (praca na rusztowaniu), policjant, żołnierz, strażnik graniczny, strażak, taksówkarz, kierowca autobusu oraz pilot.

Wymienione wyżej ograniczenia dotyczące prac i zawodów są powodowane wymogami zachowania bezpieczeństwa samych chorych i ich otoczenia. Ze względu na konieczność przestrzegania dużej samodyscypliny przez chorych na cukrzycę przeciwwskazane są takie zawody jak: kucharz, piekarz, cukiernik, restaurator.

W niektórych zawodach trudno jest chorym na cukrzycę pogodzić wymagania stawiane w leczeniu cukrzycy z dyspozycyjnością w pracy zawodowej. Nie znaczy to, że te zawody są zabronione. Należy jednak wziąć pod uwagę, że praca „na akord" może przeszkadzać w przestrzeganiu regularnego przyjmowania posiłków.

Praca zmianowa, szczególnie nocna, znacznie utrudnia odpowiednie dawkowanie insuliny. W tym przypadku pomocne może być użycie pompy insulinowej (→ s. 456). Z powodu wszystkich wymienionych zastrzeżeń wybór zawodu i miejsca pracy dla chorego na cukrzycę należy każdorazowo konsultować z lekarzem. Przy przyjmowaniu do pracy pracodawca wymaga zwykle od pracownika zaświadczenia lekarskiego o stanie zdrowia.

Cukrzyca zwalnia od służby wojskowej.

### Bezrobocie

Chorzy na cukrzycę są zwykle zawodowo czynni. Badania niemieckie wykazują, że w populacji chorych na cukrzycę jest 12,7% bezrobotnych, podczas gdy dla normalnej populacji wskaźnik ten wynosi 10,7%. Wielu pracodawców niechętnie zatrudnia chorych na cukrzycę, sądząc, że częściej niż inni będą korzystać ze zwolnień lekarskich. To fałszywe przekonanie jest

pozostałością czasów, w których chorzy na cukrzycę byli gorzej przygotowani do zawodu i gorzej pracowali.

Według aktualnych statystyk w zawodach wysoko kwalifikowanych chorzy na cukrzycę są nieobecni w pracy z powodu choroby 6,3 dnia, podczas gdy pozostali pracownicy 6,8 dnia w ciągu roku. Chorzy na cukrzycę (po odpowiedniej edukacji) nie wymagają ani częstszych, ani dłuższych pobytów w szpitalu niż osoby zdrowe.

Informacje i porady na temat zatrudnienia możesz otrzymać w Poradni Cukrzycowej lub w siedzibie Stowarzyszenia Chorych na Cukrzycę.

### W podróży

— powinieneś zabrać ze sobą pełne zabezpieczenie lekowe potrzebne choremu na cukrzycę;
— w przypadku wyjazdów za granicę koniecznie zabierz zaświadczenie o chorobie (legitymację?); pomoże ci to wytłumaczyć celnikowi na granicy, że strzykawki i igły, które ze sobą przewozisz, służą tylko do leczenia insuliną (a nie np. do podawania narkotyków);
— w przypadku lotów samolotem wszystkie niezbędne leki należy zabrać ze sobą jako ręczny bagaż;
— w przypadku podróży samochodem w lecie w czasie jazdy fiolkę z insuliną przechowywać w cieniu pod siedzeniem; jeżeli zostawiasz samochód w słońcu, insulina powinna znajdować się w pojemniku z lodem.

### Chorzy na cukrzycę jako kierowcy

Ogólne zasady zachowania podczas prowadzenia samochodu obowiązują zarówno chorych na cukrzycę typu I, jak i typu II.

Obowiązkiem każdego chorego na cukrzycę jest niedopuszczenie do niedocukrzenia w czasie prowadzenia samochodu. W praktyce oznacza to, że bezpośrednio przed każdą podróżą chory powinien sprawdzić stężenie glukozy we krwi. Ogólne zasady są następujące:
— nie wyjeżdżaj nigdy z pustym żołądkiem;
— nie wyjeżdżaj nigdy, jeżeli nie czujesz się zupełnie zdrów;
— odpowiednie wyposażenie (leki, strzykawki; → powyżej) powinieneś mieć zawsze w zasięgu ręki;
— w razie najmniejszych objawów niedocukrzenia natychmiast zjedź na pobocze i zatrzymaj się;
— w czasie jazdy nie pal i nie pij żadnego alkoholu;
— co sześć miesięcy kontroluj ostrość wzroku.

Powinieneś zrezygnować z prowadzenia samochodu, gdy:
— cukrzyca staje się trudna do uregulowania i często pojawiają się różne zaburzenia metaboliczne;
— cukrzyca doprowadziła do znacznego uszkodzenia serca;
— lekarz stwierdził zaawansowane zmiany miażdżycowe w naczyniach mózgowych.

Poza tym
— w czasie pierwszych trzech miesięcy leczenia insuliną, ponieważ z jednej strony należy oczekiwać zmian w ostrości widzenia, z drugiej częstszego występowania stanów niedocukrzenia krwi.

Jeżeli jako chory na cukrzycę chcesz otrzymać prawo jazdy, musisz poddać się szczegółowemu badaniu, aby określić, czy stan twoich oczu pozwala na prowadzenie samochodu. Możesz sobie pomóc sam, przedstawiając prowadzony przez siebie zeszyt kontroli cukrzycy, udowadniając w ten sposób, że „panujesz" nad chorobą.

*Zapobieganie ciąży*

Jeżeli to jest możliwe z innych względów, kobiety chore na cukrzycę powinny stosować raczej mechaniczne środki zapobiegania ciąży (→ Zapobieganie ciąży, s. 515). Spirala jest wprawdzie dopuszczalna, ale nie może być stosowana u każdej kobiety (→ s. 519). U kobiet chorych na cukrzycę spirala powinna być tak założona, aby żadna nić nie wystawała na zewnątrz macicy. Zmniejsza to ryzyko zakażenia. Pigułki antykoncepcyjne są dodatkowym czynnikiem uszkadzającym naczynia krwionośne. Kobiety chore na cukrzycę nie powinny stosować doustnych środków antykoncepcyjnych w przypadku:
— wieku powyżej trzydziestu pięciu lat,
— powikłań naczyniowych,
— nadciśnienia,
— podwyższonych wartości lipidów we krwi,
— otyłości,
— palenia tytoniu.

Biorąc pod uwagę wszystkie wymienione zastrzeżenia, wydaje się, że najbardziej odpowiednie są tzw. minipigułki.

Pigułka taka powinna zawierać ograniczoną ilość hormonów, a więc nie więcej niż 30 mikrogramów estrogenów i nie więcej niż 1 miligram gestagenów.

*Ciąża*

Kobiety chore na cukrzycę powinny starannie zaplanować swoją ciążę. To znaczy, że należy możliwie już przed zajściem w ciążę:
— zastąpić doustne leki przeciwcukrzycowe insuliną,
— zastosować insulinę humanizowaną (ludzką),
— nauczyć się tzw. intensywnej insulinoterapii.

Utrzymanie stężenia cukru we krwi możliwie blisko wartości prawidłowych w czasie ciąży jest niezbędne dla zdrowia matki i dziecka. Osiągnięcie takich warunków możliwe jest przy co najmniej trzech wstrzyknięciach insuliny i pięciokrotnym oznaczaniu stężenia cukru we krwi w ciągu dnia. Ciąża u kobiet chorych na cukrzycę jest zawsze ciążą wysokiego ryzyka. Dlatego należy odpowiednio często odwiedzać lekarza.

---

## Środki antykoncepcyjne dozwolone dla kobiet chorych na cukrzycę

Minipigułki:

| | |
|---|---|
| Exlutona | Micronovum |
| Microlut | Mikro-30 Wyeth |

### Warunkowo dozwolone są pigułki z ograniczoną zawartością hormonów

| | |
|---|---|
| Femovan | Neorlest 21 |
| Gynovin | Ovranette |
| Marvelon | Ovysmen 1/30 |
| Microgynon | Stediril-30 |

---

Jedynie niżej wymienione okoliczności pozwalają na uniknięcie hospitalizacji w ciągu ostatnich czterech, a nawet ośmiu tygodni przed porodem:
— jesteś pewna, że w pełni panujesz nad objawami klinicznymi i laboratoryjnymi choroby,
— lekarz położnik sprawdzi 2-3 razy w tygodniu, że zdrowie twoje i dziecka nie jest zagrożone,
— w każdej chwili jest możliwy dojazd do szpitala.

Kobiety, które wcześniej udają się do szpitala, muszą się liczyć z tym, że co druga ciąża zakończy się cięciem cesarskim przed planowanym terminem. Lekarze, którzy zatrzymują w szpitalu jedynie kobiety ze szczególnie zagrożoną ciążą, decydują się na cięcie cesarskie u jednej czwartej wszystkich ciężarnych chorych na cukrzycę. Nie jest to postępowanie ze szkodą dla dziecka. Kobiety chore na cukrzycę mogą, a nawet powinny karmić piersią.

*Przewidywanie cukrzycy u dziecka*

Na podstawie obserwacji rodzin chorych na cukrzycę można wnioskować, że:
— jeżeli jedno z rodziców choruje na cukrzycę typu I, ryzyko wystąpienia cukrzycy u dziecka w ciągu całego życia wynosi niecałe 5%;
— jeżeli oboje rodzice chorują na cukrzycę typu I, ryzyko dla dziecka wynosi od 10 do 25%; dla rodzeństwa chorego na cukrzycę typu I ryzyko zachorowania wynosi 6-7%.

W przypadku cukrzycy typu II ryzyko rozwoju choroby u krewnych chorych na cukrzycę jest wielokrotnie większe. Na stronie 451 podano, w jaki sposób można zapobiegać rozwojowi choroby.

# TARCZYCA

Prawidłowo narząd ten jest niewidoczny i położony na wysokości krtani. W warunkach chorobowych tarczyca może się znacznie powiększyć do nienaturalnie dużych rozmiarów, tworząc na szyi tzw. wole. Tarczyca reguluje podstawową przemianę materii, czyli prędkość, z jaką komórki organizmu tworzą (z dostarczonego pokarmu) i przekształcają energię w warunkach spoczynku. Nadmiar hormonów tarczycy powoduje zwiększony, a ich niedobór — zmniejszony obrót energii, czyli przemianę materii. Tymi hormonami są: trójjodotyronina ($T_3$) i tyroksyna ($T_4$). Do powstania obu hormonów niezbędny jest jod. Jeżeli we krwi krąży zbyt mało hormonów tarczycy, następuje reakcja ze strony podwzgórza (→ s. 467). Podwzgórze działa na przysadkę (→ s. 467), indukując zwiększoną produkcję hormonu, który stymuluje powstawanie hormonów tarczycy. Do zaburzenia tego mechanizmu (tzw. sprzężenia zwrotnego) dochodzi w następujących okolicznościach:
— gruczoły wewnętrznego wydzielania w mózgowiu nie wytwarzają dostatecznej ilości hormonów stymulujących tarczycę; przy tym jest obojętne, którego z wymienionych wyżej gruczołów czynność jest zaburzona;
— tarczyca jest niezdolna do odpowiedzi na „rozkaz" pochodzący z wyższych ośrodków;

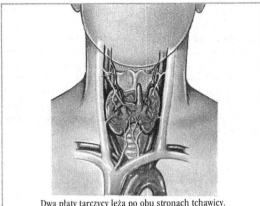

Dwa płaty tarczycy leżą po obu stronach tchawicy. Połączone są tzw. cieśnią

— brakuje jodu, który jest niezbędnym składnikiem obu wymienionych hormonów tarczycy.

We wszystkich trzech przypadkach dochodzi do niedoboru hormonów tarczycy w organizmie. Nadprodukcja tych hormonów jest prawie zawsze spowodowana przez samą tarczycę. Tarczyca jest miejscem powstawania jeszcze jednego hormonu — kalcytoniny. Wpływa ona na równowagę gospodarki wapniowej.

## Wole

Przez pojęcie „wole" określa się każde powiększenie tarczycy. Zwykle, mimo obecności wola, czynność endokrynna tarczycy jest zachowana. Najczęstszą przyczyną tego objawu jest niedobór jodu.

Wole jest widocznym sygnałem, że system regulacji produkcji i działania hormonów tarczycy został zaburzony. Może powstawać zarówno przy nadczynności (→ s. 463), jak i niedoczynności tarczycy (→ s. 462). Najczęściej jest wynikiem niedoboru jodu w organizmie.

### Dolegliwości

Powiększenie tarczycy w zasadzie nie powoduje żadnych dolegliwości. Dopiero kiedy dochodzi do znaczniejszego przerostu, widoczne staje się pogrubienie szyi, czasami pojawiają się wyczuwalne palcami guzki. Może dojść do zmiany barwy głosu, a także do zaburzeń oddychania.

### Przyczyny

*Wole spowodowane niedoborem jodu.* Niedobór jodu doprowadza do przerostu tarczycy zgodnie z prostą zasadą: więcej tkanki tarczycowej może produkować więcej hormonów. W ten sposób organizm próbuje nadrobić niedobór jodu. Zwykle jest to mechanizm stosunkowo skuteczny.

*Wole spowodowane nadmiernym spożyciem azotanów.* Znaczne dawki azotanów, dostarczane np. w wodzie pitnej, upośledzają wykorzystanie jodu przez tarczycę.

*Wole spowodowane niedoczynnością tarczycy.* Znajdujący się

w mózgowiu „czujnik" mierzący stężenie hormonów stwierdza stały niedobór hormonów tarczycy.

Skutkiem tego jest zwiększona produkcja TSH przez przysadkę. Hormon ten pobudza tarczycę do „uczynienia wszystkiego", aby zapewnić komórkom organizmu wystarczające ilości swoich hormonów.

### Ryzyko zachorowania

Szacunkowe wyliczenia wskazują, że w Niemczech od jednej trzeciej do połowy wszystkich mieszkańców otrzymuje niedostateczną dzienną dawkę jodu. Ocenia się, że wśród całej ziemskiej populacji około 1,5 miliarda ludzi jest zagrożonych chorobą z niedoboru jodu.

Z tego wyliczenia wynika, że u co drugiego chorego wole jest spowodowane niedoborem jodu. Również cała Polska jest objęta endemią wola na tle niedoboru jodu. Ustalono dwa różne obszary niedoboru jodu. Linia graniczna biegnie od Suwałk do Zgorzelca. Tereny na wschód i południe reprezentują umiarkowany poziom endemii wola, na północ i zachód — endemię lekką. Aktualnie nigdzie w Polsce nie stwierdzono endemii kretynizmu, co nadal ma miejsce w niektórych częściach Europy (na przykład na Sycylii, Sardynii, na obszarach Pirenejów i Alp).

Ryzyko zachorowania zwiększa się, kiedy:

— używana woda do picia oraz pożywienie zawierają mało jodu (→ Pierwiastki śladowe, s. 733); przypadki takie są szczególnie częste w regionach oddalonych od wybrzeży morskich;

— palisz papierosy;

— przyjmujesz różne leki.

### Możliwe następstwa i powikłania

W powiększonej tarczycy niektóre jej części mogą całkowicie zaniechać produkcji hormonów. Ponieważ te obszary nie chłoną jodu, na podstawie zapisu scyntygraficznego określa się je jako „guzki zimne". Guzkiem zimnym może być obszar nie chłonący jodu w obrębie torbieli, krwiaka, zwłóknienia, zeszkliwienia, zbliznowacenia bądź zwapnienia. W niektórych przypadkach z tego typu wola może rozwinąć się rak (→ Rak tarczycy, s. 466). Inne obszary gruczołu mogą stać się „guzkami gorącymi". Oznacza to, że produkcja hormonów tarczycy przez te obszary uniezależnia się od kontroli gruczołów znajdujących się w mózgowiu, a tym samym od potrzeb organizmu (→ Wole guzkowe nadczynne, s. 465).

Niedobór jodu u kobiet w ciąży jest szczególnie niebezpieczny dla płodu: zwiększa się częstość występowania wad wrodzonych; dochodzi do rozwoju wola u dziecka. Niedobór hormonów tarczycy upośledza rozwój psychiczny i umysłowy dziecka (→ Wrodzona niedoczynność tarczycy, s. 463).

### Zapobieganie

Niedoborowi jodu można zapobiegać, stosując pożywienie bogate w ten pierwiastek (→ Jodowana sól kuchenna, s. 727, → Pierwiastki śladowe, s. 733). Temu celowi służą również bogate w jod pasty do zębów oraz woda mineralna. Szczególnie dużo jodu zawiera, dostępna w aptekach, specjalnie suszona trawa morska. Należy zatroszczyć się o ograniczenie obciąże-

## Lekarstwa, które mogą ułatwić powstanie wola

— zawierające jod środki kontrastowe,
— zawierające jod środki dezynfekujące: Betaisodona, Braunol,
— środki przeciwbólowe: nowalgina, fenazon, amifenazon, fenylbutazan,
— sulfonamidy: Biseptol (Bactrim),
— pochodne sulfonylomocznika używane w leczeniu cukrzycy: Euglucon, Glibenclamid, Glutril,
— sole litu używane w leczeniu psychoz: Quilonum, Quilonorm.

nia azotanami w pożywieniu (→ Substancje szkodliwe w pokarmach, s. 713), aby zapewnić tarczycy możliwość wykorzystania jodu. W Austrii do konserwowania i przyprawiania środków spożywczych używa się tylko soli jodowanej. Jeżeli jest inaczej, producent jest zobowiązany do umieszczenia informacji, że dany produkt spożywczy nie zawiera jodu. Obecnie w Polsce sól jodowana jest powszechnie dostępna, choć jej stosowanie na terenach endemii wola nie jest obligatoryjne. Sól ta, zgodnie z polską normą, zawiera 30 mg jodku potasu w kilogramie soli i zabezpiecza podstawowe zapotrzebowanie człowieka na ten pierwiastek. Jedynie u kobiet w ciąży i karmiących należy rozważyć zwiększenie podaży tego pierwiastka.

### Działania niepożądane

W niektórych przypadkach produkcja i wydzielanie do krwi hormonów tarczycy wymyka się spod kontroli gruczołów mózgowia (→ Wole guzkowe nadczynne, s. 465). Guzek autonomiczny tarczycy występuje u około 65% chorych z wolem powyżej czterdziestego piątego roku życia. W tych przypadkach zwiększona podaż jodu może wyraźnie nasilić czynność tarczycy.

W najgorszym wypadku może wystąpić przełom tarczycowy, który nawet dzisiaj w 50% przypadków kończy się śmiercią chorego. Przełom tarczycowy stanowi szczególnie duże zagrożenie dla osób starszych. Dla osób z nadczynnością tarczycy (→ s. 463) szkodliwa jest nawet niewielka ilość jodu: jego podaż powoduje dalsze zwiększenie produkcji hormonów.

Z nieznanych powodów u niektórych osób działanie jodu jest paradoksalnie odwrotne: może on wywoływać powstanie wola, a nawet doprowadzać do niedoczynności tarczycy.

### Kiedy do lekarza?

Gdy zauważysz pogrubienie szyi lub wyczujesz guzkowate twory pod jej skórą.

Aby orzec, jakie przyczyny doprowadziły do rozwoju wola, lekarz ma do dyspozycji następujące badania:

— ultrasonografia, określająca rozmiary i kształt tarczycy (→ s. 611);
— oznaczanie stężenia we krwi hormonów tarczycy.

Jeżeli badanie ultrasonograficzne wykaże obecność zmian w miąższu tarczycy, potrzebna jest scyntygrafia (→ s. 611).

### Jak sobie pomóc

Samemu nie można.

### Leczenie

#### Leczenie lekami (farmakoterapia)

Obecnie uważa się, że wole obojętne powinno być leczone przede wszystkim preparatami jodu. Takie postępowanie powoduje trwałe zmniejszenie tarczycy, nawet po zaprzestaniu spożywania leku. Leczenie hormonami tarczycy przez jeden rok hamuje produkcję hormonów przysadki i podwzgórza. Spowodowane w ten sposób zmniejszenie wola może się okazać przejściowe i po czterech miesiącach od odstawienia leku wymiary tarczycy wracają do stanu sprzed leczenia.

#### Usunięcie wola

Wole można usunąć, stosując leczenie jodem radioaktywnym (→ Choroba Gravesa-Basedowa, radioterapia, s. 463) lub zabieg chirurgiczny. Konieczność operacyjnego usunięcia wola zachodzi, gdy:

— uciska ono tchawicę, doprowadzając do jej zwężenia lub utrudnia krążenie krwi w obrębie szyi; jeżeli masz mniej niż dwadzieścia pięć lat, przed decyzją o operacji lekarz powinien podjąć próbę zmniejszenia wola środkami farmakologicznymi; taka próba powinna trwać przynajmniej dwa lata;
— scyntygrafia wykaże obecność „zimnego guzka"; u chorych powyżej czterdziestego roku życia, z długo utrzymującym się wolem, obecność zimnego guzka jest bardzo prawdopodobna;
— istnieje podejrzenie raka tarczycy.

Najczęściej wole jest usuwane „zapobiegawczo", ponieważ istnieje obawa „zezłośliwienia" procesu chorobowego (rozwoju nowotworu złośliwego). Ryzyko takiej ewolucji jest jednak bardzo małe (→ Rak tarczycy, s. 466).

#### Możliwe powikłania pooperacyjne

— U dwóch do trzech chorych na stu operowanych dochodzi do uszkodzenia nerwu sterującego mięśniami krtani. Jest to uszkodzenie nieodwracalne. Następstwem jest porażenie krtani i związane z tym charakterystyczne zaburzenia głosu. W niektórych przypadkach mogą wystąpić zaburzenia oddychania. W razie powtórnej operacji wola ryzyko porażenia krtani wzrasta kilkakrotnie.
— Może dojść do omyłkowego usunięcia przytarczyc, co doprowadza do wystąpienia bolesnych skurczów mięśni (tężyczka). Takie dolegliwości występują u nie więcej niż 2% wszystkich operowanych z powodu wola (→ Niedoczynność przytarczyc, s. 467).
— Stosowanie hormonów tarczycy po usunięciu wola jest konieczne tylko wtedy, jeżeli pozostawiono jedynie bardzo mały fragment tkanki tarczycowej. W pozostałych przypadkach wystarczy stosowanie preparatów jodu.

## Niedoczynność tarczycy (hipotyreoza)

Niedoczynność tarczycy może być wrodzona lub rozwinąć się w różnych okresach życia.

Dolegliwości są różne w zależności od tego, czy istnieje całkowity brak hormonów tarczycy, czy tylko ich niedobór.

## Kretynizm
## (wrodzona niedoczynność tarczycy)

Niewłaściwe leczenie niedoczynności tarczycy u kobiet w ciąży może doprowadzić do zaburzeń rozwoju kośćca, a także układu nerwowego u płodu.

Całkowity brak hormonów tarczycy doprowadza do ciężkiego fizycznego i umysłowego upośledzenia dziecka. Leczenie polega jedynie na właściwym podawaniu hormonów tarczycy. Niestety, zaburzenia rozwojowe, o których mowa, są nieodwracalne.

Z tego powodu zaleca się profilaktyczne badanie stężenia we krwi hormonu stymulującego tarczycę (TSH) w pierwszym tygodniu życia u wszystkich noworodków.

## Nabyta niedoczynność tarczycy
## (obrzęk śluzowaty)

### Dolegliwości
Osłabienie i zaburzenia koncentracji. Uczucie nużliwości i wyczerpania, stałe uczucie zimna. Dochodzi do spowolnienia czynności życiowych organizmu. Chory staje się apatyczny. Pojawia się uczucie depresji, bardzo pogarszające samopoczucie. Wymienione dolegliwości są zbyt często niewłaściwie rozpoznawane przez lekarza jako niespecyficzne objawy starzenia się organizmu. Może, ale nie musi pojawić się wole. Zwraca uwagę sucha, blada skóra. Głos staje się wyraźnie niższy, włosy suche i przerzedzone. Niemowlęta są nadzwyczajnie spokojne, źle piją i mają zaparcie. U większych dzieci występuje upośledzenie rozwoju fizycznego i opóźnienie dojrzewania. Może dojść do obniżenia inteligencji.

### Przyczyny
— Wszystkie przyczyny, które są powodem powstania wola (→ s. 461), mogą doprowadzić do rozwoju niedoczynności tarczycy.
— Niedobór hormonów tarczycy może być następstwem zażywania niektórych leków, operacji, naświetlań i zapalenia gruczołu tarczowego.
— Układ odpornościowy organizmu (układ immunologiczny) może niewłaściwie rozpoznać tarczycę jako ciało obce i zniszczyć jej tkanki (→ Zaburzenia samopoczucia, s. 175).
— W rzadkich przypadkach przyczyną niedoczynności tarczycy jest brak impulsów stymulujących ze strony przysadki i podwzgórza, które nie produkują dostatecznej ilości tzw. hormonów tropowych.

### Ryzyko zachorowania
Niedoczynność tarczycy występuje u około 1% populacji. Kobiety chorują pięć razy częściej niż mężczyźni. Choroba rozwija się najczęściej między czterdziestym a sześćdziesiątym rokiem życia.

### Możliwe następstwa i powikłania
Zaburzenia krzepnięcia, niewydolność krążenia i oddychania, charakterystyczne obrzęki (uogólnione lub/i wokół oczu), niedobór żelaza. U kobiet pojawiają się zaburzenia miesiączkowania, u mężczyzn zmniejszenie aktywności seksualnej. Jeżeli choroba wystąpi u dziecka, to przy braku prawidłowego postępo-

wania może dojść do upośledzenia rozwoju fizycznego i umysłowego. W bardzo rzadkich przypadkach niedoczynność tarczycy jest przyczyną nadwagi.

### Zapobieganie
(→ Wole, s. 461)
Profilaktyczne badania czynności tarczycy u noworodków.

### Kiedy do lekarza?
— Gdy zaobserwujesz opisane objawy u siebie lub u swojego dziecka.
— Wskazane jest zachowanie szczególnej uwagi, jeżeli wole lub niedoczynność tarczycy występuje u kogoś z rodziny lub sąsiadów.

### Jak sobie pomóc
Samemu nie można.

### Leczenie
Brakujące hormony zastępuje preparat L-tyroksyny. Leczenie należy rozpoczynać od bardzo małych dawek, które powinny być powoli zwiększane, aby organizm miał czas na przyzwyczajenie się do wzrostu tempa przemiany materii.

## Nadczynność tarczycy (hipertyreoza)

Istnieje wiele przyczyn zwiększenia ilości hormonów tarczycy we krwi.

Objawy chorobowe są podobne, natomiast postępowanie lecznicze zależy od przyczyny choroby.

## Choroba Gravesa-Basedowa
### Dolegliwości
Zwiększona ilość hormonów tarczycy jest przyczyną przyspieszenia przemiany materii i powoduje szereg dolegliwości z tym związanych:
— uczucie niepokoju wewnętrznego, uczucie kołatania serca, drżenie palców;
— uczucie gorąca, zwiększona potliwość;
— utrata masy ciała pomimo zwiększonego apetytu;
— zwiększony „napęd wewnętrzny" (chory szybciej mówi, szybciej się porusza, wykazuje nieskoordynowane ruchy);
— może, ale nie musi pojawić się wole;
— u chorych w wieku powyżej sześćdziesięciu lat obniżenie sprawności, utrata dotychczasowych zainteresowań, apatia.

U co najmniej jednej trzeciej chorych z nadczynnością tarczycy dochodzi do charakterystycznego przemieszczenia gałek ocznych do przodu (wytrzeszcz, egzoftalmia).

Temu objawowi towarzyszą następujące dolegliwości:
— pieczenie, łzawienie oczu,
— czasami podwójne widzenie,
— światłowstręt.

### Przyczyny
Choroba Gravesa-Basedowa jest schorzeniem autoimmunolo-

gicznym (→ Zaburzenia samopoczucia, s. 175). Tarczyca produkuje hormony w ilości wielokrotnie przekraczającej zapotrzebowanie organizmu.

### Ryzyko zachorowania
Kobiety chorują pięć razy częściej niż mężczyźni. Do rozwoju choroby dochodzi najczęściej w okresach przestrojenia hormonalnego organizmu, takich jak dojrzewanie, ciąża, przekwitanie.

### Możliwe następstwa i powikłania
Jeżeli dochodzi do rozwoju nadciśnienia, wzrasta obciążenie serca pracą.

Występuje zwiększona „łamliwość" kości.

Powieki nie są w stanie w pełni zasłonić przesuniętych do przodu gałek ocznych. Dochodzi do owrzodzeń rogówki, spojówki, jej zrogowacenia i stanu zapalnego. Może nawet dojść do całkowitej utraty wzroku.

### Zapobieganie
Jest niemożliwe.

### Kiedy do lekarza?
Gdy zaczynasz odczuwać wyżej wymienione objawy.

U osób młodych lekarz może błędnie zinterpretować te objawy jako nerwicę lub „dystonię neurowegetatywną" (→ Leczenie emocjonalnych zaburzeń samopoczucia, s. 181). U osób starszych mogą to być „zmiany starcze". Rozstrzygające jest dopiero oznaczenie stężenia hormonów tarczycy we krwi.

Za pomocą badania ultrasonograficznego lekarz może wyjaśnić, czy w obrębie tarczycy istnieją guzki.

### Jak sobie pomóc
Obserwuj się dokładnie i oszczędzaj się.

Ponadto należy:
— równomiernie rozłożyć pracę i odpoczynek w ciągu dnia,
— stosować bogatowitaminowe pożywienie (→ Zdrowe żywienie, s. 704),
— dużo pić, z wyjątkiem alkoholu i kawy,
— nie palić tytoniu,
— nie opalać się,
— nie używać sauny,
— ograniczyć spożycie jodu: ryby morskie, lekarstwa zawierające jod (np. środki dezynfekcyjne),
— nie kąpać się w wodzie zawierającej jod.

Jeżeli występują zmiany oczne, mogą ci pomóc:
— ciemne okulary,
— wysokie ułożenie głowy w czasie snu,
— tzw. sztuczne łzy (→ Obciążenia oczu, s. 218).

### Leczenie
Każde schorzenie autoimmunologiczne (jak np. choroba Gravesa-Basedowa) niesie z sobą możliwość różnych problemów psychologicznych wymagających pomocy (→ Poradnictwo i psychoterapia, s. 670).

*Farmakoterapia (leki)*
Leki powinny zahamować nadmierną produkcję hormonów tarczycy. Lekiem pierwszego rzutu jest tiamazol (preparat: Meti-

zol). W drugiej kolejności należy brać pod uwagę propyltiouracyl. Karbimazol jest w organizmie rozkładany do tiamazolu, który jest czynną substancją. Czasem dodatkowo do leków hamujących produkcję hormonów tarczycy lekarz dodaje preparat zawierający właśnie hormon tarczycy. Wynika to z obawy, że w wyniku stosowanego leczenia dojdzie do całkowitego ich braku, co jest oczywiście również niekorzystne. Z drugiej strony stosowane preparaty hormonów tarczycy hamują wydzielanie hormonu tyreotropowego, pobudzającego ten gruczoł do zwiększonej aktywności.

*Ujemne strony*
Leczenie trwa co najmniej rok. Leki należy zażywać systematycznie oraz regularnie i stosunkowo często poddawać się kontroli lekarskiej. U około 40% chorych po zaprzestaniu leczenia dochodzi do ponownej nadprodukcji hormonów tarczycy. W takich przypadkach konieczne jest leczenie do końca życia.

*Leczenie jodem radioaktywnym*
Polega na wypiciu roztworu zawierającego jod radioaktywny, który jest wychwytywany przez komórki tarczycy i doprowadza do ich zniszczenia. Stopień napromieniowania innych narządów jest porównywalny z występującym podczas rutynowego zdjęcia rentgenowskiego. Leczenie jodem radioaktywnym stosowane jest przez lekarzy u blisko połowy chorych z nadczynnością tarczycy, szczególnie w sytuacji, gdy:
— chory przekroczył czterdzieści lat,
— leczenie tabletkami nie przynosi poprawy lub jest przeciwwskazane.

Leczenie jodem radioaktywnym jest mniej agresywne i mniej ryzykowne niż zabieg operacyjny, natomiast jego skuteczność porównywalna jest z leczeniem farmakologicznym. Stosuje się je od około trzydziestu lat. Do tej pory nie ma żadnych dowodów, że zwiększa ryzyko rozwoju choroby nowotworowej.

*Ujemne strony*
Chory leczony jodem radioaktywnym przez długi okres wydala materiał radioaktywny. Dlatego należy przestrzegać pewnych reguł zachowania. Nie powinien na przykład opiekować się dziećmi, opuszczać przez pewien czas mieszkania. Po około sześciu miesiącach leczenia jodem tkanka tarczycowa jest już zniszczona do tego stopnia, że można przerwać leczenie farmakologiczne.

W niektórych przypadkach uszkodzenie tarczycy przez jod radioaktywny jest tak duże, że zaburza czynność endokrynną tego gruczołu w stopniu, który wymaga leczenia preparatami hormonów tarczycy. Tarczyca nie jest wówczas w stanie zaspokoić potrzeb organizmu. Ryzyko, że leczenie jodem radioaktywnym doprowadzi do niedoczynności tarczycy, wynosi od 3 do 20%.

*Zabieg operacyjny*
Usunięcie nadczynnej tkanki tarczycy jest najszybszym sposobem leczenia nadczynności hormonalnej tego gruczołu. Jednakże z powodu możliwości wielu powikłań metoda ta stosowana jest przez lekarzy jedynie w szczególnych przypadkach.

*Możliwe następstwa i powikłania zabiegu operacyjnego:*
— → Wole, operacje, s. 462,
— u około jednej trzeciej operowanych chorych zachodzi konieczność następowego leczenia hormonami tarczycy z powodu niedoczynności tego gruczołu.

*Leczenie zmian ocznych*
Leczenie nadczynności tarczycy (→ wyżej).

W zależności od wielkości wytrzeszczu gałek ocznych pomocne mogą być następujące leki: środki przeciwbólowe, bezjodowe krople lub maści oczne, napromieniowanie okolicy pozagałkowej, osłabienie reakcji immunologicznej — np. glikokortykoidami (→ s. 624). O sposobie leczenia powinni decydować wspólnie endokrynolog i okulista.

## Wole guzkowe nadczynne (toksyczne). Choroba Plummera

Guzek autonomiczny jest „niezależnym" fragmentem tkanki tarczycowej. To znaczy, że nie podlega kontroli hormonów tropowych przysadki i podwzgórza i w związku z tym produkuje własne hormony w ilości niezależnej od potrzeb organizmu.

### Dolegliwości
Jak w chorobie Gravesa-Basedowa → s. 463. W tej jednostce chorobowej nie występuje wytrzeszcz gałek ocznych.

### Przyczyny
Jeśli z powodu niedoboru jodu dochodzi do powiększenia tarczycy, jej część może przekształcić się w guzek autonomiczny (→ Wole, s. 461).

Omawiany guzek często pozostaje niezauważony do czasu, kiedy do organizmu zostanie dostarczona większa ilość jodu. Dzieje się tak na przykład po podaniu rentgenowskich środków kontrastowych, które zawierają jod.

### Ryzyko zachorowania
Guzek autonomiczny stanowi od dziesięciu do pięćdziesięciu procent wszystkich przypadków nadczynności tarczycy. Ryzyko zachorowania wzrasta, jeżeli organizm był stale lub przez dłuższy czas narażony na niedobór jodu.

### Możliwe następstwa i powikłania
Nadprodukcja hormonów w autonomicznych guzkach tarczycy doprowadza do objawów nadczynności tego gruczołu. Wskutek działania sprzężenia zwrotnego zdrowe obszary tkanki tarczycy mogą całkowicie wstrzymać produkcję hormonów.

### Zapobieganie
Należy starać się zapobiegać niedoborowi jodu (→ Wole, s. 461).

### Kiedy do lekarza?
Gdy stwierdzisz u siebie opisane na stronie 463 objawy nadczynności tarczycy.

### Jak sobie pomóc
Samemu nie można.

### Leczenie
Jeżeli średnica guzka nie przekracza trzech centymetrów i brak

objawów zaburzeń przemiany materii, wystarcza jedynie regularna kontrola lekarska oraz unikanie jodu.

W przypadku zagrożenia nadczynnością tarczycy lekarz może zaproponować zabieg operacyjny lub leczenie jodem radioaktywnym (→ Nadczynność tarczycy — leczenie, s. 463).

## Zapalenie tarczycy

Zapalenie tarczycy może występować w różnych formach. Kryterium podziału jest sposób wystąpienia i czas trwania objawów klinicznych. Mogą one pojawiać się nagle i gwałtownie (ostre zapalenie tarczycy) lub łagodnie (podostre zapalenie tarczycy). Proces chorobowy może się toczyć przez długi czas w sposób niezauważalny, bezobjawowy (przewlekłe zapalenie tarczycy).

### Dolegliwości
*Ostre zapalenie tarczycy:*
— bóle szyi,
— wzmożona wrażliwość na ucisk i obrzmienie szyi,
— zaburzenia połykania,
— chrypka,
— podwyższenie temperatury ciała (gorączka).
*Podostre zapalenie tarczycy:* Dolegliwości są podobne do spotykanych w ostrym zapaleniu, z tym że znacznie rzadziej występuje gorączka.
*Przewlekłe zapalenie tarczycy:* Może rozwijać się przez długi okres zupełnie bezobjawowo. Ujawnia się najczęściej jako niedoczynność tego gruczołu w wyniku procesu zapalnego (→ Nabyta niedoczynność tarczycy, s. 463).

### Przyczyny
*Ostre zapalenie tarczycy:* Infekcja bakteryjna lub jako następstwo leczenia innego schorzenia tarczycy jodem radioaktywnym.
*Podostre zapalenie tarczycy:* Infekcja wirusowa.
*Przewlekłe zapalenie tarczycy:* Choroba autoimmunologiczna.

### Ryzyko zachorowania
*Ostre zapalenie tarczycy:* Występuje bardzo rzadko.
*Podostre zapalenie tarczycy:* Występuje najczęściej jako następstwo przeziębienia lub innej wirusowej infekcji górnych dróg oddechowych. Kobiety chorują cztery razy częściej niż mężczyźni.
*Przewlekłe zapalenie tarczycy:* Jest najczęstszą postacią zapalenia tarczycy. Kobiety chorują dwadzieścia razy częściej niż mężczyźni.

### Możliwe następstwa i powikłania
Proces zapalny każdorazowo niszczy tkankę tarczycową. W zależności od tego, jak rozległy jest proces zapalny, dochodzi do mniejszego lub większego niedoboru hormonów tarczycy. W końcu rozwija się niedoczynność tarczycy (→ s. 462).

### Zapobieganie
Jest niemożliwe.

### Kiedy do lekarza?
W razie obecności wymienionych dolegliwości.

### Jak sobie pomóc
— spoczynek (leżenie w łóżku),
— chłodzenie szyi za pomocą okładów z lodu (→ Środki domowe, s. 640).

### Leczenie
*Ostre zapalenie tarczycy*: W przypadku zakażeń bakteryjnych celowe jest zastosowanie antybiotyków. Korzystny wpływ na przebieg choroby mogą mieć powszechnie stosowane niesteroidowe leki przeciwzapalne (takie, jakich używa się w chorobach reumatycznych). Jeżeli w wyniku procesu chorobowego dojdzie do wytworzenia ropnia, należy spróbować ewakuować jego zawartość (ropę) za pomocą nakłucia.

*Podostre zapalenie tarczycy*: W lżejszych przypadkach wystarczy leczenie niesteroidowymi lekami przeciwzapalnymi, takimi jakie stosuje się w chorobach reumatycznych. W cięższych przypadkach zachodzi potrzeba stosowania leków steroidowych (→ Glikokortykoidy, s. 624). W zapaleniu na tle wirusowym antybiotyki są nieskuteczne.

*Przewlekłe zapalenie tarczycy*: Rozpoznanie w sposób pośredni na podstawie stwierdzenia niedoczynności tarczycy, które jest następstwem przewlekłego procesu zapalnego. Pomocna jest biopsja tarczycy. W leczeniu stosuje się wówczas preparaty hormonów tarczycy, które mają na celu wyrównanie ich niedoboru w organizmie. Oszczędzają one w ten sposób tarczycę, która sama nie musi produkować endogennych hormonów. W cięższych przypadkach można próbować osłabić patogenną reakcję immunologiczną za pomocą glikokortykoidów (→ s. 624).

### Rak tarczycy
(→ Nowotwory złośliwe, s. 437)

Rak tarczycy występuje rzadko. W milionowej populacji w jednym roku zapada na tę chorobę 10 do 30 osób. Pięć z nich umiera w ciągu roku.

Rak tarczycy w każdym przypadku powinien być leczony operacyjni i, jeżeli to konieczne, dodatkowo jodem radioaktywnym (→ Nadczynność tarczycy, s. 463).

Nie stwierdzono żadnego związku pomiędzy występowaniem raka tarczycy oraz niedoborem jodu, nad- lub niedoczynnością tarczycy. U osób dorosłych leczenie jodem radioaktywnym również nie powoduje powstawania raka tarczycy. Niezwykle ważne jest, by w przypadku jakichkolwiek zmian w obrębie szyi lekarz skrupulatnie zbadał tarczycę w kierunku obecności guzków.

Każdy stwierdzony w scyntygrafii „zimny guzek" powinien być podejrzany o „złośliwość", dopóki badania nie wykażą, że jest inaczej. „Zimny guzek" jest zawsze argumentem w preferowaniu leczenia operacyjnego nad terapią jodem radioaktywnym.

# PRZYTARCZYCE

W bezpośrednim sąsiedztwie tarczycy leżą cztery gruczoły wielkości ziarnka pieprzu — przytarczyce. Produkują one parathormon, który utrzymuje stężenie wapnia we krwi w wąskich granicach. Natomiast obniżenie stężenia wapnia we krwi powoduje produkcję zwiększonej ilości parathormonu.

Hormon ten powoduje uwolnienie wapnia z komórek kośćca (→ Przebudowa kości, s. 400). Jednocześnie hamuje wydalanie wapnia przez nerki. Trzecim jego głównym działaniem jest udział w przekształceniu witaminy D w formę aktywną, która umożliwia wchłanianie wapnia z przewodu pokarmowego.

## Nadczynność przytarczyc

### Dolegliwości
Miernie podwyższone stężenie wapnia we krwi nie powoduje żadnych dolegliwości. Dalszy wzrost tego parametru może wywołać:
— utratę apetytu i zmniejszenie masy ciała,
— zaparcia i wzdęcia,
— zwiększenie pragnienia i wielomocz,
— zaburzenia samopoczucia do depresji włącznie,
— osteoporozę (→ s. 402).

Wieloletnie podwyższenie stężenia wapnia we krwi prowadzi do rozwoju kamicy nerkowej; w tym schorzeniu cechą charakterystyczną są bóle kolkowe w okolicach nerek oraz częste infekcje dróg moczowych.

### Przyczyny
Dotąd nieznane.

### Ryzyko zachorowania
Nieznane.

### Możliwe następstwa i powikłania
Najczęściej choroba doprowadza do rozrostu tkanki gruczołu przytarczyc i nadprodukcji parathormonu. To z kolei powoduje odwapnienie kośćca. Zwiększona ilość wapnia we krwi przekracza możliwości wydalnicze nerek, co prowadzi do rozwoju kamicy nerkowej. Poza tym może dojść do powstania choroby wrzodowej dwunastnicy, ostrego zapalenia trzustki oraz skazy dnawej.

### Zapobieganie
Jest niemożliwe.

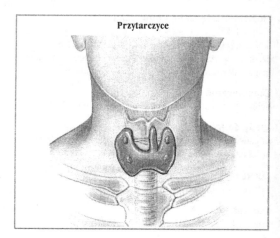
Przytarczyce

**Kiedy do lekarza?**
Gdy zauważysz wymienione objawy choroby.

**Jak sobie pomóc**
Samemu nie można.

**Leczenie**
Przerosła tkanka przytarczyc może być usunięta tylko operacyjnie. W jednym przypadku na sto zabiegów usunięcia przytarczyc dochodzi do powikłania w postaci porażenia krtani (→ Wole, s. 461).

## Niedoczynność przytarczyc

**Dolegliwości**
Wszystkie objawy napadu tężyczki podobne do występujących u osób zbyt szybko i głęboko oddychających (hiperwentylacja):
— mrowienie rąk, stóp i twarzy,
— typowe skurcze palców rąk i stóp (tzw. objaw Trousseau),
— napadowa duszność spowodowana skurczem głośni lub/i mięśni oddechowych,
— spastyczne (kurczowe) bóle brzucha i biegunka,
— czasem jedynym objawem niedoczynności przytarczyc może być napad padaczkowy.

**Przyczyny**
Najczęstszą przyczyną niedoczynności przytarczyc jest ich usunięcie w czasie operacji tarczycy. Przyczyny wrodzone są rzadkie.

**Ryzyko zachorowania**
Wzrasta w każdym przypadku operacji tarczycy.

**Możliwe następstwa i powikłania**
— zaćma, katarakta (→ s. 235),
— sucha, spękana skóra, zniekształcenie paznokci rąk.
U dzieci:
— wady w budowie szkliwa zębów,
— zahamowanie (zwolnienie) rozwoju psychicznego i fizycznego.

**Zapobieganie**
Jest niemożliwe.

**Kiedy do lekarza?**
Każdy napad tężyczki wymaga natychmiastowej interwencji lekarskiej. Kurcze mięśni oddechowych stanowią bezpośrednie zagrożenie życia!

**Jak sobie pomóc**
Samemu nie można.

**Leczenie**
Leczenie napadu tężyczki polega na powolnym dożylnym podaniu preparatów wapnia.
W długotrwałym leczeniu stosuje się wysokie dawki witaminy D i preparatów wapnia, które często występują w formie rozpuszczalnych tabletek musujących.

## PODWZGÓRZE

Podwzgórze jest nadrzędną „stacją" dla większości gruczołów wewnętrznego wydzielania. Znajduje się w samym mózgowiu i produkuje co najmniej dziewięć hormonów. Są one przekazywane do przysadki (→ poniżej). Tą drogą podwzgórze wywiera wpływ na tarczycę, nadnercza, gruczoły płciowe, gruczoły mleczne w okresie „pozaciążowym" i na wzrost organizmu. W nazwie hormonów podwzgórza zawarta jest litera „R" od angielskiego terminu „releasing" (uwalniający), ponieważ nie wywierają one bezpośredniego wpływu na poszczególne narządy, lecz działają pośrednio poprzez modulację uwalniania hormonów tropowych przysadki mózgowej.

Odpowiednie receptory („czujniki") podwzgórza odbierają sygnały z innych regionów mózgu informujące o „wydarzeniach", które miały miejsce w organizmie i o „krokach", jakie należy podjąć. Podwzgórze „tłumaczy" odebrane impulsy nerwowe na język hormonów. Posiada również receptory, które informują o obniżeniu stężenia różnych hormonów we krwi. W ten sposób podwzgórze kontroluje swoje własne działanie. W terminologii lekarskiej ten mechanizm określany jest mianem sprzężenia zwrotnego.

## PRZYSADKA MÓZGOWA

Przysadka mózgowa leży poniżej podwzgórza i jest z nim połączona specjalnymi naczyniami krwionośnymi. Gruczoł ten składa się z dwóch części: płata przedniego (część gruczołowa) oraz płata tylnego (część nerwowa przysadki). Przedni płat przysadki, odpowiadając na sygnał podwzgórza, produkuje i wydziela do krwi sześć różnych hormonów tropowych:
— ACTH przekazujący nadnerczom polecenie produkcji hormonów;
— hormon wzrostu (somatotropina, hormon somatotropowy = STH, growth hormone = GH) przekazuje wątrobie sygnał do produkcji czynników wzrostu oraz działa bezpośrednio na przemianę węglowodanów;
— hormon tyreotropowy (TSH = thyroid-stimulating hormone) pobudzający produkcję hormonów tarczycy;
— hormon dojrzewania pęcherzyków (FSH, folitropina) wpływający na dojrzewanie pęcherzyków jajnikowych (u kobiet) oraz plemników w jądrach (u mężczyzn);
— hormon luteinizujący (LH, hormon luteotropowy, lutropina) u kobiet odpowiada za prawidłowe jajeczkowanie (owulację) i wpływa na produkcję hormonów po zapłodnieniu; u mężczyzn przekazuje sygnał do produkcji hormonów dla jąder;
— prolaktyna odpowiada za rozwój gruczołu piersiowego w ostatnim okresie ciąży.
Część nerwowa (tylna) przysadki wydziela do krwi dwa hormony:
— wazopresynę uczestniczącą w regulacji gospodarki wodnej organizmu;
— oksytocynę odpowiadającą za czynność skurczową macicy w czasie porodu.

## Nadczynność przysadki u dzieci (gigantyzm)
## Nadczynność przysadki u dorosłych (akromegalia)

Przyczyny i następstwa obu chorób są podobne. Różnią się tylko obrazem klinicznym.

### Dolegliwości

*Dzieci*: Rosną nadzwyczaj szybko i dłużej. Często osiągają ponad dwa metry wzrostu.

*Dorośli*: Choroba zmienia wygląd zewnętrzny. Wskutek powiększenia się stóp i dłoni buty i obrączka stają się zbyt małe. Dochodzi do charakterystycznego powiększenia warg i języka. Rozrasta się żuchwa, doprowadzając do charakterystycznego „wydłużenia" twarzy. Głos staje się szorstki i niski. Chory łatwo się poci i odczuwa bóle stawów.

### Przyczyny

Rozrost tkanki przedniego płata przysadki (gruczolak lub przerost komórek kwasochłonnych) prowadzi do znacznie zwiększonej produkcji hormonu wzrostu. Nadmiar tego hormonu u dzieci wywiera wpływ na wszystkie narządy. Dochodzi do proporcjonalnego zwiększenia wzrostu. Taki przebieg jest niemożliwy u osób dorosłych. Wzrost pozostaje niezmieniony. Dochodzi jedynie do powiększenia i pogrubienia kości, chrząstek i tkanki łącznej. Powiększyć się może każdy narząd wewnętrzny.

### Ryzyko zachorowania

Częstość występowania obu omawianych schorzeń jest podobna. Dorośli chorują najczęściej między trzydziestym a czterdziestym rokiem życia.

### Możliwe następstwa i powikłania

Proces chorobowy w kościach doprowadza do zmian zwyrodnieniowych (→ s. 421) i odwapnień kośćca (→ Osteoporoza, s. 402). U około 80-90% chorych dochodzi do powstania wola, u około 25% do rozwoju cukrzycy (→ Cukrzyca, s. 449), a około 10-15% chorych charakteryzuje się podwyższonym ciśnieniem tętniczym krwi. Najczęstszą przyczyną śmierci u tych chorych jest niewydolność krążenia, zwykle nie dożywają oni sześćdziesiątego roku życia. Małe dzieci dotknięte gigantyzmem umierają wcześniej, zwykle z powodu często występujących zakażeń.

### Zapobieganie

Jest niemożliwe.

### Kiedy do lekarza?

*Dzieci*: W razie stwierdzenia w czasie badań kontrolnych nadmiernie szybkiego wzrostu (→ Masa ciała, s. 709).

*Dorośli*: Kiedy zauważysz podane wyżej objawy. Przerostowi przysadki towarzyszy podwyższone stężenie różnych hormonów, które można stwierdzić specjalnymi metodami. Przydatne jest także zdjęcie rentgenowskie czaszki i tomografia komputerowa (→ s. 610).

### Lektura uzupełniająca

GEISSLER-ROEVER A.: *Hormony*. Ofic. Wydaw. SPAR, Warszawa 1997.

### Jak sobie pomóc

Samemu nie można.

### Leczenie

Najlepszą metodą jest leczenie operacyjne. Decyzja lekarza o rodzaju zabiegu zależy od lokalizacji i wielkości guza. Usunięcie guza przysadki pociąga za sobą konieczność kontroli lekarskiej przez całe życie chorego. Najczęściej konieczne staje się podanie preparatów zastępujących hormony przysadki.

## Karłowatość przysadkowa (u dzieci)

### Dolegliwości

Zwykle w drugim roku życia zwraca uwagę fakt, że dziecko z tą chorobą jest mniejsze i rośnie wolniej od swoich rówieśników.

### Przyczyny

Niedobór hormonu wzrostu.

### Ryzyko zachorowania

Chłopcy chorują prawie trzy razy częściej niż dziewczynki. Ryzyko zachorowania wzrasta w przypadku powikłań okołoporodowych.

### Możliwe następstwa i powikłania

Brak leczenia powoduje, że chorzy nie przekraczają 140 cm wzrostu. Rozwój umysłowy jest prawidłowy. Dojrzewanie płciowe jest najczęściej opóźnione, a w skrajnych przypadkach nigdy nie dochodzi do pełnej dojrzałości płciowej.

### Zapobieganie

Jest niemożliwe.

### Kiedy do lekarza?

Jeżeli badania kontrolne wykazują u dziecka mniejszy i wolniejszy wzrost w porównaniu z rówieśnikami (→ Masa ciała, s. 709). Należy pamiętać, że istnieje wiele przyczyn opóźnienia wzrostu dziecka. Dla właściwego leczenia sprawą kluczową jest rozpoznanie przez lekarza właściwych przyczyn.

W przypadku podejrzenia karłowatości przysadkowej należy w warunkach klinicznych oznaczyć u dziecka stężenie hormonu wzrostu.

### Jak sobie pomóc

Samemu nie można.

### Leczenie

Polega na podawaniu zastrzyków ludzkiego hormonu wzrostu (Genotropin, Humantrope). Podawanie leku kilka razy w tygodniu musi być kontynuowane przez wiele lat. Dlatego byłoby korzystnie, aby samo dziecko lub ktoś z rodziny opanował technikę robienia zastrzyków. W pierwszym roku leczenia chore dziecko rośnie osiem do dwunastu centymetrów, w następnych latach nieco wolniej. Nie osiąga jednak przeciętnego wzrostu osoby dorosłej. Zwykle zachodzi potrzeba pobudzenia dojrzewania płciowego poprzez podanie odpowiednich hormonów. To leczenie powinno być prowadzone możliwie najpóźniej (około dwudziestego roku życia), ponieważ podanie hormonów płciowych uniemożliwia dalszy wzrost.

# NADNERCZA

Nad każdą nerką leży nadnercze. Składa się ono z dwóch czynnych hormonalnie części: zewnętrznej — kory i wewnętrznej — rdzenia. Najważniejszym działaniem hormonów kory nadnerczy jest udział w przystosowaniu organizmu do zmiennych warunków życia. Potrafią one bardzo szybko przestawić organizm ze stanu spoczynku na „wysokie obroty". Współdecydują również, w jakim stopniu potrafimy znosić długotrwałe obciążenia.

# KORA NADNERCZY

Kora nadnerczy produkuje hormony o różnym działaniu: kortyzon i aldosteron.

*Aldosteron* reguluje gospodarkę wodną, sodową i potasową. Działa na poziomie nerek i układu krążenia.

*Kortyzon* działa wielostronnie: pobudza wątrobę do przekształcania cząsteczek tłuszczów i białek w glukozę. Innym działaniem jest hamowanie procesu zapalnego poprzez blokowanie

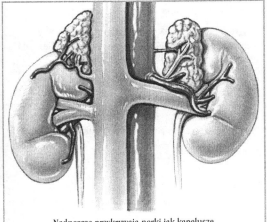

Nadnercza przykrywają nerki jak kapelusze.
Są szczególnie dobrze ukrwione

rozwoju pewnego rodzaju białych ciałek krwi i tym samym niedopuszczenie do powstawania przeciwciał. Te właściwości wykorzystywane są w czasie leczenia preparatami kortyzonu. Należy jednak pamiętać, że nadmiar kortyzonu osłabia układ immunologiczny.

Kortyzon uczestniczy w reakcji organizmu na stres (→ Zaburzenia samopoczucia, s. 175).

*Regulacja odgórna*
Czynność kory nadnerczy kontrolowana i regulowana jest przez gruczoły wewnętrznego wydzielania znajdujące się w mózgowiu. Za pomocą specjalnego hormonu, podwzgórze przekazuje sygnał dla przysadki: „za mało kortyzonu we krwi". Przysadka reaguje zwiększeniem produkcji ACTH, który pobudza czynność kory nadnerczy. Podwzgórze posiada układ receptorowy, który

umożliwia sprawdzenie, czy cały opisany układ funkcjonuje prawidłowo. Trzy wymienione gruczoły nie pracują równomiernie w ciągu całej doby. Szczyt wydzielania ACTH i kortyzonu przypada na godziny wczesnoranne (około godz. 5.00). Stanowi to wielkość podstawową, pokrywającą większość zapotrzebowania w ciągu dnia. Dlatego w godzinach popołudniowych i wieczornych zapotrzebowanie na kortyzon jest niewielkie. Zapotrzebowanie, o którym mowa, określone jest przez receptory kontrolujące stężenie kortyzonu we krwi lub przez układ nerwowy, przetwarzający bodźce zewnętrzne i wewnętrzne (→ Stres, s. 177).

## Nadczynność kory nadnerczy (choroba Cushinga, zespół Cushinga)

### Dolegliwości
— Dochodzi do nadmiernego rozwoju tkanki tłuszczowej na twarzy i tułowiu („księżycowata twarz", „byczy kark"). Nie zawsze towarzyszy temu zwiększenie masy ciała.
— Skóra staje się cienka, powstają tzw. rozstępy.
— Trądzik. Nasila się owłosienie na całym ciele (ten objaw może nie występować, jeżeli choroba spowodowana jest przez zażywanie leków).
— Zaburzenia miesiączkowania.
— Pogorszenie samopoczucia psychicznego.

### Przyczyny
Przerost przysadki doprowadza do nadprodukcji ACTH (→ Przysadka mózgowa, s. 467). ACTH pobudza korę nadnerczy do zwiększonego wydzielania kortyzonu. W niektórych przypadkach nadprodukcja kortyzonu spowodowana jest pierwotnym rozrostem (gruczolak lub rak) kory nadnerczy.

### Ryzyko zachorowania
Nadczynność kory nadnerczy wskutek nadprodukcji ACTH występuje u 0,1 promila dorosłej populacji (1:10 000). Najczęstszą przyczyną jest jednak uboczne działanie długotrwałego leczenia sterydami (→ s. 624).

### Możliwe następstwa i powikłania
— rozwój lub pogorszenie istniejącej cukrzycy,
— wzrost ciśnienia tętniczego krwi,
— rozrzedzenie kości (→ Osteoporoza, s. 402).
    Trzy wymienione powikłania należą do najczęstszych i najcięższych, głównie gdy przyczyną choroby jest zażywanie preparatów steroidowych.
    Inne powikłania:
— zahamowanie wzrostu u dzieci,
— zmętnienie soczewki (→ Zaćma, katarakta, s. 235) — również po leczeniu steroidami.
    Nieleczona choroba Cushinga doprowadza zwykle do zgonu.

### Zapobieganie
Jeżeli przyczyna choroby tkwi w samych gruczołach wewnętrznego wydzielania, zapobieganie jej rozwojowi jest niemożliwe. Jeżeli jest nią przyjmowanie leków → Glikokortykoidy, s. 624.

> **Lektura uzupełniająca**
>
> GÓROWSKI T.: *Czy mam zdrową tarczycę*. PZWL, Warszawa 1997.

### Kiedy do lekarza?
Jeżeli stwierdzisz u siebie opisane dolegliwości lub/i zażywasz kortyzon albo inne leki zawierające glikokortykoidy.

### Jak sobie pomóc
Samemu nie można.

### Leczenie
Przerost przysadki lub kory nadnerczy powinien być leczony chirurgicznie. Jeżeli przyczyną choroby są zażywane leki → Glikokortykoidy, s. 624.

## Choroba Addisona
Jest to choroba rzadka. Rozwija się zwykle w wyniku zniszczenia kory obu nadnerczy przez układ immunologiczny organizmu. Czasem jest następstwem procesu gruźliczego lub choroby nowotworowej innych narządów (np. płuc). Charakteryzuje się brakiem lub niedoborem kortyzonu i aldosteronu, które muszą być podawane jako leki.

# RDZEŃ NADNERCZY

Rdzeń nadnerczy produkuje hormony „alarmowe" — adrenalinę i noradrenalinę. Kiedy np. na ulicę wprost pod twój samochód wybiega dziecko, rdzeń nadnerczy wydziela nagle do krwi znaczne ilości tych hormonów.

To powoduje między innymi, że:
— możesz nabrać do płuc więcej powietrza, a to poprawia przemianę materii w całym organizmie;
— serce pracuje szybciej i mocniej; dzięki temu poprawia się ukrwienie wszystkich narządów;
— wątroba i mięśnie uwalniają wszystkie rezerwy energetyczne;

to powoduje, że na krótki okres stajesz się bardzo silny i bardzo szybki;
— nerwy stają się krańcowo napięte; możesz reagować szybciej i lepiej się koncentrować.

Poza sytuacjami alarmowymi adrenalina i noradrenalina utrzymują wszystkie te funkcje na „normalnym" poziomie.

## Nadczynność rdzenia nadnerczy (guz chromochłonny)

### Dolegliwości
Wszystkie objawy nadciśnienia tętniczego, które czasem mogą występować napadowo: bóle głowy, osłabienie, zaburzenia widzenia, zwiększona potliwość, kołatanie serca, duszność, wymioty, biegunka lub zaparcie, mrowienie rąk i stóp, utrata wagi.

### Przyczyny
Przyczyną jest najczęściej przerost rdzenia nadnerczy, który zaczyna produkować za dużo adrenaliny i noradrenaliny.

### Ryzyko zachorowania
W jednym przypadku na tysiąc istniejące nadciśnienie spowodowane jest nadczynnością rdzenia nadnerczy.

### Możliwe następstwa i powikłania
Wszystkie powikłania długo istniejącego, szczególnie ciężkiego nadciśnienia (→ s. 304).

### Zapobieganie
Jest niemożliwe.

### Kiedy do lekarza?
W przypadku objawów podwyższenia ciśnienia tętniczego.

### Jak sobie pomóc
Samemu nie można.

### Leczenie
Rozrost (gruczolak) rdzenia nadnerczy powinien być leczony operacyjnie.

# CHOROBY KOBIECE

Zdrowie, płodność i zachowanie seksualne kobiety zależą nie tylko od prawidłowej czynności jej narządów płciowych.

Na poczucie zdrowia u kobiety ogromny wpływ wywiera stan psychiczny. Wiele zaburzeń jest spowodowanych zmianami hormonalnymi wynikającymi z obciążeń psychicznych. Jest to najbardziej widoczne w przypadku zaburzeń miesiączkowania i w okresie przekwitania (→ s. 476). Wynika z tego, że zwykłe badanie jedynie narządów płciowych jest prawie zawsze niewystarczające. Właściwe zrozumienie siebie, poczucie własnej wartości jako kobiety odgrywa znaczącą rolę w rozwoju chorób oraz w możliwości ich opanowania.

Żeńskie narządy płciowe można podzielić na zewnętrzne i wewnętrzne. Do narządów zewnętrznych należą: biust, wzgórek łonowy, wargi sromowe, łechtaczka, ujście pochwy. Narządami wewnętrznymi są: pochwa, szyjka macicy, macica, jajowody i jajniki. Oba obszary stanowią jedną całość, w obu przypadkach podobne jest działanie hormonów; jednakże pojedyncze narządy mogą różnić się stanem fizjologicznym, wielkością, wrażliwością i sposobem funkcjonowania. Jest to najlepiej widoczne w czasie ciąży (→ s. 531), podczas lub przed miesiączką oraz w czasie podniecenia seksualnego (→ Fizjologia zachowania seksualnego kobiet, s. 502).

## Badanie ginekologiczne

Badania kontrolne nie są w stanie zastąpić najważniejszego sposobu profilaktyki — to jest samoobserwacji (→ s. 479). Im lepiej jesteś w stanie poznać własny rytm i grę hormonów, im lepiej potrafisz rozpoznać zmiany swoich wydzielin, wyglądu piersi i sromu, tym lepiej możesz informować swojego lekarza.

— Zwróć uwagę na atmosferę w poczekalni gabinetu ginekologicznego: jej niedbałe wyposażenie, długi okres oczekiwania, szybkie załatwianie pacjentek oraz rozgorączkowany personel są oznakami, że lekarz nie poświęci ci zbyt wiele czasu. Zastanów się nad zmianą lekarza.

— Jeżeli nie wiesz, do kogo się zwrócić: w niektórych miastach istnieje zorganizowane poradnictwo dla kobiet, gdzie można uzyskać najbardziej kompetentną poradę.

— Każde badanie ginekologiczne powinno być poprzedzone szczegółową rozmową. Problemy związane z zapobieganiem ciąży, ewentualne konflikty z partnerem seksualnym mogą stać się przyczynami wielu zaburzeń czynnościowych narządów płciowych kobiety. W czasie takiej rozmowy nie możesz pozostawać pod presją czasu.

— Ważne pytania: o pierwszą i ostatnią miesiączkę, częstość miesiączkowania, porody, zażywane leki i choroby przebyte powinien zadawać lekarz, a nie jego asystentka.

— Rozebranie się przed rozmową stanowi dla większości kobiet głębokie naruszenie ich intymności. Konfrontacja osoby rozebranej lub nawet nagiej z kimś ubranym nie stwarza dobrej atmosfery wzajemnego zaufania.

— W skład badania pochwy wchodzi wziernikowanie (oglądanie) i badanie palpacyjne. Za pomocą wziernikowania lekarz może ocenić wejście do pochwy, wydzielinę z pochwy oraz ujście macicy. Ponadto ułatwia ono pobranie wymazu

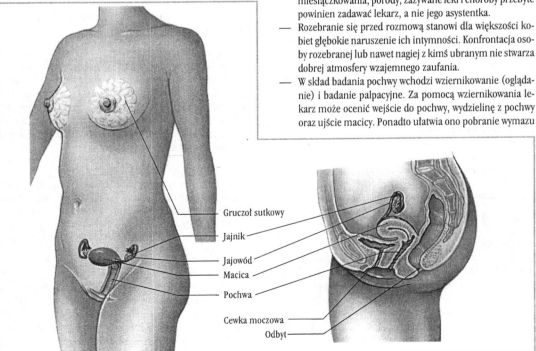

Gruczoł sutkowy

Jajnik

Jajowód

Macica

Pochwa

Cewka moczowa

Odbyt

z pochwy i z macicy. U kobiet, które ukończyły 20 lat, badanie ginekologiczne połączone z pobraniem wymazu należy wykonywać raz w roku. Natomiast u kobiet zażywających pigułki antykoncepcyjne lub leki hormonalne po menopauzie — co 6 miesięcy.

— Podczas wziernikowania lekarz może dokładniej obejrzeć pochwę za pomocą kolposkopu. Dzięki powiększeniu za pomocą specjalnego urządzenia może stwierdzić chorobowo zmienione miejsca błony śluzowej, a także pobrać wycinki do badania histologicznego.

— Dzięki badaniu palpacyjnemu (obmacywaniu) lekarz może ocenić rozmiary macicy i jajników.

— U kobiet po 30 roku życia do obowiązkowego zestawu ginekologicznych badań profilaktycznych należy regularne obmacywanie sutków. Powinno ono wykluczyć istnienie wszelkich stwardnień i guzków w piersiach.

## MIESIĄCZKOWANIE (MENSTRUACJA)

Od początku krwawienia do następnej menstruacji w organizmie kobiety powtarza się tzw. cykl płciowy.

Nie wszystkie cykle są jednakowe. Ich przebieg może zakłócać wpływ tzw. hormonów stresowych wydzielanych zarówno w następstwie pozytywnych, jak i negatywnych przeżyć.

### Faza dojrzewania pęcherzyków Graafa (faza folikularna)
Jest to okres od pierwszego dnia menstruacji do jajeczkowania. W jajnikach kobiety znajduje się wiele małych pęcherzyków z niedojrzałą komórką jajową we wnętrzu. Hormon stymulujący pęcherzyki (FSH) powoduje ich wzrost i dojrzewanie. Poza wyjątkowymi przypadkami jednocześnie dojrzewa tylko jeden pęcherzyk. W okresie dojrzewania pęcherzyka wzrasta produkcja żeńskich hormonów płciowych — estrogenów. To z kolei powoduje odnowę zniszczonej i wydalonej w czasie ostatniej menstruacji błony śluzowej jamy macicy.

### Jajeczkowanie (owulacja)
Sygnał do jajeczkowania pochodzi od hormonu luteinizującego (LH), którego produkcja i wydzielanie pozostaje pod wpływem estrogenów. Samo jajeczkowanie polega na pęknięciu pęcherzyka Graafa i uwolnieniu komórki jajowej. W tym momencie zaczyna się druga faza cyklu płciowego kobiety.

### Faza lutealna
Jest to okres od jajeczkowania do początku następnej menstruacji. Lejkowaty przewód, jakim jest jajowód, „wyłapie" komórkę jajową. Zaczyna się wówczas jej wędrówka w świetle jajowodu do jamy macicy, którą osiąga po około czterech do pięciu dniach. Komórka jajowa pozostaje zdolna do zapłodnienia przez około sześciu do dwunastu godzin po jajeczkowaniu.

Dochodzi do dalszych przekształceń pozostającego w jajniku pęcherzyka Graafa, w świetle którego powstaje tzw. ciałko żółte.

Produkuje ono „swój" hormon — progesteron. Ten hormon powoduje pogrubienie błony śluzowej jamy macicy i spra-

wia, że przygotowuje się ona na ewentualną ciążę. Jeżeli nie dochodzi do zapłodnienia, komórka jajowa zanika lub zostaje wydalona.

Ciałko żółte ulega inwolucji kilka dni po jajeczkowaniu i obumiera po około dwóch tygodniach. To doprowadza do obniżenia stężenia hormonów płciowych (estrogenów i progesteronu). Złuszcza się błona śluzowa macicy i dochodzi do krwawienia z małych naczyń jamy macicy, wówczas zaczyna się menstruacja (miesiączka), a tym samym nowy cykl płciowy kobiety. Krwawienie ustaje, kiedy dochodzi do zagojenia powierzchni rany.

### Czas trwania cyklu
Czas trwania cyklu liczony jest od pierwszego dnia krwawienia miesięcznego do pierwszego dnia następnej miesiączki. Najczęściej — w normalnych warunkach — okres ten wynosi dwadzieścia osiem dni. Jednakże nieco dłuższy lub krótszy cykl nie stanowi powodu do niepokoju. Uważa się, że prawidłowy cykl może trwać od 21 do 35 dni. Najlepszą metodą poznania przebiegu swojego indywidualnego cyklu jest dokładna samoobserwacja oraz metoda pomiaru temperatury podstawowej (→ Zapobieganie ciąży, s. 515).

Powinnaś możliwie regularnie prowadzić notatki, zapisując (najlepiej w kalendarzyku) pierwszy dzień każdego swojego krwawienia miesięcznego.

### Możliwe dolegliwości przed menstruacją
Tak jak istnieją różnice pomiędzy kobietami w zakresie budowy i masy ciała oraz w poczuciu własnego zdrowia, tak różne są objawy towarzyszące kolejnym fazom cyklu płciowego. Dlatego przez pojęcie zespołu napięcia przedmiesiączkowego rozumie się zespół bardzo różnorodnych objawów występujących przed krwawieniem miesięcznym.

#### Zmiany masy ciała
W drugiej połowie cyklu dochodzi często do zatrzymania wody w tkankach. Może to powodować uczucie napięcia w różnych częściach ciała. Równolegle z początkiem krwawienia miesięcznego dochodzi do wydalenia przez nerki „zatrzymanej" wody. W związku z tym u kobiet można zaobserwować zmiany masy ciała przed i po menstruacji, które w niektórych przypadkach mogą sięgać kilku kilogramów.

#### Uczucie napięcia piersi
Po jajeczkowaniu może dochodzić do zwiększenia się objętości sutków. Pogrubia się warstwa tkanki łącznej, zwiększa się przepływ krwi przez ten narząd, dochodzi do zatrzymania wody. Sutki stają się bardziej wrażliwe na ucisk i ból. Uczucie napięcia sutków ustępuje po rozpoczęciu krwawienia miesięcznego.

#### Zmiany psychiczne
U niektórych kobiet kilka dni przed miesiączką występuje nie tylko napięcie fizyczne, ale także objawy „rozbicia" psychicznego. Pozostaje kwestią sporną, w jakim stopniu odpowiedzialne są za to zmiany hormonalne. Uczucie „rozbicia" występuje najczęściej kilka dni przed rozpoczęciem miesiączki i ustępuje prawie zawsze w drugim dniu krwawienia.

*Bóle w okolicy lędźwiowo-krzyżowej*
Mogą być wywoływane lub nasilane obniżeniem żeńskich narządów płciowych, innym niewłaściwym ich położeniem, przewlekłym procesem zapalnym, odczynem na spiralę wewnątrzmaciczną, wadą postawy lub nadmiernym obciążeniem. Najczęściej jednak jest to wynik obciążeń psychicznych, działających poprzez wegetatywny układ nerwowy (→ Zaburzenia samopoczucia, s. 175).

## Bolesne miesiączkowanie

### Dolegliwości
Najczęstszymi dolegliwościami w czasie miesiączkowania są bóle. Zwykle mają charakter bólów kurczowych (spastycznych), czasem bólów tępych, występujących w okolicach uda, nadbrzusza lub grzbietu. Mogą wystąpić krótko przed początkiem krwawienia i zwykle ustępują w drugim lub trzecim dniu menstruacji.

### Przyczyny
W każdym przypadku decydującą rolę odgrywa aktualne samopoczucie fizyczne i psychiczne. Istnieje ścisły związek pomiędzy ustabilizowanym poczuciem wiary we własne siły i bezbolesnym przebiegiem miesiączki (→ Zaburzenia samopoczucia, s. 175). Badanie ginekologiczne pozwala na wykluczenie możliwych organicznych przyczyn zespołu napięcia przedmiesiączkowego (→ s. 472). Mogą one być przyczyną obfitych lub przedłużających się krwawień miesięcznych (→ Nieprawidłowe krwawienia, s. 474).

*Przyczyny organiczne*
Są raczej rzadkie. Regularne badania ginekologiczne pozwolą twemu lekarzowi na wykluczenie takich przyczyn, jak:
— wkładka wewnątrzmaciczna (spirala) → s. 519,
— choroby zapalne miednicy małej,
— gruczolistość (endometrioza) → s. 485,
— małe, łagodne rany lub guzki, które mogą wywoływać ból, jeżeli utrudniają swobodny odpływ krwi w czasie miesiączki (→ Polipy, s. 484, → Mięśniaki, s. 485),
— zrosty lub nieprawidłowa budowa wewnętrznych lub zewnętrznych narządów płciowych,
— zwężenie ujścia macicy,
— rozluźnienie obręczy miednicy w wyniku zmian hormonalnych może powodować dolegliwości układu ruchu (kościec, mięśnie) i nasilać dolegliwości w przebiegu miesiączki,
— rak macicy → s. 487.

### Ryzyko zachorowania
Stwierdzenie wegetatywnych lub psychosomatycznych przyczyn opisywanych dolegliwości jest możliwe dopiero po wykluczeniu przyczyn organicznych. Ryzyko takich zaburzeń czynnościowych jest tym większe, im więcej występuje konfliktów (najczęściej w podświadomości) pomiędzy zadaniami w pracy, rodzinie i towarzystwie (→ s. 173).

### Możliwe następstwa i powikłania
Bardzo bolesne miesiączki inicjują powstanie błędnego koła, wywołując lub nasilając uczucie wewnętrznego napięcia lub inne dolegliwości. Jeżeli zjawisko to ciągle się powtarza, obniża znacznie jakość życia i powoduje tzw. negatywny stosunek kobiety do własnego ciała.

### Zapobieganie
Środkiem zapobiegawczym jest wszystko, co pomaga w utrzymaniu dobrego zdrowia fizycznego, psychicznego i społecznego (→ s. 174-175). Należy uczynić wszystko, aby pomóc młodym dziewczętom w uzyskaniu i utrzymaniu poczucia własnej wartości, pozytywnego stosunku do życia i umiejętności właściwego przeżywania przyjaźni i miłości.

Niezwykle ważna jest możliwość pełnego rozwoju fizycznego i psychicznego, łącznie ze sferą życia płciowego i zachowań seksualnych (→ Dzieci, s. 551).

Ważny jest także przykład matki i starszej siostry: traktowanie przez nie miesiączki jako choroby stanowi niedobry wzór dla córki lub młodszej siostry.

### Kiedy do lekarza?
— jeżeli do tej pory nie odczuwałaś żadnych dolegliwości i niespodziewanie wystąpiły trudne do określenia bóle,
— jeżeli zaczynasz odczuwać niezwykłe skurcze,
— jeżeli wydaje ci się, że zmienił się charakter bólu występującego w czasie miesiączki,
— jeżeli krwawienie lub/i bóle utrzymują się wyraźnie dłużej niż normalnie,
— jeżeli krwawienie jest wyjątkowo obfite.

### Jak sobie pomóc
*Ruch*: Wysiłek fizyczny może być czynnikiem odprężającym, pod warunkiem unikania zbyt dużych obciążeń. Spróbuj spacerów, pływania, tańca lub odpowiedniej gimnastyki.

*Relaks* → s. 664.

*Odpoczynek*: Pozwalaj sobie na wystarczająco długi sen, w czasie miesiączki nie planuj żadnej obciążającej pracy, a nawet spróbuj się „rozpieszczać". Nie wstydź się „poleniuchować" również w pracy i pracować nieco wolniej.

*Ciepło*: Działanie rozkurczowe można uzyskać, stosując różne sposoby nagrzewania: ciepłą kąpiel, termofor na brzuch lub okolicę lędźwiową.

*Ziołolecznictwo*: Można stosować działający przeciwskurczowo rumianek lub uspokajająco — melisę lekarską.

*Leki*: Niesteroidowe leki przeciwzapalne (np. aspiryna, polopiryna, paracetamol lub ibuprofen, brufen). Silne dolegliwości bólowe można łagodzić, przyjmując powyższe leki przez jeden do trzech dni od początku miesiączki. Leki te hamują produkcję prostaglandyn, które wywołują dolegliwości podobne do występujących w czasie porodu (→ Proste środki przeciwbólowe, s. 621).

*Życie płciowe*: Powinnaś zerwać z ogólnie rozpowszechnionym przekonaniem, że w czasie miesiączki nie należy odbywać stosunków płciowych. Jeżeli odczuwasz takie pragnienie, zaspokój je. Udane współżycie seksualne i osiągnięcie samozadowolenia działa rozkurczowo, a tym samym przeciwbólowo.

*Palenie papierosów*: Nikotyna zwęża naczynia krwionośne, co upośledza przepływ krwi i nasila dolegliwości. Dlatego w razie bólów w czasie miesiączki należy unikać palenia papierosów (→ Palenie tytoniu, s. 740).

### Leczenie

W przypadku przyczyn organicznych choroba podstawowa musi być rozpoznana i leczona przez lekarza.

W przypadku zaburzeń czynnościowych (wegetatywnych):
→ Proste środki przeciwbólowe, s. 621.
→ Masaże odpowiednich części ciała, s. 658.
→ Masaże odpowiednich obszarów stóp, s. 661.
→ Akupunktura, s. 646.
→ Akupresura, s. 660.

## Nieprawidłowe krwawienia

Można je podzielić na:
— bardzo skąpe krwawienie (*hypomenorrhoea*),
— bardzo obfite krwawienie (*hypermenorrhoea*),
— obfite i przedłużone krwawienie (*menorrhagia*).

Skąpe krwawienie bardzo rzadko jest objawem chorobowym. Może być objawem wczesnej ciąży lub skutkiem stosowania tabletek antykoncepcyjnych. Odwrotnie, obfite lub przedłużone krwawienie jest prawie zawsze objawem jakiegoś schorzenia. O obfitym krwawieniu mówi się wówczas, kiedy kobieta zużywa sześć lub więcej podpasek lub tamponów w ciągu dnia. Innym sposobem określenia obfitego krwawienia jest zużycie ponad dwudziestu podpasek lub tamponów w ciągu całego okresu menstruacji. Obfite krwawienie współistnieje często z przedłużoną miesiączką, to znaczy trwającą dłużej niż siedem dni.

### Dolegliwości

Znaczna utrata krwi może doprowadzić do uczucia osłabienia, zawrotów głowy i zaburzeń układu krążenia.

### Przyczyny

Obfite lub/i przedłużone krwawienia są najczęściej uwarunkowane organicznie:
— zaburzenia związane z założoną wkładką (spiralą) wewnątrzmaciczną (→ s. 519),
— procesy zapalne w okolicy narządów płciowych (→ s. 483),
— łagodne zgrubienia mięśni w ścianie macicy (→ Mięśniaki, s. 485),
— łagodne narośla w świetle jamy macicy (→ Polipy, s. 484),
— gruczolistość (→ s. 485),

---

### Co robić w razie nieregularnych krwawień?

*Krwawienia po właściwej miesiączce*: występują kilka dni po prawidłowej miesiączce jako słabe, ciemne plamienia. Mogą być wynikiem np. zapalenia macicy. Powinnaś zgłosić się do lekarza.

*Krwawienia przed miesiączką*: słabe, ciemne plamienia kilka dni przed miesiączką. Są wynikiem niedostatecznego wytwarzania progesteronu przez ciałko żółte. Stanowią problem wówczas, kiedy chcesz zajść w ciążę (→ Bezpłodność, s. 523).

*Dodatkowe krwawienia*: występują bez związku czasowego z cyklem płciowym kobiety, częściej u zażywających pigułki antykoncepcyjne. W każdym przypadku powinnaś zgłosić się do lekarza.

---

— osłabienie siły mięśni macicy; może czasem wystąpić po licznych porodach,
— przyjmowanie leków przeciwkrzepliwych,
— choroby krwi i zaburzenia krzepnięcia (→ Krew, s. 324),
— złośliwe guzy macicy (→ s. 487-488).

W rzadkich przypadkach obfite lub przedłużone krwawienia mogą być spowodowane ekstremalnym obciążeniem psychicznym.

### Ryzyko zachorowania

Łączy się z każdą wymienioną wyżej przyczyną organiczną.

### Możliwe następstwa i powikłania

Obfite lub/i przedłużone krwawienia mogą doprowadzić do niedokrwistości (→ Niedokrwistość, s. 324).

### Zapobieganie

Różne dla różnych chorób podstawowych.

### Kiedy do lekarza?

W razie wystąpienia wymienionych dolegliwości.

### Jak sobie pomóc

Jeżeli wykluczono przyczynę organiczną:
— odprężenie, odpoczynek,
— znalezienie pomocy i wsparcia drugiej osoby (najlepiej przyjaciółki; → Poradnictwo i leczenie kobiet, s. 671).

### Leczenie

Każdorazowo powinno dotyczyć choroby podstawowej.

## Zbyt długie (przedłużone) cykle

Okres pomiędzy następującymi po sobie krwawieniami jest dłuższy niż trzydzieści sześć dni, lecz krótszy niż trzy miesiące. Krwawienie jest najczęściej skąpe i stosunkowo krótkie. W rzadkich przypadkach odpowiedzialne za to zaburzenie mogą być przyczyny organiczne (→ Torbiele, s. 490). Bardziej prawdopodobne jest jednak, że na twój cykl płciowy wpływają różne obciążenia psychiczne, zmartwienia i stresy. Zmienia się wówczas obieg hormonów, nie dochodzi do jajeczkowania (owulacji) lub dojrzewanie komórki jajowej znacznie się opóźnia. Dokładny pomiar porannej temperatury ciała (→ Naturalne metody zapobiegania ciąży, s. 515) może pozwolić na określenie czasu jajeczkowania. Jeżeli wykluczone zostaną przyczyny organiczne zaburzeń miesiączkowania, podejmowanie jakichkolwiek środków jest konieczne tylko wówczas, gdy:
— chcesz zajść w ciążę i obecność przedłużonego cyklu wskazuje na nieprawidłowe jajeczkowanie (→ Bezpłodność, s. 523),
— gdy życzysz sobie skrócenia okresu między następującymi po sobie krwawieniami (np. dla lepszej kontroli okresów płodności).

Jeżeli dobrze się czujesz i badania ogólne nie wykazują żadnych odchyleń od normy, leczenie przedłużonego cyklu (*oligomenorrhoea*) jest niepotrzebne. Pomoc we własnym zakresie polega na stosowaniu tych samych środków, jakie wymieniono w punkcie Brak krwawień (s. 475).

## Zbyt krótkie cykle

Okres pomiędzy dwoma następującymi po sobie krwawieniami jest krótszy niż dwadzieścia jeden dni. Głównymi przyczynami są:
— skrócony okres rozwoju ciałka żółtego (faza lutealna), szybciej odbudowuje się również błona śluzowa jamy macicy;
— „wcześniejsze" jajeczkowanie;
— zaburzone jajeczkowanie.

Podobnie jak w przypadku zbyt długiego cyklu przyczyny są zwykle czynnościowe. Podjęcie jakichkolwiek środków staje się konieczne, jeżeli:
— chcesz mieć dziecko; skrócenie rozwoju ciałka żółtego (fazy lutealnej) sprawia, że zapłodniona komórka jajowa ma zbyt mało czasu na zagnieżdżenie się w jamie macicy;
— skróconym cyklom towarzyszą obfite krwawienia. Takie skojarzenie zaburzeń zwiększa utratę krwi i może prowadzić do niedokrwistości.

Jeżeli czujesz się dobrze i badania ogólne nie wykazują żadnych odchyleń od normy, leczenie zbyt krótkich cyklów płciowych jest niepotrzebne. Pomoc we własnym zakresie polega na stosowaniu tych samych środków, jakie wymieniono w następnym punkcie.

## Brak krwawień (miesiączkowania)

### Dolegliwości
Okres między następującymi po sobie krwawieniami jest dłuższy niż trzy miesiące.

### Przyczyny
Najczęstszą przyczyną zaniku miesiączki u kobiet w wieku rozrodczym jest ciąża. U kobiet nieciężarnych osiemdziesięciu procent przyczyn tego zaburzenia należy szukać w sferze psychiki. Brak krwawień może być spowodowany narastaniem nierozwiązanych problemów życia codziennego, stanem silnego napięcia psychicznego, poważnym konfliktem emocjonalnym lub inną sytuacją stresową. Na związek pomiędzy emocjami i możliwymi zaburzeniami hormonalnymi wskazują opisywane zjawiska zaniku miesiączki w obozach pracy, w czasie długich lotów lub w innych stanach wyjątkowego zagrożenia. To ostatnie pojęcie mieści w sobie zarówno jadłowstręt psychiczny, jak i wilczy głód (→ Zaburzenia łaknienia, s. 196).

Wyniszczenie powoduje najczęściej zanik miesiączki, ale objaw ten może być spowodowany także znacznym zwiększeniem masy ciała. Rzadszymi przyczynami są choroby organiczne, urazy lub wypadki.

Do braku krwawienia doprowadzić mogą na przykład:
— tzw. schorzenia ogólne, jak choroby tarczycy, cukrzyca, gruźlica; stany zapalne głównie narządów płciowych,
— wady rozwojowe jajników lub macicy,
— łagodne lub złośliwe nowotwory jajników lub kory nadnerczy,
— podwyższone stężenie prolaktyny we krwi,
— niedostateczna aktywność hormonalna przedniego płata przysadki; do niedoborów lub braku tych ważnych hormonów tropowych może dochodzić na przykład w przypadku

ciężkich urazów głowy lub długo trwającego porodu, szczególnie ze znaczną utratą krwi,
— zaburzenia w produkcji hormonów kory nadnerczy (→ s. 469),
— niektóre interwencje chirurgiczne, np. niewłaściwie przeprowadzony zabieg wyłyżeczkowania jamy macicy.

### Ryzyko zachorowania
Ryzyko wypadnięcia normalnego krwawienia miesięcznego wzrasta w przypadku każdego długo trwającego obciążenia fizycznego i/lub psychicznego. Przykład kobiet uprawiających sport wyczynowy wskazuje, że częsty brak krwawienia nie musi wiązać się z utratą zdrowia. Należy jednak pamiętać, że na układ hormonalny wpływ wywierają również czynniki środowiskowe oraz wiele leków (→ Substancje powodujące zaburzenia płodności, s. 524):
— doustne środki antykoncepcyjne (→ s. 520); u 1-2% kobiet zażywających pigułki antykoncepcyjne występuje zanik miesiączki w pierwszym okresie po rozpoczęciu ich stosowania,
— inne leki hormonalne,
— leki przeciwdepresyjne zawierające sulpiryd,
— leki antypsychotyczne zawierające pochodne fenotiazyny,
— leki przeciwnowotworowe zawierające chlorambucil lub cyklofosfamid.

Jeżeli podejrzewasz, że występujący u ciebie brak miesiączki spowodowany jest przyjmowanymi lekami, przeczytaj ulotkę do nich dołączoną i poradź się swojego lekarza.

### Możliwe następstwa i powikłania
Wadliwe jajeczkowanie (lub jego brak) powoduje, że w tym czasie nie możesz zajść w ciążę.

### Zapobieganie
Należy unikać niekorzystnych czynników środowiskowych (substancji trujących w miejscu pracy) oraz leków powodujących upośledzenie płodności.

### Kiedy do lekarza?
W razie braku spodziewanego krwawienia.

### Jak sobie pomóc
— *Prawidłowa dieta*: nieracjonalne, jednostronne lub niedostateczne odżywianie się może zaburzać cykl płciowy (→ Zdrowe żywienie, s. 704).
— *Ruch fizyczny*: taniec, gimnastyka lub pływanie mogą „rozruszać" również świat hormonów. Unikaj jednak uprawiania sportu wyczynowego i zbyt ciężkich obciążeń fizycznych.
— *Środki „naturalne"*: należy pamiętać, że wiele środków roślinnych używanych do wywołania miesiączki może powodować poronienie. Dlatego w każdym przypadku przed zażyciem jakichkolwiek ziół należy wykluczyć istnienie ciąży. Zawsze pytaj w aptece o właściwe wskazanie i sposób przygotowania leków ziołowych, które kupujesz.
— *Masaże*: silny masaż kolistymi ruchami w kierunku serca i z powrotem może pobudzić krążenie krwi. Masaże powinny być przeprowadzane przez osoby do tego odpowiednio przygotowane.

— *Życie seksualne*: unormowane i dające zadowolenie życie seksualne stanowi ważny czynnik osiągnięcia pełni zdrowia fizycznego i psychicznego (→ Życie seksualne, s. 499).

## Leczenie

Jeżeli brak miesiączki nie powoduje u ciebie poczucia choroby, nie pragniesz mieć dziecka i ogólne badania wypadają pomyślnie, leczenie nie jest konieczne.

Kobiety przed 40 rokiem życia, u których zaburzenia hormonalne powodują brak miesiączki przez okres dłuższy niż pół roku, powinny wziąć pod uwagę leczenie hormonalne, ponieważ może ono zapobiec rozwojowi osteoporozy (→ s. 402).

Możliwe są następujące sposoby leczenia:

— *Kąpiele borowinowe*: (→ Ciepłe okłady, s. 651). Pobyt w uzdrowisku stabilizuje obieg hormonów i przez to także poprawia poczucie zdrowia psychicznego i fizycznego. Pod odpowiednią, fachową opieką można stosować kąpiele borowinowe również w domu. Uzupełniającymi metodami postępowania mogą być: gimnastyka, leżakowanie na świeżym powietrzu, masaże, picie wód mineralnych oraz tzw. diety oczyszczające organizm.

— *Homeopatia*: można stosować także preparaty hormonalne, jak np. Feminon (zawiera pochodną estradiolu: etynyloestradiol) lub Mastodynon.

— *Hormony*: leczenie preparatami hormonalnymi opiera się na założeniu, że nagłe odstawienie środków hormonalnych „skłoni" organizm do ponownej produkcji hormonów tropowych. Takie leczenie jest uzasadnione wówczas, gdy udowodniono niedobór hormonów płciowych w organizmie, a kobieta chciałaby mieć dziecko. Jednakże i w tym przypadku powinno się najpierw poszukać psychogennych przyczyn niedoborów hormonalnych (→ Bezpłodność, s. 523).

— *Poradnictwo i psychoterapia*: najwłaściwszą metodą pozwalającą wpaść na ślad przyczyn braku miesiączki jest kwalifikowana pomoc psychologa w ujawnieniu i rozwikłaniu problemów konfliktowych (→ s. 672).

# OKRES PRZEKWITANIA (KLIMAKTERIUM)

Okres przekwitania u kobiety występuje zwykle między 45 a 55 rokiem życia. W tym czasie zanika powoli czynność jajników, które zaczynają produkować jedynie resztkowe ilości hormonów. Krwawienia miesięczne stają się nieregularne, bardziej skąpe i krótsze, a ostatnie cykle są bezowulacyjne (komórka jajowa nie dojrzewa i nie występuje jajeczkowanie). Ostatnie krwawienie miesięczne określa się mianem menopauzy. Uważa się, że o wystąpieniu menopauzy można mówić u kobiety, która będąc w odpowiednim wieku, nie miesiączkuje przynajmniej przez rok. To, jak kobieta przeżywa i „przechodzi" klimakterium, zależy bezpośrednio od akceptacji przez nią własnej kobiecości oraz od osiągania zadowolenia z życia.

Decydujący jest również sposób „odbierania" własnego ciała. W okresie przejściowym bowiem zmiany mogą być bardzo gwałtowne, co skutkuje dokuczliwymi dolegliwościami, ale też może przebiegać on bez żadnych dolegliwości.

## Objawy klimakterium

Zaburzenia hormonalne mogą powodować tzw. uderzenia gorąca, z towarzyszącymi zlewnymi potami. Często po takim ataku pojawia się nieprzyjemne uczucie zimna. Mogą wystąpić wahania ciśnienia tętniczego krwi, zawroty głowy, kołatanie serca, uczucie mrowienia palców rąk i stóp, drętwienie kończyn i obrzmienie stawów.

Pochwa staje się mniej wilgotna i mniej elastyczna.

Bardziej sucha staje się również skóra i wszystkie błony śluzowe. Czasem pojawiają się dolegliwości ze strony pęcherza moczowego, łącznie z nietrzymaniem moczu.

Nie u wszystkich kobiet w okresie klimakterium występują te same objawy. Niektóre kobiety nie odczuwają żadnych dolegliwości, a tylko u niewielu dolegliwości są bardzo dokuczliwe. Wiele kobiet odczuwa te dolegliwości jako „znośne" i potrafi nauczyć się z nimi normalnie egzystować.

*Towarzyszące ryzyko*

— Zaburzenia hormonalne zwiększają ryzyko występowania chorób układu sercowo-naczyniowego.

— Osteoporoza → s. 402.

## Zmiany psychiczne

Wszystkie zmiany, jakie zachodzą w organizmie kobiety w okresie przekwitania, wywierają znaczny wpływ na jej samopoczucie psychiczne.

Wiele kobiet skarży się na bezsenność, uczucie osłabienia, bóle głowy, a także depresyjny nastrój lub uczucie rozdrażnienia (→ Zaburzenia samopoczucia, s. 175). Okres przekwitania przypada w czasie nasilenia stresów, które nawet bez występującego wówczas przestrojenia hormonalnego nie byłyby łatwe do opanowania.

*Zmiany fizyczne*

— Zmienia się budowa ciała. Podczas kiedy dla mężczyzn pojawienie się zmarszczek nie stanowi zwykle problemu, wiele kobiet odczuwa dotkliwie zmiany elastyczności skóry, włosów, a także pojawiające się tu i ówdzie zaokrąglenia ciała.

*Zmiany socjalne*

— Okres przekwitania jest często naznaczony piętnem strat. Kobiety muszą się pogodzić nie tylko z „utratą" dzieci. Mniej realne stają się własne marzenia i nadzieje, poważnym problemem staje się uczucie lekceważenia starszych kobiet przez otoczenie.

---

### Wcześniejsze klimakterium

U kobiet palących dużo papierosów klimakterium może wystąpić nawet do sześciu lat wcześniej niż u niepalących (→ Palenie tytoniu, s. 740).

Za przedwczesne klimakterium uważa się występowanie objawów niedoboru hormonów płciowych i menopauzy przed 45 rokiem życia. W takich przypadkach należy rozważyć stosowanie leczenia hormonalnego ze względu na zwiększone niebezpieczeństwo rozwoju osteoporozy i przyspieszenia miażdżycy.

— Zwykle po czterdziestym roku życia każdy sporządza bilans: dzieci opuszczają dom, partnerstwo wydaje się „nieco zużyte". Kobiety pragnące znowu poświęcić się pracy zawodowej narażone są często na gorzkie rozczarowanie. Na rynku pracy uważane są za starsze i mniej użyteczne.

## Jak sobie pomóc

Pomoc lekarska staje się potrzebna wówczas, gdy opisane dolegliwości utrudniają normalne, codzienne życie i badanie ogólne wykazuje odchylenia od normy. Należy pamiętać, że klimakterium nie jest chorobą.

— Ćwiczenia gimnastyczne, uprawianie sportu pozwalają utrzymać sprawność fizyczną (→ s. 748), racjonalne odżywianie utrzymuje w normie masę ciała (→ s. 709).
— Regularne ćwiczenia i dieta bogatowapniowa są bardzo ważnym elementem zapobiegania osteoporozie (→ s. 402).
— Obserwuj się i staraj się sobie „dogadzać". Spróbuj dopasować swoją sytuację życiową do nowych warunków organizmu (→ Zdrowie i dobre samopoczucie, s. 173, → Relaks, s. 664, → Zaburzenia snu, s. 183).
— Możesz sobie pomóc, stosując metody naturalne: kąpiele, w tym kąpiele borowinowe, czy fizykoterapię (→ Naturalne metody leczenia, s. 640).
— W razie wystąpienia problemów psychicznych, nastrojów depresyjnych lub okresów smutku powinnaś zawsze szukać okazji do rozmów z przyjaciółmi (przyjaciółkami). W aktywnym przezwyciężeniu pojawiających się zmian pomagają również zapiski w prowadzonym pamiętniku.
— W przebrnięciu przez trudny okres mogą pomóc rady profesjonalnych służb i instytucji (→ Poradnictwo i psychoterapia, s. 670). Leczenie dolegliwości okresu przekwitania lekami uspokajającymi (→ s. 181) lub przeciwdepresyjnymi (→ s. 193) jest nieracjonalne.
— Pomocne mogą być niektóre preparaty ziołowe.

## Leki hormonalne

Dla niektórych kobiet dolegliwości okresu przekwitania są bardzo dużym obciążeniem. Uzupełnienie hormonów może złagodzić objawy klimakterium i uczynić bardziej znośnymi istniejące dolegliwości. Najczęściej należy stosować preparaty złożone zawierające estrogeny i progesteron. Leków zawierających tylko estrogeny używa się w rzadkich przypadkach, np. po operacyjnym usunięciu macicy (→ Ryzyko towarzyszące hormonoterapii, s. 478).

Kobiety, które dobrze znoszą przyjmowanie leków hormonalnych, powinny je stosować przez około 2-5 lat. Jest to szczególnie ważne u kobiet z wysokim ryzykiem osteoporozy (→ s. 402). Działanie niepożądane i ryzyko stosowania preparatów hormonalnych mogą być znaczne. W przypadku wystąpienia jakiegokolwiek objawu ubocznego stosowanie hormonów staje się wątpliwe, ponieważ istnieją inne mniej obciążające leki, które w takich przypadkach również mogą pomóc (→ Jak sobie pomóc, powyżej). Przed rozpoczęciem leczenia hormonalnego lekarz musi wykonać wymaz z pochwy oraz badania krwi, aby ocenić stan gospodarki hormonalnej kobiety. Ważniejszy niż bez-

względne stężenia estrogenów i gestagenów w surowicy krwi jest stosunek stężeń tych hormonów. W trakcie terapii hormonalnej kobieta powinna być regularnie badana.

### Wskazania do leczenia hormonalnego

Stosowanie preparatów hormonalnych należy rozważyć tylko wtedy, jeżeli:

— Odczuwane przez kobietę uderzenia gorąca lub zaburzenia snu są do tego stopnia uciążliwe, że życzy ona sobie możliwie szybkiej i skutecznej pomocy,
— Kobieta domaga się szybkiej pomocy, ponieważ jej praca, lub obowiązki rodzinne nie pozwalają na stosowanie działających wolniej środków alternatywnych,
— istnieje duże ryzyko osteoporozy (→ s. 402),
— zaburzenia hormonalne powodują bardzo dokuczliwe dolegliwości ze strony pęcherza moczowego lub pochwy, jak np. częstomocz, uczucie suchości lub zwężenie pochwy,
— ciągle nawracające międzykrwawienia lub dodatkowe krwawienia z dróg rodnych wymagające wykluczenia zmian organicznych (→ Nieprawidłowe krwawienia, s. 474). Jeżeli leczenie hormonalne tych krwawień jest nieskuteczne, należy wykonać diagnostyczne wyłyżeczkowanie jamy macicy.

### Estrogeny

Różne rodzaje estrogenów wykazują zróżnicowane działanie. Preparaty zawierające słabo działający estriol (np. Ovestin, Synapause) mogą korzystnie wpływać na nieprzyjemne objawy skórne, zaburzenia przemiany tłuszczowej i metabolizmu ośrodkowego układu nerwowego, a także na dolegliwości ze strony pochwy. W pewnym stopniu estrogeny mogą zwalniać proces starzenia się. Skóra i błony śluzowe pozostają bardziej elastyczne, tkanka kostna mocniejsza, a naczynia krwionośne mniej podatne na proces miażdżycowy. Należy jednak podkreślić, że systematyczne ćwiczenia fizyczne wywierają podobny do estrogenów efekt na przemianę materii, a co za tym idzie na skórę, kości i psychikę.

---

### Kiedy należy unikać preparatów hormonalnych?

— W razie choroby wątroby.
— W razie zaburzeń gospodarki tłuszczowej.
— W razie przebytego incydentu zakrzepowego zapalenia naczyń powodującego niedrożność naczynia krwionośnego.
— W razie istnienia endometriozy.
— W razie rozpoznania raka sutka u członkiń rodziny.
— W razie rozpoznania raka błony śluzowej macicy.

W porozumieniu z lekarzem przyjmowanie hormonów należy przerwać w razie wystąpienia:

— ostrej zakrzepicy żylnej, zawału mięśnia sercowego lub udaru mózgu,
— żółtaczki, zapalenia trzustki lub chorób pęcherzyka żółciowego,
— reakcji uczuleniowych,
— nadciśnienia tętniczego.

### Estrogeny i gestageny

Dodatkowe podanie gestagenów jest próbą przeciwdziałania zwiększonemu ryzyku rozwoju raka macicy u kobiet zażywających preparaty samych estrogenów. Dlatego wiele leków zawiera obie te grupy hormonów (np. Kliogest, Trisequens, Estracomb). Gestagenów nie podaje się tylko tym kobietom, którym wcześniej usunięto macicę. W każdym innym przypadku podanie samych estrogenów bez gestagenów traktowane jest jako błąd w sztuce.

### Ryzyko towarzyszące hormonoterapii

Do tej pory nie wyjaśniono, czy wieloletnie zażywanie estrogenów wpływa na zwiększenie ryzyka rozwoju raka sutka. Dlatego kobiety ze zwiększonym ryzykiem raka sutka (→ s. 480) powinny unikać długotrwałego zażywania estrogenów. Podawanie preparatów złożonych z estrogenów i gestagenów w zastrzykach, w odstępach czterotygodniowych, bardzo rzadko jest uzasadnione, ponieważ przy tym sposobie podania niemożliwe jest uzyskanie w organizmie właściwych proporcji pomiędzy podanymi hormonami.

# SUTEK

Sutek kobiety składa się głównie z tkanki tłuszczowej, w obrębie której znajduje się rozgałęziona sieć (w kształcie kiści winogron) gruczołów mlecznych. Płaciki gruczołu zwisają jak jagody na przewodach wyprowadzających, które łączą się w wiązkę przewodów gruczołów mlecznych (około 15 do 30) i uchodzą na brodawce sutkowej. Dodatkowo sutek zawiera delikatną sieć naczyń chłonnych. Czuła na bodźce zewnętrzne brodawka znajduje się w środku tzw. otoczki brodawki sutkowej. W czasie pobudzenia seksualnego brodawka może się napinać i pęcznieć (staje się twarda). W obrębie otoczki brodawki widoczne są gruczoły łojowe pod postacią małych guzków. W spoczynku gruczoły te produkują zawierającą tłuszcz wydzielinę, której zadaniem jest ochrona brodawki sutkowej.

Kształt i wielkość obu sutków są prawie zawsze nieco różne. O wielkości piersi decyduje najczęściej ilość tkanki tłuszczowej. Rozmiary sutków zmieniają się w czasie cyklu płciowego kobiety. Po okresie przekwitania (→ s. 476) tkanka gruczołowa ulega zanikowi, a otaczająca skóra staje się wiotka.

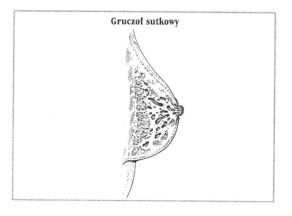

**Gruczoł sutkowy**

## Zapalenie sutka

### Dolegliwości

Wynikają ze stanu zapalnego brodawki sutkowej lub przewodów mlecznych. Brodawka sutkowa może być bolesna i wrażliwa na ucisk, w ujściu gruczołu pojawić się może wydzielina. Najczęściej choroba zaczyna się bólem jednego sutka. Pojawia się jego obrzmienie, zaczerwienienie, a nawet ucieplenie. Może się pojawić nawet bardzo wysoka gorączka. Tak się dzieje, zwłaszcza gdy zapalenie sutków występuje u kobiet w okresie połogu (→ Stan po porodzie, s. 548)

### Przyczyny

Zapalenie sutka pojawia się prawie wyłącznie w czasie połogu (→ s. 549). W czasie karmienia piersią może dojść do uszkodzenia brodawki sutkowej (pęknięcia, zadrapania, otarcia), które ułatwia wnikanie drobnoustrojów (głównie bakterii) i ich rozprzestrzenienie się przez naczynia chłonne, szczególnie w razie zastoju w przewodach mlecznych. Zapalenie sutka występujące poza okresem połogu związane jest najczęściej z obecnością tzw. mastopatii (→ Obrzmienie i guzki, s. 479) lub z podwyższonym stężeniem prolaktyny (hormonu pobudzającego produkcję mleka). Również wówczas dochodzi do obrzmienia tkanki gruczołowej spowodowanego procesem zapalnym i zastojem w przewodach mlecznych. Należy podkreślić, że przyczyną opisywanych dolegliwości mogą być także zaburzenia czynności tarczycy oraz działania niepożądane leków przeciwnadciśnieniowych.

### Ryzyko zachorowania

— ryzyko wzrasta w przypadku braku odpowiedniej higieny w czasie połogu i przy równoczesnych — nawet nieznacznych — zranieniach brodawki sutkowej;
— zapalenie sutka niezależnie od połogu występuje również częściej u młodych kobiet przed trzydziestym rokiem życia; przyczyny tego zjawiska są nieznane;
— ryzyko zapalenia sutków wzrasta także u kobiet z mastopatią.

### Możliwe następstwa i powikłania

Objawy zapalenia mogą się uogólniać, do gorączki i dreszczy włącznie. Może dojść do powiększenia węzłów chłonnych w dole pachowym. W pewnych sytuacjach wytwarza się otorbiony ropień. Zapalenia sutka powstałe poza okresem połogu częściej przechodzą w stan przewlekły.

### Zapobieganie

Przestrzeganie zasad higieny w czasie połogu i przez cały okres karmienia piersią (laktacji) (→ s. 549).

### Kiedy do lekarza?

Natychmiast w razie bólów, zaczerwienienia lub obrzmienia sutków. Należy wyjaśnić, czy pod maską zapalenia nie rozwija się inne schorzenie (np. mastopatia → Obrzmienie i guzki). Utrzymywanie się dolegliwości, w rzadkich przypadkach może doprowadzić nawet do rozwoju raka sutka (→ s. 480).

### Jak sobie pomóc

We wczesnym okresie mogą pomóc okłady z twarogu lub octa-

**Samobadanie sutków**

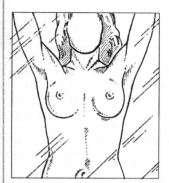

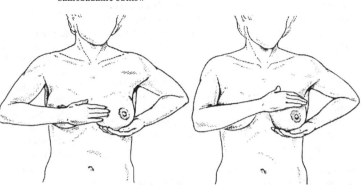

Najodpowiedniejszym momentem do samobadania sutków jest drugi lub trzeci dzień po rozpoczęciu menstruacji; wtedy tkanka jest najbardziej miękka, a jej obmacywanie najłatwiejsze.

1. Stań przed lustrem z odsłoniętą górną częścią ciała i opuszczonymi luźno ramionami. Czy zauważasz jakieś zmiany w kształcie i wielkości sutków lub/i uwypuklenia lub zagłębienia na skórze?
2. Unieś ramiona ponad głowę i ponownie zwróć uwagę na kształt i wielkość, patrząc pod różnymi kątami.
3. Połóż się swobodnie na plecach. Lewe ramię załóż za głowę. W takiej pozycji przeprowadź badanie lewego sutka, płasko układając na jego powierzchni palce prawej ręki i przesuwając je ruchami okalającymi kolejno po wewnętrznej i górnej powierzchni sutka. Obmacuj ostrożnie, ale z wystarczająco silnym uciskiem, aby wyczuć ewentualne guzki i stwardnienia.
4. Uciśnij z obu stron brodawkę sutkową: jaka jest konsystencja tkanek otaczających brodawkę? Czy odczuwasz ból?
5. Stojąc lub siedząc, uchwyć otwartą ręką sutek od spodu. Drugą

ręką obmacuj sutek dookoła: od zewnątrz do wewnątrz, z góry do dołu, z tyłu do przodu. Uciskaj bardzo ostrożnie w kierunku brodawki: czy na brodawce pojawia się wydzielina? Jaka ona jest — krwista, mleczna lub wodnista?

6. Jeżeli zauważysz jakiekolwiek zmiany, stwardnienia, guzki lub wydzielinę, powinnaś bez zwłoki zasięgnąć porady lekarskiej.

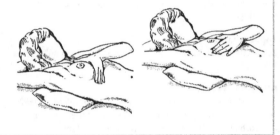

---

nu glinu (np. altacetu). W okresie późniejszym pomoc we własnym zakresie jest niemożliwa.

— Użyj miękkiego ręcznika, posmaruj go grubą warstwą twarogu lub namocz go w roztworze octanu glinu.
— Włóż tak przygotowany ręcznik do stanika i staraj się ułożyć piersi możliwie wysoko, tak aby nie powodować dodatkowych bólów. Tę czynność powtarzaj regularnie przez kilka dni i nocy.
— Kobiety karmiące powinny dbać o odprowadzanie nadmiaru pokarmu za pomocą specjalnych przyrządów.

### Leczenie

Antybiotyki (→ s. 621). W zaawansowanym stadium możesz próbować zapobiegać rozwojowi ropnia za pomocą okładów z borowiny (szczególnie „Fango") (→ Leczenie ciepłem, s. 651) lub maści dziegciowych (maści „ściągające").

Jeżeli doszło do wytworzenia otorbionego ropnia, najwłaściwszym leczeniem jest jego nacięcie w celu umożliwienia ujścia ropy.

## Obrzmienie i guzki sutka (mastopatia)

Przez pojęcie mastopatii rozumie się wszystkie łagodne zmiany przewodów mlecznych lub/i tkanki łącznej. Najczęstszą formą mastopatii jest tzw. torbielowatość. Choroba ta polega na wytwo-

rzeniu się w obrębie tkanki gruczołowej licznych małych jamek wypełnionych płynem: twory te określa się mianem torbieli. Znacznie rzadziej występuje zwłóknienie sutka, polegające na przerastaniu tkanki gruczołowej tkanką łączną włóknistą. Pojedyncze stwardnienia nie zawierają płynu.

### Dolegliwości

Niewielkie obrzmienie i guzki często nie sprawiają żadnych dolegliwości. W zależności od zaawansowania zmian może pojawić się — najczęściej tydzień przed menstruacją — silny ból zmienionego chorobowo sutka, wrażliwość na dotyk, a także wydzielina na brodawce. Mogą pojawić się guzkowate stwardnienia tkanki gruczołowej różnej wielkości (od pestki wiśni do orzecha laskowego). Guzki te są ruchome względem otaczającej je tkanki.

### Przyczyny

Za rozwój mastopatii odpowiedzialna jest nadprodukcja estrogenów lub zaburzony stosunek estrogenów do gestagenów. Dodatkową rolę mogą odgrywać męskie hormony płciowe, prolaktyna (hormon pobudzający produkcję mleka) oraz hormony tarczycy. Jednak dokładne zależności pomiędzy wymienionymi hormonami a opisywanym schorzeniem nie zostały wyjaśnione. Przesłanką przemawiającą za tą koncepcją jest nasilanie się bólów krótko przed menstruacją, a więc w okresie najwyższych stężeń estrogenów i gestagenów.

Obecność wydzieliny najczęściej jest następstwem zbierania się płynu w powiększonych płacikach gruczołowych lub podwyższonego stężenia prolaktyny. Objaw ten, który występuje nie w każdym przypadku mastopatii, może wskazywać na obecność narośli w przewodach gruczołu mlecznego.

### Ryzyko zachorowania
Łagodne schorzenia sutka występują prawie u połowy kobiet pomiędzy 30 i 50 rokiem życia. Torbielowatość stanowi 70-80% wszystkich mastopatii. Ta choroba występuje tylko w okresie dojrzałości płciowej, a szczyt zachorowania przypada na okres między trzydziestym a czterdziestym rokiem życia. Po okresie przekwitania objawy ustępują.

### Możliwe następstwa i powikłania
Torbielowatość lub zwłóknienie sutka rzadko doprowadza do powikłań: może zwiększać ryzyko rozwoju zapalenia sutka (→ s. 478). Mastopatia ze znacznym rozrostem tkanki łącznej w płacikach i drogach wyprowadzających gruczołu mlecznego może prowadzić do zaburzeń rozwojowych komórek i do pełnej przebudowy struktur gruczołu. Na podłożu takich przypadków mastopatii często dochodzi do rozwoju nowotworów złośliwych (→ Rak sutka).

### Zapobieganie
Regularne samobadanie (→ s. 479) i badanie ginekologiczne (→ s. 471).

### Kiedy do lekarza?
W razie stwierdzenia obecności guzków lub obrzmienia, a także pojawienia się nietypowych bólów sutka przed menstruacją.

Torbielowatość sutka można rozpoznać badaniem ultrasonograficznym (→ s. 611). Diagnostyka mastopatii włóknistej obejmuje mammografię (→ s. 610) lub/i kontrastowe badanie rentgenowskie przewodów mlecznych. Zasadniczym celem tych badań jest wykluczenie istnienia zmian złośliwych. Jeżeli ich wynik nie jest jednoznaczny, należy wykonać punkcję (nakłucie) torbieli lub wykonać biopsję podejrzanej tkanki.

### Jak sobie pomóc
Samemu nie można.

### Leczenie
Po jednoznacznym wykluczeniu złośliwego charakteru istniejących zmian można we wczesnym ich stadium dokonać próby leczenia preparatami regulującymi wydzielanie hormonów. Często przepisywany jest preparat homeopatyczny Mastodynon, który powinno się stosować od trzech do sześciu miesięcy.

W łagodzeniu dolegliwości bólowych i uczucia napięcia pomocna może być także akupunktura (→ Akupunktura, s. 646) oraz niektóre preparaty ziołowe.

W przypadku braku poprawy jedyną możliwością leczenia są środki hormonalne (gestageny, również w postaci maści). Pełne wyleczenie mastopatii jest niemożliwe, można jedynie łagodzić dolegliwości. Dlatego tak ważna jest dalsza kontrola lekarska.

## Rak sutka
(→ Nowotwory złośliwe, s. 437)

### Dolegliwości
Miejscem wyjścia nowotworu może być brodawka sutkowa, trzon gruczołu lub przewody mleczne. Twarde guzki prawie nigdy nie są bolesne. Mogą być zlokalizowane nie tylko w obrębie sutka, ale także w jego otoczeniu lub w dole pachowym. Na brodawce sutkowej może się pojawić krwista lub śluzowa wydzielina. Możliwe jest także wystąpienie zapalenia wypryskowego. Obecność wciągniętej, bolesnej lub swędzącej brodawki wymaga wykluczenia nowotworu. Zmiany skórne w przypadku twardego guza mogą przybierać postać tzw. objawu skórki pomarańczowej lub drobnych wgłębień na skórze.

### Przyczyny
Rozwój raka sutka jest w dużym stopniu procesem hormonozależnym. Estrogeny nasilają wzrost istniejącego guza. Pytanie, czy hormony te mogą powodować powstanie raka, pozostaje nierozstrzygnięte. Ze względu na istniejące wątpliwości kobiety zażywające pigułki antykoncepcyjne (→ s. 520) powinny regularnie same badać swoje sutki i często korzystać z badań lekarskich.

W procesy powstawania raka zaangażowanych jest znacznie więcej czynników, z których większość nie jest do tej pory poznana. Pierwszym z nich są uwarunkowania genetyczne, prawdopodobny jest też udział zakażeń wirusowych.

### Ryzyko zachorowania
Co dziesiąta kobieta choruje w swoim życiu na raka sutka. Jest to najczęstszy rodzaj nowotworu u kobiet (23% wszystkich nowotworów złośliwych). W dwóch trzecich przypadków choroba rozpoczyna się po pięćdziesiątym roku życia. Ryzyko rozwoju guza sutka wzrasta u kobiet:
— których bliskie krewne (matka lub siostra) chorowały lub chorują na raka sutka, co sugeruje rolę czynników genetycznych w rozwoju choroby;
— u bezdzietnych, u tych, które późno urodziły pierwsze dziecko, które nigdy nie karmiły piersią lub karmiły krótko;
— u których bardzo wcześnie wystąpiło pierwsze krwawienie miesięczne lub/i późno pojawiła się ostatnia miesiączka (menopauza) (jest to skutek przedłużonego działania estrogenów na tkankę gruczołu sutkowego);
— u których stwierdza się różne formy mastopatii lub innych łagodnych zmian sutka.

### Możliwe następstwa i powikłania
*I okres*: Zmiany są ograniczone do tkanki gruczołowej. Wielkość guza nie przekracza 2 cm ($T_1$). Szanse całkowitego wyzdrowienia sięgają 60%. Za zupełne wyleczenie uważa się niewystąpienie nawrotu przez 10 lat po usunięciu guza.
*II okres*: Rozmiary guza wynoszą pomiędzy 2 i 5 cm ($T_2$) i/lub obejmują również węzły chłonne dołu pachowego. Szanse na dziesięcioletnie przeżycie ma około 40% chorych. U dwóch trzecich kobiet chorych na raka sutka leczenie rozpoczyna się dopiero w tym okresie.
*III okres*: Zmiany rozprzestrzeniają się na dalsze grupy węzłów

chłonnych lub/i wymiary guza przekraczają 5 cm (T₃). Szanse wyzdrowienia wynoszą około 10%.

*IV okres*: Zmiany osiągnęły ścianę klatki piersiowej. W tym stadium występują przerzuty do odległych narządów.

Istotną rolę dla określenia rokowania odgrywa wrażliwość guza na hormonoterapię oraz stopień dojrzałości komórek nowotworowych.

## Zapobieganie

W ośmiu przypadkach na dziesięć nowotwór sutka rozpoznawany jest przez samą kobietę. Rozpoznanie złośliwych zmian sutka jeszcze w I okresie wymaga przede wszystkim regularnych, comiesięcznych samokontroli (→ s. 479) oraz systematycznych profilaktycznych badań lekarskich (→ s. 471). Obecnie możliwe jest wykonanie badań genetycznych, które pozwalają na wykrycie tzw. genów raka sutka. Wykonuje się je głównie u kobiet, których matki lub siostry chorowały na raka sutka. Wyniki badań genetycznych nie pozwalają jednak na pewne przewidywanie choroby. Nie ustalono jeszcze ich wartości dla przewidywania rokowania (→ Rak sutka, s. 480).

## Kiedy do lekarza?

Natychmiast, w razie stwierdzenia podejrzanych guzków, obrzmienia, zmian skórnych lub obecności wydzieliny w obrębie sutka. Jeżeli obraz mammograficzny jest niejednoznaczny (→ Mammografia i ultrasonografia we wczesnym rozpoznaniu, s. 611), należy wykonać biopsję zmiany w sutku, aby rozstrzygnąć, czy jest ona łagodna czy złośliwa.

W ostatnich latach w diagnostyce raka sutka używana jest także tomografia komputerowa z zastosowaniem jądrowego rezonansu magnetycznego (→ NMR, s. 611). Jednak wynik nawet tego badania jest często wątpliwy. Wykonywane zdjęcia wykazują obecność ciągle nowych miejsc podejrzanych o patologię, które nie zostają potwierdzone w czasie zabiegu. Z drugiej strony badanie to może nie wykryć wyczuwalnych guzków. Wysokie koszty tomografii komputerowej z zastosowaniem NMR sprawiają, że ubezpieczalnie w Niemczech finansują to badanie tylko u kobiet, u których wynik mammografii jest niejednoznaczny.

## Jak sobie pomóc

Samemu nie można.

## Leczenie

Decydujący dla dalszego postępowania jest wynik badania histologicznego (mikroskopowa ocena preparatu z pobranej tkanki).

— W przypadku rozpoznania raka należy bezzwłocznie podjąć odpowiednie leczenie operacyjne. Oczywiście najpierw należy potwierdzić rozpoznanie. Wielu lekarzy przestrzega przed zbytnim rozgorączkowaniem po ustaleniu diagnozy. Tydzień lub dwa, jakie upłyną od rozpoznania do operacji, nie stanowią żadnego zagrożenia dla postępu choroby.

### Szczegółowe informacje otrzymasz:

**Telefon zaufania dla kobiet po mastektomii**
tel. (0-22) 643-91-85

**„Amazonki" Klub Kobiet po Mastektomii**
Warszawa, ul. Roentgena 5, tel. (0-22) 643-91-85

### Co powinnaś wiedzieć o możliwościach odbudowy sutka

To, czy w ogóle lub w jaki sposób odbudować sutek po operacji z powodu nowotworu, zależy od twoich potrzeb psychicznych i fizycznych, od możliwości chirurgicznych i od kształtu sutka przed operacją.

— U około 5-10% operowanych kobiet występuje nadmierna reakcja tkanki łącznej na umieszczone pod mięśniem piersiowym woreczki z silikonem (powstaje tzw. torebka włóknista). Dochodzi do niekontrolowanego rozrostu tkanki i deformacji.

— Nie wiadomo, jakie jest ogólnoustrojowe działanie cząsteczek silikonu uwalniających się z możliwych pęknięć protezy i przedostających się do krwiobiegu.

— „Nowy" sutek okupiony jest bliznami, poza tym różni się często od odjętego w czasie operacji. Inaczej go czujesz, słabiej także odczuwasz wszelkie bodźce dotykowe.

— Poza wyglądem zewnętrznym najważniejszy jest emocjonalny stosunek i zaufanie do twojego partnera. Dlatego przed decyzją o zabiegu powinniście porozmawiać.

— Chirurgiczne odtworzenie sutka nie jest gwarancją uwolnienia od wszystkich obaw i niepewności. Zrozumiała jest obawa przed brakiem miłości i pożądania. Wszystko to zależy jednak od jakości dotychczasowego związku, nie zaś od kształtu sutka.

— Ingerencja chirurgiczna nie musi zmieniać twojej osobowości i stosunku do otoczenia. Powinnaś włączyć swojego partnera we wszystkie sprawy związane z psychicznymi i fizycznymi problemami. Niczego nie ukrywaj. W dalszym ciągu masz całe ciało do pieszczot. Wraz z partnerem możesz zmienić niektóre nawyki i być może odkryć nową jakość współżycia ze sobą i obok siebie (→ Życie seksualne, s. 499).

— Odjęcie sutka prawie zawsze wpływa na poczucie pewności siebie. W ostatnich latach prawie w każdym większym mieście powstały grupy samopomocy i poradnie dla kobiet po odjęciu piersi.

— Coraz więcej chorych kobiet może być operowanych bez odjęcia całego sutka. Taki zabieg jest możliwy, jeżeli guz nie jest położony zbyt głęboko, jego średnica nie przekracza 2 cm i w całości jest łatwo widoczny. Innym warunkiem koniecznym dla oszczędzenia całego sutka jest brak zmian w węzłach chłonnych dołu pachowego. Poza tym guz nie może leżeć bezpośrednio za brodawką sutkową, a sam sutek nie może być zbyt duży. W tym ostatnim przypadku utrudnione jest konieczne w takich przypadkach regularne badanie rentgenowskie.

— W przypadku zabiegu oszczędzającego sutek usuwa się guz nowotworowy wraz z marginesem zdrowej tkanki oraz węzły chłonne dołu pachowego. W ten sposób chora traci od jednej ósmej do jednej czwartej sutka. W czasie zabiegu lekarz „formuje" nieco mniejszy sutek, który później może się powiększyć do poprzednich rozmiarów.

— Jeżeli operacja oszczędzająca nie jest możliwa, usuwa się

cały gruczoł sutkowy wraz z węzłami chłonnymi dołu pachowego. Pozostaje skóra i mięśnie klatki piersiowej.

# SROM I POCHWA

## Srom

Pojęcie sromu obejmuje: większe i mniejsze wargi sromowe, łechtaczkę (*clitoris*), ujście cewki moczowej oraz ujście pochwy. Poza tym wyróżnić można: wzgórek łonowy i krocze (do tyłu od ujścia pochwy aż do odbytu).

Wargi sromowe większe spełniają funkcję ochronną. W ich obrębie ukryte są dwa gruczoły Bartholina. Ujścia przewodów wyprowadzających tych gruczołów znajdują się bezpośrednio przy ujściu pochwy. Wydzielina gruczołów Bartholina nawilża ujście pochwy.

## Pochwa (wagina)

Pochwa tworzy łagodny łuk zaczynający się ujściem na sromie i ciągnący się do szyjki macicy. Tuż przed tylnym sklepieniem pochwy znajduje się namacalny, gładki okrągły twór — jest to ujście macicy. Z tego miejsca prowadzi kanał szyjki macicy do światła jamy macicy. Tylko przednia część pochwy posiada zakończenia nerwowe reagujące na bodźce. Tylna część pochwy nie jest unerwiona; dlatego możliwe jest na przykład używanie przez kobiety tamponów bez uczucia ciała obcego. Pochwa jest wyjątkowo elastyczna i rozciągliwa. Dzięki temu możliwa jest penetracja członka oraz wydostanie się tą drogą dziecka w czasie porodu.

Wnętrze pochwy wyściela błona śluzowa, która w zależności od fazy cyklu płciowego i wieku kobiety jest sucha lub wilgotna. Błona śluzowa jest bardzo wrażliwa i reaguje na obciążenia psychiczne, zaistniałe problemy lub konflikty. Reakcją jest najczęściej zwiększenie ilości wydzieliny z pochwy.

## Zapalenie pochwy

Infekcje sromu i pochwy mogą być spowodowane różnymi czynnikami. Różne zarazki chorobotwórcze mogą wnikać na przykład w czasie stosunku (→ Choroby weneryczne, s. 510).

### Dolegliwości

Zwracająca uwagę zmiana wyglądu lub nasilenie wydzieliny z pochwy, która może przybierać zielonkawy kolor i nieprzyjemny zapach. Czasem chora odczuwa świąd w okolicy sromu. Wymienione objawy mogą być nieznaczne i niezauważane przez kobietę.

### Przyczyny

Choroba jest spowodowana zakażeniem różnymi drobnoustrojami chorobotwórczymi.
— Pałeczki okrężnicy, które są przenoszone ze stolca w okolice sromu.
— Saprofityczne drobnoustroje skóry, jak gronkowce i paciorkowce, które w przypadkach osłabienia procesów obronnych organizmu (immunologicznych) mogą szybko się rozmnażać i stać się chorobotwórcze.

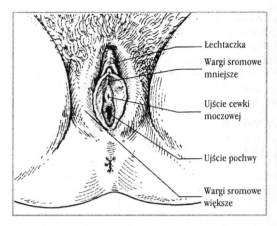

Łechtaczka

Wargi sromowe mniejsze

Ujście cewki moczowej

Ujście pochwy

Wargi sromowe większe

— Bakterie Gardnerella, które namnażają się głównie w razie zmiany środowiska naturalnego pochwy oraz przenoszą się w trakcie stosunku płciowego.
— Wirusy, grzyby, chlamydie (→ Choroby weneryczne, s. 510).

### Ryzyko zachorowania wzrasta

— W przypadku nieprzestrzegania zasad higieny, przede wszystkim w razie braku właściwej pielęgnacji narządów płciowych i odbytu (→ Zapobieganie).
— W razie częstych zmian partnerów seksualnych, szczególnie jeśli nie przestrzegają oni zasad higieny (→ Rak prącia, s. 494).
— U starszych kobiet, ponieważ zmiany hormonalne często obniżają zdolność obrony przed infekcją w środowisku pochwy (→ Okres przekwitania, s. 476).
— W przypadku używania wkładki wewnątrzmacicznej (→ Spirala, s. 519).
— Z powodu jakichkolwiek ingerencji lekarskich (instrumentalnych) w rejonie jamy macicy, jak np. wyłyżeczkowania jamy macicy, przerwanie ciąży lub tym podobne zabiegi.

### Możliwe następstwa i powikłania

Nieleczona infekcja pochwy może prowadzić do zapalenia macicy, jajowodów i jajników. Późnym powikłaniem może być bezpłodność (→ s. 523).

### Zapobieganie

Najistotniejszą sprawą w zapobieganiu zapaleniu pochwy jest właściwa toaleta po oddaniu stolca. W czasie czyszczenia odbytu powinnaś pamiętać o konieczności ruchów „z przodu" (krocze) „do tyłu" (odbyt), nigdy odwrotnie.

Poza tym:
— Nie stosować płukania pochwy, nie używać intymnych dezodorantów, powodują one zmianę środowiska wewnątrz pochwy i osłabiają miejscową zdolność obronną.
— Powinnaś myć okolicę pochwy codziennie, najlepiej czystą wodą; zmieniaj regularnie bieliznę i ręcznik. Używaj bielizny z naturalnych tkanin (bawełna, jedwab).
— Jeżeli zauważysz zmiany w wydzielinie pochwy, to znaczy, że doszło do zaburzenia równowagi środowiska tego narządu. W tej sytuacji może pomóc naturalny jogurt. Zawie-

ra on bakterie kwasu mlekowego, które są korzystne dla środowiska pochwy. Posmaruj jogurtem używany przez ciebie tampon dopochwowy i zmieniaj co trzy, cztery godziny.

— Źródłem infekcji może być partner. Powinnaś z nim porozmawiać, aby uniknąć tzw. infekcji pingpongowej (czyli przekazywanej sobie nawzajem). Można np. użyć prezerwatywy. Tak długo, jak utrzymuje się stan zapalny i tkliwość pochwy, należy unikać stosunków płciowych.

### Kiedy do lekarza?
— w przypadku zmiany charakteru lub nasilenia wydzieliny z pochwy,
— natychmiast w razie niewyjaśnionych bólów w podbrzuszu, przede wszystkim jeżeli występują razem z gorączką.

### Jak sobie pomóc
W razie pełnoobjawowego zakażenia samej nie można.

### Leczenie
— Badania laboratoryjne powinny wyjaśnić, jaki drobnoustrój jest przyczyną nawracających infekcji. Możliwe jest wówczas leczenie wskazanymi antybiotykami.
— Antybiotyki w formie tabletek dopochwowych są korzystne ze względu na mniejsze działanie uboczne.
— Po leczeniu antybiotykami powinnaś odnowić środowisko pochwy za pomocą „tamponów z jogurtem" (→ Zapobieganie) lub tabletek dopochwowych zawierających bakterie kwasu mlekowego.

## Zapalenie gruczołów Bartholina

### Dolegliwości
Bardzo nieprzyjemne, bolesne, jednostronne obrzmienie dużych warg sromowych z towarzyszącym zaczerwienieniem. Dołączyć się mogą ogólne objawy zapalenia (np. gorączka).

### Przyczyny
Zakażenie gruczołu lub przewodów gruczołowych bakteriami saprofitującymi na skórze lub pałeczkami okrężnicy przeniesionymi z okolicy odbytu do ujścia przewodów gruczołowych.
    Może być następstwem rzeżączki (→ s. 514).

### Ryzyko zachorowania
Zakażenie gruczołów Bartholina występuje rzadko. Zdarza się raczej u młodych kobiet, szczególnie w przypadku częstej zmiany partnerów seksualnych. Poza tym ryzyko zachorowania wzrasta w razie częstych nawrotów bakteryjnych zapaleń pochwy.

### Możliwe następstwa i powikłania
Nieleczone zakażenia mogą przejść w stan przewlekły lub powodować powstanie ropnia.

### Zapobieganie
Jak w zapaleniu pochwy (→ s. 482).

### Kiedy do lekarza?
Jeżeli obrzmienie warg sromowych zaczyna być bolesne.

### Jak sobie pomóc
W początkowym stadium proces zapalny może być leczony nasiadówką z roztworu nadmanganianu potasu.

### Leczenie
Połączenie odkażających nasiadówek z roztworu nadmanganianu potasu oraz stosowanie maści „ściągających" powinno ograniczyć rozwój zapalenia i doprowadzić do zlokalizowania ropy w otorbionym zbiorniku.
    Taki ropień lekarz może otworzyć chirurgicznie i usunąć jego zawartość. Rzadziej można doprowadzić do wyleczenia ropnia za pomocą maści „ściągających".

## Rak sromu i pochwy
(→ Nowotwory złośliwe, s. 437)

### Dolegliwości
Rak objawia się najczęściej jako małe, sączące, niegojące się, czasami bolesne uszkodzenie skóry lub obrzmienie. Ponieważ jednak okolica sromu i pochwy jest zwykle wilgotna, stadium początkowe często jest niezauważalne.

### Przyczyny
W znacznym stopniu nieznane. Przypuszczalnie pewną rolę w patogenezie odgrywają wirusy z grupy *Papilloma* (→ Brodawki, s. 257).

### Ryzyko zachorowania
Rak tej okolicy jest rzadki. W wieku siedemdziesięciu lat ryzyko raka sromu wyraźnie wzrasta.

### Możliwe następstwa i powikłania
Krwawienia i bóle. Jeżeli guz wyrasta na zewnątrz, siedzenie i chodzenie może być utrudnione. Rak sromu rośnie powoli, przerzuty drogą naczyń chłonnych pojawiają się stosunkowo późno. Dlatego w przypadku wczesnego rozpoznania szanse pełnego wyleczenia są stosunkowo duże. Natomiast rak pochwy rośnie szybko, wcześnie pojawiają się przerzuty (→ Nowotwory złośliwe, s. 437).

### Zapobieganie
Regularne badania profilaktyczne.

### Kiedy do lekarza?
Natychmiast w razie zauważenia zmian skórnych o charakterze zaczerwienienia, niewyjaśnionych ran lub otarć.

### Jak sobie pomóc
Samej nie można.

### Leczenie
W zależności od okresu rozwoju i rodzaju nowotworu należy rozważyć leczenie napromieniowaniem lub zabieg operacyjny. W przypadku raka sromu usuwa się guz wraz z otaczającą go zdrową tkanką — czasem również z wargami sromowymi. Jeżeli to jest możliwe, próbuje się zostawić łechtaczkę i wejście do pochwy. W przypadku raka pochwy należy ten narząd usunąć w całości, co w przyszłości uniemożliwia normalne współżycie płciowe. Należy usunąć także zmienione węzły chłonne w okolicy pachwinowej.

# SZYJKA MACICY I MACICA

## Szyjka macicy

Na tylnym sklepieniu pochwy wyczuwa się małą, twardą wypukłość. Jest to zewnętrzne ujście szyjki macicy. W swojej przedniej części szyjka macicy jest wrażliwa na ból, w tylnej prowadzi do jamy macicy.

Wewnętrzna średnica ujścia szyjki macicy jest wąska jak igła. Stanowi to zabezpieczenie przed przedostawaniem się z pochwy do jamy macicy substancji i ciał „niepożądanych". Z drugiej strony ujście macicy jest tak rozciągliwe, że możliwe jest przejście przez nie noworodka w czasie porodu. Jamę macicy podobnie jak szyjkę macicy wyściela od wewnątrz błona śluzowa, której charakter zmienia się w zależności od okresu cyklu płciowego (→ Miesiączkowanie, s. 472).

## Jama macicy

Jama macicy ma kształt gruszki o długości siedmiu do dziesięciu centymetrów. Jej grube ściany składają się z bardzo silnych mięśni. W normalnych warunkach położona jest między pęcherzem i odbytnicą. Fałszywe jest szeroko rozpowszechnione wyobrażenie jamy macicy jako obszernej wolnej przestrzeni. Jedynie ciąża lub patologiczna narośl powodują rozejście się przylegających do siebie wewnętrznych powierzchni ścian macicy.

## Zapalenie macicy

### Dolegliwości

Pojawienie się wydzieliny podobnie jak w zapaleniu pochwy (→ s. 482). Gdy istnieje przeszkoda w swobodnym odpływie ropnej wydzieliny z jamy macicy i powstaje ropień, nasilają się bóle i uczucie ucisku w dolnej części brzucha.

### Przyczyny

Zakażenie kanału szyjki i jamy macicy może być następstwem zakażenia pochwy lub braku sterylności przy zakładaniu spirali domacicznej. U kobiet z założoną spiralą bakterie mogą przedostawać się z pochwy do jamy macicy wzdłuż zwisającej nitki (→ Wkładka wewnątrzmaciczna, s. 519).

### Ryzyko zachorowania

U starszych kobiet ze zwężonym ujściem macicy łatwiej dochodzi do wytworzenia się ropnia.

### Możliwe następstwa i powikłania

Jeżeli nie ma możliwości swobodnego odpływu ropy z jamy macicy, wzrasta niebezpieczeństwo uogólnionego zakażenia krwi (posocznica). Zakażenia jamy macicy mogą rozprzestrzeniać się wzdłuż jajowodów do jajników (→ s. 488).

Późnym następstwem może być niepłodność.

### Zapobieganie

Jak w zapaleniu pochwy (→ s. 482).

### Kiedy do lekarza?

— W przypadku pojawienia się zmienionej lub bardziej obfitej wydzieliny.

— Natychmiast w razie niejasnych bólów w podbrzuszu, przede wszystkim jeżeli towarzyszy im gorączka.

### Jak sobie pomóc

Samej nie można.

### Leczenie

W lekkich przypadkach powierzchownego zapalenia jamy macicy wystarczające jest kilkudniowe stosowanie preparatów estrogenowych, które powodują złuszczenie błony śluzowej. W pozostałych przypadkach schorzenie to leczy się antybiotykami. Jeżeli dojdzie do nagromadzenia ropy w jamie macicy, lekarz musi rozszerzyć jej ujście, aby umożliwić swobodny odpływ. Po leczeniu antybiotykami powinno się wykonać wyłyżeczkowanie (*abrasio*) jamy macicy, aby wykluczyć obecność zmian o charakterze złośliwym.

## Polipy

Polipy są łagodnymi wyroślami bądź na szerokiej podstawie, bądź na wąskiej szypule, zlokalizowanymi zwykle w okolicy ujścia macicy, w szyjce lub w jamie macicy.

### Dolegliwości

Polipy mogą nie powodować żadnych dolegliwości. Czasami występują upławy, może pojawić się krwawienie, a także tzw. plamienia, przede wszystkim po stosunku (tzw. krwawienia kontaktowe). Czasem polipy wywołują bóle podobne do porodowych, ponieważ macica próbuje wydalić ze swego światła „ciało obce".

### Przyczyny

Polipy są skutkiem łagodnego rozrostu tkankowego. Przypuszcza się, że w niektórych przypadkach pewną rolę odgrywa podwyższone stężenie estrogenów.

### Ryzyko zachorowania

Polipy stwierdza się u kobiet w każdym wieku. Nieco zwiększone ryzyko zachorowania istnieje jedynie dla polipów jamy macicy w okresie pokwitania. Jednakże, generalnie, polipy jamy macicy są znacznie rzadsze od zmian zlokalizowanych w szyjce macicy.

### Możliwe następstwa i powikłania

Galaretowate upławy lub utrzymujące się plamienia, pojawiające się przede wszystkim w czasie i po stosunku płciowym, często przechodzące w przedłużające się krwawienia. Nadmierna utrata krwi wymaga pilnej interwencji lekarskiej. W rzadkich przypadkach zdarza się, że pod postacią polipa kryje się nowotwór złośliwy.

### Zapobieganie

Jest niemożliwe.

### Kiedy do lekarza?

W razie pojawienia się krwistych upławów lub plamień.

### Jak sobie pomóc

Samej nie można.

## Leczenie

Jeżeli polipy jamy macicy nie wywołują dolegliwości, to mogą pozostać bez leczenia. Stwierdzenie to nie dotyczy jednak kobiet po menopauzie, ponieważ w tej grupie wzrasta zagrożenie wystąpienia nowotworu złośliwego. W przypadku niewyjaśnionych krwawień należy koniecznie dokonać wyskrobania jamy macicy w celu usunięcia polipów.

Wyłyżeczkowanie jamy macicy powoduje uszkodzenie jej błony śluzowej, która jednak łatwo się odnawia.

Tkanki usunięte w czasie zabiegu powinny być poddane histopatologicznemu badaniu mikroskopowemu, aby wykluczyć zmiany złośliwe.

Polipy szyjki macicy znajdujące się wokół jej ujścia, rosnące na szerokiej podstawie, można usuwać za pomocą elektrokoagulacji lub noża laserowego. Taki zabieg lekarz może przeprowadzić w odpowiednim znieczuleniu w warunkach ambulatoryjnych. Polipy uszypułowane, ze względu na możliwość krwawienia, usuwa się przeważnie w szpitalu. Szypułę polipa ujmuje się i odcina za pomocą specjalnych szczypiec lub pętli. Po zamknięciu i zagojeniu rany niepotrzebne jest dodatkowe leczenie.

## Mięśniaki

Mięśniaki są łagodnymi zgrubieniami mięśni macicy, rozwijającymi się z rosnących w sposób niekontrolowany komórek mięśniowych. Mogą one rosnąć na zewnątrz, tworząc charakterystyczne uwypuklenia, lub wzrastać do światła jamy macicy.

### Dolegliwości

U około 20% kobiet mięśniaki macicy nie powodują żadnych dolegliwości. U pozostałych, w zależności od wielkości nowotworu i miejsca występowania, objawami mogą być: bolesne lub/i przedłużone miesiączkowanie (→ s. 474), zaburzenia krwawienia (→ s. 474) lub plamienia. Ucisk na sąsiednie narządy może powodować dolegliwości ze strony pęcherza (parcie na mocz), bóle w okolicy lędźwiowo-krzyżowej lub zaparcia.

### Przyczyny

Są nieznane.

### Ryzyko zachorowania

Mięśniaki występują częściej u kobiet po trzydziestym roku życia. Zmniejszone wytwarzanie estrogenów w okresie przekwitania powoduje, że od tego okresu wzrost mięśniaków jest wolniejszy. Obserwowana jest nawet tendencja do zmniejszania się mięśniaków po klimakterium.

### Możliwe następstwa i powikłania

— „plamienia" i przedłużone krwawienia miesiączkowe mogą doprowadzić do niedokrwistości (→ Niedokrwistość z niedoboru żelaza, s. 324),

— w zależności od wielkości i położenia mięśniaki mogą ograniczać miejsce dla wzrostu płodu lub stanowić przeszkodę w czasie porodu,

— z mięśniaka może rozwinąć się nowotwór złośliwy u mniej niż 1% kobiet.

### Zapobieganie

Jest niemożliwe.

### Kiedy do lekarza?

W razie plamień lub długotrwałych krwawień, bolesnych lub obfitych menstruacji. Lekarz rozpoznaje mięśniaki macicy na podstawie badania palpacyjnego (obmacywania) oraz ultrasonograficznego.

### Jak sobie pomóc

Samej nie można.

### Leczenie

W razie występowania silnych bólów i krwawień postępowanie zależy od wyniku przeprowadzonego przez lekarza badania ginekologicznego.

— Pojedynczy mięśniak, rosnący do światła jamy macicy, może być usunięty drogą operacyjną przez pochwę: po otwarciu ujścia macicy oddziela się tkankę guza od właściwych mięśni. Ten sposób leczenia pozwala na pozostawienie macicy.

— Pojedynczy mięśniak rosnący na zewnątrz do jamy brzusznej może być usunięty jedynie poprzez „klasyczną" operację z przecięciem powłok brzusznych. Również i w tym przypadku chirurg może pozostawić macicę. Rozcina jedynie jej ścianę i „wyłuskuje" mięśniaka. Rozcięta ściana macicy zrasta się bardzo szybko.

— W przypadku obecności licznych i stale powiększających się mięśniaków konieczne jest usunięcie całej macicy. W czasie zabiegu pozostawione zostają jajowody i jajniki. Jeżeli wielkość mięśniakowatej macicy na to pozwala, lekarz może ją usunąć, operując przez pochwę (bez rozcinania powłok brzusznych!).

W niektórych przypadkach można operować mięśniaki bez usuwania macicy. Wymaga to uprzedniego podania pewnych hormonów podwzgórza, tzw. analogów GnRH. Działanie tego preparatu polega na „wyłączeniu" czynności jajników w zakresie produkcji estrogenów, które stanowią „pożywienie" dla mięśniaków macicy. W ten sposób wywołuje się u chorej stan podobny do klimakterium. Postępowanie to powoduje zmniejszenie rozmiarów mięśniaków, które można wtedy łatwiej usunąć bez naruszania macicy. Po kilku tygodniach od zaprzestania podawania hormonów podwzgórza zostaje przywrócona fizjologiczna czynność hormonalna jajników.

## Gruczolistość (endometrioza)

Gruczolistością nazywa się występowanie ognisk („wysepek") błony śluzowej jamy macicy poza tym narządem.

Może ona być spowodowana tzw. łagodnym bujaniem samej błony śluzowej jamy macicy i jej rozrostem w najbliższym sąsiedztwie, na przykład w jajowodach, jajnikach, ujściu macicy lub pochwie oraz nieco dalej w pęcherzu, jelitach lub jamie otrzewnej. Rzadko zajęte są dalsze narządy, jak płuca, kończyny czy kanał pachwinowy. Gruczolistość macicy wewnętrzna polega na obecności błony śluzowej macicy w obrębie mięśniówki trzonu.

### Dolegliwości

Odpryski błony śluzowej jamy macicy, niezależnie od tego,

gdzie się znajdują, reagują na zmiany hormonalne cyklu płciowego tak samo jak zdrowa tkanka na „właściwym miejscu". Dochodzi do cyklicznego obrzmienia komórek i w konsekwencji do bolesnego napięcia w tym miejscu. Często występują niewyjaśnione dolegliwości bólowe w podbrzuszu kilka dni przed i po miesiączce (→ Bolesne miesiączkowanie, s. 473). Poza tym gruczolistość może doprowadzać do nasilonej menstruacji (→ s. 474).

## Przyczyny

Najprawdopodobniej gruczolistość jest spowodowana „przeszczepieniem" komórek błony śluzowej jamy macicy. Możliwy jest „odprysk" lub „wędrówka" komórek błony śluzowej w głąb mięśniówki macicy. Każda ingerencja chirurgiczna, jak wyłyżeczkowanie jamy macicy, laparoskopia (wziernikowanie jamy brzusznej), cesarskie cięcie, operacja macicy czy biopsja, ułatwia powstanie gruczolistości. Rozprzestrzenianie się komórek błony śluzowej jamy macicy do odległych narządów następuje poprzez jajowody lub naczynia chłonne i krwionośne.

Możliwe, że odpryski endometrium w niektórych narządach są spowodowane bezpośrednią bliskością tych narządów z macicą w czasie embriogenezy (życia płodowego).

## Ryzyko zachorowania

Gruczolistość rozpoznaje się obecnie znacznie częściej niż kilkadziesiąt lat temu. Dotyczy to przede wszystkim krajów wysoko uprzemysłowionych i jest spowodowane prawdopodobnie zwiększającą się częstością różnego rodzaju ingerencji chirurgicznych.

## Możliwe następstwa i powikłania

Zgodnie z cyklem płciowym „pełnowartościowe" komórki błony śluzowej jamy macicy powodują niewielkie krwawienia w tym miejscu, gdzie się znajdują, co najczęściej doprowadza do powstania małych torbielek. Torbielki rosną, ponieważ krew nie znajduje drogi odpływu. Jeżeli osiągną odpowiednią wielkość, mogą powodować uczucie ucisku i bóle w podbrzuszu występujące niezależnie od cyklu płciowego.

Najczęstszym powikłaniem gruczolistości jajowodów lub jajników jest bezpłodność.

## Zapobieganie

Najważniejszym elementem w zapobieganiu powstawania gruczolistości jest dostateczna staranność lekarza w przeprowadzeniu zabiegu wyłyżeczkowania jamy macicy, wyłuszczenia mięśniaków macicy lub w czasie cesarskiego cięcia. Ze swojej strony powinnaś każdorazowo rozważyć dokładnie konieczność jakiegokolwiek zabiegu wewnątrz jamy macicy. W tym przypadku nigdy nie można mówić o zbytniej ostrożności w podejmowaniu decyzji.

## Kiedy do lekarza?

— W razie pojawienia się „nienormalnych" dolegliwości bólowych związanych z miesiączką oraz niejasnych, rozlanych bólów podbrzusza.

— W razie wystąpienia bólów zależnych od cyklu płciowego w jakiejkolwiek części ciała.

Bardzo ważne jest, aby przed każdą interwencją lekarską w jamie brzusznej ustalić możliwie pewne rozpoznanie.

---

### Co należy rozważyć przed operacją macicy

Żaden z narządów, w tym i macica, nie jest niepotrzebny ani zbędny. Dla większości kobiet macica jest wyznacznikiem ich kobiecości. Dlatego przed operacją tego narządu powinno się uzyskać pełną informację na temat wskazań do zabiegu oraz jego skutków niepożądanych.

— Dlaczego zabieg jest konieczny? Czy nie ma innego sposobu leczenia?

— Jakie jest prawdopodobieństwo, że zabieg spełni twoje oczekiwania.

— Czy zabieg powinien zostać przeprowadzony przez pochwę, czy też metodą „tradycyjną" z zastosowaniem cięcia brzusznego.

— Czy należy usunąć również jajniki? Jeżeli tak, to dlaczego? Kobietom po lub krótko przed klimakterium doradza się często, aby razem z macicą usunąć także jajniki w celu wykluczenia możliwości rozwoju raka tego narządu. Nie wydaje się jednak, aby potencjalna choroba, o której nie wiadomo, czy w ogóle w przyszłości wystąpi, usprawiedliwiała dodatkowe okaleczenie.

— Zwróć uwagę lekarzowi, aby sposób szycia pochwy nie utrudnił stosunków płciowych. Często bowiem zakłada się, że starsze kobiety nie są już aktywne seksualnie.

---

### Jak sobie pomóc
Samej nie można.

### Leczenie

Leczenie staje się konieczne w razie występowania dolegliwości bólowych uniemożliwiających normalne życie.

*Wziernikowanie jamy brzusznej* (→ Laparoskopia, s. 614). Za pomocą tego badania można wykryć obecność gruczolistości w podbrzuszu i jednocześnie dokonać zabiegu leczniczego, polegającego na koagulacji patologicznej tkanki.

*Leczenie preparatami hormonalnymi.* Niektóre rodzaje gruczolistości są hormonoczułe. W takich przypadkach leczenie może zmniejszyć produkcję estrogenów i progesteronu przez organizm do tego stopnia, aby zahamować krwawienie miesięczne, co powoduje ustąpienie objawów choroby. Po zaprzestaniu leczenia jajniki ponownie podejmują swoją czynność.

W hormonalnym leczeniu gruczolistości używa się takich preparatów, jak pigułki antykoncepcyjne (→ s. 520), analogi GnRH (→ Mięśniaki, s. 485), progestageny, Danazol lub Gestrinon. Z wyjątkiem środków antykoncepcyjnych leczenie tymi preparatami nie powinno trwać dłużej niż jeden rok. Niedobór estrogenów zwiększa ryzyko wystąpienia osteoporozy (→ s. 402).

Działaniem niepożądanym leczenia mogą być: zwiększenie masy ciała, trądzik, nasilenie owłosienia ciała, osłabienie, migrena, poty oraz zmniejszenie popędu płciowego. Na leczenie hormonalne powinnaś się zdecydować tylko wówczas, gdy dokuczają ci długotrwałe bóle lub jeżeli endometrioza doprowadziła do bezpłodności. Duże, powodujące silne bóle „wysepki" błony śluzowej jamy macicy powinny być usuwane operacyjnie.

## Nadżerka szyjki macicy

Jest to najczęściej występująca zmiana w narządach płciowych kobiety. Polega na występowaniu w części pochwowej macicy żywoczerwonego nabłonka gruczołowego zamiast występującego tam normalnie nabłonka wielowarstwowego płaskiego.

### Dolegliwości

Może nie powodować żadnych dolegliwości. Najczęściej występują upławy o różnym nasileniu. Mogą pojawić się bóle podbrzusza i okolicy krzyżowej.

### Przyczyny

Nieleczone stany zapalne dróg rodnych oraz zaburzenia hormonalne.

### Możliwe następstwa i powikłania

Nadżerka szyjki macicy wymaga różnicowania ze stanem przedrakowym, a nawet wczesną postacią raka szyjki macicy.

### Zapobieganie

Odpowiednie leczenie stanów zapalnych.

### Kiedy do lekarza?

Natychmiast po stwierdzeniu wymienionych dolegliwości.

### Jak sobie pomóc

Samej nie można.

### Leczenie

Zniszczenie nabłonka gruczołowego krioterapią, elektrokoagulacją lub laserem.

## Opadnięcie macicy

Opadnięcie macicy występuje często razem z opadnięciem pęcherza moczowego i otaczających tkanek.

Możesz to stwierdzić sama, obmacując palcem przez pochwę ujście i trzon macicy.

Objawem opadnięcia macicy jest jej wpuklanie się do światła pochwy oraz przemieszczenie ujścia macicy w kierunku ujścia pochwy. Rzadko obniżenie macicy jest tak znaczne, że staje się ona widoczna na zewnątrz ujścia pochwy (wypadanie macicy).

### Dolegliwości

Uczucie ucisku ukierunkowane w dół, częste oddawanie małych ilości moczu.

### Przyczyny

Rozluźnienie tkanki łącznej i ścięgien utrzymujących na swoim miejscu narządy miednicy małej. Obniżenie się narządów występuje wraz z poszerzeniem pochwy i rozluźnieniem mięśni tworzących przeponę miednicy małej.

### Ryzyko zachorowania

Ryzyko zachorowania zwiększają wielokrotne porody oraz wieloletnia ciężka praca fizyczna lub praca w pozycji stojącej. Innymi czynnikami zwiększającymi możliwość wystąpienia choroby są: niedobór hormonów (np. w czasie klimakterium), znaczna nadwaga oraz osłabienie mięśni spowodowane bezruchem.

### Możliwe następstwa i powikłania

Ciągłe dolegliwości o charakterze ucisku lub rozciągania mogą znacznie utrudnić lub nawet uniemożliwić normalne życie, szczególnie gdy towarzyszy temu nietrzymanie moczu w czasie kaszlu lub w czasie wysiłku fizycznego (→ Nietrzymanie moczu, s. 392).

### Zapobieganie

Bardzo ważna jest specjalna gimnastyka w okresie połogu, szczególnie po trudnym porodzie. Fizyczne wzmocnienie mięśni przepony miednicy małej. Poza tym opadaniu macicy zapobiega każdy rodzaj gimnastyki utrzymującej sprawność mięśni i ścięgien (→ Ruch i sport, s. 748).

### Kiedy do lekarza?

W razie pojawienia się wymienionych wyżej dolegliwości.

### Jak sobie pomóc

Intensywna i regularna gimnastyka mięśni przepony miednicy. Takie postępowanie często wzmacnia osłabione tkanki (→ Nietrzymanie moczu, s. 392).

### Leczenie

Leczenie rozpoczyna się od intensywnych ćwiczeń mięśni przepony miednicy, a można je wspomóc leczeniem hormonalnym (dopochwowe czopki lub tabletki).

Dopiero kiedy takie postępowanie okazuje się nieskuteczne, można rozważyć wykonanie operacji. Zabieg polega na naciągnięciu mięśni podtrzymujących pęcherz moczowy (plastyka przednia) lub jelita (plastyka tylna). Jednak najczęstszym sposobem leczenia opadnięcia macicy pozostaje usunięcie tego narządu. To postępowanie jest najbardziej skuteczne, nie można go jednak stosować u kobiet, które chcą mieć jeszcze dzieci. W przypadku usunięcia macicy pozostawia się jajniki.

## Rak szyjki macicy

(→ Nowotwory złośliwe, s. 437)

### Dolegliwości

We wczesnym okresie brak jakichkolwiek dolegliwości. Później wystąpić mogą tzw. krwawienia kontaktowe, czyli w czasie lub po stosunku seksualnym. Bóle pojawiają się najczęściej wtedy, gdy zajęte są już sąsiednie narządy.

### Przyczyny

Za najważniejszą przyczynę choroby uważa się obecnie wirusy *Papilloma*, odpowiedzialne również za powstawanie kłykcin kończystych (→ s. 512). Wydaje się, że tłuszczowa wydzielina gruczołów napletka (tzw. łój napletkowy — mastka, smegma) może także wywierać działanie rakotwórcze w okolicy ujścia i szyjki macicy.

### Ryzyko zachorowania

Rak szyjki macicy jest najczęstszym nowotworem narządów rodnych. Ryzyko zarażenia wirusami *Papilloma* wzrasta wraz z częstością zmiany partnerów seksualnych. Dużą rolę odgrywa także higiena partnera seksualnego. Znaczenie higieny dla częstości występowania raka szyjki macicy odzwierciedla najlepiej fakt znacznie rzadszego występowania tej choroby u kobiet żyjących w kulturze, w której zasadą jest obrzezanie, sprzyjające utrzymaniu czystości męskich narządów płciowych.

### Możliwe następstwa i powikłania
Rozszerzenie się procesu (przerzuty) na całą macicę i inne narządy, jak kości, wątroba, pęcherz moczowy, jelita, węzły chłonne.

### Zapobieganie
Wcześniejsze rozpoznanie raka zwiększa szanse wyleczenia (→ Wczesne rozpoznawanie nowotworów, s. 437).

Przed zakażeniem wirusem *Papilloma* chroni prezerwatywa. Oprócz tego najlepszym sposobem zapobiegania jest codzienne dokładne mycie penisa przez partnera seksualnego.

### Kiedy do lekarza?
W razie pojawienia się krwawień z dróg rodnych poza okresem właściwej miesiączki. Regularne badania profilaktyczne u ginekologa zwiększają szansę odpowiednio wczesnego rozpoznania choroby.

### Jak sobie pomóc
Samej nie można.

### Leczenie
We wczesnym okresie: usunięcie powierzchni błony śluzowej za pomocą lasera.

W późniejszym okresie: konizacja. Jest to stożkowe wycięcie tkanki z ujścia macicy. Taki zabieg jest jednocześnie leczniczy i ma znaczenie diagnostyczne: dzięki badaniu histologicznemu pobranego fragmentu tkanki można ustalić stopień zaawansowania procesu nowotworowego. W przypadku znacznego rozrostu guza usuwa się operacyjnie macicę, szyjkę macicy i węzły chłonne miednicy małej.

W razie braku możliwości radykalnej operacji dokonuje się napromieniania (→ s. 442) okolicznych tkanek.

Bez macicy nie będziesz oczywiście miesiączkować, nie możesz również mieć dziecka. Jednakże ten fakt nie musi wpływać na jakość twojego współżycia płciowego.

## Rak trzonu macicy

(→ Nowotwory złośliwe, s. 437)

Rak trzonu macicy pochodzi najczęściej z komórek błony śluzowej jamy macicy, gdyż złośliwe zmiany mięśni macicy występują bardzo rzadko.

### Dolegliwości
Inne niż zwykle, nasilone lub przedłużone krwawienia miesiączkowe. Krwawienia, nawet niewielkie, występujące bez związku z cyklem płciowym.

### Przyczyny
Nieznane.

### Ryzyko zachorowania
Ryzyko zachorowania wzrasta po czterdziestym i osiąga szczyt pomiędzy sześćdziesiątym i siedemdziesiątym rokiem życia. Rak trzonu macicy jest drugim w częstości występowania nowotworem żeńskich narządów płciowych. Choroba ta występuje częściej u kobiet, które nigdy nie rodziły.

Dyskutowany jest wpływ na częstość występowania raka trzonu macicy takich zaburzeń, jak znaczna nadwaga, cukrzyca i nadciśnienie tętnicze.

### Możliwe następstwa i powikłania
Rak trzonu macicy charakteryzuje się powolnym wzrostem. Stosunkowo wcześnie występują pierwsze objawy. Są nimi krwawienia z dróg rodnych. Wczesne rozpoznanie i wczesne leczenie sprzyjają zapobieganiu rozwojowi zagrażających życiu powikłań. W przypadku zaniechania leczenia dochodzi do powiększenia rozmiarów macicy, co powoduje uczucie ucisku i dolegliwości bólowe. W zaawansowanym stadium rak rozszerza się na szyjkę macicy, miednicę małą i na dalsze narządy.

### Zapobieganie
Jest niemożliwe.

### Kiedy do lekarza?
W razie zmiany charakteru (przedłużenie, nasilenie itp.) miesiączki lub krwawień z dróg rodnych poza okresem menstruacji. W razie jakiegokolwiek krwawienia po menopauzie.

### Jak sobie pomóc
Samej nie można.

### Leczenie
Usuwa się macicę razem z jajowodami. Pozostawia się zwykle produkujące hormony jajniki. We wczesnym okresie choroby takie postępowanie daje 70-80% szans na wyzdrowienie. Jeżeli proces chorobowy ograniczał się do błony śluzowej macicy lub tylko w niewielkim stopniu obejmował mięśniówkę tego narządu, dodatkowe leczenie promieniami nie jest konieczne. W każdym innym przypadku nie należy rezygnować z napromieniania jako leczenia uzupełniającego.

Bez macicy nie będziesz miała miesiączki, nie możesz zajść w ciążę. Jednakże ten fakt nie musi wpływać na jakość twojego współżycia płciowego.

# JAJOWODY I JAJNIKI

### Jajowód
Długość jajowodu wynosi średnio od 11 do 14 centymetrów. Jest to luźno usytuowany w miednicy przewód służący do transportu komórki jajowej. Koniec od strony jajnika tworzy lejek o postrzępionych brzegach (fimbrie). Jajowód i jajnik „odnajdują się" stale dzięki falowaniu postrzępionego ujścia lejka. Dzięki takiej ruchliwości staje się możliwe „wyłapywanie" przez jajowód komórki jajowej, która po jajeczkowaniu zostaje wydalona z jajnika do wolnej przestrzeni otrzewnowej. Ruchliwość jajowodu pozwala również na transport komórki jajowej w kierunku macicy. Transport ten jest wspomagany przez ruch rzęsek wewnątrz jajowodu.

## Jajnik

Jajniki mają kształt i wielkość małych śliwek i leżą w miednicy małej po prawej i lewej stronie macicy. Są zawieszone w jamie otrzewnej i połączone z macicą przez więzadło właściwe jajnika. Każdy jajnik składa się z wewnętrznego rdzenia i kory o grubości około 1-2 mm. W jego wnętrzu znajdują się pęcherzyki zawierające komórkę jajową. Do okresu dojrzewania liczba pęcherzyków w każdym jajniku osiąga 400 000. W czasie dojrzewania pęcherzyk Graafa zbliża się stopniowo do zewnętrznej powierzchni jajnika, aby pęknąć w czasie jajeczkowania i uwolnić do jamy otrzewnej dojrzałą komórkę jajową. Sam pęcherzyk Graafa przekształca się w ciałko żółte. To zapoczątkowuje produkcję hormonu ciałka żółtego — progesteronu (→ Miesiączkowanie, s. 472).

## Zapalenie jajowodu, zapalenie jajnika

To, co w potocznym języku jest określone jako zapalenie jajnika, w rzeczywistości prawie zawsze jest zapaleniem jajowodu.

### Dolegliwości

Najczęściej obustronne bóle w podbrzuszu, które często są asymetryczne i mogą promieniować do pachwiny, a nawet w kierunku uda, kolana lub do okolicy lędźwiowej. Czasem towarzyszy im wysoka gorączka.

### Przyczyny

Wstępujące zakażenie z pochwy lub jamy macicy (→ Zapalenie pochwy, s. 482). Częstą przyczyną są zakażenia dwoinką rzeżączki i chlamydiami (→ s. 511). Zapalenie jajnika dotyczy jego zewnętrznej osłonki.

### Ryzyko zachorowania wzrasta

W przypadku infekcji bakteryjnej w okolicy narządów płciowych (→ Zapalenie pochwy, s. 482).

### Możliwe następstwa i powikłania

— zapalenie jajowodów może ograniczyć ruchomość strzępków lejka, co powoduje trudności w „wyłapaniu" komórki jajowej;

— zlepienie ścian jajowodów upośledza lub uniemożliwia transport komórki jajowej, co z kolei zwiększa ryzyko ciąży jajowodowej (→ poniżej);

— przy niewłaściwym leczeniu może się rozwinąć zapalenie otrzewnej lub ropień jajnika i jajowodu, który musi być usunięty operacyjnie wraz z całym chorym narządem.

Przewlekłe zapalenie jajnika może powodować powstawanie torbieli. Późnym następstwem wymienionych zmian chorobowych jest często bezpłodność (→ s. 523).

### Zapobieganie

Odpowiednie leczenie zakażeń pochwy (→ s. 483).

### Kiedy do lekarza?

— W razie zmiany charakteru wydzieliny z pochwy lub zwiększenia jej ilości.

— Natychmiast w razie niewyjaśnionych bólów w podbrzuszu, szczególnie jeśli towarzyszy im gorączka.

### Jak sobie pomóc

Samej nie można.

### Leczenie

Antybiotyki (→ s. 621). Jeżeli nie masz gorączki, zapalenie jajnika lub/i jajowodu możesz leczyć w domu. Powinnaś wówczas unikać wysiłków i zimna.

W razie gorączki leczenie powinno być prowadzone w szpitalu, gdzie istnieje możliwość zastosowania antybiotyków drogą dożylną. W lekkich przypadkach stosuje się dodatkowo niesteroidowe leki przeciwzapalne, jak np. diklofenak (→ Choroba reumatyczna, s. 426), w ciężkich przypadkach może zachodzić konieczność podania glikokortykoidów (→ s. 624).

Leczenie trwa zwykle siedem od dziesięciu dni. Duże znaczenie ma odpoczynek w łóżku oraz utrzymywanie ciepła. Oba wymienione elementy leczenia mogą zapobiec wystąpieniu powikłań.

W procesie zdrowienia pomocne może okazać się zastosowanie okładów borowinowych już kilka dni po rozpoczęciu antybiotykoterapii (→ s. 621). Po ustąpieniu ostrego zapalenia korzystne jest nagrzewanie odpowiednich okolic ciała za pomocą koca lub poduszki elektrycznej. W ostrym okresie zapalenia należy używać zimnych okładów (np. butelki z lodem).

## Ciąża jajowodowa

Zapłodniona komórka jajowa może zagnieździć się w każdej dobrze ukrwionej tkance. Dlatego może dojść do rozwoju ciąży również poza jamą macicy (ciąża pozamaciczna). Rzadkim umiejscowieniem ciąży pozamacicznej jest wolna jama otrzewnej. Częstsza jest ciąża jajowodowa. Występuje ona wówczas, gdy zapłodniona komórka jajowa w czasie swojej wędrówki do jamy macicy zagnieździ się w jajowodzie.

### Dolegliwości

Objawy początkowe są takie same jak w przypadku „normalnej", fizjologicznej ciąży: nie dochodzi do kolejnej miesiączki lub krwawienie jest znacznie słabsze niż zwykle. Testy ciążowe wypadają dodatnio. Po około sześciu tygodniach pojawiają się jednostronne bóle podbrzusza, a często także niewielkie krwawienia.

Nieleczona ciąża jajowodowa doprowadza do „rozerwania" jajowodu. Wówczas ból zaczyna promieniować do nadbrzusza i do barku. Właśnie ból barku jest charakterystycznym objawem pęknięcia jajowodu. Bladość powłok i omdlenie są objawami wstrząsu, który bezpośrednio zagraża życiu.

### Przyczyny

Najczęściej zwężenie lub zarośnięcie jajowodu będące następstwem procesu zapalnego. Ograniczenie ruchomości i usztywnienie mięśniówki jajowodu. Wymienione czynniki ograniczają możliwości przemieszczania się zapłodnionej komórki jajowej w kierunku jamy macicy.

### Ryzyko zachorowania

Ryzyko zachorowania wzrasta u wszystkich kobiet po przebytym zapaleniu jajowodów oraz u kobiet używających wkładki wewnątrzmacicznej. Nie wyjaśniono do tej pory, czy uwalniające się ze spirali atomy miedzi hamują ruchliwość komórki jajowej w jajowodzie. Ryzyko rośnie u kobiet, które przebyły już ciążę jajowodową, u których wcześniej wykonano zabieg przerwania ciąży oraz u których wcześniej stwierdzono niepłodność. Dlatego ciąża jajowodowa występuje znacznie częściej po zabiegach sztucznego zapładniania.

## Możliwe następstwa i powikłania
Rozerwanie jajowodu ("pęknięta ciąża pozamaciczna") i krwawienie do jamy otrzewnej. Wstrząs krwotoczny jest zawsze stanem zagrażającym życiu i musi być jak najszybciej leczony w szpitalu.

## Zapobieganie
Jest niemożliwe.

## Kiedy do lekarza?
Natychmiast w przypadku bólów w podbrzuszu, jeżeli towarzyszy im wypadnięcie lub osłabienie krwawienia miesięcznego.

## Jak sobie pomóc
Samej nie można.

## Leczenie
Ciąża jajowodowa jest zawsze wskazaniem do leczenia operacyjnego. Zabieg można przeprowadzić metodą laparoskopową, rzadziej konieczne staje się wykonanie klasycznej operacji z cięciem powłok brzusznych. W razie nieuszkodzonego i niekrwawiącego jeszcze jajowodu lekarz może spróbować usunąć ciążę przez górne ujście jajowodu. Jeżeli to jest niemożliwe, dostępne są jeszcze tzw. metody mikrochirurgiczne. Przy zastosowaniu obu wymienionych sposobów leczenia możliwe jest pozostawienie jajowodu.

W przypadku uszkodzenia tkanki jajowodu i krwawienia takie "oszczędne" postępowanie jest już niemożliwe. Konieczność opanowania krwawienia wymaga usunięcia całego jajowodu.

## Torbiele
Torbiele są najczęściej występującym rodzajem łagodnego nowotworu. Mogą występować w każdym miejscu organizmu i nie są wcale "przywilejem" kobiet: torbiel nie jest niczym innym jak zamkniętą jamą wypełnioną płynem. Staje się ona "torbielą czynnościową", jeżeli w jakimś stopniu partycypuje w czynności jajnika, np. torbiel pęcherzykowa lub torbiel ciałka żółtego. W jajowodzie torbieli prawie się nie spotyka. Odwrotnie w przypadku jajników, gdzie torbiele występują najczęściej w otoczce tego narządu. Czasami rosną na swoistym "pniu", tworząc wówczas w obrazie ultrasonograficznym charakterystyczny obraz "wyrostków". Problemem może być każda, nawet pojedyncza torbiel, jeżeli zawiera litą tkankę (gruczolako-torbielak). Taka torbiel nie zanika samoistnie i może przekształcić się w złośliwy nowotwór jajnika.

## Dolegliwości
Zależnie od rozmiarów torbieli i okresu cyklu płciowego mogą występować jednostronne, rozpierające rozlane bóle podbrzusza. Małe torbiele najczęściej nie wywołują żadnych dolegliwości.

## Przyczyny
Torbiele powstają najczęściej w następstwie zahamowania pęknięcia dojrzałego pęcherzyka Graafa. Taka sytuacja może wystąpić, gdy pęcherzyk nie zawiera żadnej komórki jajowej lub gdy istniejąca komórka jajowa obumarła. Przyczynami takiej patologii mogą być zaburzenia hormonalne. W razie braku jajeczkowania pęcherzyk nie przestaje rosnąć. W jego wnętrzu gromadzi się płyn i po pewnym czasie dochodzi do wytworzenia się torbieli.

## Ryzyko zachorowania
Torbiele powstają częściej u młodych kobiet i tylko przy zachowanej aktywności jajników. Przyjmuje się, że obciążenia psychiczne mogą sprzyjać powstawaniu torbieli.

## Możliwe następstwa i powikłania
W razie powstania znacznej ilości torbieli w jajniku pozostaje mało miejsca dla normalnie rozwijających się pęcherzyków Graafa zawierających prawidłowe komórki jajowe, co doprowadza do bezpłodności (→ s. 523).

W zaawansowanych przypadkach może dojść do pęknięcia dużej torbieli i krwawienia do jamy otrzewnej. Rzadkim powikłaniem jest skręt szypuły torbieli i jajnika, powodujący krwawienia i martwicę jajnika. Należy wówczas usunąć torbiel operacyjnie. Z dużego gruczolako-torbielaka może rozwinąć się nowotwór złośliwy. Bardzo duże gruczolako-torbielaki uciskają zdrowe narządy sąsiednie w jamie brzusznej, powodując ich przesunięcia.

## Zapobieganie
Młodym kobietom ze skłonnościami do tworzenia się torbieli jajnika, które jednocześnie chcą zapobiegać ciąży, proponuje się hormonalne pigułki antykoncepcyjne, które hamują czynność jajnika.

## Kiedy do lekarza?
W razie wystąpienia niejasnych bólów podbrzusza.

## Jak sobie pomóc
Okłady z borowiny (albo na okolice podbrzusza, albo dopochwowe) mogą spowodować zmniejszenie się torbieli.

## Leczenie
Bezobjawowe (tzn. niepowodujące dolegliwości bólowych) torbiele nie wymagają leczenia. Należy pamiętać, że jest to choroba "nawracająca". Pomimo to wielu lekarzy stara się ją "leczyć".

Częstym nieracjonalnym działaniem jest nakłucie torbieli w celu opróżnienia jej płynnej zawartości. Wiadomo bowiem, że jama torbieli zapełnia się bardzo szybko nową wydzieliną. Stale powiększające się i powodujące dolegliwości bólowe torbiele powinny być operacyjnie usuwane w całości. Dotyczy to także torbieli o nieregularnych obrysach wewnętrznych, ponieważ zagrażają one przekształceniem w gruczolako-torbielaka, a nawet w raka jajnika. Zwykle lekarz "wyłuszcza" torbiel, pozostawiając jajnik na swoim miejscu. W przypadku rozwoju wielu torbieli najczęściej konieczne jest usunięcie całego jajnika.

## Rak jajnika

(→ Nowotwory złośliwe, s. 437)

### Dolegliwości

Przez długi okres jajnik może powiększać się bez żadnych dolegliwości. Bóle występują najczęściej dopiero wówczas, gdy proces chorobowy rozszerza się, obejmując sąsiednie narządy; może to być podrażnienie otrzewnej, uczucie ucisku na pęcherz lub jelita.

### Przyczyny

Nieznane.

### Ryzyko zachorowania

Ryzyko zachorowania rośnie u kobiet po czterdziestym roku życia.

---

### Lektura uzupełniająca

BAUM M., SAUNDERS C., MEREDITH S.: *Rak piersi. Poradnik dla kobiet i lekarzy.* Springer PWN, Warszawa 1995.

KERVASDOUEU A.: *28 dni z życia kobiety. Od pokwitania do menopauzy.* Wydaw. W.A.B., Warszawa 1995.

MIKA K.A.: *Po odjęciu piersi.* Wyd. 2, PZWL, Warszawa 1995.

NACHTIGALL L., NACHTIGALL R.D., HEILMAN J.R.: *Kobieta po czterdziestce. Obawy i nadzieje.* PZWL, Warszawa 1997.

SKRĘT A., PIELA A.: *Rozszerzone usunięcie macicy.* „Dream", Kraków 1995.

STOPPARD M.: *Menopauza. Praktyczny poradnik dla każdej kobiety.* Real Press, Kraków 1996.

---

### Możliwe następstwa i powikłania

Złośliwe nowotwory jajnika rozwijają się podstępnie i we wczesnym stadium ich rozpoznanie jest najczęściej przypadkowe. Rosną bardzo szybko i wcześnie doprowadzają do powstania przerzutów w otrzewnej. Następstwem może być rozwój wodobrzusza (duża ilość płynu w jamie brzusznej).

### Zapobieganie

Systematyczne, profilaktyczne badania ginekologiczne pomagają rozpoznać raka w odpowiednio wczesnym stadium.

### Kiedy do lekarza?

Kiedy z niewyjaśnionych przyczyn dochodzi do wzrostu obwodu brzucha, pojawia się uczucie ucisku w podbrzuszu, czasem nudności i ogólne osłabienie.

### Jak sobie pomóc

Samej nie można.

### Leczenie

Zawsze operacyjne. Najczęściej choroba dotyczy obu jajników, ale nawet w razie jednostronnego nowotworu usuwa się oba jajniki, aby zapobiec rozprzestrzenieniu się choroby na zdrowy narząd. Po zabiegu stosuje się zwykle chemioterapię, natomiast rzadko naświetlania.

Po tak radykalnej operacji może zaistnieć potrzeba podawania leków zastępujących hormony, produkowane normalnie przez usunięte jajniki (→ Leki hormonalne, s. 477). Opisany zabieg operacyjny nie musi zmieniać jakości twojego dotychczasowego życia seksualnego.

# CHOROBY UKŁADU PŁCIOWEGO U MĘŻCZYZN

W skład męskich narządów płciowych wchodzą: prącie (penis), jądra, najądrza, pęcherzyki nasienne, nasieniowody i gruczoł krokowy (stercz).

Dla czynności prącia jako narządu płciowego ważne są ciała jamiste, które zawierają dużą ilość naczyń krwionośnych. Niezależnie od tego wewnątrz prącia znajduje się wspólny przewód odprowadzający mocz i nasienie (cewka moczowa). Omawiany narząd tworzy tzw. żołądź prącia, która jest osłonięta napletkiem. W razie drażnienia mechanicznego lub innego pobudzenia wzmożony napływ krwi do ciał jamistych sprawia, że stają się one twarde, doprowadzając do wzwodu prącia (erekcja). Dalsza stymulacja doprowadza do wytrysku nasienia (ejakulacja).

Jądra są męskimi gruczołami płciowymi leżącymi w worku mosznowym. W ich komórkach śródmiąższowych produkowane są męskie hormony płciowe, a w kanalikach plemniki. Plemniki przedostają się do najądrzy, gdzie są magazynowane do następnej ejakulacji. Oba najądrza leżą na tylnej powierzchni jąder. Przewody najądrzy łączą się ze sobą i dzięki temu w czasie ejakulacji wydzielina obu najądrzy może poprzez nasieniowód przedostać się do gruczołu krokowego. Gruczoł krokowy ma wielkość kasztana i położony jest wokół cewki moczowej zaraz przy pęcherzu moczowym.

W obu nasieniowodach, tuż przed ich połączeniem w gruczole krokowym, znajdują się ujścia pęcherzyków nasiennych. Pęcherzyki nasienne i gruczoł krokowy produkują wydzielinę, która obok plemników jest głównym składnikiem nasienia „wyrzuconego" w czasie wytrysku. Wydzielina z obu tych gruczołów przedostaje się do cewki moczowej równocześnie z nasieniem. Dzięki specjalnym mechanizmom nie dochodzi do równoczesnego pojawienia się w cewce moczowej płynu nasiennego i moczu.

Czynność męskich narządów płciowych jest tak blisko powiązana z drogami wyprowadzającymi mocz, że choroba jednego z tych układów powoduje również zaburzenia drugiego.

## Urazy narządów płciowych

### Cewka moczowa

Obok różnego rodzaju wypadków najczęstszą przyczyną uszkodzenia cewki moczowej są zabiegi lekarskie (→ Cystoskopia, s. 614).

Najczęstszym następstwem urazu cewki moczowej jest pojawienie się krwistego moczu. Niewielkie urazy cewki nie wymagają żadnego leczenia lub jedynie założenia na kilka dni cewnika do pęcherza. W przypadkach poważnych urazów ko-

nieczny jest zabieg operacyjny. Późnym następstwem może być zwężenie cewki moczowej.

### Prącie

Uraz prącia najczęściej jest następstwem pewnych praktyk seksualnych. Możliwy jest zarówno w czasie samogwałtu, jak i na przykład wskutek stosowania technik oralnych. Bardzo rzadko uraz jest tak silny, że powoduje złamanie wzwiedzionego prącia lub rozdarcie ciał jamistych. Zdarza się jednak, że do urazu dochodzi w sytuacjach zupełnie „aseksualnych". Między innymi pracownicy rolni i leśni narażeni są na wciągnięcie luźnych ubrań w tryby pracujących maszyn, co w pewnych przypadkach może prowadzić do urazów zewnętrznych narządów płciowych. Wszystkie urazy narządów płciowych powinny być jak najszybciej opatrzone przez lekarza. Urwane płaty skóry należy możliwie szybko przyszyć do rany. W czasie transportu do najbliższego szpitala, gdzie taki zabieg można wykonać, oderwane cięści ciała powinny być ochłodzone do temperatury około 4°C.

### Jądra

*Stłuczenie*

Uszkodzenie jądra często jest następstwem uderzenia. Uraz tego narządu jest bardzo bolesny. O nieszkodliwym stłuczeniu

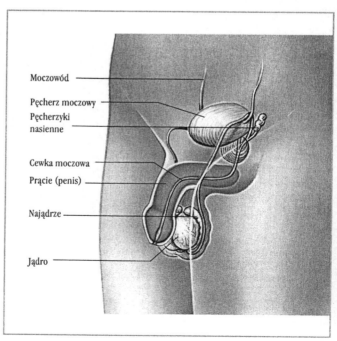

Moczowód

Pęcherz moczowy

Pęcherzyki nasienne

Cewka moczowa

Prącie (penis)

Najądrze

Jądro

można mówić wówczas, gdy ból jądra ustępuje w ciągu godziny. Jeżeli jednak ból utrzymuje się dłużej, dochodzi do znacznego obrzmienia jądra lub/i pojawia się krwiak, powinieneś niezwłocznie zgłosić się do lekarza (urologa). Może się okazać, że konieczny jest zabieg operacyjny. Dotyczy to szczególnie przypadków otwartego urazu jądra. Wówczas zabieg powinien być przeprowadzony możliwie jak najszybciej.

### Skręcenie powrózka nasiennego

Skręcenie powrózka nasiennego zdarza się prawie wyłącznie u dzieci i młodzieży. Występuje najczęściej w czasie nagłych ruchów podczas zajęć sportowych, może się jednak zdarzyć nawet w czasie snu. Dochodzi do uciśnięcia tętnicy (naczynia doprowadzającego krew). Powoduje to wystąpienie silnego, kłującego bólu oraz obrzęku jądra.

Zwykle nie obserwuje się ani gorączki, ani nudności. Uratowanie jądra jest możliwe tylko wówczas, jeżeli operacja naprawcza zostanie wykonana nie później niż dwie godziny po wystąpieniu ataku bólowego.

*Uwaga*: skręcenie powrózka nasiennego jest często mylone z zapaleniem jądra. To ostatnie jednak prawie wcale nie występuje u dzieci.

## Zapalenie cewki moczowej

### Dolegliwości

Pieczenie przy oddawaniu moczu, białawy lub żółtawy, ropny lub śluzowaty wyciek z cewki, silne uczucie parcia na pęcherz.

### Przyczyny
— zakażenia bakteryjne lub wirusowe,
— zakażenie rzęsistkiem pochwowym (→ s. 510) lub dwoinką rzeżączki (→ s. 514),
— uczulenia (alergie),
— manipulacje seksualne,
— zwężenie cewki moczowej.

### Ryzyko zachorowania wzrasta w przypadku
— częstych zmian partnerek seksualnych, szczególnie jeśli są to osoby nieznane,
— niedostatecznej higieny osobistej,
— urazu cewki moczowej,
— zakażeń.

### Możliwe następstwa i powikłania
— Przewlekłe zapalenie może doprowadzić do wytworzenia blizn zwężających cewkę moczową. Następstwa: cienki strumień moczu, nawracające zapalenia pęcherza, zatrzymanie moczu.
— Zapalenie może doprowadzić do powstania ropnia w cewce moczowej. W leczeniu stosuje się wówczas antybiotyki. W niektórych przypadkach konieczny jest zabieg operacyjny.

### Zapobieganie
Używanie prezerwatywy w czasie stosunku. Codzienna toaleta narządów płciowych.

### Kiedy do lekarza?
Gdy zauważysz podane wyżej dolegliwości.

### Jak sobie pomóc
Samemu nie można.

### Leczenie
Sposób leczenia zapalenia cewki moczowej zależy od przyczyn wywołujących tę chorobę.

Specjalne cewniki są jedynie przejściową pomocą w razie trudności w oddawaniu moczu. Zwężona cewka moczowa wymaga leczenia operacyjnego, które jest skuteczne w 60-80% przypadków. Jednakże blizny (również pooperacyjne) doprowadzają do ponownego zwężenia.

## Zapalenie żołędzi i napletka

### Dolegliwości
Zapalenie żołędzi i napletka powoduje ich zaczerwienienie, obrzęk i ból. Na zaczerwienionej powierzchni pojawiają się:
— białawe plamy,
— czerwone, otoczone białą obwódką ubytki tkanki,
— bolesne pęcherzyki.

*Uwaga*: twarde, zaczerwienione guzki, szczególnie wilgotne i łatwo broczące krwią mogą być objawem raka. W takich przypadkach skorzystaj natychmiast z porady lekarskiej.

### Przyczyny
— Zakażenia bakteryjne, mechaniczne uszkodzenia napletka (→ s. 558), środki dezynfekcyjne, wczesne objawy cukrzycy.
— Zakażenia grzybicze (→ s. 510); spotykane są często u chorych na cukrzycę i mogą być przenoszone drogą płciową.
— Wrzodziejący ubytek tkanki może być objawem kiły (→ s. 513).
— Zakażenia wirusem opryszczki zwykłej (*Herpes*) — ta choroba przenoszona jest również w czasie stosunku płciowego (→ Opryszczka narządów płciowych, s. 512).

### Ryzyko zachorowania wzrasta
W razie niedostatecznej higieny, ale także w przypadku nadużywania różnych środków czystości w miejscach intymnych (np. dezodorantów).

W razie nieprzestrzegania zasad współżycia seksualnego (częste zmiany partnerów bez zabezpieczenia przed zakażeniem).

### Możliwe następstwa i powikłania
Zakażenie partnerki lub partnera seksualnego. Przewlekłe zapalenie żołędzi i napletka zwiększa ryzyko rozwoju raka.

### Zapobieganie
Najlepszym zapobieganiem jest regularne, codzienne oczyszczanie żołędzi po ściągnięciu napletka, najlepiej wodą z mydłem.

W celu uchronienia twojej partnerki seksualnej przed zakażeniem powinieneś używać prezerwatywy.

### Kiedy do lekarza?
Każda zmiana zapalna na żołędzi lub napletku powinna cię skłonić do niezwłocznej wizyty u lekarza (urologa, dermatologa lub lekarza ogólnie praktykującego).

## Jak sobie pomóc
Samemu nie można.

## Leczenie
Konieczne jest tzw. leczenie przyczynowe, które prowadzić może tylko lekarz.

## Rak prącia

(→ Nowotwory złośliwe, s. 437)

### Dolegliwości
Żołądź lub napletek pokrywają sączące, łatwo broczące krwią czerwone guzki lub stwardnienia. Taki obraz może być objawem kiły, może jednak wskazywać na obecność procesu nowotworowego.

Raka należy również podejrzewać w przypadku niegojącego się zapalenia trzonu prącia lub pojawienia się ropnej wydzieliny z istniejącej stulejki.

### Przyczyny
Za główny czynnik rakotwórczy uważa się wydzielinę zbierającą się pod napletkiem (mastka, smegma). Inne przyczyny pozostają nieznane.

### Ryzyko zachorowania
Rak prącia stanowi około 2% wszystkich nowotworów złośliwych występujących u mężczyzn.

Ryzyko zachorowania wzrasta w przypadku niedostatecznej higieny narządów płciowych. Rak prącia występuje szczególnie rzadko u mężczyzn obrzezanych.

### Zapobieganie
Rak prącia jest wyjątkowym rodzajem nowotworu złośliwego, wobec którego możliwe jest rzeczywiste i łatwe zapobieganie: codzienne przemywanie wodą z mydłem żołędzi i napletka (po ściągnięciu tego ostatniego).

Ważne jest zapobieganie lub leczenie stulejki (→ s. 558) poprzez odpowiednie nacięcie przez lekarza, a także regularne samobadanie żołędzi.

### Kiedy do lekarza?
Gdy zauważysz opisane dolegliwości.

### Jak sobie pomóc
Samemu nie można.

### Leczenie
Jeżeli operacja raka prącia zostanie przeprowadzona w odpowiednio wczesnym okresie, możliwy jest zabieg oszczędzający i pozostawienie przynajmniej części tego narządu, wystarczającej do współżycia płciowego. Amputacja żołędzi powoduje jednak znaczne zmniejszenie pobudliwości seksualnej. Wcześnie przeprowadzona operacja umożliwia wyzdrowienie w około 90% przypadków. W zaawansowanych przypadkach, kiedy zajęte są okoliczne węzły chłonne, po przeprowadzonej operacji wskazane jest leczenie środkami przeciwnowotworowymi (chemioterapia).

## Zapalenie jądra

### Dolegliwości
Bolesny obrzęk jednego lub obu jąder, zaczerwienienie worka mosznowego, narastający ból jąder z towarzyszącą gorączką.

### Przyczyny
Zapalenie jąder jest spowodowane zwykle zakażeniem drobnoustrojami chorobotwórczymi drogą krwi lub zainfekowaniem rany tego narządu.

Proces zapalny może również rozprzestrzeniać się na jądra z najądrzy. Bolesny obrzęk jest wówczas jednostronny.

Należy pamiętać o możliwości zapalenia jąder u chłopców chorych na świnkę.

### Możliwe następstwa i powikłania
Zapalenie jąder może prowadzić do bezpłodności.

### Zapobieganie
Jest niemożliwe.

### Kiedy do lekarza?
Gdy pojawią się opisane dolegliwości.

Ważne, aby wykluczyć skręcenie powrózka nasiennego (→ s. 493).

### Jak sobie pomóc
Spoczynek w łóżku i okłady z lodu łagodzą bóle. Nie wolno używać obcisłej bielizny i spodni.

### Leczenie
Zapalenie jąder leczy się zwykle antybiotykami. Jeżeli dojdzie do powstania ropnia i antybiotykoterapia nie powoduje poprawy — co ma miejsce prawie wyłącznie u starszych, osłabionych chorych — może stać się konieczne operacyjne usunięcie jądra.

## Zapalenie najądrza

### Dolegliwości
Bolesny obrzęk najądrza oraz zaczerwienienie i stwardnienie worka mosznowego.

### Przyczyny
Najczęściej zapalenie najądrza jest spowodowane szerzeniem się procesu chorobowego z cewki moczowej (→ s. 493).

Przyczyną może być także rzeżączka (→ s. 514), zapalenie gruczołu krokowego (→ s. 496) lub cewnik pozostawiony zbyt długo w pęcherzu moczowym.

### Ryzyko zachorowania wzrasta
W razie wystąpienia chorób wymienionych w punkcie Przyczyny.

### Możliwe następstwa i powikłania
Najczęściej proces zapalny rozprzestrzenia się szybko na leżące w sąsiedztwie jądro.

### Zapobieganie
Jest niemożliwe.

**Jak sobie pomóc**
Spoczynek w łóżku oraz okłady z lodu łagodzą bóle.

**Kiedy do lekarza?**
W razie pojawienia się opisanych dolegliwości.

**Leczenie**
Zapalenie najądrzy leczy się podobnie jak zapalenie jąder. Za pomocą suspensorium można ułożyć worek mosznowy wyżej i stosować preparat przeciwzapalny w maści.

## Wodniak jądra, krwiak jądra, żylaki powrózka nasiennego

**Dolegliwości**
*Wodniak jądra*: Powiększenie rozmiarów worka mosznowego oraz jego bolesność. Pod skórą moszny można wyczuć palcami gładki, odgraniczony od jądra twór.
*Krwiak jądra*: Pojawia się bolesny obrzęk jądra w kolorze wynaczynionej krwi.
*Żylaki powrózka nasiennego*: W 90% przypadków powstają po lewej stronie; są najlepiej widoczne w pozycji stojącej. W worku mosznowym widocznych jest wiele wypełnionych naczyń sprawiających wrażenie sznurka zwiniętego w luźny kłębek.

**Przyczyny**
*Wodniak jądra*: Najczęściej jest wynikiem gromadzenia się płynu spowodowanego uszkodzeniem, zapaleniem lub nowotworem.
*Krwiak jądra*: Najczęściej jest ostrym powikłaniem zmiażdżenia lub uderzenia. U starszych mężczyzn może być następstwem procesu zapalnego w okolicy narządów płciowych.
*Żylaki powrózka nasiennego*: Przyczyny powstania mogą być różne, na przykład osłabienie ściany naczyń, brak zastawek żylnych.

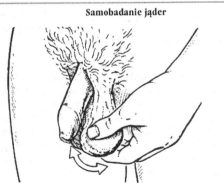

**Samobadanie jąder**

Badanie najlepiej przeprowadzić pod prysznicem. Pod wpływem ciepłej wody skóra worka mosznowego staje się bardziej wiotka. Pod wpływem zimna kurczy się mięsień dźwigacz jądra, przybliżając ten narząd do ciepłego ciała.
Uchwyć prawą ręką prawe jądro (bez napinania skóry), a palcami lewej ręki obmacaj całą jego powierzchnię. Następnie przytrzymaj lewą ręką lewe jądro i palcami prawej ręki sprawdź jego powierzchnię. Jeżeli nabierzesz doświadczenia, natychmiast rozpoznasz każdą nową zmianę.

**Ryzyko zachorowania wzrasta**
W razie wszelkiego rodzaju urazów w okolicy pachwinowej.

**Możliwe następstwa i powikłania**
Następstwem wodniaka u młodych mężczyzn może być niepłodność.

**Zapobieganie**
Jest niemożliwe.

**Kiedy do lekarza?**
Jeżeli zauważysz powiększenie worka mosznowego.

**Jak sobie pomóc**
Samemu nie można.

**Leczenie**
*Wodniak jądra*: Wodniak jądra bardzo rzadko ustępuje samoistnie i zwykle musi być usunięty operacyjnie. Próba nakłucia wodniaka najczęściej nie przynosi poprawy.
*Krwiak jądra*: Może ustąpić samoistnie w ciągu tygodnia. Jeżeli do tego nie dojdzie (mimo odpowiedniego leczenia farmakologicznego), należy go usunąć chirurgicznie. Zabieg jest prosty i przeprowadzany w narkozie ogólnej. Dolegliwości ustępują w ciągu kilku dni po operacji.
*Żylaki powrózka nasiennego*: W niektórych przypadkach zmiany żylakowe wymagają przecięcia.

## Rak jądra

(→ Nowotwory złośliwe, s. 437)

**Dolegliwości**
— Bezbolesne powiększenie jądra.
— Rzadko występują dolegliwości bólowe.

**Przyczyny**
Nowotwory jądra wywodzą się najczęściej z tkanki zarodkowej (seminoma). Przyczyny transformacji (przekształcenia) nowotworowej są nieznane. Być może pewną rolę odgrywają substancje toksyczne.

**Ryzyko zachorowania**
Rak jądra występuje przeważnie między dwudziestym i czterdziestym rokiem życia i stanowi 1-2% wszystkich nowotworów u mężczyzn.
Jest najczęstszym nowotworem u mężczyzn w wieku pomiędzy dwudziestym i trzydziestym drugim rokiem życia.

**Możliwe następstwa i powikłania**
W przypadkach prawidłowo leczonych możliwe jest pełne wyzdrowienie. Nieleczony rak jądra prowadzi w ciągu jednego do dwóch lat do zgonu.

**Zapobieganie**
Przed dwudziestym rokiem życia powinieneś badać swoje jądra sam — co miesiąc. Później wystarcza przeprowadzać badania lekarskie raz w roku.

**Kiedy do lekarza?**
Powinieneś natychmiast zgłosić się do lekarza po stwierdzeniu

jakichkolwiek zmian w czasie samobadania jąder. Lekarz może zweryfikować podejrzenia badaniem ultrasonograficznym.

### Jak sobie pomóc
Samemu nie można.

### Leczenie
W przypadku podejrzenia guza jądra w żadnym razie nie wolno go nakłuwać, ponieważ taki zabieg zwiększa niebezpieczeństwo powstania przerzutów.

Nowotwór usuwa się chirurgicznie wraz ze zmienionym chorobowo jądrem, najądrzem i powrózkiem nasiennym. Istnieje możliwość — dla poprawy samopoczucia psychicznego — umieszczenia w worku mosznowym silikonowej protezy (podobnie jak w przypadku protezy biustu).

Pozostałe drugie jądro wystarcza do zapewnienia wszystkich funkcji tych gruczołów. Zachowana zostaje zdolność współżycia płciowego i płodność.

W niektórych przypadkach konieczne jest, aby w czasie operacji usunąć także węzły chłonne tylnej ściany otrzewnej.

Często wskazane jest, aby po zabiegu kontynuować leczenie farmakologiczne (chemioterapia). Do tej pory nie ma żadnych dowodów na skuteczność medycyny naturalnej oraz niekonwencjonalnej. Psychoterapia może ułatwić życie z chorobą. Wszystko, co sprawia radość i przyjemność, poprawia jakość życia.

## Zapalenie gruczołu krokowego (prostatitis)

### Dolegliwości
Częste parcie na mocz (częstomocz), różnego rodzaju zaburzenia w czasie oddawania moczu (ból, cienki lub przerywany strumień), czasem zaburzenia w oddawaniu stolca, krwisty mocz, często gorączka.

### Przyczyny
Przyczyną są takie zarazki chorobotwórcze, jak pałeczki okrężnicy, paciorkowce, które mogą „przywędrować" przez cewkę moczową lub drogą krwi.

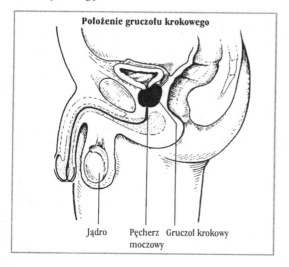

**Położenie gruczołu krokowego**

Jądro     Pęcherz   Gruczoł krokowy
          moczowy

### Ryzyko zachorowania
Częstość występowania zapalenia gruczołu krokowego wynosi około 1:2000.

### Możliwe następstwa i powikłania
Niedostatecznie leczone zapalenie gruczołu krokowego może przejść w proces przewlekły i stać się przyczyną zaburzeń potencji i bezpłodności. Istnieje także niebezpieczeństwo wytworzenia ropnia lub przetoki.

### Zapobieganie
Jest niemożliwe.

### Kiedy do lekarza?
Jeżeli wystąpią opisane dolegliwości.

### Jak sobie pomóc
Samemu nie można.

### Leczenie
Zapalenie gruczołu krokowego leczy się antybiotykami, przynajmniej przez dziesięć dni. W przypadku ropnia lub przetoki konieczne staje się leczenie operacyjne.

## Gruczolak gruczołu krokowego

### Dolegliwości
W niektórych przypadkach gruczolak stercza przebiega prawie bezobjawowo. Choroba rozwija się w trzech stadiach (okresach), objawiających się kolejno:
— stadium początkowe charakteryzuje się częstszym parciem na mocz (również w nocy),
— później dochodzi do zwężenia strumienia moczu i utrudnienia w opróżnieniu pęcherza moczowego,
— w końcu występuje zupełne zatrzymanie moczu, ale możliwe jest także oddawanie moczu kroplami; zdarza się moczenie nocne; choroba może doprowadzić do zaburzeń funkcji nerek, objawiających się pragnieniem, utratą wagi, wymiotami, biegunką i osłabieniem.

### Przyczyny
Organizm mężczyzny produkuje nie tylko męskie, ale także żeńskie hormony płciowe. Te ostatnie wywierają wpływ na część wewnętrzną gruczołu krokowego, podczas gdy męskie hormony płciowe bardziej na jego część zewnętrzną. W okresie przekwitania organizm mężczyzny wytwarza coraz mniej hormonów męskich. Ponieważ wytwarzanie hormonów żeńskich pozostaje niezmienione, dochodzi do zachwiania równowagi pomiędzy dwoma rodzajami hormonów płciowych na korzyść żeńskich.

W następstwie dochodzi do powiększenia wewnętrznej części gruczołu krokowego. Część zewnętrzna zostaje uciśnięta i z biegiem lat ulega zanikowi. Nowotworowe powiększenie gruczołu krokowego prowadzi do ucisku na cewkę moczową.

### Ryzyko zachorowania
Zaburzenia czynności gruczołu krokowego rozpoczynają się zwykle około pięćdziesiątego roku życia. Choroba występuje

u jednej trzeciej mężczyzn powyżej sześćdziesiątego oraz u każdego powyżej dziewięćdziesiątego roku życia. To, jak długi okres upływa do powstania opisanych wyżej dolegliwości, zależy od kierunku rozrostu gruczolaka.

## Możliwe następstwa i powikłania
Rozrost gruczolaka przyczynia się do ucisku na cewkę moczową i jej zwężenie. To z kolei utrudnia oddawanie moczu i powoduje jego zaleganie w pęcherzu. Zalegający w pęcherzu mocz ułatwia rozwój zakażeń układu moczowego. Następstwem może być zapalenie miedniczek nerkowych, marskość nerek, niewydolność nerek oraz uogólnione zakażenie krwi (posocznica).

W każdym okresie choroby może dojść do nagłego zatrzymania moczu. Często jest ono spowodowane spożyciem alkoholu.

## Zapobieganie
Procesy doprowadzające do rozrostu gruczołu krokowego w starszym wieku są nieodwracalne.

## Kiedy do lekarza?
Jeżeli zauważysz opisane dolegliwości.

## Jak sobie pomóc
— Unikaj długiego przebywania w pozycji siedzącej, staraj się prowadzić w miarę ruchliwy tryb życia.
— Nie pij dużo, w miarę możliwości unikaj alkoholu.
— Nie przetrzymuj zbyt długo moczu w pęcherzu, aby nie dopuścić do jego nadmiernego wypełnienia.
— Staraj się regularnie wypróżniać (stolec).
— W miarę możliwości korzystaj z ciepłych kąpieli (nasiadówek).
— Naucz się metody odprężania (→ s. 665).

## Leczenie
Leki roślinne, jak sytosterol, mogą przejściowo zmniejszyć obrzęk stercza i przez to złagodzić dolegliwości. Należy podkreślić, że pełnowartościowa dieta zawiera wystarczające ilości sytosterolu. Działanie zmniejszające obrzęk stercza wykazują także wyciągi z ziaren dyni, korzenia pokrzywy lub drzewa palmowego. Ponieważ jednak nie udowodniono leczniczego działania tych środków, w niektórych krajach nie traktuje się ich jako leku.

U czterech do ośmiu na dziesięciu chorych pomaga stosowanie placebo lub rozmowa z lekarzem.

Dolegliwości zmniejszają takie środki, jak leki hamujące 5 alfa reduktazę (Proscar) lub leki hamujące receptory adrenergiczne alfa₁ (Polpressin, Cardura). Należy ich jednak używać przez całe życie.

W drugim i trzecim okresie gruczolak musi być usunięty operacyjnie. Wybór rodzaju zabiegu zależy przede wszystkim od wielkości gruczołu krokowego. W 75% przypadków możliwe jest usunięcie gruczolaka za pomocą specjalnej elektrycznej pętli założonej przez cewkę moczową. Wśród korzyści wynikających ze stosowania tej metody należy wymienić krótki pobyt w szpitalu (pięć do siedmiu dni), stosunkowo niewielkie dolegliwości bólowe i szybkie wyzdrowienie.

W przypadku dużych gruczolaków konieczna jest „klasyczna" operacja. Ten rodzaj zabiegu wymaga dłuższego pobytu

w szpitalu, aż do zagojenia rany pooperacyjnej, trwającego od ośmiu do dziesięciu dni.

Laseroterapia i leczenie za pomocą niskich temperatur są obiecującymi technikami, nie pozwalają jednak na ustalenie rozpoznania histopatologicznego i są stosowane jedynie w nielicznych ośrodkach.

*Następstwa operacji*
Po przeprowadzonym zabiegu operacyjnym konieczne jest utrzymanie cewnika w cewce moczowej. Prowadzi to często do zakażeń układu moczowego, dlatego celowe jest stosowanie antybiotyków (nawet profilaktycznie).

Wyłuszczenie gruczołu krokowego czyni najczęściej mężczyznę niezdolnym do zapłodnienia, ponieważ w czasie stosunku nie dochodzi do wytrysku płynu nasiennego, który przemieszcza się do pęcherza moczowego i jest wydalany w czasie najbliższej mikcji (wydalanie moczu). Możliwość erekcji (wzwodu) zostaje najczęściej zachowana. Jeżeli masz obawy, czy i jak możesz prowadzić życie płciowe po operacji, powinieneś na ten temat porozmawiać z lekarzem.

## Rak gruczołu krokowego
(→ Nowotwory złośliwe, s. 437)

## Dolegliwości
We wczesnym okresie przebieg jest najczęściej bezobjawowy. W stadium późniejszym dolegliwości są podobne do występujących w przypadku gruczolakowatego przerostu gruczołu krokowego: częstsze parcie na mocz, cienki strumień i zmniejszone ilości oddawanego moczu. W ciężkich przypadkach pojawia się krew w moczu lub/i płynie nasiennym.

Bóle w okolicy krzyżowej sugerują obecność przerzutów.

## Przyczyny
Przyczyny są nieznane. Być może pewną rolę odgrywają toksyny środowiskowe mające działanie podobne do hormonów.

## Ryzyko zachorowania
Rak stercza jest najczęstszym nowotworem u mężczyzn powyżej 50 roku życia.

## Możliwe następstwa i powikłania
„Utajony" rak gruczołu krokowego może przez wiele lat nie powodować żadnych objawów.

W Niemczech umiera z powodu tej choroby około 8000 mężczyzn rocznie, w Austrii około 1100; dwie trzecie z nich to osoby po 75 roku życia. Rak gruczołu krokowego występuje bardzo rzadko u młodych mężczyzn, jeżeli jednak do tego dochodzi, jego rozwój jest znacznie bardziej gwałtowny i złośliwy.

## Zapobieganie
Zapobieganie jest niemożliwe. Jednakże dzięki odpowiedniemu badaniu przez odbyt (palcem lub sondą aparatu ultrasonograficznego) możliwe jest wczesne rozpoznanie tej choroby.

Oba rodzaje badania w ramach programu profilaktycznego powinny być przeprowadzane co roku u wszystkich mężczyzn po czterdziestym piątym roku życia.

## Kiedy do lekarza?

Najpóźniej, gdy stwierdzisz opisane wyżej sygnały ostrzegawcze.

## Jak sobie pomóc

Samemu nie można.

## Leczenie

Badanie palcem (badanie „per rectum") lub sondą USG przez odbytnicę nie jest w stanie rozstrzygnąć, czy stwierdzona zmiana w gruczole krokowym jest rakiem czy nie. Dla uzyskania pewności konieczne jest badanie histologiczne pobranego fragmentu tkanki.

Operacyjne usunięcie całego gruczołu krokowego wraz z pęcherzykami nasiennymi może doprowadzić do wyzdrowienia, jeżeli guz nie przekroczył torebki zewnętrznej gruczołu. Dzieje się tak w 80-90% przypadków. Jeżeli guz jest duży, przekracza granice samego gruczołu krokowego, ale okoliczne węzły chłonne nie są jeszcze zajęte, najlepszym sposobem leczenia jest napromienianie:

— z zastosowaniem gammatronu lub
— z umieszczeniem (implantacja) substancji radioaktywnej wewnątrz tkanki nowotworowej.

**Lektura uzupełniająca**

CUNNINGHAM C.: *Twoja prostata. Co każdy mężczyzna po czterdziestce już teraz powinien wiedzieć.* PZWL, Warszawa 1994.

W przypadku obecności przerzutów konieczne staje się leczenie hormonalne, aby osłabić lub zneutralizować działanie męskich hormonów płciowych. W 80% przypadków możliwe jest dzięki takiemu leczeniu zatrzymanie na kilka lat rozwoju guza, a nawet zmniejszenie rozmiarów nowotworu i przerzutów. W niektórych przypadkach można usunąć jądra, zapobiegając w ten sposób produkcji męskich hormonów płciowych.

Opisana kastracja farmakologiczna lub/i operacyjna powoduje utratę popędu płciowego.

Jeżeli „hormonoterapia" jest nieskuteczna, pozostaje jeszcze chemioterapia. W przypadku bólów spowodowanych przerzutami do kości szybką ulgę przynosi leczenie naświetlaniem.

Znoszenie i rozwiązywanie problemów związanych z chorobą może ułatwić psychoterapia. Wszystko, co sprawia radość lub przyjemność, może polepszać jakość życia chorego.

# ŻYCIE SEKSUALNE

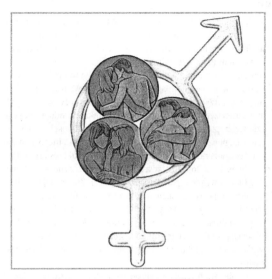

Płciowość, życie seksualne — samo przypomnienie tych pojęć może wzbudzić przedsmak zmysłowości, pożądania i zadowolenia. Dla niektórych łączy się z lekkim dreszczykiem spożywania zakazanego owocu. Wielu kojarzy te pojęcia wyłącznie z poczęciem dziecka — planowanym lub nieplanowanym, świadomym lub nieświadomym. Jednak stosunek płciowy i zdolność do rozmnażania to nie to samo. Przykładem, że rozmnażanie nie musi łączyć się zawsze z aktem płciowym, jest możliwość sztucznego zapłodnienia. Trudno nie zadać pytania, czy sfera seksualna jest jedynie „prezentem" natury w zamian za gotowość rozmnażania. Jest to bowiem ten obszar życia ludzkiego, który umożliwia osiągnięcie uczucia spełnienia i zadowolenia oraz obdarowanie tymi uczuciami drugiego człowieka. Daje możliwość rozładowania wielu psychicznych i fizycznych napięć, które nie mają nic wspólnego z życiem seksualnym. Może być źródłem nowej, nieraz ogromnej energii. Z punktu widzenia fizjologii nie jest istotne, czy do kontaktu seksualnego dochodzi z osobą widzianą po raz pierwszy, czy jest on dopełnieniem głębokiej miłości; czy odbywa się on z osobą przeciwnej czy tej samej płci, a także jak jest realizowany „technicznie". Możliwości praktyk seksualnych są nieograniczone: samotnie, z partnerem lub partnerką, a także że w grupie. Możliwości realizacji pożądania seksualnego tkwią w całym człowieku. Każdy może przeżywać różne fragmenty tego spektrum. Natomiast granice wyznaczane są przez religię, kulturę lub sposób wychowania. Każda kultura definiuje obszary dozwolone i zabronione dla życia seksualnego, ustala, co jest dobre, a co złe, co normalne i co nienormalne, a nawet odpowiada na pytania czego za dużo i czego za mało.

## Uwagi ogólne

Pożądanie seksualne należy do najważniejszych sił napędowych człowieka, który w okresie swego życia doznaje niezliczonych odmian swojej seksualności. Raz otwarcie i bez obciążeń jako przyjemność, zmysłowość i ciepło — kiedy indziej w sposób skryty z lękiem i z rezerwą. Nie ma norm dotyczących tego problemu. Moment, intensywność, namiętność określa każda osoba wspólnie z partnerem — z mężczyzną lub z kobietą. Granicę stanowi moment, gdy próbuje się przełamać wolę partnera lub partnerki, oraz gdy samemu cierpi się w wyniku sposobu realizacji kontaktów seksualnych.

Ogólne zasady współżycia seksualnego nie mówią niczego o zdrowiu i chorobie w tej dziedzinie ludzkiego życia. O tym, co „dobre", a co „złe", decydują poszczególne autorytety moralne i religijne. O tym, co „normalne" i „nienormalne", mówią badania statystyczne. Opisują one to, co myśli lub robi większość ludzi należących do takiej czy innej kultury. Jeżeli większość amerykańskich kobiet odpowiada, że nie jest w stanie osiągnąć orgazmu, to jest to „normalne", niezależnie od tego, co te kobiety o tym myślą. Jeżeli w zachodnim kręgu kulturowym większość

kobiet i mężczyzn używa również ust i języka w celu wzajemnego pobudzenia, to jest to „normalne", niezależnie od tego, co mówią moraliści. O tym, co „dozwolone" i „zabronione", decydują odpowiednie przepisy prawne.

Życie seksualne ma również swoje ograniczenia polityczne i towarzyskie. Przyjęte w danej społeczności normy oceniają różne zachowania jako „właściwe" lub „niewłaściwe", powodując często uczucie błędu lub strachu: zdezorientowanymi i niepewnymi ludźmi łatwiej dyrygować i prowadzić za rączkę. Zwłaszcza wówczas, gdy odpowiednie zachowanie się jest warunkiem poczucia „normalności". Jeszcze przed półwiekiem homoseksualiści byli skazywani za swoje skłonności na pobyt w obozie koncentracyjnym. Dzisiaj w wielu krajach homoseksualiści obu płci wywalczyli sobie prawo do „normalności w odrębności".

Jednakże nawet w wolnych i nieskrępowanych społeczeństwach ciągle jeszcze brak tolerancji w stosunku do ludzi, którzy chcą żyć inaczej niż większość. W takich krajach jak Dania i Holandia prawo zrównało związki partnerskie osób tej samej płci ze związkami heteroseksualnymi.

Tłumione zachowania seksualne mogą stanowić zagrożenie dla zdrowia. Z drugiej strony wzrost obaw związanych z życiem seksualnym oraz obserwowana nieumiejętność przeżywania miłości mają swoje źródła w wielu zjawiskach, które w tym stuleciu znacznie przybrały na sile. Brak zdolności do głębszych przeżyć i poczucie wyobcowania sprawiają, że wielu ludzi nie potrafi się obejść bez takich „protez" i środków zastępczych, jak pornografia, sex-shopy, strip-tease czy prostytucja. W społeczeństwie, w którym wszystko można kupić, również seks stał się towarem dostępnym za pieniądze. Wszystkie te ćwierć- i półśrodki nie są jednak w stanie zastąpić pełnych związków międzyludzkich.

## Wybór partnera

Osobiste potrzeby zachowania seksualnego wykształcają się na podstawie wzorów przekazywanych i nabywanych w dzieciństwie: zapach dziadka, pieszczoty matki, miękka skóra ciotki, oczy koleżanki z sąsiedztwa oglądane w czasie zabawy na podwórku. Te rodzaje wrażeń zmysłowych kształtują nasze potrzeby seksualne. Są one jednak tak głęboko ukryte w podświadomości, że najczęściej wynikające z nich tęsknoty i pragnienia nie są przez nas uświadamiane i nic o nich nie wiemy. Uzewnętrzniają się i przekształcają w seksualną namiętność wówczas, gdy w późniejszym (dorosłym) wieku spotkamy odpowiedniego człowieka posiadającego odpowiednie właściwości. Jeżeli ten człowiek podziela nasze wzory zachowania seksualnego, powstaje duża szansa na prawdziwie szczęśliwy rozwój tej sfery życia.

Sposób traktowania życia seksualnego przez rodziców współdecyduje o wyborze partnera przez dzieci. Zadowalające i harmonijne współżycie rodziców również w tej sferze ludzkich doznań jest ważnym, pozytywnym elementem właściwego rozwoju seksualnego u dzieci. Niewłaściwe, niekorzystne przykłady sprawiają, że dorastający młody chłopak lub dziewczyna muszą włożyć wiele wysiłku, aby właściwie „ustawić" swoje życie seksualne.

W obecnych czasach związki pomiędzy dziećmi i rodzicami są zbyt spłaszczone. Więcej uwagi zwraca się na „bezkolizyjne funkcjonowanie" niż na wspólną, głębszą analizę intymnych przeżyć. Dlatego tak łatwo duży wpływ wywierają różne „idole seksu" produkowane przez przemysł rozrywkowy. Stwarzają one iluzję perfekcji seksualnej, której obrazy nakładają się na potrzeby seksualne młodego człowieka.

Niespełnienie powstałego w ten sposób pragnienia perfekcji seksualnej prowadzi do wielu rozczarowań; tak rozbudzone potrzeby seksualne pozostają niezaspokojone, a człowiek głęboko nieszczęśliwy. Być może opisany łańcuch zdarzeń jest przyczyną tak często spotykanych dzisiaj różnych zaburzeń seksualnych. Odkrywanie własnych potrzeb nie jest wcale łatwe — niektóre z nich nie są nawet uświadamiane. Niektórym ludziom nie starcza całego życia, aby odkryć całe spektrum swoich skłonności.

Jeżeli ktoś ma ciągłe wrażenie, że jego partner (partnerzy) seksualny jest „niewłaściwy", „zbyt wstydliwy", „aseksualny", to znaczy najczęściej, że sam nie był w stanie uświadomić sobie i uzewnętrznić własnych potrzeb seksualnych. Człowiek znający swoje potrzeby potrafi tak pokierować swoim partnerem lub partnerką, aby ją zaspokoić, i nie czeka, aż druga osoba odkryje jego tajemnice. Osoba, która umie zaspokoić w pełni swoje potrzeby, odnajduje także zadowolenie seksualne w zaspokojeniu potrzeb partnera.

## „Na górze" i „na dole"

Skala przeżyć seksualnych jest niezwykle szeroka i obejmuje wszystkie zmysły: słuch, wzrok, węch, smak i dotyk. Dotykać mogą nie tylko ręce, ale także kolana i nos, wargi i język, sutki i brzuch. W pewnych okolicznościach narządem płciowym staje się całe ciało. Oczy mogą odbierać bodźce w świetle i w ciemności.

Zmysły potrafią odbierać jako pobudzające i podniecające: zapach i smak potu, śluzu, śliny, spermy, moczu i okolicy odbytu. W trakcie gry miłosnej dozwolone jest wszystko, co jej uczestnikom pomaga w osiągnięciu celu i co w sposób wolny i nieskrępowany aprobują obie strony.

Nie znaczy to oczywiście, że partnerzy, którzy osiągali zadowolenie, kochając się w sposób tradycyjny (mężczyzna „na górze", kobieta „na dole"), powinni koniecznie poszukiwać nowych „technik". Podobnie nie muszą rezygnować ze swoich preferencji zarówno ci, którzy robią to w różnych innych pozycjach, jak i ci, którzy wolą seks grupowy. Granice wyznacza jedynie fantazja lub stanowcze „nie" jednego z partnerów, któremu coś nie odpowiada. Osiągnięcie prawdziwej rozkoszy możliwe jest tylko w okolicznościach akceptowanych przez obu zdrowych seksualnie partnerów.

Uprawianie miłości nie powinno być jeszcze jednym elementem rutynowego rozkładu dnia. Od twojej inicjatywy i fantazji zależy, jak będzie płonął ten ogień i jak dalece będziesz w stanie rozszerzyć swój „repertuar". Możesz wspólnie z partnerem (partnerką) odkrywać nieograniczone obszary zabawy erotycznej: zmysłowe wzajemne masaże, uwodzicielskie kąpiele, gry w wannie, wprzęganie muzyki i zapachów dla osiągnięcia odpowiedniego nastroju. Można nawet zaaranżować erotyczny posiłek, oglądać zdjęcia erotyczne czy fotografować się wzajemnie. Możesz inscenizować grę miłosną sam, pozostawiając partnerowi rolę widza lub „współaktora". Możesz starać się osiągnąć orgazm albo tylko lekkie podniecenie. Dozwolone jest wszystko, co akceptują obaj partnerzy. Należy jednak pamiętać, że to, co podoba się jednej osobie, może być nie do przyjęcia dla kogoś innego. W sytuacji, kiedy głębokie potrzeby jednego z partnerów nie mogą być spełnione, powstaje uczucie poważnego uszczerbku w poczuciu pełnego zdrowia. Ważne jest zatem, aby te potrzeby u partnera odnajdywać i starać się realizować. Zbyt wielka i trudna do przezwyciężenia różnica tych potrzeb często prowadzi do poszukiwań dodatkowych partnerów lub do prób założenia zupełnie nowego związku.

## Rozmowy wstępne

O czym należy wcześniej rozmawiać?

Do podstawowych zasad przyzwoitości należy konieczność poinformowania partnera o każdym podejrzeniu u siebie choroby przenoszonej drogą płciową. Otwarcie powinna być również omówiona sprawa, kto z partnerów będzie (jest) odpowiedzialny za ewentualną antykoncepcję.

### Baśnie i mity

Zewsząd atakują nas pouczenia i wyjaśnienia na temat tzw. stref erogennych. Tymczasem każdy, kto ma za sobą świadome i pełne przeżycie seksualne, może sobie łatwo uświadomić, jak fałszywe są takie stwierdzenia. Nie istnieją żadne szczególne strefy erogenne. Całe ciało, każdy jego zakątek może reagować na bodźce seksualne. Może się jednak zdarzyć, że w niekorzystnych warunkach bodźce te trafią w próżnię. Dlatego tak ważne jest, aby starać się nieustannie odkrywać, co stymuluje

**Lektura uzupełniająca**

LEW-STAROWICZ Z.: *Album intymny*. IWZZ, Warszawa 1990.
WISŁOCKA M.: *Sztuka kochania: witamina „M"*. „Iskry", Warszawa 1991.
WISŁOCKA M.: *Sztuka kochania: w dwadzieścia lat później*. „Iskry", Warszawa 1991.

partnera (partnerkę), a także pomóc mu (jej) w odkrywaniu tego samego u siebie.

Zdarza się, że już młodzi chłopcy potrafią zabawiać się w „mężczyzn" i porównywać swoje narządy płciowe — który dłuższy, grubszy, większy? Gorzej, gdy w wieku dojrzałym niektórzy „mężczyźni" zbyt dużo uwagi skupiają na tej części swojego ciała. A przecież zarówno dawanie rozkoszy, jak i jej otrzymywanie nie zależy od budowy ciała.

Podobnie kobiety obawiają się, że ich wygląd może odbiegać od przyjętego ideału: biust jest zbyt mały lub zbyt duży, biodra zbyt wąskie lub zbyt szerokie, pochwa za ciasna lub za szeroka. I w tym przypadku prawdziwe jest stwierdzenie, że kobiecego powabu i zdolności wzbudzania pożądania nie wymierza się centymetrami. Może się zdarzyć, że twojego partnera podnieca właśnie to, co ty chciałabyś zmienić przez operacje kosmetyczne. Pamiętaj, że takie zabiegi najczęściej niewiele lub nic nie pomagają. Pojawiają się natomiast bóle w bliznach pooperacyjnych, a same problemy kosmetyczne nawracają. Tą drogą nigdy nie pozbędziesz się męczącego cię poczucia „nie jestem wystarczająco piękna".

Uprzedzenia, przesądy, presja różnych „baśni i mitów" opowiadanych przez kolegów, a także myślenie kategoriami „konkurencji sportowej" doprowadzają do kultu orgazmu, uznając go za sprawę obowiązku, a nawet męskiego honoru. Uważa się, że mężczyźni mogą przeżywać orgazm tylko w pewnych odstępach czasu, natomiast kobiety mogą go odczuwać w sposób ciągły przez znacznie dłuższy okres. Również i w tym przypadku nie istnieją żadne normy, osobne dla mężczyzn, osobne dla kobiet. Każda miłość ma swoje okresy, w których erotyzm wybucha i jest przeżywany gwałtownie, oraz okresy „spokoju i ciszy". Nie można powiedzieć, czego i ile komu potrzeba. Każdy człowiek może i powinien kształtować swoją miłość według własnych upodobań fizycznych i psychicznych.

### Psychiczne zaburzenia życia seksualnego

Wiele zaburzeń życia seksualnego nie ma żadnego związku z funkcją narządów płciowych. W większości źródło leży w sferze psychiki (→ Zaburzenia seksualne u mężczyzn, s. 504, → Zaburzenia seksualne u kobiet, poniżej).

— *Zaburzenia popędu*: niektórzy ludzie chcą uprawiać seks kilka razy dziennie, dla niektórych raz w tygodniu to już za dużo, jeszcze inni potrafią zupełnie z niego zrezygnować. Popęd płciowy jest sprawą tak samo indywidualną jak kształt ręki czy mimika. Jest cechą bardzo zmienną, a jego zaburzenia wpływają niekorzystnie na ogólne poczucie zdrowia.

— *Zaburzenia samego aktu płciowego*: mimo wystarczająco silnego pobudzenia seksualnego narządy płciowe nie są zdolne do odbycia stosunku płciowego. U mężczyzn zaburzenia mogą dotyczyć wzwodu (erekcji) i wytrysku nasienia (ejakulacji), u kobiet — suchości pochwy lub skurczu tego narządu.

— *Zaburzenia orgazmu*: pomimo pełnej fizycznej sprawności narządów płciowych nie dochodzi do przeżycia orgazmu.

— *Bóle*: bóle występujące w czasie stosunku płciowego mogą uniemożliwić jego prawidłowy przebieg i pełne przeżycie.

— *Zaburzenia czynnościowe*: pojawiają się objawy chorobowe

ze strony narządów płciowych mimo braku jakichkolwiek zaburzeń z ich strony.

— *Zaburzenia psychosomatyczne innych narządów*: migrena, astma, choroba wrzodowa żołądka, nadciśnienie tętnicze, choroby skóry ze świądem itp. mogą mieć swoje źródła w braku szczęśliwego życia seksualnego. Poprawa tej sfery życia może znacznie złagodzić objawy wyżej wymienionych chorób (→ Zaburzenia samopoczucia, s. 175).

### Inaczej niż normalnie

Zachowania seksualne odbiegające od przyjętej normy uważano wcześniej za „perwersyjne", naganne, a nawet prawnie zakazane. Dzisiaj wiadomo, że każda kultura traktuje nieco odmiennie „normę" seksualną. Im więcej zakazów, tym więcej zachowań, które nie są uznane za „normalne". „Odmienności" rozwijają się już we wczesnym dzieciństwie. W kręgach kulturowych, w których przywiązuje się znaczenie do możliwie długiego karmienia piersią, nie zabrania się pieszczot, gdzie nie stosuje się kar cielesnych u dzieci, a rodzice nie starają się maskować przed dziećmi swoich uczuć erotycznych, występuje o wiele mniej „odmiennych" zachowań.

Leczenie odbiegających od „normy" zachowań seksualnych jest dzisiaj uważane za błąd lekarski. Jeżeli jednak chory sam skarży się na swój stan i sam chciałby zmienić swoje zachowanie seksualne, powinien znaleźć odpowiednią pomoc lekarską.

Ktoś, kto może realizować swoje skłonności seksualne, jedynie zadając gwałt, krzywdząc drugą osobę, powinien poszukać porady. Porady może udzielić lekarz seksuolog, psychiatra lub psycholog odpowiedniej specjalności. W niektórych krajach pojawia się nowa specjalność — „terapeuta seksualny".

## ZABURZENIA SEKSUALNE U KOBIET

Problemy związane z życiem seksualnym należą do najczęstszych zaburzeń psychosomatycznych w praktyce ginekologicznej. Wśród szukających porady lekarskiej kobiet około sześćdziesięciu procent skarży się na różnego stopnia osłabienie popędu płciowego lub brak zdolności przeżywania orgazmu, a około dziesięciu procent cierpi z powodu bólów związanych bezpośrednio ze stosunkiem seksualnym.

Wiele podręczników klasyfikuje te zaburzenia jako oziębłość płciową, brak orgazmu (*anorgasmus*) i bolesny skurcz pochwy (*vaginismus*). Wymienione określenia powinny być jednak traktowane z dużą ostrożnością. Z jednej strony używane są jako wyzwiska, z drugiej mają być objawami choroby, która w istocie chorobą nie jest. Przyczyny wymienionych zaburzeń są podobne i mają prawie zawsze charakter psychospołeczny.

We wszystkich przypadkach podobne są także sposoby leczenia i samopomocy. Różnice występują tylko w obrazie klinicznym, gdyż pacjentki skarżą się na różne dolegliwości.

## Oziębłość płciowa, bolesne spółkowanie, zaburzenia orgazmu

### Dolegliwości

Osłabienie lub zaburzenie popędu płciowego może występować jako całkowita utrata pragnienia kontaktów seksualnych. To tak, jakbyś cierpiała z powodu braku apetytu.

W niektórych przypadkach opisane zjawisko tzw. oziębłości płciowej występuje od wczesnej młodości i kobieta nigdy nie doznaje uczucia pożądania (zahamowanie pierwotne, pierwotna oziębłość płciowa). Niektóre kobiety odczuwały kiedyś pociąg płciowy i zdolność przeżywania kontaktu seksualnego, ale utraciły to uczucie w wyniku aktualnej sytuacji życiowej (zahamowanie wtórne, wtórna oziębłość płciowa). W przypadku zaburzeń orgazmu skargi kobiet najczęściej nie dotyczą oziębłości płciowej. Mimo „dobrego apetytu" na przeżycie seksualne kobieta boleśnie odczuwa nieobecność jego punktu kulminacyjnego — orgazmu. Również i w tym przypadku może to być brak orgazmu przez całe życie (zahamowanie pierwotne) lub aktualna utrata posiadanej wcześniej zdolności jego przeżywania (zahamowanie wtórne).

### Fizjologia zachowania seksualnego kobiet

*Faza pobudzenia*
— Pochwa powiększa się i staje się wilgotna, obrzmiewają wargi sromowe i łechtaczka.
— Powiększają się nieco sutki, stając się bardziej wrażliwe na dotyk.
— Powiększa się również macica i unosi się ponad dno miednicy.
— Następuje przyspieszenie oddechu i akcji serca.
— Dochodzi do napięcia mięśni, szczególnie w okolicy narządów płciowych.

*Faza plateau*
— Powiększa się jeszcze bardziej tylna część pochwy, podczas gdy jej przedni odcinek ulega zwężeniu.
— Zwiększa się wilgotność w okolicy sromu, postrzeganie zmysłowe koncentruje się na okolicy narządów płciowych.
— Macica pozostaje w najwyższej pozycji, oddychanie jest coraz szybsze, w dalszym ciągu zwiększa się napięcie mięśni.
— Łechtaczka obrzmiewa i wysuwa się spod napletka.

*Faza orgazmu*
— Orgazm zaczyna się od skurczów mięśni trwających dwie do czterech sekund, po których następują najczęściej dalsze rytmiczne skurcze przedniej części pochwy.
— Pojawia się uczucie odprężenia i ciepła obejmującego całe ciało.
— W zależności od ochoty możliwe jest osiągnięcie następnego orgazmu. Jest to dość istotna różnica w stosunku do mężczyzn, którzy przed osiągnięciem kolejnego orgazmu wymagają dłuższego odpoczynku.

*Faza odprężenia*
— Obrzmienie narządów płciowych ustępuje w ciągu pół godziny, następuje również odprężenie napięcia mięśniowego.

— Łechtaczka, pochwa i macica powracają do swych wyjściowych rozmiarów i położenia.

U kobiet z oziębłością płciową faza pobudzenia nie występuje wcale lub prawie wcale. To powoduje wypadnięcie wszystkich następnych okresów. W przypadku braku (zahamowania) orgazmu kobieta może przeżywać stosunek płciowy intensywnie aż do fazy plateau. Nie ma jednak możliwości rozładowania napięcia seksualnego charakterystycznego dla fazy odprężenia. Taki przebieg stosunku płciowego może stać się przyczyną bólów trwających nawet dłuższy okres (*anorgasmia*).

Jeżeli niemożliwe jest wprowadzenie wzwiedzionego członka do pochwy lub jest ono połączone z dużym bólem, mówi się najczęściej o bolesnym skurczu pochwy (*vaginismus*). Polega on na mimowolnym silnym napięciu mięśni, powodującym skurcz jednej trzeciej zewnętrznej części pochwy. Jest to wynik działania wegetatywnej części układu nerwowego, która nie podlega naszej woli. Wynika z tego, że opisany w ten sposób skurcz pochwy jest zaburzeniem czynnościowym. Może on być reakcją psychosomatyczną na tkwiące głęboko w podświadomości sytuacje konfliktowe. Zaburzenie to może występować od dzieciństwa lub młodości (pierwotne) lub pojawić się w późniejszym okresie życia (wtórne).

### Przyczyny

Prawie zawsze są to różnego rodzaju okoliczności psychosocjalne (np. sposób wychowania) lub szczególne sytuacje życiowe interferujące z popędem płciowym („apetytem na przeżycia erotyczne"), doprowadzające do zaniku orgazmu lub wywołujące dolegliwości bólowe.

*Pierwotne zaburzenia popędu płciowego* i orgazmu spowodowane są najczęściej trudnymi doświadczeniami we wczesnym dzieciństwie lub w młodości połączonymi z nieuświadamianymi konfliktami wewnętrznymi. Nieustępliwość, surowość i chłód uczuciowy w domu rodzinnym, „siłowy" sposób rozwiązywania konfliktów, gwałty, alkohol, rozwody, odrzucenie przez rodzinę lub przyjaciół, zaburzona zdolność nawiązywania więzi emocjonalnych lub ich dewaluacja — wszystkie wymienione czynniki osłabiają zdolność prawdziwego przeżywania miłości. Zahamowanie przeżyć seksualnych może być spowodowane brakiem poczucia własnej wartości lub zaufania do innych ludzi (→ Zaburzenia samopoczucia, s. 175, Rozwój odczuć seksualnych, s. 551).

*Wtórna oziębłość płciowa* lub zaburzenia orgazmu pojawiające się w późniejszym wieku — podobnie jak mimowolne skurcze pochwy — mogą mieć różne przyczyny. Sposób przeżywania miłości, w tym również i kontaktów seksualnych jest najbardziej czułym wskaźnikiem samopoczucia danego człowieka.

Jeżeli chcesz ocenić swój związek partnerski, powinieneś spróbować odpowiedzieć sobie na podstawowe pytanie dotyczące trzech najważniejszych spraw:
— *Poczucie własnego ciała*: Czy akceptujesz siebie bez względu na to, czy jesteś bardzo pulchna czy bardzo szczupła, czy masz duży czy mały biust, długie czy krótkie nogi? Jak czujesz się w swojej własnej skórze? Jak odbierasz swoje własne ciało?

— *Związki z partnerem*: Jak rozumiesz się ze swoim partnerem lub partnerką? Czy ufacie sobie wzajemnie, dzielicie ze sobą doświadczenia, przeżycia, fantazje lub życzenia?
— *Środowisko*: Jak czujesz się w swoim środowisku rodzinnym lub zawodowym? Czy nie jesteś przepracowana, przeciążona, zestresowana, niespokojna, nerwowa, wyczerpana? Uważasz, że wymaga się od ciebie zbyt wiele?

## Poczucie własnego ciała

Poczucie pełnego zadowolenia z własnego wyglądu kobiety pozostaje pod znacznym wpływem męskich wyobrażeń o kobiecym ideale piękna. Wiele kobiet wstydzi się własnej sylwetki, ponieważ odbiega ona mniej lub bardziej od opisywanego ideału. Próbują więc ukryć niektóre części ciała, maskować zapachy, zasłaniać skórę i niektóre okolice ciała. W skrajnych przypadkach dążenie do doskonałości kształtu i czystości może przybrać formy patologiczne, które uniemożliwiają osiągnięcie szczęścia i radości wynikających z odczuć fizycznych i psychicznych w czasie przeżywania miłości. Duże znaczenie dla osiągnięcia zadowolenia seksualnego ma również problem zapobiegania ciąży: objawy uboczne stosowania tabletek antykoncepcyjnych lub spirali wewnątrzmacicznej, a z drugiej strony lęk przed ciążą i strach przed różnymi komplikacjami, wpływają bardzo niekorzystnie zarówno na popęd płciowy, jak i na jakość współżycia płciowego (→ Zapobieganie ciąży, s. 515).

## Związki z partnerem

Konflikty z partnerem, wyczerpujące kłótnie, lekceważenie, oziębienie wzajemnych uczuć, obrazy i obelgi, brak zaufania lub brak opanowania, do przemocy włącznie — każdy z tych elementów może osłabić lub uniemożliwić pełne przeżycie seksualne. Podobnie może działać również zupełna obojętność. Mimo formalnego równouprawnienia kobiety ciągle jeszcze mogą się znajdować w sytuacji zależności od mężczyzny, w której dochodzi do naruszenia poczucia własnej wartości, godności i pewności siebie. Wszystkie problemy i konflikty między partnerami (szczególnie utrata zaufania) są najczęstszymi przyczynami zahamowań seksualnych lub/i dolegliwości ze strony różnych narządów i części ciała.

## Środowisko

Przeciążenie, przepracowanie, wyczerpanie, długotrwałe znużenie to częste przyczyny osłabienia popędu płciowego. Podobnie działają konflikty socjalne: kobiety często boleśnie odczuwają brak uznania dla ich pracy domowej lub/i zawodowej.

Zahamowania seksualne mogą być także spowodowane sprawami pozornie ich niedotyczącymi, jak na przykład warunki mieszkaniowe (sypialnia razem z dziećmi lub drzwi w drzwi z rodzicami czy teściami). Przeszkadzać może także światło i hałas, a długotrwałe oglądanie telewizji i wideo bez wątpienia zmniejsza aktywność seksualną.

## Przyczyny organiczne

W rzadkich przypadkach przyczyną zaburzeń seksualnych mogą być czynniki organiczne. Na podstawie rutynowych badań kontrolnych lekarz ginekolog może ustalić, czy twoje problemy mogą być spowodowane:

— Zapaleniami, guzami, bliznami oraz zaburzeniami rozwojowymi narządów płciowych lub ich okolicy. Te lokalne czynniki mogą być przyczyną dolegliwości bólowych lub utrudnienia normalnego współżycia płciowego.
— Chorobami układu nerwowego, jak: urazy czy zapalenia odcinka krzyżowo-lędźwiowego rdzenia kręgowego lub podwzgórza. Wymienione zaburzenia neurologiczne mogą również oddziaływać ujemnie na popęd płciowy.
— Zaburzeniami hormonalnymi, które mogą utrudniać współżycie płciowe w okresie przekwitania lub w okresie starzenia się. Zaprzestanie produkcji estrogenów powoduje zmianę elastyczności błony śluzowej pochwy oraz „suchość" tego narządu. W tym przypadku istnieje możliwość „poprawienia natury" za pomocą środków poślizgowych (→ Okres przekwitania, s. 476, → Seksualność, s. 571).
— Niektórymi przewlekłymi lub długo trwającymi chorobami prowadzącymi do znacznego osłabienia popędu płciowego.

## Ryzyko

Ryzyko różnego rodzaju „zahamowań" seksualnych u kobiet w naszym kręgu kulturowym jest nadspodziewanie wysokie. Wyniki badań wskazują, że kobiety borykają się z problemami obniżenia popędu płciowego i zaburzeń orgazmu znacznie częściej niż mężczyźni. Przykładem są badania przeprowadzone w poradni seksuologicznej w Hamburgu: wśród szukających porady i pomocy kobiet 68% skarżyło się na zaburzenia czynnościowe lub brak uczucia zaspokojenia w czasie stosunku płciowego, podczas gdy dla mężczyzn wskaźnik ten wynosił 58%.

10% kobiet zgłaszało konflikty z partnerem seksualnym bez zaburzeń czynnościowych, a 4% skarżyło się na brak popędu płciowego (libido), mężczyźni: odpowiednio 3% i 0%.

## Możliwe następstwa i powikłania

Długoletnia utrata lub osłabienie popędu płciowego, a także bolesne skurcze pochwy mogą wpływać niekorzystnie na ogólne poczucie zdrowia fizycznego, psychicznego i socjalnego. Stają się także przyczyną trudności, a nawet braku możliwości nawiązywania trwałych związków z drugim partnerem.

Jeżeli jednak myślisz o rozstaniu lub rozwodzie z powodów trudności w pożyciu seksualnym, zawsze powinnaś pomyśleć o dwóch sprawach: komplikacje i problemy we wzajemnych stosunkach pomiędzy partnerami są najczęściej przyczyną, a nie następstwem trudności we współżyciu seksualnym. Powinnaś (powinniście) spróbować poszukać pomocy innych ludzi (przyjaciół, specjalistów) w odróżnieniu tych dwóch obszarów życia (→ Terapia małżeńska i rodzinna, s. 671).

## Zapobieganie

Do pełnego przeżycia seksualnego potrzeba wiele miłości własnej i poczucia własnej wartości, gdyż tylko wówczas możliwe jest osiągnięcie uczucia pełnego zaufania do drugiego człowieka.

W pełni szczęśliwy związek dwojga osób wymaga zdolności przeżywania różnych przeciwstawnych stanów: bliskości i rozstania, miłości własnej i altruizmu, strachu i bezpieczeństwa, miłości i nienawiści, intymności i obcości. Najczęściej człowiek jest zmuszony doświadczać tego wszystkiego równolegle.

Dla poczucia własnej wartości niezbędna jest również znajomość swojego ciała oraz uświadomienie sobie własnych odczuć i marzeń. Wyobrażenia seksualne kobiety mogą być bardzo gwałtowne, nawet brutalne czy nawet obsceniczne. Mogą być bardzo dalekie od potocznego wyobrażenia słabej, delikatnej kobiety. Im bardziej wyzwolisz się z oków przyjętych powszechnie ideałów, norm, reguł czy zakazów, które ograniczają cię wewnętrznie, tym lepiej będziesz w stanie „odkryć samą siebie". Do zapobiegania należy także oświata zdrowotna, w tym i różne poradniki seksualne. Należy jednak pamiętać, że nie wszystko, co możliwe, a nawet dozwolone, automatycznie zapewnia poczucie szczęścia.

Groźny jest jakikolwiek przymus — na przykład osiągania orgazmu. Decydujące powinny być zawsze — jakość twojego szczęścia i poczucie wolności.

### Kiedy do lekarza?

Jeżeli twoje problemy związane z życiem seksualnym stają się zbyt dużym obciążeniem, kiedy nie pomagają szczere rozmowy z partnerem lub partnerką, powinnaś poszukać porady lekarza.

### Jak sobie pomóc

— Poznaj swoje ciało, staraj się uczynić jak najwięcej dobrego dla siebie samej: możesz sobie pomóc za pomocą środków stosowanych w zaburzeniach samopoczucia (→ Zaburzenia samopoczucia, s. 175).

— Poznaj swoje zmysły: skóra jest naszym największym i jednocześnie jednym z najważniejszych narządów zmysłu. Rozciąga się od czubka głowy do palców nóg i na każdym centymetrze kwadratowym może „reagować" zmysłowo, podniecająco, uspokajająco lub drażniąco. Do tego dochodzą zapachy, które możesz odbierać jako erotyzujące, bodźce smakowe, które ci odpowiadają, dźwięki i słowa, które mogą cię podniecać.

— Poznaj swoje narządy płciowe: łechtaczka jest jednym z najważniejszych ośrodków zadowolenia seksualnego u kobiety. Sutki, wargi sromowe, wejście do pochwy lub okolice odbytu — ze wszystkimi różnicami indywidualnymi — są bardzo czułe na bodźce seksualne. Dla wielu kobiet najważniejszym sposobem osiągania zadowolenia seksualnego jest samozaspokajanie (onanizowanie). Możesz również i ten sposób stymulacji seksualnej zintegrować ze współżyciem z partnerem lub partnerką.

— Poznaj swoje fantazje: wiele kobiet wstydzi się swoich myśli, wypiera się ich i stara się ich do siebie nie dopuszczać. Często sprzyja temu strach, że „wyuzdane" fantazje mogą zostać odebrane jako wyuzdane życzenia. A przecież jedne z drugimi nie muszą mieć nic wspólnego.

— Poznaj i odkryj swoje odczucia i pragnienia: może odczuwasz większy pociąg do kobiet niż do mężczyzn i nie potrafisz się odważyć dostosować swojego postępowania do tych pragnień.

— Poznaj swój związek z partnerem: istnieje utarte od dawna przekonanie, że długoletni związek między dwojgiem partnerów wraz z wiekiem traci na atrakcyjności seksualnej. Często zdarza się odwrotnie: dla wielu par jakość związku seksualnego rośnie wraz z długością wspólnego życia. Hamująco działają nuda, obojętność i chłód uczuciowy — mogą się pojawić niezależnie od czasu trwania związku.

— Poznaj wartość rozmowy: może preferujesz szczególny rodzaj zachowania seksualnego, czułości, części ciała lub pozycje, o których twój partner nic nie wie. Powiedz o swoich życzeniach i potrzebach. Nie krępuj się mówić nawet w czasie skurczów pochwy. Taka rozmowa może doprowadzić do odkrycia nowych form odprężenia seksualnego.

— Poznaj swój cykl i jego fazy: istnieją okresy, w których jesteś aktywna seksualnie, ale przychodzą także tygodnie, w których myśli i uczucia zajęte są bez reszty czymś innym — np. nowo narodzonym dzieckiem. Może właśnie znajdujesz się w takim okresie. Pomów o tym ze swoim partnerem.

### Leczenie

W bardzo rzadkich przypadkach problemy seksualne mogą być spowodowane przyczynami organicznymi. Lekarstwa (np. środki uspokajające lub hormony) nie dotykają nawet przyczyn, lecz maskują tylko występujące dolegliwości.

Fachową pomoc możesz uzyskać w powołanych do tego celu poradniach seksuologicznych lub chorób kobiet. W przypadku pierwotnych zaburzeń seksualnych, których przyczyna tkwi w dzieciństwie lub młodości, najbardziej właściwa jest metoda psychoterapii polegająca na sięganiu w głębokie rejony podświadomości (→ Postępowanie skupiające uwagę na konflikcie, s. 672). W przypadku wtórnych zahamowań najbardziej wskazane jest wspólne leczenie z partnerem seksualnym (→ Terapia małżeńska i rodzinna, s. 671).

## ZABURZENIA SEKSUALNE U MĘŻCZYZN

Mężczyźni przypisują prąciu więcej symbolicznych znaczeń niż jakiemukolwiek innemu narządowi: może to być oznaka władzy, obraz siły, prawdziwie męski element gry, fascynujący z powodu swojej „niepowtarzalności".

Jego pozycja w podtrzymaniu więzi seksualnej jest tak duża, że bywa określany żartobliwie jako „ten trzeci" w związku. Bywa, że z prąciem niektórzy identyfikują swoją męskość oraz poczucie własnej energii — odnosząc te cechy (przynajmniej w przenośni) do „potencji". Jeżeli najbardziej męski narząd okaże się „niedołężny", to znaczy w opinii „właściciela" nie jest w stanie prawidłowo funkcjonować, fakt ten staje się dla mężczyzny prawdziwą katastrofą. W ten sposób widoczna w naszym kręgu kulturowym ideologia wyczynu staje się ideologią nonsensu. Obsesją mężczyzn jest porównywanie wielkości tego narządu. Takie nastawienie jest bezsensowne, ponieważ „męskości" nie można mierzyć długością prącia, a także dlatego, że osiągnięcie orgazmu przez kobietę nie zależy od głębokości penetracji prącia w pochwie. Wielu mężczyzn nie zdaje sobie sprawy z faktu, że z punktu widzenia osiągania zadowolenia seksualnego żadne prącie nie jest ani za małe, ani za duże. Poza tym, pod wpływem „ideologii wyczynu" mężczyźni zapominają, że poza stosunkiem płciowym istnieją inne, niezliczone sposoby osiągania rozkoszy seksualnej.

Prawidłowy przebieg stosunku płciowego i jego „jakość" zależy nie tylko od prawidłowej funkcji odpowiednich narządów, ale także od wielu czynników psychicznych i socjalnych: od motywacji psychicznej, od stopnia pożądania, od sprawności przepływu krwi przez naczynia oraz od sposobu przeżycia orgazmu. Orgazm charakteryzuje się rozładowaniem istniejącego napięcia i odczuciem odprężenia oraz trudnym do określenia przyjemnym uczuciem rozprzestrzeniającym się we wszystkich mięśniach. Następuje różny pod względem długości okres, w którym mężczyzna nie jest zdolny do erekcji ani do przeżycia orgazmu. W przeciwieństwie do mężczyzny kobieta potrafi reagować na podniety erotyczne natychmiast po przeżytym orgazmie. Różnice te nie muszą i nie powinny wpływać ujemnie na współżycie seksualne. Możliwe jest bowiem stosowanie bodźców seksualnych, nawet wówczas, gdy dalsza erekcja jest niemożliwa.

Odruchy kierujące zachowaniem seksualnym pozostają pod wpływem tzw. autonomicznego układu nerwowego, który nie podlega bezpośredniej kontroli świadomości. Jednakże wszystkie te odruchy mogą w każdym okresie ulegać wpływom kory mózgowej lub różnych czynników zewnętrznych.

Zaburzenia, aż do całkowitego zablokowania odruchu, mogą być powodowane przez różne myśli i emocje, choroby i zażywane lekarstwa. Nie bez wpływu na „potencję" pozostają różne przesądy, rozpowszechnione mity na tematy seksualne, a także czynniki socjalne wiążące się z relacjami kobieta–mężczyzna (→ Życie seksualne, s. 499).

### Seks w średnim i starszym wieku

Mężczyzna osiąga największą sprawność seksualną około dwudziestego roku życia: szybko występuje wówczas wzwód i wytrysk nasienia. Gotowość do następnej erekcji istnieje już po kilku minutach. Około pięćdziesiątego roku życia sprawność seksualna (potencja) ulega nieco osłabieniu. Osiągnięcie wzwodu wymaga zwykle więcej czasu, a także często silniejszych bodźców. Wytrysk nasienia nie jest już tak silny i może występować z opóźnieniem. Jednak takie zachowanie wcale nie musi być traktowane jako niekorzystne. Wiele kobiet preferuje przedłużanie gry wstępnej i wcale nie pragnie szybkich, „zbyt męskich" partnerów. Istnieje ponadto możliwość skutecznej stymulacji seksualnej technikami manualnymi lub oralnymi. Jeśli przekroczyłeś sześćdziesiąty rok życia, nie powinieneś się przejmować, że twoje prącie nie zawsze reaguje tak, jak byś sobie tego życzył. Powinieneś pamiętać, że wspólne przeżycie seksualne to nie tylko przeżycie orgazmu „na zawołanie". Radość płynąca z przebywania razem, ze wspólnego przeżywania i odkrywania nowych rodzajów podniet jest znacznie ważniejsza od sprawności czysto fizycznej. Udane życie seksualne możliwe jest także w zaawansowanym wieku, nawet jeżeli występują okresy całkowitego braku zainteresowania tą dziedziną życia.

### Kryzys w „średnim wieku"

Problemami charakterystycznymi dla „wieku średniego" są: zbyt duże pochłonięcie sprawami pracy zawodowej, nieporozumienia z partnerką i z dziećmi. Pojawić się może myśl, że należy zrezygnować z zabaw i przywilejów młodości. Mimo że zadowolenie seksualne działa bardzo korzystnie na zdrowie fizyczne i psychiczne, jego osiąganie może się stawać coraz trudniejsze. Powi-

nieneś starać się o tym rozmawiać ze swoją partnerką, poradzić się swojego lekarza lub psychologa (wybierz takiego, do którego masz pełne zaufanie).

## Osłabienie lub brak popędu (zaburzenia libido). Impotencja. Zaburzenia wzwodu prącia i wytrysku nasienia

### Dolegliwości

*Osłabienie popędu płciowego*: Mężczyzna jest zdolny do prawidłowego stosunku płciowego, wykazuje jednak zmniejszone zainteresowanie aktywnością seksualną, nawet w sytuacji podniecającej erotycznie.

*Impotencja*: To określenie oznacza niemożność odbycia normalnego stosunku płciowego. Może to być brak zdolności do wzwodu lub różne zaburzenia czynnościowe, które przeszkadzają w odbyciu aktu płciowego w sposób zgodny z oczekiwaniami obojga partnerów. Te ostatnie zaburzenia należy odróżnić od organicznej niezdolności do zapłodnienia (→ Bezpłodność, s. 523).

*Zaburzenia wzwodu*: Mimo prawidłowego popędu płciowego mężczyzna nie jest zdolny do wzwodu prącia w sposób umożliwiający odbycie prawidłowego stosunku seksualnego.

Innym rodzajem zaburzenia erekcji jest priapizm, czyli przedłużony wzwód. Następstwem jest silny ból. Bolesność w czasie stosunku może być spowodowana zwężeniem napletka.

*Zaburzenia ejakulacji*: Właściwie trudno mówić o zbyt wczesnym lub zbyt późnym wytrysku nasienia. Może się jednak zdarzyć, że czas wytrysku rozmija się z życzeniami lub przyzwyczajeniami partnerki.

Najczęściej mężczyźni muszą się nauczyć opóźniać swój orgazm, istnieje bowiem naturalna skłonność do jak najszybszego wytrysku nasienia po osiągnięciu wzwodu prącia. Zwykle jest to zbyt krótki okres na zaspokojenie potrzeb partnerki. O dolegliwości można mówić wówczas, kiedy ten okres jest niedostateczny do osiągnięcia pełnej rozkoszy przez jedno lub oboje partnerów.

Natomiast patologię (chorobę) rozpoznaje się wówczas, gdy wytrysk nasienia występuje przed wprowadzeniem prącia do pochwy.

### Przyczyny

Przyczyny wymienionych wyżej trzech rodzajów zaburzeń seksualnych są podobne.

*Wiek*: Jest zupełnie naturalne, że wraz z wiekiem zmniejsza się popęd płciowy. Pamiętaj jednak, że nawet w bardzo zaawansowanym wieku możesz doświadczyć przyjemności wynikających z przeżycia seksualnego.

*Związek z partnerem*: Problemy pojawiające się we wspólnym życiu z partnerką — również te nieuświadamiane —

### Lektura uzupełniająca

LEW-STAROWICZ Z.: *Wiek średni. Blaski i cienie*. PZWL, Warszawa 1992.

mogą wywierać wpływ na tak czuły obszar, jakim jest życie seksualne. Pewną wskazówką mówiącą o wpływie psychiki na współżycie seksualne jest fakt, że wspomniane problemy utrudniają przebieg stosunku płciowego z partnerką, pozostają natomiast bez wpływu np. na różne formy samozaspokajania się. Problemem częstszym, niż się na ogół wydaje, jest niewłaściwy wybór partnera (partnerki) seksualnego. Może się zdarzyć, że w razie gdy mężczyzna nie ma dość odwagi, żeby powiedzieć „nie", robi to za niego jego prącie, odmawiając posłuszeństwa w chwili najbardziej istotnej.

Przykładem może być występujące niekiedy „niedopasowanie" polegające na tym, że mężczyzna nie jest w stanie znieść intymnego zapachu partnerki seksualnej. Jest to bardzo trudny problem, co w niektórych przypadkach może całkowicie uniemożliwić współżycie.

Różnego rodzaju brak dopasowania może ujawnić się dopiero po dłuższym wspólnym życiu we dwoje, kiedy narasta znudzenie sobą, zmniejsza się natomiast wzajemne zainteresowanie seksualne. Istotny wpływ na jakość życia seksualnego mają różnego rodzaju sytuacje konfliktowe: kłótnie, lekceważenie, nieufność itp. Podobnie może działać okazywanie obojętności. Źródłem zaburzeń mogą być uświadomione lub nieuświadomione lęki przed kobietami w ogóle lub przed konkretną kobietą, przed niechcianym ojcostwem lub przed własną niesprawnością seksualną. Jeżeli kobiety cię nie podniecają, jeżeli miewasz marzenia senne związane głównie z mężczyznami, możliwe, że przejawiasz skłonności homoseksualne. U wielu mężczyzn zdarzają się takie sny bez żadnych konsekwencji w realnym życiu. Niektórzy mężczyźni odkrywają w sobie skłonności homoseksualne już w młodości, niektórzy w późniejszym wieku. Inni jeszcze — mimo istniejących skłonności — nie dopuszczają do siebie możliwości, aby im ulec. Uważa się, że około 5% mężczyzn to homoseksualiści, natomiast 15% (co szósty mężczyzna) jest biseksualistami (tzn. przejawiają skłonności do obu płci).

Poważne problemy może powodować wieloletnie stosowanie stosunku przerywanego (przerwanie stosunku tuż przed ejakulacją) jako środka antykoncepcyjnego.

*Samopoczucie*: Przepracowanie, wyczerpanie, sytuacje stresowe, niepokój, nerwowość, depresja — wszystkie te czynniki mają zdecydowanie ujemny wpływ na popęd płciowy i zdolność pełnego przeżycia stosunku seksualnego. Podobnie mogą działać takie czynniki, jak złe warunki mieszkaniowe oraz nadmiar bodźców (np. hałas).

*Przyczyny organiczne*: Najważniejszymi przyczynami organicznymi zaburzeń seksualnych są przewlekłe, obciążające choroby, jak na przykład cukrzyca, uszkodzenie wątroby, niedoczynność tarczycy, astma, nadciśnienie tętnicze, choroby naczyń (zarówno tętniczych, jak i żylnych).

Każde zaburzenie organiczne z czasem powoduje problemy psychiczne, które z kolei pogłębiają istniejące już zaburzenia. Powstaje bardzo trudne do przerwania błędne koło lęku i niewydolności. Niedobory hormonalne są rzadko przyczyną problemów seksualnych.

*Pozostałe przyczyny*: Leki, nadużywanie alkoholu, nadwaga, palenie papierosów (nikotynizm).

*Osłabienie popędu płciowego*

Długotrwałe, wyraźne zahamowanie popędu płciowego jest spowodowane najczęściej pewnymi przeżyciami w dzieciństwie lub w młodości, a także sposobem wychowania, które traktuje marzenia i popęd seksualny jako rzecz niewłaściwą i szkodliwą (→ Życie seksualne, s. 499). Bardzo rzadko przyczyną zahamowania popędu płciowego są powstałe w okresie płodowym wady rozwojowe gruczołów płciowych lub niedostateczne wytwarzanie testosteronu przez męskie gruczoły płciowe (jądra). Takie choroby rzucają się w oczy już w wieku młodzieńczym. Charakteryzują się zmniejszeniem rozmiarów jąder, osłabieniem lub brakiem owłosienia łonowego i pod pachami, czasami powiększeniem sutków.

*Impotencja*: U większości mężczyzn zaburzenia potencji spowodowane są problemami psychicznymi. Jak wynika z badań nad impotencją przeprowadzonych w USA, często jest ona spowodowana ubocznym działaniem leków.

*Okresowe zaburzenia erekcji*: Nie są patologią. Są zjawiskiem zupełnie naturalnym, które może wystąpić u każdego mężczyzny.

*Długotrwałe zaburzenia erekcji*: Dwie trzecie długotrwałych i niezależnych od partnerki zaburzeń erekcji jest pochodzenia organicznego. Najczęstszymi z nich są:
— Nabyte lub wrodzone zaburzenia przepływu krwi w tętnicach prącia i okolicy lędźwiowej.
— Zwiotczenie ciał jamistych prącia (zmiany starcze lub uszkodzenie tego narządu).
— Wrodzone tzw. krótkie połączenia pomiędzy naczyniami prącia.
— Choroby ośrodkowego układu nerwowego, jak na przykład porażenia, stwardnienie rozsiane (→ s. 212), półpasiec (→ s. 273), guzy. Zaburzenia wzwodu mogą być także spowodowane uszkodzeniem przewodnictwa nerwowego pomiędzy ośrodkiem wzwodu w rdzeniu kręgowym a narządami płciowymi. Taka sytuacja może zdarzyć się w czasie zabiegu operacyjnego w rejonie miednicy małej.

*Zaburzenia wytrysku nasienia*: Niedoświadczeni seksualnie mężczyźni mogą mieć trudności z wytryskiem nasienia we właściwym czasie. Niektórzy mężczyźni potrafią stopniowo nauczyć się kontrolować wytrysk nasienia, aby dostosować go do wymagań partnerki. Przyspieszenie ejakulacji może być spowodowane różnymi napięciami psychicznymi. Główną rolę od-

---

### Leki, które mogą powodować zaburzenia potencji

Najbardziej „szkodliwe" są leki przeciwnadciśnieniowe zwłaszcza tzw. beta-adrenolityki (→ Nadciśnienie, s. 304).

Leki przeciwdepresyjne i antypsychotyczne.

Leki hamujące wytwarzanie kwasu solnego w żołądku (tzw. $H_2$ blokery).

Cymetydyna (Altramet).

Środki pobudzające (amfetamina).

Żeńskie hormony płciowe (w leczeniu raka stercza) i inne środki przeciwnowotworowe.

grywają stany napięcia pomiędzy partnerami, szczególnie lęk przed niezaspokojeniem kobiety.

## Ryzyko

*Długotrwałe zaburzenia erekcji*: Około jednej trzeciej przypadków długotrwałych i niezależnych od partnerki zaburzeń erekcji ma tło nerwicowe. W pozostałych przypadkach przyczyna jest organiczna.

## Możliwe następstwa i powikłania

Niewydolność (niesprawność) seksualna. Lęk przed niesprawnością i ośmieszeniem powoduje u niektórych mężczyzn unikanie bliższych kontaktów z kobietami, a nawet w ogóle z innymi ludźmi. Dalszym następstwem może być życie w samotności. Niezrealizowane pragnienia seksualne mogą wpływać niekorzystnie na ogólny stan zdrowia.

## Zapobieganie

*Dla rodziców*

Właściwe, otwarte wychowanie seksualne pozwala na usunięcie wielu z wymienionych wcześniej zagrożeń. Najlepszym sposobem ochronienia dziecka przed różnymi nadużyciami seksualnymi jest szczera rozmowa i wyjaśnianie wszystkich problemów, bez unikania spraw „trudnych". Nie wahaj się przed taką rozmową z twoim dzieckiem, nawet wtedy, kiedy zadaje bardzo „kłopotliwe" pytania.

*Dla zainteresowanych*

Unikaj zbyt dużych ilości alkoholu, papierosów, a także nadwagi, stresów, przepracowania, pamiętaj o potrzebie odpowiedniej ilości snu. Traktuj poważnie i rozważnie wybór partnerki seksualnej i życiowej. Staraj się wsłuchać w swój „głos wewnętrzny". Przekonaj się, że wasz związek jest w stanie poradzić sobie z różnymi „trudnymi sytuacjami" bez uszczerbku dla jego jakości. Zrezygnuj — jeżeli to możliwe — ze środków antykoncepcyjnych, które mogą osłabiać popęd płciowy lub w inny sposób wpływać niekorzystnie na wzajemne współżycie. Alternatywne możliwości → Zapobieganie ciąży, s. 515.

Pamiętaj, że szczera, otwarta rozmowa z partnerką o twoim kryzysie potrafi w znacznym stopniu zmniejszyć obciążenie psychiczne.

## Poradnictwo seksualne

Jeżeli potrzebujesz porady w zakresie życia seksualnego, nie znaczy to, że musisz szukać specjalisty seksuologa. Często może pomóc lekarz domowy, który zna najlepiej ciebie i twoich bliskich. Może ocenić ewentualny wpływ innych chorób lub zażywanych leków. Ponieważ problemy seksualne mężczyzn stanowiły tabu dłużej niż w przypadku kobiet, poradnictwo dla mężczyzn jest słabiej rozbudowane.

W niektórych przypadkach twój lekarz może skierować cię do psychologa (→ Poradnictwo i psychoterapia, s. 670). W każdym przypadku przed podjęciem decyzji o leczeniu powinieneś porozmawiać ze swoją partnerką.

## Kiedy do lekarza?

Jeżeli odczuwasz jako dolegliwość to, że nie masz ochoty na współżycie seksualne (brak pożądania) lub nie możesz odbyć stosunku w ogóle albo w sposób, w jaki byś chciał (brak możliwości).

## Jak sobie pomóc

Jeżeli partnerka potrafi zrozumieć twoje problemy, nie stają się one sprawą naglącą i przez to są znacznie łatwiejsze do rozwiązania. Nie możesz jednak oczekiwać, że druga osoba istnieje tylko po to, by zaspokajać twoje wymagania. Nie powinieneś kpić z własnej niemocy, ale z drugiej strony nie załamywać się, tylko potraktować to jako okazję do przemyślenia swojego związku.

Jeżeli już znajdujesz się w błędnym kole niemożności i lęku, postaraj się wyjaśnić wszystko swojej partnerce i porozmawiać o swoich uczuciach i rozczarowaniach, a nawet o możliwym rozejściu się. W tym czasie nie powinieneś podejmować prób normalnego stosunku seksualnego.

Powinieneś natomiast spróbować tego, co podoba się wielu kobietom, tzn. czułych, łagodnych pieszczot całego ciała, w tym również pieszczot oralnych. Możliwe, że odkryjecie w ten sposób nowe rodzaje „bycia razem", których życzy sobie twoja partnerka, a o których do tej pory nie myślałeś.

— W szczerej rozmowie z partnerką otwórz się na jej seksualne życzenia i niechęci: co z tego, co do tej pory robiłeś, jest dla niej przyjemne, co powinno zostać zaniechane. Unikniecie w ten sposób wielu nieporozumień i przykrości.

— Postaraj się sam lub razem z partnerką „zainscenizować" nowe sytuacje erotyczne, spróbuj nowych pozycji. Takie „erotyczne podróże", pełne czułości i fantazji pozwalają przezwyciężyć nudę i rutynę.

— Zatroszcz się o zaspokojenie swoich potrzeb psychicznych. We współczesnym świecie współzawodnictwa tak czuły mechanizm, jakim jest ludzka psychika, ulega stępieniu. Pozwól sobie na nowe wrażenia, kolory, zapachy. Staraj się odkryć przyjemność w dotyku naturalnych materiałów, grę światła i ciepła na skórze, radość z chodzenia boso po podłodze (lub bardziej „romantycznej" powierzchni). Spróbuj nowych wrażeń, nowych, nawet nieznanych ci do tej pory, form aktywności. Może to być np. taniec, wędrówki górskie, różne dyscypliny sportowe czy medytacje.

— Cenne może okazać się czasowe zachowanie dystansu we wzajemnych stosunkach. Jeżeli jest to decyzja wspólna, niewymuszona przez jednego z partnerów, może spowodować zwiększenie wzajemnego zainteresowania lub pomóc w znalezieniu optymalnego rozwiązania problemów.

Istnieją pewne pozycje, które umożliwiają odbycie prawidłowego stosunku płciowego nawet przy znacznie ograniczonych możliwościach erekcji (wzwodu). Jedną z nich przedstawia rysunek: kobieta leży na wewnętrznej powierzchni uda mężczyzny, starając się unieść pośladki. Jeżeli przejawiasz skłonności homoseksualne i z tego powodu masz trudności, staraj się skontaktować z kimś, kto może ci pomóc. W tej sytuacji zwykle pomaga rozmowa w gronie osób o podobnych skłonnościach.

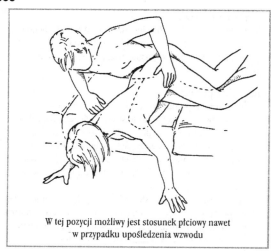

W tej pozycji możliwy jest stosunek płciowy nawet
w przypadku upośledzenia wzwodu

*W przypadku zaburzeń wytrysku nasienia*
— Im częstsze są stosunki płciowe, tym dłuższego czasu wymaga osiągnięcie orgazmu. Po przedwczesnym wytrysku w czasie jednego stosunku można oczekiwać prawidłowego wytrysku nasienia w czasie następnego.
— Staraj się przedłużyć czas gry wstępnej. W ten sposób zwiększasz możliwość osiągnięcia zadowolenia was obojga. Zbliżający się wytrysk nasienia można opóźnić przez uciśnięcie prącia tuż poniżej żołędzi. Możesz to zrobić sam lub twoja partnerka.
— Również zmiana pozycji w czasie stosunku płciowego może być pomocna w opóźnieniu wytrysku. W pozycji „jeźdźca" kobieta może dodatkowo za pomocą odpowiednich ruchów szczególnie silnie pobudzić swoją łechtaczkę.
— Możesz „zaoszczędzić" także nieco czasu, jeżeli odwrócisz swoją uwagę.

*Środki zwiększające aktywność seksualną (afrodyzjaki)*
Ludowa medycyna zna kilka produktów spożywczych, które mają zwiększać „ochotę na miłość". Najczęściej ich działanie polega na magicznej wierze pomagającej tym, którzy w to wierzą. Przykładem są szparagi lub fasola, które ze względu na swój kształt mają zawierać w sobie „męską siłę". Do środków ułatwiających podniecenie seksualne należą: słodkie migdały, orzechy, miód, cebula, czosnek, owies, seler, pokrzywa. Jeżeli ktoś wierzy — może spróbować. Lekarze zalecają dietę bogatobiałkową.
   Wątpliwe i częściowo niebezpieczne jest działanie różnych chemicznych afrodyzjaków, które od stuleci napełniają pieniędzmi kieszenie (lub konta) przedsiębiorczych producentów i handlarzy (→ s. 509).

## Leczenie
W razie stwierdzenia organicznych przyczyn zaburzeń powinny one być możliwie najdokładniej sprecyzowane i leczone w sposób ukierunkowany. Jeżeli musisz zażywać lekarstwa wymienione na stronie 506, porozmawiaj o tym ze swoim lekarzem. Nie przerywaj jednak samowolnie zażywania żadnego leku. Pomimo

że bardzo rzadko przyczyną zaburzeń seksualnych jest niedobór hormonów, lekarze często przepisują męski hormon płciowy (testosteron). Jest to uzasadnione jedynie w przypadku rzeczywistego jego niedoboru. Ponadto należy pamiętać, że leczenie testosteronem wymaga systematycznej kontroli urologicznej, ze względu na możliwe działanie uboczne tego leku na gruczoł krokowy (niebezpieczeństwo raka).

### Leczenie psychicznie uwarunkowanych zaburzeń libido
Jeżeli podejrzewasz u siebie zaburzenia w sferze psychicznej, powinieneś zwrócić się do lekarza, do którego masz zaufanie, aby wspólnie poszukać bardziej profesjonalnej pomocy. Nie powinieneś obawiać się takiego postępowania. Nie masz żadnego powodu do wstydu. Przeciwnie: ten, kto zdecyduje się na usunięcie obciążeń psychicznych i podejmie trud walki z ich przyczynami, dowodzi, że stać go na wiele odwagi. Jest jednak bardzo ważne, aby ze swoimi problemami seksualnymi zwrócić się do osoby kompetentnej. Wspomniana już odwaga jest niezbędna, aby pokonać lęk i strach, a zarazem aby móc prawidłowo sformułować problem i uświadomić sobie konieczność jego rozwiązania. Może się wydawać, że cena jest bardzo wysoka, ale nagroda, jaką dzięki niej osiągniesz, jest warta dużego wysiłku. Jak szukać kompetentnej pomocy → s. 671. Jedną z form terapii jest próba przerwania błędnego koła za pomocą wyreżyserowanego postępowania, które można określić jako „czas zakazanego owocu". Jest to ćwiczenie dla obojga partnerów, przebiegające w trzech etapach:

*Etap 1*
Starajcie się razem z partnerką, aby w czasie trzech wieczorów w ciągu tygodnia stworzyć miłą atmosferę odprężenia: delektujcie się spokojem w czasie eleganckiej kolacji przy świecach i z towarzyszącą muzyką. Ważne jest, aby w mieszkaniu było dostatecznie ciepło i aby nikt wam nie przeszkodził. Po osiągnięciu odpowiedniego nastroju rozbierzcie się i starajcie się nawzajem pieścić. Nie omijaj żadnej okolicy ciała swojej partnerki z wyjątkiem piersi i okolicy narządów płciowych. Przeznaczcie na takie „zabawy" każdorazowo około pół godziny. Po trzech, czterech tak spędzonych wieczorach możecie przejść do następnego etapu.

*Etap 2*
Starajcie się obdarowywać wzajemnie pieszczotami w sposób opisany w etapie 1. Teraz jednak należy rozszerzyć tę erotyczną przygodę na piersi, okolice narządów płciowych i odbytu.

*Etap 3*
Dochodzi do niego najczęściej po kilku dniach ćwiczeń drugiego etapu. Jeżeli narastające w tobie pożądanie powoduje przekroczenie wydanego wcześniej „zakazu", można mówić o sukcesie całego programu ćwiczeń.

### Leczenie zaburzeń wzwodu
Istnieje wiele sposobów leczenia zaburzeń wzwodu uwarunkowanych organicznie. Nie zawsze jednak możliwe jest leczenie skuteczne.

## Ostrzeżenie przed afrodyzjakami

*Żeń-szeń*

Uważany przez medycynę Dalekiego Wschodu za źródło witalności. Uważa się, że podnosi „gotowość" seksualną u kobiet i może doprowadzać do obrzmienia brodawek sutkowych. Inne działania nie są znane. Bogata jest natomiast lista jego działań ubocznych: nadciśnienie tętnicze, biegunka, wysypka skórna, obrzęki, wzmożona pobudliwość nerwowa, bezsenność, euforia i depresja. W dużych dawkach doprowadza do objawów splątania. Wiele stosowanych preparatów żeń-szenia nie zawiera oryginalnych wyciągów z korzenia, rosnącego tylko na Dalekim Wschodzie, lecz podobne związki syntetyczne.

*Mucha hiszpańska*

Substancją działającą (?!) jest kwas kantarydowy. Suszone owady są ucierane, a proszek uzyskany w ten sposób stosuje się do smarowania narządów płciowych, a nawet do przyjmowania doustnego. Pocieranie nim powoduje podrażnienie skóry i błon śluzowych. Dlatego związki kwasu kantarydowego są używane jako składnik maści przeciwreumatycznych. Stosowanie tego preparatu powoduje u kobiet krwawienia z jamy macicy, a u mężczyzn bolesną erekcję bez żadnego wpływu na jakość stosunku seksualnego. Takie działanie było błędnie traktowane jako „podnoszące gotowość seksualną". W wysokich dawkach omawiana substancja działa podobnie do kwasu musztardowego. Dawka śmiertelna wynosi około 10-50 mg. Dochodzi wówczas do ciężkiego zaburzenia czynności wątroby, krążenia i nerek, a śmierć następuje w ciągu dwunastu godzin.

*Johimbina*

Rozszerza naczynia krwionośne, powodując obrzmienie narządów. Nie wolno jej stosować w chorobach wątroby i nerek.

*Azotyny (amylu, butylenu)*

Są stosowane w postaci aerozolu zapachowego. Ze względu na charakterystyczną woń „brudnych skarpet" używane są wziewnie głównie przez homoseksualistów. Długoletnie stosowanie tego preparatu prowadzi do częstszego występowania mięsaka Kaposiego i innych nowotworów skóry i błon śluzowych.

*Strychnina*

Działa na ośrodkowy układ nerwowy, prowadząc do typowych skurczów mięśni i drgawek. Inne nieprzyjemne działanie uboczne: sztywność mięśni twarzy i barku.

## Środki farmakologiczne (leki)

Środki ułatwiające przepływ krwi, jak na przykład papaweryna lub prostaglandyny są wstrzykiwane bezpośrednio do ciała jamistego prącia. Skuteczność zabiegu nie przekracza sześćdziesięciu procent, jeżeli jest wykonywany w gabinecie lekarskim. W intymnej atmosferze, kiedy zastrzyk jest wykonywany osobiście lub przez partnerkę, metoda ta jest skuteczniejsza. Jeżeli takie postępowanie jest niewystarczające, do wymienionych wyżej leków można dodać fentolaminę (regitynę). Leki te poprzez działanie na tętnice ułatwiają napływ krwi do ciał jamistych prącia, a oddziałując na żyły, powodują, że krew dłużej w nich pozostaje.

Lek należy wstrzyknąć około piętnastu minut przed planowanym stosunkiem. Jeżeli dawka leku jest właściwie dobrana, po odbyciu stosunku prącie wraca do poprzedniego stanu. Jeżeli dawka leku jest zbyt duża, może wystąpić długotrwały wzwód z możliwym niebezpiecznym skutkiem.

Prostaglandyny (np. Prostavasin, Minprog) oficjalnie nie są jeszcze dopuszczone do tych celów w Niemczech i Austrii, są jednakże stosowane w większości poradni andrologicznych i urologicznych. W USA wyprodukowano odmianę prostaglandyny E1 alprostadil pod nazwą Caverject. Lek wprowadzony w zastrzyku do jednego z ciał jamistych prącia jest skuteczny niezależnie od tła przyczynowego impotencji w siedemdziesięciu do osiemdziesięciu procent przypadków. Należy go zastosować dziesięć minut przed stosunkiem. Preparat ten w postaci ampułki będzie wkrótce dostępny w polskich aptekach. Bardzo istotne jest umiejętne dawkowanie i wykonywanie iniekcji.

*Działanie uboczne*: Mogą wystąpić bolesne napięcia prącia oraz zaburzenia orgazmu. U 2-5% mężczyzn dochodzi do bolesnego, przedłużonego wzwodu, który wymaga leczenia środkami farmakologicznymi lub upustu krwi wprost z ciała jamistego. W trakcie wykonywania opisywanych wstrzyknięć może dojść do uszkodzenia nerwów lub cewki moczowej.

Przyszłość leczenia farmakologicznego impotencji będzie zapewne należała do stosowania leków w tabletce. Po USA i innych krajach również w Polsce zarejestrowano i jest dostępny w aptekach na receptę lek o nazwie handlowej Viagra, zawierający substancję sildenafil. Lek ten jest skuteczny u 70% chorych. Wzwód pojawia się pół godziny po zastosowaniu tabletki i zadziałaniu impulsu seksualnego. Wśród objawów ubocznych wymienia się rumień twarzy, ból głowy i zaburzenia dyspeptyczne. Nie obserwowano dotąd bolesnego wzwodu, utrzymującego się przez bardzo długi czas. Viagry nie należy stosować łącznie z lekami zawierającymi nitraty.

*Zabiegi operacyjne*

— Jeżeli przyczyną zaburzeń erekcji jest zmniejszenie lub brak przepływu krwi przez tętnice miednicy do prącia, można wykonać tzw. pomostowanie — operację polegającą na wszczepieniu wstawki naczyniowej omijającej uszkodzoną tętnicę lub żyłę.

— Implantacja wstawki z tworzywa sztucznego może spowodować usztywnienie prącia w stopniu umożliwiającym wprowadzenie go do pochwy. Czasami ten sposób leczenia umożliwia wystąpienie erekcji. Dotychczasowe doświadczenia wykazują jednak, że takie protezy prącia najczęściej nie spełniają oczekiwań mężczyzn.

— Jeżeli przyczyną zaburzeń jest niedostateczna produkcja testosteronu przez organizm, lekarz może zaordynować ten hormon w formie leku. Należy pamiętać, że możliwym działaniem ubocznym jest zwiększenie ryzyka rozwoju raka gruczołu krokowego. Z tego powodu konieczne są systematyczne profilaktyczne badania urologiczne.

## Leczenie zaburzeń wytrysku nasienia

*Ćwiczenia opóźniające*: Partnerka drażni ręką prącie, ale tylko do czasu tuż przed wytryskiem nasienia. Wówczas uciska ręką prącie tuż poniżej żołędzi, aż do ustąpienia wzwodu. Po krótkim czasie ponownie stymuluje prącie. Takie postępowanie można powtarzać wielokrotnie.

# CHOROBY WENERYCZNE

Choroby weneryczne są najbardziej rozpowszechnionym w świecie rodzajem chorób zakaźnych i częstość ich występowania w ostatnich dziesięcioleciach wykazuje wyraźną tendencję zwyżkującą. Przyczyny takiego zjawiska są różne: ruchliwość życia, swoboda seksualna z różnorodnością praktyk seksualnych, niewiedza i wstydliwe przemilczenia. Obecnie istnieją zaawansowane metody diagnostyczne i lecznicze, które nawet w przypadku zakażenia zapobiegają rozwojowi choroby i jej dalszemu rozprzestrzenianiu się.

Stwierdziwszy „klasyczne" choroby weneryczne, jak kiła, rzeżączka, wrzód miękki, ziarnica weneryczna, lekarz ma obowiazek zgłoszenia ich do stacji sanitarno-epidemiologicznej. Dane te jednak objęte są tajemnicą lekarską i służą jedynie do celow epidemiologicznych. W ostatnich latach znacznie nasiliło się występowanie innych chorób przenoszonych drogą płciową, takich jak: trichomoniaza (0,2%), zakażenie chlamydiami (4-10%), grzybice, opryszczka (*herpes*) (2-5%) pacjentek ginekologicznych. Mimo że brak dokładnych danych, można stwierdzić, iż obecnie są one znacznie częstsze niż „klasyczne" choroby weneryczne.

Zwiększające się w ostatnich latach zużycie prezerwatyw, spowodowane lękiem przed AIDS, może przy okazji doprowadzić do ograniczenia rozwoju również innych chorób przenoszonych drogą płciową.

## Grzybice narządów płciowych

### Dolegliwości

*Kobiety*: Najczęściej dochodzi do zapalenia pochwy z niewielkim wyciekiem. Wargi sromowe są zaczerwienione i obrzęknięte, czasami pokryte białawym, podobnym do sera nalotem. Najbardziej dominującym objawem jest świąd w okolicy narządów płciowych. Ponadto w obrębie miednicy mogą wystąpić palące bóle i uczucie gorąca.
*Mężczyźni*: Występuje zapalenie żołędzi i napletka, z zaczerwienieniem i zwiększeniem ich wilgotności. Czasami pojawiają się białawe naloty.

### Przyczyny

Występowanie na skórze i błonach śluzowych zdrowego człowieka grzybów jest zjawiskiem normalnym, które w warunkach pełnego zdrowia nie powoduje rozwoju choroby. Doprowadza do niej dopiero zachwianie sił obronnych przed drobnoustrojami. Wśród czynników ułatwiających rozwój zakażenia grzybiczego należy wymienić:
— stale wilgotną skórę;
— cukrzycę;
— zaburzenia hormonalne (np. pigułki antykoncepcyjne, ciąża, niedobór estrogenów w starszym wieku, leczenie hormonami sterydowymi);

— leczenie antybiotykami;
— leczenie lekami immunosupresyjnymi;
— znaczną anemię.

### Ryzyko zachorowania

Zakażenia grzybami stają się coraz częstsze. Przyczyny są wielorakie: zwiększone spożycie cukru, uszkodzenie warstwy ochronnej skóry poprzez zbyt częste kąpiele, ćwiczenia sportowe czy sauna, a także coraz bardziej rozpowszechniona antybiotykoterapia. Również zbyt ciasna (np. elastyczna) bielizna sprzyja powstawaniu grzybicy w okolicy narządów płciowych. Hormony zawarte w pigułce antykoncepcyjnej oraz antybiotyki mogą zmniejszać ilość bakterii produkujących w pochwie kwas mlekowy, które zwykle utrzymują w ryzach zarazki chorobotwórcze. Wtedy grzyby mogą się swobodnie namnażać.

### Możliwe następstwa i powikłania
Zakażenia partnera seksualnego.

### Zapobieganie
Luźna bielizna, dieta z ograniczaniem cukru. Prezerwatywy chronią przed zakażeniem (→ s. 518). Skłonności do grzybicy można zapobiegać przez stosowanie globulek Lactovaginal, zawierających bakterie produkujące kwas mlekowy, lub na noc wprowadzać do pochwy tampon zamoczony w jogurcie lub strzykawką wprowadzać jogurt do pochwy przez siedem dni.

### Kiedy do lekarza?
Jeżeli zauważysz opisane dolegliwości.

### Jak sobie pomóc
Samemu nie można.

### Leczenie
Należy dążyć do usunięcia wszystkich czynników sprzyjających infekcji grzybiczej, na przykład przerwać na kilka miesięcy zażywanie hormonalnych środków antykoncepcyjnych. W razie infekcji grzybiczej jednego z partnerów leczenie musi objąć również drugiego partnera, gdyż w przeciwnym przypadku dojdzie do nawrotów zakażenia.
*Kobiety*: Możliwe jest leczenie miejscowe. W pierwszej kolejności można spróbować stosowania (przez pięć do dziesięciu dni) czopków dopochwowych lub/i kremów zawierających pochodne imidazolu (Clotrimazol). Leczenie ketokonazolem (Nizoral) w tabletkach powinno być ograniczone jedynie do cięższych przypadków.
*Mężczyźni*: Stosowanie przez siedem do dziesięciu dni kremu zawierającego Clotrimazol bezpośrednio na żołądź i napletek zwykle wystarcza do wyleczenia istniejącego zakażenia. Nawroty są spowodowane zbyt szybkim zaprzestaniem leczenia.

## Zakażenie rzęsistkiem pochwowym (rzęsistkowica)

### Dolegliwości
*Kobiety*: Zapalenie pochwy z żółtozieloną wydzieliną. Uczucie pieczenia sromu.

**Mężczyźni**: Mężczyźni często w ogóle nie zauważają zakażenia rzęsistkiem pochwowym. W niektórych przypadkach pojawia się mleczny wyciek z cewki moczowej (przed porannym oddaniem moczu), uczucie pieczenia głównie w okolicy ujścia cewki i częste parcie na mocz.

### Przyczyny
Zakażenie pasożytami.

### Ryzyko zachorowania
Rzęsistkowica należy do najczęściej występujących chorób pasożytniczych w Europie. Przenoszona jest prawie wyłącznie w czasie stosunku płciowego, rzadko poprzez używanie łaźni publicznych, sauny, toalety czy wspólnego ręcznika. Zakażenie rzęsistkiem pochwowym zdarza się także u małych dzieci — najprawdopodobniej z powodu nieprzestrzegania zasad higieny przez dorosłych.

Choroba ta jest rozpoznawana znacznie rzadziej u mężczyzn niż u kobiet, dla których częstość jej występowania w okresie aktywności seksualnej wynosi ponad 20%.

### Możliwe następstwa i powikłania
*Kobiety*: Przewlekłe zapalenie pochwy, zapalenie gruczołów Bartholina, zapalenie pęcherza.
*Mężczyźni*: Zapalenie żołędzi i gruczołu krokowego.

### Zapobieganie
Używanie prezerwatywy w czasie stosunku płciowego (→ s. 518), przestrzeganie zasad higieny.

### Kiedy do lekarza?
Gdy pojawią się opisane wyżej dolegliwości.

### Jak sobie pomóc
Samemu nie można.

### Leczenie
Najczęściej wystarcza leczenie lekami zawierającymi metronidazol.

*Uwaga*: Leczenie powinno obejmować oboje partnerów, nawet jeżeli jedno z nich nie odczuwa żadnych dolegliwości. Inaczej istnieje niebezpieczeństwo nowej infekcji.

*Ważne*: Preparatów metronidazolu nie powinno się stosować w pierwszych trzech miesiącach ciąży i podczas karmienia piersią. Wówczas należy stosować jedynie czopki dopochwowe zawierające clotrimazol lub nitrofurantoinę, ewentualnie czopki dopochwowe zawierające substancję chlorek dequalinium (np. Dequavagyn, Fluomycin, Gyken — zamiennie). Takie leczenie zwykle nie powoduje całkowitego wyzdrowienia, ale wyraźnie zmniejsza dolegliwości.

## Zakażenia chlamydią i ureaplazmą

### Dolegliwości
*Kobiety*: Częste parcie na mocz i utrudnione jego oddawanie, bóle w podbrzuszu, niewielki wyciek z pochwy, słabo nasilone objawy zapalenia cewki moczowej lub/i jamy macicy. Najczęściej zakażenie pozostaje bezobjawowe.

*Mężczyźni*: Zwykle siedem do czternastu dni po zakażeniu pojawia się częste i bolesne parcie na mocz, uczucie pieczenia w cewce moczowej, śluzowo-ropny wyciek z cewki. Częstym objawem jest występujące rano „sklejenie" ujścia cewki moczowej.

W przypadku stosunku oralnego rzadko dochodzi do zapalenia jamy ustnej, a w przypadku stosunku analnego do zapalenia odbytnicy.

### Przyczyny
Około połowy dawniej częstych tzw. nieswoistych zapaleń cewki moczowej i narządów płciowych jest wynikiem zakażenia chlamydiami.

### Ryzyko zachorowania
Zakażenie chlamydiami jest bardzo częstą chorobą przenoszoną drogą płciową, około dziesięciu razy częstszą niż rzeżączka.

### Możliwe następstwa i powikłania
*Kobiety*: Najczęstszym następstwem jest zakażenie narządów miednicy małej; wskutek zapalenia jajowodów może dojść do niepłodności. Może też dojść do zapalenia torebki wątrobowej, gruczołu Bartholina i zapaleń stawów. W 40% porodów zostaje zakażone dziecko. Dlatego ciężarne badane są w kierunku chlamydii. U noworodków infekcja powoduje zapalenie spojówek, rzadziej płuc.

*Mężczyźni*: Zakażenie chlamydiami jest najczęstszą przyczyną zapalenia najądrzy i gruczołu krokowego przed trzydziestym piątym rokiem życia.

*Uwaga*: Nawet w razie braku jakiegokolwiek leczenia w trzech przypadkach na cztery dolegliwości ustępują zwykle po czterech tygodniach. Jednak wówczas choroba może przejść w stan przewlekły. Może to spowodować bolesne zapalenie narządów miednicy, prowadzące do niepłodności lub ciąży pozamacicznej.

### Zapobieganie
Używanie prezerwatywy w celu ochrony przed zakażeniem w czasie stosunku płciowego (→ s. 518).

### Kiedy do lekarza?
W razie stwierdzenia wymienionych dolegliwości powinieneś (powinnaś) razem ze swoim partnerem seksualnym udać się do lekarza dermatologa.

### Jak sobie pomóc
Samemu nie można.

### Leczenie
W niepowikłanych przypadkach wystarczy dwutygodniowe leczenie antybiotykami z grupy tetracyklin. W przypadku nawrotów lub powikłań należy przedłużyć leczenie o dalsze trzy tygodnie. Osoby zakażone powinny do momentu wyzdrowienia unikać stosunków płciowych, ze względu na niebezpieczeństwo przeniesienia choroby na partnera.

Po trzech miesiącach od początku leczenia należy wykonać badania kontrolne u osoby chorej oraz, co jest nieodzowne, u jej (również leczonego) partnera seksualnego. W niektórych przypadkach powinno się też leczyć osoby blisko kontaktujące się z chorym.

## Kłykciny kończyste

### Dolegliwości
*Kobiety*: Na wargach sromowych, w pochwie, na szyjce macicy, w okolicy odbytu i w odbytnicy.
*Mężczyźni*: Na napletku, w ujściu cewki moczowej, na trzonie prącia, w odbycie i w odbytnicy występują małe, miękkie, różowe brodawki.
Zmiany te bardzo szybko rosną i mogą tworzyć kalafiorowate skupienia. W czasie ciąży mogą się rozprzestrzeniać jeszcze szybciej. Są prawie niebolesne.

### Przyczyny
Zakażenia wirusem *Papilloma* (HPV), przenoszone przeważnie drogą płciową.

### Ryzyko zachorowania
Kłykciny kończyste rozprzestrzeniają się bardzo szybko. Występują częściej u mężczyzn niż u kobiet.

### Możliwe następstwa i powikłania
Podejrzewa się, że kłykciny mogą być stanem przednowotworowym raka macicy i innych narządów.

### Zapobieganie
Stosowanie prezerwatywy w celu ochrony przed infekcją w czasie stosunku płciowego.

### Kiedy do lekarza?
Jeżeli zauważysz u siebie twory podobne do brodawek, powinieneś (powinnaś) razem ze swoim partnerem seksualnym poddać się dokładnemu badaniu lekarskiemu. Badanie to powinno przede wszystkim wykluczyć obecność raka lub kiły.

### Jak sobie pomóc
Samemu nie można.

### Leczenie
Pędzlowanie lub zwilżanie kłykcin podofiliną jest skuteczne w połowie przypadków. Można je zniszczyć za pomocą płynnego azotu, a także usunąć, stosując specjalne nalewki, chirurgicznie lub promieniami laserowymi. Po wyleczeniu można podjąć współżycie płciowe. Po trzech miesiącach należy poddać się kontrolnym badaniom lekarskim razem z partnerem seksualnym.
*Ważne*: Po skutecznym leczeniu kobiety powinny regularnie, przynajmniej raz w roku, poddawać się badaniu cytologicznemu, aby możliwie wcześnie rozpoznać ewentualną zmianę nowotworową.

## Opryszczka narządów płciowych

### Dolegliwości
Na błonie śluzowej narządów płciowych lub/i w okolicy odbytu pojawia się intensywne zaczerwienienie i obrzmienie oraz do-

chodzi do powstania licznych pęcherzyków, często zlewających się ze sobą. Pękanie pęcherzyków powoduje bolesne owrzodzenia.
Często powiększone są węzły chłonne w okolicy pachwinowej, czasami pojawiają się objawy choroby uogólnionej (gorączka), a także dolegliwości w czasie oddawania moczu. Zmiany ustępują zwykle po kilku dniach, rzadko dochodzi do rozwoju dużych owrzodzeń.

### Przyczyny
Chorobotwórcze są dwa rodzaje wirusa opryszczki zwykłej (*herpes simplex*): typ I i typ II. Po zakażeniu pozostają w organizmie, nie wywołując żadnych objawów. Do rozwoju choroby doprowadzają w sytuacji zaburzeń odporności organizmu (gorączka, urazy, nasłonecznienie, zaburzenia żołądkowo-jelitowe, miesiączka).

### Ryzyko zachorowania
Przeciwciała przeciwko wirusom opryszczki zwykłej stwierdza się u 15% mieszkańców Europy i 70% ludności Afryki. Oznacza to, że tyle ludzi zostało zakażonych tym wirusem. Dzięki siłom obronnym organizmu w większości przypadków nie dochodzi do rozwoju choroby. Charakterystyczne pęcherzyki pojawiają się tylko u około 2% zakażonych.

### Możliwe następstwa i powikłania
U mężczyzn zakażenie wirusem opryszczki zwykłej może doprowadzić do trudności w oddawaniu moczu, zaparcia i zaburzeń erekcji. Opryszczka narządów płciowych może (podobnie jak opryszczka jamy ustnej) przenosić się na odległe miejsca na skórze i do oczu.
W następstwie dochodzi do zmian bliznowatych spojówki lub rogówki. W rzadkich przypadkach znacznego osłabienia odporności, jak na przykład w białaczce, wirus opryszczki może doprowadzić do objawów zapalenia mózgu (*herpes encephalitis*). Mogą pojawić się wówczas: gorączka, bóle głowy, sztywność karku, wymioty i światłowstręt.
W czasie porodu może dojść do zakażenia noworodka — w takim przypadku lepiej zastosować zapobiegawczo cesarskie cięcie.

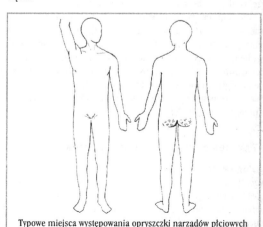

Typowe miejsca występowania opryszczki narządów płciowych

## Zapobieganie
Ochrona przed zakażeniem za pomocą prezerwatywy w czasie stosunku płciowego.

## Kiedy do lekarza?
Gdy pojawią się opisane wyżej objawy.

## Jak sobie pomóc
Samemu nie można.

## Leczenie
Acyclowir (Zovirax) pod postacią tabletek, maści lub wlewu dożylnego łagodzi dolegliwości, ogranicza rozsiew pęcherzyków i przyspiesza wyzdrowienie. Ten lek pozwala na zmniejszenie częstości nawrotów choroby, nie usuwa jednak przewlekłego utajonego zakażenia.

## Kiła
Kiła, „choroba Wenery", jest chorobą zakaźną, która może zaatakować cały organizm. Jednak w przypadku braku leczenia jedynie jedna trzecia zakażonych kiłą dożywa do rozwoju zmian określonych jako „późny okres" choroby.

## Dolegliwości
*Okres wczesny (kiła pierwszorzędowa)*: Po dwóch do czterech tygodniach od zakażenia powstaje tzw. wrzód twardy — bezbolesne, twarde, brunatnoczerwone owrzodzenie na skórze lub błonie śluzowej dokładnie w miejscu zakażenia. Zmiana ta nie zawsze zostaje zauważona. Nieleczone owrzodzenie goi się po około sześciu tygodniach. Węzły chłonne znajdujące się w pobliżu wrót infekcji ulegają obrzmieniu po około czterech tygodniach i pozostają powiększone. Wśród ogólnych dolegliwości występujących w tym okresie należy wymienić: zmęczenie, bóle stawowe, niewielką zwyżkę temperatury i bóle głowy.

*Kiła drugorzędowa*: Po około dziewięciu do dziesięciu tygodniach od zakażenia w różnych miejscach na skórze i błonie śluzowej pojawia się charakterystyczna wysypka plamista koloru od jasnoczerwonego do brunatnoczerwonego. Czasami powstają grudki, tworząc tzw. kiłową osutkę grudkową. Możliwe jest zapalenie wątroby, wypadanie włosów oraz zajęcie procesem chorobowym ośrodkowego układu nerwowego.

Po kilku miesiącach zdarza się samorzutne (bez leczenia) wyzdrowienie bez pozostawienia żadnych następstw. Badanie krwi wykazuje wówczas jedynie istnienie przeciwciał.

*Kiła trzeciorzędowa*: Ten okres zaczyna się po trzech do pięciu latach od zakażenia i może dotyczyć każdego narządu. Na skórze, w wątrobie i w mózgu mogą powstać guzy o konsystencji gumy — zwane kilakami. Najbardziej niebezpiecznym powikłaniem są choroby naczyń, głównie zapalenie naczyń mózgu.

*Kiła czwartorzędowa*: Po dwudziestu, trzydziestu latach może dojść do postępującego porażenia (kiła układu nerwowego).

## Przyczyny
Czynnikiem wywołującym kiłę jest bakteria — krętek blady (*Treponema pallidum*). Zakażenie następuje najczęściej w czasie stosunku płciowego.

Bakterie mogą przenikać przez mikroskopijne uszkodzenia skóry. Zakażenie możliwe jest także drogą pocałunku. Natomiast używanie sztućców, szklanek lub ręcznika innej osoby nie jest pod tym względem niebezpieczne, ponieważ bakterie wywołujące kiłę bardzo szybko giną poza organizmem gospodarza.

## Ryzyko zachorowania
Częste zmiany partnerów seksualnych, bez odpowiedniego zabezpieczenia, zwiększają ryzyko zachorowania.

## Możliwe następstwa i powikłania
Około 10% osób zakażonych i nieleczonych umiera w późnym okresie choroby.

Począwszy od piątego miesiąca ciąży, u chorej na kiłę istnieje niebezpieczeństwo zakażenia płodu przez matkę. W zależności od okresu choroby matki może dojść do śmierci płodu lub do powstania wad rozwojowych u dziecka. Zapobiec temu można poprzez stosowanie penicyliny lub erytromycyny, począwszy od czwartego miesiąca ciąży.

U osób chorych na kiłę możliwe jest ponowne zakażenie (nadkażenie), ponieważ organizm nie wytwarza odporności immunologicznej.

## Zapobieganie
Używanie prezerwatywy w czasie stosunku płciowego (→ s. 518). Do chwili obecnej nie istnieje żadna szczepionka przeciw kile.

## Kiedy do lekarza?
Zwodniczość objawów kiły jest bardzo niebezpieczna. Pierwsze objawy mogą pozostać niezauważone, choroba pozostaje w ukryciu przez długi czas, a zmiany skórne w drugim okresie (kiła drugorzędowa) mogą sprawiać wrażenie łagodnych i nieszkodliwych.

W każdym przypadku podejrzenia zakażenia, stwierdzenia owrzodzenia lub innych zmian skórnych powinieneś natychmiast udać się do dermatologa. Może się zdarzyć, że objawy mogą być zupełnie nieszkodliwe, ale możesz również zapobiec rozwojowi bardzo niebezpiecznej choroby. Istnieją duże możliwości pewnego rozpoznania kiły: albo poprzez stwierdzenie bakterii we wczesnym okresie, albo później, poprzez stwierdzenie we krwi odpowiednich przeciwciał. Do tego celu służy wiele testów. Dopiero porównywalne wyniki, uzyskane za pomocą różnych badań, umożliwiają ostateczne i pewne rozpoznanie.

## Jak sobie pomóc
Samemu nie można.

## Leczenie
Lekiem z wyboru jest penicylina. Jeżeli jej zastosowanie jest niemożliwe (najczęściej z powodu nadwrażliwości), lekarz może przepisać tetracykliny, a u kobiet w ciąży erytromycynę. Po zakończeniu leczenia możliwe jest podjęcie współżycia płciowego bez niebezpieczeństwa zakażenia partnera. Wymienione leki mogą być skuteczne nawet w razie objawów kiły trzeciorzę-

dowej. Po wyzdrowieniu należy przeprowadzać badania krwi kolejno po jednym, trzech, sześciu i dwunastu miesiącach. Uważa się, że po dwóch latach ujemnych testów wyzdrowienie jest pełne i pewne. Istnieje obowiązek zgłaszania wszystkich przypadków zachorowań. Chorzy, u których stwierdzono kiłę pierwszorzędową, powinni poinformować swoich partnerów, z którymi utrzymywali kontakty seksualne w ciągu ostatnich trzech miesięcy. Oni również mogą być zakażeni i dlatego powinni zaprzestać współżycia płciowego do chwili przeprowadzenia badań lub do czasu wyleczenia. Jeżeli choroba została rozpoznana po raz pierwszy dopiero w drugim okresie (kiła drugorzędowa), należy poinformować wszystkich partnerów seksualnych ubiegłych lat.

## Rzeżączka

### Dolegliwości

*Kobiety*: W 80% przypadków po dwóch, czterech dniach od zakażenia występuje częste oddawanie moczu, a następnie pojawia się ropny wyciek z cewki moczowej. Często wyciek ten jest mylony z naturalną wydzieliną z pochwy. Zakażenie rzeżączką może pozostać niezauważone, jeżeli choroba przybiera postać przewlekłą w zakresie macicy, jajowodów i jajników, ponieważ nie powoduje wówczas żadnych dolegliwości. Często zakażenie u kobiet rozpoznawane jest dopiero po stwierdzeniu tej choroby u mężczyzny, u którego rzadko bywa ona przeoczona.

*Mężczyźni*: Około trzech dni po zakażeniu pojawiają się palące bóle w czasie oddawania moczu. Wkrótce potem obserwuje się żółtawą, ropną wydzielinę z cewki moczowej.

### Przyczyny

Przyczyną choroby są dwoinki rzeżączki — bakterie, którymi można się zakazić w czasie stosunku płciowego. Mogą przenikać również przez nieuszkodzoną błonę śluzową.

### Ryzyko zachorowania

Ryzyko zakażenia rzeżączką w czasie stosunku płciowego bez stosowania ochrony (prezerwatywy) jest duże, ponieważ u wielu kobiet i u niektórych mężczyzn choroba ta przebiega bezobjawowo i dlatego nie jest rozpoznawana.

### Możliwe następstwa i powikłania

*Kobiety*: Ponieważ zakażenie kobiety w ciąży może pozostać niezauważone, istnieje ryzyko, że w czasie porodu dojdzie do przeniesienia bakterii na spojówki noworodka. Z tego powodu bezpośrednio po porodzie podaje się do worka spojówkowego noworodka po jednej kropli 1% roztworu azotanu srebra. Obecnie to postępowanie nie jest już tak szeroko rozpowszechnione jak w przeszłości. Uważa się, że profilaktyczne podanie azotanu srebra jest usprawiedliwione wówczas, gdy wykonany około dwóch tygodni przed porodem wymaz z pochwy wykazuje istnienie zakażenia dwoinką rzeżączki.

U około 20% zakażonych kobiet proces zapalny gruczołów Bartholina doprowadza do wytworzenia ropnia. Proces zapalny może rozszerzać się na błonę śluzową jamy macicy, jajniki, jajowody, otrzewną, rzadko na wątrobę.

*Mężczyźni*: Następstwem procesu zapalnego może być zapalenie gruczołu krokowego i zapalenie najądrzy.

*Kobiety i mężczyźni*: U połowy chorych kobiet dochodzi do zakażenia przewodu pokarmowego. Podobnie u mężczyzn utrzymujących stosunki homoseksualne. Również i to zakażenie nie zawsze pozostaje rozpoznane, a głównym jego objawem jest obecność śluzowo-ropnej domieszki w stolcu. W razie stwierdzenia takich objawów nie wolno zaniedbać leczenia. Oralne praktyki seksualne mogą prowadzić do procesów zapalnych jamy ustnej spowodowanych dwoinką rzeżączki. Częste w przeszłości powikłania rzeżączki, obecnie występują coraz rzadziej. Bardzo rzadkie jest np. zapalenie stawów spowodowane dwoinką rzeżączki. Ten rodzaj zapalenia jest bardzo bolesny i obejmuje zwykle jeden staw. W przypadku stwierdzenia zapalenia stawu (stawów) należy bardzo pilnie rozpocząć leczenie.

W ciężkich przypadkach może dojść do uogólnionego zakażenia krwi i do zapalenia wsierdzia.

Przewlekły proces zapalny może doprowadzić do niepłodności zarówno u mężczyzny (poprzez zamknięcie przewodów nasiennych), jak i u kobiety (poprzez zamknięcie jajowodów). Często współistnieje zakażenie chlamydiami lub HPV, rzadziej kiłą. Dlatego należy się badać również w tym kierunku.

### Zapobieganie

Profilaktyka w czasie stosunku płciowego (→ Prezerwatywa, s. 518) oraz natychmiastowa wizyta u lekarza w razie podejrzenia choroby mogą znacznie ograniczyć ryzyko zakażenia.

Nie istnieje żadna szczepionka przeciwko rzeżączce.

### Kiedy do lekarza?

*Kobiety*: Jeżeli zauważysz zmiany charakteru wydzieliny z pochwy, powinnaś zasięgnąć rady ginekologa. W razie rozpoznania lub podejrzenia choroby wenerycznej należy zwrócić się do lekarza specjalisty dermatologa i wenerologa.

W przypadku niepotwierdzenia w rozmazie istniejącego podejrzenia zakażenia dwoinką rzeżączki należy w czasie najbliższej menstruacji wykonać kontrolne badanie krwi miesiączkowej. Często dopiero badanie bakteriologiczne tego materiału wykazuje obecność drobnoustrojów chorobotwórczych.

Sprawą twojej odpowiedzialności jest poinformowanie partnera (partnerki) seksualnego o istniejącej chorobie. Każdy, kto miał kontakt seksualny z osobą chorą na rzeżączkę, powinien niezwłocznie pójść do lekarza również wówczas, gdy nie zauważa u siebie żadnych niepokojących objawów chorobowych.

*Mężczyźni*: W każdym przypadku uczucia pieczenia w czasie oddawania moczu lub obecności wycieku z cewki moczowej powinieneś zasięgnąć rady lekarza specjalisty chorób skórnych i wenerycznych.

### Jak sobie pomóc

Samemu nie można.

### Leczenie

Ostateczne rozpoznanie ustala lekarz na podstawie wymazu. Wątpliwości powinny zostać wyjaśnione w ciągu trzech dni.

Leczenie rozpoczyna się od podania penicyliny. W przypadku braku skuteczności lub uczulenia (nadwrażliwości) na penicylinę można zastosować spektynomycynę lub (rzadziej) antybiotyki z grupy tetracyklin.

Na Dalekim Wschodzie powstały szczepy dwoinki rzeżączki oporne na penicylinę. Stanowi to istotne zagrożenie dla osób tam się wybierających.

Dla potwierdzenia, że nie jesteś już zakażony (zakażona), należy po tygodniu od zakończenia leczenia ocenić wymazy pobrane z miejsc zakażenia. Dopiero wówczas można mówić o zupełnym wyleczeniu oraz podjąć współżycie płciowe bez niebezpieczeństwa zakażenia. Po trzech miesiącach należy przeprowadzić badania kontrolne.

Rzeżączka podlega obowiązkowi zgłoszenia.

## Wrzód miękki (wrzód weneryczny)

### Dolegliwości
Już trzy do pięciu dni po zakażeniu powstaje — u mężczyzn najczęściej na żołędzi i napletku, u kobiet na wargach sromowych — miękkie, płaskie, bolesne owrzodzenie wielkości ziarna soczewicy z jasnoczerwoną otoczką. Kilka dni później dochodzi do obrzęku i bolesności okolicznych węzłów chłonnych. Może powstać ropień otwierający się na zewnątrz.

### Przyczyny
Zakażenie bakteriami. Możliwe jest mieszane zakażenie zarazkami kiły z innymi drobnoustrojami przenoszonymi drogą płciową (wrzód mieszany).

### Ryzyko zachorowania
Wrzód miękki występuje rzadko w Europie Środkowej. Mężczyźni chorują pięciokrotnie częściej niż kobiety.

### Możliwe następstwa i powikłania
Stulejka, zwężenie cewki moczowej, przetoki w okolicy pachwinowej (po przebiciu ropnia), trudno gojące się zniszczenia tkanki.

### Zapobieganie
Ochrona w czasie stosunku płciowego (→ Prezerwatywa, s. 518).

### Kiedy do lekarza?
W razie wystąpienia opisanych dolegliwości. Często objawy są nietypowe i lekarz musi wykluczyć istnienie innej choroby wenerycznej.

### Jak sobie pomóc
Samemu nie można.

### Leczenie
Najskuteczniejszym lekiem jest kombinacja: trymetoprym+ sulfametoksazol (Biseptol) lub streptomycyna. Rzadziej stosuje się tetracykliny. Po trzech miesiącach należy wykonać kontrolne badania krwi.

Wrzód miękki podlega obowiązkowi zgłoszenia.

# ZAPOBIEGANIE CIĄŻY (ANTYKONCEPCJA)

Skuteczna antykoncepcja czyni możliwe zaplanowanie najbardziej odpowiedniego momentu na urodzenie dziecka lub podjęcie decyzji o nieposiadaniu dzieci. Ta możliwość podjęcia decyzji jest jednym z najważniejszych argumentów w dyskusjach o równouprawnieniu kobiet i mężczyzn.

Idealny środek antykoncepcyjny musiałby być pewny, nieszkodliwy, łatwy w przyjmowaniu i w „użyciu" oraz tani, a z drugiej strony taki, aby w każdej chwili można z niego zrezygnować. Do tej pory nie istnieje środek spełniający jednocześnie wszystkie wymienione warunki.

Jednak nawet istniejące metody nie są stosowane optymalnie. Wielokrotnie jest to wynik braku dostatecznej informacji. Często również mężczyźni nie okazują swoim partnerkom wystarczającej pomocy, której one potrzebują.

Antykoncepcję uważa się ciągle za sprawę kobiety. Ponadto mężczyźni nie zauważają, że urodzenie nieplanowanego dziecka może być dla kobiety dużym obciążeniem.

W wyborze najlepszego środka antykoncepcyjnego odgrywa rolę wiele czynników:
— koszt miesięczny,
— możliwe ryzyko działań ubocznych (szkodliwych dla zdrowia),
— nastawienie do codziennego przyjmowania środków farmakologicznych,
— nastawienie do dziecka lub do przerwania ciąży w przypadku, jeżeli stosowana metoda będzie nieskuteczna,
— regularny lub nieregularny tryb życia,
— w jakim stopniu w antykoncepcji partycypować powinien lub może partner,
— jakość związku — czy jest on trwały czy chwilowy,
— częstotliwość stosunków płciowych,
— ile czasu i uwagi chcesz poświęcić antykoncepcji,
— czy jest dla ciebie problemem fakt zauważenia przez kogoś twojego środka antykoncepcyjnego,
— czy jesteś roztargniona czy zdyscyplinowana.

## Naturalne metody zapobiegania ciąży

### „Kalendarzyk małżeński"
Metoda „kalendarzyka małżeńskiego" Ogino-Knausa jest bardzo rozpowszechniona, ale również bardzo zawodna. Metoda ta polega na oznaczaniu momentu jajeczkowania poprzez odliczanie dni od spodziewanej następnej miesiączki. Jednak cykl płciowy kobiety nie przebiega jak w zegarku, ponieważ podlega różnym wpływom zewnętrznym i wewnętrznym. Statystycznie przy tej metodzie na 100 kobiet 15-35 zachodzi w ciążę. Dlatego nie jest to metoda, do której można mieć zaufanie.

### Stosunek przerywany
Stosunek przerywany jest jedną z najstarszych i najmniej skutecznych metod zapobiegania ciąży. Polega na usunięciu członka z pochwy tuż przed wytryskiem nasienia. Statystyczne prawdopodobieństwo zajścia w ciążę przy stosowaniu tej metody jest bardzo duże. Na sto par stosujących w ciągu roku stosunek przerywany w dziesięciu do dwudziestu przypadkach dochodzi do skutecznego zapłodnienia i rozwoju ciąży. W czasie podniecenia seksualnego łatwo nie zauważyć małej kropli spermy,

## Lektura uzupełniająca

WÓJCIK E.: *Naturalna regulacja poczęć: metoda objawowo-termiczna*. PZWL, Warszawa 1991.

która została w pochwie przed usunięciem członka. A taka właśnie kropla może być zupełnie wystarczająca do zapłodnienia.

### Dokładna samoobserwacja (naturalne planowanie rodziny)

Kobieta jest płodna jedynie około sześćdziesięciu godzin w ciągu całego okresu cyklu. Jeżeli nauczysz się dokładnie obserwować swoje ciało i tym samym rozpoznawać okres płodności, możesz zaplanować wielkość swojej rodziny oraz czas urodzin swoich dzieci bez potrzeby stosowania dodatkowych środków antykoncepcyjnych. Metoda antykoncepcyjna, o której mowa, wymaga jedynie stałej obserwacji właściwości śluzu pochwowego oraz temperatury ciała kobiety. Do jej zastosowania niezbędna jest jednak dokładna znajomość własnego ciała, wystarczająco długi okres ćwiczeń dla nabrania wprawy, samodyscyplina i regularny tryb życia. Dużą pomoc w opanowaniu tej metody stanowi wymiana doświadczeń z innymi kobietami. Kobiety, które nie poznały swojego ciała w sposób wystarczający lub prowadzą bardzo nieregularny tryb życia, mogą łączyć ten rodzaj antykoncepcji z innymi, jak na przykład prezerwatywa.

Dokładna samoobserwacja obejmuje dwa elementy:
— pomiar temperatury podstawowej (metoda termiczna),
— obserwację śluzu pochwowego.

*Metoda termiczna (pomiar temperatury podstawowej)*

Polega na znajomości wpływu gestagenów na temperaturę ciała, która w czasie owulacji (jajeczkowania) wzrasta z około 36,5°C do około 37°C (o 0,5°) i pozostaje na takim poziomie do następnej miesiączki. Następnie opada z powrotem. Dokładne wyznaczenie dnia jajeczkowania jest niemożliwe (lub bardzo trudne) do ustalenia.

Na podstawie obserwacji własnej możliwe jest jedynie ustalenie z opóźnieniem początku dni „płodnych". Dlatego metoda ta musi być zawsze łączona z obserwacją śluzu.

*Zwróć uwagę*

— Temperatura podstawowa oznacza pomiar dokonywany rano, zaraz po obudzeniu się.
  Należy go dokonywać codziennie o tej samej porze (rano, przed wstaniem z łóżka). Najdokładniejszy jest pomiar dokonany w odbycie lub w pochwie.
— Należy używać zawsze tego samego termometru, który powinien być przygotowany poprzedniego dnia wieczorem.
— Pomiaru temperatury należy dokonywać w ciągu co najmniej pięciu minut, po przynajmniej sześciogodzinnym śnie, a stwierdzaną wartość regularnie nanosić na specjalnie przygotowaną krzywą. W razie krótszego lub niespokojnego snu pomiar temperatury podstawowej jest nieadekwatny.
— Wszystkie czynniki wpływające na temperaturę powinny być zaznaczone jako objaśnienie wykreślonej krzywej temperatury („tylko trzy godziny snu", „przeziębienie", „zbyt późny pomiar", „spożycie alkoholu", „kłótnia do późna w nocy" itp.).

*Obserwacja śluzu szyjkowego*

Wzrost stężenia estrogenów przed jajeczkowaniem doprowadza do zwiększenia produkcji śluzu w szyjce macicy. Ten fakt ułatwia określenie początku okresu owulacji.

Każda kobieta jest w stanie zaobserwować nie tylko różnice w ilości produkowanego śluzu, ale także zmiany jego konsystencji. Obie wymienione cechy są pomocne w przewidywaniu terminu jajeczkowania. Należy pamiętać, że stosowanie tej metody jest możliwe pod warunkiem unikania mycia pochwy oraz używania intymnych dezodorantów i podobnych kosmetyków. Stosowanie takich rodzajów środków higieny nie tylko

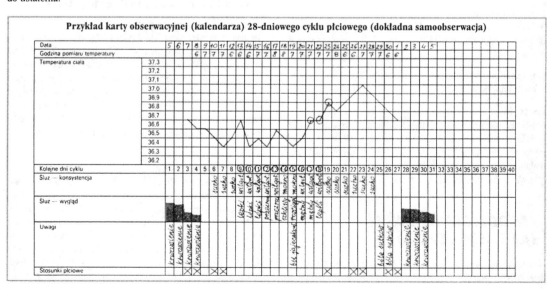

**Przykład karty obserwacyjnej (kalendarza) 28-dniowego cyklu płciowego (dokładna samoobserwacja)**

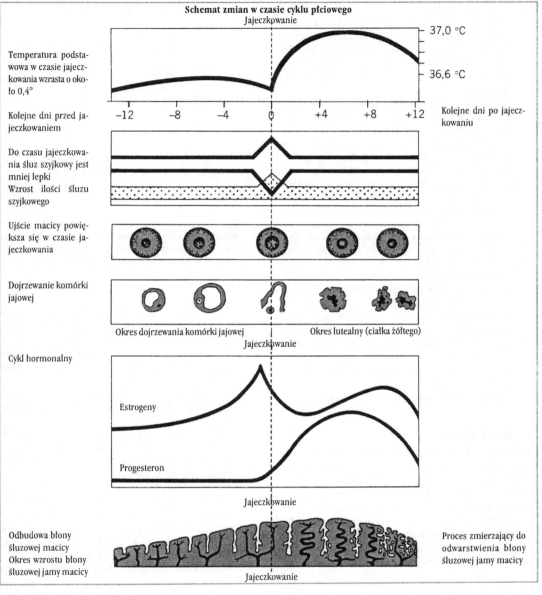

Schemat zmian w czasie cyklu płciowego
Jajeczkowanie

Temperatura podstawowa w czasie jajeczkowania wzrasta o około 0,4°

37,0 °C

36,6 °C

Kolejne dni przed jajeczkowaniem

−12    −8    −4    0    +4    +8    +12

Kolejne dni po jajeczkowaniu

Do czasu jajeczkowania śluz szyjkowy jest mniej lepki
Wzrost ilości śluzu szyjkowego

Ujście macicy powiększa się w czasie jajeczkowania

Dojrzewanie komórki jajowej

Okres dojrzewania komórki jajowej    Okres lutealny (ciałka żółtego)

Cykl hormonalny

Jajeczkowanie

Estrogeny

Progesteron

Jajeczkowanie

Odbudowa błony śluzowej macicy
Okres wzrostu błony śluzowej jamy macicy

Jajeczkowanie

Proces zmierzający do odwarstwienia błony śluzowej jamy macicy

zmienia naturalne środowisko chemiczne, ale ułatwia także różnego rodzaju zakażenia i zmienia strukturę śluzu. Należy zachować ostrożność w przypadku używania dopochwowych czopków lub maści antykoncepcyjnych. Metoda oparta na obserwacji śluzu szyjkowego jest skuteczna jedynie w przypadku zachowania zupełnie prawidłowego środowiska w pochwie. Wynika z tego, że np. w przypadku stwierdzenia zapalenia pochwy należy uciec się do innych metod antykoncepcji. Śluz jest widoczny w ujściu pochwy. Nie powinnaś wprowadzać palca do pochwy, aby sprawdzić stopień jej wilgotności, ponieważ powoduje to błędy interpretacyjne. Wynik obserwacji śluzu powinnaś notować na odpowiednich kartach razem z wartością temperatury ciała.

*Uwaga!*
— Miesiączka: początek cyklu jest wyznaczony przez pierwszy dzień krwawienia miesięcznego. Krew miesiączkowa zamazuje charakter śluzu szyjkowego. Dlatego u kobiet ze szczególnie przedłużoną miesiączką i wczesnym jajeczkowaniem pewne określenie dni płodnych i niepłodnych na podstawie obserwacji śluzu jest niemożliwe.
— Po zakończeniu menstruacji występuje uczucie suchości w pochwie. Nie wyczuwa się wówczas żadnej wydzieliny w pochwie i jej przedsionku. Są to dni niepłodne, ponieważ plemniki bez ochronnego działania śluzu szyjkowego nie są zdolne do przeżycia w kwaśnym środowisku pochwy.

— W czasie jajeczkowania (owulacji) u większości kobiet szyjka macicy wydziela duże ilości śluzu wypełniającego pochwę. Jest to najodpowiedniejsze środowisko dla przeżycia plemników. Jeżeli zauważyłaś u siebie początek wydzielania śluzu, a krótko potem zaobserwowałaś jego ślady na bieliźnie lub papierze toaletowym, to znaczy, że rozpoczęły się u ciebie „dni płodne".

— Na początku śluz jest białawy lub żółtawy, lepki, o konsystencji kremu, może jednak zawierać zbrylone (skrzepłe) elementy. W większości przypadków bezpośrednio przed jajeczkowaniem staje się bardziej płynny i przejrzysty. Możesz wówczas wyczuć palcami, czy wydzielina z pochwy jest ciągliwa, z możliwością tworzenia nitek. Jest to oznaką szczytowego punktu wydzielania śluzu. „Dni płodne" zaczynają się z chwilą pojawienia się po raz pierwszy zawilgocenia lub śluzu w pochwie, natomiast kończą się wieczorem czwartego dnia po „punkcie szczytowym" wydzielania śluzu.

— Od tego czasu aż do początku menstruacji występują „dni niepłodne". Miesiączka rozpoczyna się najpóźniej dwanaście do szesnastu dni po „punkcie szczytowym" wydzielania śluzu. Po okresie jajeczkowania większość kobiet odczuwa zmniejszenie wilgotności w pochwie. Jest to wynik braku śluzu lub znacznego jego zgęstnienia.

— Należy pamiętać, że opisywana metoda naturalnej antykoncepcji jest skuteczna jedynie wówczas, jeżeli łączy się informacje z pomiaru temperatury z obserwacją śluzu szyjkowego. Stopień zawodności tej metody jest stosunkowo niski. Na sto kobiet ją stosujących przez okres jednego roku dwie zaszły w ciążę. Najważniejszym warunkiem naturalnej antykoncepcji jest własna motywacja i samodyscyplina.

## Prezerwatywa

Prezerwatywa (lub kondom) jest „pokrowcem" długości około 18 centymetrów wykonanym z cienkiej gumy. Zakładana jest przed stosunkiem płciowym na wzwiedzione już prącie. Jest to jeden z nielicznych środków antykoncepcyjnych, za użycie którego „odpowiada" mężczyzna. Niektórzy mężczyźni są nastawieni zdecydowanie niechętnie do użycia prezerwatywy ze względu na to, że utrudnia ona osiągnięcie stanu podniecenia seksualnego. To utrudnienie wynika bardziej z oporów psychicznych. Niekorzystny wpływ na jakość współżycia płciowego można „wyeliminować" poprzez odpowiednie nastawienie psychiczne. Można nawet potraktować prezerwatywę jako element podnoszący jakość współżycia. Prezerwatywa jest do tej pory jedynym środkiem (poza odpowiednim trybem życia) chroniącym przed AIDS i innymi chorobami przenoszonymi drogą płciową. Jest to środek tani, łatwo osiągalny, łatwy w użyciu i pozbawiony działań ubocznych — można więc powiedzieć: idealny środek antykoncepcyjny.

Prezerwatywa jest bardzo pewnym środkiem antykoncepcyjnym (99%). Warunkiem jest prawidłowe założenie. Najczęstszym błędem spotykanym przy jej użyciu jest zbyt ścisłe lub zbyt wczesne nałożenie na prącie. Jeżeli uwzględnić te błędy, to rzeczywisty wskaźnik nieskuteczności wynosi 10-15 ciąż na 100 kobiet zabezpieczających się tą metodą w ciągu jednego roku.

**Sposób użycia prezerwatywy**

Prezerwatywę należy tak nałożyć na prącie, aby na koniuszku pozostawić nieco wolnej przestrzeni

Prezerwatywa powinna być dokładnie odrolowana

W celu zwiększenia skuteczności antykoncepcji można stosować dodatkowo czopki dopochwowe. Niektóre z dołączonych do prezerwatyw środków nawilżających zawierają substancje plemnikobójcze, co dodatkowo podnosi skuteczność antykoncepcji.

*Uwaga!*

— Prezerwatywę należy założyć w stanie pełnego wzwodu prącia, przed jego wprowadzeniem do pochwy. Oczywiście nie można dopuścić do jej mechanicznego uszkodzenia.

— Prezerwatywa musi ściśle przylegać do całej powierzchni prącia, z tym że należy zostawić wystarczającą ilość miejsca na płyn nasienny.

— W czasie wyciągania penisa z pochwy należy zacisnąć prezerwatywę na prąciu, aby uniknąć przedostania się spermy do pochwy.

— Po wytrysku nasienia i zdjęciu prezerwatywy penis nie powinien znaleźć się nawet w pobliżu wejścia do pochwy.

— Do każdego stosunku należy użyć nowej prezerwatywy. Wielokrotne użycie jest wykluczone.

— Prezerwatywy są wykonane z gumy. Po długim lub niewłaściwym przechowywaniu (wysoka temperatura, słońce) „starzeją się" i łatwo je uszkodzić (przedziurawienia, pęknięcia). Opakowanie z folii aluminiowej pozwala na ich dłuższe przechowywanie. Powinieneś kupować tylko prezerwatywy znanych firm i sprawdzać daty ważności.

— Dodatkowo używać można jedynie kremów rozpuszczalnych w wodzie, ponieważ środki na bazie olejowej mogą uszkadzać gumę, z jakiej wykonana jest prezerwatywa.

## Krążek maciczny

Krążek maciczny składa się z łukowato wygiętego gumowego krążka, którego obwód jest wzmocniony elastycznym materiałem. Po założeniu zamyka on dostęp z pochwy do jamy macicy.

Krążek maciczny musi być dobrany indywidualnie przez doświadczonego ginekologa. Przede wszystkim jego założenie powinno być wynikiem przemyślanej i przedyskutowanej decyzji.

Krążek maciczny zamyka ujście macicy

Niezawodność tego środka antykoncepcyjnego osiąga się jedynie przy jednoczesnym zastosowaniu plemnikobójczego żelu lub kremu. Ważne jest jego właściwe umieszczenie.

Krążek maciczny prawie wcale nie powoduje objawów ubocznych. U niektórych kobiet może zwiększać częstość występowania zapalenia pęcherza. Rzadko spotyka się reakcje alergiczne na stosowane żele lub kremy. W takich przypadkach wskazana jest zmiana substancji wywołującej odczyn alergiczny.

Po porodzie lub w przypadku zmiany masy ciała o więcej niż trzy do pięciu kilogramów należy ponownie dopasować właściwy rozmiar krążka. W przypadku młodych dziewcząt, które jeszcze rosną, błona powinna być zmieniana i dopasowywana co najmniej co pół roku. Omawiany środek antykoncepcyjny zalecany jest dla wielu kobiet, ponieważ nie wpływa na stan hormonalny ustroju, pociąga za sobą poznanie własnego ciała i przy właściwym stosowaniu wykazuje dużą skuteczność (99%).

### Założenie krążka macicznego

— Krążek maciczny nie może być założony wcześniej niż sześć godzin przed stosunkiem płciowym, ponieważ po tym czasie kremy i żele tracą swoje właściwości plemnikobójcze. Można stwierdzić, że im czas założenia krążka przed stosunkiem jest krótszy, tym lepiej.

— Zakładanie krążka można porównać z wprowadzaniem tamponów do pochwy i wraz z nabywaniem doświadczenia odbywa się szybciej i łatwiej.

— Na początku musisz się nauczyć wyczuwać ujście macicy.

— W zależności od rozmiaru gumowy krążek należy pokryć jedną do trzech łyżeczek żelu. Następnie ująć krążek kciukiem i palcem środkowym i wprowadzić go wzdłuż tylnej ściany pochwy.

— Teraz docisnąć palcem przednią część krążka, aż oprze się on na kości łonowej.

— W przypadku powtórnego stosunku należy wprowadzić dodatkowo żel za pomocą aplikatora. Nie trzeba wymieniać krążka.

— Krążek należy usunąć najwcześniej osiem, a najpóźniej dwadzieścia cztery godziny po stosunku płciowym.

### Czopki lub maści (żele)

Najczęściej stosowaną odmianą tych chemicznych środków antykoncepcyjnych są tak zwane czopki pieniące, jak np. Patentex

oval. Muszą być wprowadzone do pochwy co najmniej dziesięć minut przed stosunkiem. Doprowadza to do wytworzenia dużej ilości piany hamującej ruchliwość plemników, a także mającej właściwości plemnikobójcze.

Działaniem ubocznym może być przede wszystkim podrażnienie skóry lub błony śluzowej i uczucie nieprzyjemnego palenia. Brak jednoznacznej opinii na temat skuteczności tych środków. Skala ocen mieści się między: skuteczny i niepewny. Dlatego czopki pieniące powinny być stosowane razem z prezerwatywą lub błoną antykoncepcyjną.

## Wkładka wewnątrzmaciczna (spirala)

Dzisiaj używana wkładka wewnątrzmaciczna (IVP) prawie w niczym nie przypomina spirali wprowadzonej do użycia w 1960 roku. Pozostała jednak nazwa — spirala.

Obecnie tzw. spirala jest zbudowana z elastycznego tworzywa sztucznego w części owiniętego miedzianym drutem. Zakładana jest przez lekarza wprost do jamy macicy. Do dolnego końca przymocowana jest nitka. Wolny koniec nitki znajduje się w pochwie. Dzięki temu możesz sama sprawdzać, czy spirala znajduje się ciągle na swoim miejscu. Po dwóch tygodniach i po trzech miesiącach zaleca się skontrolowanie ultrasonograficzne położenia spirali. Potem wystarcza kontrola co pół roku.

Dopóki wkładka znajduje się w jamie macicy, nie masz powodów do obaw, oczywiście jeśli nie wystąpią powikłania. Kiedy słabnie działanie gestagenów (po roku) lub miedzi (po dwóch latach), należy założyć nową spiralę.

### Jak działa spirala?

Poprzez wywoływanie reakcji na ciało obce spirala zmienia właściwości błony śluzowej jamy macicy w sposób, który uniemożliwia zagnieżdżenie się zapłodnionej komórki jajowej. Dodatkowy efekt antykoncepcyjny spowodowany jest ograniczeniem ruchomości plemników wywołanym atomami miedzi oraz utajonym procesem zapalnym. Stopień niezawodności tej metody antykoncepcyjnej jest wysoki, jednakże spirala może wywoływać gwałtowną reakcję ze strony organizmu. U około 8% kobiet spirala zostaje od razu wydalona z macicy samoistnie lub musi zostać usunięta przez lekarza z powodu silnych bólów lub innych dolegliwości. Do objawów ubocznych, jakie mogą wystąpić w trakcie używania wkładki, należą: bolesne,

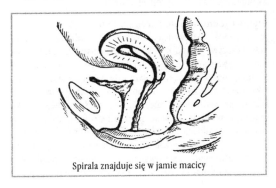

Spirala znajduje się w jamie macicy

nasilone lub/i przedłużone krwawienie miesięczne, krwawienia poza okresem, zapalenie jamy macicy i okolicy jajowodów.

U kobiet z założoną spiralą ciąża pozamaciczna występuje pięć do dziesięciu razy częściej niż u kobiet niestosujących tej metody. Dlatego nie powinna być ona stosowana szczególnie przez młode kobiety, które jeszcze nie mają dzieci.

Lekarz zakłada spiralę najczęściej tylko w czasie lub krótko po krwawieniu miesięcznym, ponieważ:

— ujście jamy macicy jest w tym czasie najszersze,
— prawdopodobieństwo, że kobieta nie jest w ciąży, jest największe.

Założenie spirali może być bolesne, ponieważ wewnętrzne ujście macicy jest bardzo wrażliwe na ból, spirala drażni jamę macicy, a mięśniówka tego narządu kurczy się, aby wydalić ciało obce. Dlatego jeżeli wybierasz się do lekarza w celu założenia wkładki, nie powinnaś iść samotnie, tylko poprosić o pomoc przyjaciółkę lub swojego partnera.

## Ciąża pomimo spirali

Jeżeli pomimo spirali kobieta zajdzie w ciążę, prawdopodobieństwo ciąży pozamacicznej wzrasta 10-15-krotnie. Z tego powodu oraz z uwagi na możliwość zapaleń z następową niepłodnością młode kobiety, które jeszcze nie rodziły, powinny stosować inne metody antykoncepcji.

W razie zaistnienia niepożądanej ciąży, pomimo spirali, musi być ona usunięta z powodu niebezpieczeństwa poronienia spowodowanego stanem zapalnym. Samo wyjęcie spirali może spowodować poronienie. Pozostawienie spirali powoduje cztery razy częściej poronienie niż zwykle.

Jeżeli ciąża utrzyma się mimo spirali, nie ma obaw co do wad wrodzonych u płodu.

## Pigułka antykoncepcyjna (hamująca owulację)

Zgodnie z zaleceniem WHO stosowanie doustnych środków antykoncepcyjnych jest uważane za profilaktykę endometriozy i rozrostów nowotworowych jajników.

Stopień zawodności środka hormonalnego hamującego owulację teoretycznie jest równy zeru. Jeżeli mimo to dochodzi do ciąży, jest to wynik błędu osoby zażywającej pigułkę. W przypadku „bezbłędnego" postępowania pigułka jest najpewniejszym ze wszystkich środków antykoncepcyjnych.

### Pigułka jednofazowa (preparat złożony)

Jest to pigułka „konwencjonalna". Przez dwadzieścia jeden dni kobieta zażywa pigułki zawierające ściśle ustaloną dawkę estrogenów i gestagenów. Zwiększona ilość estrogenów w organizmie symuluje obecność ciąży i uniemożliwia dojrzewanie pęcherzyków Graafa w jajniku. Nie dochodzi więc do jajeczkowania. Gestageny prowadzą do stwardnienia czopu śluzowego w ujściu macicy, powodując, że staje się on nieprzepuszczalny dla nasienia. Po 21 dniach należy przerwać przyjmowanie pigułki na 7 dni. W tym czasie dochodzi do nagłego obniżenia stężenia we krwi estrogenów i gestagenów. Następuje złuszczenie błony śluzowej jamy macicy i rozpoczyna się krwawienie (miesiączka).

To krwawienie jest sztucznie wywołanym „krwawieniem hormonalnym". Niewiele kobiet zdaje sobie sprawę, że cykl wywołany pigułką nie jest cyklem naturalnym, a zachowanie 28-dniowego odstępu czasowego pomiędzy krwawieniami wynika z przyczyn psychologicznych. Każde nagłe odstawienie pigułki, w dowolnym czasie, może spowodować wystąpienie krwawienia.

Najczęściej stosowanymi w Polsce preparatami są: Diane 35, Restovar, Gravistat, Minisiston. Osiągalny jest również Postinor do zażywania w ciągu jednej godziny po stosunku. Przy stosowaniu pigułek jednofazowych nie ma potrzeby dodatkowego stopniowania dawki hormonalnej.

Aktualnie uważa się, że antykoncepcja jednofazowa jest wystarczająca dla pełnego efektu antykoncepcyjnego.

### Pigułki dwufazowe (preparat sekwencyjny)

Ten rodzaj pigułek antykoncepcyjnych próbuje dostosować zawartość hormonów do „naturalnego" 28-dniowego cyklu. Mechanizm działania jest podobny jak w przypadku pigułki jednofazowej. Jednak preparat „dwufazowy" zawiera w pierwszym okresie jedynie estrogeny, w drugiej fazie kombinację estrogenów i gestagenów. W celu osiągnięcia niezawodności pigułki te muszą zawierać stosunkowo wysokie dawki estrogenów. Jest oczywiste, że ten preparat musisz zażywać koniecznie w ściśle ustalonej kolejności. Spotyka się opakowania zawierające 21 lub 28 tabletek. Do znanych preparatów należą: Oviol, Ovanon, Sequostat. Współcześnie rezygnuje się ze stosowania pigułek dwufazowych.

### Pigułki trójfazowe („stopniowe")

Odznaczają się tym, że zawierają jednocześnie gestageny i estrogeny, ale zawartość obu tych hormonów nie jest sztywna. W ciągu cyklu różnica w zawartości gestagenów i estrogenów staje się stopniowo coraz większa.

Preparaty te próbują w najbardziej dokładny sposób naśladować naturalny 28-dniowy rytm, zostawiając jedynie niewielki margines na błąd popełniany przez zażywające je kobiety. Bardzo ważne jest zachowanie kolejności i systematyczności przyjmowania tabletek. W trakcie ich przyjmowania bardzo rzadko zdarzają się dodatkowe, niespodziewane krwawienia.

Najczęściej używanymi preparatami w Polsce są: Triquilar, Trinordiol, Tri-Regol, Trisiston, Tristep, Trinovum.

### Minipigułka

Zawiera tylko jeden hormon z grupy gestagenów. Działanie antykoncepcyjne jest wynikiem wpływu na zmiany śluzu w kanale szyjki macicy. Podawane w pigułce gestageny sprawiają, że śluz ten zagęszcza się do stopnia, w którym tworzy czop nieprzepuszczalny dla płynu nasiennego.

Pod wpływem minipigułki nie dochodzi do zmian jajeczkowania. Dlatego na początku jej przyjmowania przebieg naturalnego cyklu nie zmienia się. Do zmian cyklu może dojść po dłuższym stosowaniu tego preparatu. Krwawienia mogą być coraz słabsze, a nawet zupełnie zniknąć. Możliwe jest pojawienie się długo trwających plamień.

Istotne jest regularne zażywanie tej pigułki codziennie o tym samym czasie. Przy optymalnym stosowaniu stopień zawodności wynosi 0,5-4% w ciągu roku. Minipigułka może być stosowana również przez matki karmiące, podczas gdy preparaty złożone, zawierające estrogeny, hamują wytwarzanie pokarmu przez kobietę. Omawiany preparat może być również stosowany przez kobiety chore na cukrzycę (→ Cukrzyca, s. 449). W każdym opakowaniu znajduje się 35 jednakowych pigułek, które należy zażywać bez przerwy, począwszy od pierwszego dnia cyklu.

## Zastrzyki antykoncepcyjne

Zastrzyki antykoncepcyjne zawierają duże ilości długo działających gestagenów, które należy podawać w odstępach około trzymiesięcznych.

Doprowadzają one jednak do zaburzeń krwawienia miesiączkowego, które mogą występować jeszcze długo po zaprzestaniu ich podawania. Poza tym istnieje podejrzenie rakotwórczego działania tych preparatów. Jak z tego wynika, należy ich zdecydowanie unikać.

## „Pigułka po"

Jest to preparat zawierający duże ilości estrogenów, który można zastosować jedynie wyjątkowo po stosunku w okresie „płodnym", w przypadku niestosowania uprzednio żadnej metody antykoncepcyjnej. Od niedawna produkowane są preparaty zawierające niższe dawki estrogenów i gestagenów, które mogą być stosowane jako „pigułki po", najpóźniej czterdzieści osiem godzin po stosunku płciowym (Tetragynon).

## Działanie uboczne (niepożądane) preparatów hormonalnych („ryzyko pigułki")

U kobiet przyjmujących pigułki antykoncepcyjne częściej występują choroby układu sercowo-naczyniowego (np. nadciśnienie), zmiany barwnikowe skóry, a także zwiększone ryzyko zakrzepów naczyń, zawału mięśnia sercowego oraz udaru mózgowego. Ryzyko to wzrasta wielokrotnie, jeżeli równolegle występują inne czynniki obciążające (np. jeżeli palisz papierosy lub/i masz więcej niż trzydzieści pięć lat). Innym powikłaniem może być uszkodzenie wątroby. Dotyczy to szczególnie kobiet, które przebyły żółtaczkę.

Poza tym mogą wystąpić: migrena, nudności, nerwowość, depresja, bóle sutków, przybór masy ciała (prowadzący do otyłości), zmiany w odczuwaniu bodźców seksualnych i krwawienia dodatkowe. W różnych, stale powtarzanych i sprawdzonych badaniach dyskutuje się ciągle jeszcze nieudowodnione zwiększone ryzyko zachorowania na raka. Natomiast w wysokich dawkach i zależnie od okresu przyjmowania pigułki mają chronić przed rakiem jajnika i macicy.

*Pigułek antykoncepcyjnych nie wolno przyjmować*
— w ciąży,
— w razie choroby naczyń,
— po zawale mięśnia sercowego,
— po udarze mózgu,
— w razie choroby nadciśnieniowej,
— w ciężkiej cukrzycy,
— w ciężkich schorzeniach wątroby i dróg żółciowych,
— w razie palenia dużej ilości papierosów po trzydziestym piątym roku życia,

— przy hormonozależnych nowotworach (rak sutka),
— po czterdziestym piątym roku życia.

Jedynie wyjątkowo i przy zachowaniu szczególnej ostrożności (bardzo dokładna kontrola) można przyjmować pigułki, gdy występują takie okoliczności:
— palenie papierosów,
— wyraźne żylaki,
— padaczka,
— niepowikłana cukrzyca,
— migrena,
— przy lekkim nadciśnieniu tętniczym,
— przy podwyższeniu stężenia tłuszczów w surowicy krwi,
— przy występowaniu zakrzepów, zatoru tętnicy płucnej, zawałów serca u krewnych pierwszego stopnia poniżej 40 roku życia,
— przy skłonnościach do infekcji grzybiczych, na przykład pochwy,
— przy długotrwałym unieruchomieniu (np. na wózku inwalidzkim).

*Przyjmowanie pigułki antykoncepcyjnej należy natychmiast przerwać, jeżeli*
— wystąpi zakrzep naczyniowy,
— dojdzie do dużego wzrostu ciśnienia tętniczego krwi,
— występują zaburzenia widzenia,
— w ciąży,
— przed zabiegiem chirurgicznym,
— w żółtaczce,
— w ciężkich migrenach,
— w ciężkich zaburzeniach przepływu krwi (np. choroba wieńcowa, zawał mięśnia sercowego).

Każda kobieta zażywająca pigułki antykoncepcyjne wymaga regularnych i szerokoprofilowych badań kontrolnych: funkcji wątroby i nerek, ciśnienia tętniczego krwi, stężenia glukozy we krwi, a także profilaktycznych badań ginekologicznych z rozmazem włącznie.

*Korzyści stosowania pigułki*
— skąpsze, mniej bolesne, regularne miesiączki,
— rzadsze cysty jajników,
— mniejsze dolegliwości premenstrualne,
— korzystny wpływ na trądzik (acne).

## Co zrobić, jeżeli zapomnisz zażyć pigułkę?

Zażyj „opuszczoną" pigułkę natychmiast, kiedy sobie o tym przypomnisz, a następną w „normalnym czasie", nawet jeżeli będzie to oznaczać przyjęcie dwóch pigułek w ciągu jednego dnia.

Jeżeli przerwa między dwiema zażytymi pigułkami przekracza trzydzieści sześć godzin, antykoncepcja staje się niepewna.

Dlatego w takim przypadku dla pewności powinnaś do

**Lektura uzupełniająca**

MARIANOWSKI L., LEW-STAROWICZ Z.: *Antykoncepcja współczesna*. PZWL, Warszawa 1990.

czasu najbliższego krwawienia zastosować inny środek antykoncepcyjny.

*Ważne*: Wymieniona wyżej reguła nie odnosi się do „minipigułki". W tym przypadku „poślizg" w zażyciu pigułki może wynosić najwyżej trzy godziny.

### Kiedy jesteś „chroniona" przed ciążą?

W ciągu pierwszego miesiąca stosowania pigułek ich działanie antykoncepcyjne jest jeszcze niepewne. Dlatego wskazane jest, aby w tym czasie używać dodatkowego środka chroniącego przed ciążą.

### Jeżeli chcesz zajść w ciążę

W normalnym przypadku zajście w ciążę jest możliwe również po długoletnim zażywaniu pigułek antykoncepcyjnych. Jeżeli planujesz urodzenie dziecka, powinnaś odstawić preparaty hormonalne najpóźniej trzy miesiące przed planowaną ciążą i w tym czasie używać innych metod antykoncepcyjnych. Ryzyko poronienia jest tym większe, im krótszy był okres od odstawienia pigułki do zapłodnienia.

### Wewnątrzmaciczny system antykoncepcji hormonalnej

Jest połączeniem wkładki domacicznej z metodą hormonalną. Składa się z małej plastikowej ramki o kształcie litery T, którą wprowadza się do macicy. W pojemniczku umiejscowionym na jej pionowym ramieniu zawarty jest hormon (lewonorgestrel), a do jej dolnego bieguna przymocowane są dwie nitki. Hormon uwalnia się systematycznie do jamy macicy w bardzo małych dawkach, powodując tylko bardzo niski jego poziom we krwi.

System ten zapobiega zapłodnieniu przez:
— znaczne zagęszczenie śluzu szyjkowego, co utrudnia plemnikom dotarcie do jamy macicy i zapłodnienie komórki jajowej,
— hamowanie ruchliwości plemników wewnątrz macicy i w jajowodach,
— hamowanie wewnątrzmacicznego rozrostu błony śluzowej macicy, co znacznie zmniejsza intensywność i czas krwawienia miesiączkowego.

Obok działania antykoncepcyjnego system ten łagodzi objawy bolesnego miesiączkowania.

Wobec niskiego stężenia hormonu we krwi tolerancja systemu jest bardzo dobra, a występowanie objawów niepożądanych jest mało prawdopodobne bądź tylko przejściowe.

Zapas hormonu zawarty w zbiorniczku wystarcza na pięć lat wysoce skutecznej antykoncepcji. Walorem systemu jest także

**Towarzystwo Rozwoju Rodziny**

Warszawa, pl. Trzech Krzyży 16, tel. (0-22) 621-69-29

**Federacja na rzecz Kobiet i Planowania Rodziny**

00-205 Warszawa, ul. Franciszkańska 18/20
tel. (0-22) 635-47-91

odwracalność jego działania antykoncepcyjnego; wystarczy go usunąć z jamy macicy, co ułatwiają nitki.

Ten rodzaj antykoncepcji przeznaczony jest przede wszystkim dla kobiet w wieku 30 do 50 lat. System zakłada lekarz najczęściej w trakcie miesiączki lub w ciągu siedmiu dni od jej rozpoczęcia. W Polsce od 1998 roku dostępny jest pod nazwą Mirena.

### Sterylizacja

Sterylizacja jest stuprocentowo skuteczną metodą antykoncepcyjną, którą można zastosować zarówno u kobiet, jak i u mężczyzn. Jednak przed jej zastosowaniem musisz koniecznie zdać sobie sprawę, że nigdy już nie będziesz mogła zajść w ciążę lub będzie to możliwe po przeprowadzeniu ponownej, bardzo skomplikowanej operacji.

### Regulacje prawne

*Niemcy*: Jeżeli para pozostająca we wspólnym związku podejmuje dobrowolną decyzję o sterylizacji na podstawie przesłanek medycznych, socjalnych lub innych, istnieje teoretyczna możliwość, że koszty zabiegu pokryje firma ubezpieczeniowa. Warunkiem jest, że zabieg ten nie jest „sprzeczny z dobrymi obyczajami". Takie sformułowanie pozostawia dla lekarzy dużą swobodę interpretacji.

W związku z tym o wykonaniu zabiegu decydować mogą różne czynniki, jak np. brak możliwości hormonalnej antykoncepcji (pigułka), pisemne oświadczenie obojga partnerów, duża liczba dzieci w rodzinie.

*Austria*: Sterylizacja jest legalna u kobiety i mężczyzny po osiągnięciu 25 roku życia. Firmy ubezpieczeniowe nie pokrywają kosztów zabiegu.

*Polska*: Brak jednoznacznych uregulowań prawnych. Zabieg taki wykonuje się w skrajnych przypadkach, po jednoznacznym, pisemnym oświadczeniu osoby zainteresowanej.

### Sterylizacja kobiet

Starsza metoda polega na przecięciu jajowodów i utworzeniu na obu przeciętych końcach fałdu zaślepiającego otwór (podwiązanie jajowodów). Zabieg przeprowadzany jest najczęściej w narkozie ogólnej.

Metoda nowsza polega na zaślepieniu („zespawaniu") jajowodu metodą laparoskopową (→ s. 614). Jest to tzw. sterylizacja endoskopowa. Taki zabieg może być przeprowadzony nawet ambulatoryjnie, bez pozostawania w szpitalu. Prawdopodobieństwo ponownego udrożnienia jajowodu wynosi około 1-2 promille.

*Powikłania*

W przeciwieństwie do sterylizacji mężczyzny sterylizacja kobiety jest dużym zabiegiem operacyjnym. Możliwymi późnymi następstwami mogą być:
— ciąża jajowodowa,
— nasilone lub nieregularne krwawienia (10 do 40%).

Poza tym zaburzenia krwawienia mogą być spowodowane znacznym obciążeniem psychicznym, jakim dla kobiety jest niepłodność.

## Sterylizacja mężczyzn

Sterylizacja mężczyzny polega na przecięciu nasieniowodów. Zabieg taki można przeprowadzić ambulatoryjnie w ciągu pół godziny. Po odpowiednim znieczuleniu lekarz dokonuje dwóch małych nacięć skóry długości około 2 cm na tylnej ścianie worka mosznowego, lokalizuje palcami powrózek nasienny, robi na nim dwa nacięcia i usuwa jego fragment. Zabieg kończy się połączeniem obu zaślepionych końców. Po około dwóch godzinach operowany może opuścić ambulatorium.

Po kilku tygodniach należy przeprowadzić odpowiednie badanie, aby stwierdzić, czy w płynie nasiennym znajdują się plemniki zdolne do zapłodnienia.

*Powikłania*

Mogą wystąpić bóle w okolicy rany operacyjnej, ograniczony krwiak lub proces zapalny.

*Działanie uboczne*

Narządy płciowe mężczyzny po opisanym wyżej zabiegu nie ulegają żadnym zmianom. Jądro produkuje takie same ilości męskich hormonów płciowych jak przed sterylizacją i w podobny sposób wydziela je do krwi. Zapach, wygląd i smak ejakulatu pozostaje bez zmian. Nie zmienia się również potencja. Po przecięciu nasieniowodu również produkcja plemników w jądrze pozostaje niezmieniona. Docierają one do najądrzy, gdzie normalnie dojrzewają. Po opisanym zabiegu mogą dotrzeć jedynie do obciętego końca nasieniowodu. Tam zostają wchłonięte przez otaczające tkanki.

# BEZPŁODNOŚĆ

Posiadanie dzieci nie należy już dzisiaj do niezbędnych warunków pełnej samorealizacji. Rodzicielstwo jest bardzo ważnym, ale nie dla każdego najważniejszym celem w życiu. Jednakże w społecznej świadomości oczekuje się od małżeństw tego, iż będą mogły i chciały mieć dzieci. Ciągle jeszcze, choć nie w takim stopniu jak wcześniej, za pełnię kobiecości uważa się macierzyństwo, a za sprawdzenie męskości — ojcostwo. Zamierzona lub niezamierzona bezdzietność ciągle nie jest przez społeczeństwo akceptowana.

U różnych osób chęć posiadania dziecka pojawia się w odmiennym okresie życia. U jednych jest silniejsza, u innych słabsza, często zależy od aktualnej sytuacji związku obojga partnerów, środowiska kulturowego i warunków socjalnych. W rzeczywistości każdy człowiek jest przekonany o swojej zdolności do posiadania własnego dziecka. U większości ludzi rozpoznanie niepłodności wywołuje głębokie załamanie. Dotyczy to również osób, które nie identyfikują celu swojego życia z rodzicielstwem. Co innego bowiem wybrać bezdzietność świadomie, co innego być do niej zmuszonym ograniczeniami swojego ciała. W ostatnich dwudziestu pięciu latach częstość występowania niepłodności w populacji wzrosła ponaddwukrotnie. Podczas kiedy na początku lat sześćdziesiątych jedynie około 8% młodych małżeństw nie było zdolnych do skutecznego zapłodnienia, obecnie co szósta, a nawet co piąta młoda para pragnąca mieć dzieci, nie może zrealizować tego zamiaru.

O niepłodności można mówić wówczas, gdy po roku do dwóch lat regularnego współżycia płciowego bez środków antykoncepcyjnych kobieta nie zachodzi w ciążę. Przyczyny wzrastającej częstości występowania niepłodności pozostają niewyjaśnione. Domyślamy się ich jedynie, ponieważ istnieje bardzo niewiele dostatecznie udokumentowanych badań na ten temat. Na podstawie dostępnych różnorodnych źródeł informacji można jednak założyć negatywny wpływ zanieczyszczeń środowiska naturalnego oraz obciążeń psychosocjalnych zarówno na zapłodnienie, jak i na późniejszy rozwój płodu. Oceniając przyczyny niepłodności, należy pamiętać, że obecnie wiele małżeństw „odkłada" posiadanie dzieci na okres późniejszy, po odpowiednim „ustawieniu się" w życiu zawodowym. Ten fakt przyczynia się w około 30% do zwiększenia częstości występowania bezpłodności, gdyż wraz z wiekiem słabnie biologiczna zdolność do rodzicielstwa.

## Ryzyko w miejscu pracy

Znaczący jest wpływ toksycznych substancji znajdujących się w środowisku. Przesłanką przemawiającą za tym stwierdzeniem jest fakt częstszego występowania niepłodności w pewnych grupach zawodowych. Do najbardziej zagrożonych grup zawodowych należą (→ Substancje toksyczne w środowisku pracy, s. 787):

— rolnicy, sadownicy, leśnicy i ogrodnicy używający środków ochrony roślin,
— pracownicy laboratoriów i zakładów chemicznych,
— osoby pracujące w gabinetach dentystycznych,
— lekarze anestezjolodzy i pielęgniarki anestezjologiczne,
— pielęgniarki, które bez odpowiedniej ochrony podają leki przeciwnowotworowe („cytostatyki"),
— pracownicy przemysłu tekstylnego i skórzanego,
— malarze pokojowi,
— hutnicy ołowiu i miedzi.

Badania przeprowadzone wśród mężczyzn w Szwecji wykazały, że występująca w ich ejakulacie ilość czynnościowo sprawnych plemników w ciągu ostatniego ćwierćwiecza zmniejszyła się o połowę. Przy czym upośledzenie to dotyczy bardziej mężczyzn pochodzących z miasta niż mieszkańców wsi. Dane te potwierdzone zostały przez badania amerykańskie. Pewne jest, że właściwości plemnikobójcze mają szeroko rozpowszechnione chlorowane węglowodory (→ s. 760).

Niebezpieczeństwo niepłodności wzrasta u osób mających kontakt z metalami ciężkimi: rtęcią, kadmem, ołowiem, środkami owado- i chwastobójczymi (szczególnie dwubromopropanem). Szkodliwe działanie na czynność gruczołów płciowych wykazują także promienie jonizujące (→ Badanie rentgenowskie, s. 608).

Substancje toksyczne znajdujące się w środowisku wpływają niekorzystnie również na rozwój płodu. 30-60% wszystkich ciąż kończy się przed czasem, wiele już w pierwszym miesiącu. Szacuje się, że zatrucie środowiska jest przyczyną około 20-30% przypadków przedwczesnego odejścia wód płodowych. Przy okazji porodów przedwczesnych we krwi matki i płodu można wykazać obecność związków chemicznych z grupy chlorowanych węglowodorów (Lindan, Aldrin, DDT).

## Substancje, które mogą spowodować zaburzenia płodności

| Substancja | U mężczyzny | U kobiety |
|---|---|---|
| alkohol etylowy | + | |
| kadm | + | |
| dwusiarczek węgla | + | + |
| chlordekon | + | + |
| chloropren | + | |
| DDT | | + |
| dibromchlorpropan (DBCP) | + | + |
| bromek etylenu | + | + |
| 2-etoksyetanol (EGEE) | + | + |
| 2-metoksyetanol (EGME) | + | + |
| tlenek etylenu | + | + |
| heksachlorobenzol | | + |
| ołów | + | + |
| rtęć | + | + |
| bromowane bifenyle (PBB) | | + |
| polichlorowane bifenyle (PCB) | | + |
| TCDD | | + |
| toluol | | + |
| chlorek winylu | + | + |

### Nałogi, stres, napięcie nerwowe jako czynniki ryzyka

U około 25% wszystkich małżeństw, które zgłaszają się po poradę lekarską z powodu niemożności zajścia w ciążę, stwierdza się psychogenne przyczyny niepłodności. Często w grę wchodzą zupełnie banalne sprawy, jak sam przebieg stosunku płciowego, niewłaściwa interpretacja dni płodnych i niepłodnych (→ Naturalne metody zapobiegania ciąży, s. 515). Pewną rolę odgrywać mogą zaburzenia erekcji, trudności w osiągnięciu orgazmu oraz przedwczesny wytrysk u mężczyzn, które wpływają na jakość współżycia seksualnego. Możliwa jest także sytuacja odwrotna: unikanie współżycia płciowego doprowadza do powstania zaburzeń seksualnych. Potęgowane są one dodatkowo przez utrwalenie złych nawyków. Istotny wpływ na układ hormonalny i związane z nim zachowanie seksualne mogą mieć różne stresy: przemęczenie pracą zawodową, stany znacznego napięcia psychicznego i fizycznego, używki i nadużywanie leków. Stresem może być także samo pragnienie posiadania dziecka. Popęd płciowy może ulegać osłabieniu pod wpływem zmęczenia, konfliktów między partnerami, a także na skutek obaw (nawet nieuświadomionych) przed niechcianą ciążą. O tym, jak duże znaczenie mają wymienione oraz inne (trudne do określenia) czynniki, świadczy wynik badania przeprowadzonego w Berlinie: spośród tysiąca kobiet, które zgłosiły się po poradę z powodu niepłodności, prawie połowa zaszła w ciążę już po pierwszej rozmowie z lekarzem, bez zastosowania żadnego leczenia. U następnych 25% kobiet cel został osiągnięty jeszcze przed zakończeniem badań diagnostycznych. Jedynie 28% kobiet wymagało leczenia.

Lekarze są zwykle nastawieni na skargi „ze strony ciała" i seksualność jest dla nich głównie częścią pojęcia rozrodczości. Ten punkt widzenia decyduje, że niepłodność odbierana jest jako choroba czysto somatyczna („cielesna"). Trzeba długiego czasu i dużego wysiłku, aby zmienić to nastawienie.

### Smutek z powodu bezpłodności

W zupełnie zwykłym pragnieniu posiadania dziecka kryją się wymagania wobec konkretnej osoby. To powoduje, że lekarska diagnoza „niepłodność" odbierana jest przez osobę zainteresowaną jako ciężka choroba, w dodatku zmniejszająca poczucie własnej wartości. Traktowana jest jako utrata upragnionych związków, utrata szans przeżycia macierzyństwa lub ojcostwa, pogrzebanie możliwości życia rodzinnego i przedłużenia własnego „ja", pozbawienie marzeń i nadziei. Podobnie jak w przypadku utraty kogoś bliskiego dominuje smutek i żal. Proces ten może trwać miesiące lub lata. Po pierwszym szoku „chory" próbuje się okłamywać. Wiele bezdzietnych małżeństw szuka innych lekarzy w celu weryfikacji rozpoznania lub znalezienia „skuteczniejszych" metod leczenia. Niestety, zdarza się, że zachowanie innych ludzi przyczynia się do pogłębienia i utrwalenia uczucia bezsilnej złości, zazdrości, a nawet winy. Obiegowy pogląd, że kobieta tylko wtedy jest prawdziwą kobietą, jeżeli urodziła dziecko, można porównać do groźnego „niewypału", który w przypadku niepłodności doprowadza do niebezpiecznego wybuchu poczucia niemożności i niedowartościowania.

W czasie leczenia niepłodności współżycie seksualne często staje się wymuszone. Zdarza się, że partner (partnerka) unika współżycia z powodu braku lub osłabienia popędu. Kryzys przenosi się na inne dziedziny życia. Każda zasłyszana nowinka w dziedzinie leczenia niepłodności staje się nadzieją na rozwiązanie beznadziejnej dotychczas sytuacji. Niestety, zazwyczaj doprowadza to do kolejnego, jeszcze głębszego rozczarowania.

Uspokojenie przynieść może dopiero zaakceptowanie własnej niepłodności i odnalezienie innej drogi samorealizacji.

Zmartwienia nie kończą się nawet z chwilą, kiedy w kołysce znajdzie się upragnione dziecko. Przeprowadzone w 1980 roku badania w populacji berlińskiej wykazały częstsze występowanie powikłań ciąży u kobiet po leczeniu bezpłodności. Częściej dochodzi również do powikłań okołoporodowych oraz do konieczności interwencji operacyjnej w czasie porodu. Pięciokrotnie częściej pojawiają się wymioty, które w 20% przypadków nie ustępują nawet po porodzie.

Okres karmienia naturalnego jest zwykle krótszy niż normalnie. Nie znikają problemy z partnerem. Przeciwnie: częstość rozwodów w tej grupie małżeństw jest trzykrotnie wyższa niż w pozostałej populacji.

Na pytanie, jaką rolę odgrywa psychiczne nastawienie do omawianego problemu, odpowiada badanie przeprowadzone u kobiet, które po bezskutecznej próbie sztucznego zapłodnienia ostatecznie zrezygnowały z leczenia niepłodności: 39% z nich zaszło w ciążę w ciągu 15 miesięcy od zaprzestania leczenia. Rozładowanie napięcia psychicznego było bardziej owocne niż wszystkie próby postępowania lekarskiego. Podobnie działa decyzja o adopcji dziecka. Również i w tym przypadku kobieta często rodzi długo oczekiwane dziecko.

Błędne jest wyobrażenie, że „winę" za niemożność posiadania dziecka w większości przypadków ponosi kobieta. Zaburzenia płodności występują równie często u kobiet i u mężczyzn. W jednej trzeciej przypadków przyczyna pozostaje niewyjaśniona. Wówczas płodność związku zależy od „potencja-

## Co robić, jeżeli „nie wychodzi"?

*Porady dla obojga partnerów*

— Unikać leków upośledzających płodność (→ s. 506), a palenie papierosów i picie alkoholu utrzymać w przyzwoitych granicach.

— Dążyć do „prawidłowego" stosunku płciowego w kolejnych trzech dniach poprzedzających owulację (→ Zapobieganie ciąży, s. 515). Zwiększa to szanse powodzenia. Po stosunku kobieta powinna leżeć na plecach przez dziesięć minut (można podłożyć poduszkę pod miednicę).

— Starać się poświęcać sobie nawzajem więcej czasu. Zastanowić się, jak wyeliminować stresy i pośpiech dnia powszedniego.

— Jeszcze lepszy jest urlop ze „zmianą tapet". W ten sposób możecie się wyłączyć i robić to, co wam sprawia najwięcej przyjemności.

— Zmiana klimatu stymuluje siły witalne. Słońce poprawia nastrój. Wskazana jest podróż na południe.

— Opanujcie różne metody odprężenia (→ s. 665).

— Odprężająco działają masaże (→ s. 658) i kąpiele borowinowe (→ Fizykoterapia, s. 650). Nie traktuj tego jako leczenia, lecz jak przyjemność.

— Należy uprawiać sport (niezbyt obciążający) (→ Ruch i sport, s. 748).

— Może należy zmienić upodobania żywieniowe? Stymulująco może zadziałać dieta bogata w świeże owoce i jarzyny (→ s. 705).

*Rady dla kobiety*

— Koniec z dietą odchudzającą. Może działać niekorzystnie na układ hormonalny. Jedz nie za dużo, ale w sposób urozmaicony.

— Możesz spróbować środków roślinnych, które mają korzystny wpływ na regulację hormonalną. Należą do nich np. bodziszek, nasiona granatu lub jaskrów.

*Rady dla mężczyzny*

— Nie noś zbyt obcisłych slipów lub spodni. Używaj bielizny bawełnianej. Śpij pod cienką kołdrą. Unikaj sauny i gorących kąpieli. Wpływ zbyt wysokiej temperatury ujawnia się po trzech do sześciu miesiącach.

łu" obojga partnerów, którzy mają wzajemnie uzupełniać i wyrównywać swoje „niedostatki". Zależności te są na tyle istotne, że nie można mówić o niepłodności konkretnej osoby, lecz małżeństwa. Czasami do „wyleczenia" niepłodności wystarcza jedynie zmiana partnera lub partnerki.

W każdym przypadku braku upragnionego dziecka postępowanie powinno się rozpoczynać od przebadania nie tylko kobiety, ale i mężczyzny. Do tej pory istnieje zbyt mało ambulatoriów andrologicznych zajmujących się niepłodnością mężczyzn.

Zdarza się, że sama gotowość mężczyzny do poddania się odpowiednim badaniom potrafi do tego stopnia zlikwidować napięcie psychiczne pomiędzy partnerami, że wystarcza to do zajścia w ciążę przez dotychczas „niepłodną" partnerkę.

Jeżeli podjęte do tej pory postępowanie nie przynosi pozy-

tywnych rezultatów, kobieta powinna zasięgnąć opinii ginekologa, do którego ma zaufanie. Dla mężczyzny właściwą poradnią jest ambulatorium urologiczne lub andrologiczne.

Najbardziej właściwym postępowaniem jest wspólna wizyta obojga partnerów u lekarza specjalizującego się w leczeniu niepłodności. Skraca to czas potrzebny do przeprowadzenia odpowiednich badań i podjęcia decyzji terapeutycznych, co z kolei sprzyja ograniczeniu obciążenia psychicznego i dolegliwości somatycznych.

W każdym przypadku musisz się liczyć ze żmudnym postępowaniem trwającym około trzech do sześciu miesięcy, a polegającym na codziennym pomiarze temperatury ciała kobiety oraz wielu innych badaniach. Wymagany wówczas przez lekarza „seks na polecenie" o określonej porze może osłabiać twoje przeżycia seksualne, a nawet doprowadzić do depresji. Skupienie się przez lekarza jedynie na „sukcesie technicznym" może doprowadzić do wielu problemów między partnerami.

## Bezpłodność u mężczyzn

Bezpłodność u mężczyzny może być wrodzona lub nabyta. Może trwać długo lub być stanem przejściowym, np. po chorobie gorączkowej.

Dojrzewanie plemników trwa około trzech miesięcy, dlatego zaburzenia ich czynności najczęściej pojawiają się po tym okresie od zadziałania czynnika sprawczego. Równie długo trwa okres zdrowienia (regeneracji). Najistotniejszym kryterium płodności jest liczba plemników oraz ich ruchliwość. W przypadku zmniejszenia ilości plemników maleje szansa pokonania przez nie naturalnych barier: czopu śluzowego szyjki macicy, środowiska jamy macicy i błony jaja. W niektórych przypadkach (bardzo rzadko) w organizmie kobiety mogą powstać przeciwciała przeciwko plemnikom mężczyzny. Jeżeli płyn nasienny pozbawiony jest plemników, zapłodnienie jest absolutnie niemożliwe.

### Przyczyny

U około 30% mężczyzn zgłaszających się do lekarza z powodu bezpłodności jej przyczyna pozostaje nieznana.

*Problemy pomiędzy partnerami*

Pozostają często nieuświadomione. Nierzadko pod maską niepłodności ukrywana jest niechęć do ciąży, dziecka lub do roli ojca.

*Zaburzenia wrodzone*

Są rzadkie. Należą do nich:

— Niezstąpienie jąder — jeżeli nie przeprowadzi się skutecznego leczenia. U 5% noworodków płci męskiej jądra nie znajdują się w worku mosznowym (→ Niezstąpienie jądra, s. 558).

— Zespół Klinefeltera. Polega na obecności dodatkowego chromosomu X.

*Zaburzenia nabyte*

— zaburzenie hormonalnej czynności jądra w dzieciństwie lub w okresie dojrzewania,

## Lekarstwa hamujące wytwarzanie plemników

— Środki hamujące wytwarzanie kwasu solnego w żołądku zawierające cymetydynę: Altramet, Tagamet, Cimetag, Neutromed.

— Sulfasalazyna stosowana we wrzodziejącym zapaleniu okrężnicy i w schorzeniach reumatoidalnych.

— Środki zawierające kolchicynę (Colchicum Dispert).

— Leki odkażające drogi moczowe zawierające nitrofurantoinę (Furagin, Furadantin).

— Leki przeciwnowotworowe (metotreksat, cyklofosfamid) stosowane ponad sześć miesięcy.

— Leki antypsychotyczne (neuroleptyki, s. 195).

— Wszystkie leki przeciwpadaczkowe (→ s. 210).

— Beta-adrenolityki (przede wszystkim propranolol) używane w nadciśnieniu i zaburzeniach rytmu serca.

— Środki zawierające flekainid (lek przeciwarytmiczny).

— Wszystkie glikokortykoidy (np. Enkorton).

— Wszystkie anaboliki (używane przez sportowców w celu dopingu). Inne hormony — estrogeny, gestageny i androgeny oraz antyandrogeny także upośledzają produkcję plemników.

— zapalenie jąder wywołane świnką, kiłą lub urazem,
— pęknięcie żylaków lub żyły odprowadzającej krew z jądra, przez co jądro nie jest dostatecznie chłodzone,
— cukrzyca,
— zawał jądra po uwięźnięciu przepukliny pachwinowej u dziecka,
— bardzo rzadko występuje niedobór męskich hormonów płciowych.

*Zaburzenia spowodowane czynnikami zewnętrznymi*
Stanowią około 10% wszystkich przyczyn bezpłodności u mężczyzn:
— Nadużywanie alkoholu.
— Palenie papierosów.
— Środki do mycia włosów zawierające kadm lub estradiol.
— Niektóre lekarstwa, które mogą ograniczać lub całkowicie zahamować produkcję plemników.
— Następstwa działania promieni rentgenowskich (→ s. 608).
— Lęk, obciążenie pracą i wywołane tym napięcie, problemy z partnerką i stres spowodowany brakiem upragnionego dziecka doprowadzają do znacznego obniżenia produkcji plemników.
— Podobnie działają zbyt ciasne spodnie powodujące „przegrzanie" jąder, a także używanie sauny i zbyt ciepłej pościeli.
— Następstwa wstrząsu.
— Nie wiadomo, w jakim stopniu na bezpłodność u mężczyzn mogą wpływać częste infekcje drobnoustrojami z grupy *Chlamydia* i *Ureaplasma* (→ Choroby weneryczne, s. 511), które doprowadzają do zaburzeń czynności plemników.
— Następstwa przewlekłej niedokrwistości i przebywania na dużej wysokości bądź głębokości (piloci, alpiniści, nurkowie).
— Następstwa niedożywienia.
— Zapalenie najądrza (→ s. 494).

— Zapalenie gruczołu krokowego (→ s. 496).
— Zapalenie pęcherzyków nasiennych i cewki moczowej. Ten proces może doprowadzić do zamknięcia nasieniowodów oraz do zaburzeń immunologicznych. Do tych ostatnich dochodzi w przypadku wydostania się plemników poza ich fizjologiczny układ wyprowadzający. Wówczas mogą powstawać przeciwciała przeciwko nim skierowane. U około jednej trzeciej bezpłodnych mężczyzn można wykryć przeciwciała przeciwko własnym plemnikom.

### Badania, które należy wykonać u mężczyzn

— Pierwszym badaniem powinna być rozmowa na temat współżycia seksualnego z partnerką, pytania o dotychczas przebyte choroby (choroby zakaźne, zabiegi chirurgiczne, cukrzyca, schorzenia neurologiczne), o palenie tytoniu, o nadużywanie leków i alkoholu.

— Badanie narządów płciowych.

— Tzw. spermogram (z płynu nasiennego) należy wykonać po czterech do sześciu dniach od ostatniego wytrysku nasienia. Spermę pobiera się w warunkach onanizowania. Jeżeli jest to trudne lub niemożliwe, pomóc może obecność partnerki. Badanie to należy przeprowadzić dwukrotnie, ponieważ jego wynik jest obarczony dużym błędem.

— W przypadku mniejszej liczby niż pięciu milionów plemników w płynie nasiennym należy oznaczyć stężenia hormonów w surowicy krwi (FSH, LH, testosteron, prolaktyna).

— W razie podejrzenia zamknięcia światła dróg wyprowadzających nasienie, należy wykonać biopsję jądra w celu badania mikroskopowego tego narządu.

— W przypadku zaburzeń składu chromosomalnego należy wykonać odpowiednie badania mikroskopowe komórek korzenia włosa lub komórek błony śluzowej jamy ustnej.

### Plan leczenia bezpłodności u mężczyzn

Celem leczenia jest umożliwienie skutecznego zapłodnienia w możliwie krótkim czasie.

— Żylaki powrózka nasiennego (→ s. 495) powinny być zawsze leczone operacyjnie.

— Ostre lub/i przewlekłe stany zapalne należy leczyć podaniem antybiotyków.

— W przypadku stwierdzenia niedoborów hormonów płciowych można je uzupełniać w formie preparatów farmakologicznych.

— Obecność przeciwciał przeciwko plemnikom wymaga stosowania kortyzonu lub leków immunosupresyjnych. Istnieją bardzo skomplikowane techniki usuwania przeciwciał, rzadko jednak bywają skuteczne.

— W 70-80% przypadków patologii przewodów wyprowadzających nasienie skuteczny jest skomplikowany zabieg mikrochirurgiczny. Trudniejsze jest przywrócenie drożności przewodów w obrębie najądrzy.

*Stymulowanie plemników*
W przypadkach lekkich lub średnio ciężkich istnieje możliwość stymulacji zbyt małej ilości lub nie dość ruchliwych plemników. Metodą używaną do tego celu jest akupunktura. Po dziesięciu półgodzinnych seansach terapeutycznych do-

chodzi do polepszenia „jakości" plemników. Inne podejmowane próby stymulowania plemników mają znacznie mniejsze szanse powodzenia:
— hormony (gonadotropina, androgeny),
— hormony tkankowe i enzymy pobudzające jądra do produkcji plemników,
— pobudzenie krążenia krwi za pomocą pentoksyfiliny.

Jeżeli mimo podjętych działań nie poprawia się produkcja i jakość plemników, można je „uzupełnić" substancjami zwiększającymi ich ruchliwość. Jeśli takie postępowanie jest możliwe, należy rozważyć przeprowadzenie sztucznego zapłodnienia partnerki (→ s. 528). Jeżeli płyn nasienny zawiera bardzo mało plemników, świadczy to również o ich „złej jakości". W tym przypadku należy zrezygnować z próby sztucznego zapłodnienia tymi właśnie plemnikami. W sytuacjach stwierdzenia „wspólnej" niepłodności, której „winowajca" i przyczyna pozostają nierozpoznane, można podjąć próbę tzw. transferu gamet (→ s. 528).

## Bezpłodność u kobiet

### Przyczyny
W około 60% przypadków przyczyną bezpłodności u kobiet są zaburzenia hormonalne, których konsekwencją jest patologia jajnika (→ Nieprawidłowe krwawienia, s. 474). Może to być zaburzenie dojrzewania komórki jajowej, brak jajeczkowania lub niezdolność zapłodnionej komórki jajowej do osiągnięcia jamy macicy.
— Zaburzenia cyklu mogą być spowodowane niedoborem lub nadprodukcją różnych hormonów płciowych, nadczynnością lub niedoczynnością tarczycy, chorobami wątroby, nerek i nadnerczy oraz gruźlicą. Zdarza się, że przyczyną jest także nadmierne wytwarzanie męskich hormonów płciowych i prolaktyny.
— Do zaburzeń hormonalnych doprowadza często otyłość. W przypadku dużej nadwagi jajnik wręcz „topi się" w otaczającej go tkance tłuszczowej.
— Do dysregulacji hormonalnej dochodzić może także u kobiet z niedowagą, szczególnie pozostających na diecie bezmięsnej i bezmlecznej.
— Innymi czynnikami potencjalnie zaburzającymi regulację hormonalną są różne leki. Mogą to być środki używane w leczeniu chorób psychicznych oraz wszystkie preparaty zawierające hormony. Niewyjaśnione pozostaje, czy do zaburzeń cyklu doprowadza odstawienie pigułek antykoncepcyjnych.
— Niekorzystny wpływ na równowagę hormonalną wywiera nadużywanie alkoholu i nikotyny.
— Równowagę hormonalną naruszają wszystkie stresy fizyczne i psychiczne.

Około 30% wszystkich przyczyn niepłodności stanowi upośledzona drożność jajowodu lub ograniczona ruchomość jego rzęsek w okolicach jajnika.
— Zarastanie światła jajowodu może być następstwem przebytych procesów zapalnych. Te z kolei są najczęściej spowodowane zakażeniami przenoszonymi drogą płciową (chlamydie i ureaplazmy → s. 511) lub zabiegiem operacyjnym (np. wy-

rostka robaczkowego lub torbieli jajnika). Inną przyczyną niedrożności jajowodu może być przebyta ciąża jajowodowa lub zabieg sterylizacyjny (→ s. 522).
— Zrosty w jamie otrzewnej mogą doprowadzić do sytuacji, w której dojrzała komórka jajowa nie jest w stanie osiągnąć jajowodu.

W 5% przypadków zaburzenia płodności spowodowane są patologią szyjki macicy, która może polegać na:
— niedostatecznym otwarciu światła szyjki oraz niedostatecznej produkcji śluzu,
— zakażeniu śluzu szyjki macicy,
— zbyt kwaśnym środowisku pochwy,
— obecności w śluzie przeciwciał przeciwko plemnikom.

W części przypadków przyczyna bezpłodności u kobiet pozostaje niewyjaśniona.

### Badania, które należy wykonać u kobiet
— W wywiadzie chorobowym należy zwrócić uwagę na ewentualne występowanie bezpłodności w rodzinie oraz na przebyte choroby (szczególnie w dzieciństwie).
— Badanie ginekologiczne obejmuje również wymaz z pochwy, pomocny szczególnie w diagnostyce zakażeń.
— Nieregularny cykl miesiączkowy wymaga określenia stężeń hormonów w surowicy krwi. Badania te wymagają wielokrotnego pobrania krwi.
— Należy dokonać pomiaru podstawowej temperatury ciała (→ Naturalne metody zapobiegania ciąży, s. 515). Porównanie krzywej temperatury oraz wyników badań hormonalnych stanowi dodatkową, cenną wskazówkę diagnostyczną.
— Następnym krokiem jest najczęściej określenie ruchliwości plemników. Testom poddaje się plemniki znalezione w śluzie szyjkowym. W przypadku stwierdzenia niedostatecznej ich ilości można wnioskować bądź o „złej jakości" plemników, bądź o nieprawidłowej czynności błony śluzowej jamy macicy. Badanie przeprowadza się kilka godzin po stosunku płciowym. Czas takiego stosunku powinien być określony przez lekarza. Przedtem przez co najmniej pięć dni należy się wstrzymać od współżycia seksualnego. Przy podejrzeniu nietolerancji śluzu i nasienia dokonuje się testu z próbką śluzu i obcą spermą.
— W przypadku podejrzenia uczulenia na śluz lub/i plemniki partnera należy przeprowadzić odpowiednie testy laboratoryjne.
— Histerosalpingografia (HSG) jest badaniem sprawdzającym drożność jajowodu. Polega na wprowadzeniu przez cewnik rentgenowskiego środka kontrastowego do jamy macicy. Na monitorze lekarz może stwierdzić, czy kontrast wydostaje się poprzez jajowody do jamy otrzewnej oraz wykluczyć obecność polipów lub mięśniaków macicy, a także zrostów bezpośrednio w okolicy brzusznego ujścia jajowodu. Jajowód można także udrożnić po wybarwieniu go specjalnym roztworem w czasie laparoskopii (→ s. 614). Opisane badanie należy przeprowadzić przed dziesiątym dniem cyklu płciowego, ponieważ wówczas może ono zadziałać leczniczo i doprowadzić do rozklejenia ścian jajo-

wodu. Możliwe jest wtedy zajście w ciążę bez dodatkowego leczenia.

### Leczenie

— Zakażenia są leczone antybiotykami.

— W przypadku nadmiernej kwaśności śluzu szyjkowego można przed stosunkiem przepłukać pochwę płynem zobojętniającym (jedna łyżeczka sody oczyszczonej rozpuszczonej w 500 ml ciepłej wody).

— W rzadkich przypadkach „konfliktu" między plemnikami i śluzem szyjkowym nie istnieje skuteczne leczenie. Taką barierę śluzową pokonać można dopiero za pomocą sztucznego zapłodnienia.

W przypadkach stwierdzenia zaburzeń hormonalnych dojrzewanie komórki jajowej można stymulować różnymi środkami. Należą do nich preparaty zawierające hormony, które często doprowadzają do skutecznego zapłodnienia. Leczenie to może być jednak długotrwałe, a konieczność zachowania pewnych rygorów może być dla kobiety bardzo obciążająca. W pewnych okolicznościach staje się konieczne nawet przerwanie pracy zawodowej.

— W razie niedoboru hormonów podwzgórza (tzw. hormony uwalniające produkcję hormonów przysadki) może wystarczyć pięciodniowe leczenie Klomifenem. W rzadkich przypadkach znacznych niedoborów hormonów podwzgórza podaje się ich farmakologiczne odpowiedniki w dziewięćdziesięciominutowych odstępach czasu poprzez pompę z kaniulą założoną do żyły przedramienia lub pod skórę brzucha.

— W przypadku braku lub niedoboru hormonów tropowych przysadki stymulujących produkcję hormonów jajnika można je również zastąpić preparatami farmakologicznymi (domięśniowo). Leczenie to wymaga systematycznego oznaczania stężenia hormonów w surowicy krwi oraz kontroli ultrasonograficznej, aby nie doprowadzić do nadmiernej stymulacji jajnika.

— Istnieje możliwość zastosowania leków normalizujących podwyższone stężenie we krwi prolaktyny, nadprodukcję męskich hormonów płciowych oraz zaburzeń w zakresie czynności gruczołu tarczowego.

— Niedrożność jajowodu w 30-40% może być skutecznie leczona za pomocą zabiegów mikrochirurgicznych. W rzadkich przypadkach stosuje się metodę z „przedmuchiwaniem" dwutlenkiem węgla. W przypadku całkowitego zarośnięcia jajowodu konieczna staje się „prawdziwa" operacja. Niesie ona ryzyko powikłania w postaci ciąży jajowodowej, co doprowadza do konieczności usunięcia jajowodu. Próby transplantacji lub implantacji sztucznego jajowodu do tej pory nie zostały zakończone sukcesem.

Jeżeli nie można przywrócić drożności jajowodu, pozostają próby pobrania komórki jajowej i plemników w celu:

— umieszczenia ich w jajowodzie (→ Transfer gamet, poniżej),

— zapłodnienia w specjalnym naczyniu i implantacji zarodka do jamy macicy (→ Zapłodnienie pozaustrojowe i transfer zarodka, s. 529).

## Sztuczne zapłodnienie

Przed decyzją o sztucznym zapłodnieniu powinniście oboje porozmawiać na ten temat z właściwym lekarzem oraz psychologiem (najlepiej, jeżeli ze sobą współpracują). Lekarz zapyta o twoje (wasze) nawyki i przyzwyczajenia seksualne oraz o chęć posiadania dziecka.

Pierwszym krokiem w leczeniu niepłodności u pary jest próba odbywania codziennych stosunków seksualnych w okresie płodnym u kobiety. Jeżeli ten „program" nie kończy się ciążą, pozostaje jedynie sztuczne lub pozaustrojowe zapłodnienie. Przed podjęciem tego kroku należy dobrze rozważyć wszystkie psychiczne i fizyczne obciążenia, jakie ze sobą niesie, a także problemy prawne, jakie może stworzyć. Wskazane jest skorzystanie z porady doświadczonego psychologa lub psychoterapeuty. Powinniście rozważyć wspólnie, czy nie można wykorzystać jakiegoś innego sposobu, aby zrealizować wasze marzenia o dziecku.

### Inseminacja

W celu sztucznego zapłodnienia mężczyzna musi dostarczyć swoje nasienie. Zwykle uzyskuje się je w wyniku onanizowania. W przypadku trudności można użyć sposobów opisanych przy okazji omówienia planu leczenia bezpłodności u mężczyzn (→ s. 525).

Za pomocą specjalnej strzykawki sperma zostaje umieszczona przed ujściem szyjki macicy. Jeżeli istnieje patologia szyjki macicy lub jakość plemników jest upośledzona (co uniemożliwia ich penetrację), należy umieścić nasienie mężczyzny bezpośrednio w jamie macicy. Próba sztucznego unasienienia kończy się powodzeniem w jednym do dwóch przypadków na cztery leczone.

Szanse powodzenia można zwiększyć, jeżeli:

— użyje się plemników tylko z pierwszej porcji ejakulatu lub za pomocą specjalnej metody („swim-up") zwiększy się ich ruchliwość,

— uda się dokonać inseminacji w momencie najlepszym do zapłodnienia.

Zapłodnienie nasieniem „własnego" partnera nazywa się inseminacją homologiczną. Jeżeli partner jest bezpłodny, można wziąć nasienie innych mężczyzn (inseminacja heterologiczna). Pobrane od anonimowych dawców jest badane w celu wykluczenia zakażenia (np. AIDS, zapalenia wątroby), a następnie zamrażane i przechowywane w specjalnych „ban-

---

### Transfer gamet

Nasienie jest pobierane jak w przypadku sztucznego unasienienia (inseminacji). Po zastymulowaniu jajeczkowania (owulacji) pobiera się laparoskopem komórkę jajową. Razem z nasieniem wprowadza się ją przez cienki cewnik do jajowodu.

Tę metodę stosuje się, jeżeli jajowód nie „wyłapuje" komórki jajowej, upośledzona jest sprawność plemników lub przyczyna niepłodności jest nieznana. Wada: częste występowanie ciąży jajowodowej. Zalety: kończy się powodzeniem częściej niż transfer zarodka.

kach nasienia". Po rozmrożeniu plemniki odzyskują swoje właściwości fizjologiczne.

## Zapłodnienie pozaustrojowe i transfer zarodka (IVF-ET)

Współczesna technika pozwoliła na realizację każdego życzenia. W tym przypadku chodzi o pragnienie posiadania dziecka. Jednakże technologie leczenia niepłodności znalazły się w ogniu krytyki. Nie są one bowiem tak skuteczne, jak się wydawało, a równocześnie niosą ze sobą dość znaczne ryzyko różnych, trudnych do zaakceptowania transakcji, jak np. zakup zapłodnionej komórki jajowej czy instytucja „matki zastępczej".

W Niemczech i w Austrii problemy prawne wymienionych wyżej sytuacji zostały uregulowane ustawowo w końcu 1989 roku. Ciągle jednak nie znamy następstw psychologicznych obserwowanych u rodziców biologicznych, „zastępczych" i u dzieci. Trudno ominąć różne pojawiające się problemy „towarzyskie".

### Wskazania medyczne

Jedynym lekarskim wskazaniem zastosowania tej metody jest nieodwracalne zaburzenie czynności obu jajowodów, niepłodność na tle immunologicznym i uszkodzenie jajowodów na tle endometriozy. Zastosowanie metody pozaustrojowego zapłodnienia jest bezcelowe, jeżeli uzyskane od mężczyzny nasienie zawiera mniej niż 10 mln plemników w 1 ml lub/i ruchliwość plemników jest mniejsza niż 20%, a także jeżeli kobieta ma więcej niż czterdzieści lat.

Szanse powodzenia zastosowania tego leczenia wynoszą około 19,5%. W razie niepowodzenia można ponowić próbę po kilku miesiącach. Każda dodatkowa próba zwiększa prawdopodobieństwo skuteczności tej metody.

Należy jednak pamiętać, że ponad 30% ciąż powstałych w wyniku pozaustrojowego zapłodnienia kończy się porodem przedwczesnym lub/i porodem powikłanym. W sumie więc mniej niż 12% pęcherzyków zarodkowych ma szansę na prawidłowy rozwój do okresu noworodkowego.

### Postępowanie wstępne

Podczas normalnego cyklu płciowego u kobiety dojrzewa każdorazowo tylko jedna komórka jajowa. Zwiększona stymulacja doprowadza do rozwoju większej liczby pęcherzyków Graafa. To z kolei zwiększa liczbę komórek jajowych w probówce i tym samym prawdopodobieństwo zapłodnienia.

W celu pobudzenia dojrzewania komórki jajowej używa się różnych kombinacji hormonów.

### Pobranie komórki jajowej

Wybór metody zależy od warunków anatomicznych. W zależności od położenia jajnika komórka jajowa może zostać pobrana:
— Przez pochwę: igłę punkcyjną wprowadza się przez pochwę do jajnika pod kontrolą obrazu ultrasonograficznego.
— Przez nakłucie skóry brzucha. W tym przypadku również używa się kontroli ultrasonograficznej, a igłę wprowadza się do jajnika przez tylną ścianę pęcherza.
— W jednej trzeciej przypadków używa się laparoskopu, który umożliwia bezpośrednie oglądanie jamy otrzewnej (→ s. 614).

Wszystkie wymienione metody mogą być stosowane w narkozie ogólnej lub w znieczuleniu miejscowym, a ich skuteczność jest porównywalna (od 7 do 90%).

### Ryzyko

— Dzięki codziennej kontroli ultrasonograficznej ryzyko powikłań jest mniejsze.
— Przeniesienie zarodka kończy się w 2,5-5% przypadków rozwojem ciąży pozamacicznej.
— Zapłodnienie pozaustrojowe doprowadza częściej niż zwykle do powstania ciąży mnogiej (nawet trojaczków i czworaczków). Dlatego poważne ośrodki implantują w jamie macicy nie więcej niż trzy zarodki.
— Częstość wad rozwojowych u tak spłodzonych noworodków jest porównywalna ze spotykaną w normalnej populacji.
— Mimo badań bakteriologicznych płynu nasiennego w przypadku heterologicznej inseminacji należy się liczyć z ryzykiem zakażenia. W Europie zanotowano do tej pory przeniesienie w ten sposób wirusa zapalenia wątroby u stu siedemdziesięciu siedmiu kobiet oraz jeden przypadek AIDS.

### Pobranie płynu nasiennego

Spośród wszystkich małżeństw zgłaszających gotowość skorzystania z zapłodnienia w probówce tylko połowa mężczyzn posiada prawidłowe, tzn. zdolne do zapłodnienia plemniki. Dlatego najczęściej należy pobrać pierwszą część ejakulatu. Przed przystąpieniem do pobrania płynu nasiennego należy opróżnić pęcherz.

### Zapłodnienie

Komórkę jajową i ejakulat umieszcza się razem w szklanej probówce. Do zapłodnienia dochodzi po około osiemnastu godzinach. W dwadzieścia do trzydziestu godzin po zapłodnieniu następuje pierwszy podział komórki jajowej. Nagromadzone komórki implantuje się do jamy macicy po około dwudziestu czterech do osiemdziesięciu czterech godzinach od zapłodnienia.

Przy bardzo złej jakości nasienia stosuje się intracytoplazmatyczne wstrzyknięcia nasienia (ICSI).

Za pomocą bardzo cienkiej rurki szklanej wprowadza się pod mikroskopem jeden plemnik do jajeczka. Liczba zapłodnień w tej metodzie wynosi około 13%, liczba poronień około 37%. Jeżeli ejakulat w ogóle nie zawiera plemników, to można spróbować je pobrać przez bezpośrednie nakłucia najądrza (mikrochirurgiczna epididymalna aspiracja nasienia — MESA).

### Przeniesienie zarodka

Za pomocą plastikowego cewnika umieszcza się w jamie macicy zwykle trzy do czterech zarodków. Po tej czynności kobieta powinna jeszcze przez kilka godzin leżeć.

Zarodek pobrany z probówki ma około 10% szans na pomyślny rozwój. W przypadku czterech implantowanych zarodków szanse na ciążę wzrastają do 25%. Równolegle jednak wzrasta ryzyko ciąży mnogiej (bliźniaczej — 18%, trojaczej — 3,2%).

### Koszty

Według oficjalnych dokumentów WHO (Światowej Organizacji

Zdrowia) niepłodność jest chorobą. W Niemczech państwowe zakłady ubezpieczeń („kasy chorych") są zobowiązane do pokrycia wszystkich kosztów leczenia tego schorzenia, w tym i pozaustrojowego zapłodnienia. Od 1986 roku dotyczy to również prywatnych „ubezpieczalni", z tym że pokrywają one koszty jedynie ograniczonej, uzgodnionej liczby podjętych prób uzyskania dziecka „z probówki".

Koszty zapłodnienia pozaustrojowego wynoszą ogółem około 10 000 marek (70 000 szylingów austriackich).

W Austrii zakłady ubezpieczeń pokrywają koszty leczenia bezpłodności, z wyjątkiem jednak sztucznego unasienienia i zapłodnienia pozaustrojowego.

**Problemy prawne**

W przypadku zapłodnienia pozaustrojowego można się doliczyć aż sześciorga rodziców jednego dziecka: trzy matki — pierwsza, od której pobrano komórkę jajową, druga, której implantowano zarodek w celu donoszenia ciąży i trzecia, która będzie wychowywać dziecko; trzech ojców — jeden, który jest dawcą nasienia, drugi, który będzie wychowywał dziecko i wreszcie trzeci — lekarz przeprowadzający zapłodnienie pozaustrojowe.

Sposoby sztucznego unasieniania — oddzielenie seksu i zapłodnienia — otworzyły zupełnie niespodziewane możliwości: kobieta może urodzić np. swoją siostrę lub swoją wnuczkę.

Pojawia się w związku z tym szereg problemów prawnych, które do tej pory nie znalazły rozwiązania. Wymagają one bowiem uregulowań ustawowych. Ich celem jest odpowiedź na pytania: Do kogo należy dziecko? Kto jest zobowiązany do jego utrzymania? Po kim dziecko dziedziczy? Do kogo należą pozostałe ilości nasienia, komórek jajowych, zarodków? W tej dziedzinie lekarze wyprzedzili prawników i próbują rozwiązywać powstające problemy powołując tzw. komisje etyczne.

*Możliwe prawne konsekwencje zapłodnienia „obcym" nasieniem*
— Nie tylko ojciec, ale także dziecko może zakwestionować istniejące związki rodzinne.
— Według obowiązującego prawa dziecko jest spokrewnione z dawcą nasienia i ma prawo do jego opieki i ewentualnego spadku.
— Zarówno dawca nasienia, jak i dziecko mogą zaskarżyć lekarza.

*Możliwe prawne konsekwencje implantowania „obcej" komórki jajowej*
— Dziecko i dawczyni komórki jajowej mogą zażądać odszkodowania od lekarza.

*Możliwe prawne konsekwencje „adopcji" zarodka*
— Dawczyni komórki jajowej, dawca nasienia i dziecko mogą dochodzić swoich praw wobec lekarza.
— Dziecko może zakwestionować swoje „małżeńskie" pochodzenie i zażądać sądownie utrzymania od dawcy nasienia lub dawczyni komórki jajowej.

*Matka zastępcza*

Termin „matka zastępcza" oznacza, że kobieta zachodzi w ciążę drogą naturalną lub metodą sztucznego zapłodnienia „obcym" materiałem genetycznym i rodzi dziecko dla innej kobiety lub innego małżeństwa, które dokonuje adopcji. Takie postępowanie i wszelkie umowy z nim związane są w Niemczech, w Austrii i w Polsce nielegalne. W związku z tym możliwe jest zaskarżenie każdej osoby biorącej udział w „przedsięwzięciu" zastępczego macierzyństwa. Zdecydowanie brakuje przejrzystości i konsekwencji prawa w regulacji takiego postępowania.

**Psychiczne następstwa dla rodziców i dzieci**

Do tej pory przeprowadzono niewiele badań nad odległymi następstwami sztucznego zapłodnienia. Wykazały one, że ta metoda łączy się z bardzo dużym obciążeniem psychicznym, które nie kończy się wraz z zakończeniem leczenia. Mimo wszelkich wysiłków połowa małżeństw i tak pozostaje bezdzietna. W przypadku zapłodnienia pozaustrojowego (w probówce) wskaźnik niepowodzeń sięga nawet 90%. Wynika z tego, że przy podejmowaniu decyzji należy dobrze rozważyć psychiczne następstwa postępowania, które się wybiera.

Zapłodnienie obcym nasieniem może dotykać poczucia własnej wartości partnera. Ponieważ niezdolność do zapłodnienia ciągle jeszcze mylona jest z impotencją, sztuczne zapłodnienie wymaga utrzymania ścisłej tajemnicy. Jeszcze ważniejsze jest, aby dziecko nie wiedziało o swoim pochodzeniu. Dopilnowanie tej tajemnicy należy do lekarza: pilnuje on anonimowości dawców nasienia lub nawet miesza płyn nasienny kilku dawców, aby zupełnie „zatrzeć ślady". Takie postępowanie w Austrii jest niemożliwe, ponieważ dawca nasienia staje się właściwym ojcem odpowiedzialnym za utrzymanie dziecka.

Niedobrze, gdy u progu życia dziecka leży kłamstwo. Adoptowane dziecko może wyczuć, że jego obecni rodzice nie są tymi „prawdziwymi". Stosowane techniki sztucznego zapłodnienia wprowadzają dodatkowe zamieszanie do tego rodzaju rozważań.

To, czy dziecko zada owo podstawowe pytanie o własne pochodzenie, w dużej mierze zależy od całokształtu postępowania rodziców. Dziecko potrzebuje pewności, że posiada oboje rodziców. Dobrze znane są przypadki, gdy nawet już jako osoba dorosła nie szczędzi energii, aby ich odszukać.

Anonimowość pochodzenia materiału genetycznego jest ważna dla rodziców, którzy chcą dziecka jedynie dla siebie. Zapłodnienie w probówce czyni absurdalnym podstawowe egzystencjalne pytanie dziecka o własne pochodzenie, ponieważ w konwencjonalnym znaczeniu tego słowa brakuje na nie odpowiedzi.

---

**Lektura uzupełniająca**

SINGER P., WELLS D.: *Dzieci z probówki: etyka i praktyka sztucznej prokreacji.* „Wiedza Powszechna", Warszawa 1988.

# CIĄŻA I PORÓD

Ciąża i poród są naturalnymi zdarzeniami w życiu kobiety, do których jej organizm jest perfekcyjnie przygotowany. Współczesne położnictwo nie zawsze uświadamia sobie tę prawdę. Często ciążę traktuje się jako stan zagrożenia, a poród jako chorobę, której „leczenie" wymaga zastosowania wielu nowoczesnych technologii. Mimo zaleceń Światowej Organizacji Zdrowia, mimo wielu dyskusji na ten temat ciągle jeszcze porody odbywają się głównie w szpitalach lub izbach porodowych z użyciem elektronicznej techniki, ciągłego monitorowania, narkozy, cięcia lub innej interwencji chirurgicznej. Wszystko to odbywa się często bez rzeczywistych, medycznych wskazań. Szacuje się, że około 80% wszystkich porodów nie wymaga jakichkolwiek interwencji zabiegowych.

## CIĄŻA

Ciąża u człowieka trwa dziesięć miesięcy księżycowych, to znaczy 280 dni (± 14 dni), czyli 40 tygodni. Tyle czasu masz na przyzwyczajenie się do nowej istoty w twoim życiu. Jest to przyzwyczajenie, któremu często towarzyszy duża skala odczuć, od szczęścia po wątpliwości, od zadowolenia po lęk. Powinnaś uzmysłowić sobie, że w normalnych warunkach ciąża nie jest niebezpieczna ani dla ciebie, ani dla dziecka. Pamiętaj, że ciepła kąpiel nie doprowadza do przedwczesnego porodu, a częsta gimnastyka nie grozi owinięciem pępowiny. Opowieści, że przeżycie wstrząsu może doprowadzić do wad rozwojowych u dziecka, jest takim samym mitem jak przypuszczenie, że urodzenie syna czyni kobietę „piękniejszą" niż urodzenie córki. Także przyjemne życie seksualne nie szkodzi twojemu dziecku, a wręcz odwrotnie. Zrelaksowana matka to zrelaksowane dziecko. Zaufaj swoim odczuciom i spróbuj — jeśli to możliwe — dostosować się do swoich własnych wymagań. Takie postępowanie jest najlepszą gwarancją udanej ciąży.

## Pierwszy trymestr ciąży (od 1 do 12 tygodnia)

Ciążę można stwierdzić najwcześniej po tygodniu od zapłodnienia, posługując się testem, który wykrywa w moczu obecność hormonu beta-HCG. Taki czas upływa do zagnieżdżenia się komórki jajowej w macicy. Możesz też po prostu odczekać do wypadnięcia następnej miesiączki. Nawet jeżeli w tym okresie piłaś alkohol lub zażywałaś lekarstwa, nie ma prawdopodobnie żadnego powodu do niepokoju. Organizm reaguje bowiem zgodnie z zasadą „wszystko albo nic". Uszkodzone komórki mają znacznie mniejsze szanse na przeżycie i zagnieżdżenie się. Jeżeli stracisz dziecko w pierwszych trzech miesiącach ciąży, może to wynikać z faktu, że nie było ono zdrowe. W tym okresie nie należy przesadzać z nadmiernym oszczędzaniem się i ostrożnością.

Ograniczenia są potrzebne tylko w sytuacjach patologicznych (nudności, osłabienie, wyczerpanie). W każdym przypadku należy wstrzymać się od picia alkoholu i palenia papierosów. Jeżeli zażywasz jakieś lekarstwa, musisz zapytać lekarza o ich ewentualną szkodliwość dla płodu.

### Co się dzieje w twoim organizmie?

Ciało powoli przystosowuje się do nowego zadania, jakim jest ciąża. Jajnik, a później łożysko produkują hormony, które wpływają na cały organizm. Poprawia się ukrwienie skóry, tkanki gromadzą więcej wody, powiększają się sutki. Narządy wewnętrzne stają się sprawniejsze, muszą bowiem pracować dla dwóch osób. W pierwszych trzech miesiącach nie ma jeszcze widocznego powiększenia brzucha. Zmiany zachodzące w organizmie wywołują u niektórych kobiet zmęczenie, czasem pojawiają się nudności lub/i wymioty — przede wszystkim rano.

### Stan psychiczny

Często występują zaburzenia samopoczucia. Kobiety, które zaszły w ciążę w sposób niezaplanowany, muszą rozważyć, czy chcą tego dziecka. Ale nawet wówczas, gdy ciąża jest od dawna oczekiwana, mogą pojawić się problemy. Należą do nich: poczucie nieodwracalności, nowa odpowiedzialność, problemy finansowe, kłopoty w pracy. Wszystko to może stwarzać zarówno konflikty, jak i nowe, piękne przeżycia, które mogą stać się twoim udziałem.

### Jak rozwija się dziecko?

W czasie kilkudniowej drogi przez jajowód zapłodniona komórka jajowa dzieli się kilka razy i w jamie macicy zagnieżdża się już w postaci wielokomórkowej. Z tych komórek powstaje zarodek, łożysko oraz połączenie między nimi — to znaczy pępowina. Zarodek i sznur pępowinowy pływają w wodach płodowych. Rozwój poszczególnych narządów rozpoczyna się w trzecim tygodniu ciąży. W piątym tygodniu rozwija się ośrodkowy układ nerwowy (mózg i rdzeń kręgowy), głowa z oczami i ustami, a także układ pokarmowy. Zaczyna bić serce, zaczyna rosnąć kość ramieniowa, a wkrótce potem kość udowa. W ósmym tygodniu ciąży kończyny górne płodu mają już dłonie i palce, rozwijają się drogi oddechowe i uszy. Na przełomie dziewiątego i dziesiątego tygodnia powstają jądra lub jajniki. W tym czasie rozpoczyna się kostnienie słabego do tej pory szkieletu. W końcu trzeciego miesiąca długość płodu wynosi siedem do dziewięciu centymetrów.

### Badania

W czasie pierwszego badania ginekologicznego lekarz określa wielkość macicy i ustala okres ciąży. Jeżeli wynik tego badania nie jest zgodny z twoimi obliczeniami na podstawie czasu

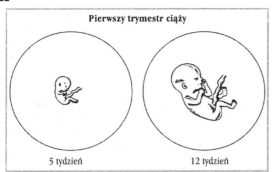

**Pierwszy trymestr ciąży**

5 tydzień       12 tydzień

ostatniej miesiączki, wykonuje się badanie ultrasonograficzne (→ Ultrasonografia, s. 611). Poza tym lekarz zbiera wywiad chorobowy od przyszłej matki i dokonuje dokładnego badania ginekologicznego, do którego należy kontrola jajowodów i jajników, wymaz z pochwy i badanie mikroskopowe wydzieliny z pochwy. Dla określenia wielkości miednicy kobiety dokonuje się pomiaru jej średnicy, mierząc odległość od spojenia łonowego do odcinka lędźwiowego kręgosłupa (sprzężna zewnętrzna). Wymiar ten powinien wynosić przynajmniej 20 cm, aby poród mógł się odbyć drogą naturalną (przez pochwę). Badania krwi obejmują ustalenie grupy krwi i czynnika Rh oraz morfologię. Ponadto można zbadać krew w celu wykluczenia różyczki, toksoplazmozy, kiły i ewentualnie AIDS (→ Badania krwi, s. 599). Ginekolog-położnik skieruje cię także do lekarza internisty w celu ogólnego przebadania.

## Drugi trymestr ciąży (od 13 do 26 tygodnia)

Minął już okres zmian i „przestawiania" organizmu, do porodu jeszcze daleko, dolegliwości zwykle nie są zbyt duże. W tym okresie ciąża nie powinna powodować żadnych ograniczeń. Jeżeli czujesz się dobrze, zwracasz uwagę na takie sygnały ze strony swojego organizmu, jak osłabienie, nudności lub bóle, można niczego więcej nie robić. Często czas ten jest okresem spokoju i ustabilizowania wewnętrznego.

### Co się dzieje w twoim organizmie?

Między szesnastym a dwudziestym trzecim tygodniem możesz odczuć pierwsze ruchy swojego dziecka. Zwykle ustępują wówczas poranne nudności, kształty ciała wyraźnie się zaokrąglają. Nie przejmuj się, jeżeli przybędzie ci trzy do pięciu kilogramów. Dopóki czujesz się dobrze i przybór masy ciała nie nabiera rozmiarów chorobowych (→ Zatrucie ciążowe, s. 539), nie powinnaś dać się terroryzować tabelami określającymi prawidłową masę ciała. Normalną sprawą jest lekki obrzęk rąk, podudzi i stóp, spowodowany zwiększonym gromadzeniem wody. Jeżeli masz skłonności do chorób naczyń, może dojść do zastoju krwi w żyłach i rozwoju żylaków podudzi lub odbytu (→ Dolegliwości w czasie ciąży, s. 536). Zmiany hormonalne mogą być przyczyną zaparcia lub zgagi.

### Stan psychiczny

Bardzo możliwe, że teraz czujesz się wyjątkowo dobrze. Możesz mieć jednak trudności w zaakceptowaniu swoich obfi-

tych kształtów i rosnącego brzucha. Dużą rolę odgrywa w tym przypadku przywiązanie do wyobrażeń o ideale piękności. Z końcem trzeciego miesiąca ciąży warto zapisać się do szkoły rodzenia. Tam będziesz mogła omówić swoje problemy z innymi kobietami lub małżeństwami (→ Przygotowanie do porodu, s. 540).

### Jak rozwija się dziecko?

Twoje dziecko ćwiczy teraz swoje mięśnie. Kopie nogami, rozczapierza palce, otwiera i zamyka dłonie oraz może ruszać głową. Już w czwartym miesiącu wykształcone są najważniejsze odruchy.

W tym okresie rozpoczyna się również rozwój narządów zmysłów. Na początku zmysłu smaku i dotyku, a od piątego miesiąca zmysłu słuchu i równowagi. Narząd wzroku jest już tak daleko rozwinięty, że rozróżnia jasność i ciemność. Dziecko zaczyna trenować swoje płuca i zdolność połykania. Chociaż mózg nie jest jeszcze w pełni rozwinięty, może już reagować w sposób ukierunkowany (np. koryguje swoje ułożenie, jeżeli uzna dotychczasową pozycję za niewygodną).

Pod koniec tego okresu możesz zwykle wyczuć swoje dziecko po raz pierwszy. Na początku jest to delikatne „pukanie", później wierzganie, a nawet fikanie koziołków, które wykonuje ono w sposób widoczny na zewnątrz. W szóstym miesiącu dziecko zaczyna „uczestniczyć" w życiu fizycznym i psychicznym. Ucieka od źródła nieprzyjemnego dźwięku, reagując w odmienny sposób na głośną lub cichą muzykę. Odczuwa złość, stres, niepokój, ale także bezpieczeństwo, radość i spokój. W końcu szóstego miesiąca dziecko ma około 30 cm wzrostu i waży od 500 do 800 gramów. Jeżeli w tym czasie przyjdzie na świat, istnieją teoretyczne szanse na utrzymanie go przy życiu.

### Badania

Teraz powinnaś co cztery do sześciu tygodni odwiedzać lekarza, nawet jeżeli w karcie (książeczce) ciąży nie ma takiego zalecenia. W czasie wizyty lekarz sprawdzi „tętno płodu" (poprzez osłuchanie tonów serca dziecka), zmierzy ciśnienie tętnicze krwi i masę ciała oraz zleci badanie moczu. Poza tym dokona badania ginekologicznego (przez pochwę), zmierzy wielkość macicy, sprawdzi, czy nie występują żylaki lub obrzęki. Jeżeli lekarz proponuje wykonanie badania ultrasonograficznego bez podania przyczyny (→ s. 611), poproś o wyjaśnienie. Jeżeli wyjaśnienia będą nieprzekonujące — raczej odmów. Czę-

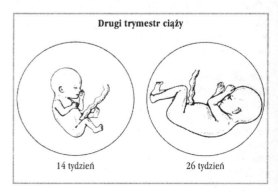

**Drugi trymestr ciąży**

14 tydzień       26 tydzień

sto wykonuje się takie badania z powodów zupełnie pozamedycznych.

## Trzeci trymestr ciąży

Ostatnie miesiące ciąży kobiety przeżywają różnie. Mogą się niecierpliwić, skarżyć się na ograniczenia w poruszaniu i z napięciem oczekiwać dnia porodu. Szczególnie obciążone są przyszłe matki mające już małe dzieci lub wykonujące stresorodny zawód. Staraj się zachować spokój i równowagę, aby możliwie optymalnie przygotować się na przyjęcie dziecka. Im lepiej się czujesz, tym lepiej dla „sprawy". Podobnie jak dotąd, dozwolone jest wszystko, co ci sprawia przyjemność. Nie powinnaś jednak lekceważyć objawów wyczerpania i pamiętać, że nie jest obojętne, czy twoje dziecko urodzi się kilka tygodni za wcześnie czy w terminie.

### Co się dzieje w twoim organizmie?

W tym czasie dziecko rośnie szczególnie szybko. Jama macicy staje się dla niego coraz ciaśniejsza. Coraz mniejsza jest możliwość swobodnych ruchów płodu. Z powodu wzrostu masy ciała płodu i łożyska zwiększa się obciążenie twojego kręgosłupa, a powiększenie rozmiarów ciężarnej macicy prowadzi do ucisku i zastoju w żyłach miednicy. Mogą się pojawić lub nasilić bóle w okolicy lędźwiowej, żylaki kończyn dolnych i odbytu, obrzęki podudzi. Ucisk na pęcherz powoduje częstsze oddawanie moczu. Normalne staje się opróżnianie pęcherza w nocy. Powiększona macica może uciskać również na żołądek, zmniejszając jego objętość, co powoduje konieczność spożywania małych objętościowo posiłków. Wskutek zmniejszenia perystaltyki jelit istnieje skłonność do zaparć. Chrząstki stawowe i skóra stają się coraz bardziej rozciągliwe i miękkie, co jest objawem przygotowania do porodu.

### Stan psychiczny

Myśli krążą coraz częściej wokół dziecka i porodu. Powiększa się troska o jego zdrowie, lęk przed bólem i powikłaniami. Jest to najwyższy czas, aby przygotować się do porodu, najlepiej w szkole rodzenia lub innej grupie stawiającej sobie podobne cele. Tam nauczysz się opanowania lęku i zdobędziesz umiejętności ułatwiające sam poród. Ideałem byłoby, gdybyś mogła już teraz poznać lekarza i położną, którzy będą asystować przy porodzie. W dużych szpitalach jest to jednak trudne, a nawet niemożliwe.

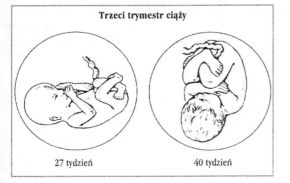

**Trzeci trymestr ciąży**

27 tydzień          40 tydzień

### Badania

Do trzydziestego siódmego tygodnia wystarczy badać się raz w miesiącu. Później odstęp między kolejnymi wizytami u lekarza powinien wynosić dziesięć dni. Poza zwykłym badaniem należy jeszcze raz wykonać badanie krwi, ponieważ w trzecim trymestrze ciąży często dochodzi do rozwoju niedokrwistości.

Badanie ultrasonograficzne jest teraz konieczne tylko w wyjątkowych sytuacjach (→ s. 611). Jeżeli jednak planujesz poród w domu, badanie ultrasonograficzne staje się niezbędne w celu dokładnego określenia położenia łożyska i płodu.

### Jak rozwija się dziecko?

W ostatnich miesiącach ciąży rozwija się układ nerwowy dziecka, jego świadomość i pamięć. W ósmym miesiącu zajmuje ono zwykle pozycję gotową do porodu. Dziewięćdziesiąt spośród stu dzieci kieruje się głową w dół. Po czterdziestu tygodniach ciąży dziecko waży zwykle od 2800 do 4000 gramów i mierzy 48 do 54 cm wzrostu.

## Niechciana ciąża

Tylko dwadzieścia pięć do czterdziestu procent ciąż jest chcianych przez rodziców. W Niemczech do dwunastego tygodnia mogą zmienić tę nieoczekiwaną sytuację. Tak długo bowiem przerwanie ciąży jest niekaralne. Obowiązująca w Polsce ustawa o planowaniu rodziny, ochronie płodu ludzkiego i warunkach przerywania ciąży zabrania przerywania ciąży z przyczyn społecznych. W Niemczech warunkiem jest zasięgnięcie porady w poradni uznanej przez państwo. W Austrii nie ma żadnych ograniczeń, podczas gdy w Szwajcarii przerwanie ciąży jest możliwe jedynie ze wskazań medycznych. Przerwanie ciąży po dwunastym tygodniu jest w tych krajach dozwolone jedynie w wyjątkowych sytuacjach. Należy brać pod uwagę, że również dla pary decyzja za lub przeciw dziecku pociąga następstwa. U obojga może to oznaczać koniec więzów. Szczerość jest niezbędna. Zbyt często więzy są zrywane nawet po latach, argumentem staje się fakt, że pozostali z sobą tylko „z powodu dziecka", także przerwanie ciąży obciąża partnerów winą.

### Metody

Ciążę najczęściej przerywa się do siedmiu tygodni po ostatniej miesiączce sposobem względnie najmniej niebezpiecznym. Powikłania są rzadkie. Mimo to jest to zabieg, którego kobiety się lękają; występuje lęk przed uszkodzeniem, lęk przed decyzją, jak również przed późniejszą bezdzietnością.

*Odessanie*

Metoda odessania jest oszczędnym sposobem przerwania ciąży. W znieczuleniu miejscowym lub pełnej narkozie otwiera się ostrożnie ujście szyjki macicy i wprowadza cienką rurkę. Rurka jest połączona z pompą ssącą, która odsysa tkankę płodu z macicy. Na ogół jest jeszcze potrzebne wyłyżeczkowanie w celu usunięcia resztek. Zabieg trwa kilka minut, utrata krwi jest mała. Następnie w zastrzyku podawany jest środek, który obkurcza macicę. Zatrzymuje on krwawienie i przeciwdziała zakażeniom. Po godzinie od zabiegu możesz pójść do domu.

*Prostaglandyny*

Na ogół są one stosowane, gdy ciąża trwa dłużej niż dwanaście tygodni. Najczęstszą podstawą dla tego zabiegu są zaburzenia rozwojowe płodu, wykryte badaniem prenatalnym.

Prostaglandyny są hormonami, które rozszerzają szyjkę macicy i równocześnie obkurczają macicę. Wywołuje to poronienie. Zabiegi takie przeprowadza się w szpitalu. Prostaglandynę wprowadza się kroplówką do krwiobiegu lub nakłada w postaci żelu lub tabletki na ujście szyjki macicy. Wywołuje to skurcze porodowe wydalające tkankę płodową. Ponieważ prostaglandyna działa bardzo powoli, zabieg może się przeciągnąć do dwóch dni. Często zachodzi potrzeba dodatkowego zastosowania innego środka wywołującego skurcze macicy (oksytocyna w dużym rozcieńczeniu). Przeciw na ogół dużym bólom są stosowane środki przeciwbólowe. Celem uniknięcia zakażenia po poronieniu wyłyżeczkowuje się z macicy resztki łożyska i błony śluzowej. Jeżeli nie wystąpią powikłania, jak gorączka i krwawienia, dzień po zabiegu możesz wrócić do domu.

*Wyłyżeczkowanie*

Jest to przestarzała metoda przerywania ciąży i dlatego do odrzucenia.

*RU 486*

Jest to antyhormon, który przerywa ciążę. W Niemczech i Austrii jego stosowanie nie zostało dotąd dopuszczone. We Francji już wiele kobiet decyduje się na ten preparat. Prawdopodobnie środek ten, bardzo ułatwiający wielu kobietom przerwanie ciąży, będzie wkrótce dostępny także w innych krajach, z chwilą rezygnacji producenta z praw do wyłączności.

## Okres po przerwaniu ciąży

Często jest nacechowany smutkiem, a nawet poczuciem winy. Nawet jeżeli czujesz się wolna od ciężkiego obciążenia, masz świadomość utraty dziecka. Po pomoc zwróć się do swego partnera, koleżanek lub zawodowych doradczyń.

Rany cielesne goją się szybko. Krwawienie następowe ustaje najczęściej po ośmiu, dziesięciu dniach. Należy odczekać z tamponami i seksem do przeprowadzenia przez lekarza końcowego badania. Zwykle miesiączka pojawia się znowu po czterech, sześciu tygodniach.

## Odżywianie

Upowszechniony jest przesąd, że w ciąży powinnaś jeść za dwie osoby. To zwiększa tylko wagę i może utrudnić poród. Wystarczy, jeżeli będziesz się odżywiać zdrowo i racjonalnie (→ Żywienie pełnowartościowe, s. 705). Twoje dziecko otrzymuje wszystko, co jest niezbędne. W pierwszych czterech miesiącach ciąży nie potrzebujesz prawie żadnych dodatkowych kalorii, później zwiększone zapotrzebowanie kaloryczne powinnaś pokrywać głównie potrawami mlecznymi, warzywami i owocami. Pofolguj swoim kulinarnym zachciankom — jedz, co chcesz. Prawdopodobnie wynikają one z rzeczywistych potrzeb organizmu.

## Życie seksualne w czasie ciąży

Istnieje stary, ale zupełnie błędny pogląd, że uprawianie seksu w czasie ciąży szkodzi dziecku. Jest wręcz przeciwnie: jeżeli masz ochotę na współżycie seksualne i dzięki temu czujesz się lepiej, również twoje dziecko czuje się zdrowiej. W czasie ciąży pochwa jest bardziej wilgotna i lepiej ukrwiona, organizm produkuje więcej hormonów, nie ma również lęku przed niechcianą ciążą. Istnieje więc dostatecznie dużo powodów, by osiągnąć zadowolenie seksualne. Być może również twoje zaokrąglone kształty i powiększony biust stają się dla partnera jeszcze bardziej atrakcyjne. Jeżeli jednak taka „porcja kobiecości" lub duży brzuch przeszkadzają partnerowi, powinniście o tym otwarcie ze sobą porozmawiać.

Jeżeli w czasie ciąży nie masz ochoty na współżycie seksualne, nie zmuszaj się do tego. Powinnaś jednak wyjaśnić partnerowi, że nie wynika to z braku miłości ani chęci rozstania.

*Powinnaś zaniechać stosunków płciowych, jeżeli*
— nie masz na to ochoty; psychiczny stres spowodowany niechcianym stosunkiem może wywołać przedwczesny poród,
— odczuwasz bóle podbrzusza,
— występują krwawienia,
— istnieje niebezpieczeństwo przedwczesnego porodu,
— doszło do pęknięcia pęcherza płodowego.

## Badania związane z ciążą

### Poradnictwo genetyczne

Jeżeli obawiasz się, że dziecko może się urodzić chore lub niepełnosprawne, możesz (razem z mężem) zgłosić się przed planowaną ciążą do poradni genetycznej. Na podstawie informacji o chorobach występujących w rodzinie obu partnerów można wyliczyć prawdopodobieństwo wystąpienia różnych chorób lub wad rozwojowych u planowanego dziecka.

Informacje uzyskane w takiej poradni powinny dopomóc w podjęciu decyzji o zaplanowaniu bądź rezygnacji z ciąży. Decyzja powinna należeć wyłącznie do was. W znalezieniu odpowiedniej poradni genetycznej pomoże ci lekarz ginekolog-położnik.

Jeżeli jesteś już w ciąży, możliwe jest również przeprowadzenie badań wyjaśniających, czy dziecko nie urodzi się z chorobą lub wadą rozwojową.

### Badania prenatalne

Niektóre zaburzenia rozwojowe płodu mogą być rozpoznane podczas ciąży (np. zespół Downa → s. 581). Krytycy tej diagnostyki są przeciwni, gdyż istnieje niebezpieczeństwo uszkodzenia dziecka lub spowodowania poronienia.

### Lektura uzupełniająca

CHAMBERLAIN G.: *Wszystko o ciąży*. PZWL, Warszawa 1992.
FIJAŁKOWSKI W.: *Rodzi się człowiek*. PZWL, Warszawa 1987.
*Nowe życie. Ciąża, poród i pierwszy rok życia dziecka. Poradnik* pod red. J.T. Queenan i C.N. Queenan, „Iskry", Warszawa 1992.

Nim zgodzisz się na takie badanie, musisz być pewna, czy ewentualne przerwanie ciąży w ogóle wchodzi w rachubę.

## Badanie kosmków kosmówki

Od dziesiątego do dwunastego tygodnia ciąży to badanie może wykazać uszkodzenie materiału genetycznego płodu. Kosmki są tą częścią łożyska, która ma ten sam garnitur chromosomalny (genetyczny) co dziecko. Kosmki kosmówki pobiera się do badania za pomocą cienkiego, giętkiego przewodu ze sztucznego tworzywa, wprowadzanego do macicy przez pochwę. Wyniki uzyskuje się już następnego dnia. Zaletą w stosunku do badania wód płodowych jest możliwość wcześniejszej oceny ewentualnego uszkodzenia materiału genetycznego. Ujemną stroną jest wyższe ryzyko. Po wykonaniu biopsji kosmówki ryzyko poronienia wzrasta z 4 do 5%.

Badanie to nie ma sensu, jeżeli niezależnie od jego wyniku przerwanie ciąży nie wchodzi w rachubę i rodzice są zdecydowani na urodzenie dziecka.

## Badanie wód płodowych (amniocenteza)

To najstarsza metoda pozwalająca na stwierdzenie zaburzeń chromosomalnych i wad rozwojowych ośrodkowego układu nerwowego jeszcze przed porodem. W tym celu lekarz pobiera do badania wody płodowe wraz ze znajdującymi się tam komórkami pochodzącymi od płodu. Również i to badanie nie ma sensu, jeżeli niezależnie od wyniku nie bierze się pod uwagę przerwania ciąży.

Badania można przeprowadzić od szesnastego do osiemnastego tygodnia ciąży, a sama obróbka materiału konieczna do uzyskania wyniku trwa dwa do trzech tygodni. Każde nakłucie pęcherza płodowego w celu pobrania próbki do badania powinno być uzasadnione względami medycznymi. W rzadkich przypadkach (0,5%) zabieg ten powoduje zakażenie wód płodowych i/lub doprowadza do poronienia. Amniocenteza wykonywana w celu stwierdzenia jedynie płci dziecka jest niedopuszczalna.

## Ultrasonografia

Rutynowe przeprowadzenie badań ultrasonograficznych tylko w celu zaspokojenia ciekawości lub „uspokojenia" (matki? lekarza?) jest krytykowane przez wielu położników. Mimo to Światowa Organizacja Zdrowia nie zabrania wykonywania tych badań w sposób rutynowy.

— Do dzisiaj nie przeprowadzono jeszcze poważnych, wiarygodnych badań gwarantujących nieszkodliwość badań ultrasonograficznych dla płodu.

— Wyniki badań na temat zastosowania ultrasonografii w ciąży, przeprowadzonych na dużej liczbie ciężarnych kobiet, nie wykazały, aby użycie tej metody obniżało śmiertelność niemowląt lub zwiększało dokładność w porównaniu z metodami konwencjonalnymi (np. oznaczania wielkości płodu).

— Rutynowe użycie ultrasonografii w celu określenia zaburzeń wzrostu i wad rozwojowych płodu jest obarczone tak dużym błędem, że efekt negatywny takiego postępowania przewyższa pozytywny. Światowa Organizacja Zdrowia zaleca stosowanie tego badania tylko w uzasadnionych przypadkach. Istnieje zbyt duże niebezpieczeństwo podjęcia przez rodziców

decyzji o usunięciu ciąży na podstawie błędnej diagnozy ultrasonograficznej.

Jednakże wielu lekarzy ignoruje przytoczone naukowe dane i zaleca badania ultrasonograficzne u każdej ciężarnej.

*Powinnaś się zgodzić na badania ultrasonograficzne wówczas, gdy*

— nieznany jest termin ostatniej miesiączki lub zapłodnienia;

— lekarz nie jest w stanie ocenić wielkości płodu za pomocą obmacywania;

— występują krwawienia lub bóle;

— lekarz nie wysłuchuje tonów serca płodu;

— dłuższy czas nie wyczuwasz ruchów płodu;

— lekarz nie jest w stanie określić pewnej daty porodu;

— istnieje podejrzenie ciąży mnogiej;

— lekarz obawia się opóźnionego rozwoju płodu (ma to jednak sens tylko z równoczesnym oznaczaniem stężenia hormonów łożyskowych;

— istnieje podejrzenie wady rozwojowej; badanie powinno być wówczas przeprowadzone w odpowiednim centrum diagnostycznym;

— konieczna jest amniopunkcja (pobranie płynu owodniowego do badań).

*Ultrasonografia dopplerowska*

Jest użyteczną metodą badania płodów z podejrzeniem wady rozwojowej (na przykład gdy obwód brzucha matki jest za mały). Sposobem tym można określić przepływ krwi przez określone naczynia krwionośne, na przykład w pępowinie lub w aorcie. Również w przypadkach ultrasonografii dopplerowskiej należy odrzucić rutynowe zastosowanie, gdyż wysoka częstotliwość dźwięków może uszkadzać naczynia i prawdopodobnie prowadzić do zaburzeń rozwojowych.

## Badania krwi

Badania krwi należy wykonywać u każdej kobiety w ciąży. Trzeba pamiętać, że ich wyniki mogą często odbiegać od wartości „prawidłowych" podawanych na różnych formularzach (→ Metody badania, s. 598). Rzadko istnieje powód do niepokoju. W każdym przypadku, gdy nasuwają się jakiekolwiek wątpliwości, należy poradzić się lekarza.

## Morfologia krwi

*Czerwone ciałka krwi (erytrocyty)*

W czasie ciąży objętość krwi krążącej w organizmie wzrasta o około 40%. To powoduje jej rozcieńczenie i mniejszą ilość erytrocytów uzyskaną w badaniu morfologicznym. Nie zawsze oznacza to, że masz anemię. W tym przypadku ważniejsze jest określenie zawartości hemoglobiny.

*Hemoglobina*

Krytyczna, dla kobiety w ciąży, granica wynosi około 10 g/dl.

*Białe ciałka krwi (leukocyty)*

Normalne jest zwiększenie liczby leukocytów.

W czasie ciąży wartości leukocytozy mogą wzrastać do 15 000/mm³ („normalne" wartości: 4800-10 000/mm³).

## Stężenie żelaza w surowicy krwi

W czasie ciąży zawartość żelaza często spada poniżej normy, ponieważ zwiększone zapotrzebowanie powoduje zużycie jego zapasów.

## Opadanie krwinek czerwonych (OB)

Opadanie krwinek czerwonych u kobiet w ciąży jest zawsze przyspieszone.

## Oznaczanie przeciwciał

Przeciwciała są krążącymi we krwi białkami obronnymi, które powstają po zetknięciu się organizmu z jakąś obcą substancją (antygenem) (zarazki chorobotwórcze, obca krew itp.). Wszystkie kobiety w ciąży powinny mieć oznaczone miano przeciwciał przeciwko wirusom różyczki, bakteriom wywołującym kiłę, a w wielu przypadkach również przeciwko zarazkowi toksoplazmozy i AIDS. Jeżeli masz grupę krwi „Rh minus" (ujemny „czynnik" Rh), należy sprawdzić, czy masz przeciwciała przeciwko temu antygenowi. Badania te powinny być powtórzone w trzecim trymestrze ciąży lub w razie wystąpienia krwawienia z dróg rodnych.

## Dolegliwości w czasie ciąży

Ciąża nie jest chorobą, stawia jednak przed organizmem nowe, nieznane mu do tej pory wymagania. Dolegliwości, jakie wówczas występują, są najczęściej nieszkodliwe. W każdym przypadku jednak, kiedy nie czujesz się dobrze lub odczuwasz bóle, powinnaś skontaktować się z lekarzem.

### Duszność

W ostatnim trymestrze ciąży ucisk ciężarnej macicy na przeponę może upośledzać pracę płuc. Nie lękaj się, dziecko otrzymuje wystarczającą ilość tlenu. Około trzech tygodni przed porodem macica się obniża, powodując ustąpienie dolegliwości.

*Jak sobie pomóc*
Staraj się ograniczać objętość posiłków oraz — jeżeli to możliwe — spać na lewym boku.

### Wyciek z dróg rodnych

Niewielki wyciek, bez nieprzyjemnego zapachu, jest sprawą normalną. Jeżeli wyciek się nasila lub pojawiają się dodatkowe dolegliwości, → Zapalenie pochwy, s. 482.

*Jak sobie pomóc*
Pomóc mogą nasiadówki z wywaru z rumianku, krwawnika lub/i nagietka lekarskiego. Niektórzy lekarze zalecają stosowanie naturalnego jogurtu bezpośrednio do pochwy w celu przywrócenia lub wzmocnienia naturalnej flory bakteryjnej tego narządu.

### Atonia pęcherza moczowego

W ostatnim trymestrze ciąży głowa dziecka uciska na pęcherz. W tej sytuacji jest zupełnie normalne, że musisz oddawać mocz częściej niż zwykle, a czasem może zdarzyć się bezwiedne „upuszczenie" kilku kropli. Jeżeli jednak pojawią się dodatkowe

dolegliwości (np. ból przy oddawaniu moczu lub w okolicy lędźwiowej), → s. 392.

*Jak sobie pomóc*
Jeżeli czujesz się niepewnie, używaj cienkiej wkładki higienicznej. Nie ograniczaj picia, twój organizm potrzebuje dużo płynu.

### Wzdęcia

Wzdęcia są wynikiem zmian hormonalnych w czasie ciąży i mogą być bolesne. Jeżeli pojawią się dodatkowe dolegliwości, → Jelito drażliwe, s. 377.

*Jak sobie pomóc*
Unikaj „wzdymających" posiłków i pij odpowiednie zioła (→ Jelito drażliwe, s. 377).

### Podwyższone ciśnienie tętnicze krwi

Podwyższone ciśnienie tętnicze, występujące w ciąży po raz pierwszy, może być sygnałem ostrzegawczym zatrucia ciążowego (→ s. 539). W takim przypadku zawsze należy zgłosić się do lekarza.

### Obniżone ciśnienie tętnicze krwi

Niskie ciśnienie może powodować dolegliwości ze strony układu krążenia.

*Jak sobie pomóc*
Najczęściej pomagają regularne ćwiczenia fizyczne i natryski (→ Zimny natrysk, s. 641).

### Krwawienia

Wszelkie krwawienia z pochwy musisz zawsze traktować poważnie. Tylko lekarz może stwierdzić, czy są one nieszkodliwe, czy też są objawem poważnych zaburzeń (→ Poronienie, s. 539, → Poród przedwczesny, s. 539).

### Brązowe plamy na skórze (ostudy)

Normalnymi zjawiskami w czasie ciąży są brązowe plamy na twarzy, ciemniejsze brodawki sutkowe i brązowa linia na śródbrzuszu. Są one wynikiem zmian barwnikowych w skórze (→ Ostuda, s. 269).

*Jak sobie pomóc*
Nie można. Ostuda znika wkrótce po porodzie.

### Guzki krwawnicze odbytu (hemoroidy)

Ciąża ułatwia tworzenie się guzków krwawniczych w okolicy odbytu ze względu na ucisk ciężarnej macicy na żyły miednicy małej (→ Guzki krwawnicze, s. 389).

*Jak sobie pomóc*
Powinnaś zadbać o spożywanie pokarmów bogatoresztkowych, co sprzyja uregulowaniu wypróżniania (→ Żywienie, s. 704).

### Wilczy apetyt

Szczególne zachcianki kulinarne lub apetyty na coś specjalnego są zupełnie normalne. Możesz im spokojnie ulegać. Czasami organizm informuje w ten sposób o potrzebie uzupełnienia niedoboru jakiegoś składnika. Powinnaś jednak uważać, żeby nie przesadzić ze spożywanymi kaloriami.

*Jak sobie pomóc*
Jedz, co ci smakuje, ale z umiarem.

## Żylaki podudzi

Ciąża może nasilić wrodzone osłabienie tkanki łącznej, a ucisk powiększonej macicy utrudnia powrót krwi żylnej do serca (→ Żylaki, s. 311).

*Jak sobie pomóc*
W razie potrzeby użyj elastycznych, uciskowych pończoch. Staraj się pracować raczej na siedząco, ponieważ pozycja stojąca utrudnia dopływ krwi żylnej do serca. Staraj się jak najczęściej przyjmować pozycję z uniesionymi nogami.

## Kurcze mięśni

Kurcze mięśni występują zwykle w łydkach i są najczęściej nieszkodliwe. Utrzymujące się kurcze mięśni mogą wskazywać na niedobór wapnia, magnezu lub witamin z grupy B.

*Jak sobie pomóc*
Spróbuj silnie nastąpić nogą zaatakowaną kurczem lub zegnij palce stóp do przodu, aby wyprostować mięsień łydki (→ Bóle i kurcze mięśni, s. 406).

## Znużenie, wyczerpanie

Uczucie zmęczenia jest zupełnie normalne głównie w pierwszych miesiącach ciąży, kiedy w organizmie zachodzi tak wiele zmian. Jeżeli jednak stale czujesz się wyczerpana i znużona, może to być wskazówką, że wymagasz od siebie zbyt wiele.

*Jak sobie pomóc*
Jeżeli jesteś zmęczona, nie odmawiaj sobie odpoczynku. Pomóc mogą odświeżające dodatki do kąpieli. Zmęczenie spowodowane jest często brakiem ruchu fizycznego. Przebywaj dużo na świeżym powietrzu, staraj się uprawiać ulubiony sport.

## Bóle w okolicy lędźwiowej

Bóle w okolicy lędźwiowo-krzyżowej, zwłaszcza pod koniec ciąży, spowodowane są uciskiem głowy dziecka na kość krzyżową, ogólnym obciążeniem dla kośćca, jakie stanowi powiększona macica, lub istniejącą wcześniej wadą postawy, nasiloną w czasie ciąży (→ Plecy — bóle, s. 103).

*Jak sobie pomóc*
Odciążaj kręgosłup tak często, jak tylko to jest możliwe, to znaczy kładź się (nie na plecach, lecz zwinięta w kłębek), pływaj lub uprawiaj odpowiednią gimnastykę (→ Relaks, s. 664).

## Zaburzenia snu

W ostatnim trymestrze ciąży obecność dużego brzucha lub „ćwiczenia gimnastyczne" twojego dziecka mogą cię pozbawiać należnej ilości snu. Zaburzenia snu mogą być dodatkowo nasilone lękiem i kłopotami.

*Jak sobie pomóc*
Weź odprężającą kąpiel lub idź na spacer. Unikaj obfitych kolacji (→ Zaburzenia snu, s. 183).

## Obrzęki rąk i stóp

Najczęściej obrzęki rąk i stóp są nieszkodliwe. W czasie ciąży organizm zatrzymuje więcej wody niż normalnie. Mimo to powinnaś zgłosić się do lekarza. W rzadkich przypadkach takie obrzęki mogą być pierwszym objawem niebezpiecznego zatrucia ciążowego (→ s. 539).

*Jak sobie pomóc*
Staraj się utrzymywać kończyny dolne w wysokiej pozycji tak często, jak to tylko możliwe. Codziennie masuj swoje nogi ruchami w kierunku serca. Pomocny może być także zimny natrysk (→ Zimny natrysk, s. 641).

## Zgaga

Zgaga może pojawić się już na początku ciąży. Zachodzące zmiany hormonalne osłabiają mięśnie odźwiernika do tego stopnia, że kwaśna treść żołądkowa przedostaje się zwrotnie do przełyku, wywołując nieprzyjemne objawy. W bardziej zaawansowanej ciąży dolegliwości są potęgowane uciskiem powiększonej macicy na żołądek.

*Jak sobie pomóc*
Unikaj ostrych, ciężko strawnych posiłków. Jedz częściej małe porcje (→ Odbijania kwaśne, s. 360).

## Nudności i wymioty

Przyzwyczajenie ciała i psychiki do „odmiennego stanu" wymaga nieco czasu. Dlatego w pierwszych miesiącach ciąży nudności i wymioty są zjawiskiem normalnym. Jeżeli powodują one spadek wagi lub są zbyt uciążliwe, powinnaś zgłosić się do lekarza.

*Jak sobie pomóc*
Jedz śniadanie w łóżku i jeżeli to możliwe, pozostań w nim jakiś czas. Pij przez cały dzień małe ilości wody mineralnej lub herbaty ziołowej. Unikaj tłustych, ciężko strawnych posiłków.

## Zaparcia

Zwiększone napięcie mięśniówki jelit utrudnia w nich transport treści pokarmowej, co doprowadza do zaparć.

Być może jednak masz błędne wyobrażenie o „normalnym" wypróżnianiu się. Tak długo, jak oddajesz stolec dwa, trzy razy w tygodniu, nie masz żadnego powodu do obaw (→ Zaparcie stolca, s. 379).

*Jak sobie pomóc*
W żadnym razie nie wolno ci zażywać środków przeczyszczających bez porady lekarskiej. Leki przeczyszczające mogą być szkodliwe dla płodu. Najlepszym rozwiązaniem problemu jest bogatoresztkowe odżywianie (→ Żywienie, s. 704).

## Co szkodzi w ciąży

### Kawa

W czasie ciąży nie ma przeciwwskazań do jednej, małej filiżanki ulubionej kawy. Jednakże badania porównawcze wykazały, że kobiety pijące duże ilości kawy rodzą dzieci z niedowagą. Istnieją dane wskazujące, że codzienne spożycie ponad 600 miligramów kofeiny zwiększa ryzyko poronienia lub przedwczesnego porodu. Wymieniona ilość kofeiny odpowiada 2-4 filiżankom kawy. Kofeina działa moczopędnie, rozszerza naczynia, zwiększa wydzielanie kwasu solnego w żołądku, powoduje zaburzenia snu.

Pamiętaj, że pijąc kawę, „częstujesz" nią swoje dziecko (→ Kofeina, s. 744).

### Herbata

Chociaż herbata zawiera także kofeinę, nie stwierdzono jej szkodliwego wpływu na ciążę.

### Palenie tytoniu

Nikotyna zwęża naczynia krwionośne i dlatego utrudnia transport tlenu do płodu.

Twoje dziecko otrzymuje mniej „powietrza". Dzieci matek palących papierosy mają niższą wagę urodzeniową (średnio o 170-400 gramów) niż noworodki kobiet niepalących. Znacznie wyższa jest również śmiertelność okołoporodowa. Ojciec może również zaszkodzić dziecku, jeżeli dużo pali w ciągu miesiąca przed zapłodnieniem (→ Palenie tytoniu, s. 740). Szkodliwe jest także palenie w obecności kobiety ciężarnej.

### Alkohol

Alkohol przechodzi przez łożysko do płodu i może doprowadzić do poronienia, atrofii płodu lub wad rozwojowych (→ Alkohol, s. 742).

### Narkotyki

Wszystkie narkotyki przechodzą przez łożysko do płodu, wywierając bardzo niekorzystny wpływ. Narkotyki zażywane przed porodem mogą wywołać u noworodka zaburzenia krążenia i oddychania. Matka uzależniona od narkotyków rodzi uzależnione dziecko, u którego trzeba leczyć objawy abstynencji (zaburzenia oddychania, drżenie, niepokój itp.; → Nielegalne narkotyki, s. 744).

### Lekarstwa

Prawie każdy zażywany przez matkę lek dociera przez łożysko do płodu. O tym, czy może on zaszkodzić dziecku, musisz koniecznie porozmawiać z lekarzem. Najlepiej byłoby, gdybyś w czasie ciąży nie przyjmowała żadnych leków.

## Zakażenia

Choroby infekcyjne (zakaźne) matki, przede wszystkim w pierwszym trymestrze ciąży, mogą poważnie zaszkodzić dziecku.

### Różyczka

Jeżeli nie chorowałaś na różyczkę ani nie byłaś zaszczepiona przeciwko tej chorobie, przed planowaną ciążą powinnaś oznaczyć u siebie miano przeciwciał przeciwko wirusowi różyczki. Jeżeli nie masz we krwi odpowiednich przeciwciał, należy cię zaszczepić (→ Szczepienia, s. 627).

Przez trzy miesiące po szczepieniu nie powinnaś zachodzić w ciążę. Ryzyko uszkodzenia płodu i wad rozwojowych spowodowanych zakażeniem wirusem różyczki jest szczególnie wysokie. Ponad połowa dzieci, których matki chorowały na tę chorobę w pierwszym trymestrze ciąży, przychodzi na świat z różnego rodzaju uszkodzeniami. W drugim trymestrze wskaźnik ten wynosi 25, a w trzecim trymestrze 15%.

Nowsze badania wykazują, że u dziecka, którego matka zetknęła się po raz pierwszy z różyczką w czwartym miesiącu ciąży, prawie wcale nie dochodzi do trwałych uszkodzeń. Mogą wystąpić jednak przejściowe zaburzenia rozwoju i wzrostu płodu.

Jeżeli w czasie ciąży masz kontakt z różyczką i nie wiesz, czy istnieje ryzyko zakażenia, powinnaś natychmiast oznaczyć w laboratorium miano przeciwciał przeciwko wirusowi tej choroby. W przypadku braku odpowiednich przeciwciał powinnaś najpóźniej cztery dni po kontakcie otrzymać zastrzyk immunoglobulin odpornościowych (są to gotowe przeciwciała przeciwko wirusowi różyczki). Zakażenie różyczką w pierwszym trymestrze ciąży jest uważane za lekarskie wskazanie do przerwania ciąży.

### Odra, świnka, ospa wietrzna

Prawie wszystkie kobiety są uodpornione na wymienione choroby wieku dziecięcego. Mimo to, jeżeli w czasie ciąży miałaś kontakt z którąkolwiek z nich, powinnaś oznaczyć w laboratorium miano odpowiednich przeciwciał. W przypadku ich braku lekarz powinien podać preparaty właściwej immunoglobuliny (→ Szczepienia, s. 634 i 635).

### Toksoplazmoza

Toksoplazmoza jest bardzo rzadką chorobą zakaźną przenoszoną głównie przez surowe mięso.

Badania wykazały, że niebezpieczeństwo uszkodzenia płodu w przebiegu tej choroby jest znacznie mniejsze niż dawniej przypuszczano. W Austrii badania w kierunku toksoplazmozy są obowiązkowe w przypadku każdej ciąży.

## Promienie rentgenowskie

To, czy promienie rentgenowskie zaszkodziły dziecku, zależy od okresu ciąży, rodzaju promieniowania, natężenia dawki oraz stanu zdrowia matki. Jest bardzo prawdopodobne, że jeżeli do uszkodzenia płodu doszło pomiędzy pierwszym a dwudziestym dniem ciąży, dochodzi do jego obumarcia i w następstwie do poronienia. Jeżeli w czasie ciąży zostałaś naświetlona promieniami rentgenowskimi, powinnaś zasięgnąć porady u doświadczonego specjalisty od promieniowania rentgenowskiego (→ Badanie rentgenowskie, s. 608).

### Substancje szkodliwe

Wszystkie substancje zmniejszające zdolność zapłodnienia (→ s. 524) mogą zaburzać również rozwój płodu. Skutki są zbliżone do palenia tytoniu w czasie ciąży (→ powyżej). Dowiedziono, że małe dawki PCB i ołowiu zaburzają rozwój mózgu dziecka. Skutkiem mogą być obniżona inteligencja, upośledzona zdolność koncentracji uwagi i nadaktywność. Co do innych metali ciężkich i chlorowanych węglowodorów istnieją podobne podejrzenia.

## Zatrucie ciążowe (EPH gestoza, stan przedrzucawkowy)

Przyczyny zatrucia ciążowego są niewyjaśnione. Wiadomo tylko, że częściej chorują kobiety w czasie pierwszej ciąży oraz kobiety będące w trudnych warunkach życiowych. Każde zatrucie ciążowe należy jak najszybciej leczyć, gdyż zagraża zarówno dziecku, jak i matce. Z powodu zmniejszonego przepływu krwi przez łożysko płód nie otrzymuje dostatecznych ilości tlenu.

### Najważniejsze objawy
— podwyższone ciśnienie tętnicze krwi (ponad 135/85),
— obrzęki podudzi, stóp, rąk i twarzy,
— białkomocz przemawia za zatruciem ciążowym dopiero w obecności dwóch podanych wyżej objawów,
— nagły, dość duży przybór masy ciała.

### Leczenie
Jeżeli choroba rozpoznana jest odpowiednio wcześnie, często wystarcza sam odpoczynek i odciążenie od wszelkich zajęć. Zalecane w wielu szpitalach bezwzględne pozostawanie w łóżku jest sprawą sporną. Wymuszone leżenie w ciągu całego dnia często doprowadza do bezsenności nocą.

Nieustępujące pod wpływem leżenia zatrucie ciążowe — szczególnie w przypadku narastania dolegliwości — musi być leczone w szpitalu. Zalecana w takich sytuacjach dieta bezsolna może nie wystarczyć. W pewnych sytuacjach należy stosować leki obniżające ciśnienie tętnicze krwi oraz preparaty magnezu. W ciężkich przypadkach dla ratowania dziecka i matki konieczne jest wcześniejsze rozwiązanie ciąży za pomocą cesarskiego cięcia. Po urodzeniu dziecka objawy zatrucia ciążowego ustępują.

## Poronienie

W Polsce lekarze mówią o poronieniu, gdy ciąża ulega rozwiązaniu przed szesnastym tygodniem. Rozwiązanie ciąży między siedemnastym a dwudziestym czwartym tygodniem określane jest jako poród niewczesny, a między dwudziestym piątym a trzydziestym siódmym jako poród przedwczesny.

Zagrażające poronienie sygnalizowane jest bólami w podbrzuszu oraz plamieniami z dróg rodnych. Czasami możesz zapobiec poronieniu, leżąc w łóżku.

Celowość leczenia hormonami we wczesnym okresie ciąży oraz w trzecim trymestrze jest sprawą sporną. Wiele przeprowadzonych badań wskazuje, że wyniki leczenia bez zastosowania tych środków są podobne. Utrata płodu w pierwszych trzech miesiącach ciąży często jest równoznaczna z tym, że nie był on zdolny do życia.

Najczęstszymi przyczynami poronienia są choroby zakaźne (głównie wirusowe), uszkodzenia spowodowane zanieczyszczeniami środowiska (np. metale ciężkie), różne choroby ogólnoustrojowe (np. choroby immunologiczne, choroby nerek, cukrzyca). Tylko w nielicznych przypadkach istnieje niebezpieczeństwo nawracających poronień spowodowane niedoborami hormonalnymi u matki. Istnieją sprzeczne doniesienia na temat psychicznych przyczyn poronień. W sytuacji, gdy nie można już zahamować poronienia, występuje silne krwawienie i skurcze

w jamie brzusznej oraz podbrzuszu. W wielu przypadkach konieczna staje się kontrola i oczyszczenie jamy macicy.

Podjęcie współżycia płciowego po poronieniu jest możliwe, gdy masz na to ochotę. Z medycznego punktu widzenia możesz po normalizacji miesiączek natychmiast planować nową ciążę. Pamiętaj jednak, że nie można bólu po utracie dziecka łagodzić następnym. W takiej sytuacji lepiej odczekać jakiś czas.

## Poród przedwczesny

O porodzie przedwczesnym mówi się wówczas, gdy noworodek waży mniej niż 2500 gramów lub poród nastąpił przed trzydziestym siódmym tygodniem ciąży. Spowodowany może być szeregiem różnych czynników. Należą do nich: palenie papierosów, alkohol, obciążenia środowiskowe, ciężka praca, stres, uświadamiana lub nieuświadamiana niechęć do „przyjęcia" dziecka, trudna sytuacja rodzinna.

Jeżeli stwierdzisz alarmujące sygnały ze strony organizmu, w wielu przypadkach możesz zapobiec wystąpieniu porodu przedwczesnego. Powinnaś się zgłosić do lekarza w razie stwierdzenia następujących objawów:
— gdy w nocy musisz oddawać mocz częściej niż dwa razy, a nie chorujesz na zapalenie pęcherza ani na nerwicę;
— jeżeli nie możesz zasnąć wieczorem (nawet jeżeli jesteś zmęczona) lub budzisz się często w nocy, to może być sygnałem, że nie jesteś w stanie donosić ciąży;
— jeżeli kilka razy w ciągu dnia występują skurcze macicy trwające 30-60 sekund i powtarzają się częściej niż trzy razy na godzinę, jest to poważny sygnał alarmowy; te skurcze są najczęściej niebolesne i dają o sobie znać zauważalnym stwardnieniem powłok brzusznych.

Istnieje wiele badań wskazujących, że u kobiet uczestniczących w kursach przygotowujących do porodu, szczególnie uwzględniających zaspokajanie potrzeb psychicznych, porody przedwczesne występują znacznie rzadziej niż w pozostałej populacji.

### Medyczne środki zapobiegawcze

*Lekarstwa*

Lekarze często przepisują leki hamujące bóle porodowe, mimo że ich stosowanie jest kwestią sporną. Duże, przeprowadzone w Irlandii badania obejmujące sto cztery tysiące porodów wykazały, że rezygnacja ze środków hamujących skurcze porodowe nie spowodowała częstszego występowania porodów przedwczesnych. Jest to informacja istotna ze względu na to, że leki wywołują szereg działań ubocznych. Mogą uszkodzić serce dziecka, a u matki doprowadzić do nagłego obniżenia ciśnienia tętniczego, potów, drżenia mięśni i poczucia lęku.

W nagłych przypadkach, kiedy ze względu na zagrażające pęknięcie macicy istnieje konieczność zyskania na czasie, podanie leków hamujących bóle porodowe jest w pełni uzasadnione.

*Zamknięcie szyjki macicy*

Najczęściej stosowaną metodą jest tzw. szew okrężny założony poprzez błonę śluzową części pochwowej szyjki macicy. Takie rozwiązanie jest stosowane tylko w sytuacjach rzeczywistej niewydolności ujścia macicy, spowodowanej wielokrotnymi poronieniami, zmianami chorobowymi (→ Mięśniaki, s. 485) lub zabiegami operacyjnymi.

Alternatywnym postępowaniem jest nieoperacyjne umieszczenie specjalnego gumowego krążka (*pessarium*). Zamknięcie ujścia macicy w sytuacji w pełni rozwiniętych bólów porodowych jest postępowaniem niewłaściwym.

## Ciąża wysokiego ryzyka

Określenie „ciąża wysokiego ryzyka" jest nadużywane. Lekarze zwracają szczególną uwagę na możliwość wystąpienia powikłań w czasie ciąży. Lektura możliwych zagrożeń, jakie niesie ten stan sprawia, że „normalna" ciąża wydaje się tak rzadka, że niemal wyjątkowa. Takie właśnie odczucie może mieć kobieta, której lekarz próbuje wyjaśnić wszystkie możliwe przyczyny zwiększonego ryzyka.

Typowymi przykładami takiego niepotrzebnego stresowania są pojęcia: stara pierworódka, zbyt młoda ciężarna, ciąża mnoga, położenie pośladkowe i ujemny czynnik Rh. Ciąża „prawdziwie" wysokiego ryzyka jest rzadka. Ogranicza się ona do przypadków:

— zakończenia poprzedniej ciąży urodzeniem martwego dziecka lub porodem przedwczesnym,
— zagrażającego porodu przedwczesnego,
— podejrzenia upośledzonego rozwoju płodu,
— chorób ogólnoustrojowych (cukrzyca, niewydolność nerek itd.),
— problemów psychicznych (np. nadmierny lęk).

## Przygotowanie do porodu

Ukierunkowane przygotowania do porodu rozpocznij najlepiej już od siódmego miesiąca ciąży. O tym, jak ważne jest odpowiednie przygotowanie do porodu, świadczą następujące dane: wśród „absolwentek" szkół rodzenia znacznie rzadziej dochodzi do porodu przedwczesnego, do urodzenia martwego płodu lub zgonu noworodka. Rzadziej dochodzi do zatrucia ciążowego, a sam poród trwa wyraźnie krócej. Poza tym kobiety te wymagają mniej środków przeciwbólowych oraz rzadziej pomocy instrumentalnej (kleszcze, wyciąg próżniowy, cesarskie cięcie). Nie jest ważne, jaką metodę przygotowania do porodu wybierzesz. Nie musisz również niewolniczo trzymać się jednego, raz wybranego sposobu. Ważne jest, aby dobrze poznać własne ciało i potrzeby. Dobrze przeprowadzony kurs powinien zagwarantować następujące umiejętności i umożliwić:

### Odprężenie
Specjalne ćwiczenia odprężające mogą cię nauczyć umiejętności właściwego odpoczynku w przerwach między bólami porodowymi. Takie ćwiczenia są pomocne już w czasie ciąży, kiedy masz trudności z zasypianiem.

### Oddychanie
Właściwy sposób oddychania pomaga usunąć lęk, napięcie i ból.

**Lektura uzupełniająca**
KELLER L.: *Gimnastyka dla kobiet w ciąży*. Inter-Art, Warszawa 1995.
MARTIUS G.: *Będę matką: ciąża i poród. Przewodnik dla przyszłych rodziców*. PZWL, Warszawa 1997.
*Sztuka rodzenia — przygotowanie do naturalnego porodu*. Kaseta wideo Fundacji Lekarzy Polskich „Pro Medica", Warszawa, ul. Miodowa 1, tel. (0-22)26-15-17; 26-09-32.

### Gimnastyka
Poprzez ćwiczenia gimnastyczne uczysz się rozluźniać miednicę i stawy oraz przygotowujesz swoje ciało na duży wysiłek, jakim jest poród.

### Rozmowy
W grupie osób przygotowujących się do porodu można uzyskać odpowiedź na wiele pytań, podzielić się obawami, rozwiązywać razem pojawiające się problemy. Szczególnie pomocna może okazać się wymiana doświadczeń z osobami, które już mają dzieci.

# PORÓD

Urodzenie dziecka jest przeżyciem, którego powinnaś doświadczyć tak, jak sobie tego życzysz. W obecności partnera lub bez niego, bez lub z pomocą środków medycznych — sama powinnaś zadecydować, gdzie i jak masz urodzić dziecko. Oczywiście pod warunkiem że potrafisz skutecznie przedstawić i obronić swoje życzenia.

Ważne jest, byś się dostatecznie wcześnie poinformowała i wiedziała, czego chcesz. Trudno jest zrealizować swoje życzenia dopiero z chwilą rozpoczęcia bólów porodowych.

## Gdzie powinno się urodzić dziecko?

Dla przyjścia na świat dziecka najlepsze i najbezpieczniejsze jest takie miejsce, w którym ty, jako matka, czujesz się najlepiej. O tym, czy jest to szpital, klinika, izba porodowa czy własny dom, powinnaś zadecydować sama (ewentualnie z partnerem). Istnieje niewiele ograniczeń, które nie pozwalają na wolny wybór (→ Poród wysokiego ryzyka, s. 547).

### Poród w szpitalu
Najczęściej poród odbywa się w szpitalu. Powinnaś zaznajomić się z oddziałem, zanim zdecydujesz się na jego wybór. Nie krępuj się zapytać o wszystko, co uważasz za istotne. Pomimo że znajdujesz się w miejscu, gdzie przychodzą na świat setki i tysiące dzieci, dla ciebie jest to przecież jednorazowe i niepowtarzalne wydarzenie.

### Poród w warunkach ambulatoryjnych
Kobiety, które chciałyby rodzić w domu, ale którym sama obecność lekarza i możliwość jego interwencji poprawiają samopoczucie, mogą się zdecydować na poród w warunkach ambulatoryjnych. W Polsce jest to możliwe tylko w tzw. izbach poro-

dowych lub coraz częściej w prywatnych „klinikach" porodowych. Zaletą takiego sposobu rodzenia jest fakt, że w przypadku braku powikłań (ze strony matki i dziecka) możesz bardzo szybko (w trzy do pięciu godzin po porodzie) wrócić do domu.

Jeżeli nie masz możliwości odbycia porodu w warunkach ambulatoryjnych i w związku z tym rodzisz w szpitalu, masz prawo (jeżeli wszystko jest w porządku) poprosić (pisemnie!) o jak najszybsze wypisanie do domu. Czynisz to oczywiście na własną odpowiedzialność. W takim przypadku w domu musisz skorzystać z pomocy i stałej opieki położnej.

### Poród w domu

Poród w domu niesłusznie uważa się za niebezpieczny. W Holandii jedna trzecia dzieci rodzi się w domu. W Niemczech tylko jedno na sto rodzi się w najbliższym otoczeniu rodziny. Dobrze przygotowany poród w domu jest tak samo wart polecenia jak każdy inny, jeżeli kobieta decydująca się na niego przestrzega kilku ważnych reguł:

— poród może się odbyć w domu, jeżeli jesteś całkowicie zdrowa i nie należy oczekiwać żadnych powikłań porodowych (→ Ciąża wysokiego ryzyka, s. 540);
— musisz być pewna swojej decyzji;
— dobrze się przygotujesz do porodu;
— zapewnisz sobie pomoc położnej, która będzie się tobą opiekować nie tylko w czasie porodu, ale także przez dalsze dziesięć dni. Musi to być osoba, której możesz zaufać;
— transport do najbliższego szpitala nie może trwać dłużej niż dwadzieścia minut.

### Osoby towarzyszące przy porodzie

W naszym kręgu kulturowym poród był kiedyś dużym świątecznym wydarzeniem, na które zapraszano przyjaciół i sąsiadów. Obecnie, w warunkach szpitalnych, obecność więcej niż jednej osoby towarzyszącej jest niemożliwa. Zwykle jest to ojciec dziecka.

Rozważ dokładnie, kogo chciałabyś mieć przy sobie w czasie porodu i nie pozwól nikomu wpływać na tę decyzję. Może się bowiem zdarzyć, że obecność konkretnej osoby będzie dla ciebie dodatkowym obciążeniem, zwiększającym napięcie i tym samym czynnikiem utrudniającym poród. To samo dotyczy lekarza i położnej. Postaraj się wcześniej ustalić, które osoby będą przy porodzie. Idealnie byłoby, gdybyś poznała wcześniej zarówno lekarza, jak i położną.

Niestety, w warunkach szpitala (szczególnie dużego) jest to prawie niemożliwe.

### Przebieg porodu

#### Pierwszy okres porodu

Początek porodu daje znać o sobie poprzez bóle parte w okolicy lędźwiowej. Te pierwsze oznaki mogą się wycofać lub powtarzać w ciągu następnych godzin lub dni.

W kolejnym okresie górne i boczne mięśnie macicy coraz regularniej uciskają na dziecko i przesuwają je w kierunku ujścia macicy. Jak długo odstępy między skurczami macicy wynoszą

### Pytania dotyczące wyboru szpitala

— Czy istnieje poradnia dla ciężarnych oraz szkoła rodzenia?
— Czy przy porodzie może asystować osoba towarzysząca (mąż, przyjaciółka, dzieci itd.)?
— Ile położnych pracuje na sali porodowej? Ideałem jest jedna położna na każdą ciężarną.
— Czy można sprowadzić do szpitala własną położną?
— Czy będziesz mogła rodzić w wybranej przez siebie pozycji i w sposób, jaki ci odpowiada? (→ Naturalne sposoby ułatwiania porodu, s. 544).
— Jaka będzie kontrola porodu? (→ s. 544).
— Które z rutynowych czynności będą stosowane, np. golenie sromu, kroplówka prowokująca skurcze, nacięcie krocza itd.? (→ Rutynowe postępowanie w czasie porodu, s. 544).
— Czy rutynowo stosowane są leki uśmierzające ból?
— Jakie są wskazania do cesarskiego cięcia? (→ s. 546).
— Co dzieje się z dzieckiem bezpośrednio po porodzie? (→ Pierwsze godziny, s. 543).
— Czy stosuje się metodę „rooming-in"? (→ „Rooming-in" s. 548).
— Jak bardzo trzeba zabiegać o karmienie własnego dziecka? (→ Karmienie piersią, s. 549).
— Czy istnieje wspólny oddział noworodkowy lub do jakiego szpitala odwozi się dziecko w nagłych przypadkach?
— Czy możesz zobaczyć statystykę wykonywanych w tym szpitalu nacięć krocza, cesarskiego cięcia lub użycia kleszczy albo wyciągacza próżniowego?

dziesięć do dwudziestu minut i czujesz się dobrze, możesz pozostać w domu. Odprężenie w znanym ci otoczeniu może skrócić czas otwarcia ujścia macicy. Trudno dokładnie przewidzieć, ile czasu twoje dziecko będzie potrzebowało do utorowania sobie drogi. Niekiedy wystarczy sześć godzin; przy pierwszym dziecku może to trwać nawet szesnaście godzin, aż ujście macicy będzie gotowe do porodu. Jeżeli oczekujesz pierwszego dziecka, nie obawiaj się, że za późno udajesz się do szpitala. Doświadczenie wskazuje, że do porodu masz jeszcze przynajmniej trzy do czterech godzin.

Jedź do szpitala lub zawiadom lekarza i/lub położną, jeżeli:
— Skurcze porodowe występują co dwie do pięciu minut.
— Pękł pęcherz płodowy i „odeszły" wody płodowe. Wtedy powinnaś natychmiast się położyć (nie myć się i nie ubierać się!), a w przypadku kiedy nie planujesz porodu w domu, powinnaś natychmiast zostać odwieziona do szpitala, w pozycji leżącej. Może się zdarzyć, że w czasie „spłynięcia" wód płodowych sznur pępowinowy zostanie wciągnięty do pochwy. Wówczas istnieje niebezpieczeństwo uciśnięcia głowy (szyi) dziecka i w konsekwencji przerwania dopływu tlenu i innych środków odżywczych przez żyłę pępowinową; wolno ci wstać dopiero wówczas, gdy lekarz po wykonaniu niezbędnych badań stwierdzi, że sznur pępowinowy nie wypadł, a głowa dziecka „uszczelnia" pochwę.
— Pojawiają się nieokreślone i niejasne bóle, powtarzające się

## Pozycja w czasie porodu

„Najgłupsza pozycja kobiety rodzącej, zaraz po staniu na głowie, to leżenie na plecach"
Ujemne strony takiego ułożenia:

— poród trwa dłużej, ponieważ główka dziecka nie uciska wystarczająco mocno ujścia macicy;

— skurcze porodowe są mniej skuteczne i bardziej bolesne;

— ciężka macica uciska na duże naczynia; prowadzi to do zaburzeń krążenia krwi u matki i upośledza dostarczanie tlenu dla płodu.

Z wymienionych powodów lepsza jest każda z pozostałych dowolnie przez ciebie wybranych pozycji. Obojętnie, czy chcesz stać, siedzieć, klęczeć lub kucać — wszystko, co pomaga główce dziecka w parciu w dół i otwarciu ujścia macicy — przyspiesza poród.

Kucanie z pomocą

Poród na stojąco

Poród w pozycji półsiedzącej

Pozycja kolankowo-łokciowa

Siedzenie z pomocą

i zanikające, jednak bez regularności cechującej bóle porodowe.

— Występują krwawienia spowodowane innymi czynnikami niż rozpuszczanie śluzowego czopu zamykającego macicę. Normalnie taki „korek" jest brązowawy i galaretowaty.

### Okres przejściowy

Tak nazywa się okres porodu zaczynający się pełnym otwarciem szyjki macicy. Głowa dziecka zsuwa się powoli coraz niżej, najczęściej wtedy pęka pęcherz płodowy. Ten zwykle krótki okres jest przez większość kobiet odbierany jako nieprzyjemny. Bóle porodowe są gwałtowne, pojawiają się w krótkich odstępach.

Ucisk na odbytnicę wywołuje odruch parcia, mimo że główka dziecka nie jest jeszcze położona we właściwej dla porodu pozycji.

### Ostatni okres porodu

Od wielu dziesiątków lat instruowano kobiety, aby nabierały głęboko powietrza i próbowały z całej siły wyprzeć dziecko. Najczęściej lepiej jest, jeżeli sama odkryjesz swój własny rytm. Okazuje się, że u kobiet, którym nie narzuca się określonej techniki postępowania, okresy parcia są krótsze, natomiast przerwy między nimi dłuższe niż u postępujących „pod dyktando" prowadzącego poród. W czasie przerw matka i dziecko wypoczywają, a dla dziecka jest to dodatkowa możliwość lepszego zaopatrzenia w tlen. W wielu szpitalach jeszcze ciągle stosowane ułożenie na plecach skutecznie utrudnia działanie naturalnych sił parcia.

Bezpośrednio po urodzeniu dziecka następują jeszcze skurcze macicy w celu wydalenia łożyska. Dopóki nie pojawi się krwawienie z macicy, nie ma znaczenia, czy łożysko „urodzi się" po piętnastu minutach czy po godzinie.

## Odpępnienie

W wielu szpitalach praktykuje się jeszcze przecinanie sznura pępowinowego zdrowego dziecka jak najszybciej po porodzie. Nie istnieje żadne medyczne wytłumaczenie takiego postępowania. Przeciwnie, dla dziecka jest znacznie lepiej, aby nie doprowadzać do równoczesnego występowania dwóch ogromnych wstrząsów, jakich musi doświadczyć: zmiany środowiska zewnętrznego (sam poród) i zmiany sposobu zaopatrywania tkanek w tlen (odcięcie pępowiny). Szczególnie ważne jest to dla dzieci urodzonych w złym stanie (np. wcześniaków).

Zasygnalizowana sprawa wymaga przestawienia sposobu myślenia i pokonania szpitalnej rutyny. Dotychczasowe postępowanie polega na jak najszybszym odcięciu pępowiny i przeniesieniu dziecka do tzw. inkubatorów. Byłoby lepiej, aby wszystkie potrzebne urządzenia techniczne przynieść do nieodpępnionych noworodków. Istotne jest przy tym, aby dla ułatwienia właściwego przepływu krwi dziecko leżało niżej niż łożysko. Natychmiastowe odcięcie pępowiny jest konieczne tylko w przypadku występowania niektórych bardzo rzadkich chorób krwi oraz w razie niezgodności czynnika Rh.

## Pierwsze godziny po porodzie

Niestety, dość jeszcze rozpowszechnionym, złym zwyczajem jest utrudnianie pierwszego kontaktu matki (ojca) z dzieckiem. Z trudem przychodzi pokonanie szpitalnej rutyny. Chociaż od dawna znane jest znaczenie pierwszego kontaktu („związania" — ang. bonding) dla psychicznego rozwoju dziecka i jego późniejszych związków z rodzicami, w dalszym ciągu za ważniejsze uważa się takie rutynowe czynności, jak ważenie i mierzenie oraz inne badania sprawdzające, czy noworodek odpowiada standardom.

Nie ma żadnego powodu, aby zdrowe dziecko po porodzie oddzielać od rodziców. Wszystkie badania potrzebne do określe-nia tzw. skali Apgar, czyli wyglądu, oddychania, częstości akcji serca, odruchów i siły mięśniowej, można wykonać, pozostawiając dziecko na brzuchu matki.

Zdrowy noworodek może być, bez żadnego uszczerbku, zbadany przez pediatrę kilka godzin później. Nie zgadzaj się na szybką kąpiel dziecka i jego „ubranie". Twoja skóra jest najlepszym „dawcą" ciepła dla dziecka. Wszystko, czego wam potrzeba, to jakieś przykrycie. Możesz położyć dziecko na swoim brzuchu lub piersi. Noworodek uczy się natychmiast ssać, a pokarm, który pojawia się po porodzie, jest szczególnie pożywny. Może ojciec dziecka chciałby je wykąpać? Jest to dla niego znakomita okazja do nawiązania pierwszego kontaktu z dzieckiem. Staraj się wybierać taki szpital, w którym możliwy jest pełny kontakt z dzieckiem.

## Położenie płodu w czasie porodu

W pierwszych miesiącach ciąży płód jest w stanie swobodnie się poruszać. Stopniowo jednak jama macicy staje się coraz ciaśniejsza. Około trzydziestego drugiego tygodnia ciąży 90% wszystkich dzieci przyjmuje swoją wyjściową pozycję do porodu. Pozostałe 10% „zastanawia się" jeszcze do trzydziestego siódmego tygodnia, w jaki sposób przyjść na świat. W pojedynczych przypadkach możliwa jest zmiana pozycji na krótko przed porodem, lub trzeba ją ustalić za pomocą specjalnych technik.

### Położenie główkowe

Około 94% wszystkich noworodków rodzi się „głową do przodu". Najlepiej jest dla matki i dziecka, jeżeli głowa może torować drogę całej reszcie, rozciągając w ten sposób pochwę.

### Położenie pośladkowe (miednicowe)

Lęk wielu kobiet (i lekarzy) przed położeniem pośladkowym jest uwarunkowany między innymi przyczynami historycznymi.

Zwiększenie ryzyka dla matki i dziecka z powodu położenia pośladkowego jest bardzo niewielkie. Z powodów anatomicznych poród jest najczęściej dłuższy. Wykonywane często „dla pewności" cesarskie cięcie jest postępowaniem niewłaściwym. Zabieg ten powoduje zmniejszenie ryzyka dla dziecka tyl-

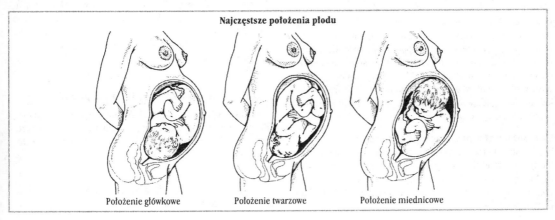

**Najczęstsze położenia płodu**

| Położenie główkowe | Położenie twarzowe | Położenie miednicowe |

ko w dokładnie określonych przypadkach (→ Cesarskie cięcie, s. 546). Czasami udaje się „obrócić" dziecko. Nie wolno jednak tego robić bez wyraźnych instrukcji lekarza lub położnej.

### „Most indyjski"
Dwa razy dziennie, w ciągu dziesięciu minut, układa się brzuch i miednicę w pozycji około 25-30 cm wyżej niż reszta ciała. Głowa i kończyny dolne powinny możliwie swobodnie zwisać w dół.

Ściana jamy brzusznej staje się wówczas mocno napięta. Jest to pozycja nieprzyjemna i dla matki, i dla dziecka.

Niektóre dzieci, szukając wygodniejszej pozycji, dokonują „żądanej" zmiany położenia.

### „Łagodny obrót"
Jest to nowa metoda prowadząca do wykonania przez płód pożądanego obrotu. Czasami kobieta w ciąży znajduje się w stanie znacznego napięcia fizycznego i/lub psychicznego, uniemożliwiającego dziecku wykonanie obrotu. Masaże, odpowiednie ćwiczenia i odprężenie powinny ułatwić ruchy dziecka, stwarzając możliwość odpowiedniego ustawienia główki.

### „Obrót zewnętrzny"
Lekarz próbuje dokonać obrotu płodu obiema rękami, działając wyłącznie na zewnątrz powłok brzucha. Taka próba jest nieco ryzykowna (szczególnie gdy pępowina jest zbyt krótka) i musi być wykonywana przez doświadczonego lekarza bardzo ostrożnie.

### Położenie poprzeczne
Jedynie 0,5% wszystkich dzieci w okresie tuż przed terminem porodu znajduje się w pozycji poprzecznej. W takiej sytuacji możliwy jest jedynie poród przez cesarskie cięcie. Podobnie jak w przypadku położenia pośladkowego lekarz lub położna może próbować dokonać obrotu płodu.

## Kontrola porodu
Słowo „kontrola" sugeruje: należy kontrolować pewien niebezpieczny proces. Wiele działań podejmowanych dzisiaj na sali porodowej jest następstwem owej kontroli prowadzącej często do wykonywania czynności zbędnych, a nawet niewłaściwych.

### Kardiotokograf — zapis tonów serca płodu
W wielu szpitalach stosuje się rutynowo stałe monitorowanie tonów serca płodu za pomocą specjalnych urządzeń elektronicznych, pomimo że nie ma dowodu na pozytywny wpływ takiego postępowania na przebieg i wynik porodu. Jedynym wymiernym rezultatem elektronicznej obserwacji jest częstsze wykonywanie cesarskiego cięcia, użycie kleszczy lub wyciągacza próżniowego. Wydaje się, że omawiana metoda powinna być zarezerwowana jedynie dla wyjątkowych przypadków, kiedy istnieje rzeczywiste zagrożenie dla dziecka.

### Ultrasonograf z przystawką dopplerowską
W przypadku porodu „naturalnego", w którym zostawia się kobiecie jak najwięcej swobody w wyborze pozycji, a kontrolę elektroniczną zastępuje się optymalną opieką, lekarz lub położna często używają przenośnego aparatu ultrasonograficznego, który pomaga w ocenie tętna płodu.

### Słuchawka (stetoskop)
Używana od dawna słuchawka znowu „wraca do łask". Zgodnie z zaleceniem WHO w przypadku „normalnego" porodu należy kontrolować tętno płodu raczej za pomocą drewnianej słuchawki, a nie poprzez aparaturę elektroniczną. Na podstawie obserwacji trzynastu tysięcy porodów, z których połowa prowadzona była w sposób tradycyjny, natomiast druga za pomocą aparatury elektronicznej, nie wykazano różnic w skuteczności obu metod. Słuchawka ma natomiast tę przewagę, że pozwala na uniknięcie działania fal ultradźwiękowych, będących podstawą kardiotokografu i ultrasonografu.

## Rutynowe postępowanie w czasie porodu
W czasie porodu lekarz lub/i położna podejmuje różne środki w celu jego ułatwienia. Nie wszystkie one muszą być w każdym przypadku stosowane.

### Golenie okolicy łonowej
W większości szpitali przed porodem wygala się wzgórek łonowy kobiety. Nie ma jednak medycznego uzasadnienia dla takiego postępowania. Argument, że w czasie szycia krocza włosy mogą zanieczyścić ranę, powodując zakażenie, jest bezzasadny.

### Wlew czyszczący
Wlew przeczyszczający jelita lub czopki należą do tych środków przygotowawczych, które nie są niezbędne. Rzeczywiście, oddanie stolca w czasie porodu może stanowić pewien problem dla lekarza lub położnej, nie jest to jednak problem medyczny, czy nawet higieniczny.

### Jedzenie i picie (dieta)
Najczęściej od momentu wystąpienia bólów porodowych zabrania się kobiecie przyjmowania pokarmów i płynów. Uzasadnieniem jest „możliwość użycia narkozy". Ponieważ jednak ponad 90% kobiet nie wymaga żadnej ingerencji chirurgicznej, nie ma potrzeby stosowania rutynowo ścisłej diety. Wskazane są nawet lekko strawne posiłki (zupa, bułka), szczególnie, jeżeli poród się przedłuża.

W niektórych szpitalach kobiety otrzymują „zastępczo" kroplówkę z glukozą. 10-procentowy roztwór glukozy uzupełnia co prawda zapas kalorii, ale w przypadku prawidłowego porodu nie jest najszczęśliwszym rozwiązaniem. Kroplówka utrudnia bowiem swobodne poruszanie się i może wyzwolić poczucie choroby.

## Naturalne sposoby ułatwiania porodu
Powinnaś wiedzieć, że kobiety, które same wybierają najlepszą dla siebie pozycję porodu, nie potrzebują tylu środków przeciwbólowych i rzadziej konieczna jest u nich interwencja chirurgiczna.

### Ruch
Jeżeli masz ochotę na przykład chodzić dookoła, nie ma powodu, żeby z tego zrezygnować.

Co więcej, takie aktywne postępowanie przyspiesza i ułatwia poród poprzez ucisk główki dziecka na ujście macicy.

## Zmiany położenia

Ciągłe zmiany różnych pozycji (siedzenie, stanie, kucanie, pozycja „kolankowo-łokciowa", leżenie itd.) dla wielu kobiet zmniejszają niewygody związane z porodem. Zmiany pozycji osłabiają wprawdzie czynność porodową, ale powodują zwiększenie jej skuteczności. W sumie takie postępowanie skraca czas otwarcia szyjki macicy.

## Ciepła kąpiel

W ciepłej kąpieli w sposób istotny zmniejsza się odczuwanie bólu. Mimo to wielu lekarzy opiera się zastosowaniu tej metody odprężenia. Wynika to być może z lęku przed urodzeniem dziecka w wodzie. Takie obawy są nieuzasadnione. Nawet niespodziewany poród pod wodą w niczym dziecku nie zaszkodzi. Noworodek zacznie oddychać dopiero po wyciągnięciu z wody. Nie należy również obawiać się większej podatności na infekcje. W niektórych szpitalach i klinikach przyjmuje się w sposób planowany porody w wodzie. Wstępne doświadczenia są bardzo zachęcające.

## Masaże

Masaże wykonywane przez męża lub inną osobę towarzyszącą przy porodzie znacznie pomagają rodzącej kobiecie. Istnieje kilka łatwych do nauczenia sposobów, które pozwalają na łagodzenie bólów porodowych.

### Masaż okolicy krzyżowej

Nad pośladkami, w odległości kilku centymetrów po obu stronach kręgosłupa, znajdują się dwa małe zagłębienia. Mocny masaż kciukami lub kostkami śródręcza może być odbierany jako przyjemny.

### Masaż stref odruchowych

Ściśle pod żebrami, cztery palce w prawo i w lewo od kręgosłupa, intensywnie masuje się skórę na szerokiej powierzchni aż do jej podrażnienia i zaczerwienienia.

### Masaż brzucha

Łagodzący dla wielu kobiet może być delikatny masaż od śródbrzusza do góry i z powrotem.

### Masaż uda

Ten rodzaj masażu pomaga szczególnie w sytuacji napięcia pochwy. Należy masować wewnętrzną powierzchnię uda w kierunku kolana, najlepiej w rytmie oddechu rodzącej kobiety.

Mogą być także fazy, kiedy prawdopodobnie wcale nie chcesz być dotykana. Niektóre kobiety odczuwają masaż w ostatnim okresie porodu jako nieprzyjemny. Nie wahaj się zwrócić na to uwagę twojemu partnerowi.

## Akupunktura, trening autogenny, joga, hipnoza

Są to łagodne metody mogące ułatwić i usprawnić przebieg porodu. Wszystkie muszą być jednak stosowane przez odpowiednio wyszkolony personel (→ Relaks, s. 664).

## Medyczne środki ułatwiające poród

Prawie wszystkie środki medyczne używane w celu ułatwienia porodu mają ujemne działanie na płód. Mimo to nie można z nich całkowicie zrezygnować.

Jeżeli się bardzo obawiasz porodu lub nie możesz znieść towarzyszącego mu bólu, z czystym sumieniem zdecyduj się na te środki.

### Środki farmakologiczne (lekarstwa)

Wszystkie leki, jakie otrzymujesz w czasie porodu, przechodzą przez łożysko do płodu. Silnie działający przeciwbólowo i rozkurczowo środek — petydyna (np. Dolantin) może osłabić skurcze porodowe i prowadzić do zaburzeń oddychania u noworodka. Bezpośrednio przed porodem nie powinnaś zażywać tego leku, gdyż noworodek potrzebuje około czterech godzin, aby zmetabolizować połowę zwykle stosowanej dawki.

### Metody łagodzenia bólu

Istnieją różne metody „walki" z bólem porodowym. Niektóre sposoby wkraczania w naturalny przebieg porodu są usprawiedliwione, jeżeli ich zaniechanie stanowiłoby większe obciążenie niż samo lekarstwo. Generalnie jednak są one niewskazane. Najboleśniej odczuwany jest moment, w którym dziecko przechodzi przez pochwę i krocze. Odpowiednie postępowanie i skrócenie tej fazy porodu powoduje znaczne złagodzenie dolegliwości.

### Blokada okolicy łonowej

Lekarz wstrzykuje lek znieczulający miejscowo w okolicę guzów kulszowych. Powoduje to przerwanie przewodnictwa czuciowego z zewnętrznych narządów płciowych przez nerw sromowy i w konsekwencji brak odczuwania bólu.

Blokady okolicy łonowej nie powinno się stosować z powodu nacięcia krocza, porodu kleszczowego lub próżniowego. W tych przypadkach tak samo skuteczne jest miejscowe znieczulenie krocza.

### Miejscowe znieczulenie krocza

Lek znieczulający miejscowo wstrzykiwany jest tam, gdzie przewidywane jest nacięcie krocza. Postępowanie takie konieczne jest tylko w celu „przedwczesnego" nacięcia (→ s. 546). Przy tym sposobie znieczulania działania uboczne leku są prawie niespotykane.

### Blokada okołoszyjkowa

Powinnaś unikać szpitali, które jeszcze stosują tę metodę. Z powodu blokady przewodnictwa bólu może dojść do uszkodzenia płodu jeszcze w jamie macicy.

### Gaz rozweselający

Gaz rozweselający wprowadza w stan zbliżony do działania narkotyków i czyni matkę niezdolną do aktywnej współpracy w czasie porodu. Jest to przestarzała metoda, która nie powinna być stosowana.

### „Poród bezbólowy" (znieczulenie nadoponowe)

Pod tą „uwodzicielską" nazwą kryje się metoda niosąca wiele

zagrożeń dla matki i dziecka. Lekarz wstrzykuje środek znieczulający do kanału kręgowego w okolicy krzyżowej, co doprowadza do tego, że cała dolna połowa ciała nie reaguje na ból. Powoduje to istotne następstwa:

— na skutek występującego wówczas spadku ciśnienia tętniczego krwi należy bardzo intensywnie monitorować przebieg porodu (→ Kardiotokograf, s. 544);

— często trzeba podawać środki pobudzające skurcze porodowe (→ s. 548);

— rodząca kobieta nie odczuwa żadnego parcia i w ten sposób zostawia całą „pracę porodową" dziecku; z tego powodu drugi okres porodu (wydalanie) trwa dwa razy dłużej;

— znacznie częściej dochodzi do użycia kleszczy lub wyciągacza próżniowego;

— nierzadkie są wielodniowe bóle głowy oraz okresowe porażenie kończyn dolnych.

Znieczulenie nadoponowe jest usprawiedliwione jedynie wówczas, gdy lęk przed porodem jest nie do pokonania lub jako znieczulenie w przypadku cesarskiego cięcia.

## Zabiegi lekarskie stosowane w czasie porodu

### Przebicie pęcherza płodowego (amniotomia)

Im dłużej pęcherz płodowy pozostaje w całości, tym lepiej. Najczęściej pęka samoistnie, na końcu pierwszego okresu porodu. Wielu przyjmujących poród nie wyczekuje do tego momentu i przebija pęcherz już wtedy, gdy otwarcie ujścia macicy wynosi 5 cm. Powoduje to nasilenie skurczów i przyspieszenie porodu. Następstwem może być pęknięcie ujścia macicy i zwiększenie obciążenia dla główki dziecka. Sztuczne otwarcie pęcherza płodowego jest usprawiedliwione tylko wówczas, gdy poród trwa zbyt długo i matka jest wyczerpana.

Nakłucie pęcherza płodowego w celu sprowokowania skurczów porodowych powinno być traktowane jako ostateczność. Najpierw należy spróbować sprowokować poród innymi metodami (→ s. 548).

### Nacięcie krocza i pochwy

Mimo że z „chirurgicznego" punktu widzenia jest to bardzo mały zabieg, dla kobiety jest obciążający. Jego następstwa odczuwalne są jeszcze przez tygodnie, a nawet miesiące: dolegliwości przy siedzeniu, pieczenie przy oddawaniu moczu, bóle w czasie stosunku płciowego. W wielu szpitalach wykonuje się ten zabieg rutynowo mimo braku wskazań lekarskich. Wbrew dawnym poglądom cięcie nie jest mniejszym złem niż pęknięcie. Cięcie nie goi się lepiej niż pęknięcie. Ciężkie pęknięcie zdarza się bardzo rzadko.

Jeżeli w czasie ciąży będziesz odpowiednio masować krocze, ujście pochwy i wargi sromowe (najlepiej z użyciem oliwy), będą się one łatwiej rozciągać w czasie porodu. Poza tym położna powinna wiedzieć, jak najlepiej należy ochraniać krocze.

Nacięcie krocza i pochwy jest usprawiedliwione, gdy:

— w czasie przedostawania się przez pochwę dziecku grozi niedobór tlenu;

— płód jest niedojrzały i przez to słabszy;

— płód znajduje się w położeniu pośladkowym;

— krocze jest słabo rozciągliwe i można się spodziewać znacznego uszkodzenia pochwy;

— konieczne jest użycie kleszczy lub wyciągacza próżniowego;

— matka nie może lub nie powinna podejmować wysiłku, jakim jest parcie (choroby serca, siatkówki itp.).

*Rodzaje nacięcia krocza i pochwy*

Nacięcie środkowe jest mniej dokuczliwe niż boczne. Powstała rana jest mniejsza i łatwiej się goi. Pomimo to niektórzy lekarze wybierają cięcie boczne, ponieważ niesie mniejsze ryzyko uszkodzenia zwieraczy odbytu. Z medycznego punktu widzenia metoda bocznego nacięcia jest usprawiedliwiona jedynie w przypadku położenia pośladkowego płodu, konieczności użycia kleszczy lub ssaka próżniowego oraz w przypadku zbyt krótkiego krocza.

### Poród kleszczowy i z użyciem wyciągacza próżniowego

W pewnych sytuacjach należy doprowadzić do jak najszybszego zakończenia porodu, z powodu zwolnienia tętna płodu lub gdy matka — z powodu wyczerpania — nie jest zdolna do dalszego parcia.

Zastosowanie pomocy instrumentalnej może być konieczne także w przypadku niesprzyjającego położenia główki dziecka. Wybór metody (kleszczy lub wyciągacza próżniowego) należy do odbierającego poród. Powinien decydować fakt większego doświadczenia w jednej z metod. Z naukowego punktu widzenia nie można rozstrzygnąć, który z tych dwóch sposobów pomocy jest lepszy.

### Cesarskie cięcie

W Niemczech i w Austrii wykonuje się zbyt wiele operacji cesarskiego cięcia. Konieczność przeprowadzenia tego zabiegu uzasadniana jest przez lekarzy dobrem dziecka. W rzeczywistości chodzi często o inne dobro: lekarz chce mieć czyste sumienie, że uczynił wszystko, co było możliwe. W szpitalach, w których lekarzom i położnym starcza cierpliwości, aby wykorzystać inne sposoby pomocy rodzącej kobiecie, wskaźnik cesarskich cięć wynosi 3-5%.

Wykonanie cesarskiego cięcia jest wskazane, gdy:

— dojdzie do nagłego zaniku lub osłabienia tętna płodu, a ujście macicy nie jest całkowicie otwarte;

— położenie płodu uniemożliwia poród drogą naturalną (patologiczne położenie pośladkowe, położenie poprzeczne);

— występuje skojarzenie trzech faktów: kobieta rodzi po raz pierwszy, płód znajduje się w położeniu pośladkowym, a jego masa ciała szacowana jest w USG na więcej niż 3600 g;

— miednica kobiety jest zbyt wąska (sprzężna zewnętrzna mniejsza niż 20 cm). Należy jednak być ostrożnym — zdarza się, że pomiar miednicy jest niedokładny;

— główka płodu jest nieproporcjonalnie duża w porównaniu do miednicy matki;

— skurcze porodowe są słabe i nie zwiększają się pod wpływem środków farmakologicznych;

— łożysko leży w pozycji przodującej;

— doszło do przedwczesnego odklejenia łożyska;

— sznur pępowinowy jest owinięty dookoła głowy dziecka;

— silne skurcze lub przebyte w przeszłości operacje grożą pęknięciem macicy;

— mimo silnych skurczów porodowych nie dochodzi do rozwarcia ujścia macicy.

*Metody cesarskiego cięcia*
Cesarskie cięcie można wykonać, stosując cięcie skóry na brzuchu podłużne lub poprzeczne. Cięcie poprzeczne jest dla matki mniej obciążające, gdyż jest prowadzone na granicy owłosienia łonowego i po zagojeniu staje się prawie niewidoczne. Argument, że w przypadkach nagłego zagrożenia lekarz dla większej pewności powinien wykonać cięcie podłużne, jest dzisiaj nie do przyjęcia. Czas trwania operacji skraca się wówczas o około 30-60 sekund. Cięcie skóry podłużne powinno być wykonywane tylko w wyjątkowych okolicznościach (w przypadku wcześniejszego już cięcia podłużnego, przebytych innych operacji podbrzusza, otyłości).

*Znieczulenie nadoponowe do cesarskiego cięcia*
Znieczulenie nadoponowe jest mniej „agresywną" metodą walki z bólem niż znieczulenie ogólne. Ciągle jeszcze jest używane zbyt rzadko w porównaniu z narkozą ogólną. Jego przewagi nad znieczuleniem ogólnym są następujące:
— stanowi mniejsze obciążenie dla matki i dziecka;
— matka nie „przesypia" pierwszego kontaktu z dzieckiem;
— wywołuje mniejsze „poczucie choroby"; wywołuje mniej powikłań (gorączka, osłabienie, zaparcie), a sam przebieg pooperacyjny jest mniej bolesny.

## Poród wysokiego ryzyka

Określenie „poród wysokiego ryzyka" jest zdecydowanie nadużywane. Każda „ciąża wysokiego ryzyka" może prowadzić do „porodu wysokiego ryzyka" już tylko ze względu na obawy, jakie ze sobą niesie. Odczuwany lęk i napięcie same mogą doprowadzić do powikłań okołoporodowych. Każda rodząca kobieta powinna mieć zapewnioną możliwość dostępu do lekarza w celu ewentualnego wykonania niezbędnego zabiegu w trybie pilnym. W związku z tym można podzielić rodzące na kilka kategorii (ze względu na stopień zagrożeń okołoporodowych). Niektóre kobiety rodzące i ich dzieci powinny być objęte szczególnie uważną kontrolą.

### Poród przedwczesny
Szczególnie ostrożnego prowadzenia porodu wymagają wcześniaki. Należy unikać zbędnych leków, mogących obciążyć dziecko. W tych przypadkach nacięcie krocza i pochwy jest zwykle niezbędne. Należy zadbać o obecność lekarza pediatry i dostęp do stacji intensywnej opieki medycznej dla noworodków.

### Poród bliźniaczy
Ciąża mnoga wymaga zawsze pomocy lekarza i położnej. Trudniejsza jest kontrola tonów serca. Noworodki są najczęściej mniejsze i mniej odporne na czynniki zewnętrzne.

### Konflikt serologiczny — niezgodność w zakresie czynnika Rh
Jeżeli matka ma grupę krwi Rh minus, ważne jest, czy w jej krwi krążą przeciwciała przeciwko czynnikowi Rh. W takim przypadku dziecko wymaga niezwykle troskliwej opieki i transfuzji wymiennej w trybie pilnym.

### Ciężkie choroby matki
Chore kobiety (np. na cukrzycę, choroby serca) powinny być „prowadzone" szczególnie troskliwie, ponieważ poród jest dla nich znacznym obciążeniem.

### Wady rozwojowe
Jeżeli istnieją podejrzenia wady rozwojowej u płodu (na podstawie ultrasonografii, badania wód płodowych), poród powinien się odbyć w wysokospecjalistycznym ośrodku, zapewniającym odpowiednią opiekę dla matki i dziecka. W każdym przypadku należy zapewnić możliwość szybkiego transportu na odpowiedni oddział chirurgii dziecięcej.

### Położenie pośladkowe (miednicowe)
Nie w każdym przypadku położenie pośladkowe stanowi o porodzie wysokiego ryzyka. Badania przeprowadzone na dużej populacji wykazały, że przy przestrzeganiu najważniejszych zasad, poród pośladkowy nie jest niebezpieczny (→ Położenie pośladkowe, s. 543).

## Poród po terminie (ciąża przenoszona)

Ciąża rzeczywiście przenoszona zdarza się rzadko. Według statystyk stanowi ona 2,5-5% wszystkich porodów.

Więcej niż połowa „przenoszonych ciąż" wynika z błędów w obliczeniu terminu porodu. Za podstawę obliczeń przyjmuje się bowiem 28-dniowy cykl płciowy kobiety, zapominając, że w każdym przypadku możliwe są wahania. Prawidłowa ciąża trwa $280 \pm 14$ dni. Światowa Organizacja Zdrowia definiuje „ciążę przenoszoną" jako trwającą dłużej niż 293 dni.

W przypadku prawdziwej ciąży przenoszonej istnieje niebezpieczeństwo niedostatecznego zaopatrzenia dziecka w tlen i składniki odżywcze. Dlatego w przypadku przekroczenia terminu porodu o 10 dni lekarz jest zobowiązany ustalić jednoznacznie, czy nie należy rozpocząć akcji porodowej.

### Wziernikowanie pęcherza płodowego (amnioskopia)
Lekarz wprowadza przez pochwę i ujście macicy metalową „rurkę", przez którą może obserwować wody płodowe. Metoda ta wymaga nieznacznego otwarcia ujścia macicy. Na podstawie koloru wód płodowych lekarz może wnioskować o stanie płodu. Kolor zielonkawy świadczy o niedoborze tlenu. Brak mazi płodowej na skórze dziecka świadczy o przenoszeniu ciąży. Wziernikowanie pęcherza płodowego powinno być powtarzane co dwa dni. Często samo badanie powoduje zainicjowanie porodu.

### Kardiotokograf (zapis tętna płodu)
Kardiotokograficzną metodę zapisu tętna płodu należy i powinno się przeprowadzać co drugi dzień przez pół godziny. W trudnych do oceny przypadkach można zastosować dodatkowo test obciążenia oksytocyną.

# PROWOKACJA PORODU

Jeżeli termin porodu został przekroczony, możesz sama spróbować wywołać skurcze porodowe.

## Naturalne sposoby prowokacji porodu

### Głód i pragnienie
Do niedawna stosowana była stara metoda położnicza prowokacji porodu za pomocą 48-godzinnej ścisłej diety (obecnie już nie praktykowana). W wielu przypadkach skuteczna. Jeżeli wystąpią skurcze porodowe, a stosowałaś tę dietę, koniecznie powinnaś coś zjeść, aby uniknąć zbyt dużego osłabienia.

### Drażnienie brodawek sutkowych
Ta metoda wymaga wiele cierpliwości. Brodawki sutkowe muszą być drażnione kilka razy dziennie za pomocą ssania lub pocierania palcami. Jeżeli po 15-20 minutach drażnienia nie pojawią się skurcze porodowe, powtórz tę próbę następnego dnia.

### Seks
Nasienie mężczyzny zawiera prostaglandyny, które wyzwalają skurcze porodowe. Jeżeli masz ochotę, stosunek płciowy jest bardzo dobrą metodą sprowokowania porodu. Dopóki nie doszło do przebicia pęcherza płodowego, nie ma niebezpieczeństwa infekcji.

### Wlew doodbytniczy
Podrażnienie wywołane wlewem przeczyszczającym może wywołać skurcze porodowe. Działanie takie możesz nasilić ciepłą kąpielą (→ Lewatywa, s. 642).

## Medyczne środki prowokacji porodu

Sztuczna prowokacja porodu jest bardzo agresywną ingerencją w naturę i w każdym przypadku powinna być dobrze uzasadniona.

### „Kroplówka prowokująca"
Jest to najczęstszy sposób prowokacji porodu. Oksytocyna — hormon produkowany przez organizm w czasie spontanicznego porodu — wstrzyknięta do żyły wyzwala skurcze porodowe. Sztucznie wywołane skurcze są silniejsze niż spontaniczne. Mogą wystąpić trudności w obkurczaniu się macicy, co następnie zwiększa ryzyko krwawienia w okresie poporodowym.

### Prostaglandyny
Prostaglandyny są hormonami występującymi w nasieniu mężczyzny i w sposób naturalny wywołują skurcze porodowe. Ich zaletę stanowi równoczesne działanie zwiotczające na ujście macicy. Ujemną stroną jest brak możliwości dokładnego dawkowania (stosuje się je jako żel lub tabletki dopochwowe). W rzadkich przypadkach wyzwalają „burzę skurczową" zmuszającą do użycia środków hamujących skurcze porodowe.

### Przebicie pęcherza płodowego
Instrumentalne przebicie pęcherza płodowego w celu prowokacji porodu należy odrzucić.

### „Poród programowany"
Poród programowany jest ingerencją w naturę. Nie należy go stosować bez wyraźnej medycznej potrzeby. Stosując tę metodę, znasz wprawdzie dokładny termin porodu, ponieważ zostaje on sprowokowany w ustalonym dniu, musisz jednak liczyć się ze zwiększonym ryzykiem powikłań.

Sztuczne prowokowanie porodu jest uzasadnione, gdy:
— Ciąża jest rzeczywiście przenoszona (→ s. 547).
— Wystąpiło zatrucie ciążowe (→ s. 539).
— Łożysko jest niewydolne w zaopatrywaniu płodu w tlen i pokarm. Za pomocą testu obciążenia oksytocyną (stosowaną w zastrzyku) i równoczesnej obserwacji czynności serca dziecka można ocenić stan jego zdrowia. Za pomocą badania ultrasonograficznego nie można dokładnie określić wydolności łożyska. W połowie przypadków metoda ta prowadzi do błędnej oceny.
— Przyszła matka jest wyczerpana fizycznie i psychicznie. Osłabienie i wyczerpanie matki stanowią większe ryzyko porodu niż jego prowokacja.

# STAN PO PORODZIE

Po pierwszych godzinach podniecenia, zapoznania się z dzieckiem, być może także i wyczerpania, zaczyna się dzień powszedni kontaktu z noworodkiem. Wchodzisz w nowy, nieznany etap życia, w którym wszystko „kręci się" wokół dziecka. Nie staraj się za wszelką cenę powielać obrazu promieniującej szczęściem matki. Nie wstydź się ani lęku, ani „otrzeźwienia", ani bezradności — wszystkiego, co przynosi nowa sytuacja. Często możesz odczuwać napięcie sutków, bóle krocza, a także tzw. depresję połogową (spowodowaną kolejnym przestrojeniem hormonalnym organizmu).

Teraz pomoc z zewnątrz jest szczególnie istotna. Staraj się ją uzyskać. Nie stawiaj sobie zbyt dużych wymagań. Możesz spokojnie nawet po południu siedzieć w koszuli nocnej, skoro dzień powszedni z dzieckiem cię bardzo absorbuje.

## „Rooming-in"

Jest to nowa nazwa dawnego postępowania, które przez długi czas niesłusznie było zaniechane: noworodek pozostaje przy matce. Korzyści są oczywiste. Dziecko nie czuje się „osamotnione", płacze mniej niż na sali noworodkowej i może w każdej, dogodnej dla siebie chwili ssać pokarm matki. Równocześnie jednak i ty powinnaś zadbać o swoje potrzeby. Jeżeli potrzebujesz spokoju lub jesteś wyczerpana, możesz z czystym sumieniem zostawić dziecko na sali noworodkowej. (Będąc w domu, możesz je przekazać swojej opiekunce). Obecnie prawie wszystkie szpitale stosują postępowanie „rooming-in". Rzecz jednak w tym, że nie wszyscy rozumieją to samo przez to pojęcie. Najczęściej wyznacza się dokładne zasady, kiedy i jak często możesz zatrzymać dziecko przy sobie. W wielu szpitalach dzieci są zabierane na noc na salę noworodkową. Takie postępowanie nie ma uzasadnienia medycznego. Dziecko spałoby lepiej na twojej piersi. Nie masz możliwości decydowania o wyborze postępowania w danym szpitalu, możesz jednak dążyć do wyboru takiego oddziału położniczego, który będzie najbardziej zbliżony do twoich życzeń.

## Karmienie piersią

Karmienie piersią jest dla noworodka najlepszym pokarmem w pierwszych miesiącach. Mimo to wiele kobiet nie karmi w ogóle lub tylko bardzo krótko, ponieważ mają „zbyt mało" pokarmu. Najczęściej jest to wynik niewłaściwego postępowania w szpitalu lub niedoinformowania o czynności gruczołów sutkowych.

### Jak pracuje gruczoł piersiowy
Lęk i napięcie nerwowe są największymi wrogami zadowalającego układu karmienia pomiędzy matką i niemowlęciem. Zdenerwowanie spowodowane obawą, że będziesz miała za mało mleka, przenosi się nie tylko na niemowlę, lecz także na odruch wydzielania mleka. Jeżeli będziesz przestrzegać następujących wskazówek, nie powinno być problemów:
— Karmienie piersią wymaga cierpliwości i czasu. Stwórz sobie i dziecku wygodną sytuację. Niektóre niemowlęta piją szybko, inne są powolnymi smakoszami. Nie kieruj się przekazanymi regułami.
— Wytwarzanie mleka jest wynikiem równowagi pomiędzy zapotrzebowaniem a podażą. Im wcześniej i częściej w pierwszych dniach będziesz przystawiać niemowlę do sutków, tym lepiej będzie wypływać mleko.
— Niemowlę powinno podczas picia obejmować ustami nie tylko samą brodawkę, lecz także część otoczki, ponieważ brodawki łatwo ulegają zranieniu. Jego nos musi być wolny. Odsuń sutek palcem wskazującym.
— Jeżeli sutek jest zbyt pełny, wymasuj lub odciągnij trochę mleka, żeby niemowlęciu było łatwiej ssać.
— Przystawiaj niemowlę zawsze do obu sutków, żeby wytwarzanie mleka było równomiernie pobudzone.
— Nie pozwól personelowi szpitala podczas pierwszych trzech dni karmić miemowlęcia tylko dlatego, że jeszcze nie masz mleka. Zdrowe niemowlę może się zadowolić niesłodzoną herbatką. Bezkrytycznie dokarmiane niemowlęta są przystawiane do sutków półsyte i są przyzwyczajone do słodkiego pokarmu.
    Nie należy się więc dziwić, że mleko matki już im nie smakuje.

### Problemy związane z karmieniem piersią
Żadna kobieta nie musi karmić piersią. Decyzję o karmieniu naturalnym powinnaś podjąć sama, bez nacisku wyobrażeń o idealnym obrazie matki. Karmienie piersią z oporami ze strony matki bardziej szkodzi dziecku niż karmienie z butelki. Jeżeli jednak karmisz chętnie, istnieje niewiele powodów, dla których musiałabyś z tego zrezygnować.

### Stowarzyszenie na Rzecz Naturalnego Rodzenia i Karmienia
Warszawa, ul. Belwederska 13/7, tel. (0-22) 41-66-06

### Lektura uzupełniająca
KITZINGER S.: *Szkoła rodzenia.* Wojciech Pogonowski, Warszawa 1996.
RENFREW M., FISHER C., ARMS S.: *Piersią najlepiej.* PZWL, Warszawa 1994.
*Sztuka karmienia piersią.* Praca zbiorowa, Media Rodzina, Poznań 1997.

*Zbyt mało pokarmu*
Prawdopodobnie jest to bardziej wynik niedostatecznej stymulacji produkcji mleka niż rzeczywisty niedobór pokarmu. Skorzystaj z porady lekarza lub innych doświadczonych osób.

*Bóle sutka*
Jeżeli odczuwasz bóle w czasie karmienia lub masz wciągnięte brodawki, możesz używać specjalnego „kapturka" sutkowego. Zapalenie sutka nie jest wystarczającą przyczyną przerwania karmienia piersią, dopóki kolor mleka nie stanie się żółtawy lub zielonkawy.

*Substancje toksyczne w mleku*
Mleko matki zawiera więcej substancji toksycznych niż mleko krowie. Mimo to przynajmniej w pierwszych miesiącach jest ono bardziej wartościowe dla dziecka. W każdym razie powinnaś bezwzględnie unikać odchudzania się w okresie karmienia piersią. Substancje szkodliwe są nagromadzone w tkance tłuszczowej. Jeżeli organizm opróżnia komórki tłuszczowe, substancje toksyczne przenikają do zawierającego tłuszcze mleka matki. Jeżeli mieszkasz w szczególnie zanieczyszczonym regionie, możesz spróbować poddać swoje mleko analizie (np. w laboratorium toksykologicznym najbliższego ośrodka akademickiego). Powinnaś wziąć pod uwagę, że picie dużej ilości kawy powoduje pojawienie się w mleku takiej dawki kofeiny, która przeszkadza dziecku w zasypianiu (→ s. 744).

*Choroby matki*
Istnieje niewiele chorób będących przeciwwskazaniem do karmienia piersią. Należy do nich na przykład gruźlica. Jeżeli jednak jesteś bardzo osłabiona przez jakąś chorobę, na przykład po przebyciu ciężkiego zakażenia lub choroby nowotworowej, powinnaś ze względu na własne zdrowie zaniechać karmienia piersią.

*Leki*
Przechodzą do mleka matki. Dowiedz się u lekarza, czy dany lek może szkodzić niemowlęciu.

*Trudności ze strony dziecka*
Jeżeli dziecko jest zbyt słabe lub ma wady rozwojowe ust, wówczas mleko matki ma szczególne znaczenie. Możesz wtedy odciągnąć pokarm i podać go dziecku w butelce.

### Odstawienie od piersi
Nie można określić „właściwego" okresu karmienia piersią. Zależne jest to od woli i możliwości „obu zainteresowanych stron". Doświadczenia kobiet karmiących ponad dziewięć mie-

sięcy wskazują, że po tym okresie trudniejsze jest odzwyczajenie dziecka od ssania brodawki sutkowej. Starsze niemowlę ssie bowiem chętniej niż noworodek. Najlepiej odzwyczajać dziecko stopniowo i przyzwyczajać do karmienia butelką (→ Żywienie dzieci, s. 724).

### Dziecko niekarmione piersią

Nie daj sobie wmówić, że twoje dziecko będzie przez całe życie pokrzywdzone, gdyż było karmione butelką. Największą zaletą karmienia piersią jest poczucie bliskości i bezpieczeństwa, które możesz stworzyć niemowlęciu także podczas karmienia butelką. Bierz dziecko często na ręce, kładź koło swojej nagiej piersi, aby odczuwało twoją bliskość. Na początku nie przestrzegaj zbyt sztywno rytmu podawania posiłków. Dostosuj raczej ich częstość do potrzeb dziecka. Staraj się, aby przerwy między posiłkami nie były zbyt duże (→ Żywienie dzieci, s. 724).

# DZIECI

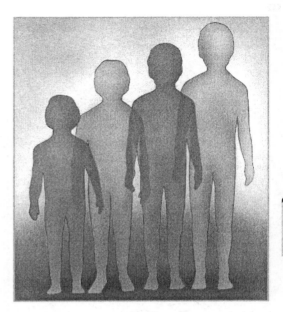

Dzieci to nie „mali dorośli", nie muszą też dopiero stać się „ludź-mi". Ich ustrój reaguje w wielu aspektach po prostu inaczej niż ustrój młodzieży lub dorosłych. To, co przeżywają, co się z nimi dzieje, wpływa na ich ciało i umysł zarówno w pozytywnym, jak i negatywnym sensie.

Okresy choroby stanowią w życiu dziecka ważne etapy. System odpornościowy dziecka uczy się wówczas rozpoznawać, co jest „obce", a co „własne". W życiu dziecka choroby bywają „przerwami wypoczynkowymi", a dla rodziców choroba dziecka jest często wyzwaniem do wyboru pośredniej drogi między nadmierną troskliwością a zaniedbaniem. Każde działanie i zachowanie ma w dzieciństwie swój właściwy czas. To, co w określonym czasie, przy niezaburzonym rozwoju czyni większość dzieci, uważane jest za „normalne". Nie oznacza to jednak, że odchylenia od tych działań i zachowań należy uznać za „nienormalne". Lekarz może w regularnych odstępach czasu kontrolować rozwój fizyczny dziecka w ramach badań profilaktycznych (→ s. 556). Trudniejsza jest ocena rozwoju psychicznego dziecka. Niektóre sposoby zachowania są jednak tak ściśle związane z fazami rozwojowymi, że rzucające się w oczy odchylenia, które nie ustępują po upływie pewnego czasu, muszą być omówione ze specjalistą.

## Kamienie milowe rozwoju

W pierwszym roku życia dziecko przeżywa doświadczenia w zetknięciu z otaczającym je światem. Uczy się „pojmować" swoje otoczenie, czuć je, widzieć, słyszeć, poruszać się w nim, wyrażać i reagować. Nie istnieje ściśle „rozkład jazdy" tego etapu rozwoju. Poszczególne zdolności mogą rozwijać się w różnej kolejności. Porównanie z innymi dziećmi nie może być wprawdzie miarą oceny rozwoju własnego dziecka, jednakże bacznie należy obserwować jego rozwój. Każde podejrzenie opóźnionego lub wręcz wadliwego rozwoju dziecka powinno skłonić rodziców do poruszenia tego tematu w rozmowie z pediatrą. Niekiedy brak jakiegoś etapu rozwojowego wskazuje na zakłócenie, które można łatwo usunąć pod warunkiem, że zostało wykryte we właściwym czasie. Istnieje wiele tzw. tabel rozwojowych, które wskazują, jakie cechy powinny charakteryzować dziecko w określonym wieku. Na podstawie tych tabel różne poradnie udzielają rodzicom rad na temat zakresu czynności dziecka w zależności od wieku.

### Do trzeciego miesiąca

dziecko powinno energicznie wierzgać nóżkami, podnosić głowę o dziewięćdziesiąt stopni w pozycji leżącej na brzuchu, bawić się własnymi palcami, przytrzymywać przez chwilę jakiś przedmiot i wodzić za nim wzrokiem, gdy się go przesuwa przed oczyma. W tym okresie powinno też poruszać głową w celu ustalenia źródła dobiegających doń dźwięków. Gdy zwracamy się do niego, powinno stać się uważne i uśmiechać się.

### Do szóstego miesiąca

dziecko powinno odwracać się z pozycji na brzuchu na plecy i odwrotnie, chwytać za palce u stóp, bawić się dwiema kostkami lub innymi zabawkami, potrząsać grzechotką. Ponadto powinno wydawać cztery różne dźwięki i reagować na zawołanie. Gdy dziecko zauważy, że ktoś się do niego zwraca, powinno wychylić się ku tej osobie, aby wzięła je na ręce.

### Do dziewiątego miesiąca

dziecko powinno raczkować i próbować stawać na nogi, opierając się o meble. Już od dłuższego czasu umie siedzieć na podłodze i bawić się, chwytając przedmioty kciukiem, palcem wskazującym i rzucając nimi. Dziecko potrząsa skrzynką z kostkami i umie połączyć dwa klocki, gdy mu się pokaże, jak to się robi. Powinno również odróżniać osoby sobie znane od obcych.

### Do dwunastego miesiąca

dziecko chodzi z pomocą i wdrapuje się na niski stopień, wyjmuje przedmiot zawinięty w papier lub odnajduje zabawkę schowaną w jego obecności. Ponadto kreśli bohomazy na papierze, reaguje na dźwięk własnego imienia, wymawia wyraźnie trzy wyrazy i spełnia proste prośby. Jeżeli dziecko nie osiągnęło w określonym czasie wymienionego poziomu, nie oznacza to bynajmniej, że jest ono cofnięte w rozwoju. Należy porozmawiać na ten temat z lekarzem i starać się wykryć przyczynę odmiennego sposobu jego zachowania się.

## Rozwój odczuć seksualnych

Świadomość seksualna nie zostaje rozbudzona dopiero w okresie dojrzewania. Ludzie rodzą się jako istoty obdarzone in-

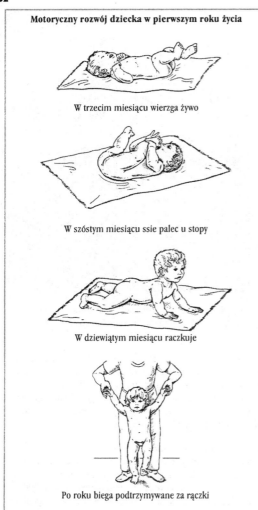

**Motoryczny rozwój dziecka w pierwszym roku życia**

W trzecim miesiącu wierzga żywo

W szóstym miesiącu ssie palec u stopy

W dziewiątym miesiącu raczkuje

Po roku biega podtrzymywane za rączki

Mniej więcej w okresie przedszkolnym dzieci odkrywają „małą różnicę", odróżniają płeć. Zabawy w lekarza oraz w tatę i mamę ułatwiają dziecku poznanie tego, co różni jego ciało od ciała innego dziecka. W tym czasie dzieci uczą się także pojmować rodziców jako istoty płciowe. Trzeba pamiętać, że sposób, w jaki widzą ojca jako mężczyznę i matkę jako kobietę, rzutuje w przyszłości na ich własną seksualność.

Mniej więcej w dziesiątym roku życia dzieci zaczynają zamykać drzwi łazienki i zachowywać się tajemniczo, co zapowiada budzące się w nich uczucie wstydu. Jest to naturalna samoobrona dziecka przed działaniami seksualnymi, które nie odpowiadają jeszcze stopniowi jego dojrzałości. Nie należy przełamywać tych granic, gdyż czyniąc to, rani się dziecko.

Przed osiągnięciem „dojrzałości płciowej" wielu młodocianych doznaje przyjemności, dokonując samogwałtu. Reakcją dorosłych bywa często brak zrozumienia i zakaz onanizowania się. Na skutek tego dorastające dzieci są skazane na potajemne wypróbowywanie pierwszych dotknięć i „zabaw" z innymi dziećmi tej samej lub odmiennej płci. Z chwilą pojawienia się pierwszej miesiączki ostrzega się większość dziewcząt przed możliwością zajścia w ciążę, co wiąże nierozłącznie rozkosz z lękiem. Jednak takie podejście do sprawy nie może stłumić potrzeb seksualnych, budzi natomiast poczucie niepewności. Jasne odpowiedzi na pytania dotyczące płci i naturalny stosunek do spraw związanych z własnym życiem seksualnym umożliwia właściwy rozwój płciowy.

### Nadużycia seksualne

Dom rodzinny mógłby tworzyć ramy ochronne, w których wypróbowuje się wczesne doświadczenia seksualne i uczy się roli, jaką płeć odgrywa w życiu człowieka. Niestety, jest on także miejscem, gdzie najczęściej dochodzi do nadużyć seksualnych, które — według niesłusznych poglądów — przytrafiają się zwykle w jakichś ciemnych zaułkach. Co czwarta, piąta dziewczynka w Niemczech i w Austrii jest napastowana seksualnie przez ojca, brata lub inną zaufaną osobę. Również co czwarty chłopiec bywa narażony na napaści seksualne ze strony dorosłych, od których jest życiowo uzależniony. Następstwa wykorzystywanej w ten sposób zależności są przerażające. Widoczne gołym okiem uszkodzenia narządów płciowych dzieci i młodocianych są wprawdzie bolesne, ale trwają znacznie krócej niż urazy psychiczne, które rzutują na wszystkie późniejsze związki partnerskie i miłość (→ Psychoterapia, s. 671).

## Noszenie niemowląt

Niemowlę czuje się najlepiej, gdy jest przytulane. Za pomocą chust do opasywania można dziecko „przytroczyć" sobie do piersi, do biodra lub do pleców. W tej pozycji dziecko czuje bliskość opiekunki, ona zaś odczuwa potrzeby dziecka. Stały ruch osoby niosącej dziecko działa na nie kojąco. Gdy dziecko nie śpi, może w bezpiecznej pozycji obserwować otoczenie, a osoba niosąca dziecko ma obie ręce wolne do pracy. Noszenie to nie szkodzi kręgosłupowi dziecka, przeciwnie: dziecko przyjmuje samo dokładnie tę pozycję nóg, którą zalecają ortopedzi przy wadliwym wykształceniu stawu biodrowego (→ Wada roz-

stynktem seksualnym. Niemowlę przeżywa z uczuciem rozkoszy ssanie matczynej piersi, głaskanie, przyjemność kąpieli i huśtania. Odkrywanie istnienia własnego ciała i beztroska zabawa genitaliami są koniecznym etapem w rozwoju płciowym dziecka. Są one czynnikiem warunkującym przeżywanie rozkoszy w doznaniach seksualnych od okresu dzieciństwa do późnego wieku.

Małe dzieci poznają swoje ciało, nie ma dla nich żadnych tabu. Rodzice, wychowywani często wśród zakazów, reagują lękiem na zachowanie dziecka: „Tego nie wolno robić!". Zwłaszcza dziewczynkom przeszkadza się w odkrywaniu własnego ciała. Jednakże osoba, która słowem lub czynem, a nawet przez wewnętrzną dezaprobatę przeszkadza temu naturalnemu zachowaniu dziecka, zakłóca jego zdrowie seksualne. Ludzie dorośli często identyfikują ściśle reguły przestrzegania czystości z wyobrażeniem, że „wydaliny" ciała ludzkiego są brudne. Wpajanie dziecku takich wyobrażeń może również wpłynąć na upośledzenie życia seksualnego.

wojowa stawu biodrowego, s. 556). Konieczność ciągłych zmian pozycji jest dodatkowym bodźcem rozwojowym. *Wyjątek*: nie należy nosić w ten sposób niemowląt, które w szóstym tygodniu życia nie potrafią podnieść głowy, leżąc na brzuchu.

## Moczenie nocne

### Dolegliwości
Rodzice martwią się bardzo, gdy ich dziecko „jeszcze się moczy". Mają oni błędne wyobrażenia na ten temat. O moczeniu można mówić dopiero wówczas, gdy dziecko ponadpięcioletnie stale oddaje bezwiednie mocz w nocy, a nie cierpi na schorzenie pęcherza moczowego.

### Przyczyny
Moczenie nocne występuje często po okresie „suchym", gdy zostanie zachwiana pewność siebie dziecka. Prawie zawsze uwarunkowane jest motywami psychicznymi, takimi jak kłótnie w rodzinie, pojawienie się nowego rodzeństwa, kłopoty w szkole itp.

### Ryzyko
Rygorystyczne wychowanie dziecka pod kątem zachowania czystości powoduje, że wydaliny dziecka stają się centralnym problemem rodzinnym. Związane z tym wychowaniem nakazy, groźby i kary wywołują lęk. Jednakże tym sposobem nikt nie zdoła zmusić dziecka do oddania stolca lub moczu. Sprzeciwi się ono raczej takim żądaniom. Oczywiście sprawa przedstawia się zupełnie inaczej, gdy dziecko choruje na zapalenie pęcherza lub nerek.

### Możliwe następstwa i powikłania
Dziecko, które się moczy, samo czuje się nieszczęśliwe. Jeżeli w dodatku zostanie zganione lub ukarane, jego pewność siebie maleje jeszcze bardziej. I tak na tle banalnego skądinąd faktu moczenia może powstać błędne koło.

### Zapobieganie
Cierpliwość i poświęcenie ze strony rodziców warunkują sukces w osiągnięciu „suchości" i zapobiegają temu, aby zmierzające w tym kierunku starania nie przemieniły się w wojnę między dzieckiem a rodzicami. Kto ufa dziecku, sam zauważy, że ono w pewnym momencie nie chce uciążliwego „opakowania" w postaci pieluch. Rodzice, którzy potrafią traktować wypełniony nocniczek swego dziecka jako prezent, na pewno nie będą mieli trudności w przyzwyczajeniu swego dziecka do „czystości". Charakterystyczną dla dzieci dążność do naśladowania dorosłych można wykorzystać, nie zamykając drzwi do toalety, gdy się z niej korzysta.

### Kiedy do lekarza?
Gdy problem „czystości" rzutuje negatywnie na stosunki między dzieckiem a rodzicami. Oczywiście także wówczas, gdy istnieje podejrzenie zapalenia pęcherza moczowego.

### Jak sobie pomóc
Drobne nagrody za każdą „suchą" noc, jak również prowadzenie kalendarza, w którym oznacza się „suche" noce, mogą wpłynąć pozytywnie na samopoczucie dziecka. Należy przy tym pomijać

ewentualne niepowodzenia. Należy odrzucić materace, emitujące sygnały dźwiękowe, oraz inne tego typu urządzenia, działają one bowiem na zasadzie tresury. Problemy leżące u podłoża moczenia nie zostały dotąd wyjaśnione. Nie pomaga ani budzenie dziecka w nocy, ani zakaz picia od popołudnia.

### Leczenie
Jeżeli moczenie nocne stało się problemem dla całej rodziny, zaleca się pomoc psychoterapeutyczną (→ Terapia małżeńska i rodzinna, s. 671). Moczenie należy do „klasycznych" tematów psychoterapii dziecięcej.

*Leki*
Stosowanie leków przeciw moczeniu nocnemu (najczęściej środków antydepresyjnych — Tofranil) pediatrzy i psychiatrzy uważają za ostatnią, zwykle jednak bezskuteczną deskę ratunku. W przypadku około jednej trzeciej leczonych w ten sposób dzieci preparat likwiduje przejściowo moczenie nocne. Wiele spośród nich już po trzech miesiącach znowu moczy łóżko. Stosunkowo często występują objawy uboczne w postaci suchości w ustach, zaburzeń krążenia i wzroku.

## Zaburzenia snu

### Dolegliwości
Każdemu dziecku potrzebny jest określony czas, aby mogło znaleźć swój rytm snu i czuwania. Niektóre dzieci już w szóstym tygodniu życia śpią w nocy po dziesięć godzin, inne w dziewiątym miesiącu nie przesypiają całej nocy. Kłopoty mają rodzice, którzy muszą wstawać i uspokajać dziecko. Natomiast dla dziecka nocne budzenie się jest całkiem „normalne". Starsze dzieci czasami długo nie mogą zasnąć, są niespokojne, „przewracają się z boku na bok" itp. Tego typu zaburzenia w zasypianiu występują jednak u dzieci raczej rzadko. Nie jest niczym nadzwyczajnym, gdy dzieci nie chcą iść do łóżka lub nie mogą zasnąć. Dotyczy to również małych dzieci. Nie należy się także niepokoić, gdy dzieci budzą się niekiedy w nocy. Zdarza się to często dzieciom w wieku od trzech do ośmiu lat. Niektóre dzieci w wieku od pięciu do dwunastu lat bywają lunatykami. Wędrują w czasie snu, nie wyrządzając jednak sobie krzywdy.

### Przyczyny
Niemowlęta budzą się w nocy przede wszystkim dlatego, że są głodne. Przez długi okres nocny płacz może oznaczać: „Jestem zupełnie sam na świecie!". Poważne zaburzenia w zasypianiu wyrażają prawie zawsze stany lękowe, niezwykłe obciążenia psychiczne. Występujące z dużą częstotliwością sny lękowe mają tę samą przyczynę.

### Ryzyko
Lęk przed rozłąką, zdenerwowanie i niepewność, którą może wywołać nowe, nieznane otoczenie ułatwiają występowanie najróżniejszych problemów ze snem.

**Lektura uzupełniająca**

FRIEBEL V., FRIEDRICH S.: *Zaburzenia snu u dzieci*. PZWL, Warszawa 1995.

### Możliwe następstwa i powikłania
Kłopoty dzieci ze snem mogą wpłynąć negatywnie na życie całej rodziny.

### Kiedy do lekarza?
Gdy zaburzenia snu występują często i gdy nie udaje się wykryć lub usunąć ich przyczyny. Należy w tej sytuacji zwrócić się do zaufanego lekarza, który dobrze zna rodzinę i dziecko.

### Jak sobie pomóc
Dziecko śpi najspokojniej w łóżku razem z rodzicami, oczywiście jeśli rodzice nie mają nic przeciwko temu. Obawy, że niemowlę mogłoby w tych okolicznościach zostać zgniecione lub uduszone, są bezpodstawne. Osoba dorosła uczy się bardzo szybko, nawet pogrążona w głębokim śnie, uważać na reakcje dziecka. Gdy pozycja w łóżku wraz z rodzicami nie odpowiada dziecku, daje ono o tym znać, energicznie wierzgając nogami. Jeżeli jednak rodzice nie chcą spać w łóżku razem z dzieckiem, powinni dzielić obowiązki opieki nad dzieckiem, które źle sypia w nocy. „Partnerem" w tych obowiązkach może być także, oczywiście, inna osoba. W przeciwnym razie ofiarą kompletnego przemęczenia i wyczerpania staje się zwykle matka dziecka.

### Leczenie
Wykrycie przyczyn lęku dziecka i rozwiązanie problemu zaburzeń jego snu może stać się zadaniem dla całej rodziny (→ Terapia małżeńska i rodzinna, s. 671). Zażywanie leków jest uzasadnione jedynie w przypadkach ekstremalnych. Niestety, zdarza się często, że lekarze ulegają prośbom rodziców, przepisując leki psychotropowe, do których należą środki nasenne i uspokajające, nie bacząc na to, że środki te mogą prowadzić do przyzwyczajenia. Trapieni bezsennością dziecka rodzice chcą spokoju, lekarze zaś nie chcą tracić swoich pacjentów na rzecz konkurencji.

## Trudności w uczeniu się

### Dolegliwości
Zaburzenia powodujące trudności w uczeniu się są wykrywane często dopiero w wieku szkolnym. I tak dziecko może mieć problemy z właściwym postrzeganiem dźwięków i obrazów, z zapamiętywaniem lub przypominaniem sobie albo pojmowaniem wzajemnych zależności. Czasami trudności te są następstwem nieleczenia zaburzeń narządów zmysłów. Zdarza się, że dziecko już od dawna źle widzi lub słyszy. Niektóre kłopoty z nauką związane z upośledzeniem koncentracji uwagi są w rzeczywistości zakłóceniem zdolności zapamiętywania, zaburzeniem wzajemnej komunikatywności lub zachowaniem obronnym.

*Legastenia*: jest wrodzoną ślepotą słów. Mimo normalnego wzroku dziecko nie może czytać słów lub powiązanych znaczeniowo tekstów, ewentualnie nie może ich zrozumieć. Przede wszystkim wówczas, gdy chodzi o słowa nieznane, dziecko chętnie przestawia litery lub opuszcza niektóre spośród nich, albo

### Koło Pomocy Dzieciom Nerwowo Chorym
10-046 Olsztyn, al. Wojska Polskiego 4, tel. (0-89) 526-95-49

też wymyśla zupełnie nowe słowa. Legastenicy są opóźnieni w czytaniu niekiedy o wiele lat w stosunku do swych rówieśników, mimo że w innych przedmiotach mają zupełnie dobre osiągnięcia i zwykle wykazują normalną, a niekiedy ponadprzeciętną inteligencję. Dlatego legastenię dostrzega się zwykle dopiero po dwóch, trzech latach szkoły.

### Przyczyny
Wszelkie zaburzenia fizyczne i psychiczne mogą powodować trudności w uczeniu się. Legastenia jest przypuszczalnie zaburzeniem czynności mózgu, polegającym na utrudnieniu rozpoznawania symboli graficznych.

### Ryzyko zachorowania
Legastenia występuje częściej w rodzinach, których członkowie cierpią na zaburzenia mowy. Choroba dotyczy częściej chłopców niż dziewcząt.

### Możliwe następstwa i powikłania
Nierozpoznane zaburzenia, powodujące trudności w nauce, mogą stać się przyczyną trwałego przeciążenia w szkole. Skutkiem tego jest lęk dziecka przed szkołą i mogą rozwinąć się dalsze zaburzenia w zachowaniu dziecka.

### Zapobieganie
Należy bacznie obserwować rozwój dorastającego dziecka. Ewentualnie poddać je badaniom profilaktycznym (→ s. 556).

### Kiedy do lekarza?
Przy podejrzeniu zaburzeń w uczeniu się. O ile to możliwe, należy nawiązać kontakt z lekarzem, który dobrze zna dziecko i rodzinę.

### Leczenie
Aby wykryć przyczynę trudności w uczeniu się, konieczne jest przeprowadzenie badań lekarskich i psychologicznych. Ważne jest, by wykluczyć wady słuchu i wzroku jako źródła trudności w nauce. Wiele można osiągnąć przez specjalne pobudzanie mocnych stron dziecka i przez pomoc w przezwyciężaniu jego słabości (np. za pomocą specjalnych programów nauczania lub psychoterapii → s. 671).

*Legastenia*: specjalne nauczanie umożliwia opanowanie czytania za pomocą słuchania. Do około dziesiątego roku życia często udaje się ją w ten sposób pokonać.

*Leki*
Stosowanie leków mających zwiększyć zdolność koncentracji uwagi lub uczenia się jest nieuzasadnione i niebezpieczne. Zażywanie ich niesie znaczne ryzyko lekozależności. Poza tym dzieci uczą się sięgania po pigułkę zamiast korzystania z użytecznych metod rozwiązywania problemów. Taki początek miały liczne przypadki narkomanii.

## Nadpobudliwość

### Dolegliwości
Dzieci nadmiernie aktywne zwracają uwagę już w drugim, trzecim roku życia. Są one niezwykle żywe i nie potrafią zająć się przez dłuższy czas jedną zabawką. Gdy coś im się nie udaje,

## Polski Związek Jąkających się

31-133 Kraków, ul. Dunajewskiego 6/21, tel. (0-12) 22-10-59

wpadają w furię. Nie zgadzają się z innymi dziećmi. W wieku szkolnym dzieci nadmiernie aktywne z trudem się koncentrują i są niespokojne.

### Przyczyny
Istnieją tylko niedowiedzione teorie.

### Ryzyko zachorowania
Nie jest znane.

### Możliwe następstwa i powikłania
Dzieci nadmiernie aktywne miewają często problemy z kolegami. Może dlatego wykazują skłonność do agresji i depresji. Również i w otoczeniu rodziny ich zachowanie stwarza kłopoty, przez co zaburzenie to ulega pogłębieniu.

### Zapobieganie
Nie jest możliwe.

### Kiedy do lekarza?
Gdy nadmierna aktywność stanie się zbyt uciążliwa zarówno dla dziecka, jak i dla jego otoczenia.

### Jak sobie pomóc
Istnieje teza, że dieta uboga w fosforany daje poprawę. Jednakże nie można tego udowodnić.

### Leczenie
Najbardziej celowe wydaje się leczenie polegające na postępowaniu psychoterapeutycznym w stosunku do dziecka i jego opiekunów. Rodzice uczą się lepszego obchodzenia się z dzieckiem, natomiast dziecko lepszego przystosowania do otoczenia (→ s. 178). Można próbować przełamać osłabienie koncentracji przez zastosowanie leku psychostymulującego. Metody tego typu leczenia są jednak dyskusyjne. Specjalne diety lub wysokie dawki witamin są nie tylko bezskuteczne, lecz często nawet niebezpieczne.

## Autyzm

### Dolegliwości
Autyzm staje się zauważalny już w pierwszym roku życia. Dziecko nie nawiązuje kontaktu z otoczeniem, na przykład uzewnętrznia się brak kontaktu wzrokowego, nie odczuwa potrzeby kontaktu cielesnego, zakłócony jest rozwój mowy lub występuje całkowity jej brak. W zamian rozwijają się pewne dziwactwa: powtarzanie określonych rytuałów, ruchów, zabawa wciąż tymi samymi przedmiotami.

### Przyczyny
Podejrzewa się wrodzone uszkodzenie mózgu bądź też takie, które rozwinęło się w najwcześniejszym okresie życia. Powoduje

### Fundacja „Synapsis"
02-784 Warszawa, ul. Pięciolinii 3 m. 13

ono przypuszczalnie niemożność rozróżnienia między „przedmiotami" i „ludźmi".

### Ryzyko zachorowania
Chłopcy chorują częściej niż dziewczynki.

### Możliwe następstwa i powikłania
Autyzm występuje z różnym nasileniem. Niektóre dzieci wykazują inteligencję poniżej przeciętnej i przez całe życie wymagają opieki. Dzieci dotknięte autyzmem wykazujące normalną lub ponadprzeciętną inteligencję mogą przy odpowiednim postępowaniu prowadzić samodzielne życie w wieku dojrzałym. W rzadkich przypadkach w wieku podeszłym do autyzmu dołącza się psychoza (→ s. 194).

### Zapobieganie
Nie jest możliwe.

### Kiedy do lekarza?
Przy podejrzeniu autyzmu.

### Lektura uzupełniająca
DELACATO C.H.: *Dziwne, niepojęte: autystyczne dziecko*. Fund. „Synapsis", Warszawa 1995.

### Jak sobie pomóc
Samemu nie można.

### Leczenie
Rodzice i dzieci wymagają opieki psychoterapeutycznej. Naukę mowy należy rozpocząć jak najwcześniej.

# SPOSOBY ZAPOBIEGANIA

## Wypadki i zapobieganie im

Dzieci są szczególnie narażone na wypadki. Z jednej strony są bardzo ruchliwe, chętnie się bawią, z drugiej zaś — otoczenie staje się dla nich coraz bardziej niebezpieczne. W przypadku niemowląt i małych dzieci częste są urazy spowodowane upadkami. Poza tym dzieci często przebywają w kuchni i w łazience, w wyniku czego są najczęstszymi ofiarami oparzeń gorącą wodą, przez płytę kuchenną, przez żelazko itp. Mimo licznych ostrzeżeń coraz więcej dzieci ulega zatruciom przede wszystkim lekami i domowymi środkami chemicznymi. W Niemczech odnotowuje się rocznie około stu tysięcy tego rodzaju przypadków (→ Oparzenia chemiczne i zatrucia, s. 695).

Z chwilą osiągnięcia wieku szkolnego zaczynają przeważać wypadki na zewnątrz, przede wszystkim wypadki drogowe. Wypadkom zdarzającym się niemowlętom można zapobiegać jedynie przez ochronę niemowląt i roztaczanie nad nimi troskliwej opieki. W przypadku większych dzieci najlepszym środkiem zapobiegawczym jest uświadomienie im grożącego niebezpieczeństwa. Zakazy, których istota nie została dziecku wyjaśniona, są na dłuższą metę bezcelowe. Jednak zarówno zakazy, jak i nakazy są akceptowane przez dzieci, jeśli są dla nich zrozumiałe. Dziecko samo musi się nauczyć oceniać zagrożenie ze strony otoczenia. Zarówno w domu, jak i poza nim trzeba starać się tak kształtować sytuacje, aby dostosować je do potrzeb i zachowania dziecka, nie zaś tylko wymagać od niego, aby samo włączało się w świat dorosłych.

## Badania profilaktyczne

Wiele zaburzeń rozwojowych lub wręcz chorób mogłoby w ogóle nie zaistnieć, gdyby dostrzeżono ich pierwsze objawy i podjęto we właściwym czasie leczenie. Dlatego w Niemczech rodzice wszystkich nowo narodzonych dzieci otrzymują „Książeczkę badań dziecka", w której zapisane są wszystkie urzędowo ustalone badania profilaktyczne. W Austrii odpowiednikiem „Książeczki" jest „Paszport matki i dziecka", a w Polsce — „Książeczka zdrowia dziecka".

Pierwsze dwa badania przeprowadza się zwykle w szpitalu położniczym, wszystkie następne u miejscowego lekarza lub w poradniach dziecięcych, w Austrii również w ambulatoriach pediatrycznych lub poradniach dla matek. W Polsce badania te przeprowadzane sa w oddziałach noworodków, potem w poradniach dziecięcych. Niestety, rodzice w zbyt małym stopniu korzystają z możliwości darmowej profilaktyki. W Niemczech przy drugim badaniu (po trzech do dziesięciu dniach życia dziecka) kontroli poddaje się ponad 80% dzieci, natomiast do ósmego badania, obejmującego dzieci od trzech i pół do czterech lat, zgłasza się już tylko połowa rodziców z dziećmi. O znaczeniu tych badań mówi statystyka wiedeńska: ponad 10% wszystkich dzieci badanych w Wiedniu otrzymało skierowania do specjalistów. W Austrii rodzice przynoszą dzieci regularniej do badania, gdyż część zasiłku porodowego wypłacana jest tylko wówczas, gdy przedstawi się urzędowy dowód przeprowadzenia badań profilaktycznych. Po zakończeniu badań przewidzianych w austriackim „Paszporcie matki i dziecka" dzieci poddawane są corocznym badaniom w przedszkolach.

*Profilaktyczne badania lekarskie*
Badania te są wprawdzie konieczne, jednak najwięcej mogą zdziałać sami rodzice, obserwując bacznie swoje dzieci. Nie należy zwlekać z powiadomieniem lekarza o podejrzeniu zaburzenia rozwojowego. Osoby, które wierzą w zasadę, że czas wszystko leczy, mogą przeoczyć możliwość wczesnego leczenia, niechcący szkodząc w ten sposób dzieciom.

## Co podlega badaniu?
*Badanie I*: Pierwsze badanie przeprowadza się natychmiast po urodzeniu dziecka. Kontroluje się przede wszystkim, jak dziecko zniosło poród i czy nie wykazuje wad wrodzonych. Mierzy się wzrost, wagę i obwód głowy.
*Badanie II*: Przeprowadza się trzy do dziesięciu dni po urodze-

---

**Lektura uzupełniająca**

PRZERWA-TETMAJER A.: *Pierwsza pomoc w nagłych wypadkach u dzieci*. Wydaw. „Medycyna Praktyczna", Kraków 1993.

---

niu. Ponownie sprawdza się, czy dziecko nie doznało urazu w czasie porodu, czy nie ma wad wrodzonych i jak postępuje jego rozwój (stopień dojrzałości). Badając odruchy, można skontrolować funkcjonowanie systemu nerwowego. Badanie krwi wyjaśni, czy dziecko nie cierpi na schorzenia przemiany materii. Wśród tych schorzeń najpoważniejsza jest fenyloketonuria. Mniej więcej jedno na 6000 do 10 000 dzieci rodzi się z tym schorzeniem, które może prowadzić do niedorozwoju umysłowego. Następstw można uniknąć, jeżeli dziecko przez osiem do dziesięciu lat pozostaje na diecie pozbawionej wywołującego chorobę związku. Po tym okresie rozwój mózgu jest skończony i zwykle nie ma konieczności tak ścisłego przestrzegania diety.
*Badania III do IX*: Badanie III należy przeprowadzić trzy do czterech tygodni po urodzeniu dziecka, badanie końcowe zaś — do ukończenia szóstego roku życia. W toku tych badań lekarz sprawdza fizyczny i umysłowy rozwój dziecka. Korzystne jest, gdy badań tych dokonuje stale ta sama osoba, ponieważ może ona lepiej porównywać poszczególne etapy rozwoju dziecka.

## Masa ciała i wzrost

W ramach badań profilaktycznych dzieci są ważone i mierzone. Wprawdzie dzieci rosną stale, ale niekiedy występują okresy znacznego przyspieszenia. Okresy te następują zwykle w pierwszym roku życia dziecka, potem między piątym i siódmym rokiem życia, wreszcie w czasie dojrzewania płciowego. Na ostatniej stronie „Książeczki zdrowia dziecka" znajdują się tablice, w których odnotowuje się za każdym razem wagę i wzrost dziecka. Przy podejrzeniu zaburzenia wzrostu można określić stopień rozwoju kości, wykonując zdjęcie rentgenowskie dłoni dziecka.

## Wada rozwojowa stawu biodrowego

Normalnie główka i panewka stawu biodrowego pozostają w takiej pozycji, że wspomagają się we wzajemnym formowaniu. Przy dysplazji stawu biodrowego warunki w obrębie stawu są zmienione w tym sensie, że nie istnieje korzystne wspomaganie. W najcięższym przypadku zwichnięcia stawu biodrowego główka kości udowej stale wyskakuje z panewki.

### Dolegliwości
*Dysplazja*: Lekarz często wykrywa ją w czasie badania profilaktycznego. Wskazówkę może stanowić utrudnienie odwodzenia. Gdy zdrowe niemowlę leży na plecach, jego nóżki odchylają się daleko na boki, natomiast przy wadzie rozwojowej stawu biodrowego nóżki przylegają bliżej siebie.
*Zwichnięcie stawu biodrowego*: Noga po stronie chorego biodra wydaje się krótsza. Fałdy pośladkowe i na udach nie są symetryczne. Objawy te mogą łatwo zostać przeoczone, zwłaszcza wówczas, gdy zwichnięcie dotyczy równocześnie obu stawów biodrowych.

### Przyczyny
Nie znamy dotąd przyczyny braku kontaktu główki kości udowej z panewką stawu biodrowego.

## Zapobieganie wypadkom

*Niemowlęta*
— Nigdy nie spuszczać z oczu niemowlęcia leżącego na komódce, łóżku lub leżance. Nie zostawiać w pobliżu małych przedmiotów, które dziecko mogłoby połknąć.

*Dzieci raczkujące i małe*
— Zabezpieczyć kratami schody i niskie okna.
— Nie ustawiać w pobliżu okien przedmiotów, po których dziecko mogłoby się wspiąć na parapet.
— Nie zostawiać ciężkich przedmiotów ani naczyń z gorącą zawartością w zasięgu dziecka. Uwaga na obrusy — dzieci często próbują się po nich wspinać na stół.
— Wyposażyć gniazdka elektryczne w zatyczki.
— Przechowywać pod zamknięciem z dala od podłogi środki służące do mycia i czyszczenia, farby, lakiery, alkohol (także słodycze wypełnione alkoholem) oraz leki.
— Nie zostawiać papierosów, popielniczek, zapałek i zapalniczek na krześle, na niskiej kozetce itp. Wszystkie przedmioty służące do palenia tytoniu przechowywać w miejscach niedostępnych dla dzieci.
— Nie sadzić — o ile to możliwe — w ogrodzie trujących krzewów ozdobnych (np. złotokap, cis, tojad, wilcza jagoda).

*Dzieci w wieku przedszkolnym i szkolnym*
— Wcześnie rozpocząć przyswajanie dziecku przepisów drogowych, przede wszystkim dając mu dobry przykład zachowania się na ulicy czy na drodze. Przepisy ruchu ćwiczyć z dzieckiem w domu.
— Nigdy nie zostawiać dzieci bez dozoru w pobliżu basenu kąpielowego, stawu lub rzeki do czasu, aż nie nauczą się dobrze pływać. Zakładać dzieciom nadmuchiwane kamizelki ratunkowe, albowiem koła ratunkowe nie są dostatecznym zabezpieczeniem.
— Przechowywać chemikalia (środki piorące, farby, lakiery itp.) w miejscach niedostępnych dla dzieci, natomiast leki — pod zamknięciem.
— W pobliżu telefonu powinien zawsze znajdować się wykaz najważniejszych numerów telefonów, takich jak pogotowie, szpital, ośrodek ostrych zatruć, pediatra, straż pożarna itp.

### Ryzyko zachorowania
Dwa do czterech procent dzieci rodzi się z wadą stawu biodrowego (dysplazja). Wada ta jest szczególnie częsta u dzieci:
— które przyszły na świat w pozycji pośladkowej;
— w rodzinach, w których występowały podobne schorzenia;
— u których występują zniekształcenia kręgosłupa, nóg i stóp.

Wada stawu biodrowego dotyka dziewczynek sześciokrotnie częściej niż chłopców. W przypadku co tysięcznego dziecka z wady rozwojowej stawu biodrowego rozwija się zwichnięcie stawu biodrowego.

### Możliwe następstwa i powikłania
Jeżeli wada stawu biodrowego nie jest leczona, w późniejszym okresie życia powstają trudności w chodzeniu. Nawet przy małej wadzie stawu biodrowego ulega on przy chodzeniu tak dużemu przeciążeniu, że stosunkowo wcześnie występują objawy nadmiernego zużycia w postaci zwyrodnienia (artroza).

### Zapobieganie
Aczkolwiek konieczne jest podjęcie wczesnego leczenia wady stawu biodrowego, to profilaktyczne rozchylanie nóżek niemowlęcia może spowodować uszkodzenie główki kości udowej.

### Kiedy do lekarza?
Przy podejrzeniu wady rozwojowej stawu biodrowego. Posługując się specjalnym chwytem, lekarz może skontrolować staw biodrowy. Jednakże we wszystkich przypadkach wątpliwych, jak również w przypadku dzieci ze szczególnym ryzykiem, należy zbadać staw biodrowy za pomocą ultradźwięków. Badanie to można przeprowadzać już między czwartym a szóstym tygodniem życia. Zgodnie ze współczesnym stanem wiedzy, nie przynosi ono szkody dziecku. Aby wynik badania był wiarygodny, powinno być przeprowadzone przez lekarza dysponującego dużym doświadczeniem w tej dziedzinie. Dawniej często stosowano w tym celu badania rentgenowskie, lecz przed ukończeniem przez dziecko trzeciego miesiąca życia nie dają one pewnych wyników i dlatego przy zastosowaniu tej metody badania nie można podjąć możliwie jak najwcześniejszego leczenia. Poza tym promienie rentgenowskie zagrażają gruczołom płciowym dziecka. Po intensywnym leczeniu wady rozwojowej stawu biodrowego dziecka należy przeprowadzić kontrolę rentgenologiczną, by stwierdzić efekty zastosowanej terapii.

### Jak sobie pomóc
Samemu nie można.

### Leczenie
W czasie leczenia nóżki dziecka rozchyla się stopniowo coraz bardziej na boki. Główka kości udowej zostaje w ten sposób wepchnięta do panewki stawu biodrowego i tam przytrzymana.

---

### Koła Pomocy Dzieciom z Fenyloketonurią
43-200 Bielsko-Biała, ul. Opatrzności Bożej 20,
tel. (0-33) 14-63-75
40-093 Katowice, ul. Św. Jana 10, tel. (0-32) 253-83-00
50-338 Wrocław, ul. Reja 27, tel. (0-71) 22-29-25; 22-70-16
00-056 Warszawa, ul. Kredytowa 1a, tel. (0-22) 827-58-21

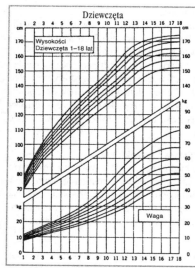

**Krzywe wzrostu i masy ciała**

Linie informują o średnim stopniu rozwoju: 50% wszystkich dzieci w podanym czasie przekracza, a 50% znajduje się poniżej krzywej. Tylko wtedy, gdy rozwój dziecka odbiega o więcej niż dwie linie od linii średniej, może to stanowić coś niezwykłego. Lekarz musi szukać przyczyny. Ponadto znaczenie ma również szybkość wzrastania i przybierania na wadze. Jeżeli na przykład dziecko było ponadprzeciętnie wysokie, a osiąga w pewnym momencie tylko średni wzrost, to może to — choć nie musi — wskazywać na zaburzenie wzrostu. Przez porównanie krzywej wzrostu z krzywą wagi można stwierdzić, czy dziecko jest za lekkie czy za ciężkie.

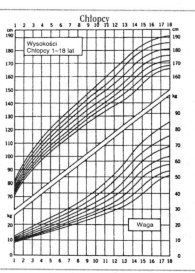

Kontakt główki kości udowej z panewką stawu biodrowego ma na celu normalny rozwój główki i panewki. Leczenie to musi trwać co najmniej do ukończenia przez dziecko pierwszego roku życia. Do rozwarcia nóżek dziecka służą specjalne majteczki, cugle, opatrunki gipsowe lub szyny. Aparaty te można później zastąpić innymi urządzeniami, w których dziecko może raczkować, a nawet uczyć się chodzić. Wszystkie te aparaty i urządzenia pomocnicze dziecko musi nosić przez 24 godziny na dobę, bez przerwy. Przy mocnym zwichnięciu stawu biodrowego leczenie musi być poprzedzone rozciąganiem, który to zabieg przeprowadzany jest zwykle w szpitalu. Tylko w przypadkach ciężkich celowe jest nastawanie na to, aby dziecko leżało na brzuszku. We wszystkich innych przypadkach jest obojętne, czy dziecko leży na plecach, czy na brzuszku. Jeżeli wszystkie te zabiegi terapeutyczne nie dają efektu lub gdy zbyt późno podjęto leczenie, można skorygować staw biodrowy drogą operacyjną.

## Zatrzymanie (niezstąpienie) jądra

### Dolegliwości

W ciągu ostatnich tygodni ciąży jądro dziecka wędruje z jamy brzusznej kanałem pachwinowym do worka mosznowego. W przypadku normalnie rozwiniętego chłopca można po urodzeniu wymacać oba jądra w worku mosznowym. Przy zatrzymaniu jądra nie udaje się wymacać jednego lub obu jąder, albo wyczuwa się je przy końcu kanału pachwinowego.

### Przyczyny

Zdarza się, że zbyt wąski kanał pachwinowy utrudnia zejście jąder. W innych przypadkach jądra nie reagują na hormony płciowe, wyzwalające ich wędrówkę, lub hormony te nie są produkowane w wystarczającym stopniu.

### Ryzyko zachorowania

W przypadku około pięciu procent niemowląt płci męskiej jądro nie znajduje się jeszcze w worku mosznowym.

### Ryzyko zachorowania

Przypuszczalnie w wyniku działania szkodliwych substancji o działaniu hormonalnym w ostatnich 40 latach liczba wad układu moczowo-płciowego wzrosła trzykrotnie.

### Możliwe następstwa i powikłania

Jeżeli jądro pozostaje dłużej niż trzy lata w jamie brzusznej, to panująca tam wyższa temperatura powoduje uszkodzenie tkanki nasiennej, co może być przyczyną bezpłodności. Poza tym istnieje większe ryzyko raka jądra.

### Zapobieganie

Nie jest możliwe.

### Kiedy do lekarza?

Gdy jedno lub oba jądra można wyczuć tylko w pachwinach i gdy pociąganie jądra sprawia dziecku ból.

### Jak sobie pomóc

Samemu nie można.

### Leczenie

Podjęcie leczenia przypada na początek trzeciego roku życia. W wielu przypadkach skuteczne są preparaty hormonalne. Można je rozpylać do nosa lub wstrzykiwać domięśniowo. Jeżeli te metody leczenia nie przynoszą efektów, można wprowadzić jądra operacyjnie do worka mosznowego. Jednakże zabieg ten związany jest z niebezpieczeństwem zmiażdżenia i uszkodzenia tkanki nasiennej.

## Stulejka

### Dolegliwości

W stulejce napletek jest na końcu tak zwężony, że nie daje się go ściągnąć z żołędzi. Skutkiem tego między napletkiem a żołędzią może gromadzić się ciastowata wydzielina, która niekiedy utrudnia nawet wydalanie moczu.

## Przyczyny

Stulejka może być wrodzona, bywa również następstwem stanu zapalnego lub „bliznowatego" wygojenia drobnych zranień.

## Ryzyko zachorowania

W przypadku noworodka i niemowlęcia zwężenie napletka jest zjawiskiem normalnym. Jego część jest „sklejona" z żołędzią. W ciągu drugiego, najdalej trzeciego roku życia dziecka udaje się zwykle łatwo go ściągnąć.

## Możliwe następstwa i powikłania

W przypadku dorosłego mężczyzny zwężenie napletka z powodu bólu może utrudniać erekcję. Ponadto zwiększa się ryzyko zachorowania na raka prącia, gdyż nie można regularnie oczyszczać członka ze wszystkich wydzielin.

## Zapobieganie

W przypadku noworodka i niemowlęcia nie wolno nigdy ściągać w brutalny sposób napletka. Próby stopniowego ściągania i tym sposobem „poszerzania" napletka powodują drobne pęknięcia, które bliznowaciejąc, prowadzą do prawdziwego zwężenia.

## Kiedy do lekarza?

— Gdy noworodek ma trudności przy oddawaniu moczu.
— Przy podejrzeniu zapalenia (zaczerwienienie, obrzęk, bóle przy oddawaniu moczu).
— Gdy po osiągnięciu przez dziecko trzeciego roku życia nie udaje się cofnąć napletka poza żołądź.

## Jak sobie pomóc

Samemu nie można.

## Leczenie

Jeżeli zwężenie jest następstwem bliznowatego wygojenia małych urazów, można je w pewnych przypadkach skorygować operacyjnie. W pozostałych przypadkach konieczne jest obrzezanie.

# CHOROBY WIEKU DZIECIĘCEGO

## Żółtaczka noworodków

### Dolegliwości

U wielu noworodków w pierwszych dniach życia występuje zżółknięcie skóry. Ta „żółtaczka" wygasa stopniowo po upływie pięciu do siedmiu dni. Jeżeli dziecko karmione jest piersią, „żółtaczka" może trwać nieco dłużej, co nie oznacza, że należy przerwać karmienie.

### Przyczyny

W pierwszych dniach życia dziecka część czerwonych ciałek krwi ulega rozpadowi. Ponieważ jednak wątroba nie jest jeszcze zdolna do szybkiego przetworzenia uwolnionego barwnika, dochodzi do rozwoju „żółtaczki".

### Ryzyko zachorowania

Lekka „żółtaczka" pojawia się prawie u wszystkich noworodków. Intensywna żółtaczka może wystąpić u dzieci, których grupa

---

**Lektura uzupełniająca**

HERTL M., HERTL R.: *Chore dziecko*. PZWL, Warszawa 1995.

krwi nie znosi się z grupą krwi matki, lub u tych, które po urodzeniu uległy zakażeniu.

### Możliwe następstwa i powikłania

Lekka żółtaczka nie jest niebezpieczna dla noworodka. Jeżeli jednak ilość barwnika we krwi przekracza określoną wartość, może dojść do uszkodzenia mózgu.

### Zapobieganie

Jeżeli przed porodem znana jest niezgodność grup krwi matki i dziecka, stosuje się odpowiednie leczenie.

### Kiedy do lekarza?

Gdy skóra dziecka stała się żółta. Lekarz może stwierdzić, czy zachodzi różnica grup krwi matki i dziecka, czy też przyczyną żółtaczki jest infekcja. Może on też zbadać poziom barwnika we krwi. Przy intensywniejszej żółtaczce konieczne są dalsze, codzienne badania krwi.

### Jak sobie pomóc

Przy lekkiej żółtaczce działanie we własnym zakresie nie jest potrzebne, przy ciężkiej zaś nie jest możliwe.

### Leczenie

Przy intensywnej żółtaczce stosuje się tzw. fototerapię. Nagie dziecko poddaje się naświetlaniom niebieskim światłem, przemieniającym żółty barwnik w skórze w związek rozpuszczalny w wodzie. Związek ten zostaje następnie wydalony przez nerki.

## Kolka trzech miesięcy

### Dolegliwości

Dolegliwości występują w pierwszych trzech miesiącach życia, jakkolwiek często jeszcze po ukończeniu przez dziecko czwartego miesiąca życia. Zwłaszcza po posiłkach, ale także nocą niemowlę głośno krzyczy i z trudem daje się uspokoić. Często towarzyszy temu wzdęcie brzuszka.

### Przyczyny

Nie są dobrze znane. Istnieje podejrzenie, że w wyniku łapczywego picia w przewodzie pokarmowym niemowlęcia gromadzi się duża ilość powietrza. Za występowanie kolek mogą być również odpowiedzialne środki pęczniejące, które dodaje się nieraz do gotowych potraw mlecznych podawanych dziecku.

### Ryzyko zachorowania

Nie jest znane.

### Możliwe następstwa i powikłania

Kolka trzech miesięcy nie jest niebezpieczna, aczkolwiek bywa bardzo przykra zarówno dla dziecka, jak i jego opiekunów. Po trzech lub czterech miesiącach życia ustępuje samoistnie. Niebezpieczne natomiast może być przeoczenie innych, rzadkich chorób przewodu pokarmowego (np. skrętu kiszek), potrakto-

> **Lektura uzupełniająca**
>
> STERN L.: *Czy już wzywać lekarza*. Springer PWN, Warszawa 1995.

wanych mylnie jako kolka trzech miesięcy i skutkiem tego nieleczonych w odpowiednim momencie.

### Zapobieganie
Nie jest możliwe.

### Kiedy do lekarza?
Gdy pojawią się dodatkowo inne objawy chorobowe, jak gorączka, utrata łaknienia, wymioty, zatrzymanie stolca, płynny śluzowy lub krwawy stolec albo wówczas, gdy dziecko robi wrażenie ciężko chorego, a jego skóra przybiera szary odcień.

### Jak sobie pomóc
— Po posiłkach sprowokować dobre odbijanie.
— Podawać często małe objętościowo posiłki.
— Używać smoczka z dużym otworem.
— Układać dziecko do snu na brzuszku.
— Masować delikatnie brzuszek olejkiem kminkowym.

### Leczenie
Stosowanie leków nie jest konieczne.

## Pleśniawki w ustach, pieluszkowe zapalenie skóry

### Dolegliwości
Białawe naloty na śluzówce jamy ustnej, których — w przeciwieństwie do resztek mleka — nie udaje się usunąć. Obfite pleśniawki utrudniają dziecku picie. Niekiedy po kilku dniach pleśniawki rozprzestrzeniają się. Powstaje tzw. pieluszkowe zapalenie skóry; na powierzchni stykającej się z pieluszkami skóra zarumienia się, tworzą się drobne, stopniowo powiększające się pęcherzyki, które następnie ulegają zaschnięciu i złuszczeniu.

### Przyczyny
Drożdżaki, z którymi dziecko zetknęło się w czasie porodu lub po porodzie.

### Ryzyko zachorowania wzrasta
— Przy leczeniu dziecka antybiotykami.
— Przy zakażeniu pochwy matki w okresie ciąży.
— Gdy nie dezynfekuje się smoczka.

### Możliwe następstwa i powikłania
Pleśniawki jamy ustnej są niebezpieczne tylko dla tych dzieci, które cierpią na ciężkie, wrodzone osłabienie odporności.

### Zapobieganie
Smoczki należy dokładnie myć i raz na dzień wygotować.

> **Lektura uzupełniająca**
>
> FENWICK E.: *101 praktycznych porad. Małe dziecko*. Wydaw. „Wiedza i Życie", Warszawa 1996.

### Kiedy do lekarza?
Przy podejrzeniu pleśniawki.

### Jak sobie pomóc
W okresie leczenia należy kilka razy dziennie wygotowywać smoczki. Pleśniawki nie wymagają odstawienia dziecka od piersi. Matka może przed karmieniem smarować brodawki piersi tym samym lekiem, który stosuje się do pędzlowania jamy ustnej dziecka. Wszystkie zabiegi zmierzające do utrzymania pupy dziecka w stanie suchym, a więc do uniemożliwienia wytworzenia się komory wilgotnej, przyczyniają się do wyleczenia, a więc: wietrzenie pośladków, stosowanie zamiast gumowych majteczek pieluszek z materiału lub używanie pieluszek papierowych z warstwą tworzywa sztucznego.

### Leczenie
Po posiłkach pędzluje się jamę ustną niemowlęcia płynem zawierającym nystatynę. Połknięcie odrobiny tego leku przez dziecko nie stwarza niebezpieczeństwa. Przy zapaleniu skóry stosuje się krem zawierający nystatynę.

## Wyprysk dziecięcy

### Dolegliwości
Wyprysk dziecięcy występuje najczęściej w ciągu pierwszych trzech miesięcy życia. Skóra na głowie i w fałdach łuszczy się mocno i swędzi.

### Przyczyny
Dotąd nie są znane.

### Ryzyko zachorowania
Dotąd nie jest znane.

### Możliwe następstwa i powikłania
Na rozdrapanych miejscach może wystąpić stan zapalny. Świąd uniemożliwia sen zarówno dziecku, jak i przynajmniej jednemu z rodziców. Wyprysk dziecięcy może być zwiastunem świerzbiączki (→ s. 262).

### Zapobieganie
Nie jest możliwe.

### Kiedy do lekarza?
Gdy świąd i wysypka są bardzo uciążliwe.

### Jak sobie pomóc
Najmniej drażniące dla skóry jest odzienie bawełniane. Wilgotne okłady ochładzają skórę, tłuste dodatki do kąpieli łagodzą świąd, skórę głowy można naoliwić wraz z włosami.

### Leczenie
Zwykle nie jest konieczne. Wyprysk dziecięcy może samoistnie ustąpić po ukończeniu przez dziecko trzeciego miesiąca życia.

## Dławiec (krup) rzekomy

### Dolegliwości
Prawdziwy krup (dławiec) jest objawem błonicy. Gdy objawy te wystąpią, a nie są wywołane błonicą, mówimy o dławcu rzeko-

mym. Jest to choroba występująca napadowo: pojawia się albo po objawach lekkiego przeziębienia albo bez zwiastunów jak „grom z jasnego nieba". Atak zdarza się zwykle nocą. Zaczyna się szczekającym kaszlem i chrypką. Oddech jest coraz trudniejszy, albowiem zwęża się szpara głośni. Uczucie duszenia powoduje lęk. Dziecko staje się niespokojne, ma kołatanie serca i zalękniony wyraz twarzy. Po krótkim czasie atak zwykle mija samoistnie. Na następny dzień występuje czasami wyraźne przeziębienie z gorączką i kaszlem.

## Przyczyny
Na ogół wirusy, bardzo rzadko bakterie. Do powstania dławca rzekomego przyczynia się najprawdopodobniej zanieczyszczenie powietrza. Poważne prace naukowe wciąż potwierdzają fakt większej zapadalności na tę chorobę dzieci żyjących w okolicach o dużym zanieczyszczeniu powietrza. Badania przeprowadzone w Berlinie potwierdziły związek zachodzący między wysokim stężeniem dwutlenku siarki w powietrzu a częstszym występowaniem ataków dławca rzekomego u dzieci. Na małej przestrzeni zanieczyszczenie powietrza powodują palacze.

### Ryzyko zachorowania wzrasta
— Gdy dzieci dorastają w zadymionym powietrzu.
— Gdy dzieci przebywają w powietrzu zanieczyszczonym szkodliwymi substancjami, zwłaszcza zimą (→ Smog, s. 784).

### Możliwe następstwa i powikłania
W ciężkich przypadkach może dojść do wystąpienia wyraźnej duszności i wyczerpania, co zmusza do leczenia dziecka w szpitalu.

### Zapobieganie
Można zmniejszyć liczbę ataków:
— wyjeżdżając jak najczęściej w okolice o czystym powietrzu (góry, jeziora, tereny oddalone od szos i ośrodków przemysłowych),
— nie paląc papierosów w mieszkaniu.

### Kiedy do lekarza?
Gdy dziecko doznało ataku dławca rzekomego. Do szpitala (najlepiej na oddział dziecięcy) należy zgłosić się, gdy:
— dziecko wprawdzie nie ma jeszcze chrypki, ale mówi tak, jakby miało kluski w ustach;
— dołącza się wysoka gorączka;
— mimo leczenia duszność nie zmniejsza się w ciągu godziny;
— dziecko sinieje.

### Jak sobie pomóc
— Wyjąć dziecko z łóżka, ubrać je ciepło i stanąć z nim przy otwartym oknie. Chłodne, wilgotne powietrze przynosi ulgę. Gdy obawiamy się zewnętrznego powietrza, możemy rozwiesić w pokoju wilgotne prześcieradła lub usiąść z dzieckiem w łazience i puścić tusz.
— Starać się uspokoić dziecko. Spokojne przemawianie i postępowanie nacechowane pewnością siebie dają dziecku poczucie bezpieczeństwa. Dobrze jest wziąć dziecko na ręce, aby nie czuło się osamotnione. Płacz i wysiłek zwiększają duszność.

— Gdy następuje kolejny atak, należy podać czopek, który z pewnością został przepisany przez lekarza na wypadek nawrotu.

### Leczenie
Preparaty zawierające glikokortykoidy mogą spowodować ustąpienie obrzęku śluzówki oskrzeli. Są one bardzo skuteczne, lecz przy długotrwałym stosowaniu mogą dawać poważne objawy uboczne (→ s. 624). Leki te są dostępne w postaci czopków w różnych dawkach. Lekarz dostosuje dawkę do wagi dziecka. Jeżeli po okresie półrocznym zachodzi konieczność podania czopka, należy zapytać lekarza, czy nie ma potrzeby zmiany dawki. Trzeba zanotować datę i dawkowanie na opakowaniu leku, aby w nagłym przypadku mieć pod ręką właściwe informacje. Działanie leku ujawnia się po upływie mniej więcej pół godziny. Niekiedy zachodzi konieczność podania dziecku na następny dzień po ataku dużych dawek leków upłynniających śluz (→ s. 292).

## Zapalenie nagłośni

### Dolegliwości
Zapaleniem nagłośni określa się zapalne obrzmienie krtani lub nagłośni, występujące prawie wyłącznie u dzieci. Dochodzi przy tym do bardzo szybko rozwijającego się obrzęku nagłośni i jej otoczenia, co może spowodować całkowite zamknięcie przepływu powietrza. Zapalenie nagłośni zaczyna się zwykle wysoką gorączką i bólami gardła, mowa staje się kluskowata, występują trudności przy połykaniu, czasem z ust spływa ślina. Bardzo szybko do tych objawów może dołączyć się duszność z głośnym świstem przy wciąganiu powietrza.

### Przyczyny
Przyczyną zapalenia nagłośni są zwłaszcza bakterie *Haemophilus irofluenzae*.

### Ryzyko zachorowania
Na zapalenie nagłośni chorują najczęściej dzieci między trzecim a szóstym rokiem życia.

### Możliwe następstwa i powikłania
Zapalenie nagłośni może szybko zagrozić życiu przez uduszenie.

### Zapobieganie
Nie jest możliwe.

### Kiedy do lekarza?
Gdy dziecko ma wysoką gorączkę, mówi tak, jakby miało kluski w ustach, ma trudności przy połykaniu i wdychaniu powietrza. Najlepiej zgłosić się natychmiast do szpitala.

### Jak sobie pomóc
Samemu nie można.

### Leczenie
Zapalenie nagłośni wymaga natychmiastowego zastosowania antybiotyków. Leki trzeba wstrzykiwać dożylnie. Ponieważ połykanie jest utrudnione, należy również tą drogą podawać

płyny. W ciężkich przypadkach zachodzi konieczność wprowadzenia do tchawicy rurki, przy użyciu której stosuje się sztuczne oddychanie.

## Zapalenie obturacyjne oskrzeli

### Dolegliwości
Choroba rozpoczyna się najczęściej lekkim katarem. Po upływie jednego do dwóch dni występuje często atak kaszlu. Dziecko oddycha szybciej, słychać gwizdy i świsty. Oddech może być tak dalece utrudniony, że pojawia się duszność połączona z sinicą.

### Przyczyny
Zwykle wirusy doprowadzają do obrzęku oskrzeli. Ponieważ oskrzela dziecka są dużo węższe niż u dorosłych, znacznie szybciej występuje duszność, podobnie jak w astmie (→ s. 293).

### Ryzyko zachorowania
Na obturacyjne zapalenie oskrzeli zapadają najczęściej dzieci w tym wieku, w którym chorują na przeziębienia, to jest między trzecim dniem a szóstym miesiącem po urodzeniu.

### Możliwe następstwa i powikłania
W przypadku niektórych dzieci, które ustawicznie zapadają na ten typ zapalenia oskrzeli, może rozwinąć się astma. Ponieważ dzieci te męczą się bardzo przy oddychaniu, dlatego też zwykle za mało piją. Jednak niedobór płynów pogłębia dolegliwości. W takich okolicznościach może zaistnieć konieczność skierowania dziecka do szpitala.

### Zapobieganie
Jeżeli dziecko wciąż zapada na obturacyjne zapalenie oskrzeli, niezwykle ważną sprawą jest utrzymanie powietrza w mieszkaniu w stanie wolnym od dymu papierosowego i innych czynników szkodliwych (→ Trucizny w mieszkaniu, s. 758). Przy pierwszych objawach przeziębienia można zastosować w przypadku dzieci, które już przebyły obturacyjne zapalenie oskrzeli, inhalacje z fizjologicznego roztworu soli kuchennej.

### Kiedy do lekarza?
— Gdy przy kaszlu występują świsty.
— Gdy do kaszlu dołącza się gorączka.

W niektórych wypadkach trzeba wykonać zdjęcie rentgenowskie klatki piersiowej i badania krwi, aby upewnić się, czy nie doszło do zapalenia płuc.

*Niezwłoczne skierowanie dziecka do szpitala jest konieczne, gdy:*
— dziecko cierpi z powodu duszności lub występuje sinica, bądź też gdy dziecko pije za mało płynów;
— dziecko sprawia wrażenie ciężko chorego.

### Jak sobie pomóc
Należy uspokajać dziecko w możliwie jak najskuteczniejszy sposób. Płacz powoduje zmęczenie i może wywołać nasilenie duszności. Dzieci zapadające często na obturacyjne zapalenie oskrzeli mogą korzystać z przepisanego przez lekarza aparatu, inhalując przy jego użyciu nawilżone powietrze. Należy podawać dużo płynów.

### Leczenie
Przy silnej duszności podaje się do oddychania nawilżone i wzbogacone tlenem powietrze. Płyny dostarcza się — o ile to możliwe — sondą lub dożylnie. Niekiedy ulgę przynosi inhalowanie leków rozszerzających oskrzela (→ s. 293). Skuteczność czopków zawierających glikokortykoid nie została udowodniona. W wielu przypadkach zapalenia obturacyjnego oskrzeli pomocna okazała się akupunktura. Im wcześniej rozpoczynano to leczenie, tym lepsze były jego efekty. W ciężkich przypadkach trzeba wstrzyknąć dożylnie preparat glikokortykoidowy.

## Mukowiscydoza

### Dolegliwości
Osoby opiekujące się dzieckiem dostrzegają mukowiscydozę dopiero wówczas, gdy dziecko obficie i mocno się poci, a jego pot lub skóra mają słony smak.

*Drogi oddechowe*: Dzieci z mukowiscydozą często już w wieku niemowlęcym cierpią na ciężkie zapalenia oskrzeli, które w ciągu lat przechodzą w zapalenia przewlekłe z kaszlem, wzmożoną produkcją śluzu i stałą dusznością. Często występują nawroty zapalenia oskrzeli.

*Przewód pokarmowy*: Mimo że dzieci dobrze piją, ich rozwój nie jest zadowalający. Stolce są często płynne, jasno lśniące, z gnilnym zapachem. Na skutek niedoboru białka dochodzi do zatrzymywania wody w tkankach, dzieci robią wrażenie „nalanych".

### Przyczyny
Mukowiscydoza jest chorobą dziedziczną, przy której dochodzi do nadprodukcji gęstej wydzieliny.

*Drogi oddechowe*: Dziecko nie może odkrztusić śluzu z oskrzeli, co powoduje duszność. W wydzielinie łatwo rozwijają się zarazki chorobotwórcze.

*Przewód pokarmowy*: Gęste soki trawienne trzustki pogarszają trawienie.

### Ryzyko zachorowania
Mukowiscydoza jest częstym schorzeniem przemiany materii.

### Możliwe następstwa i powikłania
Wykonywane codziennie, całymi latami, regularne zabiegi ułatwiają wprawdzie życie małym pacjentom, stwarzają jednak znaczne obciążenie zarówno dla dziecka, jak i dla jego rodziny.

*Drogi oddechowe*: Zapalenia płuc. Wraz z upływem lat następują stałe zmiany w płucach dziecka. Dochodzi do nadmiernego rozdęcia płuc, zanikają pęcherzyki płucne (→ Rozedma płuc, s. 295), rozszerzają się oskrzela. Daleko posunięte zmiany w płucach mogą prowadzić do odmy opłucnowej (→ s. 299), a zmiany w płucach stać się przyczyną uszkodzenia serca.

---

**Koło Pomocy Dzieciom z Mukowiscydozą**

00-056 Warszawa, ul. Kredytowa 1a, tel. (0-22) 827-58-21

*Przewód pokarmowy*: Niedożywienie i przyhamowanie wzrostu. W przypadku niektórych dzieci stolec wytwarzany w łonie matki bywa tak gęsty (mekonium), że następuje niedrożność jelit. Wówczas po urodzeniu dziecka konieczne jest przeprowadzenie zabiegu operacyjnego. Także i w przypadku dzieci starszych może w rzadkich okolicznościach dojść do zaczopowania i porażenia jelita.

### Zapobieganie
Nie można zapobiec mukowiscydozie. Jednak wczesne rozpoznanie i leczenie choroby może ułatwić egzystencję dzieciom dotkniętym tym schorzeniem. Test potowy umożliwia wczesne wykrycie choroby. Polega on na zbadaniu potu dziecka na zawartość soli. Jeżeli ktokolwiek z rodziny cierpi na to schorzenie, badanie to należy przeprowadzić już u noworodka.

### Kiedy do lekarza?
— Gdy członek rodziny choruje na mukowiscydozę.
— Przy wystąpieniu wymienionych wyżej dolegliwości. Ostrzeżeniem są: częsty, przewlekły kaszel, nawracające zapalenia oskrzeli, częste, już na oko zmienione stolce, słaby rozwój niemowlęcia.

### Jak sobie pomóc
Bez wskazówek lekarza pomoc we własnym zakresie nie jest możliwa (→ Leczenie).

### Leczenie
Mukowiscydoza jest chorobą trwającą całe życie. Jej dolegliwości można łagodzić jedynie przy ścisłej współpracy dziecka, rodziców i lekarza. Dzieci cierpiące na mukowiscydozę wymagają stałego leczenia i opieki, najlepiej w ośrodkach specjalizujących się w terapii tego schorzenia. W ośrodkach tych rodzice i dziecko uczą się tego wszystkiego, co może im ułatwić życie.

*Drogi oddechowe*: Stosowane wielokrotnie w ciągu dnia opukiwanie i masaże wibracyjne oraz inhalacje nawilżonym powietrzem („terapia aerozolami") umożliwiają dziecku odkrztuszanie śluzu. Większe dzieci uczą się same, jak sobie radzić, ułatwiając drenaż przez zmianę ułożenia i specjalne techniki kaszlu.

*Przewód pokarmowy*: Pożywienie wysokokaloryczne i obfitujące w białko. Niemowlęta trzeba niekiedy karmić specjalnym mlekiem (tzw. dieta MCT). Przy każdym posiłku podawać enzymy trawienne w postaci leku. Należy przestrzegać zleconej przez

---

> **Uzupełnienie płynów przy biegunce**
> 2,5 g sody oczyszczonej
> 3,5 g soli kuchennej
> 1,5 g chlorku potasu
> 20 g cukru gronowego
> rozpuścić w litrze przegotowanej wody.
>
> **Zupa z marchwi (marchwianka)**
> Obrać 1/2 kg marchwi, gotować w litrze wody przez jedną do dwóch godzin. Marchew przetrzeć przez sito. Papkę zalać litrem przegotowanej wody, dodać łyżeczkę soli i wymieszać.

---

lekarza dawki. Najczęściej trzeba łykać od razu dużą ilość tabletek. Mukowiscydoza należy do tych nielicznych chorób, w leczeniu których konieczne jest stałe zażywanie witamin. Podaje się witaminy rozpuszczalne w tłuszczach, których chory ustrój nie może wchłonąć w wystarczającej ilości.

*Ważne*: Przy słabym rozwoju ogólnym dziecka i utracie przez nie wagi należy zgłosić się z dzieckiem do lekarza.

## Nietolerancja mleka krowiego
(→ Alergia, s. 338)

### Dolegliwości
Przy tym schorzeniu dzieci źle się rozwijają, często wymiotują, niekiedy w ich stolcu pojawia się krew. Dzieci często gorączkują bez uchwytnej przyczyny.

### Przyczyny
Śluzówka jelita nie znosi mleka krowiego. Cecha ta może być wrodzona lub też pojawić się po zakażeniu przewodu pokarmowego.

### Ryzyko zachorowania wzrasta
— U dzieci, które przebyły ciężkie zakażenie przewodu pokarmowego z biegunką i wymiotami.
— U dzieci obciążonych genetycznie, dokarmianych w pierwszych dniach życia pokarmem zawierającym mleko w proszku. Dzieci, które otrzymywały tego typu pokarm w późniejszym okresie, nie są obarczone wyższym ryzykiem zachorowania.

### Możliwe następstwa i powikłania
Utrzymujące się biegunki powodują odwodnienie i prowadzą do zaburzeń rozwojowych z objawami niedoborów. W tych rzadkich przypadkach należy przejściowo odżywiać dziecko kroplówkami w szpitalu.

### Zapobieganie
Dziecko cierpiące na tę chorobę należy jak najdłużej karmić piersią. Gdy początkowo ilość mleka matki jest niewystarczająca, trzeba podawać dziecku lekko osłodzoną wodę. Przy definitywnym braku pokarmu matki, można się starać zmniejszyć ryzyko alergii, podając dziecku słabo alergizujące gotowe preparaty mleczne (Aletemil HA, Aptamil HA, Beba HA; dostępne w kraju: Prosobee i Nutramigen).

### Kiedy do lekarza?
Przy wymienionych wyżej dolegliwościach.

### Jak sobie pomóc
Należy całkowicie zrezygnować z odżywiania dziecka mlekiem krowim. Jedna trzecia dzieci nietolerujących mleka krowiego nie znosi również białka soi. Trzeba wyszukać odpowiadające im pożywienie.

### Leczenie
Na ogół nie ma potrzeby stosowania czegokolwiek poza odpowiednim odżywianiem.

## Zakażenie żołądkowo-jelitowe

### Dolegliwości

Podobnie jak w przypadku dorosłych, także u dzieci zakażenie przewodu pokarmowego powoduje biegunkę i wymioty. W rzadkich przypadkach dołącza się do tych objawów gorączka. W porównaniu z dorosłymi znacznie ciężej przechodzą chorobę oseski i małe dzieci, a to dlatego, że znacznie szybciej ulegają „odwodnieniu". Utrata płynów spowodowana wymiotami i biegunką nie jest rekompensowana przez dzieci wzmożonym piciem. Przeciwnie, niekiedy dzieci w tych okolicznościach w ogóle nie chcą pić.

### Przyczyny

Najczęściej wirusy przenoszone w stolcu i w ślinie.

### Ryzyko zachorowania wzrasta

Gdy w otoczeniu (w domu lub w żłobku, lub przedszkolu) ktoś zachorował z powodu infekcji przewodu pokarmowego.

### Możliwe następstwa i powikłania

W przypadku niemowląt, lecz także małych dzieci odwodnienie może doprowadzić do ciężkich następstw, nie wyłączając zgonu.

### Zapobieganie

Przestrzeganie higieny staje się sprawą wyjątkowo ważną wówczas, gdy w domu zachorował ktoś z objawami zakażenia żołądkowo-jelitowego. Polega ono na: dokładnym myciu rąk przed i po przewinięciu pieluszek; oddzielnym przechowywaniu smoczków chorego dziecka. W żadnym przypadku nie można trzymać razem smoczków dziecka chorego i dzieci zdrowych.

### Kiedy do lekarza?

— Gdy dziecko przy biegunce mało pije.
— Gdy biegunka trwa ponad trzy dni.
— Gdy wymioty trwają ponad dwanaście godzin.
— Gdy na każdą próbę podania płynu dziecko reaguje wymiotami.
— Gdy niemowlę nie oddaje moczu przez ponad sześć godzin.
— Gdy skóra dziecka wiotczeje, a utworzony palcami fałd skóry nie znika.
— Gdy oczy i ciemię dziecka robią wrażenie wpadniętych.
— Gdy dziecko robi wrażenie ciężko chorego.

### Jak sobie pomóc

Konieczne jest uzupełnienie wody i soli mineralnych, utraconych w wyniku biegunki. Należy przeto pozwolić dziecku pić możliwie jak najwięcej. Dawniej mówiono o „przerwie wodnej". Ramka na stronie 563 zawiera wszystkie niezbędne informacje. Celem uzupełnienia wody i soli mineralnych można podać jeden z oferowanych na rynku, znacznie droższych preparatów zawie-

rających te same substancje, jak np. Elotrans lub Normolyt. Preparaty te są jednak słone i większość dzieci nie chce ich pić. Na temat użyteczności diety lub odżywek zdrowotnych zdania są podzielone. Wielu lekarzy zaleca początkowo stosowanie diety ograniczającej mleko i tłuszcze aż do chwili normalizacji stolca. Inni są zdania, że dieta ta nie wpływa na proces zdrowienia i po ośmiogodzinnej „przerwie wodnej" można wrócić do normalnego odżywiania. Lekkie odżywianie regeneracyjne powinno obejmować: zupę marchwiową i ryżową, tarte jabłka lub banany, ryż, słone pieczywo, sucharki lub zupy z zasmażką. Drogie, gotowe produkty są niepotrzebne. Większym dzieciom i dzieciom szkolnym często pomaga słone pieczywo i napoje typu coca-cola.

### Leczenie

Mocno odwodnione i osłabione dzieci trzeba leczyć przez kilka dni w szpitalu i odżywiać kroplówkami. Leki hamujące wymioty lub zapierające są nie tylko niepotrzebne, ale nawet mogą być niebezpieczne. Antybiotyki stosuje się tylko w rzadkich wypadkach, gdy zakażenie zostało wywołane bakteriami.

# CHOROBY ZAKAŹNE

## Odra

### Dolegliwości

Od chwili zakażenia do początku choroby upływa osiem do czternastu dni. Odra zaczyna się zwykle katarem, kaszlem, zapaleniem spojówek i gorączką sięgającą 39°C. Po upływie trzech do czterech dni pojawia się wysypka. Gorączka wzrasta do 40°C. Typowa wysypka odrowa występuje za uszami w postaci jasnoczerwonych plam, które rozprzestrzeniają się poprzez głowę i górną część ciała do nóg. Na ogół nie występuje świąd skóry. Po upływie trzech dni wysypka ciemnieje, następnie ustępuje. Czasami przez okres jednego do dwóch tygodni pozostają brązowawe przebarwienia, które jednak nie powinny budzić niepokoju.

Wśród dolegliwości związanych z odrą na pierwszym miejscu należy wymienić nadwrażliwość na światło i zapalnie zmienione oczy oraz bóle gardła i suchy kaszel.

### Przyczyny

Zakażenie wirusowe przenoszone przez bezpośrednią styczność. Zarazek nie przenosi się za pośrednictwem przedmiotów.

### Ryzyko zachorowania wzrasta

Przy styczności z dziećmi chorymi na odrę.

### Możliwe następstwa i powikłania

Odrze mogą towarzyszyć zakażenia bakteryjne, wywołujące zapalenie ucha środkowego lub zapalenie płuc. Najniebezpieczniejszym następstwem jest zapalenie mózgu (→ s. 206).

### Zapobieganie

Odra należy do wyjątkowo zaraźliwych chorób dziecięcych. Niemowlęta chronione są do czterech miesięcy przez przeciw-

---

#### Lektura uzupełniająca

KENDEL H.: *Choroby dziecięce: rozpoznawanie — terapia — zapobieganie. Najczęstsze choroby od wieku niemowlęcego po okres dojrzałości.* Muza S.A., Warszawa 1996.

SPOCK B., ROTHENBERG M.B.: *Dziecko: pielęgnowanie i wychowanie.* Wyd. 6, PZWL, Warszawa 1997.

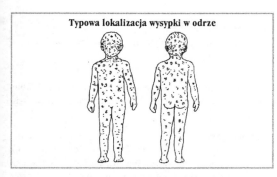

**Typowa lokalizacja wysypki w odrze**

ciała uzyskane od matki. Na cztery dni przed pojawieniem się wykwitów i przez cztery dni po ich wystąpieniu chore dziecko może zarazić inne dzieci. Aby temu zapobiec, należy nie dopuścić do styczności chorego dziecka z dziećmi zdrowymi przez tydzień od chwili pojawienia się wysypki (→ Szczepienia zapobiegawcze, s. 634).

### Kiedy do lekarza?

— Gdy podejrzewa się odrę. Dokładne badanie umożliwi wykrycie ewentualnego dodatkowego zakażenia bakteryjnego, wymagającego zastosowania antybiotyku.

*Uwaga*: Ze względu na niebezpieczeństwo zakażenia przed wizytą należy uprzedzić lekarza pediatrę telefonicznie o podejrzeniu odry.

*Do lekarza lub do szpitala powinno się zgłosić natychmiast, gdy:*

— wystąpi sztywność karku i nie da się przygiąć brody do klatki piersiowej;
— wystąpią drgawki;
— dziecko jest senne i leniwie reaguje na słowa;
— dochodzi do krwawień (np. z błon śluzowych), a pod skórą tworzą się ciemnoczerwone plamy (objaw zaburzenia krzepnięcia).

### Jak sobie pomóc

Leżenie w łóżku pomaga w zaoszczędzeniu energii i skierowaniu wszystkich rezerw do walki z chorobą. Wysoka gorączka i poty powodują utratę płynów. Należy zatem zachęcać dziecko do przyjmowania dużej ilości płynów. Często ubiera się gorączkujące dzieci zbyt ciepło. Korzystniejsza jest odzież bawełniana albo nakrywanie dziecka lekkim kocem i utrzymywanie w pokoju nieco chłodniejszej temperatury (około 18-20°C). Kompresy na łydki ułatwiają ochłodzenie ciała (→ s. 641). Stosuje się je jednak tylko wówczas, gdy ręce i nogi dziecka są ciepłe. Chłodne napoje (np. zimne mleko) oraz chłodne, wilgotne powietrze w pokoju łagodzą bóle gardła. Soki owocowe zawierające kwasy podrażniają śluzówkę gardła. Jeżeli dziecko ma trudności w połykaniu, należy podawać mu miękkie, papkowate potrawy. Zaciemnienie pokoju oszczędza obolałe oczy. Można też założyć dziecku okulary przeciwsłoneczne.

### Leczenie

Podobnie jak przy innych chorobach wirusowych także i przy odrze można jedynie łagodzić objawy choroby. Leki obniżające gorączkę powinny być stosowane tylko wówczas, gdy temperatura przekracza 40°C lub gdy samopoczucie dziecka stale jest bardzo złe. Spośród nich należy podawać tylko Paracetamol (→ Leki przeciwbólowe, s. 620).

## Różyczka

### Dolegliwości

Różyczkę rozpoznaje się prawie zawsze dopiero z chwilą pojawienia się wysypki, to jest po jedenastu do dwudziestu jeden dniach od zakażenia. Jasnoczerwone plamy wielkości ziarnka soczewicy występują najpierw na twarzy, potem rozprzestrzeniają się na całe ciało. Typowym objawem różyczki jest powiększenie węzłów chłonnych na szyi i karku. Można je wymacać w postaci małych zgrubień. W czasie różyczki dzieci właściwie nie gorączkują ani nie uskarżają się na dolegliwości. W przypadku jednej czwartej do jednej trzeciej dzieci choroba nie zostaje w ogóle zauważona.

### Przyczyny

Zakażenie wirusowe przenoszone przez bezpośrednią styczność. Zarazek nie przenosi się za pośrednictwem przedmiotów.

### Ryzyko zachorowania

Zwykle chorują dzieci w wieku szkolnym.

### Możliwe następstwa i powikłania

Różyczce towarzyszą wyjątkowo rzadko zakażenia bakteryjne lub zapalenie mózgu.

### Zapobieganie

Dzieci chore na różyczkę muszą bezwzględnie być odizolowane od kobiet w ciąży. Przy podejrzeniu, że doszło do zetknięcia się z różyczką, kobieta ciężarna powinna jak najszybciej porozumieć się ze swym lekarzem.

Różyczka jest zaraźliwa na siedem dni przed i do piątego dnia po wystąpieniu wysypki. Przebycie różyczki chroni przed ponownym zakażeniem lepiej niż szczepienie. Ponieważ dzieci przechodzą różyczkę bardzo lekko, należy dążyć do tego, aby zwłaszcza dziewczynki ulegały możliwie jak najwcześniej infekcji i zyskały w ten sposób odporność na całe życie. Szczepienie zapobiegawcze → s. 635.

### Kiedy do lekarza?

— Gdy do różyczki dołączą się inne objawy, jak kaszel i ból uszu. Z uwagi na niebezpieczeństwo zakażenia przed wi-

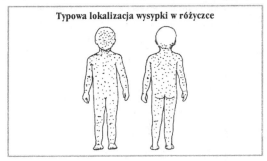

**Typowa lokalizacja wysypki w różyczce**

zytą u lekarza należy uprzedzić go telefonicznie o podejrzeniu różyczki.

*Do lekarza lub szpitala należy zgłosić się natychmiast, gdy:*
— dziecko ma drgawki,
— dziecko jest apatyczne i nie reaguje na otoczenie.

### Jak sobie pomóc
Choroba minimalnie upośledza stan dziecka i nie ma potrzeby stosowania czegokolwiek.

### Leczenie
Zwykle nie jest potrzebne.

## Szkarlatyna (płonica)

### Dolegliwości
Dwa do trzech dni po zakażeniu nagle występuje gorączka do 41°C. Dołączają się bóle głowy, silne bóle gardła i trudności w połykaniu. Często dziecko kilka razy wymiotuje. Po upływie dalszych dwóch do trzech dni gorączka ponownie wzrasta i pojawia się typowa wysypka: liczne, drobniutkie, gęsto rozsiane, czerwone, szorstkie plamki wielkości główki od szpilki, przypominające „czerwony zamsz". Przy ucisku wykwity bledną. Wysypka pojawia się najpierw w obrębie klatki piersiowej i pachwin, potem rozprzestrzenia się na całe ciało z wyjątkiem twarzy. Po upływie jednego do dwóch tygodni skóra zaczyna się łuszczyć. Na dłoniach i stopach skóra może schodzić w postaci płatów.

Inne charakterystyczne dla szkarlatyny (płonicy) objawy: obrzęknięty, obłożony język z lśniąco czerwonymi punktami („język malinowy"), powiększone, bolesne węzły chłonne szyjne i pachwinowe.

### Przyczyny
Zakażenie bakteryjne (paciorkowce, streptokoki).

### Ryzyko zachorowania wzrasta
Jeżeli w otoczeniu (np. w domu rodzinnym, w przedszkolu) wystąpiła szkarlatyna. Choroba ta pojawia się częściej zimą.

### Możliwe następstwa i powikłania
Od czasu, gdy szkarlatynę leczy się skutecznie penicyliną, choroba przestała być groźna. Przed laty uważana była za bardzo ciężkie schorzenie, gdyż często jej przebieg był bardzo ostry (płonica toksyczna) lub atakowała różne narządy, jak np. uszy, zatoki,

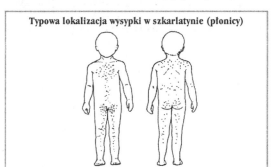

**Typowa lokalizacja wysypki w szkarlatynie (płonicy)**

> **Lektura uzupełniająca**
>
> SZCZEPAŃSKA H.: *Choroby zakaźne i pasożytnicze u dzieci.* PZWL, Warszawa 1987.

węzły chłonne. Następstwem szkarlatyny może być choroba reumatyczna (→ Zapalenie stawów w chorobach zakaźnych, s. 426).

### Zapobieganie
Po pięciu dniach stosowania antybiotyku dziecko chore na szkarlatynę przestaje być zakaźne. Bez antybiotyku niebezpieczeństwo zakażenia otoczenia przez ozdrowieńca trwa przez wiele tygodni. Do końca tego niebezpiecznego dla otoczenia okresu dziecko musi być izolowane. Niekiedy osoby mieszkające wraz z chorym dzieckiem muszą zażywać antybiotyki.

### Kiedy do lekarza?
— Przy podejrzeniu szkarlatyny (płonicy). Ze względu na niebezpieczeństwo zakażenia należy przed wizytą uprzedzić telefonicznie lekarza o podejrzeniu tej choroby.

*Zgłosić się natychmiast do lekarza lub szpitala, gdy*
— gorączka nie spada poniżej 40°C mimo stosowania leków, czy też innych środków obniżających temperaturę;
— dziecko ma drgawki;
— dziecko robi wrażenie bardzo niespokojnego;
— dziecko ma silne wymioty i biegunkę.

### Jak sobie pomóc
Zapalenie gardła → s. 288, gorączka → s. 641, bóle głowy → s. 620. Szyję można ochładzać lodem (→ s. 653).

### Leczenie
Przy podejrzeniu szkarlatyny należy wezwać lekarza. Dziecko wymaga bezwzględnego zastosowania antybiotyku. Ponadto lekarz musi je nadal dokładnie obserwować i badać (m.in. badanie moczu, wymazy z gardła).

## Krztusiec (koklusz)

### Dolegliwości
Krztusiec jest chorobą bardzo zaraźliwą i długotrwałą. Od zakażenia do wystąpienia objawów chorobowych mija jeden do dwóch tygodni. Krztusiec często nie zostaje rozpoznany, gdyż w ciągu pierwszych dwóch tygodni przypomina przeziębienie. Dopiero po upływie następnych trzech do sześciu tygodni pojawiają się typowe ataki kaszlu z zaciąganiem przy wdechu i serią kaszlnięć aż do zupełnego wydalenia powietrza z płuc. Potem następuje gwiżdżący, głośny wdech (zanoszenie się), po którym mogą zjawić się dalsze serie kaszlu. Pod koniec ataku twarz dziecka jest zaczerwieniona, oczy szkliste. Dziecko jest wyczerpane.

Przy krztuścu najczęściej nie ma gorączki i między atakami, które mogą się powtarzać nawet piętnaście do dwudziestu razy na dobę, dziecko wygląda zdrowo. W przypadku niemowląt zamiast ataków kaszlu pojawiają się niekiedy ataki kichania. Dopiero po upływie sześciu do dziesięciu tygodni ataki stają się rzadsze i mniej uciążliwe.

### Przyczyny
Zakażenie bakteryjne. Ośrodek kaszlu w mózgu ulega schorzeniu pod wpływem jadów bakteryjnych.

### Ryzyko zachorowania
W przeciwieństwie do większości innych chorób zakaźnych krztusiec może zaatakować również niemowlęta. Zwiększone ryzyko zachorowania dotyczy dzieci, które zetknęły się z chorym na krztusiec jeszcze przed rozpoznaniem u niego tej choroby.

### Możliwe następstwa i powikłania
Krztusiec może stanowić duże niebezpieczeństwo dla niemowląt. W Polsce w 1988 roku zachorowało 174 dzieci, z których jedno zmarło. Niemowlęta chore na krztusiec muszą być pod stałą obserwacją, gdyż przy kaszlu lub kichaniu może nastąpić zatrzymanie oddechu. W takich przypadkach należy dziecko niezwłocznie podnieść, potrząsać nim lub nawet zastosować sztuczne oddychanie.

### Zapobieganie
Zakaźność jest największa w pierwszych dwóch tygodniach choroby, gdy krztusiec prawie nigdy nie bywa rozpoznany. Przebieg choroby może być znacznie cięższy w przypadku niemowląt niż u starszych dzieci. Dlatego nie należy dopuszczać do stykania się niemowląt z dzieckiem kaszlącym. Jeżeli jednak już doszło do takiego kontaktu, wskazane jest profilaktyczne leczenie niemowlęcia antybiotykiem (erytromycyna). Natomiast jeżeli nie stosowano antybiotyku, choroba jest niebezpieczna dla otoczenia przez okres około trzech tygodni od pierwszych, typowych ataków kaszlu. Przy stosowaniu antybiotyków okres zakaźności skraca się do tygodnia (→ Szczepienia zapobiegawcze, s. 633).

### Kiedy do lekarza?
— Gdy zaistnieje podejrzenie krztuśca.
— Gdy dziecko gorączkuje.
— Gdy dołącza się ból ucha.
    Z uwagi na niebezpieczeństwo zakażenia, przed wizytą powinno się powiadomić telefonicznie pediatrę o podejrzeniu krztuśca.

*Należy zgłosić się natychmiast do lekarza lub do szpitala, gdy:*
— dziecko lekko sinieje i przy oddychaniu ruszają się skrzydełka nosa,
— wystąpią drgawki i porażenie lub utrata przytomności.

### Jak sobie pomóc
Dziecko chore na krztusiec nie musi leżeć w łóżku, powinno jednak przebywać w ciepłym środowisku (do 21°C) o co najmniej czterdziestoprocentowej wilgotności powietrza. Celowe może być zastosowanie nawilżacza. Pokój należy wielokrotnie w ciągu dnia wietrzyć. Ponieważ zdarza się, że po ataku dziecko często wymiotuje, należy mu podawać wielokrotnie w ciągu dnia lekkie i skąpe posiłki. Również z racji wymiotów ważne jest podawanie dużej ilości płynów w celu wyrównania ich utraty i złagodzenia kaszlu.

---

### Cierpliwość — lecz nie za długo
W krztuścu, który może trwać od sześciu do dwunastu tygodni, bardzo ważna jest cierpliwa opieka. Po wyczerpujących atakach należy dziecko pocieszać. Jeżeli jednak pod koniec choroby ataki stają się rzadsze, nie należy zwracać na nie większej uwagi. Dziecko powinno zauważyć, że „jest już lepiej". W przeciwnym razie może wykorzystywać kaszel jako środek wywierania presji na otoczenie.

### Leczenie
Stosowanie leków przeciwkaszlowych jest mało skuteczne. Leczenie antybiotykami jest konieczne tylko wówczas, gdy:
— można w ten sposób zapobiec krztuścowi odpowiednio wcześnie;
— dziecko dotknięte chorobą nie ukończyło jeszcze pierwszego roku życia;
— współistnieje inne obciążające schorzenie;
— dołącza się dodatkowe zakażenie.
    Stosowanie leków uspokajających jest bardzo problematyczne. Łagodzą one wprawdzie w czasie ataków lęk i napięcie, nie zwalczają jednak choroby i mają znaczne działania uboczne. Wstrzykiwanie stężonych przeciwciał, skierowanych swoiście przeciw krztuścowi, może złagodzić przebieg choroby.

## Świnka (nagminne zapalenie przyusznic)

### Dolegliwości
Osiemnaście do dwudziestu dni po zakażeniu występuje obrzęk przed uszami. Jest to obrzęk ciastowaty, miękki i bolesny. Najpierw puchnie jeden policzek, potem — po upływie jednego do dwóch dni — drugi. Dzieci skarżą się na lekki ból uszu, bóle przy kręceniu głową i żuciu. Gorączka sięga 40°C albo też może w ogóle nie wystąpić. Po upływie tygodnia następuje wyzdrowienie, zwykle bez następstw.

### Przyczyny
Zakażenie wirusowe, atakujące ślinianki.

### Ryzyko zachorowania
Najczęściej chorują dzieci między czwartym a dziesiątym rokiem życia.

### Możliwe następstwa i powikłania
Wirus świnki rzadko wywołuje powikłania, jak np. zapalenie trzustki lub opon mózgowych. W przypadku chłopców następstwem świnki może być zapalenie jąder, które niekiedy prowadzi do bezpłodności.

### Zapobieganie
Świnka jest zaraźliwa przez cztery dni przed wystąpieniem choroby do siedmiu dni od jej początku (→ Szczepienia zapobiegawcze, s. 635).

### Kiedy do lekarza?
— Gdy bóle zwiększają się po nagrzaniu.
— Gdy dziecko skarży się na bardzo silne bóle ucha lub gdy bóle te nagle ustają, a z ucha następuje wyciek.

## Ciepłe okłady

Zamoczyć dwie ściereczki w ciepłej wodzie, wyżąć je i umieścić na policzkach, przymocowując za pomocą ręcznika lub szala. Szal zakłada się pod brodą i zawiązuje na czubku głowy. Ciepło utrzymuje się znacznie dłużej, gdy między ciepłe, wilgotne ściereczki a szal włoży się folię aluminiową lub plastikową.

— Gdy mimo stosowania leków przeciwgorączkowych temperatura nie spada poniżej 40°C.

*Należy zgłosić się natychmiast do lekarza lub do szpitala, gdy:*
— wystąpią bóle głowy, sztywność karku (nie udaje się przyciągnąć brody do klatki piersiowej) lub dziecko nie reaguje na zapytania;
— dołączą się wymioty lub silne bóle brzucha;
— u chłopców po pokwitaniu wystąpią silne bóle jąder.

### Jak sobie pomóc
Ciepłe okłady łagodzą dolegliwości.

### Leczenie
Antybiotyki nie mają żadnego wpływu na wynik leczenia. Wystarczy utrzymanie uszu i policzków w cieple, w razie zaś wystąpienia gorączki zastosowanie leku powodującego jej obniżenie.

## Ospa wietrzna

### Dolegliwości
Choroba zaczyna się bólami głowy i gorączką. Zwykle dwa do trzech tygodni po zakażeniu pojawia się nagle na tułowiu szybko rozprzestrzeniająca się wysypka. Jasnoczerwone grudki przeistaczają się w ciągu kilku godzin w małe, łatwo pękające pęcherzyki, z których może wyciekać przejrzysty płyn. Rzutami pojawiają się wciąż nowe pęcherzyki, z których z kolei tworzą się strupki. Mogą one umiejscawiać się również na głowie lub na śluzówkach (usta, narządy płciowe). Ciepłota ciała zwykle nieznacznie się podnosi. Inne objawy należą do rzadkości. Wysypka jest bardzo swędząca.

### Przyczyny
Jest to bardzo zaraźliwa choroba wirusowa. Swą nazwę zawdzięcza temu, że „przenosi ją wiatr". Ospą wietrzną można się zarazić nawet w odległości dziesięciu metrów od chorego.

### Ryzyko zachorowania
Choroba atakuje najczęściej dzieci w wieku od dwóch do siedmiu lat.

### Możliwe następstwa i powikłania
Na ospę wietrzną choruje się raz w życiu. Jednak osoba, która w dzieciństwie przebyła ospę wietrzną, może w wieku dojrzałym zachorować na półpasiec, gdy drzemiące w ustroju wirusy na nowo się uczynnią (→ Półpasiec, s. 273).

W rzadkich przypadkach dochodzi w ospie wietrznej do zaatakowania pewnych okolic mózgu. U dziecka występują wtedy zaburzenia równowagi, które prawie zawsze ustępują w ciągu kilku tygodni.

### Zapobieganie
Zapobieganie zakażeniu w przypadku dzieci jest prawie niemożliwe. Miałoby to sens w wyjątkowych przypadkach u niemowląt w wieku poniżej miesiąca, u dzieci leczonych cytostatykami, glikokortykoidem lub innymi preparatami immunosupresyjnymi (z powodu ciężkiego reumatyzmu lub raka), wreszcie u kobiet w ciąży.

### Kiedy do lekarza?
Najpierw należy zasięgnąć telefonicznie informacji u lekarza, gdy:
— nie udaje się złagodzić świądu skóry (→ Jak sobie pomóc)
— wysypka ulega stanowi zapalnemu; następuje wtedy zaczerwienienie wykwitów, a ich zawartość żółknie.

*Należy natychmiast zgłosić się do lekarza lub do szpitala, gdy:*
— wystąpią bóle głowy, sztywność karku (nie można przygiąć głowy i dotknąć brodą piersi) lub silne wymioty;
— dziecko jest apatyczne i nie reaguje na wezwanie.

### Jak sobie pomóc
*Paznokcie*: przyciąć krótko paznokcie, aby dziecko nie rozdrapywało pęcherzyków. Częste mycie rąk i paznokci zmniejsza możliwość dodatkowego zainfekowania. Niekiedy konieczne jest nałożenie dziecku rękawiczek bawełnianych, aby uniemożliwić mu drapanie się.
*Ubiór*: luźno przylegająca, bawełniana odzież najmniej drażni skórę dotkniętą wysypką.
*Płukanie*: jeśli wykwity znajdują się w ustach lub na spojówkach, płukanie ust i gardła lub przemywanie oczu wodą z solą łagodzi świąd. Daje się łyżkę od herbaty soli na szklankę wody.
*Kąpiel*: częste prysznice lub zmywanie letnią wodą łagodzą świąd skóry i zapobiegają zapaleniom pęcherzyków. Pomaga również codzienna letnia kąpiel z dodatkiem filiżanki proszku do pieczenia. Należy zawsze używać świeżych ściereczek kąpielowych.
*Niemowlęta*: troskliwa pielęgnacja i częsta zmiana bielizny pościelowej oraz osobistej jest szczególnie ważna w zapobieganiu zakażeniom bakteryjnym pęcherzyków.

### Leczenie
W celu złagodzenia trudnego do zniesienia świądu lekarze przepisują chętnie proszki lub zawiesiny. Skuteczność tych środków jest jednak wątpliwa. Przypuszczalnie zastępują one uczucie świądu wrażeniem „zimna" lub „ciepła". Ten sam skutek można osiągnąć prościej i taniej, stosując Lotio alba

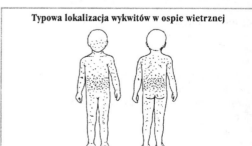

**Typowa lokalizacja wykwitów w ospie wietrznej**

aquosa (do nabycia w aptece). Dzieci często czują się od razu lepiej, gdy posmarować takim roztworem wszystkie wykwity i gdy wygląd dziecka upodobni je do „muchomora".

## Błonica (difteria)

### Dolegliwości
Gorączka, bóle głowy, ogólne osłabienie. Zwykle zajęte jest gardło i występuje utrudnienie połykania. Na obrzękłej tylnej ścianie gardła pojawia się biały lub brązowy nalot. Gdy następuje rozprzestrzenienie obrzęku i nalotów, pojawia się chrypka i szczekający kaszel oraz duszność.

Gdy zajęty jest nos, wydzielina staje się krwawa. Czasami na skórze występują niebieskobrązowe sińce jako wyraz krwawień.

### Przyczyny
Zakażenie bakteriami wytwarzającymi toksynę. Bakterie te przenoszą się przez najdrobniejsze kropelki śliny (zakażenie kropelkowe) lub zanieczyszczone środki pokarmowe.

### Ryzyko zachorowania wzrasta
U ludzi niedożywionych lub mieszkających w zagęszczonych, niehigienicznych mieszkaniach.

### Możliwe następstwa i powikłania
Obrzęk i naloty w krtani mogą spowodować duszność, a nawet śmierć przez uduszenie. Niekiedy toksyny błonicy uszkadzają serce i naczynia, doprowadzając do niewydolności krążenia. W rzadkich przypadkach dotknięty bywa system nerwowy. Dochodzi wtedy do zaburzeń czucia i chodzenia.

### Zapobieganie
Najważniejszą metodą zapobiegania jest szczepienie (→ s. 632). Dzieci chore trzeba ściśle izolować, aby nie dopuścić do zakażenia dzieci zdrowych. Lekarz ma obowiązek zgłoszenia każdego podejrzenia zachorowania na błonicę służbie sanitarno-epidemiologicznej.

### Kiedy do lekarza?
— Gdy gorączka nie spada mimo stosowania leków przeciwgorączkowych.
— Gdy przez ponad dwa dni gorączka przekracza 38°C.
— Gdy dziecko, zwłaszcza wieczorem, stale gorączkuje.
— Gdy dołączają się inne ciężkie objawy chorobowe (np. bóle głowy, ból gardła, trudności w przełykaniu, szczekający kaszel lub krwawy wyciek z nosa) lub gdy któryś z narządów jest szczególnie zaatakowany.

### Jak sobie pomóc
Samemu nie można.

### Leczenie
Bakterie zwalcza się penicyliną, toksyny bakteryjne zaś tzw. surowicą przeciwbłoniczą. Stosuje się przy tym specjalne środki ostrożności w celu uniknięcia reakcji uczuleniowych. Jeżeli zaistnieje niebezpieczeństwo uduszenia, konieczne jest nacięcie tchawicy. W przypadku uszkodzenia serca trzeba swoiście leczyć jego niewydolność. Chorych z ciężką postacią błonicy należy umieścić w ośrodku intensywnego nadzoru.

## Gorączka trzydniowa (rumień nagły)

### Dolegliwości
Choroba zaczyna się prawie zawsze wysoką gorączką trwającą trzy do czterech dni bez jakichkolwiek innych objawów (jak np. katar lub kaszel). Rzadko dziecko wymiotuje lub dostaje biegunki.

Po upływie trzech do czterech dni gorączka szybko spada. Przede wszystkim na brzuchu i na plecach pojawia się drobnoplamista, różowa wysypka, która cofa się w ciągu jednego do dwóch tygodni. Choroba jest mało zaraźliwa.

### Przyczyny
Przyczyna jest nieznana. Przypuszcza się, że powodem jest wirus.

### Ryzyko zachorowania
Najczęściej chorują dzieci w wieku od trzech miesięcy do czwartego roku życia.

### Możliwe następstwa i powikłania
Gorączka trzydniowa jest chorobą banalną. Na skutek wysokiej gorączki, jak również z tej przyczyny, że choroba pojawia się najczęściej w wieku, w którym mózg łatwo reaguje na wzrost temperatury, mogą wystąpić drgawki.

### Zapobieganie
Nie jest możliwe.

### Kiedy do lekarza?
— Gdy gorączka nie spada mimo stosowania środków przeciwgorączkowych (→ s. 641).
— Gdy przez ponad dwa dni utrzymuje się nieprzerwanie gorączka powyżej 38°C.
— Gdy dziecko stale gorączkuje, przede wszystkim wieczorami.
— Gdy dołączają się inne ciężkie objawy chorobowe (np. bóle przy oddawaniu moczu).
— Gdy jakiś narząd jest szczególnie dotknięty chorobą.

### Jak sobie pomóc
Leżenie w łóżku oszczędza energię, umożliwiając wykorzystanie jej do walki z chorobą. Z powodu podwyższonej temperatury dziecko traci płyny, należy je zatem zachęcać do wzmożonego picia. Często dziecko gorączkujące jest ubierane zbyt ciepło. Zaleca się odzież bawełnianą lub nakrycie dziecka lekkim kocem i umieszczenie go w pokoju o niższej temperaturze (18-20°C). Ochłodzenie ciała ułatwiają kompresy (→ Zawijania, s. 653). Ból gardła można złagodzić, podając chłodny napój (np. zimne mleko). Ponadto na ból gardła łagodząco wpływa także chłodne, wilgotne powietrze w pokoju. Soki owocowe przez zawartość kwasów powodują podrażnienie śluzówki gardła. Mając trudności z połykaniem, dziecko chętniej jada miękkie, papkowate pokarmy (budynie, gęste kompoty, przeciery z ziemniaków i jarzyn).

### Leczenie
W razie potrzeby leki przeciwgorączkowe.

# BYĆ W PODESZŁYM WIEKU

W krajach uprzemysłowionych ludzie żyją coraz dłużej. W 1994 roku średnia długość życia wynosiła 72 lata dla mężczyzn i 79 lat dla kobiet. Okres podeszłego wieku jest coraz dłuższy i może być wypełniony aktywnością oraz nowymi zadaniami życiowymi. Kto do doświadczeń podeszłego wieku podchodzi z ciekawością i nie traci zainteresowania światem i sobą, łatwiej przezwycięża zmiany cielesne, które występują w starości. Granice, które wyznaczają stopniowo starość, nie oznaczają spoczynku. Przeciwnie, zmuszają do tego, by także psychicznie nastawić się do stale zmieniających się warunków, a więc pozostać elastycznym i wykorzystywać aktywnie pozostałe możliwości.

### Starzeć się beztrosko?

Sposób, w jaki przebiega u każdego proces starzenia się, zależy zdecydowanie od warunków życia i możliwości jego kształtowania. Stan organizmu odzwierciedla doświadczenia życiowe. Po nim można rozpoznać, jak oddziaływały praca fizyczna i związane z nią trudności, niedostatek ruchu lub problemy psychosocjalne, jakie ślady pozostawiły zmartwienia i przepracowanie. Dużą rolę odgrywają przy tym warunki życia: ograniczenia spowodowane emeryturą na granicy ubóstwa oddziałują również na stan psychiczny i organizm. Bieda na starość dotyka szczególnie kobiety: w 1989 roku co dziesiąta kobieta skazana była na pomoc socjalną.

Czy te indywidualne obciążenia przełożą się rzeczywiście prędzej czy później na „przedwczesne" procesy starzenia się lub przewlekłą chorobę, zależy od poszczególnych osób. O tym decydują również psychiczne samopoczucie oraz nastawienie wewnętrzne i zewnętrzne.

### Wcześniejsze planowanie

Szokowi, który towarzyszy wyłączeniu z życia zawodowego w sześćdziesiątym piątym roku życia, najlepiej zapobiec przez wyszukanie sobie odpowiednio wcześniej satysfakcjonujących zadań poza zawodem.

Kto, mając pięćdziesiąt lat, planuje czas „po tym", może urzeczywistnić swoje marzenia o zrównoważonym i spełnionym „zmierzchu życia". Wszystkie badania wskazują na jedno: w starości do zupełnie nowych brzegów dobijają tylko nieliczni. Niewypróbowanych dotąd sposobów bycia i form życia, jeszcze przed starością, rzadko można się nauczyć później. Zakres możliwych aktywności obejmuje wiele dziedzin:

— Możesz zrobić coś tylko dla siebie. Obszar możliwości jest prawie nieograniczony: podróże, uczenie się nowej dyscypliny sportowej lub języka, hodowanie róż, kręcenie filmów krótkometrażowych, nauczenie się akupresury, naprawa samochodów itd.
— Możesz się poświęcić działalności politycznej. Może denerwowały cię różne anomalia, lecz nie znajdowałeś nigdy czasu na poważne zajęcie się tymi problemami. Inicjatywy obywa-

telskie środowiska, partie polityczne i stowarzyszenia żyją z zaangażowania swoich członków — również starszych wiekiem.
— Możesz zrobić coś dla innych: swoje umiejętności zawodowe i doświadczenie życiowe możesz przekazać młodym kolegom, na przykład w ramach giełdy wiedzy lub seniorskich usług eksperckich. Możesz pomagać dzieciom obcokrajowców w odrabianiu lekcji, pomagać w ochotniczej pomocy chorym lub opiekować się dziećmi. Właśnie w działalności socjalnej w każdej dziedzinie nieocenione są pomocne dłonie.

## Jak się starzejemy

Już z pierwszym oddechem rozpoczynają się procesy starzenia się. Komórki umierają i są zastępowane nowymi. W młodości proces ten następuje szybko i bezbłędnie, z czasem jednak odnowa przebiega mniej gładko. Poszczególne fazy podziału komórek są wolniejsze, a błędy przy podziale komórek i jąder wzrastają. Zdolność organizmu do wyrównywania takich błędów zmniejsza się, a organizm traci na sprawności. Zmiany te, „objawy starzenia się", są procesem naturalnym.
— Wskutek zwapnienia tętnic naczynia mogą się zwężać; zmniejsza się siła pompowania serca.
— Płuca mają zmniejszoną wydolność. Wskutek zwapnienia chrząstek żebrowych klatka piersiowa traci elastyczność. Ruchy oddechowe są utrudnione.
— Zmianie ulega stan śluzówki i umięśnienia żołądka oraz jelit; trawienie odbywa się wolniej, leki wchłaniają się dłużej.
— Zwiększa się stłuszczenie wątroby. Następuje wolniejszy metabolizm substancji szkodliwych. Wątroba, jako narząd silnie ukrwiony, cierpi wskutek ograniczonej czynności serca, a przez to zmniejszonego ukrwienia.
— Słabiej ukrwione są również nerki i ulegają zmniejszeniu. Wolniej wydalają pozostałości substancji szkodliwych, w tym i leków.
— Tkanki narządu ruchu tracą wodę, przez co odkładają więcej tłuszczu. Tkanka kostna bardziej zużywa się, niż odtwarza. Zmniejsza się masa mięśni, w stawach, kręgach i krążkach międzykręgowych pojawiają się objawy zużycia.
— Od około czterdziestego roku życia oczy tracą zdolność ostrego widzenia z bliska — potrzebne są okulary do czytania (→ Starczowzroczność, s. 224). Zmniejsza się również wrażliwość na światło — starsze osoby potrzebują więcej światła do czytania.
— Następują zmiany w uszach. Zwęża się zewnętrzny przewód słuchowy, części ucha kostnieją, zmniejsza się liczba neuronów słuchowych (→ Przytępienie słuchu, s. 242).
— Skóra jest gorzej ukrwiona. Traci zdolność wiązania wody,

tkanka staje się mniej elastyczna, bardziej sucha i pomarszczona.

— Zawartość wody w organizmie człowieka spada z 62 do 54%. Powoduje to zmniejszanie się narządów i ich sprawności. Należy dużo pić (→ Picie, s. 722).

## Przesłanki długiego życia

Nie ma ogólnie obowiązujących recept na długie i rześkie życie. Jednakże niektóre warunki życia mogą się do tego przyczynić:
— Właściwie dozowana aktywność fizyczna (→ Ruch i sport, s. 748).
— Rozsądne odżywianie się (→ s. 705).
— Ograniczenie trujących używek (→ s. 740).
— Aktywność intelektualna, a więc zainteresowanie wydarzeniami politycznymi, społecznymi i kulturalnymi.
— Dobre samopoczucie psychiczne. Żywy stosunek do przyjaciół i krewnych sprawiają, że czujesz się młodo. Radość i pozytywne uczucia działają korzystnie na stan zdrowia, samotność i zgorzknienie szkodzą.
— Aktywność seksualna może uskrzydlić siły żywotne.

## Osłabienie pamięci

Z wiekiem zwężają się naczynia. Powoduje to zakłócenia w ukrwieniu poszczególnych narządów. Tym zmniejszonym zaopatrzeniem dotknięty jest przede wszystkim mózg (→ Miażdżyca tętnic, s. 302). Skutki mogą być następujące:
— osłabienie pamięci i zmniejszenie zdolności koncentracji,
— pogorszenie orientacji,
— zmienność nastroju.

Zmianom tym można zapobiec. Badania wieku podeszłego wykazały, że wraz z upływem lat możliwości intelektualne obniżają się najmniej wtedy, gdy się z nich ciągle korzysta. Zmniejszającą się spostrzegawczość i szybkość reagowania możesz wyrównać, pozostawiając sobie po prostu więcej czasu i postępując z większą starannością i rozwagą. Inne umiejętności, wzrastające z wiekiem, bywają przy tym pomocne. Do nich należy umiejętność osądu, zrozumienie powiązań myślowych, samodzielność, racjonalne myślenie, świadomość odpowiedzialności i wiarygodność.

Często przesadnie ocenia się brak pamięci ludzi starszych. Choć zawodzi w starszym wieku (indywidualnie w różnym stopniu) pamięć bezpośrednia, świeża, to pamięć długotrwała funkcjonuje z reguły bez zarzutu. O ile nie możesz się już całkowicie zdać na swoją pamięć, pomocne stają się „ściągi" lub kartki do notowania.

Tak zwana krystaliczna inteligencja, a więc „spojrzenie na istotność", dające możliwość objęcia zarówno szczegółów, jak i całości, pozostaje tak długo niezmniejszona, dopóki sami nie zdecydujemy: „To mnie już nie interesuje". Wewnętrzny spokój, pozwalający na to, by nie „musieć" się wszystkim interesować, jest przywilejem starości, co zapewnia również wolność; zajmujemy się tylko rzeczami, które wydają nam się rzeczywiście ważne.

## Zmieniony sen

Od około pięćdziesiątego roku życia zmienia się struktura snu. Fazy nocnego głębokiego snu są rzadsze, sen staje się niespokojny.

Zmienia się również rozkład czasu snu i czuwania w czasie dnia. Czas czuwania i snu nie dzielą się już tak wyraźnie na dwa bloki. Sześćdziesięciolatkowie w porównaniu z dwudziestolatkami już po krótkim śnie czują się wypoczęci, lecz po kilku godzinach aktywności odczuwają znowu potrzebę wypoczynku.

Najlepiej sposób życia dostosować do zmieniającego się rytmu, zwracać uwagę na własną potrzebę wypoczynku, a aktywność i terminy planować tak, by nie wypadały akurat na przewidywane „dołki". Zabiegi odprężające (→ s. 664) nadają się jako sposoby pozbycia się senności, są również pomocne przy zaśnięciu w czasie niespokojnych nocy. Sjesta lub kilka drzemek w ciągu dnia prawie zawsze wyrównują krótszy sen nocny powodowany wiekiem.

# SEKSUALNOŚĆ

Życie seksualne starszych kobiet i mężczyzn jest w szczególny sposób nie akceptowane społecznie. Zdolność reagowania seksualnego nie jest w starszym wieku gruntownie ograniczona. Przede wszystkim kobiety, gdy zbliżają się do pięćdziesiątego roku życia, cierpią z powodu wizerunku „neutralnych" seksualnie. Z męskiego punktu widzenia rozrodczość i seksualność są ze sobą ściśle związane. I tak kobiety, gdy nie mogą już mieć dzieci, są „odseksualizowane" — obraz, który media dzień w dzień wzmacniają. Starsze kobiety mają rzadko szanse zaprezentowania się jako doświadczone, dojrzałe, wtajemniczone i wrażliwe. Wiele z nich dotyka to „ukrywanie" ich seksualności i erotyki głębiej niż choroba lub zmiany w rodzinie.

*Kobiety*

Zmiany hormonalne, które rozpoczynają się od około czterdziestego roku życia (→ Okres przekwitania, s. 476), nie wywierają znaczącego wpływu na odczucia rozkoszy. Niektóre kobiety dopiero w tym okresie życia rozkwitają seksualnie: starsze mają zazwyczaj więcej doświadczenia w miłości i lepiej znają swoje ciało niż młodsze. Zmiany w organizmie, jak bardziej sucha błona śluzowa pochwy, można wyrównać środkami nawilżającymi lub nowo opanowanymi technikami seksualnymi, na przykład dłuższymi zmysłowymi zabawami.

Możliwość seksualnego wyżycia się można stale rozszerzać, o ile odważy się na przekroczenie wewnętrznych barier, takich jak „to nie wypada" lub „to jest nieprzyzwoite".

**Lektura uzupełniająca**

BALL S.: *Długowieczność*. Medyk, Warszawa 1996.
BROWN D.: *Najlepsze lata masz jeszcze przed sobą, czyli poradnik o tym, jak się wesoło i zupełnie bez godności zestarzeć*. Warszawski Dom Wydawniczy, Warszawa 1992.
CONI N., DAVISON W., WEBSTER S.: *Starzenie się*. PWN, Warszawa 1994.

*Mężczyźni*

Ważne jest, by się nastawić wewnętrznie na fizyczne zmiany w organizmie. Również mężczyźni mogą zachować zdolność orgazmu do późnej starości. To, co się zmienia, to szybkość reakcji organizmu. Erekcja następuje wolniej i czasem dopiero po dłuższej stymulacji. Wytrysk nasienia przebiega raczej płynnie, lecz przeżycie orgazmu jest niezmiennie rozkoszne. Nie ma ogólnych reguł dotyczących czasu, w jakim mężczyźni zachowują potencję. Od ich osobistych warunków zależy, czy zaprzestają życia płciowego w wieku sześćdziesięciu czy dziewięćdziesięciu lat i od tego, czy w młodości uzyskali zdolność przeżyć cielesnych. Zaburzenia w erekcji nie muszą stanowić przeszkody w rozkoszowaniu się miłością cielesną. Mężczyźni powinni również wiedzieć, że niejedna kobieta może rozkoszować się seksem bez spółkowania. Ważne jest, by zamiast tego była przez partnera rozpieszczana innymi praktykami, by otaczała ją atmosfera ciepła i czułości (→ Życie seksualne, s. 499).

## CHOROBY STARSZYCH LUDZI

Wiele zaburzeń zdrowia i chronicznych cierpień występuje częściej i w bardziej złożonej formie, w późniejszych latach życia. Jak dalece ograniczają jakość życia, jest sprawą całkowicie indywidualną. O sposobach zapobiegania, samopomocy i leczeniu dowiesz się z odpowiednich rozdziałów o chorobach. Pozostające możliwości i siły należy świadomie wzmacniać i spożytkowywać.

### Leki dla starszych osób

Ponad połowa sumy wydawanej przez kasy chorych na leki przypada na osoby ponadsześćdziesięcioletnie.

Przede wszystkim leczy się choroby serca i krążenia, układu ruchu, przemiany materii, schorzenia dróg oddechowych, a także zaburzenia psychiczne oraz depresje. Starsze osoby zażywają regularnie więcej leków równocześnie.

U ludzi starszych, na skutek zmian w organizmie wywołanych wiekiem, ryzyko ubocznego działania leków jest trzy- do siedmiokrotnie wyższe niż u ludzi młodych.

Zaleca się ogólnie ograniczyć liczbę leków do minimum. Osoby starsze winny stale pytać lekarza, czy rzeczywiście leki te są niezbędne (→ Leki i ich stosowanie, s. 617).

### Pomoc z apteki

W aptekach sprzedaje się dużą liczbę leków geriatrycznych (wieku podeszłego). Wiele z nich obiecuje powstrzymanie procesu starzenia się. Jednak zrównoważone odżywianie się, fizyczna i duchowa aktywność są w stanie opóźnić starzenie się znacznie skuteczniej niż jakikolwiek lek.

Często poza fałszywymi obietnicami leki geriatryczne posiadają inną ujemną cechę: są na ogół bardzo drogie i przy częstym zażywaniu mogą również wywołać działanie uboczne.

Naukowo udowodniono skuteczność następujących leków pochodzenia roślinnego, w wielu krajach od dawna stosowanych

---

### Nie obiecuj sobie za wiele

— W licznych preparatach znajdują się co prawda sensowne substancje aktywne, lecz w zbyt niskich stężeniach. Na przykład czosnek: świeża główka czosnku z targu jest często skuteczniejsza od preparatu handlowego. Na przykład głóg: w wielu mieszankach zawartość głogu jest zbyt mała. Jeśli w ogóle, to należy stosować preparaty zawierające wyłącznie głóg.

— Pobudzające działanie wielu środków pochodzi od alkoholu, np. Klosterfrau Melissengeist, Buerlecithin, Biovital, Tai Ginseng, Voltax. W większości tych środków alkohol stanowi 15 do 20%, w Klosterfrau Melissengeist jest go nawet 79%.

— Tak zwane „uzasadnione wiekiem" tabletki wieloskładnikowe zawierające żelazo, witaminy lub minerały również nie mają sensu. Gdy wystąpi niedobór witamin lub minerałów, powinien to stwierdzić lekarz i przepisać odpowiednie ich dawkowanie.

---

przeciw dolegliwościom w starszym wieku: korzeń eleuterokoku kolczystego, liście miłorzębu, korzenie żeń-szenia, czosnek, liście rozmarynu, owoce głogu pospolitego.

Większość osób pragnie żyć jak najdłużej samodzielnie i dopiero kiedy to jest konieczne, przenieść się do miejsca z zapewnioną opieką. Jednak większość ma trudności z wyborem momentu, który byłby najwłaściwszy na zmianę formy zamieszkania. W nowym mieszkaniu lub w nowym apartamencie łatwiej może się zaaklimatyzować osoba duchowo i fizycznie żwawa aniżeli chora, wymagająca pielęgnacji. Kto jest „na chodzie", może jeszcze nawiązać nowe, trwałe kontakty z innymi ludźmi, przy tym utworzyć nowy krąg, który może trwać długo. Dlatego tak ważne jest zdecydowanie się dostatecznie wcześnie na rodzaj mieszkania, w którym chciałoby się spędzić ostatnie lata.

### W domu

#### Osoby starsze powinny mieszkać

— w niezbyt dużym mieszkaniu;
— na parterze bądź w domu z windą;
— w miejscu dobrze osiągalnym za pomocą publicznych środków komunikacji;
— blisko sklepów, punktów usługowych, parku (gdy nie ma ogródka lub balkonu);
— niedaleko od lekarza;
— tak, by mogły pieszo dojść do kina, teatru, domu seniora itp.

#### Urządzenie

— Mieszkanie winno być łatwe do dobrego ogrzania. Piece węglowe mogą stwarzać dodatkowe utrudnienie.
— Kuchnia powinna być urządzona praktycznie. Wszystkie ważne urządzenia winny być wygodne, dostępne bez konieczności schylania się. Powierzchnie robocze mogą być indywidualnie dostosowane: idealnie, jeśli znajdują się oko-

ło 10 cm poniżej ustawionego pod kątem prostym łokcia. Urządzenia elektryczne, np. piec elektryczny, dla bezpieczeństwa powinny się po odpowiednim czasie same wyłączać.

— W łazience winien być zainstalowany prysznic, gdyż wchodzenie do wanny może być często utrudnione; podłoga przeciwślizgowa i uchwyty przy prysznicu i ubikacji.
— Meble muszą być stabilne, by można się było o nie bezpiecznie opierać. Idealna wysokość siedzenia to około 45 cm ponad posadzką. Za niskie, za głębokie i za miękkie kanapy i łóżka utrudniają wstawanie.
— Łatwe do utrzymania w czystości, niepastowane podłogi (niebezpieczeństwo poślizgu). Progi należy w miarę możliwości usunąć. Dywany należy tak ułożyć, by się na nich nie potykać i nie ślizgać.
— W starym mieszkaniu sprawdzić, czy instalacja elektryczna jest bezpieczna. Orientację nocą ułatwia wystarczająca liczba wyłączników do zapalania światła.
— Starsze osoby potrzebują więcej światła niż młode. Nie należy w mieszkaniu oszczędzać kilku watów, a od gospodarza należy żądać wystarczającego oświetlenia wejścia i klatki schodowej.
— Telefon nie powinien mieć za długiego sznura (możliwość zaplątania się), lepiej mieć drugi aparat w sypialni lub aparat bezprzewodowy.
— Idealnie jest mieć telefon pogotowia połączony bezpośrednio z odpowiednią służbą socjalną. Zwróć się po informację na pocztę.

## Służby socjalne

Propozycje dojeżdżających służb socjalnych są wielorakie. Często część kosztów ponoszą władze komunalne, kasy chorych lub obowiązkowe ubezpieczenia. Informacje można otrzymać na probostwach, w stowarzyszeniach opieki społecznej, kasach chorych, urzędach socjalnych.

Na przykład:
— dostarczanie obiadów z zewnątrz,
— objazdowe usługi czystości,
— usługi napraw,
— usługi pralnicze,
— pomoc w podróży osoby towarzyszącej,
— usługi czytania i pisania,
— ruchome biblioteki,
— usługi pielęgnacyjne i terapeutyczne, opieka nad starszymi w domu.

### Lektura uzupełniająca

FÜSGEN J.: *Starość pod opieką*. W.A.B., Warszawa 1998.
LEBERT N.: *Starzy grzesznicy żyją dłużej. Recepty na długowieczność*. „Rój", Warszawa 1991.
TIETZE H.G.: *Wiek a zdrowie. Przewodnik po chorobach wieku dojrzałego*. Wydaw. „Astrum", Wrocław 1996.
YOUNGSON R.: *Jak nie chorować i nie starzeć się: jak walczyć z wolnymi rodnikami*. Wydaw. „Książka i Wiedza", Warszawa 1996.
ZYCH A.A.: *Człowiek wobec starości*. Warszawa, „InterArt", 1995.

---

### Społeczne Towarzystwo Pomocy Geriatrii

Warszawa, Miodowa 1, tel. (0-22) 826-06-74

## Mieszkać w domu dla ludzi starszych

W domu mieszkalnym dla osób starszych można albo mieszkanie wynająć, albo kupić. Zaleta: dom prowadzi wszelkie usługi pomocnicze, zamawia się je w miarę potrzeby i tylko za zamówione płaci. I tak można samemu gotować lub zamówić jedzenie do pokoju. To samo dotyczy pielęgnacji ciała i mieszkania. Usługi pielęgnacyjne i lekarskie są w każdej chwili dostępne. W ten sposób można przebywać w swoich czterech ścianach, a gdy potrzeba, mieć stałą opiekę.

## We wspólnocie mieszkaniowej

Wspólnoty mieszkaniowe dają przede wszystkim osobom żyjącym bez stałego partnera poczucie bezpieczeństwa i stymulują współżycie społeczne. To, co się tak dobrze sprawdziło u młodych, może również przynieść korzyści osobom starszym.

*Zalety*
— Żyjesz samodzielnie i na własną odpowiedzialność.
— Przeżywasz wspólnotę w małej grupie.
— Możesz być w swoim pokoju sam, o ile zechcesz.
— Wspólne gospodarstwo domowe jest tańsze niż życie w pojedynkę.
— Możesz sobie wybrać, z kim chcesz mieszkać.

*Wady*
— Codzienne współżycie rodzi konflikty. Starszym osobom często jest trudno dopasować swoje dawne przyzwyczajenia życiowe do innych.
— Konflikty muszą być likwidowane. Dlatego wcześniej należy przeprowadzić szczegółowe rozmowy, sprecyzować różne potrzeby i życzenia. Nie można się unikać na stałe, tak jak to jest możliwe w „anonimowości" domu opieki.
— Opieka wykonywana przez współmieszkańców ma swoje granice. Ważna jest dobrze funkcjonująca komunikacja z publicznym domem opieki lub dochodząca opiekunka. Wyszukanie mieszkania na wolnym rynku może stanowić problem. O odpowiednich mieszkaniach lub domach może poinformować gmina. Gdy mieszkanie jest za drogie, można się starać o dodatek mieszkaniowy lub wsparcie społeczne.

## Utworzenie wspólnoty mieszkaniowej

— Poszukaj osób o tych samych zapatrywaniach, ewentualnie przez ogłoszenie.
— Wyjaśnijcie na wstępie w wyczerpujących rozmowach różne potrzeby i wyobrażenia.
— Dowiedzcie się w gminie, czy istnieją mieszkania lub domy opieki.
— Gdy nie możecie sfinansować mieszkania, zwróćcie się o pomoc mieszkaniową lub socjalną.

# PIELĘGNACJA

W Niemczech około 1,1 miliona niesprawnych osób objętych jest opieką pielęgnacyjną w swoich domach. Są to upośledzone dzieci, obłożnie przewlekle chorzy, starzy rodzice i krewni. Do lat osiemdziesiątych brak było wsparcia dla tych osób ze strony instytucji publicznych. Kto chciał pielęgnować swoich bliskich we własnych czterech ścianach, wszelkie z tym związane obciążenia musiał brać na swoje barki. Większość rodzin była zdana na własne siły i możliwości finansowe, często również na pomoc socjalną.

Obecnie — oprócz ubezpieczenia pielęgnacyjnego — działa sieć powszechnych i socjalnych służb pomocniczych, zajmujących się ambulatoryjną opieką pielęgnacyjną i socjalno-psychiatryczną. W zależności od potrzeb opiekunowie przejmują specjalne rodzaje opieki, jak: dbanie o higienę ciała, dostarczanie posiłków, służą pomocą w załatwianiu spraw urzędowych oraz w rozwiązywaniu problemów medyczno-pielęgnacyjnych. Do tej działalności opiekuńczej włączone są również osoby spoza tych służb, w ten sposób bliska rodzina w pewnej mierze zostaje odciążona. Dla pielęgnowanego jest korzystne, jeśli ta praca rozkłada się na więcej osób. Wtedy osoby zajmujące się opieką i bliska rodzina pracują z mniejszym napięciem i mniej konfliktowo. Poczucie bezpieczeństwa, wynikające z zaufania do otoczenia, pozwala łatwiej znosić cierpienia i wyzwala nowe siły.

Pomimo pomocy służb komunalnych, stowarzyszeń społecznych, instytucji publicznych i prywatnych oraz kościołów eksperci przestrzegają przed przecenianiem własnych sił i możliwości. Opieka nad przewlekle chorymi i krewnymi w podeszłym wieku jest nie tylko „problemem dobrej woli" sprawujących opiekę, ale zależy również od możliwości zewnętrznych, które trzeba uwzględnić. Należą do nich: zabezpieczenie finansowe, socjalno-prawne, odpowiednie mieszkanie i możliwości odpoczynku oraz wsparcie ze strony przyjaciół i znajomych (→ Pomoc wielospecjalistyczna, s. 575).

## Pomoc dla osób pielęgnujących

Pielęgnacja domowa w osiemdziesięciu procentach sprawowana jest przez kobiety: córki, synowe, siostry, żony i towarzyszki życia. Wiele z nich płaci za tę opiekuńczość rezygnacją z własnych dzieci, kariery zawodowej i własnej emerytury.

Ubezpieczenie pielęgnacyjne zapewnia osobom pielęgnującym niewielkie wynagrodzenie, zwane zasiłkiem pielęgnacyjnym, oraz umożliwia uzyskanie zastępstwa przez cztery tygodnie w roku. Osoby, które z powodu wykonywania czynności pielęgnacyjnych zmuszone są ograniczyć działalność zawodową, pod pewnymi warunkami mogą otrzymać dodatek do renty przewidziany przepisami. Bliższych informacji dotyczących warunków, na jakich przyznawane są dodatki, oraz wniosków należy szu-

### Czy uzależniony i bezradny?

Przewlekłe choroby i związana z nimi potrzeba pielęgnacji zmieniają życie w sposób zasadniczy i nagły. Ktoś, kto nie może się sam umyć, wymaga pomocy przy ubieraniu się, z trudem robi zakupy, najczęściej czuje się uzależniony, bezradny i bezsilny. Do tego dołączają się dolegliwości wynikające z choroby, bóle i ułomności idące w parze z niepokojem o własną egzystencję, lękiem przed przyszłością, śmiercią i osamotnieniem oraz bycia ciężarem dla innych. Poczucie nieprzydatności czyni człowieka podatnym na depresje i myśli samobójcze (→ s. 191).

kać w zakładzie ubezpieczeń oraz urzędach socjalnych miast i gmin.

### Kontakty z bliźnimi

W trakcie sprawowania opieki nad chorym i osobą w podeszłym wieku zazwyczaj nieuchronnie dochodzi do sprzeczek. Kontakty rodzinne, które być może już wcześniej nie były najlepsze, ze względu na wzmożoną bliskość i sytuacje wynikające z pielęgnacji, wystawione są na poważną próbę. Wstręt, zniecierpliwienie, awersja, złość i nakładające się na to wyrzuty sumienia są najczęstszą przyczyną skarg i pretensji. Ważne, by chcieć rozmawiać na temat tych agresji (→ Porada, s. 670). Bardzo pomocne mogą być kontakty z innymi osobami pielęgnującymi, na przykład z grupami samopomocowymi. Kasy chorych organizują kursy dla pielęgnujących, na których zapoznawani są z teoretycznymi i praktycznymi zasadami pielęgnacji, między innymi, jak organizować sobie dzień pielęgnacyjny.

### Okresy kryzysu

Zdarza się, że w przebiegu normalnej, szarej codzienności pojawić się może ostry kryzys. Dzieje się tak w wyniku pogorszenia się choroby zasadniczej, nasilenia się dolegliwości albo zaistniałych nieporozumień. Przyczyną mogą być również problemy, z którymi borykają się osoby pielęgnujące, zaabsorbowane, niemogące poświęcić więcej uwagi swoim sprawom życiowym. Sytuacja staje się szczególnie trudna, kiedy do głosu dochodzą antypatie i niechęć.

Wyraźnymi przejawami kryzysu są: odmowa przyjęcia przez chorego zabiegów pielęgnacyjnych, zamknięcie się w sobie, czasem przygnębienie i poczucie beznadziejności albo niepokój, a nawet agresja. Osoba pielęgnująca natomiast staje się rozdrażniona, zniecierpliwiona, oziębła i ordynarna w zachowaniu. Niektórzy reagują w ten sposób, że zaniedbują samych siebie albo sami popadają w chorobę.

Pod uwagę należy wziąć osobiste potrzeby i wymagania:
— Powinno się zachować niezbędny dystans. Wolny czas wypełnić aktywnością i zadbać o urlop. Uwzględnić potrzebę

korzystania z porad, uczestniczyć w działalności grup samopomocowych.
— Gdy sytuacja przy wykonywaniu zajęć pielęgnacyjnych staje się nieznośna, należy się zastanowić, czy nie pracować
w skróconym czasie lub tylko podczas dnia, albo też zaniechać pracy zupełnie (→ Ludzie starzy w szpitalu, s. 597).

## Mieszkanie

Kto pielęgnuje pacjenta w domu, musi zmienić codzienne przyzwyczajenia i porządki. Na początku należy zaplanować wszelkie
przebudowy i związane z tym czynności. Dotyczyć to będzie pokoju pielęgnacyjnego, być może kuchni, łazienki i toalety z możliwością wjazdu do niej wózkiem inwalidzkim (→ Niepełnosprawność, s. 580).

### Pokój pielęgnacyjny

Aby czuć się swobodnie, ważne są:
— Własny pokój, który umożliwia osobie pielęgnowanej uczest-
niczenie w życiu rodzinnym tak, aby na przykład przy otwartych drzwiach była możliwość słuchania głosów osób bliskich. Równocześnie pomieszczenie to musi zapewnić spokój i niezbędną intymność. Ideałem jest również bliskość
toalety i łazienki.
— Ulubione sprzęty, meble, książki, obrazy, kwiaty, radio, telewizor.
— Dużo światła słonecznego, dobre oświetlenie, w razie potrzeby możliwość zaciemnienia pokoju.
— Łatwe do regulacji ogrzewanie: najprzyjemniejsza dla chorych leżących jest temperatura w granicach 18-20°C. Starsi
ludzie bardziej niż młodzi są wrażliwi na chłód.

### Konieczność ruchu

Każde ograniczenie ruchu odbija się ujemnie bezpośrednio na
samopoczuciu. Pacjenci objęci pielęgnacją powinni w takim
stopniu, w jakim pozwalają ich możliwości ruchowe, trenować
i podtrzymywać zachowany dotąd zakres ruchów. Nie należy dopuścić do utraty uzyskanych już osiągnięć ruchowych. Również
w łóżku można ćwiczyć w granicach możliwości chorego. Fachową pomocą służą kompetentni kinezyterapeuci, którzy reali-
zują zlecenia lekarskie. Obłożnie chory powinien uprawiać gimnastykę oddechową w pozycji siedzącej, aby uzyskać pogłębiony
oddech, niektórzy obłożnie chorzy, poprzez trening i pomoc,
mogą na nowo odzyskać zdolność poprawnego, a nawet samodzielnego poruszania się lub chodzenia. Regularne małe rundy
chodzenia podtrzymują koordynację ruchów.

Koszty związane z nabyciem środków pomocniczych powinny pokrywać kasy chorych. Przy bardzo dużym upośledzeniu
chodzenia instytucja ubezpieczeniowa pokrywa koszty wózka inwalidzkiego.

### Unikanie upadków

Kto długo leży, traci zdolność koordynacji ruchów, co potęguje
niebezpieczeństwo upadku. Ludzie w podeszłym wieku częściej
niż młodzi łamią sobie kości i stawy. Po pierwszym upadku pojawiają się obawy przed dalszymi, co skłania do ograniczania poruszania się.

## Pomoc wielospecjalistyczna

Najważniejszymi partnerami w udzielaniu pomocy są:
— Lekarz domowy oraz inni lekarze specjaliści.
— Wydział Zdrowia i Opieki Społecznej: informuje o ambulatoryjnej służbie pielęgnacyjnej, służbach socjalnych,
pomocy dla ludzi w podeszłym wieku i niepełnosprawnych oraz pomocy psychiatryczno-socjalnej.
— Stowarzyszenia charytatywne: Caritas, Polski Czerwony
Krzyż, instytucje społeczne, kościelne, stowarzyszenia przewlekle chorych.
— Kasy chorych i kasy pielęgnacyjne informują i udzielają
rad co do środków pomocowych i uprawnień, w tym
uprawnień do przebudowy mieszkania. Kasy te oferują
również kursy z zakresu pielęgnacji domowej.
— Opieka i pomoc duchowa: kościoły udzielają pomocy
pacjentom i służbie pielęgnacyjnej, przez duchownych
i upoważnione osoby cywilne.
— Wiele parafii (gmin wyznaniowych) utrzymują domy
starców.
— Cywilne instytucje zajmujące się pomocą społeczną, do
których potrzebujący może zwrócić się o pomoc niezbędną w pielęgnacji chorego.
— Pomoc materialna: człowiek wymagający pomocy pielęgnacyjnej może się zwrócić o wydanie odpowiedniego
dokumentu zaświadczającego o ciężkiej niesprawności.
W dalszym załatwieniu pomocy powinny udzielić szpitale, wydziały zdrowia i opieki społecznej, instytucje charytatywne i opiekuńcze.

— Po dłuższym leżeniu i siedzeniu ćwicz zginanie i prostowanie nóg. Usprawnia to stawy i poprawia ukrwienie
mięśni.
— Mocne buty obejmujące piętę, przeciwślizgowe i płaskie
podeszwy zwiększają bezpieczeństwo.
— Większe odległości, na przykład długie korytarze, łatwiej
pokonać, gdy na drodze ustawione jest krzesło pozwalające
na przerwę i odpoczynek. Pomocne są również zamonto-
wane poręcze ułatwiające chodzenie.
— Trzeba unikać przeszkód narażających na potknięcia, jak
na przykład: dywany, progi, kable telefoniczne.
— Należy zwracać uwagę na uboczne działanie leków powodujących niepewność chodu, zawroty głowy lub nudności. Niektóre środki nasenne i uspokajające działają przez
dłuższy czas (→ Być w podeszłym wieku, s. 570).
— Skłonność do upadków powinien wyjaśnić lekarz. Osłabienie mięśni, zaburzenia czucia i równowagi można leczyć przyczynowo.

### Pobudzanie narządów zmysłów

W miarę starzenia się osłabieniu ulegają słuch, wzrok oraz
zmysł smaku (→ Jedzenie i picie, s. 579). Dobrze dobrane
okulary, lupa do czytania oraz odpowiednie słuchawki podtrzymują kontakt z otoczeniem. Pobudzającymi narządy zmysłów
są kwiaty, kolory albo muzyka, ożywiają one wewnętrzne siły
człowieka.

### Łóżko

Dla wielu przewlekle chorych i ułomnych starszych ludzi łóżko staje się centralnym miejscem w życiu. Ważnymi cechami są przydatność, wyposażenie i jego wygląd:

— Ciężar ciała powinien być równomiernie rozłożony na powierzchni materaca, który nie powinien być ani za twardy, ani zbyt miękki. Dobre własności podpórcze mają materace lateksowe. Nieślizgająca się, zmywalna powłoka zapobiega przemakaniu i pomaga w utrzymaniu czystości.

— Część głowowa i nożna materaca powinny być regulowane, co ułatwia przyjmowanie dobrej pozycji siedzącej i wysokie ułożenie nóg.

— Indywidualne życzenia, jak na przykład ulubiona poduszeczka (jasiek), dodatkowy koc na nogi, podgłówek lub kolorowa pościel, powinny być zawsze uwzględnione.

— Podnoszone łóżko ułatwia pacjentowi kładzenie się i wstawanie, a pielęgnującemu oszczędza kręgosłup podczas pracy.

— Łóżko powinno być dostępne z obu stron i stać na szorstkiej, łatwo zmywalnej podłodze.

— Z łóżka powinien być widok na drzwi i na okno.

— Ważny jest dostatecznie duży stolik podręczny lub półka na napoje, radio, książki i telefon, dobra lampa do czytania, zwyczajny albo elektryczny dzwonek, aby móc kontaktować się z otoczeniem.

*Ścielenie łóżka pacjenta*

Łóżko powinno być poprawiane co najmniej dwa razy dziennie rano i wieczorem, najlepiej po toalecie porannej i zmianie pościeli lub bielizny. Podczas zmiany prześcieradła trzeba zwracać uwagę, aby chory nie wypadł z łóżka: po jego wolnej stronie należy postawić nieprzesuwalny mebel, na przykład ciężkie krzesło lub coś podobnego.

## Higiena ciała

Dla większości ludzi szczególnie krępujący jest fakt niemożności samodzielnego mycia się i pielęgnacji. Zasadą powinno być udzielanie tylko niezbędnej pomocy przy tej czynności (→ Konieczność ruchu, s. 575). Każda najmniejsza zdolność ruchowa powinna być wykorzystywana jako własny udział i wysiłek w utrzymaniu higieny ciała. Bardzo często okazuje się, że pacjent sam potrafi umyć twarz i ręce, uczesać się albo nakremować ręce. Korzystnie i mobilizująco na chorego działają pewne odmiany rutynowego postępowania, jak używanie do pielęgnacji na przykład różnych specyfików kosmetycznych, gąbek, szczotek, różnych dodatków do kąpieli o przyjemnym zapachu oraz różnicowanie pory zabiegów pielęgnacyjnych.

*Kąpiel i zmiana bielizny osobistej*

— Gdy tylko stan chorego na to pozwala, powinien on być obmywany codziennie od stóp do głów oraz należy każdego dnia zmieniać bieliznę osobistą. Niezależnie od higieny, mycie, wycieranie frotowym ręcznikiem i stosowanie kremu jest ważne dla samopoczucia i korzystnej aury cielesnej. Czynnościom tym należy poświęcić dostatecznie dużo czasu, gdyż ręczny kontakt z ciałem pielęgnowanego pozwala mu lepiej

kontrolować własne ciało. Każde dotknięcie pacjenta połączone jest z oddziaływaniem na jego psychikę.

— Nie używać miękkich ręczników i myjek: nieco szorstkie materiały masują skórę i poprawiają jej ukrwienie.

— Zwróć uwagę, aby woda w miednicy nie wychłodziła się. Jeśli to niezbędne, używaj płynnego mydła lub żelu; pozwoli to uniknąć żmudnego namydlania ciała. Korzystniejsza jest czysta woda bez dodatków wysuszających skórę.

— Kolejność mycia poszczególnych części ciała powinna być w jakiejś mierze uzgadniana z pacjentem, tak aby ten zabieg był dla niego przyjemny. Z doświadczenia wynika, że najlepiej najpierw myć ręce i ramiona, które należy wytrzeć, z kolei umyć twarz i szyję. W dalszej kolejności klatkę piersiową, brzuch, nogi i okolicę narządów płciowych. Poszczególne etapy mycia przerywane są osuszaniem skóry: pozostawione wilgotne fałdy skórne sprzyjają tworzeniu się odparzeń oraz rozwojowi grzybicy skóry i narządów płciowych. W końcu odwracamy chorego i myjemy plecy oraz pośladki. Po końcowym osuszeniu i nakremowaniu kończymy lekkim masażem.

### Oddychanie i tętno

Starsi ludzie, szczególnie obłożnie chorzy, zazwyczaj oddychają powierzchownie i płytko. Taki sposób oddychania jest przyczyną niedotlenienia krwi, co objawia się zmęczeniem i zaburzeniem snu oraz upośledzeniem czynności płuc. Najpoważniejszym powikłaniem jest zapalenie płuc (→ s. 297), będące najczęstszą przyczyną zgonu u starszych ludzi. Dla poprawienia oddychania decydującymi czynnikami są: świeże powietrze, dostateczna ilość wypitych płynów i ruch. Pomocne są również codzienne ćwiczenia oddechowe:

— Należy nakłaniać pacjenta do regularnego przeciągania się i wykonywania przy tym głębokich oddechów. Można również zastosować nadmuchiwanie balonu lub dmuchanie do kulek z waty.

— Przewietrzanie głębokich odcinków płuc uzyskuje się, ćwicząc oddychanie przeponą. Pacjent leży wtedy na plecach, rozluźniony, kładzie ręce płasko na brzuchu. W tej pozycji wykonuje głęboki wdech przez nos przy zamkniętych ustach. Podczas wydechu należy powietrze wypuszczać powoli, rytmicznie, ustawiając usta jak przy wymawianiu litery „P" lub „F".

— U obłożnie chorych tę gimnastykę oddechową można wspomóc przez odpowiednie ułożenie ciała. Pacjent leży na boku, a pielęgnujący układa ramię leżące na górze poza głowę pacjenta: ruch ten pogłębia wdech, rozprężając górne odcinki płuc.

*Serce i ciepłota ciała*

U niesprawnych przewlekle chorych i/albo obłożnie chorych, powinno się mierzyć regularnie temperaturę ciała i tętno; najlepiej rano i wieczorem przed posiłkiem wieczornym, uważając, aby pacjent był rozluźniony i spokojny. Powyżej 90 uderzeń serca na minutę uważane jest za przyśpieszenie, a poniżej 60 za zwolnienie tętna. Przy większych odchyleniach od tych wartości należy porozumieć się z lekarzem.

## Zmiana prześcieradła u obłożnie chorego

1. Najpierw chorego uło-
żyć na boku. Używane
prześcieradło zwolnić
ze wszystkich czterech
stron.

2. Chorego uchwycić za ramię i biodro, następnie
przetoczyć go do siebie
na brzeg łóżka. Nogę le-
żącą na prześcieradle
przełożyć do tyłu, drugą
nogę podkurczyć do przo-
du. Używane przeście-
radło zwinąć aż do ple-
ców chorego. Świeże prze-
ścieradło złożyć wzdłuż
na pół i położyć na wol-
ną część materaca.

3. Wierzchnią część zrolo-
wać do połowy, pozosta-
łą połowę wygładzić i za-
łożyć pod materac. Cho-
rego ułożyć znowu naj-
pierw na plecy, a następ-
nie za ramię i biodro
przetoczyć na drugą
stronę łóżka.

4. Teraz można używane
prześcieradło zdjąć, świeże rozłożyć, wygładzić
i podłożyć pod materac.

## Wypróżnienia

Większość pielęgnujących na pierwsze niespodziewane zaburzenia w oddawaniu moczu i stolca reaguje początkowo z uprzedze-
niem, wstrętem i poczuciem nadmiernych wymagań. Również
osoby pielęgnowane muszą się uporać z tą nową sytuacją. Te
pierwsze „nieszczęścia" w postaci zabrudzonych basenów i prze-
ścieradeł budzą nieuchronnie uczucie zawstydzenia i winy. Długotrwałe nietrzymanie moczu i stolca (→ Nietrzymanie moczu,
s. 392) może prowadzić do wielkiego obciążenia pacjenta i pielęgnującego.

### Utrata samokontroli i załamanie osobowości

Poza przyczynami wynikającymi z takich schorzeń, jak na przykład cukrzyca, udar mózgu, powodującymi nietrzymanie moczu, istnieją również uwarunkowania psychiczne. Takie zaburzenie samokontroli może wystąpić jako oznaka osamotnienia
albo też jako reakcja na stres, na nadmierne wymagania, po
utracie bliskiej osoby, jako przejaw niezgody na zmianę warunków mieszkaniowych i rodzinnych. Niekiedy nadmierna opiekuńczość przy obniżonej samokontroli też sprzyja wystąpieniu wymienionych zaburzeń.

### Gimnastyka pęcherza moczowego

Aktywne ćwiczenie resztkowych funkcji pęcherza moczowego
wielokrotnie pozwala na podtrzymanie samokontroli, a nawet
na jej poprawę. Korzystne są regularne czynne ćwiczenia wzmacniające mięśnie dna miednicy i gimnastyka pęcherza (→ Ćwiczenia pęcherza, s. 393). Niekontrolujący się pacjenci powinni
nosić ciepłą bieliznę (kalesony) i unikać chłodu. Zimno powoduje parcie na pęcherz moczowy. Bez odpowiedniej bielizny pacjenci tracą czucie w obrębie miednicy i okolic intymnych, gdyż

brak stałego kontaktu z bielizną pozbawia bodźców czucio-
wych, mających wpływ na ich uwagę.

### Właściwe ułożenie

Osoby leżące, których ruchy są bardzo ograniczone, narażone
są na powstawanie odleżyn. Ich skóra musi być sucha, troskliwie pielęgnowana i obserwowana. Okolice najbardziej narażone na to ryzyko to miejsca, gdzie przez dłuższy czas wywierany jest ucisk, na przykład pięty, kość siedzeniowa, biodra, kręgosłup i okolice łopatek. Nieustępujące zaczerwienienie skóry
świadczy o zagrażającej odleżynie. Takie miejsca muszą być
natychmiast leczone (→ Odleżyny, s. 276).

### Odwracanie

Najlepszym sposobem zapobiegania odleżynom jest regularne
odwracanie leżącej osoby. Chorego należy odwracać na boki,
używając do tego dwóch poduszek lub innych pomocniczych
przedmiotów (klina z mikrogumy) i korzystając z pomocy drugiej osoby, układać go nieco ukośnie. Co dwie godziny następuje zmiana ułożenia: prawy bok — na plecach — lewy bok —
na plecach itd. Przedtem należy pacjenta uświadomić, że będzie odwracany. Niespodziewane czynności z pacjentem wzbudzają jego strach, nastawienie obronne i niepewność.

### Materace przeciwodleżynowe

Materace przeciwodleżynowe mają zapobiegać powstawaniu
odleżyn. Koszty związane z ich zakupem lub wypożyczeniem
na zlecenie lekarskie ponoszą kasy chorych albo kasy pielęgnacyjne. Ale leżenie na miękkim materacu przez dłuższy czas
nie jest rozwiązaniem właściwym. Osoba przykuta do łóżka
z powodu bezruchu z trudnością uświadamia sobie, w jakim
stopniu może się jeszcze poruszać. Dlatego wielu obłożnie

## Czystość i higiena

— W czasie czynności pielęgnacyjnych noś łatwo dające się wyprać ubranie. Nie noś biżuterii, włosy powinny być krótko spięte. Poważnie potraktuj dbałość o higienę osobistą.

— Codziennie opróżniaj w pokoju chorego pojemnik z odpadkami i nie przechowuj zużytej bielizny w jego pokoju.

— Przy nietrzymaniu zwieraczy wydaliny wchłaniają się dobrze do podkładów, pieluch (pampersów). Dla mężczyzn zbiornikiem na mocz jest tak zwana kaczka albo plastikowy zbiornik podłączony do prezerwatywy.

— Po każdym użyciu basenu, kaczki i miednicy należy je gruntownie wymyć. Nie ma potrzeby stwarzania sterylnej atmosfery szpitalnej. Wyjątek stanowią cewniki pęcherzowe.

— Cewniki pęcherzowe są to rurki, które w warunkach sterylnych wprowadza się do pęcherza moczowego przez cewkę moczową albo przez powłoki brzuszne. Cewnikować może tylko osoba z odpowiednimi kwalifikacjami albo przeszkolona pod fachowym nadzorem.

— Droższe środki pomocnicze, jak krzesła do toalety, można wypożyczyć. Jeśli zalecone są przez lekarza, opłatę powinna pokryć kasa chorych. Koszty związane z nabyciem pieluch, pampersów, podkładów i basenów powinna również pokryć kasa chorych.

— Inne informacje można uzyskać w magazynach lub dużych sklepach sanitarnych, kasach chorych i organizacjach charytatywnych.

chorych broni się przed ruchem z obawy przed wypadnięciem z łóżka. Nasila się uczucie niepewności. Regularne odwracanie chorego należy uważać za znacznie lepszy sposób zapobiegania odleżynom niż stosowanie materacy przeciwodleżynowych.

## Rozmowy i komunikowanie się

W warunkach pielęgnacji domowej mogą zaistnieć duże trudności w porozumiewaniu się, szczególnie dotyczy to chorych po udarze mózgowym, z guzami mózgu, którzy mówią niewyraźnie, są prawie głusi lub rozkojarzeni.

Jeśli mowa jest bardzo niewyraźna, wówczas trzeba skorzystać z papieru i ołówka. W cięższych przypadkach służyć mogą „tablice mowy" z prostymi symbolami codziennego życia albo też urządzeniami elektronicznymi z klawiaturą, które konstrukcją zbliżone są do minimaszyny do pisania.

### Kontakt cielesny

Pełne miłości i czułości gesty stanowią formę nie tylko elementarnego porozumiewania się, ale porażonemu lub rozkojarzonemu pomagają w orientacji co do własnej osoby oraz istniejącej rzeczywistości. Dotyczy to osób prawie całkowicie przykutych do łoża, które obawiają się utraty czucia dotyku, dlatego wskazane są wyraźne i spokojne gesty związane z dotykaniem ich ciała (→ Konieczność ruchu, s. 575). Za ważny należy uznać jednostajny ucisk podczas ruchu, na przykład szczotką. Wszystkie te zabiegi powinny być zawsze rozpoczynane na tułowiu, na przykład w okolicy łopatek; niespodziewany kontakt palcami często wywołuje reakcję obronną.

### Oszczędnie ze słowami

— Ćwicz rozmowę z pacjentem. Jej celem jest uzyskanie kontaktu słownego, a nie wyćwiczenie bezbłędnej wymowy. Jeśli to niezbędne, ogranicz się do prostych znaków mimicznych lub gestów.

— Do pacjenta zwracaj się, mówiąc wyraźnie, prostymi zdaniami, krótko, dobitnie. Stawiaj pytania tak, aby odpowiedzią mogło być „tak" albo „nie", czy też na przykład przytaknięcie albo zaprzeczenie ruchem głowy lub ręki (1 raz=tak, 2 razy=nie), ewentualnie mrugnięciem powiek.

— W trakcie kontaktowania się z chorym koniecznie trzeba uwzględnić ograniczenia fizyczne, jak na przykład suchość w ustach, bóle albo zmęczenie, które wywierają ujemny wpływ na porozumiewanie się.

— Niewskazane jest zastępowanie chorego w wypowiedziach. Należy przyjąć, że chory potrafi zrobić to sam.

— Nie zapomnij regularnie informować pacjenta o miejscu pobytu, dacie, porze dnia i aktualnych wydarzeniach dziejących się wokół niego. Powinieneś go uprzedzić o mających nastąpić odwiedzinach i innych ewentualnych zmianach.

— Nie szczędź mu zachęt i pochwał.

### Problemy z orientacją

Opieka nad rozkojarzonym i splątanym chorym jest wielce wyczerpująca i obciąża całą rodzinę. Dlatego konieczne jest zapewnienie sobie odpoczynku, odprężenia, wolnych dni oraz urlopu. Jeżeli stan umysłowy chorego szybko pogarsza się, należy zgłosić to lekarzowi, który określi przyczyny zachodzących zmian (→ Choroba Alzheimera, s. 211).

Dla splątanych, starszych ludzi, a także ich bliskich ważne jest zapobieganie utracie orientacji przez przestrzeganie ścisłych zasad postępowania i porządku dnia. Oznacza to utrzymanie stałego programu dnia, jak regularne pory posiłków, stałe przerwy na odpoczynek i przyzwyczajenia, który należy realizować z zegarkiem w ręku, dla zorganizowania sobie dnia i uniknięcia chaosu. To, co chory uważa za godne zaufania, przyjmuje on o wiele łatwiej aniżeli coś pozornie nowego. Opierając się na tych punktach odniesienia, można rozwinąć i utrzymać zachowane jeszcze u chorego elementy sprawności.

— Zbyt trudne może okazać się utrzymywanie higieny i ubieranie. Stopniowo można próbować nakłaniać pacjenta do samodzielności w ten sposób, że części odzieży układa się w odpowiedniej kolejności ich ubierania albo też podaje się

## Wyposażenie łóżka chorego

U leżącego chorego nacisk ciała powinien być rozłożony na możliwie jak największej powierzchni. Oprócz materacy przeciwodleżynowych, służących temu celowi, można zastosować poduszki wypełnione żelem, różne kliny albo systemy „Kubivent". Również ułożenie na błamie spełnia te wymogi. Poleca się korzystać z rady doświadczonej osoby zajmującej się pielęgnacją domową chorych leżących. Pomoże ona w wyborze odpowiedniego wyposażenia. Można również zasięgnąć informacji w magazynach ze sprzętem sanitarnym.

pacjentowi części odzieży jedna po drugiej, a nie wszystkie od razu.

— Za ważny należy uznać kontakt chorego z krewnymi i przyjaciółmi. Niezbędne jest zapewnienie choremu udziału w życiu rodzinnym.

— Kalendarze, duże zegary, duże wizytówki na drzwiach, jak również obrazy i pamiątki, pomagają choremu w orientacji.

— Rozkojarzeni chorzy, jeśli są wyczerpani albo zbytnio przeciążeni, skłonni są do lękliwego lub porywczego zachowania, dlatego ważne jest utrzymywanie wokół nich jednakowej i spokojnej atmosfery.

— Wytrwała i pozornie bezcelowa wędrówka po mieszkaniu niektórym starszym ludziom przynosi odprężenie i ulgę, dlatego nie należy im w niej przeszkadzać (→ Unikanie upadków, s. 575).

## Jedzenie i picie

Regularne posiłki dzielą dzień na części i oddziałują na chorych aktywizująco, dzięki temu ich dzień oparty jest na pewnej strukturze. Tak długo i w takim zakresie, jak to jest możliwe, należy podtrzymywać zdolność i samodzielność spożywania posiłków, również wówczas, gdy mamy do czynienia z upośledzoną koordynacją ruchów, drżeniem rąk czy zmniejszeniem siły chwytnej. Pomocne mogą okazać się różnego rodzaju rączki, uchwyty wzmocnione gąbką lub plastikiem, talerze z podwyższonymi brzegami, filiżanki z dzióbkiem i długie słomiane rurki do picia. Równie praktyczne mogą być „łyżkowidelce" jako wyposażenie nakrycia stołowego.

**Lektura uzupełniająca**

HASTINGS D.: *Chory w domu — wskazówki, porady, zalecenia*. „Świat Książki", Warszawa 1997.

PĘDICH W.: *Opieka nad obłożnie chorym w domu, opieka terminalna*. Polskie Towarzystwo Medycyny Ogólnej, Lublin 1990.

### Problemy odżywiania

Starszych ludzi cechuje zmniejszony apetyt oraz — prawie z reguły — brak pragnienia, większość z nich po prostu pije za mało. Czasem skuteczne jest przygotowanie tym osobom większych kubków lub szklanek, ponieważ starsi ludzie mają skłonność do wypijania w całości podanych im płynów. Niezbędną

### Pomoc przy spożywaniu posiłków

— Nieodzowne są cierpliwość i czas, szczególnie gdy pacjent ma problemy z żuciem i połykaniem.

— Żucie można pobudzić, stosując gumę do żucia i skórki chleba. Wąchanie cytryny wzmaga wydzielanie śliny.

— Posiłek należy rozpoczynać, podając najpierw w małych porcjach pokarmy stałe; picie jest znacznie trudniejsze i łatwo może prowadzić do zachłyśnięcia się.

— Ułóż rękę chorego na swojej ręce, którą prowadzisz łyżkę z pokarmem. To pośrednio wywołuje u chorego poczucie własnego ruchu i powoduje otwieranie ust. Podobny efekt uzyskuje się, pocierając lekko dolną wargę.

— Pojąc chorego przez słomkę, trzeba zwracać uwagę na niezasysanie powietrza.

— Po każdym posiłku należy wypłukać usta, ewentualnie wyczyścić zęby.

ilość płynów można uzupełnić sokami owocowymi, herbatą owocową, kompotami, zupami, przecierem owocowym. Dzienne zapotrzebowanie na płyny wynosi co najmniej od półtora do dwóch litrów. Wielu rozkojarzonych ludzi nierzadko zapomina o jedzeniu i piciu, jeśli im się o tym nie przypomina. Trudności w żuciu i połykaniu, braki w uzębieniu i wadliwe protezy dodatkowo utrudniają odżywianie (→ Zęby, s. 342). Następstwem tych trudności jest spożywanie rozgotowanych na papkę posiłków, pozbawionych wskutek tego substancji odżywczych. Aby uniknąć objawów niedoboru, niezbędne jest połączenie jedzenia z zadowoleniem i przyjemnością:

— Pielęgnowani wymagają dużo czasu na jedzenie. Niecierpliwość i popędzanie psują im apetyt.

— Jedzenie i picie przebiega sprawniej w poprawnej pozycji siedzącej, ewentualnie przy stole albo też w łóżku z dobrze podpartą częścią głowową.

— Jedzenie smakuje lepiej w towarzystwie, a więc z innymi osobami, oraz w przyjemnej atmosferze, na przykład z muzyką w tle.

— Kilka małych posiłków, pięć lub sześć dziennie, zapobiega stresowi, z którym będzie związane jedzenie dwa razy dziennie.

— Ulubione potrawy stanowią dobry sposób na pobudzenie apetytu. Dlatego jak najczęściej należy podawać pacjentowi potrawy, które lubi.

# NIEPEŁNOSPRAWNOŚĆ

Większość ludzi nie wie, jak postępować z osobami niepełnosprawnymi. Niewidomi, głuchoniemi, z porażeniem połowiczym lub umysłowo upośledzeni spotykają się w swym życiu albo ze współczuciem, albo z obojętnością. Nie są traktowani jako równoprawni partnerzy społeczności, w której młodzieńczość, dynamika i osiągnięcia określają skalę wartości. Pomimo postępu w prawodawstwie, medycynie i zagadnieniach socjalnych minione dwudziestolecie charakteryzuje wyobcowanie ludzi dotkniętych niepełnosprawnością i odsuwanie ich poza nawias społecznej normalności. Szczególne nasilenie tego zjawiska ma miejsce w czasach kryzysów gospodarczych.

To wyobcowanie nie dotyczy wcale niewielkiej liczby ludzi: pod koniec 1993 roku w Niemczech żyło siedem milionów ciężko niesprawnych ludzi o stopniu inwalidztwa od 80 do 100%. 420 000 osób zamieszkałych na obszarze pomiędzy Alpami a Morzem Północnym to ludzie upośledzeni umysłowo. W Austrii w 1993 roku było 1,6 miliona ludzi niesprawnych fizycznie, z tej liczby 800 000 ciężko. Brak w tym kraju danych statystycznych dotyczących osób z upośledzeniem umysłowym, ale austriacka organizacja „Życiowa Pomoc" szacuje tę liczbę na około 47 000.

## Kto jest niepełnosprawny?

Z punktu widzenia medycyny za niepełnosprawną uważa się osobę z trwałym upośledzeniem fizycznym, umysłowym albo psychicznym. Mogłoby to oznaczać, że niepełnosprawny jest co czwarty Niemiec lub Austriak cierpiący na takie dolegliwości, jak alergie, reumatyzm albo inne przewlekłe choroby. Żadna z tych osób nie zalicza się jednak do grupy niepełnosprawnych, ani też nie jest tak traktowana przez środowisko, w którym żyje. W powszechnej świadomości za niepełnosprawnego człowieka uważa się kobietę na wózku inwalidzkim, mężczyznę poruszającego się o kulach albo człowieka umysłowo chorego. Znamienne jest prawne uznanie w Niemczech i Austrii niepełnosprawności i zaliczenie do odpowiedniej grupy niepełnosprawności w zależności od wkładu, jaki dana osoba może wnieść w zbiorowy wysiłek społeczny. Tylko trwałe ograniczenie sprawności zawodowej stanowi kryterium określające stopień niepełnosprawności. Jeśli niesprawność fizyczna, umysłowa lub psychiczna wynosi co najmniej 10%, wtedy osoba uważana jest za niepełnosprawną. Ciężko niepełnosprawnym jest się wówczas, kiedy stopień ten wynosi co najmniej 50% ograniczenia sprawności zawodowej.

### Niepełnosprawność fizyczna

U osoby niepełnosprawnej fizycznie uszkodzone są lub wykazują zaburzenie funkcji narządy ruchu lub równowagi.

### Niepełnosprawność umysłowa

Według definicji Światowej Organizacji Zdrowia (WHO), za niepełnosprawność umysłową uważa się powstałe we wczesnym dzieciństwie upośledzenie w wyraźnym stopniu sprawności intelektualnej. Tacy ludzie mają problemy w nawiązaniu więzi społecznych z innymi. Ich zdolność adaptacyjna i zręcznościowa jest ograniczona, nie dotyczy to zdolności przeżywania i odczuwania radości oraz dobrego samopoczucia.

Następstwa upośledzenia umysłowego są zróżnicowane i przez Światową Organizację Zdrowia zostały podzielone na trzy stopnie: ciężkie, średnie i lekkie. W zasadzie rozwój umysłowy u tych ludzi przebiega podobnie jak u wszystkich innych. Jednak każdy etap wymaga dłuższego czasu, a pod pewnym względem nigdy osoby te nie osiągają najwyższego stopnia. Oznacza to, że nie przyswajają sobie takich zdolności i biegłości, jakich normalnie oczekuje się od dorosłych. Pomimo to wiele osób lżej upośledzonych może prowadzić względnie samodzielne życie. Dotyczy to również tych bardziej upośledzonych, którzy jednakże są uzależnieni od pomocy innych.

Większość tych ciężej upośledzonych nie wymagałaby opieki instytucjonalnej, gdyby im stworzono więcej alternatywnych możliwości. Jedynym ograniczeniem u wielu z nich jest trudność w nawiązywaniu kontaktu z innymi ludźmi, lecz gdyby udzielić im pomocy i wsparcia, możliwe byłoby prowadzenie przez nich normalnego życia.

### Niepełnosprawność wielokierunkowa

Niepełnosprawność wielokierunkowa może rozwinąć się z jednego rodzaju niesprawności, jeśli takowa nie jest leczona dostatecznie wcześnie. Tak może się dziać z upośledzeniem słuchu u dziecka (→ Przytępienie słuchu, s. 242), które jeśli nie zostanie wyrównane, prowadzi do zaburzeń mowy i trudności w nauce, gdyż słuch, mowa i myślenie są ze sobą ściśle związane. Dotyczy to również osób z legastenią (→ s. 554).

Wielokierunkową niepełnosprawność cechuje częściowe albo całkowite uszkodzenie kilku narządów organizmu.

## Przyczyny

Fizyczny albo psychiczny uszczerbek zdrowia spowodowany jest wielorakimi przyczynami. W żadnym przypadku nie są to jedynie uwarunkowania dziedziczne. Większość niesprawności należy odnieść do okresu przed- i poporodowego, przede wszystkim jednak do późniejszego okresu życia jako następstw wypadków przy pracy, komunikacyjnych i w czasie wolnym od pracy.

### Dziedziczenie

U 60% osób z ciężkimi wadami wrodzonymi dokładna przyczyna jest dotąd nieznana, u 20% wpływ mają czynniki dziedziczne wraz z zewnętrznymi (rozszczep kręgosłupa, rozszczep wargowo-szczękowo-podniebienny). Tylko u 7,5% przyczynę można wiązać ze zmianami w obrębie poszczególnych genów (mukowiscydoza, pląsawica Huntingtona, zespół Marfana, nerwiakowłókniakowatość). U 30 do 40% populacji z upośledzeniem umysłowym przyczyny nie są znane. Częstokroć trudno rozróżnić wpływ przyczyn dziedzicznych i nabytych.

## Wpływy zewnętrzne

Stwierdzane już przy porodzie choroby bez podłoża genetycznego występują znacznie częściej aniżeli o podłożu dziedzicznym. Następujące choroby matki mogą mieć wpływ na zaburzenie rozwoju dziecka w życiu płodowym: infekcje matki, jak różyczka we wczesnym okresie ciąży, przewlekłe choroby matki (cukrzyca, padaczka, choroba nadciśnieniowa, choroby tarczycy, astma, choroby nerek), a również stosowanie leków, alkohol, narkotyki, palenie tytoniu (→ Co szkodzi w ciąży, s. 537).

Niedotlenienie podczas albo po porodzie może powodować różne szkody, w późniejszym życiu przyczyny związane są z wypadkami, z ciężkimi chorobami, ale również z wojną i katastrofą ekologiczną. W pewnych warunkach jeden rodzaj niepełnosprawności może spowodować ujawnienie się innych (→ Niepełnosprawność wielokierunkowa, s. 580).

## Badania zapobiegawcze

Przyszli rodzice, których nurtuje troska o ewentualne choroby dziedziczne, mogą przed albo w pierwszych tygodniach ciąży zasięgnąć porady w ośrodku poradnictwa genetycznego i uzyskać pomoc w podejmowaniu decyzji (→ Badania, s. 534). Pewne choroby, jak zespół Downa, rozszczep kręgosłupa (tarń dwudzielna) albo mukowiscydoza mogą być wykryte w 7 do 10 tygodniu ciąży. Zmiany, które nie wykazują żadnych zewnętrznych oznak, u niemowlęcia można wykryć odpowiednimi testami. Również później dzięki wczesnemu rozpoznaniu można zapobiec wystąpieniu różnych zaburzeń i chorób (→ Badania profilaktyczne, s. 556).

## Choroby i niesprawność

### Zespół Downa

Zewnętrznymi objawami w tej chorobie są: skośna szpara powiekowa, krótka czaszka i małe palce u rąk. Dzieci z zespołem Downa są psychicznie niepełnosprawne, wielu rzeczy uczą się wolniej aniżeli inne dzieci, a typowe dla danego wieku stadium rozwojowe osiągają znacznie później. Z tym upośledzeniem często łączą się inne choroby lub wady. Około 1/3 tych dzieci wykazuje wady serca, wiele z nich ma problemy żołądkowo-jelitowe. Często spotyka się upośledzenie słuchu i wzroku oraz podatność na infekcje.

*Przyczyny*
Zamiast dwóch chromosomów nr 21 występują trzy chromosomy nr 21, dlatego używane jest określenie trisomia.

*Częstość występowania*
Zespół Downa jest najczęstszym zaburzeniem chromosomalnym występującym u człowieka. Około 11-12 osób na dziesięć tysięcy dotkniętych jest tą chorobą. Na 700 porodów rodzi się jedno dziecko z zespołem Downa. Ryzyko urodzenia dziecka z tym zespołem wzrasta wraz z wiekiem matki. U 35-letniej ko-

biety wynosi około 0,25%, u 44-letniej ryzyko wzrasta dziesięciokrotnie i wynosi 2,5%.

*Leczenie*
Wczesne rozpoczęcie leczenia zespołu Downa w zasadniczy sposób zwiększa możliwości poprawienia procesów rozwojowych. Postępowanie z tymi dziećmi jest podobne do tego, jakie stosowane jest u dzieci z opóźnionym rozwojem i upośledzonych umysłowo. Wielu rzeczy uczą się długo i żmudnie poprzez powtarzanie i ćwiczenia. Oprócz pomocy rodzicielskiej niezbędne jest zaangażowanie sił przygotowanych fachowo, udzielających pomocy w domu. Pomocne może być również korzystanie z doświadczenia innych rodziców.

Dalsza droga życiowa dziecka powinna być tak ukształtowana, aby w przyszłości mogło ono żyć jako samodzielny człowiek.

### Pląsawica Huntingtona

Ta dziedziczna choroba układu nerwowego ujawnia się pomiędzy 35 a 50 rokiem życia. Zaburzenia dotyczą sfery fizycznej i psychicznej i występują po sobie jednocześnie albo na zmianę. Zaburzenia fizyczne charakteryzują się niekontrolowanymi ruchami szarpiącymi, trudnościami w mowie i połykaniu oraz w zakresie psychiki niepokojem, zmianą osobowości, rozdrażnieniem, zobojętnieniem, depresjami, obniżeniem sprawności psychicznej i zaniedbaniem w sferze socjalnej. W ciągu 15-20 lat choroba kończy się zgonem.

*Przyczyny*
Pląsawica Huntingtona jest chorobą zwyrodnieniową ośrodkowego układu nerwowego i jest wywołana przez zmieniony gen w chromosomie nr 4. Został on zlokalizowany w 1983 roku i po dziesięcioletnich pracach badawczych, w 1993 roku wyizolowany i zanalizowany. Gen ów dziedziczą zarówno kobiety, jak i mężczyźni. Potomkowie człowieka chorego na pląsawicę Huntingtona obarczeni są w 50% ryzykiem zachorowania na tę chorobę. Osoba, która odziedziczyła taki gen i zachorowała, przekazuje potomstwu ów zmieniony gen. Jeśli osoba obarczona ryzykiem nie odziedziczyła tego genu, jej potomstwu już nie zagraża ryzyko.

*Częstość zachorowania*
Jeden człowiek spośród dziesięciu tysięcy zapada na tę chorobę. W Niemczech żyje około ośmiu tysięcy chorych na pląsawicę Huntingtona, w Austrii szacunkowo siedemset.

*Leczenie*
Wraz z wykryciem genu pląsawicy Huntingtona dużo wcześniej można przewidzieć wystąpienie tej choroby, która niestety dotąd jest nieuleczalna. Całe postępowanie ogranicza się do poprawienia samopoczucia, przedłużenia okresu sprawności oraz zmniejszenia dolegliwości.

### Rozszczepy podniebienia

Rozszczepy wargi, szczęki i podniebienia należą do najczęstszych widocznych wad dziedzicznych. Wczesna kompetentna pomoc sprawia, że dzieci te po kilku latach nie są zaliczane do niepełnosprawnych (→ Rozszczep podniebienia, s. 360).

*Przyczyny*

Większość rozszczepów uwarunkowana jest dziedzicznie. Na jego rozwój wywiera wpływ wiele genów w połączeniu z oddziaływaniem czynników zewnętrznych, na przykład wirusowa infekcja (różyczka) u matki albo niektóre leki, np. preparaty pochodne witaminy A (retinoidy) stosowane w chorobach skóry (na przykład w trądziku). Także oddziaływanie czynników środowiskowych może mieć wpływ (na przykład obciążenie dioksyną) na częstsze występowanie tej wady rozwojowej.

*Częstość występowania*

Jedno na 500 do 1000 dzieci rodzi się z rozszczepem wargowo-szczękowo-podniebiennym. Izolowany rozszczep podniebienia zdarza się statystycznie jeden raz na 2500 porodów.

*Leczenie*

O powodzeniu leczenia decyduje wczesne, optymalne postępowanie. Często jednak zarówno rodzice, jak i lekarze dziecięcy nie są dostatecznie zorientowani i nie wykorzystują najlepszego okresu w życiu dziecka, w którym należy przeprowadzić operację umożliwiającą prawidłowy rozwój mowy. Jeśli okres ten zostanie przeoczony, wada rozwojowa utrwala się, a jej późniejsze usunięcie może być trudne.

Ważne jest zapewnienie tym dzieciom psychosocjalnego rozwoju. Ich rodzice uzyskają niezbędne informacje i pomoc w odpowiednich grupach samopomocowych.

## Karłowatość

Wzrost kończy się po osiągnięciu 90 do 140 cm (u kobiet) lub 150 cm (u mężczyzn). Dzieci, u których wzrost jest mniejszy o 20-30%, niż przewiduje norma, uważa się za niskie. W zależności od rodzaju niskiego wzrostu — istnieje dokładnie 100 jego znanych postaci — może on łączyć się z upośledzeniem umysłowym, otyłością albo osłabieniem mięśni. Osoby dotknięte tą anomalią zmuszone są walczyć z dużymi problemami psychospołecznymi, jak narzucanie opieki, brak respektu, niedostateczna akceptacja przez otoczenie.

*Przyczyny*

Istnieje wiele przyczyn zaburzenia wzrostu. Tylko 5-8% dotkniętych wykazuje niedostatek hormonu wzrostu, co można wyrównać, stosując iniekcje tego hormonu (→ Karłowatość przysadkowa, s. 468). W większości przypadków przyjmowany lub udowodniony jest genetyczny związek przyczynowy.

*Częstość występowania*

Na 800 do 1000 osób przypada jedna osoba z karłowatością.

*Leczenie*

Dla przeciwdziałania następstwom choroby decydujące są: diagnostyka medyczna, kontrolowanie przebiegu, wczesne usprawnianie i gimnastyka lecznicza. Operacyjne wydłużania kości kończyn dolnych i górnych w pojedynczych przypadkach są możliwe, jednak niepozbawione ryzyka.

Ważna jest pomoc psychiczna zapobiegająca lękowi i odseparowywaniu od otoczenia.

## Rozszczep kręgosłupa — tarń dwudzielna

W okresie od drugiego do czwartego tygodnia ciąży kręgosłup obejmuje rdzeń kręgowy w postaci kostniejących pierścieni. Jeśli nie następuje całkowite zamknięcie tych pierścieni, pozostaje szczelina, na skutek której rdzeń kręgowy jest odsłonięty. W najcięższych przypadkach rozszczepu kręgosłupa rdzeń kręgowy wraz z tkanką nerwową pozbawione są powłok, obnażone, komunikują się ze światem zewnętrznym. Dziecko przychodzi na świat z ciężkimi porażeniami i ich skutkami. Porażenia te obejmują muskulaturę, pęcherz moczowy, jelito, zaburzone jest czucie dotyku na skórze. U 80% dzieci z rozszczepem kręgosłupa dodatkowo jako skutek zaburzeń w krążeniu płynu mózgowo-rdzeniowego rozwija się wodogłowie. Ta wada pogłębia istniejące upośledzenia.

*Przyczyny*

Nie są dokładnie poznane. Jedno jest pewne, że wpływ na powstanie tej wady rozwojowej wywierają uszkodzone geny oraz czynniki środowiskowe, jak niedobór kwasu foliowego.

*Częstość występowania*

Rozszczep kręgosłupa jest najczęstszym kalectwem występującym u noworodków. Najczęściej notowany jest w Wielkiej Brytanii, Irlandii Północnej i południowej Walii, gdzie częstość występowania wynosi jeden przypadek na tysiąc noworodków. W najcięższej postaci w Niemczech i w Austrii zdarza się jeden lub dwa przypadki na tysiąc niemowląt.

U co dziesiątego obserwuje się lekką postać rozszczepu bez anomalii w rdzeniu kręgowym. Rodzice, którzy mają dziecko z rozszczepem kręgosłupa, muszą liczyć się z ryzykiem, że następne dzieci mogą urodzić się również z tą wadą; w porównaniu z przeciętną populacją ryzyko to jest dziesięciokrotnie większe.

*Leczenie*

W dziewięciu na dziesięć przypadków ciąży analizą wód płodowych oraz badaniem ultrasonograficznym można stwierdzić, czy u dziecka rozwinie się rozszczep kręgosłupa i wodogłowie.

Od prawie czterdziestu lat stosowane jest skuteczne leczenie chirurgiczne. Następstwa rozszczepu kręgosłupa można zmniejszyć leczeniem wielospecjalistycznym. Jeśli istnieje zrozumienie ze strony otoczenia i stworzy się choremu odpowiednie warunki, to pomimo trudnej sytuacji wyjściowej, szansę na sukces stwarza leczenie rehabilitacyjne.

## Nerwiakowłókniakowatość

Głównymi objawami tej choroby są jasnobrunatne plamy na skórze oraz guzki zwane nerwiakowłókniakami. Są to niezłośliwe guzy zbudowane z tkanki nerwowej i łącznej. Mogą one prowadzić do poważnego oszpecenia twarzy i całego ciała. Inną postacią tej choroby są guzy zlokalizowane w mózgu, rdzeniu kręgowym, jak również w obrębie nerwów oczu i uszu. Ciężkimi następstwami tych zmian chorobowych są porażenia rdzenia kręgowego, ślepota i głuchota. U dzieci mogą pojawić się zaburzenia psychomotoryczne, trudności w nauce i zmiany w zachowaniu. Ponieważ obraz choroby jest bardzo zróżnicowany, może ona być rozpoznawana dość późno. Oznacza to wielokrotne wizyty u lekarza i pobyty w szpitalu, często objawy choroby nasilają się z powodu niewłaściwego leczenia.

*Przyczyny*

Co drugi chory dziedziczy chorobę po jednym z rodziców, u pozostałych przyczyną są mutacje genowe wywołane nieznanym czynnikiem.

*Częstość występowania*

Nerwiakowłókniakowatość należy do częstych chorób dziedzicznych. Jedna na 2000 osób dotknięta jest tą chorobą. W Niemczech choruje 40 000 osób, w Austrii 3500.

*Leczenie*

Przewlekły charakter tej choroby dziedzicznej obciąża chorego i jego rodzinę przez całe życie.

Dlatego oprócz opieki medycznej, ukierunkowanej na choroby organiczne, ważna jest pomoc psychosocjalna. Wczesne, intensywne włączenie tej opieki u dzieci może kompensować opóźnienie rozwoju psychomotorycznego i trudności w nauce, sprawności i zachowaniu. Dlatego ociemniali i niesłyszący dzięki nowym technologiom mogą uczestniczyć w życiu społecznym (→ Komputery pomagają, s. 585). Obecnie prowadzone są prace nad terapią genetyczną tej choroby.

## Życie z niepełnosprawnością

Od 27 października 1994 roku w Niemczech obowiązuje ustawowy zakaz dyskryminowania ludzi niepełnosprawnych. W artykule 3 ustawy zasadniczej istnieje zapis: „Nikt nie może być dyskryminowany z powodu niepełnosprawności". W praktyce zapis ten nie odniósł wielkiego skutku. Nadal niepełnosprawność określana jest procentami zmniejszonej zdolności do pracy w stosunku do przyjętej normy.

Takie odnoszenie do „normalności" utrudnia współżycie ludzi niepełnosprawnych i pełnosprawnych. W ten sposób tworzony jest mur, poza który ludzie niepełnosprawni zostają wyrugowani z normalnego życia.

Cóż jednak jest normalne, a co nie? W całej różnorodności życia normalne jest „być innym" podobnie jak „być niesprawnym". Dziecko, które z powodu niepełnosprawności wykazuje spowolnione myślenie, nie odczuwa i nie przeżywa z tego powodu inaczej niż „normalne" dziecko.

W Deklaracji Narodów Zjednoczonych o prawach niesprawnych ludzi, ogłoszonej w 1975 roku, punktem wyjścia są ich potrzeby, kwestionuje się bariery uniemożliwiające ludziom z wrodzonymi i nabytymi wadami prowadzenie w szerokim zakresie samodzielnego życia prywatnego i zawodowego. Albowiem pomimo postępu w różnych dziedzinach, w okresach kryzysów gospodarczych bywają zagrożeni. Z wielkimi oporami zyskuje prawo obywatelstwa świadomość, że ludzie ci mają prawo do życia w takich warunkach, jakie im odpowiadają i w jakich my wszyscy żyjemy. Konkretnie oznacza to, że ich samodzielność i samoodpowiedzialność powinny być zachowane w takim stopniu, na jaki pozwala stopień ich niesprawności. Ludzie ci powinni być członkami normalnej społeczności, a nie wzrastać w odosobnionych zakładach albo przytułkach, w normalnej społeczności powinni się uczyć, mieszkać, pracować i spędzać wolny czas (→ Praca, s. 424).

## Seksualność u osób z upośledzeniem umysłowym

Rozwój seksualny u ludzi z upośledzeniem umysłowym, poza nielicznymi wyjątkami, nie odbiega od występującego u innych osób. Poszukują oni kontaktu fizycznego oraz czułości i mogą tworzyć pary. Prawo do seksualności, będącej częścią osobowości, jest identyczne jak u każdego innego człowieka. Prawo to było i jest przedmiotem sporów. Specjaliści i rodzice dotkniętych ludzi żyją w niepewności. Niektórzy z nich nie wyrażają zgody na żadną aktywność seksualną osób z upośledzeniem psychicznym. Inni bronią prawa tych ludzi i są odmiennego zdania. Toczą się spory, czy ludzie upośledzeni psychicznie dysponują dostateczną skalą uczuć pozwalającą na wzajemność i ponoszenie odpowiedzialności za partnera. Wśród argumentów przeciw samodzielności w sferze seksualnej nie wzięto pod uwagę, że wiele cech przypisywanych niepełnosprawnym jest skutkiem niewłaściwego wychowania, braku wychowania seksualnego i następstw nienormalnych warunków życia, jak na przykład brak atmosfery intymności w domu rodzinnym.

Seksualność i partnerstwo łączą się często z chęcią posiadania dzieci. Wtedy niezbędne jest poradnictwo i ocena opiekunów. Muszą oni takim ludziom służyć pomocą w realistycznej ocenie ich możliwości i odpowiedzialności jako rodziców.

## Seksualność fizycznie niepełnosprawnych

Problem seksualności fizycznie niepełnosprawnych polega na „inności" ich organizmu. Trudne do wyobrażenia wydaje się dawanie i przyjmowanie miłości osobom z kalekimi rękami i nogami. Dlatego tym bardziej rodzice kalekich dzieci powinni zwrócić szczególną uwagę na ten problem w rozwoju ich dzieci.

## Zapobieganie ciąży

Ludzie kalecy, wykazujący pociąg seksualny do płci przeciwnej, powinni mieć możność zapobiegania niechcianej ciąży. Celowi temu w zasadzie mogą służyć wszystkie metody (→ Zapobieganie ciąży, s. 515).

*Sterylizacja*

Sterylizacja ludzi z upośledzeniem psychicznym może być uwzględniona, jeśli wszystkie metody zapobiegania niechcianej ciąży zawodzą. Jeśli osoby te potrafią ocenić skutki tej operacji, wtedy decyzja należy do nich. Wymaga ona zgody specjalnych opiekunów i sądu. Przymusowa sterylizacja jest zabroniona. Każda reakcja albo przejawy wskazujące na brak zgody zainteresowanej osoby równoznaczne są z odrzuceniem wykonywania operacji (→ Sterylizacja, s. 522).

## Życie w rodzinie czy poza nią?

Życie poza rodziną wraz z zapewnieniem opieki nad niepełnosprawnym jest możliwe tylko w grupie o charakterze wspólnoty mieszkaniowej z zapewnioną opieką. W takich warunkach żyją niepełnosprawni, w małej grupie wraz z opiekunem, uczęszczają do szkoły lub do zakładu pracy tak jak zdrowi ludzie. Mają zapewnioną opiekę, pielęgnację, wsparcie przez wykwalifikowany personel, kontaktują się z innymi ludźmi i mają możliwość uczenia się od nich: na przykład samodzielnego spożywania posiłków, ubierania się, przeżywania konfrontacji z takimi stanami jak krnąbrność, przekora, złość czy przywiązanie.

### Zakłady opieki

W takich zakładach przebywają osoby oczekujące na przyjęcie do wspólnot mieszkaniowych, w których liczba miejsc jest jeszcze niewystarczająca. Zakłady te znajdują się na mniej lub bardziej zamkniętym terenie, dysponują możliwościami mieszkaniowymi, miejscami pracy, urządzeniami do szkolenia, zatrudnienia i terapii.

Mieszkańcy są tam odizolowani od społeczeństwa. Zwykle pokoje sypialne muszą dzielić z innymi, co wyklucza albo ogranicza zakres intymności. Takie postępowanie nastawione jest na opiekuńczość, a mniej na rozwój i włączenie do życia w społeczeństwie. Dzieci tam mieszkające budzą współczucie z powodu braku właściwych możliwości, które miałyby przy odpowiednim wsparciu.

### Domy opieki

Domy opieki nastawione są na opiekę nad ludźmi w podeszłym wieku, wymagającymi pielęgnacji. Wielu niepełnosprawnych młodych ludzi tam umieszczonych nie napotyka warunków niezbędnych dla swego rozwoju. Zamiast dążności do wyzwalania możliwości rozwojowych tkwiących w podopiecznych, opieka w tych domach ma charakter zachowawczy.

### Wspólnoty wiejskie

Mieszkanie, pracę, inne zajęcia, ofertę spędzania wolnego czasu, opiekę pielęgniarsko-lekarską — wszystko to zapewnia się w wiejskim osiedlu. To, jak niepełnosprawni i pełnosprawni mieszkańcy tam współżyją, w głównej mierze zależy od kryteriów wartości reprezentowanych przez organizatorów tych wspólnot. I tak, związane ze wspólnotami wiejskimi grupy Rudolfa Steinera o nazwie „Camphill", hołdujące antropozofii, mają struktury na wzór rodzinny.

Wspólne życie, wspólna praca niepełnosprawnych i pełnosprawnych wzbogacają obie grupy, ale pomimo takiej atmosfery wspólnoty wiejskie izolują tych pierwszych od pozostałej społeczności, tak jak to czynią zakłady opiekuńcze. Warunki mieszkaniowe i bytowe w tych wspólnotach są dobrze pomyślane, ale raczej monotonne.

### Przytułki

Zapewniają niepełnosprawnym warunki domowe i zatrudnienie na stanowisku pracy chronionej, jeśli nie chcą lub nie mogą przebywać w domu rodzinnym. Do przytułku może być przyjęta osoba niepełnosprawna, samodzielnie chodząca, która jest w stanie obejść się bez pomocy. W przytułku istnieje możliwość kontaktu z podobnie niepełnosprawnymi, poza tym stwarzane

są możliwości ułożenia sobie czasu wolnego od zajęć. Niekorzystnym zjawiskiem jest brak kontaktu i izolowanie od zdrowych ludzi.

### Grupy mieszkańców

W grupie mieszkańców żyje wspólnie od trzech do ośmiu osób niepełnosprawnych. Mieszkanie albo dom wynajęty czy też zakupiony przez organizatora grupy położone są w zwykłej dzielnicy mieszkaniowej. On też organizuje pracowników służących tym mieszkańcom opieką i pomocą. Pensjonariusze niepełnosprawni za dnia idą do szkoły albo pracują, a opiekunowie o określonych porach zapewniają im niezbędne zaopatrzenie. W tej koncepcji pożądane jest wykazanie się przez członków grupy pewną samodzielnością.

W takiej grupie istnieje możliwość utrzymywania kontaktów sąsiedzkich. Codzienna aktywność zespołu wyraża się w robieniu zakupów, w korzystaniu z wizyt lekarskich, w spacerach itd. Bogactwo przeżyć i doświadczeń niepełnosprawnych dorównuje w tej mierze ludziom zdrowym. Bliski kontakt w zespole pomaga jego członkom ocenić realnie zakres i granice ich możliwości. W takiej grupie jej członkowie przeżywają różnorakie sukcesy, zmienia się społeczne uznanie oraz poczucie bezpieczeństwa. Wyłaniają się też różne problemy, jak zawsze wśród ludzi wspólnie mieszkających. Atmosfera bywa czasem bardzo napięta. Ponieważ jednak grupy te są mniej liczne niż w przytułkach, więc i problemy udaje się łatwiej rozwiązać.

### Wspólnoty mieszkańców

W tych grupach ludzie łączą się ochotniczo, wspólnie mieszkają, a problemy związane z potrzebą pomocy rozwiązują sami. Istnieją wspólnoty mieszkańców składające się tylko z niepełnosprawnych oraz takie, w których są niepełnosprawni i sprawni. Są wspólnoty, które zorganizowały się same, oraz takie, których stworzenie zainicjowali organizatorzy i którzy je nadal wspomagają.

### Mieszkanie samodzielne

Na znaczeniu zyskuje zamieszkiwanie samodzielne ludzi niepełnosprawnych, szczególnie wtedy, gdy służby pomocy ambulatoryjnej funkcjonują coraz lepiej. Służby te mogą być utworzone z instytucji socjalnych, grup samopomocowych oraz organizatorów. W takich warunkach możliwe jest prowadzenie samodzielnego życia. W razie niedostatecznego wsparcia tacy mieszkańcy mogą czuć się osamotnieni. Wtedy na przykład mogą wyłonić się trudności w dziedzinie życia kulturalnego i wypełnienia wolnego czasu.

### Specjalne siedziby

W tych obiektach (schroniskach) mogą czasowo być umieszczeni niepełnosprawni, aby odciążyć rodzinę podczas urlopów albo w sytuacjach awaryjnych.

Do takich siedzib należą również internaty prowadzące szkolenie zawodowe, schroniska przejściowe, domy oferujące wynajem pomieszczeń, w których mieszkańcy przygotowywani są do życia w innych ośrodkach.

**Olimpiady Specjalne Polska Stowarzyszenie Sportowe dla Osób Upośledzonych Umysłowo**

Warszawa, ul. Wilcza 38a, tel. (0-22) 621-84-18

**Komputery pomagają**

Nowe technologie, systemy elektroniczne i komputery w znacznym stopniu mogą ułatwić życie ludziom niepełnosprawnym. W pewnym zakresie systemy te obecnie zastępują czynności oka i ucha. Nowoczesne techniki komunikowania się umożliwiają ciężko niesprawnym ludziom pracę przy komputerach. Wiele spośród tych urządzeń znalazło już zastosowanie, nad innymi prowadzone są badania.

**Układy elektroniczne zastępują części ciała**

*Sztuczne uszy*. W Wyższej Szkole Medycznej w Hanowerze kilkuset pacjentom wszczepiono sztuczne uszy. Elektroniczne protezy czujnikowe (implant ślimaka) wszczepiane są pod skórę. Mikrofon odbiera fale dźwiękowe i jako impulsy elektryczne przekazuje je dalej do implantu, skąd przekazywane są wprost do mózgu. Działanie tych urządzeń jest odmienne od aparatów słuchowych, wzmacniających tylko fale dźwiękowe. Dzięki urządzeniu elektronicznemu również dzieci, które od urodzenia nie słyszą, można nauczyć słuchania (→ Głuchota całkowita, s. 245).

*Sztuczne oczy*. Podobnie jak przy zastosowaniu sztucznych uszu będzie można pomóc ludziom z chorą siatkówką oka, tj. barwnikowym zwyrodnieniem siatkówki (→ Zanik plamisty siatkówki, s. 238). Uczeni z Tybingi i Stuttgartu pracują nad systemem elektronicznym, w którym bodziec świetlny zamieniony zostaje na impuls elektryczny mający stymulować komórki nerwowe.

*Sztuczne kończyny*. W eksperymencie na zwierzętach wypróbowywane są elektronicznie sterowane protezy kończyn. W przyszłości protezy te, jak na przykład sztuczne ręce, mają być uruchamiane impulsami płynącymi bezpośrednio z własnych nerwów pacjenta. System elektroniczny przekazuje „rozkazy" do protez, sterując ruchami rąk albo nóg.

**System „Iryda" dla niewidomych**

System Informatyczny „Iryda", nad którym prowadzone są prace w Wiedniu, powinien pewniej niż dotychczas przeprowadzić niewidomego przez ulicę. Na zasadzie promieniowania podczerwonego wytworzona zostaje łączność pomiędzy niewidomym pieszym a światłem na przejściu dla pieszych. Odbiornik, w który zaopatrzony jest niewidomy, przekazuje sygnał zamieniony na język syntetyczny. Tym sposobem można przekazać bardzo dużo różnych informacji.

**Stanowisko pracy przy komputerze**

Poprzez bioelektryczny komputer komunikacyjny rejestrowane mogą być impulsy płynące z organizmu człowieka, sumowane i dalej przetworzone. Ciężko niesprawni mogą na przykład sterować komputerem ruchami gałek ocznych albo ruchami głowy. Poprzez czujnik (sensor) optyczny ruchy te wraz z udziałem „myszy" komputera przenoszone są na monitor.

**Mowa zamiast ruchu ręki**

Urządzenie, które pozwoli za pośrednictwem głosu, czyli wypowiedzianych słów, wykonywać wiele codziennych czynności. Dźwięk głosu przetworzony zostaje w sygnały, które poprzez kabel albo promieniowanie podczerwone sterują specjalnie do tego przystosowanymi urządzeniami, jak na przykład wózkiem inwalidzkim, oknem, drzwiami, radiem, telewizorem albo aparaturą stereofoniczną.

# ZMIERZCH ŻYCIA

Dawniej w domu rodziły się dzieci i umierali starcy. Również dzisiaj życzeniem wielu ludzi jest spokojne umieranie w kręgu bliskich i w miejscu, do którego byli przyzwyczajeni, ale tylko niewielu jest to dane. Zmienione warunki życia i małe mieszkania utrudniają pielęgnację. Często spokojnemu umieraniu na przeszkodzie staje nadzieja, że w szpitalu dzięki nowoczesnej aparaturze można spodziewać się ratunku. Wskutek tego coraz więcej ludzi swoje ostatnie dni i godziny spędza w zakładach leczniczych albo w przytułkach.

Ale nawet w szpitalu nie ma miejsca na umieranie. Historia sukcesów medycyny jest wytyczana przez walkę ze śmiercią, prowadzoną dosłownie z pogardą śmierci. Lekarze starają się osiągać sukcesy w leczeniu, a śmierć człowieka oznacza klęskę. Nie należy się dziwić, że na studiach lekarskich nie ma miejsca na nauczanie, jak należy się obchodzić z umierającym.

Zaakceptowanie czyjejś śmierci oznacza postawienie się w sytuacji kresu własnego życia. Jest to trudne przeżycie. Dlatego często nie tylko lekarze, ale również krewni umierającego nie dopuszczają do spokojnej śmierci, żywiąc niespełnione nadzieje na przedłużenie życia człowiekowi, którego czas dobiega kresu.

W ostatnich chwilach życia umierający potrzebują kogoś, kto z miłością będzie im towarzyszył. Tęsknią za pociechą i ciepłem, mają prawo do ochrony przed bezsensownymi zabiegami i potrzebują ochrony przed bólem i samotnością, która nasila się, kiedy człowiek odczuwa aurę śmierci.

Czas umierania może jednak być czasem jasnych rozstrzygnięć i rozwoju duchowego. Wiedza o śmierci sprawia, że to, co nieważne, staje się jeszcze bardziej błahe. Ambicje, dążenie do sławy i pośpiech, tak obecne w życiu, mogą przemienić się w spokój i opanowanie. Coraz cenniejszy staje się czas. Tego, co w tym momencie zostanie postanowione, już nazajutrz nie będzie można wykreślić ze sfery przeżyć, bo jutra może już nie być. Wszystko staje się wartością ostateczną. To przeżywane dziś nie może już zblednąć, ponieważ nie zostanie zatarte przez inne przeżycie. Nie ma już trosk o przyszłość. Niczego nie można odroczyć.

## Prawda albo milczenie

Wciąż aktualne jest pytanie stawiane sobie przez lekarzy i krewnych śmiertelnie chorego, czy należy mówić prawdę o jego stanie. Naukowcy zajmujący się tym problemem twierdzą, że umierający ma prawo znać prawdę. Należy ją delikatnie, z wyczuciem wyjawić choremu. Jeśli chory sobie tego nie życzy, to oczywiście ma prawo pozostawania w nieświadomości.

Większość ludzi intuicyjnie orientuje się w sytuacji. Bliską śmierć wyczuwają po zmianie troskliwości, wzmożonych staraniach krewnych, poświęcaniu większej uwagi choremu, po tonacji głosu i spoważnieniu wyrazu twarzy.

Powinno się czekać cierpliwie, aż chory umierający sam ze-chce poznać prawdę. Czasem prośba o szczerość zawarta jest w pytaniu: Czy jeszcze kiedyś będę mógł przeżyć to lub owo? Czy mój partner albo partnerka poradzi sobie beze mnie?

Jeśli wtedy uciekasz się do wymówek i wybiegów, to pytający może odnieść wrażenie, że powinien pomijać ten temat, ponieważ jest on kłopotliwy dla otoczenia. Brak szczerości potęguje uczucie osamotnienia. Umierający może lepiej przygotować się na śmierć, jeśli ma możliwość porozmawiania z kimś o tym, jeśli może świadomie przeżyć ten ograniczony czas swoich ostatnich dni.

## Towarzyszenie umierającemu

Jest to odprowadzenie człowieka poza granicę życia. Opieka terminalna nad chorym stanowi dla rodziny i osób związanych zawodowo z tą czynnością wielkie obciążenie. Bezpośrednie zetknięcie się ze śmiercią, poświęcenie się czemuś nieodwracalnemu, odejście kochanej osoby albo porażka na polu medycznym oznaczają rozdarcie, ból i lęk. Trzeba wtedy wycofać się z własnym „ja" i być do dyspozycji tego, którego kres jest tak blisko. Wraz z nastaniem końca umierający człowiek traci swój cały świat, ukochanych, przyjaciół, dom, zawód, ciało i swego ducha, wszystko.

Śmierć nie zawsze bywa łagodna i „spokojna", umierający nie zawsze są opanowani, czasem bywają nawet agresywni. Umieranie może być nie tylko spokojne, ale głośne i odstraszające. Człowiek, który walczy z odejściem ze świata, nie zawsze jest cierpliwy, może być przepełniony skargami i cierpieniem. Możliwe, że nie będzie już mógł znieść swej bezradności, nie mogąc prawie się poruszać, ma już dosyć swoich cierpień. Pomocą dla niego jest okazywanie mu bezinteresownej miłości.

## Czas umierania

Każdy człowiek przeżywa śmierć na swój sposób. Niemniej fazy umierania u większości ludzi mogą wykazywać pewne podobieństwo.

Elisabeth Kübler-Ross, badająca ten problem, zarysowała różne stadia, których znajomość może być pomocna dla rodziny i personelu pielęgnującego:

1. *Wstrząs i zaprzeczenie.* Umierający nie chcą uwierzyć, że muszą umrzeć, i negują swój zbliżający się koniec. Snute są plany i wzmaga się optymizm.

2. *Gniew, złość, dąsy, a także zazdrość.* Skierowane są przeciwko tym, którym nadal wolno żyć. W tym czasie rodzina i personel pielęgnujący musi uzbroić się w cierpliwość.

3. *Pertraktacje.* Targowanie się z Bogiem i lekarzami o przedłużenie życia.

4. *Depresja i poczucie beznadziejności.* Jeśli śmierci nie można oddalić ani pokonać, nasila się poczucie beznadziejności.

## Zalecenia dla osób towarzyszących umierającemu

— Nie wypominaj śmiertelnie choremu człowiekowi jego śmierci. Często bliscy chorego w swej rozpaczy proszą ukochaną osobę, aby nie odchodziła, zakłócając w ten sposób spokojne umieranie. Raczej staraj się zapewnić chorego, że wolno mu odejść. Takie zdania, jak „Ja ciebie przecież potrzebuję" albo „Proszę, nie opuszczaj mnie", mogą śmierć uczynić ciężką nawet osobie nieprzytomnej.

— Niektórzy ludzie dopiero przy śmierci pojmują, jak ważne jest życie. Nie traktuj umierającego, jak gdyby już był martwy. Jeśli to możliwe, pozwól mu jeszcze przeżyć coś pięknego i przyjemnego.

— Umierający mają takie same życzenia jak żyjący. Chcą być kochani i akceptowani.

— Bądź obecny przy ukochanej osobie, jeśli jest nawet rozkojarzona lub niezorientowana i pozornie nie reaguje na twoją obecność. Pamiętaj o tym, że człowiek w śpiączce, albo kiedy nie potrafi już mówić, potrzebuje wsparcia pełnego miłości i życzliwości. Odczuwa on twój głos, twoje ręce i twoją obecność, są one dla niego miłe i potrzebne.

— Ofiaruj cierpliwie śmiertelnie choremu człowiekowi czas i obecność. Jest to najcenniejszy dar, jakim możesz go obdarzyć. Często wystarczy w spokoju przysiąść na brzegu łóżka chorego.

— Staraj się wysłuchać umierającego. Otwartość, z jaką poświęcasz mu swoją uwagę i przekonanie, że jest wysłuchiwany, są dla niego czymś kojącym.

— Pozwól takiemu człowiekowi poruszać tematy, które go zajmują. Nie unikaj rozmów na temat uczucia strachu, zasmucenia i niepewności.

— Nie unikaj rozmów, w których poruszane są życzenia związane z pochówkiem, szczególnie wtedy, gdy chory uważa to za ważne. Również ważna jest sprawa obecności duchownego.

— Poniechaj prawienia choremu kazań oraz przekazywania mu swoich duchowych recept. Nie twoim zadaniem jest nawracanie kogoś. Staraj się jedynie towarzyszyć choremu.

— Zapewniaj chorego, że wszystko, co odczuwa i przeżywa, jest czymś normalnym i właściwym. Chwile umierania wyzwalają na światło dzienne wiele tłumionych dotąd emocji. Nie tylko smutek, ale również zazdrość, poczucie winy i tym podobne muszą znaleźć swoje miejsce.

— Nie zrażaj się tym, że osobiście jesteś celem wybuchów gniewu i wyrzutów. Bądź świadomy, że u podłoża takiego zachowania tkwi strach i bezsilność.

— Staraj się o to, aby chory dzięki terapii przeciwbólowej wolny był od dolegliwości bólowych, ale żeby nie był nieprzytomny.

— Wszyscy towarzyszący umierającemu sami potrzebują kogoś towarzyszącego, przed kim mogą się wypowiedzieć i wyżalić. Własny smutek, żal, a może gniew i bezradność, wszystko to, co nagromadziło się w okresie obecności przy umierającym, musi znaleźć swoje ujście.

— Zwracaj uwagę na granice twoich możliwości. Zadbaj również, by ktoś mógł cię zmienić. Nie stawiaj sobie ponadludzkich wymagań.

5. *Akceptacja i poddanie się*. Następuje stopniowe pogodzenie się z losem. Pojawia się pojednanie i zgoda na śmierć. To oznacza, że śmierć jest już blisko.

## W domu albo w szpitalu

Jeśli postawiony zostaniesz przed trudnym wyborem, czy umierającemu towarzyszyć w domu czy w przytułku, wtedy decyzję musisz uzależnić od istniejących warunków i możliwości. Umierania nie można zaprogramować. Twoja decyzja może oznaczać konieczność wielomiesięcznej pielęgnacji chorego. W każdym przypadku zalecane jest nawiązanie kontaktu z organizacjami udzielającymi pomocy w pielęgnowaniu oraz w okresie terminalnej opieki ambulatoryjnej.

Ewentualnie można uzgodnić ze szpitalem przeniesienie chorego na okres jego ostatnich dni życia do domu, po uprzednim powiadomieniu rodziny. Innym rozwiązaniem jest umieszczenie takiej osoby w hospicjum.

### Ruch hospicyjny

Pewnym jasnym punktem związanym z problematyką umierania jest ruch związany z organizowaniem hospicjów, wywodzący się z Anglii, a rozprzestrzeniający się w całej Europie. Dotąd jest zbyt mało miejsc w hospicjach i zbyt mało jest hospicjów ambulatoryjnych, aby wszystkim chorym zapewnić godne zakończenie życia.

Krytycy ruchu hospicyjnego podnoszą zarzut, że i tu umieranie stało się tabu poprzez umieszczanie nieuleczalnie chorych w wyodrębnionych klinikach. Uważają oni, że personel służby zdrowia powinien być wyszkolony w świadczeniu opieki terminalnej i każdy szpital powinien te zadania wykonać kompetentnie.

Sceptycy dopatrują się trudności w tym, że personel lekarski i pielęgniarski byłby nadmiernie przeciążony, gdyby miał zrobić wszystko, co trzeba dla ratowania życia, a równocześnie z tym samym zaangażowaniem zająć się innym pacjentem, aby zapewnić mu humanitarną śmierć. Do problemu mogą również urastać koszty związane z intensywną opieką terminalną.

Jak dotąd w większości szpitali brakuje miejsca na godną śmierć. Tak więc przywilejem tylko niektórych nielicznych jest zakończenie życia w prywatnym lub kościelnym hospicjum, co w większości przypadków trzeba drogo opłacić. Coraz głośniejsze jest wołanie o ludzkie warunki umierania dla wszystkich. W rozumieniu ruchu hospicyjnego zgon w ludzkich warunkach oznacza:

— Minimum techniki, a maksimum uczucia. Umierający winien być głównym ośrodkiem zainteresowania.

— Rezygnację z aktywności medycznej mającej na celu przedłużenie życia sztucznymi sposobami. Umierający nie mogą być bezwolnymi obiektami zabiegów terapeutycznych.

— Silnie działające środki przeciwbólowe, w tym również z grupy narkotyków, muszą być, co rozumie się samo przez się, łatwo osiągalne. Powinny one choremu umożliwić przeżycie ostatniego okresu bezboleśnie przy możliwie zachowanej świadomości.

— Krewni mają dostęp do chorego o każdej porze dnia i nocy.

Ideałem byłoby zapewnienie bliskim osobom pomieszczenia, jak to jest na niektórych oddziałach położniczych. Wtedy osoby opiekujące się chorym mogą być przy nim stale.

## Pomoc transdukcyjna

Jest to profesjonalne postępowanie i pomoc w przygotowaniu na ostatni etap życia. Tak zwana tanatoterapia — od greckiego słowa *thanatos*, oznaczającego śmierć — pomaga człowiekowi godnie umrzeć.

W scenicznych fantazjach ciężko chorzy wywołują własne przeżycia z przyszłości i omawiają je z terapeutą. Teraźniejszość i przyszłość potraktowane i naświetlane są w sposób sceniczny. Bilansem tej gry nie jest jej zakończenie, ale przeorientowanie, nawet jeśli podlega odroczeniu albo przedłużeniu. Ta nowa orientacja ma umożliwić świadome aprobowanie swojej własnej doczesności i ograniczoności oraz uzyskanie wewnętrznej wolności.

Umierający odczuwają wzmożoną potrzebę komunikowania się z innymi. Tanatoterapia może być pomocna szczególnie dla tych ludzi, którzy nie mają nikogo, z którym mogliby rozmawiać o śmierci.

## Pomoc terminalna

Równolegle do rozwoju nowoczesnej technologii i medycyny, pozwalającej na stałe przedłużanie naszego życia, coraz bardziej dręczącą staje się troska o godne ludzkie umieranie. Pomoc dla umierających staje się przedmiotem gwałtownych dyskusji na ten delikatny temat. Określenie „eutanazja" przywołuje natychmiast — a w Niemczech ze szczególnym nasileniem — czasy potwornych nazistowskich zbrodni przeciw ludzkości. W pierwotnym antycznym grecko-rzymskim znaczeniu tego słowa *euthanasia* oznaczała „dobre umieranie", „piękną", bezbolesną śmierć.

### Aktywna pomoc terminalna

Aktywną pomocą terminalną określamy pomoc świadczoną choremu przy końcu jego życia. Obawa przed nadużyciami nie pozwalała dotąd we wszystkich krajach na ustanowienie przepisów prawnych pozwalających na aktywną pomoc terminalną. Jedynie w Holandii lekarzom wolno nieuleczalnie chorym pomóc w przyśpieszeniu ich śmierci. Jakkolwiek przepisy regulujące to zagadnienie są bardzo surowe, istnieją uzasadnione wątpliwości, czy człowiek dojrzał do tego poważnego zadania, by mógł decydować o życiu i śmierci.

Przeciwnicy aktywnej pomocy terminalnej wyrażają obawy, że otwarte zostaną wrota do podejmowania arbitralnych rozstrzygnięć. Że na przykład krewni mogą wywierać wpływ na chorych, aby zgodzili się na przyspieszenie zgonu, albo że zapoczątkuje się dyskusje, czy czyjeś życie jest jeszcze „opłacalne".

### Lektura uzupełniająca

MURKOWSKI M., KORONKIEWICZ A., CHLIPALSKI A.: *Hospicjum (zespół opieki paliatywnej)*. Centrum Organizacji i Ekonomiki Ochrony Zdrowia, Warszawa 1993.

---

**Warszawskie Hospicjum dla Dzieci przy Instytucie Matki i Dziecka**
01-211 Warszawa, ul. Kasprzaka 17a, tel. (0-22) 632-57-74

**Towarzystwo Przyjaciół Chorych „Hospicjum"**
31-579 Kraków, ul. Centralna 2b, tel. (0-12) 647-28-03

**Polskie Towarzystwo Opieki Paliatywnej**
61-878 Poznań, ul. Łąkowa 1/2, tel. (0-61) 854-01-06

**„Hospicjum" Towarzystwo**
40-035 Katowice, ul. Plebiscytowa 8, tel. (0-32) 51-70-32

---

Zwolennicy reprezentują pogląd, że skoro nieuleczalnie chory swoje cierpienia fizyczne i duchowe uważa za nie do zniesienia, jeśli prosi o wybawienie go od nich albo gdy w testamencie zawarte jest takie wyraźne życzenie, to powinno być dozwolone postępowanie umożliwiające godne zakończenie żywota.

### Bierna pomoc terminalna

Przez to pojęcie rozumie się niepodejmowanie żadnych czynności mających na celu przedłużanie życia. Jest to krok w kierunku medycznego samoograniczania, które stawia zarówno lekarzy, jak i krewnych chorego przed podjęciem trudnych decyzji. Jakie zabiegi operacyjne jeszcze przeprowadzić? Jak długo kontynuować techniczną pomoc podtrzymującą życie? Kto zadecyduje, które zabiegi jeszcze mają sens, czy są bezsensowne i daremnie męczą chorego? Przedłużanie życia przez lekarzy nie może być równoznaczne z opóźnianiem śmierci, ponieważ każdy człowiek ma prawo do godnego zakończenia życia, tak uważają zwolennicy tej koncepcji. Każdy chory musi dotrwać do wyznaczonego przez los końca, replikują przeciwnicy. Lecz jaki koniec uważać za naturalny? Czy ten, który opóźniany jest przez interwencję medyczną? Trwa dyskusja, w której jak dotychczas nie osiągnięto jednomyślności.

Od dawna praktyką stosowaną u nieuleczalnie chorych jest bierna pomoc terminalna poprzez odłączanie aparatury podtrzymującej życie oraz podawanie środków łagodzących bóle, które mogą przyśpieszyć śmierć. Ale i takie postępowanie wymaga podstaw prawnych. Oznacza to, że pacjenci uzależnieni są od woli lekarzy i krewnych, a to może stawiać ich w konflikcie z prawem. Jeśli chcesz mieć pewność, że twój bliski nie będzie utrzymywany przy życiu bez jego woli, to najlepiej byłoby, o ile możliwości na to pozwalają, zatrzymać go w domu albo sprowadzić do domu. Rozumnym lekarzom domowym łatwiej będzie zrezygnować z niektórych zabiegów medycznych niż klinicystom. Jak dotąd my wszyscy, mający umrzeć, nie mamy swojego lobby. Istniejące tabu przeszkadza w powszechnej dyskusji o godnej śmierci. Śmierć jest jedynym pewnikiem w naszym życiu. Nadszedł czas, aby stanąć na wysokości zadania i uznać, że śmierć jest częścią naszej egzystencji.

# W ZAKŁADZIE LECZNICZYM

Lekarzowi powierza się wiele: zdrowie, ciało i wygląd. Mimo to wiele osób poświęca więcej czasu na wybór samochodu niż swego lekarza. By uniknąć traktowania pacjenta w kategoriach „przypadku chorobowego", lekarz musi poświęcić choremu sporo czasu, aby poznać stosunki panujące w rodzinie i w pracy. Ponadto pacjent musi odczuwać potrzebę zwrócenia się właśnie do tego, a nie innego lekarza. Nasze ciało nie jest maszyną, którą w razie defektu zanosi się do dowolnego specjalisty. W szpitalu czyha na nas niebezpieczeństwo, że zrezygnujemy z odpowiedzialności za własne zdrowie, tę odpowiedzialność bowiem przekazujemy pewnemu systemowi organizacyjnemu, do którego mamy zaufanie. Jako ludzie zdrowi rzadko kwestionujemy autorytety, a w roli pacjentów mamy jeszcze więcej problemów z obroną własnych praw. Na nasze zachowanie wpływa poczucie zależności. Jest to wystarczający powód, aby się zaznajomić z uprawnieniami przysługującymi pacjentowi, zanim jeszcze okoliczności sprawią, że nim zostaniemy.

## U LEKARZA

### Wybór lekarza

Lekarza należy wybrać, póki się jest zdrowym. Mamy wtedy więcej energii, by rozważyć argumenty za i przeciw, większa jest również precyzja oceny i gotowość do ewentualnej zmiany lekarza. Aby nabrać zaufania do lekarza, trzeba jednak ocenić własne predyspozycje:
— Czy przedkładam pewne metody terapeutyczne, których nie stosują wszyscy lekarze, np. medycynę antropozoficzną, homeopatię, akupunkturę?
— Jakie uczucie dominuje przy wizycie u młodego lekarza: „Na pewno jeszcze nie wszystko umie" czy „Na pewno zna nowoczesne osiągnięcia nauki"?
— Jakie uczucie dominuje przy wizycie u starszego lekarza: „Ufam wieloletniej praktyce" czy „On stracił kontakt ze współczesnym rozwojem wiedzy"?
— Komu mogę lepiej się zwierzyć z problemów lub spraw intymnych: mężczyźnie czy kobiecie?
— Czy gabinet lekarski wyposażony w liczne urządzenia dodaje mi pewności, czy może onieśmiela?
— Czy odczuwam potrzebę rodzinnej atmosfery, aby się rozluźnić?
Zwykle jedna cecha nie decyduje o wszystkim, należy sobie jednak uświadomić wyraźnie, co stanowi nieodzowną podstawę zaufania.

### Warunki zewnętrzne

Przy podejmowaniu decyzji ważną pomoc mogą stanowić sposób zorganizowania praktyki lekarskiej i jej lokalizacja.

— Czy w pobliżu znajdują się przystanki środków komunikacji i miejsca do parkowania?
— Czy będzie można bez kłopotów dotrzeć do gabinetu, nawet gdy wystąpią trudności z chodzeniem?
— Czy odpowiadają ci dni i godziny przyjęć, np. wieczorem, w dni świąteczne?
— Czy należy uzgadniać termin wizyty, lub też „kto pierwszy, ten lepszy"?
— Czy czas oczekiwania jest krótki i dotrzymywany, czy może lista pacjentów jest długa? Długie oczekiwanie niekoniecznie jest dowodem wyjątkowych zdolności lekarza, może bowiem świadczyć o złej organizacji pracy.
— Jak się czujesz, gdy w jednym punkcie przyjęć jest kilka gabinetów? Czy jesteś pod presją pośpiechu, czy przeciwnie, przy rozbieraniu i ubieraniu dobrze działa na ciebie świadomość, że nie powodujesz zwolnienia tempa przyjęć?
— Czy telefon jest stale zajęty?
— Czy w przypadkach nagłych lekarz przychodzi do domu?
— Czy lekarz współpracuje z jakimś szpitalem?
— Czy lekarz współpracuje z pielęgniarką, która może zaopiekować się chorym w domu?
— Czy lekarz świadczy specjalne usługi, np. w zakresie poradnictwa dietetycznego w cukrzycy lub nadmiaru cholesterolu? Do tego zakresu zagadnień należą również programy walki ze stresem.
Odpowiedzi na te pytania można uzyskać, zanim zetkniemy się bezpośrednio z lekarzem, od zaufanych przyjaciół, sąsiadów, krewnych i kolegów. Należy także pamiętać o tym, że zwłaszcza w dużych miastach jest dużo praktyk lekarskich, które między sobą konkurują. Odkryły to przedsiębiorstwa konsultingowe i proponują programy szkoleniowe dla personelu lekarskiego i pomoc w organizacji pracy. Może na tym skorzystać chory, ale też może się to obrócić w „bałamucenie maluczkich", gdy reklamuje się atrakcyjne usługi w wykonaniu nisko wykwalifikowanego personelu. Aby nie dać się zwieść pięknym pozorom, trzeba sobie zawsze zadać pytanie: Czy istotnie jest mi to potrzebne? Czy mi to rzeczywiście pomogło? Czy czuję się z tym naprawdę dobrze?

### Jak wygląda praktyka lekarska

Również organizacja praktyki może dawać wiele powodów do satysfakcji lub zdenerwowania. W zależności od tego, co uważa się za istotne, należy zwracać uwagę na następujące sprawy:
— Sposób odnoszenia się przełożonego do pracowników i tychże do kierownika stanowi prognostyk tego, co w przyszłości czeka pacjenta.
— Plakietki z nazwiskami ułatwiają osobiste kontakty.
— Czy ktoś zawiadamia, gdy lekarz musiał nagle opuścić gabinet, czy też trzeba czekać nie wiadomo jak długo?

— Ilustrowane pisma nie muszą stanowić jedynej lektury w poczekalni. Biblioteczka fachowa złożona z poradników dla chorych dowodzi, że lekarz nie obawia się dobrze poinformowanych pacjentów.

— Tajemnica lekarska obowiązuje również w przychodni. Może kartoteki nie są zabezpieczone? Czy zadawane są w obecności osób postronnych pytania osobiste? Czy podaje się wyniki badań tak głośno, że inni mogą je słyszeć?

— Bardzo praktyczne są zalecenia na piśmie, zabierane z sobą do domu. Pisma z zakresu oświaty medycznej ułatwiają przygotowanie się do dalszych wizyt. Ustalenie na piśmie terminu następnego badania zapobiega nieporozumieniom w tym względzie.

— Czy można poważnie traktować zalecenia na temat zdrowego trybu życia, jeśli w gabinecie pali się papierosy?

— Czy proponuje się pomoc przy rozbieraniu i ubieraniu, gdy chory ma z tym trudności?

## Przed wizytą u lekarza

Przed pójściem do lekarza należy sobie uświadomić, czego od niego oczekujemy: doraźnej porady, podstawowej pomocy czy wyleczenia? Nie ma sensu domagać się od lekarza środków mających szybko pomóc, jeśli boimy się je zastosować. Jeżeli chcemy leczenia przyczynowego, musimy się przygotować na uciążliwe postępowanie i zmianę trybu życia.

### Przygotowanie w domu

Aby lekarzowi ułatwić pracę, należy się do wizyty przygotować. Nie obawiaj się korzystania z karteczki, na której w domu spokojnie odnotowałeś najważniejsze sprawy.

— Zrób listę dolegliwości: gdzie boli? kiedy? od jak dawna? w jakich okolicznościach? Należy też odnotować dawniejsze dolegliwości, również te, które wydają się mało znaczące.

— Jakie było dotąd postępowanie?

— Zapisz nazwy zażywanych leków. Dotyczy to również preparatów przeciwbólowych, witamin lub leków wzmacniających zakupionych bez recepty.

Mogą się okazać przydatne pewne wcześniej przygotowane dane:

— zmierz i zanotuj gorączkę;

— załóż teczkę z ważniejszymi dokumentami na temat szczepień, chorób, badań, operacji itd.;

— zabierz z sobą posiadaną dokumentację dotyczącą szczepień, alergii, pobytu w szpitalach, leczenia;

— jeśli lekarz zlecił, abyś sam w domu wykonywał pewne badania, np. badanie moczu za pomocą testów lub mierzył gorączkę, to wyniki odnotowuj;

— gdy objawy chorobowe lub ich natężenie zmieniają się w ciągu dnia, a dolegliwości stają się bardzo dokuczliwe, trzeba się udać do lekarza.

## Kontakt z lekarzem

W zasadzie każdy decyduje sam o swoim zdrowiu, o tym, czy leczyć, czy też nie, a jeśli tak, to i wyboru metody pacjent dokonuje samodzielnie.

Nawet decyzje, które osobom postronnym wydają się błędne, pozostają w gestii pacjenta. Obowiązkiem lekarza jest dostarczyć wszystkie informacje niezbędne do podjęcia słusznej decyzji.

W normalnych okolicznościach oznacza to wyjaśnienie skutków i ryzyka planowanego postępowania. Przy omawianiu leczenia oznacza dodatkowo szansę wyzdrowienia i możliwości wystąpienia skutków ubocznych. Lekarz musi również poinformować o ewentualnej terapii alternatywnej. Przy braku tych wyjaśnień lub ich wyraźnym niedostatku należy się poradzić innego lekarza. Sam decydujesz, czy wskazówki lekarza ci wystarczają i czy dobrze je zrozumiałeś. Tylko nieliczni lekarze z własnej inicjatywy poświęcają czas na spokojną i szczegółową rozmowę ze swoim pacjentem. Nie należy się krępować, lecz żądać koniecznych informacji. Zapamiętaj: jeśli godzisz się dobrowolnie na to, że lekarz narzuca ci ilość czasu, jaki tobie poświęca, i kierujesz się interesem innych chorych, możesz zmniejszyć szansę powodzenia własnego leczenia.

Oczywiście pacjent ma prawo o czymś nie wiedzieć. Kto uważa, że wolałby pozostać w nieświadomości, może odrzucić możliwość informacji. Jednak doświadczenia z przewlekle chorymi osobami dowodzą, że przynosi im korzyści wiedza o następstwach choroby, jej przyczynach oraz o pożytkach leczenia.

### Problem porozumienia

Każdy powinien mieć możliwość szczerego porozmawiania z lekarzem. Jednakże to, co w gronie przyjaciół udaje się tylko nielicznym, jest o wiele trudniejsze wobec lekarza, któremu wiele osób podświadomie przypisuje nadludzkie zdolności. Jeśli po wizycie u lekarza pozostaje ci niemiłe uczucie, że wiele spraw ci umknęło, a innych nie zrozumiałeś, to musisz sobie uświadomić, że przyczyną skrępowania jest lęk. Wielu lekarzy wciąż jeszcze pracuje, nie uwzględniając w pełni faktu, że warunki życia i pracy mogły mieć istotny wpływ na rozwój chorób. Lekarz jednak nie czyta w myślach. Trzeba go poinformować o wszystkich problemach i kłopotach, bo tylko wtedy będzie mógł je uwzględnić przy ustalaniu rozpoznania i terapii. Dobry lekarz raczej słucha, niż mówi. Pacjent ma prawo oczekiwać, że lekarz będzie z nim rozmawiał, posługując się zrozumiałym językiem. Interes chorego wymaga, by zaraz pytać, gdy czegoś się nie zrozumiało. W najgorszym razie można realizować tylko zupełnie jasne polecenia. Zaraz po opuszczeniu gabinetu, jeszcze w poczekalni, należy sobie zapisać to, co było niejasne. Można wtedy wrócić i ponownie zapytać.

### Badanie

Lekarz musi mieć możliwość stworzenia sobie obrazu pacjenta w stanie zdrowia i choroby. Częściowo służą temu dane przygotowane w domu (→ Przygotowanie w domu, powyżej).

— Bezwzględnie powiadomić lekarza o ewentualnym uprzednim leczeniu nawet wówczas, gdy przeprowadzał je znachor.

— Kontakt z nowym lekarzem zawsze musi się zacząć od dokładnego badania od stóp do głów. Niestety, dzisiaj wielu lekarzy — co dawniej było nie do pomyślenia — unika nawet dotykania chorego. Niemniej niektóre „stare" metody

## Lęki w czasie wizyty u lekarza

— Jeżeli poproszę, aby wyjaśnił fachowe określenia, gotów pomyśleć, że jestem głupi.

— Gdy zapytam, jak doszedł do diagnozy, mógłby pomyśleć, że mu nie ufam.

— Jeśli powiem, że badanie sprawia mi ból, może pomyśleć, że go krytykuję, i gotów się obrazić.

— Jeśli przyznam się do picia alkoholu lub pociągu płciowego do osób tej samej płci, będzie mną pogardzał lub wręcz odmówi leczenia.

— Mój problem na pewno nie jest tak ważny jak innych chorych. Muszę się zatem spieszyć, by nie kraść czasu potrzebnego dla innych pacjentów.

Należy stopniowo, krok po kroku, wyzbywać się tych zahamowań. Jeśli masz do czynienia z dobrym lekarzem, nie powinieneś żywić tego rodzaju obaw.

badania są nadal nieodzowne: osłuchiwanie klatki piersiowej, badanie tętna, gardła itd.

## Diagnoza

Można oczekiwać, że lekarz w poważnej rozmowie osobiście poinformuje o wyniku badania. Należy się przy tym dowiedzieć:

— Jak się nazywa choroba (po polsku i łacinie)?

— Czy lekarz jest absolutnie pewny swej oceny, czy może jest to podejrzenie? Jaką drogą do niej doszedł?

— Jaki przebieg ma zwykle choroba i jakie grożą powikłania?

— Czy jest zaraźliwa?

— Czy się dziedziczy?

Czasem lekarz zaleca uciążliwe badania dodatkowe, jak wzierinikowania, rentgen, zastosowanie związków radioaktywnych (→ Metody badania, s. 598). Wtedy ma obowiązek powiedzieć pacjentowi, dlaczego jest to konieczne, jakie będą korzyści i ryzyko. Powinien też wyjaśnić, jakie wnioski będzie można wyciągnąć z uzyskanego materiału. Nowoczesne metody badań umożliwiają stwierdzenie wielu faktów, ale wiedza ta w małym stopniu pociąga za sobą konsekwencje w postaci efektywnej terapii. Należy się przeto zastanowić, czy warto zawracać sobie głowę skomplikowanymi badaniami, aby zdobyć nieprzydatną dla leczenia wiedzę.

## Leczenie

Zakładając przyzwolenie pacjenta, w zasadzie lekarz może leczyć tak, jak uzna za właściwe. Jednakże są granice, które mają chronić chorych przed szkodą. Do nich należą:

— Wybrana metoda leczenia musi wynikać ze wskazań i być skuteczna.

— Jeśli ryzyko jej zastosowania przewyższa ewentualne korzyści, nie wolno jej stosować nawet wówczas, gdy lekarz ma inny pogląd.

— Nie należy posługiwać się metodami nieuznawanymi przez oficjalną medycynę, np. karygodne jest usuwanie zdrowych zębów tylko dlatego, że być może kryją się pod nimi ogniska zapalne stanowiące przyczynę choroby.

Nawet leczenie zwyczajnego przeziębienia wymaga krótkie-

go wyjaśnienia. Może go udzielić tylko lekarz, a nie np. pielęgniarka.

— Jak lekarz zamierza leczyć chorobę?

— Jakie ryzyko kryje to leczenie?

— Czy zmiana warunków życia i pracy może zastąpić terapię lub zmniejszyć jej objawy uboczne?

— Co się stanie w razie zaniedbania leczenia?

— Co nastąpi w razie nieskutecznego leczenia?

— Jak się zachować w wypadku nasilenia się dolegliwości?

— Jak poznać, że choroba postępuje?

— Czy choroba może się jeszcze nasilić?

— Czy istnieją inne możliwości leczenia i dlaczego lekarz wybrał właśnie tę metodę?

### Prawo pacjenta do decyzji

Kto sobie życzy, aby nie stosować pewnych metod leczenia, gdy sam nie będzie w stanie aktywnie o tym decydować, może sporządzić pisemne oświadczenie swojej woli. Można sobie np. zastrzec, aby nie stosować w pewnych okolicznościach, na siłę, zabiegów przedłużających życie, jednakże lekarz nie musi się podporządkować, jeśli postępowanie takie nie jest zgodne z etyką lekarską.

### Przepisywanie leków

Wiele dobrych i skutecznych metod leczniczych w ogóle nie wymaga przepisywania recept. Należy uwolnić się od myśli, że po wizycie u lekarza trzeba koniecznie wrócić do domu z receptą. Przeciwnie, należy raczej zapytać, czy terapia przy użyciu leków jest naprawdę konieczna. Jeśli lekarz zlecił lekarstwo, to bezwzględnie powinien omówić z pacjentem dołączoną instrukcję używania, zwykle zredagowaną w sposób niejasny (→ Leki i ich stosowanie, s. 617). Bardzo ważne, aby lekarz wyjaśnił, jak należy się zachowywać w czasie przyjmowania leków. Tyle informacji czasem trudno zapamiętać, toteż notatki poczynione u lekarza ułatwią potem w domu odtworzenie zleceń. Jeśli źle znosisz leczenie, należy się zwrócić do lekarza, a nie zmieniać go samowolnie. Gdy lekarz sam daje lekarstwo, można spokojnie zapytać, czy nie jest to próbka doświadczalna nowego preparatu (→ s. 595). W zasadzie pacjent ma prawo otrzymać w rozsądnych ilościach konieczne leki. Dotyczy to również zastrzyków, testów diagnostycznych, alkoholu do dezynfekcji, ponadto zabiegów takich, jak gimnastyka lecznicza, masaż itp. W tej chwili jednakże, ze względu na sytuację ekonomiczną Polski, wprowadza się wiele zmieniających się ograniczeń.

### Wizyta w domu

Ostatecznie pacjent sam podejmuje decyzję, czy może udać się do przychodni, czy też lekarz musi przyjść do niego. Jeśli życzysz sobie wizyty domowej, to powinieneś przedtem telefonicznie porozumieć się z lekarzem. Nigdy nie należy dopuszczać do tego, aby np. przekazywać informacje na temat dolegliwości osobie przyjmującej telefon, która je podaje lekarzowi i potem informuje pacjenta o diagnozie i leczeniu. Nawet, gdy rozmawia się samemu, nie można być pewnym, że objawy zostały przedstawione w sposób na tyle jasny, aby umożliwić ich trafną ocenę. Za udaniem się do poradni przemawia również i to, że na miejscu są różne możliwości diagnostyczne. Jeśli czujesz się za słabo, aby korzystać z publicznych środków komunikacji lub własnego samochodu, można pojechać taksówką. W Niemczech kasy chorych pokrywają koszt do 20 marek, wyższe kwoty wymagają potwierdzenia przez lekarza konieczności przejazdu. W Polsce w takich wypadkach można skorzystać z karetki sanitarnej.

## Kochane pieniążki

Ubezpieczalnia zdejmuje z pacjenta kłopotliwe regulowanie należności za leczenie, ale osoby leczące się prywatnie muszą omówić z lekarzem ten delikatny problem. Należy sobie uświadomić, że lekarz świadczy usługi tak samo jak każdy inny pracownik. Jego praca ma swoją cenę, a o wynagrodzeniu trzeba porozmawiać. Przed wizytą prywatną można uzgodnić z lekarzem:
— wysokość honorarium,
— w razie szczególnie kosztownego leczenia ewentualnie wyrazić na nie zgodę.

W sytuacji ciągle zmieniającej się w Polsce organizacji ubezpieczeń należy liczyć się z możliwością tworzenia nowych rozwiązań problemów związanych z odpłatnością za opiekę lekarską.

## Prawa pacjenta

Wiele niepewności w kontaktach z lekarzami wynika stąd, że nie bardzo wiemy, jakie mamy prawa, a oni wobec nas obowiązki. Niezależnie od prawa do informacji na temat rozpoznania i leczenia (→ Kontakt z lekarzem, s. 590) pacjent ma następujące uprawnienia:
— lekarz jest zobowiązany przekazać dokumentację chorego koledze przejmującemu dalsze leczenie;
— chory ma prawo wglądu do obiektywnie uzyskanych wyników np. badań laboratoryjnych, zdjęć rentgenowskich. Lekarz nie musi natomiast przedstawiać własnych notatek na temat pacjenta;
— tajemnica lekarska dotyczy również pracodawcy. Lekarz może udzielić informacji o pacjencie tylko wtedy, kiedy zachodzi obawa, że chory narazi na niebezpieczeństwo siebie lub inne osoby.

### Jest więcej lekarzy

Pacjent kasy chorych, wybrawszy lekarza, w zasadzie nie ma przez okres jednego roku możliwości jego zmiany. Przejście od jednego lekarza ogólnego lub specjalisty w tej samej dziedzinie do innego nie jest możliwe bez uzasadnionego powodu. Lekarz nie może jednak odmówić skierowania do kolegi innej specjalności. Powodem uzasadniającym zwrócenie się do innego lekarza może być:
— konieczność zastosowania metod leczniczych, którymi nie posługuje się wybrany lekarz (np. gimnastyka lecznicza, psychoterapia);
— wrażenie, że lekarz ustalił niewłaściwe rozpoznanie lub nie znajduje skutecznego leczenia;
— leczenie niedające w określonym czasie zauważalnych skutków;

— chęć zasięgnięcia przed operacją opinii innego lekarza.

W nagłym przypadku każdy lekarz ma obowiązek udzielić pomocy, w innych okolicznościach natomiast ma prawo odmówić leczenia lub je przerwać. Nie jest to kara dla nieposłusznego pacjenta, lecz prawo przysługujące lekarzowi jako wolnemu obywatelowi.

### Renta i leczenie

Jeśli pacjent zamierza, lecząc się, odzyskać zdolność do pracy lub na skutek ograniczenia tej zdolności oraz dolegliwości związanych z pracą chce ubiegać się o rentę, pierwsze swe kroki musi skierować do lekarza, który wniosek chorego kieruje dalej — do zakładu ubezpieczeń. ZUS przekazuje chorego do komisji lekarskiej. Jeśli pacjent uzna decyzję za niesłuszną, może się odwołać do komisji wyższego szczebla (wojewódzkiej). Jeśli i ta decyzja wyda mu się krzywdząca, to ma prawo odwołać się do Okręgowego Sądu Ubezpieczeń. Sąd od wszystkich lekarzy biorących dotąd udział w postępowaniu może zażądać nowych opinii lub zwrócić się do tzw. biegłych sądowych.

### Spór z lekarzem

W zasadzie każdy lekarz przed rozpoczęciem kuracji ma obowiązek uzyskać od pacjenta zgodę na leczenie. Zaniedbanie tego wymogu ze strony lekarza jest karalne. To samo dotyczy każdego chorego, któremu zleca się zastrzyk. Bardzo trudno potem udowodnić lekarzowi, że nie pouczył chorego w dostatecznym zakresie. Dlatego należy dla pewności sprzeciwiać się, gdy coś budzi niepokój. Dopiero gdy pacjent dobrze zrozumie, co się z nim dzieje, powinien pozwolić lekarzowi na dalsze badania i leczenie. Rzadko kto ośmieli się otwarcie zarzucić błąd lekarzowi, choć sam niegdyś mu zaufał, należy jednak pamiętać, że ten „półbóg w bieli" jest człowiekiem, który pracuje i podobnie jak wszyscy niekiedy popełnia pomyłki.

Znaczne zahamowania pojawiają się, gdy trzeba lekarza obciążyć odszkodowaniem za straty materialne lub ból. Jednakże lekarze ubezpieczają się (w Polsce dobrowolnie) od odpowiedzialności za błędy sztuki lekarskiej i odszkodowanie płaci zakład ubezpieczeń. W egzekwowaniu uprawnień powinny pacjentowi pomóc następujące zasady:
— zapewnij sobie pomoc „stowarzyszenia pacjentów" lub innego ośrodka doradczego;
— poszukaj godnego zaufania lekarza, który cię wesprze i będzie miał odwagę wystąpić przeciw kolegom i ewentualnie adwokata znającego problematykę medyczną;
— zabezpiecz dowody. Dokumentację lekarską można chyba najłatwiej uzyskać, jeśli poprosi o nią przejmujący dalszą opiekę lekarz;
— uzgodnij z adwokatem dalszy tok postępowania.

Kto uważa, że nie stać go na kosztowny proces, powinien koniecznie skontaktować się z jakąś organizacją zajmującą się prawną pomocą dla pacjenta, bo może przysługuje mu tzw. pomoc procesowa. Z wnioskiem takim można wystąpić do Izby Lekarskiej nawet wtedy, gdy nie ma całkowitej pewności, czy pomoc się należy. Ostatecznie podanie odrzucone nic nie kosztuje.

W Niemczech istnieją **organizacje ochrony pacjentów**. Podajemy adresy dwóch, ponieważ zmiany, jakie się dokonują w polskim systemie lecznictwa, niebawem wymuszą zapewne powstanie podobnych organizacji w naszym kraju i być może uda się skorzystać z doświadczeń sąsiadów.

Deutscher Patienten Schutzbund
Adenauerallee 94, 5300 Bonn 1, tel. (0228) 218801

Allgemeiner Patientenverband
Postfach 1126, 3550 Marburg, tel. (06421) 64735

# W SZPITALU

### Czy pobyt w szpitalu jest konieczny?
Zawsze powinno się rozważyć, czy zamierzona hospitalizacja jest rzeczywiście niezbędna. Należy lekarza zapytać:
— czego można oczekiwać po pobycie w szpitalu;
— czy są szanse zupełnego wyleczenia, czy też należy się spodziewać tylko przejściowej poprawy;
— jakie jest ryzyko przewidywanego leczenia lub operacji;
— czy nie dałoby się leczenia przeprowadzić w warunkach ambulatoryjnych;
— co grozi w razie rezygnacji ze szpitala;
— jakie są alternatywy leczenia szpitalnego.

Jeśli masz trudności z podjęciem decyzji, nie zwlekaj z zasięgnięciem nawet trzech różnych opinii, zwłaszcza gdy chodzi o zabieg operacyjny.

### Wybór szpitala
W Polsce organizacja służby zdrowia zwykle nie pozwala na wybór. W nagłym przypadku nikt chorego nie pyta, gdzie chciałby leżeć. Jeśli jednak istnieje możliwość współdecydowania, należy z niej bezwzględnie skorzystać.

### Czym kieruje się lekarz?
Otrzymując skierowanie do szpitala innego niż rejonowy, należy zapytać lekarza, czym się kierował, podejmując decyzję:
— czy szpital specjalizuje się w chorobie lub zabiegach, które dotyczą pacjenta?
— czy ma opinię wyjątkowo dobrego szpitala, a jeśli tak, to dlaczego? Odpowiedź: „Bo jest to najlepszy szpital w mieście" wymaga wyjaśnienia. Nie ma szpitali, w których wszystkie oddziały są „najlepsze". Chorego interesuje przede wszystkim to, czy oddział, w którym ma leżeć, cieszy się dobrą opinią;
— czy lekarz ma innych pacjentów w tym szpitalu i może się nimi dzięki temu łatwiej opiekować? Jeśli wyboru dokonał z myślą o własnej wygodzie, to należy się przed tą decyzją bronić;
— może lekarz wybrał szpital, ponieważ ordynator był jego szkolnym kolegą? Może się to okazać korzystne dla pacjenta, jeśli o wyborze zadecydował poziom opieki, a nie stosunek koleżeńsko-przyjacielski.

### Który szpital?
Należy wiedzieć, co oczekuje pacjenta w różnych rodzajach szpitali.

*Normalny szpital*
Normalny szpital, bez specjalistycznego uprofilowania, może całkowicie wystarczać, a często jest znacznie korzystniejszy niż tzw. centrum medyczne. Dotyczy to zwłaszcza sytuacji, gdy choroba jest banalna, np. zapalenie wyrostka robaczkowego. Tu można być raczej pewnym, że nie będzie przesady w leczeniu i badaniach dodatkowych nie zawsze bezwzględnie potrzebnych. Kryteria ułatwiające wybór szpitala (jeśli jest to możliwe) wymienia „Ocena szpitali".

*Centrum medyczne lub szpital uprofilowany (specjalistyczny)*
Tu znajdzie pacjent pomoc specjalistyczną, jeśli cierpi na schorzenie, w którym dany ośrodek się specjalizuje (np. choroby serca, nerek). Chirurg operujący codziennie dwa moczowody ma większe doświadczenie niż kolega, który czyni to raz w miesiącu. Problem polega na tym, że chirurg stale operujący moczowody może czasem wykonać ten zabieg, mimo że istnieją inne metody leczenia, nawet mniej ryzykowne, a równie skuteczne. Poza tym dysponowanie specjalistyczną aparaturą kusi do jej wykorzystania nawet w okolicznościach, w których nie jest to bezwzględnie potrzebne. Warto się zatem zastanowić, czy w określonej sytuacji leczenie specjalistyczne ma istotnie sens.

*Klinika akademicka*
Zaletą kliniki akademickiej jest równocześnie jej wadą. Prezentując najwyższy poziom naukowy, musi ona tę wiedzę przekazywać studentom. Chory powinien więc stale uważać na to, co się z nim dzieje. Pacjent ma wprawdzie szansę na leczenie najnowocześniejszymi metodami, ale może mieć pecha, gdy młody lekarz będzie je na nim wypróbowywał. Zawsze należy się też liczyć z tym, że przy wszystkich wizytach wokół łóżka gromadzić się będą studenci i że ewentualnie chory zostanie zademonstrowany na sali wykładowej jako wyjątkowo „ciekawy przypadek".

### Kontakty z lekarzami i personelem pielęgniarskim
Kto dzień po dniu widzi chorych, kto wciąż styka się z cierpieniem, na pewno ma trudności, aby z czasem nie zobojętnieć i nie zacząć traktować chorych jako „przypadki". Pacjent ma prawo bronić się, gdy dojdzie do takiej sytuacji. Lekarz powinien często rozmawiać z chorym, a pielęgniarki powinny go traktować grzecznie i z powagą. Gdy lekarz lub pielęgniarka przybierają niewłaściwy ton, najlepiej powiedzieć to grzecznie od razu.

*Wizyta*
Codzienna rutynowa wizyta lekarska jest często jedyną okazją do rozmowy z lekarzem. W jej trakcie chory powinien zostać poinformowany o stanie swego zdrowia. Niestety, w tym widowisku często pacjent jest tylko obiektem, a nie współuczestnikiem. Rozmowa toczy się z użyciem skrótów lub łacińskich fachowych określeń. Lekarze omawiają nad głową chorego jego objawy chorobowe, szepczą między sobą, a w klinikach wyja-

## Ocena szpitala

*Szpital od środka*
— Czy pokoje są jasne, przyjemnie urządzone i ciche?
— Ilu chorych leży w pokoju?
— Jak blisko stoją łóżka obok siebie?
— Czy jest dość miejsca na przedmioty osobiste?
— Czy istnieje możliwość umycia się w pokoju, a miejsce to jest oddzielone zasłoną lub przepierzeniem?
— Czy śmierdzi w korytarzu lub pokoju? (Zapach ekskrementów lub zepsutych potraw źle wpływa na samopoczucie).
— Czy jest dostateczna liczba łazienek i czy są czyste?
— Czy jest estetyczna świetlica, w której można przyjąć gości?
— Czy korytarze są przepełnione pacjentami czekającymi na badania?

*Przepisy obowiązujące w szpitalu*
— Czy godziny odwiedzin odpowiadają potrzebom gości i chorych?
— Czy zezwala się na odwiedziny dzieci?
— Czy rodzice mogą stale opiekować się dziećmi?
— Czy chory, jeśli jego stan na to pozwala, może na kilka godzin opuścić szpital?
— Czy można kłaść się spać wtedy, gdy jest na to ochota, czy też obowiązuje ściśle przestrzegany czas ciszy nocnej?

*Opieka*
Niektóre sprawy można poznać dopiero w czasie pobytu w szpitalu. Jednak już w trakcie odwiedzin zachowanie się lekarzy, sióstr, pielęgniarzy i personelu administracyjnego może sprawiać pouczające wrażenie panującej tam atmosfery:

— Czy personel administracyjny zachowuje się taktownie i przyjemnie?
— Czy pielęgniarki pracują „na luzie", czy też są zabiegane i spięte?
— Jak personel rozmawia o pacjentach i z pacjentami?
— Czy mówi się o nich i do nich z szacunkiem, czy też słychać na korytarzu wołania typu „zastrzyk dla chorej z piątki"?
— Jak przyjmuje się prośbę chorego o skontaktowanie z lekarzem odcinkowym lub kimś odpowiedzialnym?
— Jak długo trzeba czekać na zjawienie się lekarza i czy powiadamia się chorego, jeśli lekarz się spóźnia?
— Czy pytania zadawane przez pacjenta traktowane są jako mieszanie się w nie swoje sprawy, czy przeciwnie, dociekliwy chory jest mile widziany?

*Jedzenie*
Zdrowe i smaczne jedzenie może się znacząco przyczynić do wyzdrowienia. Mimo to w wielu szpitalach jest to życzenie utopijne. Należy przeczytać wiszący gdzieś jadłospis oraz obejrzeć sobie menu, aby się upewnić, że pod określeniem „dieta jarska" nie kryją się jedynie jajka na twardo i pozbawiona smaku sałatka jarzynowa (→ Żywienie zbiorowe, s. 722).
— Czy codziennie gotuje się świeże potrawy, czy też podawane są zestawy rozmrażane?
— Jak wyglądają posiłki, czy są apetycznie zestawione?
— Czy są urozmaicone i czy można dokonywać wyboru spośród różnych dań?
— Czy szpital dysponuje podgrzewaczami, czy też potrawy stygną, zanim dotrą do pacjenta?

śniają studentom. Lakoniczny zwrot „jak się czujemy?" rzadko jest traktowany jak prawdziwe zaproszenie do rozmowy. Zachowanie takie na pewno nie jest wyrazem złej woli, jednak w większości szpitali tak się upowszechniło, że tylko pacjenci mogą wpłynąć na jego zmianę.
— Poproś lekarzy, aby w twojej obecności rozmawiali językiem zrozumiałym również dla ciebie. Prawie każda choroba i metoda leczenia mają polskie odpowiedniki.
— Jeśli wpis w karcie gorączkowej jest niezrozumiały, a chcesz się czegoś dowiedzieć o aktualnym leczeniu lub wieczornej tabletce nasennej, należy poprosić o wyjaśnienia.
— Jeśli w czasie wizyty zlecone zostanie nowe badanie lub leczenie, spytaj o powód. Potem być może przyjdzie odpowiedni fachowy pracownik, który nie będzie wiedział, dlaczego postanowiono wykonać takie właśnie badanie krwi lub podać ten, a nie inny lek. Poza tym na ogół średniemu personelowi nie wolno udzielać informacji.
— Jeśli w czasie wizyty nie ma dostatecznie dużo czasu na wszystkie pytania, należy uzgodnić z lekarzem inną porę rozmowy.

### Dokumentacja lekarska
Wszystko, co się dzieje z chorym w szpitalu, musi zostać odnotowane w dokumentacji lekarskiej. Co z tego materiału pacjent

może zobaczyć, zależy od szpitala. Panuje tendencja, aby karty gorączkowe i karty zleceń oraz historie choroby, w których odnotowuje się codziennie wszystkie dolegliwości, przechowywać w centralnej kartotece szpitalnej. Oznacza to, że pacjent często nie ma możliwości zerknięcia do nich i dowiedzenia się czegoś o sobie i wynikach swych badań. Dyskusyjne jest, czy ma to być kolejny krok w kierunku ubezwłasnowolnienia, czy też lepszego zapewnienia tajemnicy lekarskiej. W każdym razie jeśli chory się tym interesuje, powinien regularnie zaglądać do swej historii choroby. Ten wgląd musi zostać choremu umożliwiony i jest prawnie zagwarantowany. Można dokumentację lekarską również kopiować. Prawo to dotyczy jednak takich danych, jak wyniki badań, zabiegów itd., a nie osobistych notatek lekarzy.

### Tajemnicza karta gorączkowa
Nawet jeśli karta gorączkowa wisi przy łóżku, nie należy się spodziewać, że będzie można ją bez problemów czytać. Wszystkie wyniki i zespoły chorobowe określane są po łacinie, można sobie jednak poradzić za pomocą słownika, ewentualnie poprosić lekarza, by wyjaśnił zawarte w słowniku lub używane przez niego skróty. Należy być nieufnym, jeśli jakiś znak lub kod nie został wyjaśniony. W niektórych szpitalach w ten sposób utajnia się pewne badania, np. w kierunku AIDS. Wszystkie

dokumenty dotyczące chorego podlegają tajemnicy lekarskiej, lecz w praktyce ta zasada nie jest przestrzegana. Większość lekarzy udziela dość szczodrze informacji o stanie pacjenta bądź to krewnym, bądź innym lekarzom. Jeśli sobie tego nie życzymy, to wskazane jest powiadomić lekarza. Po opuszczeniu szpitala lekarz przejmujący dalszą opiekę musi otrzymać kopię dokumentacji dotyczącej choroby i leczenia. I znów wyjątek stanowią osobiste notatki lekarza leczącego. W razie śmierci prawo do wglądu przechodzi na spadkobierców, jeśli jest to zgodne z wyrażoną lub przypuszczalną wolą zmarłego.

## Obowiązek uświadomienia

O tym, jak dużo chcemy się dowiedzieć od lekarza, musimy zadecydować sami. Czy wiedza fragmentaryczna niepokoi, czy raczej zapewnia uczucie bezpieczeństwa? Czy rzeczywiście chcemy znać, jak duże jest ryzyko śmierci w czasie operacji, czy też sama myśl o tym wprawia nas w panikę utrudniającą zdrowienie? Lekarz powinien się kierować w tym względzie potrzebą chorego. Musi udzielić na wszystkie pytania prawdziwych i wyczerpujących odpowiedzi. Jednak nawet wtedy, gdy nie padnie ani jedno pytanie, jest prawnie zobowiązany do poinformowania pacjenta. Wyjątek stanowi tylko tak nagła sytuacja, że uniemożliwia rozmowę.
— Lekarz musi wyjaśnić podstawowe założenia przewidywanego badania lub leczenia.
— Musi powiadomić o „typowym" ryzyku, które niesie dany zabieg (nie znaczy to, że musi informować o ryzyku narkozy lub zakażenia rany).
— Musi powiedzieć, jak wysoko ocenia ryzyko operacji.
— Musi poinformować o leczeniu alternatywnym, jeśli istnieją możliwości wyboru (np. zabieg bezkrwawy zamiast operacji, znieczulenie nadoponowe zamiast narkozy).
— Musi poinformować o różnicach w zagrożeniu, jakie niosą poszczególne metody leczenia.
— Musi poinformować, jeśli proponowana metoda jest dyskusyjna czy nawet dopiero w fazie prób.
— Obowiązek informacji dotyczy oczywiście również stosowania leków, ich działania i skutków ubocznych. Musi to nastąpić bezwarunkowo w wypadku wypróbowywania leków jeszcze niedopuszczonych do obrotu (→ Leki rejestrowane lub dopuszczone, s. 617).

### Pora uświadomienia
Najlepsze nawet wyjaśnienie nie ma sensu, gdy chory, półprzytomny po lekach uspokajających, leży na stole operacyjnym lub krótko przed zabiegiem dowiaduje się o ewentualnych następstwach. Nie ma wtedy czasu na zastanowienie. Wyjątek stanowią oczywiście sytuacje nagłe. Lekarz jest prawnie zobowiązany do tak wczesnego poinformowania chorego o wszystkich przewidywanych zabiegach, aby ten miał wystarczająco dużo czasu na zastanowienie, zanim podejmie decyzję.

### Forma uświadomienia
Nie wystarczy, jeśli lekarz wsunie do ręki chorego formularz z ogólną informacją na temat metod diagnostyki i leczenia. Takie środki pomocnicze mogą służyć tylko jako przygotowanie do indywidualnej rozmowy, którą może przeprowadzić wyłącznie lekarz i nikt inny. Nie musi to być bezwzględnie lekarz leczący.

### Uświadomienie młodocianych
Młodociani pacjenci mogą tylko wtedy zgodzić się na leczenie, gdy są w stanie zrozumieć jego celowość. W Polsce przy podejmowaniu decyzji muszą brać udział rodzice lub prawni opiekunowie.

### Badania w szpitalu
Szpital dysponuje niepomiernie większą możliwością badań niż lekarz pracujący w przychodni. Stanowi to zaletę, ale i wadę. Kiedy ma się do dyspozycji aparaty i laboratoria, kusi, aby korzystać z nich również wtedy, gdy nie jest to bezwzględnie konieczne. W wielu szpitalach, zwłaszcza dużych, wykonuje się badania niemające związku z daną chorobą, dlatego warto pytać przy każdym badaniu, w jakim celu się je przeprowadza. Odpowiedź: „robimy to rutynowo", powinna natychmiast zaostrzyć uwagę. Również uzasadnienie: „robimy wszystko, by uzyskać rozpoznanie przez wykluczenie" można tylko wówczas zaakceptować, gdy zupełnie nie ma jasności co do choroby. Pytania kontrolne przed badaniem:
— Czy badanie ma bezpośredni związek z chorobą?
— Co można skontrolować za jego pomocą?
— Skoro już jest jeden wynik, to dlaczego badanie się powtarza?
— Co się dzieje w czasie badania?
— Czy jest ono bolesne?
— Czy jest ryzykowne?
Wyjaśnienia na temat różnych metod badań znajdują się na stronie 598.

## Ryzyko w szpitalu

„Ostrożnie ze skalpelem", „Dodatkowe zakażenia szpitalne" — nie ma prawie dnia bez alarmujących doniesień w środkach przekazu na temat szpitalnictwa. Wiele z nich to po prostu panikarstwo, dlatego też trzeba wiedzieć, na czym polega ryzyko pobytu w szpitalu i jakie jest jego prawdopodobieństwo.

### Ryzyko infekcji
W ciągu roku spory odsetek pacjentów szpitali przechodzi dodatkowo infekcje. Na liście zakażeń znajdują się w pierwszej kolejności infekcje dróg moczowych, na które przypada ponad 30%, bezpośrednio po nich zakażenia ran (około 22%) i dolnych dróg oddechowych (około 15%). Międzynarodowe badania wykazały, że około 1/3 pacjentów po zabiegach jelitowych, sześć na sto kobiet po usunięciu macicy i trzy do czterech po cesarskim cięciu ulega zakażeniom. Zakażeń szpitalnych nie można uniknąć, lecz da się je mocno zredukować. W USA wykazano, że spory odsetek zakażeń spowodowany jest stycznością z lekarzami i personelem pielęgniarskim. Pacjentowi trudno ocenić poziom higieniczny pracy szpitala. Właściwie jest obojętne, czy podłogę ściera się kilka razy na dzień z użyciem środków dezynfekcyjnych i ile razy czyści się nocny stolik. W 70-80 przypadkach na sto do superinfekcji dochodzi podczas operacji i pielęgnacji. Ważne jest zatem przestrzeganie

aseptyki przy takich zabiegach, jak cewnikowanie i w trakcie operacji. Drugi istotny element stanowi rodzaj zarazka, który zagnieździł się w ranie. Są to okoliczności, na które chory nie ma żadnego wpływu. Mimo to wciąż obowiązują następujące zasady:

— gdy zmniejszona jest odporność, należy unikać pobytu w szpitalu, jeśli istnieje możliwość leczenia w domu. Właśnie w szpitalu dochodzi, zwłaszcza u ludzi starszych, do wyjątkowo częstych infekcji;
— nie zezwalać na lekkomyślną „osłonę" antybiotykową. Bezkrytyczne użycie antybiotyków sprzyja wytwarzaniu opornych szczepów bakteryjnych. Antybiotyki nie są „wewnętrznym" środkiem dezynfekcyjnym;
— należy zdawać sobie sprawę, że po wprowadzeniu cewnika niebezpieczeństwo zakażenia wzrasta z każdym dniem. Po dziesięciu dniach u co drugiego pacjenta, któremu na stałe założono cewnik, występuje zapalenie pęcherza. Często jednak trzyma się cewniki dla wygody personelu dłużej, niż to jest konieczne;
— unikać „inwazyjnych" metod badań, to znaczy takich, przy których trzeba dokonać jakiegoś zabiegu, jeśli istnieją inne sposoby.

### Ryzyko narkozy
Przy ogólnie dobrym stanie pacjenta niebezpieczeństwo narkozy jest znikome. Ale nawet w schorzeniach serca, cukrzycy, nadciśnieniu, astmie lub marskości wątroby można odpowiednim przygotowaniem tak zmniejszyć ryzyko, że da się je przewidzieć. Inaczej przedstawia się sytuacja przy nagłym zabiegu na przykład po wypadku. Tu ani operator, ani anestezjolog nie znają wyżej wspomnianych okoliczności. Rzadko kiedy wiadomo, czy żołądek jest pełny i jak duża była utrata krwi. Jeśli konieczna jest operacja, to mimo to nie da się obejść bez narkozy. Jednakże nawet w takich okolicznościach istnieją możliwości współdecydowania:

— ustal, czy jest w szpitalu wystarczająca liczba anestezjologów. Wiele błędów przy narkozie spowodowanych jest przemęczeniem lub tym, że jeden lekarz obsługuje dwa stoły operacyjne;
— poproś o umożliwienie osobistego poznania anestezjologa. Taki kontakt rodzi zaufanie, a pacjent przestaje być „przypadkiem";
— zapytaj, czy istnieje możliwość znieczulenia miejscowego lub przewodowego. Czasem stosuje się narkozę, mimo że dałoby się zastosować inne metody opanowania bólu;
— również akupunktura umożliwia ograniczenie narkoz.

### Błędy terapeutyczne w szpitalu
Jeśli leczenie w szpitalu było błędne i przyniosło szkody, wtedy pacjent staje przed problemem, do którego nie był przygotowany. Kogo obwiniać, co to da, jak dochodzić swych praw? Są to pytania, na które trzeba znaleźć odpowiedź. Podajemy kilka zasad mogących pomóc w zajęciu prawidłowego stanowiska.

*Należy znać lekarza*, który będzie operował, uchroni to od ewentualnej pomyłki.

*Zabezpiecz dowody*
Jeśli nawet przewidujesz polubowne porozumienie z lekarzem,

należy spróbować zdobyć kopie wszystkich szpitalnych dokumentów, i to w miarę możliwości, zanim rozejdzie się wieść, że zamierzasz wkroczyć na drogę sądową. Wciąż zdarza się, że dokonywane są zmiany w materiałach lub usuwane dowody obciążające. Jeśli nie uda się dyskretnie zdobyć tych dokumentów przy pomocy personelu szpitalnego, to trzeba się zwrócić do lekarza przejmującego dalszą opiekę z prośbą, aby ich zażądał.

*Dobrze jest poradzić się lekarza*, którego darzysz zaufaniem, a niezwiązanego ze sprawą. Jeśli nie znasz nikogo takiego, zwróć się do Izby Lekarskiej.

*Potrzebny jest adwokat*
Niestety, mało jest adwokatów dysponujących wystarczającą wiedzą i doświadczeniem w tym zakresie. Pierwszym zadaniem adwokata jest skontrolowanie jurystycznych szans wygrania sprawy. Rozsądny adwokat zawsze będzie dążył najpierw do polubownego wyrównania szkód, pertraktując z lekarzem i ubezpieczalnią.

*Wszystko zapisuj*
Sporządź możliwie dokładny opis przebiegu choroby, gdy tylko zaczniesz podejrzewać, że popełniono błąd w terapii. Później pamięć łatwo może zawieść. Jaka zaszła szkoda i czym została spowodowana? W czym zawinił lekarz i co mógł uczynić inaczej? Opisz dokładnie wydarzenia, które do tego doprowadziły. Koniecznie odnotuj nazwiska i adresy współpacjentów, pielęgniarek i lekarzy.

*Bądź świadom, na co się decydujesz*
Procesy o błędy w sztuce lekarskiej są uciążliwe i często trwają całymi latami, a i to niewielkie są szanse, aby dopiąć swego. Duża niemiecka ubezpieczalnia ocenia, że około połowy oskarżeń cywilno-prawnych zostaje oddalonych. Tylko dziesięć procent kończy się skazaniem oskarżonego. Pacjent prawie zawsze musi dostarczyć dowodów, a nie może liczyć na to, że ekspertyzy będą przemawiały na jego korzyść. Wśród lekarzy panuje ogromna lojalność, toteż najczęściej milczą, bo kolega nie chce sprawić kłopotu koledze.

Na ogół lepiej skorzystać z rady adwokata proponującego pozasądowe załatwienie sprawy i wyrównanie szkód poprzez ubezpieczenie lekarza. Dochodzenie karne ma zwykle tylko wtedy sens, gdy interes materialny chorego stoi na dalszym planie i uda się zmobilizować opinię publiczną do wystąpienia przeciw niedbałości, złym stosunkom i niedostatkom panującym w służbie zdrowia. Tak czy inaczej walka wymaga mocnych nerwów.

## Dziecko w szpitalu

Dla wielu dzieci pierwszy pobyt w szpitalu jest też pierwszą rozłąką z rodzicami. Osamotnione w sytuacji, gdy konieczne im są pomoc i pocieszenie, niektóre reagują zaburzeniami emocjonalnymi mogącymi pozostawić ślady na wiele lat. Moczenie nocne, kłopoty z jedzeniem, lęki nocne, przygnębienie, agresywność, problemy z nawiązywaniem kontaktu — to tylko niektóre z objawów, jakie mogą się rozwinąć po traumatyzującym pobycie w szpitalu. Wiele oddziałów pediatrycznych uznało te negatywne skutki i zliberalizowało długość odwiedzin. Prawie wszędzie, jeśli uzyska się zgodę ordynatora, wolno rodzicom lub opiekunom pozostawać przy dziecku przez cały dzień, natomiast całodobowe przebywanie z dzieckiem w większości oddziałów napotyka sprzeciw i jest raczej utopijne. W wyjątkowych okolicznościach, gdy stan dziecka bezwzględnie tego wymaga, ordynator udziela członkowi rodziny zgody na pozostanie z dzieckiem w szpitalu przez całą dobę.

## Uraz szpitalny

Pewien angielski lekarz wykrył już przed ponad trzydziestu laty, że uraz u dziecka przebiega w trzech etapach.

### Protest

Dziecko nie rozumie, dlaczego zostało oddzielone od swoich bliskich. Krzyczy, płacze, czepia się pielęgniarek lub ze złością je odpycha. Faza ta może trwać kilka godzin, ale i kilka dni.

### Rozpacz

Faza beznadziejności, gdy dziecko się przekonuje, że matka czy ojciec nie przyjdą. Przestaje płakać, wpada w apatię. Często uważa się wtedy, że „dzielny" maluch przyzwyczaił się do nowej sytuacji.

### Zakłamanie

Dziecko zrezygnowało z protestów i robi pozornie rozsądne wrażenie. Interesuje się otoczeniem, odwiedziny bliskich nie są już tak ważne, czasem są wręcz odtrącane. Wydaje się, że dziecko zżyło się ze szpitalem. Ten ostatni okres jest często błędnie oceniany jako dostosowanie do nowej sytuacji.

## Co można zrobić dla dziecka

— Dowiedzieć się, czy jest możliwość leczenia ambulatoryjnego. Są szpitale, które różne zabiegi, z operacją wyrostka robaczkowego włącznie, wykonują w taki sposób, że dzieci w tym samym dniu idą do domu. Jednakże w domu musi być ktoś, kto się dzieckiem troskliwie zaopiekuje.
— Jeśli dziecko musi być leczone w szpitalu, należy dołożyć starań, aby hospitalizacja trwała jak najkrócej. Niektóre szpitale usiłują ze względów finansowych lub przesadnej troskliwości leczyć dzieci dłużej, niż to jest konieczne.
— Jak najczęściej odwiedzać dziecko. Jeśli brak na to czasu, zorganizować wizyty krewnych lub bliskich.
— Nie zapominać, że niemowlę też czuje i cierpi. Należy się nim tak samo opiekować jak większym dzieckiem.
— Przeforsować przyjęcie do szpitala razem z dzieckiem.
— Jeśli przebywa się z dzieckiem w szpitalu, to należy dążyć, by inni bliscy przychodzili na zmianę. Bardzo ciężko jest osobie zdrowej pozostawać bez przerwy, w dzień i w nocy, na terenie szpitala.

— Uzyskać zezwolenie na towarzyszenie dziecku w uciążliwych lub bolesnych badaniach.
— Jeśli dziecko poddane zostaje operacji, należy się postarać o zgodę na pozostanie przy nim do chwili narkozy. Potem trzeba być obecnym w chwili przebudzenia.

## Prawa dziecka

Jeśli lekarz uważa, że przyjęcie osoby bliskiej jest z punktu widzenia medycyny konieczne, to koszty jej pobytu przejmuje ubezpieczalnia. Nigdzie jednak nie ustalono kryteriów tej konieczności. Dlatego warto się rozejrzeć, który szpital traktuje liberalnie to uprawnienie i dla dobra dziecka uważa przyjmowanie rodziców za pożądane. W Austrii właściwie brak możliwości skorzystania z tego prawa, ponieważ na ogół krewni uważani są za osoby zakłócające spokój. W Niemczech jest to w niektórych szpitalach możliwe. W Polsce matka ma prawo do pobytu w szpitalu wraz z chorym niemowlęciem pod warunkiem, że dziecko karmione jest piersią i nie przekroczyło roku.

## Ludzie starzy w szpitalu

Nasze szpitale przepełnione są starymi ludźmi, którzy nie powinni się w nich znajdować. W domach opieki jest tak mało łóżek, że wiele osób starych zamiast tam trafia po prostu do szpitali. Normalny szpital jednak nie jest w stanie zapewnić osobie starej tego, co jest jej do życia potrzebne, poza tym wzmacnia poczucie utraty zdrowia i dojścia do kresu, być może już nieodwracalnego. Jeśli ktoś ma w szpitalu starych krewnych, którzy nie są już w stanie walczyć o swoje prawa, to sam powinien przejąć ten obowiązek.

— Wyjaśnij, czy stary człowiek rzeczywiście wymaga leczenia szpitalnego, czy być może istnieje inna możliwość terapii.
— Jeśli nie ma innej drogi, staraj się skrócić pobyt do minimum. Starzy ludzie przebywający w normalnym otoczeniu szybciej zdrowieją.
— Ustal, czy wszystkie zastosowane środki lecznicze są rzeczywiście nieodzowne (np. cewniki zakłada się nierzadko dla wygody).
— Postaraj się, by zastosowano zabiegi rehabilitacyjne (gimnastyka lecznicza, terapia ruchowa).
— Organizuj odwiedziny w porach, gdy chory może potrzebować pomocy, np. w czasie obiadów, wieczorem przy myciu. Niewiele szpitali ma dostatecznie dużo personelu, by móc serdecznie opiekować się ludźmi chorymi.
— Nie usługuj choremu, gdy to nie jest konieczne. Zachęcaj go do tego, aby jak najwięcej czynności wykonywał sam. Aktywność sprzyja powrotowi do zdrowia.

# METODY BADANIA

Każdy człowiek popełnia błędy, niesłusznie jednak ufamy bardziej aparatom i technice. Pacjenci widać lepiej zaspokajają swą potrzebę „wiarygodności" medycyny za pomocą liczb lub zdjęć rentgenowskich, które mogą zabrać do domu, niż poprzez rozmowę z lekarzem. Z kolei lekarze zabezpieczają się w ten sposób, że swe rozpoznanie i decyzję leczenia wspierają różnorakimi badaniami. Jest to uzasadnione w tej mierze, w jakiej technika wspomaga zarówno lekarza, jak i pacjenta. Jednak stechnicyzowana w znacznym stopniu medycyna może doprowadzić do tego, że przestanie się dostrzegać osobowość chorego. Im szersze pole lekarz i pacjent przekazują technice, tym bardziej rozluźnia się łącząca ich więź. Dystans między lekarzem i chorym zaoszczędza wprawdzie im obu nieprzyjemnych niekiedy starć emocjonalnych i związanych z problemami życia osobistego, lecz wówczas chory łatwiej staje się „przypadkiem", natomiast zależności między warunkami życia i pracy chorego a postępem choroby stają się mniej widoczne. Dążenie do perfekcjonizmu kosztuje. Wiele badań wykonuje się „na wszelki wypadek" w sytuacjach nie zawsze uzasadnionych.

Żywotność aparatury badawczej i czas, przez jaki producenci gotowi są ją konserwować, stają się coraz krótsze. W związku z tym poszczególni lekarze, którzy zaopatrzyli się w sprzęt badawczy, z coraz większym trudem pokrywają koszty jego amortyzacji, co z kolei zmusza do przeprowadzania badań jak największej liczby chorych. W ten sposób następuje „samonapędzanie" mechanizmu kosztów. Gdy liczba badań nawet chwilowo nie wzrasta, koszty i tak szybko rosną. Przemysł techniki medycznej oferuje coraz bardziej skomplikowane i coraz droższe metody, które następnie oceniane są generalnie jako „lepsze". Rzadko przedstawia się dowody, że tak jest w istocie. Miliard badań medyczno-technicznych stwarza również problem dla ochrony środowiska. Sprzęt jednorazowego użytku gromadzi się w postaci gór śmieci, roztwory odczynników spływają byle gdzie, związki radioaktywne muszą zostać przywiezione i zastosowane, a ich odpady potem gdzieś złożone. Wreszcie pozostaje pytanie: Jak dalece przepisy bezpieczeństwa pracy chronią zdrowie osób, które przez całe życie muszą pracować z tymi substancjami? Analizy korzyści i skutków osiągniętych przez rozwój techniki medycznej wykazują, że w ten sposób nie udaje się podnieść poziomu zdrowotności społeczeństwa.

---

## Lektura uzupełniająca

*Badania laboratoryjne w codziennej praktyce*. Oprac. zbiorowe. Wyd. 2, Makmed, Gdańsk 1994.
KOKOT F., KOKOT S.: *Badania laboratoryjne. Zakres norm i interpretacja*. Wydaw. Lekarskie PZWL, Warszawa 1996.
WOSCHNAGG H., EREL W.: *Jak interpretować wyniki badań*. „Diogenes", „Świat Książki", 1997.

---

## Czy badać wszystkich systematycznie?

Badania przesiewowe określane są w medycynie mianem screeningu. Jest to badanie jednej cechy u możliwie wielu ludzi w regularnych odstępach. Dotyczyło to np. prześwietlenia płuc. Obecnie apeluje się o systematyczne sprawdzanie poziomu cholesterolu. Zasada ta jest niewątpliwie słuszna w przypadku, gdy ktoś narażony jest na zwiększone ryzyko wczesnej śmierci i gotów jest zmienić swój tryb życia tak dalece, że ryzyko to znacznie się zmniejszy. Jeżeli natomiast zły wynik badania nie powoduje zmiany postępowania zainteresowanej osoby, zasada systematycznego sprawdzania poziomu cholesterolu nie ma sensu. Badanie, którego wynik nie pociąga za sobą żadnych skutków, jest po prostu zbędne.

Liczne niepotrzebne badania kosztują horrendalne sumy i nierzadko stanowią zagrożenie zdrowia osób badanych. Stwierdzono m.in., że lekarze często w sposób nieprzemyślany zlecają wykonywanie zdjęć klatki piersiowej. W ponad jednej czwartej skierowań nie można było ustalić, jaki problem miało wyjaśnić to badanie. W ponad jednej czwartej zdjęcia wykazały zmiany, których się nie spodziewano, częściowo pociągnęły nawet za sobą dalsze badania, nie wniosły jednak w żadnym wypadku nic do diagnozy.

To samo dotyczy wachlarza wyników badań zleconych przy przyjęciu do szpitala — rzadko są nieodzowne dla postawienia diagnozy lub ustalenia leczenia. Wszystko to staje się zbędne, jeśli pacjent wspólnie z lekarzem uzgodnią cel postępowania.

## Ustalenie sposobu i celu badania

Nie wszystko, co może być badane, należy istotnie badać. Z opisu dolegliwości i na podstawie ogólnego badania lekarz powinien możliwie dokładnie określić, jaką chorobę podejrzewa, względnie którą chce wykluczyć. Przed ewentualnym badaniem zarówno pacjent, jak i lekarz powinien jasno zdawać sobie sprawę z tego, jakiemu celowi badanie to służy.

Czy ma ono:

— rozpoznanie ustalić, potwierdzić lub wykluczyć?
— określić stopień ciężkości choroby?
— wykazać przebieg choroby?
— pomóc w wyborze właściwego leczenia?
— skontrolować skuteczność leczenia?
— ustalić stężenie leku w krwi?
— sprawdzić, czy pacjent stosuje się do wskazówek terapeutycznych lekarza?
— sprawdzić wiarygodność wyniku? Ludzie są omylni, maszyny sprawiają niespodzianki. Porównanie wartości cholesterolu tej samej próbki krwi, badanej w różnych wiedeńskich laboratoriach szpitalnych, wykazało znaczne odchylenia. Przed podjęciem ważkich decyzji warto ponownie sprawdzić wyniki;

— czy wynik można uzyskać za pomocą mniej problematycznych metod?

— co da uzyskany wynik?

Przed każdym badaniem należy poinformować lekarza o zażywanych lekach. Niektóre odchylenia od normy spowodowane są lekami i nie świadczą o chorobie.

## Badanie rutynowe

Przy przyjęciu do szpitala niektóre wartości oznacza się rutynowo. Należą do nich:

— sód (Na), potas (K), ewentualnie chlorki (Cl), magnez (Mg) służą lekarzowi do oceny, czy powodem niektórych schorzeń serca i nerek są niedobory płynów, czy też ilościowa zmiana ich składników;

— fosforany ($PO_4$) informują o czynności nerek;

— wapń (Ca) świadczy o czynności przytarczyc. Wapń i fosforany razem pozwalają stwierdzić, czy produkty żywnościowe zostają w dostatecznej mierze wchłonięte z przewodu pokarmowego;

— RN (azot pozabiałkowy) zawarty w moczniku i kreatyninie oceniają czynność nerek;

— AP (fosfataza zasadowa) informuje o chorobach kości i drożności przewodu żółciowego;

— białko. Obniżenie poziomu przemawia za chorobami wyniszczającymi, ewentualnie za zaburzeniem wchłaniania. Wzrost budzi podejrzenie pewnych schorzeń złośliwych;

— cukier w krwi informuje o równowadze między wykorzystaniem węglowodanów a wytwarzaniem insuliny;

— AspAT (aminotransferaza asparaginianowa), AlAT (aminotransferaza alaninowa), GGTP (gamma-glutamylotranspeptydaza), LDH (dehydrogenaza mleczanowa). Wartości te informują o stanie wątroby.

Jeśli porównać własne wyniki badań z wartościami podanymi na następnych stronach, to być może stwierdzi się różnice. Nie zawsze dowodzi to istnienia choroby. Należy koniecznie zwrócić uwagę na jednostki miary, w jakich wyniki zostały podane. Przed laty jednostki miary ujednolicono w skali międzynarodowej, lecz nie wszystkie aparaty medyczne dostosowano do jednostek SI. Może to być przyczyną różnic w uzyskanych wynikach. Również metoda badania, temperatura, w której przeprowadza się test, i wiele innych czynników może wpływać na zmianę wartości wyników nieświadczących o chorobie. Jeśli masz wątpliwości, dowiedz się w laboratorium, jakie są wartości prawidłowe. W dalszej części omówione zostaną najczęściej stosowane metody laboratoryjne. Może się zdarzyć, że na kartce zawierającej wynik badania znajdą się inne pojęcia i cyfry. Wówczas należy koniecznie zapytać lekarza o wymowę tych testów.

# BADANIA KRWI

## Zastosowanie

Badanie krwi daje lekarzowi ogólne wskazówki co do stanu organizmu chorego, jak również dostarcza szczegółowych danych o pewnych składnikach krwi. Wiele zmian narządowych i procesów dotyczących układu odpornościowego znajduje odzwierciedlenie w krwi.

## Użyteczność diagnostyczna

Zmiany w obrazie krwi potwierdzają podejrzenie, że coś nie jest w porządku. W celu uzyskania dokładniejszych informacji, gdzie i co uległo zmianie, konieczne są badania celowane.

## Przeprowadzenie badań

W zależności od tego, co oznaczamy, albo nakłuwa się opuszkę palca i bada wypływającą z niej kroplę krwi (krew włośniczkowa), albo krew uzyskuje się przez nakłucie igłą żyły, najczęściej w zgięciu łokciowym. Obecnie używa się w tym celu probówek próżniowych, którymi osoba pobierająca krew nie może się zranić, co chroni ją przed zakażeniami. Kiedy mówi się, że badanie dotyczy osocza lub surowicy, również pobierana jest krew.

## Obraz krwi

Krew składa się w około 45% ze składników stałych: czerwonych i białych ciałek krwi oraz płytek krwi. Wyrażenie „oznaczyć obraz krwi" odpowiada określeniu liczby poszczególnych komórek, ewentualnie ich podgrup.

## Krwinki czerwone: erytrocyty

Czerwone ciałka krwi (erytrocyty) powstają u dorosłego człowieka w szpiku kostnym. Składają się głównie z białka hemoglobiny, która transportuje tlen i dwutlenek węgla we krwi.

## Zastosowanie

W schorzeniach ogólnych, przy podejrzeniu niedokrwistości i zaburzeniach wytwarzania krwi.

> **Zakres normy**
> dorosłe kobiety: 3,5-5,2 mln/$mm^3$
> dorośli mężczyźni: 4,2-5,4 mln/$mm^3$
> U dzieci wartości kształtują się nieznacznie poniżej normy dla dorosłych.

## Użyteczność diagnostyczna

Wartości poniżej normy świadczą o niedokrwistości (anemii; → Niedokrwistość, s. 324). Wartości powyżej normy (poliglobulia) występują wówczas, gdy dochodzi do zaburzenia wytwarzania krwinek czerwonych w przewlekłych schorzeniach płuc i różnych rodzajach guzów oraz przy zatruciach. Zjawiskiem normalnym jest wzrost liczby czerwonych ciałek krwi przy wykonywaniu pracy wymagającej wysiłku fizycznego, przy uprawianiu sportu oraz przebywaniu na dużych wysokościach.

## Krwinki czerwone: hematokryt

Hematokryt określa w procentach ilość stałych składników w objętości krwi.

> **Zakres normy**
> dorosłe kobiety: 37-47%
> dorośli mężczyźni: 40-54%

## Zastosowanie

W schorzeniach ogólnych, przy podejrzeniu niedokrwistości i zaburzeń wytwarzania krwi.

## Użyteczność diagnostyczna

Patrz: Krwinki czerwone: erytrocyty.

## Krwinki czerwone: hemoglobina

### Zastosowanie

Gdy lekarz pragnie poznać zawartość hemoglobiny w krwinkach czerwonych.

### Użyteczność diagnostyczna

Jeśli ocenić stosunek zawartości hemoglobiny do liczby czerwonych ciałek krwi lub do wartości hematokrytu, to można wyciągnąć wnioski co do rodzaju niedokrwistości. Jest to nieodzowny warunek właściwego leczenia anemii.

> **Zakres normy**
> dorosłe kobiety: 120-160 g/l (12-16 g/100ml)
> dorośli mężczyźni: 140-180 g/l (14-18 g/100 ml)

## Zawartość żelaza (Fe)

Żelazo jest składnikiem barwnika krwi — hemoglobiny. Białko transferyna przenosi żelazo we krwi. Gdy w krwi brakuje żelaza, organizm produkuje szczególnie dużo transferyny jako środka służącego do transportu żelaza. Magazynowane w organizmie żelazo związane jest również z białkiem, które nosi nazwę ferrytyny.

### Zastosowanie

— Gdy należy wyjaśnić, czy niedokrwistość spowodowana jest niedoborem żelaza.
— Gdy istnieje podejrzenie nadmiaru żelaza we krwi.

### Użyteczność diagnostyczna

Poziom żelaza obniża się:
— po masywnych krwotokach, na przykład w trakcie operacji, ale też w wyniku niezauważonych utrat krwi z przewodu pokarmowego przy zapaleniach i guzach, w czasie karmienia;
— gdy podaż żelaza nie pokrywa zapotrzebowania;
— gdy schorzenie żołądka i jelit utrudnia pobieranie żelaza z pokarmu.
Poziom żelaza podwyższa się:
— u chorych, których komórki wątrobowe ulegają rozkładowi;
— przy zaburzeniach syntezy hemoglobiny (→ Niedokrwistość hemolityczna, s. 326).

Jednorazowe oznaczenie poziomu żelaza we krwi tylko wówczas mówi coś o zaopatrzeniu ustroju w żelazo, jeśli wartość jest znacznie niższa lub wyższa od normy. „Normalna" zawartość żelaza może być różna u każdego człowieka. W przypadku ludzi starszych jest ona zawsze niższa niż u młodych. U wszystkich jest niższa rano niż wieczorem bądź po południu. Dlatego kontrolę zawartości żelaza we krwi powinno się wykonywać zawsze o tej samej porze dnia. Dopiero jednak łączna kontrola poziomu

> **Zakres normy**
> dorosłe kobiety: 6,6-26 mikromola/l (37-145 mikrograma/100 ml)
> dorośli mężczyźni: 10,6-28,3 mikromola/l (50-158 mikrograma/100 ml)
>
> **Zakres normy dla transferyny**
> dorośli: 26-47 mikromola/l (2-4 g/l)
> Dla ferrytyny należy zapytać o normę.

żelaza, transferyny i — jeśli to możliwe — ferrytyny daje wiarygodną informację co do niedoboru żelaza. Jeśli zawartość żelaza i ferrytyny jest obniżona, mimo że poziom transferyny jest wysoki, to oznacza, iż pokarm przez dłuższy czas zawierał mniej żelaza, niż wynosiło zapotrzebowanie. Jeśli wszystkie trzy wartości są obniżone, to objaw ten przemawia za przewlekłym zapaleniem lub nowotworem.

## Białe ciałka krwi

Białe krwinki (leukocyty) należą do systemu obronnego. Rozróżnia się trzy duże grupy białych ciałek krwi: granulocyty, monocyty i limfocyty. W obrębie tych grup istnieją podgrupy.

## Białe ciałka krwi: liczba leukocytów

### Zastosowanie

W dolegliwościach ogólnych, jak zmęczenie, apatia, gorączka bez wyraźnej przyczyny, ale także przy podejrzeniu konkretnej choroby.

### Użyteczność diagnostyczna

Zarówno wzrost, jak i spadek liczby białych ciałek krwi mogą świadczyć o obciążeniu systemu odpornościowego, na przykład w wyniku zakażeń, rozpadu tkanek po oparzeniach, w zawale mięśnia serca, w nowotworach lub po zatruciach. Wiele leków obniża liczbę leukocytów. Lekki wzrost liczby białych ciałek krwi jest normalny w czasie ciąży, po wysiłku fizycznym i przy obciążeniu psychicznym. U osób starszych z reguły następuje spadek ich liczby.

> **Zakres normy**
> 4,0-10,0 G/l (4000-10 000/mm$^3$)
> Noworodki mają do 30 000 białych ciałek krwi/mm$^3$. Do piętnastego roku życia stopniowo ich liczba spada do wartości charakterystycznych dla dorosłych.

## Białe ciałka krwi: rozmaz

W rozmazie oznacza się procentowy skład poszczególnych podgrup białych ciałek krwi.

### Zastosowanie

Gdy liczba białych ciałek krwi jest podwyższona lub obniżona, rozmaz może bliżej określić, w jakiej podgrupie zachodzi ta zmiana. Rozpoznanie niektórych chorób staje się przez to prawdopodobniejsze, inne może wykluczyć.

## Użyteczność diagnostyczna

Zmiany w obrębie granulocytów mogą wskazywać na zaburzenia w szpiku kostnym. Granulocyty przechodzą proces dojrzewania i zależnie od stopnia dojrzałości zmienia się ich wygląd. Jeśli ilość granulocytów w różnych fazach dojrzewania znacznie odbiega od normy, stanowi to kolejną wskazówkę co do schorzenia.

Limfocyty wytwarza cały układ limfatyczny, przede wszystkim zaś śledziona i węzły chłonne. Gdy system limfocytarny ulega schorzeniu, na przykład na skutek raka, wówczas zmniejsza się ilość limfocytów. Również leczenie przy użyciu leków przeciwnowotworowych obniża ich ilość. Ich liczba wzrasta między innymi w chorobach zakaźnych i chorobach narządów krwiotwórczych.

> **Zakres normy (dorośli)**
> granulocyty pałeczkowate: poniżej 3%
> granulocyty podzielone: 60-70%
> granulocyty kwasochłonne (eozynofile): 1,5%
> granulocyty zasadochłonne (bazofile): poniżej 1%
> limfocyty: 20-30%; monocyty: 2-6%

## Szybkość opadania krwinek, OB — odczyn Biernackiego

Do badania pobiera się krew i uniemożliwia jej krzepnięcie przez dodanie pewnych substancji. Następnie krew zasysa się do cienkiej szklanej rurki z podziałką. Tu krwinki stopniowo opadają. Odczytuje się długość odcinka, na jakim krwinki opadły w ciągu godziny.

### Zastosowanie

OB jest najczęściej wykonywanym badaniem laboratoryjnym. Na podstawie tego testu lekarz szuka przyczyny „złego stanu ogólnego".

### Użyteczność diagnostyczna

Opadanie krwinek ulega przyspieszeniu w przypadku zapaleń, raka i ciężkiej niedokrwistości. Zwolnienie opadania występuje w schorzeniach, w których wzrasta liczba czerwonych ciałek krwi. Normalny OB nie informuje o tym, czy pacjent jest zdrowy czy chory. Przy miernym wzroście opadu i obecności innych ważnych objawów świadczących o chorobie należy dalej poszukiwać przyczyny. OB w wysokości 80-100 stanowi zawsze powód do wszczęcia wnikliwych poszukiwań. W przypadku osób starszych, które chorują już od dłuższego czasu, a ich samopoczucie stale się pogarsza, wskazane jest skontrolowanie za pomocą testu opadania krwinek, czy w organizmie nie rozwija się skrycie rak. Jednakże OB nie jest podstawowym testem w kierunku rozpoznania raka. Interpretując OB, lekarze często nie biorą pod uwagę faktu, że opadanie krwinek nieco wzrasta wraz z zaawansowanym wiekiem.

> **Zakres normy**
> kobiety poniżej 50 lat: do 20
> kobiety powyżej 50 lat: do 30
> mężczyźni poniżej 50 lat: do 15
> mężczyźni powyżej 50 lat: do 20

## Zakłócenia

Odczyn Biernackiego jest bardzo wrażliwy na wszelkie błędy powstające przy jego wykonywaniu. Przyspieszenie OB powodują: hormonalne środki antykoncepcyjne, witamina A oraz fenotiazyny. Do leków zwalniających opadanie krwinek należą: kortyzon, kwas acetylosalicylowy, fenylbutazon i indometacyna, stosowane w leczeniu reumatologicznym.

## Krzepnięcie krwi

W procesie krzepnięcia krwi biorą udział trzy czynniki: sama uszkodzona tkanka, płytki krwi (trombocyty) i czynniki krzepnięcia osocza. Proces przebiega w wielu fazach następujących po sobie w określonej kolejności.

### Zastosowanie

— Gdy zachodzi podejrzenie zaburzenia krzepliwości krwi. Testy grupowe zawężają lokalizację defektu. Potem można przeanalizować w sposób celowany, w którym miejscu został przerwany proces krzepnięcia.
— Dla kontroli przy podawaniu leków, które mają wydłużyć czas krzepnięcia, na przykład aby zapobiec zakrzepom lub zawałom mięśnia sercowego.

## Płytki krwi (trombocyty)

Płytki krwi powstają z komórek szpiku kostnego. Biorą one udział w procesie krzepnięcia krwi.

### Zastosowanie

Gdy chcemy stwierdzić, czy zaburzenie krzepnięcia zależy od płytek krwi.

### Użyteczność diagnostyczna

Zwiększenie liczby trombocytów (trombocytoza) występuje w schorzeniach szpiku kostnego, w ciężkich chorobach ogólnych, po usunięciu śledziony i po znacznej utracie krwi.

Liczba trombocytów zmniejsza się (trombocytopenia) wówczas, gdy występuje choroba lub uszkodzenie szpiku kostnego lub gdy okres życia trombocytów staje się niezwykle krótki. Może to nastąpić na przykład w wyniku niszczenia płytek krwi przez przeciwciała.

> **Zakres normy**
> 150-400 G/l (150 000-400 000/mm$^3$)

## Test Quicka (czas protrombinowy)

Test Quicka umożliwia porównanie czasu krzepnięcia badanej krwi z wartością prawidłową. Za pomocą testu kontroluje się cały szereg dokładnie znanych czynników krzepnięcia.

### Zastosowanie

— Jeśli chcemy skontrolować, czy przyczyna stwierdzonego zaburzenia krzepnięcia leży w obrębie tych czynników krzepnięcia.
— Dla skontrolowania skuteczności leków, które mają wy-

> **Zakres normy**
> 75-110% wartości prawidłowej
> Czas krzepnięcia u osoby zdrowej w tych warunkach doświadczalnych przyjmuje się za 100%. Test Quicka wykazuje, jaki procent normy osiąga badana krew.

dłużać czas krzepnięcia, na przykład po zawale mięśnia serca (Marcumar, Sintrom). W tym celu lekarz posługuje się również tzw. trombotestem.

## Użyteczność diagnostyczna
Test Quicka wskazuje obniżoną wartość:
— w niedoborze witaminy K,
— w niedoborze czynników krzepnięcia,
— w uszkodzeniu wątroby,
— na skutek zażywania pewnych leków.

## Stężenie lipidów w surowicy krwi
Tłuszcz wchłonięty wraz z pokarmem składa się — z chemicznego punktu widzenia — z różnych związków, w tym również z cholesterolu. Te związki tłuszczowe znajdują się także we krwi. Ich nadmiar może szkodzić ustrojowi w różny sposób (→ Wzrost stężenia lipidów we krwi, s. 303).

## Zastosowanie
Podwyższony poziom tłuszczu we krwi nie powoduje dolegliwości, ale jest jednym z czynników ryzyka rozwoju miażdżycy tętnic, a więc powstania choroby wieńcowej. Kto zdaje sobie sprawę z tego ryzyka, może go uniknąć, zmieniając tryb życia. Wydaje się celowe, aby — poczynając od 20 roku życia — oznaczać mniej więcej co 5 lat zawartość we krwi cholesterolu i HDL (→ Lipoproteiny, poniżej). Na ilość i skład lipidów we krwi wpływają niektóre choroby i różne leki. Również i w tym przypadku należałoby kontrolować związane z tym ryzyko miażdżycy.

## Użyteczność diagnostyczna
Stosunek cholesterolu we krwi do zawartości HDL jest ze wszystkich badań ciał tłuszczowych najbardziej godnym zaufania wskaźnikiem, który umożliwia ocenę własnego ryzyka rozwoju miażdżycy.

## Trójglicerydy

## Zastosowanie
Umożliwia ogólne spojrzenie na lipidy we krwi.

## Użyteczność diagnostyczna
Wzrost ilości trójglicerydów spowodowany bywa najczęściej sposobem odżywiania (→ Wzrost stężenia lipidów we krwi, s. 303). Występuje on również w zaburzeniach przemiany tłuszczowej, w skazie moczanowej, w chorobach wątroby i nerek, w zapaleniach trzustki i przy cukrzycy. Trójglicerydy wzrastają po spoży-

> **Zakres normy**
> do 180 mg/dl (2 mmol/l)

ciu tłustych posiłków. Ich wzrost bywa indywidualnie różny w zależności od wieku i płci.

## Cholesterol
Jako składnik tłuszczów zwierzęcych znajduje się w pokarmach, jednakże w znacznych ilościach wytwarza go sam ustrój.

## Zastosowanie
— Gdy podejrzewa się zaburzenie przemiany tłuszczów, spowodowane bądź nieprawidłowym odżywianiem, bądź towarzyszące pewnym chorobom lub wrodzone.
— Dla lepszej oceny ryzyka choroby wieńcowej.

## Użyteczność diagnostyczna
Przy wartościach cholesterolu poniżej 200 mg/100 ml choroba wieńcowa prawie się nie zdarza. Dorośli powinni dążyć do osiągnięcia tej wartości. Między oznaczeniami 200 a 240 mg/100 ml ryzyko wyraźnie wzrasta. Począwszy od 250 mg/100 ml, mówi się już o wysokim ryzyku (→ Wzrost stężenia lipidów we krwi, s. 303).

## Zakłócenia
Następujące leki mogą zwiększyć zawartość cholesterolu we krwi: glikokortykoidy (→ s. 624), pigułki antykoncepcyjne.

> **Zakres normy**
> do 29 lat: do 200 mg/dl
> 30-39 lat: do 225 mg/dl
> 40-49 lat: do 245 mg/dl
> 50 lat i powyżej: do 265 mg/dl

## Lipoproteiny
Aby krew mogła transportować lipidy, muszą one zostać związane z białkiem. Nazywamy je wówczas lipoproteinami.
Zasadniczo rozróżnia się trzy rodzaje lipoprotein:
VLDL— zawiera dużo trójglicerydów, a mało cholesterolu,
LDL — zawiera mało trójglicerydów, a dużo cholesterolu („złe" lipoproteiny),
HDL — zawiera mało trójglicerydów i mało cholesterolu; może przyjąć zdeponowany cholesterol („dobre" lipoproteiny).
Oceny „dobre" i „złe" dotyczą wpływu lipoprotein na miażdżycę naczyń (→ Wzrost stężenia lipidów we krwi, s. 303).

## Zastosowanie
W celu bliższego ustalenia indywidualnego ryzyka miażdżycy naczyń w zależności od zawartości ciał tłuszczowych we krwi.

## Użyteczność diagnostyczna
Oznaczenie lipoprotein może pomóc w prawidłowym leczeniu zaburzeń przemiany tłuszczów.
Stosunek cholesterolu do HDL może być przyjęty przez lekarza jako element prognozujący ryzyko miażdżycy przy badaniu profilaktycznym. Liczba powinna być mniejsza niż siedem.

**Zakres normy**

LDL — wartości poniżej 150 mg/100 ml (3,9 mmol/l): brak ryzyka

LDL — wartości powyżej 190 mg/100 ml (4,9 mmol/l): należy obniżyć

Kobiety

HDL — wartości powyżej 66 mg/100 ml (1,7 mmol/l): brak ryzyka

HDL — wartości poniżej 46 mg/100 ml (1,2 mmol/l): należy podnieść

Mężczyźni

HDL — wartości powyżej 54 mg/100 ml (1,4 mmol/l): brak ryzyka

HDL — wartości poniżej 35 mg/100 ml (0,9 mmol/l): należy podnieść

## Zakłócenia

Przy interpretacji uzyskanych wartości lekarz musi uwzględnić to, że na skład lipoprotein wpływa wiele chorób, a także zażywanie preparatów hormonalnych oraz ciąża.

## Cukier (glukoza)

Krew przenosi do komórek cukier, który jest donatorem energii. Specjalne mechanizmy regulacyjne utrzymują poziom glukozy w obrębie wąskich granic (→ Cukrzyca, s. 449).

### Zastosowanie

Przy każdym rutynowym badaniu krwi należy również skontrolować poziom cukru. Zwłaszcza w przypadku ludzi starszych zdarza się często, że „cukrzyca" nie zostaje przez dłuższy czas zauważona. Mimo to jest szkodliwa (→ Następstwa cukrzycy i powikłania, s. 450).

### Użyteczność diagnostyczna

Wyraźnie i (lub) wielokrotnie podwyższone wartości cukru dowodzą istnienia cukrzycy (→ s. 450). Porównywalne są tylko wyniki badań uzyskane w ten sam sposób, czyli drogą pobrania krwi z opuszki palca albo z żyły.

### Przeprowadzenie badania

Krew pobiera się przed śniadaniem, a więc na czczo. Badanie powtarza się tego samego dnia jedną i dwie godziny po posiłku.

### Zakłócenia

Niektóre leki podwyższają poziom cukru we krwi: środki odwadniające, glikokortykoidy, pigułka antykoncepcyjna, hormony tarczycy, środki stosowane w chorobach umysłowych, środki przeciwreumatyczne, przeciwpadaczkowe i poprawiające ukrwienie. Alkohol obniża poziom cukru we krwi.

### Inne metody

W moczu można stwierdzić obecność cukru dopiero wówczas, gdy jego poziom znacznie przekroczył zakres normy.

**Zakres normy (dla krwi z opuszki palca)**

na czczo: poniżej 100 mg/100 ml

godzinę po jedzeniu: poniżej 180 mg/100 ml

## Kwas moczowy

W warunkach normalnych nerki wydalają tyle kwasu moczowego, ile wytworzył go ustrój. Nadmierna produkcja lub zmniejszenie wydzielania moczu mogą zakłócić bilans.

### Zastosowanie

— Przy podejrzeniu dny (skazy moczanowej) lub w kontroli jej leczenia.

— Gdy w czasie głodówki lub w trakcie leczenia ciężkich schorzeń można spodziewać się powstania większej ilości kwasu moczowego.

### Użyteczność diagnostyczna

Wzrost wartości kwasu moczowego powyżej normy występuje w:

— skazie moczanowej,

— zaburzeniach czynności nerek,

— stanach głodu,

— schorzeniach, w których dochodzi do rozpadu komórek (niektóre choroby mięśni, łuszczyca, białaczka, rak),

— przewlekłych zatruciach ołowiem i tlenkiem węgla.

Zmniejszony poziom kwasu moczowego może być objawem kilku bardzo rzadkich chorób.

### Zakłócenia

Leki odwadniające (tiazydy) podwyższają poziom kwasu moczowego.

**Zakres normy**

kobiety: 2,0-6,0 mg/100 ml (119-357 mmol/l)

mężczyźni: 2,2-6,5 mg/100 ml (131-387 mmol/l)

## Kreatynina

W trakcie skurczu mięśnia zawsze powstaje kreatynina jako końcowy produkt przemiany materii.

### Zastosowanie

Do kontroli funkcji nerek.

**Zakres normy**

kobiety: 0,56-0,9 mg/100 ml (50-80 μmol/l)

mężczyźni: 0,62-1,07 mg/100 ml (55-95 μmol/l)

### Użyteczność diagnostyczna

Lekki wzrost poziomu kreatyniny występuje przy osłabieniu serca, w śpiączce wątrobowej i w przypadku niedoboru płynów. Wartości powyżej 2 mg/100 ml wskazują jednoznacznie na ograniczenie zdolności filtracyjnych nerek (→ Niewydolność nerek, s. 397). Mięśnie także mogą się przyczynić do wzrostu poziomu kreatyniny w przypadku ciężkich zranień, oparzeń lub dystrofii (→ s. 408). W górnych wartościach granicznych, tj. między górną granicą normy i wartością 1,7 mg/100 ml, badanie dostarcza niewielu wiarygodnych informacji na temat funkcji nerek. Jednak również poziom poniżej 1,1 mg/100 ml nie daje gwarancji sprawnej czynności nerek.

## Bilirubina

Bilirubina powstaje przy rozpadzie czerwonych ciałek krwi. Związaną z białkiem bilirubinę krew przenosi do wątroby. Po dalszych przemianach wątroba dostarcza ją do żółci. Z żółcią zostaje wydalona.

### Zastosowanie

— Przy badaniu funkcji wątroby i drożności dróg żółciowych.
— Przy podejrzeniu, że niedokrwistość spowodowana jest nadmiernym rozpadem ciałek krwi (→ Niedokrwistość hemolityczna, s. 326).
— U noworodków przy podejmowaniu decyzji co do ewentualnej transfuzji wymiennej.

### Użyteczność diagnostyczna

Przy wartościach powyżej 1,1 mg/100 ml można przyjąć, że czynność wątroby i (lub) układu żółciowego wykazuje zaburzenia, lecz na podstawie tego badania nie można ustalić ich przyczyny.

W celu dokładnego rozpoznania schorzeń wątroby lepiej nadaje się oznaczanie enzymów (→ poniżej).

### Zakłócenia

Zastój żółci może spowodować wiele leków, w ten sposób wpływając na podwyższenie zawartości bilirubiny we krwi.

> **Zakres normy**
> do 1,0 mg/100 ml (3,4-17,1 μmol/l)

## Oznaczanie enzymów we krwi

Enzymy biorą udział we wszystkich reakcjach chemicznych składających się na przemianę materii w ustroju. Znajdują się one w wielu tkankach. Lekarz oznacza enzymy we krwi głównie w tym celu, aby skontrolować stan wątroby i przy podejrzeniu zawału serca. Funkcja wątroby, będącej „fabryką" przemian biochemicznych i pełniącej rolę odtruwającą, związana jest z licznymi wytwarzanymi w jej komórkach enzymami. Niektóre wątroba oddaje do krwi (np. cholinesterazę → ChE, s. 605). Badając poziom cholinesterazy, lekarz uzyskuje informacje na temat sprawności wytwarzania przez wątrobę różnych substancji.

Inne enzymy występują tylko wewnątrz komórki wątrobowej (np. AspAT → poniżej). Enzymy przedostają się do krwi dopiero wówczas, gdy błona komórki stanie się przepuszczalna lub komórka ulegnie zupełnemu zniszczeniu (rozpadowi). Podwyższone wartości tych enzymów potwierdzają fakt zniszczenia komórek. W sercu i mięśniach znajdują się częściowo te same enzymy co w wątrobie. Ich skład ilościowy jest jednak różny w poszczególnych narządach. W ten sposób można ustalić ich pochodzenie.

We krwi oznacza się następujące enzymy:

AlAT — aminotransferazę alaninową,
AspAT — aminotransferazę asparaginianową,
ChE — esterazę cholinową,
GGTP — gamma-glutamylotranspeptydazę,
LDH — dehydrogenazę mleczanową,
CK — kinazę kreatynową.

## AlAT (aminotransferaza alaninowa)

### Zastosowanie

Do oceny stanu wątroby, zwykle w kombinacji z innymi enzymami.

### Użyteczność diagnostyczna

Wzrost poziomu enzymu jest dość swoisty dla schorzenia wątroby.

### Zakłócenia

Następujące leki mogą podwyższyć poziom AlAT: pigułki antykoncepcyjne, leki obniżające poziom lipidów we krwi, leki uspokajające (→ Leczenie emocjonalnych zaburzeń samopoczucia, s. 181). Alkohol powoduje wzrost AlAT u wielu osób.

> **Zakres normy**
> Do 22 U/l. Między 30 a 80 rokiem życia poziom AlAT zmniejsza się mniej więcej o jedną trzecią.

## AspAT (aminotransferaza asparaginianowa)

### Zastosowanie

Do oceny stanu wątroby.

### Użyteczność diagnostyczna

AspAT wzrasta w:
— ostrych schorzeniach wątroby 20-30-krotnie,
— uszkodzeniu wątroby na skutek zatrucia,
— przewlekłych schorzeniach wątroby,
— zawale serca lub płuc,
— szybko postępujących dystrofiach mięśni,
— stanach wstrząsu.

Badanie AspAT jest bardzo czułe, lecz mało swoiste. Enzym ten mogą uwalniać komórki wielu narządów. Podwyższona wartość ma znaczenie tylko wówczas, gdy inne enzymy również uległy zmianie i odchylenia te są charakterystyczne dla podejrzanej choroby. W zawale mięśnia serca AspAT prezentuje pewną wartość tylko wówczas, gdy badanie następuje 24-48 godzin po fakcie.

Bardziej celowe jest oznaczenie CK (→ s. 605) wówczas, gdy dolegliwości lub wynik EKG budzą podejrzenie zawału serca.

### Zakłócenia

Alkohol i wiele leków uszkadza wątrobę. Poziom AspAT jest najwyższy trzy godziny po wypiciu alkoholu.

> **Zakres normy**
> 15-18 U/l

## GGTP — gamma-glutamylotranspeptydaza

### Zastosowanie

Przy podejrzeniu schorzeń wątroby.

### Użyteczność diagnostyczna

GGTP jest podwyższona:

— przy regularnym piciu alkoholu,

— w chorobach wątroby i niedrożności dróg żółciowych,

— u około połowy chorych z dusznicą bolesną.

Sama GGTP w nikłym tylko stopniu może potwierdzić chorobę wątroby. Jednak jeśli jej wartość jest prawidłowa, można być dość pewnym, że wątroba jest zdrowa. Nieco wyższe wartości GGTP występują u osób otyłych, mimo że są zdrowe.

### Zakłócenia

Wypicie alkoholu w przeddzień badania, jak również zażywanie niektórych leków powoduje wzrost wartości GGTP przy braku uszkodzenia wątroby.

> **Zakres normy**
> Uznawana dotąd za normalną wartość 28 U/l uzyskana została w wyniku badań grupy złożonej z osób powyżej 15 lat, pijących codziennie 33 gramy alkoholu. Można więc przyjąć, że wartość normy 28 U/l jest wyraźnie zawyżona. Realniejsze byłoby przyjęcie za normę wartości 1-15 U/l.

## ChE (cholinesteraza)

Cholinesterazę wytwarza wątroba, która następnie oddaje ją do dyspozycji przemiany materii.

### Zastosowanie

Przy kontroli wydajności wątroby w produkcji enzymu, np. w podejrzeniu marskości wątroby i w zatruciach środkami owadobójczymi lub lekami hamującymi wytwarzanie tego enzymu.

### Użyteczność diagnostyczna

ChE poniżej normy świadczy o uszkodzeniu wątroby (np. w wyniku chorób lub zatruć). Jednakże wykrywalność marskości wątroby przy zastosowaniu tego testu wynosi zaledwie 13%. Wartości ChE są indywidualnie bardzo różne i w obrębie trzech tygodni ich wahania mogą sięgać 50%.

### Zakłócenia

Poziom ChE może ulec obniżeniu przy stosowaniu pigułki antykoncepcyjnej lub innych leków zawierających estrogeny.

> **Zakres normy**
> 3000-9000 U/l
> O wartościach liczbowych decyduje rodzaj metody analitycznej.

## LDH (dehydrogenaza mleczanowa)

Enzym ten występuje we wszystkich tkankach. Szczególnie wysokie jego stężenie pojawia się w mięśniach szkieletowych, w mięśniu serca i w wątrobie.

### Zastosowanie

Przy podejrzeniu zawału mięśnia serca lub płuc i w niektórych chorobach krwi.

> **Zakres normy**
> kobiety: 130-260 U/l
> mężczyźni: 130-200 U/l

### Użyteczność diagnostyczna

Poziom LDH może być podwyższony w wielu chorobach. Dla rozpoznania zawału mięśnia serca w sposób nieulegający wątpliwości należy oznaczyć dodatkowo inne enzymy (→CK, poniżej).

## CK (kinaza kreatynowa)

Istnieją trzy podgrupy kinazy kreatynowej, które występują w różnych tkankach w odmiennych stężeniach.

### Zastosowanie

W rozpoznawaniu zawału mięśnia serca.

### Użyteczność diagnostyczna

Ogólny poziom CK wzrasta zawsze wtedy, gdy zniszczeniu ulegają komórki mięśni. Przyczyny tego zjawiska mogą być różne. Oznaczanie jest zatem celowe wówczas, gdy inne znamiona wskazują na istnienie określonego schorzenia, na przykład dolegliwości lub wynik EKG w przypadku zawału mięśnia serca.

> **Zakres normy**
> kobiety: 10-70 U/l
> mężczyźni: 10-80 U/l

### Zakłócenia

Powysiłkowe bóle mięśni lub zastrzyki domięśniowe (na przykład szczepienie) w przeddzień badania powodują wzrost poziomu CK.

# BADANIE MOCZU

### Zastosowanie

— Gdy lekarz chce poznać stan nerek. Na przykład kamienie nerkowe manifestują się śladami krwi w moczu.

— W badaniach czynności nerek. Nerki muszą maksymalnie wydalać pewne związki (np. kreatyninę), natomiast inne (np. białko) muszą być maksymalnie zatrzymywane w ustroju.

— W zakażeniach nerek, pęcherza i (lub) cewki moczowej.

### Użyteczność diagnostyczna

W przeciwieństwie do krwi przy pobieraniu moczu nie jest potrzebna pomoc lekarza. Stąd część odpowiedzialności za prawidłowy wynik badania spoczywa na pacjencie. Dlatego należy przywiązywać wagę do technicznej strony pobrania moczu.

### Przeprowadzenie badania

Wszystkie metody pobierania moczu zmierzają do tego, aby zanieczyścić go możliwie jak najmniejszą ilością zarazków. Jeżeli lekarz ma wątpliwości, czy zarazki w badanym moczu nie pochodzą mimo wszystko spoza pęcherza, może zlecić pobranie moczu przy użyciu cewnika lub nakłuciu pęcherza. Przy pobieraniu moczu należy używać naczyń otrzymanych w laboratorium lub w aptece. Wypłukane słoje, np. po konfiturach, lub butelki po wodzie sodowej absolutnie nie nadają się do badań moczu. Zawsze pozostają w nich resztki środków czyszczących i (lub) wody użytej do płukania, co powoduje zafałszowanie wyniku analizy. Lekarz powinien dokładnie wyjaśnić pacjentowi, jaki mocz jest potrzebny do wykonania badania. Mocz poranny to ten, który oddaje się jako pierwszy po co najmniej sześciogodzinnym śnie. Mocz spontaniczny to ten, który można oddać natychmiast po otrzymaniu takiego polecenia. Mocz początkowy to pierwsza porcja, która wypływa z cewki. Mocz ze środkowego strumienia: pierwsza porcja spływa do ubikacji, następna — przeznaczona do badania — do naczynia. Mocz zbiorczy: lekarz powinien powiedzieć pacjentowi, jak długo należy zbierać mocz. Na przykład zbiórka dobowa oznacza, że po wstaniu z łóżka oddaje się mocz do ubikacji, następnie zbiera się mocz przez 24 godziny w jednym naczyniu. Ostatnią porcję stanowi mocz poranny, oddany następnego dnia.

## Bakterie

### Zastosowanie
Przy podejrzeniu zakażenia nerek lub dróg moczowych.

### Użyteczność diagnostyczna
Kontrola przy użyciu paska testowego: pasek w jednym polu wykazuje, czy w moczu znajduje się białko, w drugim polu — czy bakterie zmieniły składniki moczu. Badanie służy ogólnej orientacji, lecz nie ocenie skuteczności leczenia, reakcja występuje bowiem przy względnie dużej liczbie bakterii.

### Zakłócenia
Następujące czynniki mogą przy posługiwaniu się paskiem testowym wprowadzić w błąd, sugerując brak zarazków:
— duża ilość witaminy C,
— mała ilość jarzyn spożytych w przeddzień badania,
— mocz, który nie pozostawał co najmniej cztery godziny w pęcherzu.

> **Zakres normy**
> Mocz w pęcherzu normalnie jest wolny od bakterii. Można tolerować do 1000 bakterii w jednym mililitrze. Powyżej 10 000 należy mocz ponownie skontrolować. Przy liczbie drobnoustrojów przekraczającej 100 000 infekcja wymaga leczenia.

W moczu, który stał w naczyniu przez dłuższy czas przed badaniem, stwierdza się bakterie, mimo że zakażenie nie występuje.

## Krew

W normalnych warunkach nie znajduje się w moczu krwi, czerwonych ciałek ani hemoglobiny. Dlatego stwierdzenie obecności któregoś z tych składników ma znaczenie diagnostyczne.

### Zastosowanie
Rutynowe przy badaniu moczu.

### Użyteczność diagnostyczna
Paski wskaźnikowe są wystarczająco czułe, aby dzięki nim wykrywać oddzielnie erytrocyty i barwnik krwi — hemoglobinę.

Obecność czerwonych ciałek w moczu wskazuje na następujące choroby:
— kamienie nerkowe,
— zapalenie tkanki nerkowej i dróg moczowych,
— ciężkie zaburzenia w ukrwieniu nerek,
— nowotwory nerek,
— urazy nerek.

Obecność hemoglobiny w moczu świadczy o istnieniu następujących chorób:
— niedokrwistości w wyniku rozpadu czerwonych ciałek krwi,
— ciężkich zatruć, oparzeń lub chorób zakaźnych,
— urazów mięśni i ciężkich chorób mięśni.

### Zakłócenia
— Po nadzwyczaj dużym wysiłku fizycznym lub treningu sportowym czerwone ciałka krwi mogą się pojawić w moczu, mimo że nie stwierdza się choroby.
— Przy dużej ilości witaminy C w moczu paski niektórych firm nie reagują na składniki krwi.
— Menstruacja.

Następujące czynniki mogą zabarwić mocz na czerwono, nie wpływając jednak na wynik testu: leki przeciwbólowe zawierające metamizol, środki czyszczące z fenolftaleiną, buraki.

## Białko

### Zastosowanie
Białko oznacza się najczęściej w celu oceny czynności nerek. Po stwierdzeniu paskiem testowym obecności białka w moczu należy dokładniej oznaczyć jego ilość, a dalsze badania pozwalają określić rodzaj białka. W ten sposób lekarz może ograniczyć obszar, w którym nerki stały się dla białka przepuszczalne. Osoby specjalnie zagrożone schorzeniem nerek (np. cukrzycy) powinny badać białko w moczu w regularnych odstępach czasu. Wczesne leczenie często zapobiega nieuchronnej w takich przypadkach niewydolności nerek.

### Użyteczność diagnostyczna
Zaburzenia czynności nerek mogą towarzyszyć chorobom innych narządów. Wówczas mijają one wraz z cofnięciem się choroby podstawowej. Podwyższony poziom białka występuje w moczu porannym w następujących okolicznościach:
— przy gorączce,
— przy niewydolności serca.

W wypadku każdego schorzenia nerek ich czynność może być na tyle zaburzona, że w moczu występuje nadmiar białka. Przyczyną wzrostu poziomu białka może być:
— zapalenie miedniczek nerkowych (→ s. 393),
— zapalenie kłębuszków nerkowych (→ s. 395),
— procesy zanikowe tkanki nerkowej (marskość nerki),
— dna,
— zatrucie metalami ciężkimi,
— uszkodzenie nerek przez długotrwałe zażywanie leków przeciwbólowych (→ s. 620), przez cukrzycę (→ s. 449) lub nadciśnienie (→ s. 304),

— zatrucie ciążowe (→ s. 539),

— działanie uboczne wielu leków.

Przy badaniu białka rozróżnia się ilość wykazaną w moczu dobowym, który zbiera się przez 24 godziny. Poza tym można wspólnie oznaczać wszystkie białka (proteiny) albo tylko pewien ich rodzaj, np. albuminy. W przypadku chorych na cukrzycę i osób z podobnie dużym ryzykiem uszkodzenia nerek nie wystarcza czułość zwykłych pasków wskaźnikowych we wczesnej diagnostyce.

Nowe metody badania wykrywają znacznie mniejsze ilości białka. Wartość albumin od 30 do 300 mg/100 ml w 24-godzinnym moczu określa się mianem mikroalbuminurii, wartość od 50 do 500 mg/100 ml — mianem mikroproteinurii.

Przy ilości białka 3,5 grama na dobę można z całą pewnością stwierdzić uszkodzenie nerek.

### Przeprowadzenie badania

Najpewniejszej informacji o wydolności filtracyjnej nerek udziela poranny mocz.

### Zakłócenia

Następujące czynniki mogą w ciągu dnia wyraźnie zwiększyć wydalanie białka:

— wysiłek fizyczny, trening sportowy;

— przechłodzenie, przegrzanie.

---

**Zakres normy**

Dobowa ilość protein (24-godzinna zbiórka moczu):

do 50 mg/ 100 ml

Dobowa ilość albumin (24-godzinna zbiórka moczu):

do 30 mg/100 ml

---

# ZAPIS CZYNNOŚCI BIOELEKTRYCZNEJ

W ustroju człowieka stale zachodzą zjawiska elektryczne. Przy pracy nerwów i mięśni powstają napięcia elektryczne o krańcowo niskich wartościach. Mimo to można je mierzyć, zapisywać i wyciągać wnioski na temat rozmaitych chorób na podstawie porównania różnych wykresów.

Podłączone do różnych części ciała przewody budzą niepokój pacjentów. Należy ich uspokoić: porażenie prądem nie wchodzi w rachubę.

## EKG (elektrokardiogram)

Pobudzone włókno mięśnia serca wykazuje zmianę napięcia. Tok pracy w mięśniu serca przenosi tę zmianę wciąż dalej. Ponieważ tkanki otaczające serce również przewodzą prąd, pole elektryczne rozprzestrzenia się poprzez cały ustrój. Zmiany napięcia, emitowane z serca, mierzy się za pomocą EKG. W tym celu nakłada się na obie ręce, na lewą nogę i na klatkę piersiową płytki metalowe, zwane elektrodami.

### Użyteczność diagnostyczna

Zgłaszający się do lekarza pacjent, który uskarża się na ból

w klatce piersiowej, z reguły zostaje poddany badaniom elektrokardiograficznym. Jednakże doświadczony lekarz potrafi w ponad 90% rozpoznać chorobę serca na podstawie wnikliwie przeprowadzonego wywiadu. Zadaniem EKG jest najczęściej udzielenie informacji o możliwości wysiłkowego obciążenia serca. W tym celu przeprowadza się to badanie po wysiłku, np. po pedałowaniu na rowerze lub po biegu na ruchomej bieżni. Wykonywanie przysiadów lub bieganie po schodach nie ma tu większego sensu. EKG wysiłkowy przeprowadza się w chorobach naczyń wieńcowych, przy dusznicy bolesnej, niemiarowościach, nadciśnieniu i badaniu ogólnych regulacji krążenia. W przypadku zaburzeń rytmu i ukrwienia serca, niepowodujących istotnych dolegliwości, przeprowadza się 24-godzinne badania EKG.

## EEG (elektroencefalogram)

Podobnie jak w wypadku mięśni i nerwów, tak samo przy pracy mózgu powstaje prąd elektryczny. Prąd ten odprowadzają małe płytki metalowe, przymocowane do skóry. Zostaje on wzmocniony elektronicznie i zapisany za pomocą aparatury rejestrującej. Uzyskuje się długą taśmę z wykresem, który informuje o czynności mózgu.

### Zastosowanie

*Późniejsze kontrole po urazach głowy*: krwawienia w obrębie opon twardych mogą uciskać i uszkadzać korę mózgową. W ostrych urazach stany te wyjaśnia tomografia (→ s. 610) lub jądrowy rezonans magnetyczny (→ s. 611).

*Przy zapaleniach opon mózgowych i mózgu* zmieniają one zapis w wyraźny sposób.

*W przypadku guzów mózgu*: czasem zauważa się guz dzięki temu, że w miejscu jego lokalizacji brak jest przepływu prądu, najczęściej jednak manifestuje się przez ucisk wywierany na sąsiadującą tkankę.

*W padaczce*: EEG wykazuje wzmożoną gotowość drgawkową mózgu. Dzięki temu lekarz może potwierdzić istnienie choroby i kontrolować jej przebieg. Poza tym EEG znajduje zastosowanie w diagnostyce ropni mózgu, w kontroli po elektrowstrząsach i w stwierdzeniu zgonu. W chorobach umysłowych i np. chorobie Alzheimera badania EEG nie odgrywają większej roli.

# OBRAZOWANIE NARZĄDÓW WEWNĘTRZNYCH

Lekarzy zawsze fascynowała możliwość spojrzenia w głąb ciała ludzkiego bez jego uszkodzenia. Stało się to realne wówczas, gdy udało się uwidocznić energię promieniowania i drgań. Powstały obrazy rentgenowskie, tomogramy, termogramy, tomogramy jądrowego rezonansu magnetycznego i zdjęcia ultrasonograficzne. Obecnie lekarz ma do dyspozycji wiele metod obrazujących, służących ustaleniu rodzaju i przebiegu chorób. Wybór właściwego dla danego pacjenta postępowania staje się coraz trudniejszy w miarę rozwoju coraz bardziej specjalistycznych i technicznie skomplikowanych metod. Aby wybrać najkorzystniejsze postępowanie, lekarz powinien (w warunkach idealnych!) każdorazowo skonsultować się z kolegą obeznanym z „medycyną wysokiej techniki".

## Badanie rentgenowskie

### Strona techniczna
Promienie rentgenowskie powstają w lampie rentgenowskiej. Najmniejsze cząsteczki, z których zbudowana jest materia, to atomy. One z kolei składają się z cząstek o różnej energii i różnym ładunku. Pewien rodzaj tych cząstek zwiemy elektronami. W określonym miejscu lampy elektrony materiału ulegają silnemu przyspieszeniu. Z tego miejsca pędzą one do drugiej części rurki i uderzają w znajdujące się tam atomy, ulegając zupełnemu wyhamowaniu z utratą energii, która może się uwidocznić w postaci promieniowania rentgenowskiego.

### Przeprowadzenie badania
Osobę badaną lub część jej ciała kładzie się na stole rentgenowskim, albo osoba ta staje przed aparatem, a urządzenie fotografujące przysuwa się do jej ciała. Wzajemne ustawienie zależy od tego, co zamierza się uwidocznić.

### Obraz
Gdy promienie rentgenowskie przenikają materię, tracą energię. Spośród tkanek ciała najbardziej wytłumiają je kości. Widoczne na zdjęciu kości są białe. Narządy wypełnione powietrzem lub gazem, jak np. płuca lub żołądek, osłabiają promienie tylko w niewielkim stopniu. W tych miejscach obraz jest czarny. Inne tkanki różnią się tylko nieznacznie ilością pochłanianego promieniowania. Dlatego na zdjęciu są one trudne do odróżnienia. Stan ten staramy się poprawić poprzez zastosowanie środków kontrastowych. Dają one w obrazie rentgenowskim kontrasty czarno-białe, które w normalnych warunkach nie istnieją (→ Środki kontrastowe, s. 609).

Wszystkie tkanki, które przenikają promienie, ukazują się jedna nad drugą na tym samym obrazie, dlatego poszczególne warstwy ciała zwykle widać niewyraźnie.

### Prześwietlenie
Osoby starsze pamiętają ekran rentgenowski, za którym należało stanąć poddając się okresowemu prześwietleniu płuc. W czasie prześwietlenia lekarz przygląda się przez jakiś czas badanej części ciała. Pięćdziesięciosekundowe prześwietlenie odpowiada mniej więcej jednemu zdjęciu, nie wykonuje się przy tym fotografii, którą można by później obejrzeć dla przypomnienia lub porównania. W razie wątpliwości trzeba ponownie prześwietlać albo zrobić zdjęcie. Prześwietlenia właściwie nie są w dzisiejszych czasach uzasadnione, jednakże np. w Austrii pneumonolodzy wciąż jeszcze względnie często stosują tę metodę. Ze względu na ochronę przeciwpromienną w Niemczech dopuszcza się prześwietlenie tylko przy użyciu tzw. wzmacniaczy obrazu. W Austrii pracownie rentgenowskie zaopatrywane są stopniowo w nowoczesny sprzęt. W Polsce również sprzęt radiologiczny jest w miarę możliwości wymieniany na nowocześniejszy. Istnieją już aparaty ze wzmacniaczami, które umożliwiają

*Narządy, które otrzymują względnie dużą dawkę promieniowania przy badaniu rentgenowskim następujących narządów (kolejność według malejącego obciążenia):*

**Kobiety**

| | |
|---|---|
| sutki | sutki (mammografia), żebra (płuca), kręgosłup piersiowy, cały kręgosłup |
| tarczyca | kręgosłup szyjny, cały kręgosłup, czaszka, żebra (płuca) |
| płuca | górna część przewodu pokarmowego, żebra (płuca), kręgosłup piersiowy, pęcherzyk żółciowy, kręgosłup lędźwiowy, cały kręgosłup |
| szpik kostny | jelito grube po wlewie kontrastowym, kręgosłup lędźwiowy, górna część przewodu pokarmowego |

**Mężczyźni**

| | |
|---|---|
| płuca | górna część przewodu pokarmowego, żebra (płuca), kręgosłup piersiowy, pęcherzyk żółciowy, cały kręgosłup, kręgosłup lędźwiowy |
| tarczyca | kręgosłup szyjny, cały kręgosłup, czaszka, żebra (płuca) |
| szpik kostny | jelito grube po wlewie kontrastowym, kręgosłup lędźwiowy, górna część przewodu pokarmowego |

wykonywanie operacji przy zastosowaniu tzw. obrazu pod kontrolą toru wizyjnego. Współuczestnicy zabiegu mogą śledzić jego przebieg na stosunkowo dużym monitorze.

### Oglądanie obrazu rentgenowskiego
Na zdjęciu oznacza się litery P i L, to znaczy prawą i lewą stronę ciała. Jeśli się je normalnie odczytuje, określają one strony tak, jakby osoba prześwietlana stała naprzeciwko osoby patrzącej. Przy zdjęciach kontrastowych wyświetlony na kliszy zegar powinien wskazywać, w jakim czasie po podaniu kontrastu wykonane zostało zdjęcie. Patrząc na zdjęcie pod światło, nie można dostrzec szczegółów z wystarczającą dokładnością, dlatego konieczne są podświetlane ekrany.

### Działanie niekorzystne
Ustrój ludzki przyzwyczajony jest od tysięcy lat do życia z radioaktywnością. Dociera ona do człowieka z powietrza i wody, jest wchłaniana z pokarmem i wypijana z wodą. Dodatkowe obciążanie się ludzi wytwarzanym przez nich samych sztucznym promieniowaniem jest zjawiskiem względnie nowym. Największy w tym udział ma na całym świecie promieniowanie stosowane w medycynie.

Promieniowanie rentgenowskie uszkadza tkanki. Inaczej niż na przykład w wypadku związków chemicznych nie ma tu „dolnej granicy", poniżej której dawka jest nieszkodliwa. Nawet pojedyncza komórka zmieniona przez promieniowanie może oznaczać potencjalnie największą „szkodę". Dla osoby napromieniowanej „szkoda" jest równoznaczna z ryzykiem zachorowania na raka. Może również oznaczać, że osoba na-

**Kobiety**

Jajniki otrzymują względnie dużą dawkę promieniowania przy badaniu rentgenowskim następujących narządów (kolejność według malejącego obciążenia):

kręgosłup lędźwiowy
zdjęcie przeglądowe miednicy i kości krzyżowej
pęcherz i cewka moczowa
staw biodrowy i szyjka kości udowej
nerki
jama brzuszna
jelito grube i dolna część przewodu pokarmowego
przewód i pęcherzyk żółciowy

**Mężczyźni**

Jądra otrzymują względnie dużą dawkę promieniowania przy badaniu rentgenowskim następujących narządów (kolejność według malejącego obciążenia):

staw biodrowy i szyjka kości udowej
pęcherz moczowy i cewka moczowa
zdjęcie przeglądowe miednicy i kości krzyżowej
jelito grube i dolny odcinek przewodu pokarmowego
kręgosłup lędźwiowy
zdjęcie jamy brzusznej

świetlona wprawdzie sama pozostanie zdrowa, jednak jej dzieci urodzą się chore, z wadami wrodzonymi lub odziedziczą po niej zwiększone ryzyko zachorowania na nowotwory. Ryzyko to wzrasta z każdym napromieniowaniem komórek rozrodczych. Szczególnie wrażliwy na naświetlanie rentgenowskie jest embrion, dlatego kobiety ciężarne mogą być naświetlane tylko w razie zagrożenia życia. Krytyczne oceny stwierdzają, że w Niemczech rocznie umiera 20 000 osób na raka wywołanego badaniem rentgenowskim. Ustrój jest w stanie naprawić skutki promieniowania, a stopień ich wyeliminowania zależy — być może — od czasu trwania naświetlania i jego częstotliwości. „Słabe" promieniowanie jest z reguły mniej szkodliwe niż skoncentrowane.

Ryzyko związane z badaniami rentgenowskimi jest trojakie: niebezpieczeństwo raka dotyczące całego ciała, specjalne niebezpieczeństwo ograniczone do pojedynczego narządu i niebezpieczeństwo związane z dziedziczeniem.

Poniższe wskazówki powinny umożliwić lepszą ocenę stosunku korzyści do ryzyka przed ewentualnym badaniem. Osoba, która pragnie mieć jeszcze dzieci, powinna podejść wyjątkowo krytycznie do badań, przy których dochodzi do mocniejszego naświetlenia gruczołów rozrodczych. W celu ochrony zakrywa się jajniki lub jądra osłoną ołowiową. Takie postępowanie jest niemożliwe tylko wówczas, gdy obraz rentgenowski ma uwidocznić coś, co zakrywa osłona. Zdjęcia a badania to nie to samo. Pojedyncze zdjęcie obciąża ustrój w mniejszym stopniu niż np. tomogram, przy którym trzeba wykonać wiele zdjęć. Badanie przebiegu niektórych funkcji, jak np. pasażu żołądkowo-jelitowego lub przepływu przez naczynia krwionośne (angiografia, flebografia), wymaga zawsze wykonania wielu zdjęć.

**Zmniejszenie działania ubocznego**

Należy zawsze domagać się od lekarza, aby zaplanowane badanie

rentgenowskie wyjaśnił i uzasadnił według podanych na s. 591 kryteriów. Pogląd, według którego „jedno badanie nie zaszkodzi", jest niesłuszny.

Zabezpieczenie przed promieniowaniem:
— Fartuch ołowiany chroniący osobę, która musi przebywać blisko aparatu rentgenowskiego.
— Osłonięcie gruczołów płciowych. Jest to albo mały fartuch ołowiany przymocowywany w talii, albo płyta ołowiana, którą kładzie się na podbrzusze na poziomie jajników lub jąder.
— U kobiet w wieku rozrodczym można wykonywać zdjęcie brzucha i miednicy tylko w ciągu pierwszych dziesięciu dni cyklu, licząc od początku miesiączki. Wyjątek: zagrożenie życia i stosowanie pigułki antykoncepcyjnej.

W Szwajcarii rozważa się możliwość przerwania ciąży, jeżeli kobieta naświetlona została promieniowaniem rentgenowskim w dawce 1 do 10 rd (cGy). Uważa się, że jest ono wskazane, jeśli dawka napromieniowania przekroczyła 10 rd (cGy). Takie ilości promieniowania osiąga się jednak tylko przy stosowaniu terapii rentgenowskiej. Prawie wszystkie badania rentgenologiczne mieszczą się poniżej tej normy.
— W zasadzie każde badanie rentgenowskie powinno być odnotowywane w książeczce zdrowia.
— Zaleca się wykonywanie badań u doświadczonych radiologów, jeśli bowiem zdjęcia nie nadają się do oceny, muszą zostać powtórzone, co w 80-90 przypadkach na 100 zdarza się z winy personelu.
— W Polsce okresowe kontrole aparatury przeprowadza sanepid. W razie wątpliwości co do stanu aparatu rentgenowskiego można zapytać lekarza o ostatnią kontrolę urządzenia. Stare aparaty, do tego źle konserwowane i prawie niekontrolowane, łatwo przekraczają maksymalne dawki promieniowania.
— Osoby otyłe: przy przekroju brzucha wynoszącym 30 cm trzeba zastosować dziesięciokrotnie większą dawkę promieniowania niż u osoby z 20-centymetrowym przekrojem. Osoby bardzo szczupłe wymagają tylko jednej czwartej przeciętnej dawki.

**Środki kontrastowe**

Środki kontrastowe dają na obrazie rentgenowskim czarno--białe kontrasty w tych miejscach, w których byłoby widać niemożliwą do zróżnicowania szarość. Wybór kontrastu i jego zastosowanie zależy od narządu, który ma być uwidoczniony.

*Siarczan baru* jest nierozpuszczalny w wodzie. Podaje się go do wypicia w postaci papki, ewentualnie z dodatkiem środka poprawiającego smak, przy badaniu przełyku i jelit. Zostaje wydalony w niezmienionej postaci ze stolcem.

*Środki kontrastowe zawierające jod* są zwykle rozpuszczone w wodzie.

Pęcherzyk żółciowy i przewód żółciowy można uwidocznić po połknięciu kontrastu (w Polsce — Cystobil). Ustrój wchłania go jak pokarm, następnie wydala do układu żółciowego, gdzie środek ten się gromadzi. Zwykle jednak jodowe środki kontrastowe podaje się w postaci wstrzyknięć. W ten sposób uwidacznia się naczynia krwionośne (angiografia). W ce-

## Środki kontrastowe niejonowe

Isovist (w Polsce — Polognost), Omnipaque, Iopamiro, Ultravist

lu uwidocznienia nerek lub żółci i dróg żółciowych lekarz wstrzykuje środek kontrastowy, który gromadzi się w wybranym narzędzie.

*Działanie uboczne środków kontrastowych*
Środki kontrastowe stanowią pewne niebezpieczeństwo z jednej strony przez zawartość jodu, z drugiej przez wprowadzanie do krwi ciał obcych dla ustroju. Śmiertelne powikłania po zastosowaniu środków kontrastowych nie są rzadkością i przez długi czas bardzo się ich obawiano. Od kilku lat handel oferuje tzw. niejonowe środki kontrastowe, znacznie mniej ryzykowne, lecz lekarze praktykujący w domu i mniejsze szpitale wciąż jeszcze stosują stare jonowe kontrasty.

Po zastosowaniu środków kontrastowych zawierających jod mogą wystąpić następujące niepożądane efekty:
— przede wszystkim przy uwidocznieniu naczyń krwionośnych bóle i uczucie gorąca w naczyniach, do których dokonuje się wstrzyknięcia. Możliwe są powikłania w postaci zakrzepów;
— alergiczne reakcje skórne, jak na przykład swędzące pokrzywki występujące u około jednej do czterech spośród stu badanych osób;
— pierwszym zwiastunem alergii są nudności i pobudzenie do wymiotów. Dotyczy to co szóstej osoby, u której przeprowadza się badanie nerek, i prawie jednej piątej pacjentów z chorobami pęcherzyka żółciowego i dróg żółciowych;
— o ciężkiej, a nawet zagrażającej życiu alergii świadczą: poty, bladość powłok, spadające ciśnienie, utrata przytomności, duszność, stany drgawkowe. Przy uwidacznianiu nerek ryzyko to dotyczy trzech na tysiąc badanych osób, przy uwidacznianiu pęcherzyka żółciowego i dróg żółciowych — pięciu spośród tysiąca osób.

Zawartość jodu w środkach kontrastowych jest szczególnie niebezpieczna dla ludzi starszych. Są oni częściej prześwietlani niż młodzi i częściej mają nierozpoznane zmiany w tarczycy. Ryzyko spowodowania nadczynności tarczycy przez zastosowanie jodowego środka kontrastowego jest duże, nie da się go jednak określić liczbowo.

*Zmniejszenie działania ubocznego*
Przed badaniem radiologicznym z użyciem kontrastu pacjent winien powiadomić lekarza o tym, że:
— w przeszłości wystąpiły u niego jakiekolwiek reakcje alergiczne,
— przy poprzednich badaniach kontrastowych doszło do niemiłych doznań,
— było się leczonym z powodu zaburzeń tarczycy,
— zażywa się leki obniżające ciśnienie lub leki przeciwkrzepliwe.

W czasie podawania środka kontrastowego i po zastrzyku należy co najmniej przez 10 minut pozostawać pod nadzorem lekarza. Po badaniu trzeba dużo pić. Środek kontrastowy zmie-

nia zawartość wody w tkankach i zwiększa wydalanie kwasu moczowego. Do zrównoważenia tych zjawisk konieczna jest spora ilość płynów.

### Celowość zastosowania
Ma miejsce wówczas, gdy badanie jest konieczne do ustalenia rozpoznania lub leczenia, a metody mniej obciążające są mało dokładne.

### Omówienie badań radiologicznych poszczególnych narządów

*Rentgen płuc*
Należy kategorycznie odrzucić badanie radiologiczne płuc, które wykonuje się jedynie jako badanie komplementarne. Prawie jedna trzecia pacjentów wykazuje wprawdzie zmiany nieoczekiwane, które po części pociągają nawet za sobą dalsze badania, jednak dla rozpoznania danej choroby nie mają żadnego znaczenia.

*Mammografia*
Tkanki sutka mają różną grubość. Do ich dokładnego uwidocznienia należy wybrać rodzaj promieniowania, który względnie mocno obciąża. W tym celu trzeba zawsze prześwietlać obie piersi w dwóch płaszczyznach. Mniejsze jest naświetlenie przy kseroradiografii. Aparatów do takich badań nie ma jeszcze we wszystkich szpitalach i w gabinetach lekarzy prowadzących praktykę domową.

## Tomografia

Tomografia jest badaniem rentgenowskim wybranej warstwy ciała. Technika umożliwia prawie całkowite zniknięcie warstw, które nas nie interesują, a skoncentrowanie się na uwidocznieniu tylko interesującej nas warstwy, której grubość może wynosić zaledwie jeden milimetr.

### Tomografia komputerowa (TK)
Aparat obraca się wokół pacjenta, prześwietlając badaną warstwę ze wszystkich stron. Na podstawie wymierzonych wartości nasilenia promieniowania komputer oblicza obraz prześwietlonej warstwy ciała. W stosowanych teraz aparatach jedno zdjęcie trwa trzy do pięciu sekund.

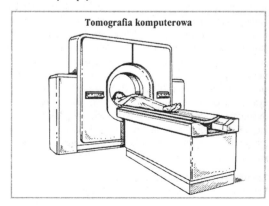

**Tomografia komputerowa**

*Zalety*: Tomografia komputerowa jest obecnie najlepszą metodą, która pozwala stwierdzić, czy w jakiejś tkance znajdują się np. cysty, wylewy krwawe lub nowotwory, do których należeć może rak.

*Wady*: Gdy przy tomografii naświetlone warstwy leżą w niewielkiej od siebie odległości, obciążenie promieniowaniem może być większe niż przy pojedynczym zdjęciu. Rozmieszczenie dawek promieniowania w całym ciele różni się w tomografii komputerowej od rozmieszczenia w innych technikach zdjęciowych.

## MR (tomografia rezonansu magnetycznego), NMR (tomografia jądrowego rezonansu magnetycznego)

### Strona techniczna
Metoda ta również daje obrazy warstwowe, lecz nie stosuje się przy niej promieniowania rentgenowskiego, wykorzystując zachowanie tkanek w silnym polu magnetycznym.

### Przeprowadzenie badania
Pacjenta wsuwa się w pozycji leżącej do wąskiej rury, w której musi pozostać nieruchomo około 30 minut. Badanie jest niebolesne.

### Działanie uboczne
— Z metody tej nie mogą korzystać osoby noszące metalowe klipsy lub mające rozrusznik.
— Leżenie w wąskiej rurze może wywołać u pacjenta lęk.

### Zastosowanie
W badaniu ośrodkowego układu nerwowego lub kręgosłupa i stawów. Zwłaszcza ośrodkowy układ nerwowy uwidacznia się przy tej metodzie badania wyraźniej niż przy zwykłej tomografii. W ten sposób można uwidocznić zmiany patologiczne bardziej jednoznacznie.

Ujemny wynik badania ośrodkowego układu nerwowego jest dowodem na to, że wszystko jest w porządku. Za pomocą rezonansu magnetycznego można wykryć przerzuty raka do kości łatwiej, niż posługując się stosowaną do tej pory scyntygrafią.

## Scyntygrafia

### Strona techniczna
Cząstek atomów typu takiego, jak np. powstające przy rozpadzie jądra w reaktorze atomowym, można użyć do sztucznego wytwarzania substancji radioaktywnych. Substancje te w różnym czasie przemieniają się stopniowo w ciała pozbawione już radioaktywności. W trakcie tego procesu powstaje promieniowanie, które uwidacznia scyntygrafia. Postępowanie jest podobne do zdjęcia rentgenowskiego, jednak promieniowanie nie wnika do ciała z zewnątrz, lecz pochodzi z wnętrza organizmu.

### Przeprowadzenie badania
Substancje radioaktywne nie różnią się zewnętrznie od ciał niewytwarzających promieniowania. Można je połykać, inhalować lub wstrzykiwać.

### Obraz
Ustrój przyjmuje substancje radioaktywne jak zupełnie normalne związki. Niektóre substancje gromadzą się w pewnych narządach. Promieniowanie umożliwia dokładne ustalenie na obrazie miejsca i szybkości gromadzenia się substancji w ustroju.

### Działanie uboczne
Typ szkodliwości jest taki sam jak przy stosowaniu promieniowania rentgenowskiego (→ s. 608). W scyntygrafii obciążenie może być większe niż przy zdjęciu rentgenowskim, ponieważ substancja raz wchłonięta musi za każdym razem zostać w pełni wypromieniowana. Obciążenie to może jednak być również mniejsze, gdy obraz scyntygraficzny dostarczy lepszej informacji niż powtarzane wielokrotnie zdjęcia. Poza tym nasilenie promieniowania można łatwiej obliczyć w scyntygrafii niż przy zdjęciach rentgenowskich.

### Zastosowanie
— przy schorzeniach tarczycy
— w badaniach mózgu
— w badaniach kości, zwłaszcza przy poszukiwaniu przerzutów nowotworu złośliwego
— do wyjaśnienia, czy w stawie toczy się proces zapalny i jakie jest jego nasilenie
— w chorobach serca, jeżeli ani zwykły, ani wysiłkowy EKG nie dostarcza użytecznych informacji
— w celu stwierdzenia zawału płuca
— w chorobach nerek
Scyntygrafia daje często wyraźne obrazy wówczas, gdy zdjęcie rentgenowskie nie uwidocznia niczego, co by się nadawało do interpretacji.

## Ultrasonografia (badanie ultradźwiękami)

### Strona techniczna
Z fizycznego punktu widzenia słyszenie jest postrzeganiem drgań o pewnej częstotliwości. Powyżej i poniżej zakresu tej częstotliwości istnieją fale dźwiękowe, których nie możemy usłyszeć. Należą do nich ultradźwięki. Podobnie jak promienie światła, ich fale ulegają odbiciu, załamaniu i odchyleniu. Gdy ultradźwięki przechodzą z jednego środowiska do drugiego, zostają odbite przez warstwę graniczną. Ultradźwięki, które przeniknęły przez tkankę i trafiają np. na powietrze, są prawie całkowicie odbijane. W ten sposób powietrze uniemożliwia ich przenikanie do leżących dalej warstw tkanek. Przy badaniu sonograficznym wysyła się fale dźwiękowe w głąb ciała. Tu zostają one przez różne tkanki odbite z różną siłą. Te odbite drgania są rejestrowane i elektronicznie przetwarzane w obraz.

### Przeprowadzenie badania
Nagą skórę pokrywa się żelem kontaktowym, co poprawia jej przewodnictwo. Lekarz przesuwa głowicę aparatu nad badanym obszarem. Obraz pojawia się na monitorze.

### Działania uboczne
Według dotychczasowych zapatrywań ultradźwięki nie wykazują niepożądanych efektów. Nie jest to jednak całkowicie pew-

ne. W niektórych pracach wskazuje się na to, że ultradźwięki mogą zmieniać substancję genetyczną i wpływać na czynnik, który ogranicza wzrost komórek. Naukowcy z berlińskiego Instytutu Hahn-Meitnera wykryli, że ultradźwięki zmieniają postać cząsteczek w płynach. Uważają oni (podobnie zresztą jak inni krytycznie nastawieni uczeni), że badania za pomocą ultradźwięków należałoby stosować z taką samą ostrożnością jak badania radiologiczne. Inne niebezpieczeństwo polega na tym, że dzisiaj każdy lekarz zleca to badanie, nie posiadając wiedzy koniecznej do celowego wykorzystania uzyskanych wyników.

**Zastosowanie**
— Gdy badanie ultradźwiękowe dostarcza więcej informacji niż inne badania. W chorobach dróg żółciowych i pęcherzyka żółciowego dokładność badań USG wynosi 90%, a obrazu rentgenowskiego 85%.
— Gdy można oczekiwać wyników równie jednoznacznych jak w zdjęciach rentgenowskich. Przyjmuje się przy tym — zanim nie zostanie udowodnione, że jest inaczej — że ultradźwięki są mniej niebezpieczne niż promieniowanie rentgenowskie.
— Gdy badania radiologiczne nie wchodzą w rachubę: przy uczuleniu na kontrast, gdy nie można użyć środków zawierających jod lub w ciąży, przy czym w ciąży nie należy stosować ultradźwięków rutynowo, lecz tylko w uzasadnionych przypadkach (→ s. 535).
— Przy wadach stawu biodrowego u niemowląt USG jest mniej niebezpieczne niż promieniowanie rentgenowskie.

*Badanie ultrasonograficzne piersi*
Nie może ono zastąpić ani mammografii, ani badania histopatologicznego. Tylko nielicznym doświadczonym lekarzom udaje się z godną zaufania pewnością ustalić, że guzek jest łagodny lub złośliwy. Badaniem ultrasonograficznym nie da się np. uchwycić charakterystycznych dla raka sutka drobniutkich ognisk zwapnienia.

## Termografia

Każdy ludzki ustrój wypromieniowuje ciepło w postaci promieni podczerwonych. Promienie te można uwidocznić. Termografia ujawnia różnice ciepłoty w granicach 0,1 stopnia. Procesy zachodzące na głębokości ponad 2 cm pod powierzchnią skóry nie zmieniają temperatury na powierzchni w sposób dostatecznie wyraźny. Tu leży granica zastosowania termografii. Może ona uzupełnić inne metody badania piersi, nie może ich jednak zastąpić.

*Zalety*: Metoda nie wymaga zbyt wiele zachodu, nie wnika w głąb ustroju i nie obciąża go napromieniowaniem.

## WZIERNIKOWANIE NARZĄDÓW WEWNĘTRZNYCH

Posługując się endoskopem, lekarz zagląda w głąb narządów jamistych (wziernikowanie). Łacińska nazwa oglądanego narządu nadaje miano wykonywanemu badaniu. Lekarz wprowadza

---

**Nazwa badania**
przełyku: *ezofagoskopia*
żołądka: *panendoskopia* (→ poniżej)
całego górnego odcinka przewodu pokarmowego: *panenteroskopia*
odcinka tuż za odbytem: *rektoskopia* (→ s. 613)
odcinka nieco powyżej odbytu: *sigmoidoskopia* (→ s. 613)
jelita grubego: *koloskopia* (→ s. 613)
jamy brzusznej (otrzewnowej): *laparoskopia* (→ s. 614)
dolnych dróg oddechowych: *bronchoskopia* (→ s. 614)
pęcherza moczowego: *cystoskopia* (→ s. 614)
wnętrza stawu: *artroskopia* (→ s. 615)

---

sztywne lub giętkie instrumenty w głąb ciała przez naturalne lub sztucznie utworzone otwory. Z końca instrumentu przewodzący światło kabel przenosi obraz na drugi koniec. Aparaty zawierają źródło światła. Zakończenia giętkich instrumentów, które wsuwa się daleko w głąb ciała, można tak zginać, że istnieje możliwość patrzenia w każdym kierunku. Endoskopy wyposażone bywają często w urządzenia płuczące i odsysające. Zwykle można wprowadzać instrument chirurgicznie poprzez specjalne przyłączenie. Wielką zaletą endoskopu jest możliwość pobrania tkanki do badania w toku jednego zabiegu w przypadku, gdy oglądany obraz budzi podejrzenie zmian chorobowych. Wadą endoskopu jest konieczność wnikania w głąb ciała, co zawsze wiąże się z pewnym niebezpieczeństwem. Przed każdym badaniem lekarz winien uświadomić pacjenta o korzyści, ale także i ryzyku badania (→ U lekarza, s. 589). Przed podjęciem decyzji należy ją dobrze przemyśleć.

**Zabiegi**
Endoskopia wiąże się w wyobraźni wielu osób z połykaniem miecza. Lęk chwyta za gardło do tego stopnia, że gastroskop nie może wejść. Dla wielu osób badanie jelit jest zabiegiem zawstydzającym. Niektórzy poddają się zabiegowi z samozaparciem, inni korzystają z technik autosugestii (→ s. 670), jeszcze inni proszą lekarza o pomoc farmakologiczną. Badanie może grozić urazem, toteż pacjent powinien udać się w tej sprawie tylko do tego lekarza, którego darzy zaufaniem. Lekarz ten da choremu czas do namysłu, potem zaś przeprowadzi badanie w atmosferze pełnego zrozumienia dla obaw pacjenta.

Wejście w głąb ciała zawsze związane jest z niebezpieczeństwem. Naczynia, a nawet narządy mogą ulec zranieniu. Przy nakłuciu guza nowotworowego jego komórki mogą rozsiać się przez kanał nakłucia. Niedostatecznie zdezynfekowane narzędzia stają się źródłem infekcji. Resztki środków dezynfekcyjnych w miejscu po zabiegu uszkadzają śluzówki.

## Panendoskopia

Panendoskopia pozwala oglądać śluzówkę żołądka, odźwiernika i dwunastnicy. Badanie jest wskazane wówczas, gdy podejrzewa się owrzodzenie, raka lub obecność ciała obcego.

**Przygotowanie**
Badanie robi się na czczo. Jeżeli pacjent nie boi się zbytnio zabiegu, zniesie go bez użycia leków.

Lękliwym pacjentom można pomóc, stosując:
— leki uspokajające, zmniejszające lęk;
— środki przeciwbólowe, przyczyniające się do lepszego zniesienia zabiegu;
— leki znieczulające miejscowo gardło, zmniejszające odruch wymiotny.

Przed gastroskopią należy przeprowadzić badanie ogólne, aby stwierdzić, czy nie ma jakichś przeciwwskazań. Należy również sprawdzić krzepliwość krwi. Prześwietlenie przed badaniem potrzebne jest jedynie w wyjątkowych przypadkach.

### Przeprowadzenie badania

Lekarz może wykonać panendoskopię w domowym gabinecie. Pacjenta należy ułożyć na lewym boku, następnie instrument, który mierzy 1,5 cm grubości i 1,30 m długości, wprowadza się do początku przełyku, a potem pacjent musi go przełykać. Pozostałe czynności wykonuje osoba przeprowadzająca badanie, która już teraz patrzy przez przyrząd i śledzi jego drogę na ekranie. Przejście przez przełyk na ogół nie jest bolesne. Uczucie dławienia pojawia się zwykle wówczas, gdy endoskop dotknie wpustu. Kiedy lekarz wpompowuje do żołądka powietrze lub płucze go wodą, występuje u badanego uczucie pełności połączone z odruchem wymiotnym. W trakcie jednego badania można pobrać z podejrzanych miejsc próbki tkanki. W wypadku osób bardzo wrażliwych można zastosować endoskop przeznaczony dla dzieci, którego przekrój wynosi zaledwie 1 cm. Nie nadaje się on jednak do pobrania dostatecznej ilości tkanki potrzebnej do badań, jak również do oglądania dwunastnicy. Badanie trwa od 3 do 15 minut. Po badaniu pacjent winien jeszcze przez godzinę lub dwie pozostać pod nadzorem lekarskim.

### Dolegliwości, powikłania, ryzyko

U 13 pacjentów na 1000 badanie stwarza pewne problemy, wywołane najczęściej farmakologicznym przygotowaniem zabiegu. Jeden na czternaście tysięcy pacjentów umiera przy gastroskopii z powodu powikłań sercowo-krążeniowych, krwotoków lub przedziurawienia narządu. Jeżeli osoba poddana gastroskopii otrzymała w czasie badania jakieś leki, do końca dnia nie powinna prowadzić pojazdów mechanicznych

### Użyteczność badania

Zmiany chorobowe są lepiej dostrzegalne w gastroskopii niż w rentgenie.

## Rektoskopia

Istnieją trzy metody badań, przy których lekarz ogląda jelito od strony odbytu. W zależności od tego, jak głęboko się wnika, badania te noszą następujące nazwy: rektoskopia i sigmoidoskopia. Posługując się rektoskopem, lekarz usiłuje wykryć przyczyny niejasnych zmian stolca. Badanie należy przeprowadzać u ludzi w wieku powyżej 50 lat w ramach profilaktyki przeciwrakowej (→ Rak jelita grubego, s. 387).

### Przygotowanie

Przed badaniem wykonuje się wlew oczyszczający jelito z mas kałowych.

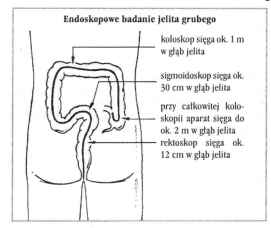

**Endoskopowe badanie jelita grubego**

koloskop sięga ok. 1 m w głąb jelita

sigmoidoskop sięga ok. 30 cm w głąb jelita

przy całkowitej koloskopii aparat sięga do ok. 2 m w głąb jelita
rektoskop sięga ok. 12 cm w głąb jelita

### Przeprowadzenie badania

Badanie przeprowadza się na specjalnym stole w pozycji kolanowo-łokciowej względnie kolanowo-piersiowej. Niektórzy używają stołu przypominającego stół ginekologiczny. Osoby kalekie można badać w pozycji na lewym boku. Do badania używa się instrumentu sztywnego o długości około 30 cm. Głęboki oddech lub odprężenie psychiczne ułatwiają przeprowadzenie badania. Trwa ono najwyżej 5 minut.

### Dolegliwości, powikłania, ryzyko

Przy zapaleniach odbytu lub zrostach w obrębie jelita rektoskopia może być bardzo bolesna. Pacjent nie powinien wówczas bohatersko zaciskać zębów, lecz należy poprosić lekarza, aby przerwał badanie i wstrzykując lek przeciwbólowy, uczynił je łatwiejszym do zniesienia. W przypadku wykrycia miejsca nasuwającego podejrzenia należy pobrać tkankę do badania.

Niebezpieczeństwo niepostrzeżonego uszkodzenia jelita zachodzi w jednym na dziesięć tysięcy lub w jednym na pięćdziesiąt tysięcy badań wówczas, gdy lekarz usiłuje pokonać opór na siłę lub gdy wprowadzając nadmiar powietrza, stara się rozdąć jelito.

### Użyteczność badania

Posługując się rektoskopem, można wykryć ponad połowę raków jelita grubego i jego stanów przedrakowych. Wczesne rozpoznanie daje największą szansę wyleczenia.

## Koloskopia

Koloskopia umożliwia wgląd w całe jelito grube łącznie z ostatnim odcinkiem jelita cienkiego. Badanie przeprowadza się celem wykrycia przyczyny schorzeń jelitowych, których nie dało się wyjaśnić innymi sposobami. Koloskopia znajduje też zastosowanie w kontroli po operacjach raka.

### Przygotowanie

Jelito grube musi być maksymalnie oczyszczone. Przede wszystkim stosuje się w tym celu środki czyszczące. Jeśli mimo takiego przygotowania badanie nie dało zadowalającego wyniku, powtarza się je po dwu- lub trzydniowej diecie płynnej i stosowa niu środków przeczyszczających. Przed badaniem wykonuje się jeszcze raz lewatywę. Osoby, które poddają się badaniu bez uczucia lęku, mogą zrezygnować z leków. W przeciwnym razie → Panendoskopia, s. 612.

### Przeprowadzenie badania
Badanie zaczyna się od rektoskopii (→ s. 613). Potem przez odbyt wsuwa się do jelita koloskop o grubości 1 cm i długości 2 m. W czasie badania rozdyma się jelito powietrzem. Zabieg trwa od 15 minut do godziny.

Jeśli widać zmiany budzące podejrzenie, pobiera się tkankę do badania. Małe narośla, np. polipy, można od razu usunąć.

### Dolegliwości, powikłania, ryzyko
Przesuwanie koloskopu może wywołać uczucie ucisku i bólu. Po badaniu nie da się natychmiast i całkowicie usunąć wprowadzonego do jelita powietrza. Uchodzi ono w ciągu kilku dni, powodując niekiedy silne bóle brzucha. Technika wziernikowania jelita grubego wymaga dużego doświadczenia i umiejętności lekarza, dlatego należy je przeprowadzać w cieszącym się uznaniem szpitalu. Takie powikłania jak krwotoki i przedziurawienia jelit zdarzają się przy koloskopii w około trzech przypadkach na tysiąc.

### Użyteczność badania
Koloskopia umożliwia lepsze niż badania radiologiczne rozpoznanie zmian chorobowych.

## Laparoskopia

Przez sztucznie utworzony w powłokach otwór wprowadza się do wnętrza brzucha przyrząd umożliwiający obserwację przede wszystkim wątroby i pęcherzyka żółciowego. U kobiet laparoskopia służy do badania i kontroli schorzeń ginekologicznych, do sterylizacji i sztucznego zapłodnienia.

### Przygotowanie
Badanie przeprowadza się w szpitalu na czczo. Przed zabiegiem wstrzykuje się lek uspokajający lub przeciwbólowy.

### Przeprowadzenie badania
Po ułożeniu osoby badanej na specjalnym stole dezynfekuje się skórę brzucha i przykrywa chustami. Teraz następuje wstrzyknięcie środka miejscowo znieczulającego, po czym przekłuwa się powłoki w pobliżu pępka i za pomocą igły wprowadza się gaz do jamy brzusznej. Gaz oddziela narządy ściśle dotąd przylegające do siebie, poprawiając w ten sposób możliwość obserwacji. Znowu w pobliżu pępka wkłuwa się rodzaj rurki, przez którą wsuwa się laparoskop. W czasie laparoskopii można też pobierać do badania próbki tkanki. Ginekolodzy korzystają z tego badania do przeprowadzenia operacji jajowodów lub jajników, a chirurdzy do usunięcia pęcherzyka żółciowego. Po dokonaniu wziernikowania zamyka się klamerkami otwór w powłokach. Przez jeden dzień po wziernikowaniu osoba badana powinna pozostać w szpitalu na obserwacji.

### Dolegliwości, powikłania, ryzyko
Powikłania występują w pięciu na dwieście zabiegów. Najczęściej osobie badanej dokucza pozostawiony w brzuchu gaz, jednakże

zdarzają się też urazy pęcherzyka żółciowego lub jelit, krwawienie i załamania krążenia.

### Użyteczność badania
Badania ultradźwiękowe i tomograficzne są obecnie tak dalece udoskonalone, że przedkłada się je nad ryzykowną laparoskopię. Tylko w ginekologii ma ona nadal znaczenie.

## Bronchoskopia

Posługując się bronchoskopem, można oglądać gardło, tchawicę i drzewo oskrzelowe do piątego lub szóstego rozgałęzienia. Poszukuje się w ten sposób przyczyny dotąd niewyjaśnionego, wciąż nawracającego zapalenia oskrzeli oraz wykrywa się obecność ciał obcych i zmian nowotworowych.

### Przygotowanie
Badanie przeprowadza się w szpitalu. Przedtem należy przeprowadzić badania ogólne, aby stwierdzić, czy nie ma przeciwwskazań do wykonania bronchoskopii. Co najmniej na sześć godzin przed badaniem należy się wstrzymać od przyjmowania jakichkolwiek pokarmów. Osoba badana przyjmuje pozycję siedzącą i w tej pozycji inhaluje środek znieczulający miejscowo. Następnie lekarz rozpyla środek znieczulający na podniebieniu i gardle osoby badanej. Dopiero wówczas pacjent kładzie się na stole. W niektórych przypadkach w celu wykonania tego badania trzeba zastosować narkozę, lecz jest to jeszcze bardziej nieprzyjemne.

### Przeprowadzenie badania
Zdjęcie rentgenowskie wykazało już przed bronchoskopią, w którym płacie płuca rozwija się choroba, toteż przyrząd wsuwa się w tym właśnie kierunku. Pacjent oddycha przez cały czas badania. Z budzących podejrzenie miejsc można od razu pobrać wycinki. Po zakończeniu badania pacjentowi nie wolno ani pić, ani jeść przez dwie godziny, ponieważ na skutek znieczulenia mogłoby dojść do zachłyśnięcia. Badanie trwa od 3 do 15 minut. Zabieg leczniczy w ramach bronchoskopii może trwać dłużej.

### Dolegliwości, powikłania, ryzyko
Oskrzela reagują na bronchoskopię z wyraźną nadwrażliwością. Mogą kurczyć się i krwawić. W pięciu przypadkach na sto badanych przez uszkodzone oskrzela wnika do właściwie bezpowietrznej klatki piersiowej powietrze. Konieczne jest wówczas jego usunięcie, co wymaga pobytu w szpitalu.

### Użyteczność badania
Jeśli w obszarze osiągalnym przez bronchoskop umiejscowił się rak, to stwierdza się jego obecność w ponad 90%. W przypadku innych chorób płuc bronchoskopia wyjaśnia ich tło u około połowy badanych.

## Cystoskopia

### Przygotowanie
Pacjent leży na stole z rozwartymi i zgiętymi nogami w takiej pozycji, aby lekarz mógł pracować między jego nogami, podob-

nie jak przy badaniu ginekologicznym. Okolice narządów płciowych oczyszcza się środkiem dezynfekcyjnym. Wszystko poza rejonem badania zostaje okryte chustami. Lekarz wprowadza do cewki środek ułatwiający poślizg wraz z lekiem powierzchownie znieczulającym. W przypadku osób szczególnie wrażliwych oraz młodych mężczyzn o bardzo wąskiej cewce moczowej wskazane jest podanie pełnej narkozy.

### Przeprowadzenie badania
Od strony ujścia cewki moczowej wprowadza się do pęcherza przyrząd o grubości trzech do czterech milimetrów. Równocześnie za pomocą tegoż przyrządu wstrzykuje się pod ciśnieniem ogrzaną do temperatury ciała jałową wodę, służącą do rozszerzenia pęcherza. Po badaniu należy opróżnić pęcherz, a przez pozostałą część dnia dużo pić.

### Dolegliwości, powikłania, ryzyko
Cystoskopia jest zabiegiem boleśniejszym dla mężczyzn niż dla kobiet. Po badaniu często stwierdza się ślady krwi w moczu. Przez jakiś czas po zabiegu również oddawanie moczu sprawia kłopoty. Niezależnie od maksymalnie sterylnego postępowania przy wykonywaniu zabiegu istnieje niebezpieczeństwo przeniknięcia zarazków do pęcherza i spowodowania zakażenia.

Względnie duże jest niebezpieczeństwo uszkodzenia cewki moczowej. W przypadku niemal połowy osób, które przy cystoskopii doznały uszkodzenia cewki, następuje jej zwężenie w miejscu zranienia w wyniku rozwoju tkanki bliznowatej, co pociąga za sobą trwałe następstwa.

### Użyteczność badania
Badanie jest zasadne przy podejrzeniu guzów pęcherza. Nie jest to jednak zabieg rutynowy przy innych chorobach pęcherza.

### Artroskopia
Lekarz zagląda najczęściej do wnętrza kolana, łokcia lub barku. Pozwala to na rozpoznanie uszkodzenia chrząstek i łąkotek, których nie dałoby się zdiagnozować innym sposobem. Ponadto lekarz może dzięki temu badaniu odkryć przyczynę niewyjaśnionych bólów. Podczas artroskopii można przeprowadzać operacje w obrębie stawu.

### Przygotowanie
Przy wziernikowaniu stawu pracuje się równie aseptycznie jak przy operacji. W zależności od nasilenia uczucia lęku u pacjenta stosuje się pełną narkozę, przy oglądaniu kolana — znieczulenie dolędźwiowe, powodujące zanik czucia w dolnej połowie ciała, lub tylko znieczulenie miejscowe.

### Przeprowadzenie badania
Artroskop wprowadza się do wnętrza stawu przez nacięcie o szerokości około 1 cm. W celu polepszenia widoczności staw płucze się płynem lub wypełnia gazem. Zarówno gaz, jak płyn po zakończeniu badania odsysa się możliwie najdokładniej. Badanie trwa od 15 do 30 minut. Miejsce nacięcia zostaje zaszyte albo zaklejone. Bezpośrednio po badaniu pacjent może wrócić do domu i obciążać staw w zwykły sposób. W przypadku osób ciężko pracujących można przez dwa dni po badaniu skorzystać ze zwolnienia lekarskiego.

### Dolegliwości, powikłania, ryzyko
Pozostawiony w stawie płyn może przez kilka dni powodować słyszalne chlupotanie. Wziernikowanie stawu u około jednej czwartej badanych powoduje powikłania. Najczęściej dochodzi do urazów chrząstki i krwawień dostawowych. Zdarzają się również urazy wiązadeł i odłamania przyrządów. W jednym przypadku na około tysiąc następuje zakażenie stawu. Ponadto — podobnie jak w przypadku innych zabiegów — występuje ryzyko narkozy.

### Użyteczność badania
Tylko „bardzo dobry" lekarz może optymalnie wykorzystać artroskopię dla dobra chorego. „Dobry" znaczy tutaj sprawny, samokrytyczny, doświadczony. Wziernikowanie stawu zleca się dopiero wówczas, gdy wszystkie inne metody badawcze nie doprowadziły do celu. Artroskopia dostarcza niewątpliwie najwięcej informacji o schorzeniu. Zaletę tego badania stanowi możliwość równoczesnego przeprowadzenia małej operacji, jak np. usunięcia oderwanych fragmentów chrząstki.

## POBIERANIE TKANEK (BIOPSJE, PUNKCJE)

Pod mikroskopem można zobaczyć, czy komórki mają taki wygląd, jaki mieć powinny, czy też są zmienione. Różne choroby wątroby daje się rozpoznać dopiero po takim badaniu biopsyjnym. Umożliwia ono odróżnienie tkanki nowotworów złośliwych od łagodnych.

Posługując się opisanymi wyżej metodami endoskopowymi, lekarz dociera do wnętrza ciała i może już w trakcie badania pobierać próbki tkanek z podejrzanych miejsc. Często czyni to w czasie operacji — wówczas próbka musi być natychmiast zbadana, wynik badania bowiem decyduje o dalszym przebiegu operacji.

### Komplikacje i ryzyko
Pobranie tkanki jest zawsze urazem. Aby maksymalnie ograniczyć uraz, musi ono być przeprowadzone równie starannie i troskliwie jak operacja. Kłopot tylko w tym, że lekarz na podstawie reakcji chorego dopiero kilka godzin po zabiegu może się zorientować, że np. spowodował poważne krwawienie.

Dodatkowe ryzyko przy pobieraniu tkanek polega na możliwości wprowadzenia przez uraz zarazków lub komórek rakowych do krwi albo limfy, przez co rozprzestrzeniają się w całym ciele. Niemniej przy wykonywanych obecnie biopsjach cienkoigłowych nie stwierdzono, aby takie rozsianie wpływało na przebieg choroby. Dotyczy to pobierania materiału z tkanek zapalnie zmienionych i z tkanek rakowych. Nie ma również znaczenia okoliczność, czy tkanka została pobrana w czasie badania endoskopowego, czy podczas operacji. Praktycznie znaczy to, że po każdym pobraniu wycinka, w którym znaleziono komórki rakowe, pozostaje dostatecznie dużo czasu, aby spokojnie rozważyć, w jaki sposób, kto i gdzie ma nas leczyć.

### Biopsja wątroby
Punkcja wątroby (biopsja) pozwala na rozpoznanie choroby

dotyczącej całej wątroby. Tylko wyjątkowo udaje się wykryć punktowe ogniska chorobowe.

### Przygotowanie

Punkcję wykonuje się w szpitalu. Przed punkcją należy wykonać badania krwi i zdjęcie rentgenowskie klatki piersiowej. Nie podaje się przed punkcją żadnych leków.

### Przeprowadzenie badania

Chory leży na plecach z podkładką unoszącą nieco jego prawy bok, z ramieniem pod głową. Za pomocą opukiwania ustala się odpowiednie do punkcji miejsce i znieczula je miejscowo. Skalpelem nacina się górną warstwę skóry. Chory wstrzymuje oddech. W tym momencie lekarz wkłuwa błyskawicznie igłę, pobierając fragment tkanki, i równie szybko igłę wyciąga. Zabieg trwa zaledwie ułamek sekundy. Potem chory musi leżeć przez dwie godziny na prawym boku, następne cztery godziny powinien przebywać w łóżku. W tym czasie kontroluje się ciśnienie i tętno, co pozwala ocenić, czy wszystko przebiega bez zakłóceń.

### Dolegliwości, powikłania, ryzyko

W przypadku dziesięciu pacjentów nakłutych na stu po zabiegu występują bóle w prawym barku i przy oddychaniu. Niebezpieczne są krwawienia, zapalenie otrzewnej wywołane wyciekiem żółci i przedostanie się powietrza do jamy opłucnowej. Na sześć tysięcy zabiegów jeden kończy się zgonem z powodu wymienionych powikłań.

### Użyteczność badania

Ocena uzyskanego materiału jest bardzo trudna i nie każdy potrafi jej dokonać. Tego rodzaju ślepą punkcję wątroby powinni wykonywać tylko doświadczeni w tym zakresie specjaliści chorób wątroby — hepatolodzy.

**Lektura uzupełniająca**

GŁĘBSKI J.: *Analizy lekarskie: wskazówki dla pacjentów*. PZWL, Warszawa 1987.

# LEKI I ICH STOSOWANIE

Leki powinny pomóc w opanowaniu choroby i łagodzeniu dolegliwości. Niektóre zażywa się, by zapobiec niepożądanym zjawiskom, np. ciąży lub niedoborowi witamin. Część leków przepisują lekarze na koszt kasy chorych. Jednak za coraz więcej środków bez recepty płacą sami pacjenci. Samozaopatrywanie się w leki służy jednostce tylko wtedy, gdy przez to nie zaniedba skutecznego leczenia i gdy środek nie spowoduje więcej szkody niż pożytku.

## Różne rodzaje leków

Leki dzieli się u nas na trzy grupy, w zależności od sposobu sprzedaży:
— sprzedawane tylko w aptekach na receptę wystawioną przez lekarza,
— sprzedawane bez recepty, lecz tylko w aptekach,
— sprzedawane bez recepty w aptekach, a także w drogeriach.

### Leki rejestrowane lub dopuszczone

W Polsce każdy lek dopuszczony oznakowany jest odpowiednio na opakowaniu i opatrzony numerem rejestru Ministerstwa Zdrowia i Opieki Społecznej. Znaczy to, że producent udokumentował jego działanie z wyszczególnieniem ewentualnego działania ubocznego. Obecnie sporo leków zagranicznych również zostało zatwierdzonych przez Komisję Leków. Należy sobie jednak uświadomić, że nie we wszystkich krajach przepisy są takie same: w niektórych do niedawna istniały lub nadal istnieją dwie formy dopuszczenia do dystrybucji — rejestracja i zatwierdzenie. W przypadku leków rejestrowanych producent nie ma obowiązku przedłożenia dokumentacji świadczącej o ich działaniu. Przy lekach zatwierdzonych przez komisję państwową producent musiał udowodnić, jak lek działa, że działa na określoną chorobę i że stosowany zgodnie z przeznaczeniem jest nieszkodliwy. Toteż kupując leki zagraniczne niezarejestrowane przez Komisję Leków, zwracaj zawsze uwagę na zamieszczone na opakowaniu oznakowania. Trzeba też pamiętać, że nie zawsze lek zagraniczny, którego nie przebadano klinicznie w Polsce, będzie działał tak, jak w kraju producenta.

Dla niektórych grup leków obowiązują uregulowania specjalne:
— zagraniczne leki homeopatyczne (→ s. 644), gdy nie można udowodnić ich skuteczności, są jedynie rejestrowane. W takim wypadku na opakowaniu nie wolno podawać, przy jakich chorobach można je stosować. W Polsce ta grupa leków podlega tym samym przepisom o dystrybucji co pozostałe środki;
— dla leków pochodzenia roślinnego producent rzadko dysponuje naukowym dowodem na ich skuteczność i działania uboczne. Dopuszcza się je, gdy długoletnie doświadczenia wykazują, że przy określonych schorzeniach są skuteczne i nie ma podejrzenia o niepożądane działanie.

Poniższe wskazówki winny pomóc w utrzymaniu tego ryzyka na względnie niskim poziomie:
— nie lecz na własną rękę zaburzeń świadomości, drgawek, zaburzeń rytmu serca i niejasnych bólów w obrębie klatki piersiowej i brzucha;
— jeżeli bez zrozumiałego powodu gorączkujesz dłużej niż trzy dni, powinieneś zgłosić się do lekarza;
— przy dolegliwościach, które mimo leczenia na własną rękę trwają dłużej niż dwa tygodnie, koniecznie należy się poradzić lekarza;
— musisz sobie uświadomić, dlaczego chcesz zażywać dany lek: kto chce szybko usunąć przykre dolegliwości, ten nie szuka przyczyny, przez co traci czas, który można by wykorzystać na prawidłowe leczenie;
— nigdy nie stosuj leku z apteczki domowej, nie zasięgnąwszy fachowej porady (→ s. 687);
— spróbuj poprzestać na jak najmniejszych ilościach leku;
— zawsze zwróć uwagę na podane na opakowaniu przeciwwskazania i działanie łączne.

## Rodzaje leków

Znasz leki w postaci tabletek, drażetek, kapsułek, pigułek, proszków, kropli, syropów, czopków, zastrzyków. Produkując te różne formy użytkowe, przemysł wykorzystuje wiedzę na temat rozpuszczalności, dystrybucji i działania środka leczniczego zawartego w produkcie. Rozsądny wybór i prawidłowe stosowanie są warunkiem jak najlepszego wykorzystania skuteczności leku.

### Szybkie działanie

Substancja aktywna, przenikając do krwi, działa szybko. Jeżeli na przykład lek ma cię szybko uwolnić od bólu głowy, to lepiej zażyć krople lub tabletki musujące, ewentualnie rozpuścić tabletkę w połowie szklanki wody i wypić pół godziny przed jedzeniem.

### Wolne działanie

Tak zwane preparaty o opóźnionym działaniu uwalniają składnik aktywny powoli w czasie przechodzenia przez przewód

---

### Zapamiętaj

Jeżeli stosujesz środki zagraniczne, to tylko w wypadku leków opatrzonych numerem rejestru producent pod pewnymi warunkami jest zobowiązany do wypłaty odszkodowania, gdy przyczynią się do szkody lub spowodują śmierć. Polskie ustawodawstwo na razie takich sytuacji nie przewiduje.

pokarmowy. Nie należy ich rozdrabniać, rozgryzać ani rozpuszczać.

### Chroń żołądek

Przy wrażliwym żołądku leki należy rozcieńczać w płynie. Leki stałe można również połykać z jedzeniem, chociaż działają wtedy wolniej i nie tak mocno, jakby należało oczekiwać. Kto chce w ogóle pominąć żołądek, sięga po czopki. W przypadku większości leków powinno się to robić wyjątkowo, gdyż przy czopkach nie da się dokładnie wyliczyć, ile substancji aktywnej przejdzie do krwi.

## Stosowanie leków

Kiedy masz lek przepisany przez lekarza, musisz wiedzieć, jak go zażywać i co robić, gdy wystąpi niepożądane działanie uboczne (→ U lekarza, s. 589). Jeżeli lek zaaplikowałeś sobie na własną rękę, to w razie wystąpienia objawów ubocznych jeszcze raz dokładnie przeczytaj ulotkę. Jeśli sam nie potrafisz właściwie ocenić działania ubocznego, przerwij przyjmowanie leku i zasięgnij fachowej porady (lekarza lub aptekarza). W każdej z tych sytuacji stosuj się do poniższych zasad:
— przestrzegaj ostrzeżeń takich jak „zażywać krótkotrwale", ponieważ niektóre leki mogą cię uzależnić, nim to zauważysz (→ poniżej);
— leki mogą zmniejszyć zdolność koncentracji. Dotyczy to zarówno prowadzenia samochodu, jak i pracy zawodowej. Niektóre środki wywołują senność, inne zaburzenia wzroku lub zwolnienie rytmu serca. Swędzenie może rozpraszać, a po środkach pobudzających możesz przecenić swoją sprawność;
— działanie łączne leku i alkoholu może mieć fatalne skutki.

---

### Prowadzenie samochodu a leki

— Środki uspokajające, przeciwdepresyjne i obniżające ciśnienie krwi zażyj pierwszy raz tak, abyś mógł obserwować reakcję w domu. Jeżeli stwierdzisz ujemny wpływ leku, nie wolno ci prowadzić samochodu. Ten zakaz obowiązuje również wtedy, gdy zwróci na to uwagę lekarz lub jeśli z załączonej ulotki wynika, że środek wpływa ujemnie na kierowcę.
Należy przestrzegać zakazu prowadzenia pojazdów mechanicznych również w sytuacjach, gdy:
— zwiększasz dotychczasową dawkę leku (szczególnie przy lekach przeciwpadaczkowych i przeciwcukrzycowych);
— zmniejszasz dawkę leków obniżających ciśnienie krwi, obniżających poziom cukru oraz środków przeciwpadaczkowych;
— przestaniesz przyjmować leki nasenne i uspokajające — zakaz obowiązuje przez kilka pierwszych dni. Niektóre leki wpływają ujemnie na wzrok. Kodeina przykładowo, która może być obecna w środkach przeciwbólowych i przeciwkaszlowych, wpływa na zdolność dostosowania się oka do światła i odległości. Maść do oczu powoduje zamglenie widoczności.

---

Ma to szczególne znaczenie dla osób prowadzących pojazdy mechaniczne i obsługujących maszyny.

### Leki dla dzieci

Dzieciom nie podawaj nigdy swoich leków bez zasięgnięcia rady pediatry. Niektóre środki dla dorosłych u dzieci w ogóle nie działają, inne działają mocniej, a jeszcze inne mają działanie przeciwne do zamierzonego. Nie można również tak po prostu przeliczać dawek. W spisie leków przy większości środków, które można ewentualnie podawać dzieciom, nie podaje się dawek dla nich zalecanych. W ten sposób producenci się zabezpieczają, póki stosowanie danego środka nie zostanie przebadane u dzieci.

### Leki dla osób starszych

Osoby starsze, powyżej 60 lat, muszą się liczyć z trzykrotnie częstszym niepożądanym działaniem leków niż ludzie młodsi. Wskutek zmian starczych w organizmie (→ Być w podeszłym wieku, s. 570) inne jest pobieranie leku przez ustrój, jego dystrybucja i wydalanie.
   Zwróć uwagę swojemu lekarzowi, gdy:
— wątpisz, czy przepisane leki są rzeczywiście niezbędne;
— czujesz, że dawka leku jest za duża;
— nie możesz zapamiętać różnych sposobów pobierania kilku leków;
— opakowania źle się otwierają lub masz trudności w połykaniu tabletek;
— trudno ci odróżnić jeden lek od drugiego.
   Dobry lekarz potraktuje twoje pytania i obawy poważnie i weźmie je pod uwagę przy przepisywaniu leków.

### Co ze zbędnymi lekami

Dla opakowań papierowych i z tworzyw po lekach istnieją odrębne systemy gromadzenia śmieci. Same leki najlepiej opakować w wilgotny papier gazetowy i wyrzucać do śmietnika. Można również oddać leki do apteki, które postępują podobnie, gdyż światło i wilgoć przyspieszają rozkład.

## Nadużywanie leków (lekomania)

Można nadużywać zupełnie „zwyczajnych" leków, a następnie wpaść w nałóg. Następujące leki mogą spowodować uzależnienie:
— uspokajające i nasenne,
— przeciwbólowe zaliczane do środków odurzających,
— przeciwbólowe zawierające kofeinę (→ Leki przeciwbólowe, s. 620),
— zmniejszające łaknienie,
— przeczyszczające,
— stosowane przeciw katarowi nosa.
   Podstępność tych leków polega na tym, że wprowadzają osobę leczącą się w błąd. Jeśli się je po pewnym czasie odstawi, dolegliwości przeciw którym brało się lek, wystąpią ze wzmożoną siłą.
   Człowiekowi zdaje się wtedy, że to występują leczone stare dolegliwości, nie zauważa natomiast, iż chodzi o tzw. zespół odstawienia leku (zespół abstynencji). O takim uzależnieniu ulotki dołączane do leków często informują niewystarczająco.

## Przechowywanie leków

— Właściwe miejsce powinno być chłodne, suche i niedostępne dla dzieci. Odpadają więc ulubione miejsca takie, jak szafka w łazience, szuflada w kuchni lub stolik nocny. Apteczka domowa powinna zawierać jedynie to, co podano na stronie 687, jednak nie przestarzałe resztki przepisanych leków. Jeżeli należysz do takich „chomików", notuj przynajmniej na opakowaniu:
    datę, kiedy lek otrzymałeś,
    imię osoby, dla której był przepisany,
    chorobę, na którą był przepisany.
— Przechowuj zawsze ulotkę razem z lekiem.
— Nie przechowuj nigdy resztek kropli i maści do oczu, antybiotyków (→ s. 621) i środków, na których jest ostrzeżenie przed przyzwyczajeniem.
— Kropli zawierających alkohol nie przechowuj dłużej niż trzy miesiące po otwarciu. Kiedy alkohol się ulotni, lek jest bardziej stężony.

## Zażywanie leków

— Przed zażyciem leku skontroluj, czy nie upłynął jego termin ważności.
— Każde lekarstwo stosowane doustnie należy popić połową szklanki wody. Nie połykaj leku na leżąco, lecz z wyprostowaną górną częścią ciała.
— Jeżeli masz trudności z przełykaniem leku stałego, pogryź kawałek banana i połknij razem z lekarstwem.

Przy stosowaniu tego rodzaju leków przeważnie nie rodzi się chęć zażywania coraz większych dawek dla osiągnięcia pożądanego działania — chory po prostu nie zauważa, że się uzależnił.

### Środki uspokajające i nasenne
Dla rozwoju uzależnienia jest bez znaczenia, czy chodzi o środki uspokajające, za pomocą których tłumi się niepokój i lęk (trankwilizatory dzienne) czy o środki nasenne. Wszystkie one zawierają uzależniające benzodiazepiny (→ Lekozależność, s. 200). Organizm wielu ludzi przyzwyczaja się do tych środków już po trzech do czterech tygodniach codziennego zażywania. Po odstawieniu środka występują przez 10 do 14 dni szczególnie silne objawy, przeciw którym środek zażywano: niepokój, lęk, zaburzenia snu. Im dłużej zażywano takie środki uspokajające i nasenne, tym wyraźniej występują objawy po odstawieniu środków. Odzwyczajanie od benzodiazepin po dłuższym czasie ich zażywania powinno być przeprowadzone w szpitalu.

### Środki przeciwbólowe zawierające więcej niż jedną substancję czynną
Słabe środki przeciwbólowe (→ s. 621), zawierające tylko jedną substancję czynną, prawie nigdy nie uzależniają. Czynią to dopiero zawarte w nich dodatki: kodeiny i kofeiny (→ Leki przeciwbólowe, s. 620). Leki przeciwbólowe zawierające kofeinę można kupować w aptekach bez recepty; środki uśmierzające ból zawierające kodeinę wydaje się tylko na receptę. O skutkach nadużycia leków przeciwbólowych → s. 618.

### Środki zmniejszające łaknienie
Pobudzają i poprawiają nastrój. Już po krótkim stosowaniu, aby odczuć działanie, trzeba przyjmować ich coraz więcej.

### Środki przeczyszczające
Wskutek ich działania organizm wydala ze stolcem więcej wody i cennych soli mineralnych.

Zaburzenia w gospodarce wodno-elektrolitowej mogą doprowadzić do ciężkich uszkodzeń układu nerwowego, układu krążenia i nerek, co z kolei wpływa na czynność układu trawiennego, tak że w końcu bez środków przeczyszczających nie można się obejść.

### Leki stosowane w katarze nosa
Powodują one zwężenie naczyń krwionośnych śluzówki nosa. Po ich odstawieniu obrzęk śluzówki się zwiększa. Jeśli znowu się zacznie te środki stosować, wpada się w błędne koło. Ciągle ich zażywanie prowadzi do zaniku czynności śluzówki (→ s. 284).

### Objawy uzależnienia lekowego
Jesteś uzależniony, gdy:
— nie możesz zaprzestać z własnej woli przyjmowania określonych leków przeciwbólowych, nasennych lub uspokajających;
— musisz przyjmować określoną ilość tych leków, by czuć się dobrze lub przezwyciężyć obciążenie psychiczne;
— czujesz się fizycznie lub psychicznie źle, gdy tylko przestaniesz je przyjmować;
— cierpisz, jeżeli dany lek ci się skończy;
— czujesz, że działanie uspokajające przechodzi w pobudzające;
— nie jesteś szczery wobec samego siebie w kwestii zażywania leku albo okłamujesz innych;
— różnymi metodami próbujesz zdobyć lekarstwo, np. sam lub za czyimś pośrednictwem robisz zapas, kupując w różnych aptekach, prosisz różnych lekarzy, by ci je przepisywali.
O nadużywaniu leków → s. 618.

### Zapobieganie uzależnieniu
— Środki nasenne i uspokajające przyjmuj nie dłużej niż przez tydzień. Jeżeli lekarz zaordynuje ci zażywanie ich przez dłuższy czas, zapytaj, czy jest to konieczne.
— Przyjmuj tylko jednoskładnikowe środki przeciwbólowe. Wyjątek: leki przeciwbólowe zawierające kodeinę, jeśli lek jednoskładnikowy nie działa dostatecznie.
— Środki przeczyszczające stosuj tylko wyjątkowo i krótkotrwale.
— Środków stosowanych w katarze nosa nie używaj dłużej niż przez trzy dni.

### Ulotka dołączona do leku
Na całym świecie co roku trafiają na śmietniska lekarstwa ogromnej wartości. Jednym z powodów tego są ulotki dołączane do leku. Zawarte w nich wykazy działań ubocznych odstraszają pacjentów do tego stopnia, że w obawie przed skutkami nie zażywają danego środka. Wykazy te dlatego są tak obszerne,

gdyż instytucje wymagają tego w celu informowania pacjentów. Poza tym producenci chronią się w ten sposób przed odpowiedzialnością: jeżeli informacja o stosowaniu i działaniu nie odpowiada stanowi wiedzy medycznej, muszą odpowiadać za powstałe szkody.

Zanim zaczniesz przyjmować lek, w trakcie kuracji pytaj o wszystko lekarza (→ U lekarza, s. 589). Informacji o lekach w wolnej sprzedaży udzieli przy zakupie aptekarz. Ulotka dołączona do leku nie zawsze pomoże ci podjąć właściwą decyzję. Na ogół dostajesz ją do ręki dopiero wtedy, gdy otworzysz zakupione opakowanie. Wtedy jednak nie możesz już zwrócić specyfiku.

# LEKI PRZECIWBÓLOWE

W Niemczech dostępnych jest ponad 600 środków uśmierzających ból. W 1995 roku sprzedano w aptekach 194 miliony opakowań tych specyfików. Zawarte w nich było 1100 t kwasu acetylosalicylowego, 350 t paracetamolu i 16 t ibuprofenu. Lekarze wystawili dla kobiet w wieku 40-55 lat prawie jedną trzecią więcej recept na środki przeciwbólowe aniżeli dla mężczyzn. Bóle są przede wszystkim sygnałem ostrzegawczym organizmu; po pewnym czasie mogą stać się jednak samodzielną chorobą.

## Działanie i zastosowanie
Środki przeciwbólowe nie usuwają przyczyny, wyciszają tylko sygnał i czynią go znośniejszym.

O powodach bólu głowy i postępowaniu w takiej sytuacji → s. 186 oraz → Migrena, s. 216.

## Działanie niepożądane
Na temat niepożądanego działania poszczególnych substancji aktywnych → Proste środki przeciwbólowe, od s. 621. Środki złożone zawierające kofeinę, otrzymywane również bez recepty, stwarzają ryzyko uzależnienia lekowego.

## Skutki
Środki przeciwbólowe zażywane regularnie (lub gdy ich zażywanie powtarza się przez długi czas) w większości mogą doprowadzić do ciężkich uszkodzeń nerek, aż do ich całkowitego unieczynnienia. Około 20% szacowanej liczby 30 000 pacjentów dializowanych, co stanowi w Niemczech około 6000, trafia do dializy wskutek wieloletniego zażywania tabletek przeciwbólowych.

Istnieją trzy powody nadużywania środków przeciwbólowych:
— zamiast leczyć przyczyny bólu lub nauczyć się inaczej go usuwać, przy nawracających z różnych powodów bólach (→ Migrena, s. 216), stosuje się leki;
— niektóre środki łagodzą wprawdzie bóle głowy, lecz na krótko, a gdy lek przestanie działać, trzeba go znowu zażyć;
— pobudzające działanie tabletek jest konieczne, by przetrwać dzień. Ta forma uzależnienia szczególnie często występuje przy stosowaniu preparatów wieloskładnikowych zawierających kofeinę. Do nich należą środki przeciwbólowe sprzedawane bez recepty.

## Zapobieganie niepożądanemu działaniu
— bez porady lekarskiej nie zażywaj leków przeciwbólowych dłużej niż przez tydzień;
— gdy lekarz zaordynuje ci stosowanie leku przeciwbólowego przez dłuższy czas, zapytaj, czy jest to konieczne, czy możliwe jest niebezpieczeństwo uzależnienia i czy istnieje rozwiązanie alternatywne;
— zażywaj tylko jednoskładnikowe środki przeciwbólowe. Wyjątek: preparaty przeciwbólowe z kodeiną przez krótki czas, gdy środek jednoskładnikowy nie wystarcza.

## Proste środki przeciwbólowe
Omówione tu będą tylko środki przeciwbólowe o słabym działaniu. Opis szczególnie silnych środków, na przykład koniecznych dla chorych na raka → s. 446; środków przeciwreumatycznych → s. 426.

### Kwas acetylosalicylowy
Jest dobrze działającym i stosunkowo pewnym środkiem przeciwbólowym o dobrze poznanym działaniu ubocznym, gdyż jest stosowany od ponad stu lat. Wystarczy zażyć 0,5-1 g (na ogół 1-2 tabletki), by skutecznie złagodzić ból.

*Działanie niepożądane*
Stosunkowo często występują wymienione poniżej skutki uboczne, które jednak mijają bezpowrotnie, gdy przestaniesz zażywać lek:
— bóle żołądka, nudności;
— objawy przedawkowania: szum w uszach, zawroty głowy, odurzenie, wymioty;
— skłonność do krwawień;

Bardzo rzadkim, lecz poważnym skutkiem ubocznym jest tzw. zespół Reye'a u dzieci. Objawia się silnymi torsjami, gorączką, drgawkami i utratą przytomności. Ryzyko takiego działania ubocznego jest szczególnie duże, gdy kwas acetylosalicylowy zażywa dziecko chore na grypę lub ospę wietrzną.

## Nie zalecamy stosowania poniższych preparatów złożonych zawierających kofeinę

| | |
|---|---|
| Adolorin | Neuralgin |
| Azur | Octadon P Tabl. |
| Copyrkal N | Optalidon N |
| Dolomo Tag-Tabl. | Prontopyrin plus |
| Dolomo TN | Quadronal przeciw |
| Doppel Spalt Compact | bólom głowy |
| N Tabl | Saridon neu |
| Migranin przeciw | Spalt N |
| bólom głowy | Thomapyrin |

### Preparaty polskie

| | |
|---|---|
| Amidochin | Salcofen |
| Cofedon | Tabletki od bólu głowy |
| Isochin | Tabletki przeciw grypie |
| Pyrosalofen | |

*Uwaga*: Przy zażywaniu miesięcznie ponad 7000 mg kwasu acetylosalicylowego, przez około pół roku, zachodzi niebezpieczeństwo wystąpienia bólu głowy spowodowanego tym środkiem.

---

## Polecane preparaty zawierające wyłącznie kwas acetylosalicylowy

| | |
|---|---|
| Acetylin | ASS — z różnymi nazwami |
| Acidum acetylsalicylicum | producentów |
| z podaniem producenta | Contradol |
| Aspirin | Spalt ASS |
| Aspro | Togal ASS 400 |

**Preparaty polskie**

| | | |
|---|---|---|
| Asprocol | Polopiryna | Polopiryna S |
| Calcipiryna | Polopiryna C | |

**Zapamiętaj**

Nie przyjmuj nigdy kwasu acetylosalicylowego na pusty żołądek. Zażywaj tabletkę rozpuszczoną w małej ilości wody i popijaj przynajmniej połową szklanki wody.

---

*Nie należy podawać kwasu acetylosalicylowego*
— przy zapaleniach lub wrzodach żołądka i dwunastnicy;
— przy skłonności do krwawień;
— przy astmie lub dużej skłonności do uczuleń;
— dzieciom i młodzieży przy grypie i ospie wietrznej.

### Paracetamol

Działa tak samo dobrze i szybko jak kwas acetylosalicylowy i lepiej znosi go żołądek. Do złagodzenia bólu wystarczą 1-2 tabletki. Nie należy przyjmować go jednorazowo powyżej 650 mg.

*Działanie niepożądane*

Stosunkowo rzadkie, lecz mogące mieć poważne następstwa, są następujące skutki uboczne:
— zakłócenia w składzie krwi;
— przy przedawkowaniu: uszkodzenie wątroby;
— przy ciągłym stosowaniu: uszkodzenie nerek.

Kto przez dłuższy czas stosuje dziennie jedną tabletkę paracetamolu lub w sumie zażyje ponad 1000 sztuk, podwaja ryzyko uszkodzenia nerek wymagające dializy.

*Uwaga*: Przy zażywaniu miesięcznie 5000 mg paracetamolu przez pół roku zachodzi niebezpieczeństwo wystąpienia bólu głowy spowodowanego tym środkiem.

*Nie należy przyjmować paracetamolu*, gdy wątroba i nerki nie funkcjonują bez zarzutu.

---

## Polecane preparaty zawierające wyłącznie paracetamol

| | | |
|---|---|---|
| Apacet | Enelfa | Pyromed S |
| Ben-u-ron | Mexalen | Treupel mono |
| Capatin | Mono-Praecimid | |

**Preparat polski**

Acenol

---

### Ibuprofen

Ibuprofen sprawdził się od lat jako dobry środek hamujący zapalenie przy reumatyzmie. W mniejszej dawce jego stosowanie może być również celowe przy ogólnych bólach. Jednak łagodzenie bólu za pomocą ibuprofenu jest kilkakrotnie droższe niż za pomocą kwasu acetylosalicylowego.

*Działanie niepożądane*
— alergiczne odczyny skóry
— ogólne reakcje alergiczne łącznie z wstrząsem
— krwawienia żołądkowo-jelitowe

---

## Polecane preparaty bez recepty zawierające wyłącznie ibuprofen

| | |
|---|---|
| Aktren | Logomed Schmerztbl |
| Brufen | Mobilat Schmerztbl |
| Ibuprofen z podaniem producenta | Optalidon 200 |
| Ibu-Vivimed | Togal N |

Wprawdzie sam ibuprofen nie uszkadza nerek, lecz w kombinacji z innymi środkami przeciwbólowymi prawdopodobnie przyczynia się do ich szybszego uszkodzenia.

---

### Preparaty wieloskładnikowe

Żaden z preparatów wieloskładnikowych znajdujących się w handlu nie ma uzasadnionej przewagi nad jednoskładnikowymi środkami przeciwbólowymi, z dwoma wyjątkami: kombinacja z witaminą C w tabletkach musujących oraz z centralnie działającym środkiem jak kodeina, gdy lek przeciwbólowy (kwas acetylosalicylowy lub paracetamol) sam nie działa wystarczająco. Kombinacja kwasu acetylosalicylowego i paracetamolu zwiększa wyraźnie ryzyko uszkodzenia nerek; lecz wyższe ryzyko występuje przy kombinacji paracetamolu z kofeiną.

---

## Polecane środki przeciwbólowe zawierające kodeinę, wydawane tylko na receptę

Doloviran (czopki dla niemowląt i dzieci)

| | |
|---|---|
| Gelonida | Paracetamol comp. |
| Lonarid | Talvosilen |
| Nedolon P | Treupel comp. |

---

# LEKI PRZECIW ZAKAŻENIOM (ANTYBIOTYKI)

Antybiotyki mogą leczyć choroby i ratować życie, stąd ich wątpliwa sława jako „dobrych na wszystko". Wiele problemów wyłaniających się dzisiaj w leczeniu nimi wiąże się z ich bezkrytycznym stosowaniem: 90% antybiotyków przepisuje się i stosuje bez wystarczającego powodu.

Choroby zakaźne wywoływane są przez bakterie i wirusy. Antybiotyki wstrzymują rozwój bakterii lub je zabijają i w ten sposób pomagają organizmowi zwalczyć czynniki chorobotwórcze, które się do niego przedostały.

## Antybiotyk — stosować czy nie?

Proste infekcje zdrowy organizm przezwycięża własnymi siłami. Tylko wtedy, gdy istnieje obawa, że mu się to nie uda lub gdy infekcja może spowodować inne, ciężkie następstwa chorobowe, leczenie antybiotykami jest wskazane.

Spośród infekcji leczonych przez lekarzy domowych około 3/5 to infekcje górnych dróg oddechowych, prawie zawsze wywoływane przez wirusy. Antybiotyki są w takich przypadkach nieskuteczne, lekarze zaś przepisują je prawie zawsze, gdy ktoś zjawia się u nich z infekcją dróg oddechowych.

## Rodzaje antybiotyków

Nie każdy antybiotyk zwalcza wszystkie bakterie, zwykle jest skuteczny przeciw specyficznym rodzajom drobnoustrojów. Substancje działające na wiele rodzajów bakterii określamy jako antybiotyki o szerokim spektrum działania. Lekarze je zapisują szczególnie chętnie, mają one bowiem tę zaletę, że istnieje względnie duże prawdopodobieństwo, iż zwalczą czynnik chorobotwórczy, choć nie został dokładnie zidentyfikowany. Ich wada natomiast polega na tym, że bakterie mogą się uodpornić na dany środek.

*Antybiotyki o wąskim spektrum działania*

Penicyliny i amoksycylina są stosunkowo dobrze tolerowane i od dawna wypróbowane. Cefalosporyny działają podobnie jak penicyliny, powinny być jednak stosowane tylko wtedy, gdy penicyliny działają niewystarczająco lub występuje uczulenie na penicyliny. Erytromycynę stosuje się u dorosłych, gdy działanie penicyliny jest niedostateczne lub gdy pacjent jest na nią uczulony. Szczególnie zaleca się ją dla dzieci, ponieważ jest dobrze tolerowana i od dawna wypróbowana.

*Antybiotyki o szerokim spektrum działania*

Tetracykliny stosuje się tylko u dorosłych. Są stosunkowo dobrze tolerowane i od dawna wypróbowane i często zalecane. Szczególnie przydatne są przy trądziku.

Inhibitory gyrazy ze względu na znaczne działanie uboczne powinny być przepisywane tylko wtedy, gdy zawodzą inne środki. Obroty w handlu dowodzą jednak, że lekarze nie stosują się do tego zalecenia.

*Sulfonamidy*

Preparaty trimeto-primowo-sulfonamidowe. Jednym z niewielu sensownych gotowych preparatów złożonych jest kotrimoksazol. Ma szerokie spektrum działania i jest dobrze wypróbowany.

*Preparaty zawierające więcej niż jedną substancję aktywną*

Przy szczególnie ciężkich zakażeniach może czasami zachodzić konieczność równoczesnego podania kilku antybiotyków. Podaje się wtedy jednak oddzielnie poszczególne preparaty.

## Działanie i zastosowanie

Przy wymienionych poniżej chorobach zaleca się rozpoczęcie leczenia wskazanymi antybiotykami:

— ciężkie i długo trwające zapalenie oskrzeli: amoksycylina;
— zapalenie płuc: amoksycylina, penicylina V, erytromycyna;
— zapalenie ucha środkowego: amoksycylina, erytromycyna;
— zapalenie zatoki przynosowej: amoksycylina;

— zapalenie migdałów: penicylina;
— zapalenie gardła i krtani: amoksycylina, penicylina V;
— zapalenie cewki moczowej i pęcherza: trimetroprim;
— infekcja zęba: penicylina.

## Działanie niepożądane

*U wszystkich leczonych: rozwój oporności*

W czasie terapii bakterie uodparniają się na antybiotyk. Powstało już wiele szczepów bakteryjnych, których nie można zwalczyć istniejącymi antybiotykami. Dzieje się tak tylko wtedy, gdy drobnoustroje mają względnie częsty kontakt z przeciwnikiem (antybiotykiem) albo poprzez leki, albo poprzez żywność, gdyż antybiotyki stosowane są w tuczu zwierząt (→ s. 715). Skutek: trzeba opracowywać coraz to nowe antybiotyki, aby nadal zwalczać choroby bakteryjne. W lecznictwie otwartym oporność ta nie ma jeszcze za dużego znaczenia, w szpitalu jednak ma już znaczenie ważące.

*U poszczególnych osób*

W śluzówkach w organizmie człowieka — np. w oku, ustach, jelicie — żyją bakterie, które chronią przed nadmiernym rozmnożeniem się drobnoustrojów chorobotwórczych. Antybiotyki naruszają tę równowagę. Następstwa:

— biegunka,
— częstsze zakażenia grzybami i wirusami.

Biegunce można zapobiec, pijąc w czasie przyjmowania antybiotyku dużo jogurtu i w ten sposób uzupełniając w jelitach potrzebną florę bakteryjną.

*Inne niepożądane działanie antybiotyków*

— podrażnienie przewodu pokarmowego objawiające się nudnościami i wymiotami;
— reakcje uczuleniowe, częstsze w przypadku penicyliny niż innych antybiotyków. Występują w dwóch postaciach:
— w formie natychmiastowej, która objawia się w ciągu dwóch godzin po pierwszej dawce dusznościami, spadkiem ciśnienia krwi, zapaścią,
— w formie opóźnionej, która rozwija się w ciągu 12-24 godzin po pierwszej dawce i powoduje wykwity skórne i swędzenie.

*Inne niepożądane działanie tetracyklin*

— zęby w fazie wzrostu mogą się zabarwić, stają się też podatniejsze na próchnicę. Dzieciom do lat 14 nie należy zatem podawać tetracyklin;
— zwiększa się wrażliwość skóry na światło, toteż powinno się unikać promieni słonecznych.

*Inne niepożądane działanie preparatów*
*trimeto-primowo-sulfonamidowych*

— zaburzenia w czynności układu krwiotwórczego;
— silne reakcje uczuleniowe.

*Inne niepożądane działanie inhibitorów gyrazy*

— bóle głowy, niepokój, zaburzenia równowagi, dezorientacja, drgawki, wstrząs, reakcje alergiczne. Stosować tylko u dorosłych.

## Preparaty zawierające penicylinę

| | | |
|---|---|---|
| Arcasin | Isocillin | Penicillin V |
| Baycillin | Megacillin | Star-Pen |
| Cliacil | Pen Hexal | |
| Infectocillin | Penicillat | |

## Preparaty zawierające amoksycylinę

| | | |
|---|---|---|
| Amagesan | Amoxicillin | Ampicillin |
| Amoxi | — (producent) | Gonoform |
| — (producent) | Amoxypen | Ospamox |

## Preparaty zawierające cefalosporyny

| | | |
|---|---|---|
| Ceclor | Keimax | Padomexef |
| Cephoral | Lorafen | Panoral |
| Elobact | Orelox | Zinnat |

## Preparaty zawierające erytromycynę

| | | |
|---|---|---|
| Davercin | Ery-Maxin | Paediathrocin |
| Emuvin | Erythromycinum | Sanasepton |
| Erycinum | Infectomycin | Zithromax |
| Eryhexal | Monomycin | |

## Preparaty zawierające tetracykliny

| | | |
|---|---|---|
| Azudoxat | Sigadoxin | Vibramycin |
| Doxy | Supracyclin | |

## Inhibitory gyrazy

| | | |
|---|---|---|
| Barazan | Tarivid | Zoroxin |
| Ciprobay | | |

## Sulfonamidy

| | | |
|---|---|---|
| Bactorednet | Biseptol | Sigaprim |
| Bactrim | Cotrim | TMS |
| Berlocid | Eusaprim | |
| Berlocombin | Kepinol | |

## Maści i kremy zawierające antybiotyki
(polecane w ostateczności)

| | | |
|---|---|---|
| Aureomycin | Fucidine | Refobacin |
| Fucidin | Gentamycin | Sulmycin |

## Wzajemne oddziaływanie (interakcja) leków

Ponieważ niektóre lekarstwa mogą zmniejszać skuteczność działania antybiotyku, zanim zaczniesz zażywać jakiś nowy lek, zwróć uwagę lekarzowi i aptekarzowi, że stosujesz antybiotyk. Poinformuj również lekarza, jakie leki już zażywasz, zanim przepisze ci antybiotyk.

## Stosowanie zewnętrzne

Środki zawierające antybiotyki powinno się stosować na skórę tylko w nielicznych schorzeniach, ponieważ wyjątkowo szybko dochodzi do rozwoju opornych zarazków. Przy stosowaniu zewnętrznym szczególnie często występują też uczulenia.

### Krople do oczu

Antybiotykami można dobrze zwalczać bakteryjne zapalenie oka. Obowiązują tu te same zasady postępowania co przy stosowaniu wewnętrznym.

### Krople do ucha

Przy zapaleniu ucha środkowego antybiotyki należy stosować doustnie bądź dożylnie. Wkraplanie do ucha nie pomaga.

### Stosowanie doustne

Poziom antybiotyku w organizmie powinien osiągnąć pewną określoną wartość, dlatego większość antybiotyków należy przyjmować kilka razy dziennie.
— „trzy razy dziennie" oznacza, że lek trzeba zażywać w odstępach co 8 godzin;
— „zażywać przed jedzeniem" oznacza godzinę przed posiłkiem;
— „zażywać podczas jedzenia" oznacza bezpośrednio przed jedzeniem lub najpóźniej pół godziny po jedzeniu;
— tabletki i kapsułki należy połykać, popijając przynajmniej połową szklanki wody, by nie utkwiły w przełyku (szczególnie ważne przy tetracyklinie). Jeśli masz trudności z połknięciem tabletki, możesz pogryźć kawałek banana i przełknąć z nim lekarstwo.

### Zastrzyki

Antybiotyki podaje się w zastrzykach, gdy mają działać szczególnie szybko lub gdy nie działają po podaniu doustnym. Dzieci do ukończenia pierwszego roku winny otrzymywać antybiotyki tylko w zastrzykach.

## Zapobieganie niepożądanemu działaniu

Stosując „prawidłowo" antybiotyki, można zapobiec ich niepożądanemu działaniu. W tym celu należy przestrzegać poniższych zasad:
— trzeba jednoznacznie określić rodzaj bakterii, które wywołały chorobę;
— lekarz zwykle opiera się na doświadczeniu, że określone mikroorganizmy chorobotwórcze na ogół atakują ten sam narząd i wywołują prawie zawsze te same objawy chorobowe. Kierując się tym, dobiera odpowiedni antybiotyk. W przypadkach wątpliwych lub gdy nie ma oczekiwanego efektu leczenia, należy czynnik chorobotwórczy określić laboratoryjnie. Przy nawracającej infekcji dróg moczowych oznaczenie to jest niezbędne;
— antybiotyki należy stosować tylko wtedy, gdy można przewidzieć, że organizm sam nie upora się z chorobą i gdy inne sposoby leczenia są niewystarczające;
— jeżeli czynnik chorobotwórczy jest znany lub z dużym prawdopodobieństwem zidentyfikowany, to lekarz powinien zaordynować antybiotyk o możliwie wąskim spektrum działania;
— jeżeli środek nie działa lub po krótkim okresie zażywania okaże się niepotrzebny, lekarz powinien go natychmiast odstawić;
— każdy antybiotyk od początku należy wystarczająco wysoko dawkować;
— lek należy przyjmować tak długo, jak trzeba, i tak krótko, jak można. Jeśli wszystko wskazuje na to, że choroba minęła, lekarz powinien odstawić antybiotyk. Przeważnie wystarczy zażywać osiem do dziesięciu dni;
— przy sulfonamidach trzeba dużo pić, by nie wykrystalizowały w nerkach.

## Zapamiętaj

— Antybiotyki zwalczają bakterie. Są nieskuteczne przeciwko wirusom i grzybicom.
— Jeśli lekarz przepisze ci antybiotyk, zapytaj, czy jest on konieczny.
— Lekarze chętnie przepisują najnowsze antybiotyki, aby mieć pewność, że szczepy bakteryjne jeszcze nie nabrały oporności. W ten sposób wzrastają problemy z uodpornieniem. Poza tym zażywa się wtedy środek, którego ewentualne działanie uboczne nie jest dostatecznie długo badane.
— Przypuszcza się, że nawet najmniejsze ilości antybiotyku w żywności (→ Substancje szkodliwe w pokarmach, s. 713) mogą sprzyjać uodpornieniu.
— W okresie, kiedy przyjmujesz antybiotyk, zadbaj o mikroflorę przewodu pokarmowego, pijąc jogurt.
— Kto już raz zareagował na dany antybiotyk opisanymi objawami uczuleniowymi, nie może tego lub podobnego środka stosować ponownie.

## Wskazówki dla kobiet

— W pierwszych dniach przyjmowania antybiotyku następuje najsilniejsze zaburzenie mikroflory przewodu pokarmowego. Może to wpłynąć na ochronne działanie pigułki antykoncepcyjnej.
— Jeśli przez dłuższy czas musisz stosować chloramfenikol, neomycynę, sulfonamidy lub tetracykliny, może ulec zaburzeniu ochrona przeciwciążowa.

# KORTYZON (GLIKOKORTYKOIDY)

Kortyzon jest hormonem kory nadnerczy (→ s. 469). Istnieje wiele jego syntetycznych pochodnych, zwanych glikokortykoidami. Początkowo wydawało się, że będzie to cudowny lek, ale bezkrytyczne stosowanie glikokortykoidów dało nie zawsze pozytywne skutki. Popadnięto więc z jednej skrajności w drugą, tak że jeszcze dzisiaj wiele osób boi się stosowania glikokortykoidów. Obawy te są nieuzasadnione, jeżeli lekarz jest świadom korzyści i ryzyka takiego leczenia i rozważy je w każdym przypadku. W niektórych chorobach glikokortykoidy są błogosławieństwem dla chorych.

## Zastosowanie

— niedoczynność kory nadnerczy
— stany wstrząsowe
— po transplantacji narządów
— silne uczulenie (→ Alergia, s. 338)
— astma (→ s. 293)
— ciężkie zapalenie niespowodowane drobnoustrojami takimi jak bakterie czy wirusy
— choroby autoimmunologiczne, jak toczeń trzewny lub reumatyczne bóle wielomięśniowe
— reumatoidalne zapalenie stawów i ostre wznowy niektórych chorób reumatycznych (→ s. 423, 426)

— ostre wznowy zapalnych chorób jelit
— ostre wznowy egzemy skóry

Lekarz powinien ordynować glikokortykoidy wtedy tylko, gdy inne możliwości leczenia nie wchodzą w grę. Należy je stosować przez minimalny okres, chociaż w niektórych schorzeniach może się okazać konieczne długie stosowanie w wysokich dawkach.

## Działanie

Glikokortykoidy mogą łagodzić dolegliwości, ale ich nie znoszą. Hamują tylko objawy zapalne i tłumią reakcje układu odpornościowego.

## Działanie niepożądane

Możliwe skutki uboczne, które ustępują po odstawieniu leku:
— zakażenia częstsze i o cięższym przebiegu,
— zaburzenia psychiczne,
— odkładanie się tłuszczu na tułowiu (twarz o charakterze „księżyca w pełni"),
— podwyższone ciśnienie krwi, gromadzenie się wody w tkankach,
— osłabienie siły mięśniowej kończyn górnych i dolnych,
— trądzik,
— zaburzenia miesiączkowania, impotencja,
— wrzody żołądka i dwunastnicy niepowodujące prawie bólu; niebezpieczeństwo perforacji żołądka,
— gorsze gojenie się ran,
— u dzieci zaburzenia wzrostu.

Po długim okresie leczenia mogą wystąpić nieodwracalne skutki uboczne, takie jak:
— utrata wytrzymałości kości na skutek rozrzedzenia ich struktury (osteoporoza),
— zaćma lub jaskra,
— tkanka łączna staje się „cienka", powstają bliznowate zmiany zanikowe skóry, zbliżone do tzw. rozstępów ciężarnych,
— rozwija się lub pogłębia cukrzyca.

## Interakcja z innymi lekami

Nim zaczniesz zażywać nowy lek, poinformuj lekarza i aptekarza, że stosujesz glikokortykoid. Pomiędzy glikokortykoidami a innymi preparatami występuje często wyraźne i poważne w skutkach wzajemne oddziaływanie.

## Przykłady preparatów zawierających glikokortykoidy

(kolejność według malejącej skuteczności)
— Dermoxin, Dermovate, Diprosone, Diprosalic
— Betnesol V, Betnovate, Celeston, Nerisona, Jellin S.N., Synalar (polski preparat: Flucinar)
— Betnovate, Sermaka w niższym dawkowaniu
— preparaty zawierające niewielkie stężenie hydrokortyzonu: Ficortril (polskie preparaty: Hydrocortisonum aceticum, Laticort, Acepolcort), Hydroderm, Volonimat (polski preparat: Polcortolon). Od połowy 1996 roku preparaty do zewnętrznego stosowania zawierające 0,25% hydrokortyzonu w Niemczech można otrzymać bez recepty.

## Stosowanie

Glikokortykoidy, jako leki bardzo aktywne, muszą być niezwykle dokładnie dawkowane, a ich działanie kontrolowane. Do dawkowania kontrolowanego nie nadają się preparaty wieloskładnikowe.

### Zewnętrznie

Glikokortykoidy stosowane zewnętrznie mogą wykazać takie samo niepożądane działanie jak przy stosowaniu wewnętrznym. Ryzyko wzrasta wraz z czasem stosowania, jest zależne od siły działania preparatu i wielkości traktowanej powierzchni. Szczególnie gwałtownie reaguje na glikokortykoidy twarz. Dużą ostrożność trzeba zachować, stosując lek u dzieci. W wieku 2-5 lat należy się ograniczać do 0,3-procentowego preparatu hydrokortyzonu.

Preparaty glikokortykoidowe do stosowania zewnętrznego dzieli się w zależności od siły działania na cztery grupy.

Przy zewnętrznym stosowaniu glikokortykoidów obowiązują następujące zasady:
— lekarz po ustaleniu diagnozy powinien dobrać odpowiednią substancję i wskazać, jak ją stosować;
— silnie działające preparaty stosować na małej powierzchni i jeśli to możliwe, nie dłużej niż dwa dni. Jeżeli osoba dorosła zużywa tygodniowo więcej niż 15 g silnie działającego preparatu lub 30 g średnio silnego, lub 50 g słabego, to może przekroczyć „granicę bezpieczeństwa";
— przy stosowaniu przez dłuższy okres lub na większej powierzchni należy stosować preparat o mniejszej sile działania. Analiza zaleceń lekarskich wykazała, że następuje to rzadko;
— nakładać najlepiej po kąpieli;
— nakładać możliwie cienko i wcierać;
— nie stosować częściej niż dwa razy dziennie;
— rękę, którą wciera się preparat, chronić plastikową rękawiczką;
— długotrwałe stosowanie zakończyć metodą „wyciszania" (→ poniżej).

### Stosowanie inhalacyjne

Celem minimalizowania uszkodzenia dróg oddechowych wskutek zapalenia przy astmie kortyzon musi być regularnie inhalowany. Aerozol wdycha się na ogół przynajmniej rano i wieczorem. Nie służy on jednak do opanowania ciężkiego ataku astmy. W Polsce istnieją preparaty: Beclocort, Budesonid i Horacort; dostępne są też niemieckie: Becotide, Pulmicort, Sanasthmyl, Sanasthmax.

### Działanie niepożądane

Aerozole wpływają słabiej na organizm niż preparaty stosowane doustnie, jednakże w ustach często się rozwija zakażenie grzybicze. Można temu zapobiec, płucząc intensywnie usta wodą po każdej inhalacji glikokortykoidowej.

### Stosowanie doustne

Pacjenci chorujący na cisawicę, czyli chorobę Addisona (→ s. 470), powinni dostarczać organizmowi kortyzon w postaci glikokortykoidów tak samo, jak w zdrowym organizmie dostarcza

go kora nadnerczy: rano największą dawkę, w południe mniejszą, wieczorem jeszcze mniejszą.

Kto stosuje glikokortykoidy z innych powodów, musi uwzględnić dwie zasady: z jednej strony obciąża czynność kory nadnerczy najmniej, gdy rytm zażywania jest zbliżony maksymalnie do fizjologicznego. Z drugiej strony choroba decyduje, kiedy potrzebne jest najsilniejsze działanie kortyzonu. Pobranie całej dawki leku rano przed ósmą odpowiada wprawdzie rytmowi organizmu (→ Kora nadnerczy, s. 469), jednak astmatycy muszą dla uniknięcia nocnych napadów największą ilość kortyzonu pobrać po południu.

Podczas każdej terapii kortyzonem nadnercza redukują swoją czynność. Do czasu jej normalizacji upłyną potem tygodnie, a nawet miesiące. W tym czasie organizm będzie bezbronny w „sytuacjach alarmowych" (→ Stres, s. 177). By narząd doprowadzić powoli znowu do swojej czynności, leczenie kortyzonem należy kończyć zawsze „wyciszająco". Tyle samo czasu, ile trwało podawanie, należy przeznaczyć na redukcję dawek.

Do długotrwałego leczenia lekarz powinien w miarę możliwości przepisywać preparaty zawierające prednizon, prednizolon lub metyloprednizolon, ponieważ wpływają w mniejszym stopniu na hormonalny układ sprzężenia zwrotnego. Glikokortykoidy w tabletkach zaleca się zażywać możliwie krótko i dawkować jak najniżej. 5 do 7,5 mg prednizonu dziennie to maksymalna dawka. Wyjątek: przy chorobach zagrażających życiu mogą być konieczne wysokie dawki przez bardzo długi czas. Do nich należy np. astma, reumatyzm i schorzenia autoimmunologiczne.

### Zastrzyki

W intensywnej terapii medycznej, kiedy trzeba pomóc organizmowi przezwyciężyć stres, wstrzykuje się kortyzon w wysokich dawkach. Ze względu na krótki okres stosowania nie należy się w takich razach obawiać działania ubocznego.

Specjaliści odradzają długotrwałe wstrzykiwanie kortyzonu do pośladków, ponieważ tak podany wchłania się wolno, co nie pozwala dostosować jego dawek do rytmu wytwarzania własnego hormonu. Poza tym w miejscu wstrzyknięcia często dochodzi do zaniku skóry lub tkanki podskórnej. Bezzasadne jest również stosowanie preparatów wieloskładnikowych. Podawanie glikokortykoidów łącznie ze środkami przeciwbólowy-

---

### Zapamiętaj

Racjonalne odżywianie może złagodzić pewne problemy powstające w trakcie długotrwałego leczenia glikokortykoidami.

Uważaj, abyś
— nie przybierał na wadze,
— spożywał więcej białka,
— używał mniej soli,
— unikał cukru,
— pobierał dużo potasu (→ Potas, s. 731),
— pobierał dużo wapnia (→ Wapń, s. 731),
— pobierał dużo witaminy C (→ Witamina C, s. 730).

mi lub przeciwreumatycznymi okazało się nawet na tyle niebezpieczne, że na przykład w Niemczech zakazano ich stosowania. W Polsce nie produkuje się takich mieszanek wieloskładnikowych.

### Zapobieganie działaniom niepożądanym

Zmiany spowodowane leczeniem może stwierdzić jedynie lekarz, gdy przedtem dokładnie poznał twój organizm. Dlatego przed zaordynowaniem glikokortykoidów powinien:
— zważyć pacjenta,
— zmierzyć mu ciśnienie krwi,
— zbadać krew,
— zbadać mocz,
— zlecić zbadanie oczu przez okulistę,
— wykluczyć choroby wirusowe i grzybice.

*Kontrole przy długotrwałym leczeniu*
Podczas każdego badania kontrolnego lekarz powinien zapytać o niepożądane działanie leku i regularnie przeprowadzać następujące badania:

*miesiąc po rozpoczęciu leczenia*: ważenie, mierzenie ciśnienie krwi;

*co trzy miesiące*: badanie krwi, badanie moczu, mierzenie poziomu cukru. U okulisty: pomiar ciśnienia śródgałkowego, pomiar zmętnienia soczewki oka.

### Lektura uzupełniająca

*Antybiotyki i leki przeciwbakteryjne*. Red. M.G. Newman. „Kwintesencja", Warszawa 1996.
DASCHNER F.: *Podręczny poradnik antybiotykoterapii*. Springer PWN, Warszawa 1995.
*Leki współczesne, które warto znać*. Red. H. Adamska-Dyniewska. Wydaw. Towarzystwa Terapii Monitorowanej, Łódź 1996.
DERESKEY L.L.: *Racjonalne leczenie: działanie lekarstw w połączeniu z żywnością*. Wydawnictwo „Astrum", Wrocław 1996.
FIJAK E.: *Leki bez recepty*. „Sto", Bielsko-Biała 1994.

# SZCZEPIENIA

Ustrój broni się przed „obcym" za pomocą układu odpornościowego. Do tego układu należy również rodzaj „pamięci", która nawet po upływie lat umożliwia rozpoznanie zarazków już kiedyś zwalczonych i potrafi je natychmiast unieszkodliwić: organizm jest przeciwko nim uodporniony.

Odporność na przebyte choroby zakaźne trwa zwykle przez całe życie, po szczepieniu natomiast rośnie, później zaś, po upływie pewnego czasu, znowu maleje.

## Uodpornienie czynne

Do ustroju wprowadzone zostają osłabione lub zabite zarazki, albo toksyny pozbawione toksyczności. Układ immunologiczny zaczyna wtedy wytwarzać przeciwko nim substancje odpornościowe. Proces ten objawia się tak zwaną reakcją poszczepienną, która może przybrać postać lekkiej gorączki i wpłynąć na pogorszenie samopoczucia. Tego rodzaju szczepienia chronią również długo przed różnymi schorzeniami.

Okres odporności na chorobę przedłużają szczepienia przypominające. Niekiedy do szczepienia przypominającego dochodzi niepostrzeżenie przy ponownym zetknięciu się z danym zarazkiem.

## Uodpornienie bierne

Uodpornienie bierne polega na wstrzyknięciu gotowych przeciwciał wytworzonych w ustroju człowieka lub zwierzęcia. Metodę tę stosuje się wówczas, gdy istnieje podejrzenie, że doszło do zakażenia, a brakuje czasu, by organizm wyprodukował własne przeciwciała. Te tzw. immunoglobuliny lub gammaglobuliny zapobiegają rozwojowi choroby lub łagodzą jej przebieg pod warunkiem, że zostały wprowadzone do organizmu w pierwszych trzech dniach po zakażeniu. Ich działanie ochronne trwa tylko 3-4 tygodnie.

Przy wstrzykiwaniu obcego białka istnieje zawsze niebezpieczeństwo reakcji alergicznej, która — w krańcowym przypadku — może przybrać postać niebezpiecznego dla życia wstrząsu. Wskazania do stosowania immunoglobulin zostały omówione w części poświęconej poszczególnym chorobom.

## Szczepić czy nie?

W przypadku tężca nie ma żadnych wątpliwości — większość zainteresowanych osób jest uszczęśliwiona, że można dzięki szczepieniu zapobiec ciężkiej, często śmiertelnej chorobie. Sprawa przedstawia się inaczej w tzw. chorobach wieku dziecięcego, takich jak odra, krztusiec itp. Przed trzydziestu laty rodzice nagminnie szczepili dzieci, aby chronić je przed chorobą, w przeciwnym bowiem razie większość dzieci, zanim doszła do okresu dojrzewania, przechodziła zwykle wszystkie choroby wieku dziecięcego. Obecnie istnieje tak duża ilość szczepionek, że sytuacja uległa zmianie; tzw. dzikie zarazki są coraz rzadsze, co

zmniejsza ryzyko zakażenia osób nieszczepionych, które nie zapadają na te schorzenia we wczesnym dzieciństwie, lecz ewentualnie później, w wieku dojrzałym, kiedy są bardziej zagrożone, bo dorośli przechodzą te choroby znacznie ciężej i częstsze są ich poważne następstwa. Na przykład w przypadku niemowląt zakażonych chorobą Heinego i Medina w okresie, gdy były jeszcze chronione przeciwciałami matki, prawie nie dochodziło do porażeń. Po wprowadzeniu szczepień zaszła konieczność szczepienia możliwie wszystkich w regularnych odstępach czasu.

Nie każde szczepienie gwarantuje całkowitą ochronę przed chorobą. Wciąż zdarza się, że szczepienia od czasu do czasu zawodzą. Pewne badania krwi pozwalają się upewnić, czy po szczepieniu rozwinęła się w organizmie odporność. Jeżeli szczepienie zawiedzie, można się ciężko rozchorować, choć wydawało się, że jest się całkowicie uodpornionym.

Szczepienie ochronne jest zabiegiem dobrowolnym, należy więc rozważyć ryzyko zachorowania w porównaniu z ryzykiem szczepienia. Ta kalkulacja (ryzyko – korzyść) może być różna zależnie od przypadku i poszczególnych schorzeń. Weź pod uwagę, że:
— choroby rozwijają się łatwiej, gdy ustrój jest przeciążony lub osłabiony. Szczepień dokonuje się na ludziach zdrowych, kiedy organizm ma siłę wytworzyć substancje odpornościowe;
— w przypadku niektórych chorób lekarz wstrzykuje immunoglobuliny, aby na krótki czas zapobiec infekcji u osób, które dotąd nie były szczepione lub nie przebyły danej choroby. Ryzyko niepożądanej reakcji jest przy uodpornieniu biernym większe niż przy szczepieniu (→ opisy poszczególnych chorób).

## Szczepienia mają sens
— gdy choroba, przeciwko której dokonuje się szczepienia, występuje często,
— gdy zachodzi duże ryzyko ciężkich następstw po chorobie,
— gdy nie ma skutecznych leków przeciw danej chorobie,
— gdy odporność po szczepieniu jest długotrwała,
— gdy ryzyko szczepienia jest mniejsze niż ryzyko choroby.

## Rady dla rodziców

Przed urodzeniem dziecka uzgodnij z lekarzem, czy dziecko ma być szczepione przeciw gruźlicy lub krztuścowi.

Nie poddawaj dziecka szczepieniu, póki się nie upewnisz, że jest zdrowe.

Żądaj od lekarza wykonującego szczepienie dokładnych wyjaśnień co do ryzyka związanego ze szczepieniem.

Domagaj się, aby ci opisano pierwsze objawy powikłań poszczepiennych i udzielono wskazówek, jak postępować, jeśli zajdzie ich podejrzenie.

## Przy szczepieniu wskazana jest ostrożność

— gdy osoba poddana szczepieniu stosuje leki zmniejszające odporność (np. glikokortykoidy w alergiach lub chorobie reumatycznej, leki cytostatyczne przy raku, immunosupresyjne przy gośćcu albo po transplantacjach),

— w chorobach centralnego systemu nerwowego (np. padaczka),

— w alergii na białko,

— w chorobach układu odpornościowego (np. białaczka, mięsak limfatyczny).

## Szczepienie należy odłożyć

— gdy osoba szczepiona nie jest zdrowa,

— gdy stan alergii uległ zaostrzeniu.

## Powikłania poszczepienne

Jak już zaznaczono, szczepienia wiążą się z pewnym ryzykiem. Szczególnie niebezpieczne są uszkodzenia mózgu objawiające się drgawkami lub upośledzeniem inteligencji i mogące uczynić z dziecka człowieka niepełnosprawnego. Aby uznać, iż uszkodzenie mózgu powstało w wyniku szczepienia, władze żądają dowodu, że objawy takie, jak utrata przytomności, drgawki i porażenia, wystąpiły między trzecim a osiemnastym dniem po dokonaniu szczepienia, żądają też wykluczenia innych przyczyn wspomnianych objawów, co jest bardzo trudne. Ponadto opisane symptomy bywają niekiedy następstwem uszkodzenia poszczepiennego u większych dzieci i dorosłych, natomiast u małych dzieci występują w mniejszym nasileniu i są znacznie trudniejsze do rozpoznania.

Powikłania poszczepienne mogą mieć też lżejszy charakter, np. zaczerwienienia, obrzęk i bóle o większym niż przeciętnie nasileniu. Zawarte w szczepionkach środki konserwujące też mogą powodować uczulenie. Większość lekarzy uważa, że szczepienie nie niesie prawie żadnego niebezpieczeństwa, jednakże w wielu krajach liczba wniosków o odszkodowania związane z następstwami szczepień świadczy o czymś innym. Problem w tym, że niezwykle trudno jest udowodnić, iż to, co właściwie nie powinno się zdarzyć, istotnie niekiedy zdarzyć się może. Dowodzi tego 45% odrzuconych wniosków o uznanie związku przyczynowego między uszkodzeniem i szczepieniem. Państwo odpowiada tylko za ciężkie następstwa oficjalnie zaleconych szczepień ochronnych. Szczepienia te wymienione są w kalendarzu szczepień ochronnych. W Polsce nie ma specjalnych regulacji prawnych odnośnie do następstw poszczepiennych. Osoby poszkodowane mogą na drodze postępowania sądowego domagać się odszkodowania bądź od producenta szczepionki, bądź od lekarza dokonującego szczepienia. W przypadku podejrzenia powikłań poszczepiennych trzeba skontaktować się przede wszystkim z lekarzem, który dokonał szczepienia. W razie wątpliwości należy zwrócić się do innego lekarza lub do wydziału zdrowia, a ostatecznie swe zastrzeżenia i postulaty przedstawić w Zakładzie Ubezpieczeń Społecznych.

### Obserwacja dziecka po szczepieniu

— czy jest nadmiernie senne?

— czy jest apatyczne?

— czy krzyczy bez powodu?

— czy jest bardzo niespokojne?

— czy jest nadmiernie lękliwe?

— czy jest nadmiernie pobudliwe?

— czy wymiotuje i gorączkuje?

## Kalendarz szczepień ochronnych w Polsce

| Wiek | Szczepienie przeciw |
|---|---|
| do 24 godz. po urodzeniu | gruźlicy WZW typu B (tylko w niektórych województwach) |
| 2 miesiąc | WZW typu B błonicy, tężcowi, krztuścowi, chorobie Heinego i Medina |
| przełom 3/4 miesiąca | WZW typu B błonicy, tężcowi, krztuścowi, chorobie Heinego i Medina |
| 5 miesiąc | błonicy tężcowi, krztuścowi, chorobie Heinego i Medina |
| 12 miesiąc | WZW typu B gruźlicy (ewentualnie) |
| 13-14 miesiąc | odrze |
| 16-18 miesiąc | błonicy, tężcowi, krztuścowi, chorobie Heinego i Medina |
| 6 rok życia | błonicy, tężcowi |
| 7 rok życia | odrze, gruźlicy |
| 11 rok życia | chorobie Heinego i Medina |
| 12 rok życia | gruźlicy (tylko u dzieci z ujemnym wynikiem próby tuberkulinowej) |
| 13 rok życia | różyczce (tylko dziewczęta) |
| 14 rok życia | błonicy, tężcowi |
| 18 rok życia | gruźlicy (tylko u osób z ujemnym wynikiem próby tuberkulinowej) |
| 19 rok życia | błonicy, tężcowi |
| Dorośli | błonicy, tężcowi (co 10 lat) |

*Szczepienia w (niektórych) grupach ryzyka*

| | |
|---|---|
| WZW typu B | przewlekle chorzy o wysokim ryzyku zakażenia (dializy, częste iniekcje) chorzy przygotowywani do zabiegu operacyjnego |
| tężec | ze wskazań indywidualnych osoby, które uległy zranieniu |
| wścieklizna | ze wskazań indywidualnych (osoby podejrzane o zakażenie wirusem wścieklizny) |

*Niektóre szczepienia zalecane*: kleszczowe zapalenie mózgu u przebywających na terenach o nasilonym występowaniu choroby, żółta gorączka i inne choroby tropikalne, według wymogów kraju docelowego (u wyjeżdżających za granicę)

## Kiedy i przeciw czemu szczepić

Standardowe szczepienia dzieci wymienia kalendarz szczepień ochronnych, określający wiek dzieci, w którym powinny być szczepione przeciw poszczególnym chorobom. Nie jest on jednak stały, ponieważ zmienia się zgodnie z aktualnym stanem wiedzy, jest także dopasowywany do sytuacji epidemiologicznej w kraju. Aktualne kalendarze szczepień można otrzymać w wydziałach zdrowia oraz w stacjach sanitarno-epidemiologicznych. Szczepienia standardowe uzupełnia się szczepieniami specjalnymi, np. przeciw kleszczowemu zapaleniu mózgu (→ s. 636), w razie szczególnego zagrożenia chorobą.

## Kto przeprowadza szczepienia

W Polsce dzieci do lat siedmiu szczepione są w poradniach D lub w żłobkach i przedszkolach, dzieci starsze przez lekarzy szkolnych.

## Szczepienia przed podróżami

Są konieczne, jeśli wyjeżdża się poza Europę (wyjątek w niektórych przypadkach: szczepienie przeciw kleszczowemu zapaleniu mózgu → s. 636). Kraje docelowe domagają się szczepień przeciw chorobom, które w nich nie występują, a to celem ochrony własnych społeczności. Natomiast podróżni winni zabezpieczyć się przeciw zarazkom, z którymi u siebie mieli małe szanse się zetknąć.

Wykaz krajów i szczepień w nich wymaganych, jak również zalecanych przez WHO (Światową Organizację Zdrowia) ulega częstym zmianom. W Polsce informacje na ten temat można uzyskać w specjalistycznych instytutach (→ wykaz niżej) oraz w wojewódzkich stacjach sanitarno-epidemiologicznych.

Zanim jednak zastosuje się zalecane przez WHO szczepienia, należy wziąć pod uwagę, że:
— niebezpieczeństwo zachorowania jest niewielkie, jeżeli przebywa się w dużych miastach lub w ośrodkach turystycznych, gdzie warunki sanitarno-higieniczne dorównują standardom europejskim;
— cholerą i durem brzusznym można się zarazić, jedząc pokarm zawierający zarazki. Można tych chorób uniknąć, sto-

sując odpowiednie środki ostrożności (→ Ogólne środki zapobiegawcze w podróży, s. 700);
— jeśli zachodzi możliwość kontaktów płciowych z tubylcami, należy uwzględnić szczepienie przeciw wirusowemu zapaleniu wątroby typu B.

### Książeczka zdrowia

Należy pilnować, aby wszystkie szczepienia były odnotowywane w książeczce zdrowia, gdyż pozwala to uniknąć niepotrzebnych szczepień. Książeczkę należy zawsze mieć przy sobie, bo w razie czego lekarz będzie mógł się zapoznać z koniecznymi informacjami. W ten sposób uniknie się zbędnych szczepień, które mogłyby wywołać nieprzyjemne, a niekiedy niebezpieczne powikłania (→ Tężec, s. 632).

Zalecane przez WHO szczepienia przed podróżą patrz mapa na stronach 630-631.

# SZCZEPIENIA OCHRONNE

## Gruźlica

### Częstość zachorowań

Gruźlica stała się w Europie Zachodniej i Środkowej chorobą rzadką. Chorują na nią przeważnie ludzie starsi, żyjący w złych warunkach socjalnych i higienicznych, jak również osoby z osłabioną odpornością (→ Gruźlica, s. 297). Wiele osób styka się z zarazkami gruźlicy niepostrzeżenie. Ich ustrój wytwarza wówczas przeciwciała uniemożliwiające niebezpieczny dla życia przebieg choroby. U tych osób diagnostyczny test na gruźlicę (test tuberkulinowy) wypada dodatnio.

WHO liczbę przypadków zachorowań na czynną gruźlicę ocenia w skali światowej na 20 milionów. W Polsce w latach 1983-1995 z powodu gruźlicy zmarło 1130 osób, czyli 2,9 na 100 000 ludności, przy dyskretnie malejącym trendzie.

### Zagrożenie

Niebezpieczne jest gruźlicze zapalenie opon mózgowych, którego objawy — zwłaszcza w przypadku małych dzieci — mogą przez dłuższy czas stwarzać trudności diagnostyczne. W RFN odnotowano w 1980 roku dziewiętnaście zachorowań na gruźlicze zapalenie opon mózgowych.

### Możliwości leczenia
Dysponujemy skutecznymi lekami przeciwgruźliczymi.

### Szczepienie
Po ukończeniu przez dziecko szóstego tygodnia życia należy upewnić się za pomocą testu tuberkulinowego, czy doszło już do zetknięcia się dziecka z zarazkiem gruźlicy. Noworodki można szczepić bez tej próby. W szpitalu noworodki są szczepione bez pytania o zgodę rodziców. Odmowę zgody na szczepienie dziecka rodzice muszą wyrazić na piśmie.

### Tolerancja i ryzyko szczepienia
Szczepienie stanowi duże obciążenie dla organizmu niemowlęcia. Po upływie 3-4 tygodni po szczepieniu może się pojawić gorączka. W czterech przypadkach na tysiąc dochodzi do

---

### Instytuty medycyny tropikalnej

Instytut Medycyny Morskiej i Tropikalnej
81-519 Gdynia, ul. Powstańców Styczniowych 9B
tel. (0-58) 223-011, 223-411

Instytut Chorób Zakaźnych i Pasożytniczych
Akademii Medycznej
01-201 Warszawa, ul. Wolska 37
tel. (0-22) 632-06-84, 632-34-11

Klinika Chorób Pasożytniczych i Tropikalnych
Akademia Medyczna
60-355 Poznań, ul. Przybyszewskiego 49

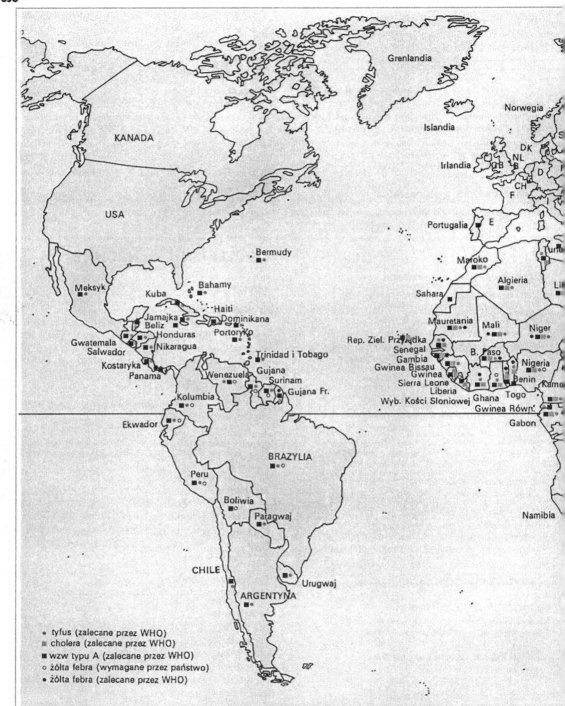

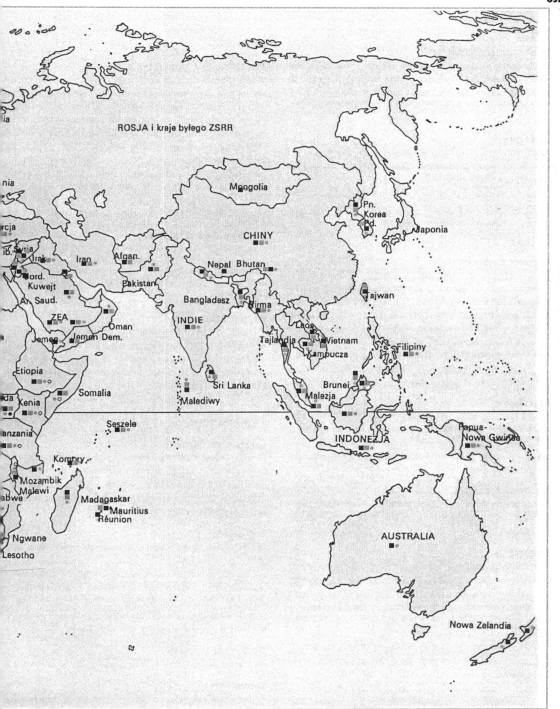

owrzodzenia miejsca szczepienia lub sąsiadującego węzła chłonnego. Obrzęki węzłów chłonnych występują rzadko.

## Odporność po szczepieniu

Szczepienie chroni przez okres pięciu lat przed niebezpieczeństwem śmiertelnego przebiegu gruźlicy, nie zapobiega jednak zakażeniu ani możliwości rozsiewania zarazków przez zakażonego osobnika. Po dwunastu latach od szczepienia nie można liczyć na ochronę.

## Zalecenia

Należy szczepić przeciw gruźlicy wówczas, gdy w otoczeniu istnieje duże niebezpieczeństwo zakażenia, np. gdy w rodzinie lub w bliskim sąsiedztwie żyje ktoś chory na gruźlicę. Niebezpieczeństwo zakażenia stwarza również wyjazd do krajów, w których często występuje gruźlica.

## Tężec

### Częstość zachorowań

Zarazki tężca są wszechobecne. Do zakażenia dochodzi przy głębokich zanieczyszczonych zranieniach, zdarza się jednak, że zarazki tężca wnikają do ustroju nawet przy drobnych, niedostrzeżonych zranieniach. Tężec nie jest chorobą zaraźliwą. W Niemczech odnotowano w roku 1987 tylko 14 przypadków tężca, w Polsce zaś w roku 1995 aż 44 przypadki. Przebycie tężca nie zapewnia trwałej odporności na to schorzenie.

*Uwaga dla podróżujących:* WHO odnotowała 500 000 zachorowań na tężec w krajach rozwijających się.

### Zagrożenie

Połowa zachorowań na tężec kończy się śmiercią. Choroba zaczyna się bólem mięśni oraz kurczami mięśni żwaczy i grzbietu. Dołącza się potem niewydolność krążenia i oddychania, która po dłuższym okresie gwałtownych drgawek całego umięśnienia doprowadza do śmierci.

### Możliwości leczenia

Bierne uodpornienie i zastosowanie antybiotyków może złagodzić objawy tężca, jednakże brak jest leku zwalczającego toksynę tej choroby.

### Szczepienie

W celu pełnego uodpornienia należy wykonać dwa, lepiej nawet trzy wstrzyknięcia szczepionki. Jeśli chodzi o dzieci, to pierwsze wstrzyknięcie wykonuje się w drugim miesiącu życia, a drugie w szóstym. Przerwa między wstrzyknięciami powinna wynosić co najmniej 4 tygodnie, nie może być jednak dłuższa niż 4 miesiące.

Trzecie wstrzyknięcie szczepionki należy wykonać w 18 miesiącu życia dziecka. Po tym szczepieniu podstawowym wykonuje się szczepienia przypominające co 10 lat.

Przy zranieniach większość lekarzy szczepi automatycznie przeciw tężcowi. Przy ranach ukąszeniowych postępowanie to jest całkowicie bezsensowne, zarazki tężca bowiem występują w ślinie nadzwyczaj rzadko. Szczepienie po zranieniu jest wskazane tylko wówczas, gdy poprzednie wstrzyknięcie miało miejsce przed ponad pięciu laty. Wprawdzie działanie ochronne trwa

dłużej, odporność jednak mogła w ostatnich latach na tyle się zmniejszyć, że ponowne szczepienie może okazać się w pełni uzasadnione.

## Tolerancja i ryzyko szczepienia

Rzadko dochodzi do zaczerwienienia i obrzęku w miejscu wstrzyknięcia szczepionki, ale jeśli szczepi się w okresie, gdy w ustroju jest jeszcze dużo przeciwciał po poprzednim szczepieniu, to znaczy jeśli po poprzednim szczepieniu utrzymuje się jeszcze odporność, to miejsce wstrzyknięcia może ulec deskowatemu stwardnieniu ewentualnie może wystąpić obrzęk sąsiednich węzłów chłonnych. Może też dojść do uogólnionych reakcji alergicznych. Przy stwierdzeniu wysokiego poziomu przeciwciał we krwi należy ten fakt odnotować w książeczce zdrowia. Test na poziom przeciwciał we krwi jest jednak stosunkowo drogi, toteż nie wykonuje się go rutynowo.

## Odporność po szczepieniu

Trwa co najmniej 10 lat.

## Zalecenia

Wystarczająca ochrona przed tężcem należy do osobistej profilaktyki zdrowotnej.

## Uodpornienie bierne

W razie zranienia lekarz powinien wstrzyknąć immunoglobulinę przeciwtężcową tylko wówczas, gdy osoba zraniona nie była szczepiona lub nie otrzymała pełnego szczepienia, względnie w sytuacji, gdy nie wiadomo, czy szczepienie przeprowadzono i kiedy miało miejsce.

## Błonica (difteria)

### Częstość zachorowań

Błonica stała się u nas chorobą rzadką, choć w ograniczonych regionach wciąż jeszcze się pojawia. Prawie połowa osób dorosłych jest odporna na błonicę wskutek przebytych utajonych zakażeń. W 1995 roku odnotowano w Polsce dwa zachorowania, czyli 0,005 na 100 000 ludności.

### Zagrożenie

Około 22% zakażonych cierpi z powodu następstw błonicy lub umiera.

Przebycie błonicy pozostawia odporność na całe życie, jednakże osoba uodporniona może ulegać zakażeniom bezobjawowym i wydalać zarazki. Taki „nosiciel" zarazków błonicy może stanowić nierozpoznane zagrożenie dla osób nie uodpornionych.

### Możliwości leczenia

Brak leków przeciw błonicy.

### Szczepienie

W pierwszym roku życia dziecka szczepi się je dwukrotnie w odstępie 6-8 tygodni. Szczepienie powtarza się w drugim i szóstym roku życia. Zwykle szczepienie przeciw błonicy łączy się z przeciwtężcowym.

Odporność po szczepieniu przeciw błonicy trwa 5-7 lat,

a po przeprowadzonym w szóstym roku życia szczepieniu przypominającym — znacznie dłużej.

## Tolerancja i ryzyko szczepienia

W miejscu wstrzyknięcia szczepionki może wystąpić zaczerwienienie lub obrzęk. W razie bardzo gwałtownej reakcji należy zrezygnować z kolejnego wstrzyknięcia.

Tolerancja szczepienia pogarsza się z wiekiem. Częściej występują wówczas porażenia i zapalenia nerwów lub zapalenia nerek. Jeśli jest stwierdzona skłonność do alergii, stosuje się mniejszą dawkę szczepionki.

## Odporność po szczepieniu

Szczepienie podstawowe chroni przed zachorowaniem na błonicę przez okres około 7 lat. Po szczepieniu przypominającym odporność trwa co najmniej 10 lat.

## Zalecenia

Szczepienie przeciw błonicy zaliczone jest do grupy najbardziej wartościowych szczepień. Epidemiolodzy zalecają je również osobom dorosłym.

## Uodpornienie bierne

Uodpornienie bierne stosuje się w przypadkach zagrożenia życia, ponieważ koncentrat przeciwciał jest końską surowicą odpornościową zawierającą białko obcogatunkowe, które stosunkowo często powoduje skutki uboczne o ciężkim niekiedy przebiegu.

## Krztusiec (koklusz)

### Częstość zachorowań

Zachorowania na koklusz stały się raczej rzadkie. W Polsce w roku 1995 odnotowano 1,4 przypadku zachorowań na 100 000 ludności. Jednakże w różnych odstępach czasu choroba pojawia się w postaci epidemicznej.

### Zagrożenie

Szczególnie zagrożone są niemowlęta w pierwszym roku życia, gdyż nie uzyskały od matki odporności na koklusz. 90% zgonów spowodowanych krztuścem przypada na okres niemowlęctwa. Jednak tylko jeden procent chorych dzieci ma mniej niż trzy miesiące.

### Możliwości leczenia

W fazie, gdy leki mogą złagodzić przebieg choroby, rozpoznanie krztuśca jest wyjątkowo trudne i rzadko się zdarza. W dalszych fazach rozwoju choroby leki nie mają już na nią wpływu (→ Krztusiec, s. 566).

### Szczepienie

Dla uzyskania wystarczającej odporności na krztusiec należy trzykrotnie przeprowadzić szczepienie w odstępach co 4 tygodnie. Ze względu na możliwość wystąpienia objawów ubocznych nie wolno dokonywać pierwszego wstrzyknięcia przed drugim miesiącem życia. W związku z tym dziecko mimo szczepienia pozostaje przez co najmniej 7 miesięcy bez możliwości obrony przed infekcją.

W Austrii stosowano przez pewien czas podawanie szczepionki doustnej niemowlętom w pierwszym tygodniu życia, następnie kontynuowano szczepienie w formie zastrzyków. Jednakże zrezygnowano z tej metody ze względu na środek konserwujący zawarty w szczepionce doustnej.

## Tolerancja i ryzyko szczepienia

W przypadku połowy szczepionych starą szczepionką dzieci w miejscu ukłucia występuje ból. Często dochodzi do powiększenia sąsiadujących węzłów chłonnych. Wiele dzieci poddanych szczepieniu gorączkuje. Może też wystąpić obniżenie poziomu cukru we krwi, co w przypadkach ekstremalnych prowadzi do utraty przytomności.

W celu rozpoznania tych komplikacji należy po szczepieniu bacznie dziecko obserwować. W jednym przypadku na dwa tysiące występują przelotne drgawki, a w jednym na osiemdziesiąt tysięcy dochodzi do trwałego uszkodzenia centralnego systemu nerwowego. Z tego w 8-14% przypadków choroba kończy się śmiercią. U dzieci, które przeżyły, pozostaje zwykle trwałe upośledzenie sprawności umysłowej. Opisane reakcje obserwowano w Niemczech. Od 1995 roku można stosować szczepionkę niezawierającą komórek, znacznie lepiej tolerowaną.

## Odporność po szczepieniu

Szczepienie chroni przed zachorowaniem na krztusiec przez okres około 5 lat.

## Zalecenia

Nastawieni krytycznie lekarze zalecają szczepienie przeciw krztuścowi tylko dzieci przebywających w żłobkach, z rodzin

---

### W żadnym wypadku nie szczepić przeciwko krztuścowi, jeżeli dziecko

— ma mniej niż 3 miesiące i więcej niż 2 lata,
— nie jest w pełni zdrowe,
— ważyło po urodzeniu poniżej 2,5 kg,
— przebyło żółtaczkę noworodków,
— zostało urodzone przez cesarskie cięcie, a wskazaniem do dokonania tego zabiegu był stan dziecka,
— po urodzeniu musiało mieć zastosowane sztuczne oddychanie,
— musiało być leczone z powodu niezgodności grupy krwi dziecka i matki,
— jest z bliźniąt,
— wykazuje niedobór hormonalny,
— przebyło zapalenie mózgu lub opon mózgowych,
— miało drgawki padaczkowe,
— choruje na schorzenie przemiany materii (wyjątek: mukowiscydoza).

Te ograniczenia nie dotyczą szczepienia drogą doustną.

*Uwaga*: w razie pojawienia się po szczepieniu przeciw krztuścowi jakichkolwiek objawów (→ Powikłania poszczepienne, s. 628) należy natychmiast zgłosić się z dzieckiem w szpitalu dziecięcym. Jeżeli przyczyną objawów jest szczepienie, możliwości leczenia w szpitalu są lepsze niż w warunkach ambulatoryjnych.

wielodzietnych oraz narażonych na wyjątkowe niebezpieczeństwo zakażenia.

## Uodpornienie bierne

Nie ma pewności co do tego, czy podana profilaktycznie immunoglobulina przeciwkrztuścowa może zapobiec chorobie. Wiadomo, że po wystąpieniu pierwszych objawów krztuśca stosowanie immunoglobuliny nie daje efektu.

## Choroba Heinego i Medina (porażenie dziecięce)

### Częstość zachorowań

Od czasu wprowadzenia szczepienia doustnego choroba prawie nie występuje w Europie.

Dla osób wyjeżdżających za granicę: w krajach rozwijających się około jednej dziesiątej wszystkich dzieci w wieku poniżej 3 lat wydala z kałem zarazki choroby Heinego i Medina bez widocznych objawów schorzenia.

### Zagrożenie

Porażenia nerwów uniemożliwiają wykonywanie ruchów (→ Choroba Heinego i Medina, s. 214).

### Możliwości leczenia

Brak leku przeciw wirusom *poliomyelitis*.

### Szczepienie

Istnieje szczepionka doustna, która jest tak skuteczna, że nie ma potrzeby stosowania zastrzyków. Najlepiej przeprowadzać jednocześnie szczepienia przeciw błonicy, chorobie Heinego i Medina oraz tężcowi. Przeciw chorobie Heinego i Medina należy szczepić w odstępach co najmniej sześciotygodniowych. Szczepienie przeciw chorobie Heinego i Medina można też przeprowadzać łącznie ze szczepieniem przeciw odrze, śwince i (lub) różyczce. Jeżeli nie ma takiej możliwości, to między szczepieniem przeciw chorobie Heinego i Medina a innymi szczepieniami musi upłynąć okres co najmniej czterech tygodni, w przeciwnym razie efekt szczepienia nie jest pewny. Również osoby dorosłe powinny co 10 lat powtarzać szczepienie.

### Tolerancja i ryzyko szczepienia

W niewielu przypadkach następstwem szczepienia bywają nieco luźniejsze wypróżnienia. Porażenia nerwów należą do rzadkości. Jeżeli szczepienie miało miejsce przed ponad pięciu laty, a mieszka się z kimś, kto właśnie wziął szczepionkę doustnie, należy ją również przyjąć, istnieje bowiem niebezpieczeństwo przeniesienia zarazków przez osobę szczepioną na kogoś z otoczenia.

### Odporność po szczepieniu

Odporność trwa co najmniej dziesięć lat, a prawdopodobnie przez całe życie.

### Zalecenia

Niemowlęta przechodzą zakażenie chorobą Heinego i Medina bez następstw. Odkąd zmniejszyła się możliwość zakażenia w okresie niemowlęctwa, a zachorowania w późniejszym czasie

częściej doprowadzają do porażeń, celowość szczepień wydaje się oczywista.

## Odra

### Częstość zachorowań

W wyniku szczepień coraz mniej dzieci zapada na odrę. W roku 1995 zanotowano w Polsce 752 przypadki odry, czyli 2,0 na 100 000 ludności.

### Zagrożenie

Im później dochodzi do zachorowania na odrę, tym częstsze i poważniejsze są powikłania. Poczynając mniej więcej od wieku szkolnego, w jednym na osiemset przypadków odra uszkadza ośrodkowy system nerwowy. Ryzyko powikłań wzrasta z wiekiem.

### Możliwości leczenia

Sama odra nie poddaje się leczeniu, jedynie objawy jej towarzyszące można złagodzić odpowiednimi lekami (→ Odra, s. 564).

### Szczepienie

Jednorazowe szczepienie przeciw odrze daje odporność na całe życie. Dzieci należy szczepić wcześnie, lecz nie w pierwszym dniu po urodzeniu. Kalendarz szczepień podaje wiek od 2 miesięcy.

### Tolerancja i ryzyko szczepienia

W przypadku 5-15% szczepionych dzieci może się w ciągu 5-7 dni po szczepieniu pojawić lekka wysypka, zwłaszcza za uszami, jak również lekka gorączka. Oba te objawy znikają szybko bez konieczności leczenia. Rzadziej niż w jednym na milion przypadków następstwem szczepienia może być zapalenie mózgu, lecz jest to naprawdę wyjątek.

### Odporność po szczepieniu

Stosowane obecnie szczepienia jednorazowe dają trwałą odporność. Ostatnio zaleca się dwukrotne szczepienie, aby chronić dzieci, które nie zareagowały na pierwsze szczepienie.

### Zalecenia

Generalne zalecenie szczepienia nie wydaje się w przypadku odry konieczne. Każdy sam powinien podjąć decyzję: szczepić czy nie.

### Uodpornienie bierne

Gammaglobulina (Beriglobin) zawiera dostateczną ilość przeciwciał, aby nie dopuścić do zachorowania na odrę. Jeszcze bardziej stężona jest immunoglobulina odrowa. Oba preparaty należy stosować tylko w przypadkach znacznego osłabienia odporności osoby zakażonej (→ s. 624) lub przy współistniejącym uszkodzeniu mózgu. Stosowanie gammaglobulin ma też sens, jeśli niemowlę uległo zakażeniu przed pierwszym szczepieniem. Należy je przeprowadzić w ciągu dwóch dni po przypuszczalnej infekcji.

# Świnka (nagminne zapalenie przyusznic)

## Częstość zachorowań
Dzięki szczepieniom ochronnym coraz mniej dzieci zapada na świnkę. W Polsce w 1995 roku na świnkę zachorowało 82 337 dzieci, czyli 213,1 na 100 000 ludności.

## Zagrożenie
Najgroźniejszym następstwem świnki (→ s. 567) jest w przypadku mniejszych dzieci uszkodzenie mózgu, a w przypadku większych zapalenie jąder lub jajników. Zapalenie jąder występuje u 30% dojrzałych płciowo mężczyzn jako następstwo przebytej świnki. Zapalenie to bywa często przyczyną bezpłodności.

## Możliwości leczenia
Brak leków przeciw wirusom świnki.

## Szczepienie
W Polsce szczepienia przeciw śwince nie przeprowadza się w sposób zorganizowany. Należy je wykonywać po ukończeniu przez dziecko piętnastego miesiąca życia.

## Tolerancja i ryzyko szczepienia
Powikłania prawie nie występują.

## Odporność po szczepieniu
Przebycie świnki nie daje trwałej odporności na całe życie. To samo dotyczy szczepienia.

## Zalecenia
Dorośli mężczyźni mogą poddać się badaniu na obecność przeciwciał. Jeżeli wynik będzie ujemny, można rozważyć możliwość szczepienia. Dotyczy to zwłaszcza mężczyzn mających częsty kontakt z dziećmi.

## Uodpornienie bierne
Immunoglobuliny nie chronią w sposób pewny przed zachorowaniem ani przed powikłaniami w postaci zapalenia jąder lub jajników.

# Różyczka

## Zagrożenie
Zakażenie różyczką w czasie ciąży jest niebezpieczne dla płodu. W Niemczech ocenia się, że na dwa do czterech tysięcy żywo urodzonych noworodków jeden ma wadę wrodzoną spowodowaną różyczką przebytą przez matkę w czasie pierwszych pięciu tygodni ciąży. Szczepienie ma chronić dzieci, których się w danej chwili nawet nie przewiduje.

## Możliwości leczenia
Jeżeli nieuodporniona przeciw różyczce kobieta zarazi się tą chorobą w czasie ciąży, to tylko przerwanie ciąży daje stuprocentową pewność, że nie urodzi dziecka z wadą wrodzoną.

## Szczepienie
W Niemczech zaleca się obecnie szczepienie wszystkich dzieci. W Polsce szczepienie to obejmuje tylko dziewczęta w 13 roku życia. Celem tych szczepień ma być zmniejszenie ogólnej liczby zakażeń różyczką i tym samym zmniejszenie niebezpieczeństwa

zakażenia się przez kobiety ciężarne. Ponieważ nie ma pewności co do efektów szczepień kombinowanych, np. przeciw odrze, śwince i różyczce, przeprowadzanych we wczesnym dzieciństwie, przeciw różyczce należy ponownie szczepić dziewczynki przed okresem dojrzewania. Przed szczepieniem można skontrolować poziom przeciwciał we krwi. W przypadku wystarczającego ich poziomu szczepienie jest zbędne.

## Tolerancja i ryzyko szczepienia
W przypadku 8-14% szczepionych przeciw różyczce kobiet w wieku powyżej 25 lat mogą wystąpić przemijające dolegliwości stawowe.

Jeżeli objawy te utrzymują się dłużej niż przez dwa tygodnie i pojawi się gorączka, lekarz powinien ocenić, czy szczepienie przeciw różyczce nie wywołało rozwoju choroby reumatycznej. W przypadku młodych kobiet i dziewcząt zespół ten pojawia się rzadziej. U 2-5% szczepionych występuje lekka gorączka i wysypka.

## Odporność po szczepieniu
Przebycie różyczki daje lepszą odporność niż szczepienie. Jedynie 2-5% osób, które przebyły różyczkę, ponownie ją przechodzi, natomiast wśród osób szczepionych przeciw różyczce połowa zapada na tę chorobę.

Odporność poszczepienna trwa co najmniej 15 lat. Na razie nie można jeszcze powiedzieć, czy odporność poszczepienna będzie trwała przez całe życie, ponieważ okres obserwacji jest zbyt krótki. Jeżeli planuje się ciążę, a nie ma pewności co do odporności przyszłej matki, należy poprosić lekarza o wykonanie właściwego badania na obecność przeciwciał.

## Zalecenia
Choroba przebiega tak lekko, że pożądane jest, aby zdrowe dziewczynki stykały się z chorymi na różyczkę dziećmi i w ten sposób uzyskały naturalną odporność na tę chorobę (→ s. 565). Z tej samej przyczyny należy szczepić dziewczynki przeciw różyczce w trzynastym roku życia.

## Uodpornienie bierne
Ta metoda uodpornienia wchodzi w rachubę tylko w przypadku kobiet ciężarnych. Immunoglobulina różyczki chroni te kobiety przed infekcją w 80%. Wstrzyknięcie immunoglobuliny różyczki w ciągu 4 dni od zetknięcia się z chorym zabezpiecza płód przed zakażeniem w 60%.

# Haemophilus influenzae (Hib)

## Częstość zachorowań
Nazwa szczepienia pochodzi od nazwy zarazka wywołującego u dzieci kilka schorzeń, np. pewien typ zapalenia opon mózgowych i zapalenie nagłośni (→ s. 561).

Podobno w Niemczech jedno na 300 niemowląt przechodzi ciężką chorobę wywołaną przez Hib, około połowy zapaleń opon mózgowych ma być na tym tle, brak jednak dokładnych statystyk.

## Zagrożenie
Nie ma dokładnych danych na temat niebezpieczeństwa zapa-

lenia opon mózgowych wywołanych przez Hib. Lekarze uważają, że co piąte dziecko po takim zapaleniu opon cierpi na lekkie, trwałe upośledzenie umysłowe i fizyczne, około 1/3 zaś ma trwałe ciężkie uszkodzenia. Należą do nich: zaburzenia równowagi, porażenia, drgawki, zaburzenia słuchu, wzroku, mowy. Pięć procent pomimo leczenia umiera.

### Możliwość leczenia

Im wcześniej rozpoczęto leczenie antybiotykami i kortyzonem, tym większe są szanse na wyleczenie. Dziecko z zapaleniem nagłośni musi być leczone w szpitalu.

### Szczepienia

Przewiduje się trzy szczepienia — w trzecim, piątym i trzynastym miesiącu życia. Jeśli szczepi się po osiemnastym miesiącu życia, to wystarczy jednorazowa dawka.

### Tolerancja i ryzyko szczepienia

Szczepienie jest dobrze znoszone. Dotychczas obserwowane objawy uboczne: zaczerwienienie i obrzęk w miejscu wstrzyknięcia, gorączka, wysypki, zaostrzenie uczuleń. Skuteczność tego szczepienia wynosi co najmniej 85%. Ochrona trwa minimum trzy lata.

### Zalecenia

Szczepienie to wydaje się godne polecenia, nie jest to jednak szczepienie przeciw zapaleniu opon mózgowych, ponieważ nie chroni przed zapaleniem wywołanym przez inne zarazki.

## Wiosenno-letnie kleszczowe zapalenie mózgu i opon mózgowych

### Częstość zachorowań

Wiadomość o pojawieniu się kleszczy w Austrii spowodowała, że prawie połowa liczącej 7 milionów ludności tego kraju poddała się szczepieniom ochronnym przeciw tej chorobie. Wybuchła taka panika, że nieszczepionym dzieciom nie pozwolono uczestniczyć w wycieczkach szkolnych, choć nie każde ukłucie przez kleszcza jest niebezpieczne. Zarówno w Austrii, jak i w Niemczech stwierdzono, że na 600-900 kleszczy tylko jeden jest zakażony. Około jednej trzeciej osób zainfekowanych wiosenno-letnim kleszczowym zapaleniem mózgu zapada na tę chorobę, a spośród nich tylko 5-18% przechodzi ją ciężko. W najgorszym razie oznacza to, że na 10 000 ukłutych przez kleszcze 20 osób ciężko zachoruje.

W Polsce odnotowuje się sporadycznie przypadki zachorowań na tę chorobę. Częściej występują na północy kraju. W 1988 roku odnotowano piętnaście zachorowań na wiosenno-letnie kleszczowe zapalenie mózgu, w tym dwa zakończyły się zgonem.

### Zagrożenie

Zakażenie wiosenno-letnim kleszczowym zapaleniem mózgu przebiega wśród objawów rzekomo grypowych i często nie zostaje zauważone. W przypadku osób dorosłych niebezpieczeństwo polega na możliwości zaatakowania przez chorobę mózgu. W przypadku dzieci do trzech lat zdarza się to niezmiernie rzadko. Postępowanie w razie ukłucia przez kleszcza → Pierwsza pomoc, s. 687. Jedna trzecia zakażonych przechodzi chorobę lek-

ko, a u około dziesięciu na stu dochodzi do reakcji ze strony centralnego układu nerwowego.

### Możliwości leczenia

Brak możliwości leczenia przyczynowego.

### Szczepienie

Kleszcze są aktywne w ciepłej porze roku. Najkorzystniej jest przeprowadzić szczepienie w terminie od grudnia do marca. Szczepienia przypominające przeprowadza się po upływie 4 tygodni, a następnie po roku od szczepienia podstawowego.

### Tolerancja i ryzyko szczepienia

W przypadku 4-20% osób poddanych szczepieniu dochodzi do zaczerwienienia skóry w miejscu wstrzyknięcia szczepionki oraz do gorączki, bólów kończyn i osłabienia. Obserwowano również ogólne reakcje alergiczne, świadczące o uszkodzeniu systemu nerwowego. Sądząc po ilości ciężkich powikłań poszczepiennych (niewydolność, nerek, ataki drgawek) odnotowanych do tej pory przez lekarzy w Niemczech, można przyjąć, że jedno powikłanie przypada na 7500 szczepień.

Problem przy szczepieniu przeciw wiosenno-letniemu kleszczowemu zapaleniu mózgu stanowi to, że daje ono złudne poczucie odporności na inną chorobę zakaźną, mianowicie na chorobę Lyme, czyli boreliozę (→ s. 214), przenoszoną również przez kleszcze. Otóż znacznie więcej kleszczy zaraża chorobą Lyme (boreliozą) niż zapaleniem mózgu. Kleszcze przenoszące borelie występują wszędzie równomiernie. Nie ma różnic w częstości zachorowań w zależności od regionu czy okolicy.

### Odporność po szczepieniu

Szczepienie jest skuteczne przez okres 3 do 5 lat, toteż zaleca się przeprowadzać szczepienie przypominające po upływie 5 lat.

### Zalecenia

Aby ocenić zagrożenie uszkodzeniem mózgu w wyniku infekcji wirusem wiosenno-letniego kleszczowego zapalenia mózgu, można się posłużyć następującymi pytaniami:
— czy mieszkasz w okolicy, gdzie często występują zachorowania na wiosenno-letnie kleszczowe zapalenie mózgu?
— czy żyjesz w bliskim kontakcie z naturą?
— czy jesteś bardzo bojaźliwy? Nie ma sensu rezygnować ze szczepienia i po każdorazowym ukłuciu przez kleszcza prosić lekarza o zastrzyk z immunoglobuliny.

Dzieci nie należy szczepić przeciw wiosenno-letniemu kleszczowemu zapaleniu mózgu przed ich pierwszymi urodzinami. Szczepienie nie jest potrzebne aż do ukończenia przez dziecko trzeciego roku życia. Natomiast od czwartego roku raczej się je zaleca. Najbardziej zagrożeni chorobą są ludzie w trzeciej dekadzie życia.

### Uodpornienie bierne

Bierne uodpornianie nie dostarcza żadnej pewnej ochrony. Może natomiast, zwłaszcza u dzieci, wywołać niezwykle ciężkie zaburzenia z trwałymi następstwami, wobec czego u dzieci zrezygnowano z tego postępowania.

## Wirusowe zapalenie wątroby typu B

### Częstość zachorowań
Poniżej 2% ludności Polski ma we krwi przeciwciała wirusowego zapalenia wątroby typu B.

W 1995 roku na wirusowe zapalenie wątroby typu B chorowało 30 276 osób, czyli 78,5 na 100 000 ludności.

### Zagrożenie
Zakażenie wirusem zapalenia wątroby typu B prowadzi w około 2% przypadków do szybkiej śmierci, a w około 10% przypadków do przewlekłego zapalenia wątroby z ryzykiem marskości i raka wątroby (→ s. 372).

Zakażeniem zagrożone są osoby mające styczność z krwią i jej przetworami, a także chorzy otrzymujący częste transfuzje krwi, homoseksualiści i narkomani, osoby odbywające podróże do południowo-wschodniej Azji, na tereny graniczące z południową Saharą i do Amazonii.

Istnieje też niebezpieczeństwo zakażenia drogą płciową.

### Możliwości leczenia
Brak swoistych metod leczenia.

### Szczepienie
Szczepienie podstawowe składa się z 3 lub 4 zastrzyków w zależności od zastosowanej szczepionki. Okres trwania odporności i termin przeprowadzania szczepienia przypominającego zależy od stężenia przeciwciał w krwi. Poziom przeciwciał w krwi należy skontrolować po upływie czterech tygodni od szczepienia podstawowego i przed zaplanowanym szczepieniem przypominającym. Koszt szczepienia jest bardzo wysoki.

### Tolerancja i ryzyko szczepienia
Niekiedy w miejscu wstrzyknięcia szczepionki występuje lekki ból. Bardzo rzadko pojawia się gorączka poszczepienna.

### Odporność po szczepieniu
Efekt profilaktycznego szczepienia w przypadku ludzi młodych i zdrowych jest bardzo dobry, a w przypadku osób pięćdziesięcio-, sześćdziesięcioletnich znacznie gorszy. Rezultat szczepienia można ocenić na podstawie testu stwierdzającego poziom przeciwciał we krwi.

### Zalecenia
Szczepienie przeciw wirusowemu zapaleniu wątroby typu B zaleca się zdecydowanie osobom narażonym na duże ryzyko zakażenia. Zalecenia, aby szczepić już małe dzieci, opierają się na następującym rozumowaniu: u dzieci choroba bardzo często przybiera przewlekłą postać powinny one być odporne, gdy wejdą w wiek aktywności seksualnej. WHO dąży do tego, aby na świecie zmniejszyła się ilość wirusa. Jak długo nie ma szczepienia przeciw HIV, młodzież powinna zapoznać się ze stosowaniem prezerwatyw, które chronią równocześnie przed zakażeniem HB.

## Wirusowe zapalenie wątroby typu A

### Częstość zachorowań
Około 25% wszystkich zachorowań na zapalenie wątroby spowodowanych jest wirusem zapalenia wątroby typu A. Podczas trwającego trzy do pięciu tygodni pobytu w południowych Włoszech możliwość zakażenia tym wirusem wynosi 1:15 000, na Bliskim Wschodzie 1:2000, w Indiach 1:200 (w przypadku turystów pieszych aż 1:20). Zapobieganie zakażeniu polega na przestrzeganiu ogólnych zasad higieny (→ s. 699). WHO (Światowa Organizacja Zdrowia) zaleciła przeprowadzanie szczepień przeciw wirusowemu zapaleniu wątroby typu A w krajach zaznaczonych na mapie na stronach 630-631.

### Zagrożenie
Wirusowe zapalenie wątroby typu A mija bez następstw po upływie 3 do 12 miesięcy i nigdy nie przechodzi w stadium przewlekłe (→ s. 370).

### Możliwości leczenia
Brak swoistego leczenia.

### Odporność po szczepieniu
Po pierwszym szczepieniu chronionych jest 70%, po drugim prawie wszyscy. Po trzech iniekcjach ochrona równa się uzyskanej po przebyciu choroby i utrzymuje się około dziesięciu lat.

### Zalecenia
Kraje, w których zaleca się szczepienie, zaznaczone są na załączonej mapie (s. 630-631).

## Grypa

### Częstość zachorowań
Większość „chorób zimowych" to przeziębienia. O tym, czy epidemia tzw. grypy jest istotnie epidemią wywołaną przez wirus influenzy (grypy), można się przekonać tylko drogą badania krwi w specjalnej pracowni wirusologicznej. W Polsce w 1995 roku na grypę chorowało 1 122 916 osób, czyli 2910 na 100 000 ludności.

### Zagrożenie
Grypa stanowi zagrożenie tylko dla tych osób, które na skutek ciężkich przewlekłych chorób lub podeszłego wieku mają znacznie zmniejszoną odporność i dla których schorzenie to może stanowić zbyt duże obciążenie organizmu.

### Możliwości leczenia
Przy grypie można jedynie złagodzić objawy choroby (→ Przeziębienie, „grypa", s. 283).

### Szczepienie
Wystarczy jeden zastrzyk w ciągu roku, wykonany w październiku lub w listopadzie.

### Tolerancja i ryzyko szczepienia
U około 5% osób szczepionych przeciw grypie może pojawić się zaczerwienienie skóry w miejscu wstrzyknięcia szczepionki, u 2-3% pojawiają się lekkie objawy grypy.

### Odporność po szczepieniu
Wirusy grypy wykazują dużą zmienność swych cech antygenowych. Tak więc szczepionki przeciw grypie muszą być co roku

dostosowywane do zmieniających się właściwości wirusów i co roku ponownie wstrzykiwane. Szczepionka jest skuteczna wówczas, gdy sporządzona została z wirusa, który aktualnie wywołuje grypę. Sytuacja taka zdarza się w 0-70%. Uzyskana dzięki szczepieniu odporność trwa około 6 miesięcy.

### Zalecenia
Szczepienie zaleca się wyłącznie osobom zagrożonym ciężkim przebiegiem choroby.

## Cholera

### Częstość zachorowań
W roku 1988 żaden kraj nie wymagał szczepienia przeciw cholerze. Podróżujący powinni raczej chronić się przed możliwością zakażenia cholerą, przestrzegając ogólnych zasad higieny (→ s. 699). WHO ocenia liczbę zachorowań na świecie na około 1 miliona. Zarejestrowane w Europie przypadki były przywleczone.

Ochrona przed cholerą uzyskana dzięki szczepieniu jest raczej problematyczna i tylko stwarza złudzenie bezpieczeństwa.

### Zagrożenie
Nawet w okresach epidemii na 100 osób zakażonych zapada na cholerę tylko 15 osób.

### Możliwości leczenia
Jedyną formą leczenia cholery jest wczesne i obfite nawodnienie osób chorych w celu uzupełnienia utraconych w wyniku biegunek soli mineralnych i wody (→ Zakażenia jelitowe, s. 378).

### Szczepienie
Szczepienie podstawowe składa się z dwóch wstrzyknięć w odstępach jednego do dwóch tygodni. Jeśli konieczne jest szczepienie przypominające, to wykonuje się je po pół roku. W Szwajcarii można dostać lepiej tolerowaną szczepionkę doustną.

### Tolerancja i ryzyko szczepienia
Szczepienie przeciw cholerze jest źle znoszone. Prawie zawsze występują bóle głowy i gorączka, w miejscu szczepienia pojawia się często obrzęk.

W przypadku osób cierpiących na zaburzenia w ukrwieniu, szczepienie przeciw cholerze może spowodować uszkodzenia narządów wewnętrznych. Może też dojść do uaktywnienia utajonych zakażeń. Z uwagi na silne objawy uboczne nie można szczepień dowolnie powtarzać.

### Odporność po szczepieniu
Szczepienie nie chroni przed zakażeniem cholerą, lecz jedynie łagodzi jej przebieg. Skuteczność trwa około dwóch do trzech miesięcy. W przypadku osób starszych i chorych okres skuteczności ogranicza się do kilku tygodni.

### Zalecenia
Szczepienie przeciw cholerze należy przeprowadzić tylko wówczas, gdy istnieje duże ryzyko zakażenia (→ s. 629) lub gdy kraj, w którym przebywamy, wymaga szczepień (→ s. 630-631). WHO co roku publikuje wykaz tych państw. (Informacje na temat zapobiegania chorobie → Ogólne środki zapobiegawcze w podróży, s. 700).

## Żółta febra

### Częstość zachorowań
Żółta febra jest chorobą często występującą w tropikach.

### Zagrożenie
Pierwsze objawy żółtej febry to gorączka, bóle i wymioty. Spowodowane chorobą uszkodzenia wątroby, nerek i naczyń krwionośnych prowadzą w około 10% przypadków do zgonu.

### Możliwości leczenia
Brak możliwości leczenia. Można jedynie łagodzić objawy choroby.

### Szczepienie
Jednorazowy zastrzyk może być wykonany w ściśle określonych ośrodkach (np. w Instytucie Medycyny Tropikalnej), gdyż produkcja i przechowywanie szczepionki przeciw żółtej febrze jest bardziej skomplikowane niż innych szczepionek, a samo przeprowadzenie szczepienia wymaga zachowania środków ostrożności chroniących lekarza. Adresy odpowiednich instytutów podano na stronie 629. Szczegółowe informacje na temat szczepienia przeciw żółtej febrze można uzyskać w stacjach sanitarno-epidemiologicznych.

### Tolerancja i ryzyko szczepienia
Szczepienie przeciw żółtej febrze daje odporność na okres co najmniej 10 lat. WHO zaleca dokonanie wstrzyknięcia przypominającego po upływie 10 lat od szczepienia podstawowego.

### Zalecenia
Szczepienie przeciw żółtej febrze jest typowym szczepieniem obowiązującym w rejonach tropikalnych. Kraje wymagające szczepienia przeciw żółtej febrze, jak również kraje, w których szczepienie to jest zalecane przez WHO, wymienione są na załączonej mapie.

## Dur brzuszny

### Częstość zachorowań
Dur brzuszny, jak również paradury stały się chorobami rzadko spotykanymi w Europie Środkowej. Stosunkowo duże jest niebezpieczeństwo zachorowania w Afryce Północnej i Środkowej. To samo dotyczy występowania paradurów w Azji Południowo-Wschodniej i na Dalekim Wschodzie.

### Zagrożenie
Dur brzuszny oraz paradury mogą spowodować zapalenia jelit, mięśnia sercowego, płuc, opon mózgowych i pęcherzyka żółciowego. Mimo leczenia 1% osób chorych na dur brzuszny umiera (→ Zakażenie jelitowe, s. 378).

### Możliwości leczenia
Skutecznymi lekami w durze brzusznym są antybiotyki.

### Szczepienie
Szczepionka doustna. W odstępach dwudniowych połyka się trzykrotnie po kapsułce zawierającej szczepionkę (Typhoral L — Niemcy, Vivotif — Austria).

## Tolerancja i ryzyko szczepienia

Szczepienie doustne przeciw durowi brzusznemu znoszone jest dobrze, a po iniekcji objawy uboczne są 10 razy częstsze, ale przebiegają łagodnie.

## Odporność po szczepieniu

Szczepienie chroni przed zachorowaniem na dur brzuszny i paradur przez okres co najmniej jednego roku, przypuszczalnie do trzech lat. Obie jednak szczepionki uodporniają niewiele ponad 60% szczepionych.

## Zalecenia

Szczepienie przeciw durowi brzusznemu jest konieczne tylko w przypadku osób specjalnie narażonych na zakażenie tą chorobą (→ Zalecenia WHO, s. 630-631).

# Wścieklizna

## Częstość zachorowań

Wirus wścieklizny przenoszony jest głównie przez lisy. Odkąd w niektórych krajach, a ostatnio także w Polsce, stosuje się szczepionkę podawaną z pokarmem, liczba zachorowań wśród zwierząt wyraźnie spadła. Zagrożeni są głównie ludzie mający często styczność z dzikimi zwierzętami.

## Zagrożenie

Nie każde ukąszenie przez podejrzane o wściekliznę zwierzę prowadzi do rozwoju choroby: im dalej miejsce ukąszenia leży od głowy, tym mniej prawdopodobne jest zachorowanie. Przy ukąszeniu w twarz, szyję i okolice kciuka ryzyko wynosi 40-60%.

## Możliwości leczenia

Szczepienie jest uzasadnione również po ukąszeniu. Nieleczona wścieklizna zawsze kończy się śmiercią.

## Szczepienie

Kto często miewa styczność z być może zakażonymi zwierzętami, może się profilaktycznie zaszczepić. Drugie wstrzyknięcie szczepionki wykonuje się po tygodniu, trzecie po trzech tygodniach od pierwszego. Szczepienia przypominające należy przeprowadzić po roku, a potem co 5 lat. Po ukąszeniu przez wściekłe zwierzę szczepi się 6 razy: pierwsze wstrzyknięcie jak najwcześniej po ugryzieniu, następne po 3, 7, 14, 30 i 90 dniach.

## Tolerancja i ryzyko szczepienia

Szczepionki typu HDC są dobrze tolerowane. Za granicą trzeba zwrócić uwagę na rodzaj podawanej szczepionki, ponieważ stosuje się tam preparaty w inny sposób sporządzane. Po ich użyciu istnieje bardzo duże ryzyko powikłań w postaci zapalenia mózgu lub rdzenia, a także uczulenia.

## Zalecenia

Szczepieniu przeciwko wściekliźnie powinny się obowiązkowo poddawać osoby stykające się bezpośrednio z dzikimi zwierzętami i jadący na Daleki Wschód.

---

**Lektura uzupełniająca**

*Szczepionki i immunoglobuliny: informator*. Red. W. Magdzik. „Vesalius", Kraków 1994.

# NATURALNE METODY LECZENIA I MEDYCYNA ALTERNATYWNA

Organizm człowieka dysponuje dużymi możliwościami samoregeneracji. Naturalne metody leczenia mogą pobudzić i wspierać te procesy. Naturalna fizykoterapia, jak ciepło, zimno, masaże i elektroterapia oraz pełnowartościowe odżywianie (→ s. 705) lub ukierunkowany relaks (→ s. 664) aktywują organizm, którego układy regulacyjne wypadły z rytmu, a narządy nie funkcjonują już właściwie. Te naturalne sposoby leczenia, stosowane regularnie, trenują i wzmacniają organizm, który łatwiej przeciwstawia się obciążeniom oraz zakażeniom i szybciej pokonuje choroby.

Naczelną zasadą leczenia naturalnego choroby jest oszczędzanie organizmu. Chory organizm potrzebuje spokoju. Wskazane jest leżenie, sen, odciążenie od trawienia. Dzięki temu organizm może się całkowicie koncentrować na zwalczaniu choroby. Następnie ukierunkowane, najpierw słabe, a później silniejsze bodźce, odtwarzają wewnętrzny ład. Oszczędzanie, pobudzanie, wzmacnianie są podstawowymi zasadami naturalnego leczenia. W kuracji Kneippa na przykład istnieje połączenie celowych klasycznych zabiegów: zastosowanie ciepłej lub zimnej wody, ruch, rozsądne odżywianie, relaks. Ze sposobów naturalnego leczenia rozwinęła się fizykoterapia. Poszerzyła ona zakres leczenia o elektroterapię, ultradźwięki i fale świetlne.

Większość ludzi pomaga sobie w dolegliwościach, stosując naturalne metody leczenia. Korzystają z takich domowych środków, jak zawijania podudzi, piją herbaty ziołowe, hartują się pod zmiennocieplnymi natryskami lub przebywają w saunie bądź przestawiają swoje odżywianie. Wielu szuka u lekarzy, stosujących naturalne metody leczenia, wsparcia i uzupełnienia innych możliwości leczenia, spodziewając się przy tym jak najmniej skutków niepożądanych. Niedostateczne efekty leczenia konwencjonalnego, zwłaszcza wobec braku zrozumienia u leczących lekarzy, działających w pośpiechu, skłaniają do szukania pomocy w innych sposobach leczenia.

Nadzieja, którą ludzie pokładają w „innej" medycynie, jest podstawą jej skuteczności. Jednakże akurat w tym leży także ograniczenie: wielu pacjentów po pewnym czasie odwraca się od medycyny alternatywnej, z chwilą osłabienia działania „czynnika oczekiwania".

Do skuteczności leczenia istotnie przyczyniają się zaufanie pomiędzy leczącym i leczonym, działają także okoliczności: sprawiająca wrażenie aparatura, złożone sposoby dawkowania i zalecenia dotyczące sposobu zachowania, skupiają całą uwagę na sobie i działają niezwykle sugestywnie. To tłumaczy, dlaczego wiele osób czuje się — przynajmniej przejściowo — lepiej po takim leczeniu.

Jednakże dla wielu metod z zakresu medycyny „naturalnej", „alternatywnej" lub „komplementarnej" brak ogólnie akceptowanych naukowych dowodów skuteczności. Pogląd „jeżeli nie pomaga, to przynajmniej nie szkodzi" jest aktualny prawie zawsze. Jednak niektóre kryją poważne niebezpieczeństwa. Ostatecznie niekonwencjonalne zabiegi mogą również szkodzić, dlatego że pacjenci oczekując po nich cudu wyleczenia, opóźniają dostatecznie wczesne leczenie skutecznymi metodami medycyny akademickiej.

## ŚRODKI DOMOWE

### Masaż suchą szczotką

Codzienny masaż suchą szczotką zabiera jedynie parę minut, a świetnie pomaga się rano rozruszać i poprawić ogólne samopoczucie.

**Działanie**

Masaż ten rozluźnia mięśnie i poprawia ukrwienie skóry. Ma szczególnie korzystny wpływ przy niskim ciśnieniu. Szczotkowanie na sucho nie odtłuszcza skóry tak bardzo jak szorowanie w wodzie.

**Przybory**
— dwie średnio twarde szczotki do ciała lub
— dwie rękawice frotowe
— ewentualnie ręcznik do masowania pleców.

**Sposób wykonania**

Oprzyj prawą nogę o brzeg wanny i prowadź rytmicznie szczotki po bokach nogi od palców do kolana. Powtórz tę czynność cztery razy, po czym zrób to samo, prowadząc szczotki z przodu i tyłu nogi. Następnie przyłóż szczotki do kostek i masuj ruchami okrężnymi. To samo wykonaj z obu stron kolana. Po czterokrotnym masażu od dołu zewnętrznej strony uda należy intensywnie szczotkować poprzecznie wewnętrzną stronę uda. To samo robimy z lewą nogą. Stawy biodrowe i pośladki masujemy ruchami okrężnymi, brzuch zgodnie z kierunkiem wskazówek zegara, poczynając od prawej. W talii poniżej łuku żebrowego prowadzimy szczotkę poziomo z prawa na lewo i z powrotem. Wokół piersi wykonujemy ósemki. Następnie szczotkujemy bark. Ręce szczotkujemy czterokrotnie ze wszystkich stron od palców po bark. Jeżeli nie jesteś dostatecznie zręczny, do masażu pleców możesz użyć szczotki z uchwytem lub ręcznika. Jeżeli jednak przy masowaniu pionowym zginasz i prostujesz kręgosłup, dosięgniesz również szczotką ręczną partie pleców.

*Ważne*: Po „wyszczotkowaniu" skóry starte komórki spłukaj pod ciepłym prysznicem, a skórę natrzyj balsamem do ciała lub olejkiem.

*Uwaga*: Jeśli masz żylaki, powinieneś miejsca te masować łagodnie lub w ogóle pominąć.

## Zakładanie kompresu

Kawałek płótna

— zanurzyć w miednicy z wodą o temperaturze 5-10°C dla okładu zimnego lub o temperaturze około 50°C dla okładu ciepłego i wyżąć. Płótno owija się wokół części ciała, na której chce się umieścić kompres. Na to nakłada się
— chustę flanelową lub wełnianą, którą się
— mocuje dwiema agrafkami.
— Podkład z gumy chroni łóżko przed wilgocią.
— Potrzebny jest ręcznik po zdjęciu okładu.
— Na nogi zamiast chustek można włożyć wełniane skarpetki.

## Okłady

Okłady ciepłe i zimne są od dawna ulubioną „pierwszą pomocą". Łagodnie regulują temperaturę ciała i poprawiają miejscowe ukrwienie.

### Okłady zimne

Zimne okłady mogą być stosowane tylko u tych osób, które czują się przyjemnie ciepło, a więc nie w przypadku np. zimnych nóg. Zimnymi okładami można obniżyć gorączkę. Przy przewlekłych problemach trawiennych, takich jak wzdęcia, dolegliwości wątrobowe i pęcherzyka żółciowego, zabiegi te stosowane przez dłuższy czas dają zadziwiające efekty. Ważne jest, by obserwować, jak chory reaguje na okład: gdy ziębnie, kompres należy natychmiast usunąć. Niektóre osoby źle znoszą zimne okłady.

Należy zwracać uwagę na to, by chory był dobrze przykryty i by w pomieszczeniu nie było przeciągu.

*Okłady na łydki*: Tak jak wyżej opisano, mokre chusty owija się wokół łydek lub nakłada mokre skarpety. Okład powinno się trzymać przez dwie godziny. Zabieg ten jest dobrym środkiem nasennym.

*Okłady na tułów*: Na łóżku należy rozłożyć podkład gumowy, a na nim koc wełniany. Na to kładzie się podwójnie złożone, zamoczone w zimnej wodzie i wyżęte płótno, wystarczająco długie i szerokie, by objęło tułów. Chory kładzie się na tak przygotowany kompres, i powinien być szybko owinięty. Okład musi szczelnie przylegać do ciała. Usuwa się go po około dwóch godzinach i chorego wyciera się do sucha, choć z powodzeniem można w prześcieradle spać, aż samo wyschnie.

### Okłady ciepłe

Ciepłe okłady mogą łagodzić dolegliwości i bóle przy schorzeniach przewlekłych, np. zwyrodnieniowych zmianach stawów, bólach brzucha, drażliwym żołądku (→ s. 362), drażliwym jelicie (→ s. 377) lub schorzeniach nerek i pęcherza. Idealne są ciepłe okłady przed jedzeniem lub zaraz po jedzeniu. Ciepłotę można utrzymywać przez dłuższy czas za pomocą termofora.

Ciepłą wodę na okłady można wzbogacić:

— dwie, trzy garście kwiatów siana zaparzyć w 4-5 litrach wrzątku, odcedzić (działa pobudzająco na przemianę materii);
— dwie, trzy garście rumianku zaparzyć w 2-3 litrach wody, odcedzić (działa przeciwzapalnie);

— garść kory dębowej gotować przez pół godziny (działa ściągająco i korzystnie przy wypryskach skóry. *Uwaga*: odwar barwi!).

## Zimny natrysk

Ważnym elementem terapii Kneippa są zimne natryski. Można je łatwo wykonywać w domu. W zależności od tego, jak silnie mają pobudzać, wykonuje się natryski ramion, kolan, łydek lub pleców. Prysznic taki poprawia ukrwienie i przemianę materii. Nawet osoby słabe dobrze znoszą takie natryski (→ Leczenie wodą, s. 653).

### Sposób wykonania

Można używać wody wodociągowej bezpośrednio z prysznica lub nabierać wodę do naczynia i polewać strumieniem. Bodziec winien być początkowo słaby.

Rozpoczynać należy od wody letniej i na zmianę polewać zimną. Zaleca się stosować zimne natryski rano, a ciepłe wieczorem, gdyż rano ciało jest ciepłe, a pod wieczór chłodniejsze. Natrysk należy zawsze wykonywać od brzegu ciała do środka:

Najpierw polewa się stopy, potem nogi w górę do biodra; najpierw dłonie, potem ręce do barku; najpierw kończyny, potem wzdłuż tułowia, na końcu kark i twarz.

*Uwaga*: Przed zimnym natryskiem ciało musi być rozgrzane. Przy wyraźnych zaburzeniach ukrwienia nie należy stosować zimnych natrysków.

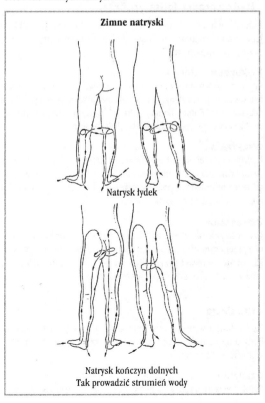

**Zimne natryski**

Natrysk łydek

Natrysk kończyn dolnych
Tak prowadzić strumień wody

## Lewatywa (wlew)

Niegdyś lewatywa odgrywała w lecznictwie dużą rolę. Dzisiaj w leczeniu dietetycznym zastępuje się ją zmianą sposobu odżywiania (→ Hydroterapia jelita grubego, poniżej).

### Działanie
Przy przeziębieniach lewatywa odciąża organizm i często przynosi natychmiastową ulgę.

Nierzadko bezpośrednio po lewatywie ustępuje gorączka, znikają bóle gardła i głowy. Lewatywy działają również przy zapaleniu uchyłka (→ s. 382). Często stosowane, drażnią błony śluzowe jelit.

### Przybory
— irygator (można kupić w aptece lub drogerii),
— litr naparu rumianku (dwa stopnie poniżej aktualnej temperatury ciała, by nie drażnić jelita),
— wazelina do natłuszczania wprowadzanej końcówki.

### Sposób wykonania
Zamknij kurek irygatora i napełń naczynie naparem z rumianku. Natłuść końcówkę rurki.

Połóż się na boku z podciągniętymi kolanami i ustaw naczynie powyżej ciała. Wprowadź końcówkę węża do odbytu. Teraz otwórz kurek irygatora i pozwól, by płyn powoli wpłynął. Do ubikacji idź dopiero wtedy, gdy parcie jest nie do utrzymania.

## Hydroterapia jelita grubego

Płukanie jelita ma na celu usunięcie chorobotwórczych bakterii jelitowych i produktów rozkładu, które, jak się przyjmuje, mogą „zatruwać" organizm.

### Wykonanie zabiegu
Przez rurkę wprowadza się wodę do jelita, a zawartość jest odprowadzana przez drugą rurkę. Masaż jelita wspomaga proces oczyszczania. Zabieg kończy wdmuchiwanie czystego tlenu. Na ogół zaleca się serię około dziesięciu zabiegów.

### Wskazania
Hydroterapia jelita grubego ma leczyć schorzenia polegające na „wtórnym zatruciu" przez chorobotwórcze bakterie jelitowe. Dla tej teorii brak jednak podstaw w medycynie naukowej. Ponadto nie ma też dowodów na skuteczność.

### Ostrzeżenia
Jako działanie uboczne tego leczenia mogą wystąpić kolki brzuszne i przenoszenie chorób zakaźnych. Leczenie to obfituje w ryzyka: znane są nawet przypadki śmiertelne. W chorobach serca oraz w ciąży zabiegi te są przeciwwskazane.

## Inhalacja

Tą od dawna wypróbowaną metodą można zapobiegać chorobom dróg oddechowych, łagodzić towarzyszące objawy i przyspieszać wyzdrowienie.

### Działanie
Ciepła para rozrzedza ciągliwy śluz, który utrudnia czynność transportującą rzęsek w nosie, gardle i oskrzelach. Regularne inhalacje trzy, cztery razy dziennie przez 10 minut ułatwiają wykrztuszenie wydzieliny.

### Przybory
— naczynie z wrzątkiem,
— duży ręcznik.

### Sposób wykonania
Zagotuj jeden do dwóch litrów wody, postaw naczynie na stole, narzuć sobie ręcznik na głowę, pochyl się nad parującym naczyniem i wdychaj intensywnie — przy schorzeniach nosa przez nos, przy zapaleniu oskrzeli przez usta. Parówka jest równie skuteczna jak inhalator, lecz tańsza. Jej wada to duże niebezpieczeństwo poparzenia. Właściwie wystarczy wdychać parę wodną, do wody można jednak dodać sól lub zioła (tymianek, szałwię, skrzyp polny). Należy uważać na rumianek, który stosowany przez dłuższy czas powoduje dodatkowe wysuszenie błon śluzowych. Przy zapchanym nosie u niemowlęcia oddychanie ułatwia wilgotna chusta rozpięta na siatce łóżeczka.

*Uwaga*: Nie dodawaj do wody żadnych środków zawierających mentol lub kamforę. Mogą one wywołać u dzieci i osób wrażliwych uczulenie.

# LEKI ZIOŁOWE

Rośliny należą do najstarszych leków, jakie znamy. Prawie wszystkie narody lub kultury wiedzą, jak stosować określone części roślin w leczeniu czy łagodzeniu chorób. Zestawy ziołowe różnią się znacznie w poszczególnych krajach. Również u nas wiedza na temat prawidłowego przyrządzania i dawkowania leków ziołowych należy do ogólnego dobra kulturowego. Wraz z rozwojem przemysłu farmaceutycznego znaczenie ziół spadło, a leki syntetyczne wyparły wyciągi z roślin. Muszą one przechodzić badania naukowe oraz sprawdzić się w testach klinicznych i badaniach porównawczych. Kilkusetletnie doświadczenie medycyny ludowej często nie może zastąpić takich testów i badań: w jednej roślinie znajduje się nie jeden związek chemiczny, lecz mieszanina wielu substancji. Medycynie naukowej trudno zaakceptować to, że na skuteczność ekstraktu roślinnego składają się nie tylko zdefiniowane substancje aktywne, ale też współdziałanie wszystkich składników rośliny. Mimo dużej liczby uznanych fitofarmaceutyków przydatność i leczące działanie substancji roślinnych są jeszcze ciągle dyskutowane. Rzecznicy „czystej" nauki przyrodniczej mogą przy tym wykorzystać współczesny pogląd wypowiadający się prze-

### Lektura uzupełniająca

HAMMOND C.: *Poradnik domowy. Homeopatia. Ilustrowana encyklopedia bezpiecznych i skutecznych leków*. Wydaw. „Pascal", Bielsko-Biała 1996.
STRABURZYŃSKI G.: *Księga przyrodolecznictwa*. Wydaw. Lekarskie PZWL, Warszawa 1997.
*Zioła lecznicze*. Oprac. zbiorowe. Warszawski Dom Wydawniczy, Warszawa 1997.

ciw medycynie ludowej: „Nie wszystko, co »naturalne«, automatycznie nie budzi obaw i jest nieszkodliwe". Uwagę należy zwracać nie tylko na rośliny silnie trujące. Również „nieszkodliwe" rośliny lecznicze, w zależności od czasu ich zażywania i dawek, mogą powodować istotne działania uboczne.

## Gotowe herbaty (zioła pakowane)

Gotowe pakowane zioła można kupić w aptece lub w sklepie spożywczym. Do wyboru są różne ich rodzaje.

### Zioła torebkowane (herbaty ekspresowe)

Winny być zabezpieczone przed utratą aromatu i przed wilgocią oraz posiadać datę przydatności do spożycia.

*Zalety*
— masz prawidłowe dawkowanie „w ręku". Części roślin są silnie rozdrobnione, tak że przy zaparzaniu składniki dobrze się ekstrahują.

*Wady*
— wskutek dużego rozdrobnienia mogą się ulotnić olejki eteryczne, np. z rumianku;
— nie zawsze jest zapewniona jakość części roślin znajdujących się w torebce. Przykładem może być pakowany w torebki rumianek, określany przez fachowców raczej jako „sieczka", w którą zaplątały się pojedyncze kwiaty rumianku;
— nie można sprawdzić jakości zapakowanych w torebce części roślin. Czasami wyższa cena może wskazywać na lepszą jakość, lecz nie zawsze sprawdza się zasada „duży pieniądz — dobra jakość".

### Reguły używania herbat ziołowych

— rozróżniaj herbaty zażywane leczniczo od pitej na co dzień herbaty ziołowej. Herbatę tę pije się jako „normalny" napój, podobnie jak wodę mineralną. Zawiera ona na ogół tylko substancje aromatyczne, kwasy roślinne, składnikami takich herbat są często witaminy i małe ilości garbnika, dzikiej róży, głogu, obierzyn z jabłek lub liści z jeżyn;
— w przeciwieństwie do tych herbat, herbaty lecznicze nie służą do gaszenia pragnienia. Ciągłe zażywanie roślinnych leków może stać się niebezpieczne. Należy zatem przestrzegać podanego dawkowania herbat używanych leczniczo;
— dawki i okres stosowania muszą być przestrzegane tak jak w przypadku innych leków;
— w mądrze opracowanych mieszankach ziołowych działanie podstawowe wykazują jeden lub dwa składniki. Do tego mogą dojść jeszcze jedna, dwie rośliny polepszające aromat i smak;
— używanie mieszanek z dwudziestu, trzydziestu roślin, jakie proponuje się często w fabrycznie pakowanych herbatach, nie ma wiele sensu;
— stosuj herbaty lecznicze znane w naszym kręgu kulturowym, ponieważ tradycja przekazuje o nich wystarczające dane.

## Zioła rozpuszczalne (instant)

Posiadają tę zaletę, że się je bardzo szybko przyrządza — wystarczy tę proszek lub granulat rozpuścić w gorącej wodzie. Odpada naparzanie i odcedzanie. Występują dwa podstawowe ich typy, różniące się procesem wytwarzania i jakością.

*Rozpuszczalne zioła granulowane*
Tego typu herbata rozpuszczalna chętnie jest używana, gdyż zawiera cukier. I na tym polega jej podstawowa wada: u dzieci przyczynia się do powstawania próchnicy zębów, chorzy na cukrzycę nie mogą jej pić ze względu na zawartość cukru. Drugą jej wadą jest to, że 97-98% stanowią nośniki i wypełniacze, a tylko 2-3% to właściwe ekstrakty lecznicze. Herbaty granulowanej nie należy zatem używać jako herbaty leczniczej.

*Rozpuszczalne zioła sproszkowane*
Przy produkcji tego typu herbaty najważniejsze składniki są najlepiej chronione. Również skuteczność takiej herbaty jest optymalna, gdyż zachowuje ona około 20% ekstraktów leczniczych. Forma ta jest zatem najwłaściwsza z wszystkich gotowych herbat ziołowych. Wadą jest to, że przy zawilgoceniu zawartość opakowania twardnieje.

## Przyrządzanie herbat ziołowych w domu

### Przechowywanie i magazynowanie
Jako surowiec do herbat służą różne części roślin:
— kwiaty, liście i ziele,
— stwardniałe gałązki, korzenie i kora,
— owoce i nasiona.

Herbaty lecznicze należy chronić przed światłem, ponieważ przyspiesza ono procesy chemiczne i zmienia jakość składników. To samo dotyczy ciepła — w wysokiej temperaturze mogą się ulotnić olejki eteryczne. Wilgoć wpływa ujemnie na trwałość substancji roślinnych, łatwo mogą się zasiedlić pleśnie i inne mikroorganizmy.

Herbat leczniczych nie należy przechowywać w pojemnikach z tworzyw sztucznych. Najlepsze do tego celu są szczelne puszki z białej blachy, drewna lub twardego kartonu. Naczynia szklane powinny być z brązowego szkła, bo jasne szkło przepuszcza za dużo światła.

### Zanieczyszczenia roślin leczniczych
W okresie wzrastania rośliny lecznicze narażone są na liczne szkodliwe wpływy środowiska. Badania wykazały, że często zawierają więcej metali ciężkich (np. ołów, kadm lub rtęć), aniżeli dopuszcza rozporządzenie o dopuszczalnych zanieczyszczeniach żywności. Metale ciężkie przechodzą jednak do naparu ziołowego w niewielkich ilościach. Pozostałości środków ochrony roślin również niekiedy przekraczają dopuszczalne ilości. Szczególnie zwraca uwagę obciążenie chlorowanymi węglowodorami, jak na przykład DDT, którego stosowanie jest w Polsce zabronione. Pozostałości te mogą zawierać surowce zielarskie z krajów Trzeciego Świata, gdyż tam w dalszym ciągu zwalcza się owady chlorowanymi węglowodorami. Również w kraju nieskażonych roślin leczniczych właściwie nie można już prawie otrzymać, gdyż trucizny rozprzestrzeniają się

z deszczem i wiatrem. Do naparu przedostaje się z ziół około 10% zanieczyszczeń chemicznych. Surowce zielarskie mogą być również zanieczyszczone grzybami i zarazkami. Na ogół zaparzanie gorącą wodą lub zagotowanie herbaty niszczy mikroorganizmy i pleśnie.

### Przygotowanie
Wybór metody przygotowania zależy od używanych części roślin.

*Napar*
Stosowany w przypadku większości ziół w postaci liści, kwiatów i ziela oraz mocno rozdrobnionej kory i korzeni. Odmierzoną ilość ziół zalać wrzątkiem w naczyniu nie z tworzywa sztucznego, przykryć i pozostawić na pięć do dziesięciu minut. Następnie zamieszać i odcedzić.

*Odwar*
Szczególnie przydatny w przypadku ziół leczniczych o twardych częściach, jak na przykład stwardniałe gałązki, korzenie i kora. Odmierzoną ilość ziół zalać zimną wodą i podgrzewając, doprowadzić do wrzenia. Gotować przez pięć do dziesięciu minut, mieszając. Odstawić na krótko i odcedzić.

*Wyciąg wodny na zimno (maceracja)*
Można stosować przede wszystkim w przypadku ziół zawierających śluz, np. korzenie ślazu lub nasiona lnu.
Odmierzoną ilość ziół zalać zimną wodą i pozostawić na kilka godzin w temperaturze pokojowej, po czym odcedzić. Wyciąg otrzymywany na zimno posiada tę wadę, że nie giną zarazki i grzyby. Można się przed nimi uchronić, zagotowując odcedzony płyn krótko przed wypiciem.

*Wyciągi alkoholowe*
Wiele roślin poddaje się ekstrakcji alkoholowej. Zażywa się wyciągi niezagęszczone (przykład: ekstrakt z korzenia waleriany).

## Leki roślinne
Są to sztuczne produkty z naturalnych materiałów wyjściowych, które powstają poprzez ekstrakcję, zagęszczanie, suszenie lub inny tok obróbki. Stosowanie tych produktów nie może się opierać na wiedzy zdobytej na tradycyjnych środkach roślinnych w postaci herbaty lub nalewek, gdyż proces przetwarzania może zmienić składniki i ich działanie.

Leki roślinne muszą udowodnić swoje działanie lecznicze i uboczne, ażeby mogły być dopuszczone jako środki farmakologiczne. Jednakowoż obowiązują dla nich „łagodniejsze" kryteria

### Herbata rumiankowa
*Przyrządzanie*:
— łyżkę stołową kwiatu rumianku zalać filiżanką wrzątku;
— pozostawić na dziesięć minut pod przykryciem, odcedzić.

### Herbata z szałwii
*Przyrządzanie*: jak herbatę rumiankową.
*Zastosowanie*: przy zapaleniach gardła co dwie godziny płukać jamę ustną herbatą o temperaturze, jaką można znieść.

dotyczące dowodu skuteczności niż dla innych leków. Dotyczy to nie tylko klinicznych dowodów, lecz uwzględnia się również powszednie doświadczenia z ich stosowaniem. Pewnych dowodów ich skuteczności i braku zastrzeżeń jednakże dotychczas nie dostarczyły (→ Rodzaje leków, s. 617).

### Wskazania
Preparaty roślinne nadają się do leczenia zaburzeń samopoczucia i lekkich, przejściowych chorób oraz wspierają leczenie przewlekłych zaburzeń psychosomatycznych i czynnościowych. Produkty ziołowe mogą umożliwić zaoszczędzenie innych leków lub łagodzą ich nieodłączne działanie uboczne.

### Ostrzeżenia
— Aloesu, mięty polnej i euleuterokoku kolczystego nie należy stosować w ciąży.
— Żywokost leczniczy, podbiał i krzyżownicę można stosować tylko przez krótki czas. Zawierają alkaloidy pirolizydyny, które mogą uszkadzać wątrobę i wywołać raka.
— Wiele publikacji wskazuje, że długotrwałe stosowanie środków roślinnych zawierających antrachinony może sprzyjać powstaniu raka okrężnicy. Producenci gotowych leków musieli na to odpowiednio zareagować.
— W doświadczeniach z indyjskim i meksykańskim korzeniem kozłka lekarskiego (waleriany) wykazano objawy zaburzeń genetycznych.
— Rośliny mogą wywoływać alergię. Może się pojawić wysypka, szybko mijająca lub przechodząca w stan przewlekły. Kto raz zareagował alergicznie, powinien zawsze być przygotowany na podobne reakcje. Niektóre rośliny mogą wywołać napad astmy już przez same wdychanie ich pyłu.

*Przepisy na herbaty ziołowe podano przy poszczególnych chorobach*
zioła uspokajające → Zaburzenia snu, s. 183,
zioła wykrztuśne → Ostre zapalenie oskrzeli, s. 291,
zioła żołądkowe → Żołądek drażliwy, s. 362,
zioła wiatropędne → Jelito drażliwe, s. 377,
zioła przeczyszczające → Zaparcie stolca, s. 379,
zioła moczopędne → Zapalenie pęcherza, s. 391.

## HOMEOPATIA

Homeopatia jest postępowaniem leczniczym, które nie uznaje rozważań częściowych, lecz zawsze zwraca uwagę na „cały system", w którym znajduje się i działa człowiek.

Twórca homeopatii, lekarz Samuel Hahnemann (1755--1843), opisał zdrowie jako tajemniczą siłę życiową, która ożywia cały organizm. Dopóki ta energia witalna pozostaje nienaruszona, dopóty odpiera wszelkie ataki chorób. Hahnemann uważał, że każda choroba jest tylko zewnętrzną widzialną oznaką zasadniczego zaburzenia całego organizmu. W razie choroby należy więc wzbudzić sparaliżowaną siłę witalną organizmu, by mogła znowu podjąć swoje funkcje obronne.

Dla wzbudzenia na nowo siły witalnej Hahnemann opracował sposób leczenia, różniący się zasadniczo od stosowanej terapii lekowej, nazwanej przez niego alopatią. Wyszedł z założenia, że podobne należy leczyć podobnym. Jego teza brzmiała: środek, który w wysokich dawkach wywołuje u zdrowego określone objawy chorobowe, może w małych dawkach wywołać u chorego bodziec, który wygasi chorobę. Środowisko lekarskie poddało teorię Hahnemanna ostrej krytyce.

Terapia lekowa już półtora wieku wcześniej przyjęła, że lek ma działać „przeciw" chorobie, a nie „podobnie" jak choroba. Przede wszystkim zupełnie bezsensowne wydawały się ekstremalnie rozcieńczone dawki ekstraktów roślinnych i minerałów.

Jednak właśnie to łagodne podejście do cierpień fizycznych i bólu przyniosły Hahnemannowi duży sukces u pacjentów. Poświęcał swoim chorym wiele czasu i uwagi. Jest to do dzisiaj podstawowa zasada leczenia homeopatycznego. Trafna terapia winna objąć całego człowieka. Każdy chory musi być traktowany jako odmienny, wyjątkowy przypadek.

Zainteresowanie homeopatycznymi metodami leczenia rośnie wraz ze wzrostem niezadowolenia z tradycyjnej „medycyny oficjalnej". Coraz więcej ludzi doświadcza, że liczne alopatyczne leki obok swojego działania podstawowego wykazują nieprzyjemne lub poważne działania uboczne. Przekonują się również, że na wiele chorób tradycyjne leki w ogóle nie wpływają — są po prostu nieskuteczne.

## Homeopatia dzisiaj

Światowa Organizacja Zdrowia określa homeopatię jako dyscyplinę medyczną, która widzi chorego całościowo i leczy jego dolegliwości równocześnie na płaszczyźnie fizycznej i psychicznej. Lekarze stosujący homeopatię do dzisiaj kierują się podstawowymi zasadami Samuela Hahnemanna.

### Badanie

Poważnych homeopatów rozpoznaje się po wnikliwych badaniach. Ponieważ każdy chory jest „przypadkiem jednorazowym", szczególne znaczenie posiadają historie choroby, stan fizyczny i psychiczny, ewentualne bóle lub dolegliwości i tak zwane „objawy główne". W czasie pierwszego badania lekarz powinien poświęcić choremu przynajmniej godzinę, by zrozumieć pacjenta w jego „całości".

Dla dokładnej diagnozy lekarz homeopata posługuje się również technicznymi metodami badań i środkami pomocniczymi. Stosowanie EKG, EEG, USG i rentgena nie jest więc sprzeczne z zasadami tej metody.

### Leczenie

Homeopatia działa na różnych płaszczyznach. Czasem stosuje leki, które mają wpływać bezpośrednio na chory narząd. Tymi „narządowo swoistymi lekami" leczy się przede wszystkim ostre dolegliwości.

Dodatkowo są jeszcze „leki wpływające na osobowość", zwane również środkami konstytucjonalnymi lub poprawiającymi nastrój, które winny przywrócić zachwianą równowagę organizmu. Stanowią one właściwą domenę homeoterapii.

### Zasada podobieństwa

Wychodząc z przekonania, że można leczyć choroby małymi

---

## Weź pod uwagę, że

— Chorobę winien ustalać zawsze lekarz. W Niemczech lekarze homeopaci posiadają dodatkowe oznakowanie „Homeopata". Również osoby bez dyplomu lekarskiego uprawiają homeopatię, lecz nie są lekarzami. W Austrii nie ma dyplomowanych homeopatów, podobnie w Polsce.

— Poważna homeoterapia wymaga czasu. Po pierwszej, około godzinnej rozmowie następne wizyty lekarskie winny trwać trzydzieści do czterdziestu minut. Czas nie stanowi gwarancji dobrego leczenia homeopatycznego, lecz ważny jego warunek.

— Bez porady lekarza homeopaty środkami homeopatycznymi łagodzić można najwyżej ostre dolegliwości dokładnie znanej choroby. Leczenia konkretnej osoby nie można podjąć na własną rękę.

— Należy stosować wyłącznie środki jednoskładnikowe, żadnych preparatów mieszanych.

— Homeopatyczne środki lecznicze nie są wolne od działania ubocznego. Nieodpowiednio dawkowana substancja może spowodować skutki uboczne, może też pogorszyć obraz choroby lub zakłócić jeszcze bardziej równowagę organizmu.

— Leczenie homeopatyczne może stać się groźne, gdy leczący nie uwzględni ograniczeń wpływających na terapię, np. infekcji, chorób zagrażających życiu lub nowotworów.

---

dawkami leków, które w wyższych dawkach wywołują objawy tych chorób, Hahnemann nakreślił tak zwane „zakresy działania leku".

Dokładne określenie „indywidualnego" obrazu choroby i wybór leku stosownie do jego „zakresu działania" jest warunkiem udanego leczenia.

Z tego właśnie względu producentom środków homeopatycznych ustawowo zabroniono podawania zakresu stosowania tych środków. Wielu ludziom „zasada podobieństwa" przypomina „zasadę szczepienia" (s. 627). W przeciwieństwie do „zasady szczepienia" „zasady podobieństwa" w homeopatii nie da się udowodnić metodami naukowymi.

### Materiały lecznicze

W homeoterapii stosuje się materiały roślinne, zwierzęce i mineralne, a także produkty przemysłu chemicznego. Stężenie materiałów podnosi się do potęgi, przy czym rozcieńczenie oznacza się według dokładnie opisanych reguł. Oznacza to na przykład:

— D1 (=1:10): na jedną część materiału leczniczego przypada dziesięć części rozcieńczalnika (alkoholu lub cukru mlecznego),

— D2 (=1:100): na jedną część materiału leczniczego przypada sto części rozcieńczalnika,

— D3 (=1:1000): na jedną część materiału leczniczego przypada tysiąc części rozcieńczalnika.

Zadaniem lekarza homeopaty jest prawidłowe włączenie się w chorobę z indywidualnie dozowanym środkiem leczniczym. Z tego względu w trakcie leczenia środek podaje się w różnych stężeniach. Klasyczna homeopatia odrzuca zdecydowanie preparaty mieszane, czyli tak zwane środki kompleksowe.

# AKUPUNKTURA

Akupunktura pochodzi z Chin, gdzie około 2500 lat p.n.e. kwitła w medycynie ludowej. Już wtedy punktem wyjściowym była diagnostyka, która również dzisiaj winna mieć istotne znaczenie:
— chorego należy traktować jako całość. Podział człowieka na ciało i duszę jest zupełnie obcy chińskiemu myśleniu. Różne siły tworzą zawsze całość, przeciwstawne bieguny we wzajemnym oddziaływaniu są nierozłącznie ze sobą powiązane;
— do diagnozy należą: dokładna znajomość przyzwyczajeń życiowych (np. odżywiania), dokładna znajomość przebiegu choroby (wywiad), jak również dokładne zbadanie i obserwacja pacjenta. Do tego dochodzi rozpoznanie choroby z języka i tętna.

Metody tradycyjnej chińskiej medycyny obejmują w zasadzie trzy postępowania lecznicze:
— akupunkturę, która w różny sposób rozwijana utrzymała się do naszych czasów;
— moksę, która w naszej szerokości geograficznej ma małe zastosowanie. W tym postępowaniu przypieka się punkty akupunkturowe pałeczkami z wysuszonych i specjalnie sfermentowanych ziół;
— ziołolecznictwo tradycyjnymi chińskimi ziołami.

W Chinach chirurgia nie mogła się rozwinąć, gdyż nauka Konfucjusza zabraniała rozcinania ciała ludzkiego do celów leczniczych. Prawdopodobnie dlatego właśnie szczególną uwagę poświęcono „łagodnym" technikom diagnostycznym (obserwacja, słuchanie i wąchanie, wyczuwanie dotykiem, wywiad i badanie).

Wiedza o zasadach chińskich metod leczenia przetrwała tysiąclecia. W XVIII i XIX wieku pod wpływem zachodniego świata chrześcijańskiego wiedza ta została przytłumiona, tradycyjne

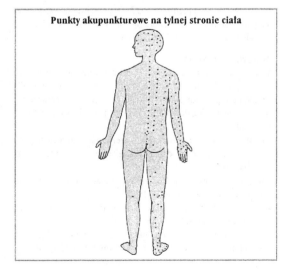

**Punkty akupunkturowe na tylnej stronie ciała**

**Lektura uzupełniająca**

KIEŁKOWSKA A.: *Twoje zdrowie w twoich rękach: akupunktura dla każdego*. Wyd. 3, „KOLMID Kiełkowscy", Gdańsk 1996.

metody jako zabobon poszły w niepamięć. Stare doświadczenia lecznicze wróciły do łask dopiero za czasów Mao Tse-tunga. Nowoczesna medycyna chińska łączy metody zachodnie ze starymi doświadczeniami.

## Akupunktura dzisiaj

Do dzisiaj w świecie zachodnim akupunkturze odmawia się w zasadzie uznania, coraz więcej lekarzy sięga jednak do igieł akupunkturowych. W Austrii Towarzystwo Akupunktury i Aurikuloterapii (nakłuwanie uszu) liczy ponad 1400 członków, w Niemczech liczbę lekarzy praktykujących tę metodę ocenia się na 4000.

W Polsce również powstaje coraz więcej gabinetów proponujących leczenie akupunkturą. Lekarze stosujący tę metodę zrzeszeni są w Polskim Towarzystwie Akupunktury, które liczy ponad tysiąc członków.

### Stan równowagi (jin i jang)

Zdrowie jest dla chińskich lekarzy stanem równowagi pomiędzy przeciwdziałającymi siłami jin i jang. Obie tworzą całość, która wskutek ciągłego oddziaływania przeciwieństw wytwarza energię życiową chi. Ta ciągle płynąca energia gromadzi się u zdrowego człowieka w narządach i przepływa nieprzerwanie przez tak zwane południki. Każda czynność życiowa, każde funkcjonowanie narządu jest wyrazem działania chi. Według tradycyjnego chińskiego wyobrażenia choroby powstają zazwyczaj wtedy, gdy ustaje przepływ chi, bo zaburzona została harmonia między jin i jang. Nakłucie punktu akupunkturowego umożliwia wznowienie niezakłóconego przepływu energii.

### Południki

Zgodnie z tradycyjnym chińskim wyobrażeniem ciało ludzkie pokrywa sieć kanałów, którymi przepływa chi. Pojęcie południka powstało przez analogię do południków ziemskich, ponieważ owe kanały biegną wzdłuż ciała. Istnieje dwanaście parzystych (jin i jang) południków, ściśle powiązanych (również zgodnie z jin i jang) z poszczególnymi narządami. Dalsze systemy południków odgrywają w akupunkturze niewielką rolę. Ważne są jeszcze dwa nieparzyste południki w linii środkowej ciała, przedniej i tylnej. Na sieci czternastu południków znajduje się 361 klasycznych punktów akupunktury.

### Narządy

Pojęcie „narząd" jest mylące, gdyż według starych wyobrażeń pojęcie to nie ogranicza się wyłącznie do anatomii i fizjologii, lecz obejmuje wszystkie funkcje systemu narządowego. Na przykład funkcja płuc obejmuje całkowitą funkcję oddychania łącznie z powonieniem. Chińska medycyna zna łącznie jedenaście narządów lub zakresów funkcji, które są ściśle związane z południkami. Podporządkowany danemu narządowi południk można przyrównać do gałęzi odrastającej z drzewa „jego" narządu. Na niej leżą jak pąki punkty akupunkturowe, poprzez które można, nakłuwając je, ogrzewając lub masując, wpływać na funkcje narządu.

## Leczenie akupunkturą

System południków i punktów akupunkturowych jest nadzwyczaj ściśle z sobą powiązany. Przeciwstawienie całości nie jest tu możliwe. Światowa Organizacja Zdrowia zestawiła listę ponad 40 chorób, przy których można stosować akupunkturę. Na czele, obok schorzeń systemu nerwowego i aparatu ruchowego, znajdują się schorzenia przewodu pokarmowego.

Niektóre szpitale posługują się akupunkturą w czasie długotrwałych operacji, przy których narkoza może zbyt obciążać organizm pacjenta.

*Nakłuwanie*

Obecnie punkty akupunktury nakłuwa się na ogół igłami stalowymi. Złoto i srebro stosuje się wyłącznie przy nakłuwaniu uszu (→ s. 648). Grubość igły wynosi 0,2-0,4 milimetra, długość 1-10 centymetrów. W czasie zabiegu pacjent może leżeć, siedzieć lub w rzadkich przypadkach stać. Najważniejsze jest, by pozycja była stała i rozluźniona.

W zależności od zaburzeń stosuje się różne nakłucia:
— igłę wkłuwa się pod kątem prostym lub ukośnie;
— głębokość nakłucia jest zmienna: od kilku milimetrów do centymetra;
— nakłuwanie trwa od dziesięciu do trzydziestu minut;
— stymulacja (obracanie igły, tzw. dziobanie nią) jest różna, zależnie od choroby;
— są mniej lub bardziej bolesne punkty. Doświadczony lekarz informuje przed nakłuwaniem, co pacjent może poczuć, i mówi, jak należy się w takim wypadku zachować;
— może wystąpić tak zwane „uczucie de chi", które jest charakterystyczne dla prawidłowo przeprowadzonej akupunktury: głuchota, ciśnienie, ociężałość, mrowienie, uczucie gorąca, uczucie zimna lub „elektryzowanie".

*Możliwe powikłania*
— Zapaść i omdlenie, gdy nakłuwa się w pozycji siedzącej pacjentów nadmiernie wrażliwych lub z niskim ciśnieniem. Dlatego szczególnie na początku zaleca się nakłuwanie w pozycji leżącej.
— Miejscowe infekcje: są wyjątkowo rzadkie i powstają jedynie przy nieprawidłowej sterylizacji igieł lub w ogóle przy jej braku oraz przy skaleczeniach skóry.
— Ból: powodem mogą być tępe lub krzywe igły albo niezręczne nakłuwanie. Bóle mogą powstać wskutek poruszania mięśni przez pacjenta, dlatego ważne jest ich rozluźnienie.
— Zranienia narządów: zdarzają się wyjątkowo rzadko i są skutkiem poważnego błędu w sztuce. Przyczyną jest niewystarczająca znajomość anatomii lub bardzo niedbałe wykonanie zabiegu.

*Elektroakupunktura*

Po nakłuciu stymulujących punktów do igieł podłącza się elektrody przewodzące słaby prąd elektryczny o różnych impulsach. Metodę elektrostymulacji rozwinięto w związku ze znieczula-

niem przy długotrwałych operacjach. Dzisiaj znajduje zastosowanie przede wszystkim przy silnych chronicznych stanach bólowych. Elektroakupunktura w żadnym razie nie może być przeprowadzana:
— u pacjentów ze sztucznym rozrusznikiem serca,
— u pacjentów z zaburzeniami rytmu serca,
— u chorych na padaczkę,
— w stanach wstrząsu lub gorączce,
— w czasie ciąży.

*Możliwe powikłania*

Rzadko występują powikłania w krążeniu takie jak spadek ciśnienia krwi lub omdlenia. Dyskutuje się możliwość wystąpienia zaburzeń rytmu serca przy dużym natężeniu prądu.

*Akupresura (masaż punktowy)*

Podlega tym samym zasadom co akupunktura, z tym że punkty akupunkturowe stymuluje się przez ich masaż czubkami palców. Akupresura jest zatem „tępą" formą akupunktury, za pomocą której możliwe jest udzielenie sobie szybkiej pomocy przy bólu (→ Shiatsu, s. 660).

*Możliwe powikłania*

Niebezpieczeństwo tkwi w nałogowym leczeniu samego siebie. Wyłącza się przy tym ważne sygnały organizmu, które mogą wskazywać na cięższą chorobę. Akupresury nie należy zatem wykonywać bez diagnozy lekarskiej.

## Weź pod uwagę

— Podstawą każdego leczenia akupunkturą jest dokładna diagnoza wykonana środkami i techniką medycyny klasycznej.
— Analizę dolegliwości wykonuje się z punktu widzenia chińskiej filozofii, która jest często przeciwstawna naszemu myśleniu.
— Chiński sposób myślenia i leczenia wymaga od pacjenta zachowania współdziałającego, ponieważ na jedną całość składają się: harmonijny sposób życia wzmacniający ciało i siły odpornościowe, zrównoważone odżywianie, regularne ćwiczenia fizyczne i ćwiczenia oddechu oraz harmonia psychiczna.
— Przy przewlekłych stanach bólowych i chorobach psychosomatycznych akupunktura stała się naukowo uznanym sposobem leczenia.
— Przy innym oddziaływaniu akupunktury brakuje jeszcze wyjaśnienia zachodzących procesów biochemicznych i fizjologicznych. To nie oznacza wcale, że nie można się spodziewać pozytywnych efektów. Lista wskazań Światowej Organizacji Zdrowia akceptuje akupunkturę jako metodę leczniczą przy schorzeniach przewodu pokarmowego, układu oddechowego, jamy ustnej, oczu, systemu nerwowego i układu ruchowego.

**Bliższych informacji można zasięgnąć**
Polskie Towarzystwo Akupunktury
02-093 Warszawa, ul. Winnicka 10, tel. (0-22) 659-83-23

*Akupunktura uszna (aurikulopunktura)*

Podstawą akupunktury usznej jest założenie, że cały organizm ludzki posiada odbicie na małżowinie usznej i że istnieje bezpośredni związek między odpowiednimi punktami na uchu a wszystkimi systemami narządowymi i kończynami. Stymulacji podlega 108 punktów, których nakłuwanie zależy od choroby. Działanie akupunktury usznej nie jest tak długotrwałe jak akupunktury ciała, dlatego doświadczeni akupunkturyści zalecają kombinację obu technik. W przypadku ostrych i bardzo bolesnych schorzeń można w ten sposób uzyskać natychmiastowy efekt.

*Możliwe powikłania*

Nakłuwanie ucha jest często bardziej bolesne niż ciała.

Grubsze igły używane do nakłuwania łatwiej uszkadzają chrząstkę ucha. Poza tym ucho jest bardziej podatne na zakażenie aniżeli skóra.

## ZNIECZULENIE PRZEWODOWE

Znieczulenie przewodowe jest stosunkowo nowym postępowaniem leczniczym. Zostało wykryte przypadkowo w 1925 roku przez lekarzy Waltera i Ferdynanda Huneke podczas leczenia migreny u ich siostry. Po dożylnym podaniu środka przeciwreumatycznego, zawierającego między innymi miejscowo znieczulającą prokainę, nagle ustąpiły dręczące bóle głowy. Bracia Huneke rozszerzyli swoje doświadczenia i w końcu w tak zwanym znieczuleniu przewodowym wykrystalizowały się dwie zasadnicze metody.

### Leczenie segmentowe

Leki, których używa się normalnie do miejscowego znieczulenia (prokaina lub lidokaina), wstrzykuje się albo do tkanki (nasięk do tkanki), albo powierzchniowo podskórnie (nasięk bąbelkowy). Dokonuje się tego bądź bezpośrednio w bolesne miejsce (np. w głowę, plecy, kolano), bądź w tak zwanej strefie odruchowej. Są to te odcinki skóry, które są powiązane drogami nerwowymi z narządami wewnętrznymi. Pojęcie leczenia segmentowego wywodzi się z istnienia stref odruchowych (odcinek skóry=segment). Na przykład przy kolce wątrobowej ból promieniuje od prawego łuku żebrowego aż pod prawą łopatkę. Tu powinna znajdować się strefa odruchowa, a celowane wstrzyknięcia w ten obszar skóry łagodzą ból. Ale nawet jeśli ból bezpośredni nie występuje, obserwuje się często, że schorzenia narządów wewnętrznych wywołują określone zmiany na pewnych obszarach skóry i tkanki podskórnej. Z tego wyprowadza się zależność pomiędzy narządem i powierzchnią skóry, a leczenie segmentowe kieruje się tą właśnie zależnością. Jest oczywiste, że subiektywne odczucie bólu zmniejsza się wskutek miejscowego znieczulenia prokainą. Decydujące w znieczuleniu przewodowym jest to, że działanie trwa dłużej niż znieczulający efekt prokainy. Po kilkakrotnym zabiegu ból powinien zniknąć na zawsze.

### Terapia zakłóconego pola

W terapii tej wychodzi się z założenia, że zapalenia lub uszkodzenia (blizny) przekazują do układu nerwowego „zakłócone" impulsy, wskutek czego bóle i dolegliwości pojawiają się w odległych narządach. I tak na przykład zapalnie zmieniona blizna na goleni może być odpowiedzialna za przewlekłe zapalenie stawu barkowego.

*Możliwe powikłania*

Znieczulenie przewodowe winno być przeprowadzane przez doświadczonego i wprawnego anestezjologa o doskonałej znajomości anatomii. Wskutek nieprawidłowego wstrzykiwania mogą powstać, oprócz zakażeń, uszkodzenia nerwów, tkanek i naczyń. Innego rodzaju ryzyko niesie sam lek. Jeżeli prokainę lub lidokainę wstrzyknie się niewłaściwie, znieczulający środek może się dostać aż do serca, co może z kolei doprowadzić do reakcji w krążeniu, zaburzeń rytmu serca, a w przypadkach skrajnych aż do zawału serca. Prokaina i lidokaina mogą też wywołać uczulenia.

## OZONOTERAPIA

Ozon jest szczególnie bogatą w energię odmianą naturalnie występującego tlenu. Cząsteczka tlenu składa się z dwóch atomów tlenu ($O_2$). Wskutek rozbicia, np. pod wpływem promieni ultrafioletowych lub wyładowania elektrycznego (jonizator), tlen zmienia się w cząsteczkę trójatomową, zwaną ozonem ($O_3$).

W normalnych warunkach ozon jest gazem o ostrym zapachu. Drażni drogi oddechowe i jest trujący już w bardzo małych stężeniach. Rozpada się jednak szybko i reaguje z licznymi związkami organicznymi, niszczy barwniki, gumę i mikroorganizmy.

Ozonoterapia wychodzi z założenia, że nawet najmniejsze ilości tego gazu mogą wyzwolić siły lecznicze, przyjmuje się bowiem, że przyczyną wielu chorób jest niedostatek tlenu lub zaburzenie oddychania komórkowego (np. zaburzenia ukrwienia, niedokrwistość lub rak). Uważa się więc, że przez doprowadzenie ozonu zmieszanego z czystym tlenem aktywizują się ponownie lub leczą źle ukrwione albo obumarłe tkanki.

Mieszaninę ozonu i tlenu wstrzykuje się w chorą tkankę,

### Weź pod uwagę

— Agresywne właściwości ozonu spowodowały liczne wypadki. Atakuje tworzywa i sprzęt, przeżera węże gumowe, utlenia metale.

— Największe ryzyko niesie jednak sama iniekcja, ponieważ gaz może doprowadzić do zaczopowania, jeśli zamiast do żyły wprowadzony zostanie do tętnicy. Dlatego metoda ta jest zwalczana przez oficjalną medycynę.

— Niebezpieczeństwa spowodowania zatoru można uniknąć, wprowadzając do naczyń krwionośnych ozon rozpuszczony w izotonicznym roztworze elektrolitu.

— Trochę więcej uznania uzyskało gazowanie ran, oparzeń i owrzodzeń ze względu na aseptyczne działanie ozonu. Ciągle jednak istnieje niepewność co do tego, jak się obchodzić z tą wysokotoksyczną substancją.

gazuje lub opryskuje ropiejące bądź oparzone miejsca; przy schorzeniach jelit mieszanina jest wdmuchiwana. Przy schorzeniach zębów i szczęk stosuje się różne roztwory do płukania.

Mieszaninę tlenowo-ozonową stosuje się również w autohemoterapii (leczenie własną krwią). Pobraną krew poddaje się działaniu ozonu, ewentualnie naświetla jeszcze promieniami ultrafioletowymi i następnie dożylnie lub domięśniowo wprowadza znowu do własnego krwiobiegu.

# WIELOSTOPNIOWE LECZENIE TLENEM

Inhalacje tlenu mogą ratować życie w nagłych przypadkach i w niewydolności oddechowej. Ponadto fizyk Ardenne usiłował wielostopniową tlenoterapią opóźnić proces starzenia.

### Wykonanie zabiegu
Po zażyciu pewnego koktajlu lekowego przez maskę wdychany jest tlen. W tym czasie lub następnie wykonywane są ukierunkowane ćwiczenia ruchowe.

### Wskazania
Wdychanie tlenu ma zapobiegać skutkom starzenia się, zaburzeniom ukrwienia, upośledzeniu wzroku i słuchu, zwyrodnieniu stawów i przewlekłym dolegliwościom skórnym oraz łagodzić dolegliwości związane z nowotworami. Te działania lecznicze nie zostały dostatecznie potwierdzone.

### Ostrzeżenia
Wielostopniowej tlenoterapii nie wolno stosować w zapaleniu błon śluzowych, ciężkich chorobach płuc, serca i astmie oskrzelowej. To samo dotyczy przewlekłego niedoboru tlenu we krwi. W tym przypadku wielostopniowa tlenoterapia może prowadzić do utraty przytomności. Za dużo tlenu może wywołać stan, który odpowiada ostrej duszności. Wielostopniową tlenoterapię należałoby stosować tylko tam, gdzie jest aparatura reanimacyjna.

# BIOSTYMULACJA PREPARATAMI KOMÓRKOWYMI

Zasadza się ona na wyobrażeniu, że komórki wstrzyknięte domięśniowo lub wszczepione ożywią albo pobudzą mechanizm samonaprawczy organizmu: składniki żywej komórki podlegają ciągłej przebudowie lub odbudowie. Im dłużej żyją, tym częściej muszą się odnawiać. Biostymulacja preparatami komórkowymi — takie jest założenie — może proces ten w przypadku chorób zwyrodnieniowych przyspieszyć lub reaktywować, a przynajmniej powstrzymać dalsze zanikanie komórek. Preparaty komórkowe uzyskiwane są głównie z płodów owiec lub cieląt. Wychodzi się z założenia, że należy leczyć „podobne podobnym", na przykład przy schorzeniach wątroby stosuje się komórki wątroby płodów zwierzęcych. Rozróżnia się leczenie świeżymi komórkami, które wstrzykuje się natychmiast po pobraniu od płodu, i leczenie komórkami liofilizowanymi lub gwałtownie zamrażanymi. Oprócz tkanek narządowo podobnych wstrzykuje

się również „niespecyficzne" wyciągi, które mają wzmacniać cały system immunologiczny i odporność.

*Możliwe powikłania*
Organizm ludzki reaguje na obcą tkankę prawie zawsze alergicznie. Fenomen odrzucania jest najlepiej znany chirurgii przeszczepowej. Ryzyko reakcji alergicznej zagrażającej życiu istnieje naturalnie również w przypadku tkanki zwierzęcej.

Zwolennicy biostymulacji preparatami komórkowymi uważają, że ryzyko odrzucenia materiału komórkowego z płodów jest mniejsze. Istnieją jednak liczne udokumentowane wypadki ze śmiertelną reakcją wstrząsową włącznie.

Medycyna oficjalna stanowczo zwalcza te metody leczenia, gdyż ryzyko jest niewspółmiernie duże, a dochodzi jeszcze ryzyko przeniesienia na człowieka z komórkami owiec i bydła groźnych prionów, odpowiedzialnych za podostrą encefalopatię gąbczastą u bydła oraz prawdopodobnie choroby Creutzfeldta-Jacoba u ludzi.

# BAŃKI

Leczenie za pomocą stawiania baniek jest prastarą metodą terapii bodźcowej i należy do zabiegów usuwających szkodliwe substancje z organizmu.

### Wykonanie zabiegu
Wiele małych kopułek szklanych w kształcie dzwonka, w których wytwarza się próżnię, nakłada się w odstępach na plecach. Szybko pojawiają się na skórze niebieskie plamy. Jeżeli skórę przedtem nacięto, bańki wypełniają się krwią.

### Wskazania
Bańki mają łagodzić wzmożone napięcie mięśni, stwardnienie tkanki podskórnej, przewlekłe bóle głowy i pleców, astmę i bóle reumatyczne. Odmiana krwawa ma wpływać na narządy wewnętrzne. Krwawa odmiana uszkadza skórę bez prawdziwej konieczności. Pogląd, że metoda ta ma pomagać w gruźlicy lub przy ucisku w głowie, jest niedorzecznością.

# PIJAWKI

Po ukąszeniu pijawki wprowadzają do skóry substancje, które działają przeciwzakrzepowo i przeciwzapalnie.

### Wykonanie zabiegu
Na wcześniej nakłute miejsca skóry przykłada się nie więcej niż dziesięć pijawek. Nasysają się do pełna krwią i po godzinie zazwyczaj same odpadają. Chorzy leżą podczas zabiegu i muszą tak pozostać, aż krwawienie ustąpi.

### Wskazania
Pijawki stosuje się w zapaleniach reumatycznych, obrzękach, zapaleniach żył, zastoju żylnym i limfatycznym, w migrenie i zapaleniu zatok czołowych. Brak jednakże dowodów na skuteczność.

### Ostrzeżenia

Pijawki można przykładać tylko jednorazowo, gdyż mogą przenosić choroby.

# GŁODÓWKA

Okresy postu należą w wielu religiach do kodeksu postaw wiernych. Dieta zerowa osób dbających o szczupłą figurę nie ma jednak nic wspólnego z głodówką z przyczyn zdrowotnych. Dla zdrowych głodzenie oznacza odciążenie organizmu i poprawę stanu psychicznego.

### Sposób wykonania

Szczególnie skuteczne jest łączenie głodówki z kuracją (→ s. 705). Trzy dni zredukowanego odżywiania stanowią wprowadzenie do głodówki. W tym czasie stosuje się regularnie przeczyszczenia, ponieważ przy próżnym jelicie ma zanikać odczucie głodu. Dziennie należy wypić trzy litry płynu bezkalorycznego. Do kuracji głodowej należy ruch i zabiegi fizyczne, jak na przykład masaże. Kuracja trwa trzy tygodnie. Następnie powoli wprowadza się zrównoważone, pełnowartościowe odżywianie (→ s. 705). W przypadku głodówki według Buchingera, za pomocą sosu z jarzyn i soków wprowadza się małe ilości kalorii, witamin i soli mineralnych. Zmniejsza to obciążenie przemiany materii. Przy sokowym głodzeniu można pić jedynie soki owocowo-jarzynowe. Przy głodzeniu uzupełnionym białkiem (zmodyfikowane głodzenie), głodujący otrzymują pewną ilość maślanki lub koncentratu białkowego (napój Ulmera). Zapobiega to na ogół dość dużym stratom białka i pozwala odbudować więcej tłuszczu niż białka.

### Wskazania

Podczas głodzenia organizm „odwadnia" swoje tkanki. Przez to krążenie krwi funkcjonuje lepiej, serce jest odbarczone, ciśnienie spada, oddech staje się łatwiejszy. Głodzenie pobudza układ odpornościowy. Zapalny reumatyzm może się przez to krótko-

trwale poprawić. We wszystkich chorobach zależnych od odżywiania głodzenie jest korzystne.

### Ostrzeżenia

Głodzeniu towarzyszą zaburzenia snu i menstruacyjne. W pierwszych dwóch dniach całkowicie bezkalorycznego głodzenia organizm traci znaczne ilości białka. Może to stwarzać zagrożenie dla ludzi z ciężkimi chorobami narządowymi, zwłaszcza serca. Mogą wystąpić napady dny.

Nie powinny pościć ciężarne i karmiące kobiety, dzieci poniżej dziesięciu lat, osoby ze skłonnością do krwawień, z nadczynnością tarczycy, z zaburzeniem ukrwienia mózgu, z typem I cukrzycy, chorzy na nowotwory.

# UPUST KRWI

W czasach antycznych upust krwi był stosowany przy prawie wszystkich dolegliwościach, by — jak wówczas wierzono — usunąć z organizmu „chorobotwórcze soki". Z lekarskiego punktu widzenia upust krwi jest konieczny tylko w dwóch rzadkich chorobach: przy nadmiarze krwinek czerwonych i w hemochromatozie (wrodzone nadmierne spichrzanie żelaza w tkankach).

### Sposób wykonania

Za pomocą kaniuli upuszcza się z żyły 50-500 ml krwi, którą zastępuje się fizjologicznym roztworem soli kuchennej.

### Wskazania

Jako leczenie bodźcowe w obwodowych zaburzeniach ukrwienia i w nadciśnieniu.

### Ostrzeżenia

Upustu krwi nie wolno wykonywać przy zaburzeniach krzepnięcia krwi, zaburzeniach rytmu serca, biegunkach, niskim ciśnieniu krwi i chwiejności wegetatywnej.

# FIZYKOTERAPIA

Zabiegi fizykoterapeutyczne pobudzają procesy przemiany materii działaniem ciepła, chłodu, wody, elektryczności, ultradźwięków oraz działaniem mechanicznym. Tymi środkami wspomaga się przemianę, a niekiedy można też opóźniać rozwój chorób. Postępowanie takie medycyna nazywa „terapią bodźcową".

Na przykład wskutek działania bodźca cieplnego rozszerzają się naczynia krwionośne, a to oznacza więcej krwi w danym rejonie i lepszą przemianę materii. W ten sposób organizm sam zaczyna zdrowieć, a zastosowana terapia proces zdrowienia zaledwie inicjuje.

Fizykoterapię można przyrównać do pytania postawionego organizmowi. Aby mógł znaleźć odpowiedź — czyli aby zareagował — organizm wymaga czasu. Bardzo rzadko zatem się zda-

rza, że już po pierwszym zabiegu widoczna jest poprawa. Pytanie trzeba organizmowi stawiać częściej, by mógł dać wyraźną odpowiedź. W niektórych przypadkach potrzebnych jest 20-40 zabiegów.

W celu uzyskania pożądanego skutku ważne jest prawidłowe dawkowanie, natężenie, czas trwania zabiegów i długość przerw między nimi. Gdy liczba zastosowanych bodźców jest za duża, organizm staje się nadmiernie pobudzony i wówczas może odpowiedzieć pogorszeniem stanu. Zdarzające się czasem pogorszenie na początku zastosowanej terapii jest objawem normalnym, ustępującym samorzutnie po krótkim czasie. Zawsze należy poinformować lekarza o zauważonych zmianach. W razie pogorszenia lekarz może nakazać okresowe przerwanie terapii lub zwiększyć odstęp czasu między kolejnymi zabiegami. Większość zabiegów fizykoterapeutycznych oddziałuje niezbyt głęboko, a tylko elektroterapia dociera do głębiej leżących tkanek. Mimo to już w zamierzchłych czasach stosowano fizykoterapię także do leczenia narządów wewnętrznych. Uzasadnieniem tego było przekonanie, że każdy odcinek skóry jest skojarzony z określonym regionem wewnętrznym organizmu.

Metodami fizykoterapeutycznymi można zatem leczyć cały organizm.

# LECZENIE CIEPŁEM

Ciepło, którym leczy się różne choroby, może pochodzić z rozmaitych źródeł:
— źródłem promieniowania cieplnego jest słońce, najważniejsze źródło ciepła w ogóle. Promieniowanie podczerwone może być też wytwarzane przez źródła sztuczne;
— wykorzystywane są takie ciała, jak borowiny, gliny itp., będące nośnikami ciepła, które jest oddawane drogą przewodnictwa. Skutek przewodnictwa cieplnego jest wzmacniany przez konwekcję powietrza lub wody, ponieważ płynąca woda ciepła silniej nagrzewa niż woda stojąca o tej samej temperaturze.

Do leczenia ciepłem należą: napromienianie promieniami słońca, napromienianie promieniami podczerwonymi, leczenie prądami wysokiej częstotliwości, ciepłe okłady i zawijania, sauna, kąpiel parowa, kąpiel ciepła w wannie i kąpiel przegrzewająca.

## Napromienianie promieniami słońca

Promieniowanie słoneczne wywiera na ustrój różnorakie działanie lecznicze:
— promieniowanie ultrafioletowe i podczerwone działa na skórę;
— działając światłem widzialnym na wzrok, poprawia nastrój;
— światło widzialne wpływa na wytwarzanie w ustroju hormonów.

### Wykonanie zabiegu
Zacząć należy od codziennych kąpieli słonecznych trwających od dwóch do dziesięciu minut, przy czym wydłużanie czasu trwania ma następować co drugi dzień.

*Uwaga*: przed poddaniem się tej terapii należy najpierw określić wrażliwość swojej skóry (→ Oparzenie słoneczne, s. 254).

Skórę trzeba pokryć warstwą kremu ochronnego, zawierającego składnik światłoochronny dostosowany do typu naszej skóry. Podczas kąpieli słonecznej należy oczy chronić okularami pochłaniającymi promieniowanie ultrafioletowe.

### Wskazania
Ogólne zaburzenia samopoczucia, niedobór witaminy D, choroby skóry takie, jak trądzik, łuszczyca.

### Ostrzeżenia
„Słoneczna patelnia" może być niebezpieczna. Zbyt intensywne naświetlenie promieniami ultrafioletowymi i każde oparzenie słoneczne zwiększają ryzyko pojawienia się raka skóry. Ta wskazówka dotyczy także zabiegów w solariach. Przy ostrych chorobach wewnętrznych nie należy poddawać się napromienianiu ultrafioletowemu.

## Napromienianie promieniami podczerwonymi

Promienie podczerwone mają dłuższą falę niż światło widzialne. Nie są widoczne, ale są wyczuwane jako ciepło. Dzięki temu działają rozluźniająco na mięśnie i narządy wewnętrzne.

### Wykonanie zabiegu
Promiennik podczerwony znajdujący się w odpowiedniej oprawie jest umieszczany nad tą częścią ciała, która ma być napromieniona.

### Wskazania
Przewlekłe stany zapalne oraz bolesne i tkliwe miejsca w obrębie głowy, gdzie zastosowanie okładów i zawijań jest utrudnione, stany zapalne obocznych jam nosa oraz zapalenie ucha środkowego.

W celu wstępnego nagrzania przed masażem w przypadku przeciążenia mięśni i bólu pleców.

### Ostrzeżenia
Ze względu na niebezpieczeństwo oparzenia nie należy samowolnie zmniejszać odległości między ciałem a źródłem promieni podczerwonych. Jeżeli po napromienieniu bóle się nasilą, może to znaczyć, że zapalenie było zbyt „świeże", aby mogło być leczone ciepłem.

## Zawijania i okłady ciepłe

Do najczęstszych zabiegów sanatoryjnych należą okłady (zawijania) wykorzystujące tzw. peloidy, jak borowinę, glinę albo fango. Są to substancje powstałe w sposób naturalny w okresie tysięcy lat. Munari jest pastą wodną zrobioną z kredy i pieprzu Cayenne. W formie ciepłego okładu materiały te przylegają dokładnie do ciała i działają swoim ciepłem przez długi czas. Przypuszcza się, że w każdym z nich zawarte są jakieś substancje czynne, dające dodatkowy efekt leczniczy. Borowinę i kilka innych substancji można nabyć w aptekach, co umożliwia wykonanie opisanych zabiegów w domu.

### Wykonanie zabiegu
Zawartość nabytego opakowania wymieszać zgodnie z instrukcją z wodą do konsystencji mazi, a jeśli papka jest gotowa — podgrzać w kąpieli wodnej do 45°C i nanieść 3-centymetrową warstwę na bolesne miejsca. Przykryć papierem woskowanym, obłożoną część ciała owinąć w prześcieradło i dodatkowo w wełniany koc. Zostawić na 30 minut, pozwalając na powolne działanie ciepła i składników użytego materiału. Po tym czasie należy ciało zmyć, a następnie odpocząć.

Wzmożone krążenie krwi uzyskane dzięki temu zabiegowi może być podtrzymane, a cały efekt okładów wzmocniony dzięki dodatkowemu zastosowaniu promienników cieplnych.

## Wskazania

Wszystkie nadwerężenia mięśni szkieletowych i stany kurczowe mięśni, narządów wewnętrznych, gościec (oprócz fazy ostrej), nerwobóle, bóle po urazach (także sportowych), bóle „kobiece".

## Ostrzeżenia

Nie trzeba się niepokoić, gdy samopoczucie w trakcie leczenia ulegnie pogorszeniu. Taka reakcja „kuracyjna" jest ogólnym sygnałem, że organizm zareagował na zastosowane zabiegi.

W rozmowie z lekarzem należy wtedy ustalić, czy kuracja wymaga krótkiej przerwy, czy też wystarczy wydłużyć okresy między kolejnymi zabiegami. Dla osób z chorym sercem i wykazujących labilny stan krążenia krwi ciepłe okłady są czasami zbyt męczące.

Opisanych zabiegów nie należy stosować u osób z osłabionym czuciem bólu (np. u cukrzyków) oraz w przypadku nasilonych zaburzeń w ukrwieniu, np. u chorych z chromaniem przestankowym.

Okłady typu munari nie nadają się dla osób z wrażliwą skórą, ponieważ ich oddziaływanie trwa jeszcze po umyciu ciała.

## Sauna

Ta metoda leczenia ciepłem wykorzystuje powietrze jako nośnik ciepła. Już pod wpływem suchego powietrza podgrzanego do 90-100°C organizm zaczyna się intensywnie pocić. Z chwilą skropienia gorących kamieni lub pieca wodą następuje gwałtowny wzrost wilgotności powietrza, co doprowadza do reakcji organizmu w postaci zlewnego pocenia się. Ochładzając się później, należy także ochłodzić głowę. Powtarzane na przemian rozgrzewanie i chłodzenie ciała jest idealnym treningiem układu krążenia u osób zdrowych.

## Wykonanie zabiegu

Przez około 10 minut należy pozostawać w nagrzanym pomieszczeniu sauny, później na gorący piec nalać nieco wody lub wodnego roztworu olejków roślinnych (bez alkoholu) i powstałą parę równomiernie rozprowadzić wewnątrz sauny odpowiednimi ruchami ręcznika. Po dalszych 10 minutach należy wziąć zimny prysznic i ochłodzić się w zimnym basenie. W miarę możliwości nie powinno się wkładać ubrania do chwili odczucia efektu ochłodzenia.

Taki zabieg może być w odstępach półgodzinnych dwukrotnie powtórzony. Szok termiczny powodowany przez nalanie na piec wody nie jest konieczny. W miejsce tej fazy można zastosować dłuższe działanie ciepła suchego i nieco wyższą temperaturę.

## Wskazania

Regularne pobyty w saunie działają hartująco, zapobiegają przeziębieniom, poprawiają ukrwienie, a ponadto dają ulgę w stanach zapalenia nerwu kulszowego, w gośćcu i przy bólach miesiączkowych. Pobyty w saunie działają też odprężająco. Warunkiem uzyskania korzystnych efektów jest poświęcenie na pobyt w saunie nie mniej niż 2-3 godziny. Osoby zdrowe mogą bez zastrzeżeń korzystać z sauny kilka razy w tygodniu.

*Uwaga*: Wbrew powszechnemu mniemaniu pobyty w sau-

nie nie prowadzą do zmniejszenia ciężaru ciała. Głównym składnikiem traconego potu jest woda; jej stratę powinno się wyrównać, pijąc wodę mineralną lub soki owocowe.

## Ostrzeżenia

— Bezpośrednio przed udaniem się do sauny nie należy przyjmować pokarmów.
— Opuść saunę, skoro tylko poczujesz się niedobrze.
— W basenie mogą się ochładzać tylko całkowicie zdrowi.
— Nowicjusze w saunie powinni rozpocząć od średniego stopnia, górny stopień jest przeznaczony dla zaadaptowanych.
— Przy infekcjach i przeziębieniach oraz chorobach serca i naczyń krwionośnych z sauny korzystać nie wolno. W razie wątpliwości należy poradzić się lekarza.

## Kąpiel parowa

Podczas gdy gorąco suchego powietrza jest przez osoby zdrowe dobrze tolerowane nawet przy temperaturach przekraczających 100°C, to w przypadku działania powietrza wilgotnego, z którym mamy do czynienia podczas kąpieli parowej, próg tolerancji leży znacznie niżej. Dzieje się tak z dwóch powodów:
— para wodna jest lepszym przewodnikiem ciepła niż powietrze;
— powietrze przesycone parą wodną uniemożliwia odparowywanie potu, wskutek czego odpada efekt chłodzący związany z oddawaniem ciepła przez ustrój w trakcie pocenia się.

## Wykonanie zabiegu

W komorze parowej, w której temperatura wynosi około 50°C, przy 100-procentowej wilgotności względnej należy pozostać tak długo, jak długo da się utrzymać dobre samopoczucie. Trwa to zwykle od 5 do 15 minut. Komora parowa ma łagodniejsze działanie niż sauna.

## Wskazania

Kąpiele parowe, podobnie jak sauna, poprawiają ogólne samopoczucie.

## Ostrzeżenia

Tak samo jak przy korzystaniu z sauny co jakiś czas należy się bezwzględnie ochładzać oraz przestrzegać koniecznych chwil odpoczynku. W sytuacjach wątpliwych poradzić się przedtem lekarza.

# LECZENIE ZIMNEM (KRIOTERAPIA)

Zimno jest znanym od wieków środkiem, który szybko pomaga w przypadkach ostrych zapaleń i zranień. Pod wpływem zimna dochodzi do obkurczenia się naczyń krwionośnych i do zatrzymania krwawienia. Obrzęki się zmniejszają, ból ustępuje. Stosowane są zimne okłady, zimne zawijania lub chłodzący strumień pary chlorku etylenu jako pomoc natychmiastowa przy urazach sportowych oraz stosowanie zimnego powietrza (→ s. 653) w zapalnych chorobach układu ruchu.

## Zawijania i okłady zimne

### Wykonanie zabiegu

Kostki lodu zawinięte w chustę rozbić młotkiem, powstały groszek lodowy wsypać do woreczka foliowego, następnie wydusić z niego powietrze i mocno zawiązać. Woreczek owinięty w chustę położyć na bolesne miejsce. Inna możliwość polega na użyciu małych „akumulatorków zimna", jakie są używane w podróżnych torbach chłodniczych. W sprzedaży są też specjalne opatrunki chłodzące, które zawierają w sobie żel niezamarzający nawet w temperaturach poniżej zera stopni. W razie braku tych środków użyć można zimnej bieżącej wody.

*Uwaga*: Stosując leczenie zimnem, należy zadbać o to, aby w pomieszczeniu było ciepło oraz aby cały organizm osoby leczonej miejscowo zimnem pozostał ciepły.

### Wskazania

Krioterapia nadaje się do natychmiastowego zastosowania w przypadku zwichnięć, uderzeń i naciągnięć mięśni oraz w ostrym zapaleniu stawów. Zimne okłady na miejsca wyczuwania tętna i na skroniach są pomocne w problemach związanych z krążeniem.

### Ostrzeżenia

Tej terapii nie wolno stosować u osób z osłabionym czuciem bólu, np. u chorych na cukrzycę, oraz w przypadkach wyraźnych zaburzeń krążenia krwi, np. w chromaniu przestankowym.

## Zimne powietrze

### Wykonanie zabiegu

Na miejsce wymagające leczenia kieruje się silny strumień zimnego powietrza lub strumień pary ciekłego azotu. Ponieważ w tym przypadku idzie o zimno suche, a podczas zabiegu kończyny są poruszane, nie dochodzi do odmrożeń mimo bardzo niskich temperatur. Można też stosować leczenie całego ustroju zimnym powietrzem w komorze chłodniczej. W tym celu pacjent w stroju kąpielowym poddaje się przechłodzeniu w temperaturze około –110°C. Nos, usta, uszy, dłonie i stopy należy podczas zabiegu chronić, stosując odpowiednie chustki, rękawiczki i obuwie.

### Ostrzeżenie

Leczenie silnie ochłodzonym powietrzem wymaga zawsze nadzoru lekarza.

### Wskazania

Ta specjalistyczna terapia jest bardzo droga. Stosowana jest głównie u chorych na przewlekłe zapalenie wielostawowe, ponieważ osoby te źle znoszą zimno wilgotne, natomiast dobrze na nie działa zimno suche.

# LECZENIE WODĄ (HYDROTERAPIA)

## Ciepła kąpiel w domowej wannie

Z pewnością większość ludzi poznała już kojące i rozluźniające działanie ciepłej kąpieli po znojnym dniu. Przestrzegając kilku reguł, można swoją wannę przekształcić w miejsce kuracji.

### Wykonanie zabiegu

Woda powinna mieć temperaturę od 35 do 38°C, co można sprawdzić termometrem kąpielowym lub lekarskim. Wewnątrz pomieszczenia winna panować temperatura 20°C, a w samym pomieszczeniu nie może być przeciągów, aby uniknąć przeziębień. Nawet osoby z wyrównanym krążeniem nie powinny pozostawać w wannie dłużej niż 10-20 minut. Kąpiel należy zakończyć chłodnym prysznicem, po czym odpocząć w pozycji leżącej.

### Wskazania

Ciepłe kąpiele są wskazane w stanach zmęczenia i napięcia.

### Ostrzeżenia

Osoby z osłabionym układem krążenia oraz osoby mające trudności z poruszaniem się, a także małe dzieci nie powinny zażywać kąpieli w wannie bez czyjegoś nadzoru.

## Kąpiel przegrzewająca

Podczas takiej kąpieli dochodzi w organizmie do sztucznie wytworzonej leczniczej gorączki. Podniesienie temperatury ciała przyspiesza przemianę materii i działa pobudzająco na układ odpornościowy i hormonalny.

### Wykonanie zabiegu

Chory pozostaje w wodzie o temperaturze 37°C. Dolewając wody gorącej, powoli podnosi się temperaturę kąpieli do 43°C. Co 5 minut należy przeprowadzić pomiar ciepłoty ciała oraz tętna. Po kąpieli przegrzewającej wymagany jest jedno-, dwugodzinny odpoczynek.

### Wskazania

Tę terapię stosuje się w określonych chorobach gośćcowych, przy astmie, wrzodziejącym zapaleniu jelit oraz w chorobie nowotworowej.

### Ostrzeżenia

Kąpieli przegrzewającej nie można stosować w warunkach domowych. Przeszkodą jest ogromne obciążenie serca i układu krążenia, które musi być kontrolowane przez lekarza co 5 minut pomiarem tętna i temperatury ciała.

## Zimna kąpiel nóg, stąpanie w wodzie

Jej najprostszym wykonaniem jest stąpanie w zimnej wodzie — zabieg nieodzowny w terapii Kneippa. Do tego wystarcza własna wanna lub dwa wiadra.

### Wykonanie zabiegu

Zimna woda winna sięgać połowy łydek. Po wejściu do wody należy chodzić w miejscu krokiem bocianim, unosząc każdą nogę na przemian powyżej lustra wody. Po trzech minutach takiego chodzenia nogi delikatnie osuszyć, po czym chodzić, biegać lub skakać, dopóki stopy się nie rozgrzeją.

### Wskazania

Zimna kąpiel nóg pomaga przy bólach głowy, niskim ciśnieniu krwi, słabej perystaltyce jelit i zaburzeniach snu. Osoby zmę-

**Lektura uzupełniająca**

LAUGHIN A.: *Leczenie wodą, czyli droga do ponownej młodości*. Wydaw. „Astrum", Wrocław 1995.
SZYMAŃSKI A.: *Leczenie wodą*. Wydaw. W.A.B., Warszawa 1996.

czone, stale żyjące w stresie i mające rano złe samopoczucie powinny ten zabieg stosować codziennie z rana.

### Ostrzeżenia
Wchodzić do zimnej wody należy tylko wtedy, gdy stopy są ciepłe. Kto ma stale zimne stopy, powinien raczej zacząć od kąpieli naprzemiennych — w zimnej i ciepłej wodzie.

## Ciepła kąpiel nóg

### Wykonanie zabiegu
Nogi należy zanurzyć powyżej łydek w ciepłej wodzie o temperaturze 36-38°C. W celu wzmocnienia skutku można zastosować kąpiel w wodzie o wzrastającej temperaturze. Dolewając gorącej wody, podnosimy temperaturę powyżej 40°C. Taka kąpiel nie powinna trwać dłużej niż 15 minut.

### Wskazania
W celu pobudzenia układu krążenia. Przy zimnych stopach i bólu pleców zabieg można powtarzać co wieczór, pilnując, by kąpiel nie była za gorąca.

## Naprzemienna kąpiel nóg

### Wykonanie zabiegu
Do tego celu potrzebne są dwa naczynia, jedno z wodą ciepłą, drugie z zimną. Nogi wkłada się na 5 minut do wody ciepłej, po czym zanurza się je na 10 sekund w wodzie zimnej. Cykl należy powtórzyć pięć, dziesięć razy, kończąc kąpielą zimną.

### Wskazania
Pobudza przepływ krwi, wzmacnia układ krążenia i pomaga przy niskim ciśnieniu krwi. Kąpiel naprzemienna może być doskonale łączona z zabiegiem suchego szczotkowania (→ s. 640).

# ELEKTROTERAPIA

Należą tu: galwanizacja, jontoforeza, kąpiel czterokomorowa, kąpiel hydroelektryczna, elektroterapia prądami impulsowymi, terapia prądem narastającym skokowo i w sposób ciągły. Praktycznie wszystkie stosowane rodzaje prądu mają właściwości łagodzące ból i są stosowane głównie przy bólach układu ruchu. Niektóre rodzaje prądu służą ponadto do stymulacji elektrycznej osłabionych bądź porażonych mięśni.

Często efekt jest odczuwalny już po pierwszym zabiegu. W celu uzyskania trwałego skutku konieczna jest jednakże seria dziesięciu do dwunastu zabiegów. Ważne są: właściwe dawkowanie siły prądu, czas trwania i częstość zabiegów.

Jeżeli organizm jest nadmiernie stymulowany, pogarsza się stan ogólny. Przejściowe pogorszenie na początku kuracji występuje często i zazwyczaj mija bezproblemowo. Wówczas lekarz na krótki czas przerywa leczenie lub wydłuża przerwy między zabiegami.

## Galwanizacja (leczenie prądem o niskiej częstotliwości)

### Wykonanie zabiegu
Do miejsc chorych przyłączane są elektrody zapewniające dobry przepływ prądu przez tkanki. Powierzchnia skóry pod elektrodami jest zwilżana elektrolitem lub pod elektrody podkładane są gaziki nasączone takim płynem.

### Wskazania
Celem zabiegu jest rozluźnienie mięśni, zmniejszenie bólu i poprawa ukrwienia. Galwanizacja szczególnie dobrze poprawia ukrwienie tkanek. Potwierdzeniem tego jest czerwona plama w miejscu przyłożenia elektrod, widoczna jeszcze parę godzin po zabiegu.

### Ostrzeżenia
Istnieją osoby nietolerujące terapii prądem elektrycznym. Źle przewodzące elektrody wskutek wysuszenia, niedostatecznego zwilżenia lub przesunięcia się grożą oparzeniami skóry. Tej terapii nie należy stosować u osób, w których ciele znajdują się przedmioty metalowe (rozrusznik serca, gwoździe, płytki, śruby wprowadzone przy operacyjnym leczeniu złamań kości).

## Jontoforeza

Jest to w zasadzie odmiana galwanizacji. Jej istota polega na wprowadzeniu prądem do tkanek różnych leków nałożonych na skórę. W grę wchodzą takie środki, jak prokaina, kwas salicylowy lub środki uśmierzające ból.

### Ostrzeżenia
Jontoforezy nie należy stosować u osób mających metale w ciele, jak rozrusznik serca oraz gwoździe, płytki i śruby wprowadzone podczas operacyjnego leczenia złamań kości.

Jeżeli organizm nie toleruje danego leku, może się rozwinąć uczulenie skóry lub egzema.

## Kąpiel czterokomorowa

### Wykonanie zabiegu
Nogi i ramiona są zanurzone w czterech naczyniach wypełnionych wodą, przez którą przepływa prąd elektryczny.

### Wskazania
Stosuje się dla rozluźnienia mięśni, zmniejszenia bólu i w celu poprawy ukrwienia. Jest wskazana w zapalnych chorobach gośćcowych, zwyrodnieniach stawów, zaburzeniach ukrwienia i zaburzeniach nerwów obwodowych.

### Ostrzeżenia
Nie stosować u osób mających w ciele przedmioty metalowe. Takimi przedmiotami są rozrusznik serca oraz gwoździe, płytki i śruby stosowane w chirurgicznym leczeniu złamań kości.

## Kąpiel hydroelektryczna

### Wykonanie zabiegu
Całe ciało chorego jest zanurzone w wannie z wodą o temperaturze 36 do 38°C. Na bocznych ścianach wanny znajdują się elektrody, które mogą być rozmaicie podłączone do źródła prądu. Stosowany prąd stały zostaje poprzez dużą powierzchnię styku wody ze skórą równomiernie wprowadzony do ustroju. Kąpiel trwa około 10-30 minut.

### Wskazania
Podobnie jak wszystkie zabiegi z zastosowaniem prądu stałego, tak i ta kąpiel przyspiesza krążenie krwi i przemianę materii. Działa uspokajająco i tonizująco na wegetatywny system nerwowy oraz łagodzi bóle układu ruchu.

### Ostrzeżenia
Nie stosować w przypadku ran na skórze oraz u osób mających w ciele metalowe przedmioty, jak gwoździe, płytki i śruby oraz rozrusznik serca.

## Elektroterapia prądami impulsowymi

### Wykonanie zabiegu
Na miejsce bolesne i drugie, od niego oddalone, przykłada się po jednej elektrodzie z nawilżonym podkładem. Prąd włącza się na okres 10-30 minut. Zabieg winien być systematycznie powtarzany w następnych dniach, ponieważ efekt terapeutyczny pojawia się stopniowo.

### Wskazania
Prądy impulsowe o znormalizowanych częstotliwościach są stosowane do uśmierzania bólu, głównie układu ruchu.

W handlu znajdują się urządzenia, które pozwalają na stosowanie tej terapii w warunkach domowych.

## Terapia prądem narastającym skokowo i eksponencjalnie

### Wykonanie zabiegu
Na miejsce bolesne i oddalone od niego miejsce zdrowe przymocowuje się po jednej elektrodzie z nasączonym podkładem. Zabieg trwa 10-30 minut i winien być powtarzany do chwili uzyskania pożądanego skutku.

### Wskazania
Działając na zdrowy mięsień prądem narastającym skokowo można doprowadzić do jego skurczu. Gdy w wyniku zabiegu chirurgicznego na kolanie konieczne jest unieruchomienie nogi, można zapobiec zanikowi mięśni albo utrzymać go w akceptowalnych granicach, stosując codzienną porcję gimnastyki unie-

ruchomionych mięśni poprzez opisaną elektroterapię. Mięśnie porażone nie reagują na pobudzanie prądem narastającym skokowo. Porażone mięśnie leczy się prądem piłozębnym albo narastającym wykładniczo. Już słaby prąd o przebiegu wykładniczym doprowadza do skurczu mięśnia porażonego. To leczenie nie wpływa na uszkodzony nerw, niemniej trenuje dany mięsień tak długo, póki nerw na powrót nie zacznie funkcjonować i nie przejmie sterowania mięśniem. Terapii tej nie stosuje się w przypadku porażeń będących wynikiem uszkodzenia tkanki mózgowej, jak na przykład po wylewie krwi do mózgu.

### Ostrzeżenia
Nieprawidłowe zastosowanie terapii może spowodować oparzenia.

## Leczenie prądami interferencyjnymi

Prądy interferencyjne powstają przez nałożenie się na siebie prądów zmiennych o różnych częstotliwościach 1-10 kHz. Taki prąd lepiej przenika przez skórę i jest odczuwany jako przyjemniejszy.

### Wykonanie zabiegu
Na okolicę zlokalizowanego bólu nakłada się dwie do czterech elektrod z nasączonym podkładem. Przepływ prądu trwa 10-30 minut.

### Wskazania
Leczenie prądami interferencyjnymi ma sens w każdym przypadku nadwerężenia mięśni. Służy głównie do stymulacji elektrycznej mięśni. Taki prąd może być stosowany też u osób mających w ciele metalowe implanty. Oparzenia skóry pod elektrodami są niemal wykluczone.

## Leczenie prądami o wysokiej częstotliwości

Podczas zastosowania prądów o wysokiej częstotliwości dochodzi do ogrzania — zależnie od użytej częstotliwości (terapia krótkofalowa, decymetrowa, mikrofalowa) — tkanek leżących w głębi ustroju.

### Wykonanie zabiegu
Chorą część ciała poddaje się przez 10 minut działaniu prądu, powtarzając zabieg dziesięciokrotnie w odstępach jednodniowych.

### Wskazania
Tymi prądami i falami leczy się przewlekłe stany chorobowe narządów wewnętrznych i stawów. Ciepło wytwarzane głęboko w ciele działa w tych przypadkach leczniczo.

### Skutki uboczne
Wystąpić mogą dolegliwości sercowe i zaburzenia snu. Należy wtedy porozumieć się z lekarzem.

### Ostrzeżenia
Bardzo ważne jest dokładne dawkowanie, ponieważ promieniowanie sięga głębokich tkanek, a na powierzchni skóry od-

czuwane jest tylko słabe ogrzanie. Przed zabiegiem należy zdjąć i odłożyć wszelkie przedmioty metalowe, jak łańcuszki, pierścionki, zegarki, protezy itp.

Leczenia prądami i falami wysokiej częstotliwości nie można podjąć u osób mających wszczepiony rozrusznik serca, elementy metalowe w układzie kostnym, odłamki metalowe w ciele względnie sztuczne stawy biodrowe z metalu. Kobiety ciężarne także nie mogą być poddawane tej terapii.

## LECZENIE ULTRADŹWIĘKAMI

Ultradźwięki wywołują drgania drobin tworzących nasze tkanki. Drgania te stanowią rodzaj mikromasażu, a ponadto wyzwalają ciepło.

### Wykonanie zabiegu
Powietrze nie przewodzi ultradźwięków o częstotliwości stosowanej w terapii. Z tego powodu na tę część ciała, która ma być poddana nadźwiękowieniu, nakłada się warstwę żelu kontaktowego lub wykonuje się zabieg w kąpieli wodnej. Głowicę nakłada się na leczone miejsce, poruszając nią zależnie od celu zabiegu. Zabieg trwa od 2 do 10 minut i winien być kilkakrotnie powtórzony w odstępach dziennych.

### Wskazania
Leczenie ultradźwiękami jest zalecane przy przewlekłych stanach zapalnych aparatu ruchowego, przy bólach okołostawowych i bolesnych ścięgnach (zwyrodnienie stawu kolanowego i biodrowego, „ramię tenisisty", bóle barku) oraz przy bólu pleców.

### Ostrzeżenia
Nie wolno stosować tej terapii w ostrych stanach zapalnych i w przypadku guzów złośliwych. Jeśli głowica ultradźwiękowa nie jest poruszana, może dojść do bolesnego przegrzania tkanki.

## LECZENIE POLEM MAGNETYCZNYM

Badania wykonane w latach sześćdziesiątych wykazały, że rany i złamania kości szybciej się zrastają w polu magnetycznym. Pojedyncze badania ujawniły też jego pozytywny wpływ na niektóre schorzenia, np. na podwyższone ciśnienie krwi.

### Wykonanie zabiegu
Chorą część ciała umieszcza się w polu magnetycznym na okres do jednej godziny. Zabieg jest powtarzany dziesięć razy w odstępach jednodniowych.

### Wskazania
Pola magnetyczne mają pomagać w licznych dolegliwościach, zwłaszcza przy źle gojących się ranach, bólach pleców, złamaniach kości. Brak dotąd pewnych dowodów na ich skuteczność. Łagodzi ból i ewentualnie leczniczo działa sam długi okres unieruchomienia podczas zabiegów. Inaczej jest przy leczeniu polami magnetycznymi w wypadku źle gojących się złamań kości

z implantowaną cewką. Skuteczny jest tutaj prąd wytwarzany przez cewkę. W tym przypadku zastosowanie jest zasadne.

### Ostrzeżenia
Leczenie polem magnetycznym nie wszędzie zostało uznane za terapię naukowo uzasadnioną: nie stwierdzono dotąd działań ubocznych.

## LECZENIE PROMIENIAMI LASEROWYMI

Promieniowanie laserowe jest wykorzystywane przez chirurgię plastyczną i mikrochirurgię. W tych dziedzinach służy jako szczególnie oszczędny „nóż chirurgiczny", w którego działaniu wykorzystuje się energię wiązki promieni tzw. lasera twardego.

Laser „miękki" cechuje się znacznie mniejszym natężeniem, nie rani skóry, a docierając do niej i sięgając tkanki podskórnej, pobudza zaledwie funkcje życiowe komórek.

### Wykonanie zabiegu
Zależnie od pożądanego efektu wiązka promieniowania laserowego jest kierowana na obrany punkt przez krótszy lub dłuższy czas. Miejscem napromienianym mogą być punkty akupunkturowe lub chora tkanka. Zabieg jest powtarzany kilkakrotnie przez parę kolejnych dni.

### Wskazania
Laser miękki służy do bezbolesnej akupunktury u dzieci. Płaszczyznowe zastosowanie promieniowania laserowego wspomaga proces zrastania się źle gojących się ran oraz leczenie obszarów skóry wykazujących zaburzenia w ukrwieniu. Leczenie laserem miękkim nie znalazło jeszcze oficjalnego uznania, niemniej w wielu klinikach jest stosowane.

## GIMNASTYKA LECZNICZA

Ta terapia pomaga w rozluźnianiu mięśni i ich wzmocnieniu oraz w uruchamianiu usztywnionych stawów. Poprzez gimnastykę leczniczą można opanować nowe stereotypy ruchowe, dzięki czemu udaje się w przyszłości unikać takich sekwencji ruchów, które są powodem dolegliwości.

### Wykonanie zabiegu
Gimnastyki leczniczej trzeba się najpierw nauczyć pod fachowym nadzorem, a później już samodzielnie należy ją regularnie uprawiać. Jest to zawsze terapia długotrwała. Bardzo ważne jest, aby ćwiczenia trwały od 15 do 30 minut i były wykonywane co najmniej raz, dwa razy dziennie. Powinny być wykonywane zawsze w tym samym miejscu i mieć stałą porę w planie codziennych zajęć. Najkorzystniejszym czasem dla gimnastyki leczniczej jest późne przedpołudnie i popołudnie. Zależnie od choroby zaczyna się ją od różnych pozycji wyjściowych.

Za postawę nieobciążającą uznaje się leżenie na plecach, ułożenie boczne z jedną nogą podciągniętą, siedzenie na taborecie, pozycję z czterema punktami podparcia (na kolanach i rękach) oraz siedzenie w wodzie, której siła wyporu odciąża.

## Wskazania

Stosownie do przyczyny zaburzenia ruchu i w zależności od pacjenta dobiera się różne techniki.

### Ćwiczenia funkcjonalne

Gdy mamy do czynienia z „samoistnym" unieruchomieniem stawów wskutek opatrunku gipsowego albo po operacjach, wtedy chory aktywnie ćwiczy ruchy zgięcia i prostowania, ewentualnie pokonując opór stawiany przez ciężarek lub nacisk wywierany przez trenera.

### Ćwiczenia uruchamiające

Podczas tych ćwiczeń pacjent pozostaje bierny, a konieczne ruchy są wykonywane przez leczącego. Terapeuta przesuwa powierzchnie stawowe w takich kierunkach, w których pacjent ruchów wykonywać nie potrafi. Wszyscy obłożnie chorzy, którzy sami nie mogą się poruszać, muszą być mobilizowani, aby nie doszło do usztywnienia stawów.

### Ćwiczenia postawy

W stanach spastycznych mięśni grzbietu i po uszkodzeniach aparatu postawy przeprowadza się w okresie, gdy ból już ustąpił — najczęściej w grupach — ćwiczenia zwane szkołą pleców. Zaczyna się od tzw. wyciągania (→ Ruch i sport, s. 748), potem następują ćwiczenia siłowe dla osłabionych mięśni, a na końcu program specjalny, który ma na celu skoordynowanie współdziałania mięśni.

### Ćwiczenia oddechowe

Dzięki nim dochodzi podczas gimnastyki postawy do wzmocnienia ruchów kręgosłupa we właściwym kierunku.

Dla astmatyków cierpiących na choroby układu oddechowego oraz dla dzieci, które muszą nauczyć się odkrztuszania wydzieliny oskrzelowej (→ Mukowiscydoza, s. 562) istnieją specjalne ćwiczenia oddechowe. Ponieważ oddychanie jest silnie sprzężone ze stanem napięcia i rozluźnienia mięśni, a na to z kolei wpływają uczucia człowieka, dlatego rozwinęły się specjalne metody leczenia całego organizmu. Uczą one odczuwania procesu oddychania i zwracają uwagę na świadome oddychanie, kojarząc stan napięcia mięśni z odbieranymi wrażeniami (→ Relaks, s. 664).

### Leczenie porażeń

Gdy w wyniku poprzecznego uszkodzenia rdzenia kręgowego, po wypadkach, wylewach domózgowych albo wskutek chorób układu nerwowego, jak np. stwardnienie rozsiane, mięśnie zostają porażone, wówczas udaje się specjalnym treningiem doprowadzić do optymalnego stanu pozostałych mięśni, które jeszcze poddają się woli pacjenta. Najczęściej w tym celu stosowane są zabiegi według Bobatha lub noszące oznaczenie „PNF". Ich istota polega na wielokrotnym powtarzaniu pewnych wzorców ruchów, dzięki którym mogą się od nowa wytworzyć określone schematy sterowania ruchami zniszczone wskutek wyżej podanych przyczyn. Fizjoterapeuci, którzy chcieliby te metody stosować, muszą przebyć specjalne szkolenie.

## Wskazania

Dolegliwości odczuwane w zakresie układu narządów ruchu są często wynikiem zbyt słabo trenowanych lub nieprawidłowo obciążonych mięśni. Gimnastyka lecznicza może w przypadkach porażeń po wylewach domózgowych krwi, po operacjach guzów mózgu, wskutek stwardnienia rozsianego oraz u dzieci z zaburzeniami rozwojowymi dać dobre rezultaty. Jest niezastąpioną metodą leczenia w chorobach reumatycznych.

## Ostrzeżenia

Warunkiem uzyskania dobrych wyników poprzez zastosowanie gimnastyki jest jej wykonywanie pod nadzorem wykształconych specjalistów, których zadanie sprowadza się do pilnowania prawidłowego toku ćwiczeń i przestrzegania przed możliwymi przeciążeniami.

## Ćwiczenia oddechowe

Ważną metodą gimnastyki leczniczej (→ s. 656) są ćwiczenia oddechowe stosowane w chorobach dróg oddechowych. Ponadto ruchy oddechowe łączy się z technikami relaksacji (→ s. 665).

### Sposób wykonania

Albo uwagę koncentruje się świadomie na właściwym oddychaniu, albo osiąga się to podświadomie przez ćwiczenia ruchowe lub udział głosu. Najczęściej ćwiczenia odbywają się wspólnie w grupie przez godzinę i są wielokrotnie powtarzane w odstępach tygodniowych.

### Wskazania

Ćwiczenia oddechowe zmniejszają zaburzenia czynnościowe głosu i dróg oddechowych, układu sercowo-naczyniowego lub trawienia; mogą łagodzić napięcie, służą do opanowania stresu i regulują nastrój w zaburzeniach psychicznych.

### Ostrzeżenia

Ćwiczenia oddechowe powinny być prowadzone przez doświadczonych psychoterapeutów. W ciężkich chorobach psychicznych nie wolno ich stosować.

---

### Lektura uzupełniająca

BUBIŃSKA J., KRZYŻANOWSKA A., MICHOCKA-MELER A.: *Ćwiczenia w wadach postawy u dzieci i młodzieży do codziennego stosowania*. „Dangraf", Kalisz 1994.
CZERWIŃSKI R.: *Gimnastyka wyrównawcza: dla pracujących w pozycji siedzącej i stojącej*. „Sic", Warszawa 1995.
KUTZNER-KOZIŃSKA M., WLAŹNIK K.: *Gimnastyka korekcyjna dla dzieci 6-10-letnich*. Wydaw. Szkolne i Pedag., Warszawa 1995.

---

# TERAPIA MANUALNA

Techniki ręcznego łagodzenia dolegliwości stawowych są znane od tysiącleci wśród wszystkich ludów o pewnej kulturze. Na przełomie XIX i XX wieku dokonano w USA spisu istniejących metod i z tym faktem łączy się powstanie dwóch „szkół" ich stosowania. Jedna z nich przyjęła nazwę chiropraktyki (kręgarstwa), druga osteopatii (dosłownie oznacza to: choroby kości).

Od lat pięćdziesiątych XX wieku chiropraktyka rozszerza się także w krajach Europy Zachodniej. Jest stosowana przez ortopedów szczególnie w przypadkach nieprawidłowości w obrębie kręgosłupa.

W obrębie osteopatii rozwinęło się wiele specjalnych metod leczniczych. Należą do nich m.in. TKP i AK.

## Chiropraktyka

### Wykonanie zabiegu
Są różne metody usprawniania czynnościowego zablokowanych, lecz niezarośniętych stawów i rozluźnienia przykurczonych grup mięśniowych. Najbardziej są znane manipulacje chiropraktyczne, podczas których na dotknięty staw i zakończenia nerwowe, na ścięgna i mięśnie są wywierane określone ruchy o charakterze pchnięć bądź szarpnięć z silnym krótkim impulsem.

Typowy jest słyszalny trzask, który jednak nie boli. W tej metodzie inne stawy muszą być przez odpowiednie chwyty „zaryglowane". Osteopaci i chiroterapeuci przedkładają techniki skierowne na tkanki miękkie, przy których opuszkami palców wywierany jest ucisk na stwardniałe mięśnie, by je rozluźnić. Stosują oni także techniki uruchamiające, przy których w kierunku ograniczonego ruchu ostrożnie uruchamiają i odciągają od siebie powierzchnie stawowe. Czynność ta jest tak długo powtarzana, aż szpara stawowa ulegnie poszerzeniu.

### Wskazania
Z praktyki wynika, że zastosowanie metody kręgarskiej ma sens w przypadkach funkcjonalnie ograniczonej ruchomości stawów oraz kręgosłupa.

### Ostrzeżenia
Chiropraktyka winna być uprawiana przez wykształconych specjalistów. Przedtem należy wykonać zdjęcie rentgenowskie. Zbyt częste zastosowanie tej metody może doprowadzić do „nadruchliwości". Wtedy staw nie może być normalnie obciążany, co oznacza, że nie został odpowiednio wyleczony.

W razie zastosowania zabiegu kręgarskiego w obrębie kręgosłupa szyjnego może dojść do tragicznych komplikacji wskutek uszkodzenia już wstępnie osłabionych tętnic kręgowych.

## Technika krzyżowo-potyliczna (TKP; osteopatia czaszkowa)

Ta metoda lecznicza wychodzi z założenia, że wbrew ogólnie przyjętym poglądom, kości czaszki i szwy czaszkowe są nadal ruchome oraz że pulsujący płyn mózgowy łączy czaszkę poprzez kręgosłup z kością krzyżową. Z tego powodu może wskutek zaburzenia zlokalizowanego w obrębie głowy dojść do rozwoju różnych chorób w całym organizmie.

### Wykonanie zabiegu
Wykonujący zabieg porusza kości czaszki w określony sposób ku sobie. Dzięki rozprzestrzenianiu się tego bodźca następuje oddziaływanie na cały kręgosłup, a przez to mogą podlegać pozytywnym zmianom różne dolegliwości w obrębie całego organizmu, które były związane z nieprawidłową postawą.

### Wskazania
To leczenie jest szczególnie wskazane u dzieci, których kości jeszcze rosną. Obok wad postawy, problemów ze stawami biodrowymi i kręgosłupem, poddają się temu leczeniu z dobrym rezultatem przypadki astmy, przewlekłego kataru nosa, anginy i nieprawidłowe ustawienie szczęk.

## Kinezjologia stosowana (applied kinesiology — KS)

Ta technika wywodzi się z kręgarstwa i jest znana dopiero od ćwierćwiecza. Terapia zaczyna się od testów siły mięśni. Podstawowe założenie sprowadza się do stwierdzenia, że określone mięśnie są powiązane z określonymi narządami wewnętrznymi oraz szczególnymi składnikami pokarmowymi.

### Wykonanie zabiegu i wskazania
KS jest techniką medyczną, która jest wykonywana za pomocą rąk i służy do leczenia wszelkich nieprawidłowości ustroju. Podobnie jak homeopatia jest odrębnym kierunkiem medycznym opartym na odmiennym sposobie myślenia. Jako kompleksowy system leczenia KS stosowana jest szczególnie w USA. Badania kontrolne wykazują, że metoda ta dopuszcza każdą manipulację i nie pozwala na żadne wiążące ustalenia. Także pokrewne metody, jak Touch for Health i Edu-Kinestetik nie są uznane naukowo. Stosowanie tych metod odradza się.

# MASAŻ

### Mowa dotyku
Jeśli z kimś współodczuwamy, to bierzemy go przyjaźnie w ramiona, delikatnie głaszczemy policzki, pocieszająco kładziemy dłoń na jego ramieniu. Dotykanie jest koniecznością, oznacza kontakt z otoczeniem, ofiarowuje ciepło, bezpieczeństwo, akceptację, daje poczucie własnej wartości. Medycyna wschodnia określa niektóre okresy w życiu mianem przemian i uczy, że

właśnie w tych chwilach przełomowych możemy polepszyć swą kondycję, jeśli ją potraktujemy z uwagą, możemy jej również trwale zaszkodzić w razie zaniedbania. Mowa tu o okresie dojrzewania, ciąży i tygodniach po niej następujących, wieku średnim i przekwitaniu. W tych okresach terapia dotykowa może pomóc w rozładowywaniu napięć. Potrzeba dotyku jest większa w okresach stresu, ponieważ dotyk może zmniejszyć napięcie. Każdy masaż zmierza do regeneracji ciała i ożywia siły zdrowotne. Każda spośród różnych metod masażu ma własną filozofię i określony zasięg. Tradycja zachodnia (masaż szwedzki) wspiera się na przesłankach mechanicznych: w narzędzie ruchu należy przywrócić prawidłową funkcję mięśni, ścięgien i stawów. System ten pracuje nad poszczególnymi częściami ciała i ich wzajemnymi powiązaniami. Tradycja wschodnia inspiruje się wyobrażeniem krążącej w organizmie energii, której ruch musi być stale podtrzymywany, a spięte mięśnie hamują jej przepływ. W ostatnich latach na podstawie obu systemów opracowano formy mieszane, które pretendują do miana całościowych.

### Efekt masażu

Masaż działa w dwóch sferach: w sferze ciała odpręża i ożywia mięśnie, pobudza krążenie krwi i limfy, uelastycznia tkankę więzadeł. Szczególnie skuteczny jest tu masaż klasyczny. W sferze psychiki natomiast może uwalniać od napięć i lęków. Jeśli zaakceptować tę sferę działania masażu, to może on wyzwolić pewien

rodzaj nowego odczuwania: uczymy się doznawania odrębności poszczególnych części ciała, w których są „zablokowane" potencjały energetyczne, i kształtowania nowego całościowego obrazu własnej osoby. W ten sposób masaż wyzwala nową energię, może zmieniać postawę i wyraz twarzy. Masaż może też przywołać duchowe cierpienia z przeszłości, umożliwiając dalsze leczenie psychoterapeutyczne. Działanie odprężające i lecznicze masażu można wzmocnić przez:

— ukierunkowaną technikę oddychania: jeśli oddycha się „w kierunku" masowanej części ciała, można powstające czasem bóle łagodzić samemu;
— wyobrażanie sobie kolorów (→ s. 664).

## Masaż szwedzki

### Wykonanie

Pomieszczenie powinno być ciepłe i spokojne. Należy się skupić na dotyku masażysty, który winien okazywać zainteresowa-

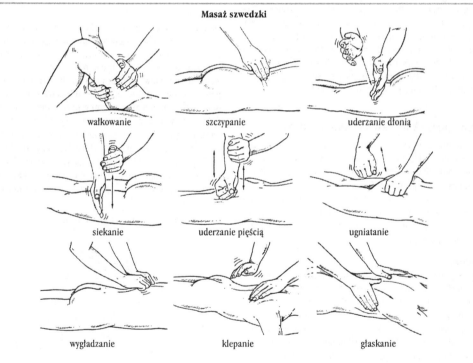

**Masaż szwedzki**

wałkowanie     szczypanie     uderzanie dłonią

siekanie     uderzanie pięścią     ugniatanie

wygładzanie     klepanie     głaskanie

**Automasaż**: Poczynając od nóg, silnie ugniataj i gładź ciało w kierunku serca, słabiej w kierunku odwrotnym.

Usiądź z wyciągniętymi nogami i na zmianę masuj obydwie stopy, kostki i podudzia, kolana i uda od strony wewnętrznej i zewnętrznej.

Połóż się na podłodze z przyciągniętymi nogami. Poczynając od łona masuj biodra do pośladków.

Połóż się na boku i masuj pośladek od okolicy kości krzyżowej, potem wokół stawu biodrowego ku przodowi. Powtórz po drugiej stronie ciała.

Leżąc na plecach, kontynuuj masowanie: od dołka żołądkowego do obojczyka, potem żebra od środka ku bokom.

Z kolei wymasuj przedramiona, ramiona i barki.

Leżąc, ugniataj mięśnie od stawu barkowego do szyi. Wymasuj łopatkę, szyję i bark, sięgając możliwie daleko.

Na siedząco oburącz masuj boki, poczynając od bioder w górę.

Połóż się i przesuwaj tam i z powrotem plecami po kiju od szczotki, wałku do ciasta lub piłce tenisowej.

nie i życzliwość. Jego ręce muszą być naoliwione. Nie jest konieczny drogi olejek. Najbardziej nadaje się olej słonecznikowy, kokosowy lub drogi migdałowy z dodatkiem dla aromatu kilku kropel soku cytrynowego. Aromaty drzewa sandałowego, jaśminu i mandarynek mają działanie odprężające, szałwia rozluźnia mięśnie. Masaż podstawowy polega na wykonywaniu ruchów rozcierających, ugniatających, szczypiących, głaszczących. Dłonie mogą uciskać, uderzać i klepać. Można bić brzegiem dłoni lub pięścią (→ s. 659). Należałoby nauczyć się u specjalisty podstawowych chwytów i poddać się w tym czasie masażom, by odczuć ich oddziaływanie.

## Automasaż

W sposób bezwiedny wykonujemy masaż, gdy rozcieramy miejsce, w które się uderzyliśmy, lub ugniatamy spięty kark. Celowo zastosowany na całym ciele automasaż może odświeżyć i odprężyć. Przed rozpoczęciem masowania należy się skupić na oddechu: wykonać kilka wdechów i wydechów, usiłując przy tym odczuwać przyjemność i czynić to z poczuciem świadomości oddychania. Ważne jest, aby wypuścić z piersi powietrze, zanim wykona się ucisk miejsca trudno dostępnego lub wymagającego użycia większej siły (→ s. 659). Po zakończeniu masażu należy głaskać się od czoła do brody, zawsze od środka twarzy na zewnątrz. Powinno się masować również żuchwę i uszy od dołu ku górze, a w końcu delikatnymi ruchami głowę. Na zakończenie zaleca się pozostać kilka minut w pozycji lotosu (→ Joga, s. 669) lub poleżeć na plecach z przygiętymi kolanami.

## Shiatsu (masaż uciskowy, akupresura)

Shiatsu (akupresura) rozwinął się z tradycyjnego japońskiego masażu punktów uciskowych. Wyobrażamy sobie, że są one połączone południkami (→ Akupunktura, s. 646). W stanie zdrowia energia przepływa nimi swobodnie jak paliwo w rurociągach. Przy nieodpowiednim trybie życia, w stresie emocjonalnym, ogólnym osłabieniu lub przy urazach strumień energii zostaje zaburzony. Shiatsu może przywrócić równomierny przepływ spiętrzonej energii.

### Wykonanie

Lekki ucisk połączony z okrężnymi ruchami pobudza dany południk i przekazuje odpowiedniemu narządowi uzdrawiający impuls. Do wywołania korzystnej reakcji w zupełności wystarcza pięć do dwudziestu sekund. Zbyt silny ucisk może spowodować efekt wręcz przeciwny. Techniki tej, w której posługuje się kciukiem, dłońmi, łokciem lub stopą względnie stosuje się naciąganie, należałoby się uczyć u specjalisty. Przy wykonywaniu zabiegów na sobie należy pamiętać o skupieniu i wolnym tempie. Mając pewne wyczucie, można shiatsu stosować partnersko. W tym celu partner kładzie się na macie, lekko odziany i odprężony. Druga osoba nakłada zawsze obie ręce w symetrycznych miejscach.

### Efekt shiatsu

Akupresura zwiększa siły odpornościowe. Może pomagać w zaburzeniach snu, nerwowości, lękach przed egzaminami i zmniej-szać bóle. Szczególnie pożyteczna okazała się w leczeniu migreny, bólów głowy, pleców, zębów i zgagi.

*Uwaga*: Nie należy wykonywać automasażu ani masażu partnerskiego bez uprzedniego badania lekarskiego. Zabiegi te mogą być bolesne, mogą wywołać nudności lub nasilić bóle, które ustępują samoistnie po krótkim czasie. Zabiegów tych nie należy stosować w chorobach wewnętrznych i zakaźnych.

### Shiatsu dla odprężenia i w bólach

*Głowa i twarz*
Ponieważ mamy skłonność do „przeżywania w głowie", dlatego często w rejonach głowy i twarzy dochodzi do wzrostu napięć. W tej okolicy zaczyna się i kończy wiele południków (→ Akupunktura, s. 646). Ponadto istnieją reflektoryczne powiązania między górną częścią twarzy i górną częścią tułowia oraz dolną częścią twarzy i dolną częścią tułowia. Dlatego masaż głowy i twarzy rozluźnia napięcia i udrażnia zastoje w całym ciele, wprowadzając w ruch energię. Miły dodatkowy efekt: akupresura upiększa.

*Wykonanie*
Oburącz ujmujemy głowę i uciskamy kciukami, palcami wskazującymi i środkowymi każdorazowo przez około pięć sekund, delikatnie, potem coraz mocniej, w miejscach zaznaczonych na rysunkach A, B i C. Zaczynamy na szczycie głowy i posuwając się ku tyłowi uciskamy za każdym razem w punktach położonych w odstępie jednego centymetra (A). Potem należy wykonać ucisk małymi palcami w przyśrodkowym kącie oczodołów, szczypać wzdłuż łuków brwiowych i ucisnąć w ich najbardziej wysuniętym na zewnątrz punkcie. Wykonując koliste ruchy palcami wskazującymi, zbliżyć się do punktów skroniowych, potem oboma kciukami ucisnąć poniżej kości policzkowej. Wyszukać bolesne przy ucisku miejsce w kącie łuku żuchwy (szczęki dolnej) i naciskać przez pięć sekund (B). Ułożyć

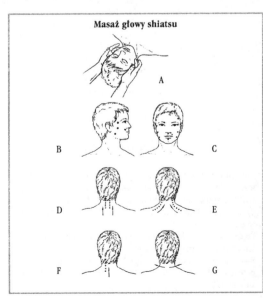

Masaż głowy shiatsu

kciuki w zagłębieniach na dolnym brzegu skrzydełek nosa, uciskać wzdłuż fałdy uśmiechu ku górze. Ułożyć dłonie wokół brody i uciskać kciukiem zagłębienia między ustami a brodą oraz ustami a nosem (C). Później to samo zrobić wzdłuż kręgosłupa szyjnego, jak pokazują rysunki D, E, F, G, w punktach położonych w odstępie centymetra u nasady mięśni, posuwając się od dołu ku górze, i zaraz potem wzdłuż zewnętrznego brzegu mięśni z tyłu karku. Następnie uciska się kolejno tkliwe zagłębienia między kręgami. Na koniec wywiera się palcami silny ucisk na brzeg podstawy czaszki, posuwając się od środka na zewnątrz. Teraz palcami należy pogłaskać włosy i delikatnie je odsunąć. Masaż kończy się kilkoma głaszczącymi ruchami, poczynając od głowy, poprzez szyję i barki ku dołowi.

### Masaż partnerski
Na zakończenie masażu szwedzkiego można dodać najważniejsze elementy shiatsu na tułowiu i kończynach oraz wykonać uciski palcami lub łokciem. Pobudza to układ nerwowy i daje mięśniom odprężające impulsy.

*Tył*
Plecy: punkty po obu stronach kręgosłupa i między kręgami decydują o równowadze funkcji wewnętrznych. Biodra: uciski na okolicę otworów kości krzyżowej i ugniatanie pośladków od boków powodują odprężenie w rejonie miednicy, łagodzą dolegliwości menstruacyjne i wzmacniają nogi. Nogi: głęboki ucisk w punkcie dołu podkolanowego łagodzi bóle lędźwi. Kostki nóg: jeśli równocześnie wywrzeć ucisk z obu stron na okolicę przyczepu ścięgna Achillesa do pięty, to uzyskuje się pobudzenie gospodarki wodnej i zmniejszenie bólów w dolnych partiach pleców.

*Przód*
Barki: uciskanie w miejscu położonym cztery centymetry poniżej zagłębienia na zewnętrznym brzegu obojczyka pobudza oddech. Ramiona i dłonie: punkt w środku dłoni uspokaja; punkt w kącie między kciukiem a palcem wskazującym pomaga przy przeziębieniu, bólach głowy i zębów; miejsce na zewnętrznej krawędzi nasady paznokcia palca wskazującego łagodzi bóle

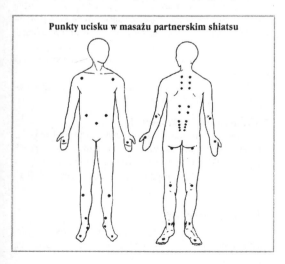

**Punkty ucisku w masażu partnerskim shiatsu**

w obrębie twarzy; punkt w obrębie środkowego fałdu dłoni poniżej małego palca tonizuje napięcia nerwowe; punkt na zewnętrznym skraju fałdu powstającego przy zgięciu w stawie łokciowym pobudza jelito, zmniejsza bóle ramion i barków. Środek ciała: ucisk w odległości siedmiu centymetrów od pępka po obu jego stronach stymuluje jelita i zmniejsza kurcze żołądka; ważny punkt znajdujący się trzy centymetry poniżej pępka działa ogólnie ożywiająco. Nogi: silny ucisk punktu, w którym zaczyna się u góry szersza część kości piszczelowej, wzmaga ogólną energię; uciskając miejsce położone w odległości czterech palców nad wewnętrzną kostką można uzyskać ogólne uspokojenie.

## Masaż odruchowo-strefowy stopy
Na Dalekim Wschodzie praktykowany od tysiącleci, stosowany zarówno w starożytnym Egipcie, jak i Rzymie oraz na terenach arabskich, w naszych szerokościach geograficznych jest wciąż przedmiotem sporów. Niemniej już w 1913 roku udało się wykazać pewnemu amerykańskiemu lekarzowi, że niektóre rejony naszego ciała są powiązane z określonymi obszarami stóp. Stopy stanowią rodzaj „map" ciała ludzkiego (→ s. 662).

### Wykonanie
Jeśli któryś narząd lub jakaś część ciała są uszkodzone lub źle ukrwione, to odpowiadający im punkt na stopie wykazuje wyraźną nadwrażliwość lub wręcz bolesność uciskową. Masaż w tym miejscu ma przywrócić odpowiadającej mu okolicy normalne krążenie. Ten rodzaj odczuć bólowych występuje zwłaszcza w rejonach odpowiadających głowie, a więc w okolicach palców i podeszwy stóp.

### Efekt masażu odruchowo-strefowego stóp
Masaż ten działa odprężająco, pomaga przede wszystkim w leczeniu schorzeń narządu ruchu, uszkodzeniach kręgosłupa i krążków międzykręgowych, chorobach narządów wewnętrznych, w zaburzeniach miesiączkowych i w migrenie.

Opisana metoda niezbyt się nadaje do wykonania przez samego pacjenta. Najlepiej się jej nauczyć u wykwalifikowanego terapeuty albo zlecić mu wykonanie masażu, choć możliwa jest również nauka na podstawie książki.

## Rolfing
Amerykanka Ida Rolf opracowała własny „masaż głęboki". Polega on na ekstremalnie silnym i skoncentrowanym ucisku wywieranym na określone punkty kostką palca, łokciem lub wszystkimi kostkami ściśniętej pięści. Ucisk wywołuje reakcję w tkance łącznej i otaczającej włókna mięśnia, umożliwiając zniekształconym i przykurczonym mięśniom odzyskanie pierwotnej postaci.

### Wykonanie
Leczenie składa się z około dziesięciu godzinnych zabiegów. Może być bardzo bolesne i wywoływać takie uczucia jak smutek, zdenerwowanie lub wesołość. Czasem powracają do świadomości wspomnienia z dzieciństwa, szczególnie te, które

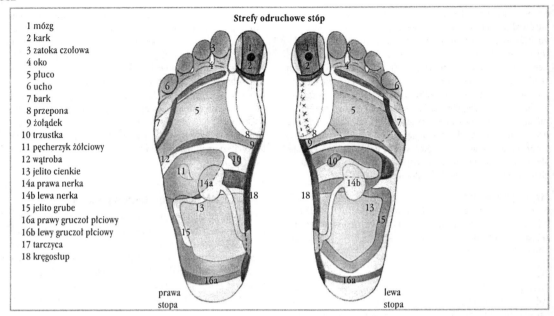

**Strefy odruchowe stóp**

1 mózg
2 kark
3 zatoka czołowa
4 oko
5 płuco
6 ucho
7 bark
8 przepona
9 żołądek
10 trzustka
11 pęcherzyk żółciowy
12 wątroba
13 jelito cienkie
14a prawa nerka
14b lewa nerka
15 jelito grube
16a prawy gruczoł płciowy
16b lewy gruczoł płciowy
17 tarczyca
18 kręgosłup

prawa stopa

lewa stopa

przez dziesiątki lat pobudzały mięsień do skurczu i w ten sposób doprowadziły nawet do zmian kształtu ciała.

### Efekt rolfingu

Efekt jest zdumiewający: znikają wady postawy, która odzyskuje pierwotną postać. Odczuwalnie rozluźniają się mięśnie, umożliwiając cofnięcie się przykurczów i usztywnień. Ustrój nabiera świeżej energii. Należałoby jednak równocześnie coś przedsięwziąć, by w sferze psychiki postęp dorównywał zmianom w sferze ciała. Napięcia pewnych partii mięśni mogą długo zmuszać do milczenia i przytłumienia konfliktów duchowych. Jeśli konflikty te nie znajdą rozwiązania, to po jakimś czasie ponownie doprowadzą do wzmożonego napięcia. Dlatego chętnie łączy się ten sposób leczenia z psychoterapią (→ Poradnictwo i psychoterapia, s. 670).

### Masaż limfatyczny

Ta postać masażu nasila odpływ limfy, zwłaszcza będącej w zastoju. Jest stosowana ponadto w różnych chorobach skóry i nerwów.

### Wykonanie

Masaż wykonuje się kciukiem i pozostałymi palcami, dbając o to, aby ruchy dłoni były wywoływane miękkim ruchem nadgarstka. Do tych kolistych ruchów dołącza się ucisk stopniowo narastający, trwający do około trzech sekund, potem znowu malejący. Kierunek ruchu powinien odpowiadać kierunkowi przepływu limfy. Trudna technika masażu limfatycznego wymaga specjalnego wyszkolenia.

### Efekt masażu limfatycznego

Masaż limfatyczny działa wspomagająco w okresach rehabilitacji. Nadaje się do leczenia obrzęków limfatycznych po operacjach (na przykład obrzęk ramienia po amputacji piersi), po

wypadkach (krwiak, złamanie), po schorzeniach reumatycznych, przy obrzękach pozakrzepowych, zapaleniach, w zaburzeniach centralnego układu nerwowego, zakłóceniach czynnościowych narządów wewnętrznych i dolegliwościach menstruacyjnych.

### Masaż tkanki łącznej

Masaż tkanki łącznej i masaż odruchowo-strefowy opierają się na założeniu, że zaburzenia czynnościowe narządów wewnętrznych wywołują bolesne stwardnienia w tkance podskórnej i poddają się leczeniu od tej strony.

### Wykonanie

Terapeuta potrafi czubkami palców wyczuć strefy wzmożonego napięcia i rozmasowuje te okolice specjalnymi zaczepliwymi chwytami palców. Zabieg jest bardzo bolesny i może wywołać uczucie lęku. Często występują silne reakcje ogólne, jak poty, zaburzenia rytmu serca, biegunki, nieoczekiwane krwawienia menstruacyjne itd.

*Uwaga*: masaż tkanki łącznej mogą wykonywać tylko dobrze przeszkoleni fachowcy.

### Efekt masażu tkanki łącznej

Miejscowe rozluźnienie spiętej mięśniówki wpływa korzystnie na pierwotne zaburzenia czynnościowe. Można w ten sposób leczyć wszystkie choroby wewnętrzne, na przykład serca, brzucha, podbrzusza. Dobre efekty uzyskuje się w katarze żołądka.

### Masaż podwodny

Prawidłowo metodę tę określa się mianem „podwodnego masażu strumieniowego". Jest to połączenie masażu i działania

**Lektura uzupełniająca**

KUAN HIU: *Chiński masaż i akupresura*. Wyd. 2, Wydawnictwo Lekarskie PZWL, Warszawa 1997.

LEIBOLD G.: *Masaż Shiatsu. Harmonizowanie energii w organizmie*. Agencja Wydaw. „Marex", Warszawa 1995.

LEWANDOWSKI P.: *Samoleczenie metodą B.S.M. (bioemanacyjnego sprzężenia z mózgiem)*. Wydaw. „Aries", Warszawa 1996.

MAGIERA L.: *Klasyczny masaż leczniczy. Teoria i praktyka. Automasaż*. Wydaw. Bio-Styl, Kraków 1994.

THOMAS S.: *Masaż w pospolitych dolegliwościach*. Ofic. Wydaw. „Delta W-Z", Warszawa 1994.

WALKER P.: *Masaż dziecka*. „Delta", Warszawa 1996.

wody. Pacjent leży swobodnie w ciepłej wodzie o temperaturze 37-38°C i jest masowany przez wypływającą z gumowego przewodu wodę. Nacisk regulowany jest ciśnieniem wody, oddaleniem końcówki dyszy i kątem padania strumienia na skórę. Ciepło wody wywołuje odprężające doznania, poprawia ukrwienie skóry. Tę formę masażu zaleca się jako leczenie uzupełniające po operacjach, zmiażdżeniach, naciągnięciach, złamaniach. Idealnie nadaje się na zwarte okolice ciała, jak biodra i plecy.

## Bioenergoterapia

Jest to technika manualna, która została rozwinięta na przełomie XIX i XX wieku przez chiropraktyka Randolpha Stone'a. Zasadza się na wyobrażeniu, że w ustroju przepływają strumienie energii, i posługuje się techniką nakładania dłoni. W zależności od tego, gdzie obserwuje się zaburzenia, nakłada się ręce na te miejsca, które uważa się za bieguny przepływu energii. Ma w ten sposób dochodzić do jej zrównoważenia. Stosuje się również chwyty z zakresu chiropraktyki (→ s. 658). Bioenergoterapia może pobudzać krążenie i przemianę materii, poprawiać samopoczucie i nastrój. Metoda ta, obecnie bardzo rozpowszechniona w USA i Anglii, w Polsce nie jest oficjalnie uznana.

## Masaż suchą szczotką

(→ s. 640)

# RELAKS

Ciało i psychika stanowią współzależną całość. To, co jest miłe dla ciała, jest podobnie odbierane przez psychikę i na odwrót. Rytm napięcia i odprężenia jest niezbędny do aktywnego, harmonijnego życia. Wewnętrzne napięcie może powodować zaburzenia funkcji różnych części ciała, z kolei zaburzenie w jakimś narzędzie wpływa na nastrój. Jeśli nie uda się rozładować napięcia, to osiąga ono wreszcie stopień nasilenia przekraczający możliwości samoregulacji. Im dłużej utrzymuje się sytuacja stresowa, tym więcej rodzi się problemów zdrowotnych. Może to prowadzić do rozwoju różnych chorób, od bólów głowy poprzez nadciśnienie, zakłócenia pracy serca, dolegliwości stawowe, choroby skóry i stany kurczowe mięśni po bóle całego ciała (→ Zaburzenia samopoczucia, s. 175). Źródłem przewlekle utrzymującego się napięcia może być osobowość, stosunki międzyludzkie lub trudności życia codziennego i zawodowego. Jeśli źródłem przeciążeń są czynniki niezależne od osobowości, to dobry efekt dają względnie proste zabiegi. Łagodząco działają masaże suchą szczotką (→ s. 640).

## Chwila przerwy

W sytuacjach stresowych chwilowe wyłączenie się jest najprostszym sposobem, aby nie dopuścić do eskalacji codziennych przeciążeń. Krótkie pauzy w ciągu dnia mogą działać bardzo ożywczo, zwłaszcza jeśli opuścisz strefę stresu. Jeśli przebywasz w miejscu pełnym hałasu i dymu, razem z innymi osobami, powinieneś znaleźć sobie cichy kącik zapewniający samotność. Jeżeli pracowałeś w pojedynkę, w dużym skupieniu, spotkaj się w miłym gronie kolegów na krótkie ploteczki, zupełnie niezwiązane z zawodem, lub kilka minut popracuj fizycznie. Napięcie może ustąpić, jeśli położysz się na chwilę z uniesionymi nogami i posłuchasz ulubionej płyty. Podobnie działa kilka ćwiczeń gimnastycznych lub drzemka. Czas na to przeznaczony łatwo w dalszej pracy nadrobić odzyskaną energią. Samemu trzeba ocenić, co najlepiej zdaje egzamin. Niektórzy najlepiej odprężają się, leniuchując i patrząc bez celu w sufit, jeśli nie muszą wydajnie spożytkowywać każdej minuty. Relaks nie jest jednak równoznaczny z zaniechaniem wszelkiej działalności. Należy samemu kształtować okoliczności i przebieg odprężenia. Mogą w tym pomóc poniższe wskazówki.

## Oddychanie

Osoba zestresowana oddycha płytko. Traci przez to nie tylko kontrolę nad głosem, ale też upośledzone zostaje krążenie i utlenienie mózgu. Niedobór tlenu w czasie wadliwego oddychania może wyzwalać liczne dolegliwości: bóle głowy, trudności koncentracji, trwałe zmęczenie, nerwowość, zaburzenia snu itd. Objawom tym można zapobiec, a jeśli już zaistniały, można je złagodzić, stosując ćwiczenia relaksowe.

## Śpiew i krzyk

Świadomie wykonaj kilka szybszych i głębszych oddechów, następnie z uczuciem zadowolenia zrób wydech. Opuść szczękę i głośno westchnij. W czasie pracy wykorzystuj każdą okazję, by pośpiewać. Jeszcze lepszy efekt daje głośny krzyk — odpowiednim miejscem jest zamknięty samochód, zwłaszcza jeśli w czasie jazdy coś cię doprowadziło do wściekłości. Na kursach i w biofeedbcck warto się nauczyć (→ s. 667) ukierunkowanej poprawy oddechu. W ten sposób można sobie pomóc.

## Metoda „4-6-8"
— usiądź wygodnie w fotelu z prostym oparciem, postaw stopy płasko na podłodze, połóż dłonie grzbietami na kolanach;
— zamknij oczy, wciągnij powietrze głęboko przez nos — najpierw do brzucha, potem do klatki piersiowej, która się powoli uwypukli. Licz przy tym do czterech;
— wstrzymaj oddech, licząc do sześciu;
— licząc do ośmiu, powoli wydychaj powietrze ustami — najpierw wypuść je z brzucha, potem z klatki piersiowej. Szczęka dolna może luźno zwisać;
— ćwiczenie powtórz pięć razy;
— na zakończenie możesz, opuściwszy głowę, rozluźnić mięśnie twarzy.

## Wyobrażenia

Lepszą relaksację uzyskuje się, kojarząc ćwiczenia oddechowe z wyobrażeniami:
— znajdź sobie miejsce zapewniające dwadzieścia minut spokoju;
— usiądź wygodnie lub połóż się na wznak z wyciągniętymi nogami, rękami wzdłuż tułowia, wnętrzem dłoni zwróconym ku górze;
— zamknij oczy. Wykonaj trzy razy ćwiczenie metodą „4-6-8" omówioną wyżej. Przy każdym wydechu wyobrażaj sobie, jak napięcie opuszcza ciało. Staraj się wczuć w pozycję leżącą i ocenić, która część ciała jest bolesna i spięta, na przykład kark, ramię, bark, lędźwie, noga. Przy wdechu kieruj uwagę na tę część ciała i wyobrażaj sobie, jak energia spływa w tę właśnie okolicę;
— przy każdym wydechu myśl o tym, że napięcie uchodzi z organizmu;
— nie śpiesz się, odczekaj, aż nastąpi ulga i wzrost energii;
— zanim wstaniesz, kilka razy pomrugaj i uświadom sobie jasno, gdzie jesteś.

Ten rodzaj relaksu można stosować, zaczynając lub kończąc dzień albo w czasie przerw w pracy.

## Wyobrażenia barw

Efekt ćwiczeń opisanych w punkcie Wyobrażenia można wzmóc,

gdy równocześnie wyobrażamy sobie kolory. Przy zmęczeniu należy przywołać w wyobraźni w okolicy dołka nadbrzusza kolor żółty lub pomarańczowy. Kolory w widmie od żółtego do czerwonego wyobrażone w okolicy zmęczenia działają rozgrzewająco i silnie pobudzająco. Pomarańczowy i różowy łagodzą ból. Zieleń lekko pobudza i daje uczucie błogości. Błękit „studzi" nadmierne emocje. Kolor fioletowy uspokaja i może w czasie relaksu przyczyniać się do zaśnięcia.

## Muzyka i taniec

Duży wpływ na psychikę człowieka wywierają szmery i muzyka. Mogą zmieniać tętno i oddech, wpływać na przemianę materii, kształtować wydzielanie wewnętrzne i chemiczne reakcje zachodzące w ustroju, pobudzać czynność mózgu, wyzwalać różne uczucia. Rytmiczna muzyka, od marsza do reggae, działa ożywiająco: kto się rano trudno rozkręca, może sobie sprawić ożywczy „tusz" w postaci kilku minut skocznej muzyki tanecznej i kilku ruchów tanecznych. Tętniący rytm łagodzi stany przygnębienia. Subtelne dźwięki skrzypiec lub fortepianu zmniejszają napięcia i bóle, zwłaszcza gdy się ich słucha w relaksowej pozycji. W zależności od przyzwyczajenia różni ludzie odmiennie reagują na rozmaite rodzaje muzyki. Wypróbuj, które dźwięki na ciebie wywierają pożądane działania.

## Jak zachować sprawność i odprężenie przez cały dzień

Poniższe ćwiczenia powinny pomóc w zachowaniu równowagi. Wzmacniają one wszystkie części ciała i narządy wewnętrzne, wzmagają sprawność i są przyjemne. Mogą je stosować ludzie zdrowi, nie zaleca się ich natomiast w chorobach narządu ruchu. Ćwiczyć należy w podanej kolejności. Zaczyna się od przyjęcia odpowiedniej postawy, a kończy program, po dobrym rozruszaniu stawów, przysiadem na piętach (→ s. 667).

### Postawa
Wyprostowana postawa i miarowy krok wpływają nie tylko na korzystniejszy wygląd, ale też poprawiają samopoczucie. Rozstaw nieco nogi, oprzyj ciężar ciała na stopach i wyprostuj się. Kolana są miękkie, kręgosłup wyprostowany, staraj się wydłużyć szyję. Szczęka i ręce luźno zwisają. Należy sobie wyobrażać, że zwisasz luźno na sznurze przymocowanym do czubka głowy.

### Rozluźnianie
Wyobraź sobie, że sznur jest nieco opuszczony, i potrząsaj kolejno nogami, biodrami, plecami, ramionami, rękami, szyją i głową. Wyprostuj się.

### „Sięganie po gwiazdy"
W czasie głębokiego wdechu stań na palcach i wyciągnij ręce jak najwyżej ku górze. Potem ramiona luźno opuść. Ćwiczenie powtórz co najmniej trzy razy.

### Skłony
Z pozycji wyprostowanej skłoń się powoli ku przodowi. Kolana są rozluźnione, głowa i ramiona swobodnie zwisają. Zrób wdech

przez usta — tułów się unosi. Wypuść wolno powietrze — dłonie zbliżają się do stóp. Powtórz co najmniej trzy razy.

*Uwaga*: Nie machaj rękami, które mają tylko zwisać. Schylaj się tak, aby plecy nie bolały i nie było ci nieprzyjemnie.

### Biegi
Przebiegnij w miejscu co najmniej 200 kroków, unosząc jak najwyżej kolana. Można też na zmianę podnosić pięty. Z czasem należy podwoić liczbę kroków. Po „biegu" wytrząsnąć równocześnie lub po kolei poszczególne kończyny.

### Zakończenie
Połóż się na plecach i rozluźnij mięśnie. Zamknij oczy, wyobraź sobie ulubiony krajobraz. Staraj się odczuć przepływ energii w organizmie. Wypoczywaj jeszcze przez chwilę, otwórz oczy, świadomie popatrz na otoczenie. Dopiero teraz możesz powstać. Także → Ruch i sport, s. 748.

# TECHNIKI RELAKSACJI

Jeśli nie umiesz sam stworzyć relaksowych sytuacji lub zrealizować codziennego programu ćwiczeń, a napięcia się utrzymują, dobrze byłoby przejść indywidualne lub grupowe przeszkolenie pod kierunkiem trenera. Potem łatwiej dasz sobie sam radę. Jest obojętne, w jakich warunkach przebiega relaksacja — na siedząco, na leżąco czy w pozycji stojącej, w zupełnej ciszy, przy śpiewie ptaków czy przy muzyce. Dopuszczalne jest wszystko, co przyjemne. Korzystna jest tak zwana pozycja dorożkarza: usiądź na stabilnym siedzeniu, rozstaw nogi, oprzyj stopy o podłogę, łokcie o uda, głowę swobodnie zwieś. Można położyć się na plecach z ramionami ułożonymi wzdłuż ciała. Cicha, łagodna muzyka zawsze ma działanie kojące.

### Zwróć uwagę, że
— nauka relaksacji jest trudniejsza w sytuacji kryzysowej, np. w chorobie lub przy przeciążeniu psychicznym. Jeśli nie można uniknąć nauki w okresie takiego kryzysu, to dłużej trzeba czekać na jej efekt;
— stopniowo i powoli następująca relaksacja może pozwolić na rezygnację z leku, np. przeciw nadciśnieniu. Należy poprosić lekarza, aby w czasie nauki skontrolował stan zdrowia. Opanowanie jakiejś metody wymaga dyscypliny i czasu. Ćwiczyć trzeba regularnie, codziennie przez około 15-20 minut. W tym celu należy znaleźć sobie spokojny kąt;
— czasem mijają tygodnie, a nawet miesiące, nim osiągnie się biegłość. Potem włącza się automatyzm, jak w jeździe na rowerze lub w grze w tenisa. Nabytej umiejętności nie zapomina się już nigdy.

Relaksacja wymaga wyłączenia się z problemów dnia powszedniego, nie jest jednak ucieczką od nich. Sprawia ona przyjemność, rozwija umiejętność skupienia, zwiększa wrażliwość. Pozwala zwiększyć poczucie łączności z rzeczywistością i zmysłowe uświadamianie sobie własnego istnienia.

### Techniki relaksacji warto opanować
— w stanach wzmożonego napięcia psychicznego, które pro-

wadzą do bezsenności, utraty apetytu, zaburzeń wegetatywnych, napięcia mięśni, stałego pośpiechu, bicia serca itd.;
— we wszystkich chorobach psychosomatycznych, np. astmie, świerzbiączce ogniskowej, migrenie, przewlekłym zapaleniu stawów, nerwicy serca, bólach miesiączkowych;
— w organicznie uwarunkowanych stanach drgawkowych (wyjątkiem jest padaczka) lub po urazach;
— w kłopotach związanych ze stosunkami międzyludzkimi, konfliktach w miejscu pracy, cierpieniu spowodowanym rozłąką (śmierć, utrata ojczyzny);
— gdy potrzebna jest psychoterapia, metod relaksacji należy się wyuczyć tylko w celu uzupełnienia leczenia.

### Nie ma sensu uczyć się technik relaksacji
— gdy nie chcesz u siebie żadnej zmiany. Szkoda wtedy pieniędzy. Relaks daje efekty tylko wtedy, gdy jest ku temu odpowiednia motywacja;
— jeśli nie zwracasz uwagi na bodźce bólowe i nie dostrzegasz ostrzegawczej roli bólu ani tego, że jest on wyrazem konfliktu psychicznego. Bardzo ważne jest świadome przeżywanie relaksu;
— w ciężkich nerwicach lękowych, przy kompleksach niższości, hipochondrii, myślach samobójczych (→ Zaburzenia psychiczne, s. 188);
— w ciężkich depresjach paraliżujących wolę życia (→ Depresja, s. 191);
— narkomani powinni ćwiczyć metody relaksacji tylko w czasie leczenia szpitalnego, nigdy ambulatoryjnie.

### Ryzyko technik relaksacyjnych
— psychicznego odprężenia można nadużyć, traktując je jako ucieczkę przed samym sobą lub odwrócenie uwagi od spraw istotnych. W tej sytuacji relaks hamuje inicjatywę. Lepiej wtedy uprawiać zespołowo sport;
— relaks może zakamuflować nieszczęśliwy związek partnerski. Dlatego jest sprawą tak ważną, aby przed wyuczeniem się metody wyrobić sobie jasne zdanie o przyczynie napięć.

### Wybór metody
Nie każda metoda równie dobrze się sprawdza u wszystkich osób. Poniższe wskazówki powinny pomóc w jej wyborze.

### Wybór trenera
Ważnym warunkiem powodzenia jest zgranie trenera i ucznia: powinni pracować na tej samej „częstotliwości" i pozostawać w dobrym kontakcie. Terapeuci także różnią się między sobą, a każdy poważny terapeuta pracuje, opierając się na konsultacjach. Umożliwiają one kontrolę własnej pracy i wyjaśnienie pojawiających się wątpliwości. Nie należy obawiać się zadawania pytań na ten temat. Jeśli ktoś wytrwale szuka, to zwykle znajduje odpowiednią osobę. Nie rezygnuj, gdy pierwsza próba spaliła na panewce, lecz spróbuj przynajmniej jeszcze raz.

Informacji na temat tego, kto uczy i jaką metodą, można zasięgnąć w:
— przychodniach neurologicznych,
— przychodniach psychiatrycznych,
— poradniach psychologicznych,
— poradniach wychowawczych,
— poradniach problemów rodziny oraz ośrodkach terapii rodzin. Ponadto obecnie powstają też w Polsce prywatne ośrodki, w których uczy się leczenia metodami relaksacyjnymi. O instruktora warto popytać osoby, które ukończyły taki kurs.

### Koszt
Zwykle metod relaksu uczą psychoterapeuci. Ich wykształcenie nie jest tanie, toteż i cena prywatnego kursu może być wysoka. W uspołecznionych placówkach na razie nie prowadzi się kursów. Należy przypuszczać, że zmiany dokonywane w prawodawstwie obejmą również tę dziedzinę lecznictwa.

## Trening autogenny Schultza

Jest to metoda autosugestii. Należy skupić uwagę na swym ciele, leżąc na wznak lub siedząc w tak zwanej pozycji „dorożkarza". Przez wielokrotnie powtarzane wyobrażenie pewnych doznań, np. „moja prawa ręka staje się ciężka", „mój brzuch staje się ciepły", uczucia te pojawiają się w pewnej chwili. Stopniowo można w drodze autosugestii wyuczyć się rozluźnienia mięśni całego ciała. Daje to uczucie ciężaru i ciepła. Kto raz opanował podstawy świadomego wpływania na system wegetatywny, ten może regulować tętno, kierować oddechem i innymi czynnościami organizmu. Najwyższy stopień treningu autogennego jest bardziej ukierunkowany na procesy duchowe,

### Wybór metody relaksacji

Wybór najlepszej metody wymaga sporej wiedzy o sobie. Poniższe wskazówki pomogą ci zaszeregować się do określonej grupy na podstawie sposobu zachowania, choć dla większości osób nie jest to tak jednoznaczne. Zaufaj swoim odczuciom, wypróbowując różne techniki. Nie wahaj się zmienić nauczyciela, ale też nie rezygnuj po pierwszej nieudanej próbie.
— Jeśli chętnie i ufnie poddajesz się wskazówkom i nie czujesz się nimi skrępowany, to korzystne są metody posługujące się konkretnymi zaleceniami: trening autogenny (→ powyżej); relaksacja progresywna według Jacobsona (→ s. 667), tai chi, chi kung (→ s. 669).
— Jeśli raczej stawiasz na swoim, opierasz się na własnych wrażeniach, bierzesz na siebie odpowiedzialność, a ścisłe reguły cię krępują, to wybierz którąś z wymienionych metod: Feldenkraisa (→ s. 667), leczenie ruchem skupiającym uwagę na ruchu (→ s. 668), czynnościowy relaks Fuchsa (→ s. 668), ćwiczenia eutonii (→ s. 669), biofeedback (→ s. 667).
— Jeżeli reprezentujesz typ człowieka mało przedsiębiorczego, chciałbyś, aby cię traktowano jak dziecko, to inicjatywę możesz spokojnie przekazać terapeucie: masaże (→ s. 658), metoda Feldenkraisa (→ s. 667).
— Jeśli należysz do osób wciąż poszukujących, buntowników ufających głównie sobie i zdecydowanie biorących za siebie odpowiedzialność, to wybierz trening autogenny (→ powyżej), medytację (→ s. 669), jogę (→ s. 669).

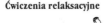

**Ćwiczenia relaksacyjne**

### Kołyska

Leżąc na plecach, unieś kolana, chwyć je pod spodem rękami. Wykonaj wdech, przyciągając kolana do piersi. Wypuść powietrze, kolana dociśnij jeszcze mocniej. Odetchnij trzy razy i wyprostuj nogi. Skul się ponownie i kołysz się na plecach od barków do okolic lędźwi.

### Uniesienie nóg

Połóż się na wznak, unieś powoli nogi do wysokości metra. Wykonaj głęboki wdech i trzymaj powietrze, dopóki wytrzymasz. Powoli opuść nogi, wyrównaj oddech. Powtórz ćwiczenie trzy razy. Następnie trzymając nogi uniesione nad podłogą, wykonuj nimi ruchy koliste albo stopami „pisz" swoje imię w powietrzu.

### Rowerek

Leżąc na wznak, unieś nogi i przez trzy minuty ćwicz „rowerek", codziennie wydłużając troszkę czas ćwiczenia. Potem wyprostuj nogi i spróbuj dotknąć palcami stóp podłogi za głową. Policz w tej pozycji do dziesięciu i wróć do pozycji wyjściowej.

### Foka

Połóż się na brzuchu, ugnij ramiona w łokciach, ręce oprzyj na podłodze tuż przy piersiach. Unieś głowę i górną część tułowia, przyciskając stopy do podłogi. Policz do dziesięciu i powoli wróć do pozycji wyjściowej. Powtórz ćwiczenie trzy razy.

### Siad indiański

Usiądź prosto ze skrzyżowanymi nogami. Dłonie połóż na przeciwległych kolanach. Pochyl głowę jak najniżej, licząc przy tym do pięciu i oddychając spokojnie. Wróć do pozycji wyjściowej.

### Koci i koński grzbiet

Uklęknij i oprzyj ręce na podłodze. Wygnij grzbiet do góry (jak nastroszony kot), powoli opuść brodę tuż nad podłogę. Następnie wysuń brodę jak najdalej do przodu, zadzierając ją w górę, równocześnie lędźwie opuść jak najniżej (jak u konia). Potem wciągnij głowę, wyprostuj plecy. Ćwiczenie powtórz dziesięć razy.

zmierzający do ich głębszego poznania i bardziej świadomego przeżywania.

Nauka odbywa się w grupie, potem można ćwiczyć samemu.

## Relaksacja progresywna według Jacobsona

Systematycznie najpierw napina się, a potem rozluźnia pewne partie mięśni — górnej części tułowia, ramion, brzucha, ud, podudzi, stóp. Dzięki tej zmianie stan relaksacji zostaje intensywnie przeżyty jako ciepło i ciążenie, a potem zamienia się w uczucie spokoju i odprężenia. Nauka odbywa się w grupie, później można ćwiczyć samemu.

## Biofeedback

To sztucznie stworzone słowo oznacza „sprzężenie zwrotne sygnałów biologicznych". Jest to metoda, w której uczymy się za pomocą urządzeń technicznych sterowania funkcjami organizmu. Za pomocą elektronicznych czujników, nakładanych na skórę, można dokonywać pomiarów oddechu, ciśnienia krwi, prądów mózgu, oporności skóry, częstości akcji serca, napięcia mięśni i temperatury skóry. Pomiary zostają przedstawione aku-

stycznie lub na ekranie tak, że można je obserwować; na przykład zaciskając pięść, widzi się, jak przy jej rozwarciu zmienia się krzywa na ekranie. W ten sposób uzyskuje się feedback dla napinania i rozluźniania. Dzięki tej metodzie można się nauczyć świadomego kierowania wymienionymi stanami. W ten sposób również inne nieuświadomione czynności można zmieniać zgodnie z wolą. Biofeedback jest wskazany przy nerwowości, lękach, bezsenności, astmie oskrzelowej, migrenie, nadciśnieniu tętniczym, zaburzeniach krążenia, w napięciach, zgrzytaniu zębami. Powinno uczyć się tej metody pod kierunkiem lekarza, psychologa w poradni psychosomatycznej.

## Metoda Feldenkraisa

Opracowana przez naukowca Feldenkraisa metoda „świadomość poprzez ruch" stanowi łagodną i łatwą do opanowania drogę do własnego „ja". Według teorii Feldenkraisa takie czynniki, jak surowe wychowanie, naciski środowiskowe i urazy psychiczne doprowadzają w ciągu życia do fizycznego i psychicznego zesztywnienia, które manifestuje się wzmożonym napięciem i stwardnieniem mięśni. Temu właśnie zesztywnie-

## Ćwiczenia relaksacyjne

**Tancerz**

W pozycji stojącej lekko unieś wyprostowaną nogę. Podnieś palce, napnij podbicie. Nogę podnoś i opuszczaj pięć razy, kreśląc nią koła w prawo i lewo, po czym postaw na podłodze. To samo ćwiczenie wykonaj drugą nogą i całość powtórz kilka razy.

**Jeździec**

Stań tak, aby stopy zwrócone palcami na zewnątrz tworzyły kąt prosty, i jedną stopę przesuń o pół metra w bok. Jak najmocniej ugnij kolana, utrzymując plecy wyprostowane. Policz do pięciu i wyprostuj nogi. Powtórz ćwiczenie pięć razy.

**Łucznik**

Stań w pozycji jeźdźca. Ręce ułóż jak przy napinaniu łuku: lewa wyciągnięta do przodu, prawa zgięta z tyłu. Dłonie zaciśnij w pięści. Prawą rękę odciągnij maksymalnie do tyłu, odwróć również głowę. Opuść ręce. Ćwiczenie powtórz, odciągając lewą rękę do tyłu.

**Skłon z wyprostowaną nogą**

Usiądź na podłodze z wyprostowanymi nogami, prawą stopę podciągnij do kolana lewej nogi. Opuszczaj powoli tułów obok uniesionego kolana, aż rękami chwycisz kostkę wyprostowanej nogi. Wróć do pozycji wyjściowej i powtórz ćwiczenie z drugą nogą zgiętą.

**Świeca**

Leżąc na wznak, unieś wyprostowane nogi tak wysoko, by ciężar ciała spoczywał tylko na łuku barkowym. Można rękami podpierać biodra. Po dłuższym treningu można tę pozycję utrzymywać przez pięć minut.

**Przysiad ze skłonem (dla wyćwiczonych)**

Stań w rozkroku (ok. 60 cm) i wykonaj przysiad. Stopy mają przylegać do podłogi. Przesuń ręce pod kolanami i załóż je na kark, ściągając głowę między kolana. Początkujący wytrzymują w tej pozycji około pół minuty.

niu ma przeciwdziałać lecznicza metoda Feldenkraisa. Kwestionuje ona powszechny sposób uczenia się — na przykład uważa się, że ważnym elementem edukacji jest nauka na błędach. Uczymy się poznawania zakresu własnego ruchu, jego jakości oraz wypróbowywania nowych (ponownie odkrytych, pełniejszych) ruchów. W pewnych okolicznościach można wyłamać się z nabytych schematów myślenia i postępowania oraz poszerzyć własne horyzonty. Praca w zespole („świadomość przez ruch"): za pomocą prostych ruchów, niewykonywanych w sposób mechaniczny jak w zwykłej gimnastyce, lecz świadomie przeżywanych, można osiągnąć wiele korzystnych zmian. Rodząca się prężność doprowadza do zmiany postawy ciała i łagodzi dolegliwości. Uzyskuje się optimum fizycznej i psychicznej żywotności oraz duchowej harmonii. Praca indywidualna („integracja czynnościowa"): terapeuta przez dotykanie, przesuwanie partii mięśni, poruszanie kończyn w stawach itd. umożliwia odkrycie nowych rodzajów ruchów.

Powtarzając, przyswajamy je sobie na stałe. Terapeuci Feldenkraisa osiągają nieraz zdumiewające efekty, nawet u ofiar wypadków, osób z porażeniami spastycznymi, stwardnieniem rozsianym, uszkodzeniami kręgosłupa. Metoda ta zadomowiła się na dobre w krajach anglosaskich. W Polsce właściwie nie jest stosowana.

## Czynnościowy relaks Fuchsa

Osoba ćwicząca spoczywa na wznak, a terapeuta wydaje polecenia, nakładając ręce na określone partie ciała lub udziela wskazówek, każąc się rozluźnić i skierować oddech i koncentrację w to właśnie dotykane miejsce. Ćwiczący przeżywa wtedy na nowo i świadomie swe ciało, ponadto trenuje oddech i odkrywa źródła zakłóceń w miejscach ich powstawania.

Specjalne techniki oddychania prowadzą do ustąpienia napięć i przykurczów. Krok po kroku ujawnia się podświadomość. O tempie decydujemy sami.

Nauka odbywa się indywidualnie. W Polsce ta metoda jeszcze się nie przyjęła.

## Leczenie ruchem skupiającym uwagę na ruchu

Świadome postrzeganie procesu ruchu stanowi w tej metodzie podstawę osiągnięcia świadomego przeżywania siebie samego i swego działania. Terapia polega na opanowaniu ćwiczeń zmierzających do uzmysłowienia sobie ciała — częściowo za pomocą pewnych przedmiotów — i do pogłębienia przeżyć. Jeśli w jej trakcie ujawnią się wspomnienia z wczesnego dziecińtwa, to w ich rozpracowaniu może się okazać konieczna pomoc psychoanalityka.

Nauka odbywa się indywidualnie pod kierunkiem fachowca.

## Ćwiczenia eutonii

Zostały przed ćwierćwieczem opracowane przez fizykoterapeutkę Gerdę Alexander i zasadzają się na stwierdzeniu, że każdy człowiek, aby osiągnąć optymalną harmonię, musi znaleźć własny rytm. Można to osiągnąć, realizując ruch nie jak zwykle, mechanicznie, lecz z pełną świadomością. Za pomocą odpowiednich ćwiczeń wykrywa się wpierw, a potem likwiduje błędne przyzwyczajenia związane z ruchem oraz przykurcze blokujące ruch. Wykształca się w ten sposób nie tylko umiejętność odczuwania wrażeń płynących z własnego ciała, ale odkrywa się też nowe rodzaje obcowania z własnymi myślami i uczuciami, poznaje się swoje potrzeby i sposoby ich realizacji. Metoda ułatwia zachowanie i poprawę zdrowia.

Nauka odbywa się w grupie lub indywidualnie. Ćwiczyć należy codziennie przez kwadrans.

## Joga

„Joga to stan równowagi we wszystkim" — mówi słynne dzieło Gita. Cechę charakterystyczną tysiącletniej tradycji jogi stanowi zasada, że wszystkie ćwiczenia (asany) wykonuje się powoli, w skupieniu, w harmonii z oddechem. W końcowej pozycji należy pozostawać przez kilka minut. Umożliwia to lepsze ukrwienie narządów wewnętrznych i zniesienie napięć. Ważne jest codzienne wykonywanie ćwiczeń ze zwróceniem uwagi na stopniowe rozprostowywanie różnych części ciała, na koncentrację i głęboki oddech, a nie na akrobatykę. Celem jest zanurzenie się w swej osobowości, prowadzące do wewnętrznej harmonii i odprężenia, ponieważ uspokojenie ciała jest warunkiem równowagi ducha.

Początkowo nauka powinna się odbywać pod kierunkiem doświadczonego instruktora, potem można ćwiczyć samemu.

## Medytacja

Medytacja dosłownie znaczy „ćwiczenie" i jest równoznaczna z „wejrzeniem do wnętrza". Polega na głębokim zanurzeniu się w sobie. W Indiach jest znana od sześciu tysięcy lat jako system filozoficzny powiązany z religią, istnieje w tradycji buddyjskiej, mahometańskiej, żydowskiej i chrześcijańskiej (odmawianie różańca). Wiele jest metod medytacji, a najbardziej rozpowszechniony jej typ, medytacja transcendentalna, polega na wielokrotnym powtarzaniu „mantry". Jest to kombinacja dźwięków, którą można zastąpić wierszem, wyobrażeniem obrazu itd. Efekt wzrasta pod wpływem monotonnej muzyki, szumu wody i podobnych wrażeń. Osoba ćwicząca siedzi wyprostowana około 15 minut, najlepiej w pozycji lotosu: nogi skrzyżowane, stopy ułożone na udach, dłonie na kolanach, przy czym kciuki dotykają końców palców wskazujących lub splecione spoczywają na brzuchu. Uwagę należy skupić na oddechu, w duchu powtarzać mantrę. Oddech staje się pomostem między ciałem i duszą.

Nauka odbywa się indywidualnie pod kierunkiem nauczyciela lub zespołowo. Stosuje się tę metodę przy nerwowości, bezsenności, dolegliwościach psychosomatycznych. Należy zwrócić uwagę, aby nie wpaść w ręce jakiejś sekty. Ćwiczyć samemu i według potrzeby.

## Tai chi i chi kung

Taoistyczna kultura ciała chi kung, rodzaj medytacji, ma liczącą ponad dziesięć tysięcy lat tradycję. W tym czasie była stale udoskonalana. Polega ona na wykonywaniu powolnego ruchu w określonych pozycjach ciała. Wystarczy do tego powierzchnia zaledwie jednego metra kwadratowego. Stopniowo opanowujemy ściśle wyważony ruch. Wymagane skupienie wywiera uspokajający wpływ na system nerwowy, łagodzi napięcia i zwiększa potencjał energetyczny. Odtwarza się stan równowagi psychicznej i poprawia się zdrowie. Metoda ta jest formą chińskiej medytacji, istniejącą kilka tysięcy lat. Jest to elastyczny, spokojny układ około szesnastu pozycji ciała symbolizujących zwierzęta. Stopniowo wykształca się mechanizm zbliżony do łagodnego tańca. Wymagana do tego koncentracja działa uspokajająco. U podstawy tej techniki leży filozofia balansu między jin i jang i przepływu energii życiowej w ustroju. Podobnie istniejąca od 2 tysięcy lat tai chi lub „boks z cieniami" usiłują zharmonizować walczące w człowieku siły jin i jang. Przedstawia ona w formie stylizowanej walkę z wyimaginowanym przeciwnikiem. We współczesnych Chinach stosuje się też tai chi w zakładach pracy w celu zwiększenia wydajności i poprawy samopoczucia.

Nauka odbywa się początkowo zespołowo, potem indywidualnie. Ćwiczenie: dziennie samemu około 20 minut.

## Mind Machines („maszyny psychorelaksacyjne")

Składają się z okularów, które na zamknięte oczy rzucają błyski, ze słuchawek nadających impulsy akustyczne oraz aparatury sterującej tą psychoterapeutyczną stymulacją. Celem urządzenia jest działanie na prądy mózgowe i w ten sposób wzmaganie odprężenia. Skuteczność tej metody, jak dotąd, nie została potwierdzona. Seans trwa dwadzieścia minut i odbywa się albo w specjalnym zakładzie, albo w domu.

### Lektura uzupełniająca

*Ćwiczenia relaksowo-koncentrujące*. Red. S. Grochmal. PZWL, Warszawa 1993.

KULMATYCKI L.: *Joga dla zdrowia: podręcznik ćwiczeń*. Wydaw. „Książka i Wiedza", Warszawa 1997.

SCHENK C.: *Relaksacja. Sposób na stres*. Wydaw. „J & BF", Warszawa 1996.

ZENG Q.: *Metody tradycyjnej chińskiej dbałości o zdrowie*. PZWL, Warszawa 1995.

# PORADNICTWO I PSYCHOTERAPIA

Wszyscy znamy formy leczenia, których nie określa się mianem psychoterapii — na przykład rozmowa z lekarzem może zawierać jej elementy, jeśli słucha on uważnie, znajduje wspólny język z pacjentem i zainteresuje się jego problemami. Podobnie jest, gdy sami zwracamy się do specjalistów, aby jako osoby postronne pomogli nam w przezwyciężeniu kryzysów. Dzisiaj poza poważnymi metodami psychoterapeutycznymi istnieje cały szereg propozycji, które należy oceniać bardzo krytycznie. Nie docenia się na ogół niebezpieczeństwa, jakie stanowią źle wyszkoleni „guru", nowi uzdrowiciele i przywódcy sekt. Bezpośrednim skutkiem niesprawdzonych eksperymentów psychoterapeutycznych może być ciężki kryzys emocjonalny, krańcowe uzależnienie i utrata kontaktu z rzeczywistością. Poniżej można znaleźć wskazówki ułatwiające ocenę naukowo sprawdzonych metod psychoterapeutycznych. Dają one możliwość oddzielenia „ziarna od plew".

### Cele

Psychoterapia stwarza możliwość samodzielnego uporania się ze swoimi problemami. Chory nie jest poddawany leczeniu jak w medycynie tradycyjnej, lecz działa sam w sposób aktywny, potrzebna jest zatem czynna współpraca pacjenta. Psychoterapeuci odgrywają rolę uważnych słuchaczy i obserwatorów, biorąc udział w poszukiwaniu nowych możliwości zrozumienia problemów, ułatwiając przemyślenia na temat własnej osoby. Poważna terapia nie jest sprzedażą gotowych „recept" na rozwiązanie problemów. Każdy pacjent musi sam znaleźć drogę do dobrego samopoczucia i równowagi duchowej. W sytuacji idealnej można się dzięki psychoterapii ujrzeć jak gdyby w lustrze, poznać swoją chorobę i jej przyczyny. Terapeuta pomaga ustawić to lustro i zrozumieć odbity w nim obraz. Do osiągnięcia pożądanego efektu ważne są następujące czynniki:

— Przed podjęciem terapii należy uzgodnić liczbę godzin.
— Po dziesięciu seansach pacjent powinien nabrać przekonania, że leczenie może mu pomóc. Jeśli to nie nastąpi, należy z terapeutą omówić możliwość zastosowania innych metod.
— W leczeniu nie należy się skupiać na słabych stronach chorego, chodzi wszak o poznanie źródła siły i jej aktywizację w celu rozwiązania problemu pacjenta.
— Terapia musi obejmować problemy międzyludzkie, o które chodzi, np. małżeńskie, stosunki z osobami z pracy i otoczenia. W terapii małżeńskiej w seansach powinni uczestniczyć oboje małżonkowie, natomiast w seansach z ludźmi z otoczenia powinny uczestniczyć całe grupy.
— Chodzi o to, by wyobrażenia o możliwości rozwiązania problemu, jakie się wyłonią w toku terapii, aktywnie wypróbować. Terapia ma przy tym zadanie wspierające i towarzyszące.
— Ważne jest, by zainteresowana osoba uzyskała w terapii jasne

wytłumaczenie swoich problemów. Wzorce wyjaśnień, leżące u podstaw zróżnicowanych rodzajów terapii, nie są tutaj rozstrzygające.

## PORADA

W Polsce działa wiele poradni rodzinnych, małżeńskich, wychowawczych pracujących na tej samej zasadzie psychoterapii co wolno praktykujący terapeuci. Omawia się w nich i rozpracowuje konkretne problemy, które muszą zostać oddzielone od pozostałych obszarów życia. Zwykle wystarczającą pomoc uzyskuje się w wyniku pięciu, dziesięciu rozmów, na przykład:

— po wydarzeniach takich, jak rozłąka, rozwód, śmierć partnera, utrata dziecka;
— gdy szuka się pomocy w podjęciu decyzji co do ciąży, kryzysu małżeńskiego lub innych spraw rodzinnych;
— przy trudnościach w nauce i zachowaniu dzieci;
— w okresach izolacji, osamotnienia, wyobcowania;
— w ostrych kryzysach duchowych, przed decyzjami odejścia z pracy lub szkoły, po prostu „ucieczki" lub wręcz samobójstwa;
— w lękach przed sprawdzianami, stale nawracającą chorobą, przed egzaminem lub w przypadku częstego „oblewania" egzaminów;
— przy braku pewności, czy poddać się dłuższemu leczeniu psychoterapeutycznemu w warunkach ambulatoryjnych bądź stacjonarnych.

Prawie wszystkie poradnie udzielają wskazówek w zakresie pomocy społecznej, posiadają kontakty z urzędami pośrednictwa pracy, opieki nad młodzieżą, władzami szkolnymi, organizacjami dobroczynnymi. To połączenie opieki społecznej i psychologicznej jest wysoce skuteczną formą umożliwiającą samodzielne przezwyciężenie problemów. Poszczególne poradnie można odnaleźć w książkach telefonicznych, można też korzystać z „telefonów zaufania", a informacje uzyskać w wydziałach zdrowia i ośrodkach opieki społecznej.

### Terapia indywidualna i grupowa

Wszystkie metody psychoterapii (z wyjątkiem rodzinnej) można stosować indywidualnie lub w grupie. Terapia grupowa w wielu osobach budzi niepokój. Obawa przed koniecznością obnażenia się wobec innych pacjentów powoduje, że leczenie indywidualne wydaje się atrakcyjniejsze. Omawia się wtedy, kształtuje i inscenizuje lub analizuje problemy samemu z terapeutą. Z kolei terapia grupowa ma tę przewagę, że inni uczestnicy ujawniają myśli, życzenia, fantazje lub konflikty, których być może sami nie śmielibyśmy poruszyć. Odwaga innych zwiększa własną śmiałość, uczymy się razem ze współuczestnikami oraz uczymy się od nich. Jest jednak jeden warunek: trzeba się samemu oddać do dyspozycji innych i zgodzić na współpracę. Wielu terapeutów posiada kwalifikacje uprawniające do terapii zarówno indywidualnej, jak i zespołowej. Zwykle w seansie grupowym, który trwa 1,5-2 godzin bierze udział 6-10 osób. W ośrodkach ściśle kobiecych oczywiście spotykają się tylko panie. Terapię grupową można stosować przy problemach alkoholowych, nikotynowych, narkotykowych i przy walce z bólem.

## Terapia małżeńska i rodzinna

Oba rodzaje są odrębnymi metodami, pracującymi w oparciu o elementy zaczerpnięte z różnych szkół.
— Postępowanie skupiające uwagę na konflikcie → s. 672.
— Techniki treningowe → s. 673.
— Postępowanie oparte na przeżyciu → s. 674.

W terapii małżeńskiej lub rodzinnej wychodzi się z założenia, że zaburzenie, cierpienie, choroba lub konflikt nie zależą tylko od jednej osoby, lecz że działa tu cały układ odniesień. Wzajemne zależności kształtują pewien ciąg przebiegający według stałego konfliktorodnego wzoru. Prawie każdy z nas zna z doświadczeń własnej rodziny specjalnie drażliwe tematy, które prowadzą do sprzeczki i dalej do płaczu, krzyku, a nawet do przemocy i nie mogą znaleźć pozytywnego zakończenia. Przebieg wydaje się zawsze podobny, konflikt zaś nie do rozwiązania. Celem terapii małżeńskiej i rodzinnej jest ukazanie:
— co powoduje eskalację takich konfliktów;
— co uniemożliwia konstruktywne rozwiązania.

Terapia małżeńska jest uzasadniona:
— przy zaburzeniach zachowania u dzieci, trudnościach w nauce i wychowaniu, moczeniu nocnym, agresywności lub unikaniu kontaktów z ludźmi. Dziecko daje wtedy do zrozumienia, że w rodzinie coś szwankuje;
— w konfliktach małżeńskich i partnerskich dotyczących stale tych samych problemów, w kłopotach związanych z życiem seksualnym lub przed rozłąką albo rozwodem. Przed rozejściem się leczenie w parach może dostarczyć istotnych przesłanek przemawiających za rozwodem lub przeciwko.

Terapię rodzinną i małżeńską proponują poradnie rodzinne i inne oraz wolno praktykujący terapeuci. Zwykle dziesięć do dwudziestu spotkań, na ogół raz w tygodniu, wystarczy, by znaleźć rozwiązanie problemów.

## Poradnictwo i leczenie kobiet

W ostatnim dziesięcioleciu powstały w prawie wszystkich większych miastach poradnie i ośrodki dla kobiet. Zatrudnione tam kobiety z wykształceniem w zakresie psychologii, pedagogiki i medycyny pracują na tej samej zasadzie jak w innych przychodniach. Jednak terapia poszerzona jest o istotny aspekt: świadomie uwypukla się swoiste stosunki zależności kobiety w pracy zawodowej i rodzinie, na czoło wysuwa się solidarną pomoc i samopomoc. Współpraca z innymi kobietami wyraźnie ułatwia ujawnianie własnych potrzeb i pragnień oraz ich realizację.

## Grupy spotkaniowe, seminaria weekendowe, grupy treningowe

Coraz więcej pojawia się ofert grup terapeutycznych pracujących według jednej lub kilku metod. Należy tu wymienić na przykład: terapię „krzykiem pierwotnym" (rebirthing), analizę transakcyjną, grupy indywidualno-psychologiczne. Na ogół spotkania takich grup odbywają się w odstępach wielotygodniowych czy nawet wielomiesięcznych, zmieniają się także ich uczestnicy. Wspólny pobyt trwa zwykle kilka dni. Ubezpieczalnia nie pokrywa kosztów. Należy zachować ostrożność zarówno ze względu na kwalifikacje trenera, jak i na wielkość grup. W bardzo licznych grupach i przy stale zmieniających się uczestnikach łatwo przeoczyć problemy poszczególnych osób. W takim układzie częściej niż w małej grupie może dochodzić do załamań lub prób samobójczych. Osoby lękliwe, chore, izolowane, o słabej umiejętności nawiązywania kontaktów nie powinny raczej korzystać z tego rodzaju ofert. Ludzie zrównoważeni, względnie zdrowi i pewni siebie lepiej sobie radzą z problemami wynikającymi z wielkości grup i rzadkich spotkań.

# PSYCHOTERAPIA

### Zasadność psychoterapii

Właściwie obowiązuje tylko jeden wskaźnik umożliwiający ocenę zasadności, a nawet konieczności zastosowania psychoterapii: jest nim subiektywnie odczuwane cierpienie. Najczęściej pojawiają się dwa podstawowe uczucia:
— myśl „dalej już nie mogę" rodzi się u ludzi, którzy osiągnęli kres swoich możliwości — na przykład musieli zawsze w pojedynkę stawiać czoło dramatycznym wydarzeniom i kryzysom lub stale odrzucali każdą ofiarowaną im pomoc;
— myśl „nie chcę tak dalej żyć" staje się wyjątkowo dotkliwa u osób, które spostrzegają, że wciąż wpadają w te same dręczące sidła codzienności i wzajemnych uzależnień, na przykład trwałe kryzysy małżeńskie, wciąż powtarzające się konflikty z dziećmi lub przyjaciółmi.

Istotną podstawę terapii stanowi świadomość: „Dzieje się ze mną coś, co mi nie odpowiada i powoduje cierpienie". Drugim ważnym czynnikiem jest chęć rozpoznania sytuacji lub dokonania zmiany. Ta podstawowa motywacja gwarantuje, że przebrnie się przez długą i często uciążliwą kurację. Kto natomiast jest zadowolony ze swego losu, nie potrzebuje terapeuty. Istnieje wszakże ważny wyjątek od tej reguły: jeśli zauważasz, że twoje zachowanie sprawia komuś cierpienie, wtedy trzeba się zastanowić, czy nie należałoby zasięgnąć porady i podjąć leczenia. Najbardziej znany przykład takiej sytuacji stanowią dzieci z dewiacjami zachowania, cierpiące wskutek reakcji rodziców. Tu dzieci stają się nosicielami cierpienia rodziców, czego ci albo nie mogą, albo nie chcą zrozumieć.

### Kiedy psychoterapia jest konieczna

Nie można orzec, w którym momencie na przykład nerwica lub fobia osiąga taki poziom nasilenia, że musi być leczona. Mnóstwo ludzi żyje we względnej psychicznej równowadze mimo mniejszych lub większych konfliktów i lęków (→ Zaburzenia psychiczne, s. 188). Ludzie ci stają się „przypadkami chorobowymi" dopiero wtedy, gdy otoczenie przestaje ich akceptować. W takich okolicznościach my powinniśmy przyznać im indywidualną swobodę, z której sami chcemy korzystać. Nieważne, czy ktoś wydaje nam się dziwaczny, osobliwy lub obcy. Skala zachowań jest różna. Nie można wszystkich ludzi wtłoczyć w jeden ciasny mundur. O tym, czy psychoterapia jest w ogóle potrzebna, decydują sami zainteresowani:

— gdy pojawiają się zachowania zakłócające tok życia, na przykład bezwzględna potrzeba ciągłego sprzątania, mycia, zbędnych czynności (→ Nerwice, s. 188);

— gdy lęki — tzw. fobie — uniemożliwiają pokonywanie trudów życia codziennego. Ktoś, kto na przykład czuje się zagrożony w ciasnych pomieszczeniach lub boi się na dużych placach zwierząt albo ludzi w tłumie, nie może zwykle załatwiać takich prostych spraw jak zakupy i jeździć środkami komunikacji (→ Nerwice, s. 188);

— gdy określone inicjatywy w pracy i rodzinie zawsze kończą się niepowodzeniem: na przykład przekonanie, że w konfliktach zawodowych i małżeńskich stale zostaje się zmuszonym do ustępowania;

— gdy przyłapujemy się na tym, że wciąż popełniamy te same błędy: na przykład po raz dziesiąty zmieniwszy partnera, stwierdzamy, że ponownie tkwimy w identycznym kryzysie i podobne przyczyny są powodem rozpadu związku;

— gdy wciąż nawracają dolegliwości psychosomatyczne lub jakaś choroba staje się chroniczna (→ Zaburzenia samopoczucia, s. 175). Ważne może być na przykład wyjaśnienie źródła choroby i ustalenie najwłaściwszego sposobu jej leczenia.

Powody można by wyliczać w nieskończoność. Uzasadnienie leczenia może być różne u różnych osób. Decyduje pragnienie otrzymania pomocy, zrozumienia siebie i chęć dokonania w sobie zmian.

### Co się dzieje w trakcie psychoterapii

Zasadniczym warunkiem psychoterapii jest otwartość i zaufanie do „neutralnej" osoby spoza kręgu ludzi, z którymi stykamy się na co dzień. Błędem w sztuce jest praca psychoterapeutyczna z ludźmi powiązanymi rodzinnie lub z przyjaciółmi. Wiele osób nie rozumie, jak wielkie znaczenie ma możliwość zwierzenia się komuś zupełnie obcemu z intymnych myśli, życzeń, fantazji lub wspomnień. Najważniejsze bowiem jest to, że tylko osoba stojąca poza granicami codziennych powiązań nie rości do nas żadnego prawa.

Inne zalety psychoterapii:

— o niektórych sprawach można mówić dwadzieścia, trzydzieści lub czterdzieści razy. W czasie gdy inni już dawno przestaliby słuchać, zawodowy terapeuta będzie nadal uczestniczyć w rozmowie. Powtarzanie dowodzi, że problem nie został jeszcze w dostatecznym stopniu rozpracowany;

— można się nie obawiać, że myśli i uczucia w postaci plotek dotrą do przyjaciół i rodziny;

— wobec człowieka obcego łatwiej jest ujawnić wstydliwe fantazje i budzące lęk myśli niż w kręgu rodziny lub przyjaciół.

Można mieć także pewność, że nie będzie zawistnych spojrzeń, uśmieszków, przykrości albo prób strofowania;

— można się nie obawiać, że w pewnej chwili trzeba będzie przerwać rozmowę. Wszystkie kontakty międzyludzkie poza terapeutycznymi kiedyś doprowadzają do sytuacji, w której druga osoba zaczyna zgłaszać życzenia i potrzeby. Gra polegająca na przemian na „dawaniu" i „braniu" w innych układach społecznych jest słuszna i zdrowa, w psychoterapii natomiast jest inaczej;

— dobry terapeuta po wielu tygodniach, miesiącach, a nawet latach nie zgłosi wobec pacjenta żadnych pretensji z wyjątkiem honorarium. Uiszczenie rachunku może stanowić jedyne egoistyczne żądanie skierowane do chorego.

## POSTĘPOWANIE SKUPIAJĄCE UWAGĘ NA KONFLIKCIE

Postępowanie skupiające uwagę na konflikcie rozwinęło się z psychoanalizy. Jego istotę stanowi praca nad tkwiącymi w podświadomości konfliktami, które w trakcie leczenia zostają wydobyte na powierzchnię i w układzie pacjent–analityk „na nowo przeżyte". Terapeuta usiłuje pomóc przy rozładowywaniu podświadomych konfliktów przez odpowiednią ich interpretację.

### Postępowanie psychoanalityczne

Postępowanie psychoanalityczne opiera się na założeniu, że każdy człowiek, w związku ze swoją konstrukcją psychiczną i bagażem doświadczeń, ma pewne cechy podstawowe i mechanizmy zachowań, na których podstawie kształtuje swoje stosunki z innymi. W tych strukturach często ukryte są podświadome konflikty. Na przykład może się zdarzyć, że wbrew naszej woli wciąż przymuszamy drugą osobę do robienia czegoś, co już w dzieciństwie nas raniło i bolało. Sami wyjątkowo rzadko zdajemy sobie z tego sprawę.

Również w trakcie psychoanalizy pacjent wcześniej czy później próbuje tego samego wobec terapeuty. W mechanizmie tym tkwi duża szansa analizy: ponowne przeżycie na przykład doświadczeń w kontaktach dziecka z rodzicami stwarza możliwości zmiany. Konflikt podświadomy może dzięki psychoanalitykowi zostać w pełni uświadomiony. Przykład: terapeuta nie przyjmuje narzucanej przez pacjenta roli ojca, zawsze wiedzącego, co jest słuszne, a co nie, stara się natomiast zwrócić uwagę na to, że chory na innych ceduje swoje prawo do orzekania i decydowania. W ten sposób narzuca im pewien wzorzec stosunków, powiązań, który utrzymuje go w wiecznej zależności. Jeśli ten podstawowy wzorzec zostanie ujawniony, omówiony i niekiedy wielokrotnie na nowo rozpracowany, to często udaje się go „odczarować" i w ciągu następnych miesięcy skutek jego działania może zmaleć. Psychoanalizę można więc porównać do spektaklu teatralnego: mechanizmy naszych powiązań zostają jeszcze raz zainscenizowane, a główny konflikt tkwiący w podświadomości zmierza do finału. Terapeuta „wyłuskuje" dotkliwy konflikt, a uświadamiając go, zdejmuje zeń „zaklęcie". Mechanizm traci swoją moc, powtórki przebiegają już świadomie. Pacjent zauważa, że sam często skłaniał inne osoby, aby nad nim dominowały. Terapeutę można uznać za odczarowującego maga, który zwraca uwagę na to, czego samemu się nie dostrzega.

### Forma i czas trwania terapii

W trakcie klasycznej psychoanalizy pacjent spoczywa na kozetce, a z tyłu lub obok, poza polem widzenia chorego, siedzi analityk. Około godzinne spotkania powtarza się trzy do pięciu razy w tygodniu. Klasyczna psychoanaliza trwa co najmniej dwa, trzy lata. Obok tej klasycznej postaci rozwinęły się inne, krótsze, w których pacjent siedzi naprzeciw terapeuty. Spotkania odbywają się zwykle raz, dwa razy w tygodniu. Po piętnastu, trzydziestu seansach można je zakończyć lub kontynuować. Są tak samo skuteczne jak klasyczna psychoanaliza.

## Leczenie rozmową

Jest to terapia mieszana, składająca się z metod ukierunkowanych na konflikt, treningowych i ukierunkowanych na przeżycia, które omówione zostaną w kolejnych rozdziałach. W leczeniu rozmową główny temat stanowią świadome problemy i trudności pacjenta. Chodzi głównie o teraźniejszość, a w mniejszym stopniu o przeszłość. Terapeuta zapoznaje się z kłopotami pacjenta, a jego postawa wyraża współczucie, zaangażowanie i szacunek, jakim go darzy. Stara się równocześnie poznać jego światopogląd, przeżycia i rzeczywistość. W leczeniu za pomocą rozmowy bardzo ważne są przeto następujące aspekty:

— terapeuta usiłuje wraz z chorym poznać jego subiektywną rzeczywistość, mającą zawsze cechy indywidualne;
— terapeuta zwraca uwagę i „rozumie" nie tylko słowa, ale próbuje zinterpretować wyraz twarzy, poznać mowę ciała. Wnioski wypływające z tych obserwacji przedstawia pacjentowi;
— towarzysząc choremu w atmosferze współczucia, akceptacji i zrozumienia, ułatwia mu uświadomienie własnej tożsamości, jej przeanalizowanie i dokonanie w niej zmian;
— celem leczenia jest zwiększenie szacunku dla siebie i zaakceptowanie własnej osoby.

Cel terapii jest podobny jak w psychoanalizie: nie idzie o usunięcie objawów, dolegliwości czy zaburzeń funkcji, lecz o zmianę w rozumieniu siebie, swoich zapatrywań na własne „ja" i istotę konfliktu. Dlatego metody, które rozwinęły się z psychoanalizy, nazywa się terapiami uświadamiającymi konflikt.

### Forma i czas trwania terapii

Godzinne seanse odbywają się zwykle raz w tygodniu. Przeciętne leczenie trwa dwadzieścia godzin, na życzenie można je przedłużyć.

# TECHNIKI TRENINGOWE

## Uzyskanie zmian w zachowaniu

Terapia skoncentrowana na uzyskaniu zmian w zachowaniu usiłuje jak najściślej zanalizować zaburzenia w zachowaniu pacjenta z uwzględnieniem środowiska, w jakim się obraca. Chodzi przede wszystkim o warunki i okoliczności, które doprowadzają do określonego zachowania, i o struktury, które je podtrzymują. Jej celem natomiast jest wspólne zastanowienie się, co można zmienić. W tej terapii przeżycia z wczesnego dzieciństwa odgrywają rolę drugorzędną. Zaburzenia w zachowaniu ocenia się z uwzględnieniem doznań, uczuć i wewnętrznych konfliktów pacjentów. W przeciwieństwie do psychoanalizy mniejsze znaczenie przywiązuje się do ujawnienia konfliktu, a dąży się raczej do wyuczenia lub zapomnienia pewnej formy zachowania:

— w technikach przyswajających próbuje się celowo zmieniać nastawienia, oczekiwania lub postawy, na przykład rozładowywać lęki;
— aktualne problemy można zwykle szybko rozwikłać lub za pomocą treningu odzyskać utraconą pewność siebie;
— w treningu rozwiązywania problemów można stosować granie ról, naukę technik samokontroli aż po nowe metody samosterowania. Terapia skoncentrowana na uzyskaniu zmian w zachowaniu jest przydatna szczególnie w kombinacji z innymi metodami uzupełniającymi.

### Forma i czas trwania terapii

Terapia prowadząca do zmian zachowania zawsze wymaga bardzo dużego zaangażowania pacjenta niezależnie od tego, czy chodzi o sprawy o mniejszym znaczeniu, jak odzwyczajenie się od palenia, czy o poważniejsze, na przykład nieopanowaną żarłoczność — trzeba posiąść zasady samokontroli. Udaje się to w ciągu kilku spotkań, ale czasem może wymagać roku. Przy problemach bardzo trudnych konieczny jest niekiedy jeszcze dłuższy czas.

# METODY OPIERAJĄCE SIĘ NA SUGESTII

W przeciwieństwie do metod ujawniających konflikty metody sugestywne można określić mianem technik „zasłaniających". Mamy dzisiaj wiele rodzajów sugestii, stosowanych przede wszystkim przez bliżej nieokreślonych uzdrawiaczy i cudotwórców. Trzeba do nich podchodzić z dużym krytycyzmem. Mogą bardzo zaszkodzić, dużo kosztować, a niewiele pomóc. Pozytywne efekty dawała tylko hipnoza, która obecnie właściwie wyszła z użytku.

## Hipnoza

W hipnozie próbuje się tak długo oddziaływać na zaburzenia i dolegliwości, aż przestaną się pojawiać:

— lekarz wypowiada pewne słowa, na przykład „teraz zasypiasz", i wprowadza pacjenta w stan zbliżony do transu, będący czymś pośrednim między snem a jawą;
— w tym stanie pacjent słyszy i rozumie terapeutę, który może wydawać polecenia uspokajające i stabilizujące.

U niektórych ludzi hipnoza może rzeczywiście doprowadzić do całkowitego cofnięcia się objawów chorobowych. Niestety, efekt bardzo często jest krótkotrwały. Ponadto nie wszyscy są podatni na hipnozę.

### Forma i czas trwania terapii

Prawie zawsze pacjenci w czasie seansu spoczywają na kozetce. Na początku leczenia, zwykle przez około sześć godzin na przestrzeni wielu dni, ćwiczy się wprowadzanie w stan pseudosnu. Na ogół dopiero po tym wstępnym okresie udaje się wywołać trans dostatecznie głęboki, by stało się możliwe oddziaływanie na zaburzenia chorobowe i dolegliwości. Średni okres leczenia wynosi od dziesięciu do czterdziestu godzin.

## POSTĘPOWANIE OPARTE NA PRZEŻYCIU

Postępowanie oparte na przeżyciu wychodzi z założenia, że intensywne wrażenia emocjonalne („przeżycia") lub doświadczenia mogą w trakcie leczenia wyzwalać siły korygujące. Powstało zatem wiele nowych metod pozbawionych jakiegokolwiek znaczenia terapeutycznego. Należą tu na przykład tzw. grupy Encounter lub Sensitivy-Training, a także terapia „prakrzyku", „Primer", leczenie pierwotne Janova. Do metod zorientowanych na przeżycia zalicza się terapię opartą na muzyce, poezji, podobnie jak różne metody leczenia ciała. Mają one swoje ustalone miejsce w psychoterapii stacjonarnej i są skorelowane z metodami leczenia ambulatoryjnego. Ich dokładny sposób działania nie został dotąd ostatecznie zbadany.

### Terapia postaci (Gestalt)

Wśród technik ukierunkowanych na przeżywanie najpowszechniejsza jest terapia postaci (Gestalt). Skupia się na tym, co istnieje „tu i teraz", wszystkie problemy traktuje, uwzględniając aktualnie dominujące uczucia i postawy. Pacjentowi się zaleca, aby pogodził się ze wszystkimi reakcjami negatywnymi i pozytywnymi, starając się je przeżyć, ponieważ ma to umożliwić ujrzenie własnego zachowania pod nowym kątem. Dewiza tej metody brzmi: zmiana jest możliwa pod warunkiem zaakceptowania siebie, i to w takiej postaci, w jakiej się jest aktualnie.

W terapii postaci:
— dużą wagę przywiązuje się do milczenia;
— za pomocą najrozmaitszych technik uzmysławia się, ucieleśnia i inscenizuje różne wrażenia, uczucia, fragmenty snów, doznania i wydarzenia;
— usiłuje się formować przeżycia tak intensywnie, jak to tylko jest możliwe, by ułatwić akceptację własnego, dotąd odtrącanego zachowania.

### Forma i czas trwania terapii

Terapia postaci jest nie tylko techniką leczniczą, ale też elementem filozofii życia, ponieważ przez ćwiczenia wyobraźni, odgrywanie ról lub specjalny sposób prowadzenia dialogu zachęca do lepszego uzmysłowienia sobie i poznania własnych uczuć i potrzeb. Czas leczenia nie jest ściśle ograniczony. Odbywa się zwykle w grupach seminaryjnych lub tak zwanych workshops.

## WYBÓR SPOSOBU POSTĘPOWANIA

Należy najpierw odpowiedzieć sobie na następujące pytania:
— Czy potrzebuję szybkiej pomocy, czy też mogę poczekać? Czy mój problem, choroba, ból są tak poważne, że nie mogę miesiąc, dwa poczekać?
— Czy wymagam dogłębnego przeanalizowania, czy też mój problem ogranicza się do kilku spraw?
— Ile czasu mogę poświęcić psychoterapii, ile godzin w tygodniu jestem gotów intensywnie zajmować się sobą?
— Ile pieniędzy mogę wydać?
— Czy chcę pójść do szpitala, czy skorzystać z leczenia ambulatoryjnego?

### Psychoterapia ambulatoryjna

Leczenie ambulatoryjne zdaje egzamin, jeśli cierpienie dotyczy tylko pewnego fragmentu życia, a pacjent jeszcze dość dobrze daje sobie radę z problemami codzienności — gdy nie doszło do poważniejszych kryzysów ani w rodzinie, ani w pracy zawodowej.

— W takiej sytuacji można nawet nieco poczekać. Poszukiwanie terapeuty trwa czasem kilka miesięcy. Kiedy go już znajdziesz, musisz się liczyć z kilkumiesięcznym oczekiwaniem na wolny termin.
— W sytuacjach nagłych, gdy potrzebna jest szybka pomoc indywidualna, można się zwrócić do terapeuty dyżurującego pod „telefonem zaufania".
— Leczenie ambulatoryjne ma tę zaletę, że można je godzić z codziennymi obowiązkami, włączając do planu zajęć, a efekty oceniać w praktyce.
— Nowe spostrzeżenia dotyczące własnej osoby można analizować w zwykłym otoczeniu, można starać się okoliczności modyfikować, utrwalać lub na nowo przekształcać, cały czas mając do dyspozycji terapeutę.
— Za leczeniem ambulatoryjnym przemawiają swoiste konflikty, których nie udaje się rozwiązać w odosobnieniu szpitalnym. Należą do nich kłopoty rodzinne, partnerskie i wychowawcze.
— Za ambulatoryjną psychoterapią mogą też przemawiać warunki rodzinne, np. niemowlę potrzebujące opieki matki.
— Wiedząc w miarę dokładnie, jakiego rodzaju są konflikty, dolegliwości i zaburzenia, lepiej jest skorzystać z leczenia ambulatoryjnego.

### Wybór techniki

Nie ma tu bezwzględnie obowiązujących reguł. Ważne przesłanki to:
— Czy zaburzenie lub choroba stanowią ciężar wyłącznie dla pacjenta, czy cierpią również domownicy?
— Jak naglący jest problem?
— Ile spotkań w tygodniu się przewiduje?
→ Postępowanie skupiające uwagę na konflikcie, s. 672.
→ Techniki treningowe, s. 673.
→ Postępowanie oparte na przeżyciu, powyżej.

## Którego terapeutę wybrać

— Musisz mieć pewność, że możesz się przed terapeutą otworzyć.

— Jeżeli przy pierwszej rozmowie doznajesz uczucia obcości lub antypatii, to porusz ten problem w rozmowie albo poszukaj innego lekarza.

— Powinieneś się jednak zastanowić, jeśli wszyscy po kolei terapeuci robią negatywne wrażenie. Przyczyna może tkwić w tobie.

— Nie należy się rozczarowywać ani zamartwiać, jeśli zajdzie odwrotna sytuacja, tzn. jeśli terapeuta po wstępnym spotkaniu stwierdzi, że nie wyobraża sobie współpracy z tobą. Trzeba się z tym pogodzić tak samo jak z własnymi decyzjami.

— Pierwsza rozmowa nie powinna się sprowadzać tylko do problemów chorego. Należy uzyskać jasne informacje na temat metod, czasu trwania leczenia, jego kosztów oraz kwalifikacji terapeuty.

— Jasne i jednoznaczne informacje są nieodzownym warunkiem psychoterapii. Wypowiedzi zawoalowane, nieprezycyjne lub niepełne świadczą o wątpliwej fachowości. Lepiej wtedy zwrócić się do kogoś innego.

Decyzja dotycząca techniki związana jest w sposób istotny z terapeutą. Można spokojnie stwierdzić, że wybór terapeuty jest ważniejszy niż wybór metody. Stosując najlepsze nawet techniki, osiąga się nikłe efekty, jeśli pacjent nie potrafi zaufać terapeucie.

## Psychoterapia w szpitalu

W polskich szpitalach nie ma oddziałów psychoterapeutycznych, leczenie takie prowadzą zaś szpitale psychiatryczne. Poza tym są ośrodki specjalistyczne, na przykład dla osób uzależnionych, a także poradnie zdrowia psychicznego (→ Zaburzenia samopoczucia, s. 175).

### Leczenie szpitalne jest uzasadnione

— Im trudniej jest ci uświadomić sobie związek choroby z konfliktami i problemami, tym mniej zrozumiałe wydają ci się dolegliwości.

— Istotne znaczenie w podejmowaniu decyzji o leczeniu szpitalnym może mieć uczucie, że potrzebujesz szybkiej pomocy, na przyjęcie do szpitala czeka się bowiem krócej niż do przychodni.

— Dla wielu ludzi ważne jest, że mogą się oderwać od środowiska i życia, a dystans, jakiego się wtedy nabiera do pracy, rodziny, partnera i otoczenia, może zrodzić poczucie swobody.

— W czasie pobytu w szpitalu można sobie pozwolić na luksus niezajmowania się niczym innym tylko sobą. Można całą noc rozmawiać z sąsiadem lub sąsiadką leżącą obok lub płakać.

Następnego dnia rano nie trzeba być żwawym ani wydajnym.

— Istnieją okolice, zwłaszcza wiejskie, gdzie trudno znaleźć psychoterapeutę. Zamiast szukać i latami czekać, lepiej pójść do szpitala.

— Niektóre choroby, na przykład uzależnienia, ciężkie zaburzenia łaknienia lub nerwice lękowe, w zasadzie nie nadają się do leczenia ambulatoryjnego. W szpitalu lepsze efekty uzyskuje się u chorych niedających sobie w ogóle rady w życiu codziennym, zawodzących przy najprostszych zadaniach. Należą do nich osoby obawiające się jazdy środkami komunikacji, wyjścia na zakupy, odmawiające ubierania się lub przyjmowania posiłków.

— W wielu chorobach psychosomatycznych oprócz psychoterapii konieczna jest zwykła opieka lekarska.

### Leczenie w szpitalu

Pobyt w szpitalu trwa przeciętnie dwa, trzy miesiące, a co najmniej sześć tygodni. Osobom postronnym wydaje się to strasznie długo, jednakże na koniec większość pacjentów uważa, że ten czas minął szybko. Wielu chce nawet pobyt przedłużyć. Przed przyjęciem należy zapytać o średni czas trwania kuracji.

### Gdy leczenie w szpitalu ci nie odpowiada

Jeśli zdecydowałeś się na leczenie szpitalne, pamiętaj, że bezwzględnie powinieneś wytrzymać pierwsze dziesięć dni. Większość ludzi odbiera zalecenia psychoterapeutów jako coś obcego, a nawet groźnego. Techniki terapeutyczne, rozmowy, lekarze, otoczenie i pozostali chorzy — to wszystko jest obce. Nie ma prawie nic znajomego z codzienności. Należy porozmawiać o tym z terapeutą.

Jeśli po dziesięciu dniach nadal uważasz, że miejsce nie jest odpowiednie, to należy szpital opuścić.

### Wybór techniki

W większości przypadków zaczyna się od metod psychoanalitycznych. Obok technik skupiających uwagę na konflikcie i technik treningowych prawie wszystkie ośrodki oferują wiele innych metod. Propozycje są tak skomponowane, że umożliwiają nie tylko lepsze wyjaśnienie własnych odczuć i doświadczeń, ale i lepsze poznanie siebie. Nie da się z góry ustalić, które postępowania, techniki czy propozycje u danej osoby spowodują lepsze otwarcie się i większą szczerość. Chory musi sam poznać, co dla niego jest najkorzystniejsze.

### Informacje o leczeniu psychoterapeutycznym można uzyskać

— Ośrodek Leczenia Nerwic
Kraków, ul. Limanowskiego 5, tel. (0-12) 56-24-24
— Instytut Psychiatrii i Neurologii
Warszawa, ul. Sobieskiego 1/9, tel. (0-22) 642-66-11

# LECZENIE UZDROWISKOWE

Leczenie uzdrowiskowe od dawna uznawane było za źródło młodości. Poza zabiegami medycznymi i zdrowym odżywianiem,
spacery, wypoczynek, rozrywki, pogawędki, zmiana otoczenia,
a również flirt, są czynnikami pobudzającymi zdrowienie i dobre
samopoczucie. O ile dawniej celem takiego pobytu było nastawienie głównie na odprężenie, to dzisiaj służy raczej zmianie
motywacji kuracjuszy. Pacjenci winni nauczyć się nowego trybu
życia i aktywnie przyczynić się do przezwyciężania chorób cywilizacyjnych oraz zaburzeń czynnościowych, by móc możliwie znośnie żyć ze swymi schorzeniami. Leczenie uzdrowiskowe stosuje
się głównie w schorzeniach narządu ruchu, układu oddechowego, serca, krążenia. Obok systemu sanatoryjno-wypoczynkowego
powstał odrębny rynek turystyki zdrowotnej, obiecujący dobre
samopoczucie i sprawność fizyczną (wellness i fitness). Tego rodzaju programy atrakcyjnie reklamowane znajdują się w starych
i nowych uzdrowiskach. Mogą one poprawiać samopoczucie,
jednak urlop tego rodzaju nie służy dobrze ozdrowieńcom i chorym. Leczenie uzdrowiskowe ma inne zadania: profilaktykę, rehabilitację i poprawę zdrowia. Badania potwierdziły, że kuracje
sanatoryjne u osób z przewlekłymi schorzeniami, jak np. reumatyzm, zaburzenia sercowo-naczyniowe, astma, są w stanie
wydatnie zmniejszać dolegliwości i ograniczenia zdolności do
pracy. U osób starszych z przewlekłymi schorzeniami mogą nawet zapobiec konieczności opieki lub ją opóźnić. Ponadto organizm zostaje wzmocniony i wzrasta jego zdolność znoszenia bólów fizycznych i psychicznych obciążeń oraz ich wyrównania.
Zmniejszają się dolegliwości, poprawia się nastrój i radość życia.
Kuracja uzdrowiskowa stanowi proces przyswojenia umiejętności zapomnienia o codziennych obowiązkach, umożliwia kontakt z ludźmi borykającymi się z podobnymi dolegliwościami,
wzmacnia możliwość racjonalnego przestawienia na zdrowy tryb
życia po opuszczeniu uzdrowiska. Jest bodźcem do zmiany postawy i zachowania. Tym samym wzrasta zdolność przystoso-
wawcza do obciążeń i zagrożeń ze strony otaczającego świata.
W tym sensie leczenie uzdrowiskowe wywiera wpływ wszech-
stronny, wpływa nie tylko na organizm, lecz również na psychikę
i stosunki socjalne pacjenta.

## Podstawy działania

Efekt leczenia uzdrowiskowego opiera się na następujących pod-
stawach:
— Ochrona — eliminuje się szkodliwy wpływ hałasu, złego powietrza, pośpiechu, napięć psychicznych, błędów w odżywianiu, nadużywania leków.
— Zastosowania seryjne — pobudzają wymagający odnowy organizm i trenują jego narządy. Systemy regulacyjne uczą się
   aklimatyzacji w sensie przystosowania i ponownej ekono-

micznej pracy. Ustrój hartuje się; następuje mobilizacja
zdolności do samoistnego zdrowienia.
— Trening z obciążeniem mięśni i narządów: zwiększa się ich
   sprawność, wzrasta wydolność płuc, gdy muszą one dostosowywać się do większych wysokości poprzez ukierunkowaną gimnastykę oddechową i sport.
— Oświata zdrowotna m.in. dotycząca racjonalnego odżywiania, co jest bodźcem dla indywidualnej inicjatywy.
   Warunkiem skutecznej kuracji jest możliwość reagowania
chorego narządu lub układu na bodźce terapeutyczne, zdolność chorego do znoszenia obciążeń, skłonność pacjenta do
aktywnego współdziałania.

## Środki

W leczeniu uzdrowiskowym korzysta się z miejscowych środków,
takich jak wody mineralne, gazy lecznicze, peloidy i klimat.

### Wody mineralne

Różnią się one od wody pitnej wysoką zawartością związków
mineralnych i innych czynnych składników lub wyższą temperaturą (termy). Substancje te w trakcie kuracji pitnej przedostają się do krwiobiegu przez przewód pokarmowy. Podczas
kąpieli przez skórę przenika niewiele substancji. Tu czynnikiem leczniczym jest przede wszystkim ciepło. Skład wód podlega kontroli. Określone są normy higieniczne.

### Gazy lecznicze

Należą do nich dwutlenek węgla, siarkowodór i radon.

### Peloidy

Używa się ich w postaci mułu lub papki. Składają się one
z rozłożonych składników roślinnych, np. torfu z bagien lub
z materii mineralnej, jak np. morski namuł ilasty, miał rzecz-
ny, less, glinka, margiel. Mianem „fango" określa się drobno
roztarte kamyki, jak tuf, łupek glinkowy i żwir wulkaniczny.

### Czynniki klimatyczne

Wykorzystywać można wszystkie elementy klimatyczne. Za
zdrowy klimat uważa się czyste powietrze oraz niewielkie wahania temperatury i ciśnienia w ciągu dnia. Klimat bodźcowy
wywołują wysokości ponad poziomem morza, częste i intensywne nasłonecznienie, intensywne ochłodzenie, duża prędkość wiatru i zawartość soli w powietrzu. Do kuracji klimatycznych nadają się zarówno tereny średnio- i wysokogórskie, jak
i nadmorskie.

## Propozycje lecznicze

Podstawowe znaczenie mają różne kuracje kąpielowe (→ s. 677)
i pitne (→ s. 679) oraz leczenie klimatyczne (→ s. 679) spożyt-
kowujące różne czynniki klimatyczne, celowo uzupełniane
elementami medycyny fizykalnej np.:

— leczenie wodą (→ s. 653),
— leczenie ciepłem (→ s. 651),
— elektroterapia (→ s. 654),
— leczenie światłem i promieniami (→ s. 651),
— inhalacja (→ s. 642),
— masaż (→ s. 658),
— ruch i sport (→ s. 748),
— gimnastyka podwodna i gimnastyka lecznicza,
— ćwiczenia oddechowe (→ s. 657),
— leczenie dietetyczne,
— trening zdrowotny w ramach wykładów, porad psychologicznych i przeżycia w grupie.

Niektóre uzdrowiska są ponadto wyspecjalizowane w określonych rodzajach terapii, np. według Kneippa (→ s. 679), kuracja według Priessnitza lub Felkego. Dziś uważa się, że odprężenie jest podstawą efektów kuracji. Zbliżony do transu stan odciąża, zmniejszając bóle, zapobiega stresom i spowodowanym przez nie schorzeniom. Dlatego w ramach pobytu w sanatorium proponuje się szkolenia w różnych technikach relaksu (→ s. 665). Mogą one jednak stanowić tylko bodziec do aktywnego, indywidualnego treningu, ponieważ wyuczenie się ich trwa zwykle kilka miesięcy. Celowe są też kursy rozwijające kreatywność, np. garncarstwo, malarstwo, muzykowanie, taniec. Wiele zakładów proponuje metody „alternatywne", np. ozonoterapię (→ s. 648) lub tlenoterapię (→ s. 649) albo metody mistyczne, np. terapię „strumyk-kwiaty", których skuteczność jest wątpliwa.

## Plan leczenia

Założywszy, że zalecenia uwzględniają diagnozę, istnieją liczne możliwości kombinacji różnych środków. Umożliwia to leczenie określonych narządów bez obciążania innych układów wymagających oszczędzenia. I tak można poszczególnym chorym ułożyć optymalny indywidualny zestaw zabiegów. Każde zlecenie kuracji wymaga dokładnej diagnozy i zawiera specyficzny, indywidualny program, w którym wszystkie czynniki są odpowiednio wyważone i wzajemnie zharmonizowane.

### Przebieg kuracji

Ustrój reaguje na kurację w okresowych fazach. W odstępach siedmio-, dziesięciodniowych wracają dolegliwości chorobowe, które ustępują stopniowo. To, co chory uważa za nawrót, lekarze traktują jako reakcję kuracyjną. Jej intensywność zależy od konstytucji pacjenta i intensywności leczenia, ale nie ma ona wpływu na skuteczność terapii. Zwykle reakcje te mijają po trzech, czterech tygodniach. Dlatego najkorzystniejsze okazały się pobyty sanatoryjne czterotygodniowe.

Również po zakończeniu kuracji może dojść do pogorszenia, które stopniowo mija. Najpóźniej po sześciu tygodniach ustrój przystosowuje się już do nowych warunków. Dlatego u dzieci kuracje powinny trwać sześć tygodni. Jeżeli leczenie zostało racjonalnie przeprowadzone, to jego stabilizujący skutek może trwać od sześciu do dziewięciu miesięcy. Jeżeli jednak zaistniał skuteczny bodziec do zmian zachowań, to spowodowana nim poprawa może utrzymać się bardzo długo.

*Wskazówka*
Kuracje osłabiają, dlatego podczas ich trwania należy korzystać

z wypoczynku. Przy kuracjach w okolicach o klimacie bodźcowym istnieje groźba uaktywnienia utajonego schorzenia, np. zapalenia zęba lub pęcherzyka żółciowego.

### Zastosowanie

Leczenie sanatoryjne jest celowe w zapobieganiu i łagodzeniu zaburzeń czynnościowych i wegetatywnych. Skuteczne jest również w przedwczesnym starzeniu. Pomaga w łagodzeniu i rehabilitacji ostrych chorób, jednak głównie stosuje się w stanach przewlekłych u osób w podeszłym wieku i w rekonwalescencji po chorobach, wypadkach i operacjach.

## Kuracje kąpielowe

Należą do najczęściej zalecanych. Wykorzystuje się mechaniczne, termiczne i chemiczne właściwości wód leczniczych. Kto się zanurzy w wodzie, odczuwa wypieranie ku górze, ciało ma tylko jedną dziesiątą wagi. Mięśnie ulegają odprężeniu, stawy odciążeniu, tkanka łączna rozluźnieniu. Ruchy są łatwiejsze, maleją bóle niespowodowane stanem zapalnym. Woda obniża ciśnienie krwi, działa moczopędnie, hamuje wydzielanie hormonów stresowych. Ciepła woda rozszerza naczynia i pobudza ukrwienie, łagodzi bóle, umożliwia chorym stawom większą swobodę ruchu i pobudza oddychanie. Stymuluje wrażliwość skóry, daje lepsze odczucie ciała, działając kojąco na stan psychiczny. Ciśnienie wody oraz jej ciepłota są aktywnymi czynnikami i muszą być w leczeniu odpowiednio dawkowane.

*Wskazówka*
Kąpiele są obciążeniem dla chorych na serce.

*Ruch w kąpieli*
Wypór wody odciąża stawy nóg i kręgosłupa do tego stopnia, że udaje się wykonywać ruchy dotąd niemożliwe. Ponieważ woda stwarza opór, można ją wykorzystać do długotrwałego treningu osłabionych grup mięśni. Zapobiega ona przewróceniu się osoby ćwiczącej.

*Przeprowadzenie*
Ćwiczenia gimnastyczne w wodzie przeprowadza się pod kierunkiem terapeuty. Bezpośrednio po tym należy wypocząć.

*Zastosowanie*
Gimnastyka w wodzie może łagodzić dolegliwości w gośćcu tkanek miękkich, w przewlekłych zwyrodnieniowych schorzeniach narządu ruchu, chorobach neurologicznych, wadach postawy, w osteoporozie, schorzeniach mięśni i po operacjach narządu ruchu; poprawia i podtrzymuje ruchomość, służy rehabilitacji po różnych chorobach.

*Wskazówka*
Ruch w kąpieli jest obciążeniem dla chorych na serce.

### Kąpiele w wannie

Gdy najważniejsze aktywne składniki wody leczniczej są lotne, a także przy niektórych schorzeniach stosuje się kąpiele w wannie. Również w wannie ciśnienie wody i temperatura są czynnikami oddziałującymi, dlatego dozuje się je w sposób celowy.

### Kąpiel siarkowa

Źródła siarkowe zawierają różne związki siarki. Rozszerzają one naczynia włosowate, pobudzają ukrwienie skóry i aktywność immunologiczną.

*Zastosowanie*

Zaleca się je w chorobach zapalnych i alergicznych. Leczniczy efekt wykazują w takich chorobach skóry, jak: łuszczyca, neurodermitis, trądzik, przewlekły wyprysk. Łagodzą choroby zaliczane do reumatycznych i są specjalnie uzasadnione, gdy zajęta jest większa liczba stawów.

*Przeprowadzenie*

Kąpiele siarkowe powinny trwać najwyżej 10-20 minut. Kąpiele o temperaturze powyżej 38°C bardzo męczą. Dlatego po kąpieli należy wypocząć.

*Wskazówka*

Ograniczenie czasu kąpieli obowiązuje również, gdy stosuje się je bez zalecenia lekarskiego w ramach korzystania z wolnego czasu. Dzieci powyżej 6 roku życia powinny bardzo krótko przebywać w kąpieli siarkowej.

### Kąpiele kwasowęglowe

Można do nich użyć naturalnej szczawy prostej lub technicznego dwutlenku węgla.

*Przeprowadzenie*

W wodzie kwasowęglowej kąpie się około pół godziny dziennie. Jest ona odczuwana jako cieplejsza niż rzeczywiście, dlatego można jej używać w celu odbierania ciepła. Kąpiel kwasowęglowa wzmaga ukrwienie skóry, pomaga w zwężeniu naczyń rąk i nóg, w przewlekłej niewydolności żylnej i nadciśnieniu tętniczym.

*Zastosowanie*

Kąpiele kwasowęglowe łagodzą wegetatywnie i psychosomatycznie uwarunkowane dolegliwości sercowo-naczyniowe.

### Kąpiel, inhalacja solankowa i płukanie solankowe

Kąpiele solankowe istnieją tam, gdzie wydobywa się sól kuchenną. Występują jako zimne źródła lub jako termy, z lub bez innych składników. Większość solanek zawiera 1,5 do 6,0 % soli kuchennej.

W leczeniu przewlekłych zapaleń błon śluzowych stosuje się specjalne techniki, np. płukanie wodami mineralnymi lub rozcieńczonymi solankami albo inhalacje powietrza zawierającego sól. W sztolniach z zimnym powietrzem łagodzi się schorzenia dróg oddechowych.

Przy tym poza temperaturą około 10°C ważną rolę odgrywa wysoka wilgotność powietrza oraz niska zawartość kurzu. Swoisty rodzaj inhalacji daje leczenie nad morzem. Obok bodźca klimatycznego działa tu zawierająca sól bryza morska i wpływ mikroelementów, jak np. jod. Oddziaływanie klimatu Morza Północnego jest silniejsze niż Bałtyku. Współdziałanie leczniczego efektu słońca i wysokiej zawartości soli w Morzu Martwym może wydatnie pomóc w chorobach skóry, np. łuszczycy.

*Zastosowanie*

Kąpiele w bardzo słonej wodzie łagodzą wszystkie postaci gośca i chorób kobiecych oraz mogą pomóc w chorobach skóry, jak zapalenia, trądzik, wyprysk. Inhalacje łagodzą przewlekłe schorzenia górnych oraz dolnych dróg oddechowych, przewlekłe zapalenia zatok czołowych i szczękowych. Leczenie nad morzem zaleca się szczególnie w alergicznych chorobach dróg oddechowych.

### Kąpiele radonowe, inhalacje radonowe

Szlachetny, radioaktywny gaz — radon — powstaje w przyrodzie z uranu. Stężony występuje w naturalnych źródłach i w powietrzu sztolni kopalnianych, w zróżnicowanych stężeniach również w piwnicach domów mieszkalnych.

*Zastosowanie*

Tradycyjnie zaleca się osobom ze zwyrodnieniowymi chorobami stawów kurację pitną z wód radonowych, serię kąpieli lub codzienny pobyt w sztolni zawierającej radon w powietrzu. Często potwierdza się przeciwbólowy efekt tego leczenia. Brak jednak dotąd dowodu, że działanie lecznicze zawdzięcza się radonowi.

*Wskazówka*

Poza kąpielami leczniczymi uważa się radon za czynnik rakotwórczy. W czasie czterotygodniowej kuracji w sztolni pacjent otrzymuje 3330-krotną dawkę promieniowania (166 500 bekereli/$m^3$) w porównaniu z normalnym obciążeniem.

W przeliczeniu na rok napromieniowanie jest większe niż to, na jakie narażeni są mieszkańcy domu uznanego za wymagający sanacji z powodu wysokiego stężenia radonu.

### Kąpiele borowinowe i błotne

Borowina, ściślej torf, jest najobficiej występującym środkiem wśród peloidów i stosowany jest szczególnie do pełnych kąpieli. Pewne składniki torfu to kwasy huminowe przenikające przez skórę. Zwiększają one odporność. W zależności od pochodzenia peloidy zawierają różne chemicznie aktywne substancje. Jako środki terapeutyczne odgrywają one jednak mniejszą rolę niż zdolność peloidów do długiego magazynowania ciepła, równomiernie przekazywanego leczonym partiom ciała.

*Przeprowadzenie*

Zawijanie i okłady borowinowe lub błotne o temperaturze około 45°C nakłada się na chore części ciała na około 20 minut. Kąpiele borowinowe nie mogą być cieplejsze niż 42°C. Wspólne kąpiele borowinowe są niehigieniczne, a zatem niedopuszczalne. Po każdej kąpieli wanna musi być gruntownie oczyszczona. Użyty torf można ponownie zastosować po specjalnym przerobieniu.

*Zastosowanie*

Kuracje borowinowe pomagają w schorzeniach reumatycznych, w rehabilitacji przy ograniczeniu ruchomości, w przewlekłych zapaleniach przewodu pokarmowego i dróg moczowych, w zaburzeniach ukrwienia i chorobach kobiecych.

*Wskazówka*

Pełne kąpiele borowinowe są zabronione w schorzeniach gorączkowych, zakaźnych, rozległych ranach skóry, osłabieniu serca i nadciśnieniu tętniczym.

## Kuracje pitne

Jeszcze w XIX wieku uważano picie wód mineralnych za swoiste leczenie różnych narządów wewnętrznych, potem wyparły je skuteczniejsze metody. Wody lecznicze z rozpuszczonymi solami i śladowymi elementami mają korzystnie wpływać na przemianę materii. Najważniejsze składniki to: sód, dwuwęglany, dwutlenek węgla, wapń, magnez i siarczany, pierwiastki śladowe. Zależnie od składu wody mineralne mają poprawiać czynność żołądka, jelit, wydzielanie żółci, funkcję wątroby, trzustki, nerek, pęcherza moczowego i dróg moczowych, ale dowodu naukowego na istotny efekt terapeutyczny brakuje.

*Przeprowadzenie*
Zależnie od zaleceń lekarza pije się je przez kilka tygodni codziennie do półtora litra. Kuracje pitne łączy się często z odpowiednią dietą.

*Wskazówka*
Przy upośledzeniu funkcji nerek i u osób starszych duża ilość przyjmowanych płynów może mocno obciążyć układ sercowo-naczyniowy. Przy ostrych zapaleniach przewodu pokarmowego, osłabieniu serca i krążenia, skłonności do obrzęków, jaskrze i nadciśnieniu tętniczym nie należy stosować kuracji pitnych.

## Kuracje klimatyczne

Wiele osób cierpi z powodu złej pogody (meteoropaci). Naukowo wpływ pogody i klimatu na człowieka nie został dostatecznie wyjaśniony. Do dzisiaj nie można powiedzieć, jaka pogoda rzeczywiście szkodzi zdrowiu. Wykazano, że wilgotny chłód, silny wiatr, mgła obciążają organizm. Życie w pomieszczeniach przegrzanych i klimatyzowanych uwrażliwia organizm na wpływy zewnętrzne. Silne bodźce klimatyczne mogą natomiast reaktywować napięcie i zdolności przystosowawcze. Efekty takie towarzyszą pobytom nad morzem ze słoneczną pogodą i wiatrem (talasoterapia → Kąpiel solankowa, s. 678) w klimacie średnio- i wysokogórskim.

Pobudzająco działają wahania temperatury, świeże powietrze i słońce. Nawet gdy klimat nie różni się w sposób istotny od domowego, jest się w trakcie zabiegów sanatoryjnych częściej wystawionym na wpływy pogody. By uznać jakieś miejsce za uzdrowisko, muszą być spełnione surowe kryteria odnośnie do czystości powietrza, co zapewnia kuracjuszom ochronę przed zanieczyszczeniami szkodzącymi śluzówkom. Niektóre czynniki klimatyczne, np. wysokość lub aerozol z wody morskiej, wpływają na organizm w ciągu dnia i nocy. Wybór miejscowości i czas pobytu muszą być dostosowane do kondycji pacjenta. Długie spacery i celowy ruch na świeżym powietrzu, zwiększanie wysiłku, adaptacja do wysokości, a w nie mniejszym stopniu przeżycia związane z krajobrazem wzmagają również radość życia. Nie może tego zastąpić trening w ośrodku sprawności fizycznej (fitness center).

*Przeprowadzenie*
Do kuracji klimatycznej należą: dawkowane kuracje leżakowe, kąpiele powietrzne do chwili odczucia dreszczy, drzemki na powietrzu, trening ruchowy. Dodatkowo efekty mogą zostać wzmocnione zabiegami Kneippa i fizykalnymi.

*Zastosowanie*
Kuracje klimatyczne trenują serce i oddech, wpływają na układ hormonalny i odpornościowy, pomagają w stresie i wyczerpaniu nerwowym. Stan w schorzeniach dróg oddechowych poprawia się we wszystkich uzdrowiskach. Choroby serca, układu krążenia, alergie, choroby skóry, zaburzenia neurowegetatywne — dzieci i rekonwalescenci reagują dobrze na klimat w średniowysokich górach i nad morzem. W zależności od sposobu zastosowania terapia klimatyczna działa odprężająco lub pobudzająco i hartuje ustrój na przeziębienia. Kuracja klimatyczna służy przede wszystkim rehabilitacji i profilaktyce. Zwykle aklimatyzacja następuje po trzecim tygodniu. Efekt sześciotygodniowej kuracji utrzymuje się do roku.

*Wskazówka*
Pobyt w terenach wysokogórskich nie jest polecany chorym na serce. Odnośnie do ryzyka → także światłolecznictwo, s. 651.

## Kuracje według Kneippa

Niemiecki ksiądz Sebastian Kneipp wypróbował na sobie znane wówczas leczenie zimną wodą. Rozbudował je w system kąpieli i polewań, urządził zakład kąpielowy i udzielał porad w obecności lekarzy. Uzupełnił swój reżim terapeutyczny ziołolecznictwem i poradnictwem na temat odżywiania, zalecał pacjentom ruch i uporządkowany tryb życia.

*Przeprowadzenie*
Metoda Kneippa obejmuje ponad sto różnych zastosowań wody, obmywania i polewania (→ s. 653). Wypływający pod ciśnieniem masujący strumień wody (→ s. 651), chodzenie po rosie i wodzie, zawijania (→ s. 653), nakładanie worków z sianem, kąpiele częściowe i pełne (→ s. 677), sauna (→ s. 652), zabiegi w zależności od kondycji i dolegliwości sięgają przy indywidualnym dozowaniu od ledwo odczuwalnych bodźców do obciążających zabiegów, jak np. nagłe polewanie zimną wodą. Ponieważ zabiegi w określonych porach dnia działają intensywniej, trzeba ułożyć odpowiedni program. Do kąpieli, okładów, wcierań maści dodaje się wyciągu z ziół. Soki roślinne zażywa się w postaci herbatek, kropli lub drażetek. Do kuracji Kneippowskiej należą wielogodzinne spacery, wegetariańskie odżywianie i zharmonizowanie aktywności z wypoczynkiem.

*Zastosowanie*
Kuracje Kneippowskie służą hartowaniu, mają uzasadnienie w stanach wyczerpania nerwowego, migrenie, zaburzeniach wegetatywnych, reumatyzmie, schorzeniach serca, krążenia i naczyń. Nadają się w szczególności dla dzieci z astmą i alergią, pomagają w dolegliwościach klimakterycznych.

## Leczenie ruchem

Niedobór ruchu jest głównym czynnikiem przyczynowym typowych w naszych czasach chorób cywilizacyjnych. Przeciwdziałać im może dozowany trening siłowy i wytrzymałościowy. Poprawia on pobieranie tlenu, wzmacnia serce, płuca, wątrobę, szkielet i odciąża wytwarzanie hormonów. Może to rozładować stres, poprawić kondycję i umysłową wydolność. Jeśli ruchomość jest już ograniczona w wyniku przewlekłych chorób lub po urazach i operacjach, to ukierunkowane programy treningowe pod okiem fachowców mogą prowadzić do poprawy przy regularnym zastosowaniu, a nawet do zupełnej restytucji. Gimnastyka lecznicza jest zwykle stałym składnikiem kuracji. Leczenie ruchem często jest bodźcem do stosowania treningu w domu.

*Przeprowadzenie*
Program treningowy planuje się w zależności od rodzaju schorzenia. Ważne jest odpowiednie stopniowanie, obciążenie i odstępy czasowe. Dobiera się je tak, aby nie przeciążyć organizmu, a pożądana poprawa istotnie nastąpiła. Przed treningiem wytrzymałościowym stosuje się rozgrzewkę. Stopniowo zwiększa się tempo, siłę, koordynację ruchów. Najlepiej ćwiczyć dwa razy w tygodniu po 30 do 60 minut. Po każdym zwiększeniu osiągów można odpowiednio podnieść poprzeczkę. Typowe rodzaje sportów wytrzymałościowych to: gimnastyka, turystyka, biegi na długim dystansie, jazda na rowerze, pływanie, biegi narciarskie, wioślarstwo, jazda na łyżwach.

*Zastosowanie*
Jako metoda profilaktyczna terapia ruchem może zmniejszyć wiele czynników ryzyka. Gimnastyka lecznicza pomaga w chorobach krążenia, narządu ruchu, psychosomatycznych i nerwo-

wych, niepełnosprawności dzieci, w przewlekłym zaparciu oraz nietrzymaniu moczu i stolca. Złagodzeniu ulegają różne dolegliwości, zapobiega się zanikom mięśni i usztywnieniu stawów. Leczenie ruchem wskazane jest po zawale mięśnia sercowego oraz udarze mózgu i winno być wdrożone jak najwcześniej.

*Wskazówka*
Gimnastykę leczniczą należy prowadzić pod kierunkiem zawodowych terapeutów. Źle przeprowadzony i nadmierny wysiłek fizyczny może zaszkodzić. Gdy aktywność sportową rozpoczyna się w podeszłym wieku, to powinno odbywać się to pod kontrolą lekarza sportowego.

## Kuracje odchudzające i dietetyczne

Kuracje takie służą odchudzaniu. Przy wspomagającym wprowadzeniu i w gronie osób borykających się z tym samym problemem łatwiej udaje się zmienić nawyki żywieniowe, np. w chorobach przemiany materii lub miażdżycy.

Kuracje odchudzające i dietetyczne mogą być bodźcem do przestrojenia przemiany materii i poprawić samopoczucie (→ Głodówka, s. 650).

## Krótka charakterystyka polskich uzdrowisk

| Uzdrowisko usytuowanie i klimat | Profil leczniczy | Naturalna baza uzdrowiskowa | Rodzaje zabiegów przyrodoleczniczych |
|---|---|---|---|
| **Augustów** położone w Puszczy Augustowskiej nad jeziorami Necko i Białe Sajno, 135 m n.p.m.; klimat nizinny, przyjeziorny, śródleśny. | Choroby układu ruchu i reumatyczne oraz układu krążenia. | Woda lecznicza słabo zmineralizowana; borowina. | Zawijania i kąpiele borowinowe, natryski wodolecznicze, masaże, gimnatyka lecznicza, inhalacje. |
| **Busko Zdrój** położone na terenie Niecki Nidziańskiej, 230 m n.p.m.; klimat nizinny z zaznaczonymi cechami klimatu kontynentalnego. | Choroby układu ruchu i reumatyczne, choroby skóry i układu krążenia. | Wody lecznicze typu chlorkowo-sodowego, jodkowe, bromkowe, siarczkowe, borowe, żeliziste; borowina. | Kuracja pitna, kąpiele mineralne, kąpiele basenowe, hydroterapia, masaże, inhalacje, zabiegi borowinowe w postaci zawijań i tamponów ginekologicznych, kinezynterapia, płukanie przyzębia, irygacje wodami siarczkowymi. |
| **Ciechocinek** położone w pradolinie Wisły, uzdrowisko nizinne, 50 m n.p.m., klimat nizinny, umiarkowanie i słabo bodźcowy. | Choroby układu ruchu i reumatyczne, układów krążenia i oddechowego. | Wody lecznicze typu chlorkowo-sodowego, bromkowe, jodkowe, częściowo żeliziste lub siarczkowe, borowe i termalne; borowina. | Wziewania na otwartej przestrzeni przy tężniach, kuracja pitna, kąpiele mineralne, zabiegi borowinowe, solankowe płukania przyzębia, irygacje ginekologiczne, tampony borowinowe, fizykoterapia i kinezyterapia. |

## Krótka charakterystyka polskich uzdrowisk (cd.)

| Uzdrowisko usytuowanie i klimat | Profil leczniczy | Naturalna baza uzdrowiskowa | Rodzaje zabiegów przyrodoleczniczych |
|---|---|---|---|
| **Cieplice Zdrój** położone w centrum Sudetów Zachodnich, prawie w środku Kotliny Jeleniogórskiej, 350 m n.p.m.; klimat podgórski umiarkowanie i silnie bodźcowy. | Choroby układu ruchu, ortopedyczno-urazowe i reumatyczne u dorosłych i dzieci; choroby dróg moczowych, oczu, ginekologiczne i układu nerwowego u dorosłych. | Wody lecznicze słabo zmineralizowane, fluorkowe, termalne (21-62°C), radoczynne; borowina. | Kuracja pitna, inhalacje, kąpiele mineralne wannowe i w basenach, zawijania, kąpiele i tampony ginekologiczne borowinowe, hydroterapia, fizykoterapia, masaże. |
| **Czerniawa Zdrój** położone w Sudetach Zachodnich, w dolinie Czerniawki, 500 m n.p.m., klimat podgórski, umiarkowanie bodźcowy. | Choroby układu oddechowego u dorosłych i u dzieci. | Wody lecznicze: szczawy wodorowęglanowo-wapniowo-magnezowe, żelaziste i słabo zmineralizowane, z dużą zawartością dwutlenku węgla, radoczynne. | Kuracja pitna, inhalacje, kąpiele mineralne i kwasowęglowe, hydro-, fizyko- i kinezyterapia. |
| **Długopole Zdrój** położone w południowej części Kotliny Kłodzkiej u stóp Gór Bystrzyckich, 400 m n.p.m., klimat podgórski, średnio bodźcowy. | Choroby układów krążenia i pokarmowego oraz stany po żółtaczce zakaźnej. | Wody lecznicze: szczawy wodorowęglanowo-wapniowo-magnezowe, żelaziste i słabo zmineralizowane, z dużą zawartością dwutlenku węgla, radoczynne. | Kuracja pitna, inhalacje, kąpiele mineralne i kwasowęglowe, suche kąpiele gazowe ($CO_2$), fizykoterapia, masaże. |
| **Duszniki Zdrój** położone na zboczach głębokiej i wąskiej doliny Bystrzycy Dusznickiej, 550 m n.p.m., klimat górski, umiarkowanie i silnie bodźcowy. | Choroby układów pokarmowego i oddechowego oraz choroby kobiece. | Wody lecznicze: szczawy wodorowęglanowo-wapniowo-sodowo-magnezowe, żelaziste; borowina. | Kuracja pitna, inhalacje, kąpiele mineralne i kwasowęglowe, płukania ginekologiczne wodami mineralnymi i tampony ginekologiczne, zawijania i okłady borowinowe, hydro-, elektro- i kinezyterapia. |
| **Goczałkowice Zdrój** położone w dolinie Wisły, na trasie Katowice–Bielsko-Biała, 250-260 m n.p.m. W pobliżu zbiornik wody o powierzchni 32 km² i liczne stawy rybne. Klimat nizinny, przyjeziorny, umiarkowanie bodźcowy. | Choroby narządu ruchu i reumatyczne, choroby układu oddechowego i choroby kobiece. Rehabilitacja ruchowa dzieci po porażeniu mózgowym i chorobie Heinego i Medina. | Wody lecznicze typu solanek chlorkowo-sodowo-bromkowo-jodkowo-borowych, żelaziste; borowina. | Kuracja pitna, inhalacje, ozonoterapia, kąpiele mineralne i kwasowęglowe, kąpiele lecznicze w basenie, zawijania i tampony borowinowe, elektro-światło-ciepłolecznictwo, hydroterapia, masaże (także limfatyczny), krio- i kinezyterapia chorób układu ruchu, lecznicze płukania jelita grubego. |
| **Horyniec Zdrój** położone 20 km od Lubaczowa, na pograniczu Roztocza i Płaskowyżu Tarnogrodzkiego, 260 m n.p.m., otoczony zalesionymi wzniesieniami, o klimacie nizinnym, słabo i łagodnie bodźcowym. | Choroby układu ruchu i reumatyczne. | Wody lecznicze słabo zmineralizowane, siarczkowe; borowina. | Kuracja pitna, inhalacje, kąpiele mineralne i kwasowęglowe, zawijania borowinowe, hydroterapia, masaże. |
| **Inowrocław** uzdrowisko zajmuje zachodnią część miasta. W okolicy jeziora oraz rozległe lasy, 90-100 m n.p.m. Klimat nizinny, umiarkowanie bodźcowy. | Choroby układu krążenia, układu trawienia oraz układu ruchu i reumatyczne. | Woda lecznicza: solanka chlorkowo-sodowo-magnezowa; borowina. | Kuracja pitna, inhalacje, kąpiele mineralne i kwasowęglowe, solankowe basenowe, zawijania borowinowe, hydroterapia, masaże, elektro-światło-ciepłolecznictwo, kinezyterapia. |
| **Iwonicz Zdrój** położone u podnóża Beskidu Niskiego, w dolinie Potoku Iwonickiego, otoczonej lesistymi zboczami, 410 m n.p.m., klimat podgórski, umiarkowanie bodźcowy. | Choroby układów nerwowego, pokarmowego, oddechowego i ruchu oraz reumatyczne i ginekologiczne. | Wody lecznicze typu wodorowęglanowo-chlorkowo-sodowego, bromkowe, jodkowe, borowe, kwasowęglowe; borowina. | Kuracja pitna, inhalacje, kąpiele mineralne i kwasowęglowe, okłady borowinowe i parafinowe, masaże, hydroterapia, krioterapia, elektro- i światłolecznictwo, kinezyterapia. |

| Krótka charakterystyka polskich uzdrowisk (cd.) | | | |
|---|---|---|---|
| Uzdrowisko usytuowanie i klimat | Profil leczniczy | Naturalna baza uzdrowiskowa | Rodzaje zabiegów przyrodoleczniczych |
| **Jedlina Zdrój** położone w dolinie, wśród zalesionych wzgórz bocznego pasma Gór Sowich, 500 m n.p.m., klimat górski, średnio bodźcowy. | Choroby układów oddechowego i pokarmowego. | Wody lecznicze: słabo zmineralizowana szczawa z zawartością fluorków i radonu. | Kuracja pitna, inhalacje, kąpiele mineralne i kwasowęglowe, hydroterapia, elektro-światło-ciepłolecznictwo, kinezyterapia. |
| **Kamień Pomorski** uzdrowisko nadmorskie nad Zalewem Kamieńskim, stanowiącym odgałęzienie Zalewu Szczecińskiego. 8-25 m n.p.m., klimat nizinny, morski, silnie bodźcowy. | Choroby układów krążenia i ruchu oraz reumatyczne. | Wody lecznicze: 3,5-procentowa solanka chlorkowo-sodowa, bromkowa, jodkowa, borowa; borowina. | Kąpiele solankowe i kwasowęglowe, kąpiele lecznicze w basenie, hydroterapia, zawijania i kąpiele nasiadowe borowinowe, ginekologiczne tampony borowinowe, okłady borowinowe w leczeniu paradontozy, elektro-światło-ciepłolecznictwo. |
| **Kołobrzeg** klimat nadmorski z bodźcowym oddziaływaniem silnego wiatru, intensywnym promieniowaniem słonecznym i aerozolem morskim. | Choroby układów krążenia, oddechowego, wydzielania wewnętrznego i przemiany materii oraz układu ruchu i reumatyczne. | Wody lecznicze: solanki chlorkowo-sodowe, bromkowe, jodkowe, borowe, żelaziste; borowina. | Inhalacje, kąpiele mineralne i kwasowęglowe, zawijania i częściowe kąpiele borowinowe, hydroterapia, masaże, elektro-światło-ciepłolecznictwo, kinezyterapia. |
| **Konstancin** położone 20 km od Warszawy wśród lasów, 100 m n.p.m.; klimat nizinny, śródleśny. | Choroby układów krążenia, nerwowego, wydzielania wewnętrznego i przemiany materii oraz układu ruchu i reumatyczne. | Wody lecznicze: solanka bromkowa, jodkowa, żelazista, borowa. | Wziewania aerozolu tężniowego, kąpiele mineralne, ciepłolecznictwo, kinezyterapia. |
| **Krynica** położone w Beskidzie Sądeckim, w dolinie Kryniczanki i jej dopływów Palenicy i Czarnego Potoku. 650 m n.p.m. Otoczona rozległymi lasami, klimat górski, umiarkowanie i silnie bodźcowy. | Choroby układów trawienia, wydzielania wewnętrznego i przemiany materii, moczowego i krążenia, choroby kobiece. | Wody lecznicze: szczawy wodorowęglanowe proste i złożone o dużym zróżnicowaniu kationów sodu, wapnia i magnezu; niektóre z nich bromkowe, jodkowe i żelaziste; borowina. | Kuracja pitna, inhalacje, kąpiele, zawijania i tampony borowinowe, kąpiele solankowe, kwasowęglowe i perełkowe, kąpiele gazowe w dwutlenku węgla, irygacje ginekologiczne, głębokie płukania jelit, masaże, hydroterapia, gimnastyka lecznicza. |
| **Kudowa Zdrój** położone w zachodniej części Kotliny Kłodzkiej, u podnóża Gór Stołowych, 400 m n.p.m.; klimat podgórski, umiarkowanie i silnie bodźcowy. | Choroby układów krążenia, wydzielania wewnętrznego i przemiany materii; u dzieci także choroby układu pokarmowego. | Wody lecznicze: szczawy wodorowęglanowo-wapniowo-sodowe, żelaziste, arsenowe, siarczkowe, borowe. | Inhalacje, kąpiele mineralne i kwasowęglowe, kąpiele gazowe $CO_2$ (suche), hydroterapia, masaże, fizykoterapia, kinezyterapia. |
| **Lądek Zdrój** położone w Sudetach Wschodnich, we wschodniej części Kotliny Kłodzkiej, 450 m n.p.m.; klimat podgórski, silnie bodźcowy. | Choroby układu ruchu i reumatyczne, skóry, układu krążenia obwodowego. | Wody lecznicze: słabo zmineralizowane, radoczynne, siarczkowe, fluorkowe; borowina. | Inhalacje, kąpiele mineralne, radonowe, kwasowęglowe, kąpiele w basenie, masaże, zawijania i kąpiele borowinowe, zabiegi przy użyciu pasty borowinowej, fizykoterapia, kinezyterapia. |
| **Międzyzdroje** położone nad Zatoką Pomorską, w niedużej odległości od Świnoujścia; klimat morski, łagodnie bodźcowy. | Choroby układu oddechowego. | Borowina. | Kąpiele wannowe, lecznicze, zawijania borowinowe, natryski wodolecznicze, masaże, gimnastyka lecznicza. |
| **Muszyna** położone w Beskidzie Sądeckim, w Dolinie Popradu, 450-520 m n.p.m.; klimat podgórski, umiarkowanie i silnie bodźcowy. | Choroby układów oddechowego i pokarmowego. | Wody lecznicze: szczawy wodorowęglanowo-magnezowo-sodowe, żelaziste. | Kuracja pitna, inhalacje, kąpiele mineralne, hydroterapia, masaże, fizykoterapia, gimnastyka lecznicza. |

| Krótka charakterystyka polskich uzdrowisk (cd.) | | | |
|---|---|---|---|
| Uzdrowisko usytuowanie i klimat | Profil leczniczy | Naturalna baza uzdrowiskowa | Rodzaje zabiegów przyrodoleczniczych |
| **Nałęczów** położone wśród płaskowyżu lubelskiego, 170 m n.p.m., w dolinie rzeki Bochotnicy; klimat nizinny, z przewagą cech kontynentalnego, umiarkowanie bodźcowy. | Choroby układu krążenia. | Wody lecznicze: słabo zmineralizowane z przewagą wodorowęglanu wapnia i magnezu, żelaziste. | Kuracja pitna, inhalacje, kąpiele mineralne i kwasowęglowe, hydroterapia, elektro-światło-ciepłolecznictwo. |
| **Piwniczna Zdrój** położone w Beskidzie Sądeckim, nad Popradem, 400-500 m n.p.m.; klimat górski, umiarkowanie bodźcowy. | Choroby układu oddechowego. | Wody lecznicze: szczawy wodorowęglanowo-wapniowo-magnezowo-sodowe z dużą zawartością $CO_2$; borowina. | Kuracja pitna, inhalacje, kąpiele mineralne i kwasowęglowe, zabiegi borowinowe, hydroterapia, masaże, elektro-światło-ciepłolecznictwo, gimnastyka lecznicza. |
| **Polanica Zdrój** położone w zachodniej części Kotliny Kłodzkiej, w szerokiej dolinie Bystrzycy Dusznickiej, klimat podgórski, umiarkowanie bodźcowy. | Choroby układów krążenia i pokarmowego. | Wody lecznicze: szczawy wodorowęglanowo-wapniowe. | Kuracja pitna, inhalacje, płukanie lecznicze jamy ustnej, kąpiele mineralne i kwasowęglowe, hydroterapia, masaże, kinezyterapia. |
| **Polańczyk** położone nad Jeziorem Solińskim, 440 m n.p.m.; klimat podgórski z przewagą cech kontynentalnego, silnie bodźcowy, modyfikowany przez oddziaływanie jeziora. | Choroby układów oddechowego i moczowego oraz choroby kobiece. | Wody lecznicze: wodorowęglanowo-sodowa, borowa bądź wodorowęglanowo-sodowa, bromkowa, jodkowa, fluorkowa, borowa. | Inhalacje, kąpiele mineralne, hydroterapia, masaże, kinezyterapia. |
| **Połczyn Zdrój** położone na Pojezierzu Drawskim, „Szwajcaria Połczyńska", 100 m n.p.m.; klimat nizinny, śródleśny, umiarkowanie bodźcowy. | Choroby układów nerwowego i ruchu, choroby reumatyczne, choroby kobiece, osteoporoza. | Wody lecznicze: chlorkowo-sodowa, solanka, bromkowa, jodkowa, borowa; borowina. | Inhalacje, kąpiele mineralne i kwasowęglowe, zawijania borowinowe, tampony borowinowe ginekologiczne, masaże, hydroterapia, fizykoterapia, kinezyterapia. |
| **Przerzeczyn** położone u podnóża Sudetów w otoczeniu słabo zalesionych wzgórz, w pobliżu źródeł Ślęzy, 240 m n.p.m.; klimat nizinny, umiarkowanie bodźcowy. | Choroby układu ruchu i reumatyczne. | Wody lecznicze słabo zmineralizowane, siarczkowe, radoczynne. | Kąpiele mineralne, natryski wodolecznicze, zawijania borowinowe, okłady parafinowe, masaże, kinezyterapia. |
| **Rabka** położone w Beskidzie Zachodnim u podnóża Gorców, 500-560 m n.p.m. Pobliskie góry otaczają lasy reglowe. Klimat górski, umiarkowanie i silnie bodźcowy. | Choroby układów krążenia i oddechowego. Choroby dziecięce układów oddechowego, krążenia, wydzielania wewnętrznego i przemiany materii oraz choroby reumatyczne. | Wody lecznicze: szczawy wodorowęglanowo-chlorkowo-sodowe, bromkowe, jodkowe i wody kwasowęglowe. | Kuracja pitna, inhalacje, kąpiele mineralne i kwasowęglowe, natryski wodolecznicze, masaże, elektro-światło-ciepłolecznictwo, kinezyterapia. |
| **Rymanów Zdrój** położone w dolinie rzeki Tabor. Wzgórza porastają lasy reglowe, 335 m n.p.m. Klimat podgórski o umiarkowanym i silnym działaniu bodźcowym. | Choroby układów krążenia i oddechowego. Choroby dziecięce układu moczowego, reumatyczne, ortopedyczne, celiakia. | Wody lecznicze: szczawy wodorowęglanowo-chlorkowo-sodowe, bromkowe, jodkowe; wody kwasowęglowe; borowina. | Kuracja pitna, inhalacje, kąpiele mineralne i kwasowęglowe, kąpiele lecznicze w basenach, hydroterapia, zawijania borowinowe, okłady parafinowe, fizykoterapia. |

## Krótka charakterystyka polskich uzdrowisk (cd.)

| Uzdrowisko usytuowanie i klimat | Profil leczniczy | Naturalna baza uzdrowiskowa | Rodzaje zabiegów przyrodoleczniczych |
|---|---|---|---|
| **Solec Zdrój** położone na obrzeżach Niecki Nidziańskiej, nad rzeką Rzoską, 180 m n.p.m.; klimat nizinny, umiarkowanie bodźcowy o cechach kontynentalnego, nieco modyfikowany przez kompleks leśny. | Choroby układu ruchu i reumatyczne. | Wody lecznicze: chlorkowo-siarczanowo-sodowe, siarczkowe, bromkowe, jodkowe i żelaziste. | Inhalacje, kąpiele mineralne i kwasowęglowe, zawijania borowinowe, hydroterapia, masaże, elektro-światło-ciepłolecznictwo, kinezyterapia. |
| **Swoszowice** (dzielnica Krakowa) położone na wysokości 250 m n.p.m. w dolinie rzeki Wilgi (dopływ Wisły), otoczone Pogórzem Wielickim; klimat nizinny, umiarkowanie bodźcowy. | Choroby układu ruchu i reumatyczne. | Wody lecznicze: siarczanowo--wapniowe i magnezowe, siarczkowe. | Płukanie przyzębia, kąpiele mineralne, zawijania borowinowe, hydroterapia, masaże, elektro--światło-ciepłolecznictwo. |
| **Szczawnica** położone w kotlinie u podnóży Pienin, 250 m n.p.m.; klimat podgórski, umiarkowanie bodźcowy. | Choroby układu oddechowego. | Wody lecznicze: szczawy wodorowęglanowo-chlorkowe i wapniowe, bromkowe, jodkowe i borowe. | Kuracja pitna, inhalacje, kąpiele mineralne i kwasowęglowe, kąpiele basenowe, płukania gardła, masaże, hydroterapia, fizykoterapia, gimnastyka lecznicza. |
| **Szczawno Zdrój** położone w Sudetach Środkowych, w dolinie potoku Szczawnik, otoczonej Górami Wałbrzyskimi, 400 m n.p.m.; klimat podgórski, łagodnie i umiarkowanie bodźcowy. | Choroby układów oddechowego, pokarmowego i moczowego. | Wody lecznicze: szczawy wodorowęglanowo-sodowe i wodorowęglanowo-sodowo-magnezowe, radoczynne. | Kuracja pitna, inhalacje, kąpiele mineralne i kwasowęglowe, komory pneumatyczne, masaże, hydroterapia, gimnastyka lecznicza. |
| **Świeradów Zdrój** położone w Górach Izerskich, w dolinie rzeki Kwisy, wśród kompleksu lasów iglastych, 500 m n.p.m.; klimat górski, umiarkowanie bodźcowy. | Choroby układów krążenia i ruchu, choroby reumatyczne, choroby kobiece. | Wody lecznicze: słabo zmineralizowane, radoczynne; słabo zmineralizowane szczawy radoczynne; szczawy wodorowęglanowo--wapniowo-magnezowe, żelaziste, radoczynne; borowina. | Kuracja pitna, inhalacje, kąpiele i zawijania borowinowe, tampony borowinowe, irygacje, masaże, elektro-światło-ciepłolecznictwo, kinezyterapia, hydroterapia. |
| **Świnoujście** uzdrowisko nadmorskie położone na wschodnim krańcu wyspy Uznam i na zachodnim wyspy Wolin; klimat morski, łagodnie bodźcowy. | Choroby układów krążenia, oddechowego, wydzielania wewnętrznego i przemiany materii oraz choroby kobiece. | Wody lecznicze: chlorkowo-sodowe (solanki) bromkowe, jodkowe, borowe; borowina. | Inhalacje, kąpiele mineralne i kwasowęglowe, masaże, zawijania borowinowe, elektro-światło-ciepłolecznictwo, kinezyterapia. |
| **Ustka** położone nad ujściem rzeki Słupi do Bałtyku, 2-7 m n.p.m.; klimat nadmorski, umiarkowanie i silnie bodźcowy. | Choroby układów krążenia, oddechowego, przemiany materii i gruczołów wydzielania wewnętrznego oraz choroby reumatyczne. | Wody lecznicze: solanka bromkowa, jodkowa, borowa; borowina. | Inhalacje, kąpiele mineralne i kwasowęglowe, hydroterapia, masaże, elektro-światło-ciepłolecznictwo. |
| **Ustroń** położone w Beskidzie Śląskim, u podnóża Równicy, nad Wisłą, 340-550 m n.p.m.; klimat podgórski, umiarkowanie bodźcowy, stosunkowo ciepły. | Choroby układów oddechowego, krążenia, choroby układu ruchu i reumatyczne, choroby metaboliczne z otyłością włącznie. | Wody lecznicze: solanki chlorkowo-sodowe i chlorkowo-sodowo--wapniowe, jodkowe, żelaziste, termalne; borowina. | Inhalacje, kąpiele mineralne i kwasowęglowe oraz perełkowe, zawijania i kąpiele borowinowe, masaże, elektro-światło-ciepłolecznictwo, kinezyterapia. |

## Krótka charakterystyka polskich uzdrowisk (cd.)

| Uzdrowisko usytuowanie i klimat | Profil leczniczy | Naturalna baza uzdrowiskowa | Rodzaje zabiegów przyrodoleczniczych |
|---|---|---|---|
| **Wapienne** położone w Beskidzie Niskim, w kotlinie rzeki Wapienki, 400 m n.p.m.; klimat podgórski, bodźcowy. | Choroby układu ruchu i reumatyczne. | Wody lecznicze słabo zmineralizowane, siarczkowe; borowina. | Kąpiele mineralne i zawijania borowinowe. |
| **Wieliczka** uzdrowisko mieści się w komorze będącej wyrobiskiem w kopalni soli kamiennej, 15 km od Krakowa. Klimat jest wprawdzie podgórski, ale wiąże się z specyficznym mikroklimatem podziemia kopalni soli na głęb. 200 m, o stałej temp. i wilg. względnej. | Choroby układu oddechowego, zwłaszcza astma oskrzelowa i inne choroby alergiczne, oraz choroby układu ruchu i reumatyczne. | Wykorzystanie aerozolu powietrza komór poeksploatacyjnych kopalni soli. | Subterenoterapia, pobyt w komorach poeksploatacyjnych kopalni soli, kąpiele solankowe. |
| **Wieniec Zdrój** położone kilka kilometrów od centrum Wrocławia, dzięki otoczeniu lasów sosnowych ma dobre warunki środowiskowe. 64 m n.p.m.; klimat nizinny, śródleśny. | Choroby dziecięce układów krążenia oraz ruchu i reumatyczne; u dorosłych choroby układu ruchu i reumatyczne. | Wody lecznicze: siarczanowo-wapniowo-sodowa, siarczkowa; borowina. | Kuracja pitna, inhalacje, kąpiele mineralne i kwasowęglowe, zawijania borowinowe, hydroterapia, masaże, światło- i elektrolecznictwo, kinezyterapia. |
| **Wysowa Zdrój** położone w Beskidzie Niskim w dolinie rzeki Ropa, 520-530 m n.p.m., klimat górski, umiarkowanie i silnie bodźcowy z cechami kontynentalnego. | Choroby układów oddechowego, pokarmowego i moczowego oraz cukrzyca. | Wody lecznicze: szczawy wodorowęglanowo-chlorkowo-sodowe, bromkowe, jodkowe, borowe, żelaziste; borowina. | Kuracja pitna, inhalacje, kąpiele mineralne, kwasowęglowe i perełkowe, zawijania borowinowe, masaże, elektro-światło-ciepłolecznictwo, natryski wodolecznicze, gimnastyka. |
| **Złockie** położone w Beskidzie Sądeckim, w dolinie potoku Szczawnika, 490 m n.p.m.; klimat podgórski, umiarkowanie i silnie bodźcowy. | Choroby układów oddechowego i pokarmowego. | Wody lecznicze: szczawy wodorowęglanowo-sodowo-magnezowe, żelaziste; szczawy wodorowęglano-sodowo-wapniowo-magnezowe, żelaziste; borowina. | Kuracja pitna, inhalacje, kąpiele mineralne, zawijania borowinowe, masaże, natryski wodolecznicze, gimnastyka lecznicza. |
| **Żegiestów Zdrój** położone w Beskidzie Sądeckim, w przełomie Popradu, 480 m n.p.m. Wokół rozległe lasy reglowe. Klimat podgórski, umiarkowanie i silnie bodźcowy o dużej zaciszności. | Choroby układów oddechowego i pokarmowego. | Wody lecznicze: szczawy wodorowęglanowo-wapniowo-magnezowe i magnezowo-sodowe, żelaziste o dużej zawartości $CO_2$. | Kuracja pitna, inhalacje, kąpiele mineralne, płukania lecznicze, masaże, fizykoterapia, gimnastyka lecznicza. |

## Regiony bioklimatyczne Polski

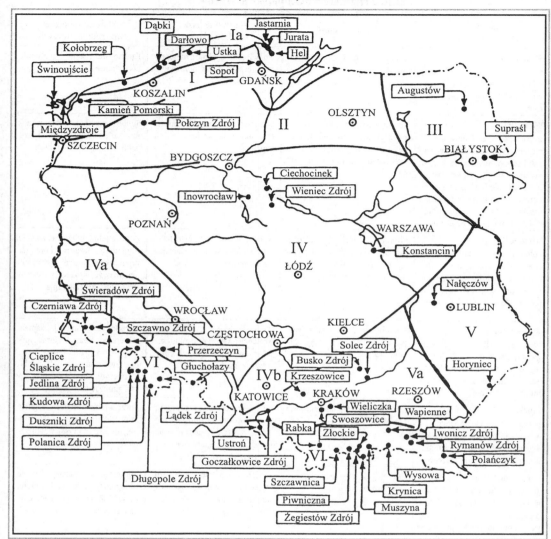

**Legenda:**

I   region najbardziej podlegający wpływom Bałtyku
Ia  region o największej bodźcowości
II  region pojezierny o warunkach bioklimatycznych łagod-
    niejszych niż w regionie I
III region północno-wschodni najchłodniejszy (poza górskim)
IV  region środkowy o typowych warunkach klimatycznych
IVa podregion o słabych bodźcach
IVb podregion o stosunkowo silnych bodźcach związanych
    głównie z zanieczyszczeniem powietrza

V   region południowo-wschodni najcieplejszy
Va  podregion o zwiększonej bodźcowości termicznej
VI  region podgórski i górski o dużym zróżnicowaniu wa-
    runków bioklimatycznych i silnej bodźcowości
•   miejscowość, w której prowadzona jest obecnie działal-
    ność uzdrowiskowa

Nałęczów   uzdrowisko statutowe

# PIERWSZA POMOC

Prawie jedna trzecia nieszczęśliwych wypadków w czasie wolnym od pracy zdarza się w domu. Dwadzieścia sześć procent wypadków przypada na ruch drogowy, dwadzieścia dwa procent notuje się przy uprawianiu sportu, a szesnaście procent w czasie chodzenia. Wbrew obiegowej opinii prace w ogrodzie, w gospodarstwie domowym, na schodach, podestach, drabinach, rusztowaniach i poręczach są bardziej niebezpieczne od przebywania na ulicy.

Najczęściej potrzebna jest więc pierwsza pomoc w gospodarstwie domowym i w czasie wolnym od pracy. W takich okolicznościach ulega zranieniu około stu milionów obywateli Niemiec rocznie.

## PRZEZORNOŚĆ

— Przy zakupie sprzętu domowego i zabawek zwróć uwagę, czy widnieje na nich numer zezwolenia właściwych organów. Jest to gwarancja, że towar został przebadany i spełnia wymagane normy bezpieczeństwa.
— Przed nabyciem większego sprzętu elektrycznego instalator winien sprawdzić, czy w mieszkaniu warunki podłączenia są wystarczające.
— Zabezpiecz gładkie podłogi, schody, podesty, stopnie, korytarze i pokoje dziecinne nieślizgającymi się dywanami lub wykładzinami.
— Zabezpiecz wysokie regały, nadstawki na szafach i ciężkie przedmioty przed pchnięciem i przewróceniem się.

## APTECZKA DOMOWA

Apteczkę domową należy umieścić w zamykanej, czystej szafce, niedostępnej dla dzieci i ustawionej w chłodnym miejscu. W ciepłym i zawsze wilgotnym powietrzu łazienki nie można zapewnić trwałości leków i materiałów opatrunkowych (→ Leki i ich stosowanie, s. 617).

## WYPADKI DNIA POWSZEDNIEGO

### Krwawienie z nosa

Krwawienie z nosa powstaje wskutek uszkodzenia naczyń krwionośnych przeważnie w przednim odcinku nosa (→ Nos, s. 282).

**Co robić**
— Zimny okład na kark.
— W przypadku krwawienia z wnętrza nosa uciskać przez 10

---

### Zawartość apteczki domowej

*Środki opatrunkowe i narzędzia*
4 bandaże z gazy: 2 sztuki o szerokości 6 cm,
   2 sztuki o szerokości 8 cm
Bandaż osobisty — 1 małe opakowanie i 1 duże opakowanie
2 bandaże osobiste — średnie opakowanie
3 opatrunki z plastrem: 50×4 cm, 50×6 cm, 50×8 cm
1 rolka przylepca: 5 m×2,5 cm
Wata opatrunkowa: 50 g
1 szczypczyki (pinceta)
1 nożyczki do cięcia bandaży
1 nożyczki do skóry
3 chusty trójkątne
1 para rękawiczek gumowych
Chusta do sztucznego oddychania metodą usta-usta

*Leki*
Tabletki przeciwbólowe (→ s. 620)
Środek przeciw ukłuciom przez owady (→ s. 258)
Środek do dezynfekcji ran

*Leki do indywidualnego zażywania*
Leki, które zaordynowano tobie lub członkowi rodziny, należy umieścić również w apteczce domowej, a nie na nocnym stoliku ani w kredensie kuchennym (→ Przechowywanie leków, s. 619).

*Przedmioty niezbędne do pielęgnowania chorych*
Termometr do mierzenia gorączki
Szpatułka językowa

---

minut kciukiem i palcem wskazującym skrzydełka nosa tuż poniżej grzbietu nosa.
— Ułożenie krwawiącej osoby, wciąganie wody do nosa lub wypełnienie nosa watą jest błędem.

### Zachłyśnięcie u dzieci

Gdy dziecko zadławiło się kawałkiem pokarmu lub jakimś małym przedmiotem i nie może go wykrztusić, trzeba podjąć natychmiast odpowiednie działanie.

**Co robić**
— Małe dzieci należy przełożyć przez kolano głową na dół i uderzyć w plecy. O ile to nie pomoże, należy wezwać pogotowie, gdyż interwencja lekarza jest niezbędna. Przy bezdechu rozpocząć natychmiast sztuczne oddychanie metodą usta-usta (→ s. 696). Istnieje prawie zawsze możliwość oddychania obok ciała obcego.

Po skutecznym usunięciu blokady na wszelki wypadek należy udać się do lekarza.

## Zatrzymanie oddechu u dzieci

Niemowlęta poniżej roku: połóż niemowlę na swoim przedramieniu, które wspiera jego pierś, głową na dół i nóżkami do góry. Teraz uderzaj kilka razy silnie, lecz nie za silnie, nadgarstkiem drugiej ręki między łopatkami. Gdy blokada nie ustąpi, powtórz zabieg.

Dzieci od roku do dziewięciu lat: usiądź i ułóż dziecko przez kolana twarzą na dół. Uderz kilka razy silnie nadgarstkiem między łopatki. Gdy blokada nie ustąpi, powtórz zabieg.

## Ciała obce

*W ustach i gardle*: uklęknąć powyżej głowy i obiema kciukami nacisnąć dolną szczękę w dół. Jednym kciukiem wtłoczyć policzek pomiędzy rzędy zębów otwartych ust, drugą ręką penetrować usta i gardło tak głęboko, jak to możliwe, i usuwać ciało obce.

*W nosie*: przytkać wolną dziurkę nosa i kazać siąkać.

*W uchu*: przedmiot z ucha może usunąć jedynie lekarz.

*W oku*: dolną powiekę odciągnąć w dół i ziarenka pyłu zebrać rogiem chusteczki. Na górną powiekę przyłożyć zapałkę, powiekę za pomocą rzęs pociągnąć do przodu i wywinąć do góry. Kazać patrzeć w dół i usunąć ciało obce.

# PIERWSZA POMOC W WYPADKACH

Uważa się, że co piąta ofiara wypadku mogłaby przeżyć, gdyby jej udzielono odpowiednio wcześnie pierwszej pomocy. Niezależnie od dobrze zorganizowanego pogotowia ratunkowego równie niezbędna jest pierwsza pomoc amatorska. Do przyjazdu pogotowia w mieście mija przeważnie dziesięć minut, w terenie około piętnastu minut.

Prawie jedna piąta obywateli Niemiec została przeszkolona w zakresie pierwszej pomocy, lecz jedynie połowa z nich odważa się udzielać skutecznej pomocy. W ciągu dwóch lat zapomina się bowiem osiemdziesiąt procent tego, czego się nauczono. Dlatego Niemiecki Czerwony Krzyż domaga się organizacji kursów w celu odświeżenia wiadomości i obowiązkowej nauki szkolnej w zakresie pierwszej pomocy.

Większość zranień wypadkowych jest banalna i można je opatrzyć prostymi sposobami. Powinniśmy jednak być przygotowani na możliwość zaistnienia poważnego wypadku, w którym zmuszeni będziemy nawet do ratowania życia. Mimo to — jak wykazały sondaże — tylko co trzecia osoba udziela pierwszej pomocy, będąc w miejscu wypadku.

Gdy sobie uświadomimy, że nasze własne życie może również zależeć od pomocy udzielonej przez innego człowieka, może łatwiej będzie nam być gotowym do niesienia pomocy.

## Pierwsza pomoc i lęk przed AIDS

Lęk przed zakażeniem HIV jest nieuzasadniony, gdy przestrzega się dwóch środków ostrożności:

— należy unikać bezpośredniego kontaktu z krwią, używać jednorazowych rękawiczek ochronnych, gdy udziela się pierwszej pomocy krwawiącej ofierze wypadku. Rękawiczki takie należą obowiązkowo do wyposażenia apteczki samochodowej;

— nie ma zgodności w kręgach fachowców co do możliwości zarażenia się poprzez ślinę. Jeśli ofiara krwawi z ust, na wszelki wypadek przy sztucznym oddychaniu metodą usta-usta (→ s. 696) używać chusteczki do sztucznego oddychania lub rurki z tworzywa sztucznego albo wykonać sztuczne oddychanie przez nos (→ s. 697).

## Zachowanie się na miejscu wypadku

— Działać szybko, bez paniki.
— Ocenić sytuację, nie narażając się samemu.
— Ranną osobę zabezpieczyć przed dalszym zagrożeniem.
— W razie wypadku samochodowego wyłączyć silnik samochodu. Ofiarę wypadku wydobyć z pojazdu (→ s. 689). Ewentualny pożar gasić gaśnicą, kocami, chustami lub piaskiem. Miejsce wypadku oznaczyć trójkątem ostrzegawczym.

## Zawartość apteczki samochodowej

1 rolka przylepca 5 m×2,5 cm

1 opatrunek z plastrem 50×6 cm

3 opatrunki z plastrem 10×6 cm

1 bandaż osobisty — opakowanie duże

1 bandaż osobisty — opakowanie średnie

1 chusta opatrunkowa

6 bandaży o szerokości 8 cm

3 bandaże o szerokości 6 cm

6 kompresów na rany 100×100 mm

2 chusty trójkątne

1 nożyczki

12 agrafek

4 pary rękawiczek jednorazowego użytku z PCV

1 instrukcja pierwszej pomocy przy wypadkach

1 sztuka białej kredy olejnej

— Zatelefonować po pogotowie lub w inny sposób wezwać pomoc lekarską, najlepiej przez drugą osobę.

— Zadbać, by na jezdni był przejazd dla karetek pogotowia.

Sprawdzić, czy istnieje sytuacja zagrażająca życiu. Należy przy tym postępować w następującej kolejności: nieprzytomność? bezdech? zatrzymanie czynności serca? intensywne krwawienie? wstrząs?

— Osoby nieprzytomne ułożyć na boku (→ s. 696).

— Każde silne krwawienie możliwie szybko zatamować (→ poniżej).

— Ciężkie poparzenia potraktować natychmiast zimnem (→ s. 690).

— Zapobiegać stanom zagrażającym życiu, jak zatrzymanie oddechu i krążenia. Dlatego należy kontrolować regularnie oddech. Gdyby wystąpił bezdech, rozpocząć sztuczne oddychanie metodą usta-usta (→ s. 696).

— W razie stwierdzenia wstrząsu w każdym przypadku należy pozostać przy rannym i podjąć odpowiednie działanie celem zwalczania wstrząsu (→ s. 690).

— Zorganizować transport.

*Transport*

Rannego nie należy nigdy przewozić w samochodzie osobowym, gdy:

— podejrzewasz uszkodzenie kręgosłupa, a takie podejrzenie jest uzasadnione, gdy ranny nie może przykładowo już poruszać dłońmi, ramionami, stopami lub nogami;

— do przewiezienia potrzebne są nosze, np. przy skomplikowanych złamaniach;

— jesteś sam i prócz ciebie nie ma w pobliżu innego kierowcy, a poszkodowany potrzebuje intensywnej opieki i wsparcia z powodu wstrząsu lub braku przytomności.

## Wezwanie pogotowia ratunkowego

Zgłoszenie pilnej pomocy musi zawierać następujące informacje:

— Co się zdarzyło.

— Gdzie się wydarzyło.

— Ilu jest rannych.

— Jakiego typu są obrażenia.

— Kto zawiadamia.

## Krwawienie

Przy ranie głębokiej lub o dużej powierzchni krew może płynąć tak silnie, że istnieje niebezpieczeństwo wykrwawienia. Silne krwawienia mogą wskazywać na uszkodzenie naczyń lub narządów wewnętrznych (np. pęknięcie śledziony po wypadku motocyklowym). U dorosłych utrata jednego litra krwi może doprowadzić do wstrząsu, utrata dwóch litrów — do śmierci. Krwawienie musi być zatem natychmiast zatrzymane dostatecznie silnym uciskiem.

### Co robić

— Założyć opatrunek uciskowy: jako elementu uciskowego można użyć opatrunków osobistych lub kilku chusteczek nałożonych na siebie. Ucisk powinien być wystarczająco silny, lecz nie może spowodować zastoju krwi poniżej opatrunku.

— Gdy nie dysponujemy żadnym materiałem opatrunkowym, należy wcisnąć do rany miękki, w miarę nieskażony materiał.

— Gdy krwawienia nie da się zatrzymać opatrunkiem uciskowym ani innym sposobem uciskowym, w skrajnym przypadku przerywa się dopływ krwi do miejsca krwawienia przez podwiązanie. Podwiązać można tylko udo lub ramię.

— Tamowanie krwawienia można przeprowadzić właściwie tylko u leżącego rannego, zranioną część ciała trzymając do góry.

— Przy amputacji urazowej oddzieloną kończynę należy bez oczyszczenia zawinąć w sterylny materiał opatrunkowy i schłodzić. Przy szybkiej interwencji chirurgicznej może być ponownie przyszyta.

— Każde silne krwawienie może doprowadzić do wstrząsu i przez to do śmierci. Dlatego oprócz tamowania krwawienia należy podjąć działanie zwalczające wstrząs.

**Ratowanie rannego z samochodu**

Odchylić jedno ramię rannego, wsunąć rękę pod ramię, objąć obiema rękami przylegające ramię. Następnie oprzeć rannego na kolanie.

## Wstrząs

Wstrząs jest ciężkim zaburzeniem w krążeniu krwi, mogącym doprowadzić do niedokrwienia ważnych życiowo narządów. Objawami tego są:

— Szybsze i słabsze, w końcu prawie niewyczuwalne tętno.
— Bladość, zimna skóra, dreszcze i pot na czole.
— Wyraźny niepokój rannego, który na ogół pozostaje przytomny.

Przyczyny wstrząsu mogą być różne; przez niefachowca często są nie do rozpoznania. Przy każdym rodzaju wstrząsu należy wezwać pomoc lekarską.

### Co robić

— Przy wstrząsie spowodowanym utratą krwi najpierw zatrzymać krwawienie.
— Podnieść nogi rannego („autotransfuzja"), a następnie ułożyć je lekko uniesione („pozycja wstrząsowa").
— Rozluźnić krępujące ubranie.
— Zapobiegać utracie ciepła: ułożyć rannego na kocu i ciepło okryć.
— Zadbać o spokój, rannego uspokajać i w żadnym przypadku nie pozostawiać samego.
— Nie podawać pożywienia i napojów.
— Regularnie kontrolować tętno i oddech.

### Kontrola tętna

Uderzenia tętna należy liczyć zawsze w ciągu jednej minuty. W spoczynku tętno u osoby dorosłej wynosi 60-80 uderzeń na minutę i jest miarowe. Tętno wyczuwa się na szyi lub przegubie ręki czubkami trzech palców (nie kciukiem!).

# RANY I ICH OPATRYWANIE

Wysoka ciepłota, zimno, substancje chemiczne oraz inne obrażenia niszczą funkcję ochronną skóry, umożliwiając wnikanie zarazków (wirusy, bakterie, grzyby). Gdy nie uda się układowi odpornościowemu organizmu (→ Układ odpornościowy, s. 330) skutecznie zwalczyć intruzów, w przypadku ran są to np. gronkowce lub salmonelle, rana ropieje, następuje zakażenie. Gdy się jej nie leczy, może prowadzić do zakażenia krwi i wstrząsu posoczniczo-toksycznego, który może spowodować zejście śmiertelne. Ochronę przed ewentualnym wystąpieniem tężca (→ Tężec, s. 632) zapewnia trzykrotne szczepienie przeciwtężcowe. Odporność ta utrzymuje się do pięciu lat od ostatniego szczepienia.

### Kiedy do lekarza

— Małe rany można zabezpieczyć samemu za pomocą opatrunku (→ Opatrunki, s. 691).
— Większe rany powinien opatrzyć lekarz w ciągu 6 godzin.
— Sygnałem alarmowym rozpoczynającego się zakażenia krwi są: gorączka, uczucie zimna, dreszcze, bladość, znużenie, utrata apetytu i ogólne osłabienie. Natychmiast zasięgnąć rady lekarza.
— Nigdy nie należy bezpośrednio na ranę kłaść waty lub ligniny.

---

**Lektura uzupełniająca**

DYDUSZYŃSKI A.: *Minuty między życiem a śmiercią*. Instytut Kardiologii, Warszawa 1993.
KUREK H.: *Pierwsza pomoc w wypadkach drogowych*. Videograf, Katowice 1997.
*Pierwsza pomoc*. Oprac. zbiorowe. Warszawski Dom Wydaw. Warszawa 1997.

---

— Ran w zasadzie nie należy dotykać, nie wymywać, nie traktować środkami dezynfekcyjnymi, pudrem, maścią ani aerozolem. Od tej zasady istnieją tylko dwa wyjątki: wymywanie ran spowodowanych środkami żrącymi oraz ukąszeniem przez zwierzęta, a także stosowanie zimnej wody po oparzeniach.
— Większe ciała obce mogą być usunięte z rany tylko przez lekarza.

## Małe zadraśnięcia i rany cięte

Na ogół krwawienie samoczynnie ustaje po kilku minutach.

### Co robić

— Zewnętrzne brzegi rany (nie samą ranę!) można oczyścić płynem odkażającym.
— Przyłożyć opatrunek z plastrem lub goić na powietrzu albo pozwolić się zasuszyć.
— Brzegi cięcia ścisnąć za pomocą przylepca.
— Cięcie większe (ponadcentymetrowe) należy szyć, by uniknąć bardzo widocznych blizn.

## Rany kłute

Gdy rany kłute spowodowane są czymś zanieczyszczonym, np. zardzewiałym gwoździem lub kawałkiem drutu, osoby dotknięte w dużym stopniu narażone są na zakażenie. Szczególnie niebezpieczne są rany w okolicach stawów lub jam ciała, gdyż mogą spowodować zakażenie wewnętrzne.

### Co robić

— Laik nigdy nie powinien wyjmować z rany ciał obcych. Przy tej okazji prawie zawsze dochodzi do uszkodzenia przyległej tkanki.
— Jedynie okolice przedmiotu obcego, tkwiącego w ciele, należy nakryć sterylną gazą i miękko zabezpieczyć. Następnie ranny musi trafić do szpitala. Ciała obce najczęściej muszą być usunięte operacyjnie.

## Oparzenia i sparzenia

### Oparzenia słoneczne

Obolałe miejsca skóry należy schłodzić wilgotnym opatrunkiem i na zaczerwienione miejsca nanieść chłodzącą zawiesinę lub krem (→ Oparzenie słoneczne, s. 254).

### Rany oparzeniowe

Przy dużych ranach oparzeniowych (→ Oparzenie, s. 255) traci się wiele płynu śródtkankowego zawierającego sole. Ta utrata płynu może prowadzić do wstrząsu (→ s. 690).

## Co robić

— Oparzone kończyny polać natychmiast zimną, czystą wodą lub zanurzyć w zimnej wodzie. Zimną wodę stosować do zelżenia bólu.
— Nie stosować tzw. środków domowych, jak mąka, oliwa jadalna, puder, maść przeciw oparzeniom i podobnych. To pogarsza tylko sytuację.
— Nie otwierać w żadnym przypadku pęcherzyków.
— Rany oparzeniowe zawinąć luźno sterylną chustą.
— Przy oparzeniach twarzy nie nakrywać ran.
— Przy sparzeniach gorącym płynem należy jak najszybciej zdjąć mokrą odzież.
— Pozostałych na ciele przylepionych części ubrania nie należy zdzierać. Jałowe chusty nałożyć na resztki odzieży.
— Rannego ciepło owinąć lub okryć (unikać ucisków), gdyż nie powinien tracić ciepła.
— Płyny można podawać tylko wtedy, gdy poszkodowana osoba nie jest w stanie wstrząsu, nie wykazuje zaburzeń świadomości, nie ma oparzeń twarzy i przewodu pokarmowego i nie występują u niej nudności. Wtedy najlepiej podawać łykami wodę mineralną (niegazowaną) dla wyrównania utraty płynów.
— Kontrolować tętno i oddech.

## Rany drapane i kąsane

W naszej szerokości geograficznej większość ukąszeń przez zwierzęta i ukłuć przez owady na ogół nie zagraża zdrowiu. Jednak rany powstałe wskutek zadrapania i ukąszeń przez zwierzęta należy na wszelki wypadek pokazać lekarzowi. Po takich zranieniach istnieje niebezpieczeństwo zakażenia tężcem, zgorzelą gazową i wścieklizną.

## Co robić

— Ranę wymyć 3-procentowym roztworem wody utlenionej, następnie przepłukać wodą.
— Gdy nie ma się wody utlenionej, wymyć wodą i mydłem, następnie przepłukać czystą wodą.
— Udać się do lekarza.
— U niektórych osób po ukąszeniu lub ukłuciu przez owady wy-

### Ośrodki informacji toksykologicznej

Stołeczny Ośrodek Ostrych Zatruć
Warszawa, al. Solidarności 67
tel. (0-22) 19-08-97; 19-66-54

Instytut Medycyny Pracy
90-950 Łódź, ul. Teresy 9
tel. (0-42) 57-42-95; 57-42-70

Instytut Medycyny Pracy i Zdrowia Środowiskowego
41-200 Sosnowiec, ul. Kościelna 13
tel. (0-32) 66-08-85 w. 230; 66-11-45

stępuje silna reakcja uczuleniowa (→ Wstrząs anafilaktyczny, s. 339). W takim przypadku potrzebna jest natychmiastowa pierwsza pomoc i lekarska interwencja.

*Ukłucie komara i osy*
Powoduje swędzenie, zaczerwienienie i obrzmienie w miejscu ukłucia. Łagodząco działają okłady z zimnej wody lub alkoholu izopropylowego, płynu Burowa (octan glinu) albo środki uśmierzające swędzenie, zawierające środki przeciwhistaminowe (np. Tavegil, Systral, Palacril, Euceta).

*Ukłucie pszczoły i szerszenia*
Żądło należy usunąć. Łagodzić jak przy ukłuciach komara i osy.

### Lektura uzupełniająca

DZIUBEK Z.: *Pokąsania i użądlenia*. PZWL, Warszawa 1997.
*Owady żądlące*. Red. M. Kowalski. Fundacja „Człowiek i Środowisko", 1996.

*Ukłucie w okolicy ust*
Ukłucia osy, pszczoły lub szerszenia często powodują opuchnięcie błon śluzowych jamy ustnej i języka oraz zajęcie dróg oddechowych. Natychmiast należy bez przerwy lizać lód i założyć zimny okład na szyję. W przypadku wystąpienia duszności porozumieć się z lekarzem pogotowia.

*Ukąszenie przez kleszcza*
Mocno wpijające się kleszcze mogą nabrzmieć do wielkości grochu. Uwaga: stosowanych dawniej sposobów z klejem, lakierem do paznokci i podobnych nie zaleca się obecnie.
— Nie ma znaczenia, czy główka pozostanie, gdyż po krótkim czasie odpadnie; lub za pomocą pincety wyjąć kleszcza ze skóry.
— Kleszcza można dotknąć rozżarzoną igłą. Kleszcz potem na ogół sam odpada.
— Gdy po kilku dniach lub tygodniach miejsce ukąszenia zabarwia się niebiesko-czerwono, a wokół ukąszenia rozszerza się czerwony pierścień lub wystąpi gorączka, należy to pokazać lekarzowi (→ Choroba Lyme, s. 214). Przed ukąszeniami kleszczy można zabezpieczyć się odpowiednim ubiorem (Szczepienie przeciw kleszczom — FSME, s. 636).

## Opatrunki

Każdy opatrunek składa się z jałowego gazika i jego umocowania. W zależności od wielkości rany używa się różnych opatrunków.

*Opatrunek z plastrem (Prestoplast, Prestovis)*
Opatrunki takie nadają się tylko do małych, słabo krwawiących ran. Należy pamiętać, że przylepiają się tylko do skóry suchej i winny być odpowiednio często zmieniane, gdyż stary plaster traci przyczepność.

*Opatrunek przylepcowy*
Jałowe gaziki umacnia się paskami przylepca. Przylepiec nie może dotykać bezpośrednio rany ani być na nią przyklejony.

*Opatrunek z chusty trójkątnej*
Jałowy gazik może być utwierdzony lub przytrzymany za pomocą chusty trójkątnej, przydatnej w wielu nietypowych sytuacjach. Dzięki niej można założyć opatrunki na całym ciele.

Węzeł chusty trójkątnej nie powinien być ściągnięty zbyt mocno ani znajdować się w obrębie rany.

*Opatrunek osobisty (paczka opatrunkowa)*
Gazik jest już umocowany na opasce z gazy. Przy otwieraniu paczki i zakładaniu opatrunku należy uważać, by gazik pozostał jałowy.

*Opatrunki bandażowe*
Bandaży z gazy używa się jedynie do umocowania jałowego gazika. Opaski z gazy nie można kłaść bezpośrednio na ranę.

# URAZY KOŚCI, STAWÓW I MIĘŚNI

W przypadku wszelkich uszkodzeń kości, stawów i mięśni daną część ciała należy unieruchomić za pomocą dobrze wyjałowionej szyny i temblaka (chusta trójkątna). Szynę można zaimprowizować z gazet i czasopism, kartonu, siatki drucianej oraz innych dających się modelować materiałów.

## Naderwanie, skręcenie, zwichnięcie

Są to uszkodzenia stawów i związanych z nimi mięśni, ścięgien i więzadeł. Rozpoznaje się je po obrzmieniach, bólach i ograniczonej ruchomości.

### Co robić
— Nie obciążać ani nie poruszać uszkodzonego stawu, unieruchomić, ułożyć wysoko i/lub założyć szynę.
— Okłady z lodu lub zimne okłady w ostrym stanie łagodzą obrzmienie i ból.
— Konieczna jest kontrola lekarska (→ Naderwanie, rozdarcie mięśnia, stawu, s. 407; Naderwanie, rozdarcie ścięgien, s. 411; Skręcenie, s. 417; Zwichnięcie, s. 418).

## Stłuczenie i zmiażdżenie

W głębszych warstwach tkanek dochodzi do krwawienia i rozdarcia, które powodują krwawe wylewy, obrzmienia i bóle. Mogą ulec uszkodzeniu narządy wewnętrzne lub może też być złamana kość. Dlatego należy się zachować tak jak przy zwichnięciach (→ s. 418).

## Złamanie zamknięte

Laik niełatwo rozpoznaje złamanie, gdyż poszkodowani ze (nad-) złamanymi kończynami często mogą się jeszcze poruszać. Zła-

### Lektura uzupełniająca
McIVOR D.: *Urazy z przeciążenia*. PZWL, Warszawa 1992.

**Prowizoryczna szyna przy złamaniu przedramienia lub ręki**

**Prowizoryczne unieruchomienie przy złamaniu ramienia**

manie zauważa się, gdy poszkodowany przyjmuje „postawę obronną", narzeka na bóle, a na kończynie występują deformacje i obrzmienia.

### Co robić
Uszkodzoną część ciała unieruchomić! Poszkodowanego ułożyć zgodnie z jego życzeniem i odciążyć złamaną część ciała, np.:
— Przy złamaniach miednicy przez podłożenie wałka lub podpórki.
— Przy złamaniach uda, golenia lub kostki przez obłożenie uszkodzonej kończyny zwiniętymi częściami ubrania, kocami, poduszkami itp. oraz dodatkowo zebezpieczyć sztywnymi i ciężkimi przedmiotami (np. teczką, walizką).
— Przy złamaniach obręczy barkowej lub ramienia za pomocą chusty trójkątnej.
*Uwaga*: Przy uszkodzeniach kręgosłupa nigdy nie zmieniać pozycji poszkodowanego.
*Uwaga*: Złamanie zamknięte może się przekształcić w „otwarte" przy niewłaściwym postępowaniu (→ Złamanie kości, s. 400).

## Złamanie otwarte

Złamania otwarte, w których kość przebiła skórę, uważane są za obrażenia ciężkie, gdyż istnieje niebezpieczeństwo zakażenia kości.

### Co robić
— Powstrzymać krwawienie i przykryć jałowym opatrunkiem.
— Uwzględnić zagrożenie wstrząsem (→ Wstrząs, s. 690).
— Zranioną część ciała unieruchomić, np. poprzez odpowiednie ułożenie według życzenia rannego (→ Złamanie zamknięte, powyżej).

## Uraz głowy

Gdy nie ma widocznych zranień, dla laika zranienia czaszkowo-mózgowe mogą być prawie nierozpoznawalne. Tkanka mózgowa może jednak ulec uszkodzeniu.

### Co robić

— Utrzymywać oddychanie. Gdy brak oddechu, rozpocząć sztuczne oddychanie metodą usta-usta (→ s. 696).
— Górną część ciała lekko unieść (pod kątem około 30°).
— Nieprzytomnego ułożyć pewnie na boku (ryc. s. 696).
— Wezwać pogotowie ratunkowe.

## Wstrząs mózgu

Objawami wstrząsu mózgu są:
— Na krótko zanikanie przytomności.
— Ranny nie może sobie przypomnieć bezpośrednich zdarzeń przed wypadkiem.
— Nudności lub zawroty głowy i bóle głowy.

### Co robić

— Rannego ułożyć według jego życzenia. Bezwzględnie musi leżeć. Tylko lekarz ma prawo zdecydować, czy ranny może wstać.
— Skontrolować oddech.
— Nieprzytomnego ułożyć pewnie na boku. Wezwać pogotowie ratunkowe.

## Uszkodzenie klatki piersiowej

Objawami takich urazów, np. złamania żeber, są:
— Nasilające się duszności. Ranny walczy o powietrze i próbuje się podnieść, by móc lepiej oddychać.
— Ewentualnie wypluwanie jasnej, pienistej krwi.
— Występują objawy wstrząsu (→ Wstrząs, s. 690).
— W przypadku rany w obrębie klatki piersiowej mogą wystąpić przy ranie świszczące lub furczące szmery.

### Co robić

— Wezwać pogotowie ratunkowe. Rannemu nie wolno jeść, pić ani palić.

---

**Podparcie pleców przy uszkodzeniu klatki piersiowej**

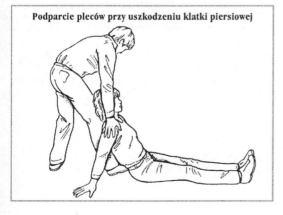

---

— Gdy płuca nie mogą się już dostatecznie rozszerzać, występuje coraz silniejsza duszność. Pozycja siedząca z oparciem ułatwia rannemu oddychanie.
— Gdy następuje plucie krwią (podejrzenie o zranienie płuca) w żadnym przypadku nie można zakładać opatrunku unieruchomiającego.
— Rozluźnić opinającą odzież. Ponownie kontrolować oddech. W przypadku zatrzymania oddechu rozpocząć sztuczne oddychanie metodą usta-usta (→ s. 696).
— Przy ranie w obrębie klatki piersiowej zatrzymać krwawienie. Założyć opatrunek uciskowy lub przyłożyć do rany jak najczystszą chustę albo dłonią utrzymać nacisk do przybycia pomocy lekarskiej. Zwrócić uwagę na niebezpieczeństwo wstrząsu (→ Wstrząs, s. 690).

## Złamanie kręgów

Złamania kręgów są trudne do stwierdzenia. Sprawdź, czy osoba ranna może poruszać dłońmi, ramionami, nogami i stopami. Można to sprawdzić, zalecając silny uścisk dłoni lub ruchy palcami.

— Gdy nie można poruszać dłońmi i rękami, oznacza to, że prawdopodobnie uszkodzona jest część szyjna kręgosłupa.
— Gdy nogi i palce stóp są nieruchome, prawdopodobnie uszkodzone są kręgi lędźwiowe.

### Co robić

— Wezwać pogotowie ratunkowe.
— Ranny nie może się poruszać. Nie może być podnoszony ani stawiany. Przy uszkodzeniu rdzenia kręgowego każdy ruch grozi porażeniem poprzecznym.
— Ogrzej i uspokój poszkodowaną osobę, w żadnym razie pozostawić jej samej nie można.
— Transport do szpitala może być przeprowadzony tylko przez fachowy personel.

# GORĄCO I ZIMNO

## Wyczerpanie cieplne

Objawami są bladość, słabość, zimny pot i dreszcze oraz szybkie i słabe tętno przy normalnej temperaturze ciała.

### Co robić

— Poszkodowanego ułożyć płasko w cieniu i nakryć.
— Podać do picia wodę mineralną, ewentualnie trochę osoloną, która wyrówna straty wody i soli.

## Udar cieplny

Gdy organizm się przegrzeje, występuje udar. W przeciwieństwie do wyczerpania cieplnego udar cieplny rozpoznaje się po silnie zaczerwienionej twarzy, ciepłej i suchej skórze, tępym wyrazie twarzy, zataczaniu się i bardzo wysokiej temperaturze ciała. Dotknięty może utracić przytomność.

### Co robić

— Przenieść w chłodne miejsce i górną część ciała ułożyć wyżej, rozpiąć szeroko ubranie.
— Wezwać karetkę pogotowia, może powstać zagrożenie życia.
— Przykładać namoczone w zimnej wodzie chustki i wachlować powietrze.

## Udar słoneczny

Powstaje wskutek bezpośredniego i silnego napromieniowania słonecznego niechronionej głowy. Objawami udaru słonecznego są: mocno zaczerwieniona, gorąca głowa, chłodna skóra, niepokój, bóle głowy, nudności, również wymioty i zanik przytomności. Szczególnie zagrożone są małe dzieci, gdyż włosy prawie ich nie chronią, a sklepienie czaszki jest cienkie. Gdy małe dzieci przebywają dłużej na słońcu, może u nich wystąpić wysoka gorączka. Przy tym stają się bardzo blade.

### Co robić

— Dotkniętą osobę przenieść do cienia.
— Głowę ułożyć wyżej i chłodzić mokrymi chusteczkami.
— Przy ciężkich objawach wezwać pogotowie ratunkowe.

## Przechłodzenie

Przy dłuższym przebywaniu w zimnej wodzie, w zimnym otoczeniu lub dłuższym leżeniu w terenie, na przykład podczas wypadku narciarskiego lub lawinowego, może dojść do przechłodzenia.

Przy temperaturze ciała wynoszącej 34-36°C przechłodzenie objawia się dreszczami, bólami w rękach i nogach oraz lekko podwyższonym tętnem. Gdy temperatura obniży się poniżej 34°, traci się powoli przytomność bez dreszczy i bólów. Poniżej 27° dochodzi do głębokiej utraty świadomości z możliwością zatrzymania krążenia krwi na skutek migotania komór serca.

### Co robić

— Przy silnym przechłodzeniu wezwać natychmiast pogotowie ratunkowe.
— Osobę przechłodzoną przenieść do pomieszczenia o temperaturze pokojowej lub w miejsce bezwietrzne.
— Zdjąć mokre ubranie i okryć ciepłym kocem, folią ocieplającą lub ułożyć w śpiworze.
— Gdy osoba przechłodzona jest przytomna, podać gorące, osłodzone napoje. Nie należy podawać alkoholu w żadnym przypadku!
— Osoby przechłodzonej nie należy poruszać, nie masować kończyn. Pozwolić rozgrzać się w spoczynku.
— Przy zatrzymaniu krążenia podjąć reanimację (→ Zatrzymanie krążenia, s. 697).

## Odmrożenie

W czasie mrozu mogą wystąpić odmrożenia. Wyższe temperatury do +6°C, zwłaszcza przy wysokiej wilgotności powietrza, mogą być przyczyną odmrozin, o charakterze przewlekłym, jed-

nakże odwracalnym. Szczególnie narażone są części ciała, które są słabo chronione przez mięśnie i tkanki, a więc palce u nóg i rąk, nos i uszy, lub za mocno skrępowane, np. nogi.

### Co robić

— Ciasno przylegającą odzież i obuwie rozluźnić, a zmarznięte części ciała ogrzać najlepiej ciepłotą ciała, otulając ręką zmarznięte dłonie, palce nóg lub uszy.
— Osobę poszkodowaną należy namówić do poruszania kończynami. Jeśli jest to niemożliwe, trzeba przywrócić krążenie krwi przez intensywne nacieranie.
— Przy lekkich odmrożeniach pomagają kąpiele o zmiennej cieplocie, w których dotkniętą część ciała zanurza się na trzy do czterech minut w ciepłej wodzie, następnie na pół minuty w zimnej wodzie.
— Trzeba pamiętać, że przy cięższych odmrożeniach kąpiele takie mogą być stosowane tylko pod nadzorem lekarza.

# PORAŻENIE PRĄDEM

Porażenie prądem może spowodować wstrząs z utratą przytomności i bezdechem. W miejscu, w którym prąd dostał się do ciała, mogą wystąpić głębokie rany oparzeniowe.

Po wstrząsie elektrycznym należy wezwać lekarza, nawet wtedy, gdy ofiara ma tylko nieznaczne oparzenia.

### Co robić

— Przerwać dopływ prądu: wyciągnąć wtyczkę lub bezpiecznik.
— Jeśli nie ma możliwości przerwania dopływu prądu, osobę poszkodowaną należy usunąć spod napięcia.
— *Uwaga*: byś nie dostał się w pole pod napięciem, znajdź materiał nieprzewodzący prądu (np. suche drewno, suchą odzież lub grubą warstwę gazet).
— Nie dotykaj w tej „izolowanej" pozycji niczego.
— Należy spróbować odciągnąć poszkodowanego za odzież z pola pod prądem lub podnieść i przesunąć źródło prądu za pomocą nieprzewodzącego prądu przyrządu (sucha drewniana miotła lub sucha łata drewniana).
— Ułożyć ofiarę spokojnie, kontrolować tętno i oddychanie (→ s. 697).
— Przy braku przytomności i istniejącym oddechu ofiarę ułożyć na boku (→ s. 696).
— Przy bezdechu rozpocząć sztuczne oddychanie metodą usta-usta (→ s. 696).
— Przy zatrzymaniu krążenia rozpocząć masaż serca (→ s. 698).
— Zapobiegać niebezpieczeństwu wstrząsu (→ s. 690) i wezwać pomoc.

---

**Lektura uzupełniająca**

BUEHL R.: *Porażenia i oparzenia prądem i łukiem elektrycznym*. Wydaw. Nauk.-Techn., Warszawa 1993.

# OPARZENIA CHEMICZNE I ZATRUCIA

Obrażenia te występują w gospodarstwie domowym stosunkowo często, szczególnie wśród małych dzieci. Dlatego chemikalia o odczynie alkalicznym lub kwaśnym, takie jak środki czystości, należy przechowywać w pewnych miejscach poza zasięgiem dzieci. Należy zwracać uwagę na wskazówki stosowania na etykietach.

## Oparzenia chemiczne

Oparzenia wewnętrzne powstają po przyjęciu doustnym, zewnętrznie po kontakcie skóry z chemikaliami. Najczęstszymi źródłami zagrożenia są środki czyszczące do toalet i środki myjące do automatycznych zmywarek oraz środki do zwalczania szkodników.

W przełyku mogą powstać głębokie rany, które ulegają zakażeniu i może dojść do perforacji przełyku.

Warto wiedzieć, że istnieje wiele substancji i płynów, które wywołują równocześnie oparzenia i zatrucia.

### Co robić
— *Oparzenia zewnętrzne*: Natychmiast zdjąć ostrożnie całą odzież i zranioną powierzchnię płukać w strumieniu wody. To ciągłe spłukiwanie winno trwać jak najdłużej. Weź z sobą do szpitala opakowanie środka, który spowodował oparzenie.
— *Oparzenia wewnętrzne*: Pić dużo wody. Nie doprowadzić do wymiotów, gdyż może to spowodować ponowne oparzenie. Nie pić mleka.
— *Oparzenie oczu*: Do czasu udzielenia pomocy lekarskiej przemywać oczy wodą bez przerwy przez przynajmniej dwadzieścia minut. Głowę należy odchylić do tyłu i z wysokości około dziesięciu centymetrów lać wodę ostrożnie do oka. Dolna i górna powieka muszą być przy tym rozchylone.

## Zatrucia

Ogólnymi objawami zatrucia są nudności, wymioty, biegunka, nagle pojawiające się kurczowe bóle brzucha, bóle głowy, uczucie zawrotów głowy, zamroczenie aż do utraty przytomności, zaburzenia w oddychaniu aż do bezdechu, objawy wstrząsu, przyspieszone lub zwolnione tętno, a także stan podniecenia.

### Co robić
— Zapewnić drożność dróg oddechowych przez ułożenie ofiary na boku i odchylenie głowy (→ s. 696).
— Utrzymać krążenie krwi i czynność serca przez płaskie ułożenie i masaż serca (→ s. 698).
— Wezwać pogotowie ratunkowe.
— Nawiązać kontakt z najbliższym punktem informacji ostrych zatruć.
— Punkt informacji ostrych zatruć udzieli wskazówek co do dalszego postępowania.

W punkcie informacji ostrych zatruć należy podać następujące dane:

— Wiek osoby zatrutej.
— Rodzaj i stężenie trucizny lub materiału.
— Przyjętą ilość.
— Czas przyjęcia.
— Objawy zatrucia.
— Podjęte już działania.

### Wymioty po zatruciu
— Przy zatruciu lekami, alkoholem lub jagodami można próbować wywołać wymioty. Można to czynić tylko wtedy, gdy poszkodowany jest przytomny.
— Przy zatruciu benzyną lub ropą naftową i kwasami albo zasadami nie wolno wywoływać sztucznie wymiotów. Osobie tak zatrutej można udzielać tylko pomocy ogólnej, jeśli taka jest możliwa.
— Jeśli chcesz wywołać wymioty, podaj zatrutemu do wypicia około pół litra ciepłej wody lub soku (nie podawać w żadnym wypadku słonej wody!).
— Drażnij tylną ścianę gardła palcem lub trzonkiem łyżeczki, aż zatruty zwymiotuje.
— Dziecko możesz przełożyć skośnie przez kolano na dół, wskutek czego brzuch dziecka zostanie ściśnięty.
— Powtarzaj proces picia i wymiotowania, aż wymiociny będą czyste.

# OMDLENIE, NIEPRZYTOMNOŚĆ

Omdlenie występuje, gdy mózg przejściowo nie otrzymuje wystarczającej ilości tlenu. Zdarza się to np. podczas długiego stania, gdy układ krążenia nie jest już zdolny zaopatrzyć mózgu w wystarczającą ilość tlenu. Dana osoba staje się blada, osuwa się nagle i traci kontakt z otoczeniem. Takie omdlenie przemija szybko, gdyż ustrój pomaga sobie sam. Osunięcie się powoduje bowiem lepsze ukrwienie mózgu. Omdlenie może być również spowodowane zakłóceniem w przemianie materii, np. w przypadku niedoboru lub nadmiaru cukru u chorych na cukrzycę (→ s. 456 i 457).

O nieprzytomności mówi się, gdy omdlenie trwa dłużej niż jedną minutę. Może ona powstać z tych samych powodów co omdlenie. Dłuższa nieprzytomność spowodowana jest zazwyczaj nieszczęśliwym wypadkiem, uderzeniem w głowę, zatruciem lub upałem czy zimnem. W przypadku utraty przytomności wezwać natychmiast pogotowie.

### Co robić
— Omdlałego natychmiast położyć z nogami ułożonymi wyżej. W ten sposób zapewnia się lepsze zaopatrzenie mózgu w tlen.
— Kontrolować tętno i oddech (→ s. 697).
— Po przebudzeniu się z omdlenia dotknięty nim powinien jeszcze chwilę poleżeć, odpocząć, a następnie wyjść na świeże powietrze.

Gdy omdlenie trwa dłużej niż minutę, a osoba dotknięta oddycha:
— Udrożnić drogi oddechowe poprzez ułożenie na boku i od-

chylenie głowy do tyłu. W ten sposób płyn gromadzący się w ustach i jamie gardła może wypłynąć na zewnątrz.
— Znów skontrolować tętno i oddech (→ s. 697).
— Kontrolować wypływ cieczy z ust, gdyż najczęstszą przyczyną zgonu w wypadkach komunikacyjnych jest uduszenie się nieprzytomnego śliną, śluzem, krwią lub wymiocinami.

### Przywrócenie oddychania
Gdy nieprzytomny nie oddycha:
— Udrożnić drogi oddechowe, a więc usunąć sztuczne uzębienie, klamry do zębów lub gumę do żucia. Rozpocząć sztuczne oddychanie metodą usta-usta.
— Kontrolować powtórnie oddech i tętno.
— Przy bezdechu i zatrzymaniu krążenia natychmiast rozpocząć reanimację.

## Bezdech
Przy bezdechu tylko natychmiastowe sztuczne oddychanie może uratować życie.

Bezdech rozpoznaje się po sinobladym kolorze ofiary (Stwierdzenie oddechu, → s. 697).

### Co robić
— Nieprzytomnego ułożyć na plecach twarzą do góry na trwałym, twardym podłożu i odchylić głowę do tyłu.
— U ofiary wypadku nie odchylać głowy silnie, by nie narazić ewentualnie uszkodzonego kręgosłupa. W miejsce tego położyć jedną rękę na biodra, a drugą na czoło.
— Rozpocząć sztuczne oddychanie metodą usta-usta.

## Sztuczne oddychanie metodą usta-usta u małych dzieci i niemowląt
— Równocześnie objąć nos i usta swoimi szeroko otwartymi ustami.
— Prowadzić sztuczne oddychanie szybciej, lecz mniej energicznie niż u dorosłych, około 30 do 40 razy na minutę.

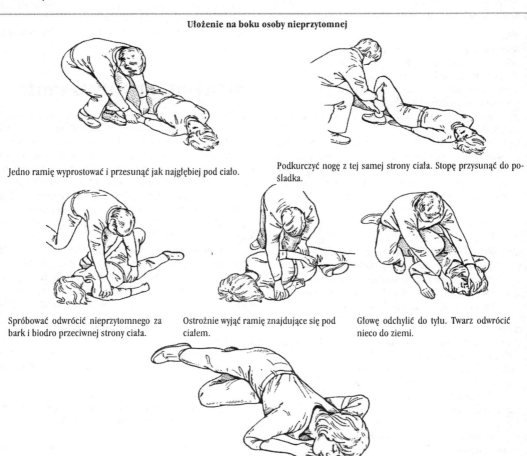

**Ułożenie na boku osoby nieprzytomnej**

Jedno ramię wyprostować i przesunąć jak najgłębiej pod ciało.

Podkurczyć nogę z tej samej strony ciała. Stopę przysunąć do pośladka.

Spróbować odwrócić nieprzytomnego za bark i biodro przeciwnej strony ciała.

Ostrożnie wyjąć ramię znajdujące się pod ciałem.

Głowę odchylić do tyłu. Twarz odwrócić nieco do ziemi.

Palce wsunąć pod policzek. Usunąć ciała obce z jamy ustnej. Ślina musi wypływać na zewnątrz.

## Sztuczne oddychanie metodą usta-nos

W przypadku zranienia twarzy sztuczne oddychanie metodą usta-usta może być utrudnione lub niemożliwe. Należy wówczas przeprowadzić je przez nos.

— Zamknąć usta nieprzytomnego poprzez podniesienie do góry jego brody.
— Silnie dmuchać w nos poszkodowanego.
— Następnie otworzyć ręką usta nieprzytomnego, by mogło ujść powietrze.
— Cykl ten powtarzać jak przy metodzie usta-usta co pięć sekund i zakończyć dopiero po uzyskaniu pełnego normalnego oddychania.

### Oznaki normalnego oddychania

— Zanik sinego zabarwienia skóry, powraca różowe zabarwienie.
— Źrenice zwężają się.
— Podnoszenie i opadanie klatki piersiowej.

## Zatrzymanie krążenia

Gdy tętno zaniknie, niezbędne do życia krążenie może utrzymać masaż serca. Gdy na przykład wskutek sztywności klatki piersiowej podczas masażu serca dochodzi do złamania żeber, uszkodzenie to z uwagi na utrzymanie życia jest drugorzędne.

Serce jest przy tym ugniatane pomiędzy mostkiem i kręgosłupem. W ten sposób tłoczy się krew z komór serca do dużego i płucnego układu krążenia. Po zelżeniu nacisku klatka piersiowa powraca elastycznie do pozycji wyjściowej, serce może się ponownie napełnić krwią.

### Co robić

— Ułóż rannego na plecach, twarzą do góry na twardym podłożu.
— Uklęknij i naciskaj oboma nałożonymi na siebie nadgarstkami silnymi pchnięciami prostopadle na dolną część mostka. Podczas każdego pchnięcia mostek winien się ugiąć przynajmniej trzy do czterech centymetrów w kierunku kręgosłupa.

---

**Sztuczne oddychanie**

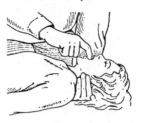

Ciała obce, takie jak protezy lub guma do żucia, usunąć z jamy ustnej.

Nos zacisnąć kciukiem i palcem wskazującym, nabrać głęboko powietrza i własnymi ustami objąć szczelnie usta ofiary.
Przy sztucznym oddychaniu wystarcza dwanaście do piętnastu wdechów na minutę. Na początku jednak pierwszych dziesięć wdechów należy wykonać krócej i szybciej.
Po każdym sztucznym wdechu podnieść własną głowę i obserwować, jak klatka piersiowa lub nadbrzusze nieprzytomnego się zapada. Wsłuchiwać się, czy uchodzi powietrze.

Sztuczne oddychanie wykonywać co pięć sekund tak długo, aż przybędzie pomoc lekarska lub nieprzytomny zacznie oddychać znowu samodzielnie. Nie przerywać sztucznego oddychania na dłużej niż pięć sekund.

---

— Naciskaj sześćdziesiąt do osiemdziesięciu razy na minutę. Nie przerywaj na dłużej niż pięć sekund.
— Masaż serca nie spowoduje oddychania. Drugi ratownik musi w stosunku pięć do jednego wykonywać sztuczne oddychanie metodą usta-usta. Na pięć ucisków na serce następuje jeden oddech. Odpowiada to przy uciskach na serce 12 oddechom w ciągu minuty.
— Gdy nie ma drugiego ratownika, wybierz cykl 15 do dwóch. Po piętnastu uciskach serca w ciągu piętnastu sekund wykonaj dwa oddechy (Reanimacja po zatrzymaniu krążenia, → s. 698).

---

**Stwierdzenie oddechu**

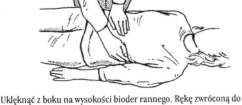

Uklęknąć z boku na wysokości bioder rannego. Rękę zwróconą do ofiary położyć w okolicy nadbrzusza. Drugą rękę położyć na klatkę piersiową na wysokości dolnego brzegu żeber. Gdy nieprzytomny oddycha, obiema rękami wyczuwa się, jak klatka piersiowa i nadbrzusze podnoszą się i opadają.

### Reanimacja po zatrzymaniu krążenia (masaż serca)

Wykonać sześćdziesiąt do osiemdziesięciu silnych pchnięć w ciągu minuty na dolną połowę mostka.

Kontynuować masaż serca. Druga osoba wykonuje na każde pięć pchnięć jeden wdech.

## Reanimacja po utonięciu

Przy bezdechu należy rozpocząć sztuczne oddychanie już w czasie ratowania w wodzie. Wszelkie próby usunięcia wody z płuc i żołądka są zbędne, bez sensu i niebezpieczne. Wody, która dostała się do płuc, nie możesz usunąć. Przy tym tracisz tylko cenny czas.

### Co robić

— Rozpocznij ożywianie możliwie w ciągu trzech, najpóźniej pięciu minut.
— Rozpocznij sztuczne oddychanie pięcioma silnymi wdechami.
— Rozpocznij masaż serca. Nie przerywaj ani sztucznego oddychania, ani masażu serca na dłużej niż pięć sekund.

### Lektura uzupełniająca

GLAZUR J., KOSIBA M.: *Reanimacja w utonięciach*. Wyd. 3, Collegium Medicum, Kraków 1996.
BUCHFELDER M., BUCHFELDER A.: *Podręcznik pierwszej pomocy*. PZWL, Warszawa 1993.

# PODRÓŻOWANIE

## Szczepienia

Przy wjeździe do niektórych krajów wymagane są specjalne szczepienia; w takim przypadku nie ma innego wyjścia jak tylko dać się zaszczepić. Na ogół jednak istnieją tylko zalecenia szczepień wydawane przez Światową Organizację Zdrowia. Zanim poddasz się takiemu szczepieniu, rozważ, czy rodzaj podróży w ogóle stwarza ryzyko zarażenia się określoną chorobą, czy ryzyko działania ubocznego nie jest większe od ryzyka zarażenia się (→ Szczepienia, s. 627). Ogólne środki zapobiegawcze, które stosuje się przy spożywaniu pokarmów (→ s. 700), są na ogół ważniejsze od ochrony, jaką daje szczepienie.

## Zapobieganie malarii

Malaria jest pojęciem zbiorczym dla infekcji pierwotniakami, zwanymi *Plasmodium*. Malaria przenosi się poprzez ukłucie komara widliszka. Komar, kłując zarażonego malarią, pobiera z jego krwi zarazki. Te rozwijają się dalej w organizmie komara i wędrują do jego ślinianek. Przy następnym ukłuciu zarazki przedostają się do krwi ukłutego, przemieszczają się do wątroby i tam się rozmnażają. W końcu wnikają do czerwonych ciałek krwi, powodując ich pękanie. To wywołuje falę gorączki. Zjawisko to powtarza się w rytmicznych odstępach czasu.

Zależnie od gatunku pierwotniaka wywołującego malarię, gorączka może wystąpić po upływie od jednego do czterech tygodni od momentu ukłucia. W zależności od odstępów między falami gorączki ustala się różne postacie malarii: malaria czterodniowa, trzydniowa i złośliwa. Malaria złośliwa jest najcięższą postacią zagrażającą życiu.

Gdy części zniszczonych czerwonych ciałek krwi zawieszą się w delikatnych naczyniach krwionośnych mózgu lub jego ważnych dla życia częściach, może to wywołać śmierć. W Niemczech zanotowano w 1995 roku 947 zachorowań na malarię, z tego 18 było śmiertelnych.

### Ogólne środki zapobiegawcze przeciw malarii

— Komary kłują tylko od zmierzchu do brzasku. W tym czasie powinno się przebywać w pomieszczeniach, do których nie mogą przedostać się komary.
— Najważniejszą ochroną przed komarami widliszkami jest moskitiera, będąca w wielu krajach, do których przyjeżdżają turyści, podstawowym wyposażeniem pokoi hotelowych. Kto podróżuje w okolice, gdzie nie ma takich hoteli, winien ze sobą zabrać moskitierę. Można ją kupić w sklepie turystycznym. Celowe jest również zabezpieczenie drzwi i okien odpowiednimi siatkami. Komary nie są w stanie przekłuć materiału grubszego niż 1 milimetr. Odkryte ciało można chronić środkami odstraszającymi owady (repelenty, np. Autan, Pellit). Środki te działają około sześciu do ośmiu godzin.
— Aerozole insektobójcze i elektryczne do ochrony sypialni i pomieszczeń mieszkalnych mają jednak wady — mogą powodować nudności i bóle głowy.

### Zapobieganie malarii lekami

Leki mają wprawdzie zmniejszyć ryzyko zachorowania na malarię, ale nie zlikwidują go zupełnie. Poza tym przy wszystkich środkach zwalczających malarię mogą wystąpić objawy uboczne, wpływające silnie na samopoczucie, a w niektórych przypadkach mogą być niebezpieczne.

Coraz częściej pojawiają się czynniki wywołujące malarię oporną na leki, w związku z tym zmieniają się zalecenia zapobiegawcze. Coraz większy staje się problem ochrony przed malarią. Sześć tygodni przed rozpoczęciem podróży powinno się na wszelki wypadek zasięgnąć informacji w Instytucie Chorób Tropikalnych lub w zakładach higieny akademii medycznych o najnowszych zaleceniach profilaktycznych dotyczących malarii (adresy, → s. 629).

Decyzję o zapobieganiu malarii należy podjąć, biorąc pod uwagę następujące kwestie:

— Czy kraj docelowy, miejscowość pobytu lub region są terenami malarycznymi?
— Jak duże jest ryzyko zachorowania na malarię? Przy profilaktycznym zażywaniu chloroquiny (Resochin) lub Mefloquinu (Lariam) ryzyko hospitalizacji z powodu silnego działania ubocznego wynosi około 1:10 000. Udając się na teren, gdzie ryzyko zachorowania na malarię jest mniejsze od 1:10 000, należy rozważyć, czy nie zrezygnować z profilaktyki. W takim przypadku należy raczej zażywać leki samemu w razie potrzeby.

Zapobiegawcze przyjmowanie leków powinno odbywać się według następującego schematu:

— Rozpocząć tydzień przed podróżą. W ten sposób po przyjeździe do celu osiąga się we krwi ochronny poziom leku; z drugiej strony można jeszcze w domu sprawdzić tolerowanie leku.
— W czasie pobytu stosować zgodnie z zaleceniem.
— Po powrocie zażywać jeszcze przez cztery tygodnie. Jeśli w wątrobie znajdują się jeszcze czynniki wywołujące malarię, to przedostaną się one w ciągu tych czterech tygodni do krwi. Tam lek może je unieszkodliwić.

W samoleczeniu stosuje się te same środki do zwalczania malarii, które zaleca się profilaktycznie dla danego regionu. Przeprowadza się je pod następującymi warunkami jako samoleczenie, gdy rezygnuje się z ciągłego przyjmowania tabletek:

— Po szóstym dniu po przyjeździe wystąpi gorączka i inne ob-

---

Nie polegaj za bardzo na przyjmowaniu witaminy B lub na stosowaniu tzw. odstraszaczy komarów. Nie ma dostatecznych dowodów na ich skuteczność.

jawy malarii (bóle głowy, brzucha i stawów, pocenie się, biegunka).
— Nie ma możliwości diagnozy i leczenia przez lekarza.
— W ramach samoleczenia przyjmuje się na przykład 3 tabletki Mefloquinu (Lariam), po sześciu do ośmiu godzin następne dwie tabletki i po tym samym czasie ponownie jedną tabletkę. Działanie uboczne jest rzeczywiście znaczne. Prawie połowa pacjentów zgłasza wymioty i nudności; większość z nich czuje się marnie. Występują psychozy i napady padaczki.

Ponieważ objawy malarii nie zawsze są jednoznaczne, a działania uboczne wysokich dawek w samoleczeniu są znaczne, opracowano test, za pomocą którego również medyczni laicy mogą stwierdzić, czy podejrzenie infekcji malarią jest uzasadnione. Test polega na wykazaniu specyficznego białka uwalnianego przez czerwone ciałka krwi zakażone malarią złośliwą.

W celu wykonania testu pobiera się kroplę krwi z opuszki palca, nanosi na płytkę testową, na której barwna linia wskazuje, czy nastąpiło zakażenie malarią.

Test ten można nabyć w aptekach pod nazwą Mala Quick Test. Jest trwały w temperaturze pokojowej przez dziewięć miesięcy i zawiera wszystkie materiały niezbędne do przeprowadzenia testu, łącznie ze zwitkiem waty nasyconym alkoholem do odkażania skóry i lancet do pobierania próbki krwi.

## Apteczka podróżna

Apteczka podróżna winna zawierać z jednej strony środki, które można sobie samemu zaordynować przy banalnych zachorowaniach, z drugiej zaś wystarczającą ilość leków, które stale zażywasz. O tym, czego potrzebujesz, musisz sam zadecydować, znając swoje słabe punkty. Podana lista może stanowić jedynie wskazówkę:
— Materiał opatrunkowy, plaster, bandaże z gazy i elastyczne.
— Środki dezynfekujące (Betaisodona lub Merfen).
— Prosty środek przeciwbólowy zawierający kwas acetylosalicylowy (Aspiryna) lub paracetamol (Ben-u-ron, Kratofin simplex). Służą one również do obniżania temperatury (→ Proste środki przeciwbólowe, s. 621).
— Krople do nosa zmniejszające obrzęk (Tyzine, Olynth, Otrivin, Otriven, Xylometazolin).
— Mieszanka soli, z której można przy biegunce sporządzić napój wyrównujący utratę soli i wody (→ Zakażenia jelitowe, s. 378) lub to samo w formie gotowego preparatu (Elotrans, Oralpadon, Normolyt).
— Kto w czasie podróży, przy ciężkich, wodnistych biegunkach, nie chce sobie zakłócić wypoczynku, może zabrać środek „zapierający", np. Imodium. Bez lekarskiego zalecenia w żadnym przypadku nie można używać go dłużej niż dwa dni! (→ Zakażenia jelitowe, s. 378).
— Kto ma skłonność do zaparć, może zabrać łagodny środek przeczyszczający (olej parafinowy, Dipolaxan, czopki Bisacodylu).
— Dla osób, które zapadają często na grzybicę — ewentualnie środek przeciwgrzybiczy (Canesten, Nizoral, Pimafucin, Clotrimazol maść).

— Środek osłonowy przeciw promieniom słonecznym o dostatecznie wysokim współczynniku ochronnym (→ Oparzenie słoneczne, s. 254).
— Kto jest podatny na choroby lokomocyjne, winien zabrać odpowiedni lek (np. Echnatol, Peremesin czopki, Superpep, Vomex A czopki lub środek zawierający cinaryzynę, np. Cinnabene, Cinnarizin-Ratiopharm, Stugeron). Przy dłuższych podróżach morskich odpowiednie są takie środki jak Scopoderm TTS, który w formie plastra nalepia się za uchem; działa on dwa do trzech dni.
— Środek odstraszający owady, np. Autan, Pellit.
— Na skuteczności chemicznych środków do odkażania wody nie można polegać; bakteriobójcze działanie Mikropuru jest niepewne.
— Ewentualnie prezerwatywy jako ochronę przed zarażeniem się chorobami przenoszonymi drogą płciową.

### Ogólne środki zapobiegawcze w podróży

Pobyt w ośrodkach turystycznych nie wymaga takich środków ostrożności i zapobiegawczych jak podróże w otwartym terenie. Amerykanie cały problem zapobiegania zawierają w jednym zdaniu, które w przekładzie brzmi: „Obierz to, ugotuj to lub zapomnij o tym".

Ogólne środki zapobiegawcze, zmniejszające ryzyko zachorowania na biegunkę, tyfus, cholerę i zapalenie wątroby:
— Pij napoje tylko z butelek i puszek lub świeżo przegotowane.
— Spożywaj tylko świeżo przygotowane potrawy, gdyż w czasie ich przygotowania (gotowanie, duszenie, pieczenie) giną na ogół zarazki chorobotwórcze.
— Unikaj kostek lodu, lodów oraz wody z kranu.
— Unikaj owoców i surowych jarzyn, których nie można obrać.

### Zachowanie się w miejscu urlopowym

— Po długim locie, związanym z przesunięciem czasu, wypocznij jeden dzień.
— Spróbuj dostosować się do rytmu życia ludności miejscowej. W ciepłych krajach wskazane jest wczesne wstawanie, wypoczynek w gorących godzinach południowych i wczesnopopołudniowych, natomiast pełna aktywność dopiero późnym popołudniem i wieczorem.
— Lekka aktywność fizyczna pomaga organizmowi dostosować się do nowego klimatu. Zarówno duży wysiłek fizyczny, jak i bezczynność są niekorzystne.
— W ciepłych krajach należy dużo pić. W wyjątkowo suchym klimacie niełatwo dostrzec utratę wody. Czy ilość wypitych płynów jest wystarczająca, rozpoznasz po jasnożółtym lub ciemnym kolorze moczu.
— W krajach tropikalnych nie chodź boso. Istnieje zagrożenie zakażenia się tęgoryjcem dwunastnicy, ukłuć przez owady lub ukąszenia przez trujące zwierzęta.
— Unikaj kąpieli w rzekach i jeziorach Afryki i Ameryki Południowej, gdyż istnieje niebezpieczeństwo wywołania schistosomatozy jelitowej.
— W ciepłych krajach noś odzież lekką i wchłaniającą pot.

## Podróże na duże odległości

### Zdolność do odbywania lotów

Niektórym osobom wydaje się, że jeśli potrafią bez pomocy wsiąść do samolotu, są w pełni zdolne do odbycia lotu. Tak jednak nie jest.

W czasie lotu na dużych wysokościach w kabinie utrzymuje się ciśnienie powietrza występujące na wysokości około 2500 m. Zatem powietrze w kabinie jest uboższe w tlen niż na poziomie morza. Organizm próbuje to wyrównać przyśpieszoną pracą serca i częstszym oddechem. Wskutek tego wzrasta ciśnienie w naczyniach płucnych, prawa połowa serca jest silniej obciążona.

W zasadzie osoby wykazujące jeden z następujących stanów nie powinny odbywać lotu:

— ciśnienie krwi powyżej 220/120 mm Hg,
— wszelkie schorzenia naczyń wieńcowych serca, przy których występują ataki dusznicy bolesnej,
— niedostateczna wydolność serca, ciężkie zaburzenia rytmu pracy serca,
— zawał przed nie więcej jak sześciu miesiącami,
— odma opłucnowa (→ s. 299),
— niewydolność oddechowa, na przykład ciężka astma,
— ostre choroby zakaźne,
— ciąża od 36 tygodnia.

Kto sobie zapewni jednak opiekę lekarską i zorganizuje odpowiednią pomoc przez linie lotnicze, może podjąć ryzyko lotniczej podróży.

### Jet-lag

Dłuższe podróże samolotem powodują przesunięcie czasu. Zegarek łatwo przestawić, lecz organizm przywykły do rytmu biologicznego czyni to stopniowo (→ Biorytmy, s. 173).

Dolegliwości organizmu występujące w tej fazie przestawienia nazywają się jet-lag. Dostosowanie może być zróżnicowane w czasie. Niektóre osoby potrzebują tylko jednego do dwóch dni, inne wymagają tygodnia. Im się jest starszym, tym trudniej organizmowi poradzić sobie z przesunięciem czasu.

Po długim locie na wszelki wypadek zalecany jest kilkugodzinny wypoczynek.

Niedokładnie znane są przyczyny zjawiska polegającego na tym, że organizm przystosowuje się szybciej do przesunięcia czasu przy locie w kierunku zachodnim niż wschodnim. Jak dotąd, nie ma możliwości zapobiegania temu.

Następujące środki zaradcze mogą jednak zmniejszyć dolegliwości:

— Spróbuj przed długą podróżą dostosować swój organizm do strefy czasowej celu podróży — kilka dni przed odlotem zmień swój rytm posiłków i snu. Gdy lecisz na zachód, powinieneś każdego dnia spożywać posiłki godzinę później, jak również później kłaść się spać i dłużej pozostawać w łóżku. Jeżeli lecisz na wschód, powinieneś każdego dnia nieco wcześniej spożywać posiłki, wcześniej udawać się spać i wcześniej wstawać.
— Dostosowanie będzie łatwiejsze, gdy lot rozpoczniesz wypoczęty. Przed lotem i w czasie jego trwania unikaj obfitych posiłków i alkoholu.
— Gdy w miejscu docelowym wystąpią trudności w zasypianiu,

pomocna może okazać się lekka aktywność organizmu (gimnastyka) lub ciepła kąpiel.

### Co robić, gdy jest się zmuszonym zażywać codziennie leki

— Należy zawsze wozić 10-dniowy zapas leków w podręcznym bagażu.
— Mniejsze przesunięcie czasu, rzędu dwóch do trzech godzin, jest bez znaczenia.
— W przypadku większości leków, np. pigułki antykoncepcyjnej — radzi się utrzymać schemat stosowania według dawnego, a nie miejscowego czasu. Kobiety, które pozostaną w jakimś kraju dłużej, a różnica czasu jest znaczna, mogą się przestawić następująco:
— W dniu przybycia pigułkę antykoncepcyjną zażyć po południu. W następnym dniu połknąć w czasie kolacji, od tego czasu tak jak zwykle wieczorem lub przed udaniem się na spoczynek.
— Przy niektórych schorzeniach — np. cukrzycy — może okazać się konieczne zażywanie przejściowo innego leku (np. insulin o przedłużonym działaniu zamiast insuliny szybko działającej). Przy przestawianiu swojej przemiany materii za pomocą innej insuliny należy skonsultować się z lekarzem.

### Powstawanie zakrzepów

Przez nieruchome siedzenie w czasie długotrwałych lotów powstaje niebezpieczeństwo powstania zakrzepów. Szczególnie zagrożone są kobiety ciężarne lub osoby z żylakami czy zapaleniem żył.

Każdy rodzaj ruchu zapobiega tego typu zastoju krwi: przechadzanie się, robienie przysiadów w miejscu, na siedząco od czasu do czasu podkurczanie palców u nóg i na przemian poruszanie nogami. Kto zna swoje problemy w tym zakresie, powinien nosić pończochy zdrowotne i poprosić lekarza o zapobiegawczy zastrzyk heparyny.

Wskutek niskiej wilgotności powietrza w niektórych typach samolotów organizm traci płyn, co również zwiększa niebezpieczeństwo powstawania zakrzepów. Z tego powodu należy pić dostatecznie dużo płynów, jednak nie kawy i alkoholu, gdyż napoje te nasilają wydalanie płynów.

## Choroba górska

Podróżując w tereny wysoko położone lub odbywając wycieczki górskie, trzeba być świadomym tego, że można zachorować na chorobę górską.

U ludzi pochodzących z równin pierwsze objawy występują w kilka godzin po przekroczeniu wysokości 3000 metrów.

### Dolegliwości

Znużenie, nudności, utrata apetytu, bóle głowy, niespokojny sen są lekkimi objawami choroby górskiej. Poważnymi objawami są trudności w oddychaniu, przyśpieszone, silne bicie serca, zawroty głowy i wymioty, apatia, czasem również euforia.

### Przyczyny

Zmniejszona zawartość tlenu w powietrzu. Wskutek tego następuje przyspieszenie oddechu, serce bije szybciej, dochodzi do zaburzeń w przemianie materii. Wzrasta ciśnienie krwi w naczyniach płuc. Organizm przy wydechu traci dużo wody, gdyż ze spadkiem temperatury powietrze zawiera mniej wody. Wskutek tego krew może ulec zagęszczeniu, co dodatkowo utrudnia zaopatrzenie tkanek w tlen.

### Ryzyko zachorowania

Co druga osoba, która bez dostatecznej aklimatyzacji wspina się szybko na wysokość powyżej 3000 metrów, cierpi na chorobę górską. Szczególnie wrażliwe są dzieci poniżej sześciu lat. Przed chorobą górską nie chroni nawet dobra zaprawa fizyczna.

### Możliwe następstwa i powikłania

W rzadkich przypadkach mogą wystąpić: krwawienie do siatkówki zagrażające zdrowiu, obrzęk płuc ze świszczącym oddechem i sinicą warg oraz obrzęk mózgu. Należy brać pod uwagę, że wystąpił obrzęk mózgu, gdy bólu głowy nie łagodzą środki przeciwbólowe.

### Zapobieganie

Nie należy wspinać się zbyt szybko, to znaczy wysokość pomiędzy 1500 i 3000 m powinno pokonywać się do 300 m dziennie. Wysokość, na której zakłada się na noc obozowisko, powinna być możliwie niższa od osiągniętej w ciągu dziennej wspinaczki, gdyż w czasie snu spada częstotliwość oddechu i pobieranie tlenu. Wzrasta przez to niebezpieczeństwo wystąpienia obrzęku płuc.

W czasie wspinaczki pić więcej niż normalnie, tyle by w ciągu dnia wydalić jeden do dwóch litrów moczu. Należy unikać alkoholu. Powoduje on spowolnienie oddychania i utrudnia odczucie wczesnych objawów. Przyjmowanie leku typu acetazolamid (Diamox) skraca czas przystosowania od jednego do dwóch dni, nie zmniejsza jednak ostrej postaci choroby górskiej. Przyjmowanie leku należy rozpocząć dwa dni przed terminem wspinaczki i przyjmować do pięciu dni na wysokości. Jako objawy uboczne mogą wystąpić: mrowienie w kończynach, wzmożone wydalanie moczu, nudności i senność. W czasie przyjmowania Diamoxu nie smakują napoje gazowane. Nie należy jednak zalecać zażywania Diamoxu bez ograniczeń ze względu na działania uboczne, z drugiej strony nie zastąpi niezbędnie koniecznego dostosowania się.

### Jak sobie pomóc

Przy wystąpieniu dolegliwości należy dużo pić i zmniejszyć aktywność oraz zaprzestać wspinaczki. Dolegliwości może łagodzić kwas acetylosalicylowy (→ Proste środki przeciwbólowe, s. 621). Gdy stan się pogarsza, konieczne jest natychmiastowe zejście lub przetransportowanie w dół co najmniej 1000 m.

### Leczenie

Najskuteczniejszym, a w niektórych przypadkach ratującym życie zabiegiem jest natychmiastowe zejście na mniejszą wysokość. Ma to bezwzględne pierwszeństwo przed wszystkimi innymi zabiegami. Przy wystąpieniu obrzęku płuc konieczne może być podanie tlenu. Nifedipin (np. Adalat) w formie kapsułek do rozgryzania łagodzi duszności. Obrzęk mózgu można leczyć, wstrzykując dużą dawkę kortyzonu.

## Częste choroby w podróży

Przy następujących dolegliwościach należy bezwzględnie udać się do lekarza:

— Przy przedłużających się bólach głowy, zwłaszcza gdy są powiązane z oszołomieniem.
— Przy bólach nerek, przede wszystkim gdy występują gorączka i dolegliwości przy oddawaniu moczu.
— Przy bólach w klatce piersiowej w czasie oddychania, przede wszystkim w powiązaniu z gorączką lub dusznością.
— Przy ostrych bólach brzucha z gorączką, nudnościami lub wymiotami.
— Przy katarze, gdy występują silne bóle głowy lub żółtoropna wydzielina z nosa.
— Przy pulsującym bólu w uchu; przy nagłej utracie słuchu, przy wydzielaniu się płynu z ucha.
— Przy ropnej anginie z dużym utrudnieniem połykania i obrzmieniem węzłów chłonnych.
— Przy silnej biegunce z krwawym lub śluzowym stolcem i gorączce.

### Choroba lokomocyjna

Podatność na chorobę lokomocyjną jest bardzo zróżnicowana. U niektórych osób występują zawroty głowy już kilka minut po rozpoczęciu jazdy samochodem, inne nawet po kilku dniach podróżowania statkiem w czasie sztormowej pogody nie odczuwają żadnych dolegliwości.

Choroba rozpoczyna się na ogół znużeniem, utratą apetytu, bladością i częstym ziewaniem. Następnie pojawiają się bóle głowy, zawroty głowy, nudności, wymioty i dolegliwości układu krążenia. W ciężkich przypadkach dochodzi do apatii i uczucia lęku.

*Zapobieganie*
— Zajmij miejsce, przy którym ruch przeszkadza najmniej: w samolocie pomiędzy płatami nośnymi, w podróżach morskich w śródokręciu, w autobusie z przodu za przednią osią.
— Na statku lub w samolocie postaraj się tak usadowić, by widzieć horyzont lub okolicę. Taki widok przekazuje narządowi wzroku wrażenie pokrywające się z tym, co rejestruje zmysł równowagi. Najtrudniejsza jest sytuacja we wnętrzu statku. Przestrzeń jest tutaj optycznie stała, lecz zmysł równowagi otrzymuje przeciwne wrażenia.
— W czasie płynięcia nie powinno się czytać.
— Pusty żołądek nie chroni przed chorobą lokomocyjną. Wskazane są lekkie posiłki przed i w czasie podróży.
— Leki zapobiegające należy brać jedną do dwóch godzin przed podróżą.

*Postępowanie po wystąpieniu choroby lokomocyjnej*
Ułóż się w miarę możliwości płasko, nogi oprzyj wyżej, oddychaj głęboko i zamknij oczy. Gdy z powodu nudności nie można zażyć leków, wskazane są czopki.

### Biegunka

Biegunka jest chorobą najpowszechniej występującą w czasie

**Lektura uzupełniająca**

JANICKI K.: *Turystyczny poradnik medyczny*. PZWL, Warszawa 1997.

podróży. Przyczyną jest najczęściej infekcja bakteryjna spowodowana zanieczyszczonymi potrawami lub napojami (→ Zakażenia jelitowe, s. 378). Dolegliwości, którym w niektórych przypadkach towarzyszy gorączka i/lub wymioty, trwają również bez leczenia na ogół dwa do czterech dni.

Środki zapobiegawcze (→ s. 700) mogą ryzyko biegunek silnie zmniejszyć. Najważniejsze środki zapobiegawcze w przypadku biegunek to picie płynów wzbogaconych solą i cukrem (→ Zakażenia jelitowe, s. 378).

Zażywane leki, jak Imodium, nie leczą biegunki. Kto jednak nie chce rezygnować z zaplanowanych zajęć, może za pomocą tego środka zmniejszyć biegunkę. Lepiej byłoby jednak pozwolić sobie na dwa do trzech dni wypoczynku, których organizm potrzebuje, by biegunka sama ustała.

W żadnym przypadku nie należy jednak używać leków „zapierających", zwłaszcza gdy temperatura ciała przekracza 38,5°C oraz gdy kał zawiera krew i śluz. Występuje wtedy prawdopodobnie ciężkie zakażenie i zmniejszenie motoryki jelit może być niebezpieczne (→ Zakażenia jelitowe, s. 378).

Jeśli nie następuje poprawa w ciągu dwóch do trzech dni, należy udać się do lekarza.

**Oparzenie słoneczne**

Wielu podróżujących nie docenia siły słońca na terenach tropikalnych. Zadbaj o wystarczające środki przeciwsłoneczne — kapelusz, odpowiedni ubiór, osłony przeciwsłoneczne (→ Oparzenie słoneczne, s. 254).

## Po powrocie

Kto pozostaje dłużej niż trzy miesiące w tropiku, winien po powrocie przeprowadzić badania krwi, moczu i kału, również wówczas gdy nie występują żadne dolegliwości.

Kto po powrocie z obszarów podzwrotnikowych odczuwa niejasne dolegliwości — gorączkę, biegunkę, nudności, mdłości, kaszel, ma wykwity skórne — powinien udać się do lekarza, najlepiej w instytucie chorób tropikalnych (adresy, → s. 629) i poinformować go o podróży, zabiegach przeciw malarii i ewentualnie przebytych chorobach.

# ŻYWIENIE

Głód i pragnienie są sygnałami ciała. Jednakże poprzez jedzenie i picie nie tylko dostarczamy organizmowi energii, lecz zaspokajamy również inne potrzeby: rozkoszujemy się jedzeniem, przebywając w towarzystwie przyjaciół, wzbogacamy zasób doświadczeń, poznając odmienne zwyczaje i kultury żywieniowe, cieszymy się możliwością wyboru produktów spożywczych spośród różnorodnej oferty w sklepie. Prawie codziennie jadamy mięso, gdyż nas na nie stać. W ogóle jemy coraz więcej, ponieważ w ten sposób względnie łatwo doznajemy zadowolenia, którego często pozbawieni jesteśmy w innych dziedzinach. W taki właśnie sposób jedzenie i picie przyczynia się do utrzymania jedności ducha i ciała. Lekarze zaś stykają się często ze skutkami nadmiernego jedzenia i picia.

## Następstwa niewłaściwego odżywiania się

Już w 1992 roku Niemieckie Towarzystwo Żywności i Żywienia stwierdziło, że obywatele Niemiec przyjmują sześćdziesiąt procent energii ponad potrzeby. Rezultatem jest fakt, że u około trzydziestu do czterdziestu procent dorosłych stwierdza się nadwagę. Spożycie białka jest dwukrotnie wyższe niż optymalne, a zużycie tłuszczów o siedemdziesiąt trzy procent ponad przyjętą granicę. Wszystko to niekoniecznie musi rujnować zdrowie, lecz dla niektórych chorób istnieją jednoznaczne zależności od nawyków żywieniowych. Nadmiernie obfite odżywianie dostarcza najczęściej także dużo cholesterolu, co może stwarzać ryzyko rozwoju miażdżycy, chorób serca i zawału mięśnia sercowego (→ Miażdżyca tętnic, s. 302; Wzrost stężenia lipidów we krwi, s. 303).

Nadwaga i niedobór ruchu są istotnymi czynnikami ryzyka zachorowania na cukrzycę. Wysoka zawartość białka w pożywieniu bogatomięsnym obciąża nerki i sprzyja dnie moczanowej. Duże spożycie cukru nasila próchnicę zębów. Choroby z niedoboru zależne od odżywiania występują w warunkach środkowoeuropejskich bardzo rzadko: kto nie spożywa ryb morskich, ryzykuje niedobór jodu, a tym samym powstanie wola (→ s. 461). Kto rezygnuje z mleka i produktów mlecznych, dostarcza organizmowi zbyt mało wapnia, przez co może być narażony na łamliwość kości. Kto odżywia się jednostronnie, musi zważać na niedobór witamin. Wszystkiego tego unikają ci, którzy odżywiają się w sposób zrównoważony.

## Ochrona przez odżywianie

Paradoksem wydaje się fakt, że we Francji u mężczyzn spożywających dużo tłuszczu i pijących dużo wina, głównie czerwonego, występuje mniejsze ryzyko zachorowania na serce niż u mężczyzn, którzy piją mało.

Wytłumaczenie leży zapewne w stężeniu LDL (→ Wzrost poziomu lipidów we krwi, s. 303). Prawdopodobnie pewne ilości alkoholu zawartego w winie obniżają zawartość LDL we krwi. Zresztą niskiego stężenia LDL z odpowiednio małym ryzykiem

dla chorób serca nie można dalej obniżyć, nawet dużym spożyciem alkoholu. Granica korzystnego skutku jest osiągalna przy dwóch kieliszkach czerwonego wina, które należy spożyć do posiłku. Najmniejsze ryzyko zachorowania na niedokrwienną chorobę serca ciągle jeszcze występuje u ludzi, którzy, podobnie jak Japończycy, spożywają mało tłuszczu, dużo ryb morskich, dużo jarzyn i piją mało alkoholu.

## Zdrowe żywienie

Prawidłowe żywienie oznacza żywienie zrównoważone, z czym wiąże się zmniejszenie ryzyka jednostronnego obciążenia organizmu substancjami szkodliwymi występującymi nieuchronnie w żywności. Nie odniesiesz szkody, jeśli jednego dnia zjesz tylko chleb z serem, a innego — ciasto. W skali tygodnia bilans musi się jednak zgadzać. Specjaliści do spraw żywienia zalecają zdrowym osobom dorosłym zachowanie następujących proporcji w spożywanej diecie: około 60% węglowodanów, 10% białek, nie więcej niż 30% tłuszczów.

Poza tym dieta powinna obfitować w substancje resztkowe

---

### Zasady zrównoważonego żywienia

— Spożywanie dużej ilości świeżych owoców i jarzyn: dziennie co najmniej 1 porcja jarzyn (200 g), 1 porcja sałaty (75 g) i 1-2 sztuki owoców.

— Spożywanie ziemniaków, owoców strączkowych (soczewica, groch, fasola) i produktów zbożowych, jak chleb, płatki owsiane, müsli, grysik: dziennie 4 do 5 średnio dużych ziemniaków i 5 kawałków chleba razowego.

— Tygodniowo najwyżej dwa do trzy razy chude mięso lub kiełbasa.

— Przedkładanie chudego mięsa i chudych odmian kiełbas.

— Tygodniowo jeden do dwóch razy ryby.

— Tygodniowo najwyżej trzy jajka (łącznie z zawartymi w ciastach, makaronie, majonezie itp.)

— Spożywanie dziennie najwyżej 20 g masła lub margaryny (należy uwzględnić także tłuszcze użyte do pieczenia, smażenia i gotowania), lecz należy zużywać 20 g oleju zawierającego nienasycone kwasy tłuszczowe (→ Tłuszcze, s. 707).

— Picie dziennie 1/4 litra mleka lub odpowiedniej ilości produktów mleka kwaśnego (jogurt, zsiadłe mleko, kefir itp.).

— Unikanie serów zawierających więcej niż 45% tłuszczu.

— Używanie olejów roślinnych (np. słonecznikowego) zamiast stałych tłuszczów (smalec wieprzowy, tłuszcz kokosowy).

— Maksymalne ograniczenie spożywania cukru.

(odnośnie do używanych w tekście pojęć → Źródła energii, s. 707).

Dla większości osób chcących odżywiać się w sposób zrównoważony powyższa uwaga oznacza konieczność zmiany zwyczajów żywieniowych (→ poniżej).

U dzieci i kobiet ciężarnych zapotrzebowanie na białko jest większe i najkorzystniej pokrywa się je przez spożycie produktów zbożowych, owoców roślin strączkowych i pochodnych mleka, gdyż zapewniają one jednocześnie podaż wapnia. Spożycie mięsa wiąże się — ogólnie rzecz biorąc — z nadmiarem tłuszczów i cholesterolu.

## Zwyczaje żywieniowe

Szczupłość lub tęgość postury rozstrzyga się już w wieku niemowlęcym, gdyż wówczas ustala się liczba komórek tłuszczowych występujących u danej osoby. Dziedziczeniu podlega natomiast skłonność do powiększania się rozmiarów komórek tłuszczowych, u niektórych osób mogą one nawet siedmiokrotnie przekraczać swoją pierwotną wielkość. Zmysł smaku kształtuje się przed ukończeniem dziesiątego roku życia. Zwyczaje żywieniowe w rodzinie wpływają na to, czy dana osoba preferuje w diecie mięso, makaron i słodycze, czy też uważa za smaczne także warzywa i potrawy zbożowe. Ogromny wpływ wychowawczy na zwyczaje żywieniowe ma rodzina: dzieci jedzą zbyt dużo, za tłusto, potrawy zbyt słone lub za słodkie. Następstwa zaś dają o sobie znać przez całe życie. W młodości również uczymy się delektowania jedzeniem. Nieraz jednak podstawowe zasady w tym względzie nie są spełniane; wygląd potraw nie zachęca do jedzenia, brakuje też spokojnej, pełnej odprężenia atmosfery oraz czasu na dokonanie wyboru i spokojne pogryzienie. A ponadto przy pośpiechu lub rozproszeniu innymi sprawami nie odczuwa się sytości.

### Zmiana zwyczajów żywieniowych

Osoby zdecydowane dokonać zmian w zakresie żywienia popadają po krótkim czasie w rozterkę, pytając „Co właściwie wolno mi zjeść?". Tabela na stronie 706 ilustruje na podstawie kilku przykładów możliwy do zaakceptowania sposób przejścia od diety zwykłej do pełnowartościowej. Swoje możliwości w tym względzie możesz ocenić sam, określając, na jakim etapie drogi zmian się znajdujesz. Zmiana nawyków jest jednak trudna, pozwól więc organizmowi przystosować się do niej stopniowo.

Przemyśl, opierając się na zasadach zdrowego żywienia ze strony 704, których zaleceń nie przestrzegasz oraz które zmiany byłoby najłatwiej zaakceptować. Przechodź do następnego etapu, gdy już w pełni zrealizujesz pierwszą zmianę.

Szczególnie efektywne jest zastąpienie śniadania kontynentalnego, złożonego z bułek posmarowanych masłem i marmoladą, śniadaniem składającym się z płatków ze świeżego ziarna, owoców i mleka czy jogurtu lub z chleba pełnoziarnistego, posmarowanego twarożkiem, chudego sera i owoców. Śniadanie tego rodzaju syci dłużej.

*Wskazówka*: Jeśli dieta bogatoresztkowa wywołuje wzdęcia, wyeliminuj z niej wszelkie produkty zawierające cukier, słodkie owoce i soki.

# ŻYWIENIE PEŁNOWARTOŚCIOWE

Przy tego rodzaju diecie stół zastawiony jest wieloma produktami wyhodowanymi w warunkach naturalnych, zebranymi zgodnie z porą dojrzewania i pochodzącymi w miarę możliwości z upraw nadzorowanych ekologicznie.

Zadaniem przedstawionego sposobu żywienia jest nie tylko zapewnienie diety jak najzdrowszej, lecz również ochrona środowiska. Osoby stosujące dietę pełnowartościową rezygnują w dużej mierze ze spożywania mięsa — wychodząc z założenia, że ilość zboża potrzebna do wyhodowania zwierzęcia ubojowego może zaspokoić głód większej liczby ludzi niż uzyskana z niej wołowina. Wiedzą one ponadto, że spożywanie niewielkich ilości mięsa sprzyja zachowaniu zdrowia.

Zasady żywienia pełnowartościowego przedstawiają się następująco:

— Zamiast środków spożywczych wysoko przetworzonych wybierać na przykład produkty zbożowe z niełuskanego ziarna.

— Około połowy produktów spożywczych spożywać w stanie surowym.

— Spożywać jak najmniejszą ilość produktów mięsnych.

— Maksymalnie zmniejszyć zużycie cukru.

— Zamiast soli należy używać przypraw.

## Produkty spożywcze z upraw nadzorowanych ekologicznie

Nie wszystkie wyroby mające w nazwie określenie „bio-" są bezdyskusyjnie zdrowe. Producenci zorientowali się, że określenie „bio-" przyciąga wielu chętnych i można zrobić niezły interes.

Z tego powodu w Niemczech, Austrii, a od 1989 roku także w Polsce powstały zrzeszenia producentów ukierunkowanych ekologicznie. Przy produkcji przestrzegają oni własnych, surowych reguł.

Należą do nich: rezygnacja z nawozów sztucznych i środków ochrony roślin, lokalizacja upraw z daleka od obszarów emisji zanieczyszczeń i dróg o dużym natężeniu ruchu kołowego. Uprawa ekologiczna może być również zlokalizowana w szklarni. Do nawożenia stosowany jest kompost i nie używa się środków do walki ze szkodnikami.

Jednak nie wszystkie rodzaje warzyw i sałaty nadają się do tego rodzaju uprawy.

W Austrii istnieją już uregulowania prawne dotyczące produktów roślinnych pochodzących z upraw nadzorowanych ekologicznie. Dla przykładu zawartość azotanów nie może w nich przekraczać połowy ilości występującej w produktach pochodzących ze zwykłych upraw. W hodowli zwierząt farmerzy respektujący zasady ekologii kierują się regułą nieprzekraczania

---

**Lektura uzupełniająca**

SOŁTYSIK U.: *Rolnictwo ekologiczne od teorii do praktyki*. Stowarzyszenie Ekoland, Stiftung Leben und Umwelt, Warszawa 1993.

| Proste sposoby przechodzenia z diety zwykłej na pełnowartościową (postęp dokonuje się w kierunku z lewej na prawo) | | | |
|---|---|---|---|
| Żywienie się w barze szybkiej obsługi lub w bistrze | Spożywanie jedzenia przyniesionego z domu | Jako przekąska dużo świeżych owoców i warzyw | Pełnowartościowa dieta w stołówce |
| Żywienie się konserwami | Mrożonki | Jako podstawa produkty gotowe łączone ze świeżo przyrządzanymi | Potrawy świeżo przyrządzane |
| Zakupy warzyw i owoców zgodnie z apetytem i nastrojem | Zakupy uwarunkowane porą roku (→ s. 715) | Owoce i warzywa ze zwykłej uprawy | Produkty z upraw nadzorowanych ekologicznie |
| W każdym posiłku występuje mięso, kiełbasa lub jajka | Codziennie dwa posiłki bez mięsa lub kiełbasy, ryb lub jajek | Dwa razy w tygodniu posiłki mięsne zastąpione przez ryby lub drób | Nie więcej niż cztery posiłki z mięsem lub rybami tygodniowo |
| Mało owoców lub warzyw | Obrobione termicznie warzywa i owoce | Około połowy warzyw i owoców w stanie surowym | Owoce i warzywa z upraw nadzorowanych ekologicznie |
| Słodzenie przy użyciu cukru lub słodzika | Słodzenie miodem lub syropem z gruszek | Zdecydowane zmniejszenie słodzenia | Rezygnacja z dodatków słodzących |
| Pieczywo białe i bułki | Jasny i ciemny chleb z pełnego ziarna | Chleb z pełnego ziarna i płatki ze świeżego ziarna | Wymienione obok produkty pochodzące z upraw nadzorowanych ekologicznie; w diecie często zboża wykiełkowane |
| Smalec wieprzowy | Margaryna i olej z tłuszczów rafinowanych | Masło, nieutwardzona margaryna roślinna | Nierafinowane oleje tłoczone na zimno |

maksymalnej liczby zwierząt, jaką jest w stanie wyżywić ich ziemia. Postępowanie takie gwarantuje hodowlę zgodnie z zasadami sztuki — wytwarzana ilość gnojówki nie przekracza tej, którą są w stanie bez uszczerbku wchłonąć okoliczne pola. Ograniczenie dokupywania paszy sprawia, że hodowane zwierzęta spożywają przede wszystkim plony wytworzone w macierzystym gospodarstwie.

Farmer wstępujący do wspomnianego zrzeszenia producentów musi początkowo zaliczyć kilkuletnią fazę przejściową, w czasie której jego pola ulegają powolnemu „odtruciu". Produkty wytwarzane w gospodarstwie, będącym na etapie przejściowym, zawierają w nazwie określenie „Biodyn". Niezależne badania wykazały, że produkty spożywcze typu biologiczno-dynamicznego są skażone w znacznie mniejszym stopniu niż tradycyjne.

Wyższy nakład pracy, mniejsze zbiory i brak dotacji ze strony państwa powodują, że ceny produktów wytwarzanych w gospodarstwach ekologicznych są obecnie o 20-30% wyższe w porównaniu z cenami produktów pozyskiwanych tradycyjnie. Możesz spróbować zmniejszyć koszt zakupu żywności ekologicznej, nabywając ją bezpośrednio u farmera.

Weź także pod uwagę, że droższe zakupy niekoniecznie muszą oznaczać, że są one niekorzystne. Kucharze o delikatnym podniebieniu potwierdzają, że produkty wytworzone pod nadzorem ekologicznym mają znacznie lepszy smak; mięso nie traci jednej trzeciej objętości w czasie pieczenia. Pamiętaj, bilans domowy nie ucierpi, jeśli będziesz jadł mniej, a za to dobrze.

### Lektura uzupełniająca

ALEKSANDROWICZ J., GUMOWSKA I.: *Kuchnia i medycyna*. „Watra", Warszawa 1990.

## Życie bez mięsa

*Wegetarianizm* oznacza rezygnację ze środków spożywczych pochodzących z zabitych zwierząt. Rozróżnia się trzy rodzaje wegetarianizmu:

*Owolaktowegetarianie* nie jedzą mięsa ani ryb, spożywają natomiast mleko i jaja oraz wywodzące się z nich produkty.

*Laktowegetarianie* prócz mięsa nie spożywają także jajek.

*Weganie* rezygnują z jakichkolwiek produktów pochodzenia zwierzęcego, łącznie z masłem i miodem.

### Wegetarianie żyją dłużej

W porównaniu z osobami spożywającymi mięso ryzyko zachorowania na chorobę wieńcową jest u wegetarianów o 30-70% niższe. Mniejsza też jest u nich zachorowalność na choroby przewodu pokarmowego, rzadziej występuje dna moczanowa (podagra) i zaburzenia czynności nerek; również niższa o 50-75% jest liczba zgonów z powodu raka.

Czynniki ryzyka, o których wiadomo, że sprzyjają powstawaniu chorób, występują u wegetarianów rzadziej w porównaniu z osobami spożywającymi mięso. Ponadto wegetarianie:
— znacznie częściej zachowują idealną wagę,
— ciśnienie krwi mają wyraźnie niższe,
— mają niższą zawartość lipidów (substancji tłuszczowych) we krwi.

Mleko kobiet karmiących, które przez lata przestrzegały diety wegetariańskiej, jest znacznie mniej skażone substancjami szkodliwymi niż u pozostałych kobiet.

### Czy podaż składników odżywczych jest wystarczająca

Chcąc uniknąć objawów niedoborowych, wegetarianie muszą mieć dobre rozeznanie odnośnie do zawartości składników

**Towarzystwo Zwolenników
Wegetarianizmu**

01-633 Warszawa, ul. Gdańska 2/97, tel. (0-22) 33 10 45

odżywczych w poszczególnych produktach. Specjalistami wręcz w tym względzie muszą być weganie.

*Białko*: Osoby spożywające jajka i/lub mleko z łatwością pokrywają swoje zapotrzebowanie na białko. Wegetarianie powinni częściej spożywać owoce strączkowe, gdyż w naszym regionie geograficznym są one najbogatszym w białko produktem spożywczym pochodzenia roślinnego. Soja jest także doskonałym źródłem białka, budzi jednak zastrzeżenia z powodów ekologicznych.

Weganie muszą być doskonale obznajomieni z rodzajami białek występującymi w uznawanych przez nich produktach, gdyż chcąc uniknąć niedoboru, muszą ich spożycie kombinować w sposób uświadomiony.

Kobiety ciężarne i karmiące, jak również niemowlęta nie powinny całkowicie rezygnować z białka pochodzenia zwierzęcego. W przypadku diety wegetariańskiej zapewnienie należnej podaży białka może stanowić problem także u młodzieży dorastającej. Jedna porcja mięsa tygodniowo dostarcza tym osobom ponadto tyle żelaza, że bilans ich zaopatrzenia nie jest ujemny.

*Żelazo*: Występujące w roślinach jest gorzej przyswajalne niż zawarte w produktach pochodzenia zwierzęcego. Zmniejszenie się podaży żelaza w diecie poniżej określonej wartości granicznej organizm stara się wyrównywać poprzez zwiększenie jego wchłaniania. Mechanizm ten sprawia, że u wegetarianów nie rozwija się niedobór żelaza. U kobiet przestrzegających diety wegetariańskiej zawartość żelaza we krwi jest o 10% niższa niż u kobiet spożywających mięso. Mimo to mniejsza jest zapadalność wegetarianek na choroby.

*Wapń*: U wegetarianów dowóz wystarczających ilości wapnia może stanowić problem.

*Witamina $B_{12}$*: Zapotrzebowanie może pokryć ilość witaminy zawarta w mleku. Chociaż wspomnianego źródła witaminy $B_{12}$ pozbawieni są weganie, objawy niedoborowe występują u nich rzadko. Pokrycie zapotrzebowania na witaminę $B_{12}$ zapewniają im prawdopodobnie produkty spożywcze zawierające kwas mlekowy, na przykład kiszona kapusta.

**Lektura uzupełniająca**

KUSHI M., KUSHI A.: *Wielka księga makrobiotycznego odżywiania i sposobu życia*. „Spar", Warszawa 1992.
GRODECKA M.: *Wszystko o wegetarianizmie*. „Spar", Warszawa 1992.

## Źródła energii

Obarczywszy niektóre produkty spożywcze lub ich składniki odpowiedzialnością za powstawanie chorób, spowodowano, że znalazły one miejsce w nagłówkach artykułów prasowych. Rzadko jednak pojedynczy składnik jest sprawcą zachorowania.

### Tłuszcze

Tłuszcze występują w produktach spożywczych pochodzenia zwierzęcego, takich jak mięso, ryby, jaja i mleko, a także w owocach i ziarnie. Tłuszcze spożywamy nie tylko w postaci „czystej", lecz używamy ich także do smarowania pieczywa lub pieczenia. Dużą część stanowią tłuszcze „ukryte", zawarte na przykład w czekoladzie, majonezie, pieczywie, serach, wędlinach, frytkach i wyrobach panierowanych.

Tłuszcze są źródłem energii.

Rozróżnia się tłuszcze zbudowane z nasyconych i nienasyconych kwasów tłuszczowych. Organizm człowieka jest zdolny do syntezy nasyconych kwasów tłuszczowych z innych substratów, co nie jest możliwe w przypadku kwasów tłuszczowych nienasyconych. Te ostatnie muszą być podobnie jak witaminy dostarczane do organizmu z zewnątrz. Z tego powodu przez dłuższy czas nienasycone kwasy tłuszczowe określano niewłaściwą nazwą witaminy F.

Wielonienasycone kwasy tłuszczowe są niezbędne do prawidłowego wzrostu komórek organizmu człowieka, w szczególności wytwarzania ich błon, ale nadmierna podaż może być szkodliwa. Okazało się bowiem, że nadmierne spożycie wielonienasyconych kwasów tłuszczowych powoduje obniżenie stężenia cholesterolu HDL („dobrego") i sprzyja utlenianiu cholesterolu LDL, co nasila rozwój miażdżycy. Jednonienasycone kwasy tłuszczowe (olej oliwkowy, rzepakowy) wywierają skutek przeciwstawny, ochronny. Z punktu widzenia prewencji rozwoju miażdżycy celowa jest więc właściwa proporcja podaży kwasów tłuszczowych jedno- i wielonienasyconych. Optymalne spożycie tłuszczów zwierzęcych, zawierających nasycone kwasy tłuszczowe, powinno być poniżej 10%, jednonienasyconych kwasów tłuszczowych w granicach 10-15%, a wielonienasyconych 6-8% zapotrzebowania kalorycznego człowieka.

Dużą ilość wielonienasyconych kwasów tłuszczowych zawiera olej ostowy (75%), lniany (72%), słonecznikowy (60%) i z kiełków kukurydzy (55%).

### Cholesterol

Cholesterol jest substancją tłuszczopodobną, występującą wyłącznie w produktach spożywczych pochodzenia zwierzęcego. Organizm człowieka wytwarza w wystarczających ilościach cholesterol, którego używa jako składnika budulcowego wszystkich komórek oraz do syntezy, między innymi kwasów żółciowych, hormonów i witaminy D.

Zawartość cholesterolu we krwi wykazuje duże wahania. Cholesterol jest odpowiedzialny za wzrastającą liczbę zachorowań na choroby serca i krążenia. Zawartość cholesterolu we krwi, którą można uznać za prawidłową, zależy od wieku danej osoby oraz — w większym stopniu — od punktu widzenia oceniającego ją naukowca. Obecnie wartości przekraczające 200 mg% uznaje się za zbyt wysokie (→ Wzrost stężenia lipidów we krwi, s. 303).

Nie powinieneś spożywać więcej niż 300 mg cholesterolu dziennie.

Nasza „cywilizowana" dieta dostarcza go organizmowi jednak ponad dwa razy więcej.

Na niskim poziomie możesz utrzymywać stężenie cholesterolu we krwi poprzez:

— Unikanie produktów spożywczych zawierających cholesterol. Szczególnie dużo cholesterolu zawiera (w przeliczeniu na 100 g produktu): móżdżek cielęcy (2000 mg), żółtko jaja (1400 mg), jajko (290 mg), masło (240 mg); wszystkie rodzaje podrobów zawierają ponad 200 mg.

— Spożywanie ograniczonej ilości tłuszczów zwierzęcych, gdyż zawsze mają one w swym składzie cholesterol.

— Preferowanie diety niskotłuszczowej i bogatoresztkowej. Organizm wydala wówczas zwiększone ilości cholesterolu.

— Preferowanie olejów roślinnych bogatych w nienasycone kwasy tłuszczowe.

## Masło/margaryna

Nadmierne spożywanie tłuszczów może być problemem zdrowotnym. Z punktu widzenia dowozu tłuszczów ani masło, ani margaryna nie wykazuje wyższości. Wysoka zawartość cholesterolu w maśle nie stanowi problemu przy jego dziennym spożyciu w ilości do 25 gramów. Zasadniczo margaryna nie jest „bogata w niezbędne kwasy tłuszczowe". Margaryny stanowią często mieszaninę tłuszczów zwierzęcych i roślinnych. Nienasycone kwasy tłuszczowe olejów roślinnych podlegają częściowo przemianie w nasycone podczas procesu utwardzania margaryny, który niszczy także większość witamin. Dodaje się je do margaryn sztucznie.

*Ostrzeżenie dla osób uczulonych na nikiel*: Proces utwardzania tłuszczów zachodzi w obecności niklu; niektórym producentom nie udaje się całkowicie usunąć tego metalu z margaryny.

Innym składnikiem energetycznym są kwasy tłuszczowe typu trans, powstające w procesie utwardzania olejów roślinnych i rybich. Ustalono, że w związku ze spożywaniem margaryn o dużej zawartości (30%) tych kwasów tłuszczowych rocznie na zawał serca umiera 30 000 Amerykanów. W wielu krajach Europy zawartość kwasów tłuszczowych typu trans w margarynach pełnotłustych stale spada, np. w Niemczech i w Holandii ich zawartość obniżono w 1994 roku do 4%. Jakościowo najlepsze margaryny do smarowania pieczywa (tzw. kubkowe), także w Polsce, zawierają do 1% kwasów tłuszczowych typu trans. Masło zawiera 4-7% kwasów tłuszczowych typu trans.

## Węglowodany

Zawarte są prawie wyłącznie w produktach spożywczych pochodzenia roślinnego; wyjątek stanowi mleko. Cukier, skrobia i substancje resztkowe są węglowodanami. Węglowodany wielkocząsteczkowe — skrobia i substancje resztkowe — stanowią połączenie wielu pojedynczych cząsteczek cukru, który pod względem chemicznym nie odpowiada cukrowi spożywczemu, lecz glukozie lub fruktozie. Trawienie polega między innymi na rozłożeniu tych węglowodanów na najmniejsze jednostki składowe. Dopiero w takiej postaci cukier jest przenoszony do zużywających go komórek organizmu.

**Lektura uzupełniająca**

BINDER F., WAHLER J.: *Cukier? Nie! Dziękuję*. Ofic. Wydaw. SPAR, Warszawa 1994.

---

> **Spożywamy między innymi następujące węglowodany**
>
> — Skrobię, zawartą w ziarnie zbóż (pszenica, jęczmień, żyto, kukurydza, ryż), owocach roślin strączkowych (groch, soczewica, fasola) i ziemniakach oraz wytworzonych z nich produktach spożywczych.
>
> — Celulozę i inne niepoddające się trawieniu substancje resztkowe zawarte we wszystkich produktach spożywczych pochodzenia roślinnego.
>
> — Glukozę (np. w winogronach).
>
> — Fruktozę (np. w owocach i miodzie).
>
> — Cukier używany w gospodarstwie domowym (sacharoza), który jest wytwarzany z buraków cukrowych lub trzciny cukrowej.
>
> — Miód stanowiący mieszaninę glukozy i fruktozy.
>
> — Cukier mlekowy (laktoza) zawarty w mleku i produktach pochodnych.

## Cukier spożywczy

Ta biała lub brunatna substancja dostarcza jedynie „pustych" kalorii i może być bez szkody skreślona z jadłospisu. Cukier, niezbędny do odżywiania nerwów, pochodzi w wystarczających ilościach z węglowodanów zawartych w owocach, warzywach i produktach zbożowych.

Opinia o szkodliwości spożywania cukru została uznana i przyjęło się nawet określanie go „substancją szkodliwą". Sprzyjając powstawaniu próchnicy, cukier szkodzi zębom. Nadmiar cukru zmienia twoje ciało w tłuszcz — powstaje nadwaga.

## Miód

W jego skład wchodzą w osiemdziesięciu procentach różne cukry i w dwudziestu procentach woda. Zawiera on też znikome ilości acetylocholiny, enzymów i soli mineralnych, zwłaszcza potasu i fosforu, jak również śladowe ilości witamin. Aromat miodu tworzy ponad sto dwadzieścia innych jeszcze substancji. Chociaż w porównaniu z cukrem rafinowanym miód jest bardziej „naturalnym" produktem spożywczym, nie ma on przypisywanych mu właściwości leczniczych ani sprzyjających zachowaniu zdrowia.

## Substancje resztkowe

Mianem substancji resztkowych określa się składniki produktów roślinnych, których organizm w większości nie potrafi spożytkować. Podlegają one bakteryjnemu rozkładowi w jelicie grubym lub są wydalane ze stolcem. Bogate w substancje resztkowe są jarzyny, ziemniaki, sałata, owoce i produkty z pełnoziarnistej mąki.

Substancje resztkowe:

— wypełniają żołądek, co przedłuża uczucie sytości. Dla chorych na cukrzycę jest to pozytywne, bo węglowodany wolniej przechodzą do krwi, nie powodując gwałtownych zmian profilu stężenia cukru we krwi;

— dobrze wypełniają jelito grube. Jego zawartość łatwiej się przemieszcza, gdyż substancje balastowe wiążą dużo wody. Ułatwia to wypróżnienia;

## Jeśli chcesz ograniczyć spożycie cukru

— Zrezygnuj ze słodyczy na korzyść owoców.

— Zamiast dżemem smaruj chleb twarożkiem albo obłóż go chudym serem lub owocami.

— Piecz ciasta z użyciem bardzo małej ilości cukru.

— Przy zakupach zwracaj uwagę na określenia, które wskazują na zawartość cukru: cukier owocowy, fruktoza, glukoza, syrop z glukozy, cukier inwertowany, maltodekstroza, cukier słodowy, sacharoza, cukier gronowy.

— wiążą w jelicie kwasy żółciowe, przyspieszając ich wydalenie. By wyrównać ten ubytek, organizm wytwarza nowe kwasy żółciowe. Do tego celu pobiera cholesterol, będący składnikiem kwasów żółciowych. W następstwie obniża się poziom cholesterolu we krwi. Równocześnie zapobiega to potencjalnemu rakotwórczemu działaniu produktów kwasów żółciowych;

— mogą wywoływać wzdęcia brzucha, gdyż bakterie jelitowe rozkładają część substancji resztkowych; to niepożądane działanie ustępuje po krótkim procesie adaptacji.

### Białko

Białka są związkami wielkocząsteczkowymi zbudowanymi z aminokwasów. Spożywane białka podlegają rozkładowi do aminokwasów, z których organizm odbudowuje swoje własne białka. Białka wchodzą między innymi w skład enzymów i hormonów. Niektóre, tzw. egzogenne aminokwasy, mogą ograniczać wykorzystanie białek w organizmie — brak jednego z nich uniemożliwia syntezę białka mimo obecności wystarczających ilości pozostałych aminokwasów. Jedynie zróżnicowana dieta zapewnia pokrycie zapotrzebowania na szeroką gamę aminokwasów egzogennych, niezbędnych do życia. Nie więcej niż jedna trzecia spożywanego białka powinna być pochodzenia zwierzęcego (mleko, jaja, mięso, ryby). Dużo białka zawierają ziarna soi (37%), fasola, groch, soczewica (23%), chude mięso (16-20%), jaja (13%), ser (10-35%), zboża (7-12%).

### *Jajka*

Spośród wszystkich środków spożywczych białko jaj jest najwartościowszym białkiem, gdyż zawiera wszystkie życiowo niezbędne aminokwasy. Żółtko jaj zawiera natomiast dużo cholesterolu.

Surowe jajka uważane są za „niezdrowe", gdyż zawierają dwie substancje, spośród których jedna wiąże witaminę B₇ (biotyna), a druga hamuje jeden z enzymów trawiennych. Wysoka temperatura unieczynnia obie substancje.

Na rynku nieograniczonych możliwości są ostatnio dostępne „jajka cholesteroloneutralne" lub „jajka-omega-DHA". Pierwsze znoszą kury karmione paszą z dodatkiem oleju lnianego lub rzepakowego. Tym sposobem przesuwa się wzorzec tłuszczowy w kierunku mniejszej zawartości cholesterolu. Mimo to jajka te zawierają ciągle jeszcze 200-220 mg cholesterolu. Kury, znoszące jajka omega-DHA, są karmione algami. Algi zawierają dużo kwasów tłuszczowych typu omega-3, które w większości pojawiają się w jajkach. Ponieważ kwasy tłuszczowe typu omega-3 wywierają pozytywny wpływ na stężenie lipidów we krwi, oczekuje się od tych jajek, że przynajmniej nie zwiększą jeszcze bardziej

ryzyka zachorowania na choroby sercowo-naczyniowe. Czy skutek ten zostanie osiągnięty, dotąd jeszcze nie udowodniono.

### Mleko

i produkty mleczne są źródłem wapnia i nie można ich niczym zastąpić. Osoby nie w pełni tolerujące mleko mogą przerzucić się na spożycie jego pochodnych.

Każda forma obróbki zmniejsza wartość mleka. Nieprzetworzone jest tylko mleko pochodzące bezpośrednio z udoju. W Austrii można je jednak nabywać tylko bezpośrednio u hodowców. W Polsce obowiązuje zarządzenie, że mleko spożywcze będące w obrocie handlowym musi być pasteryzowane.

„Zwykłe" mleko jest pasteryzowane i jedna dziesiąta zawartych w nim białek jest zmieniona. Ubytek witamin z grupy B jest niewielki, znaczniejszy natomiast w przypadku witaminy C. W mleku pasteryzowanym w wysokiej temperaturze większa część białek ma zmienioną strukturę, co jest przyczyną jego „przegotowanego" smaku. Znaczna jest też utrata witamin z grupy B i kwasu foliowego, a zawartość witaminy C może być zmniejszona do jednej trzeciej. Wskutek długiego przechowywania zawartość witamin z grupy B w mleku pasteryzowanym w wysokiej temperaturze zmniejsza się o dalszą jedną trzecią.

Struktura białek w mleku sterylizowanym jest całkowicie zmieniona, a utrata witamin wynosi od 50 do 100%.

### Sól kuchenna

Jest potrzebna w regulacji gospodarki wodno-elektrolitowej. Naukowcy zajmujący się żywieniem zalecają spożywanie nie więcej niż pięciu gramów soli kuchennej dziennie. Spożywamy jej jednak dwu- do trzykrotnie więcej i nadmiar ten obciąża nerki oraz serce. Osoby chorujące na nadciśnienie tętnicze lub na choroby serca albo nerek nie powinny spożywać więcej niż trzy gramy soli kuchennej dziennie.

*Uwaga*: Jeśli lekarz zaleca ci dietę z ograniczeniem soli, uważaj na jego wskazówki — czy mówi „nie więcej niż *x* gramów sodu", czy też ma na myśli sól kuchenną. Jeden gram soli kuchennej odpowiada w przybliżeniu 0,4 grama sodu.

Prawie wszystkie produkty spożywcze zawierają niewielkie ilości soli. Sól dodawaną z przyzwyczajenia, aczkolwiek niepotrzebnie do potraw, można zastąpić przyprawami (→ Produkty spożywcze ubogie w sód, s. 727). Sól ukryta jest przede wszystkim w przemysłowo wytwarzanych gotowych produktach spożywczych, w których ma za zadanie niwelować ich mdły smak. Szczególnie dużo soli zawiera: kiełbasa do gotowania, peklowane mięso, sery, liofilizowane produkty pochodne ziemniaków, gotowe zupy, rosoły, sosy i gotowe dania oraz chleb.

## MASA CIAŁA

Jedni przekarmiają się wielokrotnie w tygodniu i pozostają szczupli, inni siedzą przed sałatą i wodą mineralną, z trudem utrzymując swoją wagę ciała. Prawie wszyscy pamiętają frustrację, którą przeżyli, kiedy po skutecznej diecie wskazówka wagi znowu zmierzała ku górze. Powoli zaczyna się rozwiązywać zagadka tych różnic. Rozstrzygające znaczenie mają genetycznie uwarunkowane skłonności, wczesne ustalanie się progów, a następnie odżywianie, zwłaszcza zaś ruch. Podczas dwóch faz progowych człowiek wyznacza swoją normalną wagę ciała, której później organizm twardo broni. Pierwszą fazą jest okres płodowy. Jeżeli podaż pokarmów dla nienarodzonego dziecka jest szczególnie skromna, można wnosić, że jego organizm broni się przed niedoborem głodowym, ustalając tak swoją przemianę materii, by wyciągnąć maksimum z dostarczanego mu pokarmu. Kobiety, które ograniczają się w przyjmowaniu kalorii podczas ciąży, stwarzają swemu dziecku dobre podstawy bycia „dobrym spalaczem pokarmów". Drugim „progiem regulacyjnym" masy ciała jest końcowy okres dojrzewania płciowego. Jeżeli ktoś zamierza korygować swoją wagę ciała, rozpoczyna dożywotnią i prawie beznadziejną walkę.

## Efekt „jo-jo"

Dla organizmu każde ograniczenie pokarmu jest zamachem na jego przeżycie. Tłumi więc drastycznie swoje zużycie energii. Dla chcących redukcji wagi rozpoczyna się tym samym okres, w którym osiągnięcie zawiera się tylko w nielicznych gramach tygodniowo. Po zakończeniu diety przemiana materii znowu się przestawia i dąży do nadmiernego gromadzenia tłuszczu, by być przygotowanym na kolejny okres „głodzenia". Po wielu kuracjach „odchudzających" organizm nastawia się na powracanie okresów niedostatku i zużytkowuje także normalne pożywienie bardziej ekonomicznie niż kiedykolwiek wcześniej. Pod koniec serii nieudanych kuracji odchudzających można ważyć więcej niż na początku.

### Geny otyłości

Wielu ludzi jest otyłych ze względu na zaburzony mechanizm, który zabezpiecza utrzymanie wagi ciała na możliwie stałym poziomie. Odpowiedzialne za tę regulację są geny otyłości, rozpoznane u myszy, a ostatnio także u ludzi. Konsekwencją zmian genetycznych jest zaburzenie regulacji hormonalnej w mózgowiu, czego następstwem jest niepohamowane gromadzenie tłuszczu w organizmie.

### Wskaźniki masy ciała

Nadal wzór Broca stwarza możliwość ustalenia przedziału szczupłości i otyłości na skali odniesienia. Dokładniejsze zaszeregowanie jest możliwe przy zastosowaniu wskaźnika BMI (wskaźnik masy ciała), uwzględniającego budowę ciała. Wielokrotnie cytowana „należna waga ciała", oparta na wzorze Broca, została ustalona przez amerykańskie stowarzyszenie ubezpieczeniowe. Ustalenie, że osoby z należną wagą ciała żyją najdłużej, okazało się jednakże fałszywe. Ludzie mający dobre samopoczucie nie odczuwają potrzeby kontrolowania wagi ciała. Czują się dobrze, mając wagę, przy której swobodnie wchodzą po schodach, a w opinii lekarza nie ma podstaw do stwierdzenia objawów chorobowych.

### Nadwaga, otyłość

U ludzi z nadwagą, zwłaszcza otyłych, występuje większe ryzyko zachorowania niż u osób z prawidłową masą ciała. Ryzyko zgonu z powodu choroby niedokrwiennej serca jest ponad 60% większe

## Wzór Broca

*Mężczyźni*: wzrost w centymetrach minus 100 = waga należna w kilogramach.
*Kobiety*: wzrost w centymetrach minus 100 minus 10 procent = waga należna w kilogramach.

## Wskaźnik masy ciała (BMI)

Waga ciała w kilogramach podzielona przez kwadrat powierzchni ciała wyrażony w metrach. U trzech osób o jednakowym wzroście, lecz różniącej się wadze ciała, wynik wyliczenia przedstawia się następująco:

68 (kg wagi) : 1,68 (m powierzchni ciała)$^2$ = 24,11 BMI
75 (kg wagi) : 1,68 (m powierzchni ciała)$^2$ = 26,59 BMI
78 (kg wagi) : 1,68 (m powierzchni ciała)$^2$ = 27,65 BMI

Waga ciała pierwszej osoby mieści się w prawidłowym zakresie. BMI pomiędzy 20 a 25 jest strefą o najmniejszym ryzyku zdrowotnym. BMI poniżej 18 określa się jako niedowagę, a powyżej 25 jako nadwagę. Przy wartości od 30 wzwyż należy wdrożyć leczenie.

## Małe czynniki tycia jako korektory samopoczucia

„Jedzenie łagodzi zmartwienie". W okresach obciążeń psychicznych niektórzy pomagają sobie, zajadając czekoladę lub bitą śmietanę. We krwi krążą nieliczne endorfiny, ustrojowe „hormony dobrego samopoczucia", które są w kontakcie z mózgowym ośrodkiem sytości. Spożywanie delikatnie rozpływającego się w ustach tłustego kremu dostarcza wówczas organizmowi małego impulsu endorfinowego. Niestety, utrzymuje się on tylko krótko, a częsta podaż słodyczy pozostaje wówczas jako tłuszcz nagromadzony w biodrach.

Innym pośrednikiem w komórkach mózgu jest serotonina. Ludzie przygnębieni, smutni mają niski poziom serotoniny. Pokarmy zawierające węglowodany (cukier, makaron lub chleb), podwyższają jej poziom. Tak łatwiej mija zły nastrój. Niskim stężeniem serotoniny można również wytłumaczyć nadmierne łaknienie słodyczy, które towarzyszy niektórym kobietom krótko przed początkiem miesiączki (zespół przedmiesiączkowy).

niż przeciętnie w populacji, a zgonu z powodu wypadku o 30% wyższe. Z powodu chorób wątroby i skutków cukrzycy umierają dwa i pół razy częściej. Badania diagnostyczne (ultrasonograficzne bądź rentgenowskie) u otyłych są trudniejsze do wykonania i mniej miarodajne.

Prawie 45% kobiet z zaburzeniami miesiączkowania jest otyłych. Również bezpłodność może być skutkiem otyłości. Otyłość jest zaliczana do czynników ryzyka raka jelita, macicy i sutka.

## Schudnąć — ale jak?

Prawidłową masą ciała, której organizm tak twardo broni, osobniczo można ustalić dopiero po dłuższym czasie. Przestawić odżywianie tak, by w przyszłości łatwiej się było poruszać, jest zadaniem długotrwałym. Składa się na nie wiele następujących po sobie etapów.

Pierwszym działaniem jest uświadomienie sobie przez zainteresowanego, jakie znaczenie dla niego ma jedzenie. Jeżeli ktoś jedzeniem wyrównuje lęki, samotność, nudę lub niezaspokojone potrzeby, nie może z tego zrezygnować z dnia na dzień.

By uświadomić sobie motywy jedzenia, niektórym osobom pomaga prowadzenie dzienniczka, w którym przez pewien czas notują każdy spożyty pokarm lub wypity napój. Dla innych korzystny jest kontakt z grupą o identycznym nastawieniu, jak to ma miejsce w przypadku „weight watchers" (kontrolujący wagę). Na krótko może się okazać celowa także psychoterapia (→ s. 671). Pod niektórymi względami redukcja nadwagi może wywrzeć skutek negatywny: wiele substancji toksycznych (→ s. 713), gromadząc się w tłuszczu, uwalnia się w sytuacji, gdy depozyty tkanki tłuszczowej się zmniejszają. Wysokie stężenie tych toksycznych substancji może w niektórych przypadkach wywołać ostre dolegliwości: zaburzenia koncentracji i/lub snu, bóle głowy, złe samopoczucie. Matki karmiące w żadnym przypadku nie powinny rozpoczynać odchudzania się. Uwolnione substancje toksyczne przechodzą wówczas do mleka i obciążają dziecko.

## Dużo ruchu, mało tłuszczu

Najważniejszym działaniem, zmierzającym do stabilizacji niższego progu regulacyjnego, jest ruch. W utrwalaniu efektu ruch ma większe znaczenie niż redukcja kalorii. Ruch jest szczególnie istotny, gdy jest stosowany w sposób ciągły: dziennie pół godziny sportu lub intensywny spacer.

Celem odległym przestawienia dietetycznego jest zmiana odczucia tego, co dobrze smakuje. Najczęściej trzeba zrezygnować z chęci jedzenia tłustych potraw. Przeciętne pożywienie zawiera prawie 45% tłuszczu. Uzasadnieniem takiej postawy jest fakt, że na spożycie węglowodanów i białka przemiana materii reaguje szybko podwyższeniem spalania. Przemiana materii tłuszczowej reaguje natomiast wolno. Tłuszcz spożyty w nadmiarze nie będzie spalony, krąży w organizmie dotąd, aż przemiana materii przeniesie go do magazynów w tkance tłuszczowej. „Plan" rozsądnej kuracji odchudzającej powinien więc polegać na oszczędzaniu na tłuszczach, jak tylko można, i najadaniu się do syta ziemniakami, jarzynami, owocami, makaronem lub chlebem. Nie trzeba wówczas liczyć kalorii.

## Diety

Każda wiosna przynosi nową dobrze zapowiadającą się kurację odchudzającą. Należy wyrazić sceptycyzm co do sposobu odżywiania, w którym jeden środek spożywczy nie jest ograniczony, a innych nie wolno jeść. Wszystkie propozycje dotyczące odżywiania, które nie opierają się na diecie pełnowartościowej z ograniczeniem ilościowym, są skazane na niepowodzenie. Przy-

najmniej nie należy od nich oczekiwać, że spowodują trwałe utrzymanie szczupłej sylwetki (→ Efekt „jo-jo", s. 710).

## Powstrzymywanie się od jedzenia — dieta „zero"

Całkowite powstrzymywanie się od jedzenia powoduje utratę około 400 g masy ciała dziennie. Nim zdecydujesz się na przeprowadzenie od czasu do czasu głodówki, zasięgnij opinii lekarza co do braku przeciwwskazań. Głodzenie przez dłuższy czas jest uzasadnione tylko w przypadku skrajnie dużej nadwagi i powinno być przeprowadzane pod stałym nadzorem lekarskim (w klinice lub sanatorium).

Podczas powstrzymywania się od jedzenia przemiana materii przestawia się. W pierwszym okresie pokrywa ona dużą część zapotrzebowania energetycznego z rezerw białkowych. Dopiero później rozkłada więcej tłuszczu niż białka. Znane jest ryzyko kardiologiczne tych dużych ubytków białka ustrojowego. Do tego dołączają się zaburzenia snu. Napady dny i kolki nerkowej mogą wystąpić zwłaszcza u tych, którzy za mało piją. Przynajmniej trzy litry płynu są niezbędne podczas kuracji głodowej (dieta zerowa). Szybki ubytek wagi ciała może motywować do takiego przestawienia odżywiania się, by skutek był trwały. Jeżeli się to nie uda, również dieta zerowa toruje drogę do zwiększania masy ciała.

## Źródła energii

Tłuszcze, węglowodany i białka dostarczają organizmowi energii w postaci ciepła. Ilość ciepła jest podawana w kilodżulach (kJ) lub kilokaloriach (kcal). Od 1978 roku dżul jest oficjalną jednostką wyrażania wartości energetycznej pokarmów. W mowie potocznej zachowały się jednakże kalorie.

1 g tłuszczu dostarcza około 9 kcal (38 kJ),
1 g węglowodanów dostarcza około 4 kcal (16 kJ),
1 g białka dostarcza około 4 kcal (16 kJ),
1 g alkoholu dostarcza około 7 kcal (30 kJ).

## Gotowe odżywki dietetyczne

Gotowe odżywki dietetyczne są proszkami lub ziarenkami substancji odżywczych, witamin, składników mineralnych, elementów śladowych i substancji resztkowych. Nie powinny zawierać w 100 gramach więcej niż 100 kcal. Po domieszaniu wody są wypijane na zimno lub ciepło.

Po pewnym czasie odżywianie staje się monotonne, gdyż do dyspozycji są tylko nieliczne warianty smakowe; ponadto nie ma nic do gryzienia. Dieta taka jest względnie droga. Przestawienie nawyków smakowych i żywieniowych za pomocą gotowych zestawów dietetycznych jest niemożliwe. Długotrwały efekt jest nieprawdopodobny.

## Lektura uzupełniająca

*Najsłynniejsze diety świata.* Red. A. Filochowska-Pietrzyk. Wydaw. „Kobieta i Życie", Warszawa 1992.
*Podręczny słownik kalorii.* Oprac. zbiorowe. Wydaw. „Twój Styl", Warszawa 1996.

## Kuracje odchudzające

| Produkty dozwolone | Produkty zabronione | Zalety | Wady |
|---|---|---|---|
| **Dieta Atkinsa** Mięso, ryby, jaja, tłuszcze bez ograniczeń, 4 łyżki stołowe śmietany dziennie, 110 g żółtego sera, ambrozja ze słodzikiem, sok z jednej cytryny. Po wielu tygodniach stopniowe dołączenie produktów spożywczych zawierających węglowodany. Ich ilość określana jest na podstawie badania moczu | Wszystkie pozostałe produkty spożywcze | Łatwość przeprowadzenia | Spadek wagi następuje tylko wtedy, gdy wskutek przesytu zmniejsza się pobór pokarmu. Zbyt duża zawartość tłuszczu i białka zwierzęcego. Następuje podobne przestrojenie przemiany materii jak przy głodzeniu i wiąże się z podobnymi następstwami. Kuracja kosztowna z powodu stosowania drogich produktów spożywczych i dodatków: preparatów witaminowych, tabletek z solami mineralnymi oraz testów paskowych do badania moczu |
| **Dieta Brigitte** Dieta mieszana przy ograniczeniu podaży kalorii | Prawie wszystkie tłuszcze i cukier | Zróżnicowanie, dokładne wskazówki dotyczące składu wpływają na przyswojenie zasad zrównoważonego żywienia | |
| **Dieta chlebowa** Chleb, ziemniaki, mięso, niewiele kiełbasy i sera, jaja, warzywa, owoce | Mleko i cukier | Zawartość składników resztkowych, zróżnicowanie, przystępny koszt | |
| **Dzielona dieta Haya** Dieta mieszana zmniejszająca podaż kalorii, składająca się w 80% z owoców i 20% innych produktów spożywczych zawierających białko i węglowodany | W czasie tego samego posiłku nie należy spożywać jednocześnie produktów zawierających białko i węglowodany | Możliwa do przeprowadzenia tylko pod warunkiem dokładnej znajomości składu produktów spożywczych | Trudność ułożenia jadłospisu |
| **Dieta Diamonda** Przeprowadza się podobnie jak dietę dzieloną Haya, jednakże pokarmy należy spożywać dopiero od południa. Jako napój dozwolona jest tylko woda destylowana | Mleko i produkty mleczne, możliwie wszystkie środki spożywcze pochodzenia zwierzęcego | Produkty pochodzenia roślinnego | Woda destylowana nie zaopatruje organizmu w składniki mineralne |
| **Dieta Hollywood** Befsztyk, ryby, jaja bez ograniczeń; jedna grzanka; pięć pomarańcz lub grejpfrutów | Wszystkie pozostałe produkty | Łatwość przeprowadzenia | Niezgodna z zasadami zrównoważonego żywienia, skutki uboczne jak przy głodzeniu, duży koszt. Nie skłania, by błędne nawyki żywieniowe zamienić na poprawne |
| **Dieta Humplika** Co najmniej 4 kg surowych owoców i warzyw dziennie, 1 kg mięsa, dużo olejów | Produkty lekko strawne | Dieta sycąca | Przesadnie dużo białka i tłuszczu, niezgodność z zasadami zrównoważonego żywienia. Nie skłania, by błędne nawyki żywieniowe zmienić na poprawne |
| **Dieta ziemniaczana** Gotowane ziemniaki, surówka, sałatki | Wszystkie pozostałe produkty spożywcze (także oliwa jako dodatek do sałaty) | Dieta obfitująca w substancje resztkowe i witaminy; przystępny koszt | Niezgodność z zasadami zrównoważonego żywienia — dieta jednostronna |
| **Dieta Maksa Plancka** W ograniczonej ilości jaja, befsztyki, szynka, kura, sałata, pomidory. Cztery kromki chleba tygodniowo | Wszystkie pozostałe produkty spożywcze | Łatwość przeprowadzenia | Zbyt mała zawartość węglowodanów, skutki uboczne jak przy głodzeniu. Nie skłania, by błędne nawyki żywieniowe zmienić na poprawne |

## Kuracje odchudzające (cd.)

| Produkty dozwolone | Produkty zabronione | Zalety | Wady |
|---|---|---|---|
| *Dieta Mayo* Jajka gotowane na twardo, chude mięso i drób, owoce i warzywa | Jakikolwiek tłuszcz w widocznej postaci | Łatwość przeprowadzenia | Zbyt duża ilość jaj; dieta jednostronna. Nie skłania, by zastąpić błędne nawyki żywieniowe poprawnymi |
| *Dieta punktowa* Bez ograniczeń mięso wołowe i wieprzowe, bulion. Pozostałe produkty oblicza się według skali punktowej, według której 1 punkt jest równoważny 1 g węglowodanów. Minimalna liczba punktów wynosi 40, maksymalna 60 | Przy właściwym zestawieniu spełnia kryteria diety zrównoważonej | | Przy mało przemyślanym zestawieniu skutki jak w diecie Atkinsa. Trudna do przeprowadzenia |
| *Dieta ryżowa* Ryż gotowany, mus jabłkowy. Po czterech tygodniach: mięso i warzywa | Wszystkie pozostałe produkty spożywcze | Łatwość przeprowadzenia, przystępny koszt, silne działanie odwadniające | Zbyt mała zawartość białka; dieta jednostronna. Nie skłania, by zastępować błędne nawyki żywieniowe poprawnymi |
| *Głodówka na sokach owocowych* 1 l do 0,5 l świeżo wyciśniętych soków owocowych i jarzynowych dziennie | Wszystkie pozostałe produkty spożywcze | Łatwość przeprowadzenia | Dieta jednostronna. Możliwość wystąpienia podobnych następstw jak w przypadku diety „zero". Nie skłania, by zastępować błędne nawyki żywieniowe poprawnymi |
| *Siedmiodniowa dieta Kornera* Codziennie inna odmiana pełnoziarnistego zboża, warzywa, owoce, zioła, produkty z chudego mleka | Wszystkie pozostałe produkty spożywcze | Dieta obfitująca w substancje resztkowe i witaminy; przystępny koszt | Nie skłania, by zastępować błędne nawyki żywieniowe poprawnymi |

# SUBSTANCJE SZKODLIWE W POKARMACH

Nie każda substancja szkodliwa w artykułach spożywczych musi być ciałem obcym. Zapach i smak gorzkich migdałów wynikają z zawartości trującego kwasu pruskiego. Zielone plamy na pomidorach i ziemniakach, które powinny być starannie wycięte, powstają z solaniny, będącej biotrucizną. Środki spożywcze mogą być skażone chorobotwórczymi drobnoustrojami (np. *Salmonella*), zawierać truciznę grzybów, aflatoksynę, lub substancje rakotwórcze powstałe w toku przygotowania (benzopiren). Inne mniej lub bardziej szkodliwe dla zdrowia substancje przedostają się do żywności ze skażonego środowiska i na skutek warunków technologicznych.

## Definiowanie dopuszczalnych ilości maksymalnych stanowi niewielką ochronę

Pozostałości substancji szkodliwych uważa się oficjalnie za niewywierające działania szkodliwego, o ile nie została przekroczona ustalona urzędowo ich ilość. Tego rodzaju uregulowania prawne uzależnione są jednak od stopnia zaawansowania nauki w chwili ich ustalania oraz różniących się ocen. Niemożliwe jest na przykład obecnie określenie, jaki wpływ na organizm może mieć wiele substancji szkodliwych działających łącznie. Ponadto przy ustalaniu wspomnianych wartości norm uwzględniane jest

również stanowisko producentów. Natomiast prawne rozporządzenia dotyczące dopuszczalnych ilości maksymalnych odnoszą się do średniej wielkości obciążenia przeciętnego człowieka, mieszkającego w średnio skażonym otoczeniu i reprezentującego przeciętne nawyki żywieniowe. Tak więc nie mogą one być miarodajne w przypadkach indywidualnych.

Dla niektórych produktów spożywczych ustalono prawnie najwyższą dopuszczalną zawartość substancji szkodliwych. Gdy jednak w twoim jadłospisie znajduje się w kombinacji kilka produktów, w których zawartość substancji szkodliwych mieści się tuż poniżej granicy dopuszczalnego obciążenia, spożywasz w nich sumarycznie więcej substancji szkodliwych, niż wynosi dopuszczalna dzienna dawka wyliczona przez Światową Organizację Zdrowia (WHO). Z tego więc powodu powinieneś mieć rozeznanie w zakresie silnie skażonych produktów spożywczych, gdyż poprzez poprawne zestawienie mieszanej diety możesz zmniejszyć spożycie substancji szkodliwych. Oczywiście nikt nie ma gwarancji, że producenci rzeczywiście przestrzegają ustawowych przepisów.

## Drobnoustroje chorobotwórcze

Wszystkie surowe artykuły spożywcze zawierają zarazki. Ile ich jest i jakie, zależy od warunków produkcji. Salmonelle przedostają się do jelit drobiu przede wszystkim przez skarmianie mączką z zakażonych ciał zwierząt. Po zabiciu zakażone zwierzęta przenoszą zarazki na inne po umieszczeniu ich we wspólnej kadzi z wodą chłodzącą.

Wśród szczepów *Escherichia coli*, wywołujących zakażenie przewodu pokarmowego, na szczególną uwagę zasługują szczepy enterotoksyczne EHEC, a wśród nich zwłaszcza serotyp 0157:H7, który jest czynnikiem przyczynowym trzech schorzeń o ciężkim przebiegu zwłaszcza u dzieci. Bakterie te są przenoszone nie tylko poprzez surowe mleko, ale i mięso. Wysoka temperatura zabija większość zarazków chorobotwórczych. Jak dalece to jest pewne, zależy od temperatury i czasu jej działania.

Ogrzanie mikrofalami jest mniej skuteczne niż konwencjonalne metody termiczne, jak zagotowanie lub pieczenie.

### Podostra encefalopatia gąbczasta — zgąbczenie mózgu u krów (BSE, choroba szalonych krów)

Katastrofę ujawniono z początkiem 1996 roku. W poprzednich dwóch latach w Anglii 55 osób zmarło na chorobę Creutzfeldta-Jacoba. Choroba ta uszkadza mózg. Ludzie umierają w ciągu roku. Przeprowadzone badania nie mogły wykluczyć możliwości przeniesienia zarazka z bydła na ludzi. U bydła choroba przenoszona prawdopodobnie przez ten sam zarazek jest określana jako zgąbczenie mózgu; w Polsce przyjęło się określenie choroba szalonych krów. Droga zakażenia tej choroby jest prawdopodobnie łańcuchowa, z owiec przeszła na krowy, a następnie prawdopodobnie na człowieka.

### Owce, bydło, ludzie

U owiec znana jest choroba „scrapie" (choroba Trabera), w następstwie której zwierzęta padają z powodu uszkodzenia mózgu. Czynnikiem wywołującym jest do niedawna nieznany zarazek, „prion", będący białkiem małocząsteczkowym. Przez wiele lat w Anglii niedostatecznie zdezynfekowane odpady po zakażonych owcach w rzeźniach przerabiano na mączkę i jako tanią karmę podawano bydłu.

Stopniowo w Wielkiej Brytanii coraz częściej bydło zapadało na chorobę zgąbczenia mózgu. Czynnikiem zakaźnym miała być złośliwa odmiana zarazka wywołującego chorobę „scrapie" u owiec. Zachorowały także inne gatunki zwierząt, które były karmione mączką z zakażonych owiec. Do marca 1996 roku z powodu tej epidemii w Anglii padło 160 000 sztuk bydła.

Do 1988 roku w Anglii mózg takich zwierząt przerabiano na artykuły spożywcze. Do lutego 1989 roku nawet pokarm dla niemowląt mógł zawierać przetwory z mózgu bydła.

W 1989 roku rząd niemiecki wstrzymał import mączki bydlęcej z Anglii. Dopiero w 1994 roku Unia Europejska wydała zakaz karmienia zwierząt roślinożernych mączką zwierzęcą. Od 1996 nie można do Niemiec importować wołowiny, cieląt ani mączki zwierzęcej z Anglii i Szwajcarii.

Nawet jeżeli dotąd brak pewnego dowodu na to, że choroba szalonych krów może być przenoszona na człowieka przez spożywanie produktów mięsnych i że u niego wywołuje chorobę Creutzfeldta-Jacoba, to istniejące przesłanki są dostateczne, by z przyczyn sanitarnych przynajmniej zapobiegawczo wyłączyć mięso wołowe i jego produkty. Spożycie wołowiny od tego czasu ogólnie spadło. Zarazka tego nie można zabić ani przez gotowanie i pieczenie, ani innymi sposobami dezynfekcji. Czy człowiek

---

### Ochrona przed zarazkami

— Głęboko zamrożony drób odtajać, wodę z topnienia wylać.

— Sprzęt i ręce po kontakcie z drobiem i surowymi jajkami dokładnie umyć.

— Do potraw z surowych jaj (majonez, krem) używać całkiem świeżych, chłodzonych jaj.

— Mięso i jajka sparzyć.

— Nie pić surowego mleka. Pasteryzowanie zabija niezawodnie wszystkie zarazki, nie wpływając negatywnie na witaminy.

i zwierzę ulega zakażeniu tym samym zarazkiem, można ustalić dopiero po śmierci. Ponieważ od zakażenia do ujawnienia się choroby Creutzfeldta-Jacoba u człowieka upływa przeciętnie dwanaście lat, dopiero czas wykaże, czy nienaturalne karmienie zwierząt roślinożernych odpadami z rzeźni przyczyniło się do nowej zarazy u ludzi.

## Mechanizm i pochodzenie toksycznego działania

### Ołów

Jest metalem ciężkim zaburzającym powstawanie czerwonych ciałek krwi i uszkadzającym układ nerwowy. Stanowi zagrożenie już w życiu płodowym. Dzieci kobiet, które zamieszkiwały w okolicach szczególnego skażenia atmosfery ołowiem, wykazują względne opóźnienie w rozwoju umysłowym.

*Źródła*: Spalanie benzyny zawierającej ołów, powłoki farb antykorozyjnych, huty ołowiu, zakłady przemysłowe wytwarzające ołów, spalanie śmieci. W domu: ołowiane rury instalacji wodociągowej, wytwarzane we własnym zakresie lub przywożone w charakterze pamiątek naczynia ceramiczne z polewą zawierającą ołów.

### Kadm

Jest metalem ciężkim gromadzącym się w organizmie; dopiero po upływie około trzydziestu lat połowa spożytego kadmu podlega wtórnie wydaleniu. Kadm powoduje uszkodzenie nerek. Następstwem może być rozwinięcie się osteoporozy (→ Osteoporoza (rozrzedzenie kości), s. 402).

*Źródła*: Zakłady przemysłowe wytwarzające stopy metali, środki barwiące zawarte w tworzywach sztucznych, składnik baterii, spalanie śmieci zawierających wymienione wyżej produkty, występuje też w środkach do nawożenia upraw.

### Rtęć

W organizmie ludzi i zwierząt metal ten ulega przemianie w związek o wysokiej toksyczności, wywołujący porażenie ner-

---

### Lektura uzupełniająca

GRODECKA M.: *Siewy dobrego jutra. O uprawach ekologicznych i wegetariańskim odżywianiu*. „Spar", Warszawa 1992.

SADOWSKA H.: *Bezpieczna żywność i żywienie*. LSW, Warszawa 1988.

wów i uszkodzenie mózgu. Zagrożenie występuje już w życiu płodowym.

*Źródła*: Ścieki z zakładów galwanizerskich i fabryk papieru, spalanie śmieci, baterie.

## Azotany, azotyny

Spożywane azotany przekształcane są przy udziale bakterii jamy ustnej w azotyny. Te z kolei — wraz ze składnikami białkowymi — ulegają w żołądku przemianie do nitrozoamin. Z ich powodu zalicza się azotany do substancji szkodliwych — nitrozoaminy są silnie toksyczne i wywołują raka.

*Źródła*: Woda pitna i rośliny wskutek intensywnego nawożenia pól. Azotyny wchodzą w skład soli dodawanej do peklowania wyrobów mięsnych i wędliniarskich.

*Uwaga*: W niedojrzałym przewodzie pokarmowym niemowląt przekształceniu do azotynów ulega znacznie większa ilość azotanów niż u osób dorosłych. U niemowląt azotyny mogą doprowadzić do zatrucia i wywoływać sinicę. Pokarmów zawierających azotany (szpinak, marchew) małym dzieciom nie odgrzewaj, gdyż wówczas azotany ulegają przemianie w niebezpieczne azotyny.

## Środki ochrony roślin, środki do walki ze szkodnikami

Prawie wszystkie z nich podejrzane są o sprzyjanie powstawaniu raka. Uszkadzają układ krwiotwórczy, aż do wywołania białaczki włącznie (→ Białaczki, s. 328). Prawdopodobnie upośledzają płodność i uszkadzają zarodek.

*Źródła*: Wszelkiego rodzaju trucizn używa się do niszczenia niepożądanych „gości" na plantacjach owoców i warzyw, gdyż z powodu ich działalności wygląd zbiorów nie odpowiada oczekiwaniom konsumentów. Pozostałości tych środków bezpośrednio spożywasz wraz z owocami i warzywami, pośrednio zaś — z mięsem zwierząt, które były karmione opryskiwanymi roślinami.

## Antybiotyki

Stosowanie u zwierząt na szeroką skalę antybiotyków jest przyczyną występowania szczepów bakterii opornych na wiele z tych leków. Oporne bakterie zagrażają człowiekowi, gdyż dotąd stosowane antybiotyki mogą okazać się nieskuteczne.

Także u ludzi rozwija się oporność na antybiotyki, gdyż spożywają je wraz z produktami ze zwierząt, którym je podawano.

Szczególnie wrażliwe osoby reagują na pozostałości antybiotyków odczynami alergicznymi.

Od chwili podania ostatniej dawki do dnia uboju musi upłynąć określony ustawowo okres karencji. Gdy nie jest on przestrzegany, spożywasz w wieprzowinie, wołowinie, kurczakach i jajkach resztki antybiotyków.

Na skalę przemysłową rozwinęła się także w ostatnim okresie hodowla ryb. Norweskim łososiom podano między 1986 a 1987 rokiem trzykrotnie więcej antybiotyków, niż wyniosło ich zużycie przez samych Norwegów.

Badania dowiodły, że przeciętnie jeden procent próbek mięsa jest obciążony antybiotykami. U cieląt kontrolerzy wykazali nawet do 15,6%.

### Lektura uzupełniająca

EICHLER W.: *Trucizny w naszym pożywieniu*. PZWL, Warszawa 1989.

W 1993 roku niemieccy hodowcy zwierząt wydali 198 milionów marek na antybiotyki. W porównaniu z poprzednimi latami zużycie wzrosło przynajmniej o 10%.

## Hormony

Dotąd nic nie przemawia za tym, że podawanie zwierzętom hormonów płciowych, tak zwanych anabolików, szkodzi ludziom spożywającym produkty z tych zwierząt. To, że Unia Europejska zakazuje stosowania hormonów, wynika z nadmiaru mięsa wołowego na rynku przy kurczącym się popycie.

*Źródła*: W Unii Europejskiej nie wolno przyspieszać wzrostu zwierząt hormonami. Mimo to ocenia się, że na europejskim czarnym rynku popyt na hormony sięga rocznie około trzech miliardów marek.

## Inne środki farmaceutyczne

Opasłym świniom i wołom wstrzykuje się środki nasercowe i uspokajające, by mogły przeżyć transport do rzeźni. Leki te nie zawsze ulegają całkowitemu rozkładowi przed zabiciem zwierzęcia. Kawałek mięsa, w który dokonano wstrzyknięcia, nadal może zawierać szczególnie dużą ilość leku. Osoba, która go spożyje, może odczuwać podobne działanie jak na przykład po zażyciu pigułki uspokajającej.

## Promieniowanie

Ostre zagrożenie promieniowaniem po awarii reaktora w Czarnobylu już przeminęło. Niemniej jednak w niektórych produktach spożywczych, takich jak na przykład dziczyzna i grzyby leśne, nadal występuje nagromadzenie substancji promieniotwórczych. Gazety codzienne w Niemczech w dalszym ciągu publikują zestawienia szczególnie obciążonych skażeniem promieniotwórczym produktów spożywczych. Odnośnie do następstw niewielkich dawek promieniowania → Napromieniowane środki spożywcze, s. 717.

## Strategia zmniejszania obciążenia substancjami szkodliwymi

Właściwie dokonane zakupy i przygotowanie produktów spożywczych są podstawą zrównoważonego żywienia. Jednak zasady, które obowiązywały jeszcze kilka lat temu, muszą obecnie ulec zmianie lub uzupełnieniu.

### Kupowanie owoców i jarzyn zgodnie z porą roku

Niezależnie od pory roku popyt na wszelkiego rodzaju owoce

### Informacje dotyczące skażenia produktów spożywczych

Polski Klub Ekologiczny
31-131 Kraków, ul. Garbarska 9, tel. (0-12) 22-22-74
Liga Ochrony Przyrody
02-053 Warszawa, ul. M. Reja 3-5, tel. (0-22) 25-98-999

i warzywa skłania producentów do intensywnego nawożenia upraw i stosowania różnorodnych trucizn. W przeciwnym razie nie udałoby się wymusić opłacalności zbiorów w szklarniach.

Nie wszystkie ze stosowanych środków działają wyłącznie powierzchownie i dają się zmyć. Środki wnikające do roślin są następnie spożywane. Badania wykazały, że sałata, rzodkiewki, kalarepa i inne warzywa uprawiane pospolicie w szklarniach wskutek nawożenia azotowego zawierają dwa razy więcej azotanów niż warzywa pochodzące z upraw na wolnym powietrzu. Produkty pochodzące z importu są uprawiane częściowo w warunkach jeszcze bardziej niekorzystnych niż krajowe. Ponadto produkty te wymagają zebrania w stanie niedojrzałym, aby uniknąć gnicia w czasie transportu. Oznacza to w skrajnym przypadku utratę witamin i często także stosowanie dodatków chemicznych chroniących produkty w czasie transportu, a później umożliwiających dojrzewanie w sposób sztuczny. Podane obok wskazówki odnoszą się do produktów spożywczych pochodzących ze zwykłych upraw lub ze zwykłej hodowli zwierząt, w przeciwieństwie do produktów wytworzonych w uprawach lub hodowlach nadzorowanych ekologicznie (→ Produkty spożywcze z upraw nadzorowanych ekologicznie, s. 705), które mimo że nie są całkowicie pozbawione skażeń, zawierają istotnie mniejsze ich ilości.

# PRZECHOWYWANIE ŻYWNOŚCI

Produkty uważane za smaczne równocześnie są przysmakiem bakterii i grzybów. Grzyby pleśniowe wytwarzają substancje najbardziej toksyczne i o najsilniejszym działaniu rakotwórczym. Dyfuzja substancji toksycznych zachodzi szybko, w szczególności w produktach zawierających wodę. Z tego powodu produkty spożywcze, na których widoczny jest kożuch pleśni, należy w całości wyrzucić na śmietnik.

Procesy konserwowania chronią przed zepsuciem produkty spożywcze wymagające dłuższego przechowywania. Do znanych w tym zakresie metod należy: gotowanie z cukrem (marmolady), solenie (sery, mięso, ryby), zalewanie octem (pikle) i fermentacja z wytworzeniem kwasu mlekowego (kiszona kapusta, ogórki). Konserwację można także uzyskać przy użyciu ciepła, zimna lub środków chemicznych (→ Środki konserwujące, s. 720). W każdym przypadku konserwacja powoduje zmniejszenie wartości produktów spożywczych.

## Konserwy

W żywności zagotowanej w domu lub zakonserwowanej fabrycznie w puszkach i słoikach utrata witamin zawiera się w granicach 5-50%. Przechowywanie przez okres jednego roku do dwóch lat powoduje kolejną utratę 20% witamin. Informacje na temat dodatków zawartych w konserwach przemysłowych znajdują się na etykietach (→ Dodatkowe substancje w środkach spożywczych, s. 720). W przypadku warzyw jest to przede wszystkim sól, a owoców — cukier. Podawanie informacji o dodatku soli do konserw nie jest jednak obowiązujące.

Puszki z białej blachy są bardziej odpowiednie do przechowywania konserw niż przezroczyste szkło. Zawartość otwartej

## Zmniejszenie obciążenia substancjami toksycznymi

— Dokonuj zakupów zgodnie z porą roku (→ s. 718-719). Zbiory uzyskane poza sezonem wymusza się stosowaniem zwiększonych ilości chemikaliów.
— Posiłki nie powinny zawierać kombinacji warzyw szczególnie silnie skażonych.
— Nie należy spożywać więcej niż 200 g silnie skażonych produktów żywnościowych tygodniowo.
— Staraj się kupować w miarę możliwości produkty od hodowców, których metody uprawy są ci znane.
— Unikaj produktów importowanych.
— Środków spożywczych obciążonych azotanami nie trzymaj w ciepłym pomieszczeniu, gdyż sprzyja to wytworzeniu azotynów.
— Jarzyn i peklowin nie zapiekaj z serem. Skutkiem jest możliwość powstawania substancji rakotwórczych.

## Mięso

— Jasne zabarwienie mięsa jest oznaką niedokrwistości. Pochodzi ono od zwierząt, które nigdy nie widziały światła dziennego ani zielonej paszy.
— Wieprzowina bez widocznego tłuszczu może i tak zawierać go w sobie, gdyż dzięki metodom hodowlanym następuje utajone odkładanie tłuszczu i cholesterolu w komórkach mięśniowych.
— 90% wyrobów mięsnych i wędliniarskich podlega peklowaniu (→ Rak żołądka, s. 368).

## Ryby

Ryby atlantyckie i pochodzące z Pacyfiku są jeszcze stosunkowo mało skażone. Mniej skażone są ryby roślinożerne niż drapieżne. Im chudsze mięso ryby, tym mniejsze w nim nagromadzenie pestycydów.

## Owoce

— Należy myć dokładnie i w miarę możliwości gorącą wodą (ołów, azotany, środki służące do opryskiwania).
— Wytrzeć do sucha (ołów), zdjąć skórkę na grubość jednego do dwóch milimetrów.

## Warzywa i sałata

— Należy odrzucić wierzchnie liście (ołów, azotany, środki służące do spryskiwania). Nie spożywać środkowych dużych żył i łodyg, na przykład z sałaty (azotany).
— Warzywa blanszować lub obgotowywać, a wodę następnie wylać (azotany, środki służące do opryskiwania).
— Jeśli sam jesteś hodowcą owoców i warzyw: w okolicach szczególnie skażonych (na przykład w pobliżu mocno uczęszczanych dróg), nie uprawiaj sałaty ani warzyw o dużych liściach (ołów).

## Zboża

Pełnego ziarna należy używać tylko, gdy pochodzi z upraw nadzorowanych ekologicznie. Okazało się, że w przypadku produktów pochodzących ze zwykłych upraw najwięcej substancji szkodliwych zawiera wierzchnia warstwa ziarna.

puszki należy jak najszybciej zużyć. Gdyby reszta miała być przechowana, należy przenieść ją z puszki do innego naczynia.

### Mrożonki

Przed zamrożeniem warzywa poddaje się blanszowaniu (zalaniu gorącą wodą). Wysoka temperatura niszczy część witamin: woda wypłukuje też sole mineralne. Straty są jednak znacznie mniejsze niż przy produkcji konserw.

Po trzech miesiącach składowania wynoszą one w przypadku witaminy C 2-28%, a po sześciu miesiącach przechowywania 13-56%. Mrożone warzywa zawierają prawdopodobnie i tak więcej witamin niż „świeże" kupione w supermarkecie, ponieważ szybciej przebywają drogę z pola na stół. W przypadku warzyw mrożonych można również oczekiwać, że zawartość azotanów i substancji szkodliwych nie przekracza w nich urzędowych norm. Po rozmrożeniu, zwłaszcza mięso, należy spożywać w krótkim czasie, pozostałości zaś nie wolno odgrzewać ani ponownie zamrażać. Zamrażanie jest najkosztowniejszym sposobem przechowywania produktów spożywczych.

### Dania gotowe

Trwałość uzyskuje się działaniem zimna (produkty głęboko zamrożone) lub wysokiej temperatury (konserwy).

Długi okres przechowywania okupuje się utratą wartościowych składników. Już zwykłe przygotowywanie produktów spożywczych powoduje utratę 25% witaminy C. Zamrażanie w niskiej temperaturze lub sterylizacja dodatkowo zmniejsza zawartość witaminy C do około 50%. Ilość spożywanej witaminy zależy między innymi od czasu składowania gotowego wyrobu. Jednakże przechowywanie w cieple powoduje w krótkim czasie całkowity rozkład witaminy C.

Do wyrobu dań gotowych chętnie zużywa się mniejszej wartości składniki. Na przykład masę rybną z zawartością ości przetwarza się na postać nadającą się do eksponowania.

Osoby korzystające przede wszystkim z dań gotowych bezwzględnie powinny uzupełniać dietę świeżymi warzywami i owocami. W przeciwnym razie nieuniknione jest rozwinięcie się objawów niedoborowych.

## Napromieniowane środki spożywcze

Pomysł konserwowania produktów przy użyciu promieniowania został nam podarowany przez wojnę.

Pojedyncze środki spożywcze lub zapakowane produkty gotowe napromienia się promieniami gamma ze źródła zawierającego kobalt-60.

Promieniowanie niszczy materiał genetyczny i białka komórek. Im wyższa ewolucyjnie forma życia, tym większa jej podatność na uszkodzenie. Z tego powodu owady i pasożyty uśmierca niższa niż w przypadku bakterii dawka promieniowania. Wirusy nie są wrażliwe na promieniowanie. Sam produkt spożywczy ani jego opakowanie nie stają się radioaktywne po napromieniowaniu.

### Lektura uzupełniająca

ROGERS J.: *Co jemy? Produkty spożywcze z całego świata*. Wydaw. „Elipsa", Warszawa 1996.

## Z następujących produktów spożywczych powinieneś zrezygnować

— Nerki (metale ciężkie, w szczególności kadm).
— Wątroba wieprzowa i wołowa (metale ciężkie, w szczególności kadm).
— Wątroba zwierząt dziko żyjących, na przykład zajęcy, królików, saren (metale ciężkie, zwłaszcza kadm, rtęć, radioaktywny cez).
— Grzyby rosnące dziko, zwłaszcza pieczarki polne (metale ciężkie, szczególnie kadm, rtęć).
— Ryby drapieżne, jak łosoś (halogenowane węglowodory, jak PCB, dioksyna, HCH i inne).

### Wymienione produkty spożywaj rzadko

— Wątroba cielęca (metale ciężkie, zwłaszcza kadm, hormony).
— Ryby Morza Północnego, Bałtyku i Morza Śródziemnego (metale ciężkie, zwłaszcza rtęć).
— Ryby z wód śródlądowych (metale ciężkie).

### Następujące produkty spożywcze, pochodzące ze zwykłych upraw, zawierają znaczne ilości substancji podanych w nawiasach

Botwina (azotany)
Burak ćwikłowy (azotany)
Endywie (azotany)
Grzyby dziko rosnące (kadm, rtęć)
Jarmuż (azotany)
Kalarepa (azotany)
Kapusta biała (azotany)
Kapusta włoska (azotany)
Koper włoski (azotany)
Pieprzyca (azotany)
Rabarbar (azotany)
Roszpunka jadalna (azotany)
Rzodkiew (azotany)
Rzodkiewka (azotany)
Sałata głowiasta (azotany)
Seler (kadm)
Szpinak (azotany, kadm)
Ziemniaki (azotany)

Napromieniowanie przedłuża trwałość łatwo psujących się produktów spożywczych i przypraw. Zapobiega kiełkowaniu ziemniaków i cebuli.

Promienie częściowo niszczą aminokwasy, kwasy tłuszczowe i witaminy. Kupujący nie jest w stanie rozpoznać obniżenia jakości produktu. Napromienianie może zmienić zapach, smak, kolor i konsystencję produktów spożywczych, co udaje się w miarę zrównoważyć, stosując substancje dodatkowe.

Posługując się wzrokiem i powonieniem, można rozpoznać, czy dany produkt spożywczy jest zepsuty. Charakterystycznych cech rozkładu mimo zepsucia nie wykazują produkty napromieniowane. Skłania to producentów do „uzdatnia-

| Pory zbiorów odmian owoców i warzyw uprawianych w Europie Środkowej | Styczeń | Luty | Marzec | Kwiecień | Maj | Czerwiec | Lipiec | Sierpień | Wrzesień | Październik | Listopad | Grudzień |
|---|---|---|---|---|---|---|---|---|---|---|---|---|
| Agrest | | | | | | ✿ | ✿ | ✿ | | | | |
| Bakłażany | | | | | | ✿ | ✿ | ✿ | ✿ | | | |
| Botwina | | | | | ✿ | ✿ | ✿ | ✿ | ✿ | ✿ | | |
| Brokuły | | | | | | ✿ | ✿ | ✿ | | | | |
| Brukselka | ✿ | ✿ | | | | | | | ✿ | ✿ | ✿ | ✿ |
| Brzoskwinia | | | | | | | ✿ | ✿ | ✿ | | | |
| Buraki ćwikłowe | ✿ | ✿ | | | | | | | ✿ | ✿ | ✿ | ✿ |
| Cebula | | | | | | | ✿ | ✿ | ✿ | ✿ | ✿ | ✿ |
| Cukinia | | | | | | | | ✿ | ✿ | ✿ | | |
| Cykoria | ✿ | | | | | | | | ✿ | ✿ | ✿ | ✿ |
| Czereśnie | | | | | | ✿ | ✿ | | | | | |
| Fasola | | | | | | | ✿ | ✿ | ✿ | | | |
| Groch | | | | | | ✿ | ✿ | | | | | |
| Gruszki | | | | | | | | ✿ | ✿ | ✿ | | |
| Jabłka | | | | | | | | ✿ | ✿ | ✿ | ✿ | |
| Jarmuż | ✿ | ✿ | | | | | | | | ✿ | ✿ | ✿ |
| Jeżyny | | | | | | | ✿ | ✿ | ✿ | ✿ | | |
| Kalafior | | | | | | ✿ | ✿ | ✿ | ✿ | ✿ | | |
| Kalarepa | | | | | ✿ | ✿ | ✿ | ✿ | | | | |
| Kapusta biała | ✿ | ✿ | | | | | ✿ | ✿ | ✿ | ✿ | ✿ | ✿ |
| Kapusta czerwona | ✿ | ✿ | ✿ | | | | | | ✿ | ✿ | ✿ | ✿ |
| Kapusta pekińska | | | | | | | | | ✿ | ✿ | ✿ | |
| Koper włoski | ✿ | | | | | | | | | ✿ | ✿ | ✿ |
| Kukurydza | | | | | | | | ✿ | ✿ | ✿ | | |
| Maliny | | | | | | ✿ | ✿ | | | | | |

| | Styczeń | Luty | Marzec | Kwiecień | Maj | Czerwiec | Lipiec | Sierpień | Wrzesień | Październik | Listopad | Grudzień |
|---|---|---|---|---|---|---|---|---|---|---|---|---|
| Marchew | | | | ● | ● | ● | ● | ● | ● | ● | | |
| Mirabelki | | | | | | | ● | ● | ● | | | |
| Morele | | | | | | ● | ● | ● | | | | |
| Ogórki | | | | | | ● | ● | ● | ● | | | |
| Papryka | | | | | | ● | ● | ● | ● | ● | | |
| Pasternak | ● | ● | ● | ● | | | | | | | | ● |
| Pomidory | | | | | | | ● | ● | ● | ● | ● | |
| Pory | ● | ● | | | | ● | ● | ● | ● | ● | ● | ● |
| Porzeczki czarne | | | | | | | ● | ● | | | | |
| Porzeczki czerwone | | | | | | | ● | ● | | | | |
| Rabarbar | | | | ● | ● | ● | | | | | | |
| Renklody | | | | | | | ● | ● | ● | | | |
| Rzodkiew | | | | | ● | ● | ● | ● | ● | | | |
| Rzodkiewki | | | | | ● | ● | ● | ● | ● | ● | | |
| Sałata głowiasta | | | | | ● | ● | ● | ● | ● | ● | | |
| Seler | | | | | | | | ● | ● | ● | ● | ● |
| Skorzonera | ● | | | | | | | | | ● | ● | ● |
| Szparagi | | | | | ● | ● | | | | | | |
| Szpinak | | | ● | ● | ● | ● | ● | | | | | |
| Śliwki | | | | | | | | ● | ● | ● | | |
| Truskawki | | | | | ● | ● | ● | ● | | | | |
| Winogrona | | | | | | | | | ● | ● | | |
| Wiśnie | | | | | | ● | ● | ● | | | | |
| Ziemniaki | | | | | | ● | ● | ● | ● | ● | | |

nia" produktów już zepsutych. Ponadto napromienianie nie zabija zarodników laseczki jadu kiełbasianego. Dotychczas nie można było udowodnić chemicznie faktu napromieniania żywności, gdyż nawet dyskusyjne z punktu widzenia zdrowotności ilości promieniowania nie pozostawiają żadnych śladów. Badania zmierzające do znalezienia metody wykrywania napromieniowania znajdują się nadal w pełnym toku. Niewyjaśnione pozostają wciąż następstwa zdrowotne spożywania większych ilości napromieniowanych środków spożywczych. W badaniach na zwierzętach stwierdzono występowanie zmian materiału genetycznego.

Przyprawy sterylizowano za pomocą tlenku etylenu — do czasu wprowadzenia zakazu stosowania tej metody. Tlenek etylenu jest gazem rakotwórczym i uszkadza materiał genetyczny. Zamiast niego stosuje się obecnie napromienianie. Sterylne przyprawy są jednak potrzebne tylko wtedy, gdy uszlachetnione za ich pomocą produkty spożywcze podlegają długiemu składowaniu. Problem ten nie występuje w przypadku świeżo przygotowywanych potraw. Drób w stanie surowym jest obecnie w 80-90% skażony bakteriami. Nie byłoby potrzeby uśmiercania tych zarazków, gdyby w czasie karmienia, uboju i pakowania więcej uwagi poświęcono higienie niż zyskowi. Nawet skażony salmonellą kurczak nie musi powodować zachorowania, gdyż jego wystąpieniu zapobiega higieniczne przygotowanie i pełna obróbka termiczna.

W Niemczech i Austrii nadal obowiązuje zakaz napromieniania i sprzedaży produktów spożywczych napromieniowanych. Sytuacja ta ma się jednak zmienić — Unia Europejska przewiduje wprowadzenie powszechnej dopuszczalności napromieniania żywności. W Polsce napromienianie i sprzedaż środków spożywczych napromieniowanych wymaga uzyskania zgody Głównego Inspektoratu Sanitarnego. Ten sposób konserwowania ma być stosowany przede wszystkim w odniesieniu do drobiu, suszonych warzyw i owoców, płatków zbożowych, cebuli i ziemniaków. W przyszłości przewidywane jest oznakowywanie napromieniowanych produktów spożywczych.

# DODATKOWE SUBSTANCJE W ŚRODKACH SPOŻYWCZYCH

W państwach UE dozwolone jest stosowanie około 430 substancji dodawanych do produktów spożywczych w celu poprawienia trwałości, zabarwienia, zagęszczenia, zakwaszenia, osłodzenia i polepszenia smaku. Noszą one oznaczenia kodowe z tak zwanej serii „E". E 200, kwas sorbinowy, jest na przykład środkiem konserwującym.

Większa część gotowych artykułów spożywczych zawiera dzisiaj dodatkowe substancje korygujące. Ponadto istnieje także ponad 2000 głównie sztucznych substancji aromatycznych. Wszystkie dodatkowe substancje, jakie zawiera dany środek spożywczy, muszą być wyszczególnione na opakowaniu. Po określeniu grupy następuje nazwa substancji lub jej numer E.

Do sporządzania gotowych artykułów spożywczych są niezbędne niektóre inne dodatkowe substancje; niektóre z nich są zbędne, a inne budzą wątpliwości. Przede wszystkim barwniki

## Wymienione barwniki mogą szkodzić alergikom

| Nazwa (kolor) | Występują między innymi w: |
|---|---|
| E 102: tartrazyna w Austrii niedopuszczona do użytku; (cytrynowożółty) | słodyczach, budyniach w proszku, oranżadach, lodach, musztardzie, esencjach owocowych, syropach, miodzie sztucznym |
| E 104: żółcień chinolinowa (żółty) | budyniach w proszku, oranżadach |
| E 110: żółcień pomarańczowa (pomarańczowy) | konserwach |
| E 120: karmin prawdziwy (koszenila, czerwony) | konfiturach, napojach alkoholowych |
| E 122: czerwień azowa (czerwony) | lodach, słodyczach |
| E 123: amarant (w Austrii niedopuszczony do użytku; wiśniowoczerwony) | budyniu, lodach, likierach |
| E 124: koszenilina (czerwony) | lemoniadach, słodyczach, galaretkach owocowych, imitacjach łososia |
| E 127: erytrozyna (różowy) | lodach, konserwach owocowych |
| E 142: zieleń brylantowa (zielony do niebieskiego) | słodyczach |
| E 151: czerń brylantowa (czarny) | słodyczach, lukrecji, sosach, ikrze rybiej (imitacjach kawioru) |
| E 153: czerń węglowa (czarny) | woskowych powłokach na serach |
| E 160 b: biksyna (pomarańczowy) | serach, margarynie, cukierkach |

mogą wywołać alergię; w stosunku do niektórych substancji dodatkowych nie można wykluczyć efektu rakotwórczego bądź wzmacniającego takie działanie innych substancji.

W Polsce oznaczenia kodowe z serii „E" są stosowane do produktów spożywczych importowanych z Zachodu. W odniesieniu do produktów krajowych od 31 marca 1993 roku obowiązuje Zarządzenie Ministra Zdrowia i Opieki Społecznej w sprawie substancji dodatkowych oraz zanieczyszczeń technicznych w środkach spożywczych i używkach (Monitor Polski, DzURP nr 22, 1993).

### Barwniki (E 100 do E 180)
Stosowane są w słodyczach, deserach, konserwach owocowych, produktach rybnych, likierach.

Użycie ich nie jest potrzebne.

Negatywne następstwa mogą powodować przede wszystkim barwniki syntetyczne, gdyż często przyczyniają się do powstawania alergii.

### Środki konserwujące (E 200 do E 290)
Stosowane w sałatkach, marynatach, musztardzie, konserwach rybnych, margarynie, lemoniadach, marmoladach, marcepanie, chlebie ciętym na kromki.

Użycie ich nie jest potrzebne, ponieważ łatwo psujące się produkty spożywcze konsumuje się w krótkim czasie.

Zaletą ich stosowania jest przedłużenie trwałości gotowych produktów żywnościowych, w przypadku gdy niemożliwe jest posłużenie się innymi metodami konserwacji.

Trzeba pamiętać, że niektóre środki konserwujące mogą być szkodliwe dla zdrowia, co jest ich wadą.

*Ostrzeżenie dla alergików*: E 210 do E 213, kwas benzoesowy i jego sole (benzoesany), mogą wywoływać uczulenia. Substancje te dodaje się do majonezów, sałatek, marynat oraz konserw warzywnych i owocowych.

Dwutlenek siarki i jego związki (siarczyny, E 220 do E 227) u osób wrażliwych wywołują nudności, bóle głowy i biegunki. U osób chorujących na astmę mogą spowodować napad duszności. Prawdopodobnie dwutlenek siarki zwiększa zagrożenie ze strony związków rakotwórczych. Siarkowaniu poddaje się suszone owoce i warzywa, suszone lub głęboko zamrożone produkty pochodne ziemniaków, marmolady, wina.

### Antyoksydanty (środki zapobiegające utlenianiu) (E 300 do E 330)

Nie są niezbędne.

Są pomocne do ochrony środków spożywczych przed zepsuciem wskutek oddziaływania tlenu atmosferycznego. Zapobiegają szybkiemu jełczeniu tłuszczów. Do antyoksydantów zalicza się witaminę E (tokoferol).

Działania niepożądane nie są znane.

### Emulgatory

Użycie ich jest konieczne, gdy zachodzi potrzeba zmieszania tłuszczu i wody.

Działania niekorzystne nie są znane.

### Środki poprawiające smak

Nie są niezbędne.

Niekorzystna jest na przykład w przypadku glutaminianu sodu możliwość wywołania reakcji nadwrażliwości, znanej pod nazwą „zespołu chińskiej restauracji". Objawami zespołu są: drętwienie w okolicy karku rozprzestrzeniające się następnie w dół, bóle i zawroty głowy, uczucie osłabienia, bicia serca, uczucie napięcia w obrębie twarzy i klatki piersiowej.

### Substancje słodzące (sacharyna, cyklamian; Aspartam, Acesulfam)

Dodawane są do napojów, deserów, jogurtów (produkty typu „light" = niskokaloryczne) oraz jako słodziki stołowe.

Stosowanie ich nie jest konieczne.

Mogą być pomocne dla chorych na cukrzycę, którzy nie chcą całkowicie zrezygnować ze słodyczy, oraz u osób z nadwagą — w czasie odchudzania.

Za zaletę należy uznać uzyskane ostatnio potwierdzenie, że sacharyna i cyklamian nie mają działania rakotwórczego.

Wadą Aspartamu i Acesulfamu jest fakt, że związki te nie zostały wystarczająco intensywnie i w odpowiednio długim czasie przebadane pod kątem działania rakotwórczego. Sacharyna i cyklamian mogą nasilać działanie rakotwórcze innych substancji. Osoby zmuszone do przestrzegania diety pozbawionej fenyloalaniny powinny pamiętać, że jej źródłem jest Aspartam.

### Namiastki cukru (sorbitol, ksylitol, fruktoza; Maltit, Isomalt)

Stosowane są w słodyczach, gumach do żucia („oszczędzających" zęby), napojach, produktach spożywczych przeznaczonych dla chorych na cukrzycę (→ Produkty spożywcze dla chorych na cukrzycę, s. 726). Nie są niezbędne.

Mogą być przydatne, gdy nie masz zamiaru zrezygnować ze słodyczy i gumy do żucia, a jednocześnie w jak najmniejszym stopniu chcesz narazić zęby.

Korzyść mogą przynosić chorym na cukrzycę, gdyż po spożyciu namiastek cukru nie następuje raptowny wzrost stężenia cukru we krwi.

Do wad należy zaliczyć kaloryczność i możliwość wywołania biegunek. Chorzy na cukrzycę muszą uwzględniać stosowanie namiastek cukru w swojej diecie, przeliczając je na jednostki chlebowe.

## DATA WAŻNOŚCI

W Niemczech niemalże na wszystkich produktach musi być podana minimalna data ważności, co umożliwia orientację tak sprzedawcom, jak i kupującym. Podobny sposób oznakowania produktów spożywczych obecnie wprowadza się także w Polsce. Jednakże nie można mieć pewności, że przed upływem daty ważności podanej na produkcie nie ujawnią się wady, a po jej upływie, że ulegnie zepsuciu. W Austrii producenci gwarantują trwałość produktu do czasu upływu wskazanego terminu konsumpcji. Po jego upływie sprzedawca zobowiązany jest sprawdzić wyrywkowo, czy produkt jest nadal bez zarzutu. Wówczas mimo upływu terminu ważności towar może być dalej sprzedawany. Przy zakupie należy zatem brać pod uwagę nie tylko datę ważności, ale także zwracać uwagę na to, czy produkt wydziela charakterystyczną woń lub ma właściwy wygląd. Zawsze istnieje możliwość wymiany produktów zepsutych.

### Jeśli musisz złożyć reklamację

Jeśli spostrzeżesz w domu, że kupiłeś produkt zepsuty, możesz go wymienić u sprzedawcy. W tym celu na ogół wymagane jest okazywanie rachunku z kasy. Jeżeli podejrzewasz, że nastąpiło duże wykroczenie przeciw przepisom dotyczącym żywności (np. użyto niedozwolonego dodatku substancji chemicznych), skontaktuj się z Federacją Konsumentów.

Gdy chcesz złożyć skargę, powinieneś wiedzieć, kiedy, gdzie i co kupiłeś, gdzie dany towar był składowany, podać powód złożenia skargi i — jeśli to możliwe — załączyć kwit kasowy.

**Lektura uzupełniająca**

ROIK J.: *Vademecum zdrowej żywności*. „Spar", Warszawa 1992.

# ŻYWIENIE ZBIOROWE

W zakładach pracy, szkołach, przedszkolach, szpitalach, domach starców i więzieniach przygotowuje się pożywienie dla wielu osób. Trudno tę działalność nazywać gotowaniem, gdyż coraz więcej stołówek staje się miejscem, w którym odmraża i odgrzewa się, a następnie rozdaje posiłki przygotowane metodą przemysłową (na temat produktów głęboko zamrażanych lub sterylizowanych → s. 717).

Sam nie jesteś w stanie określić jakości serwowanego ci pożywienia. Wskazówką może być analiza jadłospisów z kilku tygodni.

Przy zestawianiu posiłków uwzględnia się przeciętne potrzeby statystycznego obywatela o przeciętnym guście, dążąc jednocześnie do minimalizacji kosztów. Rezultat takiego postępowanie jest fatalny. Niemniej jednak żywienia w stołówkach nie da się uniknąć. Można jednak zapewnić zbiorowości ludzi wartościowe wyżywienie przy niezbyt dużym wzroście cen. W każdym razie nie wystarczy hasłowe „odrzucenie starego" i wdrożenie „żywienia pełnowartościowego". Chociaż nie da się ustalić, czy rzeczywiście przestrzegane są zasady pełnowartościowego żywienia (→ s. 705), niemniej jednak istnieje kilka wyznaczników w tym względzie.

## Szybkie dania barowe

Istnieje wiele powodów do odrzucenia pospiesznego jedzenia w barach szybkiej obsługi. Okazuje się — biorąc pod uwagę zapotrzebowanie organizmu na pożywienie — że osoby często z nich korzystające jedzą zbyt dużo, zbyt tłusto i zbyt dużą ilość białka. Uniknięcie objawów niedoborowych wymaga wówczas ukierunkowanego zrównoważenia diety w czasie pozostałych posiłków. Chwila zastanowienia pozwala uniknąć najcięższych błędów żywieniowych w większości barów szybkiej obsługi:

— wybieraj befsztyk zamiast hamburgera,
— kupuj małe hamburgery zamiast „mamucich",
— nie jedz dodatkowo sera w plastrach ani nie używaj majonezu,
— jedz równocześnie sałatę,

## Informacje w zakresie produktów spożywczych

Krajowe Towarzystwo Propagowania Zdrowej Żywności
33-101 Tarnów, ul. Kwiatkowskiego 15,
tel. (0-14) 37-25-52; 33-01-52
Rada Krajowa Federacji Konsumentów
00-950 Warszawa, pl. Powstańców Warszawy 1/3
tel. (0-22) 27-90-59; 27-11-73
Stowarzyszenie Konsumentów Polskich.
Warszawa, Konopczyńskiego 5/7, tel. (0-22) 827-08-47

## Jadłospis w stołówkach

| Żywienie wątpliwej wartości | Żywienie pełnowartościowe |
|---|---|
| Mięso z wyraźnie widocznym tłuszczem | Mięso lub ryby tylko raz lub dwa razy w tygodniu |
| Potrawy z mięsa siekanego i farsze | Pełne ziarno np. w postaci zapiekanek lub w zupie jako suflet lub kluski |
| Potrawy z jaj | Często owoce roślin strączkowych podawane jako jarzyny lub jako składniki zup i zapiekanek |
| Mięso smażone w tłuszczu (także panierowane) | Sałatki z surówek |
| Frytki ziemniaczane i krokiety | Na deser świeże owoce z orzechami, potrawy mleczne, produkty zbożowe |
|  | Często zestawy zawierające mleko, np. jako deser, jogurt jako sos do sałatek, sery w zapiekankach |

— pij mleko lub wodę mineralną zamiast coca-coli i koktajli mlecznych,
— unikaj potraw smażonych na tłuszczu (frytki); wybieraj ziemniaki pieczone w folii lub chleb.

# PICIE

W skład żywienia wchodzi także picie.

Duże pragnienie występuje u dzieci — dwulatki wypijają prawie tyle samo co osoby dorosłe (1,3 do 1,5 litra). Zapotrzebowanie sześciolatków na płyny wynosi około 2 litrów, a począwszy od około czternastego roku życia — mniej więcej 2,5 litra. Osoby w wieku podeszłym mają najczęściej małe pragnienie. Mimo to powinny dbać o wypijanie co najmniej 1,5 litra płynów dziennie. Jeśli zajdzie potrzeba, możesz odnotowywać twój pobór płynów na kartce.

W razie pragnienia najlepsza jest woda. Woda z kranu, woda stołowa lub mineralna nie zawiera kalorii. Przygotowując herbatę lub kawę, nadaje się wodzie różnorodną barwę i smak. Dodatek cukru lub mleka oznacza natomiast wprowadzenie kalorii. Do gaszenia pragnienia nadają się soki owocowe rozcieńczone wodą. Inne napoje należy zaliczyć do kategorii środków spożywczych zawierających kalorie.

### Woda z kranu

Przy ustalaniu dopuszczalnych stężeń substancji szkodliwych w wodzie z wodociągu przyjmuje się, że nie mogą one szkodzić ludziom pijącym tę wodę codziennie przez całe życie. Badania kontrolne mają na celu ustalenie, czy wymóg ten jest spełniony. Korzystając z wody pitnej z własnego źródła, należy zbadać jakość wody we własnym zakresie. Ustalenia z 1992 roku wykazały, że dopuszczalne stężenie azotanów nieraz było przekroczone siedmiokrotnie. Drugą substancją szkodliwą, powodującą jeszcze cięższe skutki, jest ołów. W niektórych badaniach przeprowadzonych w 1992 roku, w pięciu procentach próbek przekroczono dopuszczalne stężenie, wynoszące 40 mikrogramów na litr. U niemowląt i małych dzieci ołów uszkadza układ nerwowy i obniża poziom inteligencji. Unia Europejska zaleciła obniżenie dopuszczalnego stężenia ołowiu w wodzie pitnej dla tego przedziału wiekowego dzieci do 10 mikrogramów na litr. Okres przejściowy do wprowadzenia tego zarządzenia w życie wynosi piętnaście lat.

Odnośnie do pochodzenia wspomnianych substancji i mechanizmów ich szkodliwego działania → Substancje szkodliwe w pokarmach, s. 713.

Zakład uzdatniania wody jest zobowiązany udzielić informacji na temat składu dostarczanej wody. Niektóre substancje szkodliwe przedostają się do wody dopiero w drodze z zakładu uzdatniania do kranu. Przebadanie wody jest uzasadnione, gdy:
— pochodzi ona z własnej studni,
— doprowadzana jest starym rurociągiem,
— płynie rurami wykonanymi z ołowiu,
— jest używana do przygotowywania pożywienia dla niemowląt.

Korzystając z testów dostępnych w aptece (Nitrat-Test, Fa. Merck), możesz samodzielnie przeprowadzić szybkie badanie orientacyjne na zawartość azotanów w wodzie.

Jeśli jesteś zaniepokojony, powinieneś zgłosić konieczność przebadania wody.

Obowiązkiem właścicieli domów jest zadbanie o dostarczenie lokatorom wody niebudzącej zastrzeżeń. Jeśli twoje zdrowie jest zagrożone dlatego, że właściciel domu zwleka z wymianą rur ołowianych lub z pokryciem kosztów związanych z podłączeniem do wodociągu publicznego w miejsce ujęcia z domowej studni, w Niemczech możesz uzyskać obniżenie czynszu o dziesięć procent, skłaniając w ten sposób właściciela do przyspieszonego wprowadzenia zmian.

### Uważaj, jeśli wody z kranu używasz do przygotowywania pokarmów dla niemowląt

*Azotany*: Są szczególnie niebezpieczne dla niemowląt. Powstające z nich azotyny łączą się z nośnikiem tlenu w krwinkach czerwonych. Może wówczas wystąpić zatrucie azotynami w postaci sinicy. Jeśli woda pitna zawiera powyżej 50 mg/l azotanów, władze są zobowiązane udostępnić do celów żywienia niemowląt wodę mniej skażoną. Według polskiego ustawodawstwa dopuszczalne stężenie azotanów w wodzie pitnej wynosi 10 mg/l. Jeżeli źródło wody ma stężenie ponad 20 mg/l, obowiązuje wymóg po-

## Zawartość kalorii w 0,5 litra

| | |
|---|---|
| Mleko | 330 kcal |
| Czysty sok jabłkowy lub pomarańczowy | 235 kcal |
| Napoje typu „cola" | 220 kcal |
| Lemoniada | 245 kcal |
| Piwo | 225 kcal |
| Wino | 350 kcal |
| Wódka | 1100 kcal |

---

informowania o tym społeczeństwa ze wskazaniem alternatywnych możliwości zaopatrzenia się w wodę pitną.

Jeśli woda pitna w twoim domu zawiera ponad 20 mg/l azotanów, przygotowując pokarm dla niemowląt powinieneś używać odpowiedniej wody stołowej. W Niemczech woda stołowa oznaczona napisem „nadająca się do przygotowywania pokarmów dla niemowląt" nie może zawierać więcej azotanów niż 10 mg/l i poniżej 0,02 mg/l azotynów.

*Miedź*: Metal ten może wypłukiwać z miedzianych rurociągów woda o odczynie kwaśnym (pH poniżej 6,7). Skażona w ten sposób woda może wywoływać u niemowląt niebezpieczne dla życia zmiany w wątrobie. W takim przypadku dla potrzeb żywienia niemowlęcia właściwsze jest używanie wody stołowej.

### Twardość wody

Woda pitna jest dla organizmu ważnym źródłem wapnia i magnezu. Jednak od czasu, gdy maszyny w gospodarstwie domowym wymagają stosowania wody miękkiej, wysiłki zakładów uzdatniania ukierunkowane są na coraz dokładniejsze zmiękczenie dostarczanej wody.

Odnośnie do twardości dostarczanej ci wody zasięgnij informacji w zakładzie uzdatniania.

Pełne zmiękczenie wody w urządzeniach uzdatniających nie ma uzasadnienia — wapń i magnez zastępuje wówczas sód. Nadmiar sodu może zaś powodować wzrost ciśnienia tętniczego krwi; najbardziej zagrożone pod tym względem są niemowlęta.

Filtry z żywic jonowymiennych, na przykład filtry Brita, zapobiegają zbyt dużej zawartości sodu w wodzie. Prócz wapnia usuwają one z wody także część ołowiu, natomiast nie zatrzymują magnezu. Woda uzdatniona w opisany sposób zawiera jednak prawdopodobnie więcej bakterii niż woda wodociągowa.

### Woda mineralna i stołowa

Wody te pochodzą ze źródeł naturalnych, skład ich podawany jest na etykietach. Dane te należy brać pod uwagę w przypadku zaleconego ograniczenia sodu w diecie, gdyż wiele wód mineralnych zawiera go więcej niż woda wodociągowa (w Niemczech maksymalnie do 150 mg/l), a jedynie nieliczne są ubogie w sód (→ Produkty spożywcze ubogie w sód, s. 727).

Woda mineralna może być w znacznym stopniu skażona bakteriami — po upływie pewnego czasu od napełnienia butelek. Szczególnie duże zagrożenie występuje w przypadku butelek z tworzyw sztucznych. Butelki z pęknięciem należy możliwie szybko opróżniać, do tego czasu zaś przechowywać je w lodówce.

### Sok, nektar, lemoniada itp.

Z powodu zawartości cukru napoje w butelkach lub opakowaniach papierowych zalicza się do produktów spożywczych. Są to środki spożywcze o mniejszej wartości, gdyż zawierają bądź obce dodatki, bądź podlegają różnym procesom przetwórczym.

Szklanka soku „zalewa" twój organizm cukrem; witaminy, sole mineralne i składniki odżywcze lepiej zaaplikować sobie w postaci całych owoców. Wówczas też substancje resztkowe korzystnie zadziałają na pracę jelit.

Jeśli masz ochotę pić soki w postaci naturalnej, to musisz je samodzielnie wycisnąć. W sokach pochodzących z fabryk dopuszczona jest — w zróżnicowanej ilości — zawartość cukru (→ s. 726). W przypadku sztucznych lemoniad produkuje się dodatkowo odmiany niskokaloryczne (typu „light")*, które zawierają bardzo mało lub wcale nie mają w swym składzie cukru. Przy ich zakupie zwróć uwagę na:

— produkty „niezawierające cukru" mogą zawierać jego namiastki (→ s. 721), co jest korzystne dla osób chorych na cukrzycę, lecz nie oznacza wcale mniejszej kaloryczności niż w przypadku napojów słodzonych cukrem;

— produkty o „zmniejszonej kaloryczności" mogą zawierać prócz sztucznych substancji słodzących także niewielkie ilości cukru lub jego namiastką, przez co nie nadają się do spożycia przez osoby chore na cukrzycę.

### Napoje typu „cola"

Są to oranżady o brunatnym zabarwieniu, stanowiące wodny roztwór cukru (110 g w litrze) z dodatkiem do 250 mg kofeiny,

---

### Zawartość cukru w sokach owocowych

(w podanej kolejności zmniejsza się zawartość owoców w produkcie gotowym, wzrasta zaś zawartość cukru i dodatków chemicznych)

*Niemcy*

Sok owocowy naturalny lub uzyskany ze 100% koncentratu
(dopuszczalny jest bez podania wzmianki dodatek do 15 g cukru, gdy pogoda była przyczyną mało słodkich zbiorów)

Nektar owocowy (dopuszcza się do 20% cukru)

Napój z soku owocowego

Syrop z soku owocowego

Lemoniada na soku owocowym (co najmniej 7% cukru)

Sztuczna lemoniada (oranżada) (co najmniej 7% cukru)

*Austria*

Sok owocowy naturalny lub uzyskany ze 100% koncentratu (nie zawiera cukru)

Napój z soku owocowego (zawartość soku 60%)

Nektar owocowy (zawiera co najmniej 40% soku owocowego)

Lemoniada na soku owocowym (w przypadku owoców pestkowych zawiera co najmniej 30% soku, w przypadku zaś owoców cytrusowych co najmniej 10% soku)

Lemoniada

Lemoniada sztuczna (składniki wyłącznie sztuczne, co najmniej 8% cukru)

*Polska*

Zarządzenie Ministerstwa Zdrowia i Opieki Społecznej (DzURP nr 22, 1993) reguluje dopuszczalne stężenie substancji dodatkowych także w napojach.

---

700 mg kwasu fosforowego i wszelkiego rodzaju innych substancji chemicznych. Ilość kofeiny zawarta w 1 litrze napoju jest równoważna mniej więcej jednej czwartej filiżanki kawy. Spożywanie napojów typu „cola" nie jest co prawda szkodliwe dla zdrowia, z pewnością jednak nie mieści się w pojęciu zrównoważonego żywienia.

### Napoje typu „bitter", toniki

Mimo gorzkiego smaku są to lemoniady zawierające cukier (110 g na litr). W litrze zawierają do 85 mg chininy. Napoje z dodatkiem chininy wynaleźli kolonizatorzy Afryki w celu zapobiegania malarii. Współcześnie jednak zapobiegawczo chininy się nie stosuje, a w naszym regionie geograficznym malaria nie występuje.

## ŻYWIENIE DZIECI

Do szóstego miesiąca życia niemowlęta nie potrzebują niczego poza mlekiem matki (→ Karmienie piersią, s. 549) lub, jeżeli to jest niemożliwe, mlekiem modyfikowanym (wstępny pokarm niemowląt). Im później dziecko będzie dokarmiane, tym dla niego lepiej. Do karmienia butelką najbardziej nadaje się mleko składem zbliżone do mleka kobiecego. Jest to pokarm początkowy, dawniej nazywany „mleko modyfikowane". Można je rozpoznać na podstawie „pre" przed nazwą produktu lub liczby „1" po nazwie. Mlekiem „pre" można karmić dziecko jak kobiecym według potrzeby. Pokarm „1" powinien być ograniczany ilościowo. Zawiera on mały dodatek skrobi kukurydzianej lub ryżowej, mogący sprzyjać tyciu dziecka.

Następne pokarmy określano wcześniej jako „częściowo modyfikowane". Ich skład nie jest już tak bliski mleku kobiecemu. Zawierają one na przykład skrobię lub maltodekstryny, które mają dłużej sycić. Pokarmy drugiego rzutu można rozpoznać po „2" po nazwie produktu. Nadają się dla dzieci mających więcej niż cztery miesiące. Jednakże przestrzeganie kolejności „1" i „2" nie jest niezbędne. Można swoje dziecko tak długo karmić pokarmem „1", aż będzie ono mogło pić pełne mleko z filiżanki.

*Uwaga*: Nie każda woda nadaje się do przygotowania mleka butelkowego dla niemowląt (→ Picie, s. 722).

*Czy pożywienie w butelce przygotowywać samemu?*

Nie jest możliwe samodzielne przygotowanie pokarmu, który idealnie odpowiadałby wrażliwemu przewodowi pokarmowemu niemowlęcia. Jeżeli jednak musi się je przygotować, należy skorzystać z następującej recepty:

200 g pasteryzowanego mleka pełnego (3,5% zawartości tłuszczu),

10 g = 4 pełne łyżeczki do herbaty skrobi kukurydzianej,

16 g = 4 pełne łyżeczki do herbaty cukru,

6 g = 1,5 łyżeczki do herbaty oleju z kiełków kukurydzy lub słonecznikowego rozprowadzić w 400 g wody.

Od trzeciego miesiąca życia mieszanka ta będzie lepiej znoszona niż wcześniej.

Mieszanki przygotowywane z produktów pełnoziarnistych

## Wstępny pokarm dla niemowląt

| | | |
|---|---|---|
| Aletemil 1 | Milumil | Pre Aptamil |
| Aponti 1 | Nestle Beba 1 | Pre Humana |
| Aponti Pre | Nestleu Pre-Beba | |
| Humana 1 | Pre Aletamil | |

## Mleko modyfikowane dla następnego okresu karmienia

| | | |
|---|---|---|
| Aletemil 2 | Aptamil 2 | Milumil 2 |
| Aponti 2 | Humana 2 | Nestle Beba 2 |

nie są właściwe, gdyż zawierają za mało tłuszczów, a za dużo węglowodanów.

W celu niezbędnego zaopatrzenia dziecka w witaminy od szóstego tygodnia należy dodatkowo podawać soki marchwiowy i pomarańczowy.

### Żywienie uzupełniające

Dwa czynniki limitują tzw. żywienie uzupełniające. Z jednej strony przed osiągnięciem określonego wieku podawanie dziecku pewnych produktów spożywczych jest niewskazane, ponieważ jego organizm nie jest przygotowany do ich trawienia. Z drugiej zaś strony wszechstronne pokrycie zapotrzebowania organizmu wymaga dołączenia w odpowiednim czasie niektórych pokarmów do jadłospisu dziecka. Napisy na gotowych odżywkach informujące na przykład: „powyżej szóstego miesiąca życia" oznaczają, że do tego czasu osiągnięty został stopień dojrzałości układu pokarmowego dziecka wystarczający do ich pełnego strawienia. Napisy te nie oznaczają, że odżywki te są niezbędne dla dziecka. Potrzeby żywieniowe niemowląt nie są jeszcze tak dalece zróżnicowane.

Na ogół występuje tendencja do zbyt wczesnego dokarmiania niemowląt. Podejście takie wiąże się z następującymi ujemnymi skutkami:

— Układ pokarmowy obciąża się pokarmami, których jeszcze nie jest w stanie strawić. Następstwem może być występowanie wzdęć. Częstość alergii pokarmowych jest tym większa, im wcześniej rozpoczyna się dokarmianie.

— Pokarmy podawane w ramach żywienia uzupełniającego mają zmniejszoną zawartość białka niż mleko kobiece. Żywienie uzupełniające zbyt wczesne rozpoczęte i zbyt obfite może być przyczyną niedoboru białka.

— Dziecko spożywające zbyt dużo węglowodanów staje się otyłe. Posługiwanie się dostępnymi w handlu odżywkami powoduje dodatkowo:

— Przyzwyczajenie się dziecka do pokarmów słodkich (prawie wszystkie produkty tego typu są zbyt mocno słodzone).

— Nadmierną podaż witamin (gdyż niemalże wszystkie produkty są w sposób sztuczny witaminizowane).

— Spożywanie przez dziecko zbyt dużej ilości soli (niektóre odżywki są w dalszym ciągu dodatkowo dosalane).

### Od piersi matki do jedzenia z talerza

W optymalnych warunkach przejście to może przedstawiać się następująco:

— Od piątego miesiąca życia wprowadzenie do jadłospisu prze-

tartej duszonej marchwi, podawanej łyżeczką w południe. W trakcie miesiąca cały obiad wypełnić papką marchwiowo-ziemniaczano-mięsną z dodatkiem tłuszczu (90 g marchwi +40 g ziemniaka +20 g chudego, gotowanego mięsa z dodatkiem 10 g masła lub oleju sojowego na zmianę +30 g soku pomarańczowego). Pozostałe posiłki: mleko matki lub modyfikowane.

— W szóstym miesiącu wprowadzenie do planu jako drugiego posiłku niesłodzonej papki mleczno-zbożowej (200 g pełnego mleka +20 g płatków z pełnego ziarna +20 g soku pomarańczowego). Do papki obiadowej raz w tygodniu zamiast mięsa dodać jedno żółtko jaja. Pozostałe posiłki: mleko matki lub modyfikowane.

— W siódmym miesiącu wprowadza się dalszy posiłek bezmleczny w postaci papki zbożowo-owocowej (20 g płatków z pełnego ziarna +90 g wody +100 g świeżych owoców +5 g masła).

— W dziewiątym miesiącu zamienia się papkę z pełnego ziarna na papkę ze świeżego ziarna. Do tego celu mielonych ziaren już się nie gotuje, lecz na godzinę przed posiłkiem zalewa, żeby namiękły. Można już podać papkę ze świeżych przetartych jarzyn.

— W drugim roku życia: pożywienie pełnowartościowe jak dla dorosłych, początkowo jeszcze lekko rozdrobnione. Pomidory, owoce, owoce roślin strączkowych i kapustę należy wprowadzać ostrożnie. Mogą powodować wzdęcia. Papka ze świeżego ziarna, z grubsza rozdrobnionego, musi być zmiękczona przez 8 do 12 godzin w lodówce. Dziennie około 400 g pełnego mleka.

### Odżywki w słoikach

Zaletą gotowych odżywek dla dzieci jest to, że stale są dostępne i nie wymagają nakładu pracy. Zagwarantowana też jest odpowiednia jakość — świeże owoce i warzywa podlegają niezwłocznie po zebraniu troskliwej obróbce i konserwacji. Przeprowadzane w sposób ciągły kontrole chronią zaś twoje dziecko przed nadmiarem azotanów i środków owadobójczych.

Zaletą samodzielnie przygotowanych pokarmów dla niemowląt jest to, że znasz dokładnie ich skład i na przykład rzadko włączasz do jadłospisu ziemniaki. Z drugiej strony nie masz rozeznania co do zawartości substancji szkodliwych w użytych warzywach.

### Ile wystarcza

Nie ma ustalonych reguł odnośnie do zapotrzebowania kalorycznego u dzieci. Ich zapotrzebowanie energetyczne jest jednak wyższe niż u osób dorosłych i odpowiada w wieku od pięciu do ośmiu lat zapotrzebowaniu kalorycznemu dorosłej kobiety wykonującej lekką pracę. Powyżej dziesiątego roku życia aż do osiągnięcia dojrzałości płciowej zapotrzebowanie energetyczne może być przejściowo równe zapotrzebowaniu osoby dorosłej ciężko pracującej fizycznie.

Jest rzeczą normalną, że dziecko może mieć raz mniejszy, innym razem większy apetyt. W szczególności małym dzieciom trudno jeszcze przychodzi stosowanie się do sztywnego rozkładu posiłków. Trzy posiłki dziennie nie zapewniają im nale-

**Lektura uzupełniająca**

SZOTOWA W.: *Żywienie dzieci zdrowych*. Wyd. 2, Wydaw. Lekarskie PZWL, Warszawa 1996.

KŁOSIŃSKA A.: *Zdrowa kuchnia dla dzieci*. Ofic. Wydaw. SPAR, Warszawa 1997.

TRIMMER E.: *Zdrowa żywność. Poradnik*. Wydaw. Da Capo, Warszawa 1995.

żytego pokrycia zapotrzebowania energetycznego — muszą więc otrzymywać dodatkowy posiłek przed i po południu.

### Jedzenie na przerwie między lekcjami

Posiłek szkolny nadający się do włożenia do tornistra, zgodny z zasadami prawidłowej diety, to posmarowana (masą orzechową, pastą warzywną, serem topionym itp.) kromka chleba z pełnego ziarna, surowe warzywa lub owoce, owoce suszone lub orzechy oraz dodatkowo mleko lub jogurt.

W niektórych landach Niemiec zabroniono sprzedaży na terenie szkoły artykułów spożywczych uznanych za szczególnie niezdrowe.

Jeśli chciałbyś zmienić sytuację na swoim terenie, powinieneś wraz z innymi rodzicami skłonić kierownictwo szkoły do zorganizowania „zdrowego" bufetu ze śniadaniami dla uczniów lub samemu podjąć się jego urządzenia.

# ŻYWIENIE OSÓB
# W PODESZŁYM WIEKU

U osób w podeszłym wieku wiele procesów, w tym także trawienie, przebiega w tempie wolniejszym niż u osób młodszych. Mimo to nie ma powodu, by dla osób w podeszłym wieku propagować odrębne zasady żywienia. Pełnowartościowa dieta pokrywa także zapotrzebowanie organizmu starszego człowieka. Osoby, którym gryzienie sprawia trudności, mogą spożywać drobno starte owoce, warzywa i orzechy, zboża zaś w postaci mąki z pełnego ziarna. Przeciążeniu żołądka zapobiega zastąpienie trzech dużych posiłków dziennie posiłkami mniej obfitymi spożywanymi częściej w ciągu dnia.

Pewne natrętnie głoszone hasła reklamowe mają skłaniać do zakupów dodatkowych produktów żywnościowych lub dań gotowych przeznaczonych dla osób w podeszłym wieku.

*„Seniorom potrzeba więcej białka"*: Zapotrzebowanie na białko w podeszłym wieku jest nieco zwiększone, jednak wspomniane hasło nie ma uzasadnienia, gdyż współczesna dieta i tak zbyt mocno obfituje w białko.

*„Seniorzy potrzebują więcej wapnia"*: Zapotrzebowanie na wapń pokrywają jednak produkty pochodne mleka i warzywa.

O wiele większe znaczenie ma kwestia, czy zażywane przez ciebie lekarstwa odbijają się na stanie odżywienia lub odwrotnie — czy pokarmy mogą powodować zakłócenia w działaniu zażywanych leków. Problem ten powinieneś omówić z lekarzem lub farmaceutą.

Osoby nieumiejące lub niemające ochoty na samodzielne gotowanie mogą zamawiać potrawy z dostawą do domu lub kupować dostępne w handlu dania gotowe do spożycia. Są one co prawda drogie, lecz wartościowsze niż spożywanie kanapek trzy razy dziennie.

# DIETETYCZNE ŚRODKI
# SPOŻYWCZE

Realnie biorąc, liczba osób skazanych na dietetyczne zestawy spożywcze z powodu rodzaju choroby lub konieczności ograniczania niektórych składników jest nieduża. Przykładem jest dieta z ograniczeniem białka dla chorych z niewydolnością nerek. Wszystkie inne diety, którymi kiedyś leczono niektóre choroby, dzisiaj są zbędne.

W rzeczywistości niektóre gotowe zestawy dietetyczne, zwłaszcza niskokaloryczne, służą odżywianiu bez rezygnacji z przyjemności. Kupujący stwarzają sobie tym samym iluzję bycia zdrowym, mimo że nadal spożywają dużo, najczęściej nawet więcej niż kiedykolwiek i w dodatku jedzą niewłaściwe pokarmy. Ludność Niemiec wydała w 1995 roku szacunkowo 3,8 miliarda marek na gotowe zestawy dietetyczne.

### Niskokaloryczne produkty (typu „light")

Pojęcie „light" lub „lekkie" nie jest chronione. Można nim opisać wszystko. Dopiero gdy lekkie ma oznaczać ograniczenie kalorii, jego wymowa jest prawnie chroniona: taki artykuł spożywczy ma przynajmniej 40 % kalorii mniej niż jego zwykły odpowiednik. Produkt określony jako „ubogokaloryczny" nie może zawierać więcej niż 50 kcal na 100 gramów; przy napojach — nawet 20 kcal na 100 ml. Najczęściej uzyskuje się redukcję kalorii przez potraktowanie produktu gazem i jego spienienie, zwiększające objętość (np. przy słodkich potrawach) lub przez dodatek różnych substancji umożliwiających związanie wody (np. przy margarynach półtłustych) lub przez zastosowanie ubogokalorycznych zamienników dla właściwych składników (np. „lekka" kiełbasa).

Wiele z tych technologicznie wytwarzanych potraw wypełnia żołądek, jednak nie syci. Ośrodek sytości w mózgu rejestruje dokładnie, że poziom tłuszczu nie jest jeszcze dostatecznie wysoki, by czuć się sytym. Konsumujący takie produkty ulegają swemu apetytowi i jedzą więcej niż przedtem z wiarą, że te produkty „nie tuczą". Po pewnym czasie waga wskazuje zwyżkę, a stosujący nie przybliżył się ani o krok do celu, jakim miało być przestawienie dietetyczne (→ s. 712). Zdrowym zamiennikiem alternatywnym dla tych produktów są naturalnie występujące w przyrodzie: owoce, jarzyny i produkty zbożowe.

### Produkty spożywcze dla chorych na cukrzycę

Chorzy na cukrzycę z niechęcią odnoszą się do tych produktów, ponieważ najważniejszą zasadą leczenia cukrzycy (typu

**Lektura uzupełniająca**

GUMOWSKA I.: *Odżywianie ludzi starszych*. „Warta", Warszawa 1988.

II) jest redukcja wagi ciała i ruch (s. 452). Czekolada dla chorych na cukrzycę tak samo obfituje w tłuszcze jak środki spożywcze dla zdrowych. Utrudnia to obniżenie wagi ciała. To samo dotyczy innych artykułów spożywczych. Nie mogą one wprawdzie zawierać żadnych cukrów, które szybko podwyższają poziom cukru we krwi, jednakże jeżeli są zastępowane przez namiastki cukrów (s. 721), produkt ma tyle samo kalorii co jego niedietetyczny odpowiednik.

## Produkty spożywcze ubogie w sód

Są pomocne dla osób chorujących na nadciśnienie tętnicze, którym lekarz zalecił dietę niskosodową, a które nie chcą zrezygnować ze wszystkich produktów typu gotowego do spożycia.

W Niemczech obowiązują trzy stopnie klasyfikacji, według której oznaczane są produkty spożywcze:

— napis „o zmniejszonej zawartości sodu" lub „o zmniejszonej zawartości soli" oznacza, że produkty, w zależności od rodzaju, zawierają w 100 g mniej niż 0,5 g sodu, co odpowiada 1,25 g soli kuchennej;

— napis „ubogi w sód" oznacza, że produkt zawiera w 100 g poniżej 0,12 g sodu; ilość ta odpowiada 0,3 g soli kuchennej;

— napis „ściśle ubogi w sód" oznacza, że produkt zawiera w 100 g mniej niż 0,04 g sodu, co odpowiada 0,1 g soli kuchennej.

W Polsce powyższa klasyfikacja produktów spożywczych dotąd nie obowiązuje.

---

### Lektura uzupełniająca

ZIEMLAŃSKI S., ZAWISTOWSKA Z.: *Z solą czy bez soli? — kuchnia dietetyczna*. „Watra", Warszawa 1991.

---

### Namiastki soli kuchennej

Namiastki soli kuchennej zawierają na ogół około 40% potasu, co może być niekorzystne, jeśli u danej osoby występują zaburzenia gospodarki potasowej lub gdy upośledzona jest czynność nerek. Smak wszystkich oferowanych dotychczas mieszanin namiastek soli kuchennej pozostawia wiele do życzenia.

Produkty mięsne, sporządzone z namiastką soli, nazywane są w Niemczech „kiełbasami dietetycznymi".

### Tłuszcze dietetyczne

Margaryny „dietetyczne" zawierają co najmniej 40% nienasyconych kwasów tłuszczowych; tłuszcze z napisem „zawierający szczególnie dużo nienasyconych kwasów tłuszczowych" mają ich w składzie co najmniej 50%; oleje „dietetyczne" zawierają co najmniej 60% nienasyconych kwasów tłuszczowych oraz dodatkowo witaminę E. Naturalnym zamiennikiem alternatywnym są oleje słonecznikowy lub ostowy, które są bogate w nienasycone kwasy tłuszczowe.

### Namiastki tłuszczów

W Europie nie są jeszcze osiągalne, ale w USA już dopuszczone, na przykład namiastka tłuszczu olestra. Pod względem walorów smakowych i kulinarnych nie jest do odróżnienia od właściwych tłuszczów. Olestra jest przetwarzany z tłuszczu roślinnego do związku, którego enzymy przewodu pokarmowego nie trawią. Opuszcza organizm bez dostarczenia kalorii. Wydalony, powinien być traktowany jako szczególny odpad, gdyż nie jest rozkładany przez biologiczne metody urządzeń oczyszczania ścieków.

Wraz z tą substancją organizm „gubi" witaminy rozpuszczalne w tłuszczach, np. A, D, E i K. Dlatego produkt jest w nie wzbogacony. Do objawów niepożądanych należą biegunki.

## Jodowana sól kuchenna

Używanie soli jodowanej w kuchni przeciwdziała niedoborowi jodu. Tym samym sól, którą Niemcy spożywają w nadmiarze, nabiera pozytywnych walorów. Ostatnio osiągalna jest w Niemczech także sól wzbogacona równocześnie w jod i fluor. W Polsce sól jodowana zawiera 30 mg jodku potasu w 1 kg soli.

Artykuły spożywcze do ogólnej konsumpcji, jak kiełbasa, chleb lub ser, mogą być produkowane z zastosowaniem soli jodowanej. Wówczas w spisie składników jest wyszczególniona sól jodowana. Takie artykuły mogą być niebezpieczne dla osób reagujących nadwrażliwie (→ Wole, s. 461).

Pożywienie, które obejmuje także ryby morskie, pokrywa zapotrzebowanie organizmu na jod (→ Pierwiastki śladowe, s. 733).

# WITAMINY, SOLE MINERALNE, PIERWIASTKI ŚLADOWE

Witaminom przypisuje się wiele właściwości, których nie wykazują. Wbrew powszechnie panującym poglądom nie zwiększają one odporności na stres ani wydolności fizycznej, nie zwiększają inteligencji dzieci, nie zapobiegają przeziębieniom ani rozwojowi nowotworów, nie polepszają samopoczucia ani nie przedłużają młodości.

Do pierwszych objawów niedoboru witamin należy męczliwość, depresyjny nastrój i zaburzenia koncentracji uwagi. Trudno jednak ustalić, czy opisane zaburzenia samopoczucia rzeczywiście spowodowane zostały niedoborem witamin, czy też przyczyna ich jest inna. Pewne jest wszakże, że sole mine-

---

### Wystąpienie stanów niedoborowych możliwe jest:

— gdy odżywiasz się obficie, lecz niewłaściwie jakościowo (→ Żywienie pełnowartościowe, s. 705);

— wskutek niektórych chorób;

— wskutek zażywania niektórych leków; odpowiednie wskazówki znajdują się na ulotkach załączonych do opakowań; informacji na ten temat możesz również zasięgnąć u lekarza lub farmaceuty;

— gdy zapotrzebowanie organizmu na sole mineralne i witaminy przewyższa ich przeciętny dowóz; przyczyną tego stanu może być ciąża, karmienie piersią, choroba alkoholowa.

ralne, witaminy i pierwiastki śladowe są niezbędne do życia. Każdy z poszczególnych składników musi być dostępny w organizmie w wystarczającej ilości — niedoboru jednej substancji nie da się zastąpić występowaniem innej w nadmiarze. Zrównoważone żywienie zapewnia organizmowi dostateczną podaż wszystkich wymienionych substancji. Systematyczne bądź ograniczone do sytuacji obciążających organizm (choroba, stres) zażywanie preparatów zawierających witaminy lub sole mineralne czy też pierwiastki śladowe nie ma uzasadnienia. Nie udało się udowodnić korzystnego ich wpływu. Zdarza się natomiast występowanie działania niepożądanego (→ omówienie poszczególnych witamin począwszy od s. 729).

### Ile wystarczy

Wartości zapotrzebowania dziennego podawane w tabelach odnoszą się do zapotrzebowania zdrowych osób dorosłych i uwzględniają indywidualne wahania. Nie ma potrzeby codziennego spożywania witamin, soli mineralnych i pierwiastków śladowych w ilościach dokładnie odpowiadających zalecanym w tabelach. Jednak przeciętne spożycie w dłuższym okresie powinno być zgodne z ilościami zalecanymi. Jeśli podejrzewasz, że występuje u ciebie niedobór witamin, soli mineralnych lub pierwiastków śladowych, powinieneś poddać się kierunkowemu badaniu lekarskiemu.

*W przypadku, gdy lekarz rozpoznał niedobór*
— Powinieneś zastanowić się, w jaki sposób zmodyfikować swoją dietę, aby maksymalnie zwiększyć dostarczanie twemu organizmowi brakujących substancji.
— Jeśli zdaniem lekarza powinieneś zażywać brakujący składnik w postaci lekarstwa, pożądane jest, by lekarz zalecił stosowanie tej właśnie substancji, a nie preparatu wieloskładnikowego.
— Lekarz powinien skontrolować wynik leczenia i w przypadku powodzenia odstawić zastosowany lek.

## Witaminy

Tylko witaminy D, H i K mogą być wytwarzane w organizmie, pozostałe muszą być dostarczane z zewnątrz. Organizm ma zdolność do magazynowania witamin, dzięki czemu jest w stanie wyrównywać przez pewien czas wahania podaży i zapotrzebowania. W Europie Środkowej niedobory witamin prawie nie występują od czasu, gdy dla wszystkich stała się dostępna wielostronna dieta.

Pomimo to u niektórych osób odżywiających się jednostronnie podaż poszczególnych witamin jest niewystarczająca.

Wyróżnia się dwie grupy witamin: rozpuszczalne w wodzie i rozpuszczalne w tłuszczach. Witaminy rozpuszczalne w wodzie ($B_1$, $B_2$, $B_6$, $B_{12}$, kwas foliowy, niacyna, kwas pantotenowy, C, H) występują przede wszystkim w produktach spożywczych zawierających węglowodany. Organizm jest zdolny do wydalania nadmiaru witamin należących do tej grupy. Mimo to nadmierna podaż w niektórych przypadkach może nie pozostawać bez następstw (np. → Witamina $B_6$, s. 729).

Witaminy rozpuszczalne w tłuszczach (A, D, E, K) występują, zgodnie z nazwą, w produktach spożywczych zawierających

tłuszcze. Przy nadmiernej podaży następuje ich nagromadzenie się w organizmie, co prowadzi do wystąpienia objawów zatrucia. Przy diecie obfitującej w witaminy należy unikać jednoczesnego:
— spożywania witaminizowanych produktów spożywczych i/lub
— zażywania preparatów witaminowych lub tranu.

### Preparaty wielowitaminowe

Krótkotrwałe stosowanie tzw. preparatów multiwitaminowych, zawierających w swym składzie prócz mieszaniny różnych witamin dodatkowo inne substancje, może być uzasadnione u osób:
— skąpo odżywiających się w trakcie leczenia odchudzającego;
— zmuszonych do przestrzegania jednostronnej diety,
— cierpiących na poważne choroby przewodu pokarmowego lub wątroby.

### Zdrowie w opakowaniu

Wydawać by się mogło, że pod postacią dodatków witaminowych można kupić zdrowie. Dodatkiem witamin usiłuje się na przykład poprawić jakość produktów, które z powodu zbyt dogłębnego przetworzenia zawartych w nich składników należałoby sklasyfikować jako mało wartościowe.

Gdy przestrzega się zasad zrównoważonego żywienia, wszechobecne witaminizowanie nie jest potrzebne. Chcąc uwolnić się od tego zjawiska, należy zwracać uwagę na sztuczny dodatek witamin w:
— sokach owocowych, lemoniadach (oranżadach),
— cukierkach, „zdrowych" czekoladkach i innych słodyczach,
— marmoladach i innych słodkich masach do smarowania chleba,
— jogurtach, gotowych budyniach i innych produktach mlecznych,
— margarynie, maśle i innych tłuszczach do smarowania,
— olejach roślinnych.

### Witaminy a nowotwory złośliwe

Nowym hasłem stał się „stres oksydacyjny", który wywołują wolne rodniki tlenowe. Takie rodniki powstają zawsze i wszędzie w organizmie; częściowo organizm chroni się przy ich udziale przed szkodliwymi produktami przemiany materii. Jednakowoż te agresywne rodniki mogą uszkadzać zdrowe komórki lub nawet indukować rozwój nowotworów złośliwych.

Przeciw tym agresywnym działaniom organizm wytworzył mechanizmy obronne, w których uczestniczą także witaminy C, E i beta-karoten. Mimo to wiele badań na dużych populacjach wykazało, że dodatek tych substancji nie ma żadnego działania zapobiegawczego przeciw nowotworom złośliwym (→ Czynniki zmniejszające ryzyko wystąpienia nowotworów złośliwych zawarte w pokarmach, s. 439).

---

**Lektura uzupełniająca**

HASIK J.: *Dobre leczenie to właściwe żywienie*. PZWL, Warszawa 1997.

## Wtórne składniki roślinne

Pojęcie to obejmuje składniki roślinnych środków spożywczych, które występują w bardzo małych ilościach i wywierają istotne korzystne działanie zdrowotne. Należą do nich:

— allicyna w czosnku i izotiocyjanian w jarzynach kapustnych działają przeciwbakteryjnie,
— flawonoidy, występujące we wszystkich jarzynach, jeden ze składników brokułów i jeden zawarty w nasionach soi mogą neutralizować substancje rakotwórcze,
— flawonoidy herbaty, cebuli, czosnku i czerwonych winogron mogą zmniejszać ryzyko zawału serca,
— składniki jarmużu, marchwi i pomidorów wiążą „wolne rodniki",
— kwasy poziomek, ananasa i pomidorów neutralizują rakotwórcze nitrozaminy.

## Witamina A (retinol)

Jest niezbędna w procesach wzrostu i odnowy nabłonka skóry, błon śluzowych oraz do widzenia w ciemności.

*Średnia dawka zalecana dziennie*: dorośli co najmniej 2500 j.m. (jednostek międzynarodowych) witaminy A, dwa razy więcej zaś kobiety w ostatnim trymestrze ciąży oraz w okresie karmienia.

*Występowanie*: w produktach spożywczych pochodzenia zwierzęcego. Produkty roślinne zawierają prowitaminy A (np. karoten), które organizm samodzielnie przetwarza w witaminę A. Przyswajanie karotenu z produktów w stanie surowym jest jednak niskie.

*Zapotrzebowanie dzienne możesz pokryć, spożywając około*: 40 g gotowanej marchwi lub 110 g szpinaku, lub 130 g masła, lub 235 g sera ementalskiego, lub 3 g tranu z wątrób dorszowych.

*Niedobór witaminy A* może wystąpić, gdy w diecie nie występuje mleko lub produkty mleczne, masło, witaminizowana margaryna, marchew, warzywa liściaste.

*Objawami niedoboru witaminy A są*: brak apetytu, sucha skóra, kurza ślepota; u dzieci zaburzenia wzrostu.

*Nadmiar witaminy A* może wystąpić tylko wtedy, gdy jej dowóz jest zbyt duży wskutek spożywania witaminizowanych produktów spożywczych lub leków (tran w tym znaczeniu również zalicza się do leków).

*Objawy zatrucia witaminą A*: nużliwość, brak apetytu, nudności, bóle głowy, wypadanie włosów, sucha skóra, zaburzenia widzenia (widzenie podwójne).

*Uwaga*: Kobiety w pierwszych miesiącach ciąży w żadnym wypadku nie powinny zażywać większych niż zalecane ilości witaminy A. Nie stwierdzono występowania wad wrodzonych płodu tylko przy dawkach witaminy A nieprzekraczających 10 000 j.m. dziennie.

## Witamina B₁ (tiamina, aneuryna)

Jest niezbędna w procesach metabolicznych węglowodanów i alkoholu.

*Średnia dawka zalecana dziennie*: 1-2 mg. Zwiększone zapotrzebowanie występuje przy wykonywaniu ciężkiej pracy fizycznej, w gorączce i nadczynności tarczycy.

*Zapotrzebowanie dzienne możesz pokryć, spożywając*

*około*: 250 g kotletów wieprzowych lub 220 g orzeszków ziemnych, lub 500 g soczewicy, lub 600 g chleba z pełnego ziarna.

*Niedobór witaminy B₁* może wystąpić, gdy w diecie brakuje mięsa wieprzowego, produktów zbożowych i ziemniaków.

*Objawy niedoboru witaminy B₁*: charakterystyczne są bóle głowy, brak apetytu, bóle w okolicy żołądka, zaparcie, zaburzenia pamięci i koncentracji uwagi.

*Nadmiar witaminy B₁* w organizmie może być spowodowany jedynie przez podawanie jej w postaci leku.

*Objawy nadmiaru witaminy B₁*: nadwrażliwość nerwowa na wszelkiego rodzaju bodźce.

## Witamina B₂ (ryboflawina)

Jest niezbędna w procesach metabolicznych tłuszczów i białek.

*Średnia dawka zalecana dziennie*: 1-2 mg; u kobiet w ciąży około 0,5 mg więcej.

*Zapotrzebowanie dzienne możesz pokryć, spożywając około*: 225 g serc wołowych lub 320 g parmezanu.

*Niedobór witaminy B₂* może wystąpić, gdy dieta nie zawiera ryb, jajek ani produktów mlecznych.

*Objawy niedoboru witaminy B₂*: spękane wargi i kąciki ust, sucha i zmieniona zapalnie skóra, pieczenie i swędzenie oczu, światłowstręt.

Stan nadmiaru witaminy B₂ nie został odnotowany.

## Witamina B₆ (pirydoksyna)

Jest niezbędna w procesach metabolicznych białek.

*Średnia dawka zalecana dziennie*: około 2 mg; u kobiet ciężarnych około 3 mg. Kobiety stosujące pigułkę antykoncepcyjną cierpią niekiedy na niedobór witaminy B₆. Obserwacja ta nie daje jeszcze podstawy do zalecenia kobietom stosującym tę metodę zapobiegania ciąży jednoczesnego połykania witaminy B₆. Jeśli na podstawie samopoczucia podejrzewasz u siebie występowanie niedoboru witaminy B₆ — jedz wówczas więcej chleba z pełnego ziarna lub bananów, przedyskutuj swoje podejrzenie z lekarzem.

*Zapotrzebowanie dzienne możesz pokryć, spożywając około*: 200 g łososia lub 325 g makreli, lub 500 g bananów, albo 500 g chleba z pełnego ziarna.

*Niedobór witaminy B₆* uwarunkowany żywieniowo prawie nie występuje.

*Objawy niedoboru witaminy B₆*: brak apetytu, nudności, zapalenie błony śluzowej jamy ustnej, suchość skóry.

*Nadmiar witaminy B₆* w organizmie może wystąpić tylko wtedy, gdy jest ona zażywana pod postacią leku (witaminę B₆ zaleca się np. przy wymiotach lub w zespole napięcia przedmiesiączkowego; → Nieprawidłowe krwawienia, s. 474).

*Objawy nadmiaru witaminy B₆*: mrowienia i piekące bóle w obrębie rąk i nóg, niepewny chód.

## Witamina B₁₂ (kobalamina)

Jest niezbędna do wytwarzania czerwonych ciałek krwi.

*Średnia dawka zalecana dziennie*: około 0,003 mg.

*Zapotrzebowanie dzienne możesz pokryć, spożywając mniej więcej*: 60 g wołowiny lub wieprzowiny, albo 35 g śledzi czy makreli, lub 75 g okonia.

*Występowanie*: witamina B₁₂ znajduje się wyłącznie w produktach spożywczych pochodzenia zwierzęcego lub w przetworach warzyw zawierających kwas mlekowy (kiszona kapusta, kiszone ogórki).

*Niedobór witaminy $B_{12}$* uwarunkowany żywieniowo występuje wyłącznie u osób w ogóle niespożywających produktów pochodzenia zwierzęcego. Wchłanianie witaminy $B_{12}$ może być upośledzone w chorobach przewodu pokarmowego. W przypadku, gdy w żołądku nie jest wytwarzana substancja umożliwiająca wchłanianie witaminy $B_{12}$, rozwija się niedokrwistość megaloblastyczna (→ s. 325).

*Objawy niedoboru witaminy $B_{12}$*: wstręt do mięsa, pieczenie języka, zespół objawów niedokrwistości — męczliwość, zawroty głowy, osłabienie.

Stan nadmiaru witaminy $B_{12}$ nie został jak dotąd odnotowany.

### Kwas foliowy

Jest niezbędny przy powstawaniu czerwonych ciałek krwi.

*Średnia dawka zalecana dziennie*: około 0,2 mg. Ciąża zwiększa dwukrotnie zapotrzebowanie na kwas foliowy.

*Zapotrzebowanie dzienne możesz pokryć, spożywając około*: 250 g szpinaku lub 200 g kopru włoskiego, lub 330 g jarmużu, lub 250 g szparagów, lub 330 g chleba z pełnego ziarna.

*Niedobór kwasu foliowego* nie występuje przy prawidłowym odżywianiu się. Dowóz kwasu foliowego jest prawdopodobnie niewystarczający u niemowląt karmionych mlekiem krowim poddanym działaniu wysokiej temperatury. Gotowe mleko przeznaczone do żywienia niemowląt zawiera dodatek kwasu foliowego.

Poważne choroby przewodu pokarmowego mogą utrudniać wchłanianie kwasu foliowego; zmniejszają go także niektóre leki przeciwnowotworowe i przeciwreumatyczne.

*Objawy niedoboru kwasu foliowego*: jak w przypadku witaminy $B_{12}$.

*Nadmiar kwasu foliowego* w organizmie może powstać jedynie przy jego sztucznym podawaniu.

*Objawy nadmiaru kwasu foliowego*: dolegliwości żołądkowo-jelitowe. Nadmiar kwasu foliowego może być dodatkowo niekorzystny, gdyż utrudnia rozpoznanie niedokrwistości megaloblastycznej wywołanej niedoborem witaminy $B_{12}$ (→ s. 325).

### Witamina PP (niacyna, kwas nikotynowy)

Jest niezbędna w przemianach energetycznych zachodzących w komórkach.

*Średnia dawka zalecana dziennie*: od 10 do 20 mg.

*Zapotrzebowanie dzienne możesz pokryć, spożywając około*: 230 g mięsa kurzego lub 525 g śledzi, lub 130 g orzeszków ziemnych.

*Niedobór witaminy PP* może wystąpić, gdy dieta nie zawiera ryb lub chleba oraz w przebiegu poważnych chorób przewodu pokarmowego.

*Objawy niedoboru witaminy PP*: bóle głowy, brak apetytu, dolegliwości żołądkowe, zmiany skórne przypominające oparzenie słoneczne: szorstkość, łuszczenie się, zaczerwienienie i zmiany zapalne.

*Nadmiar witaminy PP* może wystąpić w przypadku leczenia zaburzeń ukrwienia lub zbyt wysokiej zawartości substancji tłuszczowych we krwi za pomocą leków zawierających kwas nikotynowy.

*Objawy nadmiaru witaminy PP*: sucha, zaczerwieniona skóra, wypadanie włosów, świąd skóry, biegunka, wymioty, uszkodzenie wątroby.

### Kwas pantotenowy

Jest niezbędny w procesach metabolicznych wszystkich składników odżywczych.

*Średnia dawka zalecana dziennie*: około 5 mg.

Nieznane są objawy zarówno niedoboru, jak i nadmiaru kwasu pantotenowego.

### Witamina C (kwas askorbinowy)

Jest niezbędna w procesie powstawania tkanki łącznej.

Przyswajanie przez organizm substancji o działaniu krwiotwórczym — kwasu foliowego i żelaza — wymaga obecności witaminy C.

*Średnia dawka zalecana dziennie*: około 60 mg. Zapotrzebowanie dzienne u kobiet ciężarnych wynosi około 80 mg, a u kobiet karmiących piersią lub palaczy tytoniu — 100 mg. Korzystne działanie witaminy C w przeziębieniach i profilaktyce nowotworów złośliwych nie znalazło, jak dotąd, potwierdzenia w badaniach naukowych.

*Zapotrzebowanie dzienne możesz pokryć, spożywając około*: 20 g owoców kiwi, 30 g czarnych porzeczek, 40 g strączków papryki, 50 g jarmużu, 100 g pomarańcz, 400 g ziemniaków w mundurkach.

*Niedobór witaminy C* może wystąpić, gdy małe jest spożycie świeżych owoców i warzyw oraz ziemniaków.

*Objawy niedoboru witaminy C*: osłabienie, spadek wagi, krwawe wylewy podskórne, krwawienia z dziąseł, upośledzone gojenie się ran, niedokrwistość.

*Nadmiar witaminy C* może być uwarunkowany żywieniowo lub gdy zażywa się ją w postaci leku.

*Objawy nadmiaru witaminy C*: biegunka, zaburzenia trawienne, tworzenie się kamieni nerkowych.

### Witamina D (kalcyferol, cholekalcyferol)

Jest niezbędna w metabolizmie wapnia i fosforu oraz w procesach tworzenia i resorpcji kości.

*Średnia dawka zalecana dziennie*: niemowlęta 100 do 200 j.m. (jednostek międzynarodowych) witaminy D; dzieci i dorastająca młodzież, kobiety ciężarne lub karmiące 400 j.m.; pozostałe osoby dorosłe 200 j.m.

Prekursory witaminy D dostarczane są organizmowi w pożywieniu, po zmagazynowaniu w skórze i przy współudziale promieni nadfioletowych światła słonecznego ulegają przemianie we właściwą witaminę D. U osób dorosłych tego rodzaju własna produkcja pokrywa prawidłowo zapotrzebowanie organizmu na witaminę D.

*Występowanie*: przede wszystkim w rybach, jajkach, maśle.

*Niedobór witaminy D* może wystąpić:
— u niemowląt karmionych piersią, których matki nie pobierają dodatkowych ilości witaminy D;
— u niemowląt karmionych mieszankami mlecznymi przygotowywanymi we własnym zakresie: gotowe odżywki mleczne zawsze są wzbogacane dodatkiem witaminy D;
— u osób, których skóra nie jest eksponowana na światło sło-

neczne lub gdy silne zanieczyszczenie powietrza atmosferycznego powoduje niewystarczające przenikanie promieniowania nadfioletowego;

— w chorobach wątroby lub nerek, w wyniku których w organizmie nie zachodzi przemiana witaminy D w postać aktywną.

*Objawy niedoboru witaminy D*:

— U dzieci: niepokój, zaburzony sen, częste pocenie się, wiotkość mięśni; dochodzi do rozwoju osteomalacji (→ s. 404).

— U dorosłych: rozrzedzenie masy kostnej, wykrzywienie kości (→ Osteomalacja, s. 404).

*Nadmiar witaminy D* w organizmie może być spowodowany podawaniem jej w postaci leku, którym jest również tran.

*Objawy nadmiaru witaminy D*: silne pragnienie i częste oddawanie moczu, bóle głowy, znużenie, brak apetytu, nudności, biegunka, gorączka. W stadium zaawansowanym: tworzenie się kamieni nerkowych i wapnienie naczyń krwionośnych, zmiany kostne.

### Witamina E

Jest niezbędna w procesach przekształcania w związki mniej toksyczne substancji mogących uszkadzać komórki.

*Średnia dawka zalecana dziennie*: szacunkowo około 10 mg.

*Zapotrzebowanie dzienne możesz pokryć, spożywając około*: 7 g oleju z kiełków pszenicy lub 27 g oleju słonecznikowego.

*Niedobór witaminy E* wywołuje u zwierząt między innymi zaburzenia płodności. Obserwacje te nie dają się przenieść na człowieka. Ciężkie choroby układu pokarmowego, powodujące zaburzenie wchłaniania tłuszczów, mogą upośledzać przyswajanie witaminy E.

*Objawy niedoboru witaminy E*: zmiany w czerwonych ciałkach krwi, osłabienie mięśni, zmiany w siatkówce oka.

Nadmiar witaminy E w organizmie uwarunkowany żywieniowo nie jest znany. Dopiero od niedawna zaczęto propagować zażywanie dużych dawek witaminy E. Nie istnieją zatem jeszcze wystarczające obserwacje dotyczące możliwych następstw.

### Witamina H (biotyna)

Jest niezbędna w metabolizmie wszystkich składników odżywczych.

*Średnia dawka zalecana dziennie*: jest niemożliwa do określenia, ponieważ witaminę H wytwarzają w organizmie bakterie jelitowe.

*Występowanie*: szczególnie dużo witaminy H zawierają żółtka jaj, ziarna soi i orzeszki ziemne.

Niedobór lub nadmiar witaminy H nie jest znany.

### Witamina K (fillochinon)

Jest niezbędna dla zapewnienia krzepnięcia krwi.

*Średnia dawka zalecana dziennie*: nie da się jej ustalić, gdyż witamina K jest wytwarzana przez bakterie jelitowe.

*Występowanie*: witamina K szczególnie obficie występuje w zielonych warzywach, przede wszystkim we wszelkich odmianach kapusty oraz w jajkach.

*Niedobór witaminy K* może wystąpić w poważnych chorobach układu pokarmowego, powodujących upośledzenie wchłaniania tłuszczów, oraz gdy wskutek długotrwałego leczenia antybiotykami dochodzi do obumarcia bakterii jelitowych.

U niektórych niemowląt karmionych wyłącznie piersią niedobór witaminy K może ujawnić się między czwartym a szóstym tygodniem życia. Prawdopodobną przyczyną jest rozwój w jelitach innych rodzajów bakterii niż u dzieci karmionych z butelki.

*Objawy niedoboru witaminy K*: zwiększona skłonność do krwawień, objawiająca się występowaniem licznych sińców. Częste są również krwawienia z nosa.

*Nadmiar witaminy K* nie został odnotowany.

## Sole mineralne

### Potas

Jest niezbędny w gospodarce wodno-jonowej w obrębie komórek, dzięki niemu komórki nerwowe i mięśniowe reagują na pobudzenie.

*Średnie zapotrzebowanie dzienne*: 3 do 4 g; ilość tę pokrywa zwykłe pożywienie.

*Zapotrzebowanie dzienne możesz pokryć, spożywając około*: 180 g suszonych moreli, 670 g orzechów włoskich, 720 g bananów lub 750 g chleba z pełnego ziarna.

*Niedobór potasu (hipokaliemia)* może wystąpić, gdy:

— systematycznie stosujesz środki przeczyszczające,

— zażywasz leki moczopędne (tzw. diuretyki) z powodu nadciśnienia tętniczego lub niewydolności serca.

*Objawy niedoboru potasu*: słabość mięśni, zmęczenie, brak napędu, wzdęcia, zaparcie.

*Nadmiar potasu (hiperkaliemia)* może wystąpić wskutek stosowania leków zawierających potas lub gdy z powodu choroby nerek albo zażywania leków zbyt mała ilość potasu jest wydalana z organizmu.

*Objawy nadmiaru potasu*: zmęczenie, osłabienie, zaburzenia słuchu, metaliczny smak w ustach; w stadium nasilonym lekarz stwierdza zaburzenia rytmu serca i spadek ciśnienia tętniczego, występuje również stan splątania.

*Zapobieganie*: jeśli cierpisz na upośledzenie czynności nerek lub gdy zażywasz leki moczopędne, lekarz powinien u ciebie systematycznie kontrolować stężenie potasu we krwi.

### Wapń

Jest niezbędny w kościach i zębach; umożliwia reakcje komórek nerwowych i mięśniowych na pobudzenie; w obronie przeciw zapaleniu i uczuleniom; w procesie krzepnięcia krwi.

*Przeciętne zapotrzebowanie dzienne*: około 800 mg. U kobiet w ostatnim trymestrze ciąży i w okresie karmienia oraz u młodzieży dorastającej — 1200 mg.

Do wchłaniania wapnia z jelita potrzebna jest witamina D.

*Zapotrzebowanie dzienne możesz pokryć, spożywając mniej więcej*: 80 g żółtego sera lub 245 g sardynek w oleju, lub 660 g pełnego mleka, lub 100 g ziarna sezamowego.

*Niedobór wapnia (hipokalcemia)* może wystąpić, gdy nie spożywasz produktów mlecznych lub przepuszczasz wodę pitną przez filtr powodujący jej zmiękczenie (→ Twardość wody, s. 723).

*Objawy niedoboru wapnia*: blada i spocona skóra, niepokój, wymioty, biegunka, mrowienia w kończynach, bardzo bolesne skurcze, w szczególności rąk.

## Zawartość witamin, soli mineralnych, pierwiastków śladowych w 100 gramach

*Witamina A*
Marchew 6600 j.m.
Szpinak 2300 j.m.
Masło 1950 j.m.
Ser ementalski 1065 j.m.
Jaja kurze 730 j.m.
Mleko pełne 100 j.m.

*Witamina B₁*
Orzeszki ziemne 0,9 mg
Kotlet wieprzowy 0,8 mg
Szynka 0,8 mg
Soczewica 0,4 mg
Orzechy laskowe 0,4 mg
Chleb z pełnego ziarna
    0,3 mg

*Witamina B₂*
Serce wołowe 0,9 mg
Kiełki pszeniczne 0,7 mg
Parmezan 0,6 mg
Pieczarki 0,4 mg
Jaja kurze 0,3 mg
Mleko pełne 0,2 mg

*Witamina B₆*
Łosoś 1 mg
Sardynki 0,9 mg
Orzechy laskowe 0,5 mg
Chleb z pełnego ziarna
    0,4 mg
Banany 0,4 mg

*Witamina B₁₂*
Ostrygi 0,015 mg
Śledź, makrela 0,009 mg

Wołowina 0,005 mg
Wieprzowina 0,005 mg
Ser żółty 0,003 mg
Jogurt pełny 0,001 mg

*Kwas foliowy*
Koper włoski 0,1mg
Szparagi 0,083 mg
Szpinak 0,078 mg
Jaja kurze 0,065 mg
Jarmuż 0,06 mg
Chleb z pełnego ziarna
    0,06 mg
Orzeszki ziemne 0,053 mg

*Witamina PP (niacyna)*
Orzeszki ziemne 15,3 mg
Mięso kurze 8,8 mg
Śledź 3,8 mg
Pstrąg 3,41 mg
Chleb z pełnego ziarna
    3,3 mg

*Witamina C*
Owoce kiwi 250 mg
Czarne porzeczki 180 mg
Strączki papryki 140 mg
Jarmuż 105 mg
Brukselka 85 mg
Brokuły 60 mg
Cytryny 53 mg
Pomarańcze 50 mg
Pomidory 24 mg
Ziemniaki w mundurkach
    14 mg

*Witamina D*
Sardynki 300 j.m.
Tuńczyk 215 j.m.
Jaja kurze 71 j.m.
Masło 52 j.m.

*Witamina E*
Olej z kiełków pszenicy
    215 mg
Olej słonecznikowy 56 mg
Margaryna 16 mg
Masło 2 mg
Ziarno kukurydzy 2 mg

*Witamina H*
Jaja kurze 0,025 mg
Orzeszki ziemne 0,035 mg

*Witamina K*
Brukselka 0,57 mg
Szpinak 0,35 mg
Kalafior 0,30 mg
Brokuły 0,13 mg
Jaja kurze 0,045 mg

*Żelazo*
Śledź słony 20 mg
Ziarno sezamowe 10 mg
Proso 9 mg

*Jodki*
Łupacz 0,4 mg
Łosoś 0,26 mg
Krewetki 0,13 mg
Cytryny 0,07 mg
Śledź 0,05 mg

Szpinak 0,02 mg
Jaja kurze 0,01 mg

*Potas*
Suszone morele 1700 mg
Suszone daktyle, figi,
    rodzynki 800-700 mg
Orzeszki ziemne 740 mg
Szpinak 660 mg
Orzechy włoskie 450 mg
Morele świeże 440 mg
Banany 420 mg
Grzyby 500-400 mg
Chleb z pełnego ziarna
    400 mg
Groch 370 mg

*Wapń*
Ser żółty 1000 mg
Ziarno sezamowe 785 mg
Sardynki w oleju 330 mg
Mleko pełne 120 mg
Chleb z pełnego ziarna
    100-50 mg

*Magnez*
Ziarno sezamowe 3345 mg
Otręby pszenne 590 mg
Nasiona słonecznika
    420 mg
Suszony groch 115 mg
Krewetki 65 mg
Szpinak 60 mg
Niełuskane ziarno psze-
    nicy 45 mg

---

*Zbyt wysokie stężenie wapnia we krwi (hiperkalcemia)* może wystąpić w wyniku zażycia nadmiernych ilości witaminy D.

*Objawy hiperkalcemii*: brak apetytu, spadek wagi, wzdęcia, zaparcie, zaburzenia rytmu serca. Występuje zwiększone ryzyko tworzenia się kamieni nerkowych.

### Fosforany

Są niezbędne w kościach i konieczne w procesie mnożenia się komórek. Takiej samej regulacji jak wapń podlega wchłanianie i wydalanie fosforanów. Do wchłaniania fosforanów z jelita potrzebna jest także witamina D.

*Średnia dawka zalecana dziennie*: jeśli dbasz o pokrycie zapotrzebowania na wapń i białko, jednocześnie dostarczasz organizmowi wystarczających ilości fosforanów.

*Występowanie*: produkty spożywcze pochodzenia zarówno zwierzęcego, jak i roślinnego zawierają dostateczne ilości fosforanów.

*Nadmiar fosforanów*: większość ludzi w stosunku do dowozu wapnia spożywa nadmierną ilość fosforanów, ponieważ wiele gotowych produktów spożywczych (sery topione, mleko zagęszczane, napoje typu „cola", kiełbasa do gotowania) zawiera dodatek fosforanów.

Niewykluczone, że w konsekwencji zmniejszeniu ulega spoistość kości.

### Magnez

Jest niezbędny w kościach i komórkach, zwłaszcza mięśniowych.

*Średnia dawka zalecana dziennie*: około 300 mg.

*Zapotrzebowanie dzienne możesz pokryć, spożywając około*: 70 g nasion słonecznika lub 230 g białej fasoli, lub 500 g szpinaku, lub 50 g otrąb pszennych.

*Niedobór magnezu* może wystąpić, gdy:
— spożywasz przede wszystkim sztucznie nawożone rośliny

produkty spożywcze. Zawierają one często mniej magnezu niż uprawiane w zwykłych warunkach;
— spożywasz dietę zawierającą bardzo dużo tłuszczów lub białka.

*Objawy niedoboru magnezu*: zaburzenia nerwowe, dolegliwości sercowe, nudności, kurcze żołądka i łydek.

## Fluor

Niezbędny w tworzeniu się kości i zębów. Zęby obfitujące we fluor są odporniejsze na próchnicę niż zawierające mało tego pierwiastka (→ Próchnica zębów, s. 344).

*Średnia dawka zalecana dziennie*: niemowlęta około 0,2 mg, dorośli około 1 mg.

*Występowanie*: w wodzie pitnej, rybach, soli morskiej i czarnej herbacie. Trzy filiżanki herbaty pokrywają dzienne zapotrzebowanie osoby dorosłej na fluor. Należy się spodziewać, że wskutek przemysłowej emisji fluoru zawartość tego pierwiastka w produktach spożywczych i wodzie pitnej może wzrastać. Dzienna ilość spożywana w zwykłym pożywieniu wynosi od 0,3 do 0,4 mg, z czego większość pochodzi z wody pitnej (→ Woda z kranu, s. 722).

Choroby wywołane niedoborem fluoru nie są znane.

*Nadmiar fluoru*: przy dziennym spożyciu powyżej 2 mg fluoru zachodzi obawa wystąpienia działania toksycznego. U dzieci ujawnia się ono w postaci białych plam na zębach (fluoroza). Dawka dzienna przekraczająca 8 mg fluoru, przyjmowana przez dłuższy okres, może wywoływać fluorozę kości — dochodzi do usztywnienia kręgosłupa i stawów. Do innych objawów zatrucia należą: zmiany skóry, włosów i paznokci, zaparcia, mrowienia w dłoniach i stopach, zaburzenia czynności tarczycy, uszkodzenie nerek.

*Uwaga*: Wiele past do zębów, płukanek do ust, gum do żucia itp. zawiera dodatek fluoru w celu zapobiegania próchnicy, jednak bez określenia jego ilości.

## Żelazo

Jest nieodzownym składnikiem hemoglobiny czerwonych ciałek krwi.

*Średnia dawka zalecana dziennie*: mężczyźni oraz kobiety niemiesiączkujące od 0,7 do 2 mg, młodzież od 2 do 2,8 mg, kobiety ciężarne od 2 do 5 mg.

Dieta powinna zawierać ilości żelaza przekraczające około dziesięciokrotnie podane powyżej dawki zalecane, ponieważ w zwykłych warunkach organizm przyswaja tylko około 5 do 10% żelaza zawartego w pokarmach.

*Występowanie*: dieta mieszana zawiera około 10 do 20 mg żelaza, co pokrywa zapotrzebowanie dzienne. Jeśli zapotrzebowanie organizmu na żelazo wzrasta, następuje wydatne zwiększenie wchłanianych jego ilości.

**Lektura uzupełniająca**

OBERBEIL K.: *Mikroelementy — pierwiastki życia*. Wydaw. „InterArt", Warszawa 1996.
*Witaminy i mikroelementy*. Praca zbiorowa. Prószyński i S-ka, Warszawa 1997.

*Zapotrzebowanie dzienne możesz pokryć, spożywając około*: 100 g słonych śledzi lub 200 g ziarna sezamowego, lub 200 g prosa, lub 200 g suszonych nasion soi. Wśród podanych przykładów nie ma szpinaku — mimo dawno już udowodnionej błędności uporczywie utrzymuje się przekonanie, że dostarcza on szczególnie dużo żelaza.

Żelazo zawarte w mięsie jest dla organizmu łatwiej przyswajane niż znajdujące się w innych produktach spożywczych.

*Niedobór żelaza* może powstać, gdy:
— Twoja dieta zawiera mniej przyswajalnego żelaza, niż wynosi aktualne zapotrzebowanie organizmu.
— Niewystarczające jest wchłanianie spożywanego żelaza, np. gdy wydzielanie kwasu w żołądku jest zbyt małe lub z powodu chorób przewodu pokarmowego.
— Występuje utrata krwi z organizmu. W sposób niedostrzegalny utrata następuje przy krwawieniach z przewodu pokarmowego spowodowanych owrzodzeniami, hemoroidami lub wskutek zażywania leków przeciwbólowych i przeciwzapalnych. Widoczną utratę krwi obserwuje się w przypadku ran o dużej powierzchni, operacji lub obfitych i długotrwałych krwawień miesięcznych u kobiet.
— Chorujesz na długotrwałe zakażenia lub choroby reumatyczne o podłożu zapalnym.

*Objawy niedoboru żelaza*: zmęczenie, osłabienie, bladość skóry, zimne dłonie i stopy, bezsenność, łamliwość włosów i paznokci, nudności, zaparcie, biegunka, zaburzenia libido, impotencja.

*Leczenie*: zanim rozpoczniesz zażywanie lekarstw „przeciw anemii", lekarz powinien wykonać u ciebie badania krwi i jednoznacznie wykazać niedobór żelaza; na podstawie badań powinien też kontrolować skuteczność leczenia. Preparaty żelaza powinieneś zażywać co najmniej pół godziny przed śniadaniem, popijając je dużą szklanką wody lub soku zawierającego witaminę C. Kawa, herbata i mleko utrudniają wchłanianie żelaza w jelicie.

*Nadmiar żelaza* w organizmie może wystąpić, jeśli dowóz żelaza w diecie lub w postaci leków jest zbyt duży. Organizm gromadzi nadmiar żelaza w narządach wewnętrznych, co wywołuje ich uszkodzenie; późnym następstwem może być marskość wątroby (→ s. 371) lub cukrzyca (→ s. 449).

## Pierwiastki śladowe

Wiele pierwiastków, których obecność wykazano w organizmie ludzkim, występuje w nim jedynie w ilościach śladowych. O niektórych z nich wiadomo, że odgrywają ważną dla życia rolę:
*miedź* współuczestniczy w powstawaniu hemoglobiny,
*kobalt* także bierze udział w procesie tworzenia krwi,
*cynk* wchodzi w skład insuliny,
*chrom* potrzebny jest do działania insuliny,
*mangan*, *molibden* i *selen* wchodzą w skład enzymów.

Wszystkie wymienione pierwiastki występują w wystarczających ilościach w pożywieniu.

Odnośnie do wielu innych pierwiastków śladowych nie wiadomo, czy odgrywają rolę i są niezbędne do życia.

### Jodki

Do sprawnego działania tarczycy potrzebne są jodki (→ Wole, s. 461). Zapotrzebowanie dzienne osób dorosłych wynosi 0,15 mg, dzieci do około 9 roku życia 0,1 mg, niemowląt 0,05 mg.

Niedobór jodków występuje rzadziej u mężczyzn niż u kobiet. Wiąże się to z większą skłonnością mężczyzn do używania napojów alkoholowych, które są dodatkowym źródłem jodków. Wino i szampan zawierają 0,5 mg jodków w litrze, piwo zaś 0,05 mg na litr. U kobiet przyczyną niedoboru jodków może być ciąża i karmienie piersią.

Wszystkie organizmy żyjące w morzu obfitują w jodki (co do zawartości jodków w produktach spożywczych informuje tabela → Zawartość witamin, soli mineralnych, pierwiastków śladowych, s. 732). Twoje zapotrzebowanie pokrywa spożycie jednego dania z ryb morskich na tydzień. Jeśli rezygnujesz ze spożywania mięsa ze zwierząt morskich, możesz dla okrasy przestawić się na dostępne w sklepach ze zdrową żywnością algi japońskie. Wśród innych źródeł należy wymienić wody lecznicze i mineralne zawierające jodki oraz pasty do zębów z dodatkiem jodu (Stark Jod Kaliklora). W końcu rozważ używanie jodowanej soli kuchennej. Sól morska nie zawiera przeciętnie więcej jodków niż zwykła sól kuchenna.

# TECHNIKA GENOWA

Pies i kot nigdy nie będą rodzicami wspólnego mieszańca. Niemożliwością jest również skrzyżowanie flądry z truskawką. Czego jednak nie da się uzyskać w świecie wolno żyjących zwierząt, można dokonać techniką genową. Z jej pomocą zmienia się celowo organizmy i wprowadza kombinacje gatunków, których nie przewidziała sama natura. Technika ta pokonuje granice panujące w klasycznej hodowli. Biomedycyna rozpoczęła nowe programowanie alfabetu życia.

W Niemczech w 2000 instytutów uniwersyteckich prowadzone są prace nad techniką genową. Przekonanie, że technologia ta należy do przyszłości, jest tak głębokie, że fundusze przeznaczone na prace badawcze prawie w całości kierowane są na dziedziny związane z techniką genową. Technika genowa została wprzęgnięta w proces pozyskiwania z materii ożywionej substancji używanych następnie do produkcji środków spożywczych, leków, do diagnostyki chorób u człowieka i z czym wiąże się duże nadzieje — być może do leczenia chorób.

Znawcy tego zagadnienia uważają, że za dziesięć lat nie będzie już produktu spożywczego, który w jakiejś mierze nie byłby związany z techniką genową. W roku 2000 światowy przemysł spożywczy zamierzał zarobić 1,5 miliarda marek na produktach wytworzonych z zastosowaniem techniki genowej. Odbiorcy mający spożywać te produkty widzą obecnie ten problem nieco inaczej. W roku 1995 w Niemczech 80% ludności wypowiedziało się przeciwko wprowadzeniu modyfikacji genowej do produktów spożywczych.

Jak dotąd w bilansie techniki genowej wciąż jeszcze zdecydowanie przeważa strona pasywna. Zainwestowane pieniądze pochodzą głównie od społeczeństwa, czyli od podatników.

## Cele

Zwolennicy techniki genowej wysuwają następujące argumenty: zapewnić w skali światowej dostarczenie wysokowartościowych środków spożywczych, zapobiec cierpieniom związanym z chorobami, zapewnić produkcję, zysk i sukces gospodarczy. Przeciwnicy uważają te wzniosłe cele za przykrywkę pozbawionej wyobraźni pychy, która skłania ludzi do przywłaszczania sobie zasług związanych z twórczym działaniem.

W każdym razie chodzi o pieniądze. O bardzo duże pieniądze, które rychło się zwrócą po ich pierwotnym zainwestowaniu. Instrumentem gwarantującym amortyzację zainwestowanych kwot jest opatentowanie żywych organizmów. Do 1995 roku europejski urząd patentowy zarejestrował ponad 800 zgłoszeń patentowych obejmujących same tylko rośliny, w których dokonano manipulacji genowych. W dziedzinie diagnostyki i terapii również wydano już patenty. Kto w przyszłości zamierza stosować tego rodzaju manipulacje, musi liczyć się z koniecznością zainwestowania dużych kwot.

Wkrótce rolnicy dowiedzą się, dokąd to może prowadzić. Nasiona genetycznie zmienionych roślin będą droższe niż pozostałych. Nasiona te trzeba kupować co roku, gdyż nie można ich wysiewać powtórnie, tak jak czyniono to dotychczas. Rośliny, które w następstwie rekombinacji genowej wykazują oporność na określony rodzaj herbicydu, wymagają stosowania tylko tego środka chwastobójczego. Producenci rośliny o genetycznie zmienionej właściwości i odpowiedniego herbicydu to przedstawiciele tego samego koncernu. W ten sposób zarabia się zarówno na chemizacji rolnictwa, jak i na dopasowaniu do niej roślin.

## Wyniki wątpliwej wartości

Przede wszystkim wyrazić trzeba podstawową, etycznie uzasadnioną wątpliwość, jak dalece człowiekowi wolno ingerować w podstawowe prawa natury. Po wtóre w konfrontacji z nowymi osiągnięciami w dziedzinie techniki genowej pod znakiem zapytania stawiana jest nasza wiedza gromadzona przez tysiąclecia, dotycząca roślin i zwierząt, wykorzystywana przy wytwarzaniu środków spożywczych. W przyszłości nikt nie uwierzy, że gen ryby, znajdujący się w truskawkach (→ Alergia, s. 338), został tam wszczepiony.

W każdej dziedzinie techniki genowej wyłania się ryzyko, szczególnie gdy są one konfrontowane z oczekiwanymi korzyściami. Można przewidzieć, że wypadkowe pozytywów i negatywów będą zróżnicowane. O ile krótko stosowane środki lecznicze objęte są mniej surowymi kryteriami, o tyle jeśli chodzi o żywność spożywaną codziennie przez całe życie, wymaganiom towarzyszy większa ostrożność. Grupa ekspertów Światowej Organizacji Zdrowia ustaliła ogólne ryzyko, uwzględniając następujące możliwości:

— W następstwie zmian genetycznych organizmy mogą wytwarzać substancje szkodliwe.
— W organizmach mogą powstawać niespodziewane produkty.
— Wytworzone substancje mogą wywierać działania uboczne, np. powodować alergię.
— Fragmenty genów, posiadających właściwości wywoływania oporności antybiotykowej, mogą być przeniesione na inne mikroorganizmy, co może nasilić już istniejącą oporność na antybiotyki.
— Genetycznie zmienione mikroorganizmy mogą wywołać zmiany w przewodzie pokarmowym.
— Zmianom mogą ulegać składniki żywności, ich wartość odżywcza i cechy biologiczne.

Specjalne rodzaje ryzyka → poszczególne zakresy zastosowań.

### Alergie

Jeżeli przeniesiony gen pochodzi z organizmu wywołującego alergie, można pod pewnymi warunkami przetestować, czy organizm poddany rekombinacji genowej lub wytwarzane przezeń produkty mogą mieć cechy alergenu. Nie można natomiast przeprowadzić takowego testu w sytuacji, gdy nie wiadomo nic o potencjale alergicznym dawcy genu. Takie alergie mogą się ujawnić po latach, a nawet dziesiątkach lat. I rzeczywiście, już okazało się, że rośliny transgeniczne wykazują większy potencjał alergenowy aniżeli rośliny hodowane normalnie, szczególnie wtedy gdy przeprowadzono manipulacje genowe w kierunku odporności tych roślin na choroby lub owady.

Dwa przykłady ilustrują ryzyko wystąpienia niespodziewanej alergii: truskawki po wszczepieniu do nich genu rybiego stają się bardziej odporne na mróz. Konsumenci, którzy nie tolerują białka ryb, musieliby unikać spożywania tych owoców, gdyby wiedzieli o powyższej manipulacji genowej. Rośliny soi otrzymały gen orzecha brazylijskiego, aby ich transgeniczne ziarna stały się lepszą karmą dla zwierząt. Te transgenowe ziarna soi działają silnie alergizująco. W przemyśle spożywczym z produktów tych ziaren sporządza się namiastkę mleka. Zmienionych genowo ziaren soi nie można odróżnić od ziaren normalnych, dlatego istnieje niebezpieczeństwo, że są one używane jako namiastka mleka do produkcji pieczywa. Jeśli takie pieczywo spożywają alergicy, mogą doznać wstrząsu uczuleniowego. W celu wykluczenia takiego ryzyka producent wycofał swój wniosek o atest.

### Nieprzewidziane ryzyko

Z techniką genową związane są również obawy, o których dotychczas nikt nie pomyślał. Ostatecznie badacze szukają tego, co znają, a jest prawdopodobne, że ten nowy gen może zniszczyć typowe dla danego gatunku geny dziedziczące, może też zburzyć jego strukturę w ten sposób, że organizm będzie reagował odmiennie niż dotąd. A może wtargnie w niezbadane dotąd obszary przemiany materii i wywoła tam reakcje, których dotąd nikt nie bada, ponieważ nikt ich dotąd nie zna. Odstraszającym przykładem był znajdujący się w wolnej sprzedaży środek nasenny L-tryptofan. Stosowano go przez 15 lat bez zauważalnych działań ubocznych. Od 1989 roku po zażywaniu tego środka zwrócono uwagę na częstsze występowanie rzadkiej choroby krwi. W skali światowej zachorowało ciężko 1500 osób, z czego 38 zmarło. Możliwe, że w organizmie, który wytwarzał ten lek, poprzez zmiany genetyczne powstawały uboczne substancje trujące. Do tej pory nie wyjaśniono tej sprawy do końca, ponieważ firma produkująca ten środek odmówiła udostępnienia do badań szczepu bakteryjnego używanego do jego produkcji. W genetycznie zmienionych drożdżach piwnych badacze japońscy stwierdzili 200-krotnie wyższe stężenie trującego produktu ubocznego przemiany materii, w porównaniu z drożdżami normalnymi.

## Technika genowa w środkach spożywczych

W krajach uprzemysłowionych technika genowa w pierwszej linii służy optymalizacji procesów technologicznych według wymogów rynku gospodarczego. Następny co do ważności jest taki dobór składników w środkach spożywczych, który zmniejszy skut-

## Uprawy w środowisku naturalnym

Uprawa roślin genetycznie zmienionych może być prowadzona w środowisku naturalnym tylko po uzyskaniu odpowiedniego zezwolenia. Początkowo te inicjatywy związane były w Niemczech z wieloma uwarunkowaniami, które jednak stopniowo ulegały złagodzeniu. Światowa liczba takich upraw w środowisku naturalnym wzrosła do wielu tysięcy. W Chinach na olbrzymich obszarach uprawiane są genetycznie zmienione pomidory i tytoń. Zagraniczne koncerny szczególnie chętnie zakładają takie plantacje w krajach rozwijających się, nie napotykając oporów, gdyż nie istnieją tam odpowiednie przepisy regulujące to zagadnienie. Duże korzyści wynikające ze sprzyjającego klimatu pozwalają uzyskiwać dwukrotny plon w roku.

Francja, Belgia i Wielka Brytania są w Europie krajami wiodącymi w dziedzinie upraw roślin genetycznie zmienionych w środowisku naturalnym. W Niemczech w 1995 roku zarejestrowano 21 wniosków na uprawę kukurydzy, rzepaku i odmian buraków cukrowych.

Wszystkie uprawy w środowisku naturalnym stanowią bombę z opóźnionym zapłonem. Czy jest ona uzbrojona i czy wybuchnie, okaże się to dopiero, gdy nastąpi eksplozja. Pewien krytyk ujął tę nieprzewidywalną sytuację w następującym zdaniu: tego rodzaju plantacja w środowisku naturalnym to „dalej rzucać, niż sięga wzrok".

Z uprawami w środowisku naturalnym związane jest następujące zasadnicze ryzyko:

— Obce rośliny mogą zostać zapylone pyłkiem roślin transgenicznych. Mogą pojawić się nowe niekontrolowane cechy roślin i rozprzestrzenić się na cały ekosystem.
Duńskie badaczki udowodniły, że geny z transgenicznego rzepaku mogą przenieść się na dziką roślinność.

— Zmodyfikowana roślina dzięki nowo rozwiniętym cechom łatwiej przystosuje się do otoczenia i zdominuje pozostałe odmiany roślin.

— Powstała pod wpływem nowego genu substancja może być szkodliwa dla zwierząt, roślin i mikroorganizmów.

— Spotęgowana agresywność organizmów, które zaadaptują się do nowo wytworzonej sytuacji powstałej po uodpornieniu genowym roślin może pogłębić bezsilność w działaniu skierowanym przeciwko tym organizmom.

ki obłędnego luksusu konsumpcyjnego. Uzyskuje się to na przykład poprzez zwiększenie zawartości substancji resztkowych, zmianę składu kwasów tłuszczowych w kierunku bardziej zdrowy dla serca i dostosowanie ilości składników odżywczych w pożywieniu do norm obowiązujących w krajach uprzemysłowionych.

W krajach rozwijających się na czoło wysuwa się potrzeba zaopatrzenia w niezbędne życiowo środki spożywcze wraz z dodatkami. Na przykład dla zmniejszenia występującej często hipowitaminozy A zwiększa się zawartość prowitaminy A w ryżu. Nasuwa się jednak pytanie, czy te biedne kraje są w stanie zapłacić za produkty zmienione genowo. Dlatego z przyczyn materialnych brak większego zaangażowania w tej sprawie.

Poza tym okazuje się, że argument niesienia pomocy ubogim jest bez pokrycia w realiach, gdyż większość roślin zmienionych genowo wykorzystuje się jako źródło surowców (→ Technika genowa w przemyśle, s. 738).

## Transgeniczne zwierzęta

Przesłankami do zmiany genotypu u zwierząt hodowlanych są optymalizacja kosztów hodowli oraz zminimalizowanie strat. Chcąc uzyskać szybszy wzrost łososia, wszczepiono mu z dorsza gen odpowiedzialny za wytwarzanie hormonu wzrostu. Tę odmianę nazwano „turbołosoś". W celu uodpornienia zwierząt na choroby wszczepiane są geny odporności. Geny zmniejszające wrażliwość na chłód i zimno stosuje się tam, gdzie panują niesprzyjające warunki klimatyczne.

## Transgeniczne rośliny

W takich roślinach spożywczych (pszenica, pomidory, buraki cukrowe, ziemniaki) genotyp zmieniany jest bezpośrednio. Poprzez zablokowanie genu sterującego procesami starzenia i rozpadu powstał pomidor „antimatch-tomato" (angielska nazwa handlowa „flavour savor", co można przetłumaczyć jako ratownik aromatu). Pomidory te znajdują się już na rynku USA od 1993 roku, a wkrótce dołączą maliny i brzoskwinie. Firma produkująca ten cudowny towar zbankrutowała i została pochłonięta przez większy koncern zajmujący się techniką genową. Dzięki wbudowaniu genów z innych gatunków można rośliny uodpornić na:

— Niektóre środki chwastobójcze. Spryskanie pola uprawnego tymi preparatami powoduje obumarcie wszystkich roślin poza uprawianymi. Od 1994 roku w Niemczech dziesięć roślin poddano próbie na odporność na herbicydy.

— Roślina zostaje zmuszona do wytwarzania trucizn szkodliwych dla insektów pożerających roślinę. W ten sposób sama roślina została zamieniona w pestycyd. Rośliny o takich właściwościach uprawiane są znacznie częściej.

— Grzyby i wirusy. Ma to prowadzić do zmniejszania strat w uprawach ryżu i ziemniaków.

### Następstwa i ryzyko

Jeśli środki niszczące chwasty są nieszkodliwe dla plantacji roślinnych, to można je nimi spryskiwać bez przeszkód. Takie postępowanie sprawia, że do organizmu człowieka dostają się pozostałości substancji chemicznych osiadłe na roślinach. Nierozważne stosowanie powoduje zatrucie gleby i wody. Nikt nie wie, czy trujące białko, którym rośliny odstraszają owady roślinożerne, a które ostatecznie jest spożywane także przez człowieka, nie jest dla niego szkodliwe. Dotychczas nie ogłoszono wyników systematycznych badań, po długotrwałym spożywaniu roślin odpornych na owady.

Przytaczany jest przykład pewnego gatunku kukurydzy, która została uodporniona na żerujące na niej gąsienice. Po siedemnastu generacjach — co w ciepłym klimacie odpowiadałoby około pięciu latom — gąsienice uodporniły się na trucizny zawarte w tej kukurydzy.

## Transgeniczne bakterie, grzyby i drożdże

Takie żywe organizmy, jak bakterie, grzyby i drożdże mogą mieć zastosowanie przy wytwarzaniu i przetwarzaniu środków spożywczych, nawet wówczas gdy zostały poddane manipulacji genowej. Ich działanie może być bardziej efektywne aniżeli ich zwyczajnych odpowiedników, których fagi mogą zniszczyć lub zahamować ich rozwój. W tych warunkach bakterie jogurtu produkują swoje własne „substancje konserwujące".

Zmutowane genowo mikroorganizmy lub uzyskane z nich produkty pochodne służą do wyrobu jogurtu, wina, sera, piwa, salami, kapusty kiszonej i chleba.

### Transgeniczne mikroorganizmy jako producenci

Dzięki manipulacji genowej mikroorganizmy mogą produkować różnorodne substancje jako dodatki i środki pomocnicze w przemyśle spożywczym. Są to: enzymy, substancje aromatyczne, witaminy, środki zagęszczające, słodziki, kwasy owocowe, aminokwasy, środki smakowe, antyutleniacze itd.

Około 40% przeciętnie spożywanej żywności produkowanej jest z pomocą enzymów i mikroorganizmów. W roku 2000 ogólny obrót enzymami w Europie odpowiadał kwocie 590 milionów dolarów USA. Większość tych produktów wytwarzana będzie niebawem z zastosowaniem techniki genowej. W Holandii ponad połowa białego pieczywa produkowana jest z udziałem enzymu uzyskanego genetycznie. W USA tak będzie wytwarzany między innymi syrop cukrowy i soki owocowe. W Anglii dopuszczono pierwsze piwo, które produkuje się na genowo zmienionych drożdżach.

### Następstwa i ryzyko

Zmienione genetycznie bakterie spożywane są w jogurcie i w kapuście. Dotąd nie wyjaśniono, czy na przykład wszczepione cechy dominowania nad innymi bakteriami mogą uaktywnić się wewnątrz organizmu człowieka. Gdyby zachodziła taka możliwość, to flora bakteryjna na skórze człowieka, błonach śluzowych w jamie ustnej, żołądku i jelicie mogłaby ulec całkowitej zmianie. Następstwem tego byłyby wciąż nawracające infekcje.

---

### Enzym trawieńca — chymozyna

Dzisiaj nikt już nie może być pewien, że dotąd nie spożywał czegoś, co wiązało się z techniką genową. W USA 40% twardych serów produkuje się na bazie enzymu chymozyny, uzyskanej techniką genową. Również w Anglii, Włoszech i Hiszpanii używa się tak wytwarzanego enzymu. Taki ser bez specjalnych oznaczeń wolno bez ograniczeń importować do Niemiec.

Chymozyna jest naturalnym enzymem pozyskiwanym z żołądka (trawieńca) cieląt. Umożliwia on wstępną fazę produkcji sera. Teraz jednak używa się chymozyny z genetycznie zmienionych bakterii. Na światowym rynku chymozyna uzyskana drogą rekombinacji genetycznej stanowi wartość około 180 milionów dolarów USA.

U myszy karmionych serem produkowanym z użyciem chymozyny, uzyskanej na drodze rekombinacji genowej, stwierdzono lekkie zmiany w narządach wewnętrznych. Firma produkująca ten enzym interpretuje owe zmiany jako mieszczące się w ramach naturalnych odchyleń od normy.

Mikroorganizmy używane do produkcji enzymów odprowadzane są ściekami z zakładów produkcyjnych do otaczającego środowiska. Producenci wprawdzie twierdzą, że mikroorganizmy nie są zdolne do przeżycia poza środowiskiem enzymów, jednak badania wykazują, że nie wszystkie mikroorganizmy giną, a te, które przeżywają, przekazują ich cechy innym mikroorganizmom.

## Technika genowa w przemyśle

Prawie wszystkie rośliny użytkowe mają swoje odpowiedniki, w których zastosowano manipulacje genowe. W Europie uzyskano odmianę ziemniaków zawierających szczególnie dużo skrobi. Rośliny oleiste, jak rzepak, soja i słonecznik, zostały tak zmienione genowo, że zawarte w nich tłuszcze swą budową chemiczną odpowiadają wymogom stawianym aktualnie przez przemysł.

*Następstwa i ryzyko*
Rekombinacja genowa nasion roślin oleistych ma ogromne znaczenie w gospodarce światowej. Przemysł produkuje duże ilości olejów i tłuszczów po niskich kosztach i sprzedaje drogo krajom słabo rozwiniętym. Kraje, dla których eksport takich surowców, jak masło kakaowe, orzeszki ziemne czy olej kokosowy, odgrywa bardzo ważną rolę, nie mogą dorównać konkurencji w dziedzinie handlu. Dochodzi do dramatycznej obniżki dochodów, a w najgorszym wypadku do załamania bilansu handlowego. Kraje te wciąż należą do rozwijających się, a opisana powyżej sytuacja nosi znamiona zaprogramowanej.

## Technika genowa w produkcji leków

Jeśli uda się uzyskać znaczącą ilość czynników układu odpornościowego organizmu zwierzęcego i ludzkiego, oczekuje się korzystnych wyników w leczeniu chorób układu immunologicznego i nowotworów. Niezbędnym warunkiem takiego efektu musi być przystępność kosztów. Udaje się to przy zastosowaniu techniki genowej poprzez wszczepienie genów innych istot żywych do zapłodnionych komórek jajowych zwierząt, które wytwarzają zwiększoną ilość zaplanowanych substancji leczniczych w gruczołach mlecznych. Na tej drodze uzyskuje się również hormon wzrostu. Poddane rekombinacji genowej mikroorganizmy wytwarzają między innymi insulinę stosowaną u chorych na cukrzycę, interferon beta, jak dotąd jedyny lek na stwardnienie rozsiane, erytropoetynę, na którą zdani są chorzy dializowani. Również wiele szczepionek uzyskuje się drogą manipulacji genowych.

W przemyśle farmaceutycznym głównym celem jest osiągnięcie korzystnych wyników finansowych. Wprowadzenie leków, uzyskiwanych dzięki technice rekombinacji genetycznej, na rynek farmaceutyczny wymaga olbrzymich nakładów na reklamę. Dlatego są one o wiele droższe, chociaż ich działanie nie jest wcale lepsze od stosowanych dotychczas. Uzyskana tą techniką insulina stwarza problemy, których dotąd nie znano. Stosując ją, obserwuje się częstsze niż dotychczas występowanie stanów niedocukrzenia. O interferonie alfa czasopisma fachowe donoszą

---

### Mleko krowy „turbo"

Jeśli bydło otrzyma genowo zmieniony bydlęcy hormon wzrostu somatotropinę (rBST), zwiększa się mleczność o około 20%. Hormon ten nie wywiera wpływu na człowieka, ponieważ jako białko zostaje po spożyciu rozłożony podczas procesu trawiennego.

Jednak produkty wytworzone z mleka tych krów zawierają zwiększoną ilość insulinopodobnego czynnika wzrostu, IGF-1. Czynnik ten powoduje u człowieka zwiększenie ryzyka wystąpienia raka sutka.

W Europie do 1999 roku zabroniono stosowania u krów hormonu rBST. Jest on używany w USA, ale prawie połowa farmerów zrezygnowała z niego, ponieważ zwierzęta zapadały częściej na zapalenie wymion.

---

z przekąsem: „Jest to lek, który poszukuje wskazań, aby go zastosować".

## Technika genowa w diagnostyce

Za pomocą urządzeń techniki genowej można zbadać chromosomy, zidentyfikować choroby dziedziczne. Zarówno dwa geny zwiększające u 5% kobiet ryzyko zachorowania na raka piersi do 85%, jak i gen odpowiedzialny za muskowiscydozę można już zidentyfikować (→ s. 562). Testy genowe pozwalają względnie szybko i skutecznie na identyfikację czynników wywołujących chorobę. Użyteczne są one również w kryminalistyce oraz przy ustalaniu ojcostwa. Testy genowe są zapowiedzią przyszłościowego rynku zbytu, który jest reklamowany z dużymi nakładami.

*Następstwa i ryzyko*
Aktualnie dzięki testom genowym uzyskujemy wiedzę, która nie może być jeszcze w pełni wykorzystana. Jeśli nawet zostaje wykryty gen predysponujący do określonej choroby, to nikt naprawdę nie wie, kiedy się ta choroba ujawni. Dotąd nie zdołano „uleczyć" takiego genu.

Zagrożone kobiety, u których test genowy potwierdził zwiększone ryzyko zachorowania na raka sutka, profilaktycznie poddawały się amputacji sutka.

Wielkie zainteresowanie instytucji ubezpieczeniowych i pracodawców tego rodzaju testami, pozwala mieć obawy, że może to stworzyć podstawy do podejmowania różnych decyzji. Wtedy może zaistnieć podział ludzi na takich, którzy genetycznie są szczególnie „przydatni" do pewnych prac, oraz na takich, którzy są do nich „nieprzydatni". Kolejną grupę mogą stanowić ludzie, o ile się w ogóle urodzą, którzy ze względu na posiadane cechy dziedziczne nie zostaną przyjęci do żadnej kasy chorych. Ta technika oczywiście rodzi pokusę, aby ocenić kod genetyczny zarodka przed jego zagnieżdżeniem w macicy.

## Technika genowa w leczeniu chorób

Wrodzone choroby, uwarunkowane brakiem lub źle funkcjonującym genem, można leczyć, jeśli taki gen zostanie włączony lub „naprawiony". Udało się to dotąd w jednej rzadko występującej chorobie układu odpornościowego i mukowiscydozie, ale jak dotychczas bez trwałego efektu. U myszy z powodzeniem wprowadzono gen insulinowy do komórek wątroby, które teraz wytwarzają insulinę.

### Leczenie choroby nowotworowej

Dwie trzecie wszystkich genetycznych studiów klinicznych dotyczy pacjentów z chorobą nowotworową. W 1995 roku w Niemczech i w Austrii pięć rodzajów badań objęło grupę 19 pacjentów. Stosując różne strategie, usiłuje się zwalczyć nowotwór przez zwiększenie wytwarzania czynników obronnych, zwiększenie wrażliwości komórek nowotworowych lub spowodowanie ich samozniszczenia. Uzyskane wyniki można ująć w jednym zdaniu: leczenie techniką genową znajduje się jeszcze w stadium eksperymentu. Wiodący badacze w zakresie biologii molekularnej w USA uważają, że terapia genowa jest z gruntu fałszywą drogą.

*Następstwa i ryzyko*

Zastępowanie i naprawa genu jako leczenie choroby nasuwają myśl o „leczeniu" komórek płciowych. W trakcie tej terapii zmienione zostają komórki płciowe, a nowo wprowadzone cechy

---

**Lektura uzupełniająca**

STEVE J.: *Bóg, geny i przeznaczenie: co mamy we krwi*. Prima, Warszawa 1997.

---

dziedziczne przekazywane są następnym pokoleniom. W ten sposób rzeczywistością stanie się więc wizja „człowieka stworzonego na zamówienie".

## Oznakowanie — charakterystyka

W połowie 1996 roku Unia Europejska wydała tzw. *Novel food*, zarządzenie, według którego oznakowane muszą być produkty:
— które pochodzą z genowo zmienionych organizmów,
— które zawierają genowo zmienione organizmy,
— które będą wytwarzane z udziałem genowo zmienionych organizmów.

W rzeczywistości zarządzenie to zawiera tyle wyjątków, że w końcu większość produktów, które zetknęły się z techniką genową, nie jest oznakowana. Wymagane oznakowanie można pominąć, jeżeli:
— w następstwie manipulacji genowej brak udowodnionych zmian w składnikach danego środka spożywczego, tak że jego wartość odpowiada istniejącym produktom spożywczym;
— zmiany dotyczą enzymów, które w określonych procesach technologicznych użyte są jako środki pomocnicze. Nie trzeba ich nawet wymieniać w wykazie dodatkowych substancji, gdyż uważane są za „techniczne materiały pomocnicze". Chodzi o substancje dodatkowe.

# UŻYWKI I ŚRODKI ODURZAJĄCE

Zwyczajowo za narkotyki uważa się te nielegalne środki, które mogą uzależniać, jak na przykład heroina, kokaina lub LSD. Używki oddziela się od tej grupy, jakkolwiek mogą mieć podobne działanie. Za używki przyjmowane są tytoń, przyprawy i składniki pożywienia działające pobudzająco. Alkohol może tak samo uzależnić jak „właściwe" środki odurzające.

Ta zróżnicowana ocena „legalnych" i „nielegalnych" uzależnień zniekształciła w naszej świadomości ocenę problematyki narkomanii i środków odurzających. Większość ludzi jest uzależniona od legalnych środków — alkoholu i papierosów. Według oceny Głównego Urzędu ds. Uzależnień w Niemczech uzależnionych jest około 5% obywateli. W Polsce w roku 1990 było zarejestrowanych 89 253 uzależnionych od alkoholu i 642 uzależnionych lekowo.

## PALENIE TYTONIU (NIKOTYNA)

W Niemczech wypala się rocznie ponad 2000 papierosów na głowę. W Polsce na jednego mieszkańca przypada przeciętnie 2500 wypalanych papierosów rocznie. Wśród obywateli liczących więcej niż czternaście lat ponad jedna trzecia pali, prawie połowa nie sięgnęła jeszcze nigdy po papierosa, a siedemnaście procent przestało palić. Palenie jest klasyczną „chorobą dziecięcą", której bardzo trudno się pozbyć. U młodych mężczyzn widoczna jest tendencja spadkowa, natomiast u młodych kobiet — narastająca.

Kto do dwudziestego roku życia nie zaczął palić, z reguły później już nie zacznie.

Szczególnie łatwo przyzwyczaić się do papierosów, gdy w trudnym okresie dojrzewania płciowego odkryje się, że palenie pomaga w pokonaniu niepewności i napięcia nerwowego.

Eksperymentalna zabawa z papierosem może stać się kosztownym uzależnieniem na całe życie.

### Codzienna trucizna

Nikotyna jest silną trucizną atakującą cały układ nerwowy i naczyniowy. Gdyby 50 miligramów nikotyny wprowadzono wprost do krwi, wystarczyłoby do uśmiercenia człowieka. W przybliżeniu jest to dzienna dawka pobierana przez nałogowych palaczy. Objawy zatrucia nie występują tylko dlatego, że pobranie następuje w wielu „małych" pojedynczych dawkach.

Nikotyna przyspiesza czynność serca, zwęża naczynia krwionośne i zakłóca ukrwienie. Dotknięte tkanki i narządy nie są w dostatecznym stopniu zaopatrywane w tlen i składniki odżywcze. Takie zaburzenia mogą wystąpić w naczyniach wieńcowych serca, w mózgu i kończynach. Kobiety dużo palące mogą do sześciu lat wcześniej wejść w okres przekwitania (→ s. 476).

### Sygnały ostrzegawcze
— częstszy kaszel z odpluwaniem plwociny,
— uczucie braku powietrza przy wysiłku fizycznym,
— bóle nóg przy chodzeniu,
— klucie lub bóle serca przy wysiłku.

Gdy odczujesz jeden z tych sygnałów, natychmiast porzuć palenie. Wystąpiły u ciebie pierwsze oznaki poważnego uszkodzenia organizmu.

## Przewlekłe zapalenie oskrzeli

### Kaszel palacza
Rzęski w tchawicy i oskrzelach chronią przed dostaniem się cząstek pyłu do płuc. Smoła tytoniowa poraża ten mechanizm. Rzęski stają się niezdolne do ruchu i później ulegają zniszczeniu.

Poprzez kaszel organizm próbuje pozbyć się tych szkodliwych substancji. Kto dużo pali, zna poranny kaszel. Przechodzi on często — jeśli trwa przez dłuższy czas — w przewlekłe zapalenie oskrzeli (→ s. 292).

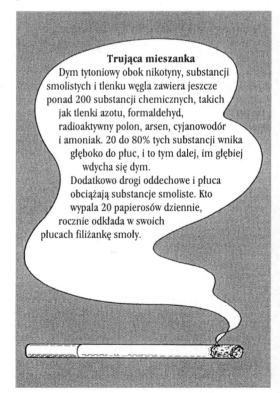

**Trująca mieszanka**
Dym tytoniowy obok nikotyny, substancji smolistych i tlenku węgla zawiera jeszcze ponad 200 substancji chemicznych, takich jak tlenki azotu, formaldehyd, radioaktywny polon, arsen, cyjanowodór i amoniak. 20 do 80% tych substancji wnika głęboko do płuc, i to tym dalej, im głębiej wdycha się dym.
Dodatkowo drogi oddechowe i płuca obciążają substancje smoliste. Kto wypala 20 papierosów dziennie, rocznie odkłada w swoich płucach filiżankę smoły.

### Duszność i „noga palacza"

Gdy przy wysiłku fizycznym łatwo dostajesz zadyszki, odpowiedzialny za to jest tlenek węgla. Trucizna ta przedostaje się do krwi poprzez pęcherzyki płuc. Tam wiąże się bardzo szybko z krwinkami, które wskutek tego transportują mniej tlenu. Tlenek węgla zawarty w dymie wywołuje zatem bezpośredni niedobór tlenu, którego brak na przykład w mózgu może wywołać senność, bóle głowy lub nudności. Zawarty w dymie tlenek węgla podnosi znacznie zawartość lipidów we krwi, co może spowodować zaburzenia w ukrwieniu, a w końcu doprowadzić do tzw. nogi palacza (→ Zaburzenia ukrwienia, s. 310). W Niemczech u palaczy przeprowadza się rocznie około 20 000 amputacji i zabiegów chirurgicznych na naczyniach krwionośnych.

### Choroby żołądka i rak

Palacze ponoszą ryzyko zapadnięcia na choroby żołądka. Wrzody żołądka goją się szybciej, gdy się rzuci palenie. Palącym do 10 papierosów dziennie zagraża pięciokrotnie większe ryzyko zachorowania na raka płuc, u palących ponad 35 papierosów ryzyko jest czterdziestokrotne.

Dla palaczy cygar i fajki ryzyko to jest „tylko" czterokrotnie większe w stosunku do niepalących, lecz palący cygara zapadają częściej na raka jamy ustnej i przełyku, a palacze fajki na raka warg i języka. Poza tym palenie sprzyja powstawaniu złośliwych nowotworów krtani, pęcherza, nerek i trzustki.

### Zawał serca

W Polsce na choroby serca i naczyń krwionośnych umiera corocznie ponad 200 000 osób. Przyczynia się do tego również palenie. U palaczy prawdopodobieństwo zgonu na zawał serca jest dwa do pięciu razy większe aniżeli u niepalących. Ryzyko rośnie z liczbą wypalanych dziennie papierosów. U palących wzrasta ono zwłaszcza również przy wysokim ciśnieniu lub podwyższonym poziomie cholesterolu, a u palaczek, gdy zażywają pigułki antykoncepcyjne.

### Nikotyna: ryzyko przy kierownicy

W zamkniętym samochodzie osobowym wystarczy wypalenie kilku papierosów, by zawartość tlenku węgla w powietrzu wzrosła niebezpiecznie. Niedobór tlenu powoduje, że wydajność fizyczna i psychiczna bardzo szybko spada, występuje znużenie.

### ▌ Palenie bierne

Osoby niepalące są prawie zawsze zmuszane do „biernego" palenia. Szczególnie narażeni są zatrudnieni w gastronomii, przede wszystkim jednak dzieci palących rodziców.

Dłuższe bierne palenie wpływa niekorzystnie na funkcjonowanie płuc.

Osoby biernie palące narażone są również na większe ryzyko nowotworowe i zapadnięcie na choroby serca.

U osób cierpiących na astmę lub uczulenie bierne palenie może wzmóc chorobę lub doprowadzić do ponownego jej wystąpienia. Poza tym wdychanie dymu tytoniowego może zmniejszyć skuteczność działania leków. Jeśli bierne palenie w miejscu pracy szkodzi twojemu zdrowiu, możesz ewentualnie wnieść do sądu roszczenia o odszkodowanie.

Pracodawcy są zobowiązani chronić niepalących pracowników przed szkodliwym działaniem nikotyny (→ Substancje toksyczne w środowisku pracy, dym z papierosów, s. 789).

### Wpływ na nienarodzone

W okresie ciąży jeden papieros pali zawsze dwoje: kobieta i dziecko. Substancje szkodliwe, transportowane we krwi matki, trafiają przez łożysko do krwiobiegu dziecka. Szczególnie szkodliwie działa tutaj tlenek węgla, który ogranicza ważne życiowo zaopatrzenie dziecka w tlen.

Skutkiem gorszego ukrwienia płodu jest niedożywienie i niedorozwój. Niemowlęta matek palących po urodzeniu są przeciętnie o 170-400 g lżejsze i pięć do dziesięciu centymetrów mniejsze.

### ▌ Zaprzestać palić

Kto zdecydował się rzucić palenie, może liczyć na wzrastające na nowo szanse życiowe. Po piętnastu latach bez papierosa ryzyko zachorowania na raka płuc u byłego palacza nie jest większe aniżeli u niepalącego. Niebezpieczeństwo zawału serca już po kilku latach niepalenia jest na normalnym poziomie.

Dokuczliwe objawy uboczne, jak kaszel, przetłuszczona skóra, zaburzenia wzroku i smaku lub wzmożona potliwość znikają nawet po kilku dniach lub tygodniach.

### Zmiany po rzuceniu palenia

Od zaprzestania palenia musi upłynąć jakiś czas, by wszystkie funkcje organizmu wróciły do normy i przemiana materii ustaliła się na nowo. W tej fazie możesz być czasami nerwowy i rozdrażniony, mało odporny na obciążenia i wyczerpany lub czuć się bardzo znużony.

Na ogół przybierasz na wadze, gdyż bez nikotyny przemiana materii przebiega wolniej. Tyjesz nawet wtedy, gdy nie jesz więcej niż przedtem. To „więcej" w kilogramach po pewnym czasie cofa się, gdy zwraca się uwagę na zdrowo wyważoną dietę (→ s. 705) i wystarczającą ilość ruchu (→ Ruch i sport, s. 748).

Wszystkie nieprzyjemne objawy odstawienia, również psychiczne, mijają.

### Rady dla rzucających palenie natychmiast

Gdy zdecydujesz się rzucić palenie z dnia na dzień, wtedy w pierwszych tygodniach bez papierosa:

— Przebywaj jak najmniej w zamkniętych pomieszczeniach, a jak najwięcej na świeżym powietrzu.

— Staraj się odprężyć i zapewnić sobie wystarczającą ilość snu.

— Zakomunikuj znajomym, że już nie palisz, i poproś o nieczęstowanie cię papierosem.

— Przezwyciężaj „chęć palenia" za pomocą bezcukrowej gumy do żucia, cukierków miętowych, lukrecji lub kwaśnych dropsów.

— Ukształtuj na nowo „tradycyjny" czas palenia: zamiast papierosa po obiedzie spacer wokół bloku lub zamiast siedzenia w zadymionym pomieszczeniu wieczorem przed telewizorem seans w kinie.

— Unikaj nudy.

— Omijaj miejsca, gdzie się dużo pali.

— Unikaj napojów wzbudzających ochotę na papierosa (np. kawy i alkoholu).

— Przeznacz zaoszczędzone pieniądze na nagrodę dla siebie.

### Rady dla rzucających palenie stopniowo

Gdy chcesz oduczyć się palić stopniowo, musisz planowo zmniejszać liczbę wypalanych dziennie papierosów. W czasie trzech do pięciu tygodni powinieneś dojść do zera. Podejmij następujące kroki:

— Pierwszy papieros dopiero godzinę po śniadaniu; przedłużaj ten okres z dnia na dzień.

— Wprowadź w swoim mieszkaniu strefy bezdymne, szczególnie tam, gdzie przez dłuższy czas przebywasz.

— Ani jednego papierosa, kiedy masz zajęte ręce (np. podczas prowadzenia samochodu).

— Ani jednego papierosa, gdy jesteś w ruchu.

— Gdy myślisz o następnym papierosie, zaczekaj jeszcze pięć minut, zanim go zapalisz; przedłużaj stopniowo czas oczekiwania.

— W „tradycyjnym" czasie palenia (np. po jedzeniu) wstań, poruszaj się lub rozpocznij inne zajęcia; przedłużaj ten czas aż do następnego papierosa.

### Rady dla niepoprawnych

— Nie pal w obecności niepalących.

— Spróbuj nie palić w określonych porach, np. rano, lub w określonych okolicznościach, np. podczas spaceru.

— Pal mniej, tworząc lub wyszukując sobie strefy bezdymne (np. przedział dla niepalących w pociągu).

— Wypalaj wszystkie papierosy tylko do połowy.

— Zaciągaj się rzadziej lub spróbuj zrezygnować w ogóle z zaciągania się.

— Unikaj „skrętów", nawet gdy są tańsze. Skręty zawierają dużo więcej szkodliwych substancji niż papierosy gotowe, są również mocniejsze od najmocniejszych papierosów gotowych.

— Generalnie należy palić papierosy o niskiej zawartości smół i nikotyny, pilnując, by przez to nie palić więcej, sięgając częściej po papierosa.

### Lecznicze postępowanie odwykowe

Leczenie zachowawcze daje szansę uwolnienia się od nikotyny (→ s. 740), leczenie takie musi być jednak finansowane z własnej kieszeni. Uniwersytety ludowe, ośrodki zdrowia, kasy chorych proponują kursy odwykowe od nikotyny. Pracuje się w grupach nad stopniowym zmniejszaniem liczby wypalanych papierosów.

### Leki i akupunktura

Istnieje stosunkowo duża podaż „środków przeciwnikotynowych".

Poleca się:

— Gumę do żucia dla palaczy. Guma ta zawiera nikotynę. W okresie zażywania obniża się stopniowo ilość dostarczanej nikotyny.

— Plaster z nikotyną. Można wesprzeć stopniowe odzwyczajanie się od nikotyny — podobnie jak w przypadku gumy do żucia;

również w plastrach zmniejsza się stopniowo dawka, objawy odzwyczajania się są w ten sposób słabsze.

Indywidualne wyniki stosowania akupunktury są zróżnicowane; akupunktura (→ s. 646) może jednak dopomóc w przezwyciężeniu trudności na początku.

Dla rzeczywistego odzwyczajenia się decydująca jest jednak zawsze własna wola.

# ALKOHOL

Alkohol (alkohol etylowy) jest jedyną substancją działającą uzależniająco, której stosowanie nie jest rygorystycznie ograniczone przez państwo.

Alkohol odgrywa podwójną rolę. Z jednej strony uchodzi za używkę i wydaje się niezbędnym elementem każdego spotkania towarzyskiego. Z drugiej strony ma jednoznaczne znaczenie środka odurzającego.

Mimo wzrostu zainteresowania sprawnością fizyczną i zdrowiem spożycie alkoholu ciągle wzrasta, a tym samym rośnie liczba uzależnionych alkoholowo.

## Cicha trucizna

Wielu zagrożonych alkoholizmem jednak zatraciło umiejętność umiarkowanego picia i delektowania się alkoholem lub się jej nigdy nie nauczyło. Przejście z picia okazjonalnego, przy którym ceni się rozprężające i znoszące zahamowania działanie alkoholu, do picia nałogowego, przy którym ciągle trzeba zwiększać ilość alkoholu, jest płynne. Dotknięci nałogiem w ogóle nie zauważają przekroczenia granicy. Nadużywanie alkoholu, będące przedpolem do alkoholizmu, prawie zawsze uważane jest za „konsumpcję normalną". Do tego dochodzi jeszcze błędne mniemanie, że tzw. pijący towarzysko, którzy upijają się wyłącznie w towarzystwie innych, nie są właściwie alkoholowo zagrożeni (→ Alkoholizm, s. 198).

### Alkohol wywołuje choroby

Regularna długotrwała konsumpcja alkoholu szkodzi:

— gospodarce witaminowej i potasem w organizmie;

— narządom trawiennym i przemianie materii, przede wszystkim wątrobie (→ Marskość wątroby, s. 371), trzustce (→ Zapalenie trzustki, s. 375) i żołądkowi;

— sercu i naczyniom krwionośnym;

— śluzówkom, na które alkohol działa drażniąco i zapalnie (nieżyt żołądka);

— skórze poprzez rozszerzanie naczyń skóry;

— popędowi płciowemu i potencji;

— nerwom obwodowym i komórkom mózgu. Skutkami są zmniejszona zdolność pojmowania, zaburzenia zdolności krytycznej oceny i prezentowania własnego stanowiska, łatwa pobudliwość i euforyczny nastrój na przemian ze stanami depresyjnymi;

— alkohol zwiększa ryzyko zachorowania na nowotwory w obrębie ust i gardła, krtani, przełyku i trzustki.

Z alkoholu pochodzi 10-20% kalorii spożytych przez osoby dorosłe, tak więc alkohol powoduje tycie.

## Spożycie alkoholu

W 1993 roku spożycie czystego alkoholu w Niemczech wynosiło 11,5 litra na osobę, wliczając w to noworodki i osoby starsze. W pierwszej kolejności pito piwo (137,5 l), następnie wino (17,5 l) i alkohole wysokoprocentowe (7,2 l). W Polsce w tym czasie na statystycznego mieszkańca przypadało 11 litrów czystego alkoholu, głównie w postaci wódki. Więcej w Europie piją jedynie Rosjanie.

Z medycznego punktu widzenia nie nasuwa obaw dzienne spożycie alkoholu przez mężczyzn w ilości około 40 g, a przez kobiety połowy tej ilości. Odpowiednikiem 20 g alkoholu jest lampka wina (0,2 l) lub butelka piwa (0,5 l). Około 20% mężczyzn i 10% kobiet powyżej 30 lat wypija dziennie więcej. Według niemieckiego Głównego Urzędu ds. Uzależnień leczeniu przeciwalkoholowemu powinno się poddać około 2,5 miliona obywateli.

### Szkodzenie nienarodzonemu

Alkohol i produkty jego rozkładu przedostają się bez przeszkód przez łożysko do nienarodzonego, któremu grozi niedowaga, zaburzenia wzrostu, fizyczne i duchowe zaburzenia w rozwoju, jak również zaburzenie rozwojowe twarzy i innych narządów. Ocenia się, że w Niemczech prawie co trzysetne nowo narodzone dziecko dotknięte jest tymi niedomaganiami. Im dłużej i intensywniej przyszła matka pije, tym większe jest prawdopodobieństwo uszkodzeń dziecka.

Kobieta w ciąży powinna z tego powodu całkowicie zrezygnować z picia alkoholu. W tym postanowieniu potrzebuje wsparcia przyszłego ojca. Gdy ten jednak pije i ciąży partnerki nie traktuje poważnie, kobiecie ciężarnej będzie trudno zrezygnować z alkoholu.

### Działanie alkoholu

W pewnej części alkohol jest przejmowany bezpośrednio z żołądka do krwi, bez konieczności przebywania długiej drogi przez jelita. Tą drogą przedostaje się do mózgu. Picie wysokoprocentowego alkoholu na pusty żołądek powoduje szybkie wzrastanie poziomu alkoholu we krwi i podchmielenie.

Alkohole niskoprocentowe lub rozcieńczone wodą czy lodem wchłaniają się wolniej. Ważną rolę odgrywa również tempo picia. Jedzenie, szczególnie potrawy tłuste oraz mleko, opóźniają znacznie wchłanianie alkoholu. Natomiast alkohole zawierające cukier i dwutlenek węgla, jak na przykład szampan, przyspieszają wchłanianie alkoholu do krwi.

Szybkość działania alkoholu zależy od nastroju, stanu organizmu i masy ciała.

### Niebezpieczeństwo za kierownicą

Połowa wszystkich ofiar śmiertelnych w ruchu drogowym, a jest ich w Niemczech prawie 5000 rocznie, obciąża z dużym prawdopodobieństwem konto kierowców będących pod wpływem alkoholu — wielu z nich nie osiągnęło przy tym ustawowej granicy zawartości alkoholu we krwi, tj. 0,8 promila. Naruszenie zdolności reagowania następuje już przy 0,3 promila.

W Polsce dopuszczalne stężenie alkoholu we krwi u prowadzącego samochód wynosi do 0,2 promila.

### Promile żyją długo

Wiele osób nie docenia zawartości resztek alkoholu we krwi. Alkohol zawarty we krwi zanika bardzo wolno. By poradzić sobie z jedną zwykłą wódką lub średniej wielkości kieliszkiem wina organizm potrzebuje sześćdziesięciu do dziewięćdziesięciu minut. Po wypiciu, krótkim śnie, zimnym prysznicu i filiżance kawy następnego dnia rano wsiadasz do samochodu, gdyż czujesz się przejściowo zdatny do kierowania. Jednak ze względu na pozostałości alkoholu we krwi ciągle jeszcze nie jesteś zdolny do jazdy. Na to nie pomoże kawa. Nie ma środka, który przyspieszyłby zanik alkoholu w organizmie.

### Niebezpieczeństwo w miejscu pracy

Wyraźnie więcej nieszczęśliwych wypadków zdarza się w miejscu pracy, gdy w grę wchodzi alkohol. Nawet nieduże pozostałości alkoholu mogą być niebezpieczne. Zmniejsza się uwaga, zawęża się pole widzenia, spada sprawność reagowania. To samo dotyczy gospodarstwa domowego.

### Promile zmieniają zachowanie

Działanie alkoholu jest indywidualne. Są jednak pewne wspólne czynniki dotyczące wpływu alkoholu na zachowanie się i zdolność reagowania człowieka.

Najpierw przeciętna zawartość alkoholu w typowych napojach: piwo ok. 5%, wino ok. 12%, wódka ok. 40%.

Spożycie przez osobę o masie ciała 70 kg niżej podanych ilości alkoholu daje następujący poziom alkoholu we krwi oraz wywołuje następujące zmiany zachowania:

— 0,3 promila=0,3 do 0,5 l piwa lub 2 zwykłe wódki, lub 0,1 do 0,25 l wina, zachowanie się i zdolność reagowania są nieznacznie zmienione; widoczne są pierwsze zaburzenia chodu i przecena swoich możliwości.

— 0,5 promila=0,4 do 0,8 l piwa lub 3 do 4 zwykłe wódki, lub 0,2 do 0,35 l wina: zachowanie się i zdolność reagowania są zwolnione, zaczyna się pojawiać nastrój euforyczny.

— 0,8 promila=0,7 do 1,5 l piwa lub 5 do 7 zwykłych wódek, lub 0,3 do 0,5 l wina: osiągnięta zostaje granica zdatności uczestniczenia w ruchu komunikacyjnym, zwolniona jest zdecydowanie możliwość reakcji. Zmniejszony rozsądek i samokrytyka.

— 1,0 do 2,0 promili=1,4 do 2,8 l piwa lub 8 do 15 zwykłych wódek, lub 0,5 do 1,0 l wina: możliwość reakcji mocno spada, zanika samokontrola, obok euforii pojawiają się tendencje do agresji. Osiągnięta zostaje granica poczytalności.

— 3,0 do 5,0 promili=3,6 do 10 l piwa lub 20 zwykłych wódek do 0,75 litra, lub 1,5 do 3,5 l wina zmysł równowagi jest poważnie zaburzony, obok ogólnego zaburzenia świadomości cierpi ogólna zdolność postrzegania. Przy 4 do 5 promili może nawet dojść do zgonu wskutek porażenia układu oddechowego i niewydolności układu krążenia.

### Jak utrzymać miarę

— Nie pij alkoholu dla ugaszenia pragnienia.
— Nie pij nigdy alkoholu dla przezwyciężenia fizycznych lub psychicznych niemiłych odczuć, problemów lub obciążeń.
— Nie pij alkoholu bezmyślnie lub z nudy. Świadomie decyduj się na każdy kieliszek, delektuj się każdym łykiem.
— Nie pij alkoholu regularnie w tej samej sytuacji, lecz za każdym razem podejmuj świadomą decyzję.
— Nie pij napojów alkoholowych na pusty żołądek, mieszaj je z wodą mineralną lub lodem.
— Pij zawsze mniej, niż ci się wydaje, że możesz. Rozłóż tę ilość na kilka godzin.
— Nie zachęcaj gości do picia alkoholu. Proponuj również soki i inne napoje bezalkoholowe. Nie dopuść do powstania presji koniecznego „picia razem".
— Gdy nie chcesz pić, nie bój się powiedzieć „nie".

W prawie trzech milionach miejsc pracy obok biurka czy obrabiarki stoi alkohol. Jedenaście procent zatrudnionych podaje, że w ich zakładzie pije się codziennie alkohol.

### Współdziałanie z lekami

Alkohol wzmacnia działanie środków nasennych i uspokajających, leków psychotropowych oraz silnych środków przeciwbólowych. Zmniejsza działanie leków przeciw padaczce, cukrzycy, dnie moczanowej i gruźlicy. Alkohol zwiększa działanie uboczne tetracyklin, środków wzmacniających ukrwienie, beta-adrenolityków i leków przeciw chorobom naczyń wieńcowych serca. Podczas zażywania leków unikaj alkoholu (→ Leki i ich stosowanie, s. 617).

### Co robić na kaca

Kac jest skutkiem utraty wody i obniżenia się poziomu cukru we krwi.

— Rano po przehulanej nocy unikaj „nowego" kieliszeczka. Poziom alkoholu wzrośnie gwałtownie.
— Unikaj tabletek przeciw bólowi głowy. Jeśli nie możesz obejść się bez środków uśmierzających ból, to wybierz środek zawierający jedynie substancję hamującą ból, jak np. kwas acetylosalicylowy, paracetamol lub ibuprofen (→ Proste środki przeciwbólowe, s. 621).
— Pij dużo wody mineralnej i napoje zawierające cukier lub jedz owoce w celu uzupełnienia cukru.

## KOFEINA

Dzisiaj kawa, wypijana w ilości 185 litrów na głowę rocznie, jest najbardziej ulubionym napojem obywateli Niemiec. Nie tylko kawa zawiera kofeinę. Również herbata, kakao i napoje typu cola dają ożywiające działanie dzięki tej substancji. Składnikiem herbaty, przez niektórych nazywanym teiną, jest również kofeina. Herbata zawiera mniej tej substancji i jest lepiej tolerowana przez żołądek, gdyż nie zawiera substancji powstających podczas palenia kawy, a ze względu na zawartość garbników wchłanianie kofeiny jest wolniejsze, wolniej również ożywia, lecz za to dłużej działa.

### Kiedy jest za dużo

— Od 0,5 g kofeiny (cztery do pięciu filiżanek kawy) mogą wystąpić objawy zatrucia: pobudzenie, niepokój, przyspieszone tętno, kołatanie serca, i przedwczesne skurcze serca (ekstrasystole). Układ krążenia i oddechowy są wyraźnie pobudzone.
— Od 1 g kofeiny (10 filiżanek lub więcej mocnej kawy) dochodzi do stanów pobudzenia, które mogą przejść od drgań włókien mięśni do drgawek. Zaburzeniom tym towarzyszą zawroty i bóle głowy, mogą wystąpić nudności, wymioty i biegunka. Śmiertelna dawka kofeiny wynosi około 10 g.
— Długotrwałe nadużywanie kawy może doprowadzić do pewnego uzależnienia. Gdy zabraknie podniety, do której jest się przyzwyczajonym, występują bóle głowy i senność jako słabe objawy abstynencji.
— Dzięki zawartości olejków roślinnych kawa ma lekkie właściwości przeczyszczające.
— Herbata — odwrotnie — ze względu na zawarty w niej kwas garbnikowy ma pewne właściwości zapierające.
— Substancje powstałe podczas palenia kawy pobudzają wydzielanie kwasu żołądkowego.
— Produkty palenia kawy działają bardzo niekorzystnie przy chorobach pęcherzyka żółciowego. Herbatę toleruje się stosunkowo dobrze przy kolce wątrobowej.
— Na kawę wrażliwsze są przede wszystkim dzieci. U nich pierwsze objawy zatrucia występują znacznie szybciej aniżeli u dorosłych.
— Kobiety ciężarne powinny unikać kofeiny. Pamiętaj, nienarodzone pije również i jest znacznie wrażliwsze aniżeli ty sama. Ponad 600 mg kofeiny dziennie zwiększa ryzyko poronień i przedwczesnych porodów.
— Przy zaburzeniach snu od późnych godzin popołudniowych unikać kawy, herbaty i coli.

## NIELEGALNE NARKOTYKI

Wśród nielegalnych narkotyków najwięcej dyskusji budzą: heroina, kokaina, narkotyki syntetyczne i haszysz. Przy tym od twardych narkotyków jest uzależnionych znacznie mniej ludzi, aniżeli się przypuszcza: 96% tak zwanych łagodnych środków odurzających to „miękki" haszysz, tylko 4% przypada na inne narkotyki.

Pomijając raczej nieszkodliwy haszysz, wydaje się, że trend zdąża od heroiny do kokainy, jak również do podniecających syntetycznych narkotyków amfetaminy i ekstazy. Wydaje się, że opinia publiczna wyraża zdecydowane „nie" dla odurzania, natomiast „tak" dla podniecania.

### Haszysz

Na obszarze niemieckojęzycznym po alkoholu haszysz jest najbardziej rozpowszechnionym środkiem odurzającym. Ocenia się, że haszysz zażywa regularnie trzy do czterech milionów obywateli ze wszystkich warstw społecznych i różnych grup wiekowych. Żeńską rośliną konopi indyjskich — *Cannabis indica* — handluje się i zażywa pod postacią haszyszu, olejku haszyszu lub marihuany. Haszysz jest żywiczną wydzieliną żeńskiej rośliny konopi indyjskich; marihuanę sporządza się z suszonych łodyg, liści i kwiatów tej rośliny. Działanie odurzające powoduje THC (delta-9-tetrahydrocannabiol), którego, zależnie od pochodzenia, wieku i jakości materiału, haszysz zawiera od 3 do maksymalnie 10%. Zgodnie z niemiecką ustawą o środkach odurzających wytwarzanie, posiadanie, nabywanie i handel haszyszem są w zasadzie karalne. W 1994 roku Sąd Konstytucyjny w Niemczech wydał wyrok, według którego posiadanie małych ilości „miękkich" narkotyków nie jest karalne. Od tego czasu nie ma jednolitych uregulowań w tej sprawie. Każdy land różnie podchodzi do określenia „małe ilości". Podobnie w Polsce pojęcie małych ilości nie jest jednoznacznie zdefiniowane w obowiązującej obecnie ustawie o przeciwdziałaniu narkomanii.

### Działanie

Haszysz stosunkowo szybko działa na autonomiczny układ nerwowy, uspokaja, lecz przyspiesza równocześnie bicie serca. Na ogół dochodzi do uczucia odprężenia, oddalenia problemów dnia powszedniego, do łagodnej euforii i równoczesnej apatii. Wzrasta odbiór zmysłowy, zwalnia się czas przeżywania, spada zdolność koncentracji i zapamiętywania. Wyższe dawkowanie może doprowadzić do trwożliwego niepokoju, omamów i ograniczenia oceny rzeczywistości.

### Uzależnienie

W przeciwieństwie do alkoholu w przypadku haszyszu nie powstaje uzależnienie fizyczne. By osiągnąć zamierzony efekt, nie trzeba podwyższać dawki. Również w przypadku nagłego zaprzestania nie należy oczekiwać znaczniejszych oznak odstawienia (zespół abstynencji). Do uzależnienia dochodzi w sferze psychicznej. Przyzwyczajenie do przyjemnie odbieranego stanu odprężenia lub ucieczki od trudnych sytuacji życiowych może prowadzić do ciągłego zażywania.

### Skutki

Haszysz uważa się za wstęp do zażywania prawdziwych narkotyków. Gdyby tak rzeczywiście było, nie należy tego wiązać tylko z haszyszem, lecz raczej z ogólnym używaniem nielegalnych narkotyków. Wskutek nielegalności konsumenci haszyszu zmuszeni są kupować go u dilerów i w ten sposób wpadają w krąg konsumentów twardych narkotyków.

Największe niekorzystne skutki dla organizmu powoduje łączne działanie haszyszu i nikotyny. Następuje coraz głębsze zaciąganie się bezfiltrowymi skrętami z haszyszu i marihuany. Jest to dla płuc znacznie bardziej szkodliwe niż palenie zwykłych papierosów.

### Haszysz za kierownicą

Badając kierowców biorących udział w wypadkach, u 10% stwierdza się THC zawarte w haszyszu. Haszysz ogranicza orientację przestrzenną, zdolność reagowania, koordynację mięśni i przez to zdolność do prowadzenia samochodu. Niezdolność do kierowania pojazdem w pewnych warunkach może trwać trzy do czterech godzin po narkotyzowaniu się. W rzadkich przypadkach może dojść do „powrotnego" odurzenia narkotycznego (flash

back) występującego bez uprzedniego pobrania haszyszu, które może trwać do kilku minut.

## Heroina (opiaty)

Surowe opium uzyskuje się z makowca poprzez nacinanie niedojrzałych torebek nasiennych. Opium jest produktem wyjściowym do produkcji morfiny i szeregu półsyntetycznych związków morfinopodobnych jak heroina.

### Działanie

Oddziałuje na śródmózgowie, gdzie powstaje radość i tłumiony jest ból. Bardzo szybko dochodzi do stanu spokoju duchowego i beztroski, do uczucia absolutnego szczęścia usuwającego troski dnia powszedniego.

### Uzależnienie

Fizyczne uzależnienie od heroiny rozpoczyna się prawie zawsze przy pierwszej próbie. Obojętne, czy się wącha czy wstrzykuje, organizm przyzwyczaja się natychmiast. Aby uzyskać takie samo działanie, dawka musi być stale podnoszona; znosi się coraz większe ilości. Bez nowej dawki dochodzi do ekstremalnego niepokoju wewnętrznego, pobudliwości, bezsenności, dreszczy, wystąpienia potu, wymiotów, drgawek i silnych bólów.

Dla uniknięcia bólów odwykowych uzależnieni zmuszeni są do zadbania o regularne zaopatrzenie. Uzależnienie psychiczne od heroiny jest bardzo silne. W zmieniających się stanach pomiędzy oczekiwanym uczuciem szczęścia a bólami głodowymi trudno rozróżnić uzależnienie fizyczne od psychicznego.

### Następstwa

W literaturze fachowej trwa dyskusja, jak dalece uzależnienie od heroiny prowadzi do „fizycznego upadku". Przy pobieraniu heroiny główne ryzyko leży w tym, że produkt dostępny w nielegalnym handlu jest bardzo zanieczyszczony, na ogół zmieszany z wszelkimi możliwymi substancjami, od mleka w proszku po strychninę. W konsekwencji dochodzi do zaburzeń i zmian w organizmie, które nie podlegają kontroli.

Stosowanie niesterylnych strzykawek sprzyja infekcjom. Wzrasta ryzyko owrzodzeń i zachorowania na żółtaczkę z następczymi uszkodzeniami wątroby. Wskutek wspólnego użytkowania niesterylnych strzykawek przenoszą się choroby.

Najbardziej znane i zgubne jest niebezpieczeństwo zarażenia się AIDS.

Dalsze szkody powstają wskutek przedawkowania, nieznanych stężeń, prowadzenia ogólnie niezdrowego trybu życia i przebywania w kryminogennej subkulturze.

### Kryminogenność

Ceny heroiny na czarnym rynku wahają się w zależności od intensywności nadzoru policyjnego i wielkości podaży. Przy wzrastającej dawce normalne zarobki jednak nie wystarczają, za-

---

**„Kuźnia" Towarzystwo Zapobiegania Patologiom Społecznym**

Warszawa, al. 3 Maja 5, tel. (0-22) 625-47-49

czyna się handel narkotykami, kradzieże, włamania lub prostytucja.

Uzależnionym na jakimś etapie — konsumpcji, kupna, handlu, organizowania pieniędzy lub prostytucji — grozi kryminalizacja.

Dlatego wielu fachowców uważa, że można by uniknąć pauperyzacji uzależnionych, gdyby nie byli zależni od czarnego rynku.

Na forum międzynarodowym dyskutuje się w związku z tym o terapii przeciwnarkotykowej — prócz leczenia metadonem kontrolowany wolny dostęp do heroiny, połączony z długotrwałym leczeniem psychospołecznym (→ Narkomania, s. 202).

## Kokaina

Kokaina, będąc substancją naturalną, zawarta jest w liściach południowoamerykańskich krzewów coca. Na czarnym rynku handluje się kokainą w postaci białego proszku zawierającego najwyżej 25% kokainy. Rozcieńczana jest boraksem, laktozą lub fruktozą, lecz również innymi lekami, takimi jak środki pobudzające i odurzające. Najczęściej wciągana jest przez nos, przez co dostaje się na błony śluzowe, a stamtąd przez krwiobieg do mózgu.

### Działanie

Na temat kokainy panuje opinia, że zażycie jej wywołuje jasne myśli, wolne od wątpliwości, uczucie szczęścia i dobre samopoczucie fizyczne.

Kokaina w niedużych ilościach powoduje przyspieszenie oddechu i bicia serca oraz podniesienie temperatury ciała. Źrenice rozszerzają się, zwalnia się proces trawienia. Przy większych ilościach oznakami zatrucia są: trupia bladość, szybkie i płytkie tętno, drżenie, wymioty, zawroty głowy, zaburzenia oddechu i napady drgawek, które mogą doprowadzić do utraty świadomości i zatrzymania oddechu.

### Uzależnienie

W przypadku kokainy uzależnienie powstaje wolniej niż przy stosowaniu heroiny. Pewne jest jednak, że również przypadkowi konsumenci kokainy zwiększają dawkę. Uzależnienie psychiczne objawia się bardzo szybko.

### Następstwa

Przez dłuższy czas zażywana przez nos kokaina atakuje błony śluzowe nosa. Powstaje stan zapalny, a następnie owrzodzenia. Kokaina tłumi poza tym uczucie głodu. Wynikające z tego niedożywienie osłabia odporność, co powoduje częste infekcje.

Zażywający regularnie kokainę cierpi na trudności w koncentracji uwagi, niepokój i bezsenność. Traci zdolność jasnego myślenia. U biorących kokainę mogą wystąpić ataki panicznego strachu i halucynacje. W tym stanie wzrasta zagrożenie samobójstwem.

## Crack

Handlową kokainę miesza się z wodą i proszkiem do pieczenia, następnie wypieka krakersy, które w formie małych białych bryłek pali się w specjalnych szklankach lub blaszanych fajkach. Pod wpływem żaru bryłki trzaskają (crack), stąd nazwa.

Crack jest wyjątkowo niebezpieczny. Substancja aktywna dostaje się w ciągu ośmiu sekund do mózgu i uszkadza na lata normalne funkcjonowanie nerwów mózgu. Może dojść do zakłócenia układu oddechowego i krążenia, co nierzadko kończy się śmiercią. W porównaniu z innymi narkotykami crack niesie najwyższe ryzyko śmierci i prowadzi nadzwyczaj szybko do dręczącego uzależnienia.

## Ekstaza

Ekstaza należy do „narkotyków scenicznych". Pierwotnie opracowano ją jako środek zmniejszający łaknienie, jednak ze względu na psychogenne działanie uboczne nie trafiła na rynek farmaceutyczny.

Według szacunku zrzeszenia branżowego producentów i dystrybutorów leków i środków odurzających nowe syntetyczne środki odurzające zażywa w Niemczech około 100 000 głównie młodych osób, w tym szczególnie dużo młodych dziewczyn. Ekstaza uchodzi za środek rozszerzający świadomość i zwiększający sprawność. Przyjął się jako „party-narkotyk" wśród entuzjastów techno, którzy dodają sobie energii do całonocnych maratonów tanecznych za pomocą pigułek.

Specjaliści od wychowania mówią o szybkim wzroście spożycia ekstazy przez młodocianych, ostrzegając równocześnie przed przesadną troską. Konsumpcja syntetycznych narkotyków wzrasta do 25 roku życia, następnie szybko spada.

### Działanie

Działanie rozpoczyna się 20-60 minut po zażyciu i trwa około 3-4 godzin. Występują uczucia psychicznej równowagi, duchowa jasność i podwyższona koncentracja powiązana z wyzwoleniem fizycznej energii. Euforia i czułość ułatwiają młodzieży zbliżanie się do siebie i prowadzenie swobodnych rozmów.

### Uzależnienie

O ile czysta ekstaza z reguły nie wywołuje fizycznych objawów uzależnienia, o tyle może wystąpić objaw psychicznej zależności.

Z powodu wewnętrznego niepokoju zażywa się często środki nasenne.

Przyzwyczajenie i psychiczne uzależnienie prowadzą często do zwiększania dawki, co potęguje uboczne działanie narkotyku. Największe niebezpieczeństwo stanowi jednak niekontrolowane domieszanie innych substancji, np. LSD, które mogą również uzależniać fizycznie.

### Następstwa

Ekstazę zażywa się w skrajnie małych dawkach, lecz nawet takie mogą wywołać niepożądane uboczne działania. Podwyższone ciśnienie krwi, przyspieszone tętno, podwyższona temperatura ciała, szczękościsk są tylko nieszkodliwymi skutkami. Szczególnie wysokie ryzyko stanowią nieprzewidywalne trwanie i nasilenie odurzenia, jak i dalsze nieprzewidywalne uboczne działanie wywołane domieszkami. Tymczasem okazało się, że ekstaza przy długotrwałym zażywaniu może powodować uszkodzenia nerwów, prowadząc do zakłóceń w funkcjonowaniu mózgu. Ważące są również następstwa pośrednie. Ekstaza jest środkiem podniecającym, który jest zażywany, by być „gotowym" i „na chodzie". Wielogodzinny taniec w bardzo wysokiej temperaturze może doprowadzić do odwodnienia i przegrzania organizmu, aż do udaru cieplnego włącznie. Ponieważ ekstaza tłumi sygnały ostrzegawcze, takie jak wyczerpanie, pragnienie lub ból, istnieje niebezpieczeństwo poważnych zaburzeń w układzie krążenia. Skutki weekendu spędzonego na tańcach z zażywaniem ekstazy to często całkowite wyczerpanie, czasami depresja oraz utrata apetytu. Ma to oczywiście wpływ na wydajność pracy w następnych dniach.

Obecność w dyskotece nie musi być bezwzględnie związana z zażywaniem narkotyków, a jednorazowe zażycie nie oznacza jeszcze choroby. Rodzice powinni unikać gwałtownych reakcji, gdy na regularne zażywanie ekstazy wskazują częste nieokreślone objawy następcze. Lepiej przeprowadzić z młodocianym rozmowę o ryzyku zażywania ekstazy i zwrócić uwagę na to, jak można się odzwyczaić.

— Pić dużo napojów bezalkoholowych i bez kofeiny, by wyrównać utratę płynów w czasie tańców.
— Robić przerwy w tańcu i od czasu do czasu zaczerpnąć świeżego powietrza.
— Brać minimalne dawki.

# RUCH I SPORT

Bez ruchu organizm marnieje. W odróżnieniu od technicznych można go utrzymać w formie tylko dzięki używaniu. By pozostać sprawnym, organizm musi być regularnie obciążany. Jednak tylko niewiele osób zażywa wystarczająco ruchu — chyba że świadomie zwracają na to uwagę i uprawiają sport.

Sport wzmaga wydajność mięśni i serca, czyni elastycznymi ścięgna i więzadła. Jeśli regularnie jeździsz na rowerze, pływasz lub biegasz, wzmacniasz wydolność układu krążenia i dysponujesz większą rezerwą sprawnościową. W ten sposób jesteś przygotowany na większe obciążenia i lepiej zabezpieczony przed zawałem niż osoby nieuprawiające sportu.

## W ruchu

W „ruchliwym" społeczeństwie poruszają się przede wszystkim urządzenia techniczne, człowiek coraz mniej. Czas pracy i czas wolny spędza się przeważnie na siedząco. Ten codzienny brak ruchu, któremu towarzyszą w najlepszym przypadku jednostajne czynności na stanowisku pracy, znacznie szkodzi organizmowi. Najczęstszymi skutkami siedzącego trybu życia są wiotkie mięśnie, choroby sercowo-naczyniowe, zaburzenia w przemianie materii, wady postawy, uszkodzenia więzadeł i kości. Te klasyczne „choroby z niedostatku ruchu" powodują dwadzieścia procent udziału w ogólnych kosztach leczenia.

Co najmniej jedna trzecia społeczeństwa nie chce słyszeć o uprawianiu sportu. Przy czym nie chodzi tu o jakieś specjalne osiągnięcia sportowe czy trofea, lecz o właściwą ilość ruchu i dostosowanie aktywności fizycznej do osobistego stylu życia. Taki umiarkowany, regularny wysiłek fizyczny, jak codzienne wchodzenie po schodach, dojeżdżanie na rowerze do pracy, codzienny żwawy 30-minutowy spacer, nie ustępuje w swoim pozytywnym zdrowotnym oddziaływaniu łagodnie uprawianemu sportowi.

### To należy ćwiczyć

Każdy ruch angażuje szereg układów narządowych, np. mięśnie szkieletowe, kości i więzadła, układ nerwowy i układ krążenia.

Sprawność organizmu zależna jest od od harmonijnego współdziałania tych układów. Każdy rodzaj ruchu sprzyja rozwijaniu innego rodzaju sprawności.

— Żwawy spacer, biegi, aerobik, intensywna jazda na rowerze, wiosłowanie, pływanie, biegi narciarskie ćwiczą przede wszystkim wytrzymałość.
— Kulturystyka, zapasy, podnoszenie ciężarów, ćwiczenie ciężarkami lub sprężynami wzmacniają przede wszystkim siłę mięśni.
— Jazda konna, taniec, łyżwiarstwo, wrotki lub deskorolka ćwiczą przede wszystkim harmonię.
— Gimnastyka przyrządowa lub bezprzyrządowa ćwiczy przede wszystkim ruchliwość.

### Wytrzymałość

Podstawowym czynnikiem jest trening wytrzymałościowy. Jednak pojęcie „wytrzymałość" wprowadza większość ludzi w błąd. Nie znaczy to pokonywanie dystansu maratonu, lecz ćwiczenie kilku większych grup mięśni poprzez ciągłe zmiany napięcia i rozluźnienia. By podnieść rezerwę wydolnościową układu krążenia, wystarczą u niewytrenowanych już 30-minutowe ćwiczenia dwa razy w tygodniu.

W takim przypadku mięśnie pracują tlenowo. To znaczy, że uzyskują swoją energię przez spalanie cukru za pomocą tlenu. Przy tym podnosi się ukrwienie, polepsza się zaopatrzenie organizmu w tlen i powiększa pojemność płuc.

Do dyscyplin sportu, w których ćwiczy się wytrzymałość tlenową, należą — pod warunkiem że ćwiczenia wykonywane są rzeczywiście tak, że wzrasta tętno — biegi, aerobik, wędrowanie, szybki chód, biegi narciarskie, kolarstwo, wioślarstwo i pływanie, tak jak i wszystkie gry w piłkę związane z bieganiem i skakaniem, np. piłka nożna, piłka ręczna, koszykówka, tenis lub kometka.

Ćwiczenia te:
— wzmacniają wegetatywny układ nerwowy i redukują stężenie hormonów stresowych we krwi;
— polepszają płynność krwi i powiększają rezerwy wydolnościowe układu krążenia;
— oddziałują korzystnie na ciśnienie krwi. Badania wykazały, że u uprawiających sport zawał serca występuje o połowę rzadziej aniżeli u nieuprawiających. U sportowców niepalących częstotliwość wystąpienia zawału obniża się ośmiokrotnie.

## Siła

Prawidłowo przeprowadzone ćwiczenia wzmacniają mięśnie, ścięgna i więzadła i działają dodatnio na postawę. Dobrze rozwinięte mięśnie ochraniają stawy i kręgosłup. Same ćwiczenia siłowe prawie nie wpływają na wytrzymałość mięśni, gdyż nie zwiększa się zdolność pobierania tlenu. Kulturyści, którzy ćwiczą ciężarkami, nie mają bardziej wydolnego układu krążenia od osób nieuprawiających sportu, chyba że ćwiczą nie tylko siłę, ale również wytrzymałość.

Trening siłowo-wytrzymałościowy z wielokrotnie powtarzanym małym obciążeniem wzmacnia aparat ruchowy i kościec. Osoby starsze mogą za pomocą ćwiczeń siłowo-wytrzymałościowych, takich jakie czasami oferują siłownie, przeciwdziałać grożącemu zanikowi mięśni lub możliwemu odwapnieniu kości (→ Osteoporoza, s. 402).

Podczas ćwiczeń siłowych należy zawsze zwracać uwagę na ryzyko przeciążenia stawów, ścięgien i więzadeł, jak również na niebezpieczeństwo rozrostu pewnych partii mięśni kosztem innych. Takie zaburzenie równowagi rozwoju mięśni szkodzi całej muskulaturze. Tak budowa modnych partii umięśnienia prowadzi łatwo do przysłowiowego efektu „Nie można biec z siły" (→ Sprawność fizyczna, s. 757).

## Tyle należy ćwiczyć

Do uzyskania pozytywnego efektu zdrowotnego obciążenie sportowe musi być wystarczająco intensywne. „Raz biegać" nie daje korzystnego efektu. Oznacza to, że powinno się zaangażować przynajmniej 50%, a lepiej 70% wydolności. Maksymalna wydolność jest indywidualnie zróżnicowana. Im częściej i dłużej uprawiasz sport, tym większą uzyskujesz sprawność. Nawet najkorzystniejszych skutków ćwiczeń dla mięśni i układu krążenia nie można „zakonserwować". Aby utrzymać fizyczną gotowość, należy stale trenować.

Najprostszym sprawdzianem możliwości obciążenia organizmu jest tętno. Ogólna zasada jest następująca: Przy treningu wytrzymałościowym uderzenia serca powinny wzrosnąć do 170 minus wiek (liczba lat), u ludzi młodszych lub wytrenowanych — do 180 minus wiek. Starsi powinni utrzymywać niższą maksymalną częstotliwość tętna. Intensywność ćwiczeń jest wtedy właściwie dobrana, gdy częstotliwość tętna początkowo wzrasta, a w czasie treningu utrzymuje się na tym samym poziomie.

— Mierz tętno przez minutę (po pięciu minutach od rozpoczęcia ćwiczeń i po ich ukończeniu).
— Obciążenie dobrane jest prawidłowo, gdy wyniki obu pomiarów są zbliżone.
— Najlepiej mierzyć tętno na zewnętrznej stronie przegubu

**Lektura uzupełniająca**

GOODSELL A.: *Twój osobisty trener: Układanie własnego programu sprawnościowego.* „Muza", Warszawa 1994.
SÖLVEBORN S.A.: *Streching — ćwiczenia rozciągające.* Wyd. 2, „Sport i Turystyka", Warszawa 1990.

dłoni lub na tętnicy szyjnej za pomocą zegarka na rękę lub stopera z sekundomierzem.
— Jeśli przed rozpoczęciem lub wznowieniem uprawiania sportu masz wątpliwości dotyczące wydolności układu krążenia, poradź się na wszelki wypadek lekarza sportowego.

## Wybór dyscypliny sportowej

Wśród dorosłych obywateli około 80% jest chętnych do uprawiania sportu, lecz tylko jedna czwarta jest rzeczywiście aktywna, bardzo wielu szybko zaprzestaje, zanim jeszcze właściwie rozpoczęło. Często przeszkadza to, że sport postrzegany jest jako dryl i dyscyplina — szczególnie wtedy, gdy nie można go uprawiać z przyjaciółmi i partnerami lub dla odprężenia.
— Przy wyborze rodzaju sportu należy kierować się głównie tym, czy sprawia przyjemność. Nieistotne, czy tańczysz w takt afrykańskiej muzyki, gonisz za piłką do siatkówki lub zamieniasz siodełko od roweru na siodło na koniu. Decydujące jest to, czy się chętnie poruszasz i czy robisz to systematycznie.
— Musisz rozważyć, czy wolisz być aktywnym w pojedynkę, czy raczej w towarzystwie. Kto woli samotnie przemierzać tory pływackie lub biegowe, musi sobie znaleźć na te ćwiczenia odpowiedni czas. Kto woli ćwiczyć w zespole lub parami, dobre miejsce znajdzie we wszystkich grach w piłkę. Wydziały sportowe gmin i wspólnot udzielą dalszych informacji.
— Wybierz jedną lub kilka dyscyplin sportowych, które możesz uprawiać w pobliżu miejsca pracy lub zamieszkania. Krótkie dojazdy zwiększają ochotę na ruch.
— Ważna jest odmiana. Kto nie ma ochoty na bieganie w parku trzy razy w tygodniu, powinien sobie bardziej urozmaicić sportowy tydzień, np. raz udać się z partnerem do szkoły tańca, raz z przyjaciółmi zagrać w piłkę ręczną, raz wcześnie rano popływać.
— Na wybór „twojej" dyscypliny będą miały wpływ stan zdrowia i wytrenowania.

**Lektura uzupełniająca**

BORYS B.: *Mamo, tato, ćwiczmy razem!* PZWL, Warszawa 1990.
BUCK I.: *Gimnastyka izometryczna dla zdrowia i sylwetki.* PZWL, Warszawa 1991.

## Rodzaje sportów

### Chodzenie, bieganie i wędrowanie

Chodzenie i bieganie należą do najprostszych, najzdrowszych i najbardziej przyjaznych środowisku sposobów poruszania się ludzi.

Chodzenie i bieganie angażuje dynamicznie dużą część mięśni szkieletowych, ćwiczenia te można prawie idealnie dawkować. Nie wymagają drogiego wyposażenia i mogą być wszędzie wykonywane.

Chód, szybka odmiana chodzenia, podczas którego — w przeciwieństwie do biegania — obowiązuje nieprzerwana

**Podstawowy program ćwiczeń napinająco-rozciągających (stretching)**

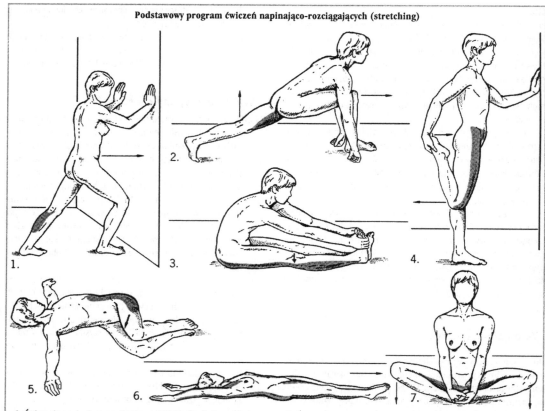

1. Ćwiczenie napinająco-rozciągające mięśni łydki: Stoisz na podłodze całą stopą z nogą cofniętą daleko do tyłu, obiema rękami opierasz się o ścianę, kolano jest wyprostowane, napięcie reguluje się ruchem miednicy.
2. Ćwiczenie napinająco-rozciągające prostownika uda: Zrób duży wykrok i poruszaj silnie biodrami; tylne kolano jest wyprostowane, twarz skierowana jest do przodu.
3. Ćwiczenie napinająco-rozciągające mięśni łydek i ud: W pozycji siedzącej przy wyprostowanych kolanach przyciągnij obiema rękami stopy, równocześnie wykonując skłon bioder; nie napinaj przedniej części ud.
4. Ćwiczenie napinająco-rozciągające prostownika uda i zginacza biodra: Stań prosto, rozluźniony, mając dobre oparcie, jedną ręką opieraj się o ścianę, dociskaj piętę do pośladka i poruszaj tą kończyną do tyłu, utrzymując prosto kręgosłup.

5. Ćwiczenie napinająco-rozciągające mięśni pośladków i skośnych mięśni brzucha: Ułóż się wygodnie na plecach i rozłóż ramiona; podkurcz mocno nogi i przełóż je na jedną stronę; im mocniejszy ruch bioder, tym silniejsze rozciąganie; przekładaj nogi na przemian raz na jedną, raz na drugą stronę.
6. Ćwiczenie napinająco-rozciągające całego ciała: Połóż się na plecach i wyciągaj, prostując palce rąk i nóg, całe ciało tak długo, aż odczujesz „wydłużenie" ciała.
7. Ćwiczenie napinająco-rozciągające mięśni przywodzących: Siedź prosto i przyciągaj obydwie stopy bardzo blisko do ciała; pozwól, żeby kolana swobodnie opadły, i oddychaj spokojnie; rozciąganie możesz wzmocnić poprzez wychylenie miednicy do przodu i pochylenie tułowia.

styczność stopy nogi wykrocznej z podłożem przed oderwaniem od niego stopy zakrocznej, i bieg długodystansowy ćwiczą zarówno kondycję, jak i układ krążeniowy.

## Wędrowanie jako sportowe hobby
Nadaje się dla ludzi, którzy nie są zbyt sprawni lub wysportowani, a chcą utrzymać sprawność układu krążenia. Nakład energii zależy od szybkości marszu, masy ciała (łącznie z ubiorem i ewentualnie plecakiem) oraz pokonywanego wzniesienia terenu.

Bieganie angażuje liczne ważne grupy mięśni, wymaga sto-

sunkowo niewiele siły, za to umacnia optymalnie wytrzymałość. Średnie ciśnienie krwi nie wzrasta lub rośnie niewiele, a tempo można dobrze regulować.

Zwracaj uwagę na swoje tętno, gdyż w czasie biegania możesz się przeforsować. Większość uprawiających biegi biega za szybko, nie zwracając uwagi na to, że w ten sposób się szybciej męczy i że taki trening jest niewłaściwy.
— Wyznacz sobie raczej jakiś określony dystans do biegu, a nie określony czas biegania.
— Zakończ bieg wcześniej, gdy odczuwasz oznaki zmęczenia. Nie każdego dnia posiadasz taką samą kondycję.

**Podstawowy program ćwiczeń napinająco-rozciągających (stretching) (cd.)**

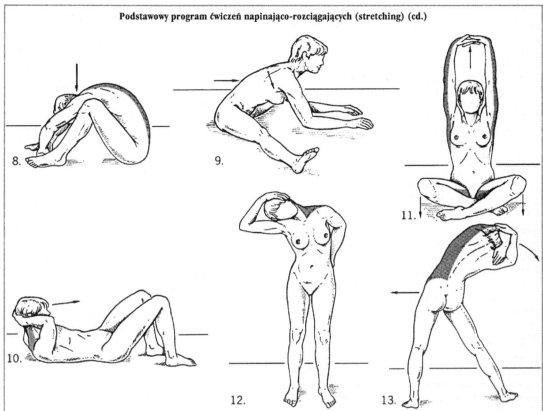

8. Ćwiczenie napinająco-rozciągające długich prostowników grzbietu i przywodzicieli: Usiądź z rozstawionymi na szerokość ramion równolegle ustawionymi nogami i pozwól kolanom opaść na zewnątrz; pochyl tułów z opuszczoną głową do przodu; poprzez nacisk na kolana i mocniejsze zgięcie kręgosłupa następuje intensywne rozciąganie.

9. Ćwiczenie napinająco-rozciągające przywodzicieli: Siądź prosto z szeroko rozwartymi nogami, podpierając się rękami; napinanie jest mocniejsze przez wychylenie miednicy do przodu i uginanie tułowia.

10. Ćwiczenie napinająco-rozciągające mięśni karku: Ułóż się wygodnie na plecach, nogi rozstaw na szerokość ramion, podłóż splecione ręce pod tył głowy i naciskaj głowę tak długo do góry i do przodu, póki nie poczujesz wyraźnego napinania.

11. Ćwiczenie napinająco-rozciągające przywodzicieli, szerokiego mięśnia grzbietu, mięśni ramion i zginaczy przedramion: Usiądź po turecku, przyciągnij stopy mocno do tułowia, przy silnie rozstawionych udach: wyprostuj grzbiet, unieś do góry ramiona, splatając ręce nad głową dłońmi do góry „wydłużaj się".

12. Ćwiczenie napinająco-rozciągające bocznych mięśni karku: Stój prosto, w lekkim rozkroku, podpierając jedną ręką biodro; drugą ręką uchwyć z boku głowę i odchylaj ją na bok.

13. Ćwiczenie napinająco-rozciągające bocznych mięśni lędźwi i brzucha, szerokiego mięśnia grzbietu, prostownika ramienia oraz przywodzicieli: Stój prosto w rozkroku; przełóż zgięte ramię poza głowę, pochylając tułów głęboko na bok; wzmocnisz napinanie, przesuwając biodro w bok.

## Ryzyko urazów

Przy bieganiu urazy występują rzadko. Nadwerężeń mięśni i ścięgien można uniknąć dzięki pięcio-, dziesięciominutowym ćwiczeniom napinająco-rozciągającym i wolnemu rozpoczynaniu biegu. Przy objawach zwyrodnieniowych stawów nóg i bioder należy pomyśleć o innych sportach wytrzymałościowych, takich jak pływanie i jazda na rowerze. Na aparat ruchowy lepiej wpływa miękkie podłoże. Najlepiej biegać po leśnych i polnych drogach. Przy biegu po asfaltowych nawierzchniach i twardych wykładzinach z tworzyw obciążenia mogą być znaczne. Jak twarde są odbicia, zależy od właściwości podłoża i butów.

Dobre buty chronią kręgosłup, nogi, stawy kolan i bioder. Duże znaczenie mają giętkie, przeciwślizgowo rzeźbione zelówki oraz stabilny napiętek, dający stopie wystarczające oparcie.

## Jazda na rowerze

Jazda na rowerze jest nie tylko sportem, który można uprawiać bez większych nakładów; rower jest również tanim i korzystnym pod względem ekologicznym środkiem transportu. Przy jeździe rowerem wprawdzie ćwiczy się mniej mięśnie tułowia, lecz za to odciąża stawy biodrowe i kolanowe. Przy prawidłowej technice i postawie prawie nie obciąża się kręgosłupa. Rower musi być dostosowany indywidualnie do użytkownika. Wysokość kierownicy i siodełka powinny być w stosunku do siebie tak ustawione, by w czasie jazdy tułów był wychylony do przodu pod kątem około 45°, tak by można było utrzymać kręgosłup prosto. Kierownice wyścigowe są mało przydatne dla osób mających problemy z kręgosłupem. Zmuszają one do zbyt dużego wychylania się do przodu i wyginania kręgosłupa. Do tego dochodzi obciążenie kręgów szyjnych i mięśni barku wskutek nienaturalnego wciskania głowy między barki.

Porównując z biegami, trzeba stwierdzić, że przy jeździe na rowerze trudniej wpływać na natężenie wysiłku, gdyż zależy on od warunków zewnętrznych, takich jak wzniesienia i wiatr. Po dłuższej jeździe w jednostronnej postawie ciała, należy wykonać kilka ćwiczeń, dzięki czemu kręgosłup może się znowu wyprostować i rozluźnić.

### Ryzyko urazów

Najczęściej urazy lub wypadki zdarzają się w ruchu ulicznym. Rowerzyści powinni zatem przestrzegać zasad ruchu drogowego tak samo zdyscyplinowane jak kierujący samochodami.

Podczas jazdy na rowerze nie unikaj noszenia odpowiedniego kasku. Jak wykazano, kaski chronią w razie wypadku przed urazem głowy.

## Pływanie

Wiele osób w czasie wolnym od pracy korzysta z pływalni. Pływać można niezależnie od pogody, jest to sport odpowiedni dla każdego wieku i stanu fizycznego. Pływanie wzmacnia płuca, układ krążenia oraz cały układ mięśniowy. Równomierny opór wody, któremu przeciwstawić się muszą wszystkie kończyny, działa wzmacniająco.

Warunkiem jest prawdziwy trening, do którego się rzeczywiście przykładamy, a nie tylko kąpiel. By rozwijać wytrzymałość, należy przepływać dystans po dystansie, a tętno powinno mieć wyraźnie wyższą wartość niż w spoczynku.

U astmatyków podczas pływania ataki występują rzadziej niż przy bieganiu i jeździe na rowerze, gdyż wilgotne powietrze wiąże kurz i substancje wywołujące uczulenie.

Dla osób z nadwagą pływanie jest wprawdzie najprzyjemniejszym rodzajem sportu, jednakże lekarze zalecają im takie rodzaje sportów, które wymagają stania na nogach, by mogli lepiej odczuć swoje ciało i jego ciężar. Przebywanie w wodzie prawie na wszystkich działa odprężająco i ożywiająco. Wiele osób po pływaniu doznaje uczucia euforii albo uspokojenia wewnętrznego.

### Ryzyko urazów

Środki używane do dezynfekcji wody (chlor) mogą drażnić oczy. Woda łatwo przenosi zakażenie narządów płciowych przez bakterie i grzyby.
— Nie należy nosić mokrych strojów kąpielowych. Wychłodzenie może drażnić pęcherz moczowy.
— Dla osób z dolegliwościami stawów kolanowych lepsze jest pływanie kraulem niż stylem klasycznym.
— Względnie wysoka temperatura wody rzędu 33-34°C przy szybkim pływaniu wywołuje przegrzanie i silne wtórne pocenie się.

## Przed ćwiczeniami i po ćwiczeniach

— Nie obciążaj organizmu przed ćwiczeniami jedzeniem. Gdy jesteś głodny, zjedz coś lekkiego w małych ilościach.
— Trening zawsze rozpoczynaj ćwiczeniami rozluźniającymi i napinająco-rozciągającymi (→ s. 749). Sensowne jest również przeprowadzenie ćwiczeń napinająco-rozciągających po treningu, szczególnie gdy „twoja" dyscyplina obciąża tylko niektóre części ciała.
— Zwiększaj stopniowo obciążenie treningowe; bierz pod uwagę własne tempo i nie zbliżaj się do granicy wyczerpania.
— Szybki bieg kończ kilkoma metrami wolnego chodu.
— Zawsze zwracaj uwagę na reakcję organizmu: złe samopoczucie, zawroty głowy, nudności lub bóle podczas ćwiczeń lub po ćwiczeniach wskazują na to, że przesadziłeś, nie opanowałeś jeszcze potrzebnej techniki lub ten rodzaj sportu jest dla ciebie nieodpowiedni.
— Po ćwiczeniach, a przy dużych obciążeniach nawet w trakcie ćwiczeń, należy dużo pić. Tak samo skuteczne, a tańsze od napojów „izotonicznych" są mieszanki soków owocowych i wody mineralnej (dwie trzecie wody i jedna trzecia soku).
— Mięśnie regeneruje gorąca kąpiel, prysznic lub sauna.
— Sportu nie należy uprawiać późnym wieczorem, krótko przed snem. Mogą wystąpić znaczne trudności, gdy jeszcze „napompowany" — bez fazy odprężenia i wypoczynku — udajesz się spać (→ Zaburzenia snu, s. 183).

— Osoby po zawale muszą przy pływaniu uważać, gdyż ciśnienie w czasie uprawiania tego sportu zwiększa się.

## Lekkoatletyka

Biegi, skoki i rzuty należą do najstarszych ćwiczeń gimnastycznych i już w starożytności były podstawowymi elementami ćwiczeń doskonalenia ciała. Tylko w Niemczech uprawia nowoczesną lekkoatletykę z jej wieloma różnymi dyscyplinami około 900 000 sportowców.

Lekkoatletyka rozwija dobrze i udoskonala układy krążenia i nerwowy, jak również podstawowe właściwości fizyczne — siłę, szybkość, wytrzymałość, sprawność ruchową i zwinność.

Lekkoatletyka jest zasadniczo sportem indywidualnym i tylko warunkowo nadaje się do uprawiania przez całą rodzinę w wolnym czasie. Trenować można nie tylko w hali, na boisku lub stadionie, lecz również w lesie i plenerze.

### Ryzyko urazów

Ryzyko w tym sporcie występuje głównie przy skokach obciążających silnie stawy. Niebezpieczeństwo urazów wzrasta szybko ze wzrostem zmęczenia.

## Wiosłowanie

Wiosłowanie wzmacnia całe ciało. Ten wytrzymałościowy rodzaj spotru mogą uprawiać bez problemów zarówno ludzie starsi, jak i dzieci. W czasie wiosłowania zaangażowane są trzy

czwarte całej muskulatury, przede wszystkim ręce, obręcz bar-
kowa, a wskutek przesuwania się krzesełka również nogi. Prócz
układu krążenia wzmacnia się także wegetatywny układ nerwowy. Sport ten zapobiega wadom postawy i utrzymuje sprawność
ruchową.

Mimo wielu zalet wiosłowanie uprawia stosunkowo niewiele
osób, przy czym większość z nich wyczynowo. Prawie wszyscy
wioślarze zorganizowani w klubach biorą udział w zawodach.

### Ryzyko urazów

Ryzyko urazów jest szczególnie małe. Najczęściej są to stosunkowo niegroźne otarcia, stłuczenia, głównie kciuka, jak również
pęcherze i nagniotki.

## Jazda konna

Jazda konna sprawia przyjemność na każdym etapie szkolenia
oraz doskonalenia i wpływa korzystnie na stosunek do przyrody.
Niezależnie od stopnia opanowania jazdy stanowi dobry sport ze-
społowy i może być uprawiana do późnego wieku.

Jazda konna ćwiczy koncentrację, koordynację i zręczność
poprzez bliski kontakt z koniem, co wymaga od jeźdźca dużej
uwagi. Dodatkowo dyscyplina ta ćwiczy w sposób optymalny
wszystkie mięśnie tułowia, rąk i nóg. Równomierna praca mięśni pobudza wewnętrzne ukrwienie. W prawidłowej pozycji —
wyprostowana z nogami zgiętymi pod kątem — ruch wywiera
korzystny wpływ na kręgosłup. Ciągła konieczność utrzymywania równowagi wzmacnia potrzebę dbałości o dobrą postawę
ciała.

### Ryzyko urazów

Upadek z konia zdarza się stosunkowo rzadko, lecz może pociągnąć za sobą ciężkie obrażenia i złamania. Z tego względu
kask lub czapka do jazdy konnej należą do podstawowego wyposażenia. Zagrożone mogą być stawy kolanowe i skokowe oraz golenie przy bocznym zsunięciu się z konia lub zwieszeniu się na
strzemieniu.

## Bieg narciarski

Jest najbardziej wartościowym sportem zimowym, a z punktu
widzenia sprawności wytrzymałościowej nadaje się dla wszystkich grup wiekowych. „Turystyka narciarska" obciąża rytmicznie prawie wszystkie grupy mięśni, głównie nóg, rąk i barków.
Harmonijny, posuwisty ruch oraz zmienne obciążenie kręgosłupa z ortopedycznego punktu widzenia są wyjątkowo korzystne. Ponieważ nóg nie stawia się mocno, lecz ruchem posuwi-
stym, prawie żadne wstrząsy nie przenoszą się na kręgosłup.

Kto nie chce ograniczyć się jedynie do miesięcy zimowych,
może ćwiczyć na odpowiednim urządzeniu w domu lub na
nartorolkach.

### Ryzyko urazów

W biegach narciarskich jest wyjątkowo małe. Nie należy jednak

---

### Lektura uzupełniająca

McIVOR D.: *Urazy i przeciążenia*. PZWL, Warszawa 1992.

---

rozpoczynać biegu, tak zresztą jak i w innych dyscyplinach
sportowych, bez odpowiedniego przygotowania. Przede wszystkim należy wcześniej opanować technikę upadania i celowego
„stoczenia się". W sytuacjach niepewnych i na niebezpiecznych zjazdach lepiej jest odpiąć narty. Korzystać z oznakowa-
nych tras.

## Zjazd narciarski

Nie wywiera on szczególnie korzystnego działania na układ
krążenia, gdyż na ogół uprawia się go kilka dni lub tygodni
w roku. Ćwiczy się przede wszystkim mięśnie nóg, a wyzwaniem jest raczej opanowanie trudnej techniki i podniecenie
dynamiką oraz tempem. Do tego dochodzi bardzo przyjemne
uczucie bycia w górach na świeżym powietrzu i słońcu.

Przyjemność przebywania na ośnieżonych stokach ma
jednak swoją cenę: duże zużycie terenu i długi dojazd samochodem uczyniły z narciarstwa alpejskiego rodzaj sportu niezwykle obciążający środowisko. W całym regionie Alp na 40 000
km tras zjazdowych poświęcono 200 000 ha ziemi. Łącznie
z wyciągami i infrastrukturą odpowiada to prawie powierzchni
Luksemburga. Skutki tego to erozja i zmiany w gospodarce
wodnej.

### Ryzyko urazów

Wyjątkowo duże jest niebezpieczeństwo urazów ze złamaniem
kości i uszkodzeń tkanek miękkich przy zjeździe. Przyczyną
40% wypadków jest niezdyscyplinowana jazda, szarżowanie
i braki techniczne.

W ten sposób możesz zapobiec wypadkom:
— Jeszcze przed urlopem rozpocznij gimnastykę narciarską
  i trening kondycyjny.
— Ucz się jazdy na nartach pod okiem fachowca. Z jego pomocą można wyćwiczyć niezbędną również krytyczną samoocenę.
— Przestrzegaj „zasad ruchu" na trasie i jedź po przygotowanych trasach.
— Jedną z zasad ruchu na nartostradzie jest całkowita trzeź-
  wość.
— Gdy w stawach kolan i bioder oraz w kręgosłupie odczuwa
  się objawy zwyrodnieniowe, raczej należy zrezygnować ze
  zjazdów narciarskich i przejść na biegi narciarskie.

## Jazda na łyżwach

Jazda na łyżwach wzmacnia serce, układ krążenia oraz płuca
i ćwiczy koordynację pracy mięśni i równowagę w ruchu. Z natury rzeczy podczas jazdy na łyżwach najbardziej obciążone są
mięśnie nóg. Jak duże jest to obciążenie, stwierdzają wszyscy,
którzy po przerwie letniej pierwszy raz wychodzą na lód: ból
mięśniowy jest pewny.

### Ryzyko urazów

Podczas amatorskiej jazdy na łyżwach niebezpieczeństwo urazów jest stosunkowo małe. Upadki są wprawdzie częste, ale
kończy się to drobnymi stłuczeniami i skręceniami stawów rąk

i nóg. Nieszczęśliwe upadki mogą wprawdzie doprowadzić do złamania i wstrząsu mózgu. Ostre brzegi łyżew stanowią pewne niebezpieczeństwo ran ciętych. Przy bólach stawu można zalecić jazdę na łyżwach tylko w ograniczonym zakresie, przy osteoporozie w ogóle. Poleca się zakładanie ochron na łokcie i kolana. Łyżwy powinny dolegać ściśle do nóg, by każdy ruch przenosił się bezpośrednio na płozy.

## Jazda na łyżworolkach

Podobnie jak w jeździe na łyżwach jazda na łyżworolkach ćwiczy serce, układ krążenia, płuca i mięśnie nóg jak również koordynację. Ten nowy, modny sport jest dużą przyjemnością nie tylko dla dzieci i wielu ludziom służy jako alternatywny środek lokomocji w asfaltowej dżungli. Dla tego sportu jako podłoże potrzebny jest gładki asfalt lub beton. Istnieją więc wyraźnie granice dla tego „czysto" przyrodniczego przeżycia w wolnej naturze lub parkach. Łyżworolki są sportem miejskim.

### Ryzyko urazów

Przy upadku mogą nastąpić otarcia lub stłuczenia. Niebezpieczne są zderzenia z innymi łyżworolkowcami, z pieszymi lub rowerzystami na drogach dla pieszych lub na ulicach. Łyżwiarze zachłyśnięci szybkością, która może dojść do 50 km/godz., powinni nosić bezwzględnie kaski.

Rolkarze, którzy chcą się spokojnie poruszać, powinni założyć ochraniacze na łokcie, kolana, przeguby i dłonie.

## Taniec

Gimnastyka jazzowa, taniec afrykański, modern dance, rock and roll, improwizacje taneczne, tango, salsa, flamenco lub taniec brzucha mogą w sposób znaczący wpłynąć korzystnie na usposobienie i odczucia fizyczne. W tańcu ćwiczy się koordynację i harmonię ruchów. Efekt fizyczny zależy od rodzaju tańca i impulsywności, z jaką się go wykonuje. W tym aspekcie turnieje taneczne należy uznać za sport, aerobik i taniec jazzowy jako rodzaj gimnastyki.

Tańczyć można bez kursów — w swoich czterech ścianach dla odprężenia lub treningu. Taniec improwizowany daje duże możliwości wyrażenia swoich uczuć i nastroju.

### Ryzyko urazów

Niebezpieczeństwo urazów jest małe. W tańcu akrobatycznym, przy figurach podnoszenia i przerzucania może dojść do wypadków i nadwereżeń. Tak jak przy wszystkich rodzajach sportów i ruchów należy zwracać uwagę na dawkowanie.

# GRY SPORTOWE

Rodzaje sportów charakteryzujące się współzawodnictwem, takie jak tenis, tenis stołowy, piłka nożna, piłka ręczna, siatkówka lub podobne rodzaje gier zespołowych, są zarówno interesujące, jak i „towarzyskie". Praktycznie w sportach tych nie da się wcześniej zaplanować lub dawkować obciążenia układu krążenia.

Nadmierna ambicja może łatwo doprowadzić do przebrania miary.

Osoby mające problemy z sercem przed rozpoczęciem ćwiczeń w jednej z tych dyscyplin powinny poradzić się lekarza. Wart polecenia jest udział w zorganizowanej „grupie sportowej dla sercowców". Informację na ten temat można uzyskać w wydziale sportu i turystyki.

Dla wszystkich gier sportowych obowiązuje:
— Zwróć uwagę, by rozgrzewka była wystarczająca, a początek gry niezbyt szybki.
— Buduj systematycznie własny sposób gry. Właściwy wybór partnerów i rozsądne ustalenie czasu oraz tempa gry mogą zapobiec zdrowotnemu przeciążeniu.

## Piłka nożna

Piłka nożna jest i pozostanie najbardziej ulubionym sportem mężczyzn, chociaż ostatnio coraz więcej kobiet interesuje się tą dyscypliną. Około 5 milionów członków zrzesza niemiecki związek piłki nożnej, nie wliczając w to graczy „niedzielnych". Wszyscy oni biegają z pasją za piłką na placach szkolnych, w ogródkach, większych boiskach i ćwiczą przy tym wytrzymałość, szybkość, sprawność ruchową i siłę. Zdrowotna wartość „walki o skórę" jest wyjątkowo duża: dobrze wytrenowani gracze przebiegają w czasie jednej gry od sześciu do jedenastu kilometrów.

### Ryzyko urazów

Szczególnie narażone są kończyny dolne. Najczęstsze urazy to zerwanie więzadeł, uraz torebek, naderwanie i zerwanie mięśni nóg.

## Tenis

Różne rodzaje ruchów, jak prostowanie i schylanie się, bieg i obroty angażują wiele grup mięśni, przede wszystkim nóg i ramion, brzucha i pleców. Dzięki nim tenis jest wielostronnym sportem wyrównawczym.

Należy się go uczyć pod fachowym nadzorem (z trenerem), gdyż inaczej łatwo narazić ramię i kręgosłup na niebezpieczeństwo. W tenisa można wprawdzie grać od młodości do późnej starości, jednak ci, którzy rozpoczynają grę późno lub wznawiają trening po dłuższej przerwie, winni to czynić ostrożnie.

Ze względu na trudności w dawkowaniu i łatwość przeszarżowania, na przykład po zawale serca, tenis można uprawiać tylko jako sport w dosłownym tego słowa znaczeniu bez zbędnej zaciętości.

Tenis nie jest optymalną grą dla osób, które mają problemy z plecami. Może dojść przy użyciu dużej siły, szczególnie przy odbiciu, do wykręcenia i nadwereżenia kręgosłupa. Plecy obciążają również skoki, szybkie starty i gwałtowne hamowanie.

### Ryzyko urazów

Przy grze w tenisa najczęstsze są uszkodzenia nóg i rąk. Najbardziej znane jest „ramię tenisisty" (→ s. 429) wywołujące bóle w zewnętrznej części łokcia. Jest to skutek złej techniki uderzania lub nieodpowiedniej rakiety.

## Kometka

Gry w kometkę można się nauczyć znacznie szybciej niż w tenisa. Wymaga ona i ćwiczy przede wszystkim reaktywność, koordynację i szybkość. Szybkość lotki może dochodzić do 200 kilometrów na godzinę. Przy szybkiej grze obciążenie układu

### Jak dokonać wyboru ośrodka sprawności fizycznej (fitness studio, siłownia)

— Zgłoś się do ćwiczeń próbnych. Ośrodek może żądać za to opłaty, która musi być jednak odliczona po zawarciu umowy. Podczas ćwiczeń próbnych trener musi być wyłącznie do twojej dyspozycji i przy każdym przyrządzie objaśnić, w jaki sposób i jakie części ciała ćwiczysz na danym przyrządzie.
— Żądaj również próbnego udziału w zajęciach grupowych takich jak aerobik i gimnastyka.
— Do kompletu wyposażenia należą urządzenia do ćwiczeń wytrzymałościowych, jak taśma do biegu, wiosła lub rower z ergometrem.
— Prócz siły i wytrzymałości należy ćwiczyć również sprawność ruchową. Zorientuj się, co ośrodek proponuje w zakresie kursów gimnastyki, ćwiczeń napinająco-rozciągających i/lub odprężenia.
— Używanie urządzeń dodatkowych, jak sauna czy basen kąpielowy, powinno być zawarte w cenie podstawowej.
— Zapytaj o przygotowanie zawodowe personelu ośrodka. Weź pod uwagę następującą kolejność kwalifikacji: nauczyciel sportu z dyplomem lub bez, nauczyciel gimnastyki, instruktor gimnastyki leczniczej lub fizykoterapeuta/masażysta, kurs zawodowy minimum 120-godzinny i złożony egzamin w związku sportowym.
— Zasięgnij informacji dotyczących rodzaju i zakresu testów, które będziesz wykonywał w pierwszym dniu ćwiczeń po zawarciu umowy. Powinny być przynajmniej sprawdzone: twoja wytrzymałość, siła i sprawność ruchowa. Czas trwania: na ogół godzina, minimum 20 minut. Im gruntowniejszy test, tym lepszy jest na ogół przygotowany dla ciebie indywidualny program ćwiczeń.
— Po ocenie testu obstawaj przy pisemnym planie treningu. Żądaj nowego testu po trzech lub czterech miesiącach i przystosowania twego programu ćwiczeń do wyników.
— Nie zawieraj umowy na dłużej niż sześć miesięcy. Następne umowy winny mieć kwartalne okresy wypowiedzenia. W przypadku ciąży, powołania do wojska lub zmiany miejsca zamieszkania umowa winna wygasać automatycznie; przy dłuższej chorobie lub ulegnięciu ciężkiemu wypadkowi winna być zawieszona bez uiszczania należności. Prócz umów długoterminowych powinny być też dostępne karty miesięczne lub dziesięciokrotne.

krążenia jest bardzo duże, w związku z tym tempo i czas gry należy ustalać w zależności od indywidualnej wydolności.

### Ryzyko urazów

Niezależnie od układu krążenia, przy kometce — wskutek nagłego startu, skoku i zatrzymywania się — obciąża się silnie kręgosłup i stawy skokowe. Może dojść do zwichnięć stawów skokowych i rozdarć mięśni łydek, a nawet do zerwania ścięgna Achillesa (→ Naderwanie, rozdarcie ścięgien, s. 411).

## Tenis stołowy

Tenis stołowy — podobnie jak tenis ziemny — jest urozmaicony w ruchach i wielostronny, lecz obciążenie biegowe jest mniejsze. Chodzi w nim bardziej o koncentrację, reaktywność i koordynację niż o ogólną wytrzymałość. Niebezpieczeństwo urazów jest minimalne.

# SPORT DLA DZIECI

Rozwój statyki narządu ruchu i aparatu ruchowego u dzieci najlepiej wspomaga swoboda ruchu. Każde dziecko — niezależnie od wieku — ma naturalną potrzebę ruchu, „szalenia" i zabawy. Gdy pozostawisz dziecku wystarczająco dużo swobody w dążeniu do ruchu i zabawy, czynisz dla jego zdrowia najlepiej. Gimnastyka lub ćwiczenia fizyczne dla małych dzieci są zupełnie bezsensowne.

Już w przedszkolu, najpóźniej w szkole rozpoczyna się przyzwyczajanie dzieci do siedzącego trybu życia charakterystycznego dla dorosłych. Zawęża się, a często hamuje naturalną dążność do ruchu. Mieszkania i miasta nie dają przestrzeni na „prawdziwe" szaleństwa. Poza tym całą uwagę dzieci skupiają telewizor i komputer, często w czasie kilku godzin ciało utrzymuje się w jednej, prawie sztywnej pozycji. Ruch i sport ćwiczą ponownie mięśnie i przywracają prawidłową postawę. Na sportowy wysiłek i bodźce cały układ ruchu, kości, chrząstki, torebki, tkanki więzadeł i ścięgien reaguje wzrostem wytrzymałości.

— Nawet gdy twoje dziecko jest „niezdarą sportową", na pewno nie jest z natury niezdarą ruchową. Spróbuj je wciągnąć we własną aktywność sportową.
— Poprzez zabawową formę dzieci można zainteresować prawie każdym rodzajem sportu, czy to będzie jazda na rowerze, gra w piłkę, pływanie, wiosłowanie, biegi narciarskie czy łyżwiarskie. Nacisk należy położyć na formę gry, gdyż za dużo rodzicielskiej ambicji wyrządza więcej szkody, niż przynosi korzyści.
— Dzieci bez problemu mogą opanować rodzaje sportów, które ćwiczą wytrzymałość, serce i układ krążenia, takie jak: biegi, pływanie, kolarstwo, gimnastykę, gry z piłką, biegi narciarskie, biegi na wrotkach lub łyżwach. Przed ewentualnym przeciążeniem natura sama ustaliła skuteczną tamę: dzieci męczą się stosunkowo szybko, gdyż ich układ ruchowy nie jest w pełni dojrzały.

## Sport w czasie ciąży

Kobiety mogą również w czasie ciąży kontynuować swoje przyzwyczajenia ruchowe; powinny jednak zrezygnować z ćwiczeń wyczynowych.

Kobiety, których ciąża jest zaliczana do obciążonych ryzykiem, powinny koniecznie skonsultować z lekarzem, w jakim zakresie mogą kontynuować swoje przyzwyczajenia sportowe.

Ciężarnym poleca się przede wszystkim sporty wytrzymałościowe, ponieważ:

— zapobiegają zakrzepom, żylakom i hemoroidom,
— poprawiają zaopatrzenie w tlen matkę i dziecko,
— znoszą stres psychiczny i podnoszą wydajność fizyczną.

Kobiety zainteresowane sportem po około 4 tygodniach po porodzie mogą podjąć stopniowo trening. Przy rodzajach sportu obciążających silnie więzadła, ścięgna i mięśnie lepiej jest zrobić trzymiesięczną przerwę.

Aktywność sportowa pomaga w sposobie zachowania się i uzdolnieniach, które są powszechnie uważane za ważne.

— Gry zespołowe mogą wyrównać trudności w kontaktowaniu się; kształtują one ducha zespołowego i wyostrzają spojrzenie na własne silne punkty i słabości oraz na współgrających.
— Dyscypliny sportowe wymagające siły, takie jak tenis lub kometka, pozwalają na odreagowanie agresywności.
— Sporty wytrzymałościowe wspomagają wytrzymałość i zdolność do samomotywacji.
— Siłowe dyscypliny sportowe, takie jak ćwiczenia z ciężarkami i podnoszenie ciężarów są dla dzieci do piętnastego roku życia szkodliwe. Układ mięśniowy i szkielet dziecięcy nie są przygotowane do wyczynów siłowych lub sprintu.
— Intensywnie uprawiany sport wyczynowy prawie zawsze szkodzi; właśnie w okresie wzrostowym nadwyręża aparat ruchowy. Przez to upośledza na stałe funkcje postawy.

# SPORT W PODESZŁYM WIEKU

W życiu nigdy nie jest za późno na uprawianie sportu. Powiedzenie „oszczędzanie się na starość" jest błędne. Przeciwnie, organizm „oszczędzany" redukuje swoje funkcje. Wytrenowany sześćdziesięciolatek jest fizycznie sprawniejszy od nietrenującego czterdziestolatka. Ruch zwalnia, opóźnia lub nawet wstrzymuje utratę sił organizmu. Również gdy zmiany spowodowane wiekiem stawiają organizmowi pewne granice — pozostała przestrzeń ruchowa może być zawsze wykorzystywana, a często nawet rozszerzana. Dla wyboru odpowiedniego rodzaju sportu obowiązują: każda aktywność fizyczna, która nie sprawia bólu, a przynosi radość, ma sens. Szczególnie właściwe są wszystkie rodzaje sportów, które ćwiczą wytrzymałość, przy których niebezpieczeństwo urazów jest małe, jak na przykład:

— Pływanie, szybki marsz wytrzymałościowy, turystyka, biegi, jazda na rowerze, bieg narciarski lub wioślowanie.
— Gry sportowe jak tenis, tenis stołowy lub piłka nożna.
— Ostrzega się przed każdym rodzajem sportu bez odpowiedniego wcześniejszego przygotowania.
— Oprzyj twój trening na fachowym doradztwie, np. w klubie

lub szkole sportu. Tam nauczysz się prawidłowej techniki twojej dyscypliny sportu i znajdziesz najlepsze indywidualne tempo.

— Uważaj na objawy przeholowania, jak na przykład wyczerpanie, zawroty głowy, bóle głowy i kłucia w okolicy serca.
— Odpoczywaj od czasu do czasu i nie zbliżaj się nigdy do granicy twojej sprawności. Poznaj swoje własne tempo i odpowiednio dozuj.
— Przed rozpoczęciem uprawiania nowej dziedziny sportu powinieneś zbadać się u lekarza sportowego i zasięgnąć jego rady.

### Ćwiczenia napinająco-rozciągające

Każdy człowiek po dłuższym spoczynku ma potrzebę wyprostowania i przeciągnięcia się.

Rozprężenie można rozpocząć już wcześnie rano w łóżku poprzez wydatne i silne przeciąganie i rozciąganie się. Chodzi tu o bardzo delikatne ćwiczenia ciała, które mogą być wykonywane w każdym wieku i w każdej kondycji. Nie ćwiczy się wprawdzie siły mięśni, rozluźnia jednak napięcie i polepsza elastyczność mięśni, ścięgien i więzadeł.

Im częściej się ćwiczy, tym lepiej. Ale nawet ćwicząc dwa do trzech razy w tygodniu, zaobserwuje się zdumiewające wyniki.

— Szybko odczuje się polepszenie sprawności ruchowej.
— Przez regularne ćwiczenia napinająco-rozciągające zapobiega się zranieniom i upadkom, codzienna aktywność wydaje się łatwiejsza.

Ćwiczenia napinająco-rozciągające nie są męczące i można je przeprowadzać wszędzie. Już w czasie 20 minut można rozciągnąć wszystkie większe grupy mięśni, przy czym program należy dostosować do własnej wydolności.

Podstawowy wzór ćwiczeń rozciągających jest ten sam:

— Przybierz pozycję ćwiczebną i przez łagodne naciąganie wywołuj łagodne napięcie w mięśniu, który chcesz rozciągnąć.
— Pozostań w tej pozycji do momentu, gdy odczujesz, że napięcie ustępuje (na ogół po 20 sekundach). Podczas całego ćwiczenia należy normalnie, spokojnie oddychać.
— Nie doprowadzaj nigdy do granicy bólu, zaprzestań rozciągania, gdy nie odczuwasz ustępowania napięcia mięśni.
— Rozciągaj zawsze obie strony, by zachować symetrię partii mięśni.
— Ćwiczenia napinająco-rozciągające należy przeprowadzać zawsze wolno, przy pełnej koncentracji. Mięśnie powinno rozciągać się w sposób ciągły, a nie w sposób wahadłowy.
— Musisz poświęcić dostateczną ilość czasu na odczucie rozciągania i ustępowania napięcia mięśni.
— Przeprowadzaj ćwiczenia napinająco-rozciągające, jak tylko masz na to ochotę; po wstaniu, w przerwie w pracy, po pracy lub rano i po treningu. Podstawa programu ćwiczeń (→ s. 749) przedstawia ćwiczenia od trudnych do łatwych.

### Izometryczne ćwiczenia siłowe

Gdy podczas ruchu należy pokonać jakiś opór, jak przy skakaniu lub rzucaniu piłką, mówimy o sile dynamicznej lub izotonicznej. Gdy natomiast mięsień natrafia na jakiś opór lub go utrzymuje, mówimy o sile statycznej lub izometrycznej. Przy tym wzmaga się napięcie mięśnia, mimo że cały mięsień nie ulega skróceniu.

Ćwiczenia izometryczne wzmacniające statyczną siłę można przeprowadzać zawsze i wszędzie aż do późnego wieku. Do większych wysiłków należy zbliżać się powoli, gdyż mogą znacznie obciążyć serce i układ krążenia.

Dla ćwiczenia izometrycznego można łatwo wypróbować w biurze następujący przykład: podczas telefonowania na stojąco stań w wykroku. Jedną ręką przytrzymuj słuchawkę, drugą naciskaj na drzwi lub ścianę przed sobą, tak jakbyś chciał ją odsunąć. Po czterech sekundach nacisku przełóż słuchawkę do drugiej ręki i ćwicz mięśnie wolnej ręki.

## Sprawność fizyczna

Takie określenia sportowe, jak aerobik, body-work, bodystyling, callanetics lub california gym są stosunkowo nowe, lecz młodej generacji dobrze znane. Za nimi kryją się modne ćwiczenia sprawności fizycznej i gimnastyczne z dużym ładunkiem pozytywnych efektów zdrowotnych. Jeśli ktoś regularnie w takt rytmicznej muzyki rusza się z rozmachem, polepsza ukrwienie i wykorzystanie tlenu, ćwiczenie to wpływa na regulację ciśnienia krwi i przyśpiesza spalanie tłuszczu. W pierwszej linii ćwiczy się wytrzymałość i w zależności od rodzaju ćwiczeń również różne grupy mięśni, jak mięśnie brzucha i pośladków, obręczy barkowej i pleców. Dodatkowo w większości siłowni można w sposób zamierzony wzmacniać mięśnie i kondycję. Przy bólach w okolicy barkowo-karkowej lub pleców pomocne bywają ćwiczenia siłowe. Warunkiem sensownych ćwiczeń na urządzeniach siłowych jest wystarczająca ich różnorodność i dobra opieka. Niestety, opiekunowie są często w swoim zawodzie nie w pełni wyszkoleni.

**Lektura uzupełniająca**

JANISZEWSKI M., CZYSZANOWSKA T., CZEKAN A.: *Gimnastyka w życiu kobiety*. PZWL, Warszawa 1990.

# TRUCIZNY W MIESZKANIU

W dyskusjach ekologicznych skupia się uwagę na zewnętrznym otoczeniu, a nie dostrzegamy faktu, że wielu ludzi większość roku przebywa w pomieszczeniach, w których stężenia szkodliwych zanieczyszczeń często przekraczają poziomy występujące w powietrzu zewnętrznym. Zwłaszcza niektóre płyty paździerzowe, środki ochrony drewna, lakiery, wykładziny podłogowe, tapety, farby ścienne, kleje, meble, środki uszczelniające i izolacyjne, oraz inne materiały budowlane mogą być przyczyną zagrożenia zdrowia.

Źródłem problemów zdrowotnych znajdujących się w mieszkaniu mogą być także kosmetyki osobiste, chemiczne środki służące utrzymaniu czystości oraz tekstylne materiały dekoracyjne i obiciowe.

### Zakaz przebywania we własnym domu
Szkodliwe zanieczyszczenia występujące w mieszkaniu na ogół nie są kontrolowane. Gdyby jakość powietrza w mieszkaniu była chroniona takimi normatywami higienicznymi (maksymalnie dozwolonymi stężeniami), jakie obowiązują w przemyśle albo w samochodach, wówczas miliony osób obowiązywałby zakaz przebywania we własnych czterech ścianach.

### Pełzająco i bezwonnie
Wielu ludzi mieszka w prawdziwej wytwórni trucizn, nie zdając sobie z tego sprawy. Często przedmioty wyposażenia mieszkań wydzielają swoje pary i gazy w bardzo niskich stężeniach. Jednak gdy tak się dzieje przez dziesięciolecia, trudno się dziwić, że wpływają niekorzystnie na zdrowie. Kto wiele czasu spędza w sąsiedztwie źródła zanieczyszczenia (np. podczas snu, oglądania telewizji albo przy czytaniu), jest szczególnie zagrożony. Nasze zmysły stosunkowo szybko tracą wrażliwość, co sprawia, że pewnych zapachów i woni w dobrze znanym otoczeniu już nie postrzegamy. Ponadto znaczna część najgroźniejszych zanieczyszczeń jest zupełnie bezwonna.

### Skryta przyczyna choroby
Występujące w mieszkaniu trujące związki chemiczne mogą być przyczyną wielu chorób, a mimo to nieczęsto łączone są z tymi chorobami jako ich przyczyny. Nie tylko laicy, lecz także na ogół lekarze wiedzą za mało na temat skutków zdrowotnych środowiska mieszkalnego obciążonego licznymi substancjami toksycznymi.

Zrozumienie związków między stanem zdrowia a obecnością w mieszkaniu różnych trucizn jest utrudnione, ponieważ najczęściej chodzi o równoczesne działanie wielu substancji. Pojedyncza trucizna występuje zwykle w zbyt małym stężeniu, by sama mogła doprowadzić do rozwoju określonej choroby. Wyjątkiem są już dawno poznane obciążenia środkami ochrony drewna (→ s. 771) albo stale jeszcze spotykane wysokie stężenia formaldehydu (→ s. 759), które — działając pojedynczo

— mogą uszkadzać organizm. Po naniesieniu na duże powierzchnie farb albo klejów zawierających toksyczne rozpuszczalniki, w fazie ich wysychania w zamkniętych pomieszczeniach mogą pojawić się tak duże stężenia, zwłaszcza przy niedostatecznej wentylacji, że wskutek tego pojawiają się ostre zaburzenia objawiające się zamroczeniem, osłabieniem zdolności koncentracji, bólami głowy i nudnościami.

Znacznie częściej niż te łatwo rozpoznawalne objawy zatrucia pojawiają się zaburzenia nazywane „zespołem chorych domów" albo „chorobą mieszkań". W tych przypadkach na wpływ bardzo licznych szkodliwych substancji występujących w powietrzu w stężeniu poniżej progu ich indywidualnej szkodliwości, organizm reaguje objawami podrażnienia dróg oddechowych i spojówek oczu. Osoby podlegające tym obciążeniom skarżą się na bóle głowy, złe samopoczucie, zaburzenia snu i zmniejszenie zdolności koncentracji.

Palenie tytoniu w mieszkaniu i źle zaprojektowana klimatyzacja, zwłaszcza w zamkniętych pomieszczeniach biurowych, zaostrza sytuację (→ s. 764). Z ostrożnych szacunków wynika, że nie mniej niż 10 do 20% ogółu ludności doznaje tych dolegliwości

## Mieszkania mogą być zdrowe

Stopień czystości powietrza we własnym mieszkaniu zależy przede wszystkim od nas samych. Dla materiałów budowlanych, wyposażenia wnętrz, chemikaliów używanych w gospodarstwach domowych i materiałów tekstylnych istnieje możliwość zastosowania odpowiedników nietoksycznych. Takie produkty są najczęściej stosunkowo drogie. Wszakże gdy ktoś nie chce albo go nie stać na przykład na zakup mebli z pełnego drewna, mógłby się w składzie staroci rozejrzeć za meblami „z dawnych, dobrych czasów".

Pierwsza próba zastosowania zdrowej chemii ekologicznej spotyka się zwykle z niepowodzeniem, np. ekologiczna farba może cechować się niedostatecznym kryciem albo brakiem oczekiwanych właściwości powierzchniowych. Jest oczywiste, że taki produkt winien posiadać właściwości zgodne z jego planowanym zastosowaniem.

### Wskazówki ogólne
Zastanówmy się, czy niektóre trapiące nas dolegliwości nie są związane z działaniem trucizn w mieszkaniu. Gdy jesteśmy badani przez lekarza w celu wykrycia przyczyny naszej choroby, należy go poinformować o warunkach mieszkalnych. Może niedawno przeprowadziliśmy się? Może pracowaliśmy w domu, używając pewnych farb i lakierów? Może nowe meble w kuchni lub nowy komplet sypialny wydziela drażniącą woń?

W zwykłych sklepach sprzedających farby, a nawet w dużych składach materiałów budowlanych brakuje przeszkolonej obsługi, która mogłaby służyć odpowiednią radą. Wyjściem z tej sytuacji jest poszukanie sklepu handlującego towarami niebudzącymi — pod względem biologicznym — żadnych zastrzeżeń albo zwrócenie się do placówek zajmujących się poradnictwem ekologicznym.

Najdogodniejsze warunki dla zapewnienia sobie zdrowego klimatu wewnątrz mieszkania pojawiają się w chwili przystępowania do budowy nowego domu, renowacji posiadanego mieszkania lub przy jego ponownym meblowaniu. Przy obejmowaniu nowego mieszkania można się z wynajmującym umówić, że przed zamieszkaniem we własnym zakresie przeprowadzimy remont usuwający źródła szkodliwych zanieczyszczeń.

W razie zauważenia, że nasze zdrowie zmienia się niekorzystnie pod wpływem mieszkania, należy przystąpić do jego sanacji, poczynając od sypialni, ponieważ w niej spędzamy najwięcej czasu.

Dobry i mało kosztowny sposób zmniejszenia przykrych zanieczyszczeń polega na wykorzystaniu roślin (→ s. 788). Jedna roślina uzdatnia około 10 metrów sześciennych powietrza do tego stopnia, że nadal pozostające w nim, zanieczyszczenia nie wywołują już ujemnych skutków zdrowotnych.

## Nasz udział w ochronie środowiska

Na podstawie badań stwierdzono, że przeprowadzenie sanacji mieszkań i budynków zbudowanych w ostatnich latach doprowadziłoby do powstania około 60% niebezpiecznych odpadów, wymagających szczególnego składowania. Konsekwentne używanie materiałów ekoprzyjaznych może przyczynić się do przerwania łańcucha prowadzącego od produkcji poprzez konsumpcję do powstania toksycznych odpadów.

Nasze decyzje jako konsumentów produktów przemysłowych wpływają zatem także na poziom stężenia szkodliwych zanieczyszczeń na stanowiskach pracy, w otoczeniu zakładów produkcyjnych (np. fabryk wytwarzających płyty paździerzowe) i na przenikanie toksyn ze składowisk odpadów do wód gruntowych. W ten sposób możemy nie tylko chronić zdrowie własne i naszych rodzin, lecz także mieć swój udział w ochronie środowiska.

# NAJWAŻNIEJSZE SUBSTANCJE SZKODLIWE

## Formaldehyd

Najczęściej produkowanym związkiem chemicznym w świecie jest wszędzie obecny formaldehyd. Może być składnikiem między innymi wymienionych obok produktów. Powstaje również w procesach spalania, zawiera go dym z papierosów i spaliny samochodowe. Głównym źródłem zanieczyszczenia formaldehydem powietrza wewnątrz pomieszczeń są płyty paździerzowe nadal stosowane w produkcji mebli, a także sufitów i ścian. Szczególnym zagrożeniem są płyty stare i tanie. W starszych już

domach jednorodzinnych — budowanych z prefabrykatów z zastosowaniem płyt paździerzowych na podłogi i ściany — stwierdzono nawet po piętnastu latach wysokie stężenia formaldehydu w powietrzu. Związek ten jest często składnikiem pianek poliuretanowych (służących do izolacji akustycznej i do tłumienia dźwięków) używanych również do poprawienia izolacji cieplnej w starych budynkach, do wypełnienia pustych przestrzeni w konstrukcjach dachowych i ścianach konstrukcyjnych oraz do likwidacji utraty ciepła na drodze przewodnictwa. Są materiałem używanym do uszczelniania ram okiennych i framug drzwiowych.

Z różnych swoich źródeł formaldehyd przenika do powietrza w pomieszczeniu w różnym tempie. W większych stężeniach ma woń gryzącą, a powyżej pewnego stężenia (4-5 ppm) powoduje łzawienie oczu. Reakcja na obecność tego związku w powietrzu jest osobnicza.

### Maksymalne dopuszczalne stężenie

W pomieszczeniach mieszkalnych stężenie formaldehydu nie powinno przekraczać 0,1 ppm, co odpowiada 0,12 mg w 1 $m^3$ powietrza. To stężenie może być przekroczone już przez dym z papierosów.

### Zagrożenia dla zdrowia

Dolegliwości oddechowe, napadowy kaszel, zaczerwienienie oczu, pieczenie w nosie, stały katar nosa, astma, uczulenia skórne (egzemy kontaktowe), wypadanie włosów, bóle gardła, bóle głowy, nudności, wymioty, zapalenie spojówek, zaburzenia snu, utrudnienia koncentracji uwagi, zawroty, dolegliwości sercowe i żołądkowe mogą być skutkiem wdychania formaldehydu. Istnieje też uzasadnione podejrzenie, że formaldehyd może wywoływać raka.

Należy zastanowić się, czy dolegliwości nasilają się na początku i z końcem sezonu opałowego, a także podczas wilgotnej i ciepłej pogody. Czy ustępują z chwilą opuszczenia

---

### Materiały i produkty zawierające formaldehyd

| | |
|---|---|
| Dezodoranty | Płyny do dezynfekcji ust |
| Dodatki kąpielowe | Płyty paździerzowe |
| Farby | Skóra |
| Folie przylepne | Szampony |
| Guma | Środki czystości |
| Kleje | Środki dezynfekcyjne |
| Kosmetyki | Środki do konserwacji butów |
| Lakiery | Środki do konserwacji karoserii |
| Leki | Środki do mycia naczyń |
| Lepy | Środki do prania |
| Masa szpachlowa | Środki przeciwpotne |
| Mazaki | Środki uszczelniające podłogę |
| Metale | Środki zmiękczające wodę |
| Mydła | Tekstylia |
| Papier | Tworzywa sztuczne |
| Papier fotograficzny· | Utwardzacze paznokci |
| Pasta do zębów | Zapalacze węgla |
| Pianki z tworzyw sztucznych | |

stałego otoczenia. Gdy odpowiedź jest twierdząca, przyczyną dolegliwości może być formaldehyd. Gdy nie mamy pewności co do ich przyczyny oraz nie potrafimy sami ustalić lub usunąć ich przyczyny, można zwrócić się do terenowej stacji sanitarno-epidemiologicznej z wnioskiem o dokonanie pomiarów stężeń formaldehydu w mieszkaniu (→ Prawna ochrona środowiska, s. 785).

### Zalecenia

Obciążenie powietrza formaldehydem wszędzie tam, gdzie przebywają ludzie, powinno być utrzymane na najniższym poziomie. Bez poniesienia dużych kosztów nie da się usunąć materiałów piankowych zawierających formaldehyd, stosowanych w celach izolacyjnych.

Należy stosować następujące zasady:

— Zawsze, gdy to tylko możliwe, należy stosować lite drewno lokalnego pochodzenia.
— Gdy muszą być użyte płyty paździerzowe, należy stosować płyty kategorii E1 (kategoria jest uwidoczniona odpowiednim stemplem na wąskiej powierzchni).
— Stosować należy tylko płyty oraz meble znaczone symbolem wskazującym produkt zawierający minimalne ilości formaldehydu.
— Ostrożność jest konieczna zwłaszcza przy zakupie mebli dla dzieci, które są szczególnie wrażliwe na formaldehyd.
— Dla zapewnienia sobie możliwości późniejszego złożenia reklamacji, przy zakupie płyt paździerzowych należy domagać się potwierdzenia na rachunku ich przydatności do wykorzystania w pomieszczeniach zamkniętych.
— Należy często przewietrzać pomieszczenie. Pożądane jest wcześniejsze podwyższenie w nim temperatury i wilgotności powietrza, ponieważ takie warunki sprzyjają odgazowywaniu się mebli.
— Stare płyty paździerzowe należy w miarę możliwości usunąć.

## Chlorowcowane węglowodory — niszczyciele ozonu (FCWW)

Do tej grupy substancji szkodliwych zaliczają się przede wszystkim fluorowane i chlorowane węglowodory (FCWW), których poprawna nazwa naukowa winna brzmieć: związki chlorofluorowęglowe (CFW). FCWW to grupa produktów przemysłu chemicznego najwszechstronniejsza i przynosząca największy zysk. Są one stosowane nie tylko jako gaz napędowy aerozoli, lecz także przy produkcji styropianu — materiału używanego do izolacji cieplnej. Ponadto wchodzą w skład urządzeń gaśniczych, są materiałem chłodzącym w lodówkach i zamrażarkach, składnikiem pomp cieplnych oraz urządzeń klimatyzacyjnych.

FCWW są mało toksyczne i niepalne. Już w roku 1974 zgłoszono podejrzenie, że powodują postępujące zanikanie warstwy ozonu nad Ziemią oraz przyczyniają się do efektu cieplarnianego — nagrzewania się dolnych warstw atmosfery ziemskiej. Od niedawna FCWW są powoli zastępowane przez inne środki.

Jeszcze w roku 1989 zużyto w Austrii 8000 ton FCWW.

Od stycznia 1995 roku stosowanie tych materiałów zostało w Niemczech i Austrii zakazane. Kraje należące do Unii Europejskiej zgodziły się zaprzestać produkcji FCWW od połowy 1997 roku.

### Zagrożenia dla zdrowia

FCWW przyczyniają się do powiększenia tzw. dziury ozonowej nad Ziemią. Płaszcz ozonu jest niezbędnym filtrem chroniącym nas przed niebezpiecznym promieniowaniem ultrafioletowym pasma B, zawartym w promieniowaniu słonecznym.

Ponieważ FCWW wznoszą się w powietrzu bardzo powoli, ubywanie ozonu potrwa prawdopodobnie jeszcze przez okres co najmniej dwudziestu lat, nawet gdyby w skali całego świata zaprzestano produkcji tych związków. Dlatego należy się liczyć z częstymi w przyszłości zachorowaniami na raka skóry oraz dolegliwościami oczu.

### Zalecenia

FCWW w niemal wszystkich zastosowaniach mogą być zastąpione mniej szkodliwymi związkami.

— Należy zrezygnować z używania aerozoli. Wskazane są rozpylacze nie wymagające napędzającego gazu oraz dezodoranty stosowane w aplikatorach kulkowych.
— Przy zakupie lodówki, zamrażarki lub instalowaniu urządzeń klimatyzacyjnych należy sprawdzić, czy cieczą chłodzącą są pozbawione chloru czyste związki fluorowęglowodorowe. Urządzenia klimatyzacyjne, w których zastosowano hel (takie są od pewnego czasu oferowane w USA), pracują efektywniej i zużywają mniej energii.
— Pianki utwardzane, służące za izolację cieplne, tracą część swojej zdolności izolacyjnej, jeśli są produkowane bez użycia FCWW. Należy jednakże rozważyć, czy w konkretnym przypadku nie da się użyć innego materiału izolacyjnego, na przykład wełny szklanej lub mineralnej, albo czy warstwy mniej skutecznego materiału izolacyjnego nie można pogrubić.

## Chlorowane węglowodory (CWW)

W ostatnich czasach znacznie rozprzestrzeniły się chlorowane węglowodory. W przyrodzie ulegają bardzo wolno degradacji. Dlatego dzisiaj w środowisku są wszędzie obecne: w wodzie pitnej, w żywności i w powietrzu. W gospodarstwie domowym używane są w różnych środkach czystości, w materiałach usuwających tłuszcze, stare farby i w materiałach konserwujących, stanowiących roztwór lub emulsję powstałą z użyciem rozpuszczalników zawierających CWW.

### Zagrożenia dla zdrowia

CWW przenikają przez skórę i atakują ośrodkowy układ nerwowy. Wdychanie ich par prowadzi do podrażnienia błony śluzowej i zapaleń płuc. CWW kumulują się w organizmie, między innymi w mózgu, wątrobie, nerkach, sercu i gonadach. Ze względu na długi okres pozostawania w organizmie istnieje niebezpieczeństwo przewlekłych uszkodzeń. Podejrzewa się, że wiele rozpuszczalników zawierających CWW ma działanie rakotwórcze. Po przeprowadzeniu doświadczeń na zwierzętach okazało się, że rakotwórczy jest chloroform.

## Zalecenia

— W gospodarstwie domowym należy używać wyłącznie produktów ubogich w rozpuszczalniki lub niezawierających ich wcale. W Niemczech tego typu środki są oznakowane „niebieskim aniołem" — znakiem wskazującym na brak właściwości szkodliwych dla środowiska.

— Rozpuszczalniki zawierające chlor mogą być zastępowane terpenami. Są to związki otrzymywane między innymi ze skórek pomarańczy, podlegające biologicznemu rozkładowi.

— Do rozpuszczalników mniej szkodliwych zaliczają się alkohole, estry i ketony, o nie zatem należy pytać, dokonując zakupu.

## Polichlorodwufenyle

Wielochlorowane dwufenyle były przez długi czas w użyciu jako składniki farb i lakierów, którym nadawały ognioodporność i większą trwałość.

Były też używane do rozmiękczania tworzyw sztucznych. Mimo że związki należące do tej grupy mogły w Niemczech po 1978 roku być stosowane wyłącznie w zamkniętych systemach, a w całej Wspólnocie Europejskiej ich użycie po 1985 roku zostało objęte całkowitym zakazem, są one nadal wszechobecne: w artykułach spożywczych zawierających tłuszcz, w mleku kobiecym, w ludzkiej tkance tłuszczowej. Obecnie uwalniają się jeszcze przy utylizacji odpadów.

## Zagrożenia dla zdrowia

W przypadku przedostania się do naszego organizmu — łańcuchem pokarmowym — większych ilości wielochlorowanych dwufenyli, może nastąpić uszkodzenie wątroby, śledziony i nerek. Długotrwałe obciążenie małymi dawkami zaburza rozrodczość, układ odpornościowy oraz wpływa negatywnie na zdolność koncentracji i pamięć.

## Pięciochlorofenol (PCF)

W latach siedemdziesiątych tysiące właścicieli domów i mieszkań malowało drewniane stropy i boazerie takimi środkami, jak ksylamon, i ksyladecor, nie zdając sobie sprawy z ich szkodliwości. W ich składzie występował wówczas jeszcze PCF — ze względu na jego własności dezynfekcyjne i grzybobójcze. Po takim pomalowaniu drewno przez lata wydzielało trujące pary, co powodowało, że mieszkania te i domy nie nadawały się do dalszego zamieszkania. Poszkodowani użytkownicy drewnoochronnych farb skupili się w prywatnym towarzystwie ochrony ich interesów, które wniosło do sądu skargę na producentów tych farb, zarzucając im nieumyślne uszkodzenie zdrowia i zabójstwo z zaniedbania. W 1989 roku w wyniku tej skargi odbył się w Niemczech największy proces sądowy o podłożu ekologicznym. Po wydaniu w 1993 roku wyroku skazującego pozwanych i rozpatrzeniu w 1996 roku skargi rewizyjnej postępowanie zostało wstrzymane. Doszło do ugody. Producenci zgodzili się wpłacić kwotę 4 milionów marek na rzecz fundacji, która — powołując w tym celu odpowiednią jednostkę naukową — zajmie się zbadaniem pod względem toksykologicznym problemu zanieczyszczeń powietrza w zamkniętych pomieszczeniach.

## Zagrożenie dla zdrowia

Ostre objawy zatrucia: przyspieszony oddech, nudności, ból głowy, kurcze, stan nieprzytomności. W razie długotrwałego oddziaływania następuje uszkodzenie wątroby i nerek. Osoby zatrute są stale senne i tracą na wadze.

## Zalecenia

— Do konserwacji drewna nie należy używać środków zawierających PCF. W Niemczech istnieje obowiązek umieszczania przez producentów na opakowaniu informacji o składzie danego środka.

— Kupując meble oraz prefabrykowane elementy boazeryjne można zażądać od sprzedawcy pisemnego oświadczenia, że drewno nie zostało potraktowane przez producenta pięciochlorofenolem lub innym środkiem konserwującym.

*Uwaga*: Drewno importowane z innych krajów może nadal zawierać PCF.

## Polichlorek winylu (PCW)

PCW jest jednym z najważniejszych tworzyw sztucznych. Jest surowcem, z którego powstaje bardzo wiele różnych przedmiotów gospodarstwa domowego, między innymi rury, żaluzje, obrusy, zasłony, opakowania i zabawki. PCW popadł w niełaskę, gdy się okazało, że przy jego spalaniu powstają ogromnie trujące związki, jak dioksyny i chlorowodory.

## Zagrożenia dla zdrowia

Podczas spalania przedmiotów zawierających PCW powstaje niebezpieczny gaz chlorowodorowy, działający żrąco na drogi oddechowe, przy dłuższym kontakcie prowadzący do stanów zapalnych oskrzeli z silnym, napadowym kaszlem. Duże obawy wzbudzają zawsze pożary w domach mających wykładziny podłogowe z PCW, ponieważ wówczas poza zwykłymi zagrożeniami wywołanymi pożarem dochodzi jeszcze możliwość zatrucia i uszkodzeń wywołanych działaniem kwasu.

Monomery chlorowinylowe są rakotwórcze, ale z nowoczesnych produktów wykonanych z PCW są wydzielane już tylko w bardzo małych ilościach. Podejrzewa się, że niektóre tworzywa sztuczne wywierają na człowieka wpływ podobny do estrogenów, a przez to oddziałują na zdolność rozrodczą. Należy także zwrócić uwagę na elektrostatyczne ładowanie przedmiotów wykonanych z PCW.

## Plastyfikatory — środki rozmiękczające

Ze względu na ich „rozmiękczające" działanie często są składnikiem tworzyw sztucznych, materiałów tekstylnych i tytoniu. Do najczęściej stosowanych należy ester kwasu ftalowego. Związki tego rodzaju przedostają się do środowiska w dużych ilościach i podlegają bardzo wolno degradacji. Żywność opakowana w folię lub dodatkowo uszczelniony papier, zawierające środki zmiękczające, wchłania pewną ilość tych związków i zatruwa nas po jej spożyciu.

## Zagrożenia dla zdrowia

Ryzyko dla zdrowia wiąże się głównie z rakotwórczym działaniem. Inne jak dotąd są za mało zbadane.

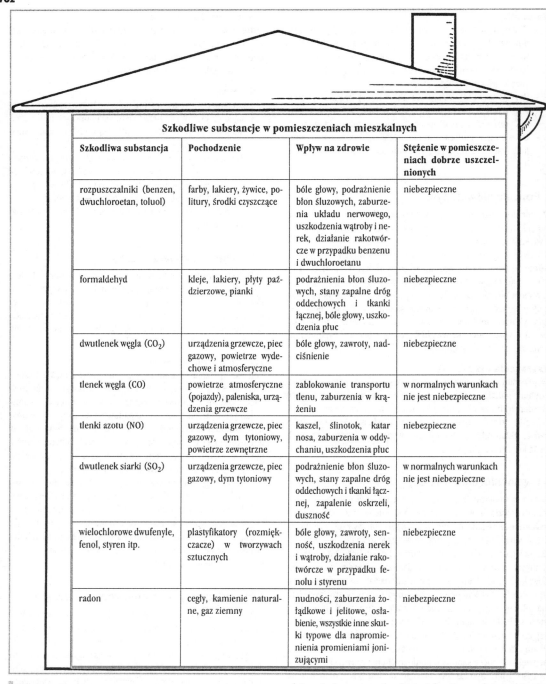

| Szkodliwe substancje w pomieszczeniach mieszkalnych | | | |
|---|---|---|---|
| Szkodliwa substancja | Pochodzenie | Wpływ na zdrowie | Stężenie w pomieszczeniach dobrze uszczelnionych |
| rozpuszczalniki (benzen, dwuchloroetan, toluol) | farby, lakiery, żywice, politury, środki czyszczące | bóle głowy, podrażnienie błon śluzowych, zaburzenia układu nerwowego, uszkodzenia wątroby i nerek, działanie rakotwórcze w przypadku benzenu i dwuchloroetanu | niebezpieczne |
| formaldehyd | kleje, lakiery, płyty paździerzowe, pianki | podrażnienia błon śluzowych, stany zapalne dróg oddechowych i tkanki łącznej, bóle głowy, uszkodzenia płuc | niebezpieczne |
| dwutlenek węgla ($CO_2$) | urządzenia grzewcze, piec gazowy, powietrze wydechowe i atmosferyczne | bóle głowy, zawroty, nadciśnienie | niebezpieczne |
| tlenek węgla (CO) | powietrze atmosferyczne (pojazdy), paleniska, urządzenia grzewcze | zablokowanie transportu tlenu, zaburzenia w krążeniu | w normalnych warunkach nie jest niebezpieczne |
| tlenki azotu (NO) | urządzenia grzewcze, piec gazowy, dym tytoniowy, powietrze zewnętrzne | kaszel, ślinotok, katar nosa, zaburzenia w oddychaniu, uszkodzenia płuc | niebezpieczne |
| dwutlenek siarki ($SO_2$) | urządzenia grzewcze, piec gazowy, dym tytoniowy | podrażnienie błon śluzowych, stany zapalne dróg oddechowych i tkanki łącznej, zapalenie oskrzeli, duszność | w normalnych warunkach nie jest niebezpieczne |
| wielochlorowe dwufenyle, fenol, styren itp. | plastyfikatory (rozmiękczacze) w tworzywach sztucznych | bóle głowy, zawroty, senność, uszkodzenia nerek i wątroby, działanie rakotwórcze w przypadku fenolu i styrenu | niebezpieczne |
| radon | cegły, kamienie naturalne, gaz ziemny | nudności, zaburzenia żołądkowe i jelitowe, osłabienie, wszystkie inne skutki typowe dla napromienienia promieniami jonizującymi | niebezpieczne |

## Dioksyna

To, co się w potocznym języku nazywa dioksyną, językiem naukowym określane jest jako 2,3,7,8-tetrachlorodibenzo-para-dioksyna (krótko: 2,3,7,8,-TCDD). Obok tego związku istnieje jeszcze około tuzina innych dioksyn i dwubenzofuranów na-

leżących do grupy najbardziej niebezpiecznych związków, jakie w chemii organicznej wytworzono. Zwłaszcza od czasu katastrofy chemicznej we włoskim Seveso w 1976 roku nazwa dioksyna stała się synonimem chemicznego zatrucia. Już niewyobrażalnie małe ilości (wchłonięcie dziennie więcej niż 10 pikogramów na kilogram ciężaru ciała) są dla organizmu szkodliwe (1 pikogram = $10^{-12}$ g). Na ogół dioksyna występuje jako zanieczyszczenie powietrza atmosferycznego, jednakże ta supertrucizna może także powstać wewnątrz pomieszczeń, gdy spalane są rozpuszczalniki zawierające chlorowane węglowodory (→ CWW, s. 760) albo drewno impregnowane pięciochlorofenolem (→ PCF, s. 761).

### Zagrożenia dla zdrowia

Dioksyna przedostaje się do ustroju głównie (w 90%) z pożywieniem, ponieważ w łańcuchu pokarmowym dochodzi do jej wzbogacenia. Jest rakotwórcza, a po dużych dawkach pojawiają się częściej anomalie rozwojowe u płodów. Długotrwałe narażenie na małe stężenia zaburza przemianę cukrów i funkcję tarczycy. Już pod wpływem dawek odpowiadających 10-krotnemu, przeciętnemu obciążeniu ludności, należy się liczyć z zaburzeniami w zakresie zdolności rozrodczej, w układzie odpornościowym i w ośrodkowym układzie nerwowym. Po wypadkach obciążających dawką 100 razy większą od dawki przeciętnej następuje uszkodzenie wątroby i pojawia się trądzik chlorowy.

## Azbest

Przez dziesięciolecia azbest był środkiem często stosowanym, nadającym się do wszystkiego: zapewniał izolację cieplną, ochronę przed zimnem, tłumienie dźwięków, zapobieganie pożarom. Ten wielostronnie przydatny materiał znalazł zastosowanie w niezliczonych mieszkaniach, a także halach, kąpieliskach, szkołach, urzędach. Często był stosowany do pokrycia zewnętrznych ścian budynków. Bez zastrzeżeń używano go w gospodarstwie domowym, w suszarkach oraz instalacjach centralnego ogrzewania. Mimo że niebezpieczeństwa związane z azbestem są znane od dawna, materiał ten jest nadal wydobywany, przerabiany, dodawany do wielu produktów przemysłowych i wprowadzany do handlu. W związku z tym azbest nadal jest składnikiem wykładzin podłogowych oraz innych materiałów budowlanych. Dotąd nie udało się w Niemczech i Austrii wprowadzić w życie zakazu wytwarzania i stosowania tego materiału. Istnieją jednakże uzgodnienia, aby w latach dziewięćdziesiątych zrezygnować z używania tego niebezpiecznego surowca przy realizacji wszystkich dużych projektów.

### Zagrożenia dla zdrowia

Podczas przecierania azbestu powstaje drobniutki pył, wobec którego płuca są bezbronne. Nie istnieje nieszkodliwa ilość azbestu, ponieważ już jedno włókienko może wywołać raka płuc. Niemieckie ministerstwo zdrowia uznało tysiąc włókien azbestu na metr sześcienny powietrza za zanieczyszczenie, które jeszcze można zaakceptować. Według Światowej Organizacji Zdrowia maksymalna koncentracja azbestu w powietrzu nie powinna przekraczać dwustu włókien na metr sześcienny. Żadna z wyżej podanych wartości nie stanowi dotąd regulacji prawnej. Ze względu na to, że azbest używany jest przez wszystkie branże

### Lektura uzupełniająca

SZYMCZYKIEWICZ K.: *Uwaga! Azbest!* Inst. Wyd. Zw. Zaw., Warszawa 1989.

### Produkty niezawierające azbestu

W handlu materiałami łatwo natrafić na materiały zastępujące azbest. Niemiecki Urząd Ochrony Środowiska wydał specjalny katalog najważniejszych wykładzin podłogowych niezawierających azbestu, przeznaczonych do użytku domowego. W podobnym wielotomowym katalogu wykazano inne materiały budowlane niezawierające azbestu.

przemysłu oraz że włókna azbestu przez wiatr przenoszone są na duże odległości, przyjmuje się, że w Niemczech azbest jest przyczyną zgonu co najmniej dziesięciu tysięcy osób. W dawnej NRD stosowano produkty zawierające azbest w bardzo dużych ilościach jako pokrycia ścian i sufitów (prefabrykowane płyty typu „Sokalit"), przy modernizacji i rozbudowie starych budynków mieszkalnych, a także jako ruchome ściany działowe, tłumiące pokrycia, wykładziny podłogowe i przy budowie pieców.

### Zalecenia

— Należy sprawdzić, czy we własnym gospodarstwie domowym nie ma przedmiotów zawierających azbest, np. suszarki. W razie wykrycia trzeba się ich pozbyć z mieszkania.

— Gdy mają być usunięte większe powierzchnie materiału zawierającego azbest (wykładziny podłogowe, stropy itp.), należy zadanie to zlecić specjalistom posługującym się odpowiednim sprzętem odsysającym. Dobrze wyposażone firmy mają specjalną odzież ochronną i osłony dróg oddechowych, potrzebne przy zrywaniu płyt azbestowych. Przy tej czynności unosi się dużo pyłu i uwalnia wiele włókien stanowiących zagrożenie dla płuc. Wysoce szkodliwe jest szlifowanie materiału zawierającego azbest.

— Problem azbestu pojawia się również wtedy, gdy nastąpiło uszkodzenie pieców akumulacyjnych albo przeprowadzana jest ich przebudowa lub demontaż. Szczególnie niebezpieczna jest obróbka materiałów azbestowych za pomocą dłutowania, zrywania i szlifowania.

Należy bezwzględnie pamiętać, że odpady azbestu i materiałów zawierających azbest należą do kategorii odpadów niebezpiecznych i wymagają specjalnego postępowania.

— W ostatnich latach doszło do intensywnego rozwoju usług polegających na usuwaniu azbestu. Należy się strzec przed firmami, które proponują trwałe usunięcie azbestu poprzez pokrycie ścian farbami lub przez uszczelnienie szpar i fug tworzywem. Użyte do tego celu materiały bardzo często w krótkim czasie pękają, otwierając drogę włóknom azbestu.

## Promieniowanie jonizujące

Niebezpieczeństwo związane z wydostaniem się materiałów promieniotwórczych z elektrowni jądrowych do atmosfery z oczywistych powodów jest wielokrotnie większe od zagrożenia związanego z codziennym obciążeniem promieniowaniem pochodzenia naturalnego, niemniej i tego ostatniego nie powinno się lekceważyć.

### Promieniotwórczo aktywne materiały budowlane

Obciążenie promieniowaniem pochodzenia naturalnego zależy od miejsca zamieszkania. Na wielkość otrzymywanej dawki promieniowania wpływa również aktywność promieniotwórcza materiałów budowlanych użytych do konstrukcji domów mieszkalnych. W przypadku użycia takich materiałów, jak: gips, pumeks, żwirek i kamienie żużlowe, klinkier, cegły i kamień naturalny pochodzący z centralnej partii Alp oraz z Masywu Czeskiego — obciążenie promieniowaniem wewnątrz mieszkań istotnie się zwiększa. Nieco zmniejszająco na to obciążenie wpływa użycie drewna.

### Zagrożenia dla zdrowia

Zdania na temat skutków biologicznych promieniowania naturalnego są dotychczas jeszcze silnie podzielone. Prawdopodobnie nie istnieje tak mała dawka, która mogłaby być uznana za całkowicie nieistotną dla zdrowia, choć oficjalne przyjęcie pewnych wartości granicznych dla powietrza zewnętrznego pozornie ją sugeruje. Należy jednak nadmienić, że dotąd nie udało się ujawnić jednoznacznych skutków biologicznych wywołanych minimalnym obciążeniem odpowiadającym obciążeniu naturalnemu. Dotąd też nie ogłoszono żadnych oficjalnych, maksymalnie dozwolonych poziomów zanieczyszczenia materiałów budowlanych substancjami promieniotwórczymi.

### Radon

Radon, będący gazem szlachetnym, przedostaje się ze skał i materiałów budowlanych do powietrza, którym oddychamy. Stosunkowo wysokie stężenia radonu występują w żużlu piecowym, gipsie przemysłowym, popiołach powstających w elektrowniach, cemencie wielkopiecowym oraz w takich skałach naturalnych, jak granit, tuf wulkaniczny i pumeks. Pod wpływem tych materiałów stężenie radonu wewnątrz budynków wzrasta wielokrotnie w porównaniu z aktywnością promieniotwórczą powietrza atmosferycznego.

### Zagrożenia dla zdrowia

Przyjmuje się, że w Niemczech radon jest powodem co najmniej tysiąca zachorowań na raka płuc każdego roku. Maksymalna dozwolona aktywność promieniotwórcza, określona przez Międzynarodową Komisję Ochrony Przed Promieniowaniem Jonizującym na poziomie 200 Bq (bekereli) w metrze sześciennym powietrza jest w Niemczech przekraczana w 150 000 do 270 000 mieszkań lub domów. Zauważalne są przy tym wyraźne różnice lokalne. Największe obciążenie występuje na terenach eksploatacji górniczej, na południu dawnej NRD, w Austrii oraz na południowo-zachodnich terenach Niemiec.

Dla nowego budownictwa Komisja zaleca maksymalną aktywność nie większą niż 100 Bq. Aktywność wzrasta, gdy pomieszczenia są niedostatecznie wietrzone, dlatego szczelne okna stają się szczególną pułapką.

### Zalecenia

— Należy zwracać uwagę na dobre wietrzenie pomieszczeń (→ s. 776).
— W razie pojawienia się wątpliwości, czy nie jesteśmy nadmiernie obciążeni promieniowaniem jonizującym, odpowiednie pomiary powinni wykonać fachowcy zajmujący się zanieczyszczeniem powietrza.

— Należy być ostrożnym przy wyborze materiałów budowlanych, w szczególności nie należy stosować przemysłowo prefabrykowanych płyt gipsowych jako ścian działowych mieszkań.

## Pola i ładunki elektrostatyczne

Zdrowy klimat wewnątrz mieszkania może ulec znacznemu pogorszeniu na skutek występowania silnych ładunków elektrostatycznych. Pojawiają się one pod wpływem tarcia różnych materiałów, na przykład podczas chodzenia po dywanie lub wykładzinie z tworzyw syntetycznych. Źródłem ładunków elektrostatycznych może być także tarcie wykładzin wykonanych z włókien naturalnych, które zostały zabezpieczone chemicznie przeciw niszczącym je insektom lub uzyskały apreturę chroniącą przed zaplamieniem. W przypadku naładowania się przedmiotów metalowych, doznajemy przy ich dotknięciu „rażenia elektrycznego". Wykładziny podłogowe lub firany z tworzyw sztucznych mają zdolność naładowania się do wysokich potencjałów i do utrzymywania nagromadzonych ładunków przez wiele dni. Natomiast kamień i drewno naładowują się zaledwie nieznacznie i rozładowują się też w krótkim czasie kilku sekund.

### Zagrożenia dla zdrowia

Opisane ładunki i pola mogą być powodem stresu, nerwowości, zaburzeń snu i przemiany materii oraz infekcji wirusowych, których pojawienie się nie może być racjonalnie wytłumaczone innymi działaniami.

### Zalecenia

Należy stosować więcej drewna i kamienia naturalnego, mniej natomiast tworzyw sztucznych.

## Pola elektromagnetyczne

Dotychczas wykonane badania wpływu sieci elektrycznej, silników elektrycznych i części metalicznych (np. zbrojony beton) na jakość klimatu wewnątrz pomieszczeń nie pozwalają sformułować miarodajnych i uzasadnionych uogólnień. Osoby nadwrażliwe mogą obecność pól elektromagnetycznych odczuwać w sposób przykry.

Dominują zaburzenia snu. Czasami występuje niekorzystnie samopoczucie, pojawić się mogą nudności i bóle (→ Smog elektromagnetyczny, s. 790).

### Zalecenia

W nocy należy wyłączyć sieć elektryczną w sypialni, a najlepiej także w pomieszczeniach sąsiednich oraz leżących nad i pod nią. Wyłączniki sieci, wprawdzie nieco kosztowne, mogą być zainstalowane w pojedynczych pomieszczeniach. Innym rozwiązaniem jest stosowanie przewodów sieciowych o specjalnej izolacji.

## Dym z papierosów

W dymie z papierosów występuje około dwustu związków chemicznych, a wśród nich tlenek węgla i nikotyna, związki drażniące, takie jak formaldehyd i akroleina oraz rakotwórcze węglowodory i nitrozoaminy. Wskutek obecności tych związków, dym z papierosów zanieczyszcza powietrze pomieszczeń silniej niż niemal wszystkie inne trucizny pojawiające się w mieszkaniu. Dym z papierosów mocno obciąża także osoby niepalące (→ Palenie tytoniu, s. 740).

# CHEMIKALIA UŻYWANE W GOSPODARSTWIE DOMOWYM

## Środki piorące

Mieszkańców Niemiec można uznać za rekordzistów świata pod względem zużycia środków piorących. Rocznie przez maszyny do prania przepuszczają ponad dziesięć kilogramów proszków na osobę. Mimo że fosforany z wielu środków piorących zostały już wyeliminowane, nadal występują w nich inne związki zanieczyszczające wodę, takie jak detergenty, środki wybielające i balastowe.

### Zagrożenia dla zdrowia

Częsty kontakt skóry z proszkami lub płynami piorącymi wywołuje u wrażliwych osób różne reakcje podrażnienia. Spożycie przez dzieci środków piorących może spowodować zatrucie niebezpieczne dla życia, zwłaszcza w przypadku silnie skoncentrowanych płynów do prania.

### Zalecenia

— Mimo wieloletnich ostrzeżeń oraz instruktażu prowadzonego przez różne związki konsumenckie w wielu gospodarstwach stosuje się za dużo środków piorących. W przedsiębiorstwie wodociągów należy zasięgnąć informacji dotyczących stopnia twardości wody i — zgodnie z zaleceniem producenta proszku — odpowiednio do niego dawkować dany środek piorący. Podczas wsypywania proszku do pralki należy unikać kontaktu skóry z nim.
— Proszki do prania — podobnie jak wszystkie inne środki czyszczące — należy przechowywać w miejscu niedostępnym dla dzieci.

## Środki do ręcznego zmywania naczyń

Sloganem reklamowym chętnie stosowanym przez wielu producentów jest stwierdzenie, że po użyciu ich produktu naczynia i szkło są błyszcząco czyste i nie wymagają osuszania. Jednakże to, co pod wpływem tych środków wydaje się higienicznie czyste i nabłyszczone, w rzeczywistości jest równomiernym cienkim filmem ochronnym z detergentu pozostającym na powierzchni naczyń. Używanie tych naczyń powoduje następnie przedostanie się chemikaliów do przewodu pokarmowego. W ciągu roku wiele osób spożywa w ten sposób do 1 g detergentu.

### Zagrożenia dla zdrowia

Detergenty są związkami, co do których istnieje podejrzenie, że ułatwiają przenikanie do organizmu DDT i innych supertrucizn. Środki do mycia naczyń w równym stopniu odtłuszczają i wybielają myte naczynia, jak i skórę rąk, nawet wówczas, gdy producent zapewnia, że jego środek pielęgnuje ręce już podczas zmy-

wania naczyń. Zawarte w tych środkach dodatki, jak esencja cytrynowa lub rumianek, są nieszkodliwe, ale też nie mają specjalnego znaczenia dla skóry rąk.

### Zalecenia

— Naczynia należy bardzo dobrze spłukiwać, a środków do zmywania używać w minimalnych ilościach.
— Należy przestrzegać zasady, że na samym końcu zmywania na wodzie nie powinny się pojawiać żadne bańki piany.
— W celu pielęgnacji i zabezpieczenia rąk wskazane jest używanie rękawic, a po zmyciu naczyń skórę rąk należy nakremować.

## Środki do maszynowego zmywania naczyń

W wielu produktach znajdujących się w handlu nadal zawarte są fosforany stanowiące znaczne obciążenie wód ściekowych.

### Zagrożenia dla zdrowia

Istnieje niebezpieczeństwo zatrucia. Omawiane środki są silnie żrące.

### Zalecenia

— Środek służący do mycia naczyń dawkować dokładnie według instrukcji.
— Przed włożeniem do maszyny silnie zabrudzone naczynia należy spłukać.
— Nie stosować dostępnych i reklamowanych środków zapewniających nabłyszczenie naczyń. Jeśli zależy nam, by naczynia błyszczały się, zamiast środka chemicznego oferowanego przez handel dodajmy nieco octu.

## Ogólnie stosowane środki czyszczące i środki służące do szorowania

Wszystkie dobrze znane środki czyszczące zawierają aktywny związek czyszczący detergent) i wiele mniej lub bardziej żrących składników (ługi) na przykład sodę lub amoniak. W przypadku środków szorujących głównym składnikiem jest mączka kwarcowa lub marmurkowa. Występują w nich również detergenty i ługi.

Ponadto składniki służą głównie reklamie, nie przyczyniając się w żadnej mierze do podniesienia zdolności czyszczącej danego środka.

### Zagrożenia dla zdrowia

Gdy środki te są stosowane zgodnie z ich przeznaczeniem, nie stanowią ryzyka dla zdrowia.

### Zalecenia

— Nie należy kupować żadnych środków zawierających formaldehyd lub chlorowane związki organiczne.
— Środkom ogólnie stosowanym należy dać pierwszeństwo przed droższymi i zwykle bardziej niebezpiecznymi produktami o specjalnym przeznaczeniu.

## Środki do czyszczenia WC

Liczne produkty stosowane do czyszczenia urządzeń sanitar-

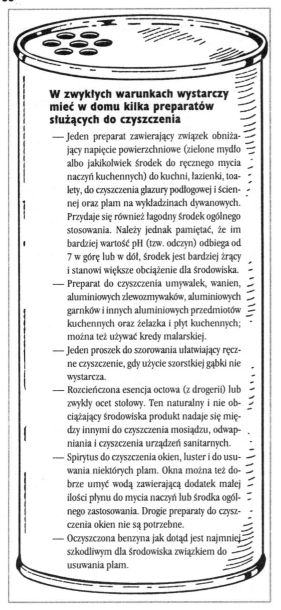

## W zwykłych warunkach wystarczy mieć w domu kilka preparatów służących do czyszczenia

— Jeden preparat zawierający związek obniżający napięcie powierzchniowe (zielone mydło albo jakikolwiek środek do ręcznego mycia naczyń kuchennych) do kuchni, łazienki, toalety, do czyszczenia glazury podłogowej i ściennej oraz plam na wykładzinach dywanowych. Przydaje się również łagodny środek ogólnego stosowania. Należy jednak pamiętać, że im bardziej wartość pH (tzw. odczyn) odbiega od 7 w górę lub w dół, środek jest bardziej żrący i stanowi większe obciążenie dla środowiska.

— Preparat do czyszczenia umywalek, wanien, aluminiowych zlewozmywaków, aluminiowych garnków i innych aluminiowych przedmiotów kuchennych oraz żelazka i płyt kuchennych; można też używać kredy malarskiej.

— Jeden proszek do szorowania ułatwiający ręczne czyszczenie, gdy użycie szorstkiej gąbki nie wystarcza.

— Rozcieńczona esencja octowa (z drogerii) lub zwykły ocet stołowy. Ten naturalny i nie obciążający środowiska produkt nadaje się między innymi do czyszczenia mosiądzu, odwapniania i czyszczenia urządzeń sanitarnych.

— Spirytus do czyszczenia okien, luster i do usuwania niektórych plam. Okna można też dobrze umyć wodą zawierającą dodatek małej ilości płynu do mycia naczyń lub środka ogólnego zastosowania. Drogie preparaty do czyszczenia okien nie są potrzebne.

— Oczyszczona benzyna jak dotąd jest najmniej szkodliwym dla środowiska związkiem do usuwania plam.

nych zawierają chlor. W przypadku równoczesnego zastosowania innego preparatu do czyszczenia WC, zawierającego składnik aktywny o odczynie kwaśnym lub użycia nawet w małych ilościach octu, natychmiast wytwarzają się niebezpieczne ilości chloru w postaci gazowej. W ubikacji pojawia się wtedy aktywny czynnik, który w czasie pierwszej wojny światowej został użyty jako gaz bojowy.

### Zagrożenia dla zdrowia

W razie zetknięcia się chlorowanych środków do czyszczenia urządzeń sanitarnych z innymi środkami o podłożu kwaśnym

dojść może do wydzielenia się gazowego chloru o stężeniu do 1000 ppm (części na milion). Już stężenia wynoszące 500 ppm mogą w ciągu dziesięciu minut doprowadzić do śmierci. Przy stężeniach od 5 do 15 ppm dochodzi do uszkodzenia płuc.

## Środki poprawiające jakość powietrza

Środki poprawiające subiektywną jakość powietrza, dostępne w handlu w aerozolach, często zawierają aldehyd octowy, związek bardzo lotny. W przypadku długotrwałego ich stosowania może dojść do uszkodzenia wątroby. Ponadto aldehyd octowy jest agresywny w stosunku do przedmiotów z tworzyw sztucznych i z gumy. Również preparaty w postaci stałej nie są obojętne, gdy zawierają paraldehyd — związek uszkadzający wątrobę.

## Środki czyszczące zlewy i kanalizację

Liczne preparaty o tym przeznaczeniu zawierają ług sodowy. Niedoświadczeni użytkownicy dawkują preparat łyżką stołową bezpośrednio przed oczami, tymczasem chemik pracujący w laboratorium nie przeprowadzałby żadnego doświadczenia z tym związkiem, nie mając założonych okularów ochronnych.

### Zagrożenia dla zdrowia

Najmniejsza kropelka omawianego środka — w razie dostania się na skórę — może spowodować bolesne oparzenia. Kto w przypadku szczególnie uporczywego zatkania zlewu czy kanalizacji podejmuje próbę dodatkowego udrożnienia przewodu, ryzykuje oparzeniem skóry lub skaleczeniem oczu na skutek wytrysku cieczy.

## Środki do czyszczenia podłóg

Wykładziny podłogowe z PCW uzależniają się od środków czyszczących podobnie, jak człowiek uzależnia się od lekarstw. Kto raz zastosuje do czyszczenia wykładzin z PCW środki nabłyszczające, będzie zmuszony do ich stałego używania. Środki te niszczą bowiem własny połysk wykładzin. Niektóre preparaty przeznaczone do pielęgnacji wykładzin jako rozpuszczalnik zawierają nawet chlorowane węglowodory, które — wdychane

### Jak dbać o WC

— Należy zrezygnować z używania środków czyszczących przeznaczonych specjalnie do pielęgnacji urządzeń sanitarnych.

— W celu usunięcia odkładających się związków wapnia i żelaza należy ograniczyć się do stosowania odpowiedniej szczotki i wody octowej, co pozwala na wyeliminowanie z użycia innych środków czyszczących.

— Dla usunięcia nieprzyjemnych woni lampę w WC natrzeć wodą kolońską, na kaloryferze umocować parownik zawierający napar mięty, kwiatów róży lub lawendy. Podobne działanie mają skórki pomarańczy lub cytryny położone na kaloryferze.

przez dłuższy czas — mogą prowadzić do ciężkiego uszkodzenia wątroby, nerek i nerwów.

### Zalecenia

Do czyszczenia podłogi wystarcza jeden środek o wszechstronnym zastosowaniu oraz pasta woskowa.

## Aerozole i szampony do dywanów

Między intensywnym czyszczeniem wykładzin dywanowych a występowaniem gorączkowych zachorowań małych dzieci (gorączka Kawasaki) zaobserwowano ścisły związek. W wyniku badań wykonanych w dwóch miastach USA, a mianowicie w Atlancie i Denver, wiosną i jesienią stwierdzono większą zachorowalność małych dzieci. Dokuczały im stany zapalne spojówek oczu, gardła, zmiany skórne i gorączka sięgająca 40°C. Antybiotyki były nieskuteczne. Gdy grupę dzieci chorych porównano z odpowiednią grupą kontrolną, stwierdzono, że w grupie chorych dzieci 48% zetknęło się w domu z szamponami, którymi czyszczono wykładziny dywanowe, podczas gdy w grupie dzieci zdrowych tylko 10% z nich miało taki kontakt.

### Zalecenia

— Gruntowne i głębokie czyszczenie dywanów oraz wykładzin przeprowadzać bardzo rzadko. Na ogół wystarcza użycie odkurzacza.
— Pojedyncze plamy często da się usunąć, używając do tego celu roztworu mydła.
— Stosując aerozole do dywanów — jeśli są w ogóle potrzebne — należy koniecznie zadbać o to, aby dzieci nie miały żadnego kontaktu z używanym środkiem oraz by w pobliżu nie było otwartego ognia.

## Środki odwapniające

Liczne środki odwapniające zawierają dodatki o szkodliwym działaniu. W razie pomyłkowego spożycia takiego preparatu może dojść do głębokich oparzeń, wymiotów, kaszlu, a w skrajnych przypadkach nawet do załamania się układu krążenia.

Do grupy takich środków należy zaliczyć odwapniacze zawierające kwas mrówkowy, który jest związkiem silnie żrącym oraz uszkadzającym nerki i szpik kostny. Pary tego kwasu, łatwo powstające w związku z częstą koniecznością podgrzewania preparatu, są szczególnie łatwo wchłaniane przez organizm człowieka.

Podczas usuwania złogów wapiennych z ekspresów do kawy, środek odwapniający w śladowych ilościach może pozostać w pojemniku i przewodach ekspresu. W związku z tym zachodzi niebezpieczeństwo przedostania się złogów do kolejnej filiżanki kawy.

### Zalecenia

Istnieje wiele sposobów usuwania złogów wapiennych, między innymi podgrzewanie w ekspresie roztworu octu winnego lub spirytusowego.

## Aerozole do czyszczenia piekarników

Aerozole tego typu w większości przypadków stanowią mieszaninę ługu sodowego, związków powierzchniowo aktywnych, mieszających się z wodą rozpuszczalników organicznych (np. alkohol), związków zapachowych, silikonowych oraz emulgatorów.

Aerozole doprowadzają do spęcznienia resztek tłuszczu i do ich zmydlenia. Po zastosowaniu tych preparatów konieczne jest wielokrotne wymycie piekarnika. W przeciwnym razie pieczeń lub ciasto będą zaprawione resztkami środka czyszczącego. Pary, powstające przy użyciu aerozolu, działają drażniąco na błony śluzowe. Nawet krótkotrwałe otwarcie piekarnika podczas pieczenia może narazić na niebezpieczeństwo oczy i ręce.

### Zalecenia

Gdy zabrudzenia piekarnika usuwa się natychmiast po ich powstaniu, nie stanowią one większego problemu. Stwardniałe zabrudzenia należy najpierw namoczyć, a później usunąć środkami do szorowania.

## Środki do usuwania plam

Preparaty tego rodzaju w zasadzie zawierają te same chlorowane rozpuszczalniki, których używa się w chemicznych pralniach. Tam jednak przestrzega się specjalnych środków ochronnych. Do tych rozpuszczalników należy trójchloroetylen, nadchloroetylen, czterochlorek węgla i podobne związki czynne.

Są to związki nie tylko w najwyższym stopniu szkodliwe dla środowiska, lecz także niebezpieczne dla człowieka. Mogą wywołać uszkodzenia zdrowia zarówno ostre, jak i odległe w czasie. Istnieje uzasadnione podejrzenie, że czterochlorek węgla i trójchloroetylen wywierają działanie rakotwórcze.

Preparaty do usuwania plam zawierające czterochlorek węgla mogą ponadto prowadzić do ciężkiego uszkodzenia wątroby, gdy pary tego preparatu wdycha się przez parę godzin. Z tego względu oficjalnie zakazano stosowania powyższych związków w przemyśle i rzemiośle, nadal jednak osiągalne są do użytku domowego.

### Zalecenia

Pomimo niebezpieczeństwa pożaru benzyna do czyszczenia (bez dodatkowych rozpuszczalników) jest najlepszym środkiem do czyszczenia. Wiele plam daje się usunąć środkami tak pospolitymi, jak mydło, woda, środki piorące i spirytus.

## Aerozole do skóry

Aerozole impregnujące skórę tworzą na niej delikatną błonkę uszczelniającą przed wodą. Podobne działanie wywierają po dostaniu się do płuc. Uszkodzeniu mogą ulec komórki tworzące pęcherzyki płucne.

### Zagrożenia dla zdrowia

W sposób podstępny pojawiają się pierwsze objawy zatrucia dopiero po trzydziestu minutach do dwóch godzin po wdychaniu mgły aerozolu. Dreszczom towarzyszy wówczas gorączka do 40°C, bóle głowy, trudności z oddychaniem. W niektórych przypadkach zatruć dochodzi do zapaści.

### Zalecenia

Przedmioty ze skóry przekazać do impregnacji w odpowiednich zakładach. Wyjątek stanowi obuwie z irchy. W tym przypadku impregnację można przeprowadzić stosując zamiast aerozolu pianki impregnujące.

## Preparaty chroniące przed insektami

Komary są bardzo dokuczliwe, niemniej chemiczne środki służące do ich zwalczania mogą być znacznie bardziej uciążliwe dla zdrowia.

### Aerozole na insekty

W Niemczech w co drugim gospodarstwie domowym regularnie stosowane są aerozole przeciwko insektom. U 7% osób stosujących te środki rejestruje się skargi na takie skutki uboczne, jak dolegliwości dotyczące układu oddechowego, nudności, złe samopoczucie, bóle głowy. Zdaniem federalnego urzędu zdrowia przestrzeganie wskazówek podanych na opakowaniu preparatów pozwala na stosowanie tych preparatów w gospodarstwie domowym bez ryzyka dla zdrowia, jednakże używane winny być tylko te, które w swoim składzie zawierają permetrynę. Kto stosuje aerozole, unieszkodliwia wprawdzie dokuczliwe insekty, ale zabija równocześnie użyteczne, na przykład biedronki.

### Zabezpieczenia przed insektami

Przestrzega się przed stosowaniem elektrycznych parowników, wydzielających do powietrza substancje trujące, których następstwa zdrowotne nie zostały jak dotąd wystarczająco zbadane. To samo można powiedzieć o elektrycznych siatkach, umieszczanych w pomieszczeniach.

### Piszczałki przeciwkomarowe

Ich zadaniem jest odstraszanie komarów ultradźwiękami. Są to urządzenia całkowicie bezpieczne dla człowieka, jednakże nie działają na komary.

# MEBLE I STOLARKA

W produkcji mebli zastosowanie znajdują liczne związki chemiczne, które później wewnątrz mieszkań stanowią istotne zagrożenie dla zdrowia osób tam przebywających.

## Meble drewniane

Nawet wtedy, gdy do produkcji użyto tylko naturalnego drewna, mogą pojawić się istotne problemy. Liczni producenci traktują swe wytwory preparatami drewnoochronnymi (→ s. 771), a niektórzy producenci zagraniczni nadal stosują jeszcze PCF (→ s. 761).

Do wyziewów formaldehydu, zwłaszcza z płyt wiórowych, dochodzi jeszcze pewna ilość formaldehydu uwalniającego się z użytych klejów, wskutek czego jakość powietrza wewnątrz mieszkania ulega dodatkowemu pogorszeniu (→ Formaldehyd, s. 759).

### Zalecenia

W przypadku dokonywania zakupu większych mebli lub całych kompletów należy — w celu prawnego zabezpieczenia się —

zażądać pisemnego potwierdzenia, że drewno użyte do ich produkcji nie zostało zabezpieczone środkami ochronnymi lub za pomocą PCF.

W miarę wzrostu produkcji i podaży przemysłowo wytworzonych mebli ekologicznych, coraz częściej ujawniane są kłamstwa etykietowe. Sprzedawane są meble oznakowane nalepką „ekologiczne", mimo występowania w ich materiałach wyściółkowych, obiciowych i w lakierach oraz klejach silnie trujących substancji.

Związek Krajowych Magazynów oferujących ekologiczne przedmioty urządzania mieszkań pracuje obecnie nad wytycznymi do specjalnego certyfikatu gwarantującego czystość ekologiczną oferowanego przedmiotu. Kto chciałby wiedzieć, czy jego meble wydzielają formaldehyd zagrażający zdrowiu, w aptekach może nabyć przyrząd zwany „Bio-Check F", który ujawnia stężenia przekraczające dozwolone wartości. Urzędy ekologiczne i przewoźne laboratoria ekologiczne wykonują odpłatnie odpowiednie badania w mieszkaniach.

## Płyty wiórowe (paździerzowe)

Wykonane z małych wiórek i włókien z dodatkiem środka wiążącego stały się w ostatnich dziesięcioleciach coraz chętniej stosowanym surowcem drewnianym, ze względu na łatwiejszą jego obróbkę oraz mniejszy w porównaniu z litym drewnem koszt nabycia.

Płyty wiórowe znajdują liczne zastosowania wewnątrz pomieszczeń. Nadają się na lekkie i potem łatwe do usunięcia ściany działowe, na przykrycia uszkodzonych ścian w starych budynkach oraz na płyty podłogowe nakładane na drewniane stropy lub stare podłogi. Wielu młodych majsterkowiczów wykonuje z tych płyt swoje pierwsze meble.

Obecnie ponad połowa produkowanych płyt wiórowych służy do wytwarzania mebli. Często płyty wiórowe są kryte fornirem z naturalnego drewna.

### Szkodliwe środki wiążące

Do produkcji płyt wiórowych używa się w celu wiązania drobnych cząstek drewna, głównie sztucznych żywic. W ich składzie występuje formaldehyd, np. żywice mocznikowo-formaldehydowe, melamino-formaldehydowe lub fenyl-formaldehydowe. Z tych żywic wydzielają się lotne związki, które — gromadząc się w pomieszczeniu — mogą być przyczyną licznych dolegliwości.

Zależnie od ilości formaldehydu wydzielanego do powietrza płyty wiórowe muszą być zaliczone do jednej z trzech klas emisji — od E1 do E3 — i odpowiednio oznakowane.

Od lipca 1989 roku w Niemczech istnieje zakaz stosowania do produkcji mebli i stolarki przeznaczonej do zabudowy wewnątrz pomieszczeń płyt wiórowych niekwalifikujących się do klasy emisji E1, to znaczy oddających do powietrza więcej niż 0,1 ppm formaldehydu. W Austrii nadal wolno stosować płyty wiórowe należące do wyższych klas emisji formaldehydu. Kontrolne pomiary wykonane w specjalistycznych instytutach wykazały jednak, że płyty wiórowe należące nawet do klasy emisyjnej E1 w czterech przypadkach na pięć przekraczają dozwolony poziom koncentracji formaldehydu w powietrzu, nie-

| Klasa — oznakowanie | Formaldehyd w powietrzu |
|---|---|
| Klasa emisyjna 1 (E1) | maksymalnie 0,1 ppm |
| Klasa emisyjna 2 (E2) | maksymalnie 1,0 ppm |
| Klasa emisyjna 3 (E3) | maksymalnie 2,3 ppm |

1 ppm (part per milion) odpowiada 1,2 miligrama formaldehydu w 1 metrze sześciennym powietrza w pomieszczeniu

rzadko nawet dwukrotnie. Zamiast formaldehydu niektórzy producenci płyt wiórowych jako lepiszcza stosują obecnie tzw. izocyjanaty. W ten sposób dochodzi do paradoksalnego wypędzania małego diabełka samym belzebubem. Przedostanie się izocyjanatów nawet w najmniejszych ilościach do powietrza powoduje zagrożenie zdrowia. Izocyjanaty drażnią błonę śluzową nosa, gardła i płuc. Wywołują duszność i bóle klatki piersiowej. Dłuższe ich działanie prowadzi do napadowego kaszlu i zapalenia oskrzeli. Poza tym wywołują reakcje alergiczne, na przykład astmę.

### Zalecenia

— Warto się zastanowić, czy nie da się zrezygnować z użycia płyt wiórowych. Na ogół chodzi o finanse, jednakże ceny regałów na książki lub prostych mebli wykonanych z litego drewna sosnowego nie są zbyt wygórowane. Droższe meble z drewna dobrej jakości mogą się w końcu okazać pod względem finansowym korzystniejsze niż wykonane z płyt wiórowych, są bowiem trwalsze i mogą być dłużej używane.
— Gdy kupujemy jednak meble z płyt wiórowych, z przyczyn finansowych lub wiedząc, że będą krótko używane, musimy pamiętać o następujących zasadach:
— Nie należy kupować przedmiotów z płyt innej klasy emisyjnej niż E1.
— Dokonując zakupu płyt lub mebli z fornirem, należy zapytać o kleje użyte do produkcji. Gdy w ich składzie występuje formaldehyd, nawet przynależność płyt do klasy emisyjnej E1 nie wystarcza.
— Od dostawcy lub sprzedawcy mebli należy zażądać wydania specjalnego certyfikatu, w którym musi być zawarta pisemna gwarancja, że do produkcji używano wyłącznie płyt wiórowych klasy emisyjnej E1. Niektórzy producenci mebli swoje wytwory dostarczają do handlu już z takim certyfikatem.

## Nieszkodliwe płyty wiórowe

Godne polecenia są jedynie płyty wiórowe, do których jako lepiszcza użyto magnezytu lub cementu, a całkowicie zrezygnowano ze sztucznych żywic. Wadą płyt wiórowych wiązanych magnezytem jest brak wodoodporności. Z tego powodu nie powinny być stosowane do produkcji elementów przeznaczonych do kuchni lub łazienki. Obecnie są trudno osiągalne w handlu. W przypadku płyt wiórowych wiązanych cementem powinno się zwrócić uwagę na rodzaj użytego cementu. Wskazany jest tylko cement naturalny lub portlandzki, inne rodzaje mogą być przyczyną podwyższonej radioaktywności. W wielu miejscach sprzedaży takie płyty są oferowane, jednakże w handlu noszą wówczas swoją nazwę markową. Wadą płyt nieszkodliwych jest ich wysoka cena.

— Nabywając płyty wiórowe lub wytwory z płyt należących do klasy emisyjnej E1, nie należy się dać zmylić informacji, że dana płyta nie wydziela formaldehydu. Zamiast formaldehydu mogą być w niej zawarte niebezpieczne izocyjanaty.
— Z ostrożnością należy też przyjąć zapewnienie, że konkretny mebel lub płyta wiórowa jest zabezpieczona przed emisją szkodliwych związków fornirem lub innym pokryciem. Uszczelnienia naroży, krawędzi i nawierconych otworów zwykle są niedostateczne i wtedy działają jak wentyle, poprzez które uchodzi szkodliwy związek.
— Szczególnie zagrożone przez formaldehyd są dzieci. Meblując pokój dziecinny, trzeba być zatem wyjątkowo ostrożnym, zwłaszcza wtedy, gdy do kupna zachęca niska cena mebli wykonanych z płyt wiórowych.

## Lakiery i farby

W skład lakierów i farb nawierzchniowych wchodzą związki tworzące cienkie warstwy (film nawierzchniowy) barwników, rozpuszczalniki oraz inne substancje uzupełniające. Głównym problemem są użyte w nich rozpuszczalniki, które są dodawane, by lakier mógł być rozprowadzony na powierzchni. Niekiedy lakier składa się w 70% z rozpuszczalników, które się ulatniają, tworząc charakterystyczną błonkę. Liczne lakiery, zwłaszcza w zakresie widma barwnego od koloru żółtego poprzez pomarańczowy do czerwieni, zawierają ponadto pigmenty oparte na metalach ciężkich, takich jak kadm, ołów i chrom.

### Zagrożenia dla zdrowia

Różne rozpuszczalniki rozmaicie działają na człowieka. Na wielu stanowiskach pracy są zaliczane do czynników wywołujących ciężkie choroby zawodowe (→ Substancje toksyczne w środowisku pracy, s. 787). Także w mieszkaniu mogą wywierać istotny wpływ na zdrowie, ponieważ ulatniają się z lakierów przez wiele tygodni.

### Zalecenia

— We własnym gospodarstwie domowym należy stosować wyłącznie lakiery ubogie w rozpuszczalniki lub wcale niezawierające rozpuszczalników. Takie lakiery są w Niemczech oznakowane — znakiem wskazującym na małą szkodliwość dla środowiska. Nie należy sądzić, że artykuły oznakowane „niebieskim aniołem" nie zawierają żadnych substancji szkodliwych i że w związku z tym są zupełnie obojętne dla zdrowia. Stosując takie lakiery, należy zwracać uwagę na dobre wietrzenie pomieszczeń.
— Nie należy się dać zmylić przez napis na opakowaniu, że dany lakier jest przeznaczony do użytku wewnętrznego lub zewnętrznego. Jest to tylko wskazówka, że niektóre lakiery są mniej odporne na wpływy klimatyczne. Natomiast nie ma to nic wspólnego z zawartością składników szkodliwych dla zdrowia.

*Lakiery niestanowiące obciążenia dla środowiska*
Wewnątrz pomieszczeń mogą być stosowane do wszystkich celów lakiery rozpuszczalne w wodzie. W stosunku do lakierów tradycyjnych mają sporo zalet:

## Kiedy jest już za późno...

Na ogół bez większych nakładów nie da się usunąć mebli lub innej stolarki wydzielającej do powietrza w pomieszczeniu za dużo formaldehydu. Prawie nikt nie może pozwolić sobie na wyrzucenie z pokoju dziennego, specjalnie wykonanej i wbudowanej meblościanki pokrytej w dodatku drogim fornirem. Stosując w takim przypadku różne pokrycia warstwowe, udaje się najczęściej — bez radykalnych działań — skutecznie zmniejszyć emisję formaldehydu.

Dobry skutek zapewniają drewnopodobne tapety dekoracyjne, dodatkowe pokrycie płyty tworzywem sztucznym lub pokrycie wielowarstwowo prasowanym drewnem.

W ograniczonym stopniu mogą pomóc folie podkładowe albo dodatkowa płyta z włókien drewnianych, ponieważ w razie ich uszkodzenia znów dochodzi do wydzielania się formaldehydu. Poliestrowy lakier podkładowy lub zwykłe lakierowanie ma tę wadę, że w składzie lakierów znajdują się rozpuszczalniki szkodliwe dla zdrowia. Folie z PCW są natomiast wykonane z surowca wątpliwej jakości (→ s. 761). Tapety i forniry drewniane niemające na sobie warstwy lakieru nie są wystarczające. Również częste wietrzenie poprawia sytuację jedynie na krótki czas.

Informacje pouczające, jak zmierzyć obciążenie szkodliwymi związkami, są podane na stronie 776.

— Szybciej schną. Już po trzech godzinach można nakładać drugą warstwę.
— Są bardziej odporne na wpływ pogody.
— Ich kolory są trwalsze i nie podlegają zażółceniu.
— Nie stwarzają zagrożeń dla zdrowia wskutek parowania.
— Nie stanowią obciążenia ani dla powietrza, ani dla wody.
— Mogą być rozcieńczane wodą.
— Pędzel można umyć wodą.
— Jako odpad stwarzają mniejsze problemy.

Ich wada polega na tym, że są droższe oraz że nie błyszczą tak silnie jak tradycyjne lakiery zawierające rozpuszczalniki.

*Uwaga*: Również tzw. lakiery naturalne i biodynamiczne są często fałszowane. Surowce naturalne zawarte w lakierach i klejach nie zawsze są nieszkodliwe. Olej terpentynowy, dwutlenek tytanu, olej krystaliczny, olejki cytrusowe ze skórek cytryny i pomarańczy mogą podrażniać skórę, uszkadzać nerki, wpływać toksycznie na układ nerwowy albo mogą być podejrzane o działanie rakotwórcze. Przed podjęciem większych prac malarskich należy koniecznie zasięgnąć informacji i poprosić o zalecenia organizacji ekologicznych lub konsumenckich.

### Zasady obchodzenia się z lakierami

Zaleca się stosowanie lakierów rozpuszczalnych w wodzie. Tego typu lakiery są obecnie produkowane przez wszystkie większe wytwórnie.

— Podczas stosowania farb i lakierów zawierających rozpuszczalniki koniecznie należy zapewnić dobre przewietrzanie pomieszczeń. Także po podeschnięciu lakieru powinno się znacznie częściej niż zazwyczaj wietrzyć pomieszczenia, po-

nieważ nawet po wielu godzinach nadal odparowują mniejsze ilości rozpuszczalników.
— Podczas stosowania lakierów zawierających rozpuszczalniki bezwzględnie należy unikać palenia papierosów oraz otwartego ognia. Pary rozpuszczalników są łatwo palne lub wybuchowe, ponadto w kontakcie z otwartym ogniem powstają trujące gazy (np. fosgen).
— Należy unikać zabrudzania skóry lakierami lub farbami. Wskazane jest noszenie rękawiczek.

| Rozpuszczalniki | Zagrożenie zdrowia |
|---|---|
| Benzen | Działanie rakotwórcze. |
| Toluen | Po jego wdychaniu pojawia się senność, złe samopoczucie, wydłużenie czasu reakcji. Powoduje wesołość i stany pobudzenia. Po długotrwałym wpływie dochodzi do uszkodzenia nerwów, wątroby i skóry. |
| Ksylen | Po dłuższym wdychaniu — osłabienie koncentracji uwagi, zaburzenia wzroku i równowagi. Bóle głowy, zmiany w zakresie składników krwi. Badania rakotwórczych własności tego związku chemicznego są w toku. |
| Metyloizobutyloketon, octan butylu, butanol | Podrażnienie oczu i nosa, podrażnienie błon śluzowych, bóle głowy. |
| Chlorowane węglodory (CWW), takie jak czterochlorek węgla i chloroform | CWW przenikają przez skórę i atakują ośrodkowy układ nerwowy. Wskutek długotrwałego wpływu dochodzi do uszkodzenia komórek nerwowych i mózgowia. Czterochlorek węgla jest silną trucizną dla wątroby. Doświadczenia na zwierzętach wykazały rakotwórcze działanie chloroformu. |

— Resztki rozpuszczalników (np. pozostające po myciu pędzli) nie powinny być wylewane do zlewu, ponieważ z trudem i po bardzo długim czasie ulegają rozkładowi. Stanowią zatem wówczas znaczne obciążenie dla oczyszczalni ścieków, a ponadto zagrażają wodzie pitnej. Pary rozpuszczalników, gromadzące się w systemach kanalizacyjnych, mogą stanowić istotne zagrożenie ze względu na niebezpieczeństwo zatruć i eksplozji.

## Środki ochrony drewna

O niebezpieczeństwie dla zdrowia, czyhającym w preparatach służących do ochrony drewna, opinia społeczna dowiedziała się po aferach związanych ze stosowaniem PCF (→ s. 761). Stosowanie wielu innych aktywnych związków chemicznych wiąże się z istotnym ryzykiem dla zdrowia. Mimo to niektóre firmy zalecają je do stosowania wewnątrz pomieszczeń.

## Zalecane sposoby ochrony drewna

### Pomieszczenia suche

W suchych pomieszczeniach wewnętrznych nie należy stosować środków ochrony drewna.

W tych warunkach zabezpieczenie przed grzybami w większości przypadków jest zupełnie zbędne, ponieważ drewno nie jest tak wilgotne, by grzyby mogły się na nim osiedlić. Z tego względu należy się ograniczyć do zastosowania środków upiększających, uszlachetniających i pielęgnujących (np. niezawierających aktywnych związków, preparatów lazurowych) pokrywających drewno przejrzystą powłoką, a niezawierających składników grzybobójczych czy insektobójczych.

W celu zabarwienia drewna należy użyć odpowiednich bejcy — rozpuszczalnych w wodzie lub w spirytusie. Są to środki tanie i bezpieczne.

### Pomieszczenia wilgotne

W pomieszczeniach, w których często występuje wilgoć (np. w łazience, kuchni i piwnicy), potrzebny jest czasami preparat chroniący drewno przed sinizną. Środki zawierające równocześnie dodatki grzybo- i insektobójcze mogłyby stanowić w tym przypadku niepotrzebne niebezpieczeństwo. Preparaty zawierające w sobie tylko jeden związek aktywny, chroniący wprawdzie przed sinizną, nie są zupełnie nieszkodliwe. Jednakże ryzyko zdrowotne z nimi związane jest stosunkowo małe. Na nałożony podkład preparatu chroniącego przed sinizną należy nanieść warstwę lazurową, niezawierającą żadnych związków aktywnych.

### Sauna

W saunie nie ma warunków do rozwoju szkodników drewna. Zapobiega temu zbyt wysoka temperatura i niska wilgotność. Z powodu szybkiego odparowywania, wywołanego wysoką temperaturą, użycie środków drewnochronnych byłoby szczególnie niebezpieczne.

### Więźba

W suchym, poddachowym obszarze więźby, należy stosować środki ochronne zawierające kwas borny lub sole tego kwasu.

## Niebezpieczne składniki środków ochrony drewna

*Lindan* — preparat stosowany w celu ochrony przed insektami. Jest uważany za środek toksyczny dla środowiska. Może doprowadzić do uszkodzenia układu nerwowego, krwiotwórczego i odpornościowego. Zawarte w nim składniki aktywne w postaci gazów są oddawane do powietrza w pomieszczeniu.

*Sole fluorokrzemianów* stanowią szczególny problem, ponieważ emitują do środowiska znaczne ilości gazu fluorowodorowego.

*Arsen* — zawarty w preparatach służących do ochrony drewna może ponownie wykrystalizować na powierzchni impregnowanego drewna, tworząc w ten sposób szczególne ryzyko i niebezpieczeństwo dla dzieci oraz zwierząt, w przypadku dotykania drewna językiem.

*Endosulfan* — środek insektobójczy dodawany do preparatów drewnochronnych. Jest silną toksyną dla środowiska. Do organizmu przedostaje się w różnej postaci, na przykład w rozpuszczalnikach przenikających przez skórę albo jako pył drogami oddechowymi. Dłuższe działanie wpływa negatywnie na tkanki organizmu.

*Carbendazym* — środek grzybobójczy. W Szwecji jego stosowanie wewnątrz pomieszczeń jest zabronione. W innych krajach, np. w Austrii jest substytutem dla PCF (pięciochlorofenolu). W doświadczeniu na zwierzętach preparat wywołał raka. Jego stosowanie winno być wstrzymane do czasu jednoznacznego wyjaśnienia, czy jest bezpieczny dla człowieka.

*TBTO (trójbutylowy tlenek cynku)* — pod względem toksyczności podobny do lindanu. Wnika do ustroju przez skórę i układ oddechowy. Podrażnienie skóry ujawnia się dopiero po kilku dniach od chwili kontaktu z tym preparatem. Federalny Urząd Ochrony Zdrowia zaleca, aby preparaty ochronne zawierające TBTO nie były rozpylane lub rozpryskiwane. Nie należy wdychać jego par. W przypadku jego stosowania konieczne jest noszenie masek chroniących twarz i usta.

W Niemczech obowiązuje umieszczanie na opakowaniu składu środków stosowanych do ochrony drewna. Jedna z największych wytwórni środków ochrony drewna w Europie, a mianowicie belgijska firma Solvay, ostrzega przed pewnymi praktykami zdarzającymi się w tej branży: „Gdy na opakowaniu nie ma informacji dotyczącej aktywnych składników preparatu albo gdy opis preparatu nie podaje, jakich związków dany preparat nie zawiera, wówczas należy być szczególnie ostrożnym. Prawdopodobnie producent preparatu świadomie ukrywa jego ujemne cechy".

## Środki „bio"

Należy zachować ostrożność również wtedy, gdy produkty reklamowane są jako „sprzyjające środowisku" lub „biologiczne". Te określenia odnoszą się zwykle tylko do jednego skład-

Lektura uzupełniająca

BĘDKOWSKI A.: *Materiały szkodliwe i/lub niebezpieczne.* „Ekos", Gdańsk 1994.
BURDA P.R.: *Jak uchronić się przed zatruciami: środki czyszczące, alkohol, leki, grzyby.* Prószyński i S-ka, Warszawa 1997.

nika, natomiast cały produkt może budzić uzasadnione wątpliwości. Opatrując nazwy różnych produktów przemysłowych przedrostkiem „BIO", robi się doskonałe interesy, gdyż jak dotąd nie istnieją przepisy określające jednoznacznie, kiedy taki przedrostek może być do nazwy wytworu przemysłowego dodany. W Niemczech istnieje urzędowe oznakowanie w postaci „niebieskiego anioła", wskazujące na relację danego wytworu do środowiska. Jednakże ten znak również nie daje pełnej gwarancji, że przedmiot nim wyróżniony nie budzi już żadnych obaw.

## Pianki

Puste przestrzenie pod wannami, między framugami okien i drzwi, między przylegającymi ścianami i w kanałach instalacyjnych chętnie są wypełniane tzw. piankami. Zamiast żmudnego wpychania w te przestrzenie gotowego materiału uszczelniającego, wystarczy mieć do dyspozycji pojemnik zawierający odpowiednio przygotowany związek pianotwórczy.

### Zagrożenia dla zdrowia

Pianki zawierają szereg trujących składników uwalniających się w trakcie ich używania. W razie błędnego postępowania, na przykład wówczas, gdy pianki są wytwarzane przy zbyt niskiej temperaturze, niebezpieczne składniki materiału pianotwórczego pozostają w produkcie końcowym, którym jest sama pianka, i w późniejszym czasie są oddawane do środowiska. W przypadku gdy chodzi o produkty powstałe na bazie poliuretanowej, substancje pianotwórcze zawierają jako gaz napędowy w większości chlorowane węglowodory niszczące warstwę ozonu na wyższych partiach atmosfery Ziemi (→ s. 760).

W piankach poliuretanowych mogą być również zawarte następujące związki:
— Dodatki ułatwiające powstawanie piany. Na skórę działają odtłuszczająco. Wywołują też jej wysychanie. Działają drażniąco na błony śluzowe. W wysokich stężeniach działają narkotycznie.
— Katalizatory, wywołujące nieprzyjemną woń podobną do woni ryb. Wpływają drażniąco na błony śluzowe, wywołują bóle głowy i żołądka oraz prowadzą do reakcji uczuleniowych.

W wielu piankach poliuretanowych podstawowym składnikiem są izocyjanaty, które działają przede wszystkim drażniąco na błony śluzowe i skórę. Ich wdychanie powoduje podrażnienie dróg oddechowych, dolegliwości oskrzelowe i astmopodobne. Są też alergenami. Osoby nadwrażliwe na izocyjanaty muszą się liczyć z uszczerbkiem zdrowia już w przypadku zetknięcia się z najmniejszymi ilościami tych związków. W grę wchodzą ich pary, pyły i drobne kropelki.

Pianki powstałe na bazie mocznikowo-formaldehydowej zawierają formaldehyd (→ s. 759).

### Zalecenia

— Należy unikać stosowania tych niebezpiecznych, choć praktycznych pianek. Gdy koniecznie musimy je stosować, należy mieć na sobie odpowiedni ubiór oraz maskę chroniącą drogi i układ oddechowy.
— Materiałem wypełniającym niebudzącym zastrzeżeń jest kokosowy filc izolacyjny oraz różne mineralne zasypki. Są one osiągalne tylko w składnicach oferujących „biologiczne" materiały budowlane. Dobrym materiałem jest też luźna wełna szklana. Niejednokrotnie stosowana wełna szklana wiązana zawiera jako środek wiążący — najczęściej formaldehyd (→ s. 759).

## Tapety

Do przyklejania tapet często używane są kleje zawierające formaldehyd (→ s. 759). Tapety izolujące, z przyścienną warstwą wykonaną z tworzywa sztucznego, składają się w części ze styropianu, który zawiera chlorowcowane węglowodory (→ s. 760).

Tapety metalizowane, winylowe i lakierowane, a także przemalowane tapety papierowe wpływają na klimat w pomieszczeniu niekorzystnie: nie przepuszczają pary wodnej i nie wywierają działania regulującego na wilgotność pomieszczenia. Tak zwane tapety dźwięko- lub ciepłoizolacyjne, wykonane z tworzyw sztucznych, zapewniają wprawdzie nieco więcej ciepła, jednak do ich wad zalicza się częste wywoływanie uczuleń. Istnieją uzasadnione podejrzenia, że działają stymulująco na rozwój raka. Tapety specjalne zawierają też często PCW (→ Polichlorek winylu, s. 761).

## Firany i dywany

Większość dywanów i firan jest wykonana z włókien sztucznych, które łatwo się elektryzują (→ s. 764). Wskutek tego stają się też doskonałymi absorbentami pyłu. Podobne własności ujawniają również materiały wykonane z włókien naturalnych, gdy dzięki specjalnej obróbce nadano im pożądane cechy, takie jak „mała skłonność do zaplamiania", „łatwa pielęgnacja" czy też „mała skłonność do gniecenia się". Tego rodzaju „uszlachetnienie" uzyskano przez zastosowanie sztucznych żywic. Firany zawierają w swoim składzie ponadto środki plastyfikujące (zmiękczające) (→ s. 761). W produkcji wykładzin dywanowych wykorzystuje się wiele tworzyw sztucznych, głównie w celu powleczenia dolnej powierzchni, wśród których znajdują się między innymi polichlorek winylu (PCW) (→ s. 761) i pianki poliuretanowe z izocyjanatami (→ Pianki, powyżej). Podczas wykładania takich wykładzin niemal zawsze są też stosowane kleje zawierające rozpuszczalniki (→ Rozpuszczalniki, s. 770).

Niemiecki Instytut Leków i Materiałów Medycznych odnotował prawdopodobne uszkodzenia zdrowia spowodowane przez preparat Permethrin, który jest stosowany przez producentów do zabezpieczania przed żarłocznymi owadami zwłaszcza takich dywanów, które są wykonane z materiałów naturalnych i atestowane jako wełniane.

## Zalecenia

— Należy rozważyć, czy rzeczywiście wszędzie są potrzebne wykładziny dywanowe. Podłogi drewniane, kamienne lub wyłożone płytkami ceramicznymi są wprawdzie nieco chłodniejsze, niemniej racjonalniejsze pod względem ekologicznym.

— Niektórzy rzemieślnicy nadal stosują technikę rozpinania wykładziny podłogowej bez używania klejów.

— Gdy na początku wykładziny wydzielają nieprzyjemną woń, powodem tego bywa użyty klej, zawierający rozpuszczalniki, albo dolna warstwa wzmacniająca samą wykładzinę. W takim przypadku należy jak najczęściej przewietrzać pomieszczenie i nie pozwalać małym dzieciom bawić się w nich. W razie utrzymywania się przez dłuższy czas przykrej woni wskazane jest wykonanie badania stężenia szkodliwych substancji w danym pomieszczeniu (→ s. 778) i/albo usunięcie tej wykładziny z mieszkania.

## Telewizor, sprzęt elektryczny

Liczne obudowy telewizorów oraz innych urządzeń elektrycznych, takich jak komputery, dmuchawy, żelazka zawierają bromowany środek przeciwzapalny. Gdy mimo to dochodzi do pożaru, z tych obudów wydziela się toksyczny dym zawierający bromowane dwubenzofurany. Jest to grupa związków chemicznych pokrewna wysokotoksycznym dioksynom (→ s. 762). Takie związki mogą się już wydzielać podczas normalnego użytkowania urządzeń, jednakże stężenia są w tym przypadku bardzo małe i nie stanowią zagrożenia dla zdrowia. Odpowiadają one mniej więcej takiemu obciążeniu furanami, jakiego doznajemy w pobliżu ruchliwych skrzyżowań i w sąsiedztwie wielu instalacji przemysłowych.

### Zalecenia

Z otoczenia należy usunąć możliwie wszystkie źródła zagrożeń. Zgodnie z tą zasadą przy kupnie nowego urządzenia elektrycznego warto zwrócić uwagę, by jego obudowa nie zawierała bromowanych środków zapobiegających pożarom.

## Zabawki dziecięce

Liczne zabawki dziecięce wykonane z tworzyw mogą być niebezpieczne nawet wówczas, gdy tego nie przypuszczamy.

### Zabawki z miękkich tworzyw

Przedmioty z takiego tworzywa, z wyglądu przypominające artykuły spożywcze, są bardzo niebezpieczne, ponieważ zjedzone, w żołądku zamieniają się w twardy przedmiot trwale blokujący przewód pokarmowy. Takimi produktami, zawierającymi polichlorek winylu, są gumki do wycierania. Imitacje żywności zostały już zakazane, niemniej nadal są importowane z Dalekiego Wschodu (Tajwanu i Hongkongu). W najwyższym stopniu niebezpieczne są też „laleczki-niespodzianki", w wodzie powiększające się kilkakrotnie. Połknięte, po ich powiększeniu w żołądku stanowią trwałą blokadę przewodu pokarmowego.

### Niebezpieczne chemikalia

Często w przeznaczonych dla dzieci zestawach nazywanych „Małymi chemikami" znajdują się chemikalia, mogące trwale u-

szkodzić zdrowie. W dużym niebezpieczeństwie są zwłaszcza małe dzieci uczestniczące w świetnej skądinąd zabawie chemicznego eksperymentowania, na przykład gdy starszy brat manipuluje bezbarwnym lakierem (łatwo palnym) albo sproszkowaną emalią (zawierającą do 70% kadmu). Dlatego dzieci bez względu na wiek powinny się bawić wyłącznie pod nadzorem. Po zabawie „Mały chemik" musi się znaleźć pod kluczem.

### Narkomania wywołana przez domowe chemikalia

Coraz częściej domowe chemikalia i materiały hobbistyczne stają się dla dzieci i młodocianych źródłem środków o- durzających. Nawykowe wąchanie wyziewów preparatów zawierających rozpuszczalniki może spowodować zmniejszenie sprawności, utratę zdolności koncentracji uwagi, zaburzenia zachowania się, agresywność, porażenie mięśni kończyn dolnych i górnych, porażenie oddychania, zaburzenia rytmu pracy serca.

Co roku nawykowe wąchanie niebezpiecznych preparatów jest przyczyną śmierci kilkorga niemieckich dzieci. W związku z tym rodzice powinni pouczyć swoje dzieci, czym taki nałóg grozi, szczególnie gdy zauważą, że dziecko należy do grupy „wąchaczy".

---

### Uwaga, niebezpieczeństwo nałogu wąchania

Następujące produkty bywają używane przez nałogowych „wąchaczy":

— Kleje i rozcieńczalniki klejów.

— Farby, lakiery, lakiery nitro i ich rozcieńczalniki.

— Lakier do paznokci i środki do usuwania plam.

— Terpentyna i rozpuszczalniki wosku.

— Środki dezynfekcyjne.

— Benzyna ekstrakcyjna i samochodowa.

— Aerozole do włosów, insektobójcze, zawierające lakiery bezbarwne i środki do czyszczenia okien.

— Dezodoranty.

— Eter, chloroform i gaz rozweselający.

---

## Renowacja mieszkania

Ze względu na stale wzrastającą wartość mieszkań, coraz częściej właściciele mieszkań już technicznie zużytych i znajdujących się w starych budynkach podejmują trud ich pełnej odnowy, przeważnie w ramach prac własnych i według własnego pomysłu. Zgodnie z zamierzeniem pod koniec remontu mieszkanie powinno odzyskać swój dawny wygląd — taki sam jak w czasie zasiedlenia domu. W tym celu odnawia się podłogi, drzwi i ramy okienne czyści się z wielu warstw starych lakierów albo wymienia na nowe. Wszystko to jest osiągane dzięki wielu chemikaliom, których wspólną cechą jest potencjalna szkodliwość dla zdrowia i brak możliwości wyeliminowania ich z naszego środowiska.

### Okna

Stare mieszkania dość często wymagają wymiany ram okiennych, a nawet całych okien wraz z framugami (→ Pianki, s. 772; → Prawidłowa wentylacja, s. 776).

### Cyklinowanie podłogi

Podczas cyklinowania parkietów i podłóg drewnianych do powietrza dostają się duże ilości pyłu drewnianego — mimo istnienia w maszynach przeznaczonych do cyklinowania odpowiedniego agregatu wsysającego powstający pył. Najgroźniejsze są najdrobniejsze pyły, ponieważ mogą się dostać do pęcherzyków płucnych, w których odkładając się, wywołują następnie procesy chorobowe. Z tego powodu w czasie cyklinowania należy chronić drogi oddechowe odpowiednią maską.

### Lakierowanie podłóg lakierami z żywic sztucznych — ryzyko wyjątkowe

Większość lakierów służących do pokrywania podłóg zawiera niebezpieczne rozpuszczalniki (→ s. 770). Ostrzeżenie znajdujące się na opakowaniu („Należy dbać o dobre przewietrzenie pomieszczenia") jest co najmniej bałamutne.

By stężenie rozpuszczalników w powietrzu pomieszczenia spadło do wartości bezpiecznych, trzeba wielu tygodni, a nawet miesięcy. Dopiero po tym czasie można zamieszkać. Któż jednak pozwoli sobie na tak długi okres oczekiwania? Dlatego należy stosować wyłącznie produkty niezawierające rozpuszczalników (np. woski lub twardniejące oleje). W handlu znajdują się też już lakiery pozbawione rozpuszczalników. Po ich zastosowaniu parkiety nieco mniej błyszczą i muszą być co parę lat ponownie zabezpieczone.

### Usuwanie starych lakierów

Przy usuwaniu starych warstw lakierów odpowiednimi bejcami należy bezwzględnie unikać stosowania środków zawierających dwuchlorometan (chlorek metylenu). Składnik ten był dawniej używany do narkozy. Przy jego wdychaniu mogą wystąpić objawy przypominające zatrucie tlenkiem węgla, a mianowicie zawroty głowy i wymioty. W kontakcie z ogniem, a nawet z grzejnikiem centralnego ogrzewania z dwuchlorometanu może powstać fosgen — gaz bojowy z okresu pierwszej wojny światowej. Stosunkowo mało niebezpieczne są bejce do usuwania lakierów, oparte na ługu sodowym. Przy ich stosowaniu należy jednakże chronić ręce rękawicami, a oczy okularami ochronnymi, gdyż ług sodowy jest związkiem silnie żrącym. W przypadku kontaktu odprysków takich bejcy ze skórą należy natychmiast spłukać je dużą ilością wody. Stare meble, które nie zostały jeszcze pomalowane lakierami zawierającymi syntetyczne żywice, mogą być oczyszczone przy użyciu mniej niebezpiecznej sody.

Ekoprzyjaznym sposobem usuwania starych warstw lakierów, jednocześnie bardzo żmudnym, jest szlifowanie lub zestrugiwanie. W tym przypadku nie należy wdychać uwalniającego się pyłu farb. Trzeba zatem stosować tylko maszyny szlifujące wyposażone w ssawę pochłaniającą powstający pył, a ponadto nie wolno zapominać o masce chroniącej drogi oddechowe. Przy usuwaniu starych warstw lakierów gorącym strumieniem powietrza (o temperaturze dochodzącej do 500°C), wytwarzanym przez odpowiednie dmuchawy, powstają szkodliwe dla zdrowia dymy i pary. Z tego powodu koniecznie trzeba zwracać uwagę na dobre przewietrzanie pomieszczenia i pamiętać o założeniu maski ochronnej.

# OGRZEWANIE

Regularnie na początku okresu grzewczego narasta w sposób epidemiczny liczba przeziębień. Ogólnie przyjął się pogląd, że powodem jest zbyt suche powietrze. Dlatego w wielu mieszkaniach i pomieszczeniach biurowych stosowane są nawilżacze powietrza, które wszakże same stanowią nowe ryzyko dla zdrowia.

Jak się okazało, wiele z tych urządzeń staje się istnymi wyrzutniami bakterii. Woda zawarta w takim nawilżaczu jest idealną pożywką dla drobnoustrojów, które w wyniku nieskutecznego ich odfiltrowywania przenoszone są do pomieszczenia przez turbulentny strumień powietrza. Podnosi to znacznie możliwość wystąpienia infekcji. Ogrzewanie pomieszczeń dla zapewnienia w nich komfortowego mikroklimatu nie zawsze musi się kojarzyć z ryzykiem zdrowotnym. Powodem subiektywnego wrażenia „suchego powietrza" jest zwykle kurz domowy, unoszony przez strumienie gorącego powietrza, wywoływane przez urządzenia grzewcze.

Systemy grzejące przede wszystkim swoim promieniowaniem cieplnym, a oparte na piecach kaflowych i elementach umieszczonych pod podłogą, na przypodłogowych elektrycznych ogrzewaczach listwowych, na źródłach umieszczonych wewnątrz ścian oraz na ciepłym powietrzu rozprowadzanym w kanałach pod podłogą wywołują znacznie słabsze prądy powietrza, niższe różnice temperatur wewnątrz pomieszczeń i znacznie mniejsze rozpraszanie pyłu i kurzu. Te systemy zapewniają przede wszystkim subiektywne odczucia komfortu cieplnego już przy 17 do 18°C w pomieszczeniu.

Pomieszczenia położone po stronie północnej, mające zwykle wilgotne i zimne ściany zewnętrzne, są miejscem rozwoju pleśni, które uwalniają substancje wywołujące choroby uczuleniowe i przyczyniające się do rozwoju raka płuc.

Jeśli takie pomieszczenia są ogrzewane źródłem ciepła o małej powierzchni, mającej wysoką temperaturę, to pojawiają się różnice temperatur sięgające 15°C. Powietrze silniej podgrzane nawilża się dużą ilością pary wodnej, która na zimnej powierzchni ściany północnej ulega skropleniu, przyczyniając się do powstania idealnej pożywki dla pleśni.

Wielokrotnie podejmowane zabiegi sanacyjne przy użyciu różnych substancji chemicznych nie są trwałym rozwiązaniem problemu, a ponadto — ze względu na użyte środki grzybobójcze — są źródłem dodatkowego ryzyka zdrowotnego.

W takich przypadkach dobre efekty są osiągalne za pomocą elektrycznych, przypodłogowych ogrzewaczy listwowych. Montowane wzdłuż zimnej ściany, tuż nad podłogą, oddają swoje ciepło ścianie zewnętrznej aż do wysokości około 1,5 m. Ponieważ maksymalna różnica temperatur przy takim ogrzewaniu nie przekracza 2°C, wykrapla się znacznie mniej pary wodnej, ściana zewnętrzna się osusza, uzyskując dzięki temu lepszy wskaźnik izolacyjności cieplnej. W takim pomieszczeniu występuje też znacznie mniej prądów powietrza oraz mniej unosi się kurzu i pyłu.

Gdy nie mamy możliwości zabudowania dobrego systemu ogrzewania wnętrz, a w naszych pomieszczeniach mieszkalnych pojawiły się wilgoć i pleśnienie ścian, pomocne może być prawidłowe wietrzenie w zimnym półroczu. Okna należy wówczas otwierać co najmniej 5 razy dziennie, na około 10 minut. Tym sposobem zapewniamy wielokrotną wymianę wilgotnego powietrza z pomieszczenia na suche i zimne powietrze zewnętrzne, które się jednakże szybko nagrzewa. Do pewnego stopnia przypomina to wynik wyżymania gąbki (→ Prawidłowa wentylacja, s. 776).

## Ogrzewacze (konwektory) gazowe

W razie ogrzewania mieszkania nagrzewnicami gazowymi podłączonymi do atmosfery zewnętrznej przy okazji może dojść do wzrostu stężenia tlenków azotu do wartości znacznie wyższych od tych, które występują na drogach o intensywnym ruchu samochodowym lub w sąsiedztwie elektrowni. Dzieje się tak wtedy, gdy nagrzewnica jest czynna podczas wietrzenia mieszkania. Tlenki azotu, usuwane przez nagrzewnicę na zewnątrz mieszkania, wracają częściowo do wietrzonych pomieszczeń.

### Zagrożenie dla zdrowia
Tlenki azotu mogą być powodem kaszlu, ślinotoku, kataru nosa, zaburzeń oddychania oraz uszkodzeń płuc.

### Zalecenia
Podczas wietrzenia nagrzewnica gazowa winna być wyłączona.

## Nawilżacze powietrza

Tak zwane nawilżacze powietrza, które zimą mają podnieść wilgotność względną powietrza w pomieszczeniu, okazują się bardzo często jedynie wyrzutniami bakterii. Woda w pojemniku nawilżacza jest idealną pożywką, a z powodu braku odpowiednich filtrów bakterie niemal huraganowo są rozpraszane w pomieszczeniu.

### Jaki system grzewczy

Dokonując wyboru między ogrzewaniem olejowym a gazowym, należy się zdecydować na system gazowy. Jest on ekoprzyjazny, ponieważ spalanie gazu powoduje powstanie mniejszej ilości substancji szkodliwych. Ze względu na małą zawartość siarki gaz ziemny jest najłagodniejszym dla środowiska paliwem wydobywanym z Ziemi.

Znacznie większe ilości substancji szkodliwych powstają wskutek opalania mieszkań drewnem i węglem. Inną wadą ogrzewania węglem i drewnem jest konieczność ręcznego dorzucania opału do pieca. Poza tą uciążliwością brak także możliwości dokładnej regulacji pożądanej temperatury.

W porównaniu z wyżej wymienionymi systemami elektryczne pompy cieplne są bardzo drogie. Oszczędność energii nie wyrównuje ponoszonych kosztów inwestycyjnych.

W naszych szerokościach geograficznych ogrzewanie słoneczne nadaje się na razie tylko do produkcji ciepłej wody. W porze zimowej ilość promieniowania słonecznego jest za mała, by wystarczyła na ogrzewanie mieszkań.

Najmniej szkodliwy dla środowiska jest system ogrzewania zapewniany zdalnie przez odpowiednie ciepłownie.

### Zagrożenie dla zdrowia
Powiększone ryzyko infekcji.

### Zalecenia
Do urządzeń podnoszących ryzyko infekcji należą przede wszystkim obecnie stosowane aparaty do wytwarzania mgły na zimno (rozpylacze ultradźwiękowe), jeśli co najmniej co trzy dni nie są poddawane specjalnym zabiegom oczyszczania.

Jeśli zawieszanie na kaloryferach mokrych chust lub pojemników z wodą nie zapewnia pożądanej wilgotności, wówczas należy użyć nawilżaczy odparowujących wodę na gorąco. Ciepło działające w tym procesie zabija większość bakterii. Te przyrządy wymagają wprawdzie częstego oczyszczania z kamienia wapiennego, jednak są przyjaźniejsze dla zdrowia niż wspomniane nawilżacze.

Informacjami na ten temat powinny dysponować specjalistyczne sklepy. Przed zastosowaniem jakiegoś urządzenia nawilżającego należy dokonać oznaczenia wilgotności. Idealna jest wilgotność względna wynosząca 60%. Przy wilgotności 50% zachowany jest subiektywny komfort.

# GOTOWANIE

## Piec gazowy

Liczne palniki pieców gazowych na gaz ziemny wytwarzają zbyt wysokie temperatury, przyczyniają się również do powstawania dużych ilości tlenków azotu. Ponadto do powietrza przedostaje się dwutlenek węgla ($CO_2$) oraz dwutlenek siarki ($SO_2$). Piece gazowe bez wyciągów są stałym źródłem emisji do powietrza gazu drażniącego, jakim jest formaldehyd, którego stężenia kształtują się w tym przypadku znacznie powyżej wartości znamiennych dla płyt wiórowych (→ Formaldehyd, s. 759).

### Zagrożenia dla zdrowia
Tlenki azotu, dwutlenek węgla i dwutlenek siarki wywołują kaszel, katar nosa, zaburzenia oddychania, uszkodzenia płuc, bóle głowy, zawroty, nadciśnienie, stany zapalne dróg oddechowych i spojówek oczu oraz zapalenia oskrzeli.

### Zalecenia
Mając w domu piec gazowy, należy zadbać o wystarczającą wentylację (piec powinien się mieścić przy oknie albo nad nim powinien być wyciąg).

## Kuchenka mikrofalowa

Różne są możliwości wykorzystania kuchenki mikrofalowej. Może służyć do gotowania świeżych potraw oraz do podgrzewania gotowych dań i napojów. Nadaje się też do rozmrażania zapasów z zamrażarki. Jest oszczędna pod względem zużycia energii elektrycznej.

### Zagrożenia dla zdrowia
Nowoczesne i sprawne kuchnie mikrofalowe nie powinny zagrażać zdrowiu swoim promieniowaniem. Stare urządzenia są niekiedy nieszczelne i powinny być sprawdzane albo wymie-

niane. Dzieciom nie wolno zbliżać twarzy do szyby drzwiczek kuchni. Dłuższe spoglądanie z małej odległości do środka kuchenki może doprowadzić do uszkodzenia oczu.

# JAK SOBIE RADZIĆ

## Wskazówki dotyczące zakupów

— Najlepsza ochrona przed truciznami w mieszkaniu to pozostawienie ich poza domem. Tak należy postępować, nie będąc nawet członkiem ruchu „zielonych".
— Kupując chemikalia, należy zwrócić uwagę na to, co się kupuje.
— Idąc na zakupy, należy mieć przy sobie tabelę z nazwami ważniejszych substancji szkodliwych (→ s. 759). Lepszym rozwiązaniem jest zwrócenie się do centrali ruchu konsumenckiego o listę produktów niebudzących wątpliwości co do ich przydatności w domu.
— Przy każdym większym zakupie należy uzyskać dane co do ewentualnej zawartości substancji szkodliwych. Kupując meble lub budując dom, należy od sprzedawcy bądź architekta zażądać pisemnego potwierdzenia, że określone substancje szkodliwe nie zostały wcale użyte (np. PCF) albo tylko w minimalnych ilościach (np. formaldehyd).

## Prawidłowa wentylacja

Niebezpieczeństwo, jakie stanowią szkodliwe związki chemiczne w zamkniętych pomieszczeniach, dramatycznie wzrasta, gdy przez szczeliny i prześwity okien nie dochodzi do małych „przeciągów". Aby wzrost stężenia szkodliwych substancji nie osiągnął wartości krytycznych, konieczna jest cogodzinna wymiana od trzydziestu do sześćdziesięciu procent powietrza zawartego w pomieszczeniu na powietrze świeże. Wentylacja tego rozmiaru nie niweczy istniejącej izolacji cieplnej. Większa jej intensywność pociąga za sobą wzrost kosztów ogrzewania.

W przypadku okien o normalnej szczelności w 80% niezbędną wymianę powietrza zapewnia tzw. wentylacja szczelinowa, dokonująca się przez istniejące w oknach nieszczelności. Tylko 20% wymiany następuje wskutek świadomego wietrzenia.

### Szczelne okna są powodem chorób

W celu oszczędzania energii oraz ochrony przed hałasem od lat zalecane są bardzo szczelne okna. W Austrii osoby instalujące takie okna w swoich mieszkaniach korzystają z ulg podatkowych. W nowym budownictwie tak zwane okna dźwiękoizolacyjne należą do wyposażenia standardowego. W większości okna o nadzwyczajnej szczelności są wykonane z tworzyw lub z aluminium, wymiana powietrza w pomieszczeniu zmniejsza się do wartości 10-15% na godzinę, co w konsekwencji prowadzi do pojawienia się wilgoci, pleśni i wysokich stężeń szkodliwych substancji w powietrzu pomieszczeń o takich oknach.

Próba zapewnienia wystarczającej wentylacji poprzez otwieranie okien nie daje pożądanego wyniku, gdyż tak szczelne okna należałoby otwierać na piętnaście minut co godzinę. Natomiast

uchylanie tych okien o dziesięć stopni, co jest zwykłym ustawieniem okna, powoduje przedostawanie się do pomieszczenia około dwustu metrów sześciennych powietrza, a jest to dawka zbyt duża w chłodne dni.

Strumień świeżego powietrza o objętości około dwudziestu metrów sześciennych na osobę i godzinę byłby wystarczający i pozwalałby na ogrzanie pomieszczenia bez wzrostu jego kosztu. Jako optymalne uchylenie skrzydła okna można zatem uznać ustawienie w przedziale od jednego do czterech stopni.

## Wskazówki dotyczące właściwej szczelności okien

— Okna są zbyt szczelne, jeśli w czasie chłodnych dni lekko zachodzą mgłą albo gdy zimą w pokoju panuje wilgotność względna (określona dokładnym higrometrem) przekraczająca 60%.
— Gdy w mieszkaniu są okna uchylno-obrotowe, można na nich zamontować ogranicznik zmiany położenia, który pozwala dokładnie dobrać wielkość kąta uchylenia.
— W razie wymiany okien należy zażądać wstawienia okien o dostatecznej sprawności w zakresie wentylacji podstawowej. Od okien z tworzyw sztucznych lepsze są z drewna lub z aluminium.

## Porady prawne

Gdy jesteśmy przekonani, że na nasze zdrowie negatywny wpływ wywierają produkty chemiczne zastosowane w domu lub mieszkaniu, możemy skorzystać z wielu środków z zakresu prawa cywilnego, aby temu zaradzić.

Powołując się na zawarte umowy, prywatny inwestor i właściciel domu może na przykład zgłosić swoje roszczenia pod adresem firm, które uczestniczyły przy budowie domu. Także wynajmujący mogą, na drodze prawnej, wysunąć swoje roszczenia pod adresem właściciela domu. Po kupnie nowych mebli oraz innych przedmiotów wyposażenia mieszkania ich właściciele powinni zwrócić się do sklepu, który sprzedał dane przedmioty, nie informując jednocześnie i w sposób jednoznaczny o niebezpieczeństwie związanym z toksycznymi własnościami surowców użytych do ich wytworzenia. Takie same uprawnienia i możliwości mają hobbiści nabywający szkodliwe materiały.

### Roszczenia prawne

W przypadku doznania szkody z powodu występowania w mieszkaniu substancji toksycznych poszkodowany może zażądać świadczeń gwarancyjnych lub z tytułu rękojmi. W grę wchodzi wymiana przedmiotu będącego źródłem emisji szkodliwej substancji na inny egzemplarz, pozbawiony tej wady. Można dokonać zwrotu przedmiotu do dostawcy i odzyskać zapłaconą kwotę. Praktykowany jest również upust ceny, a w niektórych przypadkach można zażądać odszkodowania.

Na przykład poszkodowany właściciel domu lub mieszkania może domagać się wyburzenia i ponownego postawienia tej części domu lub mieszkania, która jest powodem emisji toksyn do powietrza. Innym rozwiązaniem jest obniżka ceny domu lub redukcja wysokości czynszu.

## Test na obecność toksyn w mieszkaniu

— Czy stwierdziłem u siebie lub u członka rodziny jedną z następujących zmian stanu zdrowia: uczulenie, duszność, nieżyt oskrzeli, depresję, zapalenie spojówek oczu lub gardła, wypadanie włosów, zmiany skórne, zaburzenia pracy serca i układu krążenia, podatność na infekcje, bóle głowy, zaburzenia funkcji wątroby lub nerek, nerwowość, złe samopoczucie?

— Czy mój stan zdrowia ulega poprawie, kiedy dłuższy czas przebywam poza własnym mieszkaniem?

— Gdy mieszkanie jest przez dłuższy czas niewietrzone, na przykład w związku z jakimś wyjazdem, czy zauważam po powrocie drażniącą woń?

— Czy stwierdziłem u naszych zwierząt domowych chorobowe zmiany albo czy rośliny domowe zwiędły pomimo normalnej pielęgnacji?

— Czy w okresie pięciu lat przed pojawieniem się opisanych dolegliwości w mieszkaniu nastąpiły jakieś zmiany? Czy zmieniliśmy mieszkanie? Dokonaliśmy przebudowy lub renowacji? Kupiliśmy nowe meble?

— Czy zastosowaliśmy w mieszkaniu jakieś środki drewnochronne (np. na ławach, boazerii, meblach, w pokoju dziennym, sypialnym, dziecięcym)? Użyliśmy większej ilości tych środków (więcej niż pięć litrów albo więcej niż pięć metrów kwadratowych)?

— Czy zastosowane środki konserwacyjne zostały kupione przed 1980 rokiem?

— Czy zastosowaliśmy płyty wiórowe (także w meblach) lub pianki izolacyjne?

— Czy mieszkamy w domu, w którym podłogi, ściany, sufity lub większe przedmioty wyposażenia wykonane są z płyt wiórowych albo w którym zastosowano pianki izolacyjne?

— Czy w sąsiedztwie, a nawet w tym samym domu znajduje się pralnia chemiczna?

Jeśli na większość pytań możemy odpowiedzieć przecząco, wówczas prawdopodobnie nasze dolegliwości nie są spowodowane przez trucizny mające swoje źródła w naszym mieszkaniu.

Gdy odpowiedzi są pozytywne, wtedy uzasadnione jest podejrzenie, że nasze samopoczucie jest obciążone wpływami takich związków na organizm jak formaldehyd, składniki środków ochrony drewna, farb i lakierów. W takim przypadku należy o tym powiedzieć lekarzowi, a gdy on nie będzie w stanie pomóc, należy się zwrócić do organizacji konsumenckiej.

Gdy ktoś już poniósł szkody na zdrowiu, może się domagać pokrycia kosztów leczenia, wyrównania utraconych zarobków oraz pewnej kwoty pieniędzy jako zadośćuczynienia za doznany ból i krzywdę moralną. Roszczenia mogą też być wysuwane pod adresem producenta trujących przedmiotów. Ponieważ jednak na ogół nie dochodzi do bezpośredniego zawierania z nim umów, ta droga egzekwowania swoich praw bywa bardzo trudna.

### Szanse powodzenia w sporze

Egzekwowanie swoich uprawnień w dużym stopniu zależy od okoliczności. Rozstrzygające znaczenie ma na przykład to, jak dokładnie poszkodowany został przy kupnie szkodliwego produktu poinformowany o możliwym ryzyku, związanym z nabywanym przedmiotem. Nawet wtedy, gdy sprzedający z premedytacją i w złej intencji przemilczał istnienie określonego braku albo zapewniał, że produkt jest nieszkodliwy i doskonałej jakości, choć dobrze wiedział o jego toksyczności, my musimy mieć dowody na to naganne zachowanie sprzedawcy. Tylko w wyjątkowych przypadkach sprzedający dobrowolnie godzą się daną rzecz naprawić, wadę usunąć, cenę obniżyć albo przystają na wypłatę odszkodowania. Jeśli dysponujemy potwierdzeniem na piśmie posiadania przez nabywany przedmiot określonych, pozytywnych właściwości, na przykład, że produkt „nie zawiera formaldehydu", ujawnienie emisji tego gazu i wysunięcie roszczeń na drodze prawnej daje pewność uznania naszych racji i uzyskania satysfakcji.

*Obowiązuje następujący tryb postępowania*

— Najpierw należy złożyć skargę u partnera zawartej umowy kupna-sprzedaży, czyli w sklepie, u właściciela domu i naszego mieszkania.

— Nie należy się zadowolić zaproponowanym rozwiązaniem kompromisowym.

— Gdy chodzi o większe kwoty, przed wyrażeniem zgody na rozwiązanie kompromisowe opłaca się zasięgnąć porady u eksperta lub adwokata. W takim przypadku należy też poprosić o czas do namysłu.

### Wykazanie związku między skutkiem i przyczyną

Gdy roszczenia dotyczą usunięcia ujawnionych wad w nabytym przedmiocie, a więc gdy w zasadzie chodzi o obniżenie ceny i zwrot części zapłaty, wystarczy udowodnić, że te wady istnieją. Natomiast jeśli poszkodowany żąda odszkodowania i pieniężnego ekwiwalentu za doznany ból, zachodzi konieczność najpierw udowodnienia, że istnieje związek przyczynowy między toksycznym produktem a konkretnym uszkodzeniem zdrowia. To zaś w praktyce okazuje się bardzo trudne, ponieważ dana choroba może mieć różne przyczyny. Nie należy się jednak zrażać, gdyż jak wskazuje doświadczenie, w wielu przypadkach spór kończy się pomyślnie dla poszkodowanych.

### Pomoc prawnika

Nieliczni z nas mają wystarczającą wiedzę i odwagę, by o własnych siłach wszcząć spór przed sądem. Zanim jednakże zwrócimy się do adwokata, dobrze najpierw sprawdzić w najbliższej organizacji konsumenckiej, jakie przysługują nam uprawnienia. Może te organizacje podpowiedzą, jakimi argumentami uda się nam przekonać sprzedawcę wadliwego lub szkodliwego produktu, by uznał nasze racje. Zdarza się, że właśnie w tym czasie w podobnej sprawie prowadzone jest precedensowe postępowanie sądowe, dzięki czemu możemy sobie zaoszczędzić trudu wszczynania procesu z naszej inicjatywy. Gdy pomimo zasięgnięcia informacji w najbliższej organizacji konsumenckiej oddanie sprawy w ręce adwokata pozostanie jedynym wyjściem, należy dowiedzieć się, czy już pierwszy informacyjny kontakt z adwokatem będzie wymagał uiszczenia honorarium. Tak postępując, możemy się ustrzec przed przykrą niespodzianką. Dobry adwokat najpierw poinformuje swego klienta

## Pomiary szkodliwych substancji

W większości przypadków rzeczywiste stężenie trujących związków w naszych pomieszczeniach można określić jedynie przy użyciu odpowiedniego sprzętu. Wiele organizacji i społecznych inicjatyw konsumenckich, a także niektóre prywatne instytuty służą pomocą w poszukiwaniu odpowiedniego zespołu mogącego dokonać pomiarów albo same takie badania przeprowadzają.

## Istotne metody

Formaldehyd — najważniejsza trucizna występująca w mieszkaniu — może być oznaczony bądź zmierzony stosunkowo prostymi przyrządami.

Pomiar promieniowania emitowanego przez radon przy użyciu licznika Geigera jest — wbrew ogólnie przyjętym poglądom — bez sensu, gdyż do tego celu służy spektrometr gamma.

co do istniejących podstaw prawnych umożliwiających wszczęcie postępowania wobec partnera zawartej umowy lub producenta szkodliwego produktu.

### Zabezpieczenie dowodów

Nawet wówczas, gdy sprawa nie będzie rozstrzygana przed sądem, warto zgromadzić rzeczowe dowody.
- Należy przechowywać dowody kupna zawierające informacje gdzie, u kogo i kiedy wadliwy produkt został nabyty.
- Gdy nasuwają się podejrzenia, sporządzić notatkę, kiedy i jak długo trwały negatywne zmiany zdrowia. Należy zwrócić się do lekarza o potwierdzenie faktu występowania zaburzeń stanu zdrowia.
- O potencjalnej przyczynie choroby winniśmy poinformować zakład ubezpieczeń, który może pomóc w sporze z producentem lub dostawcą szkodliwego produktu. Zgodnie z obecnym stanem prawnym ubezpieczalnie są uprawnione do żądania zwrotu poniesionych kosztów leczenia od instytucji i osób odpowiedzialnych za powstanie choroby.
- Opinie ekspertów są pomocne, lecz bardzo kosztowne. Przed zamówieniem ekspertyzy należy najpierw spytać o jej cenę.

### Przedawnienie

*Uwaga*: Uprawnienia wynikające z zawartych umów mogą się w krótkim czasie przedawnić — niekiedy już po sześciu miesiącach. Ponadto w niektórych przypadkach ustalenie długości okresu do momentu przedawnienia roszczeń jest bardzo skomplikowane. Gdy zatem stwierdzimy, że jesteśmy ofiarą szkodliwego działania nabytego artykułu, nie należy zwlekać ze zgłoszeniem roszczeń.

### Koszty procesowe

Honoraria adwokackie, koszty procesu sądowego i opłaty za ekspertyzy oraz opinie rzeczoznawców osiągają często astronomiczne wysokości, zwłaszcza wtedy, gdy sprawa nie jest rozstrzygana od razu w pierwszej instancji. Mając to na uwadze, w związku konsumenckim lub z adwokatem należy omówić przed procesem planowane wydatki, aby pod koniec procesu nie doznać przykrego szoku. Kto dysponuje ograniczonymi środkami finansowymi, w przypadku procesu związanego z faktem nabycia szkodliwych produktów może wystąpić z wnioskiem o przydzielenie pomocy finansowej na pokrycie kosztów procesowych, jeśli rokowanie zakończenia sprawy jest pozytywne. Odpowiedniej informacji może udzielić adwokat lub organizacja konsumencka.

### Sprawa karna

Poszkodowany może wnieść także skargę z powodu uszkodzenia ciała. Do obowiązków policji należy przyjęcie takiej skargi do protokołu. Warto przypomnieć, że w 1989 roku prokuratura we Frankfurcie we współpracy z krajowym urzędem kryminalnym doprowadziła do największego w historii Niemiec procesu dotyczącego spraw ekologicznych. Skargę wniosło dwa tysiące osób poszkodowanych z powodu użycia określonych środków ochrony drewna. Najważniejszą zaletą wniosku złożonego w sprawie karnej jest to, że prokuratura w porównaniu z osobą prywatną ma znacznie większą możliwość zabezpieczenia dowodów rzeczowych. Wadą takiego postępowania jest to, że często nie prowadzi ono do konkretnego rezultatu oraz że zbyt często dochodzi do umorzenia sprawy. W procesie cywilnym natomiast musi zapaść wyrok, po myśli lub wbrew interesom skarżącego.

### Lektura uzupełniająca

*Polskie Towarzystwo Toksykologiczne. Informator.* Zarząd Główny PTT, Łódź 1989.

# ZANIECZYSZCZENIE POWIETRZA

Powietrze, którym oddychamy, jest zanieczyszczone przez niezliczone substancje szkodliwe, i to zarówno w ośrodkach dużych skupisk ludzi, jak też nad otwartymi terenami rolniczymi. Pomimo istnienia i działania wielu ugrupowań oraz organizacji proekologicznych w wielu kręgach społecznych nadal nie przywiązuje się wystarczająco dużej wagi do zagrożeń zdrowotnych, jakie niesie zanieczyszczenie powietrza.

Obecnie w krajach zachodnich zanieczyszczenie powodowane przez drogowy ruch samochodowy jest pierwszoplanowym problemem ekologicznym. Na przykład w Niemczech nigdy dotąd nie produkowano tak dużej liczby samochodów jak ostatnio. Także w Austrii z roku na rok rekordowo zwiększa się liczba wprowadzonych do ruchu drogowego nowych samochodów. Warto nadmienić, że samochody osobowe powodują trzydzieści trzy razy większe zanieczyszczenie środowiska w porównaniu z transportem kolejowym (w przeliczeniu na liczbę przewożonych osób). Nawet wówczas, gdy samochód jest wyposażony w trójdrożny katalizator dopalający spaliny, powoduje zanieczyszczenie powietrza pięciokrotnie większe od kolei. Jeden samochód osobowy średniej klasy bez katalizatora wydziela na każdym kilometrze przejechanej drogi 2,2 g tlenków azotu i 9 g tlenku węgla, zatruwając wtedy 27 000 m³ czystego powietrza. Do tego dochodzi obciążenie środowiska metalami ciężkimi (→ s. 782) powodowane przez spalanie benzyny zawierającej ołów. Pomimo wprowadzonych usprawnień, takich jak propagowanie katalizatorów oraz używania benzyny bezołowiowej, a ponadto obowiązywania zaostrzonych wymagań dotyczących stężenia trucizn zawartych w spalinach samochodowych, nadal nieustannie wzrasta ogólna ilość substancji trujących wydzielanych do środowiska z powodu wzrostu ogólnej liczby samochodów i przejeżdżania przez nie w ciągu roku znacznie większych ilości kilometrów niż w ubiegłych dziesięcioleciach.

Z aktualnych statystyk wynika, że w ruchu drogowym w Niemczech co godzina ginie człowiek, a pięćdziesiąt osób zostaje rannych. Jak najszybciej należałoby przestawić społeczne traktowanie problemu transportu samochodowego nie tylko ze względu na bezpośrednie skutki ruchu samochodowego, takie jak ofiary wypadków, chaos komunikacyjny, zatruwanie środowiska spalinami i hałas drogowy, lecz przede wszystkim z powodu zbliżania się — w skali całego świata — katastrofy klimatycznej, do której środki transportu drogowego, a zwłaszcza samochody, przyczyniają się w ogromnej mierze.

Dotyczy to także samochodów osobowych i ciężarowych — pozornie czystych ze względu na posiadane katalizatory. Wyrzucają one do środowiska równie dużo dwutlenku węgla, przyczyniającego się do efektu cieplarnianego, jak samochody niemające katalizatora. Jeśli nie nastąpi drastyczne ograniczenie ilości CO₂ wydzielanego do atmosfery Ziemi, katastrofa klimatyczna, spowodowana podniesieniem temperatury powietrza, w bliskim

czasie będzie nieunikniona. Globalne ocieplenie atmosfery okazałoby się swoimi konsekwencjami znacznie groźniejsze niż wszystkie dotąd znane problemy ekologiczne. Następstwa takiej katastrofy dla naszej cywilizacji byłyby nieobliczalne.

## Dwutlenek węgla (CO₂)

Wszystko, co ulega spaleniu, obojętnie, czy to jest węgiel, olej, gaz czy benzyna, wytwarza dwutlenek węgla. Dodatkowo gaz ten wydzielają także istoty żywe pozyskujące w procesie przemiany materii energię zawartą w pożywieniu, na przykład węglowodanach. Jednocześnie zużywany jest tlen. Powietrze wydechowe człowieka zawiera około 4,5% objętościowych CO₂.

Gdyby człowiek nie ingerował w procesy przyrodnicze, panowałaby równowaga: powstawałoby tyle dwutlenku węgla, ile rośliny zużywałyby w procesie fotosyntezy.

Tymczasem dwutlenek węgla okazał się substancją szkodliwą produkowaną w największych ilościach. Jego stężenie w powietrzu atmosferycznym wzrosło w okresie minionych stu lat o około 15%. W Niemczech i Austrii transport samochodowy przyczynia się w około 20% do ogólnego obciążenia dwutlenkiem węgla. Można przyjąć, że w następnym dziesięcioleciu — na skutek wzrostu liczby samochodów — ilość dwutlenku węgla wydzielanego do powietrza przez ten środek transportu zwiększy się jeszcze o prawie jedną trzecią.

Używanie samochodów z trójdrożnymi katalizatorami nie ma wpływu na emisję CO₂ i nie może przyczynić się do jej ograniczenia.

### Zagrożenia dla zdrowia

Ten bezbarwny, ciężki i niepalny gaz w stężeniu od 3 do 4% objętości może wywoływać bóle głowy, szum w uszach, wzrost ciśnienia krwi, duszność i utratę przytomności. W stężeniu od 20 do 50% objętości doprowadza do śmierci.

## Tlenek węgla (CO)

Jest to gaz bezbarwny, bez zapachu i bez smaku. Powstaje przy niecałkowitym spalaniu takich źródeł energii, jak węgiel, olej i gaz. W powietrzu atmosferycznym ulega przemianie w dwutlenek węgla. W 70% za obecność tlenku węgla w powietrzu odpowiada ruch samochodowy. Stosowanie w samochodach trójdrożnych katalizatorów pozwala na spalanie 90% w dwutlenek węgla.

### Zagrożenia dla zdrowia

Wdychanie tlenku węgla prowadzi do zablokowania zdolności krwi do wchłaniania i transportu tlenu, czego konsekwencją są bóle i zawroty głowy. Wysokie stężenia tlenku węgla powodują śmierć. W warunkach ekstremalnie nasilonego ruchu drogowego i pogody charakteryzującej się „smogiem" (→ Smog, s. 783) istnieje szczególne ryzyko dla serca i układu krążenia. Gdy w powietrzu oddechowym stężenie tlenku węgla przekracza 14 mg/m³, na zawały serca umiera znacznie więcej ludzi niż przeciętnie.

## Węglowodory

Tak zwane niespalone węglowodory powstają wskutek niedoboru tlenu lub za niskiej temperatury w procesie niepełnego spalania materiałów pędnych.

Węglowodory uwalniają się także w trakcie napełniania baków samochodów benzyną z powodu jej odparowywania. Związki chemiczne złożone z węgla i wodoru są palne i mogą tworzyć z powietrzem mieszanki wybuchowe.

Do węglowodorów należy między innymi formaldehyd (→ s. 759) oraz działające rakotwórczo benzen i benzo-*a*-pyren.

Samochody przyczyniają się w około 40% do powstawania ogólnej ilości węglowodorów wydzielanych do powietrza atmosferycznego. Dzięki stosowaniu trójdrożnych katalizatorów do 90% tych związków udaje się przekształcić w gaz nieszkodliwy.

### Zagrożenia dla zdrowia

Węglowodory przyczyniają się do tworzenia się smogu (→ s. 783), są powodem powstawania ozonu i działają agresywnie na rośliny. Niektóre węglowodory (np. zawarty w benzynie benzen) są rakotwórcze.

## Tlenki azotu (NO$_x$)

Podczas wszelkich procesów spalania powstaje tlenek azotu (NO), z którego w powietrzu tworzy się znacznie bardziej niebezpieczny dla zdrowia dwutlenek azotu (NO$_2$).

W celu obniżenia zużycia paliwa, obecnie stosuje się w samochodach podwyższone sprężanie, a także wyższe temperatury spalania. Powoduje to powstawanie większych ilości tlenków azotu.

W Niemczech i Austrii ruch samochodowy przyczynia się w około 50% do ogólnego zanieczyszczenia powietrza tlenkami azotu. Używanie trójdrożnych katalizatorów zamienia 90% tlenków azotu w związki nieszkodliwe.

### Zagrożenia dla zdrowia

Tlenki azotu należą do gazów drażniących. Są współodpowiedzialne za umieranie lasów. W warunkach działania promieniowania słonecznego przyczyniają się do powstawania ozonu (→ Smog, s. 784). Jeśli w ciągu dnia średnie stężenie dwutlenku azotu przekracza 150 mg/m³ w powietrzu oddechowym, wówczas pojawiają się ostre objawy ze strony układu oddechowego. Występuje kaszel, ślinotok, katar nosa, trudności w oddychaniu, a nawet uszkodzenie płuc. Do objawów przewlekłego zatrucia tlenkami azotu należą bóle głowy, bezsenność i/lub owrzodzenia błon śluzowych.

Badania amerykańskie, wykonane na dzieciach w wieku do siedmiu lat, żyjących w mieszkaniach, w których stężenie dwutlenku azotu (NO$_2$) przekraczało 30 mikrogramów w metrze sze-

ściennym, wykazały częstsze występowanie chorób dróg oddechowych niż u innych dzieci.

## Sadza

Tą nazwą określa się drobniutkie cząstki ciała stałego równomiernie rozproszone w powietrzu. Ich źródłem są głównie silniki wysokoprężne (diesla), a także turbiny gazowe. Wielkość emisji sadzy z tych źródeł w dużym stopniu zależy od typu silnika, jego wieku i od wyregulowania systemu wtryskowego. Aby zmniejszyć wyrzut sadzy, stosuje się filtry ceramiczne, które od pewnego czasu już są używane w USA. Gdy olej napędowy zawiera siarkę, wówczas w spalinach silników diesla pojawia się również dwutlenek siarki (SO$_2$). W ogólnej emisji tego związku do powietrza udział samochodów wynosi około 3%.

### Zagrożenia dla zdrowia

Do cząstek sadzy mogą przylgnąć inne substancje szkodliwe, wśród nich przede wszystkim związki rakotwórcze, takie jak wielopierścieniowe węglowodory aromatyczne (WWA). Aby zapobiec spadkowi popytu, niektórzy producenci oleju napędowego dodają do swoich produktów składniki zmieniające zapach spalin. Zabieg ten zyskał akceptację nabywców, ale uprzyjemnienie zapachu spalin nie ma najmniejszego wpływu na rakotwórcze właściwości niektórych składników.

Niebezpieczeństwa związane z działaniem dwutlenku siarki są opisane na stronie 781.

## Azbest

Okładziny hamulcowe i tarcze sprzęgłowe samochodów, zawierające azbest, należą do istotnych źródeł zagrożenia nowotworowego. Wskutek ścierania się tych okładzin do powietrza przedostają się kilogramowe ilości drobnych włókien azbestowych, zwłaszcza na skrzyżowaniach dróg, na których ruch pojazdów ulega okresowemu zatrzymaniu.

### Zagrożenia dla zdrowia

Już jedno włókno azbestu może wywołać raka płuc (→ Azbest, s. 763). Kto sam wykonuje czynności obsługowe przy hamulcach, ponosi jeszcze dodatkowe ryzyko, ponieważ środki stosowane do odtłuszczania okładzin hamulcowych i tarcz sprzęgłowych zawierają często trójchloroetan albo czterochloroetan. Wystarczy tlący się papieros lub gorąca powierzchnia metalu, by doprowadzić do rozkładu wymienionych związków, powstaje wtedy silnie trujący fosgen — gaz bojowy zastosowany podczas pierwszej wojny światowej.

# SUBSTANCJE SZKODLIWE W SAMOCHODZIE

## Wentylacja

Samochody są obciążające nie tylko dla środowiska, lecz także ich użytkownicy narażeni są na znaczny wpływ substancji szkodliwych, zwłaszcza w korkach drogowych, w gęstym ruchu w godzinach szczytów, w porze urlopów oraz podczas smogu (→ s. 784).

Ponad osiemset aktywnych związków gazowych oddziałuje na jeżdżących samochodami. Wśród tych substancji są związki działające uszkadzająco na układ nerwowy (np. toluol) oraz rakotwórcze (benzen i benzopiryn). W części związki toksyczne powstają już podczas produkcji samochodu i do chwili sprzedaży samochodu nie wyparowują w dostatecznej mierze.

Dmuchawa uruchamiana w celu przewietrzenia lub nagrzania wnętrz samochodu, zasysa przez otwory wlotowe wiele groźnych trucizn. Jak wykazały pomiary wykonane podczas jazd kontrolnych przeprowadzonych przez ADAC (Powszechny Niemiecki Klub Samochodowy) stężenie tlenku węgla (CO) wewnątrz samochodu sięga 265 części na milion części powietrza (265 ppm). Dla porównania: dopuszczalne stężenie tlenku węgla (CO) w powietrzu stanowiska pracy wynosi 30 ppm. Mając na uwadze, że samochód eksploatuje się dłuższy czas, trzeba pamiętać, że obciążenie tlenkami azotu (NO$_x$) jest jeszcze groźniejsze.

Stężenia graniczne, dopuszczalne na stanowiskach pracy, podczas jazdy na autostradach przeciętnie są przekraczane już po upływie połowy czasu jazdy, w ruchu miejskim zaś dzieje się to już po około dwudziestu pięciu procentach tego czasu.

### Zalecenia

Maksymalnie ograniczyć wietrzenie wnętrza. Liczni producenci samochodów wyposażają swoje pojazdy seryjnie w systemy zapewniające wewnętrzny obieg powietrza (tzw. system smogowy). Niemieccy producenci samochodów stosują takie systemy tylko w luksusowych markach.

Jednakże tylko filtry powietrza stosowane seryjnie dotychczas w samochodach jednej z firm szwedzkich zapewniają dostateczną ochronę przed substancjami szkodliwymi występującymi w formie stałej. Dzięki temu można uniknąć wdychania włókien azbestu z okładzin hamulcowych, sadzy wydzielanej przez silniki diesla, bakterii oraz różnych pyłków roślinnych, a przez to zapobiec zapaleniom spojówek, katarowi siennemu i napadom astmy. Aby wyeliminować substancje występujące w formie gazowej, potrzebne są skomplikowane systemy filtracyjne, wykorzystujące węgiel aktywny, sodowane wapno lub inne katalizatory dostępne w handlu.

Natomiast kolarze nawet w największym korku ulicznym wdychają, stojąc między dymiącymi samochodami, zaledwie jedną trzecią część szkodliwych związków, którą wdycha użytkownik samochodu. Należy jeszcze podkreślić, że jazda rowerem nie obciąża środowiska w ogóle.

### Pielęgnacja samochodu

Do nabłyszczania karoserii stosuje się wiele różnych preparatów. Niektóre z nich zawierają składniki szkodliwe dla zdrowia. Czasami występują w nich nawet chlorowane węglowodory (→ CCW, s. 760).

Odmrażacze szyb i zamków drzwi oraz środki zapobiegające zamarzaniu systemu spryskiwania szyb należą do najgroźniej-

szych substancji stosowanych przez właścicieli samochodów. Każdego roku notuje się liczne przypadki zatruć, ponieważ w wielu omawianych preparatach zawarty jest metanol albo nawet glikol etylenowy. Zamiast tych substancji wystarczy do spryskiwacza szyb dodać małą ilość denaturatu.

# ZANIECZYSZCZENIA PRZEMYSŁOWE

Przemysł jest największym emiterem pyłu i dwutlenku siarki. Znaczny jest też jego udział w zatruwaniu powietrza tlenkami azotu (→ s. 780), tlenkiem węgla (→ s. 779) i węglowodorami (→ s. 780). Oprócz wymienionych substancji do powietrza przedostają się setki różnych innych trucizn wydzielanych przez urządzenia przemysłowe, a zwłaszcza przez przemysł chemiczny.

## Pył

Przez pył rozumiemy drobne części ciał stałych zawieszone w powietrzu. Tylko 30% jest pochodzenia organicznego (roślinnego), większość to rozdrobnione minerały, piasek, sadza i popiół.

W ostatnich latach dzięki nowym technologiom oraz wykorzystaniu filtrów wbudowanych w instalacje przemysłowe, udało się doprowadzić do znacznego obniżenia wielkości emisji, jednakże z ograniczeniem do pyłów o grubszym ziarnie.

### Zagrożenia dla zdrowia

Groźny jest przede wszystkim pył drobnoziarnisty, o średnicy ziaren mniejszej niż 5 mikrometrów (5 tysięcznych milimetra). Takie pyły mogą dotrzeć do pęcherzyków płucnych (końcowego odcinka dróg oddechowych), mogą w nich pozostać i tam wywołać procesy chorobowe płuc. Do tego pyłu mogą się przyłączyć metale ciężkie, jak ołów i kadm. Powietrze zawierające większe stężenie pyłu sprzyja rozwojowi chorób dróg oddechowych, na przykład u dzieci może być przyczyną zachorowania na dławiec rzekomy (→ s. 560). Przy równoczesnym występowaniu w powietrzu oddechowym wysokich stężeń pyłu i dwutlenku siarki zwiększa się liczba zgonów.

## Dwutlenek siarki (SO$_2$)

W procesie spalania kopalnych paliw, takich jak węgiel i ropa, do atmosfery przedostają się duże ilości tego bezbarwnego gazu o ostrej i przykrej woni.

W ostatnich latach dzięki rozbudowie instalacji filtrujących i stosowaniu paliw o mniejszej zawartości siarki w Niemczech i Austrii udało się doprowadzić do poprawy sytuacji.

### Zagrożenia dla zdrowia

Dwutlenek siarki wywołuje podrażnienia i uszkodzenia błony śluzowej, może powodować napadowy kaszel lub uszkodzenia dróg oddechowych. Przy stężeniu dwutlenku siarki w powietrzu oddechowym wynoszącym od 400 do 500 ppm (ppm = jedna część na milion części) istnieje zagrożenie życia.

## Ograniczać chemię w samochodzie

— Zamiast specjalnych środków do czyszczenia samochodów, aerozoli do lakieru albo środków do czyszczenia części tworzyw sztucznych wskazane jest użycie prostego roztworu mydła z wodą. W ten sposób chroni się własną kieszeń, siebie samego i środowisko.

— Mechaniczne myjnie są korzystniejsze dla środowiska. Wskazane jest korzystanie z myjni posiadających filtr oddzielający oleje od wody oraz korzystających z wody czerpanej w obiegu zamkniętym. Dzięki temu zmniejszymy zużycie cennej wody. Przed skorzystaniem z usługi myjni należy o takie urządzenia zapytać.

— Dla ochrony przed mrozem i zamarzaniem wystarczą środki zawierające wyłącznie alkohol.

— Należy unikać stosowania odrdzewiaczy przy naprawie uszkodzeń lakieru. Coca-cola zawiera wystarczającą ilość kwasu fosforowego i w wielu przypadkach wystarcza też do oczyszczenia uszkodzonego miejsca. Tak radzi niemiecka organizacja zajmująca się sprawdzaniem jakości produktów przemysłowych.

— Jeśli w samochodzie nadal istnieją okładziny hamulcowe i tarcze sprzęgłowe zawierające azbest, przy najbliższym przeglądzie technicznym samochodu należy zlecić wymianę tych części na pozbawione azbestu. A przy kupnie nowego samochodu należy domagać się bezazbestowych okładzin i tarcz.

— W samochodzie nie należy wozić kanistrów na benzynę wykonanych z tworzyw sztucznych. Zawarty w benzynie benzen, który jest substancją rakotwórczą, przenika przez tworzywo, z którego wykonany jest pojemnik.

Kto dłuższy czas przebywa w atmosferze o wysokim stężeniu dwutlenku siarki, najpierw traci sprawność zmysłu smaku (język jest czerwony, odczuwa się ucisk w klatce piersiowej), potem rozwija się zapalenie lub obrzęk płuc, w końcu dochodzi do załamania się układu krążenia oraz do zaniku oddechu.

Ponadto dwutlenek siarki jest najbardziej znanym toksycznym związkiem przyczyniającym się do umierania lasów. Razem z parą wodną zawartą w powietrzu i tlenem dwutlenek siarki tworzy kwas siarkowy, który jest istotnym składnikiem „kwaśnych deszczów".

## Metale ciężkie

Takie metale ciężkie, jak ołów, kadm i rtęć — stanowiące silne trucizny dla organizmu — w części przedostają się do środowiska podczas spalania śmieci zawierających te metale.

Przede wszystkim ich źródłem są ścieki i osad z oczyszczalni ścieków przenoszony na tereny rolnicze. Po przeniknięciu do ziemi dostają się do łańcucha pokarmowego (→ Substancje szkodliwe w pokarmach, s. 713).

### Zagrożenia dla zdrowia

*Ołów*
Dawniej ponad 3/4 ołowiu zawartego w powietrzu atmosferycznym pochodziło ze spalin samochodów. Od czasu wprowadzenia benzyny bezołowiowej to źródło emisji ołowiu ma mniejsze znaczenie. Znaczne ilości ołowiu wyrzucają do powietrza również huty żelaza i stali oraz zakłady spalania śmieci. Ołów jest najczęściej składnikiem pyłu zawieszonego w powietrzu. Jego stężenie wzrasta w glebie, w wodzie i w roślinach.

Największą część ołowiu pobieramy drogą pokarmową (→ s. 714). Po wchłonięciu jest rozprowadzany w całym organizmie i na końcu deponowany w kościach. Już najmniejsze stężenia ołowiu we krwi wpływają ujemnie na rozwój mózgowia rozwijających się płodów podczas ciąży. Dzieci, u których tuż po urodzeniu stężenie ołowiu we krwi przekracza 10 mikrogramów na 1 litr, wyróżniają się w późniejszych latach zachowaniem nadaktywnym, gorszymi wynikami nauki szkolnej i ograniczoną zdolnością koncentracji. Z tych powodów w ostatnich latach obniżono najwyższe dozwolone stężenia ołowiu z 30 do 10 mikrogramów.

Stężenia przekraczające 50 mikrogramów w litrze krwi mogą także u dorosłych wywołać zaburzenia funkcji mózgu i ograniczyć zdolność rozrodczą. Tak wysokie stężenia ołowiu spotyka się obecnie wszakże wyłącznie w wyniku narażenia w miejscu pracy.

Dzięki stosowaniu na stanowiskach pracy skutecznych urządzeń ochronnych ostre zatrucie ołowiem obecnie jest rzadkością.

Do objawów zatrucia ołowiem należy: ślinotok, rąbek ołowiczy na brzegach dziąseł, wymioty, kolka jelitowa, zaparcia, porażenie nerwów i ostra niewydolność nerek.

*Kadm*
Oddychanie powietrzem zawierającym pył kadmowy, gdy trwa to wiele lat, prowadzi do uszkodzenia płuc i nerek. Ponadto kadm i jego związki podejrzewa się o działanie rakotwórcze.

## Czyste powietrze

Od dawna istnieje już możliwość eliminowania emisji większości szkodliwych substancji wytwarzanych przez niemal wszystkie elektrociepłownie i ogromną liczbę instalacji przemysłowych. Od dawna nie stanowi to już problemu technicznego, a jedynie finansowy. Zgodnie z aktualnym stanem wiedzy i opierając się na środkach rozwiniętej techniki, przy użyciu urządzeń oczyszczających dymy i gazy przemysłowe, można zatrzymać następujące ilości zanieczyszczeń:

— Pył — do 99%, elektrofiltrami.

— Dwutlenek siarki — do 95%, metodą absorpcji.

— Tlenki azotu — do 90%, metodą nowoczesnego spalania.

— Węglowodory — do 90-99%, metodą absorpcji oraz spalania.

Dla palenisk domowych brak urządzeń oczyszczających dymy. Gdy przed ćwierćwieczem Londyn z powodu smogu był bliski uduszenia się, paleniska węglowe i olejowe zastąpiono opalaniem gazowym i ogrzewaniem prądem elektrycznym. Po tej zmianie powietrze Londynu znowu nadaje się do oddychania.

*Rtęć*

Pary rtęci metalicznej, pochodzące na przykład z rtęci wyciekłej z rozbitego termometru, są niebezpieczne, ponieważ w organizmie pozostaje do 80% tej ilości, która dostaje się do płuc podczas oddychania. Zatrucie rtęcią objawia się metalicznym smakiem w ustach, nudnościami, wymiotami, bólami brzucha, krwawą biegunką, rozchwianiem się zębów oraz czarną obwódką na dziąsłach.

Mniejsze ilości rtęci doprowadzają do zatrucia przewlekłego, które jest mniej dramatyczne, niemniej wywołuje znaczne dolegliwości.

## ELEKTROCIEPŁOWNIE I PALENISKA DOMOWE

Poza ruchem samochodowym i przemysłem do najważniejszych emitorów zanieczyszczeń powietrza zaliczają się elektrociepłownie i domowe paleniska. Ilość emitowanych zanieczyszczeń zależy od jakości stosowanego paliwa (węgiel ubogi w siarkę albo olej opałowy), od stanu instalacji opałowej oraz od wydajności wbudowanych urządzeń filtrujących wydzielane dymy.

Na temat poszczególnych substancji szkodliwych i ich znaczenia dla naszego zdrowia → Dwutlenek węgla, s. 779, → Węglowodory, s. 780, → Tlenki azotu, s. 780, → Pył, s. 781, → Dwutlenek siarki, s. 781.

## SMOG

Mimo regionalnych wysiłków zmierzających do ograniczania emisji szkodliwych substancji w wielu miejscach smog staje się zjawiskiem coraz częstszym. Przyczyną jest wzrastające natężenie ruchu samochodowego i powszechna industrializacja, co niweczy drobne lokalne osiągnięcia w zakresie ochrony środowiska. Dopóki nie nastąpi głębokie przeorientowanie w zakresie zagadnień polityki środowiskowej, dopóty nie dojdzie do poprawy i będziemy musieli żyć w kontakcie z tą szkodliwą dla zdrowia mieszaniną dymów, mgieł i toksycznych gazów.

Smog tworzy się w warunkach pogodowej inwersji, gdy ciepłe powietrze zamyka od góry warstwę zimnego powietrza tuż nad ziemią i nie ma w tym czasie nawet najsłabszego wiatru. Wskutek tego wyemitowane gazy i inne szkodliwe substancje, pochodzące z gęstych skupisk przemysłu, nie mogą się — jak zwykle — rozrzedzić nad większym obszarem.

W ostatnich latach w centrum zainteresowania publicznego znalazł się ozon, jeden z wielu szkodliwych składników smogu. Rozpatrywanie problemu ozonu wymaga odróżnienia zagadnienia tzw. dziury ozonowej, polegającej na zanikaniu ozonu z górnej części atmosfery, od narażenia na ozon znajdujący się w niskich pokładach powietrza.

W odległości od 20 do 45 kilometrów nad powierzchnią Ziemi znajduje się „dobry ozon", w warstwie ozonu chroniącej naszą przestrzeń życiową przed niebezpiecznym promieniowaniem pozafioletowym.

W przyziemnej warstwie powietrza ozon jest dla płuc człowieka trucizną — „złym ozonem". Większe stężenia ozonu mogą podrażniać oczy, utrudniać oddychanie i wywołać podrażnienie gardła i krtani. Oddychanie przez dłuższy czas powietrzem bogatszym w ozon może doprowadzić do stanu zapalnego pęcherzyków płucnych. Wzrasta liczba osób chorujących latem na tzw. letnie zapalenie oskrzeli, którego przyczyną jest narażenie na ozon.

Ozon zmniejsza wydolność płuc i fizyczną sprawność organizmu. Może wywołać bóle głowy, nudności, poczucie nadmiernego zmęczenia i osłabienie układu odpornościowego.

W oficjalnym wykazie maksymalnie dozwolonych stężeń substancji szkodliwych dla zdrowia (→ Chemia w zakładzie pracy, s. 792), opracowanym w 1995 roku, ozon zaliczono do grupy substancji potencjalnie rakotwórczych.

Oddychanie przez dłuższy czas powietrzem cechującym się niskim stężeniem ozonu wywołuje takie same uszkodzenia jak wysokie stężenia działające przez czas krótki.

Gdy zawartość ozonu wzrasta do ponad 150 mikrogramów w metrze sześciennym powietrza, przede wszystkim dzieci oraz osoby starsze i chore powinny między godziną 13 i 19 unikać podejmowania większych wysiłków na otwartym powietrzu.

Na drzewa i rośliny ozon działa jako trucizna komórkowa i dlatego obok dwutlenku siarki i tlenków azotu należy do głównych czynników powodujących umieranie lasów.

Najistotniejszym źródłem ozonu w warstwie przyziemnej jest ruch samochodowy. Do tego dochodzą najróżniejsze paleniska, ciepłownie i energetyka, wytwarzanie i użytkowanie produktów zawierających rozpuszczalniki, a także gazy napędowe butan i propan. Do powstawania ozonu przyczyniają się też składowiska odpadów i hodowle bydła, emitujące metan.

Ozon na obszarach wielkomiejskich, charakteryzujących się dużą koncentracją zanieczyszczeń, ulega szybszemu rozkładowi niż w górach i na terenach zalesionych — znanych z „dobrego powietrza", gdzie utrzymuje się znacznie dłużej, dlatego jego stężenie w powietrzu nie zmniejsza się znacząco mimo zakazu ruchu samochodowego i ograniczenia szybkości, nawet wtedy, gdy lokalnie udaje się emisję ozonu znacznie zredukować. Przemawia to za argumentami przeciwników takich zarządzeń. Istotne zmniejszenie powstawania ozonu da się osiągnąć tylko w wyniku drastycznego i długotrwałego ograniczenia ruchu samochodowego na dużych obszarach, dzięki większemu wykorzystaniu publicznych środków transportu oraz posługiwaniu się rowerami.

## SPALARNIE ŚMIECI

Oczyszczanie dymów emitowanych przez spalarnie śmieci jest nadal niedostateczne. Troską napawa znaczna emisja takich toksyn, jak tlenku węgla (→ s. 779), węglowodorów (→ s. 780), tlenków azotu (→ s. 780), dwutlenku siarki (→ s. 781) oraz w szczególności metali ciężkich (→ s. 782) i dioksyny (→ s. 762).

## Smog

### Smog zimowy

Zimą szybko dochodzi do niebezpiecznych stężeń w powietrzu takich substancji, jak tlenki siarki, tlenek węgla oraz pył zawieszony. Ta mieszanina wpływa niekorzystnie na oddychanie, błony śluzowe i powoduje zaburzenie krążenia. Na taki czas przypada więcej zgonów. Zagrożone są przede wszystkim małe dzieci (→ Dławiec rzekomy, s. 560) oraz osoby chore i w starszym wieku.

### Smog letni

Od niedawna budzi obawy fotochemiczny smog letni zdarzający się nie tylko w południowych metropoliach — Los Angeles albo São Paulo, lecz także nawet w Europie Środkowej. Głównym winowajcą jest narastający ruch samochodowy, a także coraz częściej występująca ostatnio niezwykle ciepła pogoda, która przez niektórych naukowców jest uważana za pierwszy przejaw globalnego nagrzania atmosfery.

Podczas smogu letniego pod wpływem silnego nasłonecznienia z tlenku azotu i węglowodorów powstaje ozon tuż nad ziemią. W przeciwieństwie do warstwy ozonu, która znajduje się na wysokości od dwudziestu do czterdziestu pięciu kilometrów nad powierzchnią ziemi („dobry ozon") i ochrania naszą przestrzeń życiową przed niebezpiecznym promieniowaniem ultrafioletowym o krótkiej fali, ozon powstający tuż nad ziemią okazuje się trucizną dla płuc („zły ozon"). Większe stężenie ozonu drażni oczy, wywołuje utrudnienia w oddychaniu, drażni gardło i krtań. Wdychanie większych ilości ozonu przez dłuższy czas może wywołać stany zapalne pęcherzyków płucnych. Gdy stężenie ozonu wzrasta ponad 150 mikrogramów na metr sześcienny powietrza, dzieci oraz osoby chore i w starszym wieku powinny unikać większej aktywności fizycznej na wolnej przestrzeni w porze od godziny trzynastej do dziewiętnastej.

### Najgorzej jest w Alpach

Ponieważ w sposób paradoksalny ozon ulega szybszemu rozkładowi nad dużymi centrami przemysłowymi i skupiskami ludzkimi niż nad terenami wolnymi i czystymi, przeto może dojść do sytuacji intensywniejszego zanieczyszczenia i obciążenia pozornie zdrowszego powietrza wiejskiego. Najwyższe stężenie ozonu, jakie dotychczas odnotowano w całej Europie, wystąpiło w maju 1989 roku w austriackich dolinach alpejskich oraz nad jeziorem Neusiedler See. W USA pod wpływem ozonu w licznych okręgach rolniczych dochodzi już do znacznych uszkodzeń roślin, wskutek czego następuje 40-procentowy spadek produkcji rolnej.

### Alarm smogowy

Większość dużych okręgów przemysłowych i centrów mieszkaniowych w Austrii oraz w Niemczech dysponuje już planami alarmowymi na wypadek wystąpienia smogu zimowego. Plany te przewidują zróżnicowane środki — zależnie od stężenia. Wartości graniczne, wyzwalające alarm, są różne i w związku z tym przewidywane jest zastosowanie różnych środków. Budzi to wątpliwość, gdyż istniejące różnice mogą sugerować odmienne obciążenie zdrowia mieszkańców w poszczególnych miastach.

Dane stopnie alarmowe uwzględniają zmierzone wartości stężeń sumowanych i złożonych, a dotyczących różnych związków szkodliwych. Jednakże niektóre punkty pomiarowe, znajdujące się na przykład w środku parków, osłabiają sumowaną wartość do poziomu poniżej progu alarmu. Gdy zostaje uruchomiony sygnał ostrzeżenia alarmowego, stanowi to zalecenie dla mieszkańców i przemysłu, by unikać dalszego wzrostu zanieczyszczenia powietrza.

Alarm pierwszego stopnia nakazuje korzystanie w paleniskach (elektrociepłowni i przemysłu) wyłącznie z paliwa ubogiego w siarkę. Ponadto ograniczany lub całkowicie wstrzymywany jest ruch samochodowy.

Dopiero alarm drugiego stopnia obok dalszych ograniczeń ruchu samochodowego powoduje całkowite wyłączenie lub znaczne ograniczenie funkcji instalacji spalania.

Dotąd nie opracowano planów alarmowych do opanowania zagrożeń powodowanych przez smog letni w Europie Środkowej. Takie plany w każdym razie powinny przewidzieć znaczne ograniczenie ruchu samochodowego, co pozwoliłoby na szybkie obniżenie stężenia ozonu w powietrzu tuż nad ziemią.

# PRALNIE CHEMICZNE

Minął już czas, gdy pracownicy pralni chemicznych i mieszkańcy domów sąsiadujących z takimi zakładami niewiele wiedzieli o zagrożeniu zdrowia powodowanym przez pary nadchloroetylenu stosowanego do czyszczenia tkanin i odzieży.

Zorganizowane protesty doprowadziły do wydania odpowiednich przepisów, co zmusiło właścicieli pralni do zmian technologicznych i nasilenia reklamy podkreślającej nieszkodliwość używanych chemikaliów dla środowiska. Począwszy od 1995 roku wszystkie pralnie stosujące nadchloroetylen muszą zagwarantować, że z ich zakładu przedostaje się nie więcej niż jedna tysięczna grama tego związku do metra sześciennego powietrza docierającego do sąsiednich domostw i mieszkań. Niestety, maksymalnie dozwolone stężenie nadchloroetylenu w powietrzu na stanowiskach pracy jest nadal wysokie i wynosi 345 miligramów w metrze sześciennym! Co więcej, ponad 85% wszystkich zakładów pralniczych używa nadal tego środka. Od 1995 roku obowiązuje zakaz zastępowania nadchloroetylenu fluorowanymi chlorowanymi węglowodorami (→ FCWW, s. 760).

## Zagrożenia dla zdrowia

Istnieją naukowo uzasadnione podejrzenia, że nadchloroetylen jest związkiem rakotwórczym. Poza tym drażni oczy i błony śluzowe, wywołuje bóle głowy, dolegliwości żołądkowe oraz zaburzenia krążenia. Stałe jego wchłanianie powoduje uszkodzenie wątroby, nerek i układu nerwowego.

### Lektura uzupełniająca

BOĆ J., JENDRÓSKA J., NOWACKI K.: *Dostęp do informacji i akt w sferze ochrony środowiska*. Towarzystwo Naukowe Prawa Ochrony Środowiska, Wrocław 1990.

*Środowisko i zdrowie*. Red. J.B. Karski. Centrum Organizacji i Ekonomiki Ochrony Zdrowia, Warszawa 1995.

*Ustawa o Państwowej Inspekcji Ochrony Środowiska wraz z komentarzem*. Oprac. W. RADECKI. Towarzystwo Naukowe Prawa Ochrony Środowiska, Wrocław 1991.

### Zalecenia

— Niektórzy najemcy mieszkań, płacąc zmniejszony czynsz, wymusili zamknięcie chemicznych pralni w ich bezpośrednim sąsiedztwie albo używanie przez nie innych środków czyszczących. Przed podjęciem takiej akcji należy najpierw zasięgnąć porady adwokata lub organizacji najemców mieszkań.

— Należy unikać kupowania żywności w takich sklepach lub centrach handlowych, w których znajdują się również chemiczne pralnie stosujące nadchloroetylen.

# ENERGETYCZNE LINIE WYSOKIEGO NAPIĘCIA

W 1989 roku ożywiła się międzynarodowa dyskusja na temat niebezpieczeństw związanych z działaniem pól elektromagnetycznych. Przypuszcza się, że linie wysokiego napięcia, anteny radarowe i telewizyjne stacje nadawcze emitują mikrofale szkodliwe dla zdrowia. Jeśli te domniemania są trafne, Niemcy należałyby do obszarów szczególnie narażonych. Już sama sieć krajowych linii wysokiego napięcia zaczynających się w elektrowniach i prowadzonych systemem napowietrznym rozpościera się na długości około 28 500 kilometrów, a wysokonapięciowe, napowietrzne instalacje kolei federalnej obejmują trasę 11 670 kilometrów.

Dotąd udało się jedynie wzmocnić podejrzenie, że przede wszystkim u dzieci istnieje związek między ich zachorowalnością na nowotwory a mieszkaniem w bliskim sąsiedztwie napowietrznych linii energetycznych wysokiego napięcia. W grę wchodzą głównie nowotwory mózgu i białaczka. Jednakże nadal brak ostatecznych wyników badań naukowych.

# ELEKTROWNIE JĄDROWE

Nawet podczas normalnej, bezawaryjnej pracy elektrownia jądrowa stale wydziela do powietrza i wody pewne ilości materiału promieniotwórczego, który się kumuluje w środowisku i przez tysiące lat może doprowadzić do szkód, których rozmiaru na razie nie można jeszcze oszacować.

Urzędy państwowe podają, że maksymalne obciążenie promieniowaniem osób przebywających w sąsiedztwie tych elektrowni nie przekracza 1 milirema rocznie. Krytycy energetyki jądrowej mówią o dawce sięgającej 50 miliremów. Zgodnie z obowiązującą w Niemczech ustawą o ochronie przed promieniowaniem dozwolona roczna dawka może wynosić łącznie 6 miliremów.

### Zagrożenia dla zdrowia

W USA w sąsiedztwie elektrowni jądrowych, co do których nie informowano, że zdarzyła się tam jakakolwiek awaria, stwierdzono podwyższoną liczbę przypadków zachorowań na raka i zwiększoną umieralność dzieci.

W przypadku awarii potencjalne zagrożenia zdrowotne zależą od ilości uwolnionego do środowiska materiału promieniotwórczego. Po stopieniu się reaktora w Czarnobylu w roku 1986 w ciągu kilku dni zmarło co najmniej 40 osób. Tysiące, jeśli nie setki tysięcy osób ponoszą obecnie zwiększone ryzyko zachorowania na raka oraz na białaczkę. Należy się liczyć przez bardzo długi czas z możliwością rodzenia się dzieci z anomaliami rozwojowymi. Według ocen działającej w Kolonii organizacji ochrony środowiska, noszącej nazwę Kataliza, w wyniku opadów radioaktywnych związanych z katastrofą w Czarnobylu każdy obywatel Niemiec w okresie swego życia przeciętnie otrzyma dodatkowo 200 miliremów promieniowania obciążającego cały organizm, natomiast w Bawarii ta dawka sięgnie około 1000 miliremów. Ryzyko, jakie ponoszą dzieci, jest jeszcze większe. W miarę upływających lat zachorowalność na raka wzrośnie w Niemczech o około 0,2%.

# PRAWNA OCHRONA ŚRODOWISKA

— Liczne akty prawne regulujące mniej lub bardziej szczegółowo zasadnicze problemy ochrony środowiska, powstałe w minionych latach, przypominają w najlepszym razie słabo powiązaną sieć, mającą w dodatku zbyt duże oczka. Jedną z ich słabości jest to, że w odniesieniu do wielu substancji przyjęto zbyt łagodne wartości krytyczne dozwolonej emisji toksyn, które nie mogą wykluczyć zagrożenia dla zdrowia.

— W dalszym ciągu podchodzi się do groźnych wykroczeń wobec środowiska ze zbyt dużą wyrozumiałością i nakłada śmiesznie niskie kary pieniężne na ich sprawców.

— Mimo to w wielu krajach odnotowuje się coraz częstsze sukcesy w organizowaniu oporu w stosunku do narastającego zanieczyszczania środowiska. Na uwagę zasługują przede wszystkim pozapartyjne inicjatywy społeczne, które wprawdzie dopiero po długotrwałych sporach, niemniej coraz częściej przeforsowują swoje racje wobec instytucji gospodarczych i urzędów. Warunkiem ich powodzenia jest natężona aktywność w uświadamianiu opinii społecznej i w rozpowszechnianiu niezbędnej wiedzy na temat istniejących uregulowań prawnych i możliwości posługiwania się nimi.

W Polsce najważniejsze zagadnienia zabezpieczania środowiska przed jego zanieczyszczeniem są uregulowane ustawą z dnia 31 stycznia 1980 roku o ochronie i kształtowaniu środowiska (tekst jednolity: DzURP, z 1994 roku, nr 49, poz. 196, rozdz. 3 — Ochrona powietrza). Ustawa ta wyróżnia obszary specjalnie chronione, obejmujące tereny uzdrowisk, parków narodowych, rezerwatów przyrody i parków krajobrazowych oraz pozostałe tereny. Dla jednych i drugich obszarów rozporządzenie precyzuje dopuszczalne stężenia najważniejszych zanieczyszczeń, przyjmując w większości przypadków stężenia wielokrotnie niższe dla obszarów specjalnie chronionych.

Wśród pozostałych obszarów nie mieszczą się tereny zajmowane przez zakłady i instytucje prowadzące działalność gospodarczą powodującą zanieczyszczenie powietrza. Do nich stosują się przepisy w sprawie najwyższych dopuszczalnych stężeń (NDS) i najwyższych dopuszczalnych natężeń (NDN) czynników szkodliwych dla zdrowia w środowisku pracy, określone w roz-

porządzeniu Ministra Pracy i Polityki Socjalnej z dnia 17 maja 1995 roku (DzURP nr 69, poz. 531). Obecnie obowiązujące rozporządzenie w swoich załącznikach wymienia 303 związki chemiczne, dla których podano równocześnie najwyższe dopuszczalne stężenia (NDS), średnie ważone, najwyższe dopuszczalne stężenia chwilowe (NDSCH) oraz najwyższe dopuszczalne stężenia progowe (NDSP). Ponadto wyróżniono związki rakotwórcze i substancje przenikające do organizmu poprzez skórę. Z tego wynika, że uregulowania dotyczące środowiska pracy są dokładniejsze i wszechstronniejsze niż postanowienia określające wymagania chroniące pozostałe obszary.

# SUBSTANCJE TOKSYCZNE W ŚRODOWISKU PRACY

Zanim trucizny środowiskowe zawarte w powietrzu doprowadziły do skażenia dużych połaci kraju, a także powietrza wewnątrz mieszkań, istniały w środowisku pracy.

Większość osób zatrudnionych ma dzisiaj do czynienia z chemicznymi obciążeniami na stanowisku pracy, bez względu na to, czy pracuje w biurze czy fabryce.

Dla prawie połowy wszystkich pracujących w Niemczech miejscem pracy jest biuro. Na pierwszy rzut oka obszar pracy w biurze wydaje się higienicznie czysty, zwłaszcza w porównaniu z hałaśliwym i brudnym stanowiskiem pracy fizycznej. Ale nie wszystko złoto, co się świeci.

W pomieszczeniach biurowych, w których pracownicy umysłowi do czasu przejścia na emeryturę spędzają przeciętnie 70 000 godzin, co w większości przypadków jest czasem dłuższym niż trwa pobyt we własnym mieszkaniu, omija się najbardziej elementarne wymogi dotyczące zdrowia człowieka. Spotykane tam stężenia substancji toksycznych byłyby — w razie ich stwierdzenia w powietrzu otwartych przestrzeni — powodem ogłoszenia alarmu smogowego. Krzesła używane w biurach doprowadzają do zniekształceń kręgosłupa i do zwiotczenia mięśni. Występujący tam hałas jest przyczyną ciągłego stresu, kolory ścian prowokują senność, a jakość zwykle stosowanego sztucznego oświetlenia zostałaby uznana za niewystarczającą nawet w zwierzętarniach doświadczalnych.

Badanie wykonane w Berlinie na reprezentatywnej grupie pracowników umysłowych wykazało, że ponad połowa cierpi na różne zaburzenia zdrowia, mające swoją przyczynę w warunkach istniejących na ich stanowiskach pracy. Co czwarty pracownik umysłowy uzyskuje przeciętnie w 54,3 roku życia orzeczenie utraty zdolności do pracy, to znaczy tylko niespełna rok później w porównaniu z osobami zatrudnionymi przy taśmie produkcyjnej.

Mimo to większość z nich akceptuje bez oporu liczne wady charakteryzujące ich stanowiska pracy i wpływające negatywnie na ich zdrowie.

## Warunki środowiskowe

W pomieszczeniach biurowych występują liczne substancje szkodliwe zanieczyszczające powietrze. Są to wyziewy farb ściennych i wykładzin podłogowych, toksyny emitowane przez meble i pochodzące z różnych materiałów biurowych, np. pył tonerów i ozon wydzielany przez drukarki laserowe i kserokopiarki. Niektóre z tych zanieczyszczeń można całkowicie wyeliminować, stosując biologiczne kryteria budowlane. Stężenia innych udaje się znacznie zredukować poprzez świadomy, prozdrowotny wybór potrzebnych urządzeń i materiałów biurowych.

Zawsze warto pamiętać, że powietrze wewnątrz pomieszczeń ulega szybko zużyciu i powinno być regularnie wymieniane.

Na ogół powinny wystarczyć okna i wywietrzniki, by zapewnić wewnątrz pomieszczeń odpowiedni klimat. Ponieważ większość biur znajduje się w miastach, ich wietrzenie przez otwarcie okien nie zapewnia dopływu czystego powietrza, a jedynie umożliwia wnikanie pyłu, spalin samochodowych i hałasu. W takich przypadkach wskazana jest klimatyzacja, zapewniająca wewnątrz pomieszczeń sztuczny mikroklimat.

## Instalacje klimatyzacyjne

W Niemczech wielu zatrudnionych skarży się na to, że w pomieszczeniach klimatyzowanych raz jest im za gorąco, innym razem za zimno, że powietrze jest za suche, a niekiedy dokuczliwe przeciągi utrudniają pracę.

Klimatyzację pomieszczeń ocenia się jako stan nienaturalny, a indywidualną adaptację do warunków sztucznego klimatu odczuwa się jako wymuszoną.

O ile dawniej takie skargi szefowie uważali za zwykłe malkontenctwo, o tyle obecnie w dyskusjach na temat ryzyka dla zdrowia związanego z klimatyzacją pomieszczeń, bierze się pod uwagę wyniki obiektywnych badań naukowych.

Eksperci do spraw środowiska domagają się opracowania w ramach Unii Europejskiej ostrych przepisów regulujących planowanie, konstrukcję oraz eksploatację urządzeń klimatyzacyjnych i wentylacyjnych, ponieważ wśród pracowników biur

---

### Zespół chorego domu ZChD (Sick-Building-Syndrom)

Bóle głowy, ostre dolegliwości ze strony dróg oddechowych, stany depresyjne, uczuleniowe reakcje skórne, zmniejszona sprawność, ogólne złe samopoczucie są to dolegliwości składające się na wyżej nazwany zespół, odczuwany przez niemal jedną trzecią całej liczby zatrudnionych w nowych lub odnowionych pomieszczeniach biurowych.

Przyczyną tego zespołu przede wszystkim są toksyczne wyziewy nowoczesnych klejów wykładzin podłogowych, tapet ściennych, różnych mebli i urządzeń biurowych. Przykładową substancją może być ozon.

Do tego należy dodać pyłki roślinne, zarodniki grzybów i zdolne do namnażania się drobnoustroje, a także zanieczyszczenia wnoszone przez powietrze zewnętrzne oraz pochodzące z niedostatecznie nadzorowanych urządzeń klimatyzacyjnych. Ponieważ zanieczyszczenia te osiągają szczególnie wysoką koncentrację po weekendach, dolegliwości składające się na ZChD nazywane są także „chorobą poniedziałkową". ZChD jest szczególnie dokuczliwy dla stale narastającej liczby alergików, wśród których połowa cierpi na stany uczuleniowe dróg oddechowych.

nieustannie wzrasta liczba przypadków chorób związanych z niekorzystnym wpływem materiałów użytych przy budowie.

## Zagrożenia dla zdrowia

Wskutek negatywnego wpływu urządzeń klimatyzacyjnych tylko w Niemczech u około miliona osób obserwowana jest skłonność do występowania suchych błon śluzowych, a przez to do kaszlu, stanów zapalnych gardła, chrypki, pieczenia oczu, bólów głowy, szybko pojawiających się objawów senności, a przede wszystkim do częstych przeziębień. Osoby z chwiejnym układem krążenia źle znoszą pobyt w przegrzanych pomieszczeniach, ponieważ w tych warunkach doznają częściej obrzęku nóg i przykrego ciążenia głowy. Pracownicy noszący soczewki kontaktowe muszą powrócić do okularów ze względu na wysychanie spojówek.

Instalacje klimatyzacyjne, mające w swoim składzie specjalne komory nawilżające powietrze, działając jako swego rodzaju „wyrzutnie bakteryjne", doczekały się złej opinii.

Co więcej, filtry stanowiące istotną część instalacji klimatyzacyjnej, wykonane z mieszaniny włókien mineralnych, szklanych i ceramicznych są obecnie podejrzewane o działanie rakotwórcze.

Niewykluczone, że mikroskopijne włókienka są rozpraszane w powietrzu klimatyzowanego pomieszczenia i podczas oddychania kaleczą tkanki płucne.

## Zalecenia

— Biorąc pod uwagę obecny stan techniki, najlepiej byłoby — o ile to tylko możliwe — całkowicie zrezygnować z instalacji klimatyzacyjnych. Stanowią one bowiem nie tylko zagrożenie dla zdrowia, lecz pochłaniają w przypadku budynków biurowych około 20% kosztów budowy, a ponadto są ogromnie energochłonne.

— Stosownie do istniejących możliwości każde pomieszczenie biurowe powinno posiadać choć jedno okno, które może być otwierane. Krótkotrwałe wietrzenie pomieszczenia jest często lepszym rozwiązaniem niż ciągłe podtrzymywanie cyrkulacji powietrza kosztowną instalacją klimatyzacyjną.

— Tam, gdzie urządzenia klimatyzacyjne są nieodzowne, należałoby zamienić tradycyjny system zapewniający dopływ stałego strumienia powietrza na umożliwiający zmiany objętości strumienia nawiewanego powietrza. Wtedy napływ świeżego powietrza można wyregulować odpowiednio do zapotrzebowania. Wprawdzie takie urządzenie na etapie inwestycji jest stosunkowo drogie, jednakże powiązanie z systemem odzyskiwania ciepła umożliwia zmniejszenie niemal do połowy zużycia energii elektrycznej, w porównaniu z rozwiązaniem tradycyjnym.

Największą wadą proponowanego systemu zmiennego strumienia powietrza jest to, że zużyte powietrze pomieszczenia nie jest wymieniane jak przedtem od dziesięciu do czternastu razy, lecz jedynie dwa razy na godzinę.

— Ostatnio modne stały się systemy doprowadzania czystego powietrza przez otwory w podłodze. Prawdopodobnie okażą się pomysłem nieudanym, gdyż na podłodze zbiera się pył, który jest stale wyrzucany w przestrzeń pomieszczenia. Doprowadzanie powietrza przez sufit wydaje się nie tylko bardziej racjonalne, lecz także energooszczędne. Koszt wentyla-

cji spada wówczas w porównaniu z innymi rozwiązaniami o jedną trzecią. Warunkiem wymagającym spełnienia jest zapewnienie możliwości oddzielnego nawiewu i wywiewu powietrza przez sufit, bez ryzyka zetknięcia się obu tych strumieni.

## Nawilżacze powietrza

Problem nawilżania powietrza pojawia się w przypadku tych pomieszczeń, które są ogrzewane przeważnie przy zamkniętych oknach. Ze wzrostem temperatury wzrasta pojemność powietrza dla pary wodnej i wtedy jego wilgotność względna maleje. Również powietrze nagrzewające się na różnych maszynach biurowych jest skrajnie suche. Tam gdzie odpowiedniej wilgotności nie zapewnia sztuczna klimatyzacja, w grę wchodzi wykorzystanie jednego z trzech rodzajów nawilżaczy:

— Urządzenia wydzielające parę wodną, dzięki odparowywaniu wody poddanej nagrzaniu. Ich wadą jest duże zużycie energii elektrycznej.

— Parowniki nawilżające powietrze i obniżające jednocześnie jego temperaturę. Urządzenia te podnoszą koszt ogrzewania pomieszczeń.

— Nebulizatory wytwarzające mgłę wodną. Pracują one bardzo cicho i są energooszczędne, jednakże wraz z mgłą rozpraszają w powietrzu pył, zarodniki grzybów i bakterie. Zastępczym środkiem dla wymienionych urządzeń mogą być kamionkowe parowniki i żywe rośliny.

## Rośliny jako regulatory mikroklimatu

Od 20 lat naukowcy NASA poszukują możliwości regulowania mikroklimatu pomieszczeń za pomocą zielonych roślin. Ich osiągnięcia są istotne również dla osób cierpiących na skutek zanieczyszczeń powietrza w pomieszczeniach pracy.

Rośliny zwiększają wilgotność powietrza i mogą dlatego zastąpić energochłonne nawilżacze. Odfiltrowują substancje szkodliwe, tlenek węgla i dym tytoniowy, wytwarzając jednocześnie tlen. Optymalną funkcję filtracyjną zapewnia wszakże dopiero specjalny system przewietrzania w obrębie ich korzeni.

---

### „Urządzenia oczyszczające powietrze" — reklama bez pokrycia

„Płuczki powietrza", „urządzenia oczyszczające i nawilżające", „usuwacze zapachów" albo „jonizatory powietrza" zapewniają — jeśli się oprzeć na reklamie ich wytwórców — całkowite oczyszczenie powietrza w pomieszczeniu, i to zgodnie z wymogami higieny, z takich substancji szkodliwych, jak formaldehyd, pył, dym z papierosów, przy czym efekty te mają być osiągane minimalnym zużyciem energii elektrycznej, a same urządzenia nie wymagają konserwacji.

Na zlecenie magazynu poświęconego sprawom ekologicznym, o nazwie „Eko-Test", przeprowadzono badania tych drogich urządzeń. Wynik badań był jednoznaczny: reklama nie miała pokrycia w efektach działania zbadanych urządzeń. Cechy powietrza uległy zaledwie minimalnej poprawie. Najlepszym przetestowanym urządzeniem działającym bezkonkurencyjnie okazało się otwarte okno.

Szczególną zdolnością oczyszczania powietrza są obdarzone następujące rośliny:

— Benzen: bluszcz pospolity (*Hedera helix*), jednolistkowiec (*Spathiphyllum*), dracena, czyli smokowiec (*Dracaena fragaus*), gerbera, *Epigremmum*.

— Formaldehyd: aloes, banan (*Musa paradisica*), filodendron i dracena.

— Trójchloroetylen: chryzantema, gerbera, dracena, jednolistkowiec (*Spathiphyllum*).

## Dym z papierosów

Dym z papierosów zawiera około dwustu różnych związków chemicznych, a wśród nich tlenki azotu, tlenek węgla i nikotynę. Ponadto związki drażniące — formaldehyd i akroleinę oraz substancje rakotwórcze — węglowodory i nitrozaminy.

Wskutek obecności tych substancji powietrze pomieszczenia jest znacznie silniej obciążane niż przez wszystkie pozostałe związki toksyczne spotykane w biurach.

Działanie dymu papierosów dotyczy też niepalących (→ Palenie tytoniu, s. 740). Kto w pracy ma palących kolegów, winien domagać się, aby w jego pokoju pracowały wyłącznie osoby niepalące albo żeby palenie papierosów było ograniczone tylko do czasu trwania przerwy w pracy. Rada pracownicza, kierownictwo zakładu, a także palący koledzy zwykle są zainteresowani rozwiązaniem satysfakcjonującym wszystkich. Kobiety ciężarne mają gwarancje prawne, że ich stanowisko pracy musi się mieścić w pomieszczeniu prawidłowo wentylowanym. Wzorując się na regulacjach obowiązujących w USA, również w Europie wprowadza się bezdymne strefy w miejscach publicznych i na stanowiskach pracy.

## Oświetlenie

Większość pracowników biurowych otrzymuje znaczącą dawkę światła dziennego tylko podczas weekendów i w czasie urlopu, ponieważ na stanowiskach pracy przez osiem godzin przeważa oświetlenie sztuczne. Niedobór światła dziennego u osób nadwrażliwych może doprowadzić do pogorszenia samopoczucia i do stanów depresyjnych (→ s. 191). Jakość oświetlenia stanowisk pracy stanowi nie tylko problem związany z ogromnymi możliwościami oszczędzania energii (oszczędność sięga 80 do 90%), lecz jest też czynnikiem wpływającym na efektywność pracy i zdrowie pracowników.

Badania wykazały, że obciążenie organizmu pracą jest najmniejsze na stanowiskach położonych blisko okien. Kto nie może swego biurka ustawić przy oknie, ten powinien przynajmniej zadbać o optymalne oświetlenie sztuczne.

Poczucie przyjemnego komfortu świetlnego można zapewnić przez kombinację pośredniego oświetlenia sufitowego z indywidualnie regulowanym oświetleniem miejscowym stanowiska pracy. Im światło emitowane przez dane źródła będzie miało widmo bardziej zbliżone do widma światła naturalnego, tym większa będzie sprawność pracowników i lepsze ich samopoczucie.

Najlepsze oświetlenie uzyskuje się za pomocą źródeł szero-

kowidmowych, zwanych też źródłami światła dziennego, zamontowanych w dobrze odbijających oprawach.

Znacznie lepsze — w porównaniu z żarówkami — pod względem emitowanego widma są świetlówki i nowoczesne promienniki energooszczędne. Żarówki zużywają najwięcej energii, cechują się krótkotrwałą żywotnością i dają światło mało podobne do naturalnego.

Istotną wadą świetlówek jest to, że emitują one błyski świetlne sto razy na sekundę. Związany z tym efekt stroboskopowy (błyskowego oświetlenia przedmiotów) nie dociera do naszej świadomości, niemniej dla wielu jest przyczyną odczuwania pewnej niewygody. Ten negatywny efekt można usunąć przez odpowiednie urządzenia elektroniczne, włączone w obwód zasilania świetlówek.

Do 1983 roku używano do produkcji kompaktowych kondensatorów, stanowiących element układu zasilania świetlówek, wielochlorowane dwufenyle (→ s. 761). Z tego powodu należy stare oprawy świetlówek zastąpić nowoczesnymi, a eliminację kondensatorów zlecić fachowcom, aby podczas ich usuwania nie doszło do skażenia powietrza pomieszczenia groźnymi dla zdrowia wielochlorowanymi dwufenylami.

Istotne jest, aby również nowoczesnych świetlówek nie rozbijać, ponieważ wtedy dochodzi do uwalniania trujących par rtęci.

Ze względu na wysoką cenę w pomieszczeniach biurowych nie stosuje się żarówek halogenowych. Należy wiedzieć, że z uwagi na ich niekorzystne widmo z dużym udziałem promieniowania pozafioletowego (UV) nie nadają się one do stałego oświetlania i jako źródła miejscowego oświetlenia stanowiska pracy.

### Zalecenia

— Należy sprawdzić wszystkie oprawy świetlówkowe w otoczeniu, zwłaszcza gdy przebywają w nim dzieci. Często w pyle znajdującym się w pomieszczeniu z uszkodzonymi kondensatorami świetlówek znajduje się znaczna ilość polichlorodwufenyli. Na przykład przepisy stosowane w Holandii przewidują, że podłogi zawierające więcej niż 10 mg tego związku w kilogramie wymagają wymiany.

## Hałas na stanowisku pracy

Najczęściej stwierdzaną chorobą zawodową jest uszkodzenie słuchu wywołane przez silny hałas w środowisku pracy. Szkodliwy dla zdrowia ogólnego może być też hałas mniej nasilony. Już przy poziomie natężenia około 55 dB (decybeli) hałas wywołuje stan stresu wegetatywnego układu nerwowego (→ Przytępienie słuchu, s. 242). Bezpośrednim skutkiem działania hałasu jest wzrost ciśnienia krwi i napięcia mięśni oraz pogorszenie funkcji układu trawienia, których następstwem jest rozwój ostrych i przewlekłych chorób stresogennych.

W pomieszczeniach biurowych hałas jest emitowany przede wszystkim przez drukarki, kopiarki i telefony. Obciążenie pracowników mogą zmniejszyć następujące środki:
— stosowanie tapet dźwiękochłonnych, bawełniane pokrycia ścian, kotary, dywany i rośliny;

— wyposażenie biura wyłącznie w maszyny cichobieżne;
— ustawienie drukarek i kopiarek za szafami i przegrodami. Najskuteczniejsze są pochłaniacze akustyczne ustawione jak najbliżej źródeł hałasu;
— stosowanie podkładów filcowych, które zapobiegają drganiom rezonansowym mebli;
— ustawienie komputerów pod biurkami znacznie zmniejsza dokuczliwość hałasu ich dmuchaw;
— wszędzie, gdzie to jest możliwe, sygnały akustyczne należy zastąpić sygnałami świetlnymi;
— cicha muzyka radia tworzy pozytywnie oceniane tło akustyczne, które skutecznie maskuje inne, nagłe zakłócenia dźwiękowe, jak np. dzwonek telefonu.

## Smog elektromagnetyczny

W naszym otoczeniu znajdują się bardzo liczne i różnorodne źródła promieniowania elektromagnetycznego. Należą do nich energetyczne linie wysokiego napięcia, przewody sieci trakcyjnej kolei, anteny nadawcze radia, telewizji, sieci telefonii komórkowej i ruchome stacje nadawcze. Do tego należy dołączyć wszystkie elektryczne urządzenia gospodarstwa domowego i sieć elektryczną w budynkach doprowadzającą energię do każdego mieszkania. Suma pól elektromagnetycznych, emitowanych przez takie źródła, nazywana jest smogiem elektromagnetycznym.

Organizm człowieka i jego układ nerwowy funkcjonuje, także opierając się na energii i potencjałach elektrycznych. Dlatego od kilku dziesięcioleci toczy się naukowa dyskusja, czy taki smog elektromagnetyczny oddziałuje na zjawiska bioelektryczne naszego organizmu, doprowadzając do pogorszenia zdrowia. W smogu elektromagnetycznym postrzegana jest przyczyna bólów głowy, zaburzeń snu, stanów uczuleniowych, skurczów mięśni, zaburzeń genetycznych i raka. Do czasu ostatecznego wyjaśnienia tego problemu i wprowadzenia urzędowych regulacji eliminacja lub ograniczenie smogu elektromagnetycznego w naszym otoczeniu pozostaje naszą osobistą decyzją i indywidualnym staraniem.

Dla stanowisk pracy w przemyśle i w biurach, w których liczba źródeł pól elektromagnetycznych jest szczególnie duża, sformułowano następujące zalecenia:
— stosować należy ekranowane przewody, gniazdka i wyłączniki;
— obwody elektryczne należy łączyć w gwiazdę, a nie w pierścienie;
— odstęp między urządzeniami elektrycznymi winien być możliwie największy;
— elektryczne urządzenia niepracujące należy odłączyć, a nie tylko wyłączyć. Należy unikać pozostawiania przyrządów w stanie gotowości do pracy (stand-by-function);
— oszczędnie używać telefonów komórkowych.

Wskazane jest zainstalowanie w mieszkaniu i własnym domu dodatkowego wyłącznika, w celu wyłączenia napięcia w sieci zasilającej sypialnię. Sieć doprowadzającą sygnał od anten telewizyjnych do odbiornika TV oraz sieć elektryczną zasilania wysokowatowych urządzeń elektrycznych należy zainstalować możliwie z dala od sypialni i przylegających do niej ścian.

## Meble biurowe

Już obecnie ponad połowa zatrudnionych pracuje w biurach i ta tendencja nasila się gwałtownie w miarę nasycania stanowisk pracy osiągnięciami techniki. Poza tym około 2 milionów Niemców ma swoje miejsca pracy we własnym mieszkaniu. Rozwój technologii pracy opartej na wykorzystaniu informatyki spowoduje w następnych dziesięcioleciach gwałtowny wzrost tej liczby. Z tego powodu narasta zdrowotne znaczenie nie tylko jakości powietrza i oświetlenia pomieszczeń, lecz także kształtu mebli, gdyż ta praca jest wykonywana przeważnie w pozycji siedzącej.

W celu zapobieżenia uszkodzeniom zdrowia wskazane jest unikanie już w fazie wyposażenia pomieszczeń biurowych tworzyw sztucznych, płyt prefabrykowanych z użyciem formaldehydu, elastycznych wypełnień, pokryć i laminatów oraz wykładzin podłogowych, które zawierają i wydzielają substancje szkodliwe dla zdrowia.

Aby spełnić wymogi ergonomii oraz dla uniknięcia zniekształceń kręgosłupa i nadmiernego zmęczenia, powinno się stosować stoły umożliwiające dostosowanie ich wysokości i kąta pochylenia do wzrostu pracownika. Krzesła muszą być niewywrotne i umożliwiać zmianę wysokości. Kółka krzeseł przesuwalnych muszą być zaopatrzone w hamulce, włączające się w momencie odciążenia krzesła. Podpórki pod ramiona winny być wygodne i mieć miękkie pokrycie. W celu odciążenia kręgosłupa należy stosować krzesła kolankowe, podpory pod stopy i pulpity do pracy w pozycji stojącej.

### Maszyny i urządzenia biurowe

Choć komputer i drukarka stały się podstawowym narzędziem pracownika umysłowego, mimo to — obok kopiarek i faksów, cechujących się okresem używalności od 3 do 5 lat — w wielu biurach spotyka się nadal jeszcze maszyny do pisania i kalkulatory stołowe. W chwili zakupu i w okresie ich pracy należy zwracać uwagę na aspekty ekologiczne. W grę wchodzi niska energochłonność oraz spełnianie kryteriów ergonomicznych i zdrowotnych.

Wiarygodnej informacji o zdrowych cechach tych urządzeń można zaczerpnąć w instytucjach dokonujących konsumenckiej kontroli, albo z odpowiednich materiałów opisujących techniczne właściwości, mające znaczenie dla bezpieczeństwa i zdrowia użytkowników.

### Komputery

Trzy z czterech stanowisk pracy mają komputer. Jest to tendencja rosnąca. Produkcja komputerów wymaga dużych ilości energii i użycia trujących metali ciężkich, takich jak bar, ołów, kadm, miedź, nikiel, rtęć, stront, tal, cynk i cyna. Wyłącznie w wyniku kontaktu z tymi metalami podczas produkcji układów scalonych, tzw. czipów zachorowało 6,4% pracowników słynnej Krzemowej Doliny w USA. Stwierdzono też częstsze poronienia u ciężarnych pracujących w tym przemyśle niż u innych kobiet w USA.

Produkcja komputerów jest powodem emisji do powietrza atmosferycznego przede wszystkim dwutlenku węgla, tlenków azotu, dwutlenku siarki, tlenku węgla, pyłu i węglowodorów.

Części komputerów wykonane z tworzyw sztucznych zawierają wielobromowany eter dwufenylowy jako substancję ognioochronną, który w starszych przyrządach już nawet podczas normalnej pracy, lecz przede wszystkim podczas pożaru, odparowuje rakotwórcze furany. Nowsze przyrządy wykonane w Niemczech tej substancji już nie zawierają, jednakże w przypadku przyrządów importowanych tej pewności brak.

Postawa wymuszona przez komputer przy jego obsłudze jest nadzwyczaj niekorzystna dla naszego narządu ruchu, a konieczność fiksacji wzroku na szczególe widocznym na monitorze stanowi duże obciążenie dla oczu.

## Monitory komputerowe

Monitory komputerów stacjonarnych emitują różne rodzaje promieniowania:
— Małe ilości fal elektromagnetycznych ultrawysokiej częstotliwości i w zakresie pasma radiowego najczęściej poniżej progu oznaczalności;
— Promieniowanie rentgenowskie. Nie stanowi ono problemu, gdy wysokie napięcie elektryczne przyspieszające elektrony w kineskopie nie przekracza 24 kV (kilowoltów);
— Promieniowanie elektromagnetyczne (→ s. 764). Ponieważ dotychczasowe badania naukowe nie potwierdziły ani też nie wykluczyły negatywnego wpływu tych promieni na zdrowie, należy przestrzegać zasady, by kobiety w ciąży przy takich monitorach przebywały wyłącznie przez czas bezwzględnie konieczny.

Większość emisji tego promieniowania jest ukierunkowana do tyłu i na boki monitora. Dlatego obok i za monitorami nie powinno być stałych miejsc pracy. Zagrożenie spada ze wzrostem odległości. W każdym przypadku należy się upewnić, że monitor jest oznakowany symbolem małej emisji promieniowania, a najlepiej — by obok tego znaku znajdowało się stwierdzenie, że monitor odpowiada szwedzkiej normie MPR2.

Pod wpływem wysokiego napięcia elektrycznego, istniejącego wewnątrz kineskopu, dochodzi do elektrostatystycznego naładowania się przedniej powierzchni ekranu, co u osób wrażliwych wywołuje takie choroby skóry, jak trądzik i wypryski. W momencie wyłączenia monitora, jego ekran odrzuca w przestrzeń cząstki pyłu, które trafiają w twarz i w oczy osoby siedzącej przed monitorem, prowadząc do chorób oczu i skóry.

Elektrostatycznemu naładowaniu się ekranów można zapobiec następującymi środkami:
— komputer i monitor należy połączyć z ziemią;
— na ekran monitora należy nałożyć filtr. Jego wadą jest zmniejszenie kontrastu i jasności obrazu, co wtórnie zwiększa obciążenie oczu;
— powietrze w pomieszczeniu winno być dostatecznie wilgotne;
— pomieszczenie winno być wyposażone w przedmioty i materiały antystatyczne;
— noszony ubiór winien być uszyty z włókien naturalnych. Obuwie wykonane ze skóry winno mieć podeszwę skórzaną lub z naturalnego kauczuku.

## Drukarki

Nie spełniły się nadzieje, że powstaną biura bez papierów. Zamiast tego typowym wyposażeniem stały się drukarki, najczę-

---

## Zespół RSI (powtarzających się urazów powysiłkowych)

Praca biurowa może być przyczyną chorób. Ze wzrostem liczby biurowych miejsc pracy nastąpiło zwiększenie liczby przypadków chorób mięśni i stawów. W Niemczech ten rodzaj patologii stanowi obecnie przyczynę około jednej trzeciej wszystkich dni absencji chorobowej w pracy.

Zespół dolegliwości zaczyna się od stałego bólu głowy oraz lekkiego usztywnienia i doprowadza po kilkudziesięciu latach do stałej niezdolności do pracy z powodu ciężkich uszkodzeń kręgosłupa. Długotrwała praca siedząca w pozycji wymuszonej przez obsługę komputera przeciąża układ ruchu oraz aparat podporowy grzbietu i rąk, a ponadto wpływa negatywnie na oczy. Choroby tego rodzaju, na które obecnie cierpi już co trzecia osoba pracująca przy komputerze, są nazywane zespołem RSI (repetitive-strain-injury: powtarzających się urazów powysiłkowych).

Następujące dolegliwości pojawiają się często w wyniku pracy z komputerem:
— Dolegliwości ze strony oczu, wskutek stałych zmian kierunku patrzenia, złej jakości ekranów, niekorzystnego oświetlenia itp. (→ Obciążenia oczu, s. 218).
— Bóle głowy będące następstwem przeciążenia oczu lub sztywności karku.
— Sztywność karku wskutek trwałego utrzymywania głowy w jednej pozycji.
— Bóle pleców powodowane przez zgarbioną pozycję siedzącą i złe meble biurowe.
— Zaburzenia krążenia krwi w obszarze ramion oraz przeciążenie przedramion i stawów rąk, w wyniku złych wymiarów i złego ustawienia mebli biurowych, z powodu nieergonomicznych klawiatur komputerowych i monotonii pracy wprowadzania danych do komputera.
— Uciśnięcie żołądka i zakleszczone uda.

Najpóźniej po dziesięciu latach stałej pracy przy komputerze ścięgna i mięśnie są tak znacznie zużyte, że staje się to powodem niezdolności do wykonywania zawodu. Mimo to nie uznaje się dotąd zespołu RSI w Niemczech, Austrii i Szwajcarii za chorobę zawodową.

Ryzyko zachorowania na zespół RSI można zmniejszyć przez ergonomiczne rozwiązanie stanowisk pracy, używanie ergonomicznych klawiatur komputerowych, stosowanie regularnych przerw w pracy i przez uprawianie fizycznych ćwiczeń wyrównawczych.

---

ściej czynne przez cały dzień pracy. Nadal używane są drukarki igłowe, stanowiące źródło przykrego hałasu, cechującego się wysoką częstotliwością. Drukarki laserowe, jak również kserokopiarki, stają się przyczyną zagrożenia zdrowia wskutek emisji ozonu i pyłu pochodzącego od tonera. Praca drukarek laserowych może doprowadzić do obecności ozonu w powietrzu w ilości przekraczającej maksymalnie dozwolone stężenie, które oficjalnie zostało przyjęte na zbyt wysokim poziomie. Taka sytuacja zdarza się zwłaszcza w pomieszczeniach, w których równocześnie pracuje kilka takich urządzeń.

Ozon wpływa szkodliwie na drogi oddechowe, oczy i błony śluzowe (→ s. 783), prowadząc do stałego bólu głowy, dolegliwości oczu i zwiększonej podatności na przeziębienia.

Niebezpieczeństwa związane z wysokim stężeniem ozonu w powietrzu można zmniejszyć, dbając o dobry mikroklimat i wystarczającą wentylację pomieszczenia oraz o regularną wymianę filtrów z aktywnym węglem.

### Kserokopiarki

Toner (barwnik używany do wykonywania kopii), w skład którego wchodzi sadza, sztuczne żywice i farby z tlenku żelaza, jest podejrzewany o działanie rakotwórcze. Drobne pyłki tonera dostają się do płuc. Dlatego należy unikać kontaktu z takim pyłem. W przypadku tonera dwuskładnikowego przedostawanie się pyłków do płuc jest łatwiejsze, a zatem i ryzyko zdrowotne jest większe niż pyłków tonera jednoskładnikowego, które są dwa razy większe. Ponadto toner jednoskładnikowy nie zawiera materiału balastowego, dzięki czemu zbiornik z tonerem resztkowym nie musi być nigdy opróżniany, co zapobiega przedostawaniu się pyłu tonera do powietrza i do płuc. W przypadku urządzeń z zamkniętymi pojemnikami z tonerem zbiornik uzupełniający ilość barwnika jest ściśle połączony z pojemnikiem podstawowym, co również zapobiega przedostawaniu się pyłu tonera do powietrza.

Podczas pracy kserokopiarek wydzielany jest ozon (→ s. 783) w ilościach znaczących pod względem medycznym. U osób wrażliwych ten gaz drażniący atakuje błony śluzowe i oczy. Następstwem mogą być bóle głowy, pieczenie oczu i zwiększona podatność na przeziębienia. Nowoczesne kopiarki zawierają filtr z węglem aktywnym, który wszakże tylko pod warunkiem regularnego serwisu zapewnia emisję ozonu w ilości niemającej biologicznego znaczenia.

### Zalecenia

— Kopiarki oznakowane „niebieskim aniołem" spełniają wiele podstawowych wymogów ekologicznych.
— Używany toner nie powinien zawierać wielopierścieniowych węglowodorów aromatycznych ani nitropirenów. W razie wątpliwości należy się domagać okazania przez dostawcę albo producenta odpowiedniego certyfikatu.
— Starsze kopiarki, pracujące systemem mokrym, zużywają znaczne ilości chemikaliów i dlatego należy je zastąpić kopiarkami nowszymi, suchymi.
— Zamknięte pojemniki tonera obciążają płuca i środowisko w mniejszym stopniu w porównaniu z systemami otwartymi. W razie używania tych ostatnich należy dbać o to, by pył tonera nie dostał się do powietrza pomieszczenia.
— Kopiarki zawierające filtr z węglem aktywnym wydzielają znacznie mniejsze ilości ozonu, o ile tylko filtry są regularnie doglądane.
— W czasie pracy kserokopiarki, a zwłaszcza podczas wymiany tonera, nie należy jeść ani palić papierosów.
— Po wymianie tonera, a także po wykonaniu i manipulowaniu większą liczbą kserokopii należy bezwzględnie starannie umyć ręce.
— Kserokopiarki nie powinny być umieszczone w pomieszczeniach biurowych ani w pomieszczeniach mających mniej niż 25 metrów sześciennych objętości.

### Ergonomiczna organizacja komputerowego stanowiska pracy

— Oś widzenia (kierunek patrzenia) winna biec poziomo w kierunku do górnej krawędzi ekranu monitora, a odległość oczu od ekranu winna wynosić od 50 do 75 cm.
— Krzesło musi posiadać regulację wysokości i położenia oparcia dla pleców.
— Źródłowe materiały, których treść jest wprowadzana do komputera, winny być umieszczone w imadle znajdującym się na wysokości ekranu obok niego.
— Klawiatura komputera winna odpowiadać wymogom ergonomii. Dozwolone jest używanie klawiatur posiadających podpory dla kłębu kciuka. Środkowy rząd klawiszy nie powinien wystawać więcej niż 3 cm ponad powierzchnię stołu.
— Ekran monitora winien mieć co najmniej 14 cali. Częstość repetycji obrazu nie powinna być mniejsza niż 70 Hz. Powierzchnia ekranu ma być bezodblaskowa. Znaki drukarskie — ciemne na jasnym tle.
— Oświetlenie winno być pośrednie, z dodatkowym, wychylnym źródłem miejscowym.
— Stół o regulowanej wysokości, głęboki nie mniej niż na 80 cm.
— Przestrzeń dla nóg pod stołem o wysokości nie mniejszej niż 65 cm, głębokości nie mniejszej niż 70 cm i szerokości nie mniejszej niż 80 cm.
— Konieczna podpórka dla stóp o regulowanym pochyleniu.

— Gdy stwierdzana jest woń ozonu, należy otworzyć okna.
— Należy unikać wykonywania zbędnych kopii.

### Papier

Oferta handlowa obejmuje kilkaset rodzajów papieru i kartonu, których uszlachetnienie wymagało użycia około dwóch tysięcy substancji chemicznych; tzw. papiery chemiczne są już oznakowane informacją, że mogą stanowić ryzyko dla zdrowia. Kleje papierów samoprzylepnych zawierają często rozpuszczalniki organiczne. W skład papierów chemicznych, które są jedno- lub dwustronnie pokryte warstwą umożliwiającą wykonywanie kopii (przekazy, formularze, rachunki itp.) wchodzi między innymi formaldehyd (→ s. 759) i wielochlorowane dwufenyle (→ s. 761).

Badania wykonane w Skandynawii wykazały, że chemiczne papiery wywołują podrażnienia skóry i błon śluzowych. Zdarza się to tylko u osób, które stale mają kontakt z takim papierem.

## CHEMIA W ZAKŁADZIE PRACY

Z grupy 2,7 miliona mężczyzn, którzy w minionym dziesięcioleciu przestali być zawodowo czynni, tylko 30% jej członków uzyskało emeryturę w ustawowym wieku, 37% odeszło na rentę inwalidzką przed osiągnięciem wieku emerytalnego, a 33% zmarło przedwcześnie.

## Mazaki, lakiery korekcyjne

Mazaki, pisaki i wiele innych przyborów do pisania, podkreślania, wyróżniania — o najróżniejszych nazwach — zawierają w większości przypadków niepotrzebne rozpuszczalniki, które można rozpoznać po ostrym zapachu.

Obecnie sprzedawane lakiery korekcyjne zawierają często jeszcze jako rozpuszczalnik chlorowane węglowodory. Rozcieńczacze stanowiące ich uzupełnienie należą w całości do rozpuszczalników organicznych.

### Zagrożenia dla zdrowia

Poszczególne rozpuszczalniki różnią się znacznie swoim działaniem na człowieka. Chlorowane węglowodory podejrzewa się o działanie rakotwórcze i mutagenne.

Ponadto wywołują dość często zawroty głowy lub stan oszołomienia. Są zatem substancją prowokującą do wąchania i nierzadko stają się czynnikiem inicjującym narkomanię u dzieci.

### Zalecenia

— Gdy do wykonania napisów na foliach, przeznaczonych do wyświetlania za pomocą rzutnika, mają być użyte pisaki zawierające rozpuszczalniki organiczne, należy zadbać o dobrą wentylację pomieszczenia.

— Gdy tylko się da, stosować wyłącznie mazaki zawierające tusz rozpuszczalny w wodzie. Należy unikać tanich przyborów, ponieważ — zwłaszcza gdy są importowane — zawierają formaldehyd, użyty do konserwacji tuszu

— Płyny i lakiery korekcyjne stosować tylko wtedy, gdy są wykonane na bazie wodnej („waterbase"). Ich wadą jest wolniejsze schnięcie.

## Kleje

Głównie kleje uniwersalne, kontaktowe i tzw. kleje specjalne często zawierają do 70% rozpuszczalników organicznych. Ich obecność nie zawsze podawana jest na opakowaniu. W większości przypadków rozpoznaje się je po ostrej i względnie przyjemnej woni, a także po podanej informacji, że klej jest palny.

### Zagrożenia dla zdrowia

Zależnie od stężenia rozpuszczalnika w powietrzu oraz od indywidualnej wrażliwości użytkownika kleju dochodzi do łzawienia oczu oraz do odczuwania drapania w gardle.

Rozpuszczalniki organiczne wywołują czasami zawroty głowy oraz stan upojenia. Są zatem typowym środkiem używanym przez „wąchaczy" i dość często przyczyniają się do narkomanii u dzieci. Kleje dwuskładnikowe, przeznaczone do sklejania kamieni, porcelany albo metalu, mogą podrażniać skórę lub wywołać kontaktowe jej zapalenie, nawet wtedy, gdy na skórę dostaje się mała ilość kleju (→ s. 260). Kleje działające natychmiast (kleje sekundowe) uwalniają pary, które zaliczne są do związków rakotwórczych.

### Zalecenia

W codziennej pracy biurowej wystarczają zwykłe kleje do papieru. Ich rozpuszczalnikiem jest woda. W handlu oferowane są w postaci ciekłej jako pasty lub sztyfty.

Tanie kleje importowane nadal jeszcze zawierają formaldehyd jako środek konserwujący.

---

Zbyt mała jest powszechna świadomość, że szkodliwe substancje występujące na stanowisku pracy są istotnymi przyczynami zachorowań. Nie bez znaczenia pozostaje fakt, że osoby oraz instytucje odpowiedzialne za ten stan rzeczy bagatelizują lub lekceważą istnienie związku między tymi substancjami a zaburzeniami zdrowia pracowników.

Tymczasem w Niemczech co piąty zatrudniony w pracy ma kontakt z substancjami silnie toksycznymi oraz częściowo rakotwórczymi. Przyczyną obciążeń dla zdrowia są różne gazy, pary,

pył, brud, przeciągi, chłód i zimno oraz wysoka temperatura. Substancje szkodliwe bywają wdychane (np. pył azbestowy), połykane (podczas zjadania chleba trzymanego brudnymi rękami) albo przenikają do organizmu przez kontakt ze skórą, jako rozprysk cieczy.

### Wartości graniczne

W przemyśle i zakładach usługowych przeprowadzano równocześnie serię badań, które miały na celu wyjaśnienie stopnia obciążenia zdrowia substancjami występującymi w procesie pracy. Królikami doświadczalnymi w tych badaniach byli sami pracobiorcy. Statystycznie ustalone progi szkodliwości posłużyły za podstawę uregulowań prawnych określających maksymalnie dopuszczalne stężenie substancji występującej w środowisku i procesie pracy jako gaz, para lub zawiesina (NDS — najwyższe dopuszczalne stężenie) oraz podających dopuszczalne stężenie „szczytowe" w powietrzu na stanowisku pracy.

Co roku senacka komisja Niemieckiego Towarzystwa Badawczego, zajmującego się szkodliwymi substancjami występującymi w środowisku pracy, ogłasza wykaz około pięciuset substancji. W Austrii opracowywaniem takiego rejestru zajmuje się Powszechny Zakład Ubezpieczeń. Obecnie sporządzona lista zawiera trzysta sześćdziesiąt związków i substancji szkodliwych. Obok nazwy substancji wykaz podaje dozwolone wartości graniczne stężeń w powietrzu stanowiska pracy. Te wartości graniczne nie uwzględniają jednakże faktu, że określona substancja może na konkretnego człowieka wpłynąć szkodliwie już przy stężeniach poniżej podanych wartości, tym bardziej że każdy z nas podlega również dużym obciążeniom poza środowiskiem pracy.

Poza tym podane stężenia graniczne są ważne tylko w odniesieniu do jednego związku chemicznego, tymczasem w realnych warunkach środowiska pracy pracownik może być jednocześnie narażony na wpływ większej liczby groźnych substancji, których szkodliwe działania i wywoływane uszkodzenia zdrowia mogą się potęgować. Zarówno zróżnicowana zdolność do wchłonięcia danej substancji, jak i odmienna wrażliwość na jej obecność w ustroju były powodem wprowadzenia dla określonego związku chemicznego pojęcia wartości biologicznie tolerowanego stężenia. Ponieważ te biologicznie tolerowane stężenia zależne są od wieku oraz fizycznej i zdrowotnej kondycji, wysunięto zastrzeżenie, że mogą one doprowadzić do zwolnienia z pracy osób bardziej wrażliwych. Stąd też zamiast stężeń biologicznie tolerowanych należy stosować „najwyższe dozwolone stężenia" (NDS), ale określone na takim poziomie, że zapewniłyby utrzymanie zdrowia również pracownikom o ogólnie niższej kondycji niż kondycja młodych pracowników.

### Obowiązkowa informacja

Istniejące przepisy wymagają, by pracownik mający kontakt w procesie pracy i w swoim środowisku pracy z substancją szkodliwą był poinformowany co do istniejącego ryzyka zdrowotnego.

### Źródła informacji

*Jakich informacji można się domagać*
— Oznaczenia substancji niebezpiecznej na wszystkich pojemnikach, w których jest zawarta.
— Dokładnych instrukcji technologicznych dotyczących stosowania substancji szkodliwych.
— Co najmniej jeden raz w roku ustnego pouczenia.
— Dokładnego pouczenia w przypadku wprowadzenia nowych czynności lub wprowadzenia nowej substancji toksycznej.
— Specjalnych kursów szkoleniowych i instruktażowych związanych z pracą z narażeniem na wpływ substancji szkodliwych.

— Zapytania można skierować do punktów informacji zakładowej i poza zakładem.

*Kto w zakładzie może udzielić informacji*
— Członkowie Rady Pracowniczej lub Rady Załogi.
— Pracownicy Służby Bezpieczeństwa i Higieny Pracy.
— Lekarz zakładowy.
— Pracodawca.
— Pracownicy Służby Ochrony Środowiska.
— Przedstawiciele Zakładowej Inspekcji Pracy.

*Kto spoza zakładu może udzielić informacji*
— Państwowa Inspekcja Pracy.
— Państwowa Inspekcja Sanitarna szczebla wojewódzkiego i terenowego.
— Branżowe Związki Zawodowe.
— Centralny Instytut Ochrony Pracy w Warszawie.
— Instytuty Medycyny Pracy w Łodzi i Sosnowcu.

*Gdzie można szukać właściwej informacji*
— Stan prawny dotyczący ochrony pracy, bezpieczeństwa pracowników, postępowania kontrolnego i działania zapobiegawczego, a także dotyczący statutowych obowiązków i zakresu uprawnień instytucji kontrolnych i badawczych — w Dzienniku Ustaw, Dzienniku Urzędowym Ministerstwa Zdrowia i Opieki Społecznej, biuletynach Państwowej Inspekcji Pracy i Państwowej Inspekcji Sanitarnej.
— Wykazy NDS i NDN (najwyższych dozwolonych stężeń i najwyższych dozwolonych natężeń) stanowią załączniki rozporządzenia ministra pracy i polityki socjalnej.
— W wydawnictwach naukowych dotyczących omawianego problemu oraz w specjalistycznych czasopismach: „Medycyna Pracy", „Ochrona Pracy", „Bezpieczeństwo Pracy".

## Choroby uczuleniowe wywołane czynnikami zawodowymi (alergie zawodowe)

Choroby uczuleniowe ostatnio stały się dla wielu osób poważnym problemem zdrowotnym (→ s. 338). Z wykonywaniem określonych zawodów łączy się narażenie na następujące alergeny:

*Przemysł metalowy:* środki czyszczące i rozpuszczalniki, hydrobromit, hydrazyny (przy lutowaniu), chrom, nikiel, kobalt, kadm, beryl, uran.

*Przemysł elektrotechniczny:* chloroparafina, żywice epoksydowe, trójetylenoczteroaminowe utwardzacze, formaldehyd.

*Przemysł chemiczny i farmaceutyczny:* izocyjaniany, aldehydy, aromatyczne związki nitrowe, p-aminy, hydrazyna, peptydy, proteazy, metale ciężkie, terpentyna, benzen, toluen, anizol, tworzywa sztuczne, metale.

*Przemysł tworzyw sztucznych:* fenol, formalina, żywice epoksydowe, wszystkie tworzywa sztuczne.

*Przemysł drukarski:* terpentyna, ksylol, pochodne aniliny, chrom, kobalt, nikiel w farbie drukarskiej, guma.

*Przemysł fotograficzny:* wywoływacze, utrwalacze, związki barwiące, wzmacniacze, roztwory służące do kopiowania.

*Przemysł gumowy*: przyspieszacze, kalafonia, azozwiązki, guma.

*Przemysł tekstylny*: barwniki anilinowe, środki antyseptyczne, środki molobójcze, kobalt, środki apreturowe, chrom, nikiel, rtęć, zwilżacze, formaldehyd, pyły organiczne.

*Obróbka drewna*: formalina, pirydyna, fenol, chrom.

*Budownictwo i malarze*: fenol, rozpuszczalniki, lakiery, formalina, terpentyna, metale, farby, kleje, cement budowlany.

*Obszar medyczny*: środki dezynfekcyjne, leki (np. antybiotyki albo środki miejscowego znieczulania).

*Fryzjerzy*: środki do farbowania, wybielania, mycia, utrwalania, kosmetyki, środki konserwujące, rtęć.

*Gospodarstwo domowe*: środki czystości, dezynfekcyjne, woski, substancje wybielające, rękawiczki gumowe.

*Rolnictwo*: pyły organiczne, środki ochrony roślin, sztuczny nawóz, saletra wapniowo-amonowa, kobalt (w razie stosowania paszy wzbogaconej), antybiotyki, środki konserwujące.

Gdy jesteśmy zmuszeni do stosowania tych związków i substancji, należy bezwzględnie:
— przestrzegać przepisów bezpieczeństwa,
— przy odczuwaniu dolegliwości, zauważeniu zmian skórnych, pojawieniu się chorób dróg oddechowych, dolegliwości ocznych i tym podobnych — natychmiast udać się do lekarza i poinformować go o kontakcie z wymienionymi substancjami.

## Rak wywołany czynnikami środowiska pracy

Od dwustu lat wiadomo, że wykonywanie pewnych zawodów sprzyja zachorowaniu na raka. Dotychczas badania naukowe wykazały, że z ponad sześciuset tysięcy różnych związków chemicznych, znajdujących powszechne zastosowanie, więcej niż 1000 substancji może wywołać raka (kancerogeny). Co roku chemia wprowadza do obiegu tysiąc nowych związków. W tym samym czasie zaledwie 77 związków udaje się poddać badaniom w celu sprawdzenia, czy nie są rakotwórcze. Przyczyną tego stanu jest albo brak czasu na przeprowadzenie testów, albo niedostatki finansowe.

W jeszcze mniejszym stopniu wyjaśniana jest interakcja dwóch lub więcej związków obecnych w naszym organizmie.

W Niemczech i Austrii wprowadzono szczególne przepisy bezpieczeństwa dla związków chemicznych, które z największym prawdopodobieństwem powodują pojawienie się złośliwych guzów. Ponieważ związki rakotwórcze przy każdym stężeniu są niebezpieczne, nie ogłasza się dla nich maksymalnie dozwolonych stężeń. Dla niektórych kancerogenów ustala się jednak stężenia, które według dzisiejszego stanu techniki mogą być zapewnione. Są to tzw. technicznie realne koncentracje, których nie wolno przekraczać na stanowisku pracy. Jeśli to tylko możliwe, należy unikać kontaktu z substancjami rakotwórczymi. Gdy ich użycie w danym procesie technologicznym jest nieodzowne, muszą być przestrzegane szczególne środki ostrożności:
— Konieczna jest regularna kontrola powietrza na stanowisku pracy.
— Ograniczony musi być czas pracy w kontakcie z tymi substancjami.

— Bezwzględnie należy nosić indywidualne ochrony dróg oddechowych i odpowiednie ubiory ochronne.
— Pracownicy mający kontakt z substancjami rakotwórczymi muszą podlegać szczególnemu nadzorowi lekarskiemu.

Od momentu wystąpienia choroby nowotworowej do chwili jej ujawnienia się, w przypadku nowotworów pochodzenia zawodowego, upływa około dwudziestu lat. Zastosowane środki ochronne doprowadziły do tego, że ich udział wśród wszystkich przypadków chorób zawodowych, zmniejszył się do około 6%. Podana wielkość dotyczy Niemiec i może mieć odmienną wartość w innych krajach. W roku 1987 Niemieckie Towarzystwo Badawcze opublikowało wykaz zawierający sto pięćdziesiąt dwie substancje uważane za rakotwórcze. Odpowiedni wykaz austriacki zawiera jak dotąd mniejszą liczbę takich substancji. Bliższe informacje na temat zagrożenia rakiem pochodzenia zawodowego można uzyskać u swojego lekarza zakładowego.

### Najważniejsze substancje rakotwórcze występujące w środowisku pracy

*Dwuchlorometylowy eter (DCME)*
Robotnicy mający kontakt z substancją DCME ponoszą od sześciu do dziewięciu razy większe ryzyko zachorowania na raka płuc niż osoby nienarażone. Ryzyko to ulega dalszemu zwiększeniu u palaczy tytoniu. DCME jest używany w licznych procesach technologicznych w laboratoriach biologicznych i chemicznych, w pracowniach zajmujących się hodowlą insektów oraz w fabrykach papieru i wytwórniach płyt paździerzowych.

*Dymy i gazy emitowane przez koksownie*
Kto przez dłuższy czas — dłużej niż pięć lat — pracuje w pobliżu pieców koksowniczych, jest obciążony jedenastokrotnie ryzykiem zachorowania na raka płuc.

*Benzen*
Benzen jest przyczyną zachorowania na białaczkę. Zawierają go wszystkie produkty uzyskiwane z ropy.

## Substancje podejrzane o działanie rakotwórcze

*Udowodniono, że siedemnaście substancji wywołuje u człowieka raka:*

4-aminodifenyl, arsen-kwas i sole, azbest, benzydyna, benzen, dwuchlorometyloeter, smoła z węgla brunatnego, pył drewna bukowego i dębowego, 4-chlor-0-toluidyna, dwuchlorodwuetylosiarczek, n-metyl-bis-monochlodimetylowy eter, 2-naftyloamina, nikiel, smoła z węgla kamiennego, lepik i oleje, chlorek winylu, chromian cynku.

W przypadku siedemdziesięciu pięciu dalszych związków stwierdzono w doświadczeniu na zwierzętach, że wywołują raka. Prawdopodobnie także są rakotwórcze dla człowieka. Do tych związków należą: związki berylu, chlorki kadmu, związki II- i IV-wartościowe chromu, kobalt, spaliny silników diesla, hydrazyna, N-nitrozozwiązki. Istnieje uzasadnione podejrzenie rakotwórczego działania w odniesieniu do kolejnych pięćdziesięciu dziewięciu substancji.

*Benzopyren*

Benzopyren należy do wielopierścieniowych, aromatycznych węglowodorów (WWA) powstających podczas niedostatecznych procesów spalania; znajdują się wszędzie w naszym otoczeniu. Są wyrzucane przez kominy przemysłowe oraz z układów wydechowych silników samochodowych. Zatruwają powietrze, wodę i ziemię. Osadzają się na zbożu, warzywach i owocach, wraz z żywnością dostają się do organizmu.

Pracownicy następujących zawodów są szczególnie narażeni na wpływ benzopyrenu: dekarze, izolatorzy, pracownicy gazowni, zajmujący się upłynnianiem węgla, stalownicy, wielkopiecowi, kładący asfalt. Oni ponoszą zwiększone ryzyko zachorowania na raka płuc, ust, warg, gardła, krtani oraz przełyku.

*Metale*

Nikiel, arsen i związki chromu są silnymi kancerogenami, które wywołują przede wszystkim raka płuc. Kadm — stosowany w galwanotechnice, w przemyśle gumowym, wytwórniach baterii i w przemyśle tworzyw sztucznych — przyczynia się do zachorowania na raka płuc i gruczołu sterczowego (prostaty). Beryl, kobalt, cynk i tytan prawdopodobnie również są rakotwórcze.

Zwiększone ryzyko zachorowania na raka pęcherza i języka obciąża instalatorów sanitarnych, pracowników metalowców i konstrukcyjnych oraz spawaczy. Na raka trzustki częściej chorują robotnicy hut aluminium i blacharze posługujący się blachami metalowymi.

U instalatorów i wśród pracowników hut aluminium stwierdza się często guzy układu limfatycznego.

*Azbest*

Jest szeroko rozpowszechniony (→ s. 763). Drobniutkie włókna tego materiału mogą mechanicznie uszkodzić komórki płucne. Co piąty pracownik spośród osób mających wieloletni kontakt z azbestem umiera na raka płuc.

*Pyły promieniotwórcze*

Wraz z pyłem do ustroju mogą się przedostać materiały promieniotwórcze. To niebezpieczeństwo zagraża głównie górnikom pracującym pod ziemią. Na składowiskach i złożach rud żelaza, wolframu, miedzi, cynku, fluorytu i glinu występuje promieniotwórczy gaz radon. W kopalniach uranu dawka otrzymywana w związku z narażeniem na wpływ różnych izotopów promieniotwórczych łączących się z drobinami pyłu, jest dwudziestokrotnie większa niż dawka wynikająca z wdychania powietrza zanieczyszczonego radonem.

*Pył drewna*

Zatrudnieni w przemyśle przetwórstwa drewna narażeni są na większe ryzyko zachorowania na raka. U stolarzy, drwali, leśniczych, pracowników fabryk papieru oraz u osób zatrudnionych przy produkcji płyt sklejkowych stwierdza się częściej raka żołądka, układu krwiotwórczego i układu limfatycznego. Stolarze produkujący meble chorują częściej na raka nosa i zatok przynosowych. Dotąd nie wyjaśniono, czy bezpośrednią przyczyną nowotworu jest sam pył drewna, produkty jego rozkładu czy też inna substancja występująca na tych stanowiskach pracy.

## Choroby zawodowe

Odmiennie, niż to się zdarza w wielu innych jednostkach chorobowych, statystyki chorób zawodowych wykazują trend malejący. Sugerowany w ten sposób obraz jest jednak fałszywy. Liczne przypadki zachorowań nie są rozpoznawane lub są przypisywane innym przyczynom. Tylko wtedy, gdy chodzi o zatrucia substancjami występującymi w środowisku pracy, związek istniejący między zachorowaniem a narażeniem nie budzi wątpliwości. Jednakże liczne substancje chemiczne swój wpływ ujawniają dopiero po dłuższym czasie, a gdy chodzi o działanie rakotwórcze lub o skutki w zakresie informacji genetycznej — czas potrzebny na ujawnienie się szkodliwego działania wynosi kilka dziesięcioleci. Jak wiadomo, w niektórych przypadkach do wywołania procesu chorobowego w odległym czasie wystarcza jednorazowy kontakt ze szkodliwą substancją.

Aktualny wykaz chorób zawodowych, obowiązujący w Niemczech, obejmuje pięćdziesiąt pięć różnych jednostek chorobowych, natomiast wykaz obowiązujący w Austrii ma tylko czter-

### Zapobieganie zachorowaniu na raka z przyczyn zawodowych

— U pracodawcy lub inspektora bhp należy zasięgnąć informacji, jakie najwyższe dozwolone stężenia — uśrednione i chwilowe — obowiązują w odniesieniu do związków i substancji, z którymi mamy do czynienia na stanowisku pracy lub które występują w parach i dymach przez nas wdychanych. Należy także wyjaśnić, czy w pracy narażeni jesteśmy na kontakt z substancjami o stwierdzonym lub podejrzewanym działaniu rakotwórczym. W razie istnienia takiego narażenia należy dowiedzieć się, jak duże są oficjalnie podane stężenia technicznie realne. Informacji może też udzielić Państwowa Inspekcja Pracy, Państwowa Inspekcja Sanitarna oraz lekarze przychodni zakładowej.

— Należy domagać się od pracodawcy okresowego wykonywania pomiarów stężeń substancji szkodliwych i rakotwórczych oraz utrzymywania poziomu stężeń poniżej NDS — najwyższego dozwolonego stężenia uśrednionego i chwilowego.

— Należy wymusić na pracodawcy zastosowanie istniejących środków technicznych i organizacyjnych, służących ochronie zdrowia, a przewidzianych w obowiązujących przepisach (np. zainstalowania wyciągów i systemów wentylacji nawiewowej i wywiewowej).

— Samemu należy bezwzględnie stosować się do wydanych przepisów bezpieczeństwa i ochrony zdrowia. Podczas pracy należy nosić zalecane maski ochronne, okulary ochronne, rękawice i ubiory ochronne, także wtedy, gdy ich noszenie jest uciążliwe.

— Regularnie należy się poddawać badaniom okresowym i kontrolnym. W razie zauważenia niezwykłych objawów lub odczuwania dolegliwości natychmiast należy udać się do lekarza w celu wyjaśnienia sprawy.

dzieści cztery jednostki. Czterdzieści z nich wywołują szkodliwe substancje chemiczne występujące w środowisku pracy. Pierwsze miejsce — pod względem częstotliwości występowania — zajmuje zawodowe uszkodzenie słuchu. Drugie miejsce zajmują choroby skórne. Wykaz chorób zawodowych obowiązujący w Polsce zawiera dwadzieścia różnych chorób lub grup chorób. Te ostatnie w wykazach wymienionych wyżej są rozpisane na poszczególne jednostki chorobowe, co tłumaczy różnicę liczby chorób zawodowych uznawanych w Niemczech i w Polsce.

W swojej istocie wykazy są podobne, częstotliwość zachorowań na poszczególne choroby jest również zbliżona.

### Długa droga do oficjalnego stwierdzenia choroby zawodowej

Uzyskanie odszkodowania za doznaną chorobę zawodową wymaga przejścia uciążliwej drogi. Najpierw lekarz musi powziąć uzasadnione podejrzenie, że istnieje związek między daną chorobą a warunkami pracy. Oficjalne postępowanie zaczyna się w Niemczech od zgłoszenia przypadku podejrzenia o chorobę zawodową w związkach zawodowych oraz w inspekcji zawodowej. W Austrii zgłoszenie przyjmuje inspektorat pracy oraz powszechny zakład ubezpieczeń.

Dana komórka związkowa lub inspektorat pracy wszczyna dochodzenie, zlecając lekarzowi specjaliście w zakresie medycyny pracy rozstrzygnięcie, czy choroba odpowiada kryterium choroby zawodowej, czy pacjentowi należy się odszkodowanie oraz w jakiej wysokości. Ostateczną decyzję podejmuje instancja związkowa lub komisja powszechnego zakładu ubezpieczeń.

Gdy wyjściowe roszczenie poszkodowanego zostaje odrzucone, a zachorowanie nie zostaje uznane za chorobę zawodową, pomóc może już tylko wniesienie skargi do sądu społecznego i udowodnienie swoich racji w postępowaniu sądowym. Wymaga to często zgromadzenia wielu dodatkowych opinii oraz ekspertyz. Sprawa może trwać latami. To, że do chorób zawodowych dochodzi niemal wyłącznie na skutek zaniedbań w zakresie ochrony pracy, dla poszkodowanego nie ma żadnego znaczenia. Obiegowy jest bowiem pogląd, że nikt nie dba o nasze zdrowie tak, jak sami możemy to czynić. Dlatego też bardzo poważnie należy traktować wszelkie obowiązki w zakresie ochrony zdrowia, nakazane we własnym zakładzie pracy.

W Polsce do rozpoznania choroby zawodowej konieczne jest spełnienie trzech warunków:

---

**Lektura uzupełniająca**

ABU BAKAR CHE MAN, GOLD D.: *Bezpieczeństwo i zdrowie a substancje chemiczne w pracy*. Instytut Medycyny Pracy, Łódź 1994.
*Praca z azbestem*. Fundacja Gospodarcza NSZZ „Solidarność", Gdańsk 1994.

1. Choroba musi być wymieniona w wykazie chorób zawodowych.

2. Musi być określony rodzaj, stopień natężenia i czas działania czynnika szkodliwego, sposób wykonywania pracy oraz kontaktu z czynnikiem szkodliwym, zakaźnym, uczuleniowym lub rakotwórczym.

3. Zespół objawów chorobowych winien odpowiadać skutkom biologicznego działania szkodliwego czynnika zawodowego.

Początkiem sprawy jest powzięcie podejrzenia przez poszkodowanego pracownika lub przez lekarza, że dana choroba może być chorobą zawodową. Po zgłoszeniu podejrzenia Terenowemu Państwowemu Inspektorowi Sanitarnemu, przeprowadzany jest wywiad środowiskowy spełniający wymogi określone w punkcie drugim, a pracownik w specjalistycznej przychodni przemysłowej jest poddawany badaniom lekarskim. Gdy jego wynik odpowiada warunkom punktu trzeciego i wywiad środowiskowy potwierdza fakt narażenia zawodowego, Terenowy Państwowy Inspektor Sanitarny wydaje decyzję o „stwierdzeniu choroby zawodowej". W przypadkach wątpliwych oraz gdy wynik postępowania jest dla pracownika niekorzystny, może się on odwołać aż do Głównego Państwowego Inspektora Sanitarnego, którym jest jeden z zastępców ministra zdrowia i opieki społecznej. Ponowne badanie lekarskie, podejmowane w trybie odwoławczym, jest wówczas przeprowadzane w jednym z dwóch Instytutów Medycyny Pracy — w Łodzi lub w Sosnowcu.

Stwierdzenie u danego pracownika choroby zawodowej nie zawsze pociąga za sobą orzeczenia inwalidztwa. Tym zajmuje się Komisja Inwalidztwa Zawodowego (KIZ) Zakładu Ubezpieczeń Społecznych w odrębnym postępowaniu. W razie uznania przez tę komisję istnienia inwalidztwa poszkodowany może uzyskać — prócz odpowiedniego odszkodowania — rentę z tytułu choroby zawodowej.

# SKOROWIDZ RZECZOWY

Skorowidz nie obejmuje części DOLEGLIWOŚCI I OBJAWY

Skorowidz zestawili
Bogna Śliwińska-Kotyla
Przemysław Kotyla